DER NEUE PAULY

Rezeptions- und Wissenschaftsgeschichte Band 15/2 Pae–Sch

DER NEUE PAULY
(DNP)

DER NEUE PAULY

Enzyklopädie der Antike

In Verbindung mit
Hubert Cancik und
Helmuth Schneider
herausgegeben
von Manfred Landfester

Rezeptions- und
Wissenschafts-
geschichte

Band 15/2 Pae–Sch

Verlag J. B. Metzler
Stuttgart · Weimar

Die Deutsche Bibliothek – CIP-Einheitsaufnahme

Der neue Pauly : Enzyklopädie der Antike /
hrsg. von Hubert Cancik und
Helmuth Schneider.-
Stuttgart ; Weimar : Metzler
   ISBN 3-476-01470-3

Bd. 15/2. Rezeptions- und Wissenschaftsgeschichte.
   2. Pae–Sch – 2002
   ISBN 3-476-01488–6

ISBN 3-476-01470-3 (Gesamtwerk)
ISBN 3-476-01488–6 (Band 15/2 Pae-Sch)

© 2002 J. B. Metzlersche Verlagsbuchhandlung und Carl Ernst Poeschel
Verlag GmbH in Stuttgart

Typographie und Ausstattung:
Brigitte und Hans Peter Willberg
Grafik und Typographie der Karten:
Richard Szydlak und
geoGraphisches Büro Günter Müller
Satz: pagina GmbH, Tübingen
Gesamtfertigung: Ebner & Spiegel
GmbH, Ulm
Printed in Germany

Oktober 2002
Verlag J. B. Metzler Stuttgart · Weimar
www.metzlerverlag.de
info@metzlerverlag.de

Inhaltsverzeichnis

Redaktion

Frank Bäcker
Tina Jerke
Kerstin Lepper
mit:
Dr. Christa Frateantonio
Annemarie Haas
Klaus Kokoschinsky
Gaby Kosa
Marlies Schmidt

Hinweise für die Benutzung

Anordnung der Stichwörter

Die Stichwörter sind in der Reihenfolge des deutschen Alphabetes angeordnet. I und J werden gleich behandelt; ä ist wie ae, ö wie oe, ü wie ue einsortiert. Wenn es zu einem Stichwort (Lemma) Varianten gibt, wird von der alternativen Schreibweise auf den gewählten Eintrag verwiesen. Bei zweigliedrigen Stichwörtern muß daher unter beiden Bestandteilen gesucht werden.

Informationen, die nicht als Lemma gefaßt worden sind, können mit Hilfe des Registerbandes aufgefunden werden.

Gleichlautende Stichworte sind durch Numerierung unterschieden.

Transkriptionen

Zu den im NEUEN PAULY verwendeten Transkriptionen vgl. S. VIf. und AWI Bd. 3, S. VIIIf.

Anmerkungen

Die Anmerkungen enthalten lediglich bibliographische Angaben. Im Text der Artikel wird auf sie unter Verwendung eckiger Klammern verwiesen (Beispiel: die Angabe [1. 5²³] bezieht sich auf den ersten numerierten Titel der Bibliographie, Seite 5, Anmerkung 23). Zur Unterscheidung von Quellen und Sekundärliteratur enthalten Bibliographien entsprechende Überschriften: QU und LIT.

Verweise

Die Verbindung der Artikel untereinander wird durch Querverweise hergestellt. Dies geschieht im Text eines Artikels durch einen Pfeil (→) vor dem Wort / Lemma, auf das verwiesen wird; wird auf homonyme Lemmata verwiesen, ist meist auch die laufende Nummer beigefügt.

Querverweise auf verwandte Lemmata sind am Schluß eines Artikels, ggf. vor den bibliographischen Anmerkungen, angegeben.

Verweisen auf Stichworte des ersten, altertumswissenschaftlichen Teiles des NEUEN PAULY ist ein AWI und Pfeil vorangestellt (AWI → Elegie).

Karten und Abbildungen

Texte, Abbildungen und Karten stehen in der Regel in engem Konnex, erläutern sich gegenseitig. In einigen Fällen ergänzen Karten und Abbildungen die Texte durch die Behandlung von Fragestellungen, die im Text nicht angesprochen werden können.

Transkriptionen

Transkriptionstabelle Altgriechisch

α	a	Alpha
αι	ai	
αυ	au	
β	b	Beta
γ	g	Gamma; γ vor γ, κ, ξ, χ: n
δ	d	Delta
ε	e	Epsilon
ει	ei	
ευ	eu	
ζ	z	Zeta
η	ē	Eta
ηυ	ēu	
θ	th	Theta
ι	i	Iota
κ	k	Kappa
λ	l	Lambda
μ	m	My
ν	n	Ny
ξ	x	Xi
ο	o	Omikron
οι	oi	
ου	ou oder u	
π	p	Pi
ρ	r	Rho
σ, ς	s	Sigma
τ	t	Tau
υ	y	Ypsilon
φ	ph	Phi
χ	ch	Chi
ψ	ps	Psi
ω	ō	Omega
ʽ	h	
ᾳ	ai	Iota subscriptum (analog ῃ, ῳ)

Die verschiedenen griechischen Akzente werden in der Umschrift einheitlich durch Akut (´) angegeben.

Transkription und Aussprache Neugriechisch

Verzeichnet werden nur Laute und Lautkombinationen, die vom Altgriechischen abweichen.

Konsonanten

β	v	
γ	gh	vor dunklen Vokalen, wie norddt. ›Tage‹
	j	vor hellen Vokalen
δ	dh	wie engl. ›the‹
ζ	z	wie frz. ›zèle‹
θ	th	wie engl. ›thing‹

Konsonantenverbindungen

γκ	ng	
	g	am Wortanfang
μπ	mb	
	b	am Wortanfang
ντ	nd	
	d	am Wortanfang

Vokale

η	i
υ	i

Diphthonge

αι	e	
αυ	av	
	af	vor harten Konsonanten
ει	i	
ευ	ev	
	ef	vor harten Konsonanten
οι	i	
υι	ii	

Spiritus Asper wird nicht gesprochen. Der altgriechische Akzent bleibt im allg. an der angestammten Stelle stehen. Doch ist die Distinktion zwischen ´, ` und ~ verschwunden.

Transkriptionstabelle
Hebräisch Konsonanten

א	a	Alef
ב	b	Bet
ג	g	Gimel
ד	d	Dalet
ה	h	He
ו	w	Waw
ז	z	Zajin
ח	ḥ	Chet
ט	ṭ	Tet
י	y	Jud
כ	k	Kaf
ל	l	Lamed
מ	m	Mem
נ	n	Nun
ס	s	Samech
ע	ʿ	Ajin
פ	p/f	Pe
צ	ṣ	Zade
ק	q	Kuf
ר	r	Resch
ש	ś	Sin
ש	š	Schin
ת	t	Taw

Aussprache
Türkisch

Das Türkische verwendet seit 1928 die lateinische Schrift. Grundsätzlich gelten in ihr Laut-/Schriftentsprechungen wie in den europäischen Sprachen, v.a. wie im Deutschen. Im folgenden sind daher nur Abweichungen vom Deutschen aufgeführt.

C	c	wie italienisch ›giorno‹
Ç	ç	wie italienisch ›cento‹
Ğ	ğ	wie norddeutsch g in ›Tage‹, heute manchmal unhörbar
H	h	stets aussprechen, nie dt. Dehnungs-h wie in ›fehlen‹
İ	i	wie deutsch i in ›Stift‹
Ĭ, I	ĭ, ı	für das Türkische typischer, sehr offener i-Laut, nicht wie deutsches i
J	j	wie frz. ›jour‹
Ş	ş	wie dt. sch in ›Schule‹
Y	y	wie deutsches j in ›Jahr‹
Z	z	wie frz. ›zèle‹, also stets weich

Transkriptionstabelle
Arabisch, Persisch, Osmanisch

ا,ء	ʾ, ā	ʾ	ʾ	Hamza, Alif
ب	b	b	b	Bāʾ
پ	–	p	p	Pe
ت	t	t	t	Tāʾ
ث	ṯ	s̱	s̱	Ṯāʾ
ج	ǧ	ǧ	ǧ	Ǧīm
چ	–	č	č	Čim
ح	ḥ	ḥ	ḥ	Ḥāʾ
خ	ḫ	ḫ	ḫ	Ḫāʾ
د	d	d	d	Dāl
ذ	ḏ	ẕ	ẕ	Ḏāl
ر	r	r	r	Rāʾ
ز	z	z	z	Zāy
ژ	–	ž	ž	Že
س ش	s	s	s	Sīn
ش	š	š	š	Šīn
ص	ṣ	ṣ	ṣ	Ṣād
ض	ḍ	ḍ	ḍ	Ḍād
ط	ṭ	ṭ	ṭ	Ṭāʾ
ظ	ẓ	ẓ	ẓ	Ẓāʾ
ع	ʿ	ʿ	ʿ	ʿAin
غ	ġ	ġ	ġ	Ġain
ف	f	f	f	Fāʾ
ق	q	q	q, k	Qāf
ك	k	k	k, g, ñ	Kāf
گ	–	g	g, ñ	Gāf
ل	l	l	l	Lām
م	m	m	m	Mīm
ن	n	n	n	Nūn
ه	h	h	h	Hāʾ
و	w, ū	v	v	Wāw
ي	y, ī	y	y	Yāʾ

Transkription anderer Sprachen

Akkadisch (Assyrisch-Babylonisch), Hethitisch und Sumerisch werden nach den Regeln des RLA bzw. des TAVO transkribiert. Für Ägyptisch werden die Regeln des Lexikons der Ägyptologie angewandt.

Die Transkription des Urindogermanischen erfolgt nach Rix, HGG, die der indischen Schriften nach M. Mayrhofer, Etymologisches Wörterbuch des Altindoarischen, 1992ff. Avestisch wird nach K. Hoffmann, B. Forssman, Avestische Laut- und Flexionslehre, 1996, Altpersisch nach R.G. Kent, Old Persian, ²1953 (Ergänzungen bei K. Hoffmann, Aufsätze zur Indoiranistik Bd. 2, 1976, 622ff.) transkribiert, die übrigen iranischen Sprachen nach R. Schmitt, Compendium linguarum Iranicarum, 1989, bzw. nach D.N. MacKenzie, A Concise Pahlavi Dictionary, ³1990. Bei Armenisch gelten die Richtlinien bei R. Schmitt, Grammatik des Klassisch-Armenischen, 1981, bzw. der Revue des études arméniennes. Für die Transkription kleinasiatischer Sprachen vgl. das HbdOr, für Mykenisch, Kyprisch vgl. Heubeck bzw. Masson; für italische Schriften und Etruskisch vgl. Vetter bzw. ET.

Lemmata in Band 15/2

P

Pädagogik   A. Begriff   B. Geschichte

A. Begriff

Pädagogik ist die Wiss. von der Erziehung und → Bildung. Sie kann philos., theologische oder erfahrungswiss. (mit psychologischer oder soziologischer Forsch. assoziierte) Theorie der Erziehung und Bildung sein; inhaltlich bezieht sie sich entsprechend den fundamentalen pädagogischen Themen und Problemen auf Wesen und Ziel, Methoden, Mittel und Maßnahmen, Inhalte und Wege, anthropologische und weltanschauliche Grundlagen der Erziehung und Bildung.

B. Geschichte

Pädagogik gibt es als relativ selbständige Wiss. erst seit dem E. des 18. Jh. Vorher ist pädagogische Reflexion und Theorie im europ. Kulturbereich eingebettet in philos. und theologische Spekulation über Gott, Welt und Mensch. Eine philos., erstmals alle Fragen um Erziehung und Bildung erörternde und beantwortende pädagogische Theorie findet man bei Platon. Von ihm her ist das gesamte spätere philos. Nachdenken über Erziehung und Bildung bis hinein in die christl. Theologie und bis hin zur Aufklärungsphilos. des 18. Jh. beeinflußt. Die Nachwirkung der Ant. in allem späteren Denken über Erziehung und Bildung ist damit gesichert. Von einer P. im Sinne einer relativ selbständigen Einzelwiss. kann jedoch in Ant. und MA noch nicht die Rede sein. In den Einteilungen der Philos. in Einzeldisziplinen bei Aristoteles figuriert die P. noch nicht (obwohl sie in der praktischen Philos. nach Ethik und Politik ihren Platz hätte haben können). Eine relativ selbständige Einzelwiss. P. hat sich nach ersten Ansätzen in der Didaktik des 17. Jh. auf der Grundlage der Entdeckung des Sondercharakters des Kindes sowie im Glauben an die universelle Macht der Erziehung erst aus der Aufklärungsphilos. des 18. Jh. herausgebildet. Es ist zu fragen, inwiefern diese P. in ihren wichtigsten theoretischen Ansätzen auf die Ant. bezogen oder von ihr beeinflußt ist.

Den ersten deutlichen Bezug zur ant. Philos. findet man nicht so sehr in den Entwürfen und Programmen einer selbständigen P., wie sie aus der dt. Aufklärungsphilos. (E.Chr. Trapp, 1780) oder dem Kantianismus (Kant, 1803; F.J. Niethammer, 1795, oder J.Chr. Greiling, 1793) hervorgehen, sondern in den pädagogischen Systemen J.F. Herbarts (1776–1841) und F.D.E. Schleiermachers (1768–1834). Herbart konzipiert die P. in seiner *Allg. P., aus dem Zweck der Erziehung abgeleitet* (1806) [10] und in seinem *Umriß pädagogischer Vorlesungen* (1835) [11] als eine relativ selbständige philos. Einzelwiss., welche von der → praktischen Philosophie (Ethik) und von der Psychologie abhängig ist. Die Ethik zeigt der P. das Ziel der Bildung, die Psychologie zeigt ihr den Weg, die Mittel und die Hindernisse der Erziehung. Gerade in der normativen Begründung der P.

durch die praktische Philos. manifestiert sich bei Herbart am deutlichsten der Einfluß der ant. Philosophie. Die praktischen Ideen, aus welchen sich bei Herbart der Begriff der Tugend als des Ideals des Menschseins und des letzten Zwecks aller Erziehung ergibt, haben einen direkten Bezug zum Idealbild des Menschen in Platons *Politeía*, auf welches hin die Wächter seines Idealstaates erzogen werden und welches sich im System der vier Kardinaltugenden ausdrückt (Plat. rep. IV,427d–434c). Auch für F.D.E. Schleiermacher ist die P., wie sich aus seinen Vorlesungen über die Theorie der Erziehung (1813 und 1826) ergibt, eine mit der Ethik zusammenhängende, aus ihr abgeleitete Wiss., der Politik koordiniert. Der wesentliche Bezug dieser P. zur Ant. ergibt sich auch wieder aus der Ethik, welche zwar nicht, wie diejenige Herbarts, ein System zeitloser, unbedingter Normen ist, sondern sich auf die gesamte Kulturgeschichte der Menschheit bezieht, in dieser aber die zunehmende und fortschreitende Verwirklichung der Idee des Guten studiert. Der Begriff der Idee des Guten bei Schleiermacher ist zweifellos von der obersten Idee Platons inspiriert, wie sie von diesem als höchstes Prinzip aller Ideen und der übrigen Wirklichkeit in der *Politeía* dargestellt wird (Plat. rep. VI,508e1–509b10). Wie bei Platon die Erkenntnis der Idee des Guten auch das höchste Ziel der Paideia ist, so muß auch nach Schleiermacher die Erziehung den Menschen entsprechend der Idee des Guten ausbilden. Die P. ist demzufolge laut Schleiermacher spekulative Wiss., sofern sie die Erziehung auf die Idee des Guten bezieht, aber auch empirische Wiss. durch Anwendung des spekulativen Prinzips der Erziehung auf gewisse gegebene faktische Grundlagen.

Bei Herbart und Schleiermacher sind gewissermaßen die künftigen Entwicklungen der P. als Wiss. im 19. und 20. Jh. grundsätzlich schon vorgezeichnet. Die P. hat sich wesentlich als normative P., beruhend auf einer philos.-aprioristischen Ethik (wie sie bei Herbart schon initiiert ist), ferner als geisteswiss. P. auf der Grundlage einer Kultur- und Geschichtsphilos. (wie sie schon bei Schleiermacher angedeutet ist) und schließlich als empirische P. auf der Basis einer empirischen Psychologie und Soziologie entwickelt (was bei Herbart und Schleiermacher nur in Rudimenten faßbar ist). Die emanzipatorische P. und die P. der Postmoderne gehen noch über die bei Herbart und Schleiermacher erkennbaren Ansätze hinaus (indem sie sich auf neomarxistische Gesellschaftskritik gründen bzw. auf den mod. Erziehungsgedanken überhaupt verlassen). Der Einfluß der Ant. bzw. der Rückbezug auf sie zeigen sich am deutlichsten in der normativen P. und in der geisteswiss. Pädagogik.

Die bedeutendste Ausprägung der normativen P. im 20. Jh. ist aus histor. Perspektive gesehen zweifellos die P. des Neukantianismus, welche die P. ganz aus der Philos. als Grundwiss. ableitet und im Gegensatz zu aller empirischen P. die Gesetzeswiss. der Ethik, Logik und Ästhetik als grundlegend für die P. ansieht. Der erste bedeutende Vertreter dieser normativen P. ist zugleich in seiner Philos. und P. am deutlichsten auf die Ant., und d. h. auf die Bildungsphilos. Platons, bezogen, nämlich Paul Natorp (1854–1924). Seit 1885 Professor für Philos. und P. in Marburg, trat er bereits 1903 mit einer Abhandlung über *Platos Ideenlehre* [14] hervor. Seine Begründung der P. durch die genannten Normwiss., durch die Philos. als Ganzes (und eben nicht nur durch Ethik und Psychologie wie bei Herbart) leitet er explizit von dem Vorbild Platons her [17]. Auch sein Begriff der Bildung und des Erziehungsziels, welcher die allseitige Entfaltung der wiss. (logischen), künstlerischen (ästhetischen) und ethischen Bestrebungen des Menschen in der Idee ein letztes einheitliches Zentrum finden läßt, ist ebenso wie übrigens seine Sozialphilos. und Sozial-P. platonisch beeinflußt [13; 15; 16; 18].

Die geisteswiss. P. des 20. Jh. verdankt neben Schleiermacher dem großen Theoretiker der Geisteswiss., W. Dilthey (1833–1911), wesentliche Impulse: In seiner Akad.-Abhandlung *Über die Möglichkeit einer allgemeingültigen pädagogischen Wiss.* (1888) [4] ebenso wie in seinen Vorlesungen zu *Geschichte und Grundlinien des Systems der P.* hat er die alte (im Grunde auf Platon zurückgehende) metaphysische Letztbegründung der P. verabschiedet und seine neue P. auf einer geisteswiss. Psychologie und später auf einer Hermeneutik der Kultur in ihrer geschichtlichen Entwicklung gegründet. Dennoch bleibt gerade bei ihm und seinen Nachfolgern der Bezug der P. zur Ant. erhalten: Seine teleologische Seelenlehre, aus der er das allgemeingültige Ziel der Erziehung und Bildung ableitet, trägt deutlich aristotelische Züge, und seine Geschichte der P., welche bei ihm auch systematisch ein neues Gewicht erhält, führt die europ. Bildungsgeschichte bis auf die Griechen und Römer zurück [5. 20ff., 55ff.].

Dilthey hat im Grunde für die gesamte geisteswiss. P. richtungweisende Akzente gesetzt, auch für deren Verhältnis zur Ant. und zur human. Bildung: Obwohl sein Schüler Hermann Nohl (1879–1960) auch die Begründung des Bildungsziels bei Dilthey durch die teleologische Seelenlehre (wonach das allgemeingültige Zweckminimum in der auf das Telos der Selbsterhaltung und Arterhaltung angelegten Seele schon enthalten sein soll) noch ablehnte und die Aufgabe der P. nun voll auf eine geisteswiss. Hermeneutik der Erziehungswirklichkeit als eines bestimmten Sektors der Gesamtkultur in ihrer geschichtlichen Entwicklung konzentrierte, blieb gerade der Einfluß des philos. Menschenbildes Platons mit seiner Überordnung der Vernunftschicht (des λογιστικόν), von Nohl als Einheit der Person und als geistige Grundrichtungen verstanden, über das Muthafte, Willensmäßige (das θυμοειδές) und die Triebschicht der Begierden (das ἐπιθυμητικόν) (Plat. rep. IV,434d ff.) sowohl in Nohls Interpretation und systematischer Auswertung der pädagogischen Geistesgeschichte als auch

in seiner eigenen pädagogischen Anthropologie erhalten (vgl. [19; 20]). Dieser Einfluß eines auf die Geistigkeit des Menschen und seine Humanität ausgerichteten Menschenbildes in der geisteswiss. P. hat zur Folge gehabt, daß sie trotz ihres weltanschaulichen Neutralismus und einer gewissen Neigung zum Historismus und Werterelativismus doch den Idealen der human. Bildung verpflichtet blieb, wenn sie diese auch kritisch reflektierte und mit den veränderten gesellschaftlichen Verhältnissen konfrontierte (vgl. z. B. E. Sprangers Arbeiten über Humboldt 1909 und 1910 [21; 22] und Th. Litts *Das Bildungsideal der dt. Klassik und die mod. Arbeitswelt,* 1955 [12]).

An einzelnen Gesamtkonzeptionen der P., welche von Theorieansätzen der ant. Philos., z. B. der Theorie-Praxis-Diskussion bei Platon und Aristoteles, ausgehen und sich mit ihnen auseinandersetzen, seien erwähnt die praxeologische Grundlegung der P. bei J. Derbolav [3] und D. Benner [2]. F.-P. Hager, ausgehend von einer Konzeption der histor.-systematischen P., welche normative und geisteswiss. Aspekte verbindet, hat im Bereich der histor. P. immer wieder auf die geschichtlich grundlegende Bed. von Platons Philos. der Paideia (vgl. [6; 9]) sowie der Ant. überhaupt [8] für die europ. Bildungsgeschichte hingewiesen sowie den Modellcharakter von Platons Ansatz für die systematische P. hervorgehoben (vgl. [7]).

→ AWI Platon

1 T. BALLAUFF, K. SCHALLER, P. Eine Gesch. der Bildung und Erziehung, Bd. III (19./20. Jh.), 1973 2 D. BENNER, Allg. P., 1987 3 J. DERBOLAV, Grundriß einer Gesamt-P., 1987 4 W. DILTHEY, Über die Möglichkeit einer allgemeingültigen pädagogischen Wiss., 1930 5 Ders., Gesammelte Schriften, Bd. IX, 1960 6 F.-P. HAGER, Plato Paedagogus, 1981 7 Ders., Wesen, Freiheit und Bildung des Menschen, 1989 8 Ders. et al. (Hrsg.), Aspects of Antiquity in the History of Education, 1992 9 Ders., Aufklärung, Platonismus und Bildung bei Shaftesbury, 1993 10 J. F. HERBART, Allg. P., aus dem Zweck der Erziehung abgeleitet, Göttingen 1806 11 Ders., Umriß pädagogischer Vorlesungen, Göttingen 1835 12 TH. LITT, Das Bildungsideal der dt. Klassik und die mod. Arbeitswelt, 1955 13 P. NATORP, Sozial-P., Stuttgart 1899 14 Ders., Platos Ideenlehre, 1903 15 Ders., Allg. P. in Leitsätzen zu akad. Vorlesungen, 1905 16 Ders., Gesammelte Abh. zur Sozial-P., 3 Bde., 1907 17 Ders., Philos. als Grundwiss. der P., in: Ders., Philos. und P., ¹1909, ²1923, 1–82 18 Ders., Sozialidealismus, 1920 19 H. NOHL, Die pädagogische Bewegung in Deutschland und ihre Theorie, ¹1933, ²1952, ¹⁰1988 20 Ders., Charakter und Schicksal, 1938, ⁷1970 21 E. SPRANGER, Wilhelm von Humboldt und die Humanitätsidee, 1909 22 Ders., Wilhelm von Humboldt und die Reform des Bildungswesens, 1910 23 A. HÜGLI, s. v. P., in: J. RITTER, K. GRÜNDER (Hrsg.), HWdPh, Bd. 7, Sp. 1–35 24 F. NICOLIN (Hrsg.), P. als Wiss., 1969 25 W. RITZEL, Philos. und P. im 20. Jh., 1980.

FRITZ-PETER HAGER †

Paestum. Die im späten 7. Jh. v. Chr. von Kolonisten aus Sybaris gegründete Polis Poseidonia, die – mit erheblichen Folgen für das Stadtbild und die soziale Zusammensetzung der Einwohnerschaft – 274/3 v. Chr. in eine röm. Veteranenkolonie namens P. umgewandelt worden war, geriet zu Beginn der röm. Kaiserzeit zunehmend ins Abseits: einerseits aufgrund der nun an P. vorbeiführenden neuen Hauptverkehrswege von Nord nach Süd, andererseits wegen der schon von Strabon (5,250 ff.) notierten fortschreitenden Verlandung und Versumpfung der Ebene südl. von Salerno, hervorgerufen durch den Fluß Salso/Silaros sowie durch die Absenkung des Meeresspiegels. Im Frühma. noch eine Kleinstadt, deren Zentrum der im 5. Jh. in eine christl. Kirche umgewandelte Athena-Tempel im Norden des ant. Stadtareals war, sank der Ort zu einer dörflichen Siedlung herab, die im Zuge der weiter andauernden Versumpfung nach verheerenden Sarazenenangriffen in den J. um 930 dann weitgehend verlassen wurde; die wenigen verbliebenen Bewohner siedelten in das höher und sicherer gelegene Capaccio um, das als Ortschaft um eine im 8. Jh. entstandene Kirche herum neu entstanden war. Ma. Keramikfunde, vor allem aber Münzen belegen indessen weitere Siedlungsaktivitäten im ant. Stadtgebiet von P. bis in das 13./14. Jh. hinein. Die stattlichen Trümmer, v. a. die der drei großen dorischen Tempel aus dem 6./5. Jh. v. Chr. und der öffentlichen Bauten der röm. Colonia (u. a. Forum, Amphitheater etc.) blieben im Bewußtsein der Menschen im südl. Kampanien präsent; sie dienten zum einen als vielgenutzter Steinbruch für zahlreiche ma. Hausbauten (bis hin zu Verwendungen in Amalfi und Salerno), zum anderen als von See her weithin sichtbare Markierungspunkte, die sich in verschiedenen Seekarten des 16. und 17. Jh. verzeichnet finden; von einer vollständigen Vergessenheit des Ortes kann also nicht die Rede sein.

Dementsprechend ist die »Wiederentdeckung« des ant. Poseidonia/P. in den Jahren um 1740 auch weniger ein Akt des plötzlichen Wiederauffindens als vielmehr ein Vorgang, der im größeren Zusammenhang eines sich wandelnden Interesses an materiellen Relikten des Altertums steht. Die 30er und 40er Jahre des 18. Jh. waren im Umfeld des bourbonischen Hofes in Neapel zum einen geprägt von dem massiven Zuwachs der höfischen Kunstsammlungen aufgrund der Erbschaft der Sammlung Farnese (Tod des ohne Nachkommen gebliebenen Antonio Farnese 1731; Verfrachtung der Sammlung von Rom nach Neapel 1734 unter dem im

Abb. 1: Thomas Major,
Blick auf die Ruinen von
Paestum. Stich, 1768

Abb. 2: Korkmodell des klassischen Poseidon-Tempels von Paestum (114,5 × 43,7 × 14,2 cm)
von G. Altieri, Schloß Drottningholm Stockholm; angekauft 1784

gleichen J. im Zuge der Erbschaftsquerelen auf den Ne-
apler Thron gelangten Karl I.), zum anderen durch die
in diesen Dekaden begonnenen großen, äußerst fund-
reichen und spektakulären Ausgrabungen von → Herculaneum (seit 1738) und → Pompeji (seit 1748). Kulminationspunkt der »Wiederentdeckung« P. war der
Bau des Palazzo Reale di Capodimonte in Neapel (erste
Entwürfe von 1737, Baubeginn 1738), von Beginn an
geplant als ein »Museums-Schloß« des Neapolitaner
Hofes, das neben königlichen Gemächern vor allem die
farnesinischen wie auch die im Zuge der Ausgrabungen
neu entdeckten Kunstschätze aufnehmen und repräsentativ verwahren sollte. Verschiedene ant. Spolien sollten
in den Bau integriert werden; in diesem Zusammenhang entstand der von dem prominenten Barock-Ar-
chitekten Ferdinando Sanfelice propagierte und zunächst auch zügig umgesetzte Plan, einige Säulen der
Tempel von P. zu demontieren und in die Reggia von
Capodimonte zu verbauen. Dies erwies sich zwar als
technisch undurchführbar, endete jedoch, da sich das
Vorhaben in interessierten Kreisen schnell herumge-
sprochen hatte, in einer massiven Bekanntwerdung der
bis dahin weitgehend unbeachteten Ruinen − hauptsächlich aus dem Grunde, weil sich hier erstmals die

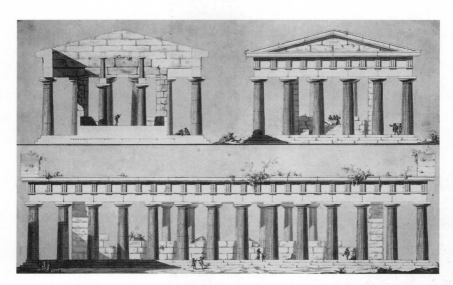

Abb. 3: Vincenzo Brenna, architektonische Studie zum Poseidon-Tempel von Paestum;
kolorierte Zeichnung, 1768 (London, Victoria and Albert Museum)

Abb. 4: Friedrich Gilly, Entwurf zu einer Basilika nach Philibert de l'Orme, 1798

durch Beschreibungen und grobe Skizzen von Reisenden aus Griechenland schon seit dem 17. Jh. bekannte dorische Ordnung im Detail studieren ließ (die ersten ausführlichen Bestandsaufnahmen griech.-dorischer Tempelarchitektur des 6./5. Jh. v. Chr. aus Athen und aus weiteren Orten Griechenlands standen erst gegen 1765 zur Verfügung (→ Athen III/Akropolis; → Greek Revival). Besuche und begeisterte Kommentare eines Winckelmann, Soufflot oder Goethe führten bald zu regem Treiben und zu einer Erschließung des Ortes durch Infrastrukturmaßnahmen (Drainagen, Straßenbau).

Den Tempeln von P. kam eine Pionierrolle in der Rezeptionsgeschichte der ant.-griech. Architektur und damit als Quelle des Klassizismus zu. Eine ganze Serie von z. T. mehrfach aufgelegten und in verschiedenen Sprachen herausgegebenen, reich illustrierten Büchern (Major, Abb. 1, Dumont, Winckelmann, Piranesi u. a.; vgl. das unten beigegebene Quellenverzeichnis), die zwischen 1745 (erste Beschreibung der Ruinen durch D. G. Antonini im Auftrage des Conte Felice Gazzola) und 1780 erschien, machte die Bauten ebenso in aller Welt bekannt wie die – in zahlreichen Stichen seriell reproduzierten und verbreiteten – Gemälde (u. a. die in markanter Illumination gehaltenen Ölbilder von Antonio Joli aus den Jahren 1758/59, die den Grundstock zu Filippo Morghens Veduten-Buch legten), Zeichnungen und Aquarelle (wie diejenigen von Jacob Philipp Hackert, 1777). Auch zahlreiche Kork- und Holzmodelle, meist vom klass. Poseidon-Tempel, entstanden und trugen zur Verbreitung architektonischer Kenntnisse bei: etwa das 1777 enstande Modell von Agostino Rosa (h. in St. German-en-Laye), das 1784 entstandene Modell in Schloß Drottningholm (Stockholm; Abb. 2), das um 1822 angefertigte großformatige Holz-Modell in Neapel (Neapel, NM, Grundfläche ca. 1.90 × 0.80 m) oder diejenigen in der ehemaligen Sammlung von Sir John Soane (London, Soane Museum). Zu den h. wenig bekannten und nicht in Buchform publizierten gezeichneten architektonischen Detailstudien der Tempel von P. aus dem 18. Jh. zählen die minutiös kolorierten Risse von Vincenzo Brenna (1745 – ca. 1814; Abb. 3), die 1768 im Auftrag von Charles Townley angefertigt wurden (London, Victoria and Albert Museum) und ihrerseits verschiedentlich als Vorlagen für Korkmodelle gedient haben. Nach 1780 wurden die griech.-dorischen Tempel von P., nunmehr aufgenommen in populäre Werke wie etwa das *Voyage Pittoresque* des Richard De Saint-Non, zum kanonischen Bestandteil der Italienreise und dabei nicht selten zum südl. Wendepunkt der »Grand Tour«.

Von erheblicher Folge innerhalb der klassizistischen Architektur des späten 18. und frühen 19. Jh. war die mit den Tempeln von P. verbundene Entdeckung der Entasis der dorischen Säule. Diese Schwellung des Säulenschaftes tritt an der um 550 v. Chr. erbauten »Basilica« von P. in besonders markanter, ja regelrecht überzeichneter Form vor Augen; sie wurde zum weithin kopierten Prototyp der belasteten, der unter dem Druck des Auflagers »gequetschten« Säule. Diese besonders »sprechende« Tektonik wurde im Klassizismus vielfach zitiert, meist in ebenso »sprechenden«, dabei zugleich überwiegend profanen Baukontexten: als Eingangsportal bei Gefängnisbauten im metaphorischen Sinne des *sub iugum mittere* eines Delinquenten (Frauengefängnis von Würzburg, erbaut um 1810 von Peter Speeth) ebenso wie als tektonisches Widerlager von Kellergeschossen (Entwurf eines Badehauses von K.-F. Schinkel, 1797, Berlin, SMPK/Kunstbibliothek, Hdz. 5875) oder als Stützen im Sockel-Geschoß einer gigantischen, tonnenüberwölbten Basilika (F. Gilly, *Entwurf einer Basilika nach Philibert de l'Orme*, 1798, Berlin, SMPK/Kunstbibliothek, Hdz. 5879; Abb. 4). Stand diese Verwendung einer Säule mit extremer Entasis oder extrem konischer Form in der Trad. der akad. ausformulierten französischen »architecture parlante« (wie dies etwa auch bei zahlreichen Bauten von C.-N. Ledoux anzutreffen ist), so erscheint die Verwendung dieses Motivs, das in allen Fällen direkt auf das Urbild aus P. zurückverweist, in der angelsächsischen Baukunst weniger dogmatisch belastet und entsprechend funktional weiter gestreut; hier scheute man sich nicht, auch in Innenräumen von Kirchen von diesem höchst auffälligen Baumuster Gebrauch zu machen, etwa in der Kirche von Great Packington (Warwickshire, England; Abb. 5), wo markant »belastete« dorische Säulen das Kreuzgratgewölbe tragen (erbaut von J. Bonomi, 1789–1792). Noch im Kontext der architektonischen Moderne galt das Motiv der belasteten Säule und analog damit die Basilica von P. als ant. Topos schlechthin; Ch.-É. Jeanneret (Le Corbusier) stellte in diesem Sinne in seiner Schrift *Vers une architecture* von 1923 den Paestaner Bau einem zeitgenössischen Automobil gegenüber – beides seriell gefertigte, auch in ihrem Maschinen-Aspekt nach Meinung des Autors analoge »Typen«-Produkte (Abb. 6).

Auffällig ist im Kontext der »Wiederentdeckung« P. der selektive Blick auf Griech., auf die dorischen Tempel, der in krassem Gegensatz zum vor Ort Erhaltenen steht, das ganz überwiegend den röm. Phasen seit der Colonia-Gründung im 3. Jh. v. Chr. zuzurechnen ist. Dieser »klassizistische« Blickwinkel, der bis h. den Umgang mit dem Ort und die Frequentierung der Denkmäler prägt, war vermutlich durch den Umstand bedingt, daß die zeitgleichen Grabungen in Herculaneum und Pompeji Funde der röm. Ant. in ganz anderer Qualität und Quantität erbrachten; P. ließ sich hier als griech. »Kontrast« gegenüber der zutagetretenden röm. Alltagswelt inszenieren. Entsprechend definiert ist bis h. die Atmosphäre der Orte: profanes Interesse an Techniken des täglichen Lebens in Pompeji und Herculaneum, bewunderndes Schweigen angesichts der Paestaner Tempel, der Landschaft und der Lichteffekte bei Sonnenuntergang. Erst die großen Grabungen seit den 1950er Jahren haben die histor. Kenntnis von Poseidonia/P. entscheidend vorangebracht. Das 1952 eingeweihte Mus., architektonisch in der Trad. der Mussolini-Moderne stehend, gilt h. neben demjenigen von Ta-

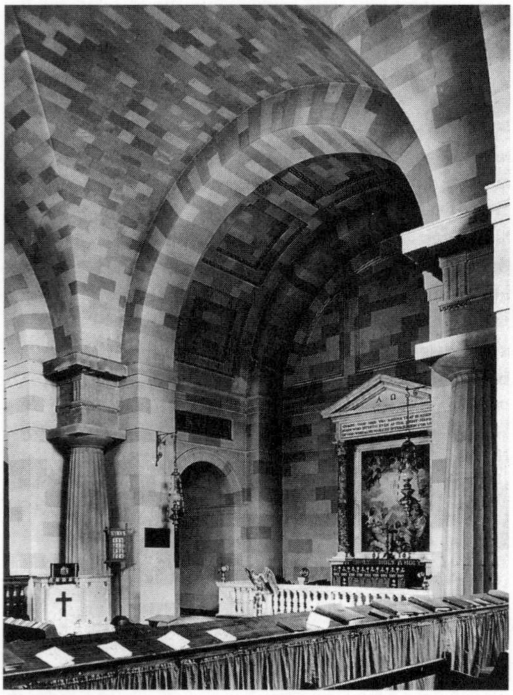

Abb. 5: Joseph Bonomi,
Das Innere der Kirche von Great Packington, Warwickshire/England, 1789–1792

106 VERS UNE ARCHITECTURE

PAESTUM, de 600 à 550 av. J.-C.

Le Parthénon est un produit de sélection appliquée à un standart établi. Depuis un siècle déjà, le temple grec était organisé dans tous ses éléments.

Lorsqu'un standart est établi, le jeu de la concurrence immédiate et violente s'exerce. C'est le match; pour gagner, il faut

Cliché de *La Vie Automobile*. HUMBERT, 1907.

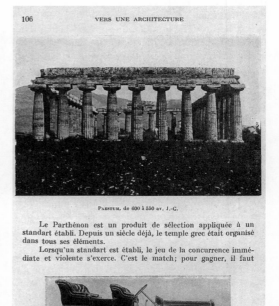

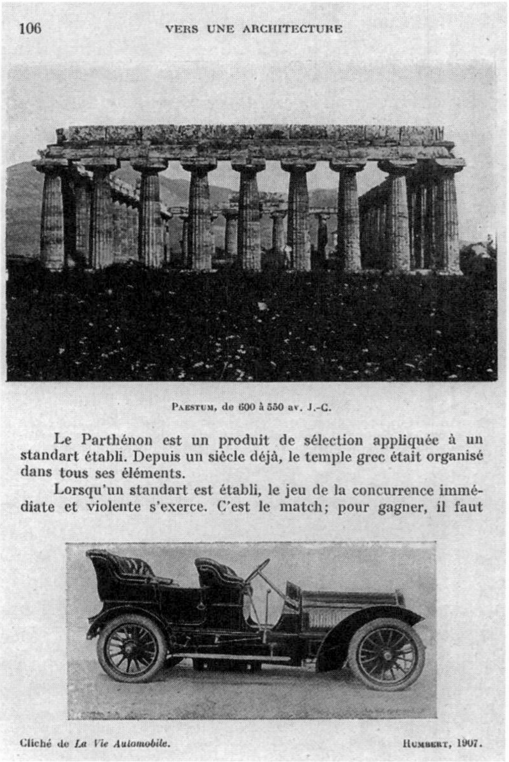

Abb. 6: Le Corbusier, Gegenüberstellung der Basilika von Paestum mit einem Automobil

rent als das wichtigste Zentrum für westgriech. und unterital. Kunst in Italien.

→ AWI Entasis

QU 1 J. BERKENHOUT, The Ruins of P. or Poseidonia (EA 1767; wohl urspr. anonym erschienen und später irrtümlich J. Berkenhout zugeschrieben, vgl. [11] 2 C. M. DELAGARDETTE, Les ruines de P. ou Posidonia (EA 1779) 3 G. P. M. DUMONT, Les ruines de Paestum, autrement Posidonia, EA 1764 (erst die zweite, ergänzte und erheblich weiter verbreitete Auflage von 1769 war mit den berühmten Plänen und Zeichnungen des Pariser Architekten J.-G. Soufflot versehen) 4 TH. MAJOR, The Ruins of P., otherwise Posidonia in Magna Grecia (EA 1767/68, mehrere Nachdrucke; frz. Ausgabe 1768; dt. Ausgabe 1781) 5 F. MORGHEN, Sei vedute delle rovine di Pesto, EA 1764/65 (beschreibender Text mit Stichen, basierend auf den um 1758/59 entstandenen Gemälden von Antonio Joli) 6 G. B. PIRANESI, Différentes vues de quelques restes de trois grand édifices qui subsistent encore dans le milieu de l'ancienne ville de Pesto (EA 1778, Faksimile-Ndr. 1973; Ansammlung überwiegend romantisierender Veduten) 7 D. WIEBENSON, Sources of Greek Revival Architecture, 1969, 120 ff. Nr. 140 ff. (Zusammenstellung von brieflichen Nachrichten aus der Zeit zwischen 1750 und 1780) 8 J. J. WINCKELMANN, Anmerkungen über die Baukunst der Alten, EA 1762

LIT 9 K. W. FORSTER, L'ordine dorico comme diapason dell'architettura moderna, in: S. SETTIS (Hrsg.), I Greci I: Noi e i Greci, 1996, 665–706 10 N. TH. DE GRUMMOND, An Encyclopedia of the History of Classical Archaeology II, 1996, 836–838 s. v. P./Poseidonia 11 E. HARRIS, British Architectural Books and Writers, 1990, 401–404 Nr. 773 12 V. KOCKEL, Phelloplastica, 1998 13 S. LANG, The Early Publications of the Temples at Paestum, in: Journal of the Warburg Inst. 13, 1950, 48–64 14 T. LUTZ, Die Wiederentdeckung der Tempel von Paestum, 1991 15 J. MORDAUNT CROOK, The Greek Revival – Neo-Classical Attitudes in British Architecture 1760–1870, ²1995, 22–24 16 J. G. PEDLEY, P., 1990, 163–173 17 J. RASPI SERRA (Hrsg.), La fortuna di P. e la memoria moderna del Dorico, Ausstellungskat. Rom 1986 18 Dies. (Hrsg.), P. and the Doric Revival 1750–1830, Ausstellungskat. New York 1986 19 Dies., P.: Idea e imagine. Antologia di testi critici e di imagini di P. 1750–1836, 1990 20 P. C. SESTIERI, Das neue Mus. in P., o. J. 21 D. WIEBENSON, Sources of Greek Revival Architecture, 1969 22 A. WILTON, I. BIGNAMINI, Grand Tour. The Lure of Italy in the 18th Century, Ausstellungskat. London 1996.   CHRISTOPH HÖCKER

Paganismus A. BEGRIFF UND THEORIE B. PAGANISMUS IN DER EUROPÄISCHEN RELIGIONSGESCHICHTE C. SYSTEMATIK

A. BEGRIFF UND THEORIE

1. BEGRIFF

Paganismus ist der mod. wiss. Begriff für die bewußte Wiederaufnahme (»Rezeption«) und Wiederbelebung (»Revitalisierung«; »Rekonstruktion«) ant. (oder rezenter ethnischer) rel. Trad. oder deren Teilelemente (Kulte; Mythen, Symboliken), sofern sie außerhalb von Christentum und Judentum und gegensätzlich zu diesen geschieht. Zu unterscheiden ist der zugrundeliegende Begriff jüd.-christl. Polemik (»Heidentum«) von dem religionshistor. Phänomen, das in den weiteren Bereich der rel. Antikerezeption gehört und in der Moderne auch die Selbstbezeichnung »Heide« einschließt. Traditionelle Abgrenzungskriterien sind ein polytheistisches Glaubenssystem (»Vielgötterei«) sowie eine Naturreligiosität, die göttliche Personen oder Mächte »in der Natur«, an Orten der natürlichen Umwelt, verehrt oder auch pantheistisch Gott und Natur gleichsetzt. Daher konnte der Begriff auf die Anhänger/innen der ant. Hoch- und Randkulturen (Ägypten; Griechenland; Rom; Kelten; Germanen) wie auch auf ethnische Religionen (Stammesreligionen) gemünzt werden und seit der Romantik in die westl. Esoterik und rel. Alternativbewegungen Einzug halten.

2. DAS AUSGRENZUNGSETIKETT

Der Begriff leitet sich ab – und das ist Teil seiner Problematik – von kirchenlat. paganus, »Heide« (engl. pagan/heathen), bzw. paganismus oder paganitas, »Heidentum«, somit von einem christl. Sammelbegriff, der zugleich ›Kampfbegriff‹ (R. Faber) ist und dazu dient, die eigene Gemeinschaft und ihre Gläubigen von der Gesamtheit der Anders- und Nichtgläubigen, den »Heiden«, identitätsheischend und ideologisch abzugrenzen. Es liegt ein Denkmuster zugrunde, das das »Eigene« vom »Anderen« abzugrenzen und zu schützen versucht, ein polares »Wir/Sie«-Schema, das im Fall des Paganen Nichtzugehörigkeit signalisiert – theologisch: Unglauben und Heilsferne. Es wurde aus dem biblischen Judentum übernommen, wo hebräisch gojim die (übrigen) »Völker« im Gegensatz zu dem einen »Volk Gottes« Israel bedeutet (entsprechend LXX éthnē/ethnikós; Vulgata gentes/gentilis). Eine ähnliche Zweiteilung der Welt und ihres Bilds durch asymmetrische Gegenbegriffe findet sich sowohl außerhalb der jüd.-christl. Trad., etwa in der islamischen Unterscheidung von dār-al-islām und dār-al-harb, wie als anthropologische Universalie im profanen Bereich. Asymmetrisch ist dabei v. a. die Tatsache, daß es sich bei pagani/»Heiden« um eine – partielle – Fremdbezeichnung handelt, mit der die Betroffenen »etikettiert« und stigmatisiert werden (Stereotypisierung durch labeling).

3. DAS REZEPTIONSPHÄNOMEN

Erst in der Neuzeit, mit der Schwächung des kirchlichen Deutungs- und Kontrollmonopols, kam es zum paradoxen Umschlag von der Fremd- in die Eigenbezeichnung: Wie im Fall der »Hexen« des späten 20. Jh. bemächtigten sich seit Anf. des 19. Jh. (mit Vorläufern schon in Byzanz, s. u.) kulturelle Dissidenten(gruppen) des Negativstereotyps und begannen sich provokant als »(Neue) Heiden« zu bezeichnen – mit deutlich antichristl. Stoßrichtung, aber zunehmend auch als eigenständige Alternatividentität. Dieser bewußte, »intentionale P.« im engeren Sinn ist von einem weitergefaßten, »impliziten P.« zu unterscheiden, wie er sich in vielerlei Abstufungen und Ausprägungen in Staats- und Herrschaftssymbolik, Kunst und Privatmyth. findet. Gerade die Zerstörung und Fragmentierung der ant. nichtchristl. Religionen (s.u.) führte zu derartigen paganen Einschlüssen und Einpassungen im Prozeß europ. Zivilisation, deren paganistisches Potential jeweils verschieden war. Somit läßt sich P. doppelt aufgliedern: in einen abwertenden Begriff christl. Polemik und Apologetik, der als »Heidentum« inzwischen einigermaßen obsolet geworden ist (und der hier nicht weiter verfolgt wird); und in ein positiv gewendetes Ideologem europ. Antikerezeption, dessen Bandbreite von spielerisch-imaginativ bis aggressiv-antichristl. reicht.

4. DER BEZUGSBEGRIFF

Beim P. handelt es sich also um einen ›Bezugsbegriff‹ [10], pagane Aktivitäten sind, wenn auch im Bewußtsein der Akteure mehr oder minder stark, immer an das Gegenüber, die christl. Religion, gebunden und von dieser beeinflußt. Diese »relationale Religiosität« tritt folglich, in Reaktion auf die Ausbreitung des Christentums, schon in der Spätant. auf: (a) als reaktiver und polemischer »Anti-Entwurf« und »Gegen-Christentum« (Julian Apostata; vgl. noch F. Nietzsche); (b) als »P. im Christentum« in Form von Heiligen- und Lokalkulten, in denen bestehende Religiosität christl. überformt, synthetisiert, »kontaminiert« wird. Breitenwirkung freilich erreichte der P. (c) als rel. (und kultureller) Alternativentwurf in der europ. Geschichte: Er bot Gottsuchern, Kulturkritikern, Künstlern und Politikern einen »Dritten Weg« zw. Christentum und Atheismus an, ein Reservoir rel. abweichender Denk- und Handlungsweisen, Spielmaterial fürs Andersdenken.

5. REZEPTIONSPROZESSE

Wer sich »Heide« nennt oder genannt wird, rezipiert. Er nimmt aktiv rel. Handlungsformen, Glaubensinhalte oder mythische Stoffe vergangener oder zeitgenössischer Religionen auf, eignet sich Wissen an, verarbeitet es gemäß seiner Erfahrung und sozialen Prägung zu neuen Mustern und speist es in seine Gegenwartsgesellschaft ein. Für die Antikerezeption sind zwei Arten von Aneignungsleistungen maßgebend:

a) Tradierung: Sie setzt Kulturkontinuität und eine konstante Trägergruppe voraus. Solches »Fortleben« ant. Kulte wurde zwar seit der Romantik vielfach von »Volks«-Kundlern und volkskundlich oder ethnologisch ausgerichteten Altertumswissenschaftlern (Wilhelm Mannhardt; Albrecht Dieterich; J. G. Frazer) behauptet, die Suche nach paganen »Resten« oder »Überbleibseln« (engl. *survival*, nach E. B. Tylor) im »Volk«, vornehmlich bei Bauern und Landarbeitern, gestaltete sich freilich schwierig, da in der Regel Selbstaussagen fehlten und bei bruchstückhafter Quellenlage eine »Revitalisierung (oder ein Neuentwurf) von oben« durch Humanisten oder Gymnasiallehrer seit der frühen Neuzeit nicht auszuschließen ist – letzteres dürfte sogar häufiger der Fall sein. Die einzigen funktionierenden paganen Kulte, die beispielsweise im it. Kernbereich der röm. Kultur bis in die Neuzeit belegt sind, – die *benandanti* in Friaul [13] und der südit. Tarantismus (ital. *tarantati*, »die von der Tarantel gebissenen«) [27], sind bezeichnenderweise Trancekulte mit schamanistischem Charakter und weisen auf euroasiatische Agrar- und Heilungsriten, nicht auf altröm. Götterkult. Vielfach zeichnet sich hinter – wiss. oder parawiss. vorgetragenen – Kontinuitätsbehauptungen der nostalgische oder politisierte Wille zur reinen, vom Christentum »unkontaminierten« Trad. und »nationalen Vergangenheit« ab, zum »Ursprünglichen« und »Archaischen« – Nährboden für heidnische Phantasien und Systementwürfe. Oft ausgeblendet bleibt bei dieser Diskussion, daß mit Judentum und – zumal röm.-katholischem – Christentum der *mainstream* europ. Religiosität selbst in ungebrochener Verbindung zur Ant. steht. In deren Überlieferungsströmen wurden Bestandteile griech.-röm. und altorientalischer Götterverehrung, Theologie und Religionsphilos. integriert (Mittelplatonismus; Aristotelismus; Lokale Heiligtümer) oder via Apologetik dokumentiert (Augustinus, *De civitate Dei*) und in den Speichermedien der Klosterbibl. und Schreibstuben »weitergeschrieben«.

b) Aktualisierung bzw. Revitalisierung: Diese Aneignungsform greift diskontinuierlich nach einer Phase kultureller Latenz auf kollektives Erinnerungsgut zurück und schleust dieses in die jeweiligen Gegenwartsdiskurse ein. Revitalisierende Bestrebungen, suchten sie künstlerische Ästhetik (wie Alberti oder Winckelmann), weltanschauliche Positionen (wie der Kreis der Neuplatoniker um Cosimo und Lorenzo de' Medici), polit. Verfassungen (»Republik« in der frz. Revolution; »Demokratie« im 19. Jh.) oder Kulte (die »dionysischen« Feste der »Kosmiker« in München-Schwabing um 1900) aufzunehmen – revitalisierende Bestrebungen inszenieren die von ihnen »entdeckte« und innovatorisch rekonstituierte Vergangenheit (hier: Ant.) auf Kosten der und oft polemisch gegen die Gegenwart (z. B.: Human. vs. Scholastik; Ren.-Ästhetik vs. Spätgotik). Die behauptete und beanspruchte Vergangenheit kann sogar, als ideales Vorbild oder kultischer Vorwurf, zum normativen und imaginären Zentrum der jeweiligen Denk- und Lebenshaltungen gemacht werden. Analytisch kann diese Form der Aneignung als »Rezeption« (von Ant.) im engeren Sinn verstanden werden, wobei die »Entdeckung« der geliebten (Gegen-)Welt sich oft mit deren imaginärer Erfindung, als einer ›invention of tradition‹ (E. Hobsbawm), fast ununterscheidbar paart.

Sonderformen solcher Revitalisierungen sind einmal die »nativistischen Bewegungen« des neuzeitlichen Europa: In ihnen suchte sich ein neues Regional- und Nationalbewußtsein einen ursprungsmythischen Weg zurück zu den eigenen Wurzeln. So in der Toskana des 18. Jh., wo 1722 eine Accademia Etrusca in Cortona gegründet wurde, deren Leiter den altehrwürdigen Titel des etruskischen Sakralkönigs, Lucumo, trug, und wo Gelehrte ein eigenständiges »nationales« Herkommen aus Ägypten (und eben nicht aus Griechenland) konstruierten. ›Jedes Volk dieser Erde hat oder hatte seine eigene Myth. und Naturreligionsform. Diese müssen wiederbelebt werden (...)‹ [33. 17] fordert am E. des 20. Jh. der »Gode« (d.i. »german. Priester«) der »Germanischen Glaubensgemeinschaft« (ehem. Heidnische

Gemeinschaft e.V. Berlin), Géza von Neményi. Er bekräftigt damit ein Postulat »völkischer Religionen« wie der »Deutschen Glaubensbewegung« 1933–1936 unter dem Indologen und Religionswissenschaftler Jakob Wilhelm Hauer (1881–1962) [32], die wie später Teile des NS-Machtapparats (Amt Rosenberg; Himmlers »Ahnenerbe«) einen »german.« oder gar »arischen« Glauben mit Feuer- und Lichtkult (Sonnwendfeuer; »völkisches Weihnachten«) und den agrarischen Riten der Altvorderen (Erntedankfeste) wiederzubeleben versuchten – eine Trad., von der sich Neményi wie die meisten Neuheiden allerdings abzugrenzen bemüht.

Eine vergleichbare, wenn auch meist unpolit. Sonderform bilden die Bemühungen mod. neopaganer Gruppen, die ant. – german., altröm., oder altgriech. – Religionen in toto wiedererstehen zu lassen, zu »rekonstruieren« (»Rekonstruktionismus«; *reconstructionist pagans*). Reicht das religionshistor. Material, etwa für die Ausführung von Ritualen oder Festen, nicht aus, so wird das Fehlende notfalls durch Füllsel aus Brauchtum, rezenten (ethnischen) Religionen (nordamerikanische Indianer; Kelten), anderen Weltreligionen, C. G. Jungs Archetypenlehre oder auch mittels direkter Inspiration in Traum, Trance und Meditation wiederhergestellt.

6. Begriffsklärung

Soll aus rezeptionstheoretischer Sicht der Unterschied zw. (ant.) Ausgangskultur und der Zeit des Rezipienten betont werden, wird oft diachron zwischen »pagan« und »paganistisch« unterschieden: »pagan« sind dann nichtchristl. Kulte und Theologien der (Spät-) Ant., »neopagan« oder »paganistisch« myth. Entwürfe, Kulte und Religionsformen nachant., insbes. mod. Gesellschaften, sofern sie sich auf ant.-pagane Quellen und Formen berufen. Betont man allerdings Konstruktcharakter, Funktionsäquivalenz und rel. Typologie, so wären beide Spielarten, die spätant. wie die mod., als »pagan« zu benennen, da sie gleichermaßen »anti-« und »parachristl.« Reaktionsbildungen sind. Der Begriff »Neo-P.« wäre demnach eine Tautologie [5], er findet sich allerdings als Selbstcharakterisierung (»neuheidnisch«, engl. *neopagan*) vieler heutiger Gruppen (und wird so im folgenden auch verwendet). Der engl. Sprachgebrauch unterscheidet zusätzlich zw. *paganism* und *heathendom*, grenzt somit ein »mediterran« oder »klass.« geprägtes »Heidentum« von einem »nordisch-skandinavischen« ab.

B. Paganismus in der europäischen Religionsgeschichte

1. Quellen und Diskurse

P. ist ein Zerfallsprodukt der ant. Welt. Er ist Religion nach dem Untergang von Religion(en). In einem jahrhundertelangen Prozeß löste sich das polytheistische System auf, ohne doch zu verschwinden. Durch Inkulturation, Marginalisierung und Kulturalisierung wurde es in neue, christl., esoterische oder säkulare Zusammenhänge transformiert. Die Zerstörung und finanzielle Austrocknung nichtchristl. Religionen nach der »Konstantinischen Wende« des 4. Jh. traf zunächst und

in erster Linie die institutionalisierten, zumal staatlich alimentierten Kulte. Jene Glaubenssysteme und Riten, die, wie magische Praktiken oder der rel. Platonismus (dessen neuplatonische Vertreter Jamblich und Proklos schon in der Spätant. Träger von Systemen paganer Selbstverständigung waren) vorwiegend über informelle Zirkel oder – seit der Ren. – in Lesegemeinden gepflegt wurden, waren weit weniger betroffen; daher waren gerade sie es, die im »Untergrund des Abendlandes« überleben, ja dessen rel. Facette überhaupt erst bilden konnten. Der Untergang des offiziellen, staatlichen Kultwesens ist daher nicht nur der Zerfall eines Systems, er hinterläßt auch »freie pagane Radikale«: Stoff für neue Mythen und Riten, die sich christl. verkleiden oder in den Nischenkulturen der *classi subalterne* überlebten. Sie sind es jedoch, die als »wilde Trad.« jenes schwer kontrollierbare ›kulturelle Gedächtnis‹ (J. Assmann) bildeten, aus denen »Heiden« zu allen europ. Zeiten schöpfen konnten. Hier wurden Glaubenselemente jenseits christl. Ehrbarkeit kultiviert: Polytheismen, Reinkarnationslehren, Schicksalsglaube und Astralreligiosität.

2. Epochen und Phasen

Für die europ. Religionsgeschichte kann folgender chronologischer Phasenablauf von Überlagerung, Tradierung und Rezeption stichwortartig skizziert werden:

1. Spät- und Subantike: Formationsphase im Gegensatz zum Christentum; erste reaktive Systematisierungen (Julian »Apostata«); rel. Platonismus (Neuplatonismus) als Intellektuellenreligion, die rituelle Praktiken aus der Volksmagie zu einer esoterischen »Theurgie« umwandelt; Zerfall und Fragmentierung der ant., nichtchristl. Religionen; Entromanisierung und Wieder-Regionalisierung; »lange (christl.) Ant.« in Byzanz.

2. Latenzzeit: Mittelalterliche Transformation der Myth.; sekundäre Rezeption über arab. Welt, Judentum und Indien; fortdauernder, wenngleich schwindender volksrel. Paganismus.

3. Revitalisierung (»Ren.«): (a) Humanismus: Neugründung der Platonischen Akad. in Florenz, Versuch einer Synthese von Neuplatonismus und Christentum (Marsilio Ficino, Pico della Mirandola); Künstler-P. und polit. P. (→ Festkultur); gleichzeitig (b) »antipagane« innerchristl. Rezeption der jüd.-christl. Ant. durch die Reformatoren (Rückgriff auf das Urchristentum und die ant. Kirchenväter sowie auf die hebräischen Urtexte: Reuchlin; Melanchthon; Luthers Bibelübers.; Erasmus' Rezension des NT); (c) Entwicklung einer neuzeitlichen *philosophia occulta* (*high magic*) als elitäre Praktik (Agrippa von Nettesheim; John Dee).

4. Spätaufklärung und Revolutionszeit (ca. 1750–1810): Zivilrel. Symboliken und Kultbildung im Rahmen einer revolutionären »Religion der Vernunft« (Frz. → Revolution); Politisierung durch Verbindung zw. patriotisch-nationalen und paganen Ideen; Ästhetisierung zur Kunstreligion (Winckelmann; Goethe).

5. Romantik: Rezeption der »Nachtseite der Ant.« (Creuzer; Bachofen): Mutterkulte, Mysterien, »das

Dionysische« als Entgrenzungsmuster; »Suche nach den Wurzeln«: Nationale Myth. und Folklore (Brüder Grimm).

6. Moderne (1870–ca. 1960): »akademischer P.« als Wissenschaftsreligiosität (Nietzsche; W. F. Otto; M. Eliade; Eranos); agrarromantische Szenarien der Religionsethnologie (»Cambridge Anthropologist«); P. der künstlerischen Avantgarde (Kosmiker; Hermann Nitsch, *Orgien Mysterien Theater*, Abb. 2).

7. Postmoderne (1970ff.): Neuer Eklektizismus; Wicca und Feministischer P. (Matriarchatsmythen; *Dianic Wicca*); Cyber-Paganismus.

C. Systematik

Paganistische Vorstellungen und Praktiken verteilten und verteilen sich nicht beliebig in den europ. Gesellschaften, sondern treten bevorzugt in bestimmten Institutionen, sozialen Gruppen und Diskursen auf. Wirkungsmächtig waren (1) ein popularrel. P. auf lokaler, ländlicher wie städtischer, Basis (»residualer P.«); (2) ein polit. P. im Dienst von Staat, Herrscherhaus oder Zivilreligion; (3) individualrel. Konzeptionen, insbes. Kunstreligion und -mythologien; und schließlich (4) die Altertumswiss., als Hort und Ort paganer Phantasien und Systementwürfe und als Medien der Popularisierung.

1. Residualer Paganismus

Der residuale P. ist die wohl umstrittenste und gefühlsbeladenste Form. Es handelt sich um jene in der Regel »volksrel.« Kulte, Rituale, Brauchtumsformen, Mythen, Märchen und Legenden, hinter denen sich »authentische« pagane Trad. verbergen sollen. Wie schon angesprochen, sind dabei meist romantisierende Phantasien Außenstehender im Spiel, zumal von Wissenschaftlern oder einheimischen Privatgelehrten oder Lehrern – die Bauern verstanden sich als gute Christen, auch wenn sie ihren Kindern Korallenamulette gegen den »Bösen Blick« umhängten. Wie trügerisch augenscheinlich »uralte heidnische Fruchtbarkeitskulte« sein können, zeigt ein genauerer Blick auf die alemannische Fastnacht: Die Masken und Bünde verdanken ihr Entstehen in der Regel dem folkloristischen Interesse des 19. Jh., ein Gutteil peinlicherweise auch noch nationalsozialistischer Kulturpolitik. Auch die Ableitung des Karnevals von ant. Dionysos-Festen und deren »Schiffswagen« (lat. *carrus navalis*) ist bei weitem nicht gesichert; Einflüsse scholastischer Spottkultur und *mock festivals* (»Eselsfest«; Straßburger »Roraffe«) sind wahrscheinlich [31]. Um Kurzschlüssen zu entgehen, ist es nötig, differenzierte Modelle kultureller Überlagerungen, Rezeptionsweisen und Mischungsverhältnisse zu entwikkeln, etwa im Anschluß an die Debatten um Antonio Gramscis Konzept der *cultura delle classi subalterne* seit den 1950er J., an die Feldforsch. von Ernesto de Martino (1908–1965) [26; 27] und an die Debatte um »Volkskultur und Religion« in den 1970er und 80er J.; letztere ist allerdings selbst wieder um polit. und alternativkulturellen Romantizismen beeinflußt. Eine künftige volkskulturelle P.-Forsch. hätte sich weniger an Reinheitskonstrukten wie »Authentizität«, »archa.«, »Ur-

sprung«, »echt ant.« zu orientieren, als vielmehr an Modellen, die die Soziodynamik komplexer Kulturen und ihrer rel. Verhältnisse abbilden. Dazu wäre die Diskussion postmod. Soziologie um »*patchwork*-Identitäten«, ›Hybridkulturen‹ (N. G. Canclini) und multiple rel. Rollen ebenso beizuziehen wie das »koloniale Szenario« eines Spannungsfelds zw. dominanter Kultur und »Substratreligion«. Freilich diente gerade der Vorwurf, vom Christentum »überfremdet« zu sein, völkischen Gruppen im Europa des 20. Jh. dazu, ihre »nativistischen«, antichristl. und antisemitischen Entwürfe von ›Europas eigener Religion‹ (Sigrid Hunke) zu rechtfertigen.

2. Politischer Paganismus

Politische Ideologie konnte in zweifacher Weise paganistisch werden: indem polit. Bewegungen ihre histor. Legitimation rel. vertieften, wie es beispielsweise die erwähnten Regionalisten in den keltischen Kulturzonen Westeuropas taten; und indem die polit. Institutionen selbst mythen- und ritualbildend wurden.

Paganismus und Staat/Herrscherkult: Aus Sorge um Machterhalt und auratische Autorität entwickelten die Herrscher eine Palette symbolischer und theatraler Ausdrucksformen, die über die Zeiten, Religionen und Regime erstaunlich konstant blieben. Die Riten herrscherlicher Überhöhung lassen sich vom Hell. über röm. Kaiserzeit und Spätant. bis nach Byzanz und schließlich zur Antikerezeption der frühneuzeitlichen europ. Hofkultur verfolgen. Rituelle Übernahmen wie das »Erscheinen« des Herrschers bei der Audienz, die »Epiphanie«, oder *adventus* bzw. *entrée*, seine Ankunft in einer Stadt, fügten auch nach dem Aufkommen einer christl. Reichsreligion die Performanz der Herrschergestalt in einen eigenständigen – und zwar vornehmlich paganen – Horizont sakraler Zeichen. Daß der Wirkmechanismus eben darin bestand, mittels eines derartigen »polit. P.« Herrscheramt und Staat von der Symbolgewalt – d.h. dem symbolischen Zugriff – seitens der Kirche zu emanzipieren (deren Symbolik freilich weiterhin mitbenutzt wurde), zeigt zur Genüge die → Festkultur und Herrschaftsrepräsentation von Ren. und Barock. Hier verstieg sich die (Selbst-)Stilisierung der Herrschenden bis zur Vergöttlichung – und die Ant. lieferte Vorbilder wie Mythen dazu: Fürsten, Könige und Hofdamen ließen sich als Jupiter (Henri II; Abb. 1), Hercules, Diana (Diane de Poitiers; Hof von Fontainebleau) oder gar Sonnengott (Louis XIV.) porträtieren und stilisieren. Die Machtelite konnte im ant. Gewand ungestraft Gott, Göttin oder Heros spielen, ja sein, ohne unter das Verdikt der Blasphemie zu geraten. Indem die ant. Myth. derart machtverstärkend vereinnahmt wurde, half sie christl. Beschränkungen im paganen Rollenspiel zu umgehen und wurde zur »polit. Ikonographie« autokratischen und absolutistischen Herrschertums.

Nationale und revolutionäre Mythologien und Kulte: Die »pagane Option« lag insbes. jenen polit. Gruppen und Interessenvertretern nahe, die regionalistische oder nationale Ziele verfochten. Politiker, Literaten und Ideologen fanden in der Ant. Bausteine zu einer polit.

Abb. 1: Henri II. von Frankreich und sein Gefolge als olympischer Hofstaat; Fresko im Tour de la Ligue des Château de Tanlay, Adelssitz der Coligny-Châtillon. Henri II. ist Jupiter, der Connétable de Montmorency ist Mars, die Herzogin v. Ferrara Themis, der Kardinal de Lorraine Merkur; vgl. Ronsard, Hymnes I (1555ff.)

Myth. und Theologie jenseits des Christentums. Diese diente einerseits dazu, ethnische und nationalstaatliche Identitätspolitiken symbolisch zu überhöhen und beispielsweise mittels Bildern aus der nationalen Vergangenheit ursprungsmythisch zu rechtfertigen. Hierher gehört schon die polit. Philos. des Georgios Gemistos (ca. 1360–1452) [48], der sich mit einem Synonym Plethon nannte, um an Platon anzuklingen. Plethons polit. P. versuchte angesichts der Osmanischen Bedrohung, den Widerstandswillen des »Rhomäer«-Reichs von Byzanz dadurch zu stärken, daß er das Selbstverständnis der Herrschaftselite auf deren griech. Wurzeln um- und zurückpolen wollte. Die Forderung, »hellenisch« zu werden, bedeutete jedoch, mit der bezeichnenden Gleichsetzung des spätbyz. Sprachgebrauchs, *Héllēnes* zu sein, »Heiden«, somit den Bruch mit der christl. Staatsideologie von Konstantinopel, die sich in der Kontinuität des spätant. Röm. Reichs sah. Plethon entwarf konsequenterweise eine pagane Theologie auf Grundlage des homer. Pantheons, die Systementwürfe der Neuplatoniker fortzuführen suchte – indem er etwa die Plotinsche Triade von *Hén*, *Noús* und *Psyché* mit Zeus, Poseidon und Hera gleichsetzte. Auch vor Kultstiftung schreckte er nicht zurück: Gebetsformulare für die Tageszeiten sind erhalten (*Nomoi*, III 34). Plethons nativistisches (und naives) Programm scheiterte – er mußte seinen langen Lebensabend verbannt im peloponnesischen Provinzstädtchen Mistra verbringen, sein mutmaßliches Hauptwerk *Nómōn syngraphé* (*Buch der Gesetze*) wurde nach seinem Tod 1452 beschlagnahmt und größtenteils vernichtet.

Die Frz. Revolution: Während Plethon Zeitgenosse der beginnenden Formierung des neuzeitlichen Nationalstaats in Frankreich und England war, so vollendete sich mit jener »paganen Explosion«, die sich – nach dem amerikanischen Vorspiel – während der Frz. Revolution

1789–1794 abspielte, der mod. Nationalstaat und sein mentales und ideologisches Fundament: Der Anspruch auf Volksherrschaft, Menschenrechte, Gleichheit aller und Freiheit von »Tyrannei«, gestützt durch das neu entstehende Sozialgefühl des Patriotismus als Quelle von Nationalbewußtsein und Nationalismus, wurde in radikalen Setzungen als »Myth.« und »Kult der Vernunft« symbolisch gestaltet. Die Revolutionsjahre waren das pagane Laboratorium der polit. Moderne, so in der Massenästhetik der Feste, zumal unter der genialen Kultregie des Jacques-Louis David, im Heroen- und Märtyrerkult (Rousseau, Marat, Lepeletier) oder in den Personifikationen der demokratischen Werte von *Liberté* oder *Nature* (letztere in Anlehnung an die vielbrüstig verstandene Artemis von Ephesos). Ein prominentes Beispiel für Davids geniale Kultregie ist seine *Fontaine de la Régénération* (»Brunnen der Wiedergeburt«) von 1792/93 auf der Place de la Bastille in Paris: Der Brunnen ist inmitten einer künstlichen Natur angelegt; zentrale Figur ist die ägypt. Göttin Isis aus bronziertem Gips mit Kopftuch und Schurz des Pharao (→ Orient-Rezeption I. Ägypten, Abb. 8). Die Szene zeigt ein Ritual des Einweihungsfestes am 10.8.1792 (Fest der Gründung der Republik). Mitglieder der Nationalversammlung treten vor die Göttin und ihren Altar hin, fangen das Brunnenwasser, das aus den Brüsten der Göttin quillt, in einer Schale auf und trinken es sodann vor versammeltem Volk. Der Akt ist ›Höhepunkt der neuen Isis-Verehrung‹ (E. Hornung); Isis galt den frz. Revolutionären als Göttin der Natur, die, ähnlich wie Artemis von Ephesos als Multimammia, aus ihren Brüsten und Cornucopien üppige Fruchtbarkeit und das Lebenselexir gewährt. In der neuen revolutionären Myth. sollte Isis die Stellung einer ›Schutzgöttin von Paris‹ (Hornung) erhalten, die Kathedrale Notre-Dame wurde beispielsweise durch Charles-François Dupuis (*Origines de tous les cultes*, 1794) als Iseum gedeutet.

Vor allem die rückwärtsgewandte Utopie, Gesellschaft an Natur rückzubinden, zeitigte Versuche, »unverfälschte« ant. Kultszenarien wie Heilige Haine oder Gräberstraßen zu revitalisieren. Sie gipfelten in »Heiligen Bergen«, die in Kirchen, etwa den Kathedralen von Strasbourg und Paris, an Stelle des Hochaltars aufgeschaufelt und mit allegorischen Programmen bestückt wurden [17]. Das ›einheitsstiftende Kulturmodell‹ (I. Baxmann) [1] der griech.-röm., aber auch ägypt. Ant. wurde zur gemeinschaftsdarstellenden und gemeinschaftsbildenden Kraft, es war aber auch ideologisches Kampfmittel der bürgerlich-revolutionären Kräfte gegen die Allianz von Thron und Altar des *ancien régime*. Der P. der Revolutionäre spielte beide Facetten durch: im aggressiven Antiklerikalismus mit Bildersturm, Priesterhatz, ›déchristianisation‹ [44] und dem öffentlichen Verbrennen der *signes du fanatisme* (an der erwähnten *Fête de l'Unité*) einerseits, in Festkultur, Symbolprogramm und den Kultstiftungen des Jahres II andererseits: dem *Culte de la Raison* (mit »Tempeln« und Festen, z. B. am 20. Brumaire an II, 10.11.1793, in Notre Dame/Paris) oder Maximilien Robespierres Kult des *Être suprême* (Dekret vom 18. Floréal an II = 7.5. 1794; Fest am 20. Prairial an II = 8.6.1794). Von hier aus weisen die Wege zu den totalitären »polit. Religionen« des 20. Jh., aber auch zur symbolischen Selbstrepräsentation mod. Zivilgesellschaften. Zwei Sondertrad. des mod. polit. P. seien bes. erwähnt:

a) Militärreligion: Die Traditionspflege und Gedenkrituale in den nationalen Armeen und Veteranenverbänden nährten einen polit. Totenkult, der das gesamte 19. und 20. Jh. durchzieht: Er ist in den Gedenkstelen für die Märtyrer der Revolution und die gefallenen Soldaten des Bonapartismus (Projekt der Umwandlung des *Dôme des Invalides* in einen Marstempel 1799) [17. 146 f.] und der »Freiheitskriege« (»Husarentempel« in Form eines Bellona-Tempels für die Gefallenen der Schlacht von Aspern bei Mödling in der Hinterbrühl/Niederösterreich, 1809 und 1812 [28. 64]) ebenso zu finden wie in den Kriegervereinen des 19. und frühen 20. Jh., im offiziösen Kultus der »Kriegerdenkmale« ebenso wie in den düster-pompösen nationalsozialistischen Totenehrungen, wenn der »Märtyrer der Bewegung« des Hitler-Putsches 1923 am 9. November in den »Ehrentempeln« auf dem Münchner Königsplatz gedacht wurde – ein makabres Panorama toter »Helden«, denen man auf dem »Altar des Vaterlandes« opferte.

b) Zivilreligion: Die zivilrel. Stiftung von Bürgersinn und Staatsmythik wurde schon früh in den Vereinigten Staaten von Amerika als konfessions- und religionsübergreifendes Politikinstrument staatstragend. Sie ist in den Antrittsreden der amerikanischen Präsidenten ebenso dokumentiert wie in der staatlichen Symbolik, etwa in der Gestaltung der 1–Dollar-Note, des *greenback*, mit seinem »messianischen« Motto vom ›novus ordo saeclorum‹ (vgl. Verg. ecl. 4). Die Präsidenten wandelten dabei auf dem schmalen Grat zw. christl. und paganer Sinnproduktion, was die mühevolle Entwicklung

eines Designs für den Ost-Giebel des Capitols in Washington unter John Quincy Adams 1825 anschaulich belegt [43].

3. INDIVIDUELLE KULTE UND MYTHOLOGIEN

Das pagane Dispositiv bezog seine Attraktivität nicht nur aus seinem Nutzen, Staatsaktionen zu legitimieren, sondern auch daraus, daß es persönliche »Kleine Fluchten« weltanschaulicher, ästhetischer, rel. und, last but not least, erotischer Art aus den »Kasernen bürgerlicher Normalität« ermöglichte. Es gab Anlaß zu ›individuellen Myth.‹ (H. Szeemann), exzentrischen Lebensentwürfen, Projekten, die mit »Privatreligion«, »Intellektuellenreligion«, »Künstler-P.« oder »Außenseiterreligiosität« umschrieben werden können.

Ästhetischer P.: Maler und Poeten tradierten und aktualisierten einerseits in ihren Kunstmyth. die paganen Götter- und Heroengeschichten der Ant. und schufen sie zu eigenständigen ›Mytho-Konzepten‹ (M. Behre) und Synthesen um – man denke an Pierre de Ronsards *Hymnes* oder Friedrich Hölderlins Mytho-Konzept »Dionysos-Christus« [2]. Einmal gestaltet, entfalteten die poetischen Mythologeme ihr Eigenleben, wurden gegebenenfalls zu »Neuen Myth.« der Moderne (Dionysos- und Diana-Mythos; Atlantis-Mythos).

Andererseits konnte das Kunstwerk selbst, in Anschluß an Winckelmann und auch christl. Romantiker wie F. Schleiermacher und Wackenroder, in kunstrel. Überhöhung zum Medium von Offenbarung werden. Beispielgebend wird Johann Joachim Winckelmanns Beschreibung des vatikanischen → Apoll vom Belvedere in Form eines Prosahymnus an die gestaltete Gottheit: Der Verehrungsgestus wird verstärkt durch Entrückungserlebnis (nach Delos) sowie Vision (der verlebendigten Statue) und durch ein Deposit-Opfer (der »Begriffe« der Kunstbetrachtung selbst) abgeschlossen [46. 364–366]. Auch die Person des Künstlers wurde in »Genie-Kulten« seit dem »Sturm und Drang« des späten 18. Jh. zum gottgleichen Schöpfer mythisiert und sakralisiert. Wegweisend wurde der junge Goethe, der 1772 Erwin von Steinbach, den Baumeister des Straßburger Münsters, zum »Genius« und »Heiligen« (J. W. Goethe, *Von dt. Baukunst*) stilisierte. Goethe war es auch, der 1772–1777 mit seinen »Genie-Oden« den Grundstock für eine Kreativitätsmyth. legte: Der Künstler wird zur Naturgewalt (Strom und »Atlas« in *Mahomets Gesang*; »Jupiter Pluvius« in *Wandrers Sturmlied*) oder zum, etwa durch Prometheus, personifizierten Schaffensprinzip (*Prometheus*). Goethe imaginiert markant-kraftstrotzend Formen ästhetischer Selbstvergottung und »pantheistischen« Naturerlebens, die bis h. den Anstoß christl. Theologie erregen.

Kultbildungen: Am prononciertesten tritt der ästhetische P. in Kultbildungen der Moderne auf: um 1900 in der Schwabinger »Kosmischen Runde« und darauffolgend im »George-Kreis« sowie seit Anf. der 1960er J. im *Orgien Mysterien Theater* des Hermann Nitsch (Abb. 2). Die »Kosmiker«, versprengte Intellektuelle und Literaten der Münchner Bohème, zu denen Alfred Schuler

Abb. 2: Hermann Nitsch: Orgien Mysterien Theater, 80. Aktion, Prinzendorf 1984 (Partiturseite 28 und Ritual). Das Bild zeigt den Höhepunkt im »Abreaktionsspiel« des österreichischen Aktionskünstlers Hermann Nitsch, den ›dionysischen‹ »Grundexzeß« des sparagmós-(Zerreißungs-)Rituals: ›das wie gekreuzigt an den hinterfüßen hochgezogene, geschlachtete, ausblutende, abgehäutete tier, gott in stiergestalt, wird über allem sichtbar. des aufgebrochenen tierleibes fülle gebiert die weiche, leibwarme menge der gedärme, kotvoll, kotprall. auf rohem fleisch wird getrampelt. ... das prinzip dionysos erklärt sich. der gott des rausches, des überschwanges, der zerreißungsekstase, der zerstörung, des aufbaues, der auferstehung ... erfüllt unsere herzen‹ (Nitsch, *Das bildnerische Werk*, 186)

(1865–1923), Ludwig Klages (1872–1956), Karl Wolfskehl (1869–1948) und zeitweise Stefan George (1868–1933) zu zählen sind, versuchten seit Anf. der 1890er J., mit Hilfe von Versatzstücken ant. Mysterienreligionen und Symboliken ihre vehemente Ablehnung von urbanisierter Moderne, technizistischem Rationalismus und Massengesellschaft in einem ›Salonheidentum‹ (R. Faber) kultisch zu inszenieren. Ziel war es, im Sinn vitalistischer Lebensphilos. die seit der Ant. verschütteten Lebenskräfte und -säfte des Menschen wiederzuerlangen (Mythos von der »Blutleuchte«). Einer Kerngemeinde von »Enormen« sollte dies gelingen: Sie würde den rettenden Kontakt mit den ›lebendigen Urbildern‹ (Klages) und einem maternalen Kultursubstrat (wieder)herstellen. Dazu griffen die »Kosmiker« auf esoterische Lehren zurück wie die namensgebende vom »kosmogonischen Eros« der Orphik und Hesiods (theog. 120; vgl. Aristoph. Av. 692–716) – die gleichnamige Schrift Klages' von 1922 ist ein Pendant zu Schulers *Cosmogoniae Fragmenta* von 1894/95 [38] –, aber auch auf den zeitgenössischen Spiritismus (Flui-

dum-Theorie). Ihr P. war antiklassizistisch und romantisch, er aktualisierte Spätzeit und Vorzeit: Der Geist des → Fin de siècle und der orientalisierenden Tableaus des Symbolismus durchzog die Texte, wenn Stefan George schon vor dem »kosmischen Impuls« in *Algabal* (1892) ›Geheimopfer‹ im ›nachtenden Hain‹ heraufbeschwor und vor einem orientalischen Zeus Tänzer ›in verführenden Gewändern‹ auftreten ließ [11. 70 f., 48 f.]; Protagonisten waren die Kaiser der *décadence*, Nero und Elagabal. Andererseits suchte zumal Klages nach einer »Metaphysik des Heidentums«, die in einem archa. »Weltbild des Pelasgertums« gründete. Diese sollte erfüllt sein von Ahnendienst, Totenkult, Ekstaseriten, agrarischen Mysterien und einer ›heidnischen Ewigkeit‹, in der ›das Leben unablässiger Wandlung in sich selber zurückkreist‹ [22. 1412 f.] – ganz im Einklang mit den primitivistischen Szenarien der zeitgenössischen Altertumswiss. (Erwin Rohde, *Psyche*, 1890–1894; James G. Frazer, *The Golden Bough*, 1890 ff.; Jane Harrison, *Prolegomena to the Study of Greek Religion*, 1903; *Themis*, 1912). Vor allem aber pflegten die Kosmiker eine panerotische Symbolik um Sexualmagie, Androgynie-Mythen und Mutterkulte (Magna Mater – Kybele), wobei sie vornehmlich das damals wenig bekannte Werk J.J. Bachofens aufgriffen (*Versuch über die Gräbersymbolik der Alten*, 1859; *Das Mutterrecht*, 1861; *Die Sage von Tanaquil*, 1870; *Die Unsterblichkeitslehre der Orphischen Theologie auf den Grabdenkmälern des Altertums*, 1867). Allerdings kam das kultische Bemühen über Maskenfeste und Vorleseriten kaum hinaus.

Hedonistischer P.: Im Gegensatz zum angestrengten Tun der Schwabinger lieferte die ant. Lebenswelt entspannteren Literaten und Lebenskünstlern Vorlage und Vorwand, einen »ästhetischen Immoralismus« jenseits christl. Gebote und bürgerlicher (Sexual-)Normen zu pflegen, ja gezielt gegen diese zu verfechten. Prototyp war Wilhelm Heinses Künstlerroman *Ardinghello und die glücklichen Inseln* (1787), der im libertären röm. Künstlermilieu spielt und dessen 1. Buch mit Bacchanal und mänadischer Oreibasie über die Hügel Roms endet. Eine pagane Mittelmeerwelt mit vitalistischen und erotischen Zügen haben im 20. Jh. vorwiegend angelsächsische Autoren gefeiert (und auch gelebt): Norman Douglas (*South Wind*, 1917), D.H. Lawrence (*Twilight in Italy*, 1916; *Etruscan Places*, 1932); Lawrence Durell (*Reflections on a Marine Venus*, 1953, dt. *Leuchtende Orangen*; *Alexandria Quartett*, 1957–1960), Henry Miller (*The Colossus of Maroussi*, 1940), aber auch der Grieche Nikos Kazantzakis (*Alexis Sorbas*, 1946, kongenial verfilmt von M. Cacoyannis, 1964). Sie schufen sonnendurchflutete Wunschträume einer Welt, in der sich Paganes lustvoll mit Christl. vermengt und die Menschen v. a. eines tun wollen und können: leben.

4. PAGANISMUS ALS AUSSENSEITERRELIGIOSITÄT – DAS BEISPIEL HOMOSEXUALITÄT

Auch Homosexuelle und Homophile beiderlei Geschlechts verbanden ihre Sehnsucht nach gesellschaftlicher Toleranz und Legitimierung des öfteren mit einem paganen Überbau. Das ant. Gewand kompensierte und camouflierte abweichende Veranlagung und soziale Außenseiterposition und artikulierte zudem symbolischen Protest gegen die asketisch-sexualfeindliche und homophobe Tendenz im Christentum. Gleichgeschlechtliche Liebe, sei sie eine »griech.« oder »lesbische«, konnte ihre Rechtfertigung, als Gegenentwurf zur paulinischen Verdammung, aus dem nichtchristl. Mythos beziehen (Mythos von Zeus und Ganymed; Anthropogonie-Mythos in Platons *Symposion*). Andererseits boten sich Körperlichkeit und Nacktheit der Götter als plastische Projektionsflächen kunstrel. Überhöhung wie als Vorlagen für Re-Inszenierungen an – man denke an Winckelmanns enthusiasmierte und einfühlsame Beschreibungen männlicher Götterkörper, an Wilhelm von Gloeden, der nackte sizilianische Jungen in ant. Posen vor der Kulisse Taorminas E. des 19. Jh. photographierte, oder an Herbert Lists Blick auf Griechenland (*Licht über Hellas*, 1949). Selbst Kaiser Hadrians Heroisierung seines Geliebten Antinoos zeitigte Nachahmung: Stefan George erhob in einer privaten Kultstif-

tung 1904, unmittelbar nach der Trennung von Klages und Schuler (dessen Rombegeisterung offen homosexuell begründet war), einen seiner geliebten Epheben, den erst vierzehnjährig verstorbenen Maximilian Kronberger, zum Gott mit Kultnamen »Maximin« und rief sich als dessen Propheten aus (»Kunfttag«, d.i. Advent, und »Auf das Leben und den Tod Maximins« im Buch *Maximin* des *Siebenten Rings* [11. 279–293], vgl. »Eingang« im *Stern des Bundes* [11. 350–354]).

5. WISSENSCHAFT ALS PAGANISMUS (»AKADEMISCHER PAGANISMUS«)

Wer sich in Europa mit dem nichtchristl. Alt. philologisch oder arch. beschäftigte, war immer in der Gefahr, dieses Tuns wegen für rel. – sprich: christl. – unzuverlässig zu gelten oder gar, in Form eines *going native*, sich mit seinem Gegenstand über Gebühr zu identifizieren. Der Übergang von engagiertem Dilettantismus oder Forschertum zu bewußter Dissidenz war (und ist) fließend, und barg, gerade auch in den Altertumswiss. und ihren Popularisaten, rel. Sprengstoff in sich. Schon im byz. Reich mußten sich Gelehrte, die sich wie Michael Psellos mit dem lit. Erbe der Ant. beschäftigten, gegen den Vorwurf rechtfertigen, sie betrieben die Sache der *Héllēnes*, der »Heiden«. Der Humanist Johannes Italos wurde wegen paganer Umtriebe unter Kaiser Alexios Komnenos verbannt. Obwohl das Christentum als Buchreligion seine eigene Textpflege und -hermeneutik entwickelte [4] und dadurch sozusagen nebenbei die »heidnischen« Schriftzeugnisse über die Ant. rettete, entstand ihm in der Philol. auch eine rivalisierende Bewegung. Anders gesagt: Die human. »Arbeit an der Ant.« seit der Ren. und deren Popularisierung im gymnasialen Bildungssystem des 19. Jh. war die Voraussetzung der erwähnten paganen Neomythen und antikisierenden Kulte (Frz. Revolution; Kosmiker; Nitsch), wie sie schon für Friedrich Hölderlins Pindar-Nachfolge nachzuweisen ist. Es ist daher kein Zufall, daß die hohe Zeit des akademischen P., der mit den Namen Friedrich Nietzsche, Walter F. Otto und Karl Kerényi verbunden ist, im Zenit des Aufstiegs der Klass. Philol. zur bürgerlichen Leitwiss. 1872 beginnt. In diesem J. publizierte der junge Friedrich Nietzsche als Professor in Basel seinen Traktat *Die Geburt der Tragödie aus dem Geiste der Musik*, der nicht nur Werbeschrift für Richard Wagners Bayreuther Projekt war, sondern auch Kultstiftung im Geist der frühidealistischen »Neuen Myth.« betrieb: Die »dionysische« Weltanschauung sollte, als antichristl. Kunstreligion von Eingeweihten, wiederhergestellt werden. [36. 289ff., 341]. Nietzsche radikalisierte später die hier gefundenen Positionen: Die Kultstiftung kulminierte in der Prosadichtung *Also sprach Zarathustra* (4 Bücher, 1883–1885), einem paganen Evangelium; der antichristl. Affekt im *Gesetz wider das Christentum* vom »Tag des Heils«, dem 30. 9. 1888, am Schluß des *Antichrist* [40. 657–685]; die Promulgation des »Dionysischen« schließlich im »Gott-Dionysos-Werden« der Zusammenbruchstage Anfang 1889. Das war nicht mehr zu überbieten, und so blieb Nietzsches

Nachfolgern die eher scholastische Aufgabe, seinen Stimulus in eine »hellenische Theologie« auszuarbeiten. Am weitesten ging der Altphilologe Walter F. Otto (1874–1958), der nicht nur mit der Schrift *Der Geist der Antike und die christl. Welt* (1923) seinen eigenen »Antichrist« veröffentlichte, sondern in seinem Hauptwerk *Die Götter Griechenlands* von 1929 die homer. Götterwelt gestalttheologisch und als Offenbarungsreligion deutete. Ganz »Nietzsche *redivivus*«, ließ er 1933 einen *Dionysos* folgen. Karl Kerényi (1897–1973) war zwar zeitweilig stark von der Archetypenlehre C.G. Jungs beeinflußt – er faßte Myth. als ›kollektive Psychologie‹ [24. 97–113] und Wiss. als ›humanistische Seelenforschung‹ auf –, stand ansonsten jedoch im Bann von Nietzsche und Otto. Im ›Grundgefühl der Ergriffenheit‹, einem (schon ant.) Besessenheitstopos, rückte Kerényi ›Wiss. (. . .) in die Nähe der Religion‹: ›die Wahrheit hat mich gewählt und nicht ich sie‹ [21. 60f.]. Im Asconeser Kreis von *Eranos* fanden Ottos und Kerényis pagane Theologien eine Heimat unter seelenverwandten Akademikern wie Mircea Eliade oder Henry Corbin, die Wiss. sinnstiftend als ›Religion nach der Religion‹ betrieben [45].

→ Faschismus; Festkultur; Horoskop; Okkultismus; Rezeptionsformen

→ AWI Barbaren; Paganus; Religion

1 I.BAXMANN, Die Feste der Frz. Revolution, 1989
2 M.BEHRE, ›Des dunkeln Lichtes voll‹ – Hölderlins Mythokonzept Dionysos, 1987 3 W.BURKERT, Griech. Myth. und die Geistesgesch. der Moderne, in: Les Études classiques aux XIXe et XXe siècles. Leur place dans l'histoire des idées, 1980, 159–207 4 Ders., Klass. Alt. und ant. Christentum. Probleme einer übergreifenden Religionswiss., 1996 5 H.CANCIK, Nutzen, Schmuck und Aberglaube. Ende und Wandlungen der röm. Religion im 4. und 5. Jh., in: H.ZINSER (Hrsg.), Der Untergang von Religionen, 1986, 65–90 6 Ders., s.v. Heidentum, in: HrwG 3 (1993), 65 7 R.FABER, Pagan und Neo-P. Versuch einer Begriffsklärung, in: Ders., R.SCHLESIER (Hrsg.), Die Restauration der Götter. Ant. Religion und Neo-P., 1986, 10–25 8 Ders., Männerrunde mit Gräfin: Die Kosmiker, 1994 9 M.FRANK, Vorlesungen über die Neue Mythologie, 2 Bde., 1982–1988 10 J.-C. FREDOUILLE, Art. Heiden, in: RAC 13 (1986) 1113–1149 11 ST. GEORGE, Werke in 2 Bde., ⁴1984, Bd. 1 12 M.GIMBUTAS, The language of the Goddess. Sacred images and symbols of Old Europe, 1989 (dt. Die Sprache der Göttin, 1995) 13 C.GINZBURG, Die Benandanti. Feldkulte und Hexenwesen im 16. und 17. Jh., 1980 (it. ¹1966) 14 B.GLADIGOW, Europ. Nativismen und Bilder der Ant., in: H.PREISSLER, H.SEIWERT (Hrsg.), Gnosisforsch. und Religionsgesch., 1994, 421–433 15 Ders., Polytheismen der Neuzeit, in: B.KÖHLER (Hrsg.), Religion und Wahrheit. Religionsgesch. Studien. FS Gernot Wießner, 1998, 45–59 16 H.GÖTTNER-ABENDROTH, Die Göttin und ihr Heros, erweit. und überarb. Neuaufl. 1992 u.ö. 17 H.C. HARTEN, E.HARTEN, Die Versöhnung mit der Natur, 1989 (Bildmaterial) 18 A.HENRICHS, Die Götter Griechenlands. Ihr Bild im Wandel der Religionswiss., 1987 19 E.HORNUNG, Das esoterische Ägypten. Das geheime Wissen der Ägypter und sein Einfluß auf das Abendland,
1999 20 J.HUMMEL, in: B.RÖDER, J.HUMMEL, B.KUNZ (Hrsg.), Göttinnendämmerung. Das Matriarchat aus arch. Sicht, 1996, 229–271 (Çatal Hüyük) und 299–345 (Kreta) 21 K.KERÉNYI, Ergriffenheit (1936), in: Ders., Apollon und Niobe, 1980, 56–63 22 L.KLAGES, Der Geist als Widersacher der Seele (1929), ⁶1981 23 J.R. LEWIS (Hrsg.), Magical Religion and Modern Witchcraft, 1996 24 A.MAGRIS, Carlo Kerényi e la ricerca fenomenologica della religione, 1975 25 O.MARQUARD, Lob des Polytheismus. Über Monomythie und Polymythie (1979), in: Ders., Abschied vom Prinzipiellen, 1981, 90–116 26 E. DE MARTINO, Morte e pianto rituale – Il lamento lucano nel mondo antico. Dal lamento pagano al pianto di Maria, 1958 27 Ders., La terra del rimorso, 1961 28 B.MATSCHE-VON WICHT, Zum Problem des Kriegerdenkmals in Österreich in der 1. H. des 19. Jh., in: R.KOSELLECK, M.JEISMANN (Hrsg.), Der polit. Totenkult, 1994 29 J.MELLAART, Çatal Hüyük – Stadt aus der Steinzeit, 1967 30 L.J.R. MILIS (Hrsg.), The pagan Middle Ages, 1998 (nl. ¹1991) 31 D.-R. MOSER, Fastnacht, Fasching, Karneval – Das Fest der »verkehrten Welt«, 1986 32 U.NANKO, Die Dt. Glaubensbewegung. Eine histor. und soziologische Unt., 1993 33 G. VON NEMÉNYI, Heidnische Naturreligion. Altüberlieferte Glaubensvorstellungen, Riten und Bräuche, 1993 34 W.-D. NIEMEYER, Das Stuckrelief des »Prinzen mit der Federkrone« aus Knossos und minoische Götterdarstellungen, in: MDAI(A) 1987, 65–98 35 J.NIEWIADOMSKI, Die neuen Heiden, in: TANGRAM 6, 22–28 36 B. v. REIBNITZ, Ein Komm. zu Friedrich Nietzsche »Die Geburt Tragödie aus dem Geiste der Musik« (Kap. 1–12), 1992 37 J.SCHMIDT, Die Gesch. des Genie-Gedankens in der dt. Lit., Philos. und Politik, 1750–1945, 2 Bde., 1985 38 A.SCHULER, Cosmogonische Augen. Gesammelte Schriften, hrsg., komm. u. eingel. von B.MÜLLER, 1997 (wichtige Einl.) 39 L.SIEGELE-WENSCHKEWITZ, Verdrängte Vergangenheit, die uns bedrängt. Feministische Theologie in der Verantwortung für die Gesch., 1988 40 A.U. SOMMER, Friedrich Nietzsches »Der Antichrist«. Ein philos.-histor. Komm., 2000 41 E.STÄRK, Hermann Nitschs Orgien Mysterien Theater und die Hysterie der Griechen, 1987 42 J.TAUBES, Zur Konjunktur des Polytheismus, in: K.-H. BOHRER (Hrsg.), Mythos und Moderne, 1983, 457–470 43 E.VERHEYEN, Unenlightened by a single ray from Antiquity. John Quincy Adams and the design of the pediment for the United States Capitol, in: IJCT 3, 1996, 208–231 44 M.VOVELLE, La Révolution contre l'église: de la raison à l'Être suprême, 1988 45 ST. M. WASSERSTROM, Religion after religion. Gershom Scholem, Mircea Eliade and Henry Corbin at Eranos, 1999 46 J.J. WINCKELMANN, Gesch. der Kunst des Alt. (1764), hrsg. v. L.GOLDSCHNEIDER, 1934 = 1972 47 J.WOLF, Neo-P. und Stammesreligionen. Ein religionswiss. Vergleich, 1997 (über die Rezeption vorgeschichtlicher Orte, keltischer, german. und indianischer Religion) 48 C.M. WOODHOUSE, George Gemistos Plethon. The Last of the Hellenes, 1986. HUBERT MOHR

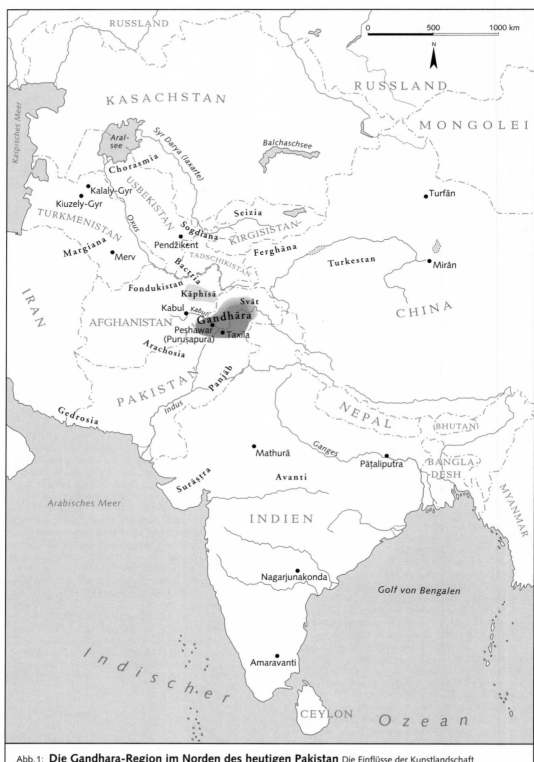

Abb. 1: Die Gandhara-Region im Norden des heutigen Pakistan Die Einflüsse der Kunstlandschaft reichen über große Teile Mittel- und Zentralasiens sowie bis nach Mathura im mittleren Indien

Pakistan/Gandhara-Kunst

A. BEGRIFFSBESTIMMUNG   B. REZEPTION
GANDHARENER BILDTRADITIONEN IN DEN
INDISCHEN UND ASIATISCHEN KUNSTSTILEN
C. FORSCHUNGS- UND AUSGRABUNGSGESCHICHTE
D. WISSENSCHAFTSGESCHICHTE
E. GANDHARA-KUNST IN MUSEEN

A. BEGRIFFSBESTIMMUNG

Mit Gandhara (G.) wird zum einen die geogr. und zum anderen die kulturhistor. Landschaft bezeichnet. Die in den Grenzen nicht exakt festgelegte Region G. im Norden des heutigen Pakistan erstreckt sich entlang des Indus von Taxila nach Norden und entlang des Kabul bis zum Khyber-Paß, der heutigen Grenze zw. Afghanistan und Pakistan mit dem Kerngebiet der Region um Peshawar und vielleicht auch den Gebieten um Swat und Kapisha (Abb. 1). Zur kulturhistor. Landschaft G. werden zusätzlich weite Teile Ost- und Nordafghanistans gerechnet. Die Einflüsse der Kunstlandschaft G. reichen über große Teile Mittel- und Zentralasiens sowie bis nach Mathura im mittleren Indien.

Begünstigt durch die auf den Indienfeldzug Alexanders des Großen von 327–325 v. Chr. zurückgehenden graeco-baktrischen Reiche des 3. und 2. Jh. v. Chr. im nördl. Afghanistan, durch nomadische Einwanderung, die Lage an wichtigen Karawanenverbindungen insbes. der Seidenstraße und intensive Kulturkontakte über den Handel, entwickelt sich die G.-Kunst als Teilbereich der indisch-buddhistischen Kunst unter der Herrschaft der nomadischen Dynastie der Kuschana. Kennzeichen sind die Verwendung eines einheitlichen Materials (hauptsächlich grauer Schiefer, Stuck), das Auftreten der ersten anthropomorphen Darstellungen des bis dahin in der altindischen Kunst nur in Symbolen

versinnbildlichten Buddha, der Einfluß nomadischer Stilkomponenten und die Synthese griech.-röm. Formen mit buddhistischen Motiven.

Der Beginn der G.-Kunst wird in die Zeit des bedeutendsten Kuschanherrschers Kanischka I. gesetzt, dessen Datierung bis h. umstritten ist und nach den jeweiligen Ansätzen zw. 78 n. Chr. und 278 n. Chr. schwankt [32; 40]. Angesichts der Verwendung unterschiedlicher Zeitrechnungen in den Teilgebieten Indiens fehlen feste chronologische Anknüpfungspunkte. Im Gegensatz zur vormaligen Frühdatierung der G.-Kunst in das 2./1. Jh. v. Chr. [14. Bd. II.] hat sich h. allg. eine Datierung in das 1.–3./4. Jh. n. Chr. [5; 41] durchgesetzt. Durch die Verarbeitung hell.-röm. Formensprache unterscheiden sich G.-Werke von Bildwerken anderer indischer Kunstschulen. Hell. Gewandformen (Abb. 2) sind v. a. an den Buddhastatuen (Abb. 3) nachzuweisen. Die Ikonographie ant. Götter wird übernommen (Aphrodite [31], Dioskuren [16] u. a.) bzw. für indisch-buddhistische Götterdarstellungen genutzt (Tyche-»nagaradevatta«/Stadtgöttin [16], Herakles-Vajrapāṇi [12]) und ant. myth. Inhalte werden adaptiert [2; 23].

B. REZEPTION GANDHARENER BILDTRADITIONEN IN DEN INDISCHEN UND ASIATISCHEN KUNSTSTILEN

In dem der G.-Schule zeitgleichen Kunstzentrum Mathura läßt sich ein Einfluß G. [26] an einigen Buddhastatuen anhand Gewandform und Gewandgestaltung konstatieren. Zum einen sind sie mit dem für die Buddhabilder G. charakteristischen, beide Schultern bedeckenden Mönchsmantel (Sanghati, Pali) bekleidet [24. Nr. 78]. Die Buddhafiguren der originär indischen Schule tragen dagegen nur Ober- und Untergewand. Zum anderen steht die plastische Wiedergabe der Ge-

Abb. 2: Sogenanntes Buner-Relief. Schiefer. Cleveland Museum of Art.
Die »Buner-Reliefs«, mehrere zusammengehörige Reliefplatten, die im Gebiet des heutigen Afghanistan im Peshawar-Tal an der Grenze zur Buner-Region gefunden wurden und ins 1. Jh. n. Chr. datieren, sind hervorragende Belege für das Auftreten hellenistisch-römischer Gewänder in der Gandhara-Kunst. Charakteristisch ist die Aufreihung von Musikanten, Tänzern oder gabenbringenden Stiftern, die jeweils zentralasiatisch-nomadische Kushankleidung, indische Tracht oder wie hier antikes Gewand tragen

Abb. 3: Buddhafigur aus Gandhara, Pakistan.
Tonschiefer. Neu Delhi, Nationalmuseum, 49.24

Abb. 4: Stele aus China. Marmor, 6. Jh. n. Chr,
Höhe 27,5 cm.
München, Staatliches Museum für Völkerkunde,
Nr. 13-63-1

wandfalten bei den von G. beeinflußten Werken in Kontrast zur Kleidung der typischen Mathura-Bildnisse, bei denen das Gewand dünn und durchscheinend am Körper liegt und die Falten nur durch eingeritzte Linien angedeutet sind.

Für die Entwicklung der klass.-indischen Kunst der Guptazeit ab dem 4. Jh. n. Chr. ist der G.-Stil nur für eine der beiden Hauptwerkstätten, Mathura, nicht aber für Sarnath, von begrenzter Bedeutung. Einzelne Stilelemente (Gewandfaltenstil) oder Motive (Relief-komposition mit symmetrisch aneinandergereihten Figurengruppen, »Europ. Sitzhaltung« und spezifische Handgesten des Buddha, Bed. der Bodhisattva-Figuren) werden übernommen und in eigener Weise verarbeitet (Umwandlung der schematisierten Gewandfalten der späten G.-Buddhas zu rhythmisch-gereihten und transparenten Fältelungen) [33. Taf. 80].

Einige Buddhabilder der mittel- und südindischen Kunstschulen von Amaravati und Nagarjunakonda [33. Taf. 71 A] verraten durch antikisierende Faltengewänder, Krobylos-Frisuren und apollinische Gesichtsformen G.-Einfluß.

Gandhara und die im Westen angrenzende afghanische Provinz Baktrien bilden durch ihre Lage an wichtigen Handelsstraßen den Ausgangspunkt für die Verbreitung des Buddhismus nach Zentral- und Ostasien. Über die Spätphase der G.-Kunst im 3./4. Jh. n. Chr. in Afghanistan (Hadda, Bamiyan, Fondukistan) wird das in G. entwickelte Buddhabild entlang den Hauptrouten der Seidenstraße nach Osten tradiert [25; 15]. Die ältesten Belege für G.-Einfluß in den zentralasiatischen Oasenstädten, z. B. in den Wandmalereien von Miran, sind nicht vor das 3. bzw. 4. Jh. n. Chr. zu setzen und beruhen auf der Ausbildung einer buddhistischen Klosterkultur in dieser Zeit. Da der Buddhismus das geogr. isolierte Tibet erst im 8. Jh. n. Chr. erreicht, fehlen dort G.-Einflüsse ebenso wie in Südostasien, wo die buddhistische Mission in Ceylon unter Aschoka im 3. Jh. v. Chr. sehr früh wirkt. Dagegen lassen sich G.-Elemente vereinzelt in der chinesischen Plastik im Gewandfaltenstil feststellen [30]. Der zu einer rechten Armschlinge drapierten Form des Mönchsmantels (Abb. 4) liegt das über die G.-Kunst [21. Abb. 211] tradierte griech.-röm. »Himation im Armschlingentypus« [29] zugrunde (→ China).

In den unmittelbaren Ausstrahlungsgebieten der
G.-Kunst wirken gandharene Stiltraditionen auch auf
spätere Kunstwerke. Die ins 5.–7. Jh. n. Chr. datierten
zwei Kolossalstatuen des Buddha in Bamiyan [33. Taf.
55], die im März 2001 von den afghanischen Taliban-
Kriegern völlig zerstört wurden, zeigten in der Übernahme einzelner G.-Elemente (Gewandformen des
beide Schultern bedeckenden Mönchsmantels, plastischer Faltenstil) die lange Kontinuität des G.-Einflusses
in Afghanistan. Die kleinere der beiden Buddhafiguren
(Höhe 35 m) stand aufgrund des die Körperformen be-
tonenden Gewandes der G.-Kunst näher. Im schematisierten Stil der plastischen Gewandfalten der größeren
Buddhastatue (Höhe 53 m) wurde eine Beeinflussung
durch die von den späten G.-Figuren abgeleiteten
Buddhabilder der Guptazeit in Mathura ab dem
4. Jh. n. Chr. konstatiert.

C. Forschungs- und Ausgrabungsgeschichte

Gandhara-Kunst wird in der 1. H. d. 19. Jh. durch
die Sammlungs- und Ausgrabungstätigkeit von im
Dienst der britischen Ostindien-Kompagnie durch Pakistan reisenden Offizieren oder Privatpersonen (z. B.
A. Burnes) bekannt. Die ersten Forschungsberichte
stammen von Ch. Masson und von H. H. Wilson (*Aria-
na Antiqua*, London 1841, Ndr. Neu Delhi 1971). Die
nach der engl. Invasion in Afghanistan im Zuge des bri-
tisch-afghanischen Krieges (1839–1842) unsichere polit.
Situation begünstigt private und halboffizielle Unternehmungen wie die Ausgrabung des Klosters von
Takht-i-Bahi. Aus einer 1864 in Lahore eröffneten Ausstellung von G.-Funden geht das Panjab Museum her-
vor. 1901 folgt die Museumsgründung in Peshawar. G.-
Werke finden Eingang in den bedeutenderen indischen
Museen in Kalkutta, Bombay, Madras, Lucknow und
Patna sowie in europ. Museen, v. a. im British Museum
und im Victoria and Albert Museum in London. Der
Leiter des 1871 gegründeten Archaeological Survey of
India, Alexander Cunningham (1814–1893), identifi-
ziert 1863/64 in den Ruinenfeldern um Shah-dheri bei
Rawalpindi das ant. Taxila. Eine erstmalige gründliche
Funddokumentation nach mod. wiss. Kriterien erfolgt
durch John Marshall in Pushkalavati/Charsadda. Die
Grabungen von Marshall in Taxila bis 1934 [27] zielen
auf die Feststellung einer Schichtenabfolge. In den ersten Jahrzehnten des 20. Jh. erstellt Alfred Foucher ein
bis h. grundlegendes Corpus für die Werke der G.-
Kunst [13; 14] und Henri Deydier eine Bibliographie
für die J. 1922–1949 [7]. Die 1922 gegründete Déléga-
tion Archéologique Française en Afghanistan (DAFA)
nimmt systematische Feldforsch. in Afghanistan, z. B. in
Begram [19], Shotorak, Paitava und Hadda, vor. Die
Region von Swat wird durch die v. a. von der Missione
Archeologica Italiana in Pakistan geleiteten Ausgrabungen in Panr und Saidu Sharif sowie durch die für die
relative Chronologie der G.-Baukunst bes. wichtige
Grabung von G. Tucci und D. Facenna in Butkara [10;
11] erschlossen. In den letzten Jahrzehnten werden Ausgrabungen z. B. vom Archaeological Survey of Pakistan
oder vom Istituto Italiano per il Medio ed Estremo
Oriente (IsMEO, h. Istituto Italiano per l'Africa e l'Oriente, IsIAO) in Neapel durchgeführt. Die Forschungslit.
ab 1950 bis 1993 ist durch Pierre Guenée umfassend
bibliographisch aufgearbeitet [18].

D. Wissenschaftsgeschichte

Die ältere Forsch. beschäftigt sich im wesentlichen
mit der Frage des fremdländischen Ursprungs der G.-
Kunst. Die These der griech. Herkunft betrachtet die
G.-Kunst als Fortführung der hell. Bildkunst in den
griech.-baktrischen Reichen [14; 17]. Damit geht sowohl die von A. Foucher geprägte Bezeichnung als
»graeco-buddhistisch« [13] als auch seine Frühdatierung
der G.-Kunst in das beginnende 1. Jh. v. Chr. einher.
Die zunehmende Kenntnisnahme einer zeitlichen Lük-
ke zw. der griech.-baktrischen Kunst und dem Auftreten der ersten, nicht vor dem 1. Jh. n. Chr. nachweisbaren buddhistischen G.-Werke veranlaßt Forscher wie
Hugo Buchtal [3], Benjamin Rowland [34], John
Wheeler [42] oder Alexander Soper [39], die G.-Kunst
nicht mehr unmittelbar von einer hell.-baktrischen
Vorgängerkunst abzuleiten, sondern sie als neue Kunstepoche zu verstehen und der Einflußnahme der zeitgleichen, auf Handelswegen in den Osten verbreiteten
röm.-kaiserzeitlichen Kunst bei deren Entstehung die
ausschlaggebende Bed. zuzuschreiben. Die Vertreter
dieser romano-buddhistischen These stützen sich auf
ikonographische bzw. stilistische Vergleiche [3; 4; 35;
39] und erkennen in der Buddhafigur anhand von Kör-
pergestaltung und v. a. Gewandbehandlung das Vorbild
der röm.-kaiserzeitlichen Gewandfigur [42. 7], insbes.
der Togastatue. B. Rowland identifiziert das Gewand
einiger Buddhastatuen als röm. Pallium und sieht darin
eine Übernahme des ant. Philosophenbildnisses [36].
Dieter Ahrens wählt in *Die röm. Grundlagen der Gand-
harakunst* (1961) zehn Buddhabildnisse aus und setzt sie
durch den Stilvergleich mit röm. Skulpturen in eine
chronologische Abfolge, die er mit in der plastischen
Gewandgestaltung hadrianisch-klassizistischen Werken
ähnlichen Buddhastatuen beginnen und mit aufgrund
ihrer stilisierten Gewandbehandlung theodosianisch datierten Buddhafiguren enden läßt. Andere Forscher erklären die Gewandschematisierung entweder als Parallele zur Stilentwicklung der röm.-spätant. Plastik [37]
oder als Beeinflussung durch die orientalisierende Kunst
Palmyras [39]. Hans Christoph Ackermann zeigt anhand
des Bestandes des Victoria and Albert Museums in London ausgehend von formalen Gestaltungsweisen wie
Bildkomposition und Reliefstil die Entwicklung der
G.-Reliefs in Gegenüberstellung zu der der röm.-kai-
serzeitlichen Reliefkunst [1]. Die ältere Forsch. nimmt
einen Entwicklungsverlauf der G.-Kunst von einer
hochstehenden hell.-geprägten Frühphase zu einer zunehmenden indischen Beeinflussung an. Ein antiröm.
Philhellenentum der Franzosen und Deutschen [14; 17],
die die G.-Kunst als graeco-buddhistisch identifizieren,
ist darin zunehmend mit der proröm., den romano-

buddhistischen Ursprung der G.-Kunst bevorzugenden Ideologie der Engländer [34; 39; 42] konfrontiert. Bedingt durch den kolonialistischen Hintergrund entspricht dieses Modell einer eurozentrischen Einstellung, die erst durch die Neuwürdigung indischer Kunst durch J. Havell [20] in Frage gestellt wird. Letzteres führt zur Anti-G.-Polemik in der indischen Forsch. [6], die die G.-Kunst als ungenügende Imitation fremder Kunstprinzipien abwertet. Der parthische Stilcharakter von Funden v. a. aus Sirkap/ Taxila sowie Swat (Butkara) weist auf die enge Verbindung der G.-Kunst mit dem Iran. D. Schlumberger [38], M. W. Khan [22] und Ch. Fabrègues [9] räumen daraufhin den Parallelen zur parthischen und weniger zur röm. Kunst Priorität ein und behaupten eine Kontinuität zur hell.-baktrischen Kunst aufgrund der Existenz einer griech.-parthischen Mischkunst in den baktrischen Städten.

In der aktuellen Forsch. geht es nicht mehr um die Herleitung der G.-Kunst aus einem spezifischen Kunstkreis. Stattdessen wird G.-Kunst als Mischstil akzeptiert, und die Schwerpunktsetzung der Forsch. verschiebt sich zugunsten ikonographischer Detailanalysen [12]. Zentrale Fragestellungen betreffen das Chronologieproblem sowie die Erforsch. von Kulturkontakten und führen zu einer forschungsgeschichtlichen Aufwertung der G.-Kunst.

E. Gandhara-Kunst in Museen

Bedingt durch die anfänglich hauptsächliche Grabungstätigkeit der Engländer werden G.-Funde im 19. Jh. v. a. in britischen Mus. als Beispiele qualitätvollen indischen Kunstschaffens ausgestellt. G.-Kunst steht für die Kunst der Kronkolonie Indien. Die zunehmende Kenntnisnahme ihrer Eigenständigkeit verbunden mit der Problematik hinsichtlich einer Zuordnung führt in der Folgezeit dazu, daß G.-Kunst meist in völkerkundliche Mus. oder Sammlungsbestände eingebunden wird. Es gibt nur wenige eigene G.-Abteilungen.

Hauptaufbewahrungsorte sind: Berlin: Museum für Indische Kunst (ehemals Museum für Völkerkunde in Berlin-Dahlem) sowie Staatsbibliothek Preußischer Kulturbesitz. Frankfurt: Museum für Kunsthandwerk. Hamburg: MKG, Museum für Völkerkunde. Heidelberg: Völkerkunde-Museum der von-Portheim-Stiftung. Marburg: Völkerkundliche Sammlung. München: Bayerische Staatsbibliothek und Staatliches Museum für Völkerkunde. Stuttgart: Linden-Museum. Göttingen: Völkerkundliche Sammlung der Universität. Gießen: Oberhessisches Museum, Abteilung Vor- und Frühgeschichte und Völkerkunde. Leipzig: Museum für Völkerkunde. London: BM, Victoria and Albert Museum, The British Library, India Office Library, Royal Asiatic Society. Oxford: AM, Bodleian Library. Birmingham: Birmingham Museum and Art Gallery. Manchester: Rylands Library. Windsor: Royal Library. Wien: Museum für Völkerkunde, Österreichische Nationalbibliothek. Basel: Museum für Völkerkunde. Genf: Musée Barbier-Müller. Zürich: Museum Rietberg. Kopenhagen: The David Collection. Paris: Musée Guimet, Bibliothèque Nationale, Musée des Arts décoratifs. Rom: Istituto Italiano per il Medio ed Estremo Oriente, Museo Nazionale d'Arte Orientale. Amsterdam: Museum van Aziatische Kunst. Leiden: Rijksmuseum voor Volkenkunde. Antwerpen: Etnografisch Museum. Brüssel: Musées Royaux d'Art et d'Histoire. Mariemont: Musée d'Etat Mariemont. Lissabon: Calouste Gulbenkian Museum.

→ AWI Buddha; Gandaritis; Graeco-Baktrier; Kuschan; Mathura; Pallium; Seidenstraße; Swat; Taxila

1 H. Ch. Ackermann, Narrative Stone Reliefs from G. in the Victoria and Albert Museum in London, Istituto Italiano per il Medio ed Estremo Oriente (IsMEO) Reports and Memoirs XVII, 1975 **2** J. Allan, A Tabula Iliaca from G., JHS 66, 1946, 21–23 **3** H. Buchtal, The Western Aspects of G. Sculpture, Proceedings of the British Academy 31, 1945, 3–28 **4** Ders., The Common Classical Sources of Buddhist and Christian Narrative Art, Journal of the Royal Asiatic Society 1943, 137–148 **5** M. Bussagli, L'Arte del G., 1984 **6** A. K. Coomaraswamy, The Indian Origin of the Buddha Image, The Art Bulletin 9, 1927, 287–328 **7** H. Deydier, Contribution à l'étude de l'art du G. Essai de bibliographie analytique et critique des ouvrages parus de 1922 à 1949, 1950 **8** E. Errington, J. Cribb et al. (Hrsg.), The Crossroads of Asia, Ausstellungskat. Cambridge, FM, 1992 **9** Ch. Fabrègues, The Indo-Parthian Beginnings of G. Sculpture, Bull. of the Asia Inst. 1, 1987, 33–43 **10** D. Facenna, Butkara I (Swat, Pakistan) 1956–1962, IsMEO Reports and Memoirs III, 1–5, 1980–81 **11** D. Facenna, M. Taddei, Sculptures from the Sacred Area of Butkara I (Swat, Pakistan), IsMEO Reports and Memoirs II, 2 und 3, 1962–1964 **12** F. B. Flood, Herakles and the Perpetual Acolyte of the Buddha: Some Observations on the Iconography of Vajrapani in Gandharan Art, South Asian Studies 5, 1989, 17–27 **13** A. Foucher, L'art gréco-bouddhique du G. Etude sur les origines de l'influence classique dans l'art bouddhique de l'Inde et de Extrême Orient, 2 Bde., 1905–1951 (1905 Bd. I; 1922 Bd. II; 1951 Erweiterungsband) **14** Ders., La vieille route de l'Inde de Bactres à Taxila, 2 Bde., 1942–1947 **15** H. G. Franz (Hrsg.), Kunst und Kultur entlang der Seidenstraße, ²1987 **16** G. Gnoli, The Tyche and the Dioscuri in Ancient Sculptures from the Valley of Swat, East and West 14, 1963, 29–37 **17** A. Grünwedel, Buddhistische Kunst in Indien, ²1919 **18** P. Guenée, Bibliographie analytique des ouvrages parus sus l'art du G.: entre 1950 et 1993, 1998 **19** J. Hackin, Nouvelles recherches archéologiques à Begram (1939–40), 2 Bde., 1954 **20** J. Havell, The Ideals of Indian Art, ²1920 **21** H. Ingholt, I. Lyons, Gandharan Art in Pakistan, 1957 **22** M. W. Khan, Inception of G. Sculpture, East and West 15, 1964–65, 53–61 **23** N. A. Khan, A New Relief from G. Depicting the Trojan Horse, East and West 40, 1990, 315–319 **24** D. E. Klimburg-Salter, Buddha in Indien, Ausstellungskat. Wien, KM, 1995 **25** Kunst des Buddhismus entlang der Seidenstraße, Ausstellungskat. München 1992, hrsg. von H. J. Klimkeit, 88–100 **26** J. E. van Lohuizen-de Leeuw, G. and Mathura: Their Cultural Relationship, in: P. Pal (Hrsg.), Aspects of Indian Art, 1972, 24–43 **27** J. Marshall, Taxila, 3 Bde., 1951 **28** L. Nehru, Origins of the Gandharan Style, Delhi 1989 **29** K. Polaschek, Unt. zu griech. Mantelstatuen. Der Himationtypus mit Armschlinge, Diss., 1969 **30** M. M. Rhie, Some Aspects of the Relation of 5th-Century Chinese Buddha Images with Sculpture from N. India, Pakistan, Afghanistan and Central Asia, East and West 26, 1976, 439–461 **31** E. ROBERTS, Greek Deities in the Buddhist Art of India, Oriental Art N. S. 5, 1959, 114–119 **32** J. M. ROSENFIELD, The Dynastic Arts of the Kushans, 1967, 253–258 (Appendix I) **33** B. ROWLAND, The Art and Architecture of India, ²1956 **34** Ders., Rome and G., East and West 9, 1958, 199–208 **35** Ders., G., Rome and Mathura: The Early Relief Style, Archives of the Chinese Art Society of America 10, 1956, 8–17 **36** Ders., G. and Early Christian Art: Buddha Palliatus, AJA 49, 1945, 445–448 **37** Ders., G. and Late Antique Art: The Buddha Image, AJA 46, 1942, 223–236 **38** D. SCHLUMBERGER, Descendants non-méditerranées de l'art grec, Syria 37, 1960, 131–166 und 253–318 (in dt. Übers.: Nachkommen der griech. Kunst außerhalb des Mittelmeerraums, in: F. ALTHEIM, J. REHORK (Hrsg.), Der Hell. in Mittelasien, 1969, 281–405) **39** A. C. SOPER, The Roman Style in G., AJA 55, 1951, 301–319 **40** Ders., Recent Studies involving the Date of Kanishcka, Artibus Asiae 33, 1971, 339–350; 34, 1972, 102–113 **41** F. TISSOT, G., 1985 **42** R. E. M. WHEELER, Romano-Buddhist Art: An Old Problem Restated, Antiquity 23, 1949, 4–19 **43** W. ZWALF, A Catalogue of the G. Sculpture in the British Mus., 2 Bde., 1996.

REGINA BARLOVITS

Paläographie, griechischische.

Der Begriff Paläographie wurde zum ersten Mal von dem Benediktiner Bernard de Montfaucon in seinem 1708 erschienenen Werk *Palaeographia graeca* benutzt, das die mod. Erforschung der griech. Schriftgeschichte mit der Beschreibung der Arbeitsweisen sowie Methoden eröffnete. Doch Montfaucon erfuhr zunächst nur geringe Beachtung; erst das etwa ein Jh. später erschienene Werk von Friedrich Jacob Bast [1] hat die Analyse der griech. Schriften zum eigentlichen Gegenstand. Nahezu während des gesamten 19. Jh. ist das Studium der griech. Schriftgeschichte der Beschäftigung mit den Texten selbst untergeordnet und bleibt das Gebiet einiger weniger Fachleute. Entsprechend dem positivistischen Zeitgeist beginnt sich erst in der zweiten Jahrhunderhälfte die systematische Analyse des erhaltenen Materials auszubilden: Es erscheinen Hss.-Kataloge für westl. und östl. Bibl. sowie Faksimilebände, angefangen mit denen der *Palaeographical Society* (1873–1894) bis hin zu den Tafelsammlungen von Lake [12]. Exemplarisch sei zudem das bahnbrechende Kopistenrepertorium von Marie Vogel und Viktor Gardthausen [16] genannt. Erste Systematisierungsversuche stellen die übersichtsartigen Darstellungen von Wilhelm Wattenbach (³1895) und E. Maunde Thompson (1912) dar; ein erstes Handbuch (in zwei Bd.) erstellt zw. 1911 und 1913 Viktor Gardthausen, das bis h. die einzige umfassende Behandlung des griech. und byz. Buchwesens und der Geschichte der griech. Schrift geblieben ist.

Eine grundlegende Neubestimmung von Methode und Gegenstand erfährt die griech. Paläographie in den J. nach dem II. Weltkrieg; aus der Hilfswiss. wird Grundlagenforschung. Als repräsentative Arbeiten dieser Zeit sind nicht nur die methodologischen Schriften

von François Masai [14] zu nennen – angeregt durch das maßgebliche Werk von Alphonse Dain [5], – sondern gerade auch die Studien von Herbert Hunger über die Perlschrift [10], diejenigen von Robert Devreesse über südit. Hss. [6] sowie die von Jean Irigoin über einige byz. Skriptorien [11]. Zu diesen neuen, die Forsch. nachhaltig befruchtenden Arbeiten gehören auch die von Enrica Follieri über die frühe Minuskel [7], die von Paul Canart über den Kopisten Emmanuel Probatares [2] und die erste »Biographie« einer griech. Schrift – die Arbeit von Guglielmo Cavallo über die Bibelmajuskel [3]. Eine erste Bilanz dieser Studien zur griech. Schriftgeschichte ermöglichte der 1974 in Paris veranstaltete Paläographie-Kongreß [8]; nicht nur wurde der Blick gelenkt auf die nunmehr bereits klass. Themen, wie etwa die italo-griech. Schriften und die frühe Minuskel, sondern der Kongreß eröffnete gleichzeitig neue Perspektiven und Arbeitsfelder, wie etwa die archaisierenden und die in der Peripherie des byz. Imperiums verwendeten Schriften. Einen teilweise kritischen Eindruck von den in der Folge des Pariser Kongresses erreichten Fortschritten gibt das Paläographie-Kolloquium in Berlin-Wolfenbüttel (1983) [9] und bes. das in Erice (1988) [4]. Zahlreiche Arbeiten aus der jüngsten Zeit versuchen nicht so sehr, wieder neue Forschungsfelder zu eröffnen, – trotz einiger kodikologisch-paläographischen, teilweise auch technologisch orientierten Recherchen [13] –, sondern vielmehr die Materialbasis zu sichern und zu erweitern. Dies erklärt sich zum einen aus der Schwierigkeit der Materie an sich, die schon aufgrund ihrer Heterogenität nicht im ersten Zugriff systematisch erfaßt werden kann; bes. Arbeitsaufwand erfordert die möglichst präzise Datierung und Lokalisierung einer Handschrift. Zum anderen ist das Material weder vollständig noch zufriedenstellend erfaßt, trotz der Publikation zahlreicher Hss.-Kataloge und des (bis jetzt drei Bd. umfassenden) Repertoriums der griech. Kopisten (1981, 1989, 1997). Diese Situation reflektiert das letzte Kolloquium zur griech. Paläographie in Cremona 1998 [15], dessen Schwergewicht die kritische Evaluation des bisher Geleisteten ausmachte.

1 F. J. BAST, Commentatio palaeographica, Leipzig 1811 **2** P. CANART, Les manuscrits copiés par Emmanuel Provataris (1546–1570), in: Mélanges Eugène Tisserant, Bd. 6, 1964, 173–287 **3** G. CAVALLO, Ricerche sulla maiuscola biblica, 2 Bde., 1967 **4** Ders., G. DE GREGORIO, M. MANIACI (Hrsg.), Scritture, libri e testi nelle aree provinciali di Bisanzio, 2 Bde., 1991 **5** A. DAIN, Les manuscrits, 1949 (3. erweiterte Aufl. 1975) **6** R. DEVREESSE, Les manuscrits grecs de l'Italie méridionale, 1955 **7** E. FOLLIERI, La reintroduzione di lettere semionciali nei più antichi manoscritti greci in minuscola, in: Bullettino dell' Archivio paleografico italiano, ser. 3, 1, 1962, 15–36 **8** J. GLÉNISSON, J. BOMPAIRE, J. IRIGOIN (Hrsg.), La paléographie grecque et byzantine, 1977 **9** D. HARLFINGER, G. PRATO (Hrsg.), Paleografia e codicologia greca, 2 Bde., 1991 **10** H. HUNGER, Die Perlschrift, eine Stilrichtung der griech. Buchschrift des 11. Jh., in: Ders., Stud. zur griech. P., 1954, 22–32 **11** J. IRIGOIN, Pour une étude des centres de copie byzantins, in: Scriptorium 12, 1958, 208–227; 13, 1959, 177–209 **12** K. UND S. LAKE, Dated Greek Minuscule Manuscripts to the Year 1200, 1934–1939; Indices, 1945 **13** M. MANIACI, P. F. MUNAFÒ (Hrsg.), Ancient and Medieval Book Materials and Techniques, 2 Bde., 1993 **14** F. MASAI, Paléographie et codicologie, in: Scriptorium 4, 1950, 279–293 **15** G. PRATO (Hrsg.), I manoscritti greci tra riflessione e dibattito, 3 Bde., 2000 **16** M. VOGEL, V. GARDTHAUSEN, Die griech. Schreiber des MA und der Ren., 1909.   MARINA MOLIN PRADEL UND PAOLO ELEUTERI

Paläographie, lateinische. Von Anbeginn gilt die P. als Hilfswiss. – nützlich und sogar unentbehrlich für die Entzifferung und Datierung von Hss. und Urkunden. So haben sie Daniel Van Papenbroeck [8. I-LII] und Jean Mabillon [4] verstanden, deren Werke, die hauptsächlich der Urkundenlehre gelten, wohl den Beginn der wiss. Beschäftigung mit der Geschichte der lat. Schrift markieren [2]. Der Begriff »P.« wurde von dem Mauriner Bernard de Montfaucon geprägt [7]. Schon bald nahm die neue Wiss. eine eigene Entwicklung und zeichnete sich durch einen bemerkenswerten klassifikatorischen Zugriff aus, wie sich h. noch erkennen läßt.

Die Vermutung von Scipione Maffei [5], die röm. Schrift sei die Grundlage der folgenden Schriften gewesen, blieb zunächst unbeachtet, und man konzentrierte sich stattdessen auf die nationale oder geogr. Klassifizierung von Schriftarten. Im *Nouveau Traité de Diplomatique* der Mauriner René Prosper Toustain und Jean François Tassin (1750–1765) darf der vielleicht avancierteste Versuch gesehen werden, die verschiedenen Schriften in ein genealogisches Verhältnis (nach dem Stammbaumschema) einzuordnen, das an Linnés Klassifizierung erinnert. Möglicherweise hat Toustains Ausbildung als Botaniker dafür die Anregung gegeben. Die paläographische Nomenklatur ist in der Tat noch h. umstritten, und die jeweils verschiedene Terminologie zeitigt teilweise paradoxe Folgen, wie z. B. die unterschiedliche Auffassung des Begriffs *ductus* illustriert.

Erst gegen E. des 19. Jh. wandelt sich der Status der lat. P. von einer bloßen Hilfswiss. hin zu einer eigenen wiss. Disziplin, die sich v. a. in It. als eigenes Universitätsfach zu institutionalisieren beginnt; in Deutschland dagegen wird das Fach eher von Historikern als von Philologen vertreten. Die Erfindung der Reproduzierbarkeit (z. B. mit Hilfe der Fotografie) ermöglicht – ganz im positivistischen Zeitgeist – Mappenwerke und Tafelsammlungen. Diese Faksimilebände der *Palaeographical Society* (1873–1901) resp. der *New Palaeographical Society* (1903–1932), des *Archivio Paleografico Italiano* (seit 1882) sowie, in neuerer Zeit, der *Codices Latini Antiquiores* von Elias A. Lowe (*CLA*, 1934–1972) und der *Chartae Latinae Antiquiores* (*ChLA*, seit 1954) geben grundlegende Impulse für die paläographische, kodikologische und textgeschichtliche Analyse. Für die Datierung und Lokalisierung von Hss. sowie für die Identifizierung der Schreiberhände stellen diese Tafelsammlungen Referenzwerke dar. Léopold Delisle darf als derjenige gelten, der das Studium von Hss. auf eine neue Ebene führte

und für den es nicht mehr nur um die Analyse und Klassifizierung einer Schriftart ging, sondern um das Erkennen und Beschreiben von ma. Schreibschulen als Zentren kultureller Überlieferung. Ludwig Traube schließlich hat als erster das Interesse auf die enge Verbindung von Schriftgeschichte, Philol. und Überlieferungsgeschichte sowie ihre gegenseitige Bed. füreinander gelenkt; seine eigenen Arbeiten sowie zahlreiche Arbeiten seiner Schüler galten nicht mehr nur der Diplomatik, sondern v. a. der Buchschrift lit. Texte.

In den letzten Jahrzehnten hat die P., die sich mehr und mehr auch für die Schrift des Alltags interessiert hat, ein neueres Profil gewonnen und sich neuen Forschungsbereichen geöffnet, die ihrerseits teilweise zu eigenen Disziplinen geworden sind, wie etwa die Katalogisierung und die → Kodikologie. Der ersteren dient die P. zur analytischen Beschreibung einer Hs., um wiss. Ansprüchen genügende Kat. zu erarbeiten – sei es allg. Art, sei es für eine Auswahl etwa nur der datierten oder illuminierten Hss. Bei der Kodikologie hingegen handelt es sich um eine tatsächliche Arch. des Buches in all seinen materiellen Aspekten mit dem Ziel, den Prozeß seiner Herstellung nachzuzeichnen.

Einen neuen Schwerpunkt der Forsch. bilden seit einiger Zeit quantitative Unt. zur Geschichte und Funktion von Hss., insbes. solcher des späten MA, als Kulturzeugnissen. Infolge solcher kodikologischer Forsch., als deren Hauptvertreter Ezio Ornato gelten darf [6], werden umfangreiche Hss.-Corpora mit statistischen Methoden untersucht: Insbes. erfahren die Entwicklung und die Funktion einer Schrift sowie das Layout von Hss. mit ihrer jeweils charakteristischen *mise en page* (die Verteilung von beschriebenem und unbeschriebenem Pergament) genauere Betrachtung. Für die Schriftgeschichte und eine neue Orientierung der Schriftmorphologie ergeben sich dabei nicht unerhebliche Beobachtungen.

Die Wahl neuer Interessengebiete innerhalb der lat. P. – auch in Verbindung mit Epigraphik und → Papyrologie – ist keineswegs einhellig und kann es auch gar nicht sein. Eine neue Standortbestimmung haben jüngst einige Wissenschaftler unternommen [3], die eine berühmte Äußerung des bedeutenden dt. Paläographen Bernhard Bischoff aus der Einleitung seines Standardwerkes über die P. des röm. Altertums und des abendländischen MA programmatisch zitieren: ›Mit technischen Mitteln ist die P., die eine Kunst des Sehens und der Einfühlung ist, auf dem Wege, eine Kunst des Messens zu werden‹ [1. 19]. Obgleich die Meinungen über die P. als quantitative Methode im einzelnen differieren, vermag der Ansatz zu einer quantitativen Grundlegung der P. im allg. neue Arbeitsfelder zu eröffnen, und die P. selbst kann sich so durchaus zu einer Wiss. der Schriftkultur überhaupt entwickeln. Gemeint ist eine Wiss., die sich nicht mehr nur auf die Erforsch. der Schrift beschränkt, sondern die Geschichte des Schreibens selbst in den Mittelpunkt stellt: Eine Typologie der Schriftträger wird vereint mit der – auch durch statistisch-quantitative Methoden geleisteten – Analyse der Beschriftung.

→ AWI Duktus; Mise en page

QU **1** B. BISCHOFF, P. des röm. Alt. und des abendländischen MA, ²1986 **2** E. CASAMASSIMA, Per una storia delle dottrine paleografiche dall'Umanesimo a Jean Mabillon, in: Studi Medievali, ser. V, 3, 1964, 525–578 **3** Commentare Bischoff, in: Scrittura e Civiltà 19, 1995, 321–348 **4** De re diplomatica, Paris 1681, Paris ²1709 **5** Istoria diplomatica, Mantova 1727 **6** La fache cachée du livre médiéval. L'histoire du livre vue par Ezio Ornato, 1997 **7** Palaeographia Graeca, Paris 1708 **8** Propylaeum antiquarium circa veri ac falsi discrimen in vetustis membranis, in: Acta Sanctorum. Aprilis II, Antwerpen 1675

LIT **9** G. CENCETTI, Lineamenti di storia della scrittura latina, ²1997, 11–19 **10** O. MAZAL, Lehrbuch der Hss.-Kunde, 1986, 1–26 **11** W. MILDE, s. v. P., in: Lex. des gesamten Buchwesens, Bd. 5, ²1999, 506 **12** A. PETRUCCI, A. PRATESI (Hrsg.), Un secolo di paleografia e diplomatica (1887–1986), 1988.

PAOLO ELEUTERI UND NICOLETTA GIOVÈ MARCHIOLI

Pandektistik A. BEGRIFF B. PRÄMISSEN UND FUNKTIONEN C. REPRÄSENTANTEN D. KRITIK

A. BEGRIFF

Als P. bezeichnet man den romanistischen Teil der dt. Privatrechtswiss. im 19. Jh. Seine normative Grundlage bildete das Corpus Iuris Civilis (CIC) des byz. Kaisers Justinian, primär die 50 Bücher der Pandekten (Digesten – 533 nach Chr.), eine Zusammenstellung von Auszügen aus Texten röm. Juristen. Mit Gesetzesparagraphen im heutigen Sinn sind die Digestenfragmente nur sehr bedingt vergleichbar. In der P. mied man häufig die Bezeichnung »Gesetz« und sprach von »Quellen« oder »Stellen«. F. C. von Savigny (1779–1861), der wichtigste Wegbereiter der P., verstand die Digesten in diesem Sinn als wohlbedacht gesammelte Darstellung und Sicherung des vorhandenen Rechtszustands der Römer [1. 33].

B. PRÄMISSEN UND FUNKTIONEN

Eigentlich ließe sich die gesamte europ. Jurisprudenz in MA und früher Neuzeit, soweit sie auf dem CIC aufbaute, als P. bezeichnen. Die Beschränkung auf die dt. Zivilistik einer bestimmten Epoche geht auf deren charakteristische Literaturform zurück, die Pandektenlehrbücher. Diese waren weniger auf Studenten, als auf Rechtswiss. und -praxis zugeschnitten. Die Rechtssätze, die führende Pandektisten wie G. F. Puchta (1798–1846) und B. Windscheid (1817–1892) aus dem Textmaterial des CIC deduzierten, wurden von Gerichten mitunter wie Gesetzesnormen verwendet.

Diese hohe Akzeptanz erwuchs aus der fachlichen Autorität der Pandektistik. Im Hintergrund standen strukturelle Faktoren. Die Eigenart der meisten Quellen schloß es schon im Ansatz aus, sie wie subsumtionsfähige Entscheidungsregeln zu benutzen. Zudem war das Quellenmaterial so überaus reichhaltig, daß es selbst Spezialisten nur annähernd vollständig beherrschen

konnten. Die weiteren Teile des CIC (Institutionen, Codex, Novellen) verschärften das Problem nicht nur quantitativ. Die Entscheidung Justinians, heterogene Rechtstexte aus vielen Jahrhunderten und Schichten der Rechtsbildung gleichzeitig als »Gesetz« in Geltung zu setzen, hatte unzählige normative Widersprüche erzeugt. Eine entscheidende Funktion der P. lag daher in der Reduktion der Überkomplexität des CIC. In früheren Epochen der Privatrechtsgeschichte hatte jenes Bedürfnis ebenso bestanden, das man v. a. mit einem extensiven Gebrauch von Rechtsgutachten (*consilia*), die Gelehrte und Fakultäten für die Gerichte erstellten, zu befriedigen suchte. Wie die steten Klagen des 16. bis 18. Jh. über eine uferlose Rechtsunsicherheit indizieren, war der Erfolg gering. Dagegen gilt die P., wenn auch nur mit beschränkter Berechtigung, weithin als goldenes Zeitalter der Rechtssicherheit.

Maßgebende Vorentscheidungen traf die P. durch die Wahl ihrer Perspektive. Ihre Lehrbücher rückten die drei anderen Teile des CIC stark in den Hintergrund. Vor allem aber vermittelte sie den Stoff nicht in der Titelfolge der Digesten, sondern in einer spezifischen Ordnung, die im ersten Entwurf auf A. Heise (1778–1851) zurückgeht. Über die Feinheiten der Systematik herrschte allerdings keine Einigkeit. Jedes Lehrbuch besaß Besonderheiten. Auch in solchen Details spiegelt sich die schöpferische Leistung der Pandektistik.

Eine rechtspolit. Prämisse der P. lag im Fehlen eines dt. Zivilgesetzbuchs. Zu Anfang des 19. Jh. hatte sich die → historische Rechtsschule mit ihrer Ablehnung einer Kodifikation durchgesetzt. Damit erhielt die P. die Mission, für ein ganzes Jh. ›ein gemeindeutsches Privatrechtsgesetzbuch vertreten‹ zu müssen [9. 458]. Manche Pandektisten – insbes. Windscheid – traten dabei in Konflikt mit der Schulprogrammatik, weil sie für eine Kodifikation eintraten und sich als deren Wegbereiter verstanden.

Die sozialethischen und rechtsphilos. Prämissen der P. sieht man gewöhnlich ›im Geiste der kantianischen Philosophie‹ [9. 438]: Die Pflicht- und Freiheitsethik Kants sei allerdings verblaßt und habe sich im Verzicht erschöpft, den eine positivistische Fachjurisprudenz auf eine metaphysische Fundierung des Rechts übte. Diese Sichtweise ist zumindest in der jüngeren Savignyforschung Zweifeln ausgesetzt. Der ›metaphysische objektive Idealismus‹ Savignys mit seinem ›bloß bereichsliberalen‹ Rechtsbegriff besaß auch andere philos. Implikationen (insbes. Fichte und Hegel). Erstrebt wurde gerade die Überwindung Kants durch eine rechtsmethodische Vereinigung von Sein und Sollen [7. 44f., 58].

Eine methodische Prämisse der P. lag in ihrer strengen Konzentration auf den Text des CIC. Das bewirkte eine fast totale Ausblendung der Masse an Rechtslit., die sich in früheren Epochen zum CIC aufgehäuft hatte. Zugleich achtete die P. die Leistungen ihrer Vorgänger betont gering. Den *usus modernus pandectarum* (→ Deutscher usus modernus) stilisierte man beinahe zu einem

Symbol juristischer Minderwertigkeit. Der offene Bruch mit dem älteren *ius commune* schloß apokryphe Rezeptionen aber keineswegs aus. Gelungene Begriffs- und Institutionenbildungen – und das waren nicht wenige – wurden stillschweigend übernommen und in die röm. Quellen hineingelesen. Dieses Vorgehen war ahistor., wirkte aber auf paradoxe Weise modernisierend. Im Ergebnis leistete man einen essentiellen Beitrag zur Transformation des Rechts im Übergang von der ständischen Gesellschaft des *ancien régime* in das Bürgerliche Zeitalter.

Generell sollten die programmatischen Bekenntnisse der P. zur Quellentreue nicht überschätzt werden. In der Praxis verfuhr man mit dem Material des CIC auffallend kreativ. In der Sache ging es weniger um die rechtshistor. korrekte Ausdeutung einzelner Stellen, als um die rechtsdogmatisch konstruierbare Einsicht in ›Rechtsverhältnisse und Recht überhaupt‹, entwickelt in einer intuitiven Gesamtschau von Quellenexegese, Systemdenken und Entwicklungsgeschichte [7. 33–35].

Die bleibende Leistung der P. liegt in der Ausformung einer leistungsfähigen Zivilrechtsdogmatik auf der immensen Material- und Erfahrungsgrundlage des röm. Rechts. Sie schuf einen festen Bestand ausdifferenzierter und kohärenter Begriffe, -prinzipien und -institute, von dem die Zivilistik des 20. Jhs. auch dann noch zehrte, als sie sich ihrer pandektistischen Grundlagen immer weniger bewußt war. Vollends wäre das BGB mit seinem in 100 Jahren bewährten dogmatischen Fundament ohne die P. praktisch undenkbar gewesen.

C. Repräsentanten

Wegweisend wirkte Savignys Monographie über *Das Recht des Besitzes* (1803; 7 Auflagen schon bis 1865). Einen noch bedeutenderen Meilenstein setzte sein *System des heutigen römischen Rechts* (8 Bde. 1840–1849). Bahnbrechend war die pragmatische Synthese von streng histor. Ansatz und ausgeprägtem systematischem Ordnungswillen.

Als bedeutendste Repräsentanten der P. gelten Puchta und Windscheid. Puchta, der Verfasser eines der auflagenstärksten Lehrbücher (1. Aufl. 1838), verband liberale Vorbehalte gegen staatliche Eingriffe in die Rechtsordnung – namentlich durch Kodifikation – mit konservativ-monarchischen Ordnungsideen. Seine Lehre vom *Recht der Wissenschaft* bot mittels dogmatisch-begrifflicher Konstruktion große Freiräume zur Rechtsfortbildung. Diesen Zugang nutzte u. a. H. Thöl (1807–1884) bei der Schaffung tragfähiger Grundlagen für das gesetzlich fast ungeregelte Handelsrecht. Puchtas eigener Schüler, R. von Jhering (1818–1892), stilisierte seinen Lehrer in blendender Polemik zum Stammvater einer perhorreszierten »Begriffsjurisprudenz«. Seine Kritik war, was einzelne dogmatische Überspitzungen bei Puchta wie anderen Pandektisten angeht, berechtigt. In ihrer Schärfe und Pauschalität verzeichnete sie aber das Gesamtbild massiv. Erst in den letzten Jahrzehnten hat die Rechtsgeschichte zu größeren Korrekturen der suggestiven Sichtweise Jherings, die bis heute nachwirkt, angesetzt.

Windscheid war einer der wichtigsten Wegbereiter der mod. dt. Privatrechtsordnung. Ihn trifft der Vorwurf begriffsjuristischer Verirrungen noch weniger als Puchta. Von 1880–1883 gehörte er der 1. BGB-Kommission an. In seinem bürgerlich-liberalen Selbstverständnis hob er sich von Savigny und dessen Schule ab. Der außerordentliche Erfolg seines dreibändigen *Lehrbuch(s) des Pandektenrechts* (9. Aufl. von 1861–1906) macht ihn zum Symbol der P.; hier liegt der Sinn des damaligen Satzes: ›Jurisprudenz, das heißt Pandekten, Pandekten, das heißt Windscheid‹. Als hochgradig mißverständlich erwies sich sein berühmter Satz von 1884 über die beschränkten Aufgaben des ›Juristen als solchen‹. Er wurde zum allfälligen Standardzitat der Kritiker des Positivismus, wobei man den konkreten histor. Kontext – die verfassungsrechtliche und justizpolit. Lage im dt. Kaiserreich – zumeist ignorierte.

Daneben werden als Pandektisten von Rang zumeist genannt: K. L. von Arndts, E. I. Bekker, A. Brinz, H. Dernburg, F. Regelsberger und K. A. von Vangerow. Herauszuheben sind, von Einzelproblemen der Zuordnung und Bewertung absehend, außerdem J. Baron, C. F. Mühlenbruch, J. E. Kuntze, P. Lothmar (er vollendete das Pandektenlehrbuch des früh verstorbenen Brinz), C. G. von Wächter und K. F. C. Wenck. Besondere Bed. im Übergang zur Zivilistik des BGB erlangten L. Enneccerus, P. Oertmann und A. von Tuhr.

Einen schwierigen Grenzfall bildet Jhering, ein überragender Rechtsdogmatiker und -historiker. In vielem wäre er ohne weiteres der P. zuzurechnen. Durch seine dramatisch vollzogene methodische Wende – soweit es in der Sache eine solche war – und seine maßlosen Angriffe auf Puchta und Savigny (insbesondere in: *Der Besitzwille. Zugleich eine Kritik der herrschenden juristischen Methode*, 1888) brach er jedoch mit den pandektistischen Grundlagen. Sein 1. Hauptwerk (*Der Geist des römischen Rechts*, 1852–1865) erlitt einen Bruch und blieb – ebenso wie sein 2. Hauptwerk (*Der Zweck im Recht*, 1877/1883) – unvollendet.

D. Kritik

Die P. war schon bei den Zeitgenossen vielfältiger Kritik ausgesetzt, die sich im 20. Jh. noch verschärfte. Schlüssig war die romanistische Fachkritik, die Anstoß am instrumentalen Gebrauch der Quellen nahm und auf der kompromißlosen Einhaltung rechtshistor. Standards insistierte. Damit folgte sie freilich der Forschungslogik der Geschichtswiss., die sich vom pragmatischen Verständnis einer historisierenden Zivilrechtswiss. prinzipiell unterscheidet.

Breiten Raum nahm die Methodenkritik ein. Hier verdeckten polemische Einkleidungen, daß es weniger um spezifische Mängel der P. ging, als um mehr oder weniger erfolgreiche Versuche, prinzipielle Alternativen zu entwickeln. Das gilt namentlich für Jherings Zweckjurisprudenz, die Freirechtsbewegung, die Interessen- und Wertungsjurisprudenz sowie die Neubegründung des Naturrechts. Abwegig ist vor allem die These, daß die P. die richterliche Urteilsfindung zu einem Akt reiner Logik, gleichsam zum Rechnen mit Begriffen, degeneriert habe. Die abschätzige Kritik an der sog. Begriffsjurisprudenz vereinbart sich auch schlecht mit dem hohen Ansehen, das die P. und ihre Schöpfung, das BGB, außerhalb der dt. Grenzen genossen. Einflüsse sind vor allem in der Schweiz, Österreich, Italien, Ungarn, Griechenland und dem Baltikum anzutreffen, sowie in schwächerem Maß u. a. in England, Frankreich, Schweden, Japan, China, Siam, Chile, Argentinien und Brasilien. Es mangelt insoweit freilich an präzisen rechtshist. Studien auf der Grundlage des neueren Forschungsstandes.

Im Prinzip berechtigt war die rechtspolit. Kritik, die sich mit Blick auf die krasse soziale Ungleichheit im 19. Jh. gegen das pandektistische Modell abstrakter Vertrags- und Eigentumsfreiheit richtete. Großteils wurde die histor. »Anklage« jedoch an den falschen Adressaten – die Rechtswiss. anstelle des Gesetzgebers – gerichtet. Bezeichnenderweise konnte effektive Abhilfe erst durch die ausgreifende sozialstaatliche Gesetzgebung der Bundesrepublik geschaffen werden.

1 U. FALK, Ein Gelehrter wie Windscheid, 1989
2 D. GRIMM, Methode als Machtfaktor, in: FS H. Coing, Bd. 1, 1982, 469–491 3 R. OGOREK, Richterkönig oder Subsumtionsautomat?, 1986 4 P. LANDAU, Die Rechtsquellenlehre in der dt. Rechtswiss. des 19. Jh., in: Rättshistoriska Studier XIX (1993), 69–89 5 F. RANIERI, Alle origini del diritto civile europeo. Alcune osservazioni sulle relazioni storiche tra pandettistica tedesca e civilistica italiana: la dottrina del negozio giuridico tra il XIX e il XX secolo, in: Europa e diritto privato, 2000, 805–831 6 Ders., Einige Bemerkungen zu den histor. Beziehungen zw. dt. P. und it. Zivilrechtswiss.: Die Lehre des Rechtsgeschäfts in der it. Zivilrechtswiss. zw. 19. und 20. Jh., in: Mélanges à mémoire A. Rieg, 2001, 703–720 7 J. RÜCKERT, Fälle und Fallen in der neueren Methodik des Zivilrechts seit Savigny, 1997 8 Ders., Autonomie des Rechts in rechtshistor. Perspektive, 1988, 86 ff. 9 WIEACKER, PGN, 430–458 10 Ders., Pandektenwiss. und industrielle Revolution, in: Ders., Industriegesellschaft und Privatrechtsordnung, 1974.

ULRICH FALK

Panegyrik A. »POLITISCHE« PANEGYRIK
B. SCHUL-LAUDATIONES
C. LITERARISCHE PANEGYRIK

A. »POLITISCHE« PANEGYRIK

Zu Beginn des 15. Jh. wurde die P. zunächst im polit. Konflikt zw. Mailand, beherrscht von den Visconti, und der Republik Florenz eingesetzt. In Mailand stand daher v. a. das Herrscherlob auf der Tagesordnung. Aus Anlaß des Todes von Bianca Visconti und Francesco Sforza breitet der Humanist Francesco Filelfo, Sekretär der Visconti, einerseits das Lob der Herrscherfamilie und andererseits das des *condottiere* Francesco Sforza aus, dem im Vergleich zu allen Heerführern der Ant. die Palme gebühre. Er beschränkt sich dabei jedoch nicht auf den traditionellen Tugendkatalog des Herrscherlobs, wie er v. a. über die *specula principis* durch das späte MA hin-

durch überliefert worden war, sondern breitet relativ ausführlich auch histor. Faktenmaterial aus (Francesco Philelphi, *Orationes*, 1496). In Florenz waren demgegenüber eher das Lob der Stadt selbst und ihrer »republikanischen Freiheit« topisch [2]. Leonardo Bruni verfaßte 1399/1400 während des Konfliktes zw. Mailand und Florenz um die Vorherrschaft in Nord- und Mittelitalien seine *Laudatio florentinae urbis*, in der er die These aufstellt, seine Vaterstadt sei während des Röm. Bürgerkrieges von der republikanischen Armee unter Sulla gegründet worden und habe diese republikanische Trad. seitdem bewahrt. Dahinter steckt das guelfische Argument, Florenz sei, da nicht von Caesar und den Imperatoren gegründet, dem Imperium auch nicht unterworfen. Stützend wird in diese Linie die kulturelle Blüte von Florenz eingebaut, die sogar mit derjenigen des republikanischen Athen wetteifern könne [7]. In der Tat war in Florenz auf Betreiben des Sekretärs Coluccio Salutati seit dem Ende des 14. Jh. der erste reguläre Lehrstuhl für Griechisch im Westen unter D. Calcondyla eingerichtet worden. In mehreren *Epistulae* polemisieren sowohl Leonardo Bruni wie Poggio Bracciolini gegen den barbarischen Gebrauch des Wortes »Imperator« durch die kaiserliche Partei, vertreten von Mailand, und gegen die ma. Krönungsriten seit Karl dem Großen [5. Epist. V,6; 6. Epist. VI,9].

Mit seiner *Laudatio urbis florentinae* hatte sich Leonardo Bruni für den Posten des Sekretärs der Republik Florenz qualifiziert. Als er 1434 in dieser Funktion seine Lobrede wieder in Umlauf brachte, antwortete der Mailänder Humanist Pier Candido Decembrio mit *De laudibus mediolanensis urbis panegyricus* und führte damit die panegyrische Gattung auch ausdrücklich auf der Mailänder Seite ein. Er knüpft darin an die ghibellinische Trad. seiner Vaterstadt an und ergeht sich in einer ausführlichen *vituperatio* gegen die republikanische Partei im Röm. Bürgerkrieg, auf die sich Bruni als Gründungsmythos berufen hatte.

An Anlässen für Lobreden hat es der Frühen Neuzeit in keiner Weise gemangelt. Von allen Humanisten liegen umfangreiche Sammlungen von *Orationes* zu Beerdigungen, Hochzeiten, Ernennungen von Bischöfen, Eröffnungen von akad. Jahren an den Universitäten etc. vor (Auswahl bei [18]). Sie sind alle in einem rhet. aufwendigen Stil gehalten, wie er für die panegyrische Trad. im Lat. mindestens seit Plinius d. J. kennzeichnend ist. Nur selten läßt sich diese epideiktische Rhet. auch als historiographische Quelle zu den gelobten Persönlichkeiten verwenden, wobei generell keineswegs die Florentiner Trad. konkreter als diejenige in Mailand einzuschätzen ist.

B. SCHUL-LAUDATIONES

Für die außerordentliche Verbreitung des panegyrischen Stils im 16. Jh. ist v. a. der rhet. Schulunterricht verantwortlich, der die Schüler methodisch an das ciceronianische und human. Rednerideal heranführen sollte. Im frühen 16. Jh. wurden die *Progymnasmata* aus der Zweiten Sophistik in lat. Übersetzungen dem Rhetorikunterricht wieder zugrundegelegt. Standardtext war der des Aphthonios (4/5. Jh. n. Chr.), zweifellos weil er jede Übung durch Mustertexte ergänzte, während die Progymnasmata von Theon (1. Jh. n. Chr.), auf die Quintilians Institutio oratoria aufgebaut hatte, zwar auch gelegentlich gedruckt wurden, aber eine gelehrte Spezialität blieben. Die sehr knappen Progymnasmata von Hermogenes (2. Jh. n. Chr.) bzw. dessen lat. Version durch Priscianus fanden nur an den Straßburger Schulen von Johannes Sturm systematische Verwendung. Die mit weitem Abstand erfolgreichste lat. Fassung der Progymnasmata stammt von Rudolph Agricola (1444–1485), die in der durch R. Lorichius aus Marburg kommentierten Fassung 1539–1689 insgesamt 104 Mal aufgelegt wurde. Sie hat damit die griech.-lat. Version von Johannes Maria Catanaeus abgelöst, von der 1507–1543 zwölf Drucke vorliegen. Hinzu kommen noch sehr zahlreiche weitere Bearbeitungen des Aphthonios (durch Petrus Mosellanus, Antonius Lullus etc.), die sich an den Schulen nur in geringem Umfang haben durchsetzen können.

Die auf breiter Front in den frühneuzeitlichen Schulbetrieb eingeführten Progymnasmata bringen die laudatio als achte Übung, ihr symmetrisches Gegenstück, die vituperatio, als neunte. Die ›laudatio‹ wird definiert als ›oratio bona exprimens‹, ihre möglichen Gegenstände sind Personen, Sachen, Zeiten, Orte, Tiere und Pflanzen. Als Beispiele für das Lob von Orten werden ›Häfen und Gärten‹ genannt, für Tiere ›Pferd oder Stier‹, für Pflanzen ›Olive oder Wein‹. Als Mustertexte bietet der lat. Aphthonios eine ›laudatio Thucydidis‹ sowie eine ›Sapientiae laudatio‹. Die Gliederung der Lobrede in ›capita‹ bzw. ›loci laudationis‹ läßt sich stringent allerdings nur auf das Personenlob anwenden: 1. ›gens‹ (z. B. Lateiner oder Grieche); 2. ›civitas‹ (z. B. Römer oder Athener); 3. ›genus‹; 4. ›victus‹; 5. ›educatio‹; 6. ›natura corporis‹ (unterteilt in: ›pulcher‹, ›magnus‹, ›citus‹, ›fortis‹); 7. ›natura animi‹ (unterteilt in: ›iustus‹, ›moderatus‹, ›sapiens‹, ›strenuus‹); 8. ›laus a professionibus‹; 9. ›de gestibus dicere‹; 10. ›extrinseca‹ (unterteilt in: ›a cognatis‹, ›ab amicis‹, ›a divitiis‹, ›a fortuna et similibus‹); 11. ›laus a tempore‹; 12. ›laus a qualitate mortis‹; 13. ›secuta post mortem‹ [25. 167ff., 273]. Die Abgrenzung des Panegyricus gegenüber dem Hymnus lautet in den lat. Schulübungen folgendermaßen: ›Differt ab hymno & epaeno, quod hymnus deorum sit, encomium uero mortalium‹ (»Hymnus und Lobrede unterscheiden sich darin, daß ersterer von den Göttern handelt, letztere dagegen von den Sterblichen«) [1. 114v]. Die »Scholia« zu den Aphthonios-Ausgaben des 16. Jh. bauen alle diese ›capita‹ durch spezielle Übungen aus. So finden sich in der Standardausgabe durch Lorichius z. B. eine ›laus hominis a fortunis‹, Amplifikationsübungen zu den ›bona corporis‹ und denen der Seele sowie zahlreiche weitere Mustertexte, z. B. eine ›laus Demosthenis‹, eine ›laus Philippi regis Macedonum‹ usw. [1. 116r–130r].

Die Progymnasmata-Ausgaben auf der Grundlage Agricolas stehen zunächst eindeutig im Kontext der protestantischen Schulen und der »erasmistischen« Reform des Curriculums, wie sie z. B. Melanchthon in Wittenberg und Mosellanus in Leipzig durchgesetzt hatten. Da jedoch auch die jesuitische Ratio studiorum 1599 den Gebrauch der Progymnasmata vorgeschrieben hat, die ersten jesuitischen Eigenproduktionen aber erst von der Mitte des 17. Jh. an einsetzen, ist davon auszugehen, daß sie auch im katholischen Europa zum Einsatz gelangten. Die jesuitischen Übungsbücher bauen den schmalen Text des Aphthonios zu monumentalen Lehrwerken aus, die den gesamten Rhetorikunterricht umgreifen. Sie erweitern und üben dabei insbesondere die Topik der laudatio. Zugleich hängen sie in ihren Voraussetzungen und Topoikatalogen vollkommen von Agricola ab. Jacob Masens Palaestra Oratoria (erstmals 1659) konzentriert sich auf Strategien des Herrscherlobs und dekliniert es durch sämtliche loci Agricolas hindurch. So findet sich dort eine ›laus boni Imperatoris ab effectis‹, eine ›laus boni Imperatoris ab adiunctis‹, ›à studio iustitiae‹, ›à modestia‹, ›ab amore subditorum‹ usw., die alle mit Passagen aus Plinius d. J. Trajan-Panegyricus illustriert werden [16. 739–764]. Noch interessanter, weil sie die klass. ›genera dicendi‹ völlig auflöst, ist seine ›permutatio‹ von urspr. forensischen Cicero-Reden in ›laudationes‹. So wendet er einen Passus aus Pro Quinctio auf die katholische Religion an, einen aus den Verrinae gegen Luther [16. 539ff].

Noch erfolgreicher war der Novus Candidatus Rhetoricae des Jesuiten François Pomey (erstmals 1661), der seit seinem Erscheinen für den Rhetorikunterricht in Frankreich obligatorisch wurde. Das dritte, umfangreichste und letzte Buch heißt ›Dissertatio de Panegyrico‹. Bei Pomey grenzt die Kombinatorik der ›loci‹ zur Herstellung von Lobreden auf jeden beliebigen Gegenstand, in jeder Länge und Stilhöhe an Obsession, während er sich für die ›vituperatio‹ kaum noch interessiert. Die ›loci‹ zum Lob von Personen z. B. lauten: ›nomen‹, ›natura‹, ›educatio‹, ›fortuna‹, ›habitus‹, ›affectio‹, ›consilium‹, ›facta‹ und ›dicta‹. Alle lassen sich immer weiter unterteilen, die ›natura‹ z. B. in: ›parentes‹, ›patria‹, ›sexus‹, ›aetas‹, ›conditio‹, ›corporis animique dotes‹ usw. [22. 441]. Für das Herrscherlob speziell treten noch folgende ›loci‹ hinzu: ›Pietas in Deum‹, ›Liberalitas in Subditos‹, ›Clementia in reos‹, ›Humanitas in omnes‹, ›Sollecitudo in administranda publica re‹, ›Iustitia‹, ›Virtus bellica‹, ›Modestia‹, ›Magnificentia‹ sowie für Fürstinnen die ›Castitas‹ [22. 457]. Alles wird mit dem üblichen Trajan-Panegyricus von Plinius d. J. veranschaulicht. Stilistisch sind dem Panegyricus alle rhet. Figuren erlaubt. Er soll ›concinnitas‹ besitzen, ›figuris gratia‹, ›verba nitidissima, lenia, sonantia, splendida‹, v. a. aber ›sententiae graves ac peracutae‹ [22. 471]. Damit konnte der panegyrische Stil für die zahlreichen acutezza-Poetiken des Barock vorbildlich werden. Pomeys Übungen schließen mit einer selbstbezüglichen ›laus laudis oratio‹ [22. 539–569] ab.

C. Literarische Panegyrik

Die rhet. Übungsbücher bringen in der Regel keine Mustertexte zu paradoxen Encomia, aber sie werden als theoretische Möglichkeiten durchweg ausdrücklich genannt. Petrus Mosellanus empfiehlt z. B. sowohl die berühmten Exempel aus der Zweiten Sophistik als auch Erasmus' *Morias Encomion sive laus stultitiae* (1515): ›Immo non defuere, qui partim stili exercendi, partim risus excitandi gratia res absurdas scriptis laudationibus sint prosecuti. In quo genere Lucianus muscam, Sinesius caluicium, Phavorinus febrim quartanam, Erasmus Roterodamus stultitiam laudauere‹ (»Es hat sogar an Autoren nicht gemangelt, die – teils um ihren Stil zu verbessern, teils um Lachen zu erregen – absurden Gegenständen ein Lob haben zuteil werden lassen. In dieser Gattung haben Lukian die Fliege, Synesius die Kahlköpfigkeit, Favorinus das Quartfieber und Erasmus von Rotterdam die Torheit gelobt«) [17. o. P.]. Dasselbe Verzeichnis findet sich auch in den »Scholia« zu Agricola von R. Lorichius [1. 115r]. Die Autoren verweisen dabei immer auf Aulus Gellius (XVII,12), wo die Epideixis, die sich auf Gegenstände einläßt, welche als ›infames‹ oder ›inopinabiles‹ gelten, dazu dient, die Erfindungskraft zu wecken (›ingenio expergificando‹), den Scharfsinn zu üben (›exercendis argutiis‹) und die Überwindung argumentativer Schwierigkeiten zu trainieren (›edomandis usu difficultatibus‹).

Literarisch war das paradoxe Encomion besonders fruchtbar. B. Castiglione nennt für seinen *Libro del Cortegiano* (1527), das erfolgreichste lit. Werk der Epoche, ausdrücklich die o. g. Vorbilder aus der Zweiten Sophistik, verschweigt jedoch aus konfessionellen Gründen Erasmus, obgleich er ihn nachweislich kannte und verwendete. Die Tatsache, daß Hofleute eine Doktrin für Hofleute entwerfen, erscheint als Übung des paradoxen Encomions in der Trad. der Zweiten Sophistik: ›Hier wird sich euer Ingenium erweisen; wenn es denn wahr ist, was ich hörte, daß es so beredsame Männer gegeben hat, denen der Stoff für ein Buch zum Lob der Stubenfliege, des Quartfiebers und der Kahlheit nie ausging, dann werdet Ihr doch das Herz haben, einen Abend lang über die Hofmannskunst zu sprechen?‹ (Cortegiano II,17).

Sehr beliebt war auch das Lob todbringender Krankheiten nach dem Vorbild des Lobes des Quartfiebers von Favorinus, wovon allerdings nur der Titel durch Aulus Gellius überliefert ist. Zu dieser Gattung gehören z. B. die beiden *Capitoli della peste* (1532) von Francesco Berni oder das human. Lehrgedicht auf die Syphilis, *De morbo gallico*, des Veroneser Arztes Girolamo Fracastoro. Auch die Lobrede auf Gläubiger und Schuldner zu Beginn des *Tiers Livre* von Rabelais muß als paradoxes Encomion gelten. Darüber hinaus aber drangen paradoxe epideiktische Verfahren auf allen Ebenen in die Traktatliteratur der Epoche ein [8]. So müssen z. B. die Kapitel 16–18 von Machiavellis *Il Principe* (geschrieben 1516, gedruckt 1532) als Umkehrungen des traditionellen Tugendlobs gelesen werden [23]. Fortan bleiben solche paradoxen

Wendungen in der europ. Denkgeschichte zentral, mindestens bis hin zu Pascals *Pensées*, die den Beweis der christl. Religion gerade über die Abwesenheit Gottes führen wollen. Erwähnenswert ist in dieser Trad. auch von Girolamo Cardano *Neronis Encomium* (geschrieben vermutlich um 1560, gedruckt 1640).

Die metrische Dichtung der Ren., gleich ob es sich um Gelegenheitssonette oder großangelegte Epen handelt, schließt fast immer das Lob der Herrscher oder Herrscherfamilie, in lyrischen Kurzgattungen der Herrschergattin, mit ein. Lodovico Ariostos *Orlando furioso* (erste Fassung 1516) z. B. versteht sich als burleskes Ritterepos und zugleich als Herleitung der Genealogie des Hauses Este von Ferrara auf Herkules; Agnolo Polizianos *Stanze* (1476) besingen das Haus Medici, Torquato Tassos *Aminta* (1573) erneut die Este usw. Es handelt sich dabei jedoch weniger um eine eindeutige Fortsetzung der panegyrischen Trad. als vielmehr um die obligate Hommage an die fürstlichen Auftraggeber der Kunst.

Gleichzeitig läuft die Produktion von Encomia auf Herrscher, Städte, Reiche usw. nach dem Vorbild des frühen 15. Jh. weiter, steht aber jetzt meist nicht mehr in einem so präzisen polit. Kontext wie es im Konflikt zw. Mailand und Florenz der Fall war. Zumeist handelt es sich einfach um schulmäßig hergestellte Prunkreden. Die Masse der Encomia im engen Verständnis aus der Frühen Neuzeit geht in die Hunderte, ist kaum aufgearbeitet und vollkommen unüberblickbar. Lobreden wurden zu jedem denkbaren Anlaß gehalten bzw. geschrieben; zur Ernennung von Päpsten, zu Kloster-, Schul- oder Universitätsgründungen, zu Krönungen von Königen, zur Geburt ihrer Söhne, erfolgreichen (und weniger erfolgreichen) Kriegszügen, Hochzeiten, Beerdigungen, aber auch ganz allgemein zu den verschiedenen Tugenden, auf die Weisheit, Philosophie usw. Es können hier nur einige exemplarische Titel angeführt werden. Für das Herrscherlob kann v. a. Erasmus' *Panegyricus ad Philippum Austriae Ducem* (1504), den Sohn von Kaiser Maximilian, als paradigmatisch gelten. Im 17. Jh verfaßt Jean Bérault einen *Panegyricus Ludovico XIII* (1628), worauf der *Panegyricus Ludovico XIV dicto* (1660) von Pierre Dozenne folgt. Auf der anderen Seite des konfessionellen Lagers steht Johann Amos Comenius' *Panegyricus Carolo Gustavo*, unmittelbar nach dem Dreißigjährigen Krieg verfaßt. Diese Trad. setzt sich im Grunde bis zur Französischen Revolution ungebrochen fort; eines der letzten Dokumente, die explizit als P. auftreten, ist G. Maister, *Panegyricus Francisco et Mariae Theresiae dictus* (1776).

Angesichts solcher Textmassen ergab sich schon für die Zeitgenossen die Notwendigkeit von Sammelbänden, die zugleich das Stilideal der Gattung zusammenfassen und eine Anleitung zur weiteren Textproduktion (auch auf Grundlage der o. g. Schulrhetoriken) bieten. Dabei werden die Textmodelle oft in die Volkssprache übertragen. Ein solcher Sammelband verschiedenster Encomia sind die *Panegirici* von Emmanuele Tesauro (erstmals 1659), in denen das neue stilistische Ideal der *argutia, acutezza, agudeza* etc. lückenlos an die im schulischen Rhetorikunterricht trainierte encomiastische Sprachpraxis anknüpft. In Spanien hat F. de Barreda (1623) eine ausführlich komm. Übers. von Plinius' Trajan-Panegyricus vorgelegt. Er nutzt die Kommentare zur Entwicklung einer explizit ›modernen‹ Poetik [3. 134r], die die Stilverfahren des Panegyricus auf die Sentenzensammlungen der *agudeza* anwenden und sogar die poetologisch irreguläre spanische Gattung der *Comedias* gegen klassizistische Angriffe in Schutz nimmt [3. 120v–141v]. Die führende Barockpoetik, B. Graciáns *Agudeza y arte de ingenio* (1647), beruft sich immer wieder auf den Trajan-Panegyricus von Plinius d. J. als Vorbild, dessen stilistische Verfahren in die neusprachlichen Literaturen zu übertragen seien. Er verwendet dabei aber nicht Barredas Übersetzung, sondern greift auf den lat. Text zurück.

1 Aphthonii Progymnasmata, partim a R. Agricola, partim a I. M. Catanaeo latinitate dotata. Cum scholiis R. Lorichii, Francofurtum 1553 (erstmals 1543) 2 H. BARON, The Crisis of Early Italian Renaissance. Civic Humanism and Republican Liberty in an Age of Classicism and Tyranny, ²1966 3 F. DE BARREDA, El mejor príncipe Traiano Augusto, Madrid 1623 4 J. BÉRAULT, Panegyricus Ludovico XIII, Paris 1628 5 P. BRACCIOLINI, Opera, Argentiratum 1513 6 L. BRUNI, Laudatio florentinae urbis, ed. S. BALDASSARRI, 2000 7 Ders., Ad Petrum Paulum Histrum Dialogus (1401–1416), in: E. GARIN, Prosatori latini del Quattrocento, 1952 8 R. COLIE, Paradoxia epidemica. The Ren. Trad. of Paradox, 1966 9 J. A. COMENIUS, Panegyricus Carolo Gustavo, ed. J. BEER, 1997 10 P. C. DECEMBRIO, Opuscula historica, ed. A. BUTTI, 1925/58 11 P. DOZENNE, Panegyricus Ludovico XIV dicto, Paris 1660 12 D. ERASMUS, Panegyricus ad Philippum Caesaris Maximiliani filium (1504), Venetia 1518 13 B. GRACIÁN, Agudeza y arte de ingenio, in: Ders., Obras Completas, 1960 14 F. P. LUISO, Studi sull'epistolario di Leonardo Bruni, 1980 15 G. MAISTER, Panegyricus, Francisco et Mariae Theresiae ... dictus, Vindibona 1776 16 J. MASEN S. I., Palaestra oratoria, Colonia Agrippina 1678 (erstmals 1659) 17 P. MOSELLANUS, De primis apud rhetorem exercitationibus praeceptiones, Augusta Vind. 1547 (erstmals 1523) 18 K. MÜLLNER, Reden u. Briefe it. Humanisten, Wien 1899 19 J. O'MALLEY, Praise and Blame in Renaissance Rome, 1979 20 F. PAULSEN, Gesch. des gelehrten Unterrichts auf den dt. Schulen und Universitäten, ³1919–1921 21 F. PHILELPHUS, Orationes, Mediolanum 1496 22 F. POMEY S. I., Novus Candidatus Rhetoricae, Monachium 1714 (erstmals 1668) 23 U. SCHULZ-BUSCHHAUS, Vom Lob der Pest und vom Lob der Perfidie, in: H. GUMBRECHT et al. (Hrsg.), Paradoxien, Dissonanzen, Zusammenbrüche, 1991, 259–273 24 E. TESAURO, Panegirici, Torino 1659 25 R. VOLKMANN, Die Rhet. der Griechen und Römer, Berlin 1872.

MANFRED HINZ

Pantheon A. EINLEITUNG   B. MITTELALTER
C. 15.–17. JAHRHUNDERT
D. 18./19. JAHRHUNDERT
E. DAS PANTHEON ALS EHRENTEMPEL

A. EINLEITUNG

Die nachant. Rezeptions- und Wirkungsgeschichte des P. ist v. a. durch drei Komponenten bestimmt, die in verschiedenen Epochen und bei den einzelnen Denkmälern in jeweils unterschiedlicher Gewichtung ins Spiel kommen können: 1) das P. als bewundertes ant. Bauwerk, dem sich ästhetische Normen und vorbildliche architektonische Gestalteigenschaften abgewinnen lassen; 2) die ideologische Beanspruchung des P., das eine bestimmte Romvorstellung evozieren soll; 3) das P. als Ehrentempel.

B. MITTELALTER

Im J. 609 wurde zum ersten Male in Rom ein Tempel christianisiert, als man auf Veranlassung von Papst Bonifatius IV. das P. zur Kirche S. Maria ad Martyres umwidmete und der Jungfrau Maria und allen Märtyrern weihte [1; 9. 86]. Dennoch blieb über das gesamte MA bekannt, das P. sei ein allen Göttern geweihter heidnischer Tempel gewesen. Schon früh ist dies in der Kirchengeschichte des Beda Venerabilis (um 673–735) überliefert, der damit auch die Ansicht verbindet, eine

Abb. 1: A. Palladio, Tempietto. Villa Barbaro, Maser, 1579/80

Abb. 2: G.B. Falda, *Veduta della chiesa, piazza e fontane dell'Ariccia.* Kupferstich, 1665/1699, Ausschnitt
(Ansicht von Berninis Kirche S. Maria dell'Assunzione in Ariccia)

Vielzahl von Dämonen habe demnach das P. besetzt (Beda, *Historia ecclesiastica*, 2,4). Die *Legenda aurea* (um 1263/7) erwähnt im Kap. zum Allerheiligenfest das P. und berichtet, der Auftrag zum Bau dieses Tempels aller Götter sei von Kybele ergangen. Als Zeugnis heidnischer *superbia* (Stolz, Hochmut) wird das alle Tempel an Größe übertreffende Bauwerk gewertet. Es wird aber einem christl. Gegenbild dienstbar gemacht, indem die Weihe an die Gottesmutter Maria unausgesprochen mit dem Bauauftrag der Göttermutter Kybele und die pagane Weihe an alle Götter mit der Zuordnung zum Allerheiligenfest konfrontiert ist. So stand das P. aus ma. Sicht in bes. Weise für den Antagonismus von Heiden- und Christentum. Trotz seiner Christianisierung blieb die Horrifizierung des ant.-paganen Bauwerks daher in der ma. Überlieferung noch lange erhalten [3. 259f.], was eine Beschäftigung mit der Baugestalt und eine Würdigung ästhetischer Qualitäten weitgehend verhinderte. Für die ma. Architektur spielt das P. daher am ehesten noch innerhalb der Trad. zentralbauförmiger Marienkirchen, in die aber auch andere Anregungen eingegangen sind, eine Rolle [8].

C. 15.–17. JAHRHUNDERT

Als fast vollständig erhaltenes ant. Bauwerk wurde das P. für das antiquarische Interesse seit dem 15. Jh. zu einem bevorzugten Studienobjekt [6]. Da die human. Architekturtheorie zudem ihre ästhetischen Normen nicht nur in der Ant. begründete, sondern auch auf –

durch die ant. Baupraxis häufig nicht gedeckte – mathematische und geometrische Gesetzmäßigkeiten setzte, bot diesem Interesse das P. mit seinen Gestalteigenschaften – kreisförmiger Grundriß, Halbkugelform des Gewölbes und Entsprechung von Durchmesser und Höhe, so daß dem Innenraum eine Kugel eingeschrieben werden kann – ein geradezu ideales Bezugsobjekt.

Schon Leon Battista Alberti hatte in *De re aedificatoria* (7,4, um 1450) den Kreis als vollkommenste Grundrißform empfohlen und so die Beschäftigung vieler Ren.-Architekten mit der Zentralbauform und deren kosmologischen Implikationen begründet [23. 11–19]. Spätestens Serlio und Palladio münzten diese Vorliebe im direkten Bezug auf das P. aus, so daß für sie die »Rotonda« der vollkommenste aller in Rom erhaltenen Tempel war (Andrea Palladio, I Quattro libri dell'architettura, Venedig 1570, 2,20) [10. 111–117; 23. 26f.].

Jenseits der Würdigung in der Architekturtheorie stand das P. als ein Muster hinter einer Reihe von Zentralbauten, die eine Auseinandersetzung mit dem ant. Vorbild vorführten, am deutlichsten Palladios Tempietto bei der Villa Barbaro in Maser (1579/80, Abb. 1) [23. 26f.] oder Berninis S. Maria dell'Assunzione in Ariccia (1662/1664, Abb. 2) [11. 239–258], vielleicht auch dessen röm. Kirche S. Andrea al Quirinale (1658–1670) [13]. Vor allem aber wurde schon von Zeitgenossen im frühen 16. Jh. das P. als Modell der riesigen Zentralkuppel von Bramantes Projekt für Neu-St. Peter in

Abb. 3: Das Pantheon mit den *campanili* Madernos
(Gabinetto Fotografico Nazionale, Rom)

Rom verstanden. Auch wenn Ursprung und Authentizität des damit traditionell verbundenen Ausspruchs, mit Bramantes St. Peter-Kuppel sei das P. auf die Gewölbe des Friedenstempels gesetzt, unklar sind [21. 82. Anm. 135], läßt sich in dieser Figuration die Neuauflage eines alten Gedankens erkennen: die Christianisierung des P. als Zeichen des christl. Triumphes über das ant.-pagane Rom [4. 5f.].

Nicht nur für Zentralbauten, sondern auch für die Geschichte der Kirchenfassade erlangte das P. Bed., weil es die Kombination von Zentralbau und Portikus vorführte, ebenso aber mit Portikus und Attikablock die Übereinanderstaffelung zweier Dreiecksgiebel. Auf das P.-Modell rekurriert daher von Palladios Kirchenfassaden, die aus der Durchdringung zweier Dreiecksgiebel entwickelt sind, insbes. die Fassade von Il Redentore in Venedig (1577–1592), wo eine hochkomplexe Raumdisposition aus überkuppeltem Zentralbau und Langhaus mit niedrigen Seitenkapellen mit einer Tempelfassade zu verbinden war [23. 74–79].

Derartige Fassadenlösungen können auch als Auseinandersetzung mit kritischen Stimmen zum P. gelesen werden, die v. a. die Bauornamentik im Innenraum betrafen, aber auch das Verhältnis des Rundbaus zur vorgelagerten Tempelfront, die meist, wie z. B. von Palladio, als spätere Zutat angesehen wurde. Diese Kritik war auch von Belang für die von Papst Alexander VII. um die Mitte des 17. Jh. initiierten Maßnahmen zur Neugestaltung von Fußboden und Wanddekoration des P. [11. 225–237]. Ungeachtet dessen stand diese Initiative jedoch letztlich für die Hochschätzung, die dem P. seit dem 15. Jh. entgegengebracht wurde und die Alexander VII. durch eine urbanistische Maßnahme unterstrich, die Neugestaltung der Piazza della Rotonda mit einer Freistellung des ant. Bauwerks und einer Restaurierung des Portikus. Schon einer seiner Vorgänger, Urban VIII. (1623–1644), hatte sich darum bemüht und durch Carlo Maderno die beiden ma. Campanile auf der Attika er-

Abb. 4: G.B. Piranesi, Tempio antico.
Kupferstich, 1743

neuern lassen [7. 230f.]. Auf diese Weise wurde die Kombination von Tempelfront und Doppelturmfassade, die Palladio in Maser vorgeführt hatte, am P. selbst revitalisiert (Abb. 3).

D. 18./19. Jahrhundert

In der Nachfolge Giovanni Battista Piranesis sind P.-Motive, wie die charakteristische Kassettierung der Kuppel innen oder der getreppte Kuppelansatz außen, in den aus der freien Variation und Kombination ant. Motive gewonnenen zeichnerischen Architekturphantasien des 18. Jh. allgegenwärtig (Abb. 4). Diese Gattung huldigte durchgehend den Idealen von Großartigkeit (*magnificence* / *magnificenza*) und Erhabenheit, aber ebenso der einfachen, stereometrisch reinen Form [15; 17; 19]. Dies galt insbes. für die sog. Revolutionsarchitektur, die diese Leitvorstellungen im kugelförmigen Newtondenkmal Etienne-Louis Boullées (1728–1799) kulminieren ließ [19]. Im P. konnte man entsprechend eine sowohl mit ant. Vokabular operierende als auch durch Elementarformen wie Kreis, Kugel und Zylinder konstituierte Architektur exemplarisch vorgebildet sehen.

So griff man auch in der Architektur des 19. Jh. vielfach auf das P. zurück, kaum in Form getreuer → Architekturkopien, aber in freier Variation und Kombination stereometrisch reduzierter Volumina und des auf das P. zurückgehenden Musters eines zylindrischen Kuppelbaus mit Portikus [5; 10. 123–132; 12; 22]. Dabei

Abb. 5: Villa La Gordanne, um 1800, Perroy
(am Genfer See)

konnte es gelegentlich auch zu einer Ausgliederung des P. aus dem urbanen wie sakralen Kontext und zur Übernahme des Vorbildes in Garten- oder Villenarchitekturen kommen (Abb. 5), ein Vorgang, der mit Palladios Villa Rotonda bereits eingeleitet war [5].

E. Das Pantheon als Ehrentempel

Für die Rezeptionsgeschichte des P. wurde Raffaels Grabidee zu einem epochalen Ereignis. Als Ausdruck einer an die Künstlerexistenz gebundenen Synthese der Ant. mit der Zeit ihrer Erneuerung wurde Raffael nach seinem Tod am 7. April 1520 im P. in einem der ant. Tabernakel, der ihm vom Papst zu diesem Zweck überlassen worden war, bestattet. Weitere Künstlerbegräbnisse im P., teilweise in unmittelbarer Nähe des Raffael-Grabes, begründeten seinen Rang als Begräbniskirche und, insbes. durch die spätere Zufügung von Büstenbildnissen, allgemeiner als Gedenkstätte für Künstler und andere hervorragende Persönlichkeiten [2. 112; 16. 136–141].

Diese Trad. wird man generell als maßgebend ansehen dürfen, wenn unter den P.-Variationen des 19. Jh. Bauten der Sakral-, Funeral- und Bildungsarchitektur oder architektonische Denkmäler dominieren. So z.B. der Tempio Canoviano in Possagno, ein »P.« mit dem Pronaos des Parthenon, den der Bildhauer Ant. Canova sich selbst errichtete (1819–32; G. A. Selva, A. Diedo). Auf diese Vorstellung geht auch eine feste Vokabel der Museumsarchitektur des 19. Jh. zurück, ein zentraler Kuppelraum als »Künstler-P.« [14].

Pantheon konnte aber auch ganz allg. zur Bezeichnung für bedeutende Begräbniskirchen oder für Ehrenhallen und Denkmäler berühmter Personen werden, ohne daß dies für die Baugestalt von Belang war;

S. Croce etwa wurde so das »P.« der Florentiner [2. 112ff.; 16. 141, 286–298]. Das berühmteste und folgenreichste Beispiel war die von der frz. Nationalversammlung 1791 beschlossene Umwidmung der Kirche Sainte-Geneviève in Paris zum »Panthéon«, zu einer Kultstätte für die großen Männer der Frz. Revolution [12].

1 S. DE BLAAUW, Das P. als christl. Tempel, in: Bild- und Formensprache der spätant. Kunst. Hugo Brandenburg zum 65. Geburtstag (Boreas 17) 1994, 13–26 2 R. BONNEFOIT, Die Statuen der berühmten Toskaner im Hof der Uffizien, in: Mitteilungen des Kunsthistor. Inst. in Florenz 43, 1999, 103–187 3 T. BUDDENSIEG, Criticism and Praise of the P. in the Middle Ages and the Renaissance, in: Classical Influences on European Culture A.D. 500–1500, hrsg. v. R. R. BOLGAR, 1971, 259–267 4 I. CAMPBELL, The new St. Peter's: basilica or temple? in: Oxford Art Journal 4/1, 1981, 3–8 5 E. FORSSMAN, Ein P. am Genfer See. Die Villa La Gordanne in Perroy, in: Kunst als Bedeutungsträger. Gedenkschrift für Günter Bandmann, 1978, 345–366 6 H. GÜNTHER, Das Studium der ant. Architektur in den Zeichnungen der Hoch-Ren., 1988 7 H. HIBBARD, Carlo Maderno and Roman Architecture 1580–1630, 1971 8 R. KRAUTHEIMER, Sancta Maria Rotunda, in: Arte del Primo Millennio, hrsg. von E. ARSLAN, 19, 21–27 9 Ders., Rome. Profile of a City, 312–1308, 1980; Titel der dt. Ausgabe: Rom, Schicksal einer Stadt: 312–1308, 1987 10 W. MACDONALD, The P. Design, meaning and progeny, 1976 11 T. A. MARDER, Bernini and the Art of Architecture, 1998 12 C. L. V. MEEKS, P. paradigm, in: Journal of the Society of Architectural Historians 19, 1966, 135–144 13 M. MORRESI, Assimilazione e interpretazione barocca del Pantheon: la chiesa e il pronao di S. Andrea al Quirinale, in: Rivista storica del Lazio 4, 1996, 99–123 14 V. PLAGEMANN, Musée et P.: L'origine du concept architectural du musée, in: Les musées en Europe a la veille de l'ouverture du Louvre, Actes du colloque 1993, 1995, 213–241 15 W. OECHSLIN, Pyramide et sphère. Notes sur l'architecture révolutionnaire du XVIIIe siècle et ses sources italiennes, in: Gazette des Beaux Arts 113 (77) 1971, 201–238 16 M. OZOUF, Le Panthéon, 1984; Titel der dt. Ausgabe: Das P., 1996 17 B. REUDENBACH, G. B. Piranesi – Architektur als Bild, 1979 18 G. SCHÜTZ-RAUTENBERG, Künstlergrabmäler des 15. und 16. Jh. in It., 1978 19 A. M. VOGT, Boullées Newton-Denkmal. Sakralbau und Kugelidee, 1969 20 A. P. WATSON, Brunelleschis cupola, a great hill of earth, and the P., in: Renaissance Studies in honor of Craig Hugh Smyth, Bd. 2, 1985, 523–532 21 F. GRAF WOLFF METTERNICH, Die frühen St.-Peter-Entwürfe 1505–1514, hrsg. von C. THOENES, 1987 22 H. WISCHERMANN, Canovas P. Überlegungen zum Tempio Canoviano von Possagna, in: Architectura 10, 1980, 134–163 23 R. WITTKOWER, Architectural Principles in the Age of Humanism, [3]1962; Titel der dt. Ausgabe: Grundlagen der Architektur im Zeitalter des Human., 1969.

BRUNO REUDENBACH

Papier. Der dritte im Mittelmeerraum sehr verbreitete Beschreibstoff ist – nach Pap. und Pergament – das Papier. Es wurde in China in vorchristl. Zeit erfunden und gelangte ab dem 8. Jh. n. Chr. über die islamische Welt und die iberische Halbinsel bis nach It. (wo man eine eigenständige Papierproduktion seit der ersten H. des 13. Jh. findet) und in das übrige Europa. Seit dem 14. Jh. sind Papierhss. überhaupt weit verbreitet; die älteste Papierhs. dt. Herkunft etwa stammt aus dem J. 1246/47.

Ungeachtet einiger Veränderungen, die die Materialien, die Technik und die benutzten Werkzeuge betreffen, bleibt das Herstellungsverfahren des westl. P. grosso modo unverändert: In Europa stellte man P. aus Leinen- oder Hanflumpen her, Baumwolle dagegen wurde nicht verarbeitet, obwohl auch das in Legenden behauptet wird (der Begriff »Bombyzin«, der mit Baumwolle assoziiert oder verbunden wurde, ist eine irreführende Bezeichnung für das arab. oder orientalische P.). Die Lumpen wurden nach Qualität sortiert, zerrissen, in Wasser aufgeweicht und zu einem Brei verarbeitet mit Hilfe teilweise komplizierter Hilfsmittel. Das so gewonnene »Halbzeug« wurde einem Stampfverfahren unterworfen, das daraus hervorgegangene »Ganzzeug« zum Gären gebracht, mit Wasser verdünnt und in einen Bottich (»Bütte«) geschüttet, in dem das Schöpfsieb eingetaucht wurde. Die Schöpfform bestand aus einem Holzrahmen verschiedener Größe, der im Orient mit pflanzlichen Gerten bespannt war; im Westen bestand dieses Schöpfsieb aus Kupfer- oder Messingdrähten: Zur Längsseite der Schöpfform verlaufen parallele Rippdrähte (frz. *vergeures*), und parallel zur Schmalseite der Form verlaufen kleine Holzstege von dreieckigem Profil, die Kettdrähte (frz. *pontuseaux*). Die Rippdrähte sind mit kleinen Metallfäden an den jeweiligen Kettdrähten befestigt. Über dem Schöpfsieb brachte man einen offenen Holzdeckel an, um die Dicke des enthaltenen Papierbreis zu regulieren. Im Westen arbeiteten an jeder Bütte zwei Handwerker (Butt- oder Schöpfgeselle oder Eintaucher und Gautscher), die abwechselnd mit zwei Schöpfsieben, aber nur einem Holzdeckel arbeiteten: Der eine tauchte das Schöpfsieb ein und hob es heraus, der andere legte die Blätter übereinander auf einen Posten (»Pauscht«); zw. die Blattlagen kamen Filze, um das Wasser aufzusaugen (»gautschen«). Anschließend wurden die Papierbögen getrennt und zum Trocknen gegen eine erwärmte Wand (im Orient) oder in entsprechenden Räumen, sog. »Trockenspeichern« (im Westen), aufgehängt. Dann wurden die Bögen mit Leim bestrichen, indem man sie in ein Bad aus Mehl- oder Reisstärke (Orient) oder Knochenleim (Westen) eintauchte; zum Schluß wurden sie geglättet und für den Verkauf vorbereitet, indem man sie zu »Ries« (480–500 Bögen) und »Ballen« verpackte.

Im Unterschied zum arab. P., das sich durch eine Vielfalt unterschiedlicher Größen auszeichnet, wurde das P. in It. in wenigen, festgelegten Formaten produziert: Eine noch h. in Bologna befindliche Marmorplatte definiert vier Papierformate, *imperiale* (ca. mm 500×740), *reale* (ca. mm 445×615), *mezzano* (ca. mm 345×515) und *rezzuto* (ca. mm 315×450), von denen gewöhnlich nur zwei (*reale* und *rezzuto*) in ganz Europa verwendet wurden. Im MA unterschied man darüber hinaus – in der Praxis und durch gesetzliche Bestim-

mungen festgelegt – Schreibpapier (wiederum unterteilt in verschiedene Unterarten) von Packpapier, das aus farbigen Lumpen hergestellt wurde. Zur Charakterisierung des P. diente außerdem der Bodendraht, dessen Abdruck sich auf dem Bogen wiederfand. Die Anzahl der Kettdrähte und die Dichte der Rippdrähte des Schopfsiebes nahmen im Laufe der Zeit zu, um immer feineres und gleichzeitig widerstandsfähiges P. herstellen zu können. Andere vor kurzem erforschte Elemente (Papierdicke, Helligkeitsgrad des Weiß) tragen dazu bei, die Entwicklung der Herstellungstechnik zu präzisieren.

Seit dem E. des 13. Jh. wird das Papiergewebe it. Herkunft durch Wasserzeichen markiert, eine Zeichnung mit unterschiedlichen Motiven, die durch Metalldrähte erzeugt wurde, welche gebogen und gelötet in die eine der beiden H. des Schöpfsiebes genäht waren (bzw. in die rechte oder linke H. der Zwillingsformen des Siebes). Das Wasserzeichen hat die doppelte Funktion, sowohl den Hersteller als auch die Qualität des P. anzuzeigen. Seit dem E. des 15. Jh. begegnet in der Ecke der anderen H. des Schöpfsiebes eine weitere, kleinere Zeichnung, das sog. Gegenzeichen, welches häufig Monogramme und Initialen aufweist. Das Studium der Wasserzeichen bietet die Möglichkeit, das P. und mithin undatierte Hss. oder auch Druckwerke zu datieren, indem man die dort vorhandenen Wasserzeichen mit den entsprechenden Abb. in den Repertorien (hauptsächlich Briquet und Piccard) vergleicht. Der Erkenntnisgewinn für Schreibertätigkeit und Textgeschichte ist von nicht unerheblicher Bedeutung. Die Wasserzeichen-Forsch. erlaubt ferner eine neue Evaluation z.B. der Beziehungen zw. Papierhersteller und Käufer, zw. Produktion und Handel innerhalb Europas, ferner der Unterschiedlichkeit der Papierprodukte in ihrer jeweiligen Abhängigkeit von den Bedürfnissen der Schreiber und Drucker.

Die Verbreitung des P. in Europa ist von nicht zu unterschätzender kulturgeschichtlicher Bedeutung. Zunächst dient es als Handschriftenträger für eine große Zahl griech., lat. und ma. Autoren; einige ma. Autoren sind nur in Papier-Hss. überliefert. Seine eigentliche Wirkung erreicht das P. aber im Buchdruck. Es dient der Verbreitung der wiederentdeckten griech. Autoren, deren Texte unbekannt waren, fernerhin einer enormen Zirkulation lat. Texte, und zwar nicht nur rel., sondern gerade auch paganer oder profaner Schriften. Als Fallbeispiel sei auf das westarab. Papier aus dem Maghreb und Spanien hingewiesen, das bereits im 12. und 13. Jh. nach Süd-It. gelangt und als Beschreibstoff für griech. Texte meist profanen Inhalts verwendet wird.

1 C. M. Briquet, Les filigranes. Dictionnaire historique des marques du papier dès leur apparition vers 1282 jusqu'en 1600. A facsimile of the 1907 edition ed. by A. Stevenson, 1968 2 P. Busonero, C. Federici, P. F. Munafò, E. Ornato, M. S. Storace, L'utilisation du papier dans le livre italien à la fin du Moyen Âge, in: M. Maniaci, P. F. Munafò (Hrsg.), Ancient and Medieval Book Materials and

Techniques, 1993, Bd. I, 395–450 **3** T. GERARDY, Die Beschreibung des in Manuskripten und Drucken vorkommenden Papiers, in: A. GRUYS, J. P. GUMBERT (Hrsg.), Codicologica V, 1980, 37–51 **4** D. HARLFINGER, J. HARLFINGER, Wasserzeichen aus griech. Hss., 2 Bde., 1974–1980 **5** J. IRIGOIN, La datation par les filigranes du papier, in: A. GRUYS, J. P. GUMBERT (Hrsg.), Codicologica V, 1980, 9–36 **6** M.-T. LE LÉANNEC-BAVAVÉAS, Les papiers non filigranés médiévaux de la Perse à l'Espagne. Bibliographie 1950–1995, 1998 **7** E. G. LOEBER, Paper Mould and Mouldmaker, 1982 **8** E. ORNATO et al. (Hrsg.), La carta occidentale nel tardo medioevo, 2 Bde., 2001 **9** G. PICCARD, Die Wasserzeichen-Forsch. als histor. Hilfswiss., in: Archivalische Zschr. 52, 1956, 62–115 **10** G. PICCARD, Die Wasserzeichenkartei Piccard im Hauptstaatsarchiv Stuttgart. Findbuch, 1961 ff.

MARILENA MANIACI

Papyri (Fundgeschichte)

A. FUNDORTE
B. FUNDUMSTÄNDE
C. GESCHICHTE DER FUNDE
D. EDITIONSVORBEREITUNG

A. FUNDORTE

Wenngleich Papyrus nur in Ägypten hergestellt wurde, war er doch im gesamten Mittelmeerraum als Beschreibstoff gebräuchlich. Gefunden wurden P. im wesentlichen in Ägypten [38; 42].

Die Zahl der Funde außerhalb Ägyptens nimmt zu [22; 23], so sind insbes. zu nennen: Das Zweistromland [25] mit Dura Europos, Palästina (Editionen: P. Mur. II [3]; P. Nessana II und III [5; 6]; P. Yadin II [11]; P. Nahal Hever [1]; P. Masada [9]) [17] und seit 1993 auch Petra [33]. In It. fanden sich außer den ma. Texten – die hier außer Betracht zu bleiben haben [41] – P. nur in Herculaneum [19], in Griechenland in Derveni bei Thessaloniki [34]; jeweils in verkohltem Zustand.

Die Empfindlichkeit des Materials gegen Feuchtigkeit hatte zur Folge, daß im Nildelta keine P. erhalten blieben – mit Ausnahme von verkohlten Texten (so aus Bubastis – P. Bub., Thmouis – P. Thmouis). P. aus Alexandria und dem sonstigen Delta sind also nur überliefert, soweit sie im Niltal, etwa südlich des heutigen Kairo gefunden wurden. Im übrigen ist die Verteilung der Funde unter zeitlichen wie auch unter regionalen Aspekten durchaus unterschiedlich. Regional ragen von den einzelnen Gauen der Arsinoites und der Oxyrhynchites heraus, daneben sind noch bes. zu nennen Hermopolites und Herakleopolites. Zeitlich reichen die griech. P. vom 4. Jh. v. Chr. bis zum 8. Jh. n. Chr., am besten belegt sind das 3. Jh. v. Chr. sowie das 2., 3. und 6. Jh. n. Chr. [30]. Publiziert wurden bislang etwa 50 000 Texte, überwiegend Urkunden.

B. FUNDUMSTÄNDE

Was die tatsächlichen Fundumstände angeht, so kommen P. – und auch Ostraka – zutage in den Ruinen verlassener Gebäude, in Haufen (Kôm) von Schutt und Abfall (Sebbach) außerhalb der bewohnten Dörfer, wenn die überflüssig gewordenen Texte mit anderem Abfall weggeworfen wurden, in Tonkrügen, in denen man häufig P. (z. B. P. Nag Hammadi) aufbewahrte, und schließlich auch in Mumienkartonage (z. B. P. Ent. aus Magdôla [4], P. Hibeh [12] und in BGU IV sowie BGU VIII in Abusir el-Melek), wenn überholte Texte zusammengeklebt und zur Umwicklung der Leichen verwendet wurden. Vereinzelt dienten P. auch als Füllmaterial in Kodexeinbänden. Voraussetzung der Erhaltung ist allerdings immer, daß das Niveau der Fundstellen über dem Grundwasserspiegel liegt [27]. Derzeit steigt der Grundwasserspiegel in Ägypten als Folge des Staudammbaus in Assuan stetig an, so daß eine Zerstörung noch nicht ausgegrabener Texte zu befürchten ist. Gefunden wurden in der Regel einzelne Urkunden, deshalb sind geschlossene Archive größerer und kleinerer Art von besonderer Bedeutung, sei es für den Nachweis der Entwicklung spezieller Urkundenformulare (so etwa für die alexandrinischen Synchoreseis, s. BGU IV), die Beurkundungspraxis und das Registerwesen einzelner Behörden, sei es für die wirtschaftliche Lage einzelner Familien oder von Gutsbezirken (z. B. Archiv des Zenon, 3. Jh. v. Chr.; Archiv des Heroninos aus dem 3. Jh. n. Chr. für das Gut des Appianus [40]).

C. GESCHICHTE DER FUNDE

[38] (1) Der Beginn der Papyruskunde ist mit der Publikation der sog. Charta Borgiana (P. Schow = SB I 5124) durch N. Schow im Jahre 1788 anzusetzen. 1778 hatte ein it. Händler von Fellachen mehrere Rollen P. wohl aus der Gegend von Memphis zum Kauf angeboten erhalten, aber nur eine erworben, die er dann dem Kardinal Stephan Borgia in Velletri schenkte. Zum festen Bestand der Legende gehört, daß die Fellachen die nicht gekauften Rollen verbrannt hätten, um sich an dem Wohlgeruch zu erfreuen. An P. waren zu dieser Zeit im wesentlichen nur die Urkunden aus Ravenna und die ma. Papst- und Kaiserurkunden bekannt, die aber auch als Papier aus Baumrinde, Binsen u. ä. bezeichnet wurden [41]. Hinzu kamen die in der Villa dei Pisoni in Herculaneum am Fuß des Vesuvs 1752–1754 gefundenen verkohlten Papyrusrollen [19]. Vereinzelt in früherer Zeit nach Europa gelangte Stücke hatten keine besondere Beachtung gefunden. Die Charta Borgiana war für die Zeit der erste ägypt. P. und fand entsprechende Aufnahme, wenn auch der Inhalt – eine Liste über Damm- und Kanalarbeiten im Jahr 192/3 n. Chr. – wohl enttäuschte.

Infolge der nach der Napoleonischen Ägyptenexpedition von 1798 im 19. Jh. auflebenden Bereisung Ägyptens durch Europäer kam eine Reihe von Urkunden in europ. Museen, die durch Reisende von ägypt. Fellachen erworben wurden, so die Urkunden aus dem Serapeum von Memphis (s. hierzu UPZ), aus Sakkara, Theben, Panopolis und Elephantine.

(2) Seit jeher hatten die Fellachen die Sebbach- (Abfall-)Hügel der alten Siedlungen abgebaut, um den darin enthaltenen Dünger für die Landwirtschaft zu verwenden. Der Bedarf stieg insbes. im 19. Jh. mit dem Anbau von Zuckerrohr und Baumwolle stark an. Die Abfall-

haufen waren am Rand alter Siedlungen und an der Stelle verfallener Siedlungen in erheblichem Umfang, bis zu 20 Meter Höhe, entstanden; sie enthielten neben dem üblichen Hausabfall auch Papyri. Nachdem die Bauern den Wert der P. erkannt hatten, wurden die Funde mehr oder weniger heimlich verkauft. Im Fayum begann der Handel in verstärktem Maße Ende der 70er Jahre des 19. Jh. Über den Antiquitätenhandel gelangten P. durch Privatleute nach Europa. Der bedeutendste Erwerb glückte Erzherzog Rainer von Österreich durch den Kaufmann Graf: Insgesamt kamen etwa 70000 griech., 30000 arab., 5000 koptische und über 300 persische P. nach Wien und wurden 1899 der Wiener Hofbibliothek (nun Österreichische Nationalbibliothek, s. CPR [2], [26]) geschenkt.

Zu beachten ist, daß durch diese Art des Fundes und des Handels wie auch durch spätere Manipulationen wie Zerschneiden einzelner Rollen und Urkunden urspr. zusammengehörige Texte und Textteile häufig in verschiedene Sammlungen gekommen sind und nur z. T. durch Zufall oder gezielte Suche wenigstens in der Edition oder nachträglich nach der Publikation wieder zusammengeführt werden konnten. Trotz der reichen Zahl der gefundenen P. sind daher die Herkunft und die Fundumstände oft dunkel [32].

(3) Angeregt durch die Ergebnisse der heimlichen Grabungen der Bauern setzten systematische Grabungen europ. Gelehrter und Vereinigungen mit den 80er Jahren des 19. Jh. ein. So durch W. M. Flinders Petrie (Großbritannien) 1888/1889 und in den folgenden Jahren in Hawara, Gurob und Illahun, A. S. Hunt und B. P. Grenfell zunächst im Fayum, dann bis 1906/1907 in El Bahnasa, dem alten Oxyrhynchos am Bar Jussuf, wo sie reiche Funde machten. 1899/1900 entdeckten sie im südl. Fayum, im ant. Tebtynis, neben den Stücken aus Haustrümmern und Sargkartonage Krokodilsmumien, die dort zu Tausenden lagerten [29]. Der 1882 gegründete *Egypt Exploration Fund* unterstützte auch die papyrologischen Arbeiten [43]. Hervorzuheben sind weiter die Ausgrabungen P. Jouguets (Frankreich) in Magdola von 1900 an, G. Lefebvres in Aphroditopolis mit dem Fund des Archivs des Dioskoros aus dem 6. Jh. n. Chr. [37], J. Masperos in Edfu. Von den it. Ausgrabungen, z. T. getragen von der *Società Italiana dei Papiri*, seien erwähnt v. a. die in Hermupolis Magna und im Fayum. 1898/1899 grub U. Wilcken in Herakleopolis [44], die Funde gingen aber bei einem Schiffsbrand in Hamburg zugrunde – nur von einem Teil der Urkunden konnten vorher noch Abschriften genommen werden. 1902 arbeitete O. Rubensohn im Fayum und 1903 in Abusir el-Melek, wo eine bedeutende Gruppe alexandrinischer P. in Makulatur gefunden wurden (s. BGU IV). Grabungen in Elephantine 1906 und 1907 schlossen sich an. F. Zucker und P. Viereck gruben von 1908 an vornehmlich im Fayum [35]. Die Bestände der dt. Sammlungen wurden im übrigen durch Ankäufe auf dem Antiquitätenmarkt erworben; hier ist auch das *Deutsche Papyrus-Kartell* zu nennen, das Käufe für die

verschiedensten Universitäten und Museen vornahm [39].

Grabungen sind heute in der Regel nicht speziell auf P. gerichtet, Funde gelingen im Zusammenhang mit arch. Unternehmungen. Aus neuerer Zeit sind it. bzw. frz./it. Kampagnen im Fayum (Bakchias, Narmuthis, Tebtynis) [13; 21; 28] und polnische in Naqlun (Fayum) [13] zu nennen. Besonders hervorzuheben sind die australischen Grabungen in der Oase Dakleh, wo in Ismant el-Kharab die nun als Kellis-Papyri publizierten Texte des 4. Jh. n. Chr. gefunden wurden (s. P. Kell. G [7]). Weiter ist anzuführen die Kampagne am *Mons Claudianus*, im östl. Gebirge in der Nähe der Küste des Roten Meeres, mit Funden von Ostraka aus dem Betrieb des röm. Steinbruchs (s. O. Claud. [10]), außerdem amerikanische Grabungen am Roten Meer (Abu Shar [14]). Deutsche Unternehmungen konzentrierten sich auf Elephantine (s. P. Eleph. DAIK [8]). Die *Egypt Exploration Society* erforschte das Gebiet der röm. Festung Qasr Ibrim südlich von Assuan, wo u. a. ein lat. P. gefunden wurde, dessen Zuweisung an Gallus strittig ist [36].

In der von Hadrian gegründeten Polis Antinoopolis wurde von verschiedenen Nationen gegraben. Einen eingehenden Überblick zu den verschiedenen Aspekten, nicht nur der P., bringt nun der Katalog der Ausstellung in Florenz aus Anlaß des Jubiläums der ersten systematischen Grabungen [15]: ein Beleg für die notwendige Verbindung von → Papyrologie und Archäologie.

D. EDITIONSVORBEREITUNG

Schon die Beschreibung der Fundumstände läßt ahnen, in welchem tatsächlichen Zustand P. gefunden werden und welche Arbeiten nötig sind, bevor überhaupt an die Entzifferung, Zuordnung und Identifizierung der Texte gedacht werden kann: Lose Blätter, zerrissen und zerknittert, von Würmern zerfressen, zu Rollen gewickelt, gefaltet und dann gepresst, harte Knäuel mit Erde bedeckt, steinhart oder auch lose und sehr zerbrechlich, in größeren oder kleineren Fragmenten. Erster Schritt der Restaurierung [16; 18; 20; 24; 31] ist die Reinigung von Schmutz, dann ggf. die Trennung einzelner Lagen, die Glättung der einzelnen Blätter und Fragmente und schließlich die Zuordnung der Fragmente, wobei die Faserrichtung des P. und die Schrift wesentliche Anhaltspunkte sind. Zunehmend wird auch Mumienkartonage, die aus Papyrusmakulatur hergestellt wurde, aufgelöst, nachdem ein Verfahren entwickelt wurde, das die Ablösung der Malerei gestattet.

→ AWI Antinoopolis; Gallus; Papyrus

QU **1** Aramaic, hebrew and greek documentary texts from Nahal Hever and other sides with an appendix containing alleged Qumran texts (The Seiyâl Collection II), ed. H. M. COTTON and A. YARDENI, 1997 (Discoveries in the Judaean Desert XXVII) **2** Corpus Papyrorum Raineri, hrsg. von der Generaldirektion der Österreichischen Nationalbibliothek **3** Discoveries in the Judaean Desert of Jordan. II. Les grottes de Murabba.ât, 1961 **4** Enteuxeis: Requêtes et plaintes adressées au Roi d'Égypte au IIIe siècle avant J.-C., ed. O.

GUÉRAUD, Kairo 1931. (Publ. Soc. Fouad I) **5** Excavations at Nessana. II. Literary Papyri, ed. L. CASSON, E. L. HETTICH, 1950 **6** Excavations at Nessana. III. Non-Literary Papyri, ed. C. J. KRAEMER JR., 1958 **7** Greek Paypri from Kellis, Oxford. I. Greek Papyri from Kellis I, ed. K. A. WORP in collaboration with J. E. G. WHITEHORNE and R. W. DANIEL, 1995. (Dakleh Oasis Project: Monograph 3). Nr. 1–90. II. Kellis Literary Texts I, ed. I. GARDNER, 1996. (Dakleh Oasis Project: Monograph 4). Nr. G 91–94, C 1–9. III. The Kellis Isocrates Codex, ed. K. A. WORP, A. RIJKSBARON, 1997. (Dakleh Oasis Project: Monograph 5). Nr. 95. IV. The Kellis agricultural account book, ed. R. S. BAGNALL, 1997. (Dakleh Oasis Project: Monograph 7). Nr. 96 **8** Les papyrus et les ostraka grecs d'Elephantine (P. et O. Eleph. DAIK), ed. G. WAGNER, 1998 (Archäologische Veröffentlichungen 70) **9** Masada II. The Yigael Yadin Excavations 1963–1965. Final reports: The latin and greek documents, ed. H. M. COTTON, J. GEIGER, with a contribution by J. D. THOMAS, Jerusalem 1989. Nr. 721–738: lat. Texte; 739–747: griech. Texte; 748–749: bilingue Texte; 750–794: Ostraka **10** Mons Claudianus. Ostraca graeca et latina I., ed. J. BINGEN u. a., Kairo 1992. Nr. 1–190. II., ed. J. BINGEN u. a., Kairo 1997. Nr. 191–416. III., ed. H. SAVIGNY, Kairo 2000. Nr. 417–631 **11** The Documents from the Bar Kokhba Period in the Cave of the Letters – Greek Papyri (P. Yadin) ed. N. LEWIS, Aramaic and Nabatean Signatures and Subscriptions ed. Y. YADIN, J. C. GREENFIELD, 1989 (Israel Exploration Soc.) **12** The Hibeh Papyri, London. I. ed. B. P. GRENFELL, A. S. HUNT, 1906 (Egypt Exploration Society, Graeco-Roman Memoirs 7) Nr. 1–171. II. ed. E. G. TURNER, M.-TH. LENGER, 1955 (Egypt Exploration Society, Graeco-Roman Memoirs 32) Nr. 172–284 · Umfassendes Verzeichnis der Papyruseditionen s. Anhang

LIT **13** Archeologia e papiri nel Fayyum, Storia della ricerca, problemi e prospettive, Atti del Convegno internazionale Siracusa 24–25 Maggio 1996, 1997 **14** R. S. BAGNALL, J. A. SHERIDAN, Greek and latin documents from Abu Shaʿar 1992–1993, Bulletin of the American Society of Papyrologists 31, 1994, 109–120 **15** L. DEL FRANCA BAROCAS (Hrsg.), Antinoe cent'anni dopo. Catalogo della mostra Firenze Palazzo Medici Riccardi 10 luglio – 1 novembre 1998, 1998 **16** H. I. BELL, Note on the treatment and preservation of ostraca from Egypt, Chronique d'Égypte 10, 1935, 133–137 **17** H. BIETENHARD, Die Handschriftenfunde vom Toten Meer (Hirbet Qumran) und die Essener Frage. Die Funde in der Wüste Juda. (Eine Orientierung), ANRW II 19, 1, 704–778 **18** M. CAPASSO, Nuovi esperimenti di svolgimento dei papiri ercolanesi, 1986 **19** Ders., Manuale di papirologia ercolanese, 1991 **20** Ders., Problemi di conservazione, restauro e svolgimento di papiri carbonizzati, Rudiae 3, 1991, 25–29 **21** Ders., Cento anni di studi sui papiri di Bakchias: Dallo scavo di Grenfell, Hunt e Hogarth ai rinvenimenti del 1996 e del 1997, Pap. Lup. 6, 1997, 23–47 **22** H. M. COTTON, W. E. H. COCKLE, F. G. B. MILLAR, The papyrology of the Roman east: A survey, Journ. of Roman Stud. 85, 1995, 214–235 **23** E. CRISCI, Scrivere greco fuori d'Egitto (P. Florentina XXVII), 1996 **24** M. FACKELMANN, Restaurierung von P. und anderen Schriftträgern aus Aegypten (Studia Amstelodamensia ad Epigraphiam, Ius antiquum et Papyrologiam pertinentia 24), 1985 **25** D. FEISSEL, J. GASCOU, Documents d'archives romaines inédits du Moyen Euphrat (III s. ap. J.-C.), CRAI 1989,

535–561, und: Journal des savants 1995, 65–19, 1997, 3–57 **26** FS zum 100–jährigen Bestehen der Papyrussammlung der Österreichischen Nationalbibliothek – Papyrus Erzherzog Rainer (P. Rainer Cent.), 1983 **27** C. GALLAZZI, Trouvera-t-on encore des papyrus en 2042 ?, Proc. XX international Congr. of Papyrology, 1994, 131–135 **28** Ders., La ripresa degli scavi a Umm-el-Breigât (Tebtynis), Acme 43, 1995, 3–24 **29** B. P. GRENFELL, A. S. HUNT, The Tebtynis Papyri I, London 1902, S. V–VIII. (P. Tebt. I) zu Mumien und Krokodilsmumien **30** W. HABERMANN, Zur chronologischen Verteilung der papyrologischen Zeugnisse, ZPE 122, 1998, 144–160 **31** H. HARRAUER, Bericht über das 1. Wiener Symposion für Papyrusrestaurierung, 1985 **32** R. KASSER, Status quaestionis 1988 sulla presunta origine dei cosidetti Papiri Bodmer, Aegyptus 68, 1988, 191–194 **33** L. KOENEN, Phoenix from the ashes: The burnt archive from Petra, Michigan Quarterly Review 35, 1996, 513–531 **34** A. LAKS, G. W. MOST (Hrsg.), Stud. on the Derveni P., 1997 **35** W. MÜLLER (Hrsg.), Die Berliner Papyrusgrabungen in Dîme und Medinet Mâdi 1909/10 – Grabungstagebuch von F. Zucker und W. Schubart, APF 21, 1979, 5–55 **36** G. PETERSMANN, Cornelius Gallus und der P. von Qasr Ibrim, ANRW II 30, 3, 1649–1655 **37** L. S. B. MACCOULL, Dioscorus of Aphrodito – His work and his world, 1988 **38** K. PREISENDANZ, Papyrusfunde und Papyrusforsch., 1933, (immer noch grundlegend) **39** O. PRIMAVESI, Zur Gesch. des Deutschen Papyruskartells, ZPE 114, 1996, 173–187 **40** D. W. RATHBONE, Economic rationalism and rural society in third-century A. D. Egypt, 1991 **41** H.-A. RUPPRECHT, s. v. P., Papyrusurkunde, Handwörterbuch zur Deutschen Rechtsgeschichte III, 1982, 1494–1498 **42** Ders., Kleine Einführung in die Papyruskunde, 1994 **43** E. G. TURNER, The Graeco-Roman branch, in: Excavating in Egypt, The Egypt Exploration Society 1882–1982, ed. T. G. H. JAMES, 1982, 161–178 **44** U. WILCKEN, Die Berliner Papyrusgrabungen in Herakleopolis Magna im Winter 1898/9, Archiv für Papyrusforschung 2, 1903, 294–336.

HANS–ALBERT RUPPRECHT

Papyri, literarische   A. EINLEITUNG
B. FUNDE SEIT DEM ENDE DES 19. JAHRHUNDERTS
C. WICHTIGE NEUFUNDE SEIT 1975
D. 15 JAHRE OXYRHYNCHUS PAPYRI

A. EINLEITUNG

Papyrus war im Alt. das wichtigste Schreibmaterial [13] und wurde auch von den Griechen, die sich seit den Eroberungen Alexanders des Großen in Ägypten angesiedelt hatten, für administrative und persönliche Zwecke (die sog. dokumentarischen P.) und für das Abschreiben von lit. Texten benutzt. Von ca. 300 v. Chr. bis ca. 700 n. Chr. sind griech. Texte in Ägypten auf P. geschrieben, die P. aufbewahrt, wiederbenutzt (für andere Texte oder zur Verarbeitung als Mumien-Kartonage), weggeworfen oder irgendwo zurückgelassen worden. Im trockenen Sand Ägyptens, der die idealen Umstände zur Konservierung schuf, sind im Laufe der letzten Jh., und bes. seit dem E. des 19. Jh. viele P. wiedergefunden worden, meistens dokumentarische, aber auch sehr viele lit. Texte, darunter aus späterer Zeit auch lateinische. Nach einer Periode zufälliger Funde im 18. und 19. Jh. wurde am E. des 19. Jh. mit systematischen Ausgrabungen begonnen (z.B. vom *Egypt Exploration Fund* aus London im J. 1895) [25. 17–41]. Auch jetzt finden immer noch Ausgrabungen statt. Außerdem gibt es manchmal wichtige Funde in Mumien-Kartonage und es besteht die Hoffnung, daß technische Hilfsmittel die verkohlten Rollen aus → Herculaneum (einer der wenigen Funde außerhalb Ägyptens) einmal besser zugänglich machen werden.

Die P. sind in dreifacher Hinsicht wichtig: (1) Die Neufunde haben viel neues Material von bisher verlorenen Autoren und Werken ergeben; (2) die Funde haben auf dem Gebiet der griech. Literaturgeschichte neue Erkenntnisse gebracht: Sie haben die Gelehrten zur Korrektur alter Standpunkte gezwungen, neue Argumente in alten Diskussionen geliefert, aber auch neue Fragen und Probleme aufgeworfen; (3) die Funde von Texten schon bekannter Autoren haben sich bisweilen als wichtig für die Textkonstitution erwiesen, sind aber auch wichtig für die Würdigung der ma. Textüberlieferung.

B. FUNDE SEIT DEM ENDE DES 19. JAHRHUNDERTS

Am E. des 19. und am Anf. des 20. Jh. gab es viele große, aufsehenerregende Neufunde, bes. – aber nicht nur – in Oxyrhynchos, wo Engländer und Italiener Ausgrabungen gemacht haben. Diese Texte sind damals sehr schnell publiziert worden (1898 erschien der erste Band der *Oxyrhynchus Papyri*, 1912 der erste Band der *Papiri della Società Italiana*) und trugen zur Erweiterung unserer Kenntnis der griech. Lit. sehr viel bei. Im ersten Teil des 20. Jh. machte man, etwas langsamer, immer noch wichtige Neufunde. Ein Überblick über die wichtigsten Gattungen zeigt folgendes:

Im Bereich des Epos sind die wichtigen Neufunde bes. die Fragmente des hesiodeischen Frauenkatalogs, die sich innerhalb des 20. Jh. langsam vermehrt haben und jetzt ein ziemlich umfassendes Bild dieses Werkes bieten [27]. Andererseits sind auch die vielen Homer-P. von Bed., bes. weil der große Unterschied zw. ptolemäischen und späteren P. einen Eindruck von der Wichtigkeit der Arbeit der alexandrinischen Gelehrten gibt, die die früheren »wilden« Texte von Plus-Versen gesäubert und aufs neue ediert haben [29].

Im Bereich der archa. Poesie sind viele Texte hinzugekommen: Aus dieser Periode kennen wir jetzt Gedichte von Sappho (ein ganzes Gedicht und mehrere Fragmente), Alkaios, Archilochos, Hipponax und Stesichoros. Für das 5. Jh. gibt es im Bereich der Chorlyrik den großen Fund der Fragmente des Bakchylides, den man vor 1896 fast überhaupt nicht kannte und dessen Epinikia man jetzt vergleichen kann mit denen Pindars, und die neuen Fragmente von Pindar, die außer den schon bekannten Epinikia jetzt auch ein Bild von seinen anderen Gedichten geben, wie z.B. den Paianen und Dithyramben. Die späteren Dithyramben des Timotheos (5./4. Jh. v. Chr.) kennen wir jetzt einigermaßen

aus einem der ältesten griech. P., der Reste von sechs Kolumnen seiner *Persae* umfaßt (4. Jh. v. Chr., gefunden 1902 in Abusir und auch kulturhistor. ein wichtiges Dokument [18]).

Im Bereich der Tragödie ist bes. von Euripides vieles hinzugekommen; im Laufe des 20. Jh. sind ziemlich große Teile von Stücken wie *Hypsipyle, Phaethon, Erechtheus* und *Antiope* publiziert worden, aber auch wichtige kleinere Fragmente von z.B. dem *Archelaos* und dem *Kresphontes*. Damit hat bes. unsere Kenntnis der sog. Anagnorisis-Mechanema-Tragödien, in denen verlorene Kinder, Eltern, Geschwister oder Ehegatten einander wiederfinden und die ein wichtiges Vorbild für die neue Komödie gewesen sind, stark zugenommen. Von Aischylos und Sophokles ist eine Anzahl kleinerer Fragmente gefunden worden, aber auch wichtige Fragmente von Satyrspielen, wie Aischylos' *Diktyoulkoi* und *Theoroi* und Sophokles' *Ichneutai*. Dank dieser Funde hat man jetzt die Möglichkeit, die Gattung des Satyrspiels besser zu würdigen, weil man nicht mehr nur den euripideischen *Kyklops* kennt. Die Bed. auch kleinerer Fragmente und Testimonien wird deutlich bei *P. Oxy* 2256 (TrGF 3 T 70), der zeigt, daß man die *Hiketiden*, bis 1952 als eines der ältesten Werke des Aischylos und typisch für seine Frühzeit betrachtet, jetzt auf ca. 463 v. Chr. datieren muß.

Dank der Papyrusfunde ist im Laufe des 20. Jh. auch ein Bild der neuen Komödie Menanders entstanden, die man vorher nur aus dem Werk röm. Nachfolger zu rekonstruieren versucht hatte. 1907 wurde ein Papyrus mit größeren Fragmenten von u. a. *Epitrepontes, Perikeiromene* und *Samia* publiziert; später kam noch vieles hinzu, bes. der fast vollständig erhaltene *Dyskolos* (1959), ein großer Teil des *Aspis* und noch mehr aus der *Samia* (1969), sowie viele Fragmente von anderen Stücken, wie z.B. *Misoumenos, Phasma* und *Sikyonios*.

Auch im Bereich der hell. Poesie haben die Papyrusfunde vieles beigetragen. An erster Stelle muß man hier Kallimachos nennen, dessen *Aitia, Hekale* und *Iamben*, sowie einige kleinere Gedichte durch viele und ziemlich umfangreiche Papyrusfragmente bekannt geworden sind. Besonders die Fragmente der *Aitia*, von denen, neben vielen kleineren Fragmenten, Resten der Scholien und Zusammenfassungen (den sog. *Diegeseis*), u. a. ein großer Teil der Liebesgeschichte von Akontios und Kydippe im Jahre 1910 und der berühmte Prolog im Jahre 1927 publiziert wurden, sind wichtig, nicht nur für unsere Kenntnis der Poesie des Kallimachos, sondern auch für die Würdigung der Rezeption der hell. Poesie in Rom. Die Fragmente der *Hekale* geben ein Bild der neuen Gattung des »Epyllions« und zeigen, wie Kallimachos unerwartete, alltägliche Akzente setzte, indem er in einer heroischen Geschichte wie der des Theseus und des Stiers von Marathon Theseus' alte Gastgeberin Hekale zur zentralen Figur machte. In den *Iamben* zeigt sich eine neue, eher zivilisierte Gestaltung des alten, rohen Iambus des Archilochos und Hipponax; in den lyr. Fragmenten, wie der *Ektheosis Arsinoes*, fällt

u. a. die stichische Verwendung lyr. Verse auf. Für die Würdigung der Rezeption der früheren griech. Poesie in der hell. Dichtung sind die Fragmente des Kallimachos besonders wichtig. Zu erwähnen ist in diesem Bereich weiter auch der Fund der »Mimiamben« des Herodas, die 1891 veröffentlicht wurden – eine Art von Miniaturdramen, die gattungsgeschichtlich bes. interessant sind, weil sie einerseits mit dem nicht-lit. Mimos, andererseits mit den lit. Mimen Theokrits verwandt sind und metrisch an die Hinkiamben des Hipponax anschließen. Die Frage, ob diese Miniaturdramen zur Aufführung bestimmt waren oder zum (Vor)Lesen ist immer noch umstritten.

Auch im Bereich der Prosa gab es wichtige Funde, z. B. Aristoteles' *Athenaion Politeia*, die Fragmente der *Hellenica Oxyrhynchia* (ein dem Kratippos von Athen zugeschriebenes Geschichtswerk aus der ersten Hälfte des 4. Jh. v. Chr.), Fragmente von Demosthenes, Isokrates und Hyperides, der 1962 in Derveni (Mazedonien) gefundene P. mit einem allegorischen Kommentar zu einem orphischen kosmogonischen Gedicht, und Fragmente von griech. Romanen. Obwohl nicht sehr umfangreich, sind manche Romanfragmente für die Geschichte der Gattung sehr wichtig: Einige der Romanfragmente (z. B. *P. Oxy.* 3010) zeigen eine Mischung von Prosa und Poesie, die darauf hindeutet, daß man hier ein griech. Vorbild für Petrons *Satyricon* hat; ein anderes Fragment (*P. Fayum* 1, aus dem 2. Jh. n. Chr.) hat die späte Datierung von Chariton ins 5. Jh. n. Chr. unmöglich gemacht und damit die Forschung gezwungen, die Chronologie und Entwicklung des griech. Romans zu überprüfen (jetzt wird Charitons Werk als der früheste erhaltene Roman betrachtet).

In dem Bereich des »Nicht-Literarischen« sind mehrere Fragmente des griech. Mimos gefunden worden, die ein Bild geben von dem Inhalt und der Inszenierung dieser mehr oder weniger improvisierten Dramen über Themen, die von Parodie der Tragödie zu Szenen des Alltags variieren (z. B. *P. Oxy.* 413).

Im Laufe des 20. Jh. wurden die Neufunde kleiner und weniger zahlreich, und der Akzent in der Forsch. verschob sich in Richtung der Überarbeitung und Sammlung früher gefundener und damals schnell publizierte Texte. Standard-Editionen von Fragmenten erschienen und boten die Möglichkeit, die Neufunde zu überblicken und zu würdigen und in Kommentaren und Monographien weiter zu bearbeiten. Weiterhin werden auch die Papyrus-Fragmente hsl. überlieferter Autoren in neue Text-Editionen eingearbeitet.

C. WICHTIGE NEUFUNDE SEIT 1975

Wenn man die großen Neufunde der letzten ca. 25 Jahre übersieht, ist es auffallend, daß viele Neufunde auf dem Gebiet der archa., hell. und spätant. Poesie zu finden sind.

Im Bereich der archa. Poesie gibt es, neben vielen kleineren Fragmenten, mehrere wichtige Funde. Besonders wichtig ist die sog. Kölner Epode des Archilochos (P. Köln 2,58, aus Mumien-Kartonage), die seit der Publikation im Jahre 1974 schon viel diskutiert wurde. Es handelt sich um ein umfangreiches Fragment eines Gedichtes, in dem der Sprecher sich mit einem Mädchen auseinandersetzt und am Ende offenbar zu Taten gelangt [17]. Von großer literarhistor. Bed. ist auch der Lille Stesichoros, das bisher längste Fragment von Stesichoros, ein P. aus Mumien-Kartonage, der 1977 erstmalig veröffentlicht wurde. Das Fragment beinhaltet eine Episode der Sage um Ödipus und seine Söhne, in der Iokaste Teiresias anredet und versucht, ihre Söhne vom Streit abzuhalten. Es ist einerseits sehr wichtig für unsere Kenntnis von Stesichoros (es umfaßt 33 fast vollständige Zeilen und Reste von weiteren 92 Zeilen; bisher gab es nur wenige, kleine Fragmente von Stesichoros), und andererseits auch für die Gattungsgeschichte der Chorlyrik und ihr Verhältnis zum Epos: Es zeigt, wie die späteren chorlyrischen Gedichte, eine triadische Struktur und gibt einen guten Eindruck von Stesichoros' Erzählstil und Sprache, die sich stark an das homer. Epos anlehnen [1]. Ein anderer wichtiger P. in diesem Bereich ist der 1992 von Peter Parsons als *P. Oxy.* 3965 herausgegebene Simonides-Papyrus (der schon früher von Edgar Lobel bearb. worden war). In diesem P. wird die Schlacht bei Plataia in elegischen Distichen beschrieben. Dieser P. ist in mehrerer Hinsicht interessant: (1) literarhistor.: Simonides beginnt mit einem Proömium über Achilles und den Trojanischen Krieg, und nach dieser Einleitung erzählt er weiter über den Krieg gegen die Perser. Er schreibt hier also über den Krieg gegen die Perser, als ob es ein neuer Trojanischer Krieg war, mit neuen Helden wie Achilles, und er selbst ein neuer Homer, aber er schafft auch eine wichtige Neuerung, indem er das Metrum ändert. Diese generische Neuerung der erzählenden Elegie und das intertextuelle Spiel mit Homer wurden vorher bes. mit der hell. Poesie und, was die Elegie betrifft, bes. mit Kallimachos assoziiert. Dieser Fund aber zwingt uns dazu, viele Annahmen, die schon Gemeingut in der Literaturgeschichte schienen, wieder aufs neue zu überdenken; (2) kulturhistor. ist dieser Text interessant, weil er die Schlacht bei Plataia aus einem spartanischen Gesichtspunkt beschreibt: Statt eines pan-hellenischen Sieges ist der Sieg hier an erster Stelle ein Sieg der Spartaner mit ihren peloponnesischen Bundesgenossen, und ihr König Pausanias spielt darin eine wichtige Rolle. Man nimmt allg. an, daß dieses Gedicht im Auftrag geschrieben und bei einer offiziellen Gelegenheit (einem Symposium oder Fest) vorgetragen wurde, aber der Platz, an dem dieser Vortrag stattgefunden hat, ist noch umstritten [24].

Im Bereich der klass. Poesie sind die Neufunde beträchtlich geringer. Ein wichtiger Fund ist der Straßburger Empedokles-Papyrus. Dieser P., der schon 1904 gekauft, aber erst 1992 identifiziert wurde, umfaßt Reste von ca. 80 Versen, die sich teilweise mit schon bekannten Empedokles-Zitaten überschneiden und dem ersten Buch seiner *Physika* zugeschrieben werden. Darunter ist ein zusammenhängendes Fragment, das sich an ein schon bekanntes Fragment (31 B 17 Diels/Kranz) anschließt und aus dem sich Wichtiges über die Organisation und den Inhalt des ersten Buches der *Physika* erschließen läßt [16]. Im Bereich der griech. Tragödie könnte man einige kleine Neufunde erwähnen, z.B. einen P. mit lyr. Versen, in denen der Chor Odysseus in der Unterwelt anzureden scheint und der als ein Fragment der *Psychagogoi* des Aischylos betrachtet wird (P. Köln 3,125); einige Fragmente mit Musiknoten, vielleicht von Sophokles [28]; und ein P. von Euripides' *Kresphontes* mit Resten der Parodos [6. 112–113]. Der erstgenannte P. ist ein interessantes Beispiel der *Odyssee*-Rezeption in der Tragödie; aus dem dritten kann man, obwohl dieser P. nur klein und ziemlich beschädigt ist, jetzt mit Sicherheit schließen, daß der Chor des *Kresphontes* aus alten Männern bestand [5. 121–147]. Im Bereich der alten oder mittleren Komödie (vielleicht Kratinos?) wurde ein Fragment aus Mumien-Kartonage publ., das fünfzig trochäische Tetrameter umfaßt, in denen ein Koch mit jemandem über einen großen Fisch und dessen Zubereitung spricht [30]. Ein Kuriosum aus dem Bereich des Dramas ist ein Fragment aus einem Stück über Herakles und Atlas, in dem der Buchstabe *sigma* ganz fehlt [26].

Im Bereich der griech. Prosa der klass. Zeit ist ein wichtiger Fund der 1997 herausgegebene Isokrates-P. aus Kellis, ein hölzerner Kodex aus dem 4. Jh. n. Chr., der wichtig für den Text des Isokrates, aber auch kulturgeschichtlich von großer Bed. ist, weil er das einzige erhaltene Buch aus dem Alt. ist [20].

Im Bereich der hell. Poesie sind einige wichtige Neufunde zu nennen, an erster Stelle der 1976 herausgegebene und aus Mumien-Kartonage hervorgekommene Lille P. der *Victoria Berenices* – ein Gedicht, in dem Königin Berenikes Sieg im Pferderennen der Nemeïschen Spiele gefeiert wurde und das in die *Aitia* des Kallimachos gehört. Durch diesen P. hat sich das – immer noch lückenhafte – Bild von Kallimachos' Poesie und bes. seines größten Werkes, der *Aitia*, weiter vervollständigt. Zum ersten hat dieser P. das Bild, das man von der Komposition der *Aitia* hatte, verfeinert: Man nimmt jetzt an, daß, da in den ersten zwei Büchern die Geschichten im Dialog mit den Musen erzählt wurden, die letzten zwei Bücher zu einer gewissen Einheit gebracht wurden, indem sie zw. zwei Gedichte für Berenike, die *Victoria Berenices* am Anfang und die *Coma Berenices* am Ende, eingerahmt waren [19]. Auch literarhistor. hat der Fund Wichtiges ergeben: Er zeigt, wie Kallimachos die Gattung des Pindarischen Epinikions elegisch umgestaltet hat, und bestätigt das Bild, das man schon vorher von seinen spielerischen und unkonventionellen Hofgedichten hatte. Ein anderer wichtiger Fund, im Bereich der vielleicht vorkallimacheischen hell. Poesie, ist der dem Hermesianax zugeschriebene P. mit Flüchen, in dem jemand damit droht, einem Freund Bilder mythologischer Strafen einzutätowieren. Dieser Text – ebenfalls aus Mumien-Kartonage – ist zusammengesetzt aus einem schon 1962 herausgegebenen

Sorbonne-P. (die rechte Hälfte von 24 Zeilen) und einem 1988 von den Musées Royaux d' Art et d' Histoire de Bruxelles gekauften P., der die Anfänge derselben Kolumne und auch einen großen Teil der vorhergehenden Kolumne umfaßt. Der neue Text ist 1991 herausgegeben und bildet ein wichtiges Zeugnis für die frühhell. Poesie und für die Gattung der Fluch-Gedichte [11]. An letzter Stelle muß hier der P. in Mailand mit 100 Epigrammen von Poseidippos erwähnt werden, der jetzt gut zugänglich ist [3].

Im Bereich der gelehrten Prosa ist aus der Zeit des Hellenismus Dionysios Skytobrachion (3 Jh. v. Chr.) zu erwähnen, dessen rationalistische Studien zum griech. Mythos in den letzten Jahrzehnten mit einem dritten Papyrusfund bereichert worden sind [23]. Weiterhin haben wir jetzt im *Archiv für Papyrusforschung* eine Beschreibung einer mehr als 250 cm langen Papyrusrolle, die viele interessante Dinge enthält: einen Teil aus der Erdbeschreibung des Artemidor von Ephesos (ein Geograph des 1. Jh. v. Chr., der bisher nur durch Zitate überliefert war), eine geogr. Karte, Skizzen von menschlichen Köpfen und Körperteilen und Zeichnungen von Tieren. Eine Edition dieses P. gibt es im Moment noch nicht, aber die Beschreibung gibt bereits einen guten Eindruck seiner Bedeutung [4].

Aus dem späteren Alt. sind mehrere Neufunde zu nennen. Ein wichtiger und umfangreicher Neufund ist der Bodmer-P. mit christl. Poesie. Als erste wurde im Jahre 1984 die *Visio Dorothei* herausgegeben: 350 Hexameter über die christl. Himmelsvision eines Dorotheos (der wahrscheinlich um 300 n. Chr. gelebt hat; seine Identität ist jedoch nicht sicher), der in einem homer. angehauchten Stil erzählt, wie er beim Himmelskönig eine Audienz gehabt hat; er bekommt einen Auftrag am himmlischen Hof (der dem Hof des röm. Kaisers sehr ähnlich gestaltet ist), wird dieser Aufgabe nicht gerecht, wird bestraft und dann wieder begnadigt und mit Aufträgen für seine weitere Lebensführung entlassen [9]. Ein anderes Gedicht, das in demselben P. auf die *Visio Dorothei* folgt, ein kurzes akrostichisches Gedicht über Abraham und das Opfer von Isaak, wurde 1994 veröffentlicht [14]; vor kurzem sind auch die anderen Gedichte dieses Kodex publiziert worden [10]. Damit ist die immerhin schon ziemlich gut erhaltene christl. Lit. des späteren Alt. weiter bereichert.

Im Bereich des Lateinischen sind die Funde beträchtlich geringer. Wichtig ist aber der 1979 veröffentlichte Gallus-P., dessen Authentizität einmal angezweifelt wurde, der aber im allgemeinen doch als ein Fragment dieses Dichters betrachtet wird, von dem man vorher nur aus Berichten anderer Autoren wie Vergil und Ovid wußte; der P. bestätigt frühere Vermutungen über seine Liebeselegie [2]. Für die spätere Periode kann man noch die sog. *Alcestis Barcinonensis* nennen, ein anonymes Hexametergedicht wahrscheinlich aus dem 4. Jh. n. Chr. über den Opfertod der Alkestis, in dem fast ausschließlich direkte Rede verwendet wird, so daß die Grenzen zw. Epos und Drama hier beinahe verschwunden sind [21].

D. 15 Jahre Oxyrhynchus Papyri

Obwohl große, aufsehenerregende Neufunde jetzt ziemlich selten sind, werden trotzdem immer noch viele P. in Reihen wie die der *Oxyrhynchus Papyri* veröffentlicht. Man kann sich also die Frage stellen, was diese »alltäglichen« P. zu unserer Kenntnis der griech. Lit. beitragen. Ein Überblick der letzten 15 Bände der *Oxyrhynchus Papyri* – einer Serie, die regelmäßig erscheint und noch immer relativ viele lit. Texte enthält – ist in dieser Hinsicht bezeichnend. Man findet auch in diesen Bänden die meisten Autoren und Gattungen, von denen es schon P. gab. Darunter gibt es: (1) viele P. von Autoren, die schon aus ma. Hss. bekannt waren; (2) P. von unbekannten lit. Werken (manchmal sehr fragmentarisch, obwohl es einige interessante Ausnahmen gibt); (3) sog. sublit. Papyri. Die Frage, was diese P. zu unserer Kenntnis der griech. Lit. hinzufügen, kann man anhand einer repräsentativen Auswahl aus den Oxyrhynchus-P. explorieren.

(1) Schon bekannte Autoren: In den rezenten Oxyrhynchus-Bänden spürt man eine deutliche Tendenz, die unveröffentlichten P. der schon bekannten Autoren jetzt in großen Gruppen zu publizieren, oft auch, um damit das Material für Gelehrte zugänglich zu machen, die eine neue Edition eines bestimmten Autors vorbereiten (so findet man in Band 52 sehr viel Platon, in Band 53 und 60 Euripides, Menander, Aischines, in Band 61 Thukydides, in Band 62 Demosthenes, in Band 64 Hellenistica, in Band 66 Aristophanes und neue Komödie). Solche P. können neue Lösungen für textkritische oder andere Probleme bieten, oder einen besseren Text suggerieren, wo man vorher nicht mit einem korrupten Text gerechnet hatte (so zum Beispiel 3718, der einen besseren Text in Euripides *Bacchae* 239 bietet; 4414, der wichtig ist für den Text von Apollonios Rhodios; 3838 mit Resten von Aischylos' *Prometheus*, die interessant für die Kolometrie in 123–132 sind). Es gibt aber auch viele P. die eigentlich nichts oder nur sehr wenig beitragen (so wie die Gruppe mit Thukydides-P. 3877–3901 oder der *Ilias*-P. 3825). In dieser Hinsicht ist das Bild also sehr wechselnd, und das stimmt mit dem Bild überein, das man bereits vorher von P. schon bekannter Autoren hatte. Ein anderer Aspekt der Veröffentlichung dieser P. ist, daß dadurch das Bild vom Kanon der zehn am häufigsten auf P. gefundenen Autoren in Oxyrhynchus sich etwas geändert hat. Wenn man eine Liste aus dem Jahre 1990 [12. 214–215] vergleicht mit einer Liste, die man jetzt auf der Basis der Oxyrhynchus-Bände nach 1990 machen kann, sieht man zum Beispiel, daß Homer und Hesiod noch immer die zwei obersten Positionen einnehmen, Thukydides, Demosthenes und Menander auf der Leiter gestiegen sind, Kallimachos, Plato und Euripides ihre hohe Position verloren haben, und Aischylos, Herodot und Pindar unter das Kanon-Niveau gesunken sind, und daß an ihrer Stelle Aischines (von Stelle 24) und Apollonios (von Stelle 13) hinzugekommen sind. So läßt sich zeigen, wie schnell sich das Bild des Leserpublikums in Details än-

dern kann und wie vorsichtig man hier mit Schlußfolgerungen sein muß.

(2) Neue lit. P.: Bei den P., die bisher unbekannte Texte enthalten, kann man zwei Gruppen unterscheiden: Die erste Gruppe besteht aus P., die – wenigstens jetzt – nicht viel Neues zu bieten haben, die sog. »wait and see fragments«, d.h. meistens kleine Bruchstücke, mit denen man wenig anfangen kann (so z.B. 3695 »Anacreon«, 3709 »Unknown Text with Marginalia«, 3822 »Pindar *Paeans*«, 3876 »Stesichorus, Various poems?«, 3971 »New Comedy«). Die zweite Gruppe besteht aus Texten, die zwar auch nicht sehr umfangreich, aber trotzdem interessant sind, sowohl an sich als auch wegen ihrer literarhistor. Bedeutung. So zum Beispiel 4304 (2/3 n.Chr., mit Resten von 15 Zeilen): Ein P. über den Kontrast zw. einem luxuriösen und einem sparsamen Leben, der vielleicht einer der wenigen Texte der mittleren Komödie ist. Von literarhistor. Bed. ist auch 3723 (2 n.Chr.): Ein P. mit Resten (23 Versen) einer Liebeselegie, in denen eine Reihe mythologischer *exempla* von Göttern und ihrer Liebe für ihre jungen Geliebten, gefolgt von einer Anrede und einer Frage in der ersten Person, wahrscheinlich des Erzählers. Das persönliche Element erinnert an die subjektiv-erotische röm. Liebeselegie und ruft die Frage auf, ob die lat. Liebeselegie, die bisher als eine Erfindung der Römer (bes. Gallus) betrachtet wurde, vielleicht doch eine griech. Vorlage gehabt hat – eine Ansicht, die man auch zu widerlegen versucht hat [8]. Jedenfalls lädt der P. ein, wichtige Aspekte des Verhältnisses zw. griech. und lat. Lit. zu überprüfen. Eine Gruppe von P. aus dem 2. – 4./5. Jh. n.Chr. (4503–4507) enthält mehrere Fragmente des elegischen Lehrgedichts über die Astrologie des Anubion, das eine wichtige Vorlage für spätere Werke wie Firmicus Maternus' *Mathesis* war. Ein wichtiges Zeugnis für die poetischen Wettkämpfe in Ägypten in der Kaiserzeit und für die Popularität des Themas Antinoos in der Kaiserzeit, bes. in Ägypten, ist 4352 (ca. 285 n.Chr., mit ca. 39 mehr oder weniger vollständigen Hexametern). Die ersten 17 Verse des größten Fragments handeln von Antinoos, dem Geliebten Hadrians, der 130 n.Chr. während einer Reise mit Hadrian in Ägypten im Nil ertrank, und von seiner Metamorphose in einen Stern und der Gründung von Antinoopolis. Dann folgt eine Paragraphos, und es geht weiter über die Thronbesteigung Diokletians, über den neuen Präfekten von Ägypten, Diogenes, und – mit Apostrophe – über den Prokurator der sieben ägypt. Nomen und seiner gerechten Regierung. In Vers 36ff. bittet der Sprecher Zeus, ihn mit seinen Olympischen Oliven zu bekränzen. Der Editor dieses P. schlug vor, dieses Gedicht als einen mit einer aktuellen Passage abgeschlossenen Chorhymnus für Antinoos zu betrachten, der bei den kapitolinischen Spielen in Antinoopolis oder in Oxyrhynchos gesungen wurde. Das Gedicht ist bisher noch nicht mit Sicherheit einem bestimmten Autor zugewiesen, aber vor kurzem ist vorgeschlagen worden, das Gedicht dem Soterichus von Oasis zuzuschreiben [15]. Pa-

läographisch ist dieser P. wichtig, weil er einer der sehr wenigen lit. P. ist, der mit einiger Sicherheit datiert werden kann aufgrund von Argumenten, die nicht mit der Schrift zu tun haben.

(3) Sublit. P.: Neben den lit. P. gibt es auch Gruppen von P., die man als »subliterarisch« umschreiben kann, d.h. P., die irgendwie mit Lit. zu tun haben, weil sie z.B. Listen, Kommentare oder Zusammenfassungen lit. Werke enthalten. Von diesen P. sind jetzt ziemlich viele publ., so daß man diese Gattungen besser als früher ins Auge fassen kann. Eine Gattung, die dank den Oxyrhynchos-Bänden der letzten Jahrzehnte noch besser bekannt geworden ist, sind z.B. die dramatischen Hypotheseis. Schon aus früher publ. P. waren ziemlich viele Hypotheseis bekannt (bes. aus dem umfangreichen *P. Oxy.* 2455 mit Euripides-Hypotheseis), aber die letzten 15 Oxyrhynchos-Bände haben hier noch einiges hinzugefügt (Euripides-Hypotheseis in 3650–52 und 4017; Sophokles-Hypotheseis in 3653; Menander-Hypotheseis in 4020). Diese Hypotheseis sind einerseits wichtig für unsere Kenntnis der verlorenen Tragödien und Komödien (so enthalten die Sophokles-Hypotheseis wichtige neue Informationen über *Nauplios Katapleon* und *Niobe*), andererseits für unsere Kenntnis dieser Gattung an sich und der Rezeption der Tragödie im späteren Alt. [22. 1–52]. Ein anderes Beispiel sind die myth. Kompendien: Manche P. enthalten ziemlich umfangreiche Reste von Listen mythischen oder anderen Inhalts (3702, 4097–9, 4306–8 und 4460), z.B. der Argonauten, von Müttern die ihre Kinder getötet haben, von Kindern von Göttinnen und sterblichen Männern, usw. Der umfangreichste P. in dieser Gruppe ist 4306, der 27 Fragmente von allerlei Listen umfaßt, die sich ganz eng an die *Fabulae* des Hygin anschließen; z.B. Listen von Tempelstiftungen und von griech. Wettkämpfen (darunter auch eine Liste mit den Siegern in den Leichenspielen für Pelias und für Patroklos). Diese P. sind für mythographische Forsch. bedeutsam, wie mehrere Forscher gezeigt haben [7], und die Listen waren auch in der Spätantike noch ein wichtiges Ordnungsprinzip. Auch wird daraus deutlich, wie das Material aus der poetischen und wiss. Trad. immer wieder überarbeitet und geändert wurde [22. 119–156]; so enthält z.B. 4308 genau dieselbe Information wie Hes. Th. 975–1018; in 3702 aber ist das poetische Material des homer. Schiffskatalogs erweitert und geändert worden; in 4097 erscheint die Liste von Argonauten in alphabetischer Reihenfolge; in 4306 erinnert eine Liste von Epitheta mit Erklärung an die wiss. Diskussion bei Apollodor von Athen. Für die Quellen des röm. Hygin sind die neuen Funde insoweit wichtig, als sie den Eindruck bestätigen, daß es mehrere griech. Quellen für seine Arbeit gegeben hat. Ein letztes Beispiel der sublit. P. ist der sog. Mythographus Homericus [22. 85–118], d.h. der »Autor« der mythographischen Geschichten in den homer. D-Scholien. Die meisten Geschichten sind in der ma. Trad. überliefert, aber im 20. Jh. sind auch ziemlich viele P. des Mythographus Homericus publiziert worden,

und in den Oxyrhynchus-Bänden der letzten Jahrzehnte sind noch zwei hinzugekommen (3830, 4096): 3830 hat *P. Lit. Lond* 142 plötzlich ein Zuhause gegeben, weil dieses Fragment sich genau in eine Lücke einfügen ließ, und diese Kombination hat den Text des Mythographus Homericus gerade da vervollständigt, wo er von der ma. Trad. abweicht: Er hat die Geschichte über Phoinix vervollständigt und – vielleicht – Eratosthenes zugeschrieben und er hat auch gezeigt, daß die vorhergehende Geschichte, die eine ungewöhnliche Version der Geschichte von Zeus und den Giganten gibt, wenigstens vom Mythographus Homericus dem Euphorion zugeschrieben wird; 4096 enthält einige Geschichten, die nicht in der ma. Trad. überliefert sind und ist damit ziemlich untypisch, weil die anderen P. des Mythographus Homericus immer dieselben – oder weniger – Geschichten enthalten wie die ma. Tradition.

→ AWI Aischylos; Alcestis Barcinonensis; Alkaios; Antinoos [2]; Archilochos; Aristoteles; Artemidoros [3]; Astrologie; Bakchylides; Chariton; Cornelius [II 18]; Demosthenes; Dionysios [13]; Dorotheus; Elegie; Empedokles; Epos; Epyllion; Eratosthenes; Euphorion; Euripides; Firmicus Maternus; Herculaneum; Hermesianax; Herodas; Hipponax; Homeros; Hyginus; Hypereides; Hypothesis; Isokrates; Kallimachos; Komödie; Lehrgedicht; Lyrik; Menandros; Mimos; Oxyrhynchos; Papyrus; Pindaros; Poseidippos; Roman; Sappho; Satyrspiel; Simonides; Sophokles; Stesichoros; Timotheos; Tragödie

QU 1 G. ANCHER, C. MEILLIER, Stesichore (?): P.Lille 76abc, in: Cahiers de Recherches de l'Institut de Papyrologie et de l'Égyptologie de Lille 4, 1977, 287–351 2 R.D. ANDERSON, P.J. PARSONS, R.G.M. NISBET, Elegiacs by Gallus from Qasr Ibrim, in: JRS 69, 1979, 125–155 3 G.BASTIANINI, C. GALAZZI, Posidippo di Pella Epigrammi, 2001 4 C. GALAZZI, B. KRÄMER, Artemidor im Zeichensaal, in: APF 44, 1998, 190–208 5 C.COLLARD, M.J. CROPP, K.H. LEE, Euripides. Selected Fragmentary Plays. I, 1995 6 J.DIGGLE, Tragicorum Graecorum Fragmenta Selecta, 1998 7 A.HENRICHS, Three Approaches to Greek Mythography, in: J.N. BREMMER, Interpretations of Greek Mythology, 1987, 242–277 8 M.HOSE, Die röm. Liebeselegie und die griech. Lit., in: Philologus 138, 1994, 67–82 9 A.HURST, O. REVERDIN, J. RUDHARDT, Vision de Dorothéos, 1984 10 A.HURST, J. RUDHARDT, Papyri Bodmer 30–37, »Codex des Visions«, 1999 11 M.HUYS, Le poème élégiaque hellénistique P. Brux inv. E 8934 et P. Sorb inv. 2254, 1991 12 J.KRÜGER, Oxyrhynchos in der Kaiserzeit, 1990 13 N.LEWIS, Papyrus in Classical Antiquity, 1974 14 E.LIVREA, Un poema inedito di Dorotheos: Ad Abramo, in: ZPE 100, 1994, 175–187 15 Ders., Chi è l'autore di P. Oxy 4352?, in: ZPE 125, 1999, 69–73 16 A.MARTIN, O. PRIMAVESI, L'Empédocle de Strasbourg (P. Strasb gr. Inv. 1665–1666), 1999 17 R. MERKELBACH, M.L. WEST, Ein Archilochos-P., in: ZPE 14, 1974, 97–112 18 P.VAN MINNEN, The Performance and Readership of the Persai of Timotheus, in: APF 43, 1997, 246–260 19 P.J. PARSONS, Callimachus: Victoria Berenices, in: ZPE 25, 1977, 1–50 20 A.RIJKSBARON, K.A. WORP, The Kellis Isocrates codex (P. Kell 3 Gr.95), 1997

21 R. ROCA-PUIG, Alcestis Barcinonensis, 1982 22 M. E.
VAN ROSSUM-STEENBEEK, Greek Readers' Digests?, 1997
23 J. S. RUSTEN, Dionysios Skytobrachion, 1982
24 A. SCHACHTER, Simonides' Elegy on Plataia: The
Occasion of its Performance, in: ZPE 123, 1998, 25–30
25 E. G. TURNER, Greek Papyri. An Introduction, 1968
26 Ders., Papyrus Bodmer 28: A Satyr-Play on the
Confrontation of Heracles and Atlas, in: Museum
Helveticum 33, 1976, 1–23 27 M. L. WEST, The Hesiodic
Catalogue of Women, 1985 28 Ders., Sophocles with
Music? in: ZPE 126, 1999, 43–65 29 S. WEST, The Ptolemaic
Papyri of Homer, 1974 30 W. H. WILLIS, Comoedia
Dukiana, in: Greek, Roman and Byzantine Studies 32,
1991, 331–353

LIT 31 D. HAGEDORN, Papyrologie, in: H. G. NESSELRATH,
Einleitung in die griech. Philol., 1997, 59–71 32 M. W.
HASLAM, The Contribution of Papyrology to the Study of
Greek Literature: Archaic and Hellenistic Poetry, in: Proc.
of the 20th International Congress of Papyrology, 1994,
98–105 33 W. LUPPE, Neue Erkenntnisse aus verlorenen
Komödien, Tragödien und Satyrspielen, in: Proc. of the
20th International Congress of Papyrology, 1994, 106–110
34 M. MANFREDI, I papiri e la letteratura greca in prosa, in:
Proc. of the 20th International Congress of Papyrology,
1994, 111–117 35 P. J. PARSONS, Facts from Fragments, in:
Greek, Roman and Byzantine Studies 29, 1982, 184–195
36 Ders., Recent Papyrus Finds: Greek Poetry, in:
J. HARMATTA, Actes du VIIe Congrès de la FIEC, 1984,
2. 517–534 37 Ders., Summing up, in: Proc. of the 20th
International Congress of Papyrology, 1994, 118–123.

ANNETTE HARDER/Ü: STEFAN RADT

Papyrologie A. DEFINITION   B. GEBIETE

A. DEFINITION

Die P. (bzw. Papyruskunde) ist nach heute weitgehend akzeptierter Definition als die wiss. Beschäftigung
mit den griech. und lat. Texten Ägyptens aus hell., röm.
und byz. Zeit als Ausdruck der hell.-röm. Gesellschaft
und Kultur im Niltal zu fassen. Frühere Beschränkungen auf die Entzifferung, Herstellung und Deutung der
auf Papyrus erhaltenen Texte unter Ausschluß der lit.
Papyri als Gegenstand der Literaturgeschichte sind heute nicht mehr aktuell. Im Gegenteil erscheint die genannte Definition aufgrund der neuen Funde in Palästina (→ Papyri (Fundgeschichte)) schon als recht eng.
Die alte Streitfrage, ob die P. als Grundlagenwiss., als
Hilfswiss. oder als eigenständiger Zweig in die Klass.
Altertumswiss. einzuordnen ist, ist heute gleichfalls
ohne Bedeutung. Die Relevanz der Texte für die einzelnen Fachdisziplinen ist unstreitig. Ungeachtet ihrer
Bezeichnung nach dem hauptsächlichen Beschreibstoff
Papyrus berücksichtigt die P. auch die in Ägypten – und
dann in den anderen Gebieten – gefundenen Texte auf
Pergament, Holztafeln und Ostraka (Tonscherben).
Von der Sprache her erfaßt die P. die griech. und lat.
Texte; die hieroglyphischen, hieratischen, demotischen
und auch koptischen Texte gehören zur → Ägyptologie,
die aramäischen, hebräischen Texte zur Semitistik, die
arab. zur → Arabistik.

Zu verweisen ist generell auf die vorhandenen Einführungen in die Papyruskunde. Zu nennen sind: L.
Mitteis, U. Wilcken, Grundzüge und Chrestomathie der
Papyruskunde, 1. Bd. Histor. Teil, 2. Bd. Juristischer Teil,
1912 (in vier Bänden), Ndr. 1963. W. Schubart, Einführung in die Papyruskunde, 1918, Ndr. 1980 (2. unverän-
derte Auflage). O. Montevecchi, La papirologia (Manuali
universitari), 1973, 2. Auflage (= Ndr. mit Nachträgen S.
535–613), 1988. H.-A. Rupprecht, Kleine Einführung in
die Papyruskunde, 1994 (2. Auflage = Introduzione alla
papirologia, 1999). Übersichten zu einzelnen Epochen:
R. S. Bagnall, Egypt in late antiquity, 1993. A. K. Bowman, Egypt after the Pharaohs, 332 BC–642 AD, 1986. N.
Lewis, Greeks in Ptolemaic Egypt, 1986, und: Life in Egypt
under Roman rule, 1983.

Im Bereich der Altertumswiss. gilt die P. als der am
besten organisierte Bereich. An schon Anfang des
20. Jh. begründeten Hilfsmitteln sind in erster Linie zu
nennen das Wörterbuch der griech. Papyrusurkunden aus
Ägypten (WB), Vol. I-IV, ed. F. Preisigke und E. Kießling, 1925–1993, Suppl. I-III zum WB, 1940–2000, und
die Berichtigungsliste . . . (BL), Vol. 1–10, ed. F. Preisigke,
F. Bilabel, E. Kießling u. a., 1922–1998. Im ersteren
werden alle Belege aus den Editionen mit dt. Übers.
gegeben, die Suppl.-Bände bringen die Belege nur in
Indexform. Die BL enthält die verbesserten Lesungen,
Hinweise auf neue Interpretationen sowie auf Neu-
drucke bereits edierter Papyri. Ein Gesamtregister der
datierten Texte ist im Internet abrufbar unter:
http://www.rzuser.uni-heidelberg.de/~gvo/gvz.html.
Das Schrifttum wird durch die von der Fondation Égyptologique Reine Élisabeth, Brüssel, seit 1932 herausgegebene Bibliographie papyrologique erschlossen (seit 1995 in
gedruckter Form und auf Disketten, Gesamtregister und
Bibliographie papyrologique 1960–1999 auf CD: Subsidia
Papyrologica 1.0), sowie durch die Literaturübersichten
in den papyrologischen Zeitschriften, wie Aegyptus
(Mailand), Archiv für Papyrusforschung und verwandte Gebiete (Stuttgart-Leipzig), Journal of Juristic Papyrology
(Warschau).

Die Auswertung der P. in den einzelnen Disziplinen
setzt die Edition voraus, d. h. die Lesung, ggf. die Zusammensetzung der einzelnen Fragmente eines Papyrus,
heute üblicherweise auch die Kommentierung des Textes. Die Editionen erfolgen vornehmlich im Rahmen
einer Sammlung oder eines Fundzusammenhanges. Die
verstreut publizierten Texte werden in dem von F. Preisigke begründeten Sammelbuch der griech. Urkunden aus
Ägypten zusammengefaßt.

B. GEBIETE

1. LITERATUR

Aufsehen erregte die P. zunächst allg. durch die Funde lit., weniger durch die urkundlicher Papyri. Insgesamt sind bis jetzt etwa 4500 griech. und lat. literarische
Fragmente bekannt, wobei die lat. zahlenmäßig stark
zurücktreten. Zwei Gruppen sind zu unterscheiden,
einmal Belege für bereits bekannte Texte und zum anderen neue Texte.

Abb. 1: P. Cair. J. 43227, 4./5. Jh. n. Chr., Aphroditopolis.
Ed. G. Lefebvre, Papyrus de Ménandre (Pack² 1301), Epitrepontes Z. 702–737 Tafel 25

Die Überlieferung der ant. Lit. beruhte bis zu den Papyrusfunden auf Manuskripten frühestens des 8. und 9. Jh. n. Chr. Die Papyri führen nun bis in das 3. Jh. v. Chr. zurück. So sind aus dem 3. Jh. v. Chr. z. B. Texte v. a. von Euripides, wie auch von Homer, Archilochos, Platon und Sophokles erhalten [10; 3; 7; 4]. Verständlicherweise wurde durch die Neufunde auch die Diskussion über die textkritische Bedeutung der Papyri und die Methode der Textkritik neu belebt. Die lit. Papyri wurden wie die urkundlichen in der Chora, dem Landesinneren, gefunden. Die Qualität der Überlieferung ist durchaus unterschiedlich, einzelne Papyri mögen in Alexandria abgeschrieben worden sein, andere in der Chora. Das höhere Alter der Papyri führt damit nicht selbstverständlich zu einer höheren überlieferungsgeschichtlichen Autorität. Jedenfalls können die bisher erarbeiteten Rezensionen nun genauer kontrolliert werden. Die Texte lassen außerdem die Vorlieben der Bevölkerung in der Lektüre deutlich hervortreten. Die zahlreichsten Belege sind für Homer und hier für die *Ilias* überliefert, es folgen Hesiod, Demosthenes und Euripides. Die Erforschung der Rezeption in den einzelnen Gauen und Orten ist eine lohnende Aufgabe der kulturgeschichtlichen Forschung [5; 11; 12; 13; 14]. Auch die Geschichte der Erziehung wird von den Texten beleuchtet, durch die Auswahl der Autoren für den Unterricht – an erster Stelle steht Homer, *Ilias* [2; 9].

Eine zweite Gruppe bilden die neuen Texte [7; 3]. Die Verluste in der Überlieferung der ant. Lit. werden durch die Neufunde bes. deutlich. Von den bisher nicht belegten Werken bekannter Autoren seien nur genannt die Satyrspiele des Aischylos und des Sophokles, rel. Dichtung von Pindar, die *Aitia* des Kallimachos und die Ἀθηναίων πολιτεία des Aristoteles. Außerdem sind durch Neufunde deutliche Bereicherungen zu verzeichnen, so z. B. für die Epigramme des Posidipp [1], das Werk des Empedokles [6] und die philos. Schriften Philodems in den Papyri aus Herkulaneum. Von besonderer Bedeutung sind natürlich Autoren, deren Werke nur in den Papyri überliefert sind. Zu dieser Gruppe gehören v. a. Menander (Abb. 1), der bislang nur aus röm. Bearbeitungen bekannt war, aber auch Alkman, Bakchylides, Timotheos und Herondas, außerdem der Redner Hypereides. Als Geschichtsquelle sind anzuführen die *Hellenika Oxyrhynchia* aus dem 4. Jh. v. Chr. Aus dem Bereich der lat. Papyri ist auf einen Papyrus aus Qasr Ibrim hinzuweisen mit einem dem Cornelius Gallus zugeschriebenen Text [8].

Die Quellen werden erschlossen durch R. A. Pack, *The Greek and Latin literary texts from Greco-Roman Egypt*, ²1965. Ergänzung durch: R. A. Pack, *A concordance to literary papyri: Basic publications and Pack²*, Bull. of the American Soc. of Papyrologists 3, 1966, 95–118. P. Mertens, *Recherches de Papyrologie littéraire, I Concordances*, 1968. Die dritte Auflage von Pack ist in Vorbereitung; im Vorgriff auf die neue Auflage wurden zu einzelnen Autoren besondere Übersichten veröffentlicht: siehe hierzu neben die allg. Werken die *Bibliographie papyro-* *logique*. Eine Übersicht wird nun auch gegeben auf der LDAB 1998 – Leuven Database of ancient books (CD mit verschiedenen Abfragemöglichkeiten – bei tu.be). Referate über neue lit. Texte erscheinen regelmäßig im *Archiv für Papyrusforschung*. Außerdem wichtig ist die Übersicht zu den neuen Funden in den *Proceedings of the 20th International Congr. of Papyrologists*, ed. A. Bülow-Jacobsen, 1994, 98–123.

1 G. BASTIANINI, CL. GALLAZZI, Il poeta ritrovato, Rivista »Ca'de Sass« 121, 1993 2 R. CRIBIORE, Writing, teachers, and students in Graeco-Roman Egypt (American Stud. in Papyrology 36), 1996 3 I. GALLO, Avviamento alla papirologia greco-latina, 1983, 69–90 = Greek and Latin papyrology, 1986, 46–66 4 D. HAGEDORN, 4. P., in: Einleitung in die griech. Philol. 59–71, ed. H. G. NESSELRATH, 1997 5 J. KRÜGER, Oxyrhynchos in der Kaiserzeit – Stud. zur Topographie und Literaturrezeption, 1990 6 A. MARTIN, O. PRIMAVESI, L'Empédocle de Strasbourg (P. Strasb. gr. Inv. 1665–1666), 1999 7 O. MONTEVECCHI, La papirologia 337–394 8 G. PETERSMANN, Cornelius Gallus und der Papyrus von Qasr Ibrim, ANRW II 30, 3, 1649–1655 9 M. VAN ROSSUM-STEENBEK, Stud. on a selection of subliterary papyri, 1998 10 E. G. TURNER, Greek papyri, An introduction, 1968, 97–126 11 P. VAN MINNEN, Boorish or bookish? Literature in egyptian villages in the Fayum in the Graeco-Roman period, Journ. of Juristic Papyrology 28, 1998, 99–184 12 W. H. WILLIS, Greek literary papyri from Egypt and the classical canon, Harvard Library Bulletin 12, 1958, 5–34 13 Ders., A census of the literary papyri from Egypt, GRBS 9, 1968, 205–241 14 K. A. WORP, A note on the provenances of some Greek literary papyri, Journ. of Juristic Papyrology 28, 1998, 203–218

2. VERWALTUNG

Der Charakter der Papyri als Einzeldokumente des privaten oder öffentlichen Lebens bedingt fast zwangsläufig, daß allgemeine histor. Ereignisse in den Texten kaum eine Rolle spielen. Jedoch können v. a. aus der Verwendung von Ehrentiteln und aus einzelnen Datierungen allgemeinere Schlüsse gezogen werden. Von Bedeutung sind die urkundlichen Papyri v. a. im Bereich der Verwaltung, der Sozial- und Wirtschaftsgeschichte und des Rechtswesens [28; 15].

Themen der Lit. waren neben der Aufgliederung des Landes, die von der ptolemäischen Zeit bis Diokletian im wesentlichen unverändert blieb, die einzelnen Ämter und ihre Funktionäre auf den verschiedenen Ebenen, ihre Zuständigkeiten und Besetzungen. Besondere Bedeutung kam stets Alexandria als der Hauptstadt zu [20; 27]. Demgegenüber ist der Rest des Landes, die Chora, zu sehen. Besonderen Status genossen nur die griech. Poleis Naukratis und Ptolemais sowie in röm. Zeit Antinoopolis.

Für die röm. Zeit wurde lange Zeit ein Fortdauern der ptolemäischen Verwaltungsstrukturen schon aufgrund der beibehaltenen Einteilung des Landes und der Fortführung einzelner Ämter, wenigstens der Bezeichnung nach, angenommen und Ägypten letztlich als ein Sonderfall innerhalb des röm. Imperiums angesehen.

Diese Meinung hat deutlich an Boden verloren. Vorwiegend wird heute die Auffassung vertreten, daß die Neuerungen durch die Römer auf dem Gebiet der Verwaltung erheblich waren, sodaß durchaus vom röm. Ägypten gesprochen werden kann [30; 31]. Damit ist die Übertragung von Ergebnissen, die aufgrund der Papyri gewonnen werden, auf andere Provinzen jedenfalls nicht ausgeschlossen, Modifikationen sind ggf. anzubringen [24; 25]. Der Konvent des Präfekten, die jährliche Inspektionsreise mit der Erledigung von Verwaltungsaufgaben und Rechtsprechung, ist in letzter Zeit wieder eingehend behandelt worden [19; 26]. Die Papyri bieten hier ein eindrucksvolles Bild vom Umfang der Tätigkeit: innerhalb von 3 Tagen wurden dem Präfekten insgesamt wenigstens 1804 Eingaben überreicht. Gut belegt ist die lokale Verwaltung der Chora durch die Metropoleis, sowie die Reform der Verwaltung durch Septimius Severus [16; 18]. Das röm., in Ägypten besonders reich dokumentierte, Liturgiewesen in seinen einzelnen Ausprägungen – Aufgaben, Verpflichtungen, Unkosten und Befreiungen – ist bis in Details nachweisbar [32], ebenso das Steuerwesen [34].

Die Neuordnung der Provinzen durch Diokletian und ihre Änderungen in der Folgezeit sowie die Abschaffung der Gaue in Anpassung an die Strukturen des Imperiums und die Stellung der Colonen wie auch die Entwicklung und Stellung des Großgrundbesitzes sind immer wieder aufgegriffen und alte Auffassungen modifiziert worden [23; 21; 22; 17; 29; 33].

15 R. S. BAGNALL, Reading papyri, writing ancient history, 1995 16 A. K. BOWMAN, The town councils of Roman Egypt, 1971 17 J. M. CARRIÉ, Figure du colonat dans les papyrus d'Égypte: lexique, contextes, Atti XVII. Congr. intern. di Papirologia III, 1984, 939–948 18 M. DREW-BEAR, Les conseillers municipaux des métropoles au IIIᵉ s. ap. J.-C., Chronique d'Égypte 59, 1984, 315–332 19 G. FOTI-TALAMANCA, Ricerche sul processo nell'Egitto greco-romano I, L'organisazione del conventus del Praefectus Aegypti, 1974 20 P. M. FRASER, Ptolemaic Alexandria, Vol. I-III, 1972 21 I. F. FICHMAN, Les patrocinia dans les papyrus d'Oxyrhynchos, Actes XV. Congr. intern. de Papyrologie, IV, 1979, 186–194 22 Ders., Esclaves et colons en Égypte byzantine, Analecta Papyrologica 3, 1991, 7–17 23 J. GASCOU, Les grands domaines, la cité et l'état en Égypte byzantine, Travaux et mémoires 9, 1985 24 R. HAENSCH, Das Statthalterarchiv, Zeitschr. der Savignystiftung für Rechtsgeschichte, Romanistische Abt. 109, 1992, 209–317 25 Ders., Die Bearbeitungsweisen von Petitionen in der Provinz Aegyptus, ZPE 100, 1994, 487–546 26 Ders., Zur Konventsordnung in Aegyptus und den übrigen Provinzen des röm. Reiches, Akten des XXI. Internationalen Papyrologen-Kongr. I, 1997, 320–391 27 Ders., Capita provinciarum – Statthaltersitze und Provinzialverwaltung in der röm. Kaiserzeit (Kölner Forsch. 7), 1997 28 G. HÖLBL, Gesch. des Ptolemäerreiches, 1994 29 A. JÖRDENS, Die Agrarverhältnisse im spätant. Ägypten, Laverna 10, 1999, 114–152 30 N. LEWIS, »Greco-Roman Egypt«: fact or fiction?, Proc. XII. Intern. Congr. of Papyrology, 3–14 = On government and law in Roman Egypt, 1995, 138–149 31 Ders., The romanity of Roman Egypt: a growing consensus, Atti XVII Congr. intern. di Papirologia III, 1984, 1077–1084 = On government and law in Roman Egypt, 1995, 298–305 32 Ders., The compulsory services of roman Egypt, ²1997 33 B. PALME, Die domus gloriosa des Flavius Strategius Paneuphemos, Chiron 27, 1997, 95–125 34 L. R. S. WALLACE, Taxation in Egypt from Augustus to Diocletian, 1938

3. SOZIAL- UND WIRTSCHAFTSGESCHICHTE
3.1 SOZIALGESCHICHTE

Nach der Eroberung Ägyptens durch Alexander den Großen kamen neben den Makedonen und Griechen weitere Einwanderer ins Land. Das Verhältnis der verschiedenen Bevölkerungsgruppen insbes. zu den Ägyptern, Fragen der gegenseitigen Beeinflussung in kultureller Hinsicht sowie der Verschmelzung sind seit jeher Gegenstand der Forsch. gewesen, in den letzten Jahren haben sich aber nicht unwesentliche Änderungen in der Einschätzung ergeben. Die Zuordnung einzelner Personen zu bestimmten Bevölkerungsgruppen gestaltet sich zunehmend schwierig. Der Name ist im 3. Jh. v. Chr. wohl noch ein ziemlich sicherer Anhaltspunkt, im 2. und 1. Jh. weniger [46; 44].

Während sich die Bevölkerung in ptolemäischer Zeit [60] in Ἕλληνες – mit Einschluß anderer nicht ägypt. Gruppen – und Αἰγύπτιοι gliedert, ändert sich das in röm. Zeit. Nun gliedert sich die Bevölkerung in Römer, Alexandriner und Ägypter. Die röm. Verwaltung faßt unter der Bezeichnung Αἰγύπτιοι die Bevölkerung der Chora schlechthin zusammen, somit fallen auch die Griechen darunter. Diese verlieren ihre privilegierte Stellung zunehmend. Allerdings werden ihnen noch gewisse steuerliche Begünstigungen eingeräumt [54; 55; 57; 57a]. Im Jahre 212 n. Chr. erhalten auch die Bewohner der Chora – Ägypter und Griechen – mit der *Constitutio Antoniniana* – nach überwiegender Meinung in P. Giss. I 40 I Z. 1–16 überliefert – das röm. Bürgerrecht, sie stellen nun ihrem bisherigen Namen das *nomen* Aurelius voran (Abb. 2).

Ehen und sonstige Verbindungen zw. Ägyptern und Einwanderern sind in der Chora sicher vorgekommen, allerdings in ptolemäischer Zeit wohl nicht sehr zahlreich [43]. Eine Verschmelzung ist vielleicht für die röm. Zeit in größerem Umfang anzunehmen. Eine Mischung wird in ptolemäischer Zeit auch durch die Formen der Ansiedlung und der Niederlassung nicht nahegelegt. Neuere Untersuchungen haben gezeigt, daß die Griechen in ptolemäischer Zeit zunehmend das ihnen zugewiesene Land, den Kleros, nicht selbst bebauten und ihn der Bestellung durch Pächter überließen. Sie selbst wohnten in wohl geschlossenen Gruppen in den größeren Orten, den Metropoleis [36; 37]. Allerdings ist die Frage der Angleichung und Vermischung für die einzelnen sozialen Schichten durchaus unterschiedlich zu beantworten. Hinsichtlich der Frage einer hell. Mischkultur gehen auch heute noch die Meinungen wenigstens für die ptolemäische Zeit weit auseinander. Gegenseitige Einflüsse sind unleugbar, die Intensi-

Abb. 2: Ausschnitt aus P. Giss. 40 mit der Constitutio Antoniniana aus dem 3. Jh. n. Chr. (P. Giss. inv. 15)

tät scheint jedoch noch nicht auf die Entstehung einer gemischten, aber einheitlichen Kultur hinzudeuten, eher auf den Fortbestand eigenständiger Systeme [52; 53; 56; 39; 60; 70].

Für die Bevölkerungszahlen hat eine neuere Untersuchung – bei aller Unsicherheit der zugrundeliegenden Zahlen und Berechnungen – wenigstens wahrscheinlich gemacht, daß in ptolemäischer Zeit die Zahl bei drei Millionen lag, in röm. Zeit auf fünf Millionen anstieg, infolge der Pest im letzten Drittel des 2. Jh. um etwa 20–30% fiel, dann wieder anstieg und schließlich im 6. Jh. erneut auf drei Millionen absank [63]. Grabdenkmäler, Mumientäfelchen, Todesanzeigen an die Verwaltung, Steuerquittungen und Zensuserklärungen geben reiche individuelle Daten, die auch Einblick in die Lebensdauer des einzelnen gestatten. Zwingende statistische Daten lassen sich daraus freilich nicht ableiten – schon weil die Breite der Daten über alle Bevölkerungsgruppen, über einen weiteren geogr. Raum und für Frauen, Männer und Kinder aller Altersgruppen nicht gewährleistet ist. Auf Grund der Zensuserklärungen kommt eine neuere Untersuchung nach demographischen Methoden zu dem Ergebnis, daß die durchschnittliche Lebenserwartung bei Männern bei der Geburt bei 25,26 Jahren, im Alter von fünf Jahren bei 40,56 Jahren liegt, bei Frauen lauten die entsprechenden Werte 22,5 und 38,34 [35].

3.2 WIRTSCHAFTSGESCHICHTE

Das Wirtschaftsleben Ägyptens ist durch eine große Zahl unterschiedlicher Texte belegt: Akten der Verwaltung (Landwirtschaft: Bewässerung, Steuer, Bebauung, Transportwesen), Pachtverträge und sonstige Verträge, private Abrechnungen, Aufstellungen und Briefe.

Der natürlichen Lage Ägyptens gemäß ist die Landwirtschaft über alle Zeiten hin der bedeutendste Wirtschaftsfaktor. Die Nilschwemme, die darauf folgende Neuvermessung des Landes und die Bestellung spielten

in der Verwaltung wie auch in den einzelnen Verträgen über die Nutzung des Bodens eine entscheidende Rolle [41; 42; 69]. Eine eingehende Regelung fand in ptolemäischer Zeit auch das Monopolwesen. Zur Beschreibung dieser Bereiche im ptolemäischen Ägypten wurde zunächst an eine Art zentraler Planwirtschaft gedacht [65; 66], diese Einordnung ist mittlerweile bestritten [59; 48; 38; 62]. Handel und Gewerbe sind v. a. für den lokalen Bereich belegt [45]. Der auch unter polit. Aspekten bedeutsame Außenhandel wurde über Alexandria in den Mittelmeerraum und über die Häfen am Roten Meer nach Osten und Süden abgewickelt [67; 61]. Die monetäre Abschottung Ägyptens unter den Ptolemäern wurde in röm. Zeit beibehalten bis zur Reformation Diokletians [47; 49].

Während für die ptolemäische und röm. Zeit eine weitgehende Kontinuität angenommen wird, wurde die byz. Zeit weitgehend als eine Epoche des wirtschaftlichen und sozialen Niedergangs angesehen. Die neuere Forschung setzt nun andere Akzente und differenziert nach Gebieten und Zeiten [49; 50]. Grundlegend ist für die ptolemäische Zeit immer noch das Werk Rostovtzeffs [65], neuere Einschätzungen sind Cl. Préaux [58] zu verdanken. Für die röm. Zeit ist v. a. auf Johnson zu verweisen [51], beispielhaft sind neuere Einzeluntersuchungen [64; 68]. Das Bankwesen ist v. a. von R. Bogaert eingehend untersucht worden [40].

35 R. S. Bagnall, B. W. Frier, The demography of Roman Egypt, 1994; ergänzt durch R. S. Bagnall, B. W. Frier, I. C. Rutherford, The census register P.Oxy. 984: The reverse of Pindar's Paeans (Pap. Brux. 29), 1997 **36** J. Bingen, Le milieu urbain dans la chôra égyptienne à l'époque ptolémaique, Proc. XIV Congr. of Papyrologists, 1975, 367–373 **37** Ders., Kerkéosiris et ses Grecs au II s. av.n.è., Actes XV. Congr. intern. de Papyrologie IV, 1979, 87–94 **38** Ders., Le papyrus Revenue Laws – Tradition grecque et adaption hellénistique, Rheinisch-Westfälische Akad. der Wiss., Vorträge G 231, 1979 **39** Ders., L'Égypte gréco-romaine et la problématique des interactions culturelles, Proc. XVI. intern. Congr. of papyrology, 1981, 3–18 **40** R. Bogaert, Trapezitika aegyptiaca – Recueil de recherches sur la banque en Égypte gréco-romaine (Pap. Flor. 25), 1994 **41** D. Bonneau, Le fisc et le Nil, 1971 **42** Dies., Le régime administratif de l'eau du Nil dans l'Égypte grecque, romaine et byzantine, 1993 **43** W. Clarysse, Some Greeks in Egypt, in: Life in a multicultural society: Egypt from Cambyses to Constantine and beyond, 1992, 51–56 **44** Ders., Greeks and Egyptians in the ptolemaic army and administration, Aegyptus 65, 1985, 57–66 **45** H. J. Drexhage, Preise, Mieten/Pachten, Kosten und Löhne im röm. Ägypten bis zum Regierungsantritt Diokletians, 1991 **46** I. Fichman, On onomastics of Greek and Roman Egypt, Classical Stud. in honor of D. Sohlberg, 1996, 403–414 **47** A. Gara, Aspetti di economia monetaria dell'Egitto romano, ANRW II 10, 1, 912–951 **48** H. Heinen, Das hell. Ägypten im Werk M. I. Rostovtzeffs, in: Offenheit und Interesse, Studien G. Wirth zum 65. Geburtstag, 1993, 237–269 **49** Ders., Das spätant. Ägypten (284–646 n. Chr.), in: Ägypten in spätant.-christl. Zeit, 1998, 35–56 **50** A. Jördens, Die Agrarverhältnisse im spätant. Ägypten, Laverna 10, 1999,

114–152 **51** A. C. JOHNSON, An economic survey of ancient Rome, II: Egypt to the reign of Diocletian, 1936 Ndr. 1975 (An economic survey of ancient Rome II, ed. T. FRANK) **52** L. KOENEN, Die Adaptation ägypt. Königsideologie am Ptolemäerhof, in: Egypt and the hellenistic world, 1983, 143–190 **53** H. MAEHLER, Die griech. Schule im ptolemäischen Ägypten, in: Egypt and the hellenistic world, 1983, 191–203 **54** J. MODRZEJEWSKI, Le statut des Hellènes dans l'Égypte lagide: Bilan e perspectives des recherches, REG 96, 1983, 241–269 = Statut personnel et liens de famille dans les droits de l'Antiquité, 1993, III **55** Ders., Fra la città e il fisco: Lo statuto greco nell'Egitto romano, Studi Sanfilippo VII 463–486; erweiterte Fassung in: Symposion, Akten der Ges. für griech. und hell. Rechtsgesch. 1982, 241–280 = Droit impérial et traditions locales dans l'Égypte romaine, 1990, I **56** O. MONTEVECCHI, Egiziani e Greci: la coesistenza delle due culture nell'Egitto, in: Egitto e società antica, 1985, 233–245 **57** Dies., Aigyptios-Hellen in età romana, Studi E. Bresciani, 1985, 339–353 = Scripta selecta, 1998, 329–344 **57a** Dies., Ioni nati in Egitto, in: La parabola della grecità nella valle del Nilo, Atti XXII Congr. internazionale di Papirologia II, 2001, 983–994 **58** Cl. PRÉAUX, L'économie royale des Lagides, 1939 **59** Dies., Le monde hellénistique, La Grèce et l'Orient 322–146 av. J. C., Vol. I, 1978, 358–378 **60** Grundlegend: Prosopographia Ptolemaica (Studia Hellenistica): I (St.H.6), 1950, Ndr. 1977 (Verwaltung); II (St.H.8), 1952 (Militär/Polizei); III (St.H. 11), 1956 (Klerus, Notariat, Gerichte); IV (St.H. 12), 1959 (Landwirtschaft); V (St.H.13), 1963 (Diener, Sklaven, Flotte, Transportwesen, Handel, Handwerk); VI (St.H. 17), 1968 (Feste, Erziehung, Wissenschaft, Kunst, Fremde, auswärtige Bevölkerung). Nachträge zu I und II: VIII (St.H.21), 1975; zu III: IX (St.H.25), 1981. Index: VII (St.H.20), 1975 **61** M. G. RASCHKE, New studies in roman commerce with the east, ANRW II 9, 2, 604–1361 **62** D. W. RATHBONE, The ancient economy and Graeco-Roman Egypt, in: Egitto e storia antica dall'ellenismo all'età araba, 1989, 159–176 **63** Ders., Villages, land and population in Graeco-Roman Egypt, Proc. Cambr. Philol. Society 216 = N. S. 36, 1990, 103–142 **64** Ders., Economic rationalism and rural society in third-century A. D. Egypt, 1991 **65** M. ROSTOVTZEFF, Gesellschafts- und Wirtschaftsgesch. der hell. Welt I-III, 1955 **66** Ders., A large estate in Egypt in the 3. c. B. C., 1922 **67** Ders., Zur Gesch. des Ost- und Südhandels im ptolemäisch-röm. Ägypten, Archiv für Papyrusforschung 4, 1908, 298–315 **68** J. ROWLANDSON, Landowners and tenants in roman Egypt. The social relations of agriculture in the Oxyrhynchite nome, 1996 **69** P. VIDAL-NAQUET, Le bordereau d'ensemencement de l'Égypte ptolémaïque, 1967 **70** E. WIPSZYCKA, Le nationalisme a-t-il existé dans l'Égypte byzantine? Journ. of Juristic Papyrology 22, 1992, 83–128 = Études sur le christianisme, 1992, 9–61

4. RECHTSGESCHICHTE

Der Beginn der juristischen P. ist anzusetzen auf das Jahr 1891 mit dem Erscheinen des großen Werks von Ludwig Mitteis *Reichsrecht und Volksrecht in den östl. Provinzen des röm. Kaiserreichs – Mit Beiträgen zur Kenntnis des griech. Rechts und der spätröm. Rechtsentwicklung.* Die neugefundenen Papyri – diese freilich entsprechend dem Stand der Publikation nur in geringer Zahl – wurden neben lit. Quellen, Inschriften und dem syrisch-röm.

Rechtsbuch ausgewertet unter dem Gesichtspunkt der Rechtspraxis in der östl. Reichshälfte. Im Vordergrund stand die Erfassung der Rechtswirklichkeit in der provinzialen Praxis: wieweit wird das röm. Recht angewendet und wieweit das lokale Recht, wieweit geht der Einfluß des lokalen Rechts und d. h. eben v. a. des griech. Rechts. Der später erschienene juristische Teil der *Grundzüge und Chrestomathie* von L. Mitteis und U. Wilcken (s. A. Definition) ist trotz der notwendigerweise unvollständigen Darstellung des Rechtssystems bis heute immer noch grundlegend.

Zwei der die allgemeine rechtshistor. Diskussion auch später beherrschenden Probleme werden bei Mitteis schon angesprochen: (1) Einmal die Frage nach der Einheit des griech. Rechts und (2) die nach dem Verhältnis von röm. Recht (Reichsrecht) und lokalen Rechten (Volksrechten). Daneben bestimmen seither folgende Punkte die Diskussion: (3) das Verhältnis des griech. Rechts zu anderen lokalen Rechten, d. h. insbes. zum ägypt., (4) die Herkunft des griech. Rechts in Ägypten, (5) die Einflüsse anderer ant. Rechte, (6) die Anwendung des justinianischen Rechts in Ägypten und (7) die Erfassung der eigenständigen dogmatischen Konstruktion des griech. Rechts.

Die Eigenart des Quellenmaterials, das fast ausschließlich aus Geschäftsurkunden besteht – d. h. Urkunden z. B. über Darlehen, Pacht, Miete, Kauf, dingliche Sicherheiten, Eheschließung und Scheidung, Testamente und ähnliche Rechtsgeschäfte des täglichen Lebens – und nur zu einem geringen Teil aus Normen oder Prozeßurkunden, bedingt die Methode der juristischen Arbeit, die vornehmlich aus den Formularen und ihren Abweichungen für die einzelnen Geschäfte die rechtlichen Regelungen zu erschließen sucht.

J. Partsch [72] leitete explizit die Abkehr von romanistischen Kategorien und auch von modernen juristischen Denkformen ein. In einer letztlich unübertroffenen Darstellung des Bürgschaftsrechts nach den demotischen Urkunden hat er – gemeinsam mit Sethe [81] – exemplarisch gezeigt, wie die eingehende Untersuchung der nationalägypt. Urkunden Voraussetzung ist zur Beurteilung, ob und wie eine gegenseitige Beeinflussung zw. ägypt. und griech. Recht stattgefunden hat. In der Folgezeit wuchs aufgrund der reichen papyrologischen Funde das Interesse der Juristen am griech. Recht deutlich. Rechtsvergleichung und Verbindungen zu anderen ant. Rechten gewannen an Boden [74; 71]. Ebenso wurde die Darstellung der ägypt. Quellen mit ihrer Verbindung zu den griech. intensiv gepflegt [75–83]. In der weiteren Diskussion wurde ein deutlicher Akzent gesetzt mit dem Konzept der »Antiken Rechtsgeschichte« [85; 86]. Die zugrundeliegende Annahme einer Entwicklung ant. Rechte bis hin zum röm. Kaiserrecht hat jedoch bis zuletzt vielfältige Kritik erfahren, nicht nur wegen des Umfanges der Aufgabe, sondern auch wegen einer letztlich drohenden Verwischung grundlegender Unterschiede zw. dem röm. Recht und den anderen Rechten der Antike. In der

Folgezeit wurde die Lösung des griech. Rechts von röm. Denkformen fortgeführt. F. Pringsheim entwickelte weit ausholend und in einzigartiger Durchmusterung aller zur Verfügung stehenden Quellen das Recht des griech. Kaufes von der Frühzeit bis in die byz. Zeit hinein [73]. Eine umfassende – allerdings noch ganz von romanistischen Vorstellungen geprägte – Darstellung von Recht und Verwaltung Ägyptens von der ptolemäischen bis zur byz. Zeit wird R. Taubenschlag verdankt [84].

Die endgültige Lösung in Erfassung und Beschreibung des griech. Rechts von romanistischen Vorstellungen gelang H. J. Wolff. In dem berühmten Aufsatz *Die Grundlagen des griech. Vertragsrechts* [87] entwickelte er das bis heute unter dem Stichwort »Zweckverfügung« bekannte Konzept einer Ausgestaltung des griech. Rechts. Die damit dogmatisch fundierte Trennung des griech. Rechts vom röm. Recht und von den Vorstellungen des geltenden Rechts ist als solche bis heute im Grundsätzlichen unbestritten.

Zu den künftigen Aufgaben der Rechtsgeschichte gehört die Fortführung der eigenständigen und von romanistischen Vorstellungen gelösten Erfassung der Geschäfte nach den hell. Papyri. Das Fundament ist zum guten Teil durch eine Reihe von Einzeluntersuchungen gelegt, es fehlt aber noch eine moderne Gesamtdarstellung. Diese soll im Rahmen des *Handbuchs der Altertumswissenschaft* gegeben werden. Von H. J. Wolff stammen die beiden ersten Bände [88].

71 P. Koschaker, Über einige griech. Rechtsurkunden aus den östl. Randgebieten des Hell. (Abh. Philol.-histor. Kl. Sächs. Akad. d. Wiss. 42. Bd. Nr. 1), 1931 72 J. Partsch, Griech. Bürgschaftsrecht, 1. Teil, Das Recht des altgriech. Gemeindestaats, 1909 73 F. Pringsheim, The Greek Law of Sale, 1952 74 E. Rabel, Nachgeformte Rechtsgeschäfte, mit Beiträgen zu den Lehren von der in iure cessio und vom Pfandrecht, Zeitschr. der Savignystiftung für Rechtsgeschichte, Romanistische Abt. 27, 1906, 290–335; 28, 1907, 311–379 = Gesammelte Schriften IV 9–104 75 E. Seidl, Demotische Urkundenlehre nach den frühptolemäischen Texten, 1937 76 Ders., Der Eid im röm.-ägypt. Provinzialrecht Teil 1, 1932, Teil 2, 1935 77 Ders., Einführung in die ägypt. Rechtsgeschichte bis zum Ende des Neuen Reichs, ¹1958 78 Ders., Ägypt. Rechtsgeschichte der Saiten- und Perserzeit, ²1968 79 Ders., Ptolemäische Rechtsgeschichte, ²1962 80 Ders., Rechtsgeschichte Ägyptens in röm. Zeit – Die Behauptung des ägypt. Rechts neben dem röm., 1973 81 K. Sethe, Demotische Urkunden zum ägypt. Bürgschaftsrechte vorzüglich der Ptolemäerzeit – J. Partsch, Rechtsgeschichtliche Untersuchung (Abh. Philol.-Histor. Kl. der Sächs. Akad. der Wiss., 32. Band), 1920 82 A. Steinwenter, Das Recht der koptischen Urkunden, 1955 83 Ders., Die Bedeutung der Papyrologie für die koptische Urkundenlehre, Akten des III. Intern. Papyrologenkongr., 1934, 302–313 84 R. Taubenschlag, The Law of Greco-Roman Egypt in the light of the papyri, 332 B. C.–640 A. D., ¹1948, ²1955 85 L. Wenger, Der heutige Stand der röm. Rechtswissenschaft – Erreichtes und Erstrebtes, 1927 86 Ders., Die Quellen des röm. Rechts

(Österreichische Akademie der Wiss., Denkschriften Band 2), 1953 87 H. J. Wolff, Zeitschr. der Savignystiftung für Rechtsgesch., Romanistische Abt. 74 (1957) 26–72 = Zur griech. Rechtsgeschichte, ed. E. Berneker, 1968, 483–533 88 Ders., Das Recht der griech. Papyri Ägyptens in der Zeit der Ptolemäer und des Prinzipats: Band II, Organisation und Kontrolle des privaten Rechtsverkehrs, 1978; Band I, Bedingungen und Triebkräfte der Rechtsentwicklung, 2002

5. RELIGION
5.1 HEIDNISCHE RELIGION

Im Bereich der heidnischen Religion liegt das Schwergewicht der Überlieferung auf den ägypt. Texten. Die griech. Papyri enthalten v. a. Informationen zur Tempelorganisation und zur Priesterschaft [105; 98]. Der ägypt. Kult wurde durch die Ptolemäer weitergeführt. Zeugnisse der priesterlichen Organisation sind z. B. die Dekrete der Synoden (s. den Stein von Rosetta – OGIS I 90 = SB V 8298) [99]. Der neugeschaffene Sarapiskult ist in seinen Einzelheiten v. a. durch griech. Papyri belegt [97].

Neubegründet wurde der alexandrinische Stadtkult für Alexander. Hinzutritt der offizielle Reichskult für die verstorbenen und dann auch für die lebenden Herrscher [101]; damit verbunden sind jährlich wechselnde eponyme Priester [93]. In röm. Zeit schließt sich der Kaiserkult an [94].

Das Bestattungswesen wird durch entsprechende Priesterämter und Verträge hierüber dokumentiert. Die Mumientäfelchen [106] sind auch unter demographischen Aspekten von Interesse.

5.2 CHRISTENTUM

Von besonderer Bedeutung für die Überlieferungsgeschichte in erster Linie des NT sind die zahlreichen griech. Papyri, v. a. die Texte aus den ersten vier Jahrhunderten sowie die nicht kanonischer Art. Außerdem sind in P. Tura Werke des Origines und des Didymos von Alexandria überliefert. Die Quellen sind durch die Repertorien von K. Aland [89; 90] und J. van Haelst [108] leicht zugänglich. Auch der Prozeß der Christianisierung Ägyptens wird durch die Papyri belegt. Über die Geschwindigkeit der Ausdehnung besteht allerdings immer noch Uneinigkeit; Ägypten ist jedenfalls im 6. Jh. ein christl. Land [91; 92; 109; 110; 111]. Die theologischen Streitigkeiten sind bekannt [107]. Gnostische (→ Gnosis) und manichäische Richtungen werden durch mannigfache Funde belegt, so durch die Texte aus Nag Hammadi [104] und neuerdings Texte aus der Oase Dakleh [102; 95], oder den bekannten Mani-Codex [96; 100; 103].

89 K. Aland, Repertorium der griech. christl. Papyri I, Biblische Papyri – AT, NT, Varia, Apokryphen (Patristische Texte und Stud. 18), 1976 90 Ders., H.-U. Rosenbaum, Repertorium der griech. christl. Papyri II: Kirchenväter Papyri Teil 1: Beschreibungen (Patristische Texte und Stud. 42), 1995 91 R. S. Bagnall, Religious conversion and onomastic change in early Byzantine Egypt, Bull. of the American Soc. of Papyrologists 19, 1982, 105–123 92 Ders., Conversion and Onomastics: a reply, ZPE 69, 1987, 243–250

93 W. Clarysse, G. van der Veken, The eponymous priests of ptolemaic Egypt (Papyrologica Lugduno Batava 24), 1983 **94** F. Dunand, Culte royal et culte impérial en Égypte. Continuités et ruptures, in: Das röm. byz. Ägypten, 1983, 47–56 **95** I. M. G. Gardner, S. N. C. Lien, From Narmouthis (Medinet Madi) to Kellis (Irmant el-Kharab): Manicheean Documents from Roman Egypt, JRS 86, 1996, 146–196 **96** Erste Edition: A. Henrichs, L. Koenen, Der Kölner Manicodex – περὶ τῆς γέννης τοῦ σώματος αὐτοῦ, ZPE 19, 1975, 1 ff.; 32, 1978, 87 ff.; 44, 1981, 201 ff.; 48, 1982, 1 ff. **97** W. Hornbistel, Sarapis – Stud. zur Überlieferungsgeschichte, den Erscheinungsformen und Wandlungen der Gestalt eines Gottes, 1973 **98** W. Huss, Der makedonische König und die ägypt. Priester, 1994 **99** Ders., Die in ptolemäischer Zeit verfaßten Synodal-Dekrete der ägypt. Priester, ZPE 88, 1991, 189–208 **100** L. Koenen, C. Römer, Der Kölner Mani-Codex, Abb. und diplomatischer Text (Papyrologische Texte und Abh. 35), 1988 **101** L. Koenen, The ptolemaic king as a religious figure, in: Images and Ideologies – Self-definition in the hellenistic world, ed. A. Bulloch u. a., 1994, 25–115 **102** Kellis Literary Papyri Vol. I, ed. I. Gardner, 1996 **103** M. Krause, Heidentum, Gnosis und Manichäismus, ägypt. Survivals in Ägypten, in: Ägypten in spätant.-christl. Zeit, 1998, 81–116 **104** Nag Hammadi Texte: The facsimile edition of the Nag Hammadi Codices 1 ff., 1972 ff.; Nag Hammadi Stud. 1 ff., 1971 ff. **105** W. Otto, Priester und Tempel im hell. Ägypten I – II, 1905 **106** J. Quaegebeur, Mummy labels: an orientation, Papyrologica Lugduno Batatava 19, 1978, 232–259 **107** K. Rudolph, Das frühe Christentum in Ägypten: Zw. Häresie und Orthodoxie, in: Begegnung von Heidentum und Christentum im spätant. Ägypten, Riggisberger Berichte 1, 1993, 21–31 **108** J. van Haelst, Catalogue des papyrus littéraires juifs et chrétiens, 1976 **109** E. Wipszycka, Études sur le christianisme dans l'Égypte de l'antiquité tardive (Studia Ephemeridis Augustinianum 52), 1996 **110** Dies., La valeur de l'onomastique pour l'histoire de la christianisation d'Égypte, ZPE 62, 1986, 173–181 **111** Dies., La christianisation ..., Aegyptus 68, 1988, 164–165 = Études ... 103 f.

HANS-ALBERT RUPPRECHT

Papyrussammlungen A. Einzelstücke
B. Private Sammler und erste öffentliche
Bestände C. Systematische Grabungen und
Erwerbungen
D. Weltkriege und Nachkriegszeiten
E. Gegenwart und zukünftige Entwicklung
F. Einzelne Sammlungen

A. Einzelstücke

Einzelstücke, fast ausschließlich im europ. oder byz. MA entstanden, fanden den Weg in die kirchlichen und staatlichen Bibl. und Archive oder in gelehrten Privatbesitz. Hervorzuheben sind die Urkunden-Pap. aus Ravenna, Papsturkunden und Diplome der Merowinger, in unterer zweistelliger Größenordnung erhalten und h. auf viele Institutionen verteilt. Noch schwerer nachzuweisen sind die vielfach nur sekundär bezeugten griech., hieratisch oder mit Hieroglyphen beschriebenen Stücke. Die Behandlung dieser zuweilen als »Rinden« oder »türkisch beschriftet« charakterisierten Stük-

ke, deren Bedeutung nur wenige Gelehrte erkannten, war höchst unterschiedlich. In den normalen Bestand eingereiht endete mancher Pap. als Einbandmaterial. Andererseits ist von besonderen Behältnissen die Rede. Gegen E. des 17. Jh. werden Faksimiles angefertigt, 1774 wird ein verglaster Pap. ausgestellt, und einige Stücke haben in Schatz- und Kuriositätenkammern überdauert.

B. Private Sammler und
erste öffentliche Bestände

Die Entstehung der ersten P. wurde von zwei Ereignissen an der Wende vom 18. zum 19. Jh. entscheidend beeinflußt. 1752 wurden die Pap. in → Herculaneum entdeckt, wobei das anfängliche Interesse zunächst wieder abnahm, als der schlechte Erhaltungszustand und der einseitige Inhalt der stark verkohlten Rollen bekannt wurden. Wichtiger war die ägypt. Expedition Napoleons 1798. Sie löste eine starke Ägyptenbegeisterung aus und ließ vielfach den Wunsch aufkommen, Artefakte ägypt. Provenienz zu besitzen. So entstanden die ersten nennenswerten Pap.-Bestände zunächst im Privatbesitz höherer Militärs, Diplomaten, Geschäftsleute und Abenteurer europ. Nationalitäten, die in Folge des frz. Ägyptenzuges einen leichten Zugriff auf die von keiner Institution geschützten Kunstgegenstände hatten. Indes kann auch zu diesem Zeitpunkt noch nicht von einer qualifizierten Sammlungstätigkeit in mod. Sinn gesprochen werden. In der Regel wurden Zufallsfunde unbeschadet ihres Inhalts erworben; häufig gab die Repräsentation den Ausschlag. Zudem handelte es sich bei den Pap., neben Mumien und Erzeugnissen der bildenden Kunst, nur um einen Aspekt ägypt. Altertümer. Dennoch bildeten gerade diese unsystematischen privaten Kollektionen den Grundstock späterer öffentlicher Sammlungen, indem sie häufig mit beachtlichem finanziellen Aufwand von staatlicher Seite für Mus. und Bibl. in ganz Europa erworben wurden. Beispielhaft seien genannt das Britische Mus., der Louvre, das Ägyptische Mus. und die Königliche Bibl. in Berlin, die Hofbibliothek in Wien, das Rijksmuseum in Leiden, aber auch Institutionen in Nordeuropa und Rußland profitierten von privaten Sammlern. Mit dem zunehmenden Interesse, das die verschiedenen Zweige der Altertumswiss. den Pap. als wichtigen Überlieferungsträgern entgegenbrachten, wuchs auch die Grabungstätigkeit in Ägypten (→ Papyri, Fundgeschichte).

C. Systematische Grabungen und
Erwerbungen

Die ersten systematischen Ausgrabungen unter wiss. Leitung begannen in den beiden letzten Jahrzehnten des 19. Jh. Getragen von wiss. Gesellschaften, Akad., Mus., staatlichen Sonderzuwendungen und privaten Finanziers wurden Expeditionen nach Ägypten gesandt, zunächst engl. und frz., der im Orient polit. starken Stellung dieser Länder entsprechend. Andere Nationen folgten, unter ihnen zum ersten Mal die Vereinigten Staaten. Die im Verlauf dieser Unternehmungen entdeckten Pap. gingen bis auf die Pflichtabgaben, die zum

ersten Mal an den ägypt. Staat gingen, in den Besitz der
jeweils fördernden Institutionen über oder wurden an
Mus., Bibl. und Univ.-Inst. überwiesen. Mit der Finanzierung der Ausgrabungen ging gleichzeitig die Etatisie-
rung des für die Erschließung nötigen wiss. Personals
einher, dessen Arbeit sich in umfangreichen Publikationen widerspiegelte. Einen Sonderfall bildet das von verschiedenen Akad.-Kommissionen, Bibl., Gesellschaften
und Privatpersonen getragene Deutsche Papyruskartell,
das von 1906–1914 in Kairo Pap. ankaufte und diese
seinen nicht selbst grabenden Mitgliedern durch Ver-
losung zuwies. Zeitgleich erschienene opulente Kata-
logwerke bezeugen ebenfalls die kontinuierliche private
Sammeltätigkeit, von der auch öffentliche Sammlungen
profitieren konnten. Neben diesem institutionalisierten
Erwerb wurden viele Stücke weiterhin über Händler in
Ägypten oder Mittelsmänner beschafft.

D. Weltkriege und Nachkriegszeiten

Einen tiefen Einschnitt in der Entwicklung der P.
markiert der I. Weltkrieg. In vielen Ländern kam der
kontinuierliche Pap.-Erwerb zum Erliegen. Darüber
hinaus waren Deutschland und Österreich von Ägypten
abgeschnitten; die Forschungseinrichtungen, die in der
Vergangenheit den Einkauf mit viel Erfolg kanalisiert
hatten, fielen zunächst unter Zwangsverwaltung. Hinzu
trat der in den J. nach dem I. Weltkrieg immer offensi-
vere ägypt. Nationalismus, der der engl.-frz. Dominanz
in der ägypt. Altertümerverwaltung ebenso ablehnend
gegenüberstand wie dem bis dahin »problemlosen« Export ägypt. Altertümer, der manches arch. Unternehmen hemmte. Wenn auch in Einzelfällen weiterhin
z. T. größere Partien »marktfrischer« Pap. erworben
werden konnten oder Zugang von privater Seite zu verzeichnen war, so standen die P. in den J. bis zum Beginn
des II. Weltkriegs eher im Zeichen ordnender, restau-
rierender und editorischer Tätigkeiten. Mit Ausbruch
des II. Weltkrieges kamen auch diese Aktivitäten zum
Erliegen. In vielen Ländern wurden Wissenschaftler
zum Kriegsdienst eingezogen, und soweit unmittelbare
Kriegseinwirkung zu befürchten war, wurden Bestände
unter vielfach abträglichen Bedingungen ausgelagert
und der Benutzung entzogen. Abgesehen vom Verlust
der P. in den abgetretenen ostdt. Gebieten standen gerade die dt. Sammlungen in der ersten Nachkriegszeit
unter dem Eindruck der Bestandsaufnahme, der Zusammenführung ausgelagerter oder zerstreuter Bestände, der Restaurierung beschädigter Stücke und der
Wiederaufnahme der Forschung.

In den Ländern Mittel- und Osteuropas, in denen
sich in der Vorkriegszeit kleinere P. hatten etablieren
können, fielen diese der Stagnation anheim, zunächst
bedingt durch die ideologisch verordnete Abgrenzung
gegenüber einer übergreifenden kulturellen Identität,
später aufgrund schlechter materieller Bedingungen.
Kontinuität kennzeichnete eher die Sammlungen des
angelsächsischen und nordamerikanisch-kanadischen
Raums.

E. Gegenwart und zukünftige Entwicklung

Wenn auch in den 50er und 80er J. des letzten Jh. in
Köln und Trier neue Sammlungen von beachtlicher
Qualität entstehen konnten, so steht doch die Bestands-
erweiterung durch den Ankauf neuer Stücke erheblichen Hindernissen gegenüber. Einerseits kann von
einem dem etablierten Antiquitätenhandel vergleichbaren Markt nicht gesprochen werden. Die für einen solchen Handel in Frage kommenden Herkunftsländer haben den Umgang mit entsprechenden Funden einer
drakonischen Gesetzgebung unterstellt. Somit handelt
es sich bei Neuzugängen häufig um Deputate, die die
Herkunftsländer arch. Unternehmungen überlassen.
Ebenso kommt der Kauf aus älteren Privat- oder öffentlichen Sammlungen in Betracht. Vielfach wechseln aber
auch aus nicht genehmigten Grabungen stammende
Fundstücke über solche Länder den Besitzer, die die
internationalen Schutzkonventionen nur eingeschränkt
oder gar nicht anwenden. Schon dadurch erreichen die
Preise entsprechende Höhen, die sich durch Aspekte
wie Inhalt, Ausstattung oder Grad der Erhaltung stei-
gern lassen. Abgesehen davon, möglicherweise illegales
Fundgut zu erwerben, stehen dem Ankauf solcher Stükke die starken finanziellen Restriktionen entgegen, denen gerade die Sammlungen in öffentlicher Trägerschaft ausgesetzt sind. Nationale Ankaufsprogramme
nach dem Vorbild verteilter Literaturbeschaffung oder
anderer zentral gelenkter Projekte gibt es für den Pap.-
Erwerb nicht. Viele P. haben seit Jahrzehnten keinen
Pap. mehr erwerben können. Dies gilt v. a. für Bestände
in größeren Bibl., die vielfach schon ihrem eigentlichen
Auftrag kaum noch nachkommen. Zwar verhält es sich
in selbständigen Inst. oder solchen, die ihre Existenz
ganz oder zumindest teilweise privater Munifizenz verdanken, etwas besser, aber auch hier handelt es sich stets
um den Erwerb einzelner, z. T. spektakulärer Stücke.
Ähnliches gilt für die personelle Ausstattung. Bis auf
wenige Ausnahmen werden Pap.-Bestände in Bibl. oder
Mus. von den Handschriftenabteilungen mitverwaltet
oder als Sondersammlungen behandelt, die einer gesonderten oder gar wiss. fundierten Betreuung häufig entbehren müssen. Günstiger ist die Situation an wiss.
Inst., die gegenwärtig noch über eine nennenswerte
Anzahl an dauerhaft beschäftigten Mitarbeitern verfügen, aber ebenfalls gezwungen sind, ihren Personalbe-
stand zu verringern. Somit wird ein beträchtlicher Anteil an der wiss. Erschließung über Drittmittel nationaler
oder supranationaler Fördereinrichtungen finanziert.
Die Existenz solcher Vorhaben hängt vom Engagement
der jeweiligen Leitungsgremien ab, ebenso beeinflussen
forschungspolit. Vorgaben und Eigeninteressen der jeweiligen Institutionen Umfang und Art dieser in der
Regel zeitlich befristeten Unternehmen. So wird die
editorische Tätigkeit weiterhin gefördert, aber ebenso
nimmt die Zahl solcher Projekte zu, die der rein formalen oder technischen Erschließung den Vorzug gegenüber der inhaltlichen Bearbeitung geben. Mehrere

europ. und nordamerikanische Sammlungen sind seit den 90er J. des letzten Jh. dazu übergegangen, ihre Bestände über die Grenzen der eigenen Institution hinaus im Internet zu präsentieren. Dabei reichen Tiefe und Umfang der Erschließung von einfachen, mit Images versehenen Listen ausschließlich veröffentlichter Stücke bis zu aufwendigen Strukturen, die in Anlehnung an Corpora Bilder unpublizierter und edierter Pap. mit formal, inhaltlich und bibliographisch tief gegliederten Katalogeinträgen verbinden und den Zugriff auf externe Text- oder Faktendatenbanken ermöglichen. Ebenfalls sind Bemühungen wie das von mehreren P. in den USA getragene *Advanced Papyrological Information System* zu verzeichnen, die durch verschiedene Daten- und Katalogformate voneinander isolierte Datensammlungen mittels Hilfe übergreifender Suchmechanismen effektiver zu erschließen und gemeinsam nutzbar zu machen versuchen. Bei Vorliegen ausreichender Datenmengen erleichtert es dieses Verfahren einerseits, Lesungen bereits edierter Stücke zu verifizieren oder Corpora inhaltlich oder paläographisch verwandter Stücke zu bilden. Andererseits lassen sich Fragmente zusammenführen, die zu einem Pap. gehörend in verschiedenen Institutionen aufbewahrt werden. Hingegen können Sammlungen ohne eigene wiss. Betreuung leichter Bearbeiter für bislang nicht erschlossene Bestände gewinnen.

Ein Überblick über bereits verwirklichte oder prospektive Vorhaben ist nur eingeschränkt möglich. Einerseits fehlen koordinierende Zentralinstanzen; die Initiative hängt von der jeweiligen Sammlung ab. Andererseits wird die Erreichbarkeit durch fehlende Zitierstandards bei elektronischen Dokumenten sowie durch häufigen Adressenwechsel eingeschränkt. Verwiesen sei auf die weiterführenden, sich häufig überschneidenden Internetseiten der jeweiligen Trägerinstitutionen wie Univ., Mus. und Bibliotheken. Umfangreiche Linksammlungen unterschiedlicher Aktualität und Informationstiefe liefern die Internetangebote der *Leuven Homepage of Papyrus Collections World Wide* an der Katholieke Universiteit Leuven sowie die elektronischen Ressourcen des Oriental Inst. der University of Chicago.

F. Einzelne Sammlungen

Über den Bestand vieler P. lassen sich keine genauen Angaben machen. Die Angaben bei Preisendanz [4; 5] zu Inhalt und Umfang der P. sowie die Angaben im LAW [2] schreiben letztlich den Sammlungs-, Publikations- und Erkenntnisstand der 30er J. fest. Dagegen erweist sich die zuletzt im J. 2000 aktualisierte, nach Orten bzw. Ländern alphabetisch geordnete Liste der in der *Leuven Homepage* verzeichneten weltweiten P. trotz ihres beeindruckenden Umfangs einerseits in Hinsicht auf ihre Informationsdichte – Anschriften, Personal, Sammlungsumfang, -geschichte, Publikationen – als eher disparat. Andererseits bilden auch die vorhandenen Zahlenangaben nicht immer eine verläßliche Grundlage: Vielfach wird nicht zw. Pap., Ostraka, Wachs- und Bleitafeln oder anderen Beschreibstoffen unterschieden. Auch Kat.- oder Inventarnummern bieten kein durchweg genaues Kriterium, da zuweilen Kleinstfragmente ebenso selbständig inventarisiert wurden wie große Stücke, die auf mehrere Glasplatten oder Umschläge verteilt und dennoch unter einer Nummer oder Signatur verzeichnet sind. Hinzu tritt der Umstand, daß in manchen P. noch aus deren Anfangszeit stammende Bestände einer Restaurierung und einer zumindest formalen Katalogisierung entbehren müssen. Und nicht zuletzt kann das reine Quantum kein sicheres Kriterium für die Qualität einer P. bieten. Daher schwanken die folgenden Einzelbeschreibungen der nicht auf Vollständigkeit angelegten Liste zw. einer eher ungenauen verbalen Beschreibung und genauen Zahlenangaben. Dabei wurden neben Editionsreihen, die in der internetgestützten *Checklist of Greek, Latin, Demotic and Coptic Papyri, Ostraca and Tablets* kontinuierlich nachgetragen werden, und wissenschaftsgeschichtlicher Lit. auch institutionelle Homepages ausgewertet, wegen der raschen Migration elektronischer Daten jedoch nicht explizit als Quelle angeführt. Sie lassen sich dennoch leicht über entsprechende Suchmechanismen ermitteln.

1. Nordeuropa

Erst relativ spät, etwa ab den 20er J., sind die kleinen P. Nordeuropas entstanden. Ihre Bestände speisen sich ausschließlich aus Vermächtnissen oder Ankäufen, die teilweise direkt oder durch Stiftungen den heutigen Institutionen zugegangen sind. Die Univ. Turku besitzt etwa 100 Pap., das Nationalmuseum Helsinki eine kleinere Sammlung griech., demotischer und koptischer Papyri. Der Univ.-Bibl. Oslo gehören 431 und weitere Pap. und Ostraka. In Schweden sind die Univ.-Bibl. Uppsala und die Stadt-Bibl. Göteborg mit jeweils etwa 100 und 114 Stücken zu erwähnen. Bedeutender sind die Kopenhagener Bestände. Zum überwiegenden Teil von der Carlsberg-Stiftung überwiesen, aber auch aus anderen Quellen erworben, verzeichnet das Carsten Niebuhr Inst. der Univ. Kopenhagen mehr als 500 fest inventarisierte Stücke; hinzu kommen noch beachtliche unbearbeitete Bestände. Zur Sammlung des Inst. für Griech. und Lat. gehören 400 Inventarnummern.

2. Mittel- und Osteuropa

2.1 Deutschland

Die größte P. Deutschlands befindet sich im Ägypt. Mus. in Berlin, das nach der Zusammenführung der in Folge des II. Weltkriegs geteilten Bestände etwa 24500 Pap. verwaltet. Die überwiegend aus Schenkungen rührenden Anfänge der Sammlung reichen in die Phase B, den großen Zuwachs brachten eigene Ausgrabungen in den J. 1900–1910. Unter den älteren Beständen folgen die Sammlungen in Leipzig (etwa 6000 Stücke), Heidelberg (4500 inventarisierte Pap.) und Gießen mit 2800 Pap. und 576 Ostraka. Während die Anfänge der Leipziger P. noch in die Phase B fallen, so erfolgten die Bestandserweiterungen größeren Umfangs in allen drei P. um die Wende 19./20. Jh. Quelle war der Erwerb durch Kauf über den Handel, von privater Seite oder über das Papyruskartell. Institutionell waren die P. den Univ.-Bibl. oder -Inst. angebunden. Kleinere P. der älteren Phase befinden sich in der Univ. Jena (1281 Pap.) und den Staats-Bibl. Hamburg, München und Bremen mit jeweils unter 1000 Papyri. Unter den Nachkriegsgründungen ragt die P. am Inst. für Altertumskunde der Univ. Köln hervor. Sie umfaßt 8000 Pap. und Pergamente mit etwa 10000 Inventarnummern, dazu 500 Ostraka sowie weitere Artefakte. Bis in die jüngste Zeit konnten Stücke über den Handel erworben werden. Gleiches gilt für die seit den 80er J. ebenfalls über den Handel aufgebaute P. der Univ. Trier, die mittlerweile 508 Inventarnummern verzeichnet. Darüber hinaus gab und gibt es ein Reihe kleinerer P. staatlicher und privater Trägerschaft, die nur wenige oder gar nur Einzelstücke umfaß(t)en [5. 160–210, 270–282]. An Projekten elektronischer Präsentation wird in Heidelberg, Köln, Gießen und Leipzig gearbeitet.

2.2 Österreich

Die weltgrößte P. beherbergt die Österreichische National-Bibl. Wien. Sie umfaßt h. 137864 Pap. und weitere 50769 arch. Dokumente. Hier können einzelne Stücke noch der Phase A zugewiesen werden. Die größte Erweiterung erfolgte durch den österreichischen Erzherzog Rainer, der die ihm zugefallenen Fayum-Funde des Wiener Kaufmanns T. Graf der Hof-Bibl. überwies. Weitere Ankäufe sorgten für die Vergrößerung der Sammlung, teilweise bis in die heutige Zeit.

2.3 Tschechien

Die mehr als 7000 in der Prager National-Bibl. aufbewahrten Pap.-Fragmente kamen wie die etwa 1150 Pap. des Orientalischen Inst. der Prager Univ. erst 1934 in öffentlichen Besitz. Dabei handelt es sich um die private P. von C. Wessely, die T. Hopfner beiden Institutionen schenkte.

2.4 Polen

Bis auf wenige Stücke sind die in der Zwischenkriegszeit erworbenen Pap. und Ostraka des Inst. für Papyrologie der Univ. Warschau zerstört. Dabei handelte es sich um insgesamt kleine Bestände. Das National-Mus. Warschau bewahrt 16 Pap., 2 Holztafeln und 387 Ostraka.

2.5 Russland

Die Pap.-Bestände Rußlands umfassen nach einer in den 20er und 30er J. erfolgten Bestandsaufnahme des russ. Papyrologen G. Zereteli nur mehrere hundert Stücke. Diese verteil(t)en sich auf die Russische Akad. der Wiss., die Öffentliche, einst Kaiserliche Bibl. in St. Petersburg, die Eremitage und das Mus. für Schöne Künste in Moskau. Hinzu kommen gelehrte und andere Privatsammlungen, die öffentlichen Beständen inkorporiert wurden.

3. Westeuropa

3.1 Grossbritannien

Herausragend sind die in den Papyrology Rooms des Ashmolean Mus. in Oxford aufbewahrten Oxyrhynchos-Papyri. Diese mehrere tausend Stücke umfassenden Bestände wurden von B. Greenfell und A. Hunt entdeckt. Sie gehören der Egypt Exploration Society. Einen Eindruck von der Größe dieser P. vermittelt die Editionsreihe der *Oxyrhynchus Papyri*. Sie weist nach einem Jh. etwas über 4500 Nummern nach, und ein Ende ist nicht abzusehen. Auch stellt die Society Partien bereits edierter Bestände nicht nur engl. Mus. oder univ. Einrichtungen als Leihgaben für die Verbreitung der Papyrologie zur Verfügung. Die P. des British Mus., nun verwaltet von der British Library, reicht der histor. Stellung Englands im Vorderen Orient entsprechend zeitlich bereits in die Phase B zurück, wurde jedoch durch weitere Erwerbungen kontinuierlich erweitert, darunter Stücke von einzigartiger Bedeutung. Ebenfalls bedeutend ist die P. der John Rylands Library in Manchester. Sie umfaßt neben 31 Ostraka über 700 Papyri. Nicht annähernd so umfangreich, jedoch nicht weniger wertvoll sind die übrigen P. Großbritanniens. Neben den in Mus. und Colleges befindlichen gibt es eine bemerkenswerte Ansammlung privater P., die in vielen Fällen auch wiss. gut erschlossen sind [4. 285–290].

3.2 Irland

Zu den wenigen und vom Bestand her auch kleineren irischen P. gehört die des Trinity College in Dublin mit 850 und weiteren Fragmenten. Hinzu kommen die 1930 erworbenen biblischen Pap. der Chester Beatty Library sowie die P. der Royal Irish Acadamy.

3.3 Niederlande

Auch bei den niederländischen P. handelt es sich um kleinere Bestände, die seit den 20er J. erworben wurden. So besitzt das Papyrologisch Instituut der Rijksuniversiteit etwa 500 Pap., 58 Ostraka, 9 Wachstafeln, 11 Leinentexte und 5 Holztafeln. Der Univ.-Bibl. Groningen gehören 127 im J. 1926 gekaufte Pap., während die Universiteit van Amsterdam in den J. 1968 und 1975 zwei P. über den Handel erwerben konnte.

3.4 Belgien

Erwähnenswert ist die P. der Musées Royaux d'Art et d'Histoire in Brüssel, die seit 1904 etwa 400 Pap. erwerben konnte, seit 1923 häufig mit Unterstützung der Fondation Égyptologique Reine Élisabeth. Die Univ.-Bibl. der Katholieke Universiteit Leuven besitzt etwa 310 Papyri.

3.5 Frankreich

Zu den bedeutendsten P. Frankreichs gehört die der Bibliothèque Nationale et Universitaire de Strasbourg (unter dt. Herrschaft als Kaiserliche Univ.- und Landes-Bibl. Straßburg gegründet). Sie umfaßt h. 10390 Pap. und Ostraka. Der Hauptbestand wurde seit 1899 v. a. über das Papyruskartell gekauft, der Erwerb von Einzelstücken und kleineren Partien folgte. Ebenfalls bedeutend sind die der ägypt. Abteilung zugeordnete P. des Pariser Louvre, deren Anfänge in die zeitliche Phase B reichen, und die der Bibliothèque Nationale. Das Inventar des 1920 gegründeten Inst. de Papyrologie der Université de Paris IV (Sorbonne) verzeichnet 2131 Stücke, während das Institut de Papyrologie et d'Égyptologie der Université Charles de Gaulle (Lille) einige hundert Stücke und Fragmente besitzt. Hinzu kommen kleinere Privatsammlungen [4. 281–284].

4. SÜDEUROPA

4.1 ITALIEN

Zu den bedeutenderen P. Italiens zählt die der Biblioteca Medicea Laurenziana in Florenz. Sie umfaßt h. 2403 Papyri. 1945 wurde ebenfalls das Istituto di Papirologia der Università degli Studi di Milano gegründet. Zu seinen Beständen steuerten eigene Ausgrabungen wie auch Käufe über den Handel bei. Zwischen 1922 und 1990 konnte das Istituto di Filologia Classica et di Papirologia der Università Cattolica del Sacro Cuore Milano aus öffentlichen wie privaten Mitteln insgesamt 960 Pap. und weitere Bruchstücke, 50 Ostraka und 4 Holztafeln erwerben. Das Museo Nazionale besitzt die Funde aus Herculaneum. Kleinere Kollektionen befinden sich in der Univ.-Bibl. der Università di Bologna (ca. 50 Pap.) und – erstaunlich – der Biblioteca Vaticana mit 105 Stücken, die in den J. 1827–1981 in die Sammlung Eingang fanden.

5. USA

Die USA besitzen reiche P., die denen Europas durchaus gleichkommen. Die Entstehung dieser Sammlungen, die zeitlich in die Phasen C und D reicht, wird überwiegend privater Munifizenz geschuldet, die den Erwerb großer Bestände in den Fundländern ebenso ermöglichte wie Ausgrabungskampagnen. Ebenso konnte manche Sammlung durch Schenkungen privater Sammlungen gefördert werden. An erster Stelle ist die P. der Univ. Berkeley zu nennen, die in der Bancroft Library mehr als 21 000 Fragmente verwahrt. Ihr folgen die Beinecke Rare Book & Manuscript Library der Univ. Yale mit 15 000 Fragmenten und das Department of Classical Studies der Univ. Michigan, Ann Arbor (7000 Inventarnummern mit mehr als 10 000 Fragmenten). Schon wesentlich kleiner sind die P. der Special Collections Library, Durham NC (1375 Pap. und weiteres Material), der Univ.-Bibl. Princeton (1651 Stücke) und der Univ.-Bibl. der Columbia University mit etwa 2000 Fragmenten. Dabei zeichnen sich diese Institutionen nicht nur durch die Reichhaltigkeit ihrer Bestände aus, auch gehen vielfältige editorische Unternehmungen von ihnen aus. Zusätzlich gehen von diesen P. entscheidende Impulse für die elektronische Erfassung und Vernetzung der Bestände aus. Hinzu kommt eine große Anzahl weiterer Sammlungen, deren Umfang von einzelnen bis mehrere hundert Stücke reichen kann. Dabei handelt es sich einerseits um eigenen Besitz, andererseits um Leihgaben der britischen Egyptian Society.

6. AUSTRALIEN

Mit über 700 Pap.- und Pergamentfragmenten besitzt das Ancient History Documentary Research Centre der Macquarie University in New South Wales eine beachtliche Papyrussammlung.

1 I. GALLO, Greek and Latin papyrology, 1986, 17–35
2 H. MAEHLER, Slgg. griech. Pap., in: LAW 3389–3402
3 O. MONTEVECCHI, La papirologia, 1988, 30–40
4 K. PREISENDANZ, Pap.-Funde und Pap.-Forsch., 1933 (grundl.) 5 Ders., Pap.-Kunde, in: Hdb. der Bibl.-Wiss.. Hrsg. von G. LEY, ²1955, 163–192 (gegenüber 1933 leicht aktualisiert und gekürzt) HENNING DREYLING

Parabel. Die P. (griech. *parabolé*, lat. *parabola*: Vergleichung, aus *parabállein*: nebeneinanderstellen) ist eine genuin aufklärerische, für die Lit. des späten 18. und der ersten H. des 20. Jh. charakteristische Gattung – dort als ›Hebel der Erkenntnis‹ (Lessing), hier als deren Kritik (Brecht, Kafka). Als Textkorpus ist sie fünffach markiert: 1. durch ihre Geschlossenheit: daß »P.« einst auch als unselbständiges, durch Vergleich veranschaulichendes Text-Element galt, ist seit dem 17. Jh. nicht mehr bewußt; 2. durch ihre Zweiteiligkeit: vermittels irgendeiner Form von Vergleichskopula (Tertium comparationis) weist sie anschaulich-analogisch auf eine gemeinte Sache; 3. durch ihre Hypothetik: die erzählte Geschichte erscheint nicht als Wirklichkeit, sondern als Fiktion; 4. durch ihren Appell: Wenn auch nicht notwendig durch eine explizite »Lehre« ist die P. doch durch ihre Wirkungsabsicht, durch ihren Aufforderungscharakter lebens- und praxisorientiert; 5. durch ihre Kürze: der Handlungsappell erfordert unepische Stilisierung, kategorische Striktheit und Bündigkeit, Konzinnität, Prägnanz, Pointierung, eine auf ein antithetisches Gegenüber reduzierte Figurenzahl und typisierte Figurenkonzeption.

Die P. hat ebenso wie die ihr entsprechende (parabolische) Darstellungs- und Bewußtseinsform zwei schon im Hell. verbundene Wurzeln – die ant. Rhet. (1) sowie die Ästhetik (2) der jüd.-biblischen Erzähltrad. (*maschal*).

1. In Aristoteles' *Techne rhetorike* (II, 20) und Quintilians *Institutio oratoria* (V, 11) erscheint die P. (auch lat. *similitudo*: Ähnlichkeit) als rhet. Funktion, als Ausdruck dialektischen Denkens und als Argumentationshilfe vornehmlich forensischer, öffentlicher Rede. Eine Spielart der *persuasio* (Strategie des Überzeugens, Überredens), entlastet die anschauliche *narratio* den Hörer von der Anstrengung des Begriffs, macht ihm hinsichtlich des Redekontexts ein Analogieangebot und versucht ihn, indem sie zunächst seinen Standpunkt einzunehmen scheint, durch eine überraschende Wendung der Handlung auf die Seite des Redners zu ziehen (vgl. noch in Lessings *Nathan der Weise* Saladins Reaktion auf Nathans Ringparabel: ›Ich verstehe dich. Weiter! (...) Der Mann hat recht./ Ich muß verstummen. (...) Nathan, lieber Nathan (...), sei mein Freund‹). Als urspr. kurzer, wirkungsfunktionaler Redeeinschub (Aristoteles, a.a.O. III, 16) gleicht die P. der → Fabel, distanziert sich jedoch von deren normativen Kriterien, der ›allgemein bekannten Bestandheit der Charaktere‹ (Lessing: *Von dem Wesen der Fabel*, 1759), d. h. der Figuren- und Verhaltensstereotypie und den daraus folgenden Handlungsschemata – auch bei versifizierter ›Heiterkeit‹ (La Fontaine, Vorwort, *Fables*). Diese im Grunde affirmativen Tendenzen fehlen der P. an den kanonbildenden Stationen auf dem Weg vom Alt. in die Neuzeit und Moderne – von der Mahnrede des Propheten Nathan an König David (der Schafdiebstahl des Reichen: 2 Sam 12,1 bis 12,25) über Jesu Predigten, die Kanzelreden des Abraham a Santa Clara bis zu Nathans Rede vor Saladin,

Swifts Attacke auf die Glaubensdogmatik (*Tale of a Tub*), der Argumentation des Geistlichen gegen Josef K. (die Türhüter-Legende in Kafkas *Prozess*), Herrn Keuners Aufforderungen an seine Schüler zum ›eingreifenden Denken‹ (etwa in Brechts Geschichte vom Herrn Egge) oder Michaux' Aufklärungsappell *Les Sphinx* (in: *Epreuves, Exorcismes*). Seit dem Niedergang der öffentlichen Rhet. sowie dem Fortschritt von Alphabetisierung und Drucktechnik im 17./18. Jh. sind die parabolischen Redesituationen fingiert, und die P. erscheint, abgesondert von Marktplatz und Tribunal, v. a. als lit.-ästhetisches Zeugnis, worauf auch ihre nun häufig anthologische Erscheinungsform weist (Herders *Jüdische Parabeln*, Pestalozzis *Figuren zu meinem ABC-Buch*, Krummachers *Parabeln*, Hebels *Rheinländischer Hausfreund*, Bubers *Erzählungen der Chassidim*, Kafkas *Landarzt*, Brechts *Geschichten vom Herrn Keuner*, Blochs *Spuren*, Schnurres *Protest im Parterre*, Kunerts *Kramen in Fächern* sowie aktuelle Parabelsammlungen, hrsg. v. J. Billen, R. Dithmar). Die Lösung der P. aus dem Dispositionsschema der Rede destabilisiert sie gattungstheoretisch, sie gerät in den Sog der Historisierung der Gattungspoetik und findet als Parabolik, als spezifische Darstellungs- und Wirkungsform, verstärkt Eingang in die Großgattungen Drama (Brecht, Beckett, Frisch) und Roman (Kafka, Camus, Buzatti).

2. Das ästhetische Selbstverständnis der P. rührt bereits aus ihrer biblischen Herkunft, den »Gleichnissen« Jesu, die als P. zwar die Bed. des hebräischen *maschal*, der allg. Sinnbildlichkeit des AT, zur rhet. Wirkungsfunktion verengen. Aber gegen Adolf Jülichers einseitige, im Anschluß an Lessings Fabeltheorie vertretene These, Jesu ›parabolaí sind rhetorische, nicht poetische Formen‹ [8. 81], betont die heutige Exegetik die verfremdenden Sinneinbrüche oder Überzeichnungen in Handlung und Sprache der jesuanischen P. und deutet sie entgegen der Allegorese-Trad. als poetische Zeichen. Die Unerhörtheit und geistige Sprengkraft der Botschaft Jesu gründe in ihrer poetischen ›Extravaganz‹ [11], d. h. in der Unübersetzbarkeit und Auslegungsunendlichkeit metaphorischen Sprechens als dem poetologischen Kern der P. – die damit von Jesus bis Kafka reiche [6]. Woran die heutige Theologie anknüpft, ist die aus der Erkenntniskrise des frühen 20. Jh. erwachsene Kritik der mod. P. an der hermeneutischen Unbefangenheit oder Erkenntnisgewißheit neuzeitlich-aufklärerischer Parabeltrad. (Lessing, *Von dem Wesen der Fabel*; Hegel, *Ästhetik*, II, 1.3; Goethe, *Wanderjahre*, II, 1). Die mod. P. fordert die kritische Einsicht in die Bedingtheit und Struktur des Verstehens: ›Es gibt ein Ziel, aber keinen Weg‹, konstatiert Kafka in den *Hochzeitsvorbereitungen* [9] und enttäuscht die von der formalen Logik seiner P. geförderten Sinnerwartungen durch den sich vernünftiger Wirklichkeitsvorstellung sperrenden Erzählverlauf. Das Rezeptionsdilemma ist in den Texten selbst, im Scheitern der erkenntnisgewissen Helden thematisiert und appelliert über den Hinfall der Erkenntnis an die existentielle Selbstbesinnung des Men-

schen: Die P. sei ›die Axt für das gefrorene Meer in uns‹ (in: [10. 27 f.]). – Auf Erkenntniskritik zielen auch Brechts P., wobei sie beim Publikum freilich nur an eine bestimmte, der P. selbst inhärente dialektische Denkform appellieren, die Brecht zudem in den Dienst gesellschaftlich-ökonomischer Wahrheiten stellt: ›erkannt zu haben, daß das Denken was nützen müsse, ist die erste Stufe der Erkenntnis‹ (*Über eingreifendes Denken* [2. 158]). Brechts Spannung zw. Denkfreiheit und Systemverpflichtung zerfällt bei seinen Parabel-»Schülern« (M. Frisch, H. Baierl, V. Braun, P. Hacks) ebenso, wie bei den Kafka-Nachfolgern Seinsinteresse und Lehre divergieren: Sind es hier Allegorien des Seins (I. Aichinger, *Der Gefesselte*; Fr. Dürrenmatt, *Der Tunnel*; H. Kasack, *Die Stadt hinter dem Strom*), so dort sinneindeutige humanistische od. polit.-moralische Appelle (W. Jens, *Nein. Die Welt der Angeklagten*; M. Walser, *Gefahrenvoller Aufenthalt*).

1 J. BILLEN (Hrsg.), Die dt. P., 1986 2 B. BRECHT, Gesammelte Werke, Bd. 20, 1967 3 R. DITHMAR (Hrsg.), Fabeln, P. und Gleichnisse, 1995 4 T. ELM, Die mod. P., 1982, ²1991 5 Ders., H. HIEBEL (Hrsg.), Die P., 1986 6 W. HARNISCH, Die Gleichniserzählung Jesu, 1985 7 R. v. HEYDEBRAND, P. Gesch. eines Begriffs zw. Rhet., Poetik und Hermeneutik, in: Archiv für Begriffsgesch. 35, 1992 8 A. JÜLICHER, Die Gleichnisreden Jesu, Bd. 1, 1910 9 F. KAFKA, Betrachtungen über Sünde, Leid, Hoffnung und den wahren Weg, Aphorismus 26, in: Ders., Hochzeitsvorbereitungen auf dem Lande und andere Prosa, hrsg. von M. BROD, 1953 10 Ders., Briefe 1902–1924, hrsg. von M. BROD, 1958 11 P. RICŒUR, E. JÜNGEL, Metapher. Zur Hermeneutik rel. Sprache, in: Evangel. Theologie, Sonderheft 1974.   THEO ELM

Paris, Louvre I. Klassische Antike
II. Vorderasiatische Abteilung

I. Klassische Antike
A. Institution   B. Das Gebäude   C. Organisation   D. Die Abteilung Griechischer und Römischer Antiken   E. Publikationen

A. Institution
Adresse: 36 Quai du Louvre, 75058 Paris Cedex 01, 75001 Paris.

Das Musée du Louvre ist ein National-Mus., das mit 34 anderen unter der Direction des Musées de France zusammengefaßt ist. Es ist die größte dieser nationalen Einrichtungen, zugleich auch eines der größten Mus. der Welt, das gleichrangig neben → Berlin, London (→ London, British Museum) oder → St. Petersburg steht. Neben seiner Sammel- und Ausstellungstätigkeit betreibt der Louvre auch wiss. Forschungen, die sich in zahlreichen Publikationen niederschlagen.

B. Das Gebäude
Der heutige Louvre ist ein Komplex, dessen Wurzeln ca. 800 J. zurückreichen, und der eng mit der Geschichte des frz. Königs- und napoleonischen Kaiserhauses verbunden ist. Dieser Querschnitt durch die frz. Ge-

schichte ist durch Grabungen während der letzten Erweiterungsbauten arch. so gut dokumentiert worden, daß die Geschichte des Mus. h. eine eigene Unterabteilung des Louvre darstellt. Es lassen sich mehrere Phasen unterscheiden: die Phase des Königspalasts, die erste Museumsphase bis zur Kommune und die Phase der Republiken.

Der Bau beginnt in der Königsphase, als um 1190 der Kapetinger Philipp II. August (1180–1223) eine Festung am Ufer der Seine errichten ließ, im heutigen Ostteil des Louvrekomplexes [2; 3]. Seit diesem ersten Bau hat sich der Komplex bis 1870 unter verschiedenen Bauherren am rechten Seine-Ufer stetig nach Westen ausgedehnt. Unter Karl d. Weisen (†1380) wurde er erstmals zur königlichen Residenz. Im 16. Jh. begann Katherina von Medici einen Palast über den Tuilerien (»Ziegelwerke«) zu bauen. Mit dem Plan einer Verbindung zw. den unvollendeten Bauten der Tuilerien und dem Louvre schuf Heinrich IV. die Grundlage zu dem h. bekannten, ca. 40 ha umfassenden riesigen Palast, dem *Grand Dessein*. Bis 1678, als man unter Louis XIV. die Königsresidenz nach Versailles verlegte, waren u. a. die Architekten Le Mercier, Le Vau und Perrault mit dem Louvre beschäftigt. Zu den mitwirkenden Künstlern zählten Poussin, Romanelli und Le Brun. Im 18. Jh. waren die Veränderungen eher zögerlich. In dieser Zeit diente der Louvre bereits als Heim für die wachsenden königlichen Sammlungen, die schon am Anf. des 18. Jh. ca. 2500 Objekte umfaßten.

Die zweite Phase beginnt 1800 mit dem Einzug Napoleons in die Tuilerien: Er begann die Nord-Galerie (Rue de Rivoli). Zu einer Vollendung des Louvre kam es erst unter Napoleon III., der den Cour Napoléon baute, der die Tuilerien mit dem Cour Carrée verband. Die Kommune brannte 1870 die Tuilerien nieder. 1882 wurden die Pavillons de Flore und de Marsan restauriert.

Die dritte und vorläufig letzte Phase gehört der 5. Republik. Unter F. Mitterand wurde 1978 das Projekt »Grand Louvre« ins Leben gerufen, das 2000 zum Abschluß kam und wodurch die Institution Louvre gezielt umstrukturiert und modernisiert wurde. Dazu gehörten die Restaurierung der Architektur des Palastes und der Gärten und die Verlegung des Finanzministeriums aus dem Richelieu-Flügel. Überholt wurden auch die Union des arts décoratifs, ebenso die École du Louvre und die zentralen Restaurierungslaboratorien der Musées de France; zugleich wurde ein zentraler, unterirdischer Eingang – die bekannte Glaspyramide des I. M. Pei – gebaut. So stellt der Louvre h. einen Gesamtkomplex dar, der in drei Hauptbereiche unterteilt ist: Sully (rund um die Cour Carrée), Denon (entlang der Seine) und Richelieu (an der Rue de Rivoli).

C. ORGANISATION

Die Genese des Louvre als öffentliches Mus. ist polit. Umständen zu verdanken. Anders jedoch als z. B. das British Museum mit Bibl. und Naturkundeabteilung war der Louvre von Anf. an als klass. Kunst-Mus. kon-

zipiert, dessen Sammlungsauftrag sich nach verschiedenen Änderungen in der Museumskonzeption h. auf die Kunst bis zur Mitte des 19. Jh. beschränkt. Gleichzeitig dient es als National-Mus. und war darin auch Vorbild für die anderen europ. Völker im Zeitalter der erwachenden Nationalstaaten.

Die sieben Abteilungen (*départements*) des Louvre orientieren sich insgesamt am klass. Kanon der schönen Künste, der in Frankreich eine lange Trad. hat [10. 91 ff.]. Diese stark ästhetische Ausrichtung gilt auch für die 1847 – in Gestalt des »assyrischen« Mus. – hinzugekommene, nicht-kanonische Archäologie. So hilft eine Grundkenntnis der verschiedenen Abteilungen auch, den bes. Charakter des Louvre als eines in sich abgeschlossenen, histor. Kunst-Mus. zu verstehen. Innerhalb der *départements* sind die Ausstellungen in chronologischer Reihenfolge angeordnet:

1. Alter Orient, mit Objekten von der Steinzeit, ca. 9500 v. Chr., bis in die parthische Periode (239 v. Chr.-205 n. Chr.). Grundlage der Sammlungspräsentation ist eine geogr. Dreiteilung in Mesopotamien, Iran und die Levante. Wie in der Abteilung Ägypten sind auch hier Funde aus dem Bereich der griech.-röm. Ant. vertreten.

2. Ägypten von der Vor-Pyramidenzeit, ca. 4000 v. Chr., bis zum Koptentum und dem Islam im 12. Jh. Die Schaffung der Ägypt. Abteilung ist eng mit dem Namen des Entzifferers der Hieroglyphen, Jean-François Champollion, verbunden, der sie 1826 aus den von ihm angekauften Sammlungen der frz. und britischen Konsule in Ägypten ins Leben rief.

3. Kunsthandwerk (*Objets d'art*) besitzt ein reiches Inventar an Gold- und Silberobjekten, Schmuck, Glas, Fayence etc. von der Spätant. bis zur Mitte des 19. Jh.

4. Die Abteilung Skulpturen sammelt Großplastiken vom MA bis zur Mitte des 19. Jh. Diese Sektion bildet eine bewußte Erweiterung der urspr. Sammlung Antike Plastik, der die Skulpturen bis 1893 zugehörten. Auf Grund der in Frankreich etablierten klaren Sammelgebietsvorgaben für Mus. sind Skulpturen, die nach 1850 datieren, seit 1986 im Musée d'Orsay untergebracht.

5. In der Gemäldesammlung befinden sich ca. 6000 Gemälde vom späten 13. Jh. bis ca. 1850. In der Geschichte der Museumsmethodik hat die Anordnung der Gemälde nach örtlichen Schulen – seit 1794 – zentralen Stellenwert, da sie der Stilforsch. in der Kunstgeschichte und in der Kunstarch. ein wichtiges Arbeitsfeld eröffnete.

6. Die Abteilung Zeichnungen und Druckgraphik geht zurück auf die frühe Einrichtung des Cabinet des Dessins (1671) – etwa gleichzeitig mit den Anf. des Berliner Kupferstichkabinetts – und umfaßt ca. 130000 Blätter.

D. DIE ABTEILUNG GRIECHISCHER UND RÖMISCHER ANTIKEN

Die Ausstellungsräume der klass. Ant. sind über zwei Flügel verteilt: Im Erdgeschoß des Denon-Flügels befinden sich die griech. und etr. Altertümer. Die röm. Antiken befinden sich im Erdgeschoß des Sully-Flügels;

Bronzen und Kleinkunst sowie Keramik und Terrakotten haben dort im ersten Stock ihren Platz gefunden. Die Antikensammlungen des Louvre haben ihren Ursprung in königlichen Kollektionen, beginnend mit dem It.-Feldzug Franz I.(1515–1547). Wichtige Sammlungsteile stammen ferner von den Kardinälen Richelieu und Mazarin. Die bei der Revolution 1789 vorhandenen Antiken bildeten den Grundstock des neuen Musée central des arts (Dekret vom 6. Mai 1791), das 1803 in Musée Napoléon Bonaparte umbenannt wurde. Durch Napoleons Feldzüge und deren Kunstbeute wurde das Mus. rasch zum größten seiner Zeit.

Zwei Persönlichkeiten standen Napoleon bei dem Aufbau des Louvre zur Seite: als Direktor wirkte Dominique-Vivant Denon, der u. a. auch selbst Maler und Antikensammler war [6; 8; 11]. Kurator der Antikenabteilung wurde 1799 Ennio Quirino Visconti, ein Italiener, dessen Vater Präfekt der Antiken in Rom gewesen war. Aus Viscontis Feder stammt die einflußreiche *Iconographie grecque* (1818). Während seiner Amtszeit kam 1806 die Sammlung Borghese aus It. hinzu, die auch nach der Restitution im Louvre blieb.

Nach dem Fall Naopoleons und dem Verlust der angehäuften Antiken (1815) wurden große Energien mobilisiert, um die Antikensammlung [4] wieder auf einen internationalen Standard zu bringen. Dabei halfen Geschenke (*Venus von Milo*) ebenso wie Ankäufe. Unter letzteren sticht v. a. die Sammlung Campana aus Rom hervor (1862) und die ein J. später erworbene *Nike von Samothrake*. Eine systematische Vorgehensweise bei der Beschaffung von ant. Funden stand hinter der Expedition de Moré, (1829), die u. a. Metopen des Zeus-Tempels von Olympia nach Paris brachte. Größere plastische Ensembles bildeten die Reliefs der Tempel in Assos (1837) und Magnesia (1843). Hilfreich war, daß das Mus. 1848 Eigentum des Staates wurde und ihm somit ein Ankaufsetat zur Verfügung stand.

In ihrem neuen, vergrößerten Ambiente bietet die Antikenabteilung ihre Reichtümer dar. Die Präsentation folgt chronologischen und geogr. Richtlinien. Die griech. Bronzezeit ist mit ihren Regionen gut vertreten: Neben minoischen werden auch kykladische und myk. Artefakte ausgestellt. Unter diesen Objekten aus der Frühzeit ist durch eine jüngere Stiftung die kykladische Kunst bes. gut vertreten, etwa in Form eines Frauenkopfes (Abb. 1). Im Pariser Umfeld, in dem mod. Bildhauer wie Brancusi und Jean Arp gewirkt haben, erhält ein solches Werk eine erweiterte Bedeutung.

Aus der Fülle der Objekte ragen Einzelstücke auf Grund ihrer kunstgeschichtlichen Bed. heraus, so z.B. die sog. *Dame d'Auxerre* (Abb. 2), die eine wichtige Orientierungsmarke für den Beginn der griech. Stein- und Großplastik darstellt, und die trotz ihrer geringen Größe durchaus monumentalen Charakter hat. Dies wird bes. deutlich im Vergleich mit dem eher zierlichen böotischen Glockenidol (Abb. 3), das die sehr umfangreiche Terrakottasammlung repräsentiert. Etwas spätere archa. Skulpturen (*Kore von Samos, Reiter Rampin, Torso*

Abb. 1: Frauenkopf, Bronzezeit der Kykladen, Frühkykladisch II, ca. 2700–2400 v. Chr. Höhe: 27 cm. Genaue Herkunft unbekannt. Marmor, behauen und geglättet, einst mit rotem Pigmet bemalt. Wahrscheinlich eine Grabbeigabe.

aus Milet) zeichnen den Bogen der kontinuierlichen Kunstveränderungen in der archa. und frühklass. Zeit nach.

Die dichte Abfolge griech. Vasen rückt die verschiedenen Landschaftsstile in den Vordergrund; hier fallen u. a. die geometrischen Dipylon-Vasen auf, ebenso die reiche Bilderwelt der rotfigurigen athenischen Keramik. Kernbestandteil der Keramiksammlung ist das große Kontingent von Gefäßen, das aus der Sammlung Campana erworben werden konnte – mit Recht ist dieser Sammlung nun eine eigene Galerie gewidmet worden [5]. Einen Höhepunkt der klass. Skulpturen bilden die Metopen vom Zeus-Tempel in Olympia, die ebenbürtig neben den Fragmenten des Parthenonfrieses stehen. Kleinbronzen sind eine weitere Stärke des Louvre, deren Serie bis in die Spätant. reicht und auch die Ausprägungen der Provinzkunst mit berücksichtigt.

Auf die frz. Geschichte und ihre Verbindung mit It. weisen die vielen etr. und röm. Funde hin. So repräsentiert ein sehr individuell gestaltetes Ehepaar auf einem Sarkophagdeckel die hohe Qualität der etr. Tonplastik (Abb. 4). Des Paares freundlich-entspannte Haltung weist auf die Wurzeln der röm.-griech. – und damit der späteren europ. – Porträtkunst hin, die teils auf der etr. Vorliebe für vollplastische Formen beruht. Auch der betont individuelle, zugleich idealistische Ansatz der

Abb. 2: Statue, sogenannte *Dame d'Auxerre*,
Griechische Eisenzeit, Kreta,
Orientalisierende Periode, ca. 650–630 v. Chr.
Höhe: 75 cm. Genaue Herkunft unbekannt.
Kalkstein. Unterlebensgroße, still stehende Frau mit
Drehlockenfrisur, langem Rock und Oberteil,
über den Schultern ein Bolero, metallbeschlagener,
breiter Schmuckgürtel. Vorderbahn des Rocks
mit eingeritzter Ornamentenbahn,
ursprünglich in Rot abgesetzt

Abb. 3: Glockenidol. Terrakotta,
dunkle Firnisbemalung. Griechische Eisenzeit,
Böotien, Übergang spätgeometrische zur
orientalisierenden Periode, ca. 700 v. Chr.
Höhe: 33 cm. Aus Theben (Ägypten).
Eine ungewöhnliche Form der Glocke:
Die beweglichen Beine dienen als Klöppel.
Die Dekoration zeigt Frauen beim Reigentanz

Griechen geht seinen eigenen Weg, wie das Porträt des
Sokrates (Abb. 5) beweist. Der lange Zeit klassizistisch
orientierten frz. Staatskunst kommt das Porträt der Livia
(Julia Augusta), der Frau des Augustus, sehr entgegen
(Abb. 6).

Ähnlich stellt sich im Bereich der Kleinkunst ein Teil
der Funde dar, so u. a. der Silberschatz von Boscoreale
aus der frühen Kaiserzeit (ca. 25 v. Chr.–25 n. Chr.). Mit
der letzten Neuorganisation des Mus. hat nun allg. das
ant. Kunsthandwerk den Platz gewonnen, den es durch
die Bed. der Sammlung verdient, und es werden Beispiele ant. Schmucks oder Glas ausgestellt. Auch *fulcra*
und andere Bronzemöbel machen deutlich, wie fließend die Grenzen zw. Kunst und Handwerk in der Ant.
waren. Zu den Nachbarabteilungen bestehen enge Beziehungen, auch werden übergreifende Themen gemeinsam erforscht und aufbereitet [1].

E. PUBLIKATIONEN

In seinen Publikationen orientiert sich der Louvre
wie alle mod. Groß-Mus. an den wachsenden Bedürfnissen der Öffentlichkeit [9]. Neben den für ein breites
Publikum erstellten Überblickswerken werden jedoch
Forschungsreihen und einzelne Arbeiten weitergeführt.
Dazu gehören das *Corpus Vasorum Antiquorum* und das
im Aufbau befindliche *Corpus speculorum Etruscorum* [7].

1 M.-F. AUBERT, Portraits de l'Égypte romaine, 1998
2 G. BRESC, L'Enceinte et le Louvre de Philippe Auguste.
Artistic delegation of the City of Paris, 1988 3 C. CHAINE,
J.-P. VERDET, Louvre, histoire et architecture, 1995

Abb. 4: Sarkophag, Terrakotta. Italische Eisenzeit, archaisch, etruskisch, ca. 520–490 v. Chr.
1,14 × 1,90 m, aus Cerveteri. Ein lebensgroßes Paar liegt auf der nachgebildeten Liege
des Deckelsarkophages. Ein besonders schönes Beispiel der hochentwickelten etruskischen
Terrakottaindustrie. Die etruskische Sammlung des Louvre ist außerordentlich reich

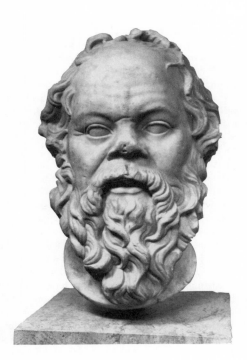

Abb. 5: Kopf des Sokrates. Marmor.
Römische Republik der Kaiserzeit.
Höhe: 13,5 cm. Original: Griechisch, Spätklassik,
ca. 330 v. Chr., angeblich von Lysipp.
Dieser unterlebensgroße Kopf gibt die typischen
Züge des Lehrers von Platon wieder

Abb. 6: Kopf der Livia (Julia Augusta). Basalt.
Frühe römische Kaiserzeit (ca. 30 v. Chr.–20 n. Chr.).
Höhe: 34 cm. Die klare Gesichtsform der Livia unter
einer strengen Frisur präsentiert die klassizistischen
Stiltendenzen der iulisch-claudischen Zeit

4 J. CUISENIER, Destins d'objets, Collection Études et travaux, Nr. I, 1988 **5** M. DENOYELL, Chefs-d'œuvre de la céramique grecque, 1995 **6** M.-A. DUPUY (Hrsg.), Vivant Denon, L'Œil de Napoléon, 1999
7 D. EMMANUEL-REBUFFAT, Corpus speculorum Etruscorum, 1988 **8** PH. MALGOUYRE, Vivant Denon et le Louvre de Napoléon, 1999 **9** C. MIGNOT, The Pocket Louvre, 2000 **10** K. POMIAN, Der Ursprung des Museums. Vom Sammeln, 1988 **11** E. Williamson, Correspondance de Vivant Denon, directeur des musées impériaux (1802–1815), 2 Bde., Collection Notes et documents, Éditions Réunion des musées nationaux, 1999.

WOLF RUDOLPH

II. VORDERASIATISCHE ABTEILUNG
A. EINLEITUNG   B. GESCHICHTE
C. SAMMLUNGSBESTAND
D. AUSSTELLUNGSKONZEPTION   E. AUSBLICK

A. EINLEITUNG

Die Vorderasiatische Abteilung (Département des Antiquités Orientales, DAO) des Louvre ist Nachfolger des ersten Musée Assyrien der Welt, das 1847 nach Ankunft der Funde aus den ersten frz. Ausgrabungen in Nordmesopotamien in Paris eröffnet wurde.

Dank zahlreicher Grabungen und Expeditionen im Vorderen Orient vergrößerte sich die Sammlung so rasch, daß 1881 schließlich eine eigenständige Abteilung gegründet wurde. Diese gehört h. zu den größten altorientalischen Museumssammlungen der Welt und bildet eine der Hauptattraktionen des Louvre.

B. GESCHICHTE

Die Anfänge der altorientalischen Sammlung des Louvre stehen im direkten Zusammenhang mit dem Beginn der großen frz. Ausgrabungen in Nordmesopotamien Mitte des 19. Jh., deren erste Phase auch als »Arch. der Konsuln« bezeichnet wird. Während zuvor bereits vereinzelt Altorientalia per Ankauf in den Louvre gelangt waren, trafen Anfang 1847 die ersten aufsehenerregenden Ergebnisse der Grabungen des frz. Konsuls in Mossul, Paul-Emile Botta (1802–1870), in Paris ein. Dieser war seit seiner Ernennung zum diplomatischen Vertreter Frankreichs in Nordmesopotamien (1842) auf der Suche nach dem ant. Ninive, das er schließlich aufgrund erster Unt. in Khorsabad (später als die assyrische Hauptstadt Dūr-Scharrukīn identifiziert) vermutete. Bottas außerordentlich erfolgreiche Ausgrabungen von 1843 bis 1844 vervielfachten nicht nur den Bestand der in Europa bekannten Keilschrifttexte, sondern vergrößerten auch das Interesse an den bis dahin beinahe ausschließlich aus dem AT und von einigen klass. Autoren bekannten altorientalischen Kulturen.

Schon im Verlauf der Ausgrabungen tauchte der Gedanke eines Musée Assyrien auf, das ›unique au monde‹ [6. 226] sein sollte. Schließlich entschied der frz. König Louis-Philippe im Frühjahr 1845, daß die Objekte nach ihrer Ankunft im Königlichen Museum, dem Louvre, untergebracht werden sollten. Da inzwischen auch England mit erfolgreichen Ausgrabungen in Assyrien

begonnen hatte und deren Ergebnisse im British Museum beinahe zeitgleich mit den Funden Bottas im Louvre eintrafen, zielten die Bemühungen dabei auch darauf, dem Rivalen bei der Eröffnung des Musée Assyrien zuvorzukommen. Zudem erhoffte sich der frz. König in polit. angespannter Situation die Steigerung des Prestiges der Monarchie und eine Rechtfertigung der hohen Grabungskosten. Daher wurde bereits am 1. Mai 1847, nur knapp vier Monate nach Ankunft der Funde, die erste Ausstellung in zwei Sälen im Nordflügel des Cour Carrée von Louis-Philippe eröffnet, wenn auch zunächst nur provisorisch für wenige Tage, an denen ein hoher Besucherstrom verzeichnet wurde. Die endgültige Eröffnung nach Abschluß der Arbeiten erfolgte am 28. Dezember 1847. Verantwortlich für Konzeption und Gestaltung zeichnete Adrien Prévost de Longpérier (1816–1882), der im Februar 1847 zu einem der beiden Konservatoren der Antikenabteilung ernannt wurde und gleichzeitig auch für die ägypt. Altertümer zuständig war.

In den folgenden J. vergrößerte sich der Bestand der altorientalischen Sammlung rasant. Victor Place (1818–1875), Nachfolger Bottas als Konsul in Mossul, nahm von 1852 bis 1854 die Grabungen in Khorsabad wieder auf. Die Ankunft einiger monumentaler Skulpturen und Reliefs aus diesen Unternehmungen im Musée Assyrien im J. 1856 führte zum Umzug der Sammlung in die Saalfolge der nördl. Kolonnaden des Cour Carrée, in deren Zentrum die Grande Galerie Assyrienne (Abb. 1) stand. Aber auch aus anderen Gegenden trafen zahlreiche Funde ein, um deren Unterbringung man sich bemühte. So sandten Forscher wie Félicien de Saulcy, Ernest Renan und Edmont Duthoit seit Mitte des 19. Jh. von ihren Forschungsreisen in der Levante und auf Zypern wertvolle Objekte, darunter eine Reihe phönizischer Sarkophage, und Abgüsse nach Paris, aufgrund derer das Musée Assyrien zusätzlich seine ursprünglichen beiden Räume wieder zugeteilt bekam.

Schließlich aber waren es die aufsehenerregenden Funde der von Ernest de Sarzec (1832–1901), dem frz. Vize-Konsul in Basra, seit 1877 veranstalteten Grabungen von Tello in Südmesopotamien, insbes. die zahlreichen Statuen des Herrschers Gudea von Lagasch (Abb. 2), die im J. 1881 zur Gründung des DAO unter Leitung von Léon Heuzey (1831–1922) führten. Diese von der Antikensammlung unabhängige Abteilung sollte die ›chaldäischen, assyrischen, persischen, phönizischen, jüd. und punischen Monumente‹ [2. 135] vereinen. Während de Sarzec in den folgenden J. weiter erfolgreich in Tello arbeitete und somit die erste europ. Sammlung sumerischer Altertümer vergrößerte, trafen gleichzeitig Funde aus Südarabien, insbes. dem Jemen, v. a. aber aus Iran ein. Dort hatte Marcel Dieulafoy (1844–1920) von 1884 bis 1886 in Susa Teile des achämenidischen Palastes freigelegt. Die von ihm nach Frankreich gesandten ausgewählten Funde, so der Fries der Bogenschützen (Abb. 3), bildeten den Kern der persischen Sammlung des neu gegründeten Départements.

Abb. 1: Die »Grande Galerie Assyrienne« des Louvre an den nördlichen Kolonnaden des Cour Carée.
Dieser Ausstellungssaal blieb in seinen Grundzügen seit seiner Gestaltung durch Adrien de Longperrier um ca. 1856 bis 1991 erhalten

Aufgrund der reichen Ergebnisse de Sarzecs und Dieulafoys konnte Heuzey 1888 drei weitere Säle im ersten Stock der nördl. Kolonnaden eröffnen. Schließlich waren im J. 1892 bereits zehn Ausstellungsräume zu verzeichnen. Doch auch in den folgenden J. vergrößerte sich die Sammlung. So gelangten durch die Expeditionen E. Chantres einige Altorientalia aus Anatolien nach Paris. Vor allem aber setzte Jacques de Morgan (1857–1924) als Leiter der von ihm gegründeten frz. Mission 1897 in Susa die Erforsch. der bis in das 5. Jt. zurückgehenden Siedlungsgeschichte fort. Die reichen Funde aus Susa bilden bis h. einen der wertvollsten Bestandteile des DAO, zu denen auch die Stele des Naräm-Sîn (Abb. 4) und der Kodex Hammurapi (Abb. 5), beide urspr. aus Südmesopotamien stammend, gehören.

Der I. Weltkrieg und der Zusammenbruch des Osmanischen Reiches, v. a. aber auch die Bildung der engl. und frz. Mandate im Vorderen Orient veränderten Forschungsrichtung und Ausprägung der altorientalischen Abteilung des Louvre. Die Eröffnung einer Reihe von Langzeitgrabungen, so im Irak in Tello und Larsa, in Enkomi auf Zypern (seit 1932), v. a. aber auf dem Gebiet der Syrischen Arabischen Republik, in Ras Shamra (Ugarit, seit 1929) und Mari (seit 1933) erweiterte die Bestände des Louvre durch regelmäßige Fundzuteilungen. Auch auf dem Gebiet des Iran wurden seit 1928 ähnliche Teilungsmodi möglich, so daß in Susa, aber auch an Orten wie Tepe Giyan und Tepe Sialk wieder frz. Grabungen aufgenommen wurden. Dagegen wurden andere Sammlungsgebiete, insbes. Anatolien, weniger gefördert. Währenddessen bemühte sich der Konservator René Dussaud (1868–1958) um eine Modernisierung der Ausstellungsräume des DAO, die allerdings nur langsam fortschritt und beim Ausbruch des II. Weltkrieges zunächst vollständig unterbrochen wurde. Dennoch gelang es schließlich dem neuen Konservator André Parrot (1901–1980) anläßlich des 100jährigen Gründungsjubiläums des Musée Assyrien im J. 1947, die inzwischen 24 Säle und drei Krypten der Abteilung renoviert und in neuer Ausstellungskonzeption der Öf-

Abb. 2: Sitzfigur des Herrschers Gudea von Lagasch (AO 3293), Diorit, Tello, ca. 2100 v. Chr.
Während der Ausgrabungen in Tello seit 1877 wurde eine Reihe von Statuen, sitzend und stehend, des Gudea in ähnlicher Haltung entdeckt

fentlichkeit zugänglich zu machen. Diese Räumlichkeiten, zu denen auch die beiden urspr. Räume sowie die in ihrer Grundkonzeption kaum veränderte Grande Galerie Assyrienne gehörte, blieben der Abteilung bis 1991 erhalten.

Abb. 3: Bogenschützenfries aus dem Palast Darius' I. (AOD 488), Glasur-Ziegel, Susa, ca. 500 v. Chr.

Nach dem II. Weltkrieg wurden die Langzeitgrabungen zwar fortgesetzt, führten jedoch kaum mehr zu einer Vergrößerung des Sammlungsbestandes, da Fundteilungen nun in der Regel nicht mehr üblich sind. Stattdessen waren es einige Ankäufe und Schenkungen, wie die Sammlung De Clercq, die Sammlungsbereiche gezielt vervollständigen oder um neue Gruppen erweitern sollten. Zu diesen Bemühungen gehörte auch, daß die islamischen Altertümer bereits 1945 dem DAO angegliedert wurden. Gleichzeitig setzen die Konservatoren ihre Kooperationen mit den arch. Autoritäten des Vorderen Orients nun auf anderen Ebenen fort. So beteiligen sie sich h. an Ausgrabungen und beraten in museologischen Fragen.

Das Projekt *Grand Louvre*, das 1993 mit der Pyramide eröffnet wurde, ermöglichte eine komplette Umgestaltung der altorientalischen Abteilung in größtenteils neuen Räumlichkeiten, in denen eine Reihe von Altertümern erstmals der Öffentlichkeit präsentiert werden können. Die Säle mit den neuassyr. Artefakten wurden im J. 2000 eröffnet.

C. SAMMLUNGSBESTAND

Die Sammlung des DAO des Louvre umfaßt insgesamt ca. 100 000 Objekte, von denen 10 000 der islamischen Sektion und die übrigen ca. 90 000 der altorientalischen Abteilung zuzurechnen sind. Unter diesen 90 000 Altorientalia befinden sich ca. 12 000 mit Schrift versehene Objekte. Der größte Teil der Sammlung

Abb. 4: Siegesstele des Narâm-Sîn, Sandstein, ca. 2300 v. Chr., in Susa aufgefunden. Diese Stele ließ der akkadische Herrscher Narâm-Sîn als Zeichen seines Sieges über das Bergvolk der Lullubi in Sippar aufstellen. Von dort wurde sie ca. 1000 Jahre später als Kriegsbeute des elamischen Herrschers Shutruk-Nahunte nach Susa verschleppt

stammt aus den großen frz. Grabungen und Expeditionen von der Mitte des 19. Jh. bis zum II. Weltkrieg. Hinzu kommen einige Ankäufe und Schenkungen. Der zeitliche Rahmen der altorientalischen Sammlung erstreckt sich vom Neolithikum (ca. 9500 v. Chr.) bis in das 6. Jh. n. Chr. Geographisch umspannt die Sammlung die Gebiete vom Indus bis zum Mittelmeer. Dabei können anhand der geogr. Herkunft drei Hauptgruppen unterschieden werden. Als erstes sind hierbei die Altorientalia aus Mesopotamien zu nennen, zu dem neben Nord- und Südmesopotamien auch Anatolien gerechnet wird. Als Fundorte bes. hervorzuheben sind dabei das neuassyrische Khorsabad (Dūr-Scharrukīn), das neusumerische Tello (Girsu), aber auch das altbabylonische Mari. Als herausragende Objekte müssen neben den neuassyrischen Reliefs und Großmonumenten

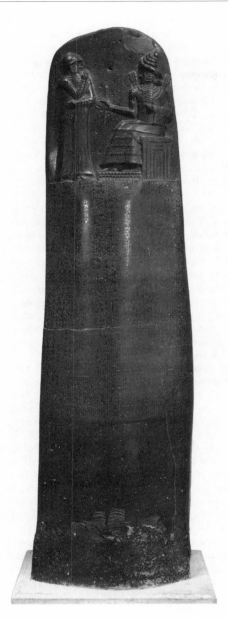

Abb. 6: Stele des Mescha, Herrscher von Moab
(AO 5066), Basalt, Diban, ca. 800 v. Chr.
In dieser Stele erinnert Mescha an seinen Sieg über die
Könige Israels. Die besondere Bedeutung dieses
Monuments liegt darin, daß auf ihm 1868 erstmals der
Name eines biblischen Königs, Mescha, erkannt wurde.
Ihr Entdecker Charles Clermont-Ganneau erwarb 1873
Tausende von Fragmenten des zerstörten Monuments
und sandte sie zur Rekonstruktion nach Paris

Abb. 5: Kodex Hammurapi, Basalt,
ca. 1800 v. Chr., in Susa gefunden.
Auf dieser Stele ließ der altbabylonische Herrscher
Hammurapi ca. 280 Rechtssprüche festhalten.
Auch diese Stele wurde als Kriegsbeute nach Susa
verschleppt

(1. Jt. v. Chr.) auch die neusumerischen Statuen des Gudea von Lagasch (3. Jt. v. Chr.), die Stele des Narām-Sîn (3. Jt. v. Chr.) und der Kodex Hammurapi (2. Jt. v. Chr.) genannt werden. Die zweite große Gruppe bilden die Altorientalia aus dem Iran, von denen der größte Teil aus Susa stammt. Hierzu gehören neben der frühen bemalten Keramik des ausgehenden 5. Jt. v. Chr. und den Tonbullen und Zählsteinen als Hinweise auf die Anfänge der Schrift im 4. Jt. v. Chr. insbes. Architekturteile des persischen Palastes, wie der Bogenschützenfries und das monumentale Säulenkapitell der Apadana. Die dritte, mit ca. 40 000 Objekten zahlenmäßig größte Gruppe bilden die Objekte aus der Levante, d.h. Syrien, Libanon und Palästina, zu der auch Zypern gerechnet wird. Zu erwähnen sind hierbei der anthropomorphe Sarkophag des Eschmunazar II. (6. Jh. v. Chr.), phönizische Goldschalen aus Zypern (8.–7. Jh. v. Chr.), Funde wie die berühmte Goldschale aus Ugarit, aber auch die aus vielen hundert Teilen rekonstruierte Stele, auf der um 1870 erstmals der Name eines biblischen Königs, Mescha, entdeckt wurde (Abb. 6). Hinzu kommt eine Gruppe süd-arab. Objekte, darunter ca. 6000 Stelen aus Karthago. Eigens zu erwähnen ist schließlich die ca. 5000 Stücke umfassende Siegelsammlung, die h. nicht

nur zu den größten öffentlichen Sammlungen ihrer Art, sondern auch zu den ältesten gehört.

D. Ausstellungskonzeption

Aufgrund der rasanten und stetigen Vergrößerung des Sammlungsbestandes erweiterten und veränderten sich auch die Ausstellungsräumlichkeiten häufig. Einer der herausragendsten Säle seit ca. 1856 bis 1991 war die Grande Galerie Assyrien, in der Longpérier erstmals die assyrischen Monumente in einem den assyrischen Palästen nachempfundenen Ensemble ausstellen ließ, wobei die Türhüterfiguren auf beiden Seiten die Eingänge flankierten. Darüber hinaus bemühte man sich immer wieder um eine geogr. Einteilung der Objekte. Schließlich gelang es André Parrot 1947, eine Ausstellung fertigzustellen, in der die Sammlung in einzelne geogr. unterteilte Sektionen unterteilt war, die in sich wiederum in chronologischer Ordnung präsentiert wurden. Dieses Grundprinzip wurde auch in der Neugestaltung der Abteilung im Rahmen des Projekts *Grand Louvre* übernommen.

E. Ausblick

Die Sammlung des DAO wird als eine der großen altorientalischen Sammlungen von Wissenschaftlern aus aller Welt konsultiert. Darüber hinaus aber setzen sich die Konservatoren h. mit einer engagierten Öffentlichkeitsarbeit dafür ein, daß die Abteilung auch weiterhin als eine der Hauptattraktionen des *Grand Louvre* einen integralen Bestandteil des öffentlichen Lebens bildet.

1 Les Antiquités Orientales. Guide, Éditions Réunion des Musées Nationaux, 1997 2 C. AULANIER, Le Pavillon de l'Horloge, 1964 3 A. CAUBET, Die Anfänge des DAO des Louvre, in: 100 J. Vorderasiatisches Mus., Sonderheft der Ant. Welt 2001 4 N. CHEVALIER, La recherche archéologique française au Moyen-Orient. 1842–1947, Editions Recherche sur les civilisations-ADPF, Paris (in Vorbereitung) 5 F. DEMANGE, La collection de glyptique du mus. du Louvre: bilan et perspectives, in: LOUVRE (Hrsg.) De Chypre à la Bactriane. Les sceaux du Proche-Orient ancien, 1997, 27–49 6 DAO (Hrsg.), De Khorsabad à Paris. La découverte des Assyriens, 1994.   NICOLA CRÜSEMANN

Park I. Garten/Gartenanlagen
II. Gartenanlagen in Potsdam   III. Park von
Stowe IV. Gartenanlagen Dessau-Wörlitz
V. Wörlitz, Antikensammlung   VI. Park in
der Literatur: Hypnerotomachia Poliphili

I. Garten/Gartenanlagen
A. Begriff B. Formen und Funktionen
antiker Gärten   C. Mittelalter
D. Renaissance
E. Barock und Rokoko   F. Der Englische
Landschaftsgarten G. Gegenwart

A. Begriff

Der Unterschied zw. Park (P.) und Garten (G.) wird erstmals im 18. Jh. von William Gilpin [33. 190–204] und Humphry Repton [33. 227–243] in ihren gartentheoretischen Schriften diskutiert: Sie empfehlen (ähnlich wie Stephen Switzer [33. 154–165]) für den hausnahen G. eine stärkere Regulierung und architektonisch-geometrische Gliederung, für den weiter entfernten P. dagegen eine künstliche Neugestaltung bzw. Vervollkomnung der Natur. In der Ant. kannte man diese Unterscheidung zwischen P. und G. noch nicht: In der röm. Lit. wurden auch die weitläufigen und repräsentativen P., die seit dem 2. Jh. v. Chr. im Rahmen der spätrepublikanischen Adelskonkurrenz im Anschluß an Villen und Stadthäuser entstanden waren und später teilweise als öffentliche Erholungs-P. dem städtischen Publikum zugänglich gemacht wurden (Suet. Iul. 83,2), als ›horti‹ bezeichnet (Hor. sat. 1,9,18; Tac. ann. 11,32,1; Suet. Tib. 15,1; [16]); ein spezieller Begriff für P. existiert nicht. In der Ren. setzt – bezeichnenderweise in einem ähnlichen Klima der stadtröm. Konkurrenz zw. Kardinälen, Päpsten und reichen Patronen – erneut die Monumentalisierung des G. ein [23. 2ff.]. Ihre künstliche Gestaltung und Begrenzung scheiden den G. und P. von der Landschaft: Diese wird vom G.-Areal als Fernblick genossen (Plin. epist. 5,6,17–19; Ren.-Villen in Latium; verborgene G.-Begrenzungen der sog. Ahas [33. 158]) und somit in das ästhetische Gesamtkonzept einbezogen. Innerhalb des G. wird Natur jedoch stets nur in ihrer künstlerisch überformten und verbesserten Gestalt erlebt (Plin. epist. 5,6,38f.).

B. Formen und Funktionen antiker Gärten

Funktional werden P. und G. in der röm. Lit. dem Bereich des *otium* zugewiesen. In der Trad. der hell. Philosophen-G. (Cic. fin. 5,3) lädt er zu Meditation und philos. Gespräch im Freundeskreis (Cic. de orat. 1,28f.; rep. 1,9; Stat. silv. 1,3) und fungiert als Quelle lit. Inspiration (Plin. epist. 1,3; 1,9). Von der engen Verbindung mit Rel. und Kult zeugen sowohl sakrale Haine, Tempel- und Grab-G. als auch Altäre, Kultnischen und -statuen in Privat-G. [18. Bd. I.115ff.]. Die Durchführung von Speisegelagen und Festen wird durch die zahlreichen Funde luxuriöser Wassertriclinien in spätpompejanischen G. und in der Villa Hadriana (Canopus, Dreiexedrenbau) bestätigt. Neben der Muße und Entspannung diente der ant. G. v. a. seit hell. Zeit (Palast-G. d. Könige [31]) der Selbstdarstellung seines Besitzers (G. des Lucullus, Pompeius, Caesar, Maecenas [16]; *domus aurea*, Villa Hadriana): Hasen- und Tiergehege sowie Vogelvolieren (Vogelhaus des Varro, rust. 3,5,8–17) dienten mittels einstudierter Vorführungen der Belustigung der Gäste (Varro rust. 3,13), aber auch der professionellen Zucht und Finanzierung des verschwenderischen Tafelluxus (Varro rust. 3,2,13–16). Weitläufige Wild-P. wurden zur kaiserlichen Jagd, Blumen- und Kräuter-G. zu medizinischen Zwecken genutzt.

Bis zum Beginn der Ausgrabungen in Pompeji und Herculaneum beruhte die Kenntnis ant. G. allein auf der ant. Lit., den ausgegrabenen (stadt)röm. Monumenten und zahlreichen Skulptur- und Relieffunden. Die G.-Kunst ist, wie in der Ant., so auch seit dem MA bis zur Gegenwart mit der Entwicklung der Villenarchitektur eng verknüpft. Entscheidende Bed. kam in der Rezeptionsgesch. daher stets den beiden großen Villenbriefen des Plinius (epist. 2,17 und 5,6; [28]), aber auch der Fachlit. (Plinius der Ältere, Vitruv, Columella, Heron von Alexandria) zu, welche in den folgenden Jh. die G.-Theoretiker inspirierten; (rhet.) Ekphraseis sowie zahlreiche poetische Texte (Theokrit, Vergil, Horaz, Tibull) vermitteln der europ. Lit. einprägsame Bilder bukolisch-idyllischer Ideallandschaften (Arkadien, Kythera, Dichterparnaß); als deren typische Elemente erlangen in der Rezeption das (Quell)wasser und die schattige Grotte zentrale Bedeutung. Eine Leitlinie bildet die bereits im ant. Roman ausgeprägte Konnotation des G. mit Liebe und Erotik [25], die sich oftmals auch in allegorischen Interpretationen niederschlug (*Rosenroman*; F. Colonnas *Hypnerotomachia Poliphili*). Bei der künstlichen G.-Gestaltung werden Gebäude und Architekturelemente – Pavillons, Speisebetten, Aediculae, Altäre, Nymphäen, Brunnen und Wasserbecken [9. 27 ff.] –, die Kunst des Baum- und Buschbeschnitts (Plin. nat. 16,140; nat. 12,22: ›opus topiarium‹; nat. 12,13: ›nemora tonsilia‹) sowie Thematik und Typologie röm. G.-Skulpturen (Venus, Priapus, Diana und Apollo, Nymphen und Flußgötter, Hercules, Bacchus und sein Gefolge, Pan, Musen) übernommen; Inschr. bieten Zit. der röm. Klassiker (Ovid, Vergil). Im technischen Bereich ist auf die anhaltende Faszination der nach Vorbild hell. Fachschriften konzipierten Wasser- und Windautomaten hinzuweisen [30].

C. MITTELALTER

Mittelalterliche G. [17. Bd. 1] sind im Originalzustand nicht mehr erhalten, ihre Rekonstruktion stützt sich auf lit. und bildliche Quellen. Der ant. Wissensbestand wurde in botanisch-medizinischen Arbeiten bewahrt: So dürfte ein Großteil der Pflanzenangaben in der Verordnung für die Verwaltung der Krongüter (*Capitulare de villis*, ca. 800 n.Chr.) aus ant. Quellen stammen. Die Herbarien der Kleriker (Ps.-Apuleius, Antonius Musa; [26]) sind von ant. Vorbildern beeinflußt und übernehmen bisweilen ganze Textpassagen aus den Schriften des Galen, Plinius d.Ä. und Columella; auch das Gedicht *De cultura hortorum* des Walahfrid Strabo (9. Jh.) dürfte vom 10. Buch des Columella angeregt sein und hat laut Proöm weitere ›Schriften der Alten‹ verarbeitet.

Neben die ma. Nutz-G. treten Lust- und Tier-G.: In Angilberts Gedicht über Karl d. Gr. und Papst Leo wird erstmals eine Hofjagd in einem von Tieren bevölkerten Hain erwähnt. Im 10. Jh. bürgerten sich die Tier-G. in It. ein; Berühmtheit erlangten die Menagerien Friedrichs II. in Sizilien und It. Reflexe der ma. Tiergehege finden sich im *Rosenroman* und kleinen *Rosengartenlied*. Bereits die Landschaftsschilderungen des Alkuin (8. Jh.) enthalten alle Elemente des ant. *locus amoenus*; die Paradies-G. kommen (oft um orientalisch-exotische Elemente bereichert) in der hochma. Dichtung zur vollen Entfaltung: In Gottfried von Straßburgs *Tristan* gibt sich das Liebespaar in einer Grotte dem Liebesgenuß hin. Das umgebende Tal ist als *locus amoenus* charakterisiert,

der seinerseits – unter deutlichem Einfluß des ma. *hortus conclusus* – von baumbestandenen Felsen umschlossen ist. Als Gesprächsstoffe dienen den Liebenden die Briefe von Phyllis, Kanake, Byblis und Dido aus Ovids *Heroides* [25. 90 f.].

Die orientalischen Einflüsse wurden in bes. Maße durch die Kreuzzüge und Pilgerreisen gefördert. Epenbeschreibungen preisen den Wasserreichtum und Prunk byz. Brunnenanlagen, welche – angeregt durch die hell. Vorbilder des Heron von Alexandria und Philon von Byz. – mittels raffinierter Maschinerien Vögel zum Zwitschern oder Engel zum Musizieren brachten. Die Existenz solcher Brunnenanlagen im Norden läßt sich jedoch nicht erweisen. Eine Ausnahme bilden die Anlagen Friedrichs II., der in Nürnberg einen »hängenden G.« (möglicherweise in Anspielung auf die hängenden G. der Semiramis) anlegen ließ. Im Spät-MA sind erstmals die im 16. und 17. Jh. weitverbreiteten G.-Labyrinthe unter der Bezeichnung Maison Dédalus urkundlich erwähnt [19. 328 ff.; 359 f.].

D. RENAISSANCE

Im späten 14. Jh. (Petrarca) setzte – parallel zum auflebenden Interesse an der Ant. – die Errichtung suburbaner Villen ein, welche wie ihre röm. Vorbilder primär der Muße (*otium*), Entspannung vom städtischen Leben und der geistigen Betätigung dienten. In den it. Villen und deren *Giardino segreto*, welcher als privat-abgeschlossener G.-Bereich die ma. Trad. des *hortus conclusus* fortführt, diskutierte man Werke ant. Philos., las und rezitierte ant. Lit. und hielt Bankette oder Konzerte ab. Die G. der Humanisten und Gelehrten erscheinen als neuzeitliche Fortsetzung der ant. Philosophen-G.: Das Beispiel der Lehrtätigkeit Platos im baumbestandenen Gymnasium der Athener Akademie (Plut. Kimon 13,7; Sulla 12,4) regte die Gründung der Platonischen Akad. unter Cosimo Medici an. Die gelehrten Zusammenkünfte und Gastmähler fanden in den Florentinischen Villen (Careggi, Fiesole) statt.

Bildungsinteresse und Orientierung an ant. Lebensidealen demonstriert auch die zeitgenössische G.-Theorie [33. 24 ff.]: Leon Battista Albertis Überlegungen zur Gestaltung von G. (*De re aedificatoria*, 1485) sind ant. Schriften entlehnt. Die Lage der Villa auf halber Hanghöhe, die Gartenbepflanzung mit Buchs, Myrte und Lorbeer sowie der Baumbeschnitt mit den Namenszügen des Besitzers folgt der Villenbeschreibung des Plinius (epist 5,6). Reiche Ant.-Bezüge zeigt Colonnas *Hypnerotomachia Poliphili* (siehe VI.), die in der G.-Theorie wie in der konkreten G.-Gestaltung eine breite Rezeption erlebte. Erasmus von Rotterdam entwirft im *Convivium religiosum* (1522) den Ideal-G. eines Humanisten-Landsitzes: Der G. dient zugleich der Unterhaltung und Belehrung, seine Wandelgänge dem Studium, Freundesgespräch und Gelage; ihre Orientierung und illusionistischen G.-Malereien folgen ant. Vorbildern (Stoa Poikile in der Hadriansvilla, Pliniusbriefe).

Die Kunstsammelleidenschaft human. Gelehrter führte zur Anlage musealer Antiken-G. [23. 23 ff.]. War zunächst nur der Besitz von Antiken von Bed. und wurden die Objekte anfangs ohne jegliches System ausgestellt, so entstanden im Lauf des 16. Jh. ausgefeilte Statuenprogramme, welche den G.-Besitzer als Patron der Künste und Wiss. feierten. Die mit der G.-Planung betrauten Architekten besaßen genaue Kenntnisse der ant. Monumente und orientierten sich an diesen Vorbildern (so beschreibt Raffael die Villa Madama in plinianischer Terminologie; [23. 10]). Die rasante Entwicklung des Brunnenbaus inklusive der manieristischen Wasserspiele und der für die Ren. charakteristischen Automaten verdankt sich u. a. der intensiven Beschäftigung mit der ant. Fachlit. (Ktesibios, Philon von Byz. und Heron von Alexandria; Frontin und Vitruv, B. 10).

Eröffnet wird die Reihe der Antiken-G. durch den von Bramante konzipierten und von Pirro Ligorio vollendeten Belvederehof in Rom (1504–1565; [2. 77 ff.]). Neu sind die erstmalige Nutzung eines G. als museale Antiken-Galerie, seine Funktion als Theaterbühne für Aufführungen und nicht zuletzt die gewaltigen Ausmaße. Die durch Treppen und Rampen erschlossene Terrassenanlage (Abb. 1) mit Exedren und Nymphäum – der ersten neuzeitlichen Grottenarchitektur – ist vom Fortuna-Heiligtum in Präneste und den Horti Aciliorum auf dem Pincio angeregt. Zitrus- und Apfelsinenbäume spielten auf die G. der Hesperiden an, die von einer Commodusstatue in Herkulesgewand bewacht wurden; Statuen des Apoll und der Musen evozierten den Dichterparnaß. Die gedeckten Wandelgänge greifen mit ihren Arkaden Bauformen des Marcellustheaters und Kolosseums auf. Zwischen dem Belvederehof und der Villa des Innozenz VIII. fügte Bramante einen Statuenhof ein, der die bedeutendsten Stücke der Sammlung, darunter den Laokoon und Apoll von Belvedere, aufnahm.

Im Villen-G. des Kardinals Ippolito d'Este in Tivoli (ab 1560; [29; 2. 172 ff.]) steht das Wetteifern mit der Ant. im Vordergrund. Anders als noch im Belvederehof wird nun das Wasser zu einem der wichtigsten Gestaltungselemente des terrassierten G.; hier bereitet sich bereits das barocke Wassertheater vor. Das Wasser setzte auch die komplizierten Automaten in Gang, die – etwa im Fall des Eulenbrunnens – auf Heron von Alexandria zurückgehen (Pneumatiká 1,16; [30. 97 ff.]). Im Drachenbrunnen bildet Herkules, der Hauptgott von Tivoli und sagenhafte Stammvater des Hauses Este, das Leitmotiv. Seine Kolossalfigur wehrt den Drachen von dem Adler (Emblem des Kardinals) ab, der einen Zweig aus dem G. der Hesperiden trägt. Ein Schriftband trägt das Motto (›ab insomni non custodita dragone‹: Ov. met. 9,190). Auch die Episode des Herkules am Scheideweg wird für den G.-Besitzer adaptiert: An den Enden des Hundertbrunnenwegs stehen sich die den sinnlichen Gelüsten gewidmete Venusgrotte und die Grotten der Diana und des keuschen Hippolytos gegenüber. Zugleich spiegelt sich in dem antiquarisch-gelehrten Statuenprogramm der Konflikt zw. dem antikebegeisterten Kardinal und seinem Rivalen, Papst Pius V., der sich als asketischer Ordensmann demonstrativ von der Ant. distanzierte: Als Pendant konzipiert waren der Tivolibrunnen (mit Lokalgöttern und Pegasus) und der Rombrunnen (Abb. 2). Auf dessen Podium waren im Stil einer *scaenae frons* die sieben Hügel mit ihren Tempeln, dem Kolosseum, Pantheon, Triumphsäulen und Mausoleen zu einer Abbreviatur der ant. Stadt aufgebaut. Den Mittelpunkt bildete hinter der Tiberinsel und neben der Wölfin eine Statue der Roma. Demonstrativ wird damit ein Gegenentwurf zum päpstlichen Rombild propagiert und der Kardinal d'Este als Bewahrer der ant. Künste stilisiert.

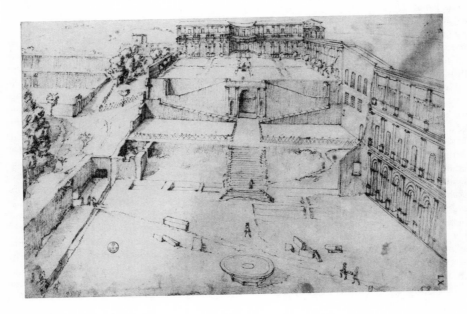

Abb. 1:
Ansicht des Belvederehofs im Jahr 1545. Zeichnung von Dosio; Florenz, Uffizien (Foto Gabinetto Fotografico Uffizi)

Abb. 2: Die Fontana della Roma, genannt Rometta,
in der Villa d'Este
(Detail eines Kupferstiches von Etienne Dupérac, 1573)

Auch in der Villa Lante in Bagnaia (seit 1568;
[2. 194 ff.]) wurde das Wasser spektakulär inszeniert.
Dem weitgehend naturbelassenen Westteil, der mit Ei-
chel-, Einhorn- und Pegasusbrunnen das goldene Zeitalter beschwört, steht der formale G. im Osten gegenüber, der zahlreiche Reminiszenzen an die Ant. zeigt:
So die Brunneninsel in Imitation des *teatro marittimo* in
der Villa Hadriana oder ein im Stil von Plinius' Garten-
stibadium überflutbarer steinerner Tisch unter Platanen.
Vicino Orsinis »heiliger Hain« von Bomarzo schließlich
entwirft mit seiner asymmetrischen Anlage und mon-
strösen Skulpturen eine Gegenwelt zur zeitgenössischen
G.-Tradition: Der Hain wollte laut Inschr. am Ein-
gangstor mit den sieben Weltwundern wetteifern und
zielt auf eine Welt jenseits der klass. Zeit durch Bezug
auf die Etrusker (etruskisches Felsengrab), jenseits der
westl. Kulturen durch dem Orient entlehnte Zitate
(Sphingen, Isis, Elefant mit Amazone) und jenseits des
normalen Raums durch perspektivische Überra-
schungseffekte (schiefes Haus).
　　Breiten Ant.-Bezug zeigen auch andere Ren.-G. – so
der G. der stadtröm. Villa Mattei mit Hippodrom und
komplexem Skulpturenprogramm ([23. 127 ff.]), die
Villen d'Este und Carpi auf dem Quirinal, die Villa De-
midoff in Pratolino mit ihren Wasserkünsten; in Frankreich der Schloß-G. von Fontainebleau, das Château
d'Anet, die G. von Saint-Germain-en Laye (Orpheus-

grotte mit Automaten), in Deutschland der Hortus Palatinus in Heidelberg und nicht zuletzt der Bürger-G.
des Dr. Laurentius Scholz in Breslau. Dieser seit 1585
angelegte P. scheint das oben skizzierte G.-Ideal des
Erasmus umzusetzen: In dem mit Florabrunnen, Vogel-
häusern, Portikus, Labyrinth und Grottenbau (samt fel-
senschleuderndem Polyphem) ausgeschmückten Areal
feierte man die »Floralia Vratislaviensia«, G.-Feste, die
Scholz selbst als »platonische Symposien« bezeichnete.
Bei dem Festmahl und Trinkgelage hatte der Wirt laut
Festordnung für die Wahrung des Anstands zu sorgen,
auf daß selbst der sittenstrenge Cato an den Witzen
nicht hätte Anstoß nehmen können [17. Bd. 2. 32 ff.;
13. 71 ff.].

E. BAROCK UND ROKOKO

　　Mit dem E. des 16. Jh. wuchs, ausgehend von Rom,
in der it. Kunst das Streben nach Fernwirkung, Repräsentation und Größe. Die Natur wird den monumentalen Villen- und Palastanlagen unterworfen. Substruktionen und geschwungene Treppensysteme gewinnen
an Raum, die Axialität des G. wird durch Eingangspor-
tale, Alleen und zentral plazierte Paläste betont. Zierli-
che Pflanzenelemente werden zu wenigen, massigen
Motiven, die vielfältig variierenden Wasserspiele zu rau-
schenden, oft mit Tonkünsten ausgestatteten Wasser-
massen zusammengefaßt. Schloß und P. fungieren als
Symbol und Modell der Subordination unter den Herrscher und stellen mit ihrer streng symmetrischen Gliederung und hierarchischen Stufung die von ihm geschaffene Ordnung unter Beweis. Die Pflanzen – vorzugsweise Eiben und Buchsbaum – werden zu Wänden,
Säulen oder Pyramiden beschnitten; Orangerien, als
Festplatz und Publikumsattraktion genutzt, bieten die
Illusion einer südl.-klass. Umwelt.
　　Die Funktion des G. wandelt sich: Er dient nun als
Kulisse der festlichen, großen Geselligkeit, als Theaterbühne für die Prachtentfaltung einer feudalen Gesellschaft. Im G., auf Kanälen oder künstlichen Inseln
finden Gala-Mahlzeiten, Jagden, Spiele, Opern und
Theater, Illuminationen und Feuerwerke statt. Der ant.
Mythos lieferte einen geeigneten Stoff für die Heroisierung und Vergöttlichung des Herrschers: Bei den Aufzügen während der Stuttgarter Fürstenhochzeit (1609)
im Lust-G. sahen die Zuschauer u. a. Apollo, Linus und
Orpheus, einen Berg mit Nymphen, einen Delphin mit
Arion sowie den Helicon mit neun Musen und Pegasus;
die alten dt. Könige Brennus, Manus und Arminius sowie Germania im Triumphwagen; Satyri und Bacchus
auf einem Bock [17. Bd. 2. 54 ff.]. Vor dem japanischen
Palais in Dresden wurde 1719 bei der Kurprinzenhoch-
zeit die »Eroberung des goldenen Vlieses« als Feuer-
werkspantomime auf der Elbe inszeniert; Palais und G.
bildeten die Tribüne für dieses Schauspiel [13. 261]. In
der G.-Skulptur dominieren myth. Themen, die der
Repräsentation und Apotheose des Bauherrn dienen:
Apollo und Herkules sind als Symbole für den Kunstsinn und die Stärke des Herrschers omnipräsent. Gefordert wird eine strenge Verbindung der myth. Statuen

mit ihrem Aufstellungsort; die Figuren und Figurengruppen stehen in einem umfassenden Bed.-Zusammenhang.

Wegweisend ist die Villa Aldobrandini in Frascati (ab 1598), die sich als monumentales Bühnenbild am Berghang entfaltet [13. 35 ff.]. An der Hangseite hinter dem Casino öffnet sich ein großes Wassertheater, ähnlich einer *scaenae frons* konzipiert. In der Mittelnische trägt Atlas die Weltkugel mit dem Stern der Aldobrandini. Dem Atlas wendet sich Herkules zu; zu seinen Füßen ein Gigant. Über der Nische steigt eine Wassertreppe empor, gekrönt von den Säulen des Herkules. Beidseitig des Wassertheaters liegen die Capella dello Spirito Santo und die Sala di Apollo mit vielfältigen Wasserspielen.

Seinen Höhe- und Kulminationspunkt erreicht der Barock-G. im P. von Versailles (seit 1661; [13. 97 ff.]): Anders als bei den Hangvillen in Latium erstreckt sich der frz. G. in flächiger Terrassierung ins Weite. Von der Aussichtsterrasse präsentiert sich eine übersichtlich geordnete Natur, dominiert von Boskets und ruhenden Wasserflächen. Das Statuenprogramm steht unter dem Zeichen Apolls, dessen Tagesablauf vom Sonnenaufgang (Apollbrunnen mit aus dem Wasser auftauchenden Pferdegespann) bis zur Nachtruhe bei Thetis (Skulpturengruppe im »Bad des Apollo«) es nachvollzieht: Auf derselben Achse wie der Apollbrunnen steht im Schloß das Paradebett des Königs, in dem sich täglich das Coucher und Lever des Sonnenkönigs wiederholt. Zwischen Apollbrunnen und Palast liegt der Latonabrunnen mit den in Frösche verwandelten lykischen Bauern. Diesen Achsenbezug zw. P. und Schloß führt auch die von Ludwig XIV. für die G.-Besucher verfaßte Wegbeschreibung vor Augen. Unter den vielfachen Anspielungen auf die Ant. im P. (z. B. die mit Metamorphosenszenen geschmückte Menagerie und die wie ein kleines Vatikanisches Museum konzipierte »Salle des Antiques«) sticht das Labyrinth hervor: Am Eingang standen Figuren des Äsop und Amor, der den Ariadnefaden in Händen hielt, im Inneren illustrierten 39 Tierbrunnen die Fabeln Äsops [19. 388 f.].

Unter den zahlreichen Barock-G. mit Ant.-Bezug (etwa Hellbrunn, Weikersheim, Dresdener Zwinger und Schönbrunn) sei Prinz Eugens Belvedere in Wien erwähnt, in dem der Besucher über drei Terrassen vom Bereich der niederen Meergötter über einen Apoll und Herkules gewidmeten G.-Teil bis zum als Götterolymp gedeuteten Palast emporgeleitet wird. Schließt das Belvedere an frz. Vorbilder an, so konkurriert der P. auf dem Karlsberg bei Kassel (1701–1718; [13. 267 ff.]) in Thematik und Bauform mit der Villa Aldobrandini, wie das Reisetagebuch (*Diarium Italicum*) des Landgrafen belegt: Am Gipfel einer ins Gigantische gesteigerten Wassertreppe erhebt sich auf einer Steinpyramide ein kolossaler Herkules Farnese, zwei Terrassen tiefer liegt unter einem Felsmassiv der Gigant Enkelados.

In der G.-Skulptur des Rokoko begegnen die aus dem Barock vertrauten Motive: ant. Götter, allen voran Venus und Amor, Naturgottheiten (Faune, Satyrn, Ceres, Nymphen), durchmischt mit Schäfern, Kindern, Schauspielern und Tänzern. Durch Hecken und Bäume eingeschlossene und überwölbte Kabinette erlauben das intime Liebesspiel; die durch geschwungene Wege erschwerte Übersicht trägt dem verstärkten Streben nach Intimität und überraschenden Eindrücken Rechnung. Repräsentatives Beispiel ist der G. von Schloß Veitshöchheim (1702–1776): Naturdarstellungen (Neptun mit Quell- und Naturgottheiten, Parnaß samt Apollo, den Musen und Pegasus mit eingebautem Spielwerk) verbinden sich mit Moralisierendem (Statuengruppen nach den Fabeln Äsops) und Komödiantisch-Possenhaftem (von Putten gespielte Szenen aus der ant. Hirtenpoesie). Dem Stil des Rokoko verpflichtet ist auch der in der Folgezeit vielfach veränderte → P. von Sanssouci.

Auf die Landschafts-G. weisen bereits die Felsen-G. mit dem Motiv der Eremitage voraus: Frühestes Beispiel ist der rel. Felsen-G. bei Kukus in Böhmen (1726–1732) mit Einsiedeleien verschiedener Heiliger und nt. Szenen (u. a. Geburtsgrotte mit Anbetung der Könige). Es folgen die Eremitage (1715–18) und das Sanspareil (seit 1745) bei Bayreuth: Hier entfaltet sich die Vorliebe für naturalistische Szenarien und künstliche Ruinen (antikisierendes Ruinen- und Felsentheater) zu einem zentralen Gestaltungselement, das in Deutschland erst eine Generation später Parallelen findet. Fénelons aufklärerischer Erziehungsroman *Die Abenteuer des Telemach* (1699) fungiert als lit. Programm im Sanspareil (Monument des Ulysses, Mentors Grotte, Äolus- und Sirenengrotte, Grotte der Kalypso, Vulkanshöhle).

In den letzten Jahrzehnten des Ancien Régime tritt mit dem ländlichen Idealdörfchen (Hameau, z. B. der Marie Antoinette in Petit Trianon/Versailles, Laiterie de la Reine in Rambouillet) die Pastorale in die G. ein [20]. Die prominenteste Rolle nimmt die Ant. in der »engl. Anlage« von Hohenheim bei Stuttgart (seit 1774) ein. Trotz des Namens und der Staffagenhäufung inhaltlich noch ganz in der Welt des Rokoko verhaftet, wurde dort das einfach-ländliche Idealdörfchen mit einem in Miniaturgröße ausgeführten Ruinen-Cappricio kombiniert: Thermen des Diokletian und Cestiuspyramide, Tempel und röm. Wasserleitung, Katakomben und Grabmal des Nero, Trajanssäule, röm. Gefängnis und »Die drei Säulen des donnernden Jupiters«. Der Kontrast zw. Gegenwart und heroischer Ant. fand seine Entsprechung im Gegensatz von schlichter Außenarchitektur und luxuriöser Innenausstattung der Gebäude, von exklusiver Raffinesse und bukolisch-bäuerlichem Stil. Das so inszenierte Überraschungsspiel diente der Steigerung der Illusion; errichtet zum fürstlichen Zeitvertreib und nur bei Festlichkeiten mit kostümierten Einwohnern bevölkert, bleibt die Anlage konzeptionell bei der Anhäufung von Bild-, Form- und Wissenselementen stehen, ohne sich die inhaltliche Aussage des engl. Landschaftsstils anzueignen.

F. Der englische Landschaftsgarten

Der Landschafts-G. [6; 12; 17. Bd. 3] entwickelte sich im Spannungsfeld zw. einem neuen Naturgefühl, das in der Naturrel. des Deismus einen ersten Höhepunkt erlebte, und der Aufwertung des Naturbegriffs zum Freiheitssymbol durch die Aufklärung. Das neue Ideal der G.-Gestaltung [7. 53 ff.; 12. 9 ff.] wurde durch Shaftesburys Kritik am Barock-G. als Sinnbild einer absolutistischen Gesellschaftsordnung begründet (*Hymnus auf die Natur*, 1709). Auch mit der Ant. wurde argumentiert: William Temple, Alexander Pope und Joseph Addison beriefen sich bei ihrer Forderung nach einer dem Wesen der Natur entsprechenden G.-Kunst auf das Vorbild Vergils und Homers. Stephen Switzer entwarf in seiner *Ichnographia Rustica* (1728) ein Geschichtsmodell, in dem der frz. G. als gescheiterter Versuch einer Wiederbelebung ant. G. dargestellt wird. Temple hatte bereits 1685 in seinem Werk *Upon the Gardens of Epicurus* das chinesische Formprinzip des *Sharawagdi* (»ohne Ordnung«, »nicht regelmäßig seiend«) gegenüber dem geometrischen Barock-G. bevorzugt. 1728 untermauerte Robert Castell in seinem Werk *The Villas of the Ancients illustrated* das Ideal des *Sharawagdi* mit der Autorität der Ant. (Abb. 3): In seiner Rekonstruktion der plinianischen Tusci (1729) wird nun – anders als noch in Félibiens Entwurf nach barockem Formprinzip (1699) – der formale G. im Westen durch einen Bereich der unberührten Urlandschaft, im Osten aber durch eine *imitatio ruris* im Stil des *Sharawagdi* gerahmt.

Die Anf. des Landschafts-G. liegen auf den suburbanen Landsitzen einer Gruppe von Adeligen und Politikern, die gegen die Aushöhlung liberaler Prinzipien und den Machtmißbrauch der Regierung protestierte [7. 95 ff.]. Whigs und Tories, ehemals polit. Gegner, verbanden sich zur oppositionellen Country-Party; das gesunde Leben auf dem Land trat in Gegensatz zur Sittenverderbnis der Stadt. Der Landschafts-G. als Ort eines liberalen Weltentwurfs steht zw. der Sehnsucht nach dem Paradies (Arkadien) und dem utopischen Wunschbild einer wahrhaft humanen Gesellschaft: Viele Villenbesitzer waren seit 1717 den Freimaurerlogen beigetreten, die auf der Basis von Gleichheit und Brüderlichkeit ein kosmopolit. Humanitätsideal propagierten [7. 115 ff.]. Als Wegbereiter prominenter Landschafts-G. (Chiswick, Stourhead, Rousham und → Stowe) gilt der G. Alexander Popes, der nach dem Vorbild von Horazens *Sabinum* seine *villa suburbana* in Twickenham anlegte. Unter den Bauten im G. erlangte die künstliche Grotte mit Ruinenfassade als Refugium eines Philosophen-Eremiten Berühmtheit.

Der durch die Auflösung der barocken Geometrie bedingte Ordnungsverlust wird durch eine neue, flächenhafte Bildordnung ausgeglichen [7. 63 ff.], die von der spätbarocken Bühnenkulisse [27. 102] und Malerei Impulse empfängt (zeitgenössische Historienmalerei und G.-Planung William Kents, arkadische Landschaften von Claude Lorrain, Gaspar Dughet, Salvator Rosa und Nicolas Poussin (*Et in Arcadia ego*, vgl. → Arkadis-

mus; [12. 37 ff.; 173 ff.]). Die Architektur verliert ihre zentrale Stellung, wird als Bühnenstaffage funktionalisiert und ist als Blickfang, im Extrem sogar als zweidimensionale Scheinfassade ausschließlich auf die Frontansicht hin konzipiert. Der G. zerfällt in eine Sequenz einzelner Idealveduten; Wege sollen die Bilder in der richtigen Reihenfolge verbinden, Ruhebänke die optimalen Betrachterstandpunkte markieren, Inschr.-Tafeln mit griech. und röm. Dichterzitaten auf den mythischen Stimmungswert der Naturbilder anspielen (Rundgang im als Reise des Aeneas konzipierten G. in Stourhead; [12. 71 ff.; 27. 104 f.]). Auch die Skulptur löst sich aus dem tektonischen Rahmen und wird zum Einzelmonument in einer bildhaften G.-Szene. Anstelle der allegorischen Verkörperung von Göttern und Heroen dient sie nun dem emotional gesteigerten Andenken an große Männer, Taten oder Ideen (Stowe).

Neu ist der Stilpluralismus der G.-Bauten, der sich in der Kombination histor. ungleichzeitiger und kulturell disparater Exempla äußert [7. 70 ff.; 32]: röm.-antikisierende Prostyloi und Tholoi finden seit etwa 1720 Verbreitung (Stowe, Chevening, Chiswick). Angeregt durch neue Publikationen (Colen Campbells *Vitruvius Britannicus* und Giacomo Leonis engl. Ausgabe der *Vier Bücher zur Architektur von Palladio*, beide seit 1715) und It.-Reisen, erscheinen sie meist in der Brechung der Ren. und der Architektur Palladios. In den 20er J. kommen ma.-got. Bauten auf (Burgen, Kathedralen, Tempel z. B. in Strawberry Hill, Hagley, Prior Park; vgl. auch Wörlitz). Hinzu treten seit 1725 ägypt. und ägyptisierende Elemente: Sphingen, Obelisken, Hieroglyphen und Pyramiden (Twickenham, Chiswick, Stowe). Als Folge ausgedehnter Handelskontakte und Reiseberichte bürgert sich etwa um 1740 die Chinoiserie als G.-Staffage ein (Pagoden, Brücken und Pavillons z. B. in Stowe, Twickenham und Kew); William Chambers legitimierte diese von ihm favorisierte Stilform mit ausdrücklichem Verweis auf die baulichen Reisereminiszenzen in der Villa Hadriana. Die ersten Beispiele eines Rückgriffs auf Griechenland (griech. Tempel nach Vorbild des Parthenon in Stowe, dorischer Theseustempel nach athenischem Vorbild in Hagley, Hadriansbogen, Lysikratesmonument und Turm der Winde in Shugborough, → Architekturkopie/-zitat, Abb. 8) setzen nach 1740 ein und gehen mit einer verstärkten arch. Erforschung griech. Architektur und entsprechenden Bildungsreisen einher. Auch die 1755 begonnenen Ausgrabungen in Pompeji und Herculaneum zeigen Wirkung: Die dadurch begründete Reiselit. und Publikationen machten die ant. Kunstwerke im 18. Jh. viel greifbarer als noch 100 J. zuvor und trugen dazu bei, die zuvor als homogene Einheit verstandene Welt der Ant. zu differenzieren und die verschiedenen Architekturformen in ihrer Eigenständigkeit zu werten ([22. 216 f.; 225 ff.]; vgl. Wörlitz, Sanssouci). Anstelle von Imitationen konnten als Versatzstücke auch Spolien eingesetzt werden: Der Earl of Bristol plante sogar, die Ruine des Sibyllentempels in Tivoli in seinen Landschaftspark zu

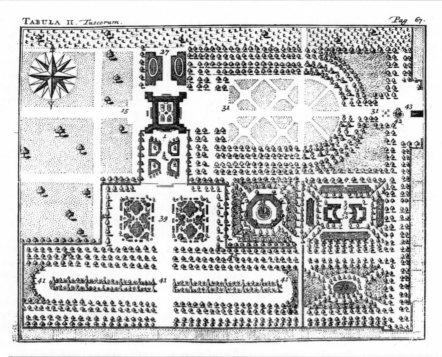

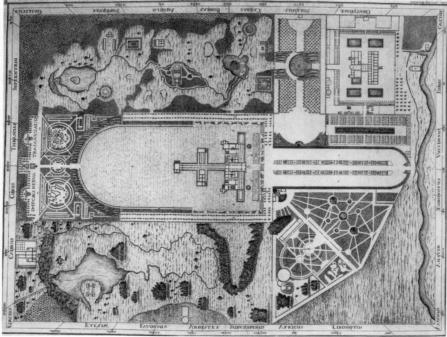

Abb. 3: Gartenrekonstruktion der plinianischen Tusci, oben im Stil des Französischen Barockgartens
(aus: J.F. Félibien, *Les Plans et les descriptions de deux des plus belles maisons de campagne de Pline
le Jeune*, 1699), unten mit formalen Anlagen in der Längsachse, unberührter Natur (*pratulum*)
im Westen und der »Nachahmung des Landes« (*imitatio ruris*) im Osten
(Tafel in R. Castell, *The Villas of the Ancients illustrated*, 1728)

versetzen. Künstliche Ruinen – als Vanitassymbol, sentimentaler Stimmungsträger oder pittoreskes Objekt [15] – finden bereits seit 1720 Verbreitung (Twickenham, Chiswick, Rousham), »echte« Ruinen wurden an histor. Gedenkstätten in die G. einbezogen.

Die Nachahmung der Ant. verfolgte auch eine ideologische Intention [7. 148 ff.]: Griechenland galt bei Shaftesbury und Thomson als Exemplum einer auf Freiheit gegr. Gesellschaft. Aus demselben Grund wurde aus der röm. Ant. primär die spätrepublikanische Epoche und die Zeit der Adoptivkaiser als Vorbilder für eine liberale Gesellschaft favorisiert (vgl. Popes Dichterparnaß mit Büsten von Marc Aurel, Cicero, Vergil und Horaz; Statuen von Caesar, Pompeius und Cicero in Chiswick; Büsten der Adoptiv-, Friedens- und Philosophenkaiser Trajan, Vespasian und Marc Aurel in Stowe). Der Gebrauch der Ant. als Medium, um eine polit. Grundeinstellung zu vergegenwärtigen und die eigene Rolle in der Gegenwart zu begründen, schlägt sich auch in der Präsentationsform und Objektwahl der Ant.-Sammlungen auf den Landsitzen nieder (Houghton Hall [27]; vgl. Wörlitz). Mittelalterliche und got. Architektur fungierten als Verweis auf eine national-patriotische Geschichte, die paritätisch neben die klass. Ant. tritt (Statue des Caractacus als Symbolfigur der britischen Unabhängigkeit in Radway; *Gothic Castle* in Cirencester, gewidmet König Artus; *Merlin's Cave* in Richmond Park, Dolmen in Park Place). Mit der Chinoiserie war unter Berufung auf die Philos. des Konfuzius eine Aufwertung Chinas im Sinne des platonischen Idealstaats verbunden (Haus des Konfuzius in Kew Gardens). Ägyptisierende Elemente wurden als Zeichen der Toleranz gegenüber den Weltrel. interpretiert; als Verweis auf geheime Weisheitslehren und Mysterien wurden sie in den Dienst der freimaurerischen Gedankenwelt gestellt.

Der Bruderschaftsgedanke der Freimaurer ging – im Verbund mit der Idee von Tugendparks als Stätten republikanischer Bildung und dem Naturideal des zum Ersatz-Hl. erhobenen Rousseau – in die Bildpropaganda der Frz. Revolution ein. Die Ant. galt dabei als Wiege republikanischer und demokratischer Ideen. Zahlreiche Wettbewerbe motivierten die Entwicklung utopischer Bauprojekte, die sich mit der Anlage republikanischer Ehrenhaine und öffentlicher Friedhöfe (»Elysien«) beschäftigten: Wie an einer *Via sacra* sollten an den Champs-Elysées allegorische Gräber für die Diener des Vaterlandes (darunter Rousseau und Voltaire) entstehen und Heldengräber nach ant. Vorbild (der Griechen, Etrusker oder alten Germanen) mit Trauerbäumen umgeben werden. Auch die Bestattungsfeiern sollten sich am ant. Zeremoniell orientieren [14. 141 ff.; 216 f.].

Unter den realisierten frz. Landschafts-G. mit Ant.-Bezug – Monceau mit got. Ruinen, Naumachie, Marstempel, Obelisk; monumentale gebrochene Säule in Désert de Retz – kommt dem P. von Ermenonville (Michel Montaigne geweihter Ruinentempel der Phi-

los. mit Ehreninschr. für große Persönlichkeiten der Aufklärung; Arkadische Gefilde mit Hütte von Philemon und Baucis) eine Vorrangstellung zu. Dort hatte Rousseau seine letzten Monate verbracht; sein mit Pappeln umstandenes Grab auf der Insel im See wurde zur Weihestätte erhoben und in vielen G. nachgebildet (Neuwaldegg, Wörlitz, Kassel-Wilhelmshöhe). Das fiktive oder reale Grab im Garten [8] – gestaltet als Trauerurne, Grabstele, Obelisk, antikisierender Sarkophag oder als Pyramidenmausoleum – steht in der doppelten Trad. des Erinnerungsgrabs geschätzter Verstorbener im »Elysischen Gefilde« (Stowe) und des Grabs im mythischen Arkadien (Grab des Daphnis als Urbild einer Naturbestattung). Im Sinne der aufklärerischen Naturfrömmigkeit wird mit dem G.-Grab der Eingang des sterblichen Leibs in den allumfassenden Kreislauf der Natur angestrebt. Illustratives Beispiel ist das durch den Totenfluß Styx begrenzte Grab der Familie Inn- und Knyphausen auf der Insel der Seligen im P. von Lütetsburg (Ostfriesland). Im Zug der Naturrel. wurden auch keltische und altgerman. Trad. wiederentdeckt – etwa in Form der Hünengräber im Natur-G. bei Helmstedt, im Wörlitzer Skaldengrab oder dem Bamberger Druidentempel. In dt. G. wird allerdings oftmals dieser aufklärerische Impuls durch die emotionale Rührung und sentimental gepflegte Einsamkeit und Melancholie des Empfindungskultes verdrängt (etwa im Seifersdorfer Tal bei Dresden; [8. 79; 82]). Einen späten Sonderfall bildet die Bestattung von Fürst Pückler-Muskau: Selbst Besucher der ägypt. Pyramiden, wurde er auf eigenen Wunsch 1871 im P. von Branitz (bei Cottbus) auf einer Insel in einer Erdpyramide bestattet, deren Anlage in einem komplexen Sinnzusammenhang steht. Am Geburtstag des Fürsten traf die Sonne die Spitze der für seine Frau errichteten Landpyramide, deren Schatten dann auf den Anlegeplatz zeigte, von dem die symbolische Überfahrt zur Toteninsel begann.

Auch in Dt. und Österreich ist in vielen G. der Einfluß der Freimaurerei nachweisbar [11. 46 ff.; 8. 86 ff.]: Der Rundtempel weist symbolisch auf den Salomonischen Tempel zurück, der allein direkt nach göttlicher Weisung erbaut wurde. 1796 entstand in Schönau der kreisrunde »Tempel der Nacht«, den man über einen verschlungenen, mit Inschr. versehenen »Initiationsweg« durch das »schaurige Dunkel« mehrerer Grotten erreicht. Teil des Vöslauer Grottenbergs bildete eine Eremitage, in der Isis- und Osirisstatuen und Hieroglyphen den Besucher nach Ägypten versetzten; zum Zweck der Ägyptisierung wurde in einer Feldsteingrotte in Flensburg sogar ein originaler phönizischer Mumiensarkophag aufgestellt. Auch die Propagierung des got. Stils kann, wie in Laxenburg bei Wien, in Zusammenhang mit dem Ritterkult und der Templeridee treten: Kerkergewölbe, gefangener Tempelritter (als Automat) und Gerichtsstube symbolisieren die Prüfung christl. Rittertugenden, wie sie im freimaurerischen Hochgradsystem *Zur strikten Observanz* gepflegt wurden.

Abb. 4: »Bagno« in
Burgsteinfurt/Westfalen
(um 1784): Ruine einer Brücke
und Diogeneshütte mit
Philosopheneremit nach Kasseler
Vorbild

Der Park von Wörlitz (seit 1764) gilt als ein sehr früher dt. Landschafts-G., der das engl. Vorbild aufgreift und kreativ weiterentwickelt. In enger Beziehung und stetigem Austausch mit Wörlitz entstand in Weimar unter Goethes Mitwirkung seit 1778 der Ilm-Park (mit Sphinxgrotte, röm. Haus und Tempelherrenhaus). Unter den Barock- und Rokoko-G., die sich engl. G.-Vorstellungen aneigneten – etwa Schwetzingen, Sanssouci, Nymphenburg – sei die Umgestaltung in Kassel-Wilhelmshöhe hervorgehoben, bei der seit 1766 in Nacheiferung der engl. Staffagenbauten ganze Szenarien entstanden: Neben das Grabmal Vergils und Homers treten die Elysischen Gefilde mit Styx und die unterirdische, von Frevlern, Totenrichtern und Unterweltsgöttern bevölkerte Plutogrotte. Im Tal der Philosophen waren in Einsiedeleien lebensgroße Statuen griech. Philosophen – inklusive Diogenes in einem Faß (Abb. 4) – zu sehen. Hinzu kam ein chinesisches Dorf; ab 1786 wurde mit der Löwenburg samt Turnierplatz ein ma. Ambiente entworfen. Unter den zahlreichen im 18. und 19. Jh. begründeten dt. Landschafts-G. [10] nimmt der Engl. G. in München (seit 1789) eine Sonderstellung ein: Als erster öffentlicher Volks-P. und Stadt-G. leitet er den Wandel der sozialen Funktion der G.-Kunst im Industriezeitalter ein.

G. Gegenwart

Bevölkerungszunahme und Wachstum der Städte führte zur Forderung nach mehr Grünflächen in der Stadt. In dem im Dienst körperlicher Betätigung (Sport und Spiel) funktionalisierten Erholungs-P. findet die Ant. kaum mehr Platz. Jedoch gibt es vereinzelt Tendenzen der Rückbesinnung: Die um 1920 von dem Pressemagnaten Randolf Hearst angelegten G. von Saint Simeon bei Los Angeles fungierten als Schauplatz festlicher Empfänge und wurden nachts durch Laternen in Form antikisierender Hermen erleuchtet. Prunkstück der Anlage ist ein riesiger Swimmingpool, der von einer Portikus und einer zweidimensionalen Tempelfassade wie von einer Filmkulisse gerahmt ist [4. 230 f.]. Lord McAlpines G. *West Green Manor* wurde seit 1973 mit

einer Reihe humoristischer Gebäude ausgestattet [5. 205 f.]: z. B. einem Triumphbogen für die erste Premierministerin oder einer Säule, deren lat. Aufschrift die Trad. der Stifterinschr. parodiert.

Wachsende Bed. gewinnt der mod. Kunst- und Skulpturen-G.: So hat Ian Hamilton Finlay als Gegenkonzept zum modernen Erholungs-P., der jeglichen polit. und philos. Inhalts beraubt scheint, seit 1966 auf seinem Landgut *Little Sparta* einen Dichter-G. in der Trad. von Pope und Shenstone entworfen [3; Bann in 24. 500 ff.; 522 ff.]: Ein ländliches Gebäude mit Portikus zit. die Hütte von Philemon und Baucis. Das goldschimmernde Dach spielt auf die Verwandlung in einen prunkvollen Tempel an (Ov. met. 8,701: ›stramina flavescunt‹). Den neoklassizistischen Ton unterstreichen die als »Tempel des Apollo« bezeichnete Kunstgalerie, ein Gedenkstein an Rousseau auf einer Insel, eine Säulentrommel und eine auf die idealistische Landschaftsmalerei anspielende Inschr. »See Poussin/Hear Lorrain«. Das Anliegen, die G.-Landschaft mit dem Ausstellungsobjekt zu einem Gesamtkunstwerk zu verbinden, kennzeichnet auch andere Projekte des Künstlers: den Vergilischen Olivenhain im Parco di Celle in Pistoia oder den hl. Hain beim Kröller-Müller-Museum in Otterlo (bei Arnheim/Niederlande, 1982), in dem Finlay mit Säulenbasen für Lycurgus, Rousseau, Michelet, Robespierre und Corot eine Heldengalerie im Stil von Stowe und Ermenonville etablierte.

Die wiss. Rekonstruktion ant. G. machte im 20. Jh. dank der Archäobotanik große Fortschritte: Basierend auf den Analysen der im Erdreich erhaltenen Samen und Baumwurzeln konnten in Kombination mit den Informationen der Wandmalereien in den letzten J. mehrere G. in Pompeji und Herculaneum nach ant. Vorbild wiederbepflanzt werden [18]. Auch die Skulpturenaufstellung wird rekonstruiert: Neben dem Peristyl-G. im Paul-Getty-Museum (Nachbildung der Pisonenvilla) seien die Funde aus dem Schiffswrack von Mahdia erwähnt [1. 60 ff.], die 1994 bei einer Ausstellung in Bonn im hypothetisch rekonstruierten Aufstellungskontext eines röm. G. präsentiert wurden.

→ Arkadismus; Barock; Bukolik/Idylle; Gotik; Klassizismus; Historienmalerei; Malibu; Parnaß; Pompeji; Renaissance; Villa

1 B. ANDREAE, Am Birnbaum. G. und P. im ant. Rom, in den Vesuvstädten und Ostia, 1996 2 M. AZZI VISENTINI, Die it. Villa. Bauten des 15. und 16. Jh., 1997 3 S. BANN, A Description of Stonypath, in: Journal of Garden History 1, 1981, 113–134 4 G. BAZIN, DuMont's Gesch. der G.-Baukunst, 1990 5 J. Brown, Kunst und Architektur engl. G. Entwürfe aus der Slg. des Royal Institute of British Architects von 1609 bis h., 1991 6 A. VON BUTTLAR, Der Landschafts-G., 1980 7 Ders., Der engl. Landsitz 1715–1760 – Symbol eines liberalen Weltentwurfs, 1982 8 Ders., Das Grab im G. Zur naturrel. Deutung eines arkadischen G.-Motivs, in: H. WUNDERLICH (Hrsg.), Landschaft und Landschaften im 18. Jh., 1995, 79–119 9 L. FARRAR, Ancient Roman Gardens, 1998 10 H. GÜNTHER (Hrsg.), G. der Goethezeit, 1993 11 G. HAJÓS, Romantische G. der Aufklärung. Engl. Landschaftskultur des 18. Jh. in und um Wien, 1989 12 V. HAMMERSCHMIDT, J. WILKE, Die Entdeckung der Landschaft. Engl. G. des 18. Jh., 1990 13 W. HANSMANN, G.-Kunst der Ren. und des Barock, 1983 14 H. C. und E. HARTEN, Die Versöhnung mit der Natur. G., Freiheitsbäume, republikanische Wälder, hl. Berge und Tugendparks in der frz. Revolution, 1989 15 G. HARTMANN, Die Ruine im Landschafts-G. Ihre Bed. für den frühen Historismus und die Landschaftsmalerei der Romantik, 1981 16 C. HÄUBER, ›... endlich lebe ich wie ein Mensch.‹ Zu domus, horti und villae in Rom, in: G. HELLENKEMPER SALIES, G. BAUCHHENSS (Hrsg.), Das Wrack. Der ant. Schiffsfund von Mahdia 1994, 911–926 17 D. HENNEBO, A. HOFFMANN, Gesch. der Dt. G.-Kunst, 3 Bde., 1962–1965 18 W. F. JASHEMSKI, The Gardens of Pompeii, Herculaneum and the villas destroyed by Vesuvius, 2 Bde., 1979/1993 19 H. KERN, Labyrinthe. Erscheinungsformen und Deutungen, ²1983 20 U. KLOSTERMANN, G. OESTERLE, H. TAUSCH, Vom sentimentalen zum romantischen Dörfle. Der G. von Hohenheim als Modell divergierender Erinnerungskonzepte bei Hirschfeld, Rapp und Schiller, in: W. MARTINI (Hrsg.), Architektur und Erinnerung, 2000, 129–158 21 E. KLUCKERT, G.-Kunst in Europa. Von der Ant. bis zur Gegenwart, 2000 22 I. LAUTERBACH, Der frz. G. am E. des Ancièn Régime, 1987 23 E. B. MACDOUGALL, Fountains, Statues, and Flowers. Studies in Italian Gardens of the Sixteenth and Seventeenth Centuries, 1994 24 M. MOSSER, G. TEYSSOT, The History of Garden Design. The Western Tradition from the Renaissance to the Present Day, 1991 25 M. NIEDERMEIER, Erotik in der G.-Kunst. Eine Kulturgesch. der Liebes-G., 1995 26 C. OPSOMER-HALLEUX, The Medieval Garden and its role in medicine, in: E. B. MACDOUGALL (Hrsg.), Medieval Gardens, 1986, 95–113 27 J. RAEDER, The Experience of the Past. Zur Vergegenwärtigung der Ant. im engl. Landsitz des 18. Jh. als histor. Erfahrungsraum, in: D. BOSCHUNG, H. v. HESBERG (Hrsg.), Ant.-Slgg. des europ. Adels im 18. Jh., 2000, 99–109 28 P. DE LA RUFINIÈRE DU PREY, The Villas of Pliny from Antiquity to Posterity, 1994 29 A. SCHREURS, Herkules verachtet die einstigen G. der Hesperiden im Vergleich mit Tibur. Die Villa d'Este in Tivoli und die memoria dell'antico, in: W. MARTINI (Hrsg.), Architektur und Erinnerung, 2000, 107–127 30 A. SCHÜRMANN, Ant.

Pneumatik – eine für das Leben nützliche Wiss.?, in: K. DÖRING, G. WÖHRLE (Hrsg.), Ant. Naturwiss. und ihre Rezeption, Bd. I-II, 1992, 86–114 31 W. SONNE, Hell. Herrschaftsg., in: W. HÖPFNER, G. BRANDS (Hrsg.), Basileia. Die Paläste der hell. Könige, 1996, 136–143 32 C. THACKER, The Role of the Antique in the Landscape Garden, in: H. WUNDERLICH (Hrsg.), Landschaft und Landschaften im 18. Jh., 1995, 67–78 33 C. A. WIMMER, Gesch. der G.-Theorie, 1989.

ULRIKE EGELHAAF-GAISER

II. GARTENANLAGEN IN POTSDAM

In den Potsdamer G. reicht der Antikebezug in den verschiedenen Garten- und Schloßsegmenten von der Dekoration und Ausstattung mittels echter Antiken, antikisierender Figuren oder ant. Bildthemen über die Adaption ant. Kultur- und Bildelemente als Gestaltungsnorm bis hin zur Chiffrierung von Wert- und Lebensvorstellungen.

Mit Friedrich II. begann eine intensive Antikerezeption, als er auf einem Areal von 280 ha ab 1744 in mehreren Abschnitten seinen Lustgarten Sanssouci anlegen ließ. Sein Nachfolger Friedrich Wilhelm II. nahm erste große Veränderungen durch die teilweise Auflösung des strengen Rokokogartenprinzips zugunsten des Landschaftsgartens vor, wobei er bewußt Antikebezüge zerstörte oder vergröberte. 1787–1791 schuf er am Heiligen See mit dem Neuen Garten einen eigenen Garten, in dem er auch Spolien aus Sanssouci verwendete (Abbruch der Marmorkolonade Abb. 1,11). Die Ant. paßte er in ein freimaurerisches Gartenideal ein und nutzte sie symbolhaft ekklektisch. Eine als ant. Ruine (Mars Ultor Tempel) getarnte Küche trat u. a. neben zahlreiche ägypt. Bezüge (Isisheiligtum, Pyramide).

In den 20er und 30er J. des 19. Jh. wandte Friedrich Wilhelm IV. sich, getragen von seiner Begeisterung für Friedrich II., erneut Sanssouci zu und legte um das Schloß Charlottenhof (Abb. 1,12–14) eine neue P.-Anlage als Landschaftsgarten an, die der Verwirklichung einer eigenen klassizistisch geprägten Antikekonzeption diente. Seine im Gottesgnadentum wurzelnde romantische Herrschaftsauffassung fand in den 40er J. ihre bauliche Umsetzung im Marlygarten mit dem Friedenskirchenbereich (Abb. 1,15), der zahlreiche byz. und frühchristl. Bezüge aufweist [8;10].

Zwischen 1851–1857 kam mit der Orangerie (Abb. 1,16) ein an it. Renaissancevillen orientierter repräsentativer Baukomplex hinzu, der eine umfangreiche antikisierende Statuenausstattung erhielt und urspr. als Höhepunkt einer ant. Triumphstraße konzipiert war, die ihren Ausgangspunkt vom Triumphtor auf der Ostseite des P. (Abb. 1,18) nehmen sollte und damit parallelisiert wurde zur theatralisch gestalteten Enfilade der Hauptallee. Die urspr. Thusneldastatue vor dem Westflügel der Orangerie stellte die gedachte Verbindung zum Ensemble Charlottenhof her, wo Germanicus auf der Insel des Maschinenteichs (Abb. 1,20) aufgestellt war. Wilhelm II. schuf zw. 1905 und 1913 mit Prinzentreppe und Jubiläumsterrasse (Abb. 1,18–19) eine nur noch formal

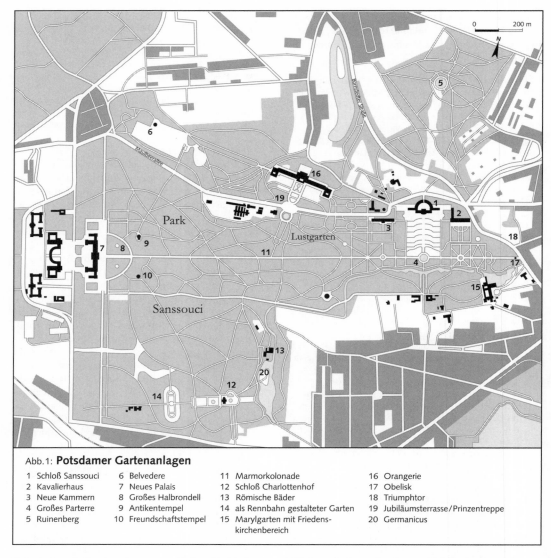

Abb.1: Potsdamer Gartenanlagen

1 Schloß Sanssouci	6 Belvedere	11 Marmorkolonade	16 Orangerie
2 Kavalierhaus	7 Neues Palais	12 Schloß Charlottenhof	17 Obelisk
3 Neue Kammern	8 Großes Halbrondell	13 Römische Bäder	18 Triumphtor
4 Großes Parterre	9 Antikentempel	14 als Rennbahn gestalteter Garten	19 Jubiläumsterrasse/Prinzentreppe
5 Ruinenberg	10 Freundschaftstempel	15 Marylgarten mit Friedens- kirchenbereich	20 Germanicus

ästhetisch auf die Ant. bezogene direkte Verbindung beider Bereiche.

Der entscheidende Unterschied zw. Friedrich II. und Friedrich Wilhelm IV. war, daß dem Jüngeren die Ant. zwar als Sehnsuchtslandschaft vor Augen stand, jedoch als Abbild einer endgültig vergangenen Epoche galt. Diese histor. Annäherung war dem Antikeverständnis Friedrichs II. fremd. Trotz ihrer Vergangenheit wurde die Ant. kaum als fremde Welt begriffen, sondern stand als Arsenal der ethischen wie polit. Orientierung zur Verfügung.

Thematisch nehmen die Schlösser Sanssouci und Charlottenhof beide Bezug auf das röm. Villenideal als *locus amoenus*. Doch während die Adaption der friderizianischen Anlage frei mit dem lit. Motiv spielt, fühlt sich die Konzeption des 19. Jh. an die reale Hinterlassenschaft der Ant. gebunden, ja strebt gerade nach ihrer

Wiederaufnahme durch sorgfältiges Studium der inzwischen zu Tage getretenen Villen am Golf von Neapel und die systematische Auswertung der beiden Villenbriefe des Plinius (II 17; V 6), so daß eine adaptierte röm. Villa entstand. Leitmotivisch werden die architektonischen Details der Pliniusvillen umgesetzt und die Ausstattung an den Funden der sog. Villa des Cicero in Pompeji oder der Villa dei Papirii bei Herculaneum orientiert. Literarische Beschreibungen der röm. Stadtpaläste werden architektonisch zitiert bzw. von den Architekten K. F. Schinkel und L. Persius in gänzlich neue Formen gegossen.

Zusammen mit den röm. Bädern stellt das Ensemble Charlottenhof eine komplexe Motivsammlung auf verschiedenen Ebenen dar. Ein Höhepunkt war wie in Plinius' Tusculanum das Hippodrom, ein als Rennbahn gestalteter Garten (Abb. 1,14), der im Gegensatz zum

Abb. 2: Große Laube beim Gärtnerhaus der Römischen Bäder (1858). Perspektivischer Stich von K. Fr. Schinkel

ant. Vorbild mit sorgfältig gestutzten Baumreihen umpflanzt war, die durch ihre unterschiedliche Wachstumshöhe den Eindruck von Sitzreihen im Circus erwecken sollten. Dieses topiarische Kunstwerk des Gartenarchitekten J. P. Lenné war nur von kurzer Dauer. Die röm. Bäder (Abb. 1,13), die der Italiensehnsucht Ausdruck verleihen, sind ihrerseits selbst eine Spoliensammlung durch die Symbiose von architektonischen Thermen- und Villenelementen. Dazu gehören ferner echte *spolia* zu Dekorationszwecken (Abb. 2), wie ein zum Brunnenbecken umgestalteter Kentaurensarkophag im Eingangsbereich, sowie künstliche *spolia* in Form von Kopien bekannter Funde (Tanzender Faun und Alexandermosaik der Casa del Fauno in Pompeji). Das Biclinium, der Sitzplatz im Freien, macht eindeutig Anleihen beim berühmten Gartentriclinium der Casa di Sallustio in Pompeji (Abb. 2). Eine große Zahl von Originalen wie Kopien exklusiver Großplastiken überall in den im 19. Jh. gestalteten P.-Teilen sind in diesem Zusammenhang als eine Art Bildungsangebot zu verstehen. Zu ersteren zählt der Meleager (Berlin, PM: Inv. Nr. SK 215), zu letzteren die Jägerin Artemis (Paris, LV: Inv. Nr. MA 589) und die Ildefonsogruppe aus dem Prado (Madrid, PR: Inv. Nr. 28–E).

Schloß Sanssouci (Abb. 1,1), das auf einem terrassierten Weinberg angelegt ist, nimmt ebenfalls eine Vielzahl ant. Gartenmotive auf, die dem Arsenal des *locus amoenus* zuzuordnen sind, dessen Idee Friedrich II. im Werk von Horaz und Vergil rezipierte. Vorrangig sind die bacchantischen Elemente zu nennen. Bereits in seiner Kronprinzenzeit in Neuruppin beschäftigte sich Friedrich II. mit der Gärtnerei, wo er seinen Garten Amalthea anlegte, wie der gleichnamige Garten des Atticus in Epirus (Cic. leg. 2,3,7; Att. 1,16,15.18). In Sanssouci erfolgte zunächst die Anlage des Weinberggartens mit der Gruft des Königs im Osten, erst knapp ein Jahr später der Schloßbau, der typologisch den Bacchustempel von Rheinsberg (Remusburg) [2] aufnimmt. Damit steht das Schloß, das formal einen Orangeriebau rezipiert [13], auch in der Trad., Tempelbauten als Gartenausstattung zu benutzen, die schon im Apollontempel von

Neuruppin (1735) präsent war [12], der in Sanssouci im Freundschaftstempel (1770; Abb. 1,10) wieder aufgenommen wurde.

Neben dem Blumengarten fand der ebenfalls zum Topos des *locus amoenus* gehörende Obst- und Nutzgarten auch in Sanssouci seinen Platz auf den Terrassen sowie vor den späteren Neuen Kammern [7]. Teils aus exotischen Früchten bestehend verband sich hier das Zeichen arkadisch/paradiesischer Fülle mit dem praktischen Sinn des Königs für Ökonomie. Daneben sollte die im Garten erzeugte Lebensfreude eine gleichzeitige Todesnähe noch gesteigert werden. Horaz, der zu den frühen Lieblingsautoren Friedrichs II. gehörte, steckte wie kein anderer dieses Spannungsfeld zw. Lebensfreude (Hor. carm. 2,3) und Vergänglichkeitsgedanken (Hor. carm. 1,11) in seinen Gartendarstellungen ab. Die Todesbezüge in Sanssouci lassen sich nicht allein auf die auffällige Sichtachse von der Bibl. zur Gruft [3] reduzieren. Die Flora über dem Grab ist das Symbol für Gedeihen und Vergehen, und steht in Sichtbezug zur Selbstmord verübenden Kleopatra im Westen, die eine Chiffre für den würdigen Herrschertod darstellt. Die Bibl. wiederum hat ihre zweite Achse auf den »Betenden Knaben« ausgerichtet: ›Antinous, in der Stellung, wie er sich, einem zur Genesung des (H)adrian gethanen Gelübde zufolge, in den Nilfluß stürzen will‹ [14]. Der jugendliche Gefährte Hadrians verkörpert nachdrücklich den vorzeitigen Tod. Der Freundschaftstempel (Abb. 1,10) gehört in den gleichen Themenkreis, denn Friedrich II. bekennt, diesen Tempel als Pendant zum Gartengrabtempel von Ciceros Tochter Tullia [Cic. Att. 12,19,1; 13,29,1] für seine verstorbene Schwester Wilhelmine errichtet zu haben [15]. Letztlich mahnt auch das Prospekt des Ruinenberges (Abb. 1,5) mit seinen stadt-röm. Architekturzitaten die Vergänglichkeit des Seins an. Diese Dualität des Gartens wird noch durch eine Polarisierung [6] von Ost- und Westseite, in Frieden und Krieg (Götter des Großen Parterre), in Muße (Bibl.) und Arbeit (Remise/Mühle), in Tag (Sonne) und Nacht (Mond), in Leben (Flora) und Tod (Kleopatra) gesteigert.

Der König nahm selbst Anteil an der Aufstellung der Skulpturen [9], die Gegensätze zw. Innen- und Außenanlagen am Weinbergschloß aufweisen. Die Innenräume instrumentieren die Wertschätzung ant. Philos. und Bildung, aber auch die pure Sinnenfreude. Im privaten Bereich der Räume dominiert ein von der frz. Aufklärung geprägtes Griechenlandideal, das Athen zum Hort der Künste stilisiert. Lediglich im Vestibül wird eine staatsmännische Deutung zugelassen, die eine Allegorie des guten Königs als Schützer von Handel und Gewerbe (Mercur mit dem Beutel – von Friedrich Wilhelm II. durch Traian ersetzt) sowie als Kriegsherr, der den Frieden bringt (Mars ruht sich aus), präsentiert. Bacchische Supraporten weisen bereits den Weg in die Festlandschaft des Königs, die keine imperialen Bildmotive duldet. In der Außenanlage dagegen – etwa im Eingangsbereich am Obelisken (Abb. 1,17) oder vor den Laubengängen und in den Exedren auf der großen Terrasse – trat eine röm.-monarchische Selbstdarstellung in den Vordergrund, freilich stets gebrochen durch das Apollobild des Gartens, das sich nicht der absolutistischen Sonnenkönig-/-gottikonographie bedient, sondern Apollo als Musenherrscher abbildet. Demgegenüber entfaltet sich am E. des Siebenjährigen Krieges am Neuen Palais (Abb. 1,7) und in seiner unmittelbaren Umgebung eine imperiale Siegesideologie. So wird das mit 14 hochwertigen ant. Statuen bestückte große Halbrondell (Abb. 1,8) an der Ostseite des neuen Schlosses zum Symbol für die Ordnung schaffende Ant. gegen die dahinterliegende unbändige Natur des Rehgartens. Auch in den Kabinetten des Schlosses ist Griechenland zurückgetreten, stattdessen sind Caesar und Cicero eingezogen. Der Wandel von gräzisierenden Identifikationsmustern zu einer Romorientierung wird um 1770 in der letzten Phase im Jaspissaal der Neuen Kammern (Abb. 1,3), dessen Gestaltung erneut an die ältere Phase anknüpft, wieder zurückgenommen.

Der Umgang mit ant. Architekturmotiven verläuft am Weinbergschloß ebenso wie an andern Gartenbauten der friderizianischen Zeit ausgesprochen assoziativ.

Das dominierende Pantheonmotiv, das im ovalen Marmorspeisesaal des Schlosses aufgenommen ist, nimmt formal-ästhetisch bewußt auf das Innere des röm. Pantheon Bezug. Inhaltlich wird der Gedanke eines alle Götter umfassenden Baus im friderizianischen Kontext sonst auf den Gedanken rel. Toleranz [1] übertragen. Im Speisesaal steht er für die Aufhebung der weltlichen Ordnung im Angesicht von Künsten und Wiss., als Ort intellektuellen Diskurses frei von der Hofetikette [1. 237]. Der Gedanke allumfassender Ordnung wiederholt sich dagegen am Großen Parterre (Abb. 1,4), wo das röm. Götterpantheon zusammen mit den vier Elementen in einer »Rotunde« aufgereiht wird [16]. Im Antikentempel (Abb. 1,9) des P., der formal ebenfalls dem röm. Pantheon verbunden ist, fließen verschiedene Rezeptionsstränge zusammen, u. a. die Idee vom Pantheon als idealer Ort zur Aufbewahrung von Statuen (wieder aufgenommen in Wörlitz), die über die palladianische Pantheonrezeption von England (Stourhead) nach Potsdam führt [9].

Am Belvedere (Abb. 3), dem letzten Bau des Königs, wurde wiederum das *macellum Neronis* auf dem Caelius nach einem Dupondius (BMCRE 196; 336) abgebildet, der auch im königlichen Münzkabinett vorhanden war (Staatliche Museen zu Berlin Preußischer Kulturbesitz: Inv. Nr. 146–11873). Dem Bau lag jedoch die Interpretation F. Bianchinis in seinem Werk *Del Palazzo de' Cesari* (1738) zugrunde, der das Gebäude als Teil des Eingangsbereichs der neronischen Palastanlage gedeutet hatte. Zwar wird das *macellum* in Sanssouci aus dem architektonischen Rekonstruktionskontext Bianchinis gelöst, übernimmt aber dennoch die Funktion eines herrscherlichen Eingangsportals. Am Osteingang des P. kommt einem mit Phantasiehieroglyphen versehenen Obelisken (Abb.1,17) dieselbe Funktion zu.

Ein weiteres wichtiges Feld der Antikerezeption lag in ausgeprägter Sammlertätigkeit, wobei Friedrich II. eindeutig Skulpturen bevorzugte, die seine Schlösser und Gärten schmücken sollten. Innerhalb kürzester Zeit brachte er eine Sammlung von europ. Rang zustande

Abb. 3: Das Belvedere
auf dem Klausberg (um 1776)

[4]. Dabei erwarb er mehrere größere Sammlungen – zum Teil zu völlig überhöhten Preisen – um als Ausdruck seiner Herrscherwürde möglichst rasch zu einer quantitativ umfassenden eigenen zu kommen. Zu den bedeutendsten Ankäufen Friedrichs, der stets auf den Kunstmarkt angewiesen blieb, zählte 1747 der Erwerb des erwähnten *Betenden Knaben*. Auch bei diesem Ankauf einer bedeutenden hell. Bronzeplastik dürfte die wechselvolle Sammlungsgeschichte des Objekts ausschlaggebend gewesen sein.

Ein beträchtlicher Teil der Antiken fand Aufnahme in dem 1770 fertiggestellten Antikentempel im Park. Er ist als frühester eigenständiger Museumsbau für arch. Objekte in Deutschland zu sehen. Neben Büsten und Statuen enthielt er zahlreiche Kleinbronzen sowie die Münz- und Gemmensammlung. Im Zentrum befand sich die sog. Gruppe *Achill unter den Töchtern des Lycomedes*, die als äußerst bedeutend galt, jedoch lediglich eine Reihe von Musendarstellungen unter diesem Thema systematisierte [5]. Die Statuen- und Büstensammlung war in Verbindung mit einer staatsideologischen Komponente thematisch aufgestellt, ohne Winckelmanns Periodisierung der Kunst zu rezipieren. Die Münzsammlung hingegen war chronologisch wie geogr. aufgebaut. Einzelne Figuren der Sammlung, insbes. die friderizianischen Musen, wurden wiederholt innerhalb des P. durch die Ausstattung Friedrich Wilhelms IV. rezipiert, aber sie fanden auch außerhalb, wie bereits in der Dekoration des Palais Lichtenau (1796–7), Verwendung. Diese Praxis der Selbstrezeption verdeutlicht die starke geschmacksbildende Wirkung des Parks. Insbesondere der *Betende Knabe* wurde im Zuge der Friedrichverehrung vom Bürgertum des 19. Jh. verkitscht und erst kürzlich von der Forsch. wiederentdeckt [11].

QU **1** H.-J. GIERSBERG, Friedrich als Bauherr: Studien zur Architektur des 18. Jh. in Berlin und Potsdam, 1986, 235 ff. **2** Ders., Der Bacchustempel im Rheinsberger Garten, in: Georg Wenzeslaus von Knobelsdorff. 1699–1753 (Ausstellungskat.), 1999, 143–149 **3** Ders., R.-H. KRÜGER, Die Ruhestätte Friedrichs d. Gr. zu Sanssouci, ²1991 **4** G. HERES, Anf. der Berliner Antiken-Slg. Zur Gesch. des Antikenkabinetts 1640–1830, Forsch. und Berichte 18, 1977, 93–130, 106 ff. **5** H. und G. HERES, Achill unter den Töchtern des Lykomedes, in: Forsch. und Berichte 20/21, 1980 **6** S. HÜNEKE, Potsdam – Sanssouci. Bildwerke im P., 1993, 8–11 **7** D. KARG, Die Entwicklungsgesch. der Terrassenanlage und des Parterres vor dem Schloß Sanssouci, Stiftung Preußische Schlösser und Gärten Berlin-Brandenburg, 1994 **8** D. KLEIN, Die Friedenskirche in Potsdam (1845–1848). Zur Rezeption frühchristl. Architektur unter König Friedrich Wilhelm IV. von Preußen, unpubl. Magisterarbeit (Marburg) 1995 **9** D. KREIKENBOM, Die Aufstellung ant. Skupturen in Potsdam-Sanssouci unter Friedrich II. in: M. KUNZE (Hrsg.), Wilhelmine und Friedrich II. und die Antiken, 1998 (Schriften der Winckelmann-Ges. 15), 43–98, 75 f. **10** J. KRÜGER, Rom und Jerusalem. Kirchenbauvorstellungen der Hohenzollern im 19. Jh., 1995, 132–152 **11** J. KUHN, Der Betende Knabe von Sanssouci. Die Rezeptionsgesch. vom 18. Jh. bis h., in:

G. ZIMMER, G.-N. HACKLÄNDER (Hrsg.), Der Betende Knabe. Original und Experiment, 1997, 35–49 **12** M. KÜHN, Die Gärten Friedrichs d. Gr., in: Brandenburgische Jbb. 14/15, 1939, 33–67, 33 **13** H.-J. KUNST, Die eleusische Felder, in: Berlin – Potsdam. Kunstlandschaft – Landeskultur – Bewahrung der Umwelt. Symposion Potsdam 1993, 1994, 39–54, 43 f. **14** M. OESTERREICH, Beschreibung und Erklärung der Gruppen, Statuen ..., Berlin 1775 (Ndr. 1990), 21 **15** G.B VOLZ, Das Sanssouci Friedrichs d. Gr., 1926, 82 **16** G.-H. ZUCHOLD, Friedrich d. Gr. und die Götter der Ant., Berlin in Gesch. und Gegenwart, 1987, 37–50

LIT **1** GENERALDIREKTION DER STIFTUNG SCHLÖSSER UND GÄRTEN (Hrsg.), Potsdamer Schlösser und Gärten. Bau- und Gartenkunst vom 17. bis 20. Jh., Ausstellungskat. 1993 **2** D. GESSNER, H. RÖHM (Hrsg.) Schlösser und Gärten in Potsdam und Umgebung, 1998 **3** H. HOFFMANN, S. HÜNEKE, Bauten und Plastiken im P. von Sanssouci, 1987 **4** M. KÜHN, Zum Antikenverständnis am Berliner Hof von Kurfürst Joachim II. bis zu König Friedrich d. Gr., in: W. ARENHÖVEL (Hrsg.), Berlin und die Ant., 2 Bde., 1979, 23–42 **5** K. PARLASCA, Die Potsdamer Antikensammlung im 18. Jh., in: H. BECK, P. C. BOL, W. PRINZ, H.v. STEUBEN (Hrsg.), Antikenslgg. im 18. Jh., 1981, 211–229.

CHRISTIANE KUNST

III. PARK VON STOWE
A. ORT B. BEDEUTUNG C. GESCHICHTE
D. DEUTUNG

A. ORT

Stowe (S.), im nördl. Teil von Buckinghamshire in England gelegen. Der Name ist angeblich vom altsächsischen Wort *stow* (*place*) abgeleitet [1. 129; 2. 57].

B. BEDEUTUNG

Der Garten von S. (Abb. 1) war im 18. Jh. der größte, berühmteste und einflußreichste Landschaftsgarten. Stowe beeinflußte aber nicht nur die Gartenentwicklung im engl. Königreich, sondern auch auf dem europ. Kontinent.

C. GESCHICHTE

Seit 1593 im Besitz der Familie Temple, einer der bedeutendsten Familien Englands, die im 18. Jh. drei Premierminister hervorbrachte, prägte und veranschaulichte der Garten in vier Besitzergenerationen (Sir Richard Temple, 1634–1697; Richard Temple Viscount Cobham, 1675–1749; Richard Grenville, Earl Temple, 1711–1779; George Grenville, 1st Marquis of Buckingham, 1753–1813) alle Stufen der sog. »Gartenrevolution« weg vom formalen (»frz.«) hin zum landschaftlichen (»engl.«) Garten. Besonders der zweite Besitzer, Lord Cobham, schuf in S. im Sinne eines an die Ant. anknüpfenden Wiedererstehens des Augusteischen Zeitalters im Georgianischen England das Muster des ornamentalen landschaftlichen (»natural«) Gartens. Mit Hilfe seines Gartengestalters Charles Bridgeman und seines Architekten Vanbrugh ließ Cobham 1715–1726 zunächst einen elf Hektar großen, zwar noch formalen, aber vom Grundmuster schon irregulären Garten anlegen, der durch eine optisch verborgen gehaltene Grenze

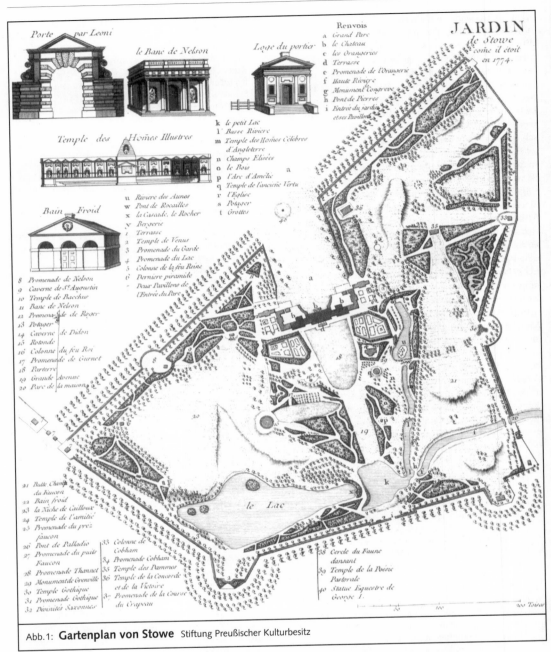

Abb. 1: Gartenplan von Stowe Stiftung Preußischer Kulturbesitz

(das sog. »ha-ha«) in die umliegende Landschaft ausgriff, so daß der Garten nur den Kern einer größeren Kulturlandschaft bildete. Der Garten hatte urspr. die Form eines Pentagramms, die Eckpunkte waren in der Grundform von Hannoveraner Bastionen projektiert worden, ein oktogonaler Teich im nördl. Teil dominierte die Anlage. S. wurde danach in verschiedenen Phasen weiter entwickelt und erheblich erweitert. Vanbrugh errichtete eine große Anzahl von Bauwerken, in denen sich das Motto der Temple-Familie spiegelte: ›Templa

quam dilecta‹; Bridgeman implantierte ab 1727 halbnatürliche Landschaftsbilder in das geom. Grundmuster. Ab 1726 wirkten William Kent und James Gibbs bei den Erweiterungen des Gartens mit. 1733–1739 wurden von William Kent die »Elysischen Felder« im Südosten des Gartens angelegt. Nun ergänzte man die Idee der »beautiful nature« durch ein polit. Programm: Das histor. England wurde genealogisch mit der Ant. verbunden und in Beziehung zur aktuellen Politik der engl. Weltmacht gesetzt. Von 1739–1749 wurde *Hawkwell*

Field als eine »ferme ornée« angelegt, die Anlagen insgesamt »landschaftlich« überformt. 1741 berief Cobham Lancelot »Capability« Brown zum Chefgärtner; dieser prägte in den folgenden Jahrzehnten die Gartenkunst Europas. 1743–1749 fügte man den Anlagen im Nordosten das »Griech. Tal« hinzu.

D. Deutung

Cobham spiegelte im Garten seine eigenen polit., weltanschaulichen Überzeugungen und antiquarischen Interpretationen, schuf in einem Mikrokosmos seinen Idealentwurf eines »promised land«, wodurch er eine große Breitenwirkung erzielte. General unter Marlborough im Span. Erbfolgekrieg, war Cobham von den Tories 1713 entlassen, vom Hannoveraner Georg I. jedoch in seinen Militärrang wieder eingesetzt worden. Dem König verdankte er auch die Erhebung zum Baron und 1719 zum Viscount (Denkmal Georgs I. vor S. House). Cobham verbündete sich jedoch in den 1720er J. mit dem freidenkerischen Hof des Prinzen und der Prinzessin von Wales in Richmond (Denkmale des Prinzen of Wales und seiner Frau Caroline von Ansbach). Als sich das neue Königspaar ganz hinter ihren Favoriten Robert Walpole und dessen Außen- und Innenpolitik stellte, verlor Cobham seine Positionen und zog sich 1733 auf seinen Landsitz zurück. Von nun an orientierte er sein polit. Programm ganz auf den kommenden König, Frederick, Prince of Wales, und dessen Gattin Augusta von Sachsen-Gotha-Altenburg.

Den Weg des jeweils künftigen engl. Königspaares und seinen eigenen Aufstieg zur Macht allegorisierend, entwarf er in seinem Garten zunächst das schon in spätbarocken fürstlichen Gartenanlagen (Vaux-le-Vicomte, Wiener Belvedere, Kassel-Wilhelmshöhe) wiederholt verwendete Bildprogramm des Herkules am Scheidewege [10; 22]. Die Erzählung des Prodikus, von Xenophon überliefert (*Apomnemoneumata* 2,1,21 ff.), die sich bes. seit dem Human. großer Beliebtheit erfreute, verband Herkules' Tapferkeit und Stärke mit der mod. Willensfreiheit, die Tugend und Herrscherpflichten über die Versuchungen des Lasters und der Wollust zu stellen, um den Weg zur Glückseligkeit zu finden. Von einer (oft höfisch charakterisierten) verführerischen Schönen (Voluptas; auch Venus) gelockt und einer tugendhaften Frau (Virtus, auch Minerva) ermahnt, soll Herkules den Weg zw. zwei Berglandschaften wählen, wobei sich der höhere, unzugänglichere Berg mit dem Tempel der Glückseligkeit als der wahre Weg für den tugendhaften Herrscher erweist. Die Prodikus-Fabel, die in England etwa durch Shaftesbury oder durch Händels Oper (mit Text von Spenser) bekannt war, eignete sich mit ihrem das Heidnisch-Heroische überlagernden ethisch-pädagogischen Grundmuster ausgezeichnet für eine Art → Fürstenspiegel. Die Römer-Tugend kulminierte in S. in verschiedenen Bauwerken: u. a. *Temple of the Ancient Virtue* (philos. Weisheit und staatsmännische Tugenden: Epaminondas, Lykurg, Sokrates, Homer), *Egyptian Pyramid*, später: *The Imperial Closet* (Trajan, Titus, Marc Aurel), *Temple of Concord and Victory*. Als Ge-

genpart zum Tempel der ant. Tugenden, hier Joseph Addisons Essay im *Tatler* folgend [8], fungiert der als Ruine errichtete *Temple of the Modern Virtue* als Stätte der Heuchler und der korrupten Politiker (Premierminister Robert Walpole). Die als ideal gedachte Vergangenheit sollte einer dekadenten Gegenwart mit dem Ziel gegenübergestellt werden, allen Oppositionellen die Vorstellungen nahe zu bringen, die einer glanzvollen Zukunft als Vorbild dienen könnten. In der Gartenstruktur klang die pythagoräische Y-Figur der beiden Entscheidungswege an: Statuen von Herkules und Antaeus; Herkules und Cacus; Herkules und die Schlange als Weg des Kampfes einerseits und der Weg der sinnlichen Liebe andererseits (z. B. Venus-Monopteros, *Lake Pavillions*, *The Randibus*, *Dido's Cave*, *St. Augustine's Cave*, *Temple of Bacchus*, *Lady's Temple*), wobei die Liebe, verschiedenen lit. Quellen folgend (z. B. Guarinis *Il Pastor Fido*, Vergils *Aeneis*), oft als Verführung aufschien, und auch ironische und frivole Spitzen gegen den katholischen Zölibat eingestreut wurden. Später wurde, angeregt von Spensers *Fairie Queene*, am Südende des Gartens im Stil eines röm. Bades der *Temple of Venus* (um 1735) für die Gartengöttin (*Veneri Hortensi*) gestaltet. Büsten in Nischen zeigten Nero, Cleopatra, Vespasian und Faustina, im Inneren waren galante Wandgemälde mit Liebesabenteuern u. a. der schönen Helena dargestellt. Hier konnte schließlich auch die Liebe Erfüllung finden. Doch die Venus galt insgesamt nicht nur als die Göttin der Liebe oder als Allmutter der Natur, sondern seit dem Human. auch als Stammutter Englands. Und da die alten »Briten« und »Gauls« die Göttervorstellungen von den Griechen übernommen haben sollen, wurde somit eine Identität angenommen; auch hätten den Römern die britischen Inseln als das wirkliche Elysium gegolten [5. 2–6, 125–138], was den Gartenbildern eine tiefere »histor.« Bed. verlieh.

Die Herkules-Fabel verband sich auch mit den seit dem Human. in England populären fiktiven Genealogien, die ihrerseits auf das Bildprogramm von S. wirkten. Auch in England leiteten sich die aristokratischen Familien genealogisch vorzugsweise von den Trojanern ab, die ihrerseits das röm. Reich begründet haben sollen, so daß hier eine Kette der ant. Großreiche mit der eigenen Landesgeschichte konstruiert werden konnte. Demnach war die Göttin Venus, die Mutter des Aeneas und Großmutter des Ascanius, die Stammesmutter der Iulischen Kaiser, über Silvius und Brutus auch direkt mit den britischen Königen verwandt [5. 400–424]. Vergils *Aeneis* wurde verschiedentlich im Gartenprogramm zitiert, etwa in *Dido's Cave* (Aen. 4), wo auf die Entscheidung zw. Liebe und der Pflicht, in Rom ein neues Weltreich zu errichten, angespielt wird. Vergils *Aeneis* verwob sich mit und schob sich dann in der späteren Phase der Gartengestaltung deutlicher vor den Herkules-Mythos.

Der *Temple of the British Worthies* (1735) in den »Elysischen Feldern« spiegelte das Elysium aus Aen. 6,633–901 wider, in der ruhmreiche röm. Herrscher bis zu Au-

gustus ihren Ehrenplatz haben. Eine Exedra mit Büsten
engl. Könige und Prinzen, aber auch anderer Künstler,
Dichter und sogar patriotischer Handelsherren sollte
v. a. den berühmtesten Besucher, Frederick, den Prinzen von Wales, auf den Sachsenkönig Alfred d. Gr. sowie andere große engl. Helden verweisen, die allesamt
als Verteidiger der engl. Freiheit angesehen wurden [10].
Mit der Aufnahme der altsächsischen bzw. »got.« Motive (*Gothic Temple, Saxon Deities* u. a.) nahm Cobham
schließlich Bezug auf die sächsische Genealogie der
Hannoveraner, er selbst leitete sich (fiktiv) von den altsächsischen Grafen von Mercia her, er verknüpfte somit
die Ant. mit dem »got.« Zeitalter. Der *Temple of the British Worthies* in den »Elysischen Feldern« war in der Mitte
mit dem Kopf eines Merkur in einer Stufenpyramide
gekrönt, der als Führer die Helden der Vergangenheit
ins Elysium geleitete: ›(. . .) Campos Ducit ad Elysios‹.
Für Freimaurer wie Cobham galt dieser ägypt. Merkur,
auf dessen Herkunft die Pyramide deutet, als erster Lehrer der Ägypter. Auch betrachteten die Freimaurer den
Merkur als Hermes/Anubis, d. h. als Führer in die Unterwelt. Sehr wahrscheinlich haben Cobham, Kent und
Prinz Frederick den als fiktive Originalquelle gelesenen
Sethos-Roman (1731) von Jean Terrasson konsultiert.
Bei den eleusinischen Mysterien, die sich nach den Vorstellungen der meisten Freimaurer jener Zeit von den
ägypt. Mysterien herleiteten und als direkte Vorläufer
der Freimaurermysterien angesehen wurden, trugen die
Herolde des Mysterienzuges, der den Weg in die Unterwelt symbolisierte, den Namen Hermes bzw. Merkur. Hermes/Merkur war geradezu der Wegegott, der
auch die Wegeführung in den Gärten bestimmen konnte. Diese »ägyptologische« Deutung war Cobham und
Frederick von Wales auch durch den späteren Bischof
von Glocester William Warburton geläufig, ab 1738
Hofprediger Fredericks. Warburton hat genau zur gleichen Zeit, als Cobham seinen Tempel entwerfen und
bauen ließ, in seinem Werk *The Devine Legation of Moses
demonstrated* (1737 ff.) Aeneas' Eindringen in die Unterwelt (Aen. 6,633–901) als Einführung in die eleusinischen
Mysterien interpretiert: Auf der Insel der Seligen, in den
›glückseligen Wäldern‹, würde der erste Ehrenplatz den
Gesetzgebern ›und denjenigen, welche das menschliche
Geschlecht aus dem Stande der Natur zur bürgerlichen
Gesellschaft gebracht‹, zugewiesen. Orpheus gebührte
dieser Platz, ›weil er nicht nur ein Gesetzgeber war, sondern auch, weil er die Geheimnisse in diesen Theil von
Europa gebracht‹ hat. ›Der nechste Platz ist den Patrioten und denjenigen zugeeignet, welche zum Dienst für
ihr Vaterland starben (. . .) Der dritte Ort gehört für tugendhafte und fromme Priester (. . .) Die letzte Stelle ist
den Erfindern der mechanischen und freyen Künste angewiesen‹ [6. 352 f.; 15]. Genau diese Vorstellung findet
sich, bezogen auf England, im *Temple of the British
Worthies* in den »Elysischen Feldern« von Stowe.

→ Architekturkopie/-zitat; Arkadismus; Barock; Bu-
kolik/Idylle; Cäsarismus; Denkmal; Gotha, Schloßmu-
seum; Gotik; Geschichtsmodelle; Fürstenspiegel; Klassik als Klassizismus; Klassizismus
→ AWI Herakles; Vergilius

QU 1 W. CAMDEN, Brittania. Sive Florentissimorvm
Regnorvm Angliae, Scotiae, Hiberniae, Londini 1594
2 G. B. CLARKE (Hrsg.), Descriptions of Lord Cobham's
Gardens at S. (1700–1750), 1990 3 J. D. HUNT (Hrsg.), The
Gardens at S. Examples of the Important Literature of the
English Landscape Garden Movement, 1982 4 Ders.,
P. WILLIS (Hrsg.), The Genius of the Place. The English
Landscape Garden 1620–1820, 1988, 29 ff. 5 A. SAMMES,
Britannia Antiqua illustrata: or, the Antiquities of ancient
Britain, Derived from the Phoeniciens, London 1676
6 W. WARBURTON, Sr. Königl. Hoheit des Prinzen von
Wales Hofpredigers, Göttliche Sendung Mosis. Aus den
Grundsätzen der Deisten bewiesen (. . .), Frankfurt am Main
und Leipzig 1751, Bd. 1, 346–367

LIT 7 A. v. BUTTLAR, Landschaftsgarten. Gartenkunst des
Klassizismus und der Romantik, 1989, 36–43 8 G. B.
CLARKE, Ancient Taste and Gothic Virtue. Lord Cobham's
Gardening Programme and its Iconography, in: Apollo 97,
1973, 566–571 9 Ders., William Kent. Heresy in S.'s
Elysium, in: P. WILLIS (Hrsg.), Furor Hortensis, 1974, 48–56
10 K. EUSTACE, The politics of the past: S. and the
development of the historical portrait bust, in: Apollo 148,
1998, 31–40 11 J. D HUNT, Emblem and Expression in the
Eighteenth-Century Landscape Garten,
Eighteenth-Century Stud. 4 (1970/71), 296–304
12 J. LAMB, The Medium of Publicity and the Garden of S.,
in: Huntigton Library Quarterly 59, 53–72 13 A. LE BRUSQ,
S. gardens: le mariage de la pierre et de l'eau, in: L'Oeil 506,
1999, 76–81 14 S. MOORE, Hail! Gods of our Fore-Fathers.
Rysbrack's »Lost« Saxon Deities at S., in: Country Life 177,
1985, 250–51 15 M. NIEDERMEIER, »Die ganze Erde wird
zu einem Garten«: Gedächtniskonstruktionen im frühen
dt. Landschaftsgarten zw. Aufklärung und Geheimnis, in:
G. BOLLENBECK, J. GOLZ, M. KNOCHE, U. STEIERWALD
(Hrsg.), Weimar. Arch. eines Ortes, 2001, 120–175
16 E. PANOFSKY, Hercules am Scheidewege und andere ant.
Bildstoffe in der neueren Kunst, Ndr. 1997 17 J. RAEDER,
The Experience of the Past. Zur Vergegenwärtigung der
Ant. im engl. Landsitz des 18. Jh. als histor. Erfahrungsraum,
in: D. BOSCHUNG, H. v. HESBERG (Hrsg.), Antikenslgg. des
europ. Adels im 18. Jh., 2000, 99–109 18 B. SNELL, Das
Symbol des Weges, in: Ders., Die Entdeckung des Geistes,
⁶1986, 219–230 19 CH. THACKER, The Role of the Antique
in the Landscape Garden, in: H. WUNDERLICH (Hrsg.),
»Landschaft« und Landschaften im 18. Jh., 1995, 67 ff.
20 J. D. TATTER, Sexual Politics in the Western Garden at S.,
http://bsc.edu/~jtatter/sexpol.html 21 J. G. TURNER,
The Sexual Politics of Landscape. Images of Venus in
Eighteenth-Century English Poetry and Landscape
Gardening, in: Stud. in Eighteenth-Century Culture 11,
1982, 343–366 22 R. WHEELER, The gardens of S. and West
Wycombe: paradise or parody?, in: Apollo 145, 1997, 3–7.
                                MICHAEL NIEDERMEIER

IV. GARTENANLAGEN DESSAU-WÖRLITZ
A. DAS GESAMTKUNSTWERK DESSAU-WÖRLITZER
GARTENREICH
B. FÜRST LEOPOLD III. FRIEDRICH FRANZ VON
ANHALT-DESSAU UND DIE MITGESTALTER
C. ZUR ANTIKENREZEPTION

A. DAS GESAMTKUNSTWERK
DESSAU-WÖRLITZER GARTENREICH

D.-W. kann als außerordentlich früher aufgeklärter Versuch in Mitteleuropa gelten, Antikerezeption als Gesamtkunstwerk und Lebensvorstellung zu praktizieren. Die Gestalt gewordene Rezeption gelangt in ihrer Wirkung direkt durch it. Einwirkung bzw. die Einflüsse durch die Freundschaft zu Winckelmann wie den Unterricht bei Clérrisseau und anderen in It. wirkenden Künstlern oder auf dem Umweg der Ren. und den engl. Garten- und Baukunsteinflüssen nach D.-W.

Die Rezeption des Gedankengutes der Ant. findet seine Wiederspiegelung im Programm der Reformen des aufgeklärten Fürsten Franz von Anhalt-Dessau, das h. sowohl in den Gärten des histor. Gartenreichs wie in den erhaltenen Bauwerken und seiner Ausstattung überliefert ist. Die myth. Aussagen der bildkünstlerischen Ausschmückung weisen ebenso auf Anregungen ant. Gedankengutes hin wie die Pflanzenverwendung und die praktisch-nützlichen Bemühungen in der Gesamtlandschaft, welche die in das 18. Jh. umgesetzten Lebensprinzipien der Idealwelt des Alt. darstellen sollten. Das ›Schöne mit dem Nützlichen‹ (Horaz) zu verbinden, Natur und Kunst zu dienen, und damit den ›Untertanen ein goldenes Zeitalter‹ (Goethe) zu versprechen, gehörte zu den Lebens- und Reformzielen des achtzehnjährig seine Regierung im Duodezfürstentum Anhalt-Dessau anstrebenden jungen Dessauer Fürsten, in dessen Lebensumwelt ant. Anregungen nachgestaltet, selbst wiedergegeben und nachgelebt wurden.

Im Rahmen dieser Bemühungen wurde das gesamte Fürstentum Anhalt-Dessau zu einem Gartenreich in einer Ausdehnung von damals 600 km² umgestaltet, von denen heute noch 142 km² erhalten sind und seit Dezember 2000 auf der Weltkulturerbeliste der UNESCO stehen. Die Straßenverbindungen wurden erneuert, mit Alleen geschmückt, und etwa eine halbe Stunde zu Pferde voneinander entfernt wurden Landschaftsgärten zur Bereicherung der Gesamtlandschaft eingefügt. Bis auf den Kühnauer Landschaftsgarten im Westen und die Gestaltungen am Turm der acht Winde im Südosten, die in den ersten beiden Jahrzehnten des 19. Jh. ihre heutige Gestaltung erhielten, war die wesentliche »Verschönerung« des Gartenreichs in den Anlagen Wörlitz, Luisium, Georgium, Oranienbaum sowie am Sieglitzer Berg bereits vor 1800 abgeschlossen; die Hauptarbeiten konzentrierten sich auf die 70er und 80er J. des 18. Jh., in denen auch zusätzliche kleinere Anlagen zw. den P. und Einzelbauwerke die Ästhetisierung des Gartenreiches abrunden sollten. Die Alleen entlang der Straßen, Schutzdeiche und Gräben bestanden vorrangig aus Obstbäumen; auch sämtliche Gebäude hatten in der Landschaft ihre Funktion; ›(...) der Fremde glaubt anfänglich, diese Gebäude wären bloß zur Verzierung da, wird aber aufs angenehmste überrascht, wenn er erfährt, daß hier nichts vergeblich stehe und alles zugleich putzen und nutzen müsse‹ [1. 15]. Die aus fünf Einzelgärten bestehenden Wörlitzer Anlagen sind Gestalt gewordene Aufklärung, in die Landschaft übertragene human. Denkweise und Programm. Die nachgestaltete Natur, bei der das künstlich Geschaffene nicht erkennbar sein sollte, ist der Ausdruck des Idealismus eines Fürsten, der sich über seine Umgebung und die Denk- und Handlungsweisen Gleichgestellter hinwegsetzte und – seiner Zeit weit voraus – die Idealwelt ant. Gedankengutes mit den ökonomisch – gestalterischen Neuerungen des damals fortschrittlichen Englands verband. Das Ergebnis ist neben einer ganzen Reihe von Reformen eine neue Qualität von Gartenkunst, eben nicht nur »engl. Landschaftsgarten«, obwohl die Gestaltungsprinzipien und manche Aussage des bewußt eingesetzten Programms oft einzelnen engl. Anlagen abgeschaut sind.

Der Garten enthält ein lehrhaftes pädagogisches Programm, durch das der Besucher gebildet aus ihm hervortreten sollte. Wie Sturm darstellt, ist der Garten sogar bildhaftes Beispiel der Kunstgeschichte: ›Vielleicht gibt es keinen engl. Garten von nur einiger Bed., in welchem sich nicht ein Tempel befände (...). Nein, hier ist von der Gartenkunst die Rede, der es erlaubt ist, aus den Quellen der Kunst zu schöpfen, welche sich zu ihren Bedürfnissen qualificirt. Sie kann und darf eine lebendige Kunstgeschichte seyn‹ [13. 303]. Dies spiegelt sich beispielsweise in den 19 unterschiedlichen Brücken innerhalb der Wörlitzer Anlagen wieder, die dem Besucher die Geschichte der Brückenbaukunst mit allen ihren technischen Möglichkeiten aufzeigen sollen (Abb. 1). Angeregt durch Winckelmanns Frühschrift *Von der Nachahmung der griech. Werke* ist der D.-W. Klassizismus anfangs als arch. Klassizismus zu verstehen, in dem gleichsam mit den Gartenanlagen ein Ant.- und Archi-

Abb. 1: Weiße (=palladianische) Brücke
am Kleinen Walloch in Wörlitz, ein Beispiel
der pädagogischen Brückengeschichte

tekturmuseum großen Ausmaßes entstand. Was die Dessauer Reisegesellschaft in It. oder England nicht selbst kennengelernt hatte, entnahmen sie beispielsweise als Architekturvorlagen den Folianten von Robert Wood über Balbeck und Palmyra. Durch die mod. Architektur hatte der jugendliche Bauherr unter Berufung auf Winckelmann im Kampf gegen den »Ungeschmack« der Zeit zu neuer, an den »Werken der Alten« orientierten Baukunst aufrufen wollen. Zwei Generationen vor Schinkel entstand mit dem Wörlitzer Landhaus zw. 1769 und 1773 der von Erdmannsdorff entworfene Gründungsbau des dt. Klassizismus. Die nach dem Vorbild von Broadlands in Südengland errichtete Eingangsfassade des dreigeschossigen Schloßbauwerkes ist mit einer vorgezogenen Dreieckgiebelbekrönung verziert, die von vier korinthischen Säulen getragen wird (Abb. 2). Dem Schloßbau folgte 1773 fast gleich-

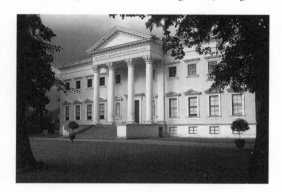

Abb. 2: Das Wörlitzer Landhaus als frühestes klassizistisches Schloßbauwerk Mitteleuropas (1769–1773)

zeitig durch das bis 1814 wiederholt erweiterte und veränderte Gotische Haus auch das früheste neugotische Schloßbauwerk. In dem stilpluralistischen Anliegen standen diesen Gebäuden allein in Wörlitz 39 weitere P.-Architekturen, darunter 15 klassizistische wie das Pantheon, der Venustempel und der Floratempel zur Seite. Das früheste klassizistische Bauwerk in Wörlitz ist allerdings der einem Vorbild in Stourhead entlehnte engl. Sitz, der gleich 1764 nach der Rückkehr von der ersten Englandreise durch Erdmannsdorff im Zusammenhang mit dem Beginn der Arbeiten am Wörlitzer Garten errichtet wurde. Das pädagogische Anliegen der Verbreitung geschmackvoller Kunst wurde später auch durch die Gründung der Dessauer Chalkographischen Gesellschaft umgesetzt, in der preiswert gute zeitgenössische Kunst dem Volk nahe gebracht werden sollte.

In den Wörlitzer Anlagen ist das Gesamtkunstwerk bzw. die nachempfundene Ant. heute noch erlebbar oder wieder hergestellt. Daß man sich im Umfeld des Fürsten Franz um Nachahmung ant. Lebensformen bemühte, belegt u. a. die Schilderung der Einweihungsfeierlichkeiten des Wörlitzer Schlosses am 22. März 1773, bei der es heißt, man habe sich beim Nymphaeum

eingefunden und sei vom Gesang von Genien und Nymphen begleitet zum Schloßufer übergesetzt; ›An der Landungsstelle stand die Fürstin, umgeben von den Damen ihres Gefolges, sämtlich im griech. Gewande. Sie grüßte die Gäste und führte sie auf erleuchteten Wegen nach dem Rasenplatze vor dem Schlosse (…). Der Fürst, gleichfalls im griech. Gewande (…) hieß sie willkommen und bat die Fürstin, vom Schlosse Besitz zu nehmen‹ [4. 22–23].

B. FÜRST LEOPOLD III. FRIEDRICH FRANZ VON ANHALT-DESSAU UND DIE MITGESTALTER

Die Reformen in Anhalt-Dessau, die die ästhetischen Veränderungen im Gartenreich einschlossen und die schließlich zur Herausbildung des Landschaftsgartens in Deutschland und zu frühesten Beispielen neugotischer und klassizistischer Schlossbaukunst führten, wurden von Leopold I. Friedrich Franz von Anhalt-Dessau (1740–1817) unter Beratung und Mithilfe seines Freundes Friedrich Wilhelm von Erdmannsdorff (1736–1800) initiiert. Die von ihm praktizierte neue Lebens- und Geisteshaltung war durch seinen Lebensweg vorgeprägt. Durch günstigen Zufall bestanden in Anhalt-Dessau die Voraussetzungen, die Ideen und Träume des jugendlichen und human. gesinnten Außenseiters zu realisieren. Der bis zu seinem plötzlichen Tode am 9. August 1817 regierende und am 10. August 1740 geborene Prinz, spätere Fürst und seit 1807 Herzog Franz war in Kenntnis der holländischen Bau- und Kunsttradition seiner Ahnen unter der Obhut und in der bürgerlich hugenottischen Geisteshaltung seines Oberhofmeisters von Guericke (Urenkel des bekannten Magdeburger Bürgermeisters und Physikers, gest. 1777) und seines Lehrers Lestocq (Lebensdaten unbekannt) geschützt im Vogelherd bei Dessau (heute Luisium) als Vollwaise aufgewachsen. Sein Großvater Leopold I. (1676–1747), der »Alte Dessauer«, welcher bereits durch umfangreiche landeskulturelle Bemühungen das breite Urstromtal der Elbe durch Deich- und Entwässerungssysteme kultiviert und nutzbar gemacht hatte, hinterließ dem Fürsten Franz den Kleinstaat durch den Aufkauf der Flächen als nahezu alleinigem Großgrundbesitzer. Als der achtzehnjährige, vorfristig für volljährig erklärte Prinz die Regierungsgeschäfte am 20. Oktober 1758 aus den Händen seines Vormunds und Onkels Dietrich (1702–1769) übernahm, hatte er im Oktober 1757 der mil. Familientradition und dem preußischen Militär den Rücken gekehrt.

Seine Antikenbegeisterung mag einerseits durch seine aufgeklärte hugenotische Erziehung vorgeprägt gewesen sein, andererseits wurde sie durch die Eindrücke verschiedener europ. Reisen und die Kontakte zu Künstlern, Kunstsammlern und Gartenbesitzern verstärkt. Bes. Einfluß hatten die nach dem E. des siebenjährigen Krieges auf einer ersten Englandreise studierten engl. Herrenhäuser und ihre Gärten auf den jungen Fürsten und seinen Freund und Berater Erdmannsdorff. ›Die Eleganz, der Geschmack, der Geist des Alterthums, die laut aus allen Brittischen Werken sprachen: ergriffen

Abb. 3: Die ursprünglich als Brunnen fungierende antike Ara (1774) im Wörlitzer Schloßgarten und ihre Anregung, der Lunaaltar aus Winckelmanns *Monumenti antichi inediti* (1767)

ihn allgewaltig, rissen ihn aus seiner behaglichen Indolenz und belebten ihn zum ernsten Entschluß, durch den Gebrauch seiner vielfachen Fähigkeiten zum Nutzen der Gesellschaft thätig zu werden‹ [11. 9]. Die zweite und längste Reise über die Schweiz, It., Frankreich bis nach England in den J. 1765 bis 1767 brachte im Winter 1765/66 auch die Begegnung mit Winckelmann (1717–1768), den sich der junge Fürst selbst zum Lehrer wählte und deshalb während seiner europ. *Grand Tour* mehr als ein halbes J. Aufenthalt in Rom nahm. In It. wollte sich der Fürst ›in die Vergangenheit versenken (…) und die Größe, Würde, Kraftfülle einer untergegangenen Welt (…) sich vergegenwärtigen‹ [9. 18]. Er vertiefte sich in die Myth. und das ›Heidenthum, um Winkelmann verstehen und das alte Rom zu begreifen‹ [9. 18]. Über die sich seit Dezember 1765 entwickelnde innige Freundschaft mit Winckelmann berichtet der Altertumsforscher (18.1.1766 an den Bibliothekar J. M. Franke nach Nöthnitz): ›Der regierende Fürst von Anhalt-Dessau (…) verlanget, wenigstens ein paar mal in der Woche mit ihm auszugehen (…). Er kam das erstemal des Abends unvermuthet, mit einem Stabe in der Hand in mein Zimmer getreten, von niemand, auch sogar von keinem Bedienten begleitet, um nicht erkannt zu seyn. Ich bin von Dessau, sagte er, mein lieber Winckelmann; ich komme nach Rom, zu lernen, und ich habe Sie nöthig (…)‹ [2. Bd. I. 124]. Die Freund

schaft endete mit dem plötzlichen Tod Winckelmanns, als dieser seine vorgesehene Deutschlandreise in Wien abbrach und auf der Rückreise in Triest ermordet wurde. Nur der Reisegefährte Cavaceppi erreichte das vorgesehene Reiseziel D.-W., wo beide ursprünglich die Umsetzung des Erlernten im entstehenden Wörlitzer Schloßgarten und am Schloßbau begutachten wollten. Im letzten Brief an Franz schreibt Winckelmann am 14.5.1768 aus Wien: ›Nach fünf ganzer Wochen einer beschwerlichen Reise, sind wir endlich in Wien angelangt, und ich mit einer großen Schwermut befallen, die mehr als einen Grund hat, und so viele Gewalt ich mir auch von Augspurg an, angethan habe, dieselbe zu unterdrücken, so sehe ich kein ander Mittel zu meiner Beruhigung, als nach Rom zurück zu gehen. Ich küsse meinem göttlichen Fürsten mit der innigsten Wehmuth die Hände, und schicke meinen Gefährten Cavaceppi (…)‹ [2. Bd. II. 357]. Der von Erdmannsdorff im Januar 1766 erstmals aufgesuchte Bartolomeo Cavaceppi, von dem in der Wörlitzer Kunstsammlung heute 20 Werke verzeichnet sind, arbeitete 1768 längere Zeit für Wörlitz. Von diesem erhielt auch der Dessauer Hofbildhauer Johann Christian Ehrlich Anregungen und Hilfe.

    Die klass.-künstlerische Bildung in Rom (und später in Neapel) wurde neben Winckelmann auch unter dem Einfluß von Kardinal Albani, Clérisseau, Mengs, Maron, Piranesi, Hamilton, den Brüdern Hackert und Angelika Kauffmann vertieft (Abb. 3).

Unterschiedliche Personen in der Umgebung des Fürsten waren von aufgeklärtem Gedankengut geprägt und hatten an der Umsetzung der Reformen ihren Anteil. Der seit dem 16. Geburtstag an seiner Seite wirkende Freund und Berater Friedrich Wilhelm von Erdmannsdorff, der viermal in It. weilte, war als Architekt der Wörlitzer Bauten aber gleichfalls Mitinitiator der Veränderungen. Er war ›der Vertraute und Eingeweihte, die Seele aller Bewegungen im gesamten Bauwesen, in den inneren und äußeren Verschönerungen und Verzierungen‹ [9. 29]. Seit der ersten Englandreise teilte er ›mit den Briten ihre Bewunderung Griech. und Röm. Baukunst, welche damals erst anfing, in den Prachtwerken über die Ruinen zu Palmyra, Balbeck oder Athen die Augen der Welt auf sich zu ziehen. Von nun an stand das Ziel seines Strebens fest – es war (die) schöne Baukunst (...). Vorzüglich wählte er sich den Vater derselben, den Vitruv, zu seinem Lehrer‹ [11. 10].

Eine Vielzahl hier nicht genannter Mithelfer unterstützten Franz und Erdmannsdorff bei der Umgestaltung des Gartenreichs. Unter ihnen tritt der am Hofe als Kabinettsrat, Prinzenerzieher und Diplomat tätige Schriftsteller August Rode (1751–1837) hervor, der sich wie Erdmannsdorff mit Kunst- und Architekturtheorie befasste und neben seinen höfischen Aufgaben als namhafter Chronist, Schriftsteller und Übersetzer (u. a. Apuleius, Vitruv und die D.-W. Gartenführer) bekannt wurde. Die D.-W. Gärtner Johann Friedrich Eyserbeck (1734–1818), Johann Christian Neumark (1741–1811), Johann Leopold Ludwig Schoch d. Ä. (1728–1793), Johann George Schoch d. J. (1758–1826) sowie Dietrich Wilhelm Albert Klewitz (1767–1840) setzten als Planteure (ebenso wie die in den noch andernorts entstehenden barocken Anlagen tätigen Gärtner) die Ideen des Fürsten und von Erdmannsdorffs in die Realität der Landschaft an Elbe und Mulde um. Sie schufen die Achsen, die grünen Wände und die Blickpunkte und gestalteten Gartenräume und Sichtbeziehungen mit dem lebenden »Baustein Vegetation«.

C. Zur Antikenrezeption

1. Die Antikensammlung

Bestandteil des Gesamtkunstwerkes war neben der zum großen Teil aus der oranischen Erbschaft des Fürsten stammenden umfangreichen Gemälde- und Graphiksammlung auch eine eigene kleinere Sammlung von Antiken, die Franz in It. selbst zusammengetragen oder durch die Vermittlung Rehbergs erworben hatte.

Sie bestand ursprünglich aus 47 an unterschiedlichen Standorten in Wörlitz aufgestellten, vorwiegend marmornen Kunstwerken. Sein erstes Stück, ein Gastgeschenk des Kardinals Alessandro Albani, in dessen Palast der Fürst im Frühjahr 1766 wohnte, ist ein noch h. im Schlafzimmer des Fürsten aufgestellter trunkener *Herkules mingens*. Die bedeutendsten Stücke sind wohl die in der Wörlitzer Schloßbibl. aufgestellte röm. Kopie einer verwundeten Amazone (Torso nach Polyklet um 430 v. Chr.) sowie die Musengruppe unter Apollo Musagetes, für deren Anordnung das »den Freunden der

Natur und Kunst« gewidmete Pantheon errichtet worden war. Eine zur Flora ergänzte Gewandstatue im Floratempel inmitten des der Blumengöttin gewidmeten Gartenteils erinnert neben seinen zu Gartenmusiken genutzten Bauwerkes an die erotische Allegorie der Göttin und ihres Vaters, dem Gartengott Priapos. Auch hier wird das aus der ant. Myth. zitierte und vorgelebte Plädoyer des Fürsten für intensive Erotik zum bewußt gestalteten Gartenmotiv. In den drei reich dekorierten klassizistischen Räumen der am Fuße der Wörlitzer Vesuvnachbildung (Insel Stein) gelegenen Villa Hamilton gehörten neben zahlreichen Gouachen Clérisseaus röm. Antikenkopien zur Ausstattung.

Franz hatte mit diesen und weiteren Stücken keine kunstgeschichtlich wertvolle Sammlung begründen wollen, sondern diese Skulpturen immer als Bestandteil und Verdeutlichung seines umfassenden Programms gesehen. Sie gehören ebenso zum Gesamtkunstwerk wie die den Garten schmückenden, nach Vorlagen von Antiken in den Garten eingefügten, überlebensgroß und auf Fernwirkung berechneten Skulpturen, welche die Ikonographie und das Gartenprogramm dem Besucher der Entstehungszeit nahebringen und die, wie der gesamte Garten, ein pädagogisches Anliegen zu erfüllen hatten. Es mag h. manchen Archäologen enttäuschen, wenn er in Wörlitz diese Kollektion zudem, wie in jener Zeit europaweit üblich, ergänzt, restauriert und vervollständigt findet und in Verbindung mit mod. Kopien, Abgüssen und Imitationen ant. Bildwerke lediglich ein erzieherisches Programm aufgeklärter Bau- und Gartenkunst ausgedrückt werden soll. Der Fürst hat im Sinne seines Lehrers Winckelmann sowohl die Kunstwerke als auch die Kopien und Nachformungen als Zeugnisse einer idealen Vergangenheit gesehen und verwendet, ebenso wie ein Architekt Erdmannsdorff bis ins Detail die »Baukunst der Alten« als Vorlage seiner Bauwerke im Gartenreich genutzt hat. Dabei ging es dem Fürsten keinesfalls nur um die griech.-röm. Sammlungsstücke: Das Pantheon, das den »Freunden der Natur und Kunst« geweiht ist, wurde im Hauptgeschoß mit der von Rehberg gekauften Musengruppe ausgestattet, während das Winckelmannsche Programm der Entwicklung der Kunst des Alt. im Untergeschoß mit den von Friedrich Wilhelm Eugen Doell (1750–1816) gefertigten Nachbildungen ägypt. Reliefs, Skulpturen und Gefäße veranschaulicht wird. Da das Pantheon das »Große Walloch« dominiert und dieser See durch Erosion nach einem Deichbruch des Elbehochwassers entstand, stellt die ägypt. Kunst, ›wodurch sich die Aegypter die Wohltaten und Verheerungen des Nils versinnlichten‹ [11. 115] zugleich den Bezug zwischen Elbe und Nil und der befruchtenden Wirkung seiner Hochwässer im Alt. her.

2. Pflanzenverwendung und Rezeption

Auch bei der Pflanzenverwendung in den Anlagen des Gartenreichs wurde die Artenauswahl meist ganz gezielt zur Verstärkung einer Gestaltungsabsicht vorgenommen. Einerseits wurden die in den Elbe- und

Muldauen natürlich vorkommenden Gehölzarten vorrangig gepflanzt, insbes. die Eichen. Andererseits sollten in der Nachbarschaft der klassizistischen und neugotischen, also der mod. Bauwerke sowie an bedeutsamen Schwerpunkten der Gärten, die als Stimmungsbild mit myth. Inhalt angereichert waren, die beabsichtigten Stimmungen und Wirkungen auch durch die Pflanzenverwendung verstärkt werden. So gehören als »Ausrufezeichen der Aufklärung« an Grabmotiven (Rousseauinsel, Goldene Urne) unbedingt »lombardische« Pyramidenpappeln ins Gartenbild, die, selbst aus dem Mittelmeerraum stammend, den Wuchscharakter der dortigen Zypressen verkörpern sollten. Schwieriger war es für die Gestalter, einen Ersatz für die it. Pinien und Zedern zu finden, die, wie die Pappeln als »Ersatzzypresse«, in Ihrem Habitus den Charakter der it. Gegenden mit den die Ant. wiederholenden Gartenstaffagen unterstreichen sollten. Der am Dessauer Hof lebende Dichter Friedrich Matthisson (1761–1831) berichtet über die Kultivierungsversuche der Pinie: ›Es bleibt ewig ein unsäglicher Verlust für Deutschlands Gärten, daß dieser königliche Baum in unser Klima sich nicht einwintert (...). Mehrere zu diesem schönen Zweck in Potsdam und Wörlitz angestellte Versuche schlugen fehl‹ [7. 218]. Die Gärtner verwandten für den Ausdruck dieser Gestaltungsabsicht neben it. Schwarzkiefern Weymouthskiefern, Rotzedern und andere Koniferen. Den eigenen Wuchscharakter mit dem schirmartigen Kronenaufbau versuchten sie (ähnlich dem Spalierschnitt der Fruchtbäume) mittels Messer, Schere und Bindfaden zu korrigieren.

Neben dem Erscheinungsbild und der ästhetischen Wirkung der Pflanzen im Landschaftsraum war auch der klassisch myth. Bezug der Einzelpflanze von Bedeutung. So sollte beispielsweise die Pappel als Sinnbild des Herkules den Bezug zur bildlichen Darstellung der »Zeit« bzw. zur ›Vergänglichkeit‹ herstellen. Die sie verkörpernde und Pluto gewidmete Zypresse hielt man im Alt. für einen ›unglücklichen Baum und gebrauchte sie als Symbol der Trauer. Die Cypressenhaine waren überall im Alterthum ein Gegenstand der Achtung und Verehrung, und gerne errichtete man in ihnen den Göttern ihre Altäre (...). Die Cypressen waren die Töchter des Eteocles; sie nahmen sich heraus, mit den Göttinnen im Tanzen wetteifern zu wollen, wurden aber von diesen in einen Sumpf geworfen. Gaea erbarmte sich ihrer und verwandelte sie in Bäume, schön und schlank, wie sie selbst waren‹ [3. 50]. Ebenso zielgerichtet war die vielfältige Pflanzung der Eiche als Baum Jupiters und Symbol des Lebens, der Stärke und der Tapferkeit. Auch in der german. und keltischen Myth. spielt die Eiche als Symbol der Stärke und Dauerhaftigkeit ihre Rolle. Der neugotische und von Erdmannsdorff 1785 errichtete Wörlitzer Gasthof, der den Namen *Zum Eichenkranz* trägt, mag in seiner Namensgebung auf den röm. Brauch zurückgehen, im Alt. denjenigen mit einem Eichenkranz zu belohnen, der aus eigener Anstrengung Menschenleben gerettet hatte.

1 C. A. BOETTIGER, Reise nach Wörlitz 1797, ⁴1982 2 K. W. DASSDORF (Hrsg.), Winckelmanns Briefe an seine Freunde, 2 Bde., Dresden 1777 und 1780 3 J. H. DIERBACH, Flora mythologica, Frankfurt am Main 1833 4 A. HARTMANN, Der Wörlitzer P. und seine Kunstschätze, 1913 5 B. HEESE, Vater Franz, sein Leben und sein Lebenswerk, 1926 6 R. LULLIES, Charakter und Bed. der Antiken-Slg. des Fürsten Leopold Friedrich Franz von Anhalt-Dessau, in: H. BECK et al., Antiken-Slgg. im 18. Jh., 1981, 199–209 7 F. MATTHISSON, Schriften, 4. Bd., Zürich 1825 8 I. PFEIFER, Cavaceppi und seine Beziehungen nach Anhalt-Dessau, in: T. WEISS (Hrsg.), Von der Schönheit weißen Marmors, 1999 9 F. REIL, Leopold Friedrich Franz, Herzog und Fürst von Anhalt-Dessau, nach seinem Wirken und Wesen, Dessau 1845 10 C. REIMANN, Zur Beschwörung des Alt. in Wörlitz: Mythos, Vision und Tatsachen, in: Die Gartenkunst (11) 2/1999, 308–314 11 A. RODE, Leben des Herrn Friedrich Wilhelm von Erdmannsdorff, Dessau 1801 12 A. RODE (II), H. ROSS, L. TRAUZETTEL, Der Engl. Garten zu Wörlitz, 1994 13 D. STURM, Ueber die Tempel der Alten als Gegenstand in der Gartenbaukunst, in: Allg. Teutsches Gartenmagazin (3), Weimar 1806, 303–308.   LUDWIG TRAUZETTEL

V. WÖRLITZ, ANTIKENSAMMLUNG

Die Wörlitzer Antikensammlung verdankt ihre Entstehung zunächst dem vom Einfluß Erdmannsdorffs geprägten Kunstinteresse des Fürsten Franz von Anhalt-Dessau, dann aber auch seinen pädagogisch-aufklärerischen Ambitionen. Die ersten Antiken erwarb der Fürst persönlich 1766 in Rom, wo J. J. Winckelmann nicht nur sein Berater bei den Ankäufen, sondern auch in einem umfasseneren Sinne sein künstlerischer Mentor war. Mit Ausnahme der Statuette des *Hercules mingens*, eines Geschenks des Kardinals Albani, das Franz bes. schätzte, ist nicht gesichert, um welche Stücke es sich bei diesen frühesten Erwerbungen handelte. Sehr wahrscheinlich gehörten dazu aber alle Skulpturen, die in die durch August Rodes Beschreibung von 1788 bezeugte Ausstattung des 1773 fertiggestellten Schlosses einbezogen waren, darunter die berühmte »Wörlitzer Amazone«, ein von Cavaceppi ergänzter Torso der Verwundeten Amazone vom Typus Sosikles.

Die Präsentation in den Räumen des Schlosses folgte traditionellen Mustern, v. a. wohl dem der engl. *country houses*, die Franz und Erdmannsdorff auf ihren Reisen kennengelernt hatten. Entscheidend für die Wahl der Aufstellungsplätze waren nicht kunsthistor., sondern inhaltlich-funktionale Aspekte. Die Skulpturen wurden auf mehrere Zimmer des Hauptgeschosses verteilt, einbezogen in ein zumeist von Erdmannsdorff entworfenes Ausstattungsprogramm, das so weit wie möglich der Bestimmung der Räume angepaßt war. Sie stehen gleichberechtigt neben Antikenkopien, meist von der Hand Cavaceppis, und zeitgenössischen Werken: Statuetten, Gefäßen und Gemälden, bei denen ebenfalls ant. Thematik bzw. ant. Vorbilder dominieren. Die Wandgestaltung der Räume orientiert sich in vielen Fällen an pompejanischen und herculanensischen Mustern. In der Rotunde am Eingang empfängt den Eintretenden

Abb. 2: Wörlitz, Pantheon. Blick in die Rotunde des Hauptgeschosses mit drei der neun antiken Musenstatuen (Foto Universität Köln, Archäologisches Institut, Forschungsarchiv für Antike Plastik, Neg. Nr. 3003/0)

Abb. 1: Wörlitz, Nordwestecke der nach Entwürfen von Friedrich Wilhelm von Erdmannsdorff gestalteten Bibliothek mit dem antiken Torso der verwundeten Amazone Typus Sosikles und Antikenkopien von Bartolomeo Cavaceppi: Büste des Marc Aurel, Tonstatuette einer »Kanephore« (Foto Universität Köln, Archäologisches Institut, Forschungsarchiv für Antike Plastik, Neg. Nr. 2994/0)

ein Ensemble von Gipsabgüssen nach Skulpturen aus den Florentiner → Uffizien.

Exemplarisch für eine solche assoziativ-funktionale Konzeption ist die Bibliothek (Abb. 1). Decke und Wände des Raumes sind mit mythischen und allegorischen Malereien sowie 99 Bildnissen von berühmten Persönlichkeiten aus der Geschichte von Kunst und Wiss. geschmückt. In Halbkuppelnischen stehen drei ant. Marmorbüsten, darunter der erwähnte Torso der Amazone, in den Ecken vier Tonstatuetten nach ant. Vorbildern und auf den Eckborden der Bücherschränke vier Büsten röm. Kaiser des 2. Jh., Kopien von Cavaceppi nach Vorbildern in den Kapitolinischen Museen (→ Rom, Kapitolinische Museen).

Drei Relieffragmente mit dionysischen Szenen und eine röm. Aschenziste erhielten ihren Platz in dem frühesten, schon 1765 von Erdmannsdorff nach einem neopalladianischen Vorbild (Stourhead/ Wiltshire) errichteten kleinen Bau im P., dem sog. Engl. Sitz.

In den folgenden J. bemühten sich Winckelmann und Erdmannsdorff in Rom um weitere Ankäufe, hatten jedoch, wie aus Erdmannsdorffs Briefen hervorgeht,

dabei wenig Erfolg. An verschiedenen Stellen im P., z. T. im Zentrum von Sichtachsen, wurden mod. Antikenkopien und in einzelnen Fällen auch Originale aufgestellt, die sich in das von Rode überlieferte Programm der Gartenausstattung einfügen.

Zu einer bedeutenden Erweiterung der Sammlung kam es erst nach mehreren Jahrzehnten durch Vermittlung des in Rom lebenden Malers Friedrich Rehberg. Im Zuge der schrittweise erfolgenden Erweiterung der Anlagen plante Fürst Franz die Errichtung eines »kleinen Pantheon«, in dessen Zentrum er von Anfang an eine Gruppe des Apollon und der neun Musen stellen wollte. 1796 gelang es Rehberg, bei dem engl. Kunsthändler Thomas Jenkins eine solche Gruppe zu erwerben, die dieser aus röm. Kopien nach griech. Originalen unterschiedlicher Herkunft und Entstehungszeit zusammengestellt hatte und von der einige Statuen erst durch ausgiebige neuzeitliche Ergänzungen zu »Musen« geworden sind. Infolge widriger polit. Umstände gelangte die Gruppe erst im Oktober 1802 nach Wörlitz und wurde in der Rotunde und dem dahinter umlaufenden Umgang des 1795–1797 nach Plänen Erdmannsdorffs am Elbwall errichteten »Pantheon« aufgestellt (Abb. 2). Weitere ant. Originale, meist Architekturteile, Idealköpfe und Porträts, fanden ihren Platz im Obergeschoß des Umgangs.

Die Aufstellung der Musen in einem von vornherein als »Museum« – so Rode 1814 [6] – geplanten Bauwerk und dessen konsequente funktionale Ausrichtung auf diesen Zweck bedeutete eine Abkehr von den in den 70er J. im Schloß und im Engl. Sitz befolgten Prinzipien. Anregungen zu der »musealen« Präsentation mögen das 1779 eröffnete Museum Fridericianum in Kassel und und die 1785/86 vorgenommene Neuaufstellung der Dresdner Antiken im Japanischen Palais gegeben haben; die architektonische Lösung ist vielleicht vom Antikentempel Friedrichs d. Gr. im P. von Sanssouci bei Potsdam (1768) beeinflußt. Eine Besonderheit des Wörlitzer Baues bildet jedoch das in den Wall getriebene Kellergeschoß mit seiner Ausstattung durch zeitgenössische Kopien ägypt. Skulpturen: wohl ein bewußter Hinweis auf die Rolle der ägypt. Kunst als Vorgängerin der griech. – eine Sicht, die auch in der antiquarischen Lit. der Zeit anklingt.

Eine ähnliche Konzeption wie die des »Pantheon« liegt dem etwa gleichzeitig (1796–1798) entstandenen und ebenfalls ant. Vorbildern (vermittelt über eine engl. Adaption, das Kasino in Wilton/Wiltshire) nachgestalteten »Floratempel« zugrunde. Hier ist der rechteckige Innenraum freilich ganz auf eine einzige, kultbildartig präsentierte Figur bezogen: eine als Flora ergänzte röm. Musenstatue, die wie auch einige weitere Skulpturen neben der Musengruppe aus dem Rehbergschen Ankauf von 1796 stammt (Abb. 3).

Die Bed. der Wörlitzer Sammlung ergibt sich weniger aus der Summe der Einzelstücke, von denen nur wenige, darunter die Amazone und einige Köpfe von Idealstatuen, eine überdurchschnittliche Qualität aufweisen, als vielmehr aus ihrer Integration in das aufklärerische Gesamtprogramm der Anlagen. Zu diesem Zweck wurden die Skulpturen, den Gepflogenheiten der Zeit gemäß, freizügig ergänzt und zunächst neben mod. Werken, neuzeitlichen Kopien und Gipsabgüssen dekorativ in die Ausstattung der Schloßräume einbezogen. Das später mit der Planung des Pantheon verfolgte Prinzip einer konzentrierten Präsentation der Antiken und ihrer Separierung in eigenen Gebäuden durchbricht die Geschlossenheit des Programms insofern nicht, als sich die Gebäude als Ganzes diesem unterordnen. Den pädagogischen Absichten des Fürsten entsprach es, daß P. und Gebäude den unterschiedlichsten Besuchern in großzügiger Weise zugänglich gemacht wurden.

Spätere Erwerbungen haben den Charakter der Sammlung nicht wesentlich verändert; erwähnt sei lediglich die 1906 nach Wörlitz gelangte, vornehmlich Kleinkunst umfassende Kollektion aus dem Vermächtnis der dem Dessauer Fürstenhaus entstammenden Prinzessin Maria Anna von Preußen. Die heutige Aufstellung entspricht weitgehend der urspr.; lediglich die ehemals im oberen Umgang der Rotunde des Pantheon befindlichen Stücke wurden magaziniert und die der Witterung ausgesetzten Originale im P. und im Engl. Sitz durch Abgüsse ersetzt.

Abb. 3: Wörlitz, Innenraum des Floratempels mit der als Göttin ergänzten antiken Musenstatue
(Foto Universität Köln, Archäologisches Institut, Forschungsarchiv für Antike Plastik, Neg. Nr. 3004/0)

1 F.-A. BECHTOLDT, T. WEISS (Hrsg.), Weltbild Wörlitz. Entwurf einer Kulturlandschaft, 1996 2 A. HARTMANN, Der Wörlitzer P. und seine Kunstschätze, 1913 (Ndr. 1991) 3 W. HOSÄUS, Wörlitzer Antiken, Dessau 1873 4 R. LULLIES, Charakter und Bed. der Antiken-Slg. des Fürsten Leopold Friedrich Franz von Anhalt-Dessau (1740–1817) in Wörlitz, in: H. BECK et al. (Hrsg.), Antiken-Slgg. im 18. Jh., 1981, 199–209 5 E. PAUL, Wörlitzer Antiken (1965), ²1977 6 A. RODE, Beschreibung des Fürstlich Anhalt-Dessauischen Landhauses und Engl. Gartens zu Wörlitz, 1788 (²1798, ³1814, Ndr. 1996) 7 D. RÖSSLER, Die Antiken-Slg. des Fürsten Leopold Friedrich Franz von Anhalt-Dessau in Wörlitz, in: D. BOSCHUNG, H. v. HESBERG (Hrsg.), Antiken-Slgg. des europ. Adels im 18. Jh. als Ausdruck einer europ. Identität, 2000, 134–146.   DETLEF RÖSSLER

VI. PARK IN DER LITERATUR: HYPNEROTOMACHIA POLIPHILI
A. ALLGEMEINES B. STRUKTUR DER ANTIKEREZEPTION C. NATURKONZEPTION UND WIRKUNGSGESCHICHTE

A. ALLGEMEINES

Im J. 1499 erschien bei Aldus Manutius in Venedig ein Text mit dem mehrdeutigen Titel *Hypnerotomachia Poliphili* (H. P.). Dieser allegorische Roman, dessen Titel man als »Traum vom Liebeskampf des Poliphil« übersetzen könnte, gilt als ein lit. ›Konzentrat der Rückeroberung der Ant.‹ [6. 139] für die Renaissance. Er ist nicht so sehr durch seine Handlung bedeutsam geworden als vielmehr durch seinen Handlungsraum: eine Kunst- und Architekturlandschaft mit Versatzstücken aus dem griech.-röm. und dem ägypt. Alt., die auch durch Holzschnitte bildlich dargestellt wird. Dieser Handlungsraum hat nicht nur auf die Lit. und die bildende Kunst, sondern auch auf die Gestaltung von Gärten und Parklandschaften gewirkt. Schon im 16. Jh. löste man ein Akrostichon im Text auf und ermittelte Francesco Colonna als Autor des anon. erschienenen Werkes, das in einer hermetischen Kunstsprache, einem bewußt re-latinisierten, toskan. Volgare mit Entlehnungen aus dem Griech., verfaßt ist. Die Identität des Autors ist in der Forsch. indes umstritten [2. Bd. 2. LXIII]. Abweichend von der weithin akzeptierten Zuschreibung an einen venezianischen Dominikaner namens Fr. Colonna durch M. T. Casella und G. Pozzi vermutet M. Calvesi den Autor in einem Angehörigen des röm. Adelsgeschlechts dieses Namens. Weitere Zuschreibungen nennen Lorenzo de' Medici, F. Feliciano, N. L. Cosmico [14] oder sogar L. B. Alberti [12], dessen theoretischer Einfluß auf die H. P. jedenfalls immens ist. Die gerade für die Gartengeschichte einflußreichen Holzschnitte der Erstausgabe sind – wie die stärker stilisierten, vermehrten der paraphrasierenden franz. Übers. von 1546 [3] – von unbekannter Hand, doch scheinen sie von dem auf sie verweisenden Verf. eingeplant zu sein.

B. STRUKTUR DER ANTIKEREZEPTION

Die H. P. kann als eine allegorische Erzählung angesehen werden, die ihren Helden Poliphilo (P.) in Anlehnung an spät-ma. Erzählmuster (z. B. *Roman de la Rose*; *Divina Commedia*) zunächst allein, dann von Nymphen geleitet, schließlich von der geliebten Polia geführt, onirische Textlandschaften durchschreiten läßt. Nachdem P. zu Anfang des 1. Buches einen dunklen, labyrinthischen Wald hinter sich gelassen hat, trifft er – träumend, daß er träume – auf eine Vielzahl ant. Bau- und Bildwerke, die er nicht nur unter Verwendung von Begriffen der ant. Architekturlehre, sondern teils auch perspektivisch in Ekphrasen beschreibt, die mehr Raum beanspruchen als die Handlung. In Anlehnung an Goebel [9. 43] lassen sich fünf architektonische Komplexe unterscheiden, die P. nacheinander abschreitet: a) Stufenpyramide (Abb. 1), Säulenhof mit begehbaren Ko-

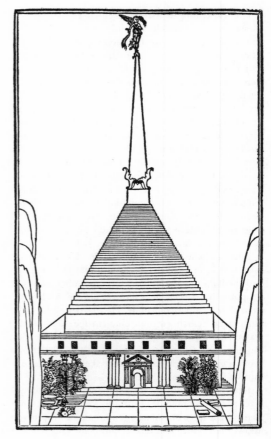

Abb. 1: Felstal mit Stufenpyramide: der erste architektonische Komplex, den der Architekturliebhaber Poliphilo ekphrastisch vergegenwärtigt

lossalstatuen (z. B. Elefant mit Obelisk), ant. Portal: P. allein; b) Brücken, Brunnen der schlafenden Nymphe, oktogonales Badehaus, Palast und Gärten (Glas-, Seidengarten und Wasserlabyrinth) im Reich der Königin Eleuterilyda: P. von Nymphen geführt; c) Rundtempel der Venus Physizoa im Reich der Königin Telosia: P. von Polia geführt; d) Tempel und Gräber des Polyandrions (Abb. 2): P. vorübergehend allein; e) Die Insel Cythera mit konzentrischen, kreisförmigen Gartenanlagen, Amphitheater, Venusbrunnen und Garten mit Grab des Adonis: Vereinigung von P. und Polia. Neben der Architektur gibt es weitere, auch ephemere Formen geträumter Ant., z. B. fünf Triumphzüge, die zu einem ländlichen Gartenfest um einen Priapus-Altar hinleiten. Im kürzeren 2. Buch spielen Garten und Ant. eine geringere Rolle; Polia folgt hier der am Adonisgrab an sie ergangenen Aufforderung, die Geschichte aus ihrer Sicht wiederzugeben, bis P. schließlich im Erwachen feststellt, daß ihm das Traumbild der Polia schwindet.

J. D. Hunt hat beobachtet, daß P. von einer ersten, wilden Natur (*locus terribilis* des dunklen Waldes) über

Abb. 2: Polyandrion. Poliphilo durchwandert das Traumreich auf der Suche nach seiner Geliebten Polia. Wenn er vor die Ruinen von Polyandrion, dem antiken Plutotempel, tritt, sagt Polia zu ihm: ›Betrachte diese edlen Reste vergangener Größe und sieh, wie sie jetzt zerfallen sind ...‹ Der melancholische Ruinenkult der *Hypnerotomachia Poliphili* übt auf Architektur, Architekturtheorie, Gartenbaukunst, Emblematik und Buchkunst des 16. und 17. Jahrhunderts in Frankreich und Italien großen Einfluß aus. Nicht minder wirkt die Utopie der Liebesinsel Cythera auf die folgenden Jahrhunderte

eine zweite, agrarisch fruchtbare Natur (Obstgärten, Wiesen) zur komplexen dritten Natur Cytheras fortschreitet, wo Kunst und Natur im human. Sinne versöhnt sind [16. 115]. Die eingangs beschriebene, erhabene Stufenpyramide mit bekrönendem Obelisken und einer Fortuna auf der Spitze, die wohl das Grab des Augustus und das Mausoleum von Halikarnassos (→ Halikarnass) zitiert [16. 40ff.], verriegelt ein enges Felstal, das noch der ersten Natur angehört (Abb. 1). Sodann wird die Landschaft lieblicher; die Triumphzüge finden bereits in einer fruchtbaren Gegend mit regelmäßig angelegten Wiesen statt. Die am Meeresstrand gelegene Tempelruine des Polyandrion, deren ant. Grabmäler von Efeu und Dornbüschen überwuchert sind, lädt zu Reflexionen über die Erhabenheit der ant. Architektur ein (Abb. 2). Die im Meer gelegene Garteninsel Cythera, die sich in konzentrischen, zur Mitte ansteigenden, von 20 sternförmigen Alleen unterteilten zylindrischen Kreissegmenten aus dem Wasser erhebt, ist als Synthese von Natur- und Architekturformen angelegt, die den traditionellen *locus amoenus* des geschlossenen Gartens am entschiedensten überschreitet. Die Insel Cythera ist nicht nur ein der Venus geweihter Liebesgarten, in dessen Zentrum ein Amphitheater ein tempelartiges Brunnenhaus mit einem Venusbrunnen – Schauplatz der Initiation des P. – umgibt, sondern eine

als irdisches Paradies beschriebene Wunderkammer, in der die Formenvielfalt ant. Architektur ebenso wie die Fülle einer fruchtbaren, gleichzeitig aber ihrerseits artifiziell zugeschnittenen Natur in einem Mikrokosmos repräsentiert ist. Die hier im Rund präsentierte Ordnung von exotischen Pflanzen und Tieren vergegenwärtigt das naturkundliche Wissen der Ant. in einem Gedächtnistheater.

C. NATURKONZEPTION UND WIRKUNGSGESCHICHTE

Die Rezeption der H. P. innerhalb der Geschichte der Gartenkunst, der Architekturtheorie, der bildenden Kunst und der Dichtung reicht weiter, als bisweilen behauptet. Unter den zahlreichen Inschr., die teils von P., teils von seinen Begleiterinnen ausgelegt, teils auch als mehrdeutig bezeichnet werden, befinden sich u. a. ägypt. Hieroglyphen, aber auch hebräische und arab. Inschr., die in Verbindung mit ihrer Wiedergabe im Holzschnitt für die entstehende Emblematik sowie Hieroglyphik im allg. und für den emblematischen Garten im bes. wichtig werden. Eine für die pagane Naturkonzeption der H. P. zentrale Inschr. lautet: ›trahit sua quemque voluptas‹ ([2. Bd. 1. 214]; Verg. ecl. 2,65), eine andere konstatiert: ›nihil firmum‹ [2. Bd. 1. 49]. Insbesondere V. Orsinis Garten in Bomarzo weist ein der H. P. nahestehendes, naturphilos. Programm auf, das auf die atomistische Lehre einer immanent erklärbaren, fertilen Natur nach Lucretius, *De rerum natura*, zurückgeht; einzelne Gartenarchitekturen Bomarzos spielen auf die H. P. an (z. B. der Tempietto) [7. 136 f.]. Der architektonische und der botanische Garten des 16. und 17. Jh. hat aus der H. P. formale Anregungen aufgenommen: Muster für den Baumschnitt (*ars topiaria*), Muster für ornamentale Knotenbeete, Gartenarchitekturen wie z. B. Laubengänge, Pegasus-Statuen und Brunnenformen. Die H. P. trug im 16. Jh. wesentlich zur weiten Verbreitung des von einigen Humanisten mit dem Helikon in Verbindung gebrachten Brunnentyps der schlafenden Nymphe bei (u. a. Rom, Belvederehof; Bagnaia, Villa Lante), der ikonographisch auf ein ant. Ariadnen-Sarkophagrelief zurückgeht; die Grotte im Landschaftspark von Stourhead greift diesen Typus im 18. Jh. wieder auf [13]. Bes. Bed. erlangt die H. P. in der frz. Ren., insbes. für Fr. Rabelais, dessen *Gargantua* und *Pantagruel* sich vielfach auf die H. P. beziehen (z. B. Abbaye de Thelème, Grazienbrunnen) [15. 97 ff.]; wahrscheinlich auch für J. Du Bellays Sonettzyklus *Songe* (1558) [15. 65 ff.]. Die H. P. hat der frz. Ren. Begriffe der ant. Architekturlehre (Vitruv) und der des Quattrocento (Alberti) vermittelt; so findet sich in J. Martins Übers. ein Frühbeleg für »grotesques« [3. 97]. B. Palissy rezipiert die H. P., indem er in *Recepte véritable* (1563) Gartengrotten als Wunderkammer einzurichten lehrt und das Verfahren des Naturabgusses aufgreift [15. 453 ff.]. Im 17. Jh. gilt die H. P. Theoretikern der Académie Royale d'Architecture (Fr. Blondel 1685, J. F. Félibien 1699) neben Vitruv als Hauptquelle zum Verständnis ant. Architektur. J. H. Mansarts Kolonnade im Park von Versailles geht auf einen Holzschnitt der frz. H. P. [3. 285] zurück [5. 127]. Im späten 18. Jh. wird die H. P. für C. N. Ledoux' *L'Architecture* (1804), das Architektur und Landschaft zur expressiven *architecture parlante* verschmilzt, erneut zum Vorbild [16. 203 ff.]. In Malerei und Skulptur wird die H. P. u. a. rezipiert von mehreren Fresken Giulio Romanos im Palazzo del Tè (Mantua); Giorgiones *Venus* [8]; E. Le Sueurs Vorzeichnungen für acht Tapisserien nach Szenen der H. P.; G. L. Berninis *Elephant mit Obelisk* (Rom). Der Einfluß der H. P. in der Dichtung reicht von Fr. Rabelais und J. Fischart, der die H. P. im *Catalogus Catalogorum* zitiert, über La Fontaines *Le Songe de Vaux* und H. d'Urfés *Astrée* bis hin zu Mirabeau, Ch. Nodier und G. de Nerval. Ihr möglicher Einfluß auf A. Stifter, A. Ch. Swinburne und A. Beardsley wurde erwogen. Zu den Besitzern des äußerst kostbaren Buches, das als schönstes der Ren. gilt, zählten A. Dürer, L. Tieck, J. Ruskin und D. G. Rossetti.

QU 1 F. Colonna, H. P., Ed. critica, hrsg. v. G. Pozzi, L. A. Ciapponi, 2 Bde., 1964 2 Ders., H. P., Riprod. ridotta dell'ed. aldina del 1499, traduzione e commento di M. Ariani, M. Gabriele, 2 Bde., 1998 3 Ders., Le Songe de Poliphile, traduction de l'H. P. par J. Martin (Paris, Kerver, 1546), hrsg. v. G. Polizzi, 1994 4 Ders., H. P., The Strife of Love in a Dream, translated by J. Godwin, 1999

LIT 5 A. Blunt, The H. P. in 17th Century France, in: JWI 1, 1937–1938 6 H. Bredekamp, Der Traum vom Liebeskampf als Tor zur Ant., in: Kat. Natur und Ant. in der Ren., 1985 7 Ders., V. Orsini und der Heilige Wald von Bomarzo, ²1991 8 C. Ginzburg, Die Venus von Giorgione, in: W. Kemp et al. (Hrsg.), Vorträge aus dem Warburg-Haus, Bd. 2, 1998 9 G. Goebel, Poeta Faber, 1971 10 E. H. Gombrich, Hypnerotomachiana, in: JWI 14, 1951 11 A. K. Hieatt, A. L. Prescott, Contemporizing antiquity. The H. P. and its afterlife in France, in: Word & Image 8, 1992 12 L. Lefaivre, L. B. Albertis H. P., 1997 13 E. B. MacDougall, The Sleeping Nymph, in: Art Bulletin 57, 1975 14 R. Stewering, Architektur und Natur in der H. P., 1996 15 Studi di Letteratura Francese 19, 1992 16 Word & Image 14, 1998, Nr. 1/2 (Sonderheft H. P.).

HARALD TAUSCH

Parnaß A. Definition
B. Antike Überlieferungen
C. Frührenaissance D. Hochrenaissance
E. Barock F. Klassizismus
G. 19./20. Jahrhundert

A. Definition

Der Name »Parnassos« ist vorgriech. und bezeichnet geogr. das Nord- und Mittelgriechenland trennende, mehrgipflige Gebirgsmassiv in der Landschaft Phokis, an dessen Südwest-Seite sich das Apollonheiligtum von Delphi, das zentrale Orakel der ant. Welt, mit den Quellen Kastalia und Kassotis befand [8; 22]. Seit der frühen Neuzeit versteht man allerdings unter dem Begriff P. metaphorisch den Ort dichterischer Inspiration und den Ort unsterblichen Ruhms einer durch Dichtkunst, Weisheit und Tugend ausgezeichneten Elite. Diese Bedeutungen gehen nicht unmittelbar auf die Ant. zurück, sondern sind das Ergebnis eines langen ideengeschichtlichen Prozesses.

B. Antike Überlieferungen

Mit dem P., für den in der ant. Lit. Epitheta wie »unzugänglich«, »steil« (Eur. Phoen. 207, Strab. VIII,379, Verg. georg. III,291, Ov. met. I,316 f.) und »zweigipflig« (*biceps, bivertex*) (Eur. Phoen. 226 ff., Pers. prol. 2, Ov. met. I,316, II,221) gebräuchlich sind und über dessen Gipfel gesagt wird, daß sie die Sterne berühren und die Mitte des Himmels anzeigen (Lucan. V,71), sind zahlreiche Mythen und Kulte verknüpft. Als Götter des P. galten Dionysos und Apollon. Bei den griech. Tragödiendichtern des 5. Jh. v. Chr. ist der P. das Hoheitsgebiet des Dionysos allein, der mit den korykischen Nymphen und Thyiaden über die Gipfelregion schwärmt. Diese Überlieferung lebte bei den Römern fort, zugleich zeichnet sich bei augusteischen Dichtern ab, daß sie zur Umschreibung des delphischen Orakels und des Lorbeers häufiger den P. gebrauchen und Apollon in den Vordergrund rücken (Verg. georg. II,18, ecl. VI,29, Prop. III,13,54, Plin. nat. XV,134). Am stärksten setzte sich jedoch die Vorstellung des von Dionysos und Apollon gemeinsam beherrschten P. durch, die je einen der beiden Gipfel bewohnen [18. 1649]. Im Vergil-Komm. des Servius (4. Jh. n. Chr.) fand diese Vorstellung eine folgenreiche Erweiterung, indem der Gipfel des Liber bzw. Bacchus als »Cithaeron«, derjenige des Apollon als »Helicon« bezeichnet ist (zu Verg. Aen. VII,641, X,163) [23. 39f.]. Durch die Verbindung mit dem Helikon in Böotien, seit Hesiods Dichterberufung der Musen- und Dichterberg schlechthin, gelangten die Musen und das Flügelpferd Pegasus, das nach dem Mythos die Musen- und Dichterquelle Hippokrene am Helikon eröffnet hatte, an den Parnaß.

C. FRÜHRENAISSANCE

Auch wenn der P. durch die ant. Autoren, durch die Komm. und Enzyklopädien des MA, wo er seit Isidor von Sevilla stets unter den höchsten Bergen der Welt als der zweigipflige, dem Liber bzw. Bacchus und Apollon heilige Berg beschrieben ist, bekannt war [23. 41f.], so beginnt doch für seine Ideen- und Darstellungsgeschichte mit dem it. Frühhuman. des 14. Jh. ein völlig neuer Abschnitt. Der Durchbruch bahnt sich bei Dante an, der in seiner *Divina Commedia* viermal den P. erwähnt. Im *Purgatorio* gebraucht er den P. einerseits als Begriff für die ant. Poesie (Purg. XXVIII,65, XXXI,141), andererseits als Vergleich für das Irdische Paradies auf der Spitze des Läuterungsberges (Purg. XXVIII,140). Das *Paradiso* eröffnet er mit dem Anruf des als »buono«, »divina virtù«, »padre«, »Delfica deità« bezeichneten Apollon, damit er ihn zum Gefäß (*vaso*) der göttlichen Wahrheit mache, und bittet ihn um das »zweite« der beiden P.-Joche und um den Lorbeer, mit dem in der Ant. einst Dichter und Kaiser gekrönt wurden (Par. I,13–36) [23. 64f.]. Während Dante die Dichterkrönung versagt blieb, empfing Francesco Petrarca am 8. April 1341 im Senatorenpalast auf dem Kapitol in Rom den Lorbeerkranz. Es ist die erste seit der Ant. auf dem Kapitol vollzogene Dichterkrönung gewesen, auf die man sich in späteren Jh. als vorbildhaft immer wieder

berief. Seine programmatische Dankesrede stellte Petrarca unter das aus Verg. georg. III,291–293 stammende Motto vom beschwerlichen Aufstieg zu den »steilen« und »verlassenen« Gipfeln des P., die zu erklimmen ihn ein »süßes« Verlangen antreibe, worunter er die Liebe zu der nach seiner Meinung in der dunklen Zeit des MA verschütteten Poesie und die Liebe zur untergegangenen Majestät Roms versteht. Er definiert die Poesie als eine allen anderen Künsten und Wiss. überlegene Kunst, weil sie nur durch ›göttlichen Anhauch‹ möglich ist, wofür er als Beleg Ciceros Rede *Pro Archia Poeta* anführt. Außerdem spricht er dem Dichter die Macht über den unvergänglichen Ruhm zu, was er am Symbol des Lorbeers analysiert [27; 28]. Petrarcas Rede gilt sowohl als Auftakt der human. Dichtungslehre als auch durch seinen Aufruf zur Besinnung auf das kulturelle Erbe Roms als Manifest einer neuen, später als Ren. bezeichneten Epoche. Der P. ist also gewissermaßen ein Epochenbegriff für die Ren. [23. 92f.].

Aus dem zweiten Viertel des 14. Jh. stammen die ersten Verbildlichungen des stets doppelgipflig dargestellten Parnaß. Es sind Textillustrationen in Dichtungen und Weltchroniken zeitgenössischer Autoren. In der ältesten illuminierten, 1337 datierten florentinischen Hs. der *Divina Commedia* ist auf dem Titelblatt zum *Paradiso* der zw. den beiden P.-Jochen kniende Dante dargestellt, den der aus dem Himmel herabschwebende Apollon mit dem Lorbeerkranz krönt (Abb. 1) [23. 69f. Abb. 52]. Die anderen P.-Darstellungen befinden sich im Zusammenhang mit der Pegasus- und Musenthematik in neapolitanischen Hss. der Hofkunst König Roberts von Anjou (Amtszeit 1309–1343), also jenes Königs, der Petrarca für die Dichterkrönung vorgeschlagen und geprüft hatte. Es handelt sich um zwei Hss. der *Weltchronik* des Paolino Veneto, in denen der P. bi-

Abb. 1: Krönung Dantes durch Apollon am Parnaß, Titelblatt zum Paradiso (Ausschnitt), Miniatur, florentinisch, 1337 datiert. Mailand, Bibliotheca Trivulziana, Ms. 1080, Fol. 70ʳ

Abb. 2: Apollon, Pegasus, Pallas Athene und die Musen am *mons helicon* des Parnaß,
Ovide moralisé, kolorierte Federzeichnung, französisch, um 1400.
Paris, Bibliothèque Nationale, Ms. fr. 871, Fol. 116ʳ

ceps unterhalb eines Kreisschemas mit Pegasus und den neun als Repräsentanten der Wiss. erklärten Musen als ein mit Städten bebauter Berg dargestellt ist, in denen Apollon und Bacchus residieren [23. 164 ff. Abb. 2–6]. In der panegyrischen Pracht-Hs. für König Robert in London, von der es zwei erstklassige Kopien des 14. Jh. gibt, beschließen großformatige Miniaturen mit dem am P. die Quelle erweckenden Pegasus und den neun, als Arten der Erkenntnis dargestellten Musen das Lob auf die Friedensherrschaft des Königs [1. 19. Abb. 101; 23. 208 ff. Abb. 14–17].

Im 15. Jh. etabliert sich in It. und Frankreich der P. als Bildthema in Hss. unterschiedlichster Textgattungen, seit dem letzten Drittel in der Monumentalmalerei sowie in Festaufführungen. Als einer der konstantesten Stränge erweist sich die Bildvorstellung des Pegasus mit den Musen am Parnaß. Zunächst sind es frz. Hss. aus der Zeit um 1400/1410 mit der Kommentardichtung des

Ovide moralisé zu Met. V, 253 ff., sowie solche mit der Dichtung einer Traumreise zum P. der Christine de Pisan. Für diesen Komplex ist typisch, daß die Musen als Nymphen in der als »fontaine de sapience« erklärten Pegasusquelle am P. baden. Singulär innerhalb dieser Gattung ist die Darstellung des Apollon in der Ovide-Hs. aus der Zeit um 1400 (Abb. 2) [23. 229 f.].

In It. konzentriert sich die P.-Thematik mit Pegasus auf Titelblätter zu Hss. mit Dichtungen ant. Autoren (Vergil, Properz, Statius u. a.), wodurch deren unsterblicher Ruhm, den Pegasus als Symboltier der Fama repräsentiert, und ihre Wiederbelebung durch die neu zum Fließen gebrachten Quellen im Sinn der human. Dichterphilologen adäquat ausgedrückt worden ist [23. 107 f., 238 ff. Abb. 33–37].

Dem unter dem Einfluß von Petrarcas Ekphrasen ant. Götterbilder um 1400 in It. entstandenen und illustrierten Götterhandbuch *Libellus de imaginibus deorum*,

in dem als Sitz des Sol Apollon der Platz zw. den beiden
P.-Gipfeln angegeben ist, ist das 1470 ausgeführte Fresko des Francesco del Cossa mit dem Triumph des Sonnengottes im Monatszyklus im Palazzo Schifanoia in
Ferrara verpflichtet [23. 251ff. Abb. 41–44]. Eine Sonderstellung nimmt das zu Recht als P. bezeichnete, um
1497 ausgeführte Gemälde des Andrea Mantegna für das
Studiolo der Isabella d'Este in Mantua ein (Paris, Louvre) [7; 23. 280ff. Abb. 63].

Unter den zahlreichen Festaufführungen an it. Höfen des 15. Jh., in denen Apollon und die Musen auftraten, ragt die 1475 in Pesaro veranstaltete »Festa« heraus, weil hier die »Santa Poesia« als Attribut einen aus
Zucker hergestellten P. mit der Darstellung Apollons
und der Musen führte und von zehn griech. und zehn
lat. Dichtern begleitet wurde [23. 120ff. Abb. 107].

Die im 15. Jh. in It. erreichte gesellschaftliche Anerkennung der Poesie und des Dichters griff auf Deutschland über und fand in Konrad Celtis, dem ersten dt.,
1487 zum *poeta laureatus* gekrönten Dichter, ihren Repräsentanten. Unter seinen ab 1502 in Nürnberg und
Augsburg gedruckten Werken befindet sich der h. dem
Hans von Kulmbach zugeschriebene Holzschnitt mit
dem »Mons Parnassus« (Abb. 3), der vor der Kulisse des
doppelgipfligen Berges, dessen rechter Teil von Bacchus
und seinem Gefolge besetzt ist, prominent Apollon in
einem in oberit. Petrarca-Hss. des 15. Jh. überlieferten
Typus darstellt. Der Titulus paraphrasiert die P.-Defi-
nition des Servius [23. 307ff. Abb. 57, 70–73].

D. HOCHRENAISSANCE

Die seit dem 14. Jh. in It. ausgebildeten Darstellungs-
möglichkeiten des P. wurden durch Raffaels um
1510/11 im Auftrag Papst Julius' II. (Amtszeit 1503–
1513) ausgeführtes Fresko in der Stanza della Segnatura
im Vatikanspalast aufgehoben, indem er einen eingip-
fligen Berg darstellte, auf dem der die Lira da braccio
spielende Apollon unter Lorbeerbäumen und über der
Quelle inmitten der neun Musen und umgeben von
achtzehn lorbeerbekränzten Dichtern aller Zeiten sitzt
(Abb.4). Das über dem Fenster zum Belvedere-Hof
angeordnete Fresko, über dem sich an der Decke die
geflügelte und von dem Motto NUMINE AFFLATUR
(»Vom Göttlichen angeweht«) begleitete Personifikation der Poesie befindet, veranschaulicht die seit Petrarcas
Dichterkrönungsrede in den human. Dichtungslehren
vertretenen Hauptgedanken über den göttlichen Ursprung der Poesie. Apollon ist in seiner Bedeutungsfülle
als Urheber der Poesie und der Sphärenharmonie, als
Sol, darüberhinaus als der durch päpstlich-historiogra-
phische Quellen immer bekannte Schutzgott des Vati-
kanhügels dargestellt. Die neun einzeln bestimmbaren
Musen verkörpern die Hauptdichtungsarten, Epos,
Tragödie, Komödie, Lyrik, Pastorale. Als Prototyp des
göttlich inspirierten Dichters und Hauptrepräsentanten
des Epos steht links der blinde Homer, flankiert von
Vergil und Dante. Links unten neben der inschr. bezeichneten Sappho stehen ant. und neuzeitliche Lyriker,
gegenüber rechts berühmte zeitgenössische, am Hof Ju-

Abb. 3: Hans von Kulmbach (zugeschrieben),
Mons Parnassus, Holzschnitt, Nürnberg 1502

lius' II. verkehrende Dichter, die an ihren Porträts erkennbar sind. Julius II. gewidmete Dichtungen und die
durch ihn 1512 vollzogene Dichterkrönung, die erste
und einzige im Vatikan, belegen die Aktualität der Thematik. Die Statue des Apollon Belvedere in dem von
Julius II. eingerichteten Antikenhof sowie die Rezeption dieser Antiken in Raffaels P. stellen Bezüge zw. den
Programmen her [15. 280ff.; 23. 334ff.; 24].

Raffaels Bildschöpfung prägte weitgehend die P.-
Ikonographie der folgenden Jh. und verschaffte dem
Thema als neues Mythologem, das die älteren Vorstellungen zwar voraussetzt, aber durch Neuformulierung
und neue Ideen verwandelte, größte Resonanz. Dazu
trug der Kupferstich seines Mitarbeiters Marcantonio
Raimondi bei [23. 274f. Abb.109; 26. 155. Nr. 48].

Die Rezeption dieser P.-Komposition im 16. Jh.
zeigt einerseits eine erkennbare Abhängigkeit, wie z.B.
in dem von Schülern Giulio Romanos ausgeführten P.-
Fresko im sog. Spiegelsaal des Palazzo Ducale in Mantua
(2. H. 16. Jh.) [19. 837], andererseits die Erweiterung
durch den bei Raffael nicht dargestellten Pegasus, wie
z.B. in Primaticcios Fresko im Ballsaal König Franz' I. in
Fontainebleau (1552/1556) [4. Abb. 60]. Der verbreitete, bes. die fläm. P.-Gemälde des 16. und 17. Jh. prägende Kupferstich des Giorgio Ghisi nach Luca Penni
(1557) vermischt die Formulierungen Primaticcios,
Marcantonio Raimondis und Raffaels [1. 195. Abb. 3,
3a; 13].

Abb. 4: Raffael,
Parnaß, Fresko,
um 1510/11,
Rom, Vatikan,
Stanza della
Segnatura,
Nordwand

Das P.-Thema ist seit dem 16. Jh. in allen Kunstgattungen und Bereichen des öffentlichen und privaten Lebens vertreten: auf Majolikatellern für Schaubüffets, an den Innenseiten von Spinett- und Cembalodeckeln, auf Prunkschilden und Plaketten, in der Emblematik, auf Titelblättern musikalischer und poetischer Werke. Die Beliebtheit des Themas hängt selbstverständlich mit dem hohen Ansehen der sprachlichen und musikalischen Künste zusammen, über deren Beherrschung sich die Bildung des europ. Adels definierte.

Darüberhinaus war der P. vom 16. bis zum 18. Jh. ein festes Thema innerhalb der Festveranstaltungen, der Einzüge und Aufführungen zu Ehren der Potentaten; hier standen die Bed. des Sol Apollon und der Musen als Urheber der Harmonie und des Friedens im Mittelpunkt [1. 211. Abb. 28; 24. Taf. 8a].

Ab der zweiten H. des 16. Jh. setzt in röm. Kardinalsvillen und in Villen der Medici bei Florenz der Bau von Brunnen und Wassertheatern in Gestalt des zumeist von Pegasus in seiner Doppel-Bed. als Ruhmessymbol und als Erwecker der Musenquelle bekrönten P. ein, die durch neuartige hydraulische Techniken und eingebaute Wasserorgeln Konzerte erzeugen konnten (Tivoli, Villa d'Este, um 1560/1666; Pratolino, um 1570; Frascati, Villa Aldobrandini, 1602/1611) [1. 217. Nr. 39; 23. 235f. Abb. 28]. Derartige P.-Brunnen bürgerten sich im 17. und 18. Jh. auch in nordalpinen Barockgärten ein (Salzdahlum bei Wolfenbüttel, um 1690; Veitshöchheim, 1765/1768) [1. 93. Abb. 1 und 11].

E. Barock

Eine der bedeutendsten Darstellungen des P. als Berg göttlicher Inspiration schuf Nicolas Poussin in seinem um 1630/1632 entstandenen Gemälde (Madrid, Prado), auf dem Apollon im Beisein der die Dichtungsarten repräsentierenden Musen und einer großen Anzahl vorbildhafter Dichter eine Dichterweihe vollzieht, die eine Kenntnis der aus der Ant. überlieferten Dichterweihen am Helikon vorauszusetzen scheint. Die Auseinandersetzung mit Raffaels und Marcantonio Raimondis P. zeigt sich an bestimmten Motiven; wie diese verzichtete er auf den Pegasus [2; 16].

Einen Höhepunkt als absolutistische Staatsallegorie erlebte das P.-Thema unter Ludwig XIV., der sich als mit Apollon verglichener Sonnenkönig und als Beschützer der Musen und Dichter in großen Bildprogrammen feiern ließ, wie z. B. auf dem 1660 in Paris errichteten Ehrenbogen [1. 214; 14. 91 ff.]. Als »Parnasse françois« ist das Bronzemodell Louis Garniers nach dem Entwurf des Evrand Titon du Tillet für ein in Versailles oder Paris geplantes Denkmal bekannt, das den unsterblichen Ruhm des unterhalb des Pegasus als Apollon sitzenden Königs durch die Dichter Frankreichs verherrlicht [5].

Abb. 5: Anton Raphael Mengs, Parnaß, Deckenfresko, 1760/61, Rom, Villa Albani, Galerie

In der dt. Barockmalerei des 18. Jh. gehört der P. vielfach zum Repertoire der Festkultur fürstlicher Repräsentation als Hinweis auf die Förderung der Wiss. und Künste (Jacopo Amigoni, Schleissheim, Neues Schloß, Grand Cabinet, Deckenfresko, 1725) [19. 839]. Ebenso ist der P. ein Hauptthema der Bibliotheksprogramme (Daniel Gran, Wien, Kaiserl. Hofbibl., Lünettenfresko, 1726/1730) [19. 839]. In süddt. Klosterbibl. und sogar in Kirchen tritt er in neuer Bed. als Bestandteil theologischer Bildprogramme über den Triumph der göttlichen Weisheit auf. Die beiden Gipfel des P. dienen der Gegenüberstellung von Paradiesesberg mit dem Lamm Gottes und dem Musenberg mit Pegasus und Apollon (z.B. Joseph Anton Merz, Oberaltaich, ehem. Benediktiner-Abtei, Kirche, Deckenfresko, vor 1731) [1; 104. Abb. 4; 3. 94ff. Abb.].

F. KLASSIZISMUS

Als Gründungswerk des internationalen Klassizismus gilt das 1760/61 von Anton Raphael Mengs ausgeführte und von J.J. Winckelmann gepriesene P.-Fresko in der Villa Albani zu Rom (Abb. 5), das nach Winckelmanns Urteil Raffaels P.-Fresko (Abb. 4) übertrifft [25. 229]. Den von klassizistischen Kunsttheoretikern (z.B. J. Richardson) stets kritisierten Figurentypus von Raffaels sitzendem und auf einer mod. Geige spielenden Apollon ersetzte Mengs durch den Typus einer ant., damals in der röm. Sammlung Fede befindlichen Statue des stehenden Apollon Kitharodos [25. 242f. Abb. 122]. Auch die Musen stellte er teilweise nach ant. Vorbildern dar. Neuartig führte er die ebenfalls nach einem ant. Vorbild wiedergegebene, links thronende Mutter der Musen, Mnemosyne, ein, die die Mutter aller Weisheit und Erkenntnis ist und die Kraft der Erinnerung (Memoria)

verkörpert [25. 234f., 252f. Abb. 134]. Trotz des bewußt antikisierenden Charakters ist dieser P., der sich als Zentralbild in einem Planetenprogramm befindet, älteren human. und barocken Vorstellungen verpflichtet. An dem von Raphael Morghen und Giovanni Volpato nachgestochenen Fresko des Mengs, das noch 1902 in einem Deckenfresko in Canosa kopiert wurde [25. 230], orientierten sich it. und dt. Maler bis in das frühe 19. Jh. (z.B. Andrea Appiani, Mailand, ehemalige Königliche Villa, h. Galleria d'Arte Moderna, Fresko, 1811). Weder bei Mengs noch in den danach entstandenen P.-Darstellungen erscheinen Dichter, obwohl der P. als Ort der »edlen Geister« bei den dt. Klassikern ein Lieblingsthema ist (vgl. Goethe, sog. *Dt. Parnass*, 1798).

G. 19./20. JAHRHUNDERT

Im Verlauf des 19. Jh. klingt die Begeisterung für das P.-Thema ab, wie die vergleichsweise geringe Anzahl der bisher bekannten Bildbeispiele anzudeuten scheint (19. 840). Das 1821/1826 von König Maximilian I. bei dem Nazarener Heinrich Maria Heß bestellte, in Rom entstandene, von Mengs abhängige riesige P.-Gemälde schließt die durch Raffaels Fresko formulierte Trad. des Themas ab (München, Neue Pinakothek). Zwar bleiben im 19. Jh. Apollon und die Musen weiterhin bevorzugte Themen, bes. als Statuen- und Giebelschmuck von Theatern, Konzertsälen und Museen (12), doch fehlt ihnen der inhaltliche Zusammenschluß durch den Ort.

Daß der P. als Begriff und als Berg Malern wie Paul Klee im 20. Jh. viel bedeutete, lehrt eines seiner großen abstrakten Gemälde, das er als *Ad Parnassum* betitelte (Bern, Kunstmuseum, 1932 datiert). Hier schwingt sicherlich bewußt eine Anspielung auf den Titel des berühmten barocken Lehrbuches für die Dichtkunst mit, *Gradus ad Parnassum* (Editio princeps 1687).

→ AWI Apollon; Delphoi; Dionysos; Fama; Helikon; Lorbeer; Mnemosyne; Musen; Pegasus

1 Ausstellungskat. Pegasus und die Künste, hrsg. von C. Brink, W. Hornbostel, 1993 2 Ausstellungskat. N. Poussin 1594–1665, hrsg. von R. Verdi, 1995 3 H. Bauer, Barocke Deckenmalerei in Süddeutschland, 2000, 94–186 4 S. Béguin, J. Guillaume, A. Roy, La Galerie d'Ulysse à Fontainebleau, 1985 5 J. Colton, The Parnasse François. Titon du Tillet and the Origins of the Monument to Genius, 1979 6 E. McGrath, From Parnassus to Careggi: A Seventeenth Century Celebration of Plato on Ren. Florence, in: J. Onians (Hrsg.), Sight & Insight. Essays on Art and Culture in Honour of E. H. Gombrich at 85, 1994, 190–220 7 A. Hauser, Andrea Mantegnas »Parnass«. Ein Programmbild orphischen Künstlertums, in: Pantheon 58, 2000, 23–43 8 E. Kirsten, W. Kraiker, Griechenlandkunde, ⁵1967, 247–264 9 W. Ludwig, Der Ritt des Dichters auf dem Pegasus und der Kuß der Muse – Zwei neuzeitliche Mythologeme, in: Nachr. der Akad. der Wiss. in Göttingen, I. Philol.-histor. Klasse, II, Nr. 3 (1996), 57–111 10 P. Martino, Parnasse et Symbolisme (1850–1900), 1950 11 P.-L. Mathieu, Gustave Moreau. Leben und Werk, 1976 12 S. Michaelis, Stud. zu figürlichen Giebelfeldern des 18. und 19. Jh., 1979, 245–61 13 A. P. de Mirimonde, Les concerts des Muses chez les maîtres du Nord, in: Gazette des Beaux-Arts 63, 1964, 129–158 14 K. Möseneder, Zeremoniell und monumentale Poesie. Die Entrée solennelle Ludwigs XIV. 1660 in Paris, 1983, 91–100 15 Monumenti, Musei, Gallerie Pontefice. Raffaello nell'appartamento di Giulio II e Leone X, 1993, 280–84 (Beitr. M. Winner) 16 E. Panofsky, A Mythological Painting by Poussin in the Nationalmus. Stockholm, 1960, 45–56 17 A. Pigler, Barockthemen, Bd. 2, 1956, 34–37, 201 18 RE 18,4 (1949), s. v. Parnassos, 1573–1663 (J. Schmidt) 19 J. D. Reid, Ch. Rohmann, Classical Mythology in the Arts 1300–1990s, Bd. 1, 1993, 835–841 20 St. Roettgen, A. R. Mengs (1728–1779), Bd. 1, 1999, 397–403, Kat.-Nr. 304, Farbtaf. XV 21 Dies., Apollo und die Musen im Theater – Zum Deckenbild des Bayreuther Opernhauses, in: Opernbauten des Barock. Eine internationale Tagung des Dt. Nationalkomitees von ICOMOS (ohne Hrsg.), Heft 31, 1999, 61–71 22 G. Roux, Delphi. Orakel und Kultstätten, 1971 23 E. Schröter, Die Ikonographie des Themas P. vor Raffael. Die Schrift- und Bildtrad. von der Spätant. bis zum 15. Jh., 1977 24 Dies., Der Vatikan als Hügel Apollons und der Musen. Kunst und Panegyrik von Nikolaus V. bis Julius II., in: RQA 75, 1980, 208–240, Taf. 1–8, 25 Dies., Die Villa Albani als Imago mundi. Das unbekannte Fresken- und Antikenprogramm im Piano Nobile der Villa Albani zu Rom, in: H. Beck, P. C. Bol (Hrsg.), Forsch. zur Villa Albani, 1982, 185–299 26 I. H. Shoemaker, The Engravings of Marcantonio Raimondi, ²1984, 155–57, Nr. 48 a-b 27 J. B. Trapp, The Poet Laureate: Rome, Renovatio and Translatio Imperii, in: Ders., Essays on the Ren. and the Classical Trad., 1990, 93–130 28 E. H. Wilkins, Stud. in the Life and Works of Petrarch, 1955, 300–313 29 F. J. Worstbrock, Konrad Celtis. Zur Konstitution des human. Dichters in Deutschland, in: H. Boockmann, L. Grenzmann, B. Moeller, M. Staehelin (Hrsg.), Lit., Musik und Kunst im Übergang vom MA zur Neuzeit, 1995, 9–35.

ELISABETH SCHRÖTER

Parthenon A. Nachantike Aneignung B. Rezeption

A. Nachantike Aneignung

Die Geschichte des »heidnisch«-ant. Bauwerks endet im 5. Jh. n. Chr. Es erfolgte die Umwandlung in eine (orthodoxe) Kirche, die zunächst der Hagia Sophia, dann der Maria Theotokos, der Gottesgebärerin geweiht war [3. 46; 39. 456]. Bei den baulichen Veränderungen wurde auch der äußere Säulenumgang durch halbhohe Mauern geschlossen. Nach der fränkischen Eroberung 1204 wurde die Kirche als röm. (lat.) Kirche genutzt; die S. Maria di Atene galt als *ecclesia maior* Athens. Mit der türk. Eroberung erfolgte um 1460 unter Sultan Muhammad II. die Umwandlung zur Mehmet Moschee (Minaret im NO). Die Eingriffe in die Bausubstanz waren geringfügig, sie betrafen in erster Linie liturgische Einbauten (Minbar, Mihrab), die Entfernung der Ikonostase und die Übertünchung der rel. Malereien [3. 55; 20. 28–32, 49–50].

Schwerste Zerstörung erfuhr das Bauwerk 1687 bei der Belagerung durch venezianische Truppen und die Beschießung der Akropolis unter Morosini und Königsmark [3. 62, 66; 10. 30–35; 20. 51–56; 31]. Bei der Explosion des Pulvermagazins im P. wurden Teile der Langwände und der Ostwand zerrissen. Das für die Ansichten charakteristische Minaret blieb stehen. Beschreibungen und bildliche Darstellungen des verhängnisvollen Schusses fanden schnelle Verbreitung in Europa und lenkten das Augenmerk auf Athen und den lange vergessenen ant. Tempel. Am 4. April 1688 verließen die venezianischen Truppen Athen, nachdem zunächst noch erwogen wurde, die gesamte Akropolis zu schleifen [3. 65]. Unmittelbar nach dem Rückzug der venezianischen Truppen 1688 wurde im Inneren des teilzerbombten P. eine kleinere Moschee neu errichtet [39. 457].

Nach Beendigung des griech. Unabhängigkeitskrieges (1821–1830) erfolgte – nicht immer konsequent – seit 1833 die Freilegung des klass.-ant. Bestandes und seine bis h. nicht abgeschlossene Restaurierung. Ein emotionaler Zwiespalt begleitete von Anfang an diese Arbeiten [34. 48–56].

B. Rezeption

Die Rezeptionsgeschichte scheidet zu wenig die eigentliche Rezeption von einer möglichen Rezeptionswirkung. Voraussetzung für letzteres ist die Zugänglichkeit zum Quellenmaterial. Viele Quellen, so etwa die Zeichnungen von Cyriacus [10. 87], Sangallo [10. 87], Fauvel [9] oder Carrey [10], sind erst sehr spät bekannt geworden.

1. Bis Carrey und Spon-Wheler (1400–1650)

Zu den ältesten nachant. bildlichen Dokumentationen der Akropolis und des P. gehören Zeichnungen des Cyriacus (de' Pizzicolli) von Ancona von 1436 und 1444 [10. 87; 14. 283; 23. 7; 34. 14]. Sie sind, wie die darauf basierenden Zeichnungen Sangallos [10. 87], in ihrer Zeit weitgehend wirkungslos geblieben. Der ge-

Abb. 1: Die Akropolis (seitenverkehrt wiedergegeben) in der *Schedelschen Weltchronik* von 1493

lehrte Humanist Hartmann Schedel bildet in seiner *Weltchronik* von 1493 eine Ansicht Athens ab, »Athene oder Minerva« [33. 27 verso], die meist als reines Phantasiebild in neuzeitlichem Gewand abgetan wird (Abb. 1). In der Seitenumkehrung der Abbildung (= Druckstock) ist die Situation bei Schedel erzählerisch besser nachvollziehbar: man »sieht« jetzt die Propyläen mit prominentem Turm, dem – hier freilich runden – Frankenturm, den – in der Richtung gedrehten – P. als Kirche mit dem Chor im Osten, den Kirchturm (später Minarett), die Hausbebauung im Süden des P. und die Burgmauer. Wirkungsvoll doch ganz ohne Autopsie beschreibt J. Meursius 1622 ausführlich die Altertümer Athens [27; 28; 23. 8].

2. BIS WINCKELMANN (1650–1750)

Eine reflektierte Rezeption setzt erst um die Mitte des 17. Jh. ein. Nach Berichten des Meursius und von in Athen wirkenden Kapuzinern verfaßte Guillet de St. Georges 1674 eine viel gelesene zwar fiktive, aber für authentisch angesehene Beschreibung Athens [22]. Neben die lit. Aneignung trat jetzt verstärkt auch die bildliche. Am bedeutsamsten sind die Arbeiten von Jacques Carrey, der für den frz. Botschafter in Konstantinopel, den Marquis de Nointel, 1674 den P. mit seinen Skulpturen zeichnete [3. 59, 95–97; 10]. Bis auf weniges von Montfaucon Publiziertes galten die Zeichnungen lange als verschollen. Erst 1797 wurden sie wiederentdeckt [3. 74; 10].

Echte Breitenwirkung erzielten die Arbeiten von Jacob Spon und George Wheler, die sich – unterstützt durch Nointel – ab Januar 1676 in Athen aufhielten [3. 57–59, 97, 339]. Bezeichnend für ein neues wiss. Verständnis ist es, daß Spon seinen Komm. zum abgebildeten P. auf die Angaben des Pausanias gründet. Ein fataler Fehler unterläuft ihm allerdings bei der Deutung

zweier sitzender Figuren im Nordzwickel des Westgiebels, in denen er Hadrian (röm. Kaiser 117–138) und seine Frau Sabina zu erkennen glaubte [35. II. 29; 3. 60]; diese Fehldeutung wird noch bei Stuart-Revett mit Einschränkung wiederholt [38. II. 2, 11, Taf. IX].

Die Beschießung der Akropolis (26. 9. 1687) hatte die Aufmerksamkeit Europas wieder auf Athen gelenkt. Zahlreiche bildliche Darstellungen des Bombardements kursierten; die Publikationen von Spon und Wheler wurden von 1688 bis 1690 mehrfach in verschiedenen Sprachen neu aufgelegt.

Der Zugang zur wieder türk. gewordenen Akropolis war für Reisende erneut erschwert. Die Kenntnisse von der Akropolis und vom P. blieben daher weiterhin mehr als dürftig. Die Abbildungen in einer in England, Holland und Deutschland weitverbreiteten *Allgemeinen Weltgeschichte* der Mitte des 18. Jh. legen dafür Zeugnis ab [6. Taf. C. D] (Abb. 2). Für J.J. Winckelmann (1717–1768), den »Vater der modernen Archäologie«, war Griechenland eine unbekannte Größe. In seinen Arbeiten wird der P. allenfalls flüchtig erwähnt [48. 25]. Das wahre Gesicht des griech. Tempels dokumentierte sich für Winckelmann und seine Zeit in den Tempelbauten Unteritaliens.

3. VON STUART/REVETT BIS ELGIN (1750–1800)

Eine moderne wiss. Rezeption setzt erst mit den Arbeiten des schottischen Malers James Stuart (1713–1788) und des Malers und Architekten Nicholas Revett (1720–1804) ein. Von 1751–1753 vermessen und zeichnen sie in größtmöglicher Treue in Athen [3. 69]. Der erste Band der *Antiquities of Athens* erschien 1762. Der zweite Band erschien erst nach Stuarts Tod 1790 (Druckangabe 1787); er enthielt das Bildmaterial zum Parthenon. 1794 folgte der dritte Band mit dem »Theseion« und weiteren Beispielen dorischer Architektur. Stuart hatte mittler-

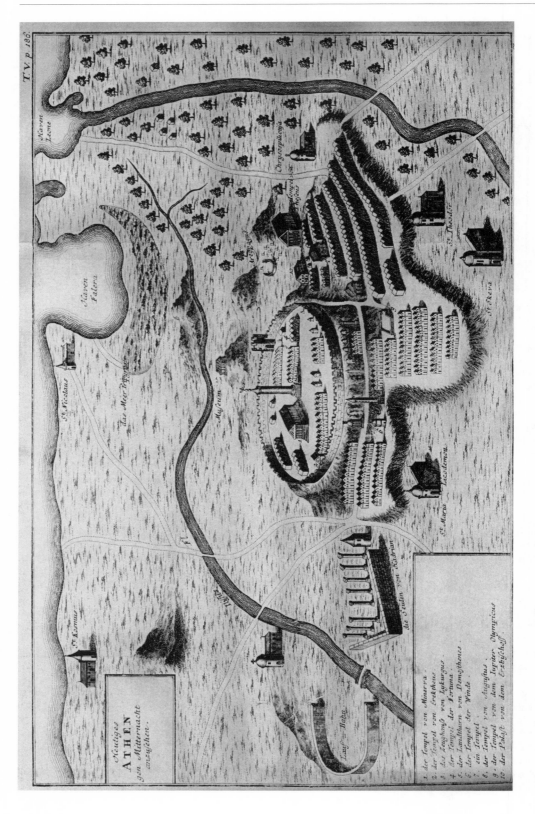

Abb. 2: Akropolis und Athen 1747 in Baumgartens *Allgemeiner Weltgeschichte*. Der Plan basiert auf G. Wheler 1682

weile in England seine griech. Erfahrungen auch in eigenen Bauten umgesetzt. Der hier vorherrschende röm. Geschmack verhinderte eine Breitenwirkung [45; 46].

Gefördert durch die → Society of Dilettanti (gegr. 1733) waren außer Stuart und Revett auch zahlreiche weitere engl. Reisende und Künstler in Griechenland unterwegs. Die Publikationen von Chandler, Pars, Dodwell, Leake, Gell u. a. trugen in Europa zu einer Griechenland-Euphorie bei, zu deren bekanntestem Vertreter der spätromantische Lord Byron zählt (1788–1824).

4. CHOISEUL-GOUFFIER UND FAUVEL

Eine eher fatale, auf jeden Fall rückschrittliche Rolle spielte in der gleichen Zeit Louis François Sébastien Fauvel (1753–1838), der bis in die Königszeit als Konsul in Athen tätig war [9]. Seit 1780 arbeitete er als Zeichner für Marie Gabriel Florente Auguste Laurent, Comte de Choiseul-Gouffier (1742–1817), Botschafter Ludwigs XVI. in Konstantinopel; Choiseul selbst verfaßte eine viel rezipierte *Voyage pittoresque de la Grèce*, deren erster Band 1782 in Paris erschien. Seit 1787 war Fauvel in Athen als Antiken-Agent und Zeichner für Choiseul-Gouffier tätig; 1791/92 ließ er für ihn erste Gipsabgüsse von P.-Skulpturen anfertigen, die später in den Louvre gelangten. Versuche, auch originale Skulpturen des P. an sich zu bringen, gelangen nur teilweise [3. 73].

5. VON ELGIN BIS KÖNIG OTTO (1800–1833)

1787 hatte Goethe durch Ch. Worthley in Rom erstmals Zeichnungen der P.-Skulpturen gesehen: ›Man kann sich nichts Schöneres denken als die wenigen einfachen Figuren‹ [42. 38]. Der Pferdekopf vom Selenegespann aus dem Ostgiebel wurde durch Goethe (1819) dann zum sprichwörtlich gewordenen ›Urpferd‹ [42. 43–44]. 1797 wurden die verschollenen Carrey-Zeichnungen in Paris wiederentdeckt [3. 74]. Die Zeit war reif für Lord Elgins Unternehmungen.

Thomas Bruce Earl of Kinkardine, Earl of Elgin (1766–1841) war 1799 zum britischen Botschafter in Konstantinopel ernannt worden. 1800 reiste er mit verschiedenen Künstlern von Rom aus zunächst nach Konstantinopel, dann nach Athen. Er ließ von den P.-Skulpturen neue Zeichnungen anfertigen, dann Gipsabgüsse, führte seit 1801 auch Grabungen durch. Nachdem er eine im Wortlaut vage Genehmigung der Pforte erhalten hatte, begann er die Skulpturen zu entfernen und veranlaßte den Abtransport von Abgüssen und Originalen nach England (1804–1812).

Eine in Winckelmann'scher Trad. lebende röm. Sichtweise sperrte sich lange gegen die künstlerische Akzeptanz. In London hatte das »Bildungsorakel« Payne-Knight – auf Spon fußend – die P.-Skulpturen für frühestens hadrianische Arbeiten erklärt [3. 81]. Es bedurfte erst des Zeugnisses der berühmtesten Wissenschaftler und Künstler der Zeit, um hier Bahn zu brechen: 1814 kam Ennio Quirino Visconti eigens aus Paris [1. 82], Ende 1815 auch Canova nach London, der sich schon früher geweigert hatte, diese Skulpturen wegen ihrer Bedeutung zu ergänzen [3. 83]. 1816 erfolgte durch Parlamentsbeschluß der Ankauf für das British Museum [3. 85]. Im gleichen Jahr publizierte Elgin selbst ein großes Tafelwerk seiner Sammlung [19]. ›Die Kunstgeschichte hat einen neuen Mittelpunkt gefunden‹ urteilte später der Archäologe G. Welcker [43. 67]. Schon 1817 forderte Goethe, daß jeder dt. Bildhauer in London die Elginschen Marmore studieren solle [42. 42].

Seit 1812 fertigt der schottische Bildhauer John Henning (1771–1851) verkleinerte Nachbildungen (1:20) vom Parthenonfries und dem Fries von Bassae-Phigalia für eine kommerzielle Nutzung an; wie bereits Elgin scheitert auch Henning bei der Vermarktung der in Schiefer und Gips ausgeführten Reliefs. Eine Umsetzung des Frieses in gebaute Architekturen in London erfolgte 1825 und 1828/29 durch John Henning – Vater und Sohn [47. 171]. Andere Nachwirkungen des P. in der gebauten Architektur sind vergleichsweise spärlich und verdanken ihre Entstehung ganz unterschiedlichen Motiven: Ein Entwurf Friedrich Gillys für ein Denkmal Friedrichs d. Gr. von 1797 kann mit angeregt sein durch Stuart-Revett, spürbarer sind aber die Einflüsse unteritalischer Tempel. Die *Second Bank of the United States* in Philadelpia (1818–1824) ist sicher eine Hommage an Stuart-Revett [34. Farbtaf. 6; 14. 295].

6. DAS UNABHÄNGIGE GRIECHENLAND (AB 1833)

Im Frühjahr 1833 erfolgte der Abzug der Türken aus Athen [3. 87]. Für die Ausgestaltung der Akropolis – der neuen Residenzstadt – entwickeln seit 1834 die beiden führenden Architekten Deutschlands, Karl Friedrich Schinkel (1781–1841) und Leo von Klenze (1784–1864), diametral entgegengesetzte Pläne [18]: Während Schinkel im romantischen Verständnis mit einem Schloßbau auf der Akropolis die Ant. in die Gegenwart integrieren möchte, sie zu einer neuen Einheit verschmelzen will (›eine architektonische Dichtung‹ urteilt Ludwig Ross 1848), vertritt Klenze einen radikal puristischen Standpunkt: Alles was nicht der klass. Zeit angehört, wird von der Akropolis abgeräumt, sie wird museales Denkmal und damit erstmals in ihrer Geschichte dem Leben entzogen. Als Schinkel 1840 seine Akropolis-Entwürfe publizierte, war die Entscheidung des Hofs längst zu Gunsten von Klenze und einem radikal unterkühlten Purismus gefallen, vielleicht ein Grund für die geringe Rezeptionswirkung der Folgezeit.

Die Walhalla bei Regensburg (1830–1842) ist weniger sachliche Nachbildung als Aneignung im romantischen Geist [34. Farbtaf. 7]. Ein P.-Nachbau in Nashville/Tennessee (1896) versteht sich dagegen in einem spätpositivistischen Sinn als wiss. korrekte Kopie [34. Abb. 23].

Auch die mit dem Namen des Phidias verbundenen Skulpturen, v. a. die Friese des P., haben wenig Nachahmung gefunden. Die weite Verbreitung der Miniaturenfriese von John Hennings, die neu entdeckte Farbigkeit der ant. Bauten und Skulpturen bot Anreiz zur künstlerischen Auseinandersetzung [47. 173]. Schon Schinkels *Blick in Griechenlands Blüte* hatte 1824 die Erbauung des P. zum Vorwurf [18. II. Taf. 67, 2]; ihm folgte – nicht minder berühmt – 1868 Alma-Tadema mit seinem Gemälde *Pheidias and the Frieze of the Parthenon* [47. 175]. Der Begeisterung des archäologisierenden und ausgrabenden Kaiser Wilhelms II. verdankt vielleicht ein Parthenonfries im Wiesbadener Kurhaus (1902–1907) seine Entstehung [47. 173–174]. Gelegentlich findet sich der Fries als Bildungssignet auf Möbeln des 19. Jh.

Im wesentlichen bleibt der P. jetzt aber Objekt der Ausgrabung, der Restaurierung/Anastylosis, der Dokumentation und der Forschung. Als Dokumentation geradezu mustergültig ist die 1870/71 erschienene Monographie von Adolph Michaelis [3].

Basierend auf den Plänen von Curtius [17. Taf. V] fertigte H. Walger 1897 in Berlin ein Modell der Akropolis an (Maßstab 1:425; Abb. 3).

Abb. 3: Akropolis 1897, Modell von G. Walger, Berlin Maßstab 1 : 425. Göttingen, Archäologisches Institut A 262. Das Modell basiert auf E. Curtius 1891

Museale Dokumentation in der Art eines *Musée imaginaire* ist die unter Ernst Berger seit den 70er Jahren des letzten Jahrhunderts in Basel entstandene P.-Gesamtwiederherstellung [8]. In Athen wird seit Jahrzehnten durch griech. Archäologen der gesamte Bestand der Akropolis histor. und restauratorisch vorbildlich betreut.

→ Athen; London, British Museum

QU 1 L. E. S. J. COMTE DE LABORDE, Le Parthénon: Documents pour servir à une restauration, Paris 1848 2 Ders., Athènes aux XVe, XVIe et XVIIe siècles, Paris 1854 3 A. MICHAELIS, Der P., Tafeln Leipzig 1870, Text 1871 4 H. OMONT, Athènes au XVIIe siècle, Paris 1898

LIT 5 The Acropolis of Athens. Conservation, Restauration and Research 1975–1983, Athen 1985 6 S. J. BAUMGARTEN (Hrsg.), Uebersetzung der Algemeinen Welthistorie die in Engeland durch eine Geselschaft von Gelehrten ausgefertigt worden. Fünfter Theil, Halle 1747 7 E. BERGER (Hrsg.), P.-Kongr. Basel 1982, Mainz 1984 8 E. Berger, M. Gisler Huwiler, Der P. in Basel. Stud. der Skulpturenhalle Basel, Mainz 1986–1996 9 L. BESCHI, Fauvel e il Partenone [7. 319–323] 10 TH. BOWIE, D. THIMME (Hrsg.), The Carrey Drawings of the P. Sculptures, 1979 11 C. PH. BRACKEN, Antiquities acquired. The Spoliation of Greece, 1975 (dt. Ausgabe: Antikenjagd in Griechenland, 1977) 12 Byron versus Elgin: Greeks and Britains together can restore the P. Marbles, Byron Conference Athen 1998 13 M. G. F. A. CHOISEUL-GOUFFIER, Voyage pittoresque de la Grèce. 4 Bde., Paris 1782–1822 (dt. Ausg. 1782) 14 J. COBET, Bilder der Akropolis von Athen. Die Fremdheit des Vertrauten und die Umkehrung dieses Verhältnisses durch die Historie, in: Jb. für Ästhetik I, 1985, 281–306 15 J. M. CROOK, The Greek Revival. Neo Classical Attitudes in British Architecture, 1972 16 M. CRUSIUS, Turcograecia Bd. VII, Basileae 1584 17 E. CURTIUS, Die Stadtgesch. von Athen, Berlin 1891 18 H. DÖHL, Schinkel und Klenze zur Akropolisgestaltung, in: [7. 329–333] 19 (ELGIN) TH. BR. EARL OF ELGIN AND KINKARDINE, The Elgin Marbles from the temple of Minerva at Athens on sixty-one plates, London 1816 20 Die Explosion des P., Ausstellungskat. Berlin Antikenmus. 1990 21 F. GREGOROVIUS, Gesch. der Stadt Athen im MA, Stuttgart 1889 22 (GUILLET DE ST. GEORGES), De la Guilletière, Athènes ancienne et nouvelle, Paris 1675 23 H. HILLER, J. COBET, Die Akropolis von Athen. Verwandlungen eines klass. Monuments, 1985 24 H. HONOUR, Neo-Classicism, 1977 25 R. JENKINS, The Victorians and Ancient Greece, 1980 26 W. JUDEICH, Top. von Athen. Hdb. der Altertumswiss. III 2.2 (1931) 27 J. MEURSIUS, Cecropia oder das Schloß zu Athen und desselben Alterthümer, 1622 28 J. MEURSIUS, in: J. GRONOVIUS, Thesaurus Graecarum antiquitatum IV. V, 1732 29 K. ORLANDOS, Architektoniki tou Parthenonos, Athen 1976–1978 30 M. PAVAN, L'avventura del Partenone, 1983 31 H. RÖHRIG (Hrsg.), Hannoversche Rotröcke in Griechenland. Das Tagebuch des Fähnrichs Zehe 1685–1688, 1975 32 E. RÜCKER, Die Schedelsche Weltchronik, 1973 33 H. SCHEDEL, (Weltchronik) Buch der Chroniken und Geschichten, Nürnberg 1493 34 L. SCHNEIDER, CHR. HÖCKER, Die Akropolis von Athen, 1990 35 J. SPON, Italiänische, dalmatische, griech. und orientalische Reise-Beschreibung, Nürnberg 1681 (Übers. von »Voyage d'Italie, de Dalmatie, de Grèce et du Levant fait aux années 1675 et 1676«, Lyon 1678) 36 W. ST. CLAIR, Lord Elgin and the Marbles, 1998 37 C. B. STARK, Systematik und Gesch. der Arch. der Kunst, Hdb. der Arch. der Kunst I, Leipzig 1880 38 J. STUART, N. REVETT, The Antiquities of Athens. 4 Bde., London 1762–1816 (Bd. II. 1787/90 zum P.; dt. Ausgabe 1829–1831; Bd. III 1794 Baudenkmäler dorischen Stils) 39 J. TRAVLOS, Bildlexikon zur Top. des ant. Athen, 1971, 444–457 40 F.-M. TSIGAKOU, The Rediscovery of Greece. Travellers and Painters of the Romantic Era, 1981 (dt. Ausgabe 1982) 41 F. M. TURNER, The Greek Heritage in Victorian Britain, New Haven 1981 42 M. WEGNER, Goethes Anschauung ant. Kunst, Berlin 1944 43 F. G. WELCKER, Alte Denkmäler I, Göttingen 1849 44 G. WHELER, J. SPON, A Journey into Greece, London 1682 45 D. L. WIEBENSON, Stuart and Revett's Antiquities of Athens: The Influence of Archaeological Publications on the Neoclassical Concept of Hellenism. Diss., New York 1964 (Ann Arbor 1983) 46 Ders., Sources of Greek Revival Architecture, 1969 47 D. WILLERS, Die gar nicht spontane Begegnung oder jeder hat den P., den er verdient, in: Ant. und Europ. Welt, 1984, 145–185 48 J. J. WINCKELMANN, Anmerkungen zur Baukunst der Alten, Leipzig 1762. HARTMUT G. DÖHL

Patristische Theologie/Patristik A. Entstehung
und Geschichte (Patristik als Theologie- und
Dogmengeschichte) B. Patrologie und
Philologie C. Antike und Christentum
(Patristik als Religions- und
Kulturgeschichte) D. Perspektiven

A. Entstehung und Geschichte (Patristik als Theologie- und Dogmengeschichte)

Die P. (auch: Patrologie – »Väterkunde«) als Fach der
Histor. Theologie, das sich mit Geschichte, Lit. und
Theologie des Christentums im Alt. befaßt, hat sich aus
einer dogmatischen Argumentationsfigur entwickelt,
deren Anfänge in frühkirchliche Zeit zurückreichen.
Zur Sicherung und Abgrenzung der Rechtgläubigkeit
begann man im ausgehenden 2. Jh., große Namen der
Frühzeit, die seit dem 3. und 4. Jh. unter anderem »Väter« genannt werden, als orthodoxe Autoritäten aus der
Trad. neben bzw. nach der Bibel zu zitieren. Im 5. Jh.
entwickelte sich daraus das Väterargument als Prinzip
und Methode der Theologie, das verschiedene Formen
annahm [20; 36; 66]. Konzile wie Ephesus (431), Chal-
zedon (451) und spätere beriefen sich für die Rechtgläubigkeit ihrer dogmatischen Setzungen summarisch
auf »die Väter«. Ab dem 5. Jh. wurden in Florilegien wie
den *Sacra Parallela* des Johannes von Damaskus (8. Jh.)
Sammlungen von Väteraussagen zu dogmatischen Fragen angelegt [59], in den exegetischen Katenen zur Erklärung der christl. Bibel. Bis in das 16. Jh. hinein bildeten Sentenzensammlungen, an erster Stelle in der
Glossa ordinaria des Anselm von Laon und diejenige des
Petrus Lombardus [8], samt zugehörigen Komm. die
Grundlage theologischen Lernens und Disputierens.
Das Kirchenväterzitat gehörte unverzichtbar zum theologischen Argument, die exegetische Methode der Vä-
ter mit ihrer Theorie und Praxis des mehrfachen
Schriftsinns war schlechthin maßgeblich [22; 35].

Im 11. und 12. Jh. wurde dieses Denkmuster problematisch, als die Kanonisten im Blick auf die kirchliche Rechtsüberlieferung und Petrus Abaelard mit
Bezug auf die theologischen Autoritäten [1] die Wider-
sprüchlichkeit der Vätertradition thematisierten.
Humanisten (Erasmus von Rotterdam) und Reformatoren (Martin Luther, Philipp Melanchthon, Huldrich
Zwingli, Johannes Calvin) radikalisierten seit dem E. des
15. Jh. diese Erkenntnisse, indem sie einerseits gegen die
metaphysische Spekulation der Scholastik mit ihrer anthologischen Verarbeitung der Vätertexte aus histor. Interesse auf die nunmehr immer reichlicher gedruckten
ant. Quellen direkt zurückgriffen, andererseits den dogmatischen Argumentationswert von Väteraussagen kritisch und mehr oder weniger distanziert am Maßstab der
Bibel beurteilten [34]. Dabei entwickelte sich das Väterargument in der protestantischen Orthodoxie neben
der *theologia biblica*, *symbolica* und *scholastica* bzw. *specu-
lativa* zu einer eigenen Disziplin, der *theologia patristica*
(so erstmals Johann Franz Budde [5]). Die katholische
Gegenreformation (Melchior Cano, Caesar Baronius

[2] gegen Matthias Flacius [6], Robert Bellarmin [3],
Dionysius Petavius [11]; auch noch Louis Sébastien Le
Nain de Tillemont [12]) reagierte mit dem Aufweis eines kontinuierlichen Konsenses der Vätertradition [16].
Neue Einsichten in die Theologiegeschichte des Christentums ergaben sich mit der Anwendung des geschichtlichen Denkens im Sinne des Historismus auf die
Frühzeit des Christentums im 19. Jh. durch die liberale
protestantische Patrologie, gefolgt von der katholischen
im Laufe des 20. Jh. Aufgrund dieser Entstehungsgeschichte wird die P. bis h. in enger Verbindung mit der
allg. Theologie- und Dogmengeschichte betrieben.

B. Patrologie und Philologie (Patristik als Literaturgeschichte)

Nach der Erfindung des Buchdrucks erlebte die philol. und histor. Erforschung der frühen christl. Texte
einen immensen Aufschwung. Text- und Literarkritik
zur Sicherstellung der Echtheit einer Schrift und ihres
korrekten Wortlauts dienten als Mittel im Streit um die
dogmatische Wahrheit und Verbindlichkeit der Vätertradition; Philol. und Theologie gingen Hand in Hand –
beispielsweise ist die exegetische Hermeneutik des
Erasmus von den Regeln der ant. Rhetorik bestimmt
[70] –, um im Gefolge der kontroverstheologischen
Auseinandersetzungen allerdings auseinander und
schließlich in Gegensatz zueinander zu treten [15; 46;
63]. Im 17. und 18. Jh. nahm die von der theologie- und
dogmengeschichtlichen Entwicklung zunehmend abgekoppelte Editionstätigkeit einen ungeheuren Aufschwung und erbrachte dauerhafte Leistungen: Die Ha-
giographie der Bollandisten wird seit 1643 bis h. weitergeführt [4], die Benediktinerkongregation der Mauriner (Jean Mabillon, Bernard de Montfaucon u. a.)
schuf ab 1669 in zwei Generationen Ausgaben zu etlichen Kirchenvätern (darunter Augustinus, Ambrosius,
Athanasius und Johannes Chrysostomus), die bis h.
nicht ersetzt sind [23]. In einem verlegerischen Großun-
ternehmen sammelte und publizierte Jacques-Paul Migne alle Schriften der lat. Kirchenväter bis 1216 (PL) und
die der griech. bis 1439 (PG) [9; 10] in den besten verfügbaren Ausgaben [37; 38; 47; 53].

Methodische Fortschritte in den philol. und histor.
Wiss. auf den Gebieten der Text-, Literar- und Tradi-
tionskritik regten die P. zur Neuedition der frühchristl.
Überlieferung mit Hilfe histor.-kritischer Editionstech-
niken an. Seit 1866 gibt die Wiener Akademie der Wissenschaften die lat. kirchlichen Schriftsteller heraus
(CSEL), seit 1897 die Berliner Akademie die griech.
(GCS) [39; 40], seit 1903 die katholische Univ. Leuven
die orientalischen (syrischen, koptischen, arab., arme-
nischen, georgischen und äthiopischen) Texte und Autoren (CSCO; dazu die drei Bde. der *Patrologia Syriaca*,
1894–1926, seit 1907 abgelöst von der *Patrologia Orientalis*, die orientalisch-patristische Werke mit Übers. in das
Lat. oder in eine mod. Sprache sammelt). Die Benedik-
tinerabtei St. Peter in Steenbrügge versucht seit 1945,
Mignes Patrologien zu ersetzen (CCL, 1953 ff.; *Conti-
nuatio Mediaevalis*, 1966 ff.; CCG, 1977 ff.; *Series Apocry-*

phorum, 1983 ff.). Textfunde bis in jüngste Zeit (zum Beispiel Papyrusfunde 1941 in Tura und 1946 in Nag Hammadi in Ägypten, Briefe und Predigten Augustins in europ. Bibl.) erweiterten die Quellenbasis [48; 64].

Bereits Eusebius von Caesarea hatte seiner *Kirchengeschichte* (letzte Fassung von 325) eine christl. Literaturgeschichte einverleibt, indem er christl. Autoren samt ihren Werken aufführte. Mit *De viris illustribus* (392/93) schuf Hieronymus nach dem Vorbild Suetons die erste »Patrologie« im klass. Sinn (d. h. eine katalogartige Sammlung von Kirchenvätern unter den Lemmata Leben, Schriften und Lehre), die von Gennadius von Marseille (um 480) und Isidor von Sevilla (um 615) bis hin zu Johannes Trithemius [13] ergänzt und fortgeführt wurde; für die griech.-byz. Trad. steht Photius' Beschreibung von 280 Cod. in der *Bibliothḗkē* (um 850); Ebedjesus bar Berīkā verfaßte 1317/18 einen Katalog syr. Autoren. Das erste Verzeichnis frühchristl. Schriftsteller mit dem Titel *Patrologie* stammt von Johannes Gerhard [7] und hat zahllose Nachfolger gefunden [14; 26; 44]. Seit der Mitte des 19. Jh. [52; 54] und unter maßgeblicher Beteiligung von Altertumswissenschaftlern wird die Geschichte der altkirchlichen Lit. aus dogmatischen und apologetisch-kontroverstheologischen Prärogativen herausgelöst und nach der histor.-kritischen Methodik der allg. Literaturwissenschaft erforscht und dargestellt [24; 69]. Eine wissenschaftstheoretische Vermittlung zw. dem literatur- und dem theologiegeschichtlichen Zweig der P., welche die theologische Relevanz der literaturwissenschaftlichen Erforschung der altchristl. Überlieferung aufzeigt, ist allerdings nach wie vor ein Desiderat [60; 67].

C. Antike und Christentum
(Patristik als Religions- und Kulturgeschichte)

Nachdem der liberale Protestantismus das Christentum in dogmengeschichtlichem Kontext als Kulturphänomen konzipiert hatte, thematisierte Franz Joseph Dölger (1879–1940) die religions- sowie allg. kultur- und zivilisationsgeschichtliche Interaktion des frühen Christentums mit der Welt der hell.-röm. Spätant. als Forschungsaufgabe [25], die seine Schüler zum Programm machten und 1955 im Franz Joseph Dölger-Institut zur Erforschung der Spätant. an der Univ. Bonn institutionalisierten (Publikationen: Reallexikon für Antike und Christentum, seit 1950; Jahrbuch für Antike und Christentum, seit 1958, mit Ergänzungsbänden [43; 62]). Ein entfernt paralleles Unternehmen stellt seit 1966 das Institute for Antiquity and Christianity in Claremont (USA) dar. Diese Forschungsrichtung sieht das frühe Christentum (bis in das 7./8. Jh.) als Teil der (Spät-)Ant. [29], umfaßt über die christl. und späte Ant. hinaus mittlerweile den Orient, Ägypten und die hell. Welt, ferner das Frühjudentum und die jüd. Bibel, und behandelt die arch., monumentalen und lit. Hinterlassenschaften im Kontext der allg. Religions-, Kultur-, Wirtschafts-, Sozial- und Geistesgeschichte der Epoche, wobei die vielfältigen Interdependenzen und Entwick-lungslinien nur durch mehrere Beschreibungsmodelle zu erfassen sind [42; 68; vgl. 30].

D. Perspektiven

Innerkirchlich liegt die Bed. der P. darin, daß in der Frühzeit des Christentums in den kirchlichen Strukturen, in Liturgie, Bekenntnis und Dogma, in der theologischen Prinzipienlehre und Methodologie (Bibelkanon, Apostolizitätsprinzip, rationale Verantwortung des Glaubens) und im Verhältnis zu Staat, Gesellschaft und Kultur sehr haltbare Elemente seiner Identität geschaffen worden sind, die in differierenden Ausprägungen für alle christl. Konfessionen maßgeblich wurden. Verzichtet christl. Theologie auf die Einbeziehung dieser histor. Prozesse in ihren Diskurs, muß sie mit einer beträchtlichen Einbuße an Einsicht in die Geschichtlichkeit von Kirche und Glaube und damit an Kritikfähigkeit rechnen, sowie mit einem Verlust an Relevanz für die allg. wiss. und gesellschaftliche Entwicklung [vgl. auch 56]. Da die mod. Theologie, am markantesten auf dem Gebiet der biblischen Exegese, sich vielfach aus der Trad. der Väter emanzipiert hat und dieser nicht zuletzt konfessionell verschiedene Grade und Formen von Verbindlichkeit zuerkennt [32] – während die abendländischen Kirchen durch eine Reihe von aufklärerischen Umbrüchen hindurchgegangen sind, sehen sich die orientalischen in einer ungebrochenen Kontinuität und Identität mit der Vätertheologie [45; 51] –, wird der P. aktuell gern eine ökumenische Bed. zugesprochen [17; 19; 28; 49; 58; 65]. Demgegenüber ist zu bedenken, daß eine überaus große Vielfalt an theologischen Entwürfen und ekklesialen Praktiken sowie zahllose Spannungen und Spaltungen ab frühester Zeit, die gerade die P. sehen lehrt, dem Bild von der »einen« Alten Kirche entgegenstehen; bereits damals bildeten sich unterschiedliche teilkirchliche Mentalitäten, Theologien und Strukturen heraus. Zudem fungiert der Rekurs auf die Väter bislang als Argument im Streit der christl. Konfessionen, und die inhaltliche Umschreibung der im Kontext ihrer Epoche zweifellos vorhandenen Einheit der alten Christenheit unterliegt unterschiedlichen Wertungen. Der konsensstiftende Impuls der Väterzeit müßte von der P. daher erst aufgezeigt und interkonfessionell vermittelt werden [20; 22].

Im Horizont der Allgemeingeschichte liegt die Bed. der Erforschung des frühen Christentums in dem fundamentalen Beitrag, den dieses zur Entwicklung verschiedener Kulturen, nicht zuletzt derjenigen des Abendlands, geleistet hat [31]. Die von der P. bearbeitete Epoche liefert das erste Paradigma für das theologisch stets problematische Verhältnis von Christentum und Kultur [21; 33; 41]. Im Diskurs der Wiss. schließlich dürfte die fruchtbarste Aufgabe für die P. in der Kooperation mit Disziplinen bestehen, die sich aus anderen als theologischen Perspektiven mit derselben Epoche und denselben Dokumenten beschäftigen, wobei mit Erkenntnisgewinn durch gegenseitigen Austausch für alle Seiten zu rechnen ist [55; für die innertheologische Interdisziplinarität: 57].

→ AWI Kirchenväter

QU **1** Petrus Abaelard, Sic et non, um 1125
2 C. Baronius, Annales ecclesiastici, 12 Bde., 1588–1607
3 R. Bellarmin, De scriptoribus ecclesiasticis, 1613
4 Bollandisten, Acta Sanctorum, 68 Bde., 1643–1940
(Originalausgabe) **5** J. F. Budde, Isagoge
historico-theologica ad theologiam universalem singulasque
eius partes, 3 Bde., 1727 **6** M. Flacius u. a., Historia
ecclesiastica (Magdeburger Centurien), 8 Bde., 1559–1574
7 J. Gerhard, Patrologia sive de primitivae ecclesiae
Christianae doctorum vita ac lucubrationibus, 1653 postum
8 Petrus Lombardus, Sententiae in IV libris distinctae,
1155–1157 **9** J.-P. Migne (Hrsg.), Patrologia Latina, 217
Bde., 1844–1855; Indices, 4 Bde., 1862–1865; Supplementa,
5 Bde., hrsg. von A.-G. Hamman, 1958–1975 **10** Ders.
(Hrsg.), Patrologia Graeca, 161 Bde. mit lat. Übers.,
1857–1866; Indices, 3 Bde., 1912. 1928–1936
11 D. Petavius, De theologicis dogmatibus, 5 Bde.,
1644–1650 **12** L. S. Le Nain de Tillemont, Mémoires pour
servir à l'histoire ecclésiastique des six premiers siècles,
16 Bde., 1693–1712 (²1701–1714) **13** J. Trithemius,
De scriptoribus ecclesiasticis, 1494

LIT **14** B. Altaner, A. Stuiber, Patrologie. Leben,
Schriften und Lehre der Kirchenväter, ⁹1980, Ndr. 1993
(mit Lit.) **15** I. Backus, La Patristique et les guerres de
religion en France, 1993 **16** Dies., The Reception of the
Church Fathers in the West. From the Carolingians to the
Maurists, 1997 **17** A. Benoît, L'actualité des Pères de
l'Église, Neuchâtel 1961 **18** W. A. Bienert, s. v. Patristik,
Patrologie, Evangelisches Kirchenlexikon ³3, 1084–1087
19 Ders., Der Beitr. der Patristik für eine ökumenische
Kirchengesch., in: B. Jaspert (Hrsg.), Ökumenische
Kirchengesch., 1998, 97–116 und in: W. A. Bienert,
Werden der Kirche – Wirken des Geistes, hrsg. von
U. Kühneweg, 1999, 240–258 **20** N. Brox, Zur Berufung
auf »Väter« des Glaubens, in: Th. Michels (Hrsg.),
Heuresis. FS A. Rohracher, 1969, 42–67 und in: N. Brox,
Das Frühchristentum. Schriften zur Histor. Theologie, hrsg.
von F. Dünzl, A. Fürst, F. R. Prostmeier, 2000, 271–296
21 Ders., Evangelium und Kultur in der Spätant., in:
A. Paus (Hrsg.), Kultur als christl. Auftrag h., 1981, 247–304
22 Ders., Patrologie, in: P. Eicher (Hrsg.), Neues
Handbuch Theologischer Grundbegriffe, Bd. 4, 1991,
184–192 **23** E. Bury, B. Meunier (Hrsg.), Les Pères de
l'Église au XVIIe siècle, 1993 **24** H. Crouzel, Die
Patrologie und die Erneuerung der patristischen Studien, in:
H. Vorgrimler, R. Vander Gucht (Hrsg.), Bilanz der
Theologie im 20. Jh. Perspektiven, Strömungen, Motive in
der christl. und nichtchristl. Welt, 1970, 504–529
25 F. J. Dölger, Ant. und Christentum, 6 Bde.,
1929–1940/50 **26** S. Döpp, W. Geerlings (Hrsg.), Lexikon
der ant. christl. Lit., ³2002 **27** H. R. Drobner, s. v.
Patrologie, Patristik, LThK ³7, 1473–1478 (mit Lit.)
28 G. Feige, Die Väter der Kirche – eine ökumenische
Herausforderung?, in: W. Beinert, K. Feiereis, H.-J.
Röhrig (Hrsg.), Unterwegs zum einen Glauben. FS L.
Ullrich, 1997, 430–447 **29** J. Fontaine, Christentum ist
auch Ant. Einige Überlegungen zu Bildung und Lit. in der
lat. Spätant., JbAC 25, 1982, 5–21 **30** Ders., R. Herzog, K.
Pollmann (Hrsg.), Patristique et Antiquité tardive en
Allemagne et en France de 1870 à 1930. Influences et
échanges, 1993 **31** A. Fürst, Der Einfluß des Christentums
auf die Entwicklung der kulturellen Identität Europas in der
Spätant., JbAC 43, 2000, 5–24 **32** G. Gassmann, V. Vajta
(Hrsg.), Trad. im Luthertum und Anglikanismus, 1971/72

33 O. Gigon, Die ant. Kultur und das Christentum, ²1969
34 L. Grane, A. Schindler, M. Wriedt (Hrsg.), Auctoritas
Patrum. (Neue Beitr.) Zur Rezeption der Kirchenväter im
15. und 16. Jh., 2 Bde., 1993, 1998 **35** R. M. Grant, The
appeal to the early fathers, The Journal of Theological
Studies N. S. 11, 1960, 13–24 und unter dem Titel: The use
of the early fathers, from Irenaeus to John of Damascus, in:
Ders., After the New Testament, 1967, 20–34 **36** Th.
Graumann, Die Kirche der Väter, 2002 **37** A.-G.
Hamman, Jacques-Paul Migne. Le retour aux Pères de
l'Église, 1975 **38** Ders., Jacques-Paul Migne und das christl.
Alt., in: J. Dummer, M. Kunze (Hrsg.), Antikerezeption,
Antikeverhältnis, Antikebegegnung in Vergangenheit und
Gegenwart, 1983, 693–721 **39** J. Irmscher, Die Berliner
Akad. der Wiss. als Zentrum der Patristik, 1995 **40** Ders.,
K. Treu (Hrsg.), Das Korpus der Griech. Christl.
Schriftsteller. Historie, Gegenwart, Zukunft, 1977
41 W. Jaeger, Das frühe Christentum und die griech.
Bildung, 1963 **42** E. A. Judge, »Ant. und Christentum«.
Towards a definition of the field. A bibliographical survey,
ANRW II 23/1, 3–58 **43** Th. Klauser, Franz Joseph Dölger,
1879–1940. Sein Leben und sein Forschungsprogramm
»Ant. und Christentum«, 1980 **44** H. Kraft, Einführung in
die Patrologie, 1991 **45** G. Larentzakis, Diachrone
ekklesiale Koinonia. Zur Bed. der Kirchenväter in der
orthodoxen Kirche, in: N. Brox u. a. (Hrsg.), Anfänge der
Theologie. FS J. B. Bauer, 1987, 355–373 **46** J. Lössl,
Konfessionelle Theologie und human. Erbe. Zur
Hieronymusbrief-Ed. des Petrus Canisius, in: R. Berndt
(Hrsg.), Petrus Canisius SJ (1521–1597). Humanist und
Europäer, 2000, 121–153 **47** A. Mandouze, J. Fouilheron
(Hrsg.), Migne et le renouveau des études patristiques, 1985
48 M. Maritano, La situazione degli studi patristici nel
secolo XIX. Sguardo sintetico con indicazioni
bibliografiche, Salesianum 53, 1991, 255–272 (mit Lit.)
49 A. Merkt, Das patristische Prinzip. Eine Studie zur
theologischen Bed. der Kirchenväter, 2001
50 E. Mühlenberg, s. v. Patristik, TRE 26, 97–106 (mit Lit.)
51 Th. Nikolaou, Die Bed. der patristischen Trad. für die
Theologie h., Orthodoxes Forum 1, 1987, 6–18
52 F. Nitzsch, Geschichtliches und Methodologisches zur
Patristik, Jbb. für dt. Theologie 10, 1865, 37–63 **53** A. P.
Orbán, Die Patrologie von Jacques-Paul Migne: Eine »Felix
Culpa«. Leben und Werke eines leidenschaftlichen Verlegers,
in: R. I. A. Nip u. a. (Hrsg.), Media Latinitas. FS L. J. Engels,
1996, 295–304 **54** F. Overbeck, Über die Anf. der
patristischen Lit., in: HZ 48, 1882, 417–472, Sonderausgabe
1954, Ndr. 1966 **55** O. Pasquato, Studi patristici e
discipline storiche, Salesianum 53, 1991, 45–88 **56** Les Pères
de l'Église au XXe siècle. Histoire – Littérature – Théologie,
1997 **57** A. Quacquarelli (Hrsg.), Complementi
interdisciplinari di patrologia, 1989 **58** J. Ratzinger, Die
Bed. der Väter für die gegenwärtige Theologie,
Theologische Quartalschrift 148, 1968, 257–282, ferner
Kleronomia 1, 1969, 15–36 und in: Th. Michels (Hrsg.),
Geschichtlichkeit der Theologie, 1970, 63–81 **59** Th.
Schermann, Die Gesch. der dogmatischen Florilegien vom
V.–VIII. Jh., 1904 **60** W. Schneemelcher, Wesen und
Aufgabe der Patristik innerhalb der evangelischen
Theologie, Evangelische Theologie 10, 1950/51, 207–222
und in: Ders., Gesammelte Aufsätze zum NT und zur
Patristik, hrsg. von W. Bienert, K. Schäferdiek, 1974,
1–22 **61** Ders., K. Schäferdiek (Hrsg.), Bibliographia
Patristica, 1959 ff. **62** G. Schöllgen, Franz Joseph Dölger

und die Entstehung seines Forschungsprogramms »Ant. und
Christentum«, JbAC 36, 1993, 7–23 **63** H.J. Sieben, Petrus
Canisius und die Kirchenväter, Theologie und Philos. 72,
1997, 1–30 **64** M. Simonetti, G. M. Vian, Uno sguardo su
centotrent'anni di studi patristici, in: M. Naldini (Hrsg.), La
tradizione patristica. Alle fonti della cultura europea, 1995,
59–104 **65** E. M. Synek, Die Relevanz patristischer Forsch.
für die ökumenische Entwicklung der Gegenwart unter
besonderer Berücksichtigung der Beziehungen zw. der
katholischen und den orthodoxen Kirchen, Theologie und
Philos. 75, 2000, 74–88 **66** M. Tetz, Zum Streit zw.
Orthodoxie und Häresie an der Wende des 4. zum 5. Jh.
Anf. des expliziten Väterbeweises, Evangelische Theologie
21, 1961, 354–368 **67** Ders., Altchristl. Literaturgesch. –
Patrologie, Theologische Rundschau N. F. 32, 1967, 1–42
68 K. Thraede, s. v. Ant. und Christentum, LThK ³1,
755–759 (mit Lit.) **69** K. Treu, Patristische Fragen, Svensk
Exegetisk Årsbok 34, 1969, 170–200 **70** P. Walter,
Theologie aus dem Geist der Rhetorik. Zur
Schriftauslegung des Erasmus von Rotterdam, 1991.

Alfons Fürst

Pergamon A. Grabungsgeschichte
B. Restaurierung und Präsentation
der Ruinen

A. Grabungsgeschichte

Die dt. Grabungen in P. begannen 1878 unter der
örtlichen Leitung von Carl Humann, einem zuvor privat in der Gegend tätigen Bauingenieur, der dort als
Unternehmer im Auftrage der türk. Regierung Land-
straßen gebaut hatte. Seine guten Ortskenntnisse hatten
zur Entdeckung und zur ersten Sicherung von schon
vorher freigelegten vereinzelten Reliefs des → Pergamonaltars geführt. Humann bewahrte sie vor der Gefahr, zerschlagen und zu Kalk gebrannt zu werden.
Kontakte zu Alexander Conze, dem neu ernannten Leiter der Antikensammlung der Berliner Museen, trugen
dann dazu bei, daß Humann in deren Dienst trat und

zum örtlichen Grabungsleiter ernannt wurde, nachdem
die notwendigen Genehmigungen von den türk. Behörden eingeholt waren. Unter der wiss. Leitung von
Conze und der technischen Durchführung von Humann wurde der Pergamonaltar innerhalb von drei langen »Kampagnen« (1878–79, 1880–81, 1883–1886)
gänzlich ausgegraben und die marmornen Relieffriese
sowie ausgewählte Architekturteile nach Berlin verbracht. Die Funde der ersten Kampagne wurden durch
türk. Regierungserlaß (*Irade*) gegen Zahlung von 20000
Goldmark an die Kasse des türk. Unterrichtsministeri-
ums freigegeben, die der zweiten Kampagne durch *Irade*
– ohne finanzielle Gegenleistung, auf Grund der guten
polit. Beziehungen zw. Kaiser und Sultan –, die der
dritten Kampagne durch *Irade* gegen Rückgabe von
mehreren pergamenischen Marmorstatuen, die nicht
vom Altar stammten, sowie gegen Spende von Gipsabgüssen ausgewählter Skulpturen von P. und → Olympia
für die gerade entstehende Kunstakad. in Istanbul. Diese
und das neue Nationalmus. des Osmanischen Reiches
wurden von dem kurz zuvor eingesetzten Generaldirektor für die türk. Antiken und Mus., Osman Hamdi
Bey, der auch ein neues Antikengesetz erlassen hatte,
geleitet.

In dieser ersten Periode der Grabungen wurden außer dem Pergamonaltar auch fast alle anderen bedeutenden Gebäudekomplexe der Oberburg ausgegraben: die
Obere Agora, das Athenaheiligtum, die Königspaläste,
das Theater (Abb. 1), der Dionysostempel und das Trajaneum. Ferner wurde die Aufnahme der Stadtmauern
durchgeführt. In der Umgebung wurden viele Ruinenplätze begangen und ihre oberirdischen Reste aufgenommen. Stellvertretend für viele Plätze mag hier der
Name der wohlerhaltenen Ruinen der ant. Landstadt
Aigai stehen, die komplett aufgenommen wurden. Die
Kartierung und Erforsch. der ant. Fernwasserleitungen
nach P. war das größte Projekt dieser Art. Aufenthalte

Abb. 1: Pergamon.
Blick über das Theater zum Platz
des Pergamonaltars.
Foto DAI/E. Steiner (1982)

der Bearbeiter mit Bereisung und Erforschung der Umgebung und Nachuntersuchungen in der Stadt gab es auch immer wieder in der Zeit bis zur Jahrhundertwende, am intensivsten in den J. 1896 und 1898, die schon als Vorbereitungskampagnen für die kommenden Grabungen gesehen werden können. Unter anderem entstanden genaue Karten des Stadtgebietes und der umgebenden Landschaft. Neben Humann und Conze waren die Hauptmitarbeiter der ersten Jahrzehnte: Johannes Boehlau, Ernst Fabricius, Gerardus Lolling, Carl Schuchhardt (Archäologen/Epigraphiker), Richard Bohn, Otto Raschdorff, Hermann Stiller (Architekten), Otto Berlet, Walter von Diest (Kartographen), Carl Giebeler, Friedrich Graeber (Wasserbau-Ingenieure). Alle Beteiligten zu nennen ist hier und auch weiter unten nicht möglich.

Die nächste Grabungsperiode in P. begann im J. 1900, unter der Leitung des Bauforschers und Architekten Wilhelm Dörpfeld (Olympia, → Troia), den Conze für diese Aufgabe gewonnen hatte. Dörpfeld war Direktor der Abteilung Athen des → Deutschen Archäologischen Instituts (DAI) und führte die Grabungen ganz im Geiste dieses Forschungsinst. durch, dessen oberster Leiter in Berlin inzwischen Conze geworden war. Dies allein zeigt schon, daß sich der Zeitgeist gewandelt hatte. Die Ausgrabungen in P. wurden jetzt nicht mehr wegen der Erwerbung von Funden unternommen, sondern nur noch um der wiss. Erkenntnis willen. Die Grabungen der Dörpfeld-Periode dauerten bis kurz vor dem I. Weltkrieg und waren ganz nach dem Motto von Conze (der im Hintergrund weiter aktiv blieb) angelegt: Wie bei einer ant. Statue darf man auch bei einer ant. Stadt nicht nur den Kopf ausgraben und das übrige liegenlassen, sondern auf die Erforschung des Ganzen kommt es an. Freigelegt wurden nun v. a. Baukomplexe am unteren Abhang des Stadtberges: das Haupttor der hell. Stadtmauer (sog. Eumenisches Tor) und – nördl. davon, der Hauptstraße folgend – die Untere Agora; ein reiches Bürgerhaus (sog. Attaloshaus), das riesige Gymnasion (von dem schon Teile bei den alten Grabungen freigelegt worden waren), das Heraheiligtum und das Heiligtum der Demeter. In den Bereich eines westl. der Unteren Agora ausgegrabenen ant. Peristylhauses wurde das neue Grabungshaus gebaut, wobei man geschickt die Reste der ant. Raumfolgen für zurückhaltende Einbauten genutzt hat. Nach gleicher Art wurde eine Art von Depotmus. in den Westräumen der benachbarten Agora errichtet, das erste örtliche »Museum« in der Türkei. Es diente v. a. der Aufbewahrung der zweitrangigen Funde, die nicht in das von Osman Hamdi Bey geleitete Nationalmus. nach Istanbul kamen. Neben den Grabungen ging die Erforsch. des übrigen Stadtgebietes weiter. Vor allem die röm. Unterstadt, deren z. T. noch hoch aufrecht stehende Ruinen sich im Gebiet der Altstadt des Kreisstädtchens Bergama und zw. dessen Häusern befanden, sowie das Asklepieion wurden einer generellen Bestandserfassung und z. T. (v. a. die sog. Rote Halle, ein röm. Tempel für ägypt. Gottheiten) einer

gründlichen architektonischen Bauaufnahme unterzogen. Diese Aufnahmen sind für manche dieser Bauten, z. B. für das röm. Amphitheater, bis h. die einzigen Dokumentationen des Baubestandes. Das Kybele-Heiligtum von Mamurt Kale, weit abgelegen im Gebirge, wurde 1910 mit einer Grabung erforscht, an der noch Conze im Alter von 78 Jahren teilnahm. Besonders wichtige Mitarbeiter ab 1900 waren außer Conze und Dörpfeld: Walter Altmann, Hugo Hepding, Walther Kolbe, Paul Jacobsthal (Archäologen/Epigraphiker); Paul Schazmann, Panagiotis Sursos, Adam Zippelius (Architekten).

Nach dem I. Weltkrieg konnte, bedingt durch die polit. Entwicklung in der Türkei und die wirtschaftliche Lage in Deutschland, erst 1927 wieder mit den Arbeiten begonnen werden. Diese Grabungsperiode dauerte bis 1938, also bis kurz vor Ausbruch des II. Weltkrieges. Geleitet wurden die Arbeiten von dem Archäologen Theodor Wiegand, damals Direktor der Antikensammlung an den Berliner Mus., der 1932 zum Präsidenten des DAI gewählt wurde. Eigentlich war Wiegand schon im J. 1900 von Conze für die Grabungsleitung in P. vorgesehen gewesen, hatte dann aber als Grabungsleiter in → Milet ein anderes wichtiges Betätigungsfeld gefunden. Auf seine Initiative ging die endliche Eröffnung des Pergamonmus. 1930 in Berlin zurück. Es war schwerpunktmäßig als Mus. ant. Baukunst mit Architekturbeispielen von den großen dt. Grabungen in Kleinasien konzipiert (Didyma, Magnesia, Milet, P.,→ Priene u. a.), und in seinem Mittelpunkt stand der wiederaufgebaute Pergamonaltar. Zentrum der neuen Ausgrabungen Wiegands in P. war nun das außerstädtische Heiligtum des Asklepios, 2 km vor der Stadt, am Rande der Ebene (Abb. 2). Es konnten große Teile dieses ant. Kurzentrums freigelegt werden. Anschließend an die früheren Aufnahmearbeiten wurde nun auch an der Roten Halle gegraben. Die Vorhöfe und der Innenraum dieses noch hoch aufrecht stehenden ant. Ziegelbaus wurden freigelegt. Leider gingen die Pläne und Grabungsunterlagen im II. Weltkrieg verloren. Auf der Oberburg wurden zwei bis dahin noch unzureichend untersuchte Areale ganz ausgegraben: die Getreidedepots (»Arsenale«) an der Nordspitze und das »Temenos für den Herrscherkult«, nahe dem Pergamonaltar. Unter Wiegand wurde auch der Bau des h. noch bestehenden Mus. in der Stadt Bergama entscheidend durch Planung und Finanzierung gefördert. Offiziell ging erst im J. nach Wiegands Tod (1936) die Pergamongrabung 1937 von den Berliner Mus. an das DAI über, wenn dort auch schon seit langem nicht mehr im Stil der alten Museumsgrabungen gearbeitet worden war. Hauptmitarbeiter in der Wiegandperiode waren: Erich Boehringer, Gerda Bruns, Otfried Deubner (Archäologen) sowie Harald Hanson, Friedrich Krauss, Paul Schazmann, Akos von Szalay, Oskar Ziegenaus (Architekten).

Die erste Grabungsperiode nach dem II. Weltkrieg stand von 1955 bis 1968 unter der Leitung von Erich Boehringer. Dieser war 1954 zum Präsidenten des DAI

Abb. 2: Blick vom
Asklepiosheiligtum über die
wiederaufgebauten Säulen der
Hallenstraße zum Stadtberg
von Pergamon.
Foto DAI/E. Steiner (1986)

gewählt worden und verfolgte v. a. die Ausweitung und den Abschluß der Grabungen am Asklepieion. Daneben widmete er sich mit umfangreichen Sondagegrabungen auf dem Hügel neben dem Amphitheater der Suche nach einem in der ant. Lit. überlieferten weiteren außerstädtischen Heiligtum, dem Nikephorion, das er aber dort nicht finden konnte. Statt dessen wurden dort bedeutende hell.-röm. Wohnhäuser angeschnitten. Weitere Wohnhäuser legte man westl. der Unteren Agora frei. Das Grabungshaus wurde erweitert und ausgebaut, am Asklepieion ein Depot errichtet. Auf dem Burgberg führte man an vielen Ruinen Restaurierungs- und Aufräumungsarbeiten durch. Eine Sondagegrabung fand in einer Fundamentkammer des Pergamonaltars statt. Am Demeter-Heiligtum wurden Nachunt. vorgenommen. Die Erforsch. der Fernwasserleitungen wurde erneut begonnen. Nach Boehringers Versetzung in den Ruhestand (1968) wurden die Arbeiten, v. a. im Asklepieion, für drei J. unter der Leitung von Oskar Ziegenaus fortgeführt. Haupt-Mitarbeiter von Boehringer waren Norbert Kunisch, Gioia de Luca, Doris Pinkwart, Jörg Schäfer, Eva Töpperwein (Archäologen); Christian Habicht (Epigraphiker); Carl Helmut Bohtz, Wolfgang Müller-Wiener, Ulrich Rombock, Wolf Stammnitz, Oskar Ziegenaus (Architekten); Günther Garbrecht (Wasserbauingenieur).

Die Arbeiten der bisher letzten Periode in P. begannen 1972 unter der Leitung des Archäologen Wolfgang Radt. Als neues Langzeitprogramm wurde von der Zentraldirektion des Inst. die Ausgrabung der ant. Wohnstadt beschlossen. Der Grabungsleiter ist nunmehr dauernd bei der Abteilung Istanbul des Inst. stationiert. Als erstes wurde 5 km nordwestl. von P. innerhalb nur einer Kampagne ein ant. Kultplatz für die Muttergöttin Kybele ergraben, das Felsheiligtum von Kapıkaya. Anlaß waren Raubgrabungen, die dort kurz vorher stattgefunden hatten. Die Stadtgrabungen fan-

den dann in den J. von 1973 bis 1993 kontinuierlich über 20 J. hinweg in dem großen zentralen Gebiet zw. der Oberen Agora und dem Gymnasion statt, das bis dahin völlig unerforscht geblieben war. Dazu mußte zunächst eine neue Geländevermessung vorgenommen werden. Über den ant. Bauresten lag eine durchgehende Schicht von spätbyz. Überbauung (12.–14. Jh.), die sorgfältig ausgegraben und aufgenommen wurde, bevor man zu den ant. Bauten vordrang. P. ist damit die bisher am besten erforschte byz. Stadt von Kleinasien. Die Grabungen in den ant. Schichten erbrachten dann die Grundrisse vieler hell.-röm. Wohnhäuser, eine Badeanlage, ein Dionysosheiligtum mit Liegepodien, ein Kultgebäude mit reichem Reliefschmuck für einen als Heros verehrten Bürger namens Diodoros Pasparos und einen Peristylbau (»Bau Z«) mit aufwendiger Stuck- und Mosaikausstattung (Abb. 3). Das Straßensystem wurde in dem gesamten unausgegrabenen Innenstadtgebiet weit über den Bereich der Flächengrabungen hinaus durch zahlreiche Sondagen erforscht; ebenso konnte das Stadtplansystem der eumenischen Stadt am unteren Hang und der röm. Unterstadt in der Ebene durch Forsch. im Gelände rekonstruiert werden. Für die Frühzeit von P. wurde die wichtige Entdeckung von Resten einer archa. Stadtmauer des 7.–6. Jh. v. Chr. unter der hell. Bebauung nördl. des Gymnasions gemacht. 1994 wurden in den Fundamenten des Pergamonaltars ausgedehnte Nachgrabungen unternommen, die der Suche nach weiteren Mauern des Vorgängerbaus und nach datierender Keramik dienten. Die aufrecht stehenden Teile der Roten Halle wurden mit Hilfe der mod. Technik der Photogrammetrie erneut vermessen. Die byz. Stadtmauern wurden vollständig aufgenommen; ebenso alle Reste der ant. Wasserbauanlagen im Umkreis bis zu etwa 60 km von P., anschließend an die älteren Arbeiten und im Detail weit darüber hinausgehend. Das Grabungshaus wurde mit Arbeitsräumen,

Abb. 3: Mosaiken in
Peristylgebäude »Z«,
unmittelbar nach der Ausgrabung.
Foto DAI/E. Steiner (1991)

Werkstätten und technischer Ausrüstung entscheidend modernisiert. Wichtige Mitarbeiter seit 1972: Philip Brize, Johannes Burow, Berthild Gossel-Raeck, Gerhild Hübner, Andreas Heimerl, Volker Kästner, Gioia de Luca, Carsten Meyer-Schlichtmann, Wulf Raeck, Jens Rohmann, Dieter Salzmann, Jean-Michel Spieser, Hans Voegtli (Archäologen); Helmut Müller (Epigraphiker); Martin Bachmann, Meinrad-Nikolaus Filgis, Konrad Hecht, Manfred Klinkott, Klaus Nohlen, Klaus Rheidt, Ulrich Rombock, Annemarie Schinz, Andreas Schwarting, Werner Schröder, Ulrike Wulf (Architektur und Bauforsch.); Günther Garbrecht (Wasserbau); Eberhard Messmer, Bernd Schlüter, Manfred Stephani (Vermessungswesen); Elisabeth Steiner (Fotografie/Haushalt/ Verwaltung).

B. Restaurierung und Präsentation der Ruinen

Die Restaurierungstätigkeit an ant. Bauten (Anastylose) hat in den letzten Jahrzehnten stark zugenommen. Hatte schon Dörpfeld damit begonnen, immer wieder kleinere Restaurierungen durchzuführen (z. B. Wiederherstellen des gewölbten Zugangs zum Gymnasion) und hatte Boehringer weiter in dieser Trad. gearbeitet (z. B. Wiedererrichtung des hell. Turms neben dem Burgtor), so hatten doch beide auch schon durch Aufstellen von Säulenreihen ant. Baukomplexe anschaulich wieder hergerichtet (Gymnasion, Asklepieion). Schon Dörpfeld hatte ein Schutzdach über dem Attaloshaus erbaut, das von Boehringer und dann nochmals in jüngerer Zeit erneuert wurde. Bei den jüngsten Grabungen wurde das Heroon des Diodoros Pasparos mit einem Schutzdach versehen und darunter der ant. Bestand wiederaufgebaut. Das gleiche geschieht zur Zeit (1999) mit dem Peristylbau »Z« und seinem Stuck- und Mosaikschmuck. Das aufwendigste Restaurierungsvorhaben in P. betraf den röm. Kaisertempel auf der Kuppe des Burgberges, das Trajaneum (Abb. 4). Diese große

Wiederaufbaumaßnahme, die von ausführlichen arch. Grabungen begleitet war, begann mit kleinen Anfängen 1965 und wurde 1996 abgeschlossen. Es wurden entscheidende Teile der Marmorarchitektur des Tempels und der umgebenden Hallen wiederaufgestellt und die Substruktionsgewölbe der Unterkonstruktion begehbar gemacht. Die teilweise eingestürzte große Terrassenmauer des Heiligtums wurde wiederaufgebaut und gesichert.

Eine Liste aller Mitarbeiter bis 1913 findet sich in *Altertümer von P.* I 3, 414 f., Listen aller Mitarbeiter seit 1972 in den Vorber. von W. Radt im *Arch. Anzeiger* (jährlich ab 1973).

1 E. Boehringer, Das Temenos für den Herrscherkult, Altertümer von P. IX, 1937 (Vorwort und S. 1–2, Grabungsgesch. für 1927–1934) **2** A. Conze, Die Arbeiten zu Pergamon 1886–1898, in: MDAI(A) 24, 1899, 97–123 (für die Zeit 1878–1898) **3** Ders., Die Arbeiten zu Pergamon 1900–1901, in; MDAI(A) 27, 1902, 1–6 (für 1899–1901) **4** Ders., Stadt und Landschaft, Altertümer von P. I 1, 1912, 1–34 (Gesch. der Unt., von den Vorgängern bis 1911) **5** M. Kunze, Wirkungen des Pergamonaltars auf Kunst und Lit., in: Staatliche Mus. zu Berlin, Forsch. und Ber. 26, 1987, 57–74 (Rezeptions- und Wirkungsgesch.) **6** K. Nohlen, Ästhetik der Ruine. Zur Präsentation ant. Baukomplexe am Beispiel des Traian-Heiligtums in P., in: Ant. Welt 1997/3, 185 ff. **7** W. Radt, P. Gesch. und Bauten einer ant. Metropole, 1999 (Lebensbilder früherer Grabungsleiter, Einzelheiten zur Grabungsgesch., ausführliche Bibliogr.) **8** Ders., Ausgrabungen und Restaurierungen in P., in: Nürnberger Blätter zur Arch. 13, 1996/97, 53–68 (Neuere Grabungsgesch.) **9** Ders., P. – Herrscherburg und Metropole. Ausgrabungen im Spiegel der Zeitgesch., in: Dt. Arch. Inst. (Hrsg.), Arch. Entdeckungen. Die Forsch. des Dt. Arch. Inst. im 20. Jh., 2000, 173 ff. **10** Ders., Restauration et présentation des ruines de Pergame, in: RA 2000, 133 ff. **11** H.-J. Schalles, Der Pergamonaltar. Zw. Bewertung und Verwertbarkeit, 1986 (Rezeptions- und Wirkungsgesch.) **12** Schriften der Herrmann-Bröckelschen

Abb. 4: Der teilweise
wiederaufgebaute Trajanstempel
mit umgebenden Hallen.
Foto DAI/E. Steiner (1994)

Stiftung, Carl Humann zum Gedächtnis, hrsg. v.
E. SCHULTE, Bd. I: Der Pergamonaltar; Bd. II: Chronik der
Ausgrabungen 1871–1886 Bd. III: Carl Humann in
Zeugnissen seiner Zeit; Bd. IV.: Pro Pergamo, 1959ff.
(Frühe Grabungsgesch., Briefe, Akten) **13** E. SCHULTE,
(Hrsg.), Carl Humann. Der Entdecker des Weltwunders
von P., 1971 (frühe Grabungsgesch., Briefe, Akten).

WOLFGANG RADT

Pergamonaltar. 1871 entdeckte der Ingenieur Carl
Humann die ersten Friesplatten des P. im türk. Bergama. Systematische Ausgrabungen folgten ab 1878. Das
Osmanische Reich, das zunächst zwei Drittel der Funde
an Deutschland abzutreten bereit war, verzichtete im
gleichen Jahr auf den übrigen Anspruch. 1879 begann
die Verbringung des Frieses nach Berlin. Zeitgenössische Quellen lassen deutlich erkennen, daß die Gewinnung des P. nicht zuletzt der kulturpolit. Profilierung
des noch jungen Dt. Reiches diente: Der größte Fries
der abendländischen Kunst war ein Objekt, das die Berliner Antikensammlungen mit einem Schlag in den
Rang ihrer großen europ. Konkurrenten – des Louvre
oder des Britischen Mus. – hob. Vor diesem Hintergrund erstaunt nicht, daß Reichskanzler Fürst Otto von
Bismarck sich persönlich in die Verhandlungen über den
Fundverbleib eingeschaltet hatte. Die Bereitschaft der
Hohen Pforte zum Verzicht ist wohl aus der polit. Lage
des Osmanischen Reiches in jener Zeit erklärlich: 1875
hatten Aufstände der Slawen gegen die Türkenherr-
schaft auf dem Balkan begonnen, die in den Russ.-
Türk. Krieg von 1877/78 mündeten. Ein Vierteljahr vor
der vollständigen Abtretung der Funde hatte Bismarck
auf dem Berliner Kongreß als »ehrlicher Makler« zw.
den Kriegsparteien vermittelt; das Verhandlungsergeb-
nis war dabei für das Osmanische Reich besser ausge-
fallen als erwartet. Der anhaltend hohe Stellenwert des
P. tritt auch im eigens errichteten Neubau des Berliner
Pergamon-Mus. zutage, nach Plänen von Alfred Messel

(1907) 1912–1930 von Ludwig Hoffmann gebaut. Die
mächtige, dorisch instrumentierte Dreiflügelanlage auf
der Spree-Insel, die das Gelände zw. dem ehem. Kaiser-
Friedrich-Mus., der Nationalgalerie und dem Neuen
Mus. füllt, gibt die Grundform des rekonstruierten P.
gigantisch gesteigert nach außen wieder.

Die Vereinnahmung des P. für die Selbstdarstellungs-
bedürfnisse des Dt. Reiches kommt wohl am deutlichsten in der »Jubiläumsausstellung der Königlichen Akad.
der Künste« zum Ausdruck, die vom Mai bis Juni 1886
in Berlin stattfand. Diese Ausstellung verfolgte das erklärte Ziel, die aktuelle dt. Kunst in ihren unterschiedlichen Disziplinen zu präsentieren und nachzuweisen,
daß sie mit der europ. Konkurrenz Schritt halten konnte. Neben dem zu diesem Zweck errichteten 13 000 m²
großen »Landes-Ausstellungspalast« entstand auf dem
Gelände ein sog. Kaiser-Diorama, welches die patriotischen Anliegen dieser Schau nachhaltig erhellt: Es beherbergte fünf Dioramen, die überwiegend Ereignisse
der jüngsten dt. Kolonialgeschichte illustrierten. Auch
die Arch. wurde in den Dienst der Vaterlandsverherr-
lichung genommen. Noch vor den Unt. in Pergamon
hatten 1875 die Ausgrabungen im ant. Olympia die Gra-
bungsaktivitäten des Dt. Reiches eingeläutet. Dabei war
u. a. der Zeustempel mit seinem figürlichen Giebel- und
Metopenschmuck entdeckt worden. Die Erfolge der dt.
Arch. in Olympia und Pergamon verbuchte das Reich
für sich – es sah sich wohl auch auf diesem Gebiet in
Konkurrenz zu seinen europ. Nachbarn, insbes. Frankreich und England. Auf dem Berliner Ausstellungsge-
lände fanden diese Vorstellungen Ausdruck im sog.
Tempel von Pergamon, der in Architektur und plasti-
schem Schmuck den P. mit dem Zeustempel kombinierte (Abb. 1). Seinen Sockel bildete ein maßgleicher
Nachbau der Westfront des P. mit dessen monumentaler
Treppenanlage. Auf diesem Bau, der mit Kopien ausgewählter Friesplatten (u. a. Zeus- und Athenagruppe je-

Abb. 1: »Tempel von Pergamon«; Jubiläumsausstellung der Königlichen Akademie der Künste in Berlin, 1886. Holzstich, Gartenlaube 1886, 453

weils auf den Risalitstirnen) verkleidet wurde, erhob sich als weiteres Architekturzitat eine Nachbildung der Ostfront des Zeustempels. Er bildete das Entrée zu einem großen Pavillon, der ein 60 m langes und 14 m hohes Panoramabild beherbergte. Es gab das nach dama-

ligem Wissensstand rekonstruierte Erscheinungsbild der Stadt Pergamon im 2. Jh. n. Chr. wieder. Die Ausstellung sowie die zunächst im Alten Mus. provisorisch aufgestellten Originalreliefs wurden von der Öffentlichkeit mit regem Interesse aufgenommen. Ausgewählte Friesplatten wurden als verkleinerte Kopien zum Verkauf angeboten.

Das Erscheinungsbild des P. auf der Ausstellung in Berlin sowie die endgültige Form seiner musealen Präsentation blieben bestimmend für dessen weitere Rezeption: Im Pergamon-Mus. rekonstruiert wurde nicht die geschlossene Hauptseite, der sich der ant. Betrachter zunächst gegenübersah, sondern die Treppenfront mit den rahmenden Risaliten. Der überwiegende Teil des Frieses wurde an den Wänden des Ausstellungsraums montiert. Diese Aufstellung hatte Kontroversen ausgelöst – Kritiker hoben deren »Theatralik« hervor und fühlten sich an einen »umgestülpten Ärmel« erinnert. Auf genau jene Pathosformel griff wenig später die Architektur des Dritten Reiches zurück: Die Entwürfe des Architekten Wilhelm Kreis für die »Soldatenhalle« beim Oberkommando des Heeres in Berlin (1937/38) sowie für ein Kriegerehrenmal am Fuß des Olymp in Griechenland (nach 1941) zeigen deutliche formale Übereinstimmungen mit dem Aufgang des P. (Abb. 2). Beide Bauten übernehmen die von Risaliten flankierte Treppe und das über die Umgebung hinausgehobene Erscheinungsbild, das Kriegerehrenmal zusätzlich die auf dem sockelartigen Unterbau umlaufende Halle. Das Friesband des P. ist bei der »Soldatenhalle« auf die Risalitstirnseiten reduziert, für die 18 m breite und 6 m hohe Reliefs des Bildhauers Arno Breker geplant waren. Die Anleihen dieser Entwürfe beim P. sind sicher nicht allein auf formale Kriterien zurückzuführen: Die Bezeichnung »Altar« für den ant. Bau kam der Ideologie von Heldentod und Opferbereitschaft entgegen, der insbes. in den staatlichen Ehren- und Mahnmalen seinen baulichen Ausdruck finden sollte. Der P., das Kriegerehrenmal und die »Soldatenhalle« waren Kultbauten;

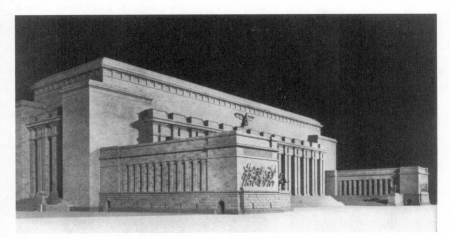

Abb. 2: Wilhelm Kreis, »Soldatenhalle« beim Oberkommando des Heeres in Berlin; Entwurf 1937/38

letztere sollte dem Gedächtnis der dt. Soldaten dienen und als Grablege für die Kriegshelden des Dritten Reiches fungieren. Und schließlich paßte auch die Botschaft des P. – der Sieg des Guten über das Böse und der Ewigkeitsanspruch der dadurch hergestellten polit. Ordnung – in die Vorstellungswelt der NS-Ideologen.

Die bedeutendste lit. Rezeption des P. begegnet im Roman *Ästhetik des Widerstands* (1957–1981) von Peter Weiss. Sie unterwirft sich nicht den ideologischen Absichten, die die ant. Auftraggeber mit den Darstellungen des Großen Frieses verfolgten, sondern sucht eine Lesung des Reliefzyklus von unten und gegen den Strich. Der Fries dient den zentralen Figuren der Erzählung, die im antifaschistischen Widerstand tätig sind, zur eigenen Standortbestimmung. Sie suchen nach einer Deutung, die aus der Kunst der Herrschenden Handlungsanweisungen und Perspektiven für die Unterdrückten gewinnen hilft. In diesen gegenläufigen Interpretationsansatz, der sich leitmotivisch durch die ganze Erzählung zieht, werden auch die gesellschaftlichen Verhältnisse zur Entstehungszeit des P., sein Schicksal bis hin zur Wiederauffindung, die Form seiner Aufstellung im Mus. und sein fragmentierter Zustand miteinbezogen und genutzt.

→ AWI Olympia; Pergamon

1 A. BOHNE, Überlegungen zu zwei Einzelbeispielen der Rezeption des P. im dt. Bürgertum am E. des 19. Jh., in: M. BAUMBACH (Hrsg.), Tradita et Inventa. Beitr. zur Rezeption der Ant., 2000, 441–459 2 M. KUNZE (Hrsg.), Wir haben eine ganze Kunstepoche wiedergefunden! Ein Jh. Forsch. zum P., 1987 3 H.-J. SCHALLES, Der P. zw. Bewertung und Verwertbarkeit, ³1995 4 Ders., Rezeptionsgeschichtliche Nachlese zum P., in: D. RÖSSLER et al. (Hrsg.), Modus in rebus. GS W. Schindler, 1995, 188–200.   HANS-JOACHIM SCHALLES

Persien   s. Arabisch-islamisches Kulturgebiet

Petersburg   s. Sankt Petersburg

Pflanzenkunde   s. Botanik

Phantasie   s. Einbildungskraft

Pharmakologie   I. EUROPA
II. ARABISCH-ISLAMISCHES KULTURGEBIET

I. EUROPA
A. FRÜHMITTELALTER   B. HOCHMITTELALTER
C. RENAISSANCE

A. FRÜHMITTELALTER
Die Praxis der nachklass. Heilmittelkunst ist durch sechs sich ergänzende oder aufeinanderfolgende Tendenzen gekennzeichnet:
1. Die grundlegenden Texte lebten in der originalen griech. Fassung in It. mindestens bis zum 5./6. Jh. fort (Dioskurides). Einige wurden vermutlich im gleichen

Zeitraum in Rom oder Ravenna (Hippokrates' *Peri diaites*, Oreibasios' *Synopsis* und *Euporista*) oder auch in Nordafrika (Dioskurides) ins Lat. übersetzt. Hinzu kommen neue griech. Texte aus Konstantinopel (Dioskurides, »Ms. von Neapel«, 7. Jh.).

2. Es entstehen neue therapeutische Handbücher, z. B. Gargilius Martialis im 3. Jh., das *Herbarium* des Ps.-Apuleius, die *Medicina Plinii* und Vindicianus im 4. Jh., Marcellus Empiricus im 4./5. Jh., Caelius Aurelianus, Cassius Felix, Placitus Papyriensis, Theodorus Priscianus im 5. Jh., während die ps.-hippokratischen *Dynamidia* im 6. Jh. anzusiedeln sind. Darüberhinaus wurde eine Fülle anonymer Schriften und ps.-epigraphischer Werke (Antidotaria) in verschiedenen Zentren wie Nordafrika, It. oder Gallien verfaßt. Diese Werke basieren auf der griech. Lit. oder auf lat. Vorgängern (so dient Scribonius Largus bei Marcellus Empiricus als Vorlage, Plinius in der *Medicina Plinii* und bei Marcellus Empiricus, Soranos bei Caelius Aurelianus) oder auf ihren Übers. (lat. Fassung der *Peri diaites* in den *Dynamidia*) oder schon auf spätant. Werken (die *Medicina Plinii* bei Marcellus Empiricus und dieser wiederum bei Placitus Papyriensis). Der jeweilige Inhalt des neuen Werkes wurde der Epidemiologie und den lokalen Ressourcen angepaßt.

3. Die Texte gelangten gegen E. des 6. Jh. von den südl. Ufern des Mittelmeeres zu den nördl. und wurden von dort über zwei Wege auf dem Kontinent verbreitet: vom Süden Spaniens ausgehend bis nach Poitiers, nach Fleury-sur-Loire und Orléans in Frankreich, später auch vom Westen Spaniens ausgehend nach Chartres (7./8. Jh.); vom Süden Italiens nach Ravenna und in die Lombardei (v. a. Benedictus Crispus, 7./8. Jh.) und von dort nach Chur (8. Jh.) und St. Gallen (9. Jh.) in der Schweiz.

4. Die neuen Werke assimilierten lokale Praktiken (z. B. Anthimos, 5./6. Jh.) und transformierten (christianisierten) die überlieferten therapeutischen Praktiken, was vom 4. Jh. an zur Neubelebung der gallischen Thermaltherapie sowie der alten Bäder führte (Martin von Tours).

5. Im klösterlichen Umfeld taucht eine neue Form der medizinischen Versorgung auf, zunächst für Mönche (*Regula Benedicti* und die *Institutiones* des Cassiodor), dann für Pilger (Konzil von Orléans 571) und andere Bevölkerungsgruppen: Erste → Krankenhäuser entstehen, und in diesem Rahmen auch eine neue Form der Erlaubnis zur Vergabe von Medikamenten. Das Kloster St. Gallen nimmt bei allen diesen Entwicklungen eine Vorreiterstellung ein (820–830).

6. Die neu verfaßten Sammlungen zeichneten sich wiederum durch eine zweifache Tendenz aus: Christianisierung der Medizin (v. a. Einführung des Kultes der Ärzteheiligen Kosmas und Damian, den man direkt aus Byzanz übernahm) und die Rezeption klass. griech. Texte in lat. Übersetzung. Zahlreiche Transliterationen von Fachwörtern lassen auch hier byz. Quellen vermuten. Diese neue Form der Zusammenstellung findet

sich bereits im sog. Lorscher Arzneibuch (8. Jh.), in dem eine Anrufung an Kosmas und Damian, der Hippokratische Eid, Fr. der Aristotelischen *Problemata*, eine Liste alternativer Substanzen, einfacher Wirkstoffe und Formulaturen für zusammengesetzte Arzneimittel sowie eine Erörterung der Ernährungslehre bes. Beachtung verdienen.

B. HOCHMITTELALTER

Die Übers. arab. Fassungen griech. Texte und original arab. wiss. Abhandlungen ins Lat. veränderte die Lit., die Theorie und die Praxis im Umgang mit Medikamenten und der Pharmakologie, wie man sie aus den vorhergehenden Epochen kannte. Den Beginn dieser neuen Phase wird auf die Zeit von Constantinus Africanus († nach 1087) datiert. Wahrscheinlicher ist jedoch, daß sie aus der Kontinuität der südit. Praxis hervorging, wo das Werk *Zâd al Musâfir* des Ibn al Jazzár und zahlreiche anonyme Abh. und Rezeptarien vom Arab. ins Griech. übersetzt wurden. Diese Trad. wurde auf jeden Fall später in Toledo (z.B. Ger(h)ard von Cremona, 1113/4–1187), Montpellier (z.B. Arnaldus de Villanova, † 1311) und in Sizilien (Farag ben Salen, 13./14. Jh.; Niccolò da Reggio, erste H. des 14. Jh.) fortgesetzt. Die Veränderungen zeigen sich in fünf Punkten:

1. Eine neue Präsentationsform für die Eigenschaften medizinischer Substanzen wurde eingeführt: die Tafeln (arab. *taqwîm*, in der lat. Adaption *tacuinum*). Des weiteren die Abfassung neuer Werke nach dem Modell des Ibn Butlân (gest. ca. 1063), die möglicherweise auch Darstellungen von Arzneipflanzen enthielten und die auf den Tafeln analysierten Produkte illustrierten. Diese Gattung kommt v.a. in der Lombardei im 15. Jh. zur Blüte.

2. Neue Heilmittel, naturbelassen oder durch Destillation aufbereitet, erweitern die Bandbreite der verfügbaren Ressourcen und therapeutischen Möglichkeiten und verändern den Umgang mit den Medikamenten: Zucker, Kampfer und Alkohol eröffneten neue Darreichungsformen (z.B. Sirup), die den Vorteil einer längeren Haltbarkeit boten.

3. Die Herstellung zusammengesetzter Medikamente nahm zu und folgte damit einer Tendenz der griech.-röm. Pharmakologie des 1. Jh. vor und nach Chr., die bereits in der arab. Welt aufgegriffen und verstärkt betrieben worden war.

4. Der Gebrauch zusammengesetzter Medikamente wurde von Spekulation über ihre Wirkungsweise begleitet, die in zahlreichen (anon.) Abh. *De gradibus* dargestellt sind: Ist ihre Wirkung größer als die Summe der Wirkungen der Bestandteile, oder entsteht aus der Interaktion der einzelnen Stoffe eine völlig neue Wirkung?

5. Die Erfindung eines zylindrischen Behälters aus gebrannter Erde (Albarello) durch arab. Handwerker, der mit einer Schicht Email auf der Basis von Zinn überzogen war, ermöglichte dank der Undurchlässigkeit seiner Wände eine bessere Konservierung der Medikamente (ausgenommen getrocknete Heilpflanzen); die Oxydation der aufbewahrten Substanzen wurde verhindert.

Die Übersetzungsanstrengungen schufen auch zahlreiche Transliterationen von Fachtermini, die oft das Verständnis des Textes erschwerten und im 13./14. Jh. zwei unterschiedliche Reaktionen hervorriefen: Einerseits entstanden Synonym-Tafeln, die dazu bestimmt waren, für die jeweils unterschiedlichen lat. Termini der zahlreichen Übers. einen einzigen Begriff festzulegen (Simon von Genua, 13./14. Jh., *Synonyma medicinae, sive, Clavis sanationis*); andererseits kehrte man zu den griech. Originaltexten und ihren Übers. und Komm. zurück (Petrus von Abano, 1250–1316; Niccolò da Reggio, erste H. des 14 Jh.).

Möglicherweise erklärt diese Rückkehr zu den griech. Texten und zur griech. Medizin die Behandlungsmethoden gegen die schwarze Pest (1348): Es wurden aromatische und parfümierte Substanzen verbreitet und verabreicht, von denen man glaubte, sie würden den Krankheitserreger, der als ein Gift identifiziert wurde, verbrennen. Dieses Prinzip wurde explizit von Galen in *De antidotis* formuliert, um die Pestilenzen zu behandeln.

C. RENAISSANCE

Zu Beginn der Ren. wurde die Heilmittelkunst von den Folgen der lat. Übers. arabischer Abhandlungen geprägt, wobei viele Begriffe transliteriert, aber nicht übersetzt und daher auch nicht unbedingt verstanden wurden (v.a. Pflanzennamen und Inhaltsstoffe von Medikamenten) sowie durch die Anwendung arab. Medikamente, die sich durch exotische Arzneien und ein Übergewicht an zusammengesetzten Medikamenten auszeichneten, deren Eigenschaften nicht immer genau definiert waren.

Mit dem Aufkommen des Buchdrucks wurden je nach Region recht unterschiedliche Texte verbreitet: In Deutschland erschienen sehr früh (1481) erste Herbarien, wovon einige volkstümlichen Typs waren, die ab 1484 illustriert wurden, während es sich in It. um klass. lat. (Plinius d. Ältere, *Naturalis historia* 1469; Cornelius Celsus, *De medicina* 1478) oder arab. griech. Texte in ihren ma. lat. Übers. handelt (Avicenna, *Quânûn*, 1472, und Al-Râzî (Rhazes), *Kitâb-al'-Mansûrî*, 1481, Übers. Ger(h)ard von Cremona; Dioskurides, 1478, Übers. dem Constantinus Africanus zugeschrieben; Galen, *De alimentis*, 1490, Übers. des Wilhelm von Moerbeke; *De compositione medicamentorum secundum locos I-X*, 1490, Übers. durch Nikolaus von Reggio), ebenso wie um die zahlreichen ma. ps.-epigraphischen, Hippokratischen (z.B. *De pharmacis*, 1481), Galenischen (z.B. *De virtute centaurea*, 1473) oder andere (*Secreta secretorum*, Aristoteles zugeschrieben, 1472).

Die gedruckten it. Werke orientierten sich sehr schnell an neuen lat. Übers. griech. Texte (Theophrast, *Historia plantarum*, übersetzt von Theodoros von Gaza, 1483), an philol. Anmerkungen (z.B. die *Castigationes* des E. Barbaro zur *Naturalis historia* des Plinius, 1492–93), die auch ein rein medizinisches Ziel haben konnten (lat. Übers. von al-Rāzīs Abh. über die Pocken durch G. Valla 1498 als *Liber de variolis et morbillis* (»Abhandlung über die Pocken und über die Masern«), mit dem Anliegen, aus dem Werk einen Nutzen für die Behandlung der Syphilis zu ziehen, die noch nicht vollständig identifiziert war und mit den Pocken verwechselt wurde).

Eine eindeutige Identifizierung der Heilpflanzen war aufgrund der Übers. oft nicht möglich, was einmal zur Veröffentlichung des *Ricettario Fiorentino* (1492) führte, der den Bestand der offiziell zugelassenen Medikamente in der Toskana aufnehmen sollte, und den Ferrarer Leoniceno Tomeo zu *De Plinii et aliorum in medicina erroribus* (1492) inspirierte. Bei den Bemühungen um die Wiedergewinnung der ant. Medizin schlug Leoniceno vor, zu den Quellen zurückzukehren (d. h. zu den griech. Texten und nicht ihren lat. und arab. Abwandlungen), den Sinn der Fachwörter wieder vollständig herzustellen und darüber das wirklich Gemeinte, die medizinischen Pflanzen, zu identifizieren, v. a. durch Beobachtungen vor Ort. Das Werk rief eine heftige Polemik hervor (u. a. Collenucio, *Pliniana defensio*, 1493), während Aldus Manutius in Venedig die Editio princeps des griech. Textes der *Historia plantarum* von Theophrast (1497) und des Dioskurides (1499) veröffentlichte, wahrscheinlich um Leoniceno zum Erfolg seiner Behauptung zu verhelfen.

Unterdessen wurden philol. Übers. und Komm. weiter veröffentlicht (lat. Übers. von Dioskurides von J. Ruelle, 1516; posthum erschienen Übers. mit Komm. von E. Barbaro, 1516; lat. Übers. und Komm. von M. V. Adriani, 1518). Auch neue Werke entstanden, die hauptsächlich noch auf der Kompilation lat. Texte, nicht aber auf persönlichen und direkten Beobachtungen der Wirklichkeit beruhten, etwa *De natura stirpium* von J. Ruelle, 1530.

Leonicenos Vorschlag, zu den Quellen zurückzukehren, setzte sich dennoch in Europa durch. Der Schwerpunkt der pharmakologischen Aktivitäten verlagerte sich so von It. nach Deutschland: 1529 erschienen zwei griech. Editionen von Dioskurides (J. Cornarius, Basel; J. Soter, Köln); 1530 veröffentlichte O. Brunfels ein Pflanzenwerk *Herbarum vivae eiconeb* (sic!), das sich auf klass. Quellen und persönliche Daten stützte, und im selben J. gab L. Fuchs eine Widerlegung der ma. medizinischen Irrtümer nach dem Modell des *De Plinii (. . .) erroribus* von Leoniceno heraus mit dem Titel *Errata recentiorum medicorum*; 1537 veröffentlichte J. Cornarius die lat. Übers. von Galens *De compositione medicamentorum secundum locos* und 1542 erschien Fuchs' bebilderte *De historia stirpium*, die persönliche Beobachtung und Wiederaufnahme klass. Texte verband. Dann tauchte eine frz. Schule auf, die in der Anfangszeit von Gunther von Andernach und seinen lat. Übers. angeführt wurde (Hippokrates, *De victu*, 1528; Galenus, *De compositione medicamentorum secundum genera*, 1530; Ps.-Galen, *De theriaca*, 1531; Paulus von Aigina, *Collectiones medicae*, 1532; Galen, *De antidotis*, 1533, *De compositione medicamentorum secundum locos*, 1535). Die Stafette wurde

darauf übernommen von J. Goupyl, der von mehreren Texten kritische Editionen auf der Basis von Mss. herausgab, die Gesandte des frz. Königs Franz I. in Venedig und Umgebung für die Bibliotheca Regia in Paris gekauft hatten: Al-Rāzī, (*Liber de variolis et morbillis*), 1548; Dioskurides, 1549; Rufus von Ephesos, *De purgantibus medicamentis*, 1554. Die Aktivität dieser frz. Schule gipfelte in dem Naturalisten Pierre Belon (1517–1564), der sich zw. 1546 und 1560 in den Orient begab, um dort die lokale Flora zu untersuchen, v. a. die in den klass. Abh. beschriebenen medizinischen Pflanzen (*Les observations de plusieurs singularitez et choses mémorables trouvées en Grèce, Asie, Judée, Egypte, Arabie (. . .)*, 1553).

Italien, zunächst von der internationalen Bühne verschwunden, trat dann wieder mit der Einrichtung botanischer Gärten in Pisa und Padua 1542/3 auf. Nach einer ersten it. Übers. des Dioskurides durch Sebastiano Fausto (1542) veröffentlichte Pietro Andrea Mattioli eine weitere (1544), die über die zweite H. des 16. Jh. bis in das 17. Jh. hinein bestimmend blieb: Mehrere Male neu aufgelegt und erweitert wurde sie auch übersetzt (Lat., Frz., Dt. und Tschechisch) und ab 1554 illustriert.

Von It. aus, wo die klass. Pharmakologie aufs Neue im Originaltext bekannt geworden war, verbreitete sie sich ein weiteres Mal ins Ausland: Auf Initiative des frz. Botschafters in Venedig Guillaume Pellicier wurde in der Mitte des 16. Jh. in Montpellier ein botanischer Garten angelegt. Zur selben Zeit wurden auf Dioskurides basierende Kurse in medizinischer Botanik angeboten. Ein Student der Schule, J. Sarrasin, erhielt dadurch die Möglichkeit, die letzte kritische Edition des griech. Textes von Dioskurides im 16. Jh. zu besorgen (Frankfurt 1598). Diese blieb bis 1829/30 in Gebrauch (Hrsg. K. Sprengel).

Schließlich setzten sich die Volkssprachen durch mit frz. Übers. von Galen, *De simplicium medicamentorum temperamentis ac facultatibus* (1542), *De compositione medicaminum per genera* (1545) und *De alimentis* (1552), der span. Übers. von Dioskurides durch A. De Laguna (1555), der it. des *De alimentis* (1562) und der *De compositione medicamentorum secundum locos* in Englisch (1574).

→ Afrika; Magie; Medizin

→ AWI Antidotarium; Anthimos [1]; Benedictus von Nursia; Caelius [II 11] Aurelianus; Cassius [III 4] Felix; Cassiodorus; Diätik; Dioskurides [9]; Gargilius [4]; Hippokrates; Marcellus [8]; Martinus [1]; Kosmas [1] und Damianos; Medicina Plinii; Oreibasios; Placitus Papyriensis; Plinius [1]; Scribonius Largus [II 3]; Soranos

1 E. Howald, H. E. Sigerist, Antonii Musae De herba vettonica liber. Ps.-Apuleius Herbarius. Anonymi De taxone liber. Sextii Placiti Liber medicinae ex animalibus (CML IV), 1927 2 C. Opsomer, Index de la pharmacopée du Ier au Xe siècle, 1989 3 J. M. Riddle, Quid pro quo, 1992 4 A. Rousselle, Croire et guérir. La foi en Gaule dans l'Antiquité tardive, 1990 5 G. Sabbah et al. (Hrsg.), Bibliogr. des textes médicaux latins. Antiquité et Haut

Moyen Age, 1988 **6** J. STANNARD, Pristina medicamenta, 1999 **7** U. STOLL, Das »Lorscher Arzneibuch«. Ein medizinisches Kompendium des 8. Jh., 1992.

ALAIN TOUWAIDE/Ü: JESSICA S. H. OTT

II. ARABISCH-ISLAMISCHES KULTURGEBIET

A. DIE GESCHICHTE B. DAS BOTANISCHE VOKABULAR C. DAS THEORETISCHE PROBLEM D. DIE ILLUSTRATION E. NEUE ARBEITEN

A. DIE GESCHICHTE

Der Anschluß der älteren, bes. der klass. griech. beziehungsweise byz. Ph. an Bagdad [8] verlief chronologisch in den folgenden fünf Hauptphasen [9; 13]:

1. Die durch Sergios von Resaena erfolgte Übers. der Bücher VI–XI von Galens *De simplicium medicamentorum temperamentis et facultatibus* ins Syrische. Im folgenden überarbeitete Hunain in Bagdad diese Übers. und übertrug ins Syr. – alleine oder in Zusammenarbeit mit anderen – die Bücher I–V derselben Abhandlung, *De compositione medicamentorum per genera, De compositione medicamentorum secundum locos, De antidotis,* ferner Dioskurides, *De materia medica* (Rezension in fünf Büchern mit den zwei pseudepigraphischen Büchern über Toxikologie), und Oreibasios; die Übers. des Dioskurides scheint verloren (sie fand indes während der zweiten der im folgenden unterschiedenen Phasen als Modell für arab. Übers. Verwendung).

2. Arab. Übers. (erste Phase): Aus dem Griech. übersetzte in Bagdad Hunain zunächst alleine, dann in Zusammenarbeit mit anderen (v. a. mit Isṭifan ibn Basīl und seinem Neffen Hubaiš) Oreibasios, Paulus von Aigina, Dioskurides, *De materia medica* (Rezension in fünf Büchern mit den beiden nicht-authentischen Abh. über Toxikologie, mit zwei Übers.: Die eine erfolgte durch Isṭifan und wurde von Hunain überarbeitet; die andere enthält eine Übers. der Bücher I–IV durch Hunain sowie der Bücher V–VII durch Isṭifan und wurde von Hunain komplett überarbeitet), schließlich Galen, *De simplicium medicamentorum temperamentis et facultatibus,* VI–XI, *De compositione medicamentorum per genera* und *De compositione medicamentorum secundum locos.*

3. Überarbeitung der arab. Übers. aus Bagdad: Im Osten überarbeitete ein gewisser an-Nātilī, der ohne zwingend sinnvolle Begründung [12] mit dem Lehrer des Avicenna gleichgesetzt wird [9. 54–60], am E. des 10. Jh. die zweite Übers. des Hunain und des Isṭifan, während im Westen die Schule von Córdoba in der zweiten H. des 10. Jh. eine Überarbeitung der 1. Übers. des Hunain und des Isṭifan vornahm; die Ortsgelehrten verfügten zu diesem Zweck über ein Ms., das sie aus Konstantinopel erhalten hatten [20. 81–85; 10. 110–116]; sie verfertigten jedoch – entgegen der in der Bibliographie allzu gängigen Behauptung – keine neue Übers., sondern verfaßten vielmehr Werke über botanische Lexikographie [1; 2; 3].

4. Arab. Übers. (zweite Phase): Im Osten, in den Emiraten von Ḥiṣn Kaifā und Mārdīn, entstanden mindestens zwei neue Übers. von Dioskurides' *De materia medica* (davon eine in der Zeit von 1148–1174, die andere zw. 1152–1176) [9. 10–11]; beide Übers. gehen dabei anscheinend von der syr. Version des Hunayn aus.

5. In Bagdad während des 13. Jh.: Wiederaufnahme der Übers. und Mss. des 9. Jh. und Kopie neuer Exemplare: Zw. dem 9. und dem 13. Jh. waren die griech. Abh. von den inzwischen erfolgten eigenständigen arab. Arbeiten verdrängt worden [15].

In jeder Phase reproduzierte die arab. Welt das byz. Modell, einerseits indem sie die Abh. des Dioskurides und des Galen verband, andererseits durch das Vorhandensein byz. Enzyklopädien, die wiederum – zumindest auf dem Gebiet der Ph. – aus der Verbindung der aus eben diesen beiden Werkgruppen resultierenden Informationen entstanden waren. Herausgegeben wurde von diesen Übers. nur diejenige des Dioskurides (*De materia medica,* I–V; mit Ausnahme der zwei Apokryphen, der unechten Bücher VI und VII) [4; 14].

B. DAS BOTANISCHE VOKABULAR

In seiner ersten Übers. des Dioskurides ins Arab. hatte Hunain erklärt, daß weder er selbst noch sein Mitarbeiter in der Lage seien, alle griech. Pflanzennamen durch einen äquivalenten arab. Ausdruck wiederzugeben, und sie demzufolge die griech. Bezeichnungen selbst in das arab. Alphabet transliteriert hätten. Von dieser Behauptung ausgehend, nahm man an, daß die arab. Sprache zu jenem Zeitpunkt noch nicht über ein zur Wiedergabe der griech. Termini ausreichendes Vokabular verfügte und daß demzufolge die wiederholten Übers. dieser lexikalischen Unzulänglichkeit abhelfen sollten, also die aus der Transliteration resultierenden Hellenismen durch eigenständige arab. Termini ersetzt werden sollten. Aus dieser (ethnozentrischen) Perspektive betrachtet, erschienen die Übers. der zweiten Phase als die gelungeneren, bieten sie doch stärker arabisierte Texte.

Die Frage ist indes komplexer und impliziert zwei Phänomene: Auf der einen Seite erhebt sich das Problem der Identifizierung der Pflanzenarten, denn, während die Flora der griech. Abh. eine hauptsächlich mediterrane ist, handelt es sich bei der mit dem arab. botanischen Vokabular bezeichneten Flora um den iranischen Typus. Es war daher nicht unbedingt möglich, eine eindeutige Beziehung zw. einem griech. Terminus und einer mediterranen Pflanzenart einerseits sowie einer iranischen Art und ihrer arab. Bezeichnung andererseits zu garantieren. Nimmt man weiterhin an, daß in einigen Fällen das Vorhandensein des transliterierten Terminus eine lexikalische Lücke schließen konnte, so muß man umso mehr davon ausgehen, daß die transliterierten Termini sehr häufig neben den arab. Bezeichnungen existierten. Da jedoch den Pflanzennamen des griech. Textes v. a. in Bezug auf die Klassifizierung der medizinischen Stoffe (z. B. bezüglich lexikalischer Übereinstimmungen) eine äußerst spezifische Bed. zu eigen ist, war demzufolge die Beibehaltung der griech. Termini zur Gewähr der Textkohärenz ebenso wie zur

Lieferung einer strukturell verläßlichen Information unerläßlich. Das Vorhandensein von Hellenismen beweist folglich weniger eine Unzulänglichkeit des arab. Wortschatzes (wenngleich diese wohl zumindest in einigen Fällen angenommen werden darf), als vielmehr eine gelungene Wahrnehmung der im Text implizierten und aus der Benennung der pflanzlichen Medizinstoffe resultierenden Problematik von Seiten der Übersetzer.

C. Das theoretische Problem

Die arab. Welt stieß sich überdies an einem theoretischen Problem, welches aus der sich entwickelnden Behandlung mit Wirkstoffkombinationen resultierte und von Galen nicht ernsthaft angegangen worden war, auch wenn dieser jenen Medikamententyp in seine Sammlung aufnahm (*De antidotis, De theriaca ad Pisonem*): Man suchte nunmehr zu ergründen, ob in Wirkstoffkombinationen diejenige Eigenschaft, die sich aus der Verbindung respektive Mischung zahlreicher Bestandteile ergibt, mit der Addition der Eigenschaften der einzelnen Bestandteile identisch ist oder nicht. Das Problem wurde auf zwei grundsätzlich divergente Weisen gelöst: Es fand sich zunächst ein theoretischer Ansatz, der darin bestand, entweder auf mathematische Weise die Beziehungen zw. einzelnen Eigenschaften zu definieren (z. B. al-Kindī) oder aber gar über den Begriff der Eigenschaft zu spekulieren, um so verschiedene Ebenen (beispielsweise vorrangige Eigenschaft und nachrangige Eigenschaft) zu unterscheiden (z. B. Averroës). Die andere Lösung, ein eher empirischer Ansatz, basierte auf der These, daß die Wirkung eines Medikamentes lediglich aus seiner Anwendung auf den Patienten bekannt sei (z. B. Avicenna), und betrieb damit die Annäherung der Pharmakologie an den Relativismus: Die Eigenschaften von Medikamenten konnten mithin nur noch aufgrund ihrer Verabreichung an den Patienten erkannt werden [18]. Dadurch, aber auch durch die von der lexikalischen Frage veranlaßte Suche fand die Ph. zurück zu ihrer Rolle als Instrument der wiss. Heuristik, die ihr sowohl in der klass. als auch in der byz. Welt eigentümlich gewesen war [16; 17], und dies umso mehr, als sie – wie auch dort – häufig mit der Toxikologie verbunden war.

D. Die Illustration

Wie in der byz. Welt, war alleine die Abhandlung des Dioskurides (mit den beiden Apokryphen) bebildert (mit Ausnahme der arab. Abh.) [5]. Diese Darstellungen waren weniger naturgetreue Abbildungen; sie stellten vielmehr Wiederauflagen griech. Mss. dar (die Familie des *Parisinus gr.* 2179, ebenso für den Text) und durchliefen eine doppelte Entwicklung: Zum einen rückte der Satz sehr bald von der gesamten (oder beinahe gesamten) Seite an die äußersten Rand auf eine Höhe von wenigen Zeilen, ähnlich der Entwicklung im Byz., auch wenn der erste Satztyp noch für die Luxusausgaben des 13. Jh. verwendet wurde; zum anderen war die Zeichnung selbst zwei Tendenzen unterworfen: einerseits herrschte eine stetig wachsende Neigung zur Stilisierung; andererseits stieg die Zahl der Darstellungen von

Pflanzen innerhalb ihres natürlichen Lebensraumes; darunter fanden sich im übrigen auch Abbildungen von Instrumenten und sogar menschlichen Gestalten, die – ebenso wie die Pflanzendarstellungen – genauer bezeichnet wurden, um dadurch den pharmazeutischen Zusammenhang der Medizinstoffe (zumindest in den Mss. der fünften Phase, in Bagdad, erste H. des 13. Jh.) zu verdeutlichen.

E. Neue Arbeiten

Seit dem E. des 9. Jh. erschienen eigenständige, in Arab. verfaßte Arbeiten zu diesem Fachgebiet. Die rasche Folge ihres Erscheinens läßt nicht zwangsläufig auf das Bedürfnis der arab. Gelehrten nach eigenständigen Werken schließen, wie dies häufig unterstellt wurde, sondern läßt sich, zumindest teilweise, auf die folgenden vier Faktoren zurückführen: die Identifikation der in den griech. Abh. aufgeführten Pflanzenarten mit denen des iranischen Typs; die bildliche Darstellung dieser Arten; die Destrukturierung des dioskuridischen Textes infolge der vollständigen Übers. der Pflanzennamen und die Tilgung der aus dem Griech. stammenden Transliterationen sowie die Problematik der Wirkstoffkombinationen.

Diese Werke [11; 19] lassen sich im wesentlichen in 4 Gruppen einteilen (wobei eine Abhandlung mehreren der im folgenden tendenziell skizzierten Gruppen zugeordnet werden kann):

1. Arbeiten zur botanischen Lexikologie, unter ihnen auch die des Ibn Ǧulǧul (944– nach 994) [3] und des Ibn al-Baiṭār (um 1190–1248) [2].

2. Medizinische Zusammenfassungen, die, ebenso wie ihre griech. Entsprechungen, ihre deskriptiven Informationen eher dem Dioskurides, ihr medizinisches Wissen hingegen eher dem Galen verdanken; unter ihnen die Werke des al-Rhāzī (865–925), des al-Bîrûnî (973–ca. 1050) (?) oder des eher unter dem lat. Namen Avicenna bekannten Ibn Sīnā (980–1037); die beiden umfangreichsten Werke auf diesem Gebiet sind die des al-Gāfiqī (12. Jh.) und die des Ibn al-Baiṭār, beide beeinflußt von der Schule von Córdoba, der wohl bedeutendsten Schule der arab. Welt [10. 361–369; 6].

3. Eigenständige Darstellungen, wie die des al-Kindī (um 800–870), in welcher der Autor mathematische Modelle zur Darstellung der Beziehungen zw. den Bestandteilen der aus Wirkstoffkombinationen bestehenden Medikamente erstellt, oder der *Taqwīm aṣ-ṣiḥḥa* des Ibn Buṭlān (gest. ca. 1063) in tabellarischer Auflistung, einer noch im späten MA überaus erfolgreichen Darstellungsform (*Tacuinum sanitatis*).

4. Umfassende philos. Werke, in denen das Medikament als Begriff zur Analyse von Termini wie z. B. der Veränderung Verwendung findet; einer der wesentlichen Autoren auf diesem Gebiet ist neben Avicenna Ibn Rušd (1126–1198), besser bekannt als Averroës.

→ AWI Dioskurides [5]; Galenos

1 A. Dietrich, Dioscurides Triumphans. Ein anon. arab. Komm. (E. 12. Jh. n. Chr.) zur Materia medica, 2 Bde., 1988 2 Ders., Die Dioskurides-Erklärung des Ibn al-Baitar. Ein

Beitr. zur arab. Pflanzensynonymik des MA, 1991 **3** Ders.,
Die Ergänzung Ibn Ġulġul's zur Materia medica des
Dioskurides, 1993 **4** C. E. DUBLER, La »Materia medica« de
Dioscorides. Transmisión medieval y renacentista, 6 Bde.,
1953–59 **5** E. J. GRUBE, Materialien zum Dioskurides
Arabicus, in: Aus der Welt der Islamischen Kunst, 1959,
163–194 **6** S. HAMARNEH, G. SONNEDECKER, A
Pharmaceutical View of Abulcasis Al-Zahrâwî in Moorish
Spain, 1963 **7** L. LECLERC, Traité des simples par Ibn
El-Beïthar, 3 Bde., Paris 1877–1883 (Ndr. 1996)
8 M. LEVEY, Early Arabic Pharmacology, 1973 **9** M. M.
SADEK, The Arabic Materia Medica of Dioscorides, 1983
10 J. SAMSÓ, Las ciencias en los antiguos en Al-Andalus, 1992
11 F. SEZGIN, Gesch. des Arab. Schrifttums, vol. 3, 1970
12 G. STROHMAIER, Sadek, The Arabic Materia Medica of
Dioscorides, in: Gnomon 57, 1985, 743–745
13 A. TOUWAIDE, L'intégration de la pharmacologie grecque
dans le monde arabe. Une vue d'ensemble, in: Med. Sec. 7,
1995, 159–189 **14** Ders., La traduction arabe du »Traité de
matière médicale« de Dioscoride. Etat de la recherche, in:
Ethnopharmacologia 18, 1996, 16–41 **15** Ders., Farmacopea
araba medievale, 4 Bde., 1992–93 **16** Ders., Trad. and
innovation in Mediaeval Arabic Medicine. The translations
and the heuristic role of the word, in: Forum 5, 1995,
203–213 **17** Ders., Le paradigme culturel et
épistémologique dans la science arabe à la lumière de
l'histoire de la matière médicale, in: Revue du Monde
Musulman et de la Méditerranée 77–78, 1995, 247–273
18 Ders., Theoretical Concepts and Problems of Greek
Pharmacology in Greek Arabic Medicine: Reception and
Reelaboration, in: Forum 6, 1996, 21–39 **19** M. ULLMANN,
Die Medizin im Islam, 1970 **20** J. VERNET, Ce que la culture
doit aux Arabes d'Espagne, 1985.   ALAIN TOUWAIDE/
Ü: ARMELLE SCHMITT

Pharmazie s. Pharmakologie

Philadelphia, University of Pennsylvania Museum of Archaeology and Anthropology, Ancient Near Eastern Section

A. EINLEITUNG   B. GESCHICHTE
C. SAMMLUNGSBESTAND   D. AUSBLICK

A. EINLEITUNG

Die »Ancient Near Eastern Section« (»Vorderasiatische Abteilung«) bildet den Ausgangspunkt des University of Pennsylvania Museum of Archaeology and Anthropology, das E. 1887 anläßlich des Plans zur Entsendung einer Ausgrabungsexpedition nach → Nippur in Südmesopotamien gegründet wurde. Neben arch. Funden aus Mesopotamien, Syrien-Palästina und dem Iran gehört zur Near Eastern Section die »Babylonian Section«, eine der wertvollsten Tontafelsammlungen der Welt.

B. GESCHICHTE

Die Idee zur Bildung eines Mus. an der University of Pennsylvania wurde im Zusammenhang mit dem Entschluß zur Entsendung einer privat finanzierten Ausgrabungsexpedition nach Nippur E. 1887 geboren. Eine entscheidende Rolle bei der Gründung des Mus. spielte, neben der Expedition nach Nippur, der Universitäts-

präsident William Pepper, dem es nicht nur gelang, interessierte Bürger als Sponsoren zu gewinnen, sondern der 1887 auch den Deutschen Hermann Volrath Hilprecht (1859–1925) zum ersten Professor für Assyriologie an die University of Pennsylvania berief. Hintergrund dieser Entwicklungen war das wachsende amerikanische Interesse an den altorientalischen Kulturen aufgrund der in der Mitte des 19. Jh. einsetzenden europ. Ausgrabungen sowie das Bedürfnis der aufstrebenden und wohlhabenden Vereinigten Staaten nach öffentlichen Sammlungen, die mit den großen europ. Mus. konkurrieren konnten.

Als oberstes Ziel dieser ersten großangelegten Ausgrabungsexpedition der USA galt, nicht zuletzt wegen der inhaltlichen Parallelen zw. dem AT und den damals bekannten altorientalischen Texten, das Auffinden von Tontafeln. Die insbes. im 3. Jt. v. Chr. als rel. Zentrum der sumerischen Stadtstaaten und Kultort des Hauptgottes Enlil bedeutsame Stadt Nippur war bereits seit Beginn der europ. Ausgrabungen von Interesse. Doch erst die 1888 einsetzenden amerikanischen Grabungen der University of Pennsylvania unter Leitung des theologisch ambitionierten Professors für Hebräisch John Punnett Peters (1852–1921) waren so erfolgreich, daß sie in vier Kampagnen bis 1900 fortgesetzt wurden. Als Hauptergebnis erbrachten sie die bis h. größte Sammlung sumerischer Tontafeln und Frg. aus dem späten 3. und dem frühen 2. Jt. von einem einzigen Grabungsort, unter denen sich neben wirtschaftlichen und lexikalischen Texten Abschriften beinahe aller wichtigen lit. sumer. Werke fanden (Abb. 1).

Hilprecht, der von Anfang an an den Grabungen beteiligt war und für die letzte Kampagne (1898–1900) die wiss. Leitung übernahm, war bereits 1887 zum Kurator der »Babylonian Section« des Universitäts-Mus. ernannt worden. Doch erst die Ankunft der ersten Funde aus Nippur führte 1889 zur Umwandlung eines Raumes der College Hall in den ersten Museumssaal. Gleichzeitig wurde der Entschluß gefaßt, ein eigenes Museumsgebäude zu errichten, in dessen erstem, 1899 eröffneten Bauabschnitt die erste reguläre Ausstellung der babylonischen Abteilung von Hilprecht eingerichtet wurde. Nach seinen anfänglichen Erfolgen aber trat Hilprecht im J. 1910 aufgrund von Kontroversen insbes. mit Peters, der Hilprechts wiss. Integrität anzweifelte, von seinem Amt zurück. Bei seiner Rückkehr nach Deutschland nahm er einen Teil der Tontafelsammlung von Nippur mit an die Univ. Jena, wo sie h. Teil der Frau Prof. Hilprecht-Sammlung Vorderasiatischer Altertümer sind.

Die nächste entscheidende Etappe in der Geschichte der »Near Eastern Section« setzte nach dem I. Weltkrieg ein. So begann 1921 in Beisan, südl. des See Genezareth, die erste Grabung des Universitäts-Mus. auf dem Gebiet der biblischen Arch., die bis 1933 fortgesetzt wurde. Aus diesen ersten Anfängen, denen weitere Unternehmungen in Beth-Shemesh (1928–1930, 1931), Gibeon (1956–1962) und Sarepta (1970–1972) im Libanon folg-

Abb. 1: Achtkolumnige Tontafel aus Nippur mit circa vierhundert Versen (Vorder- und Rückseite) eines sumerischen Mythos aus dem 18. Jahrhundert v. Chr.

Abb. 2: Der sogenannte »Widder in einem Gestrüpp« aus dem Königsfriedhof von Ur, PG 1237 (U 12357). Gold, Silber, Lapislazuli, Bitumen, roter Kalkstein und Muschelschale über Holz, ca. 2500 v. Chr.

B. Pritchard die 1962 gegründete »Section of Biblical Archaeology«, die 1978 in »Syro-Palestine Section« umbenannt wurde und h. einen Teil der »Near Eastern Section« bildet.

Vor allem aber war der von 1910 bis 1927 erste hauptamtliche Museumsleiter George Byron Gordon an einer Fortsetzung der erfolgreichen Grabungstätigkeit in Mesopotamien interessiert. Dabei strebte er aufgrund der veränderten polit. Situation im Irak, der nun unter britischem Mandat stand, eine Kooperation mit dem British Museum (→ London, British Museum) an, von der er sich polit. Sicherheit erhoffte. Im Gegenzug stellte das Universitäts-Mus. den größten Teil der auch diesmal von privaten Sponsoren angeworbenen finanziellen Mittel. Als Grabungsleiter des gemeinsamen Projekts wurde C. Leonhard Woolley (1881–1960) eingesetzt, der 1922 mit den Ausgrabungen in Ur in Südmesopotamien begann. Obgleich Gordon zunächst auf eine Wiederaufnahme der Grabungen von Nippur hoffte, arbeitete Woolley nicht zuletzt wegen der außerordentlich reichen Grabungsergebnisse bis 1934 in Ur. Zu den bedeutsamsten Funden, von denen der den Ausgräbern zufallende Teil zw. Philadelphia und London aufgeteilt

wurde, gehören die Grabbeigaben aus dem Königsfriedhof, die bis h. zu den herausragendsten bekannten Kultur- und Kunstwerken des Alten Vorderen Orients (Abb. 2 + 3) zählen und zum großen Teil aus dem 3. Jt. v. Chr. stammen. An den Grabungen beteiligt war Léon Legrain (1878–1963), der 1920 die Nachfolge Hilprechts als Kurator der babylonischen Abteilung des Universitäts-Mus. und Professor für Assyriologie angetreten hatte und bis 1948 im Amt blieb.

Die erfolgreiche Kooperation des Universitäts-Mus. mit dem British Museum bildete den Auftakt für zahlreiche weitere vergleichbare Arrangements, die sich bis in die Gegenwart fortsetzen. So begann 1927 mit den Grabungen in Nuzi die Zusammenarbeit mit der American School of Oriental Research (A.S.O.R.), Bagdad. Die gemeinsame »Joint Assyrian Expedition« unternahm in den 30er J. Ausgrabungen in Tell Billa, Kara Tepe, Khafaje und von 1930 bis 1938 die Grabungen in Tepe Gawra in Nordmesopotamien, bei denen Siedlungsschichten von 5000 v. Chr. bis 1500 v. Chr. entdeckt wurden (Abb. 4).

Um auch im Iran erfolgreich tätig zu werden, entsandte das Universitäts-Mus. 1930 eine Expedition zur

Abb. 3: Sogenannte Stierköpfige Leier, Vorderseite des Leierkastens mit der »Tierkapelle«, aus dem Königsfriedhof von Ur, PG 789 (U 10556). Gold, Silber, Lapislazuli, Muschel, Bitumen, Holz, ca. 2500 v. Chr.

Abb. 4: Kelch aus Tepe Gawra, Keramik, 1. Hälfte 3. Jahrtausend v. Chr. Der Kelch ist eines der wenigen vollständig erhaltenen Ninive-5-Gefäße aus den Grabungen in Tepe Gawra

Erkundung möglicher Grabungsorte. In der Folge begann Frederick Wulsin, Museumskurator für Anthropologie, 1931 mit zwei kurzen Kampagnen in Tureng Tepe. Gleichzeitig eröffnete Erich Schmidt die gemeinsam von dem Universitäts-Mus. und dem Pennsylvania Museum of Art finanzierten Ausgrabungen in Tepe Hissar. Anschließend führte Schmidt von 1934 bis 1938 mehrere Surveys und kleinere Grabungen im Iran durch, von denen v. a. seine Arbeiten in Persepolis bekannt sind. Auf dem Weg nach Osten hatte Schmidt 1931 auftragsgemäß in Fara (dem ant. Schurrupak) eine kurze Grabung durchgeführt, an der Samuel Noah Kramer (1897–1990) als Philologe beteiligt war und mehrere hundert Tontafeln entdeckte.

Kramer, dessen populärwiss. Publikationen die Sumerer breiteren Bevölkerungsschichten näher brachten, wurde 1948 als Nachfolger Legrains zum neuen Kurator der »Babylonian Section« ernannt. Im selben J. gelang dem Universitäts-Mus. gemeinsam mit dem Oriental Institute der Univ. von Chicago (→ Chicago, Oriental Institute Museum) eine Wiederaufnahme der Grabungen von Nippur, die allerdings für das Universitäts-Mus. schon 1952 mit der Übertragung der Grabungslizenz an Chicago definitiv endeten.

Bei der Neugestaltung der Ausstellung der »Near Eastern Section« in den 1950er J. wurden erstmals die schriftlichen Hinterlassenschaften gemeinsam mit den übrigen Gebrauchs- und Alltagsgegenständen der altorientalischen Kulturen ausgestellt. Zudem wurde die Ausstellung nach Themen gegliedert. Eine zentrale Position nahmen dabei die Funde aus dem Königsfriedhof von Ur ein, denen eine eigene Gallerie gewidmet wurde. Anläßlich des 100jährigen Gründungsjubiläums 1987 entstand die Ausstellung *From Tokens to Tablets*, eine Geschichte der altorientalischen Kulturen, die anhand der Darstellung der Schriftentwicklung in Verbindung mit Gebrauchsgegenständen Einblicke in das tägliche Leben des Alten Vorderen Orients ermöglicht.

Einen bes. Schwerpunkt der »Near Eastern Section« aber bildet bis h. aufgrund ihrer universitären Einbindung die Forschung. So kommen zahlreiche Wissenschaftler, insbes. Sumerologen aus aller Welt, zu Forschungszwecken an das Universitäts-Mus., das ein Zentrum der Sumerologie darstellt. Dies verdeutlicht auch die Gründung des »Pennsylvania Sumerian Dictionary Project« im J. 1976 durch die beiden Museumskuratoren Ake Sjöberg und Erle Leichty.

C. SAMMLUNGSBESTAND

Der größte Teil des Sammlungsbestandes stammt aus gut dokumentierten Ausgrabungen, deren Grabungsunterlagen im Museumsarchiv aufbewahrt sind. Die Sammlung der »Ancient Near Eastern Section« des University of Pennsylvania Museum of Archaeology and Anthropology umfaßt insgesamt ca. 105000 bis 125000 Objekte aus dem Iran, der Levante und aus Mesopotamien, darunter ca. 25000 Tontafeln und beschriftete Objekte, die gemeinsam in der »Babylonian Section« untergebracht sind. Dabei stellen die Funde aus Ur, insbes. die des Königsfriedhofs, die sicherlich herausragendste zusammenhängende Gruppe dar. Den wiss. bedeutsamsten Teil bildet die Tontafelsammlung, die weltweit größte Sammlung sumerischer lit. Texte. Von diesen stammt die größte Gruppe aus Nippur; hinzu kommen Tafeln aus Ur.

D. AUSBLICK

Die »Ancient Near Eastern Section« des University of Pennsylvania Museum of Archaeology and Anthropology bildet h. insbes. aufgrund ihrer herausragenden Tontafelsammlung ein Forschungszentrum nicht nur für Sumerologen und Assyriologen, sondern auch für Wissenschaftler zahlreicher anderer Fachgebiete. Mit der Gründung des »Pennsylvania Sumerian Dictionary Project« im J. 1976 hat die Sammlung ihre zentrale Bed. auch für die Zukunft ausgebaut. Darüberhinaus ist durch die universitäre Einbindung der musealen Sammlung eine enge Zusammenarbeit zw. Wiss. und Mus. gewährleistet, die nicht nur Wissenschaftlern, sondern auch Laien anhand neukonzipierter Ausstellungskonzepte lebendige Einblicke in die Welt der altorientalischen Kulturen ermöglicht.

→ Altorientalische Philologie und Geschichte; Vorderasiatische Archäologie

→ AWI Enlil; Iran; Keilschrift; Mesopotamien; Nippur; Nuzi; Palästina; Persepolis; Sumerer; Sumerisch; Syrien; Ur

1 B. KUCKLICK, Puritans in Babylon. The Ancient Near East and the American Intellectual Life, 1996 2 M. E. RUWELL, A Guide to the Univ. Mus. Archives, Univ. of Pennsylvania, 1985 3 D. P. WINEGARD, Through Time, Across Continents. A Hundred Years of Archaeology and Anthropology at the Univ. Mus., 1993 4 R. L. ZETTLER, L. HORN, Treasures from the Royal Tombs of Ur, 1998.
NICOLA CRÜSEMANN

Philhellenismus

I. PHILHELLENISMUS IM WEITEREN SINNE
II. PHILHELLENISMUS IM ENGEREN SINNE

I. PHILHELLENISMUS IM WEITEREN SINNE

Der Ausdruck Ph. ist eine Bildung zu »Philhellene/Philhellenen« (»Freund/Freunde der Griechen«, griech. *philhéllēn/philhéllēnes*). Er bezeichnet im weiteren Sinne jede kulturelle und polit. Bewegung, die die Griechen und Griechenland bewundert und sich diesen verbunden fühlt; er ist im engeren Sinne die Benennung für die westeurop.-amerikanische polit. und lit. Bewegung, die den Freiheitskampf der Griechen im 19. Jh. gegen die Herrschaft der Türken unterstützte.

Zum Ph. im weiteren Sinne gehören v. a. die Rezeption griech. Kultur im → Arabisch-islamischen Kulturgebiet (9./10. Jh.) sowie der → Aristotelismus des Hoch-MA (12./13. Jh.), der internationale → Klassizismus in der Kunst und Architektur des 18. und beginnenden 19. Jh. (→ Griechen-Römer-Antithese), der anglo-amerikanische Klassizismus des → Greek Revival, die internationale Homerbegeisterung des 18. Jh. (→ Homer-Vergil-Vergleich), der Klassizismus der dt. Klassik (→ Klassik als Klassizismus), die Bildungsbewegung des → Neuhumanismus in Deutschland des 19. Jh., der dt. ästhetische → Neohumanismus um 1900 und der Wagnerismus des 19. Jh. Auch ist der Ph. Teil der → Querelle des Anciens et des Modernes.

Während der Ph. bis zum E. des 18. Jh. international ausgerichtet war, wurde er seit 1800 in Deutschland immer stärker zu einer national beschränkten Bewegung, die, häufig als Gräkomanie, Hellenomanie und Griechenfieber verspottet [2], zu einer neukonzipierten nationalen Identität führen und die Deutschen zu »Griechen der Neuzeit« machen sollte. Nicht wenige Vordenker der dt. intellektuellen und lit. Avantgarde verdienten sich und beanspruchten die Bezeichnung »Grieche« (J. W. v. Goethe, F. Schlegel). Von außen erschien diese Entwicklung mit dem Blick auf die Gegenwart des Nationalsozialismus als Irrweg, als »Tyranny of Greece over Germany« [1].
→ AWI Philhellenismus

1 E. M. BUTLER, The Tyranny of Greece over Germany, 1935 2 M. LANDFESTER, Griechen und Deutsche. Der Mythos einer Wahlverwandtschaft, in: H. BERDING (Hrsg.), Mythos und Nation. Stud. zur Entwicklung des kollektiven Bewußtseins in der Neuzeit, Bd. 3, 1996, 198–219, bes. 203–207 3 S. L. MARCHAND, Down from Olympus. Archaeology and Philhellenism in Germany, 1750–1970, 1996 4 N. MILLER, Europ. Ph. zw. Winckelmann und Byron, in: Propyläen Gesch. der Lit., Bd. 4, 1983, 315–366 5 O. TAPLIN, Greek Fire, 1989 (dt. Feuer vom Olymp. Die mod. Welt und die Kultur der Griechen, 1991).
MANFRED LANDFESTER

II. PHILHELLENISMUS IM ENGEREN SINNE

A. ALLGEMEINE BEGRIFFSBESTIMMUNG UND HISTORISCHE HINTERGRÜNDE B. DER SONDERFALL GRIECHENLAND UND FORMEN DES PHILHELLENISMUS C. DER LITERARISCHE PHILHELLENISMUS

A. ALLGEMEINE BEGRIFFSBESTIMMUNG UND HISTORISCHE HINTERGRÜNDE

Der Begriff (Substantiv oder Adjektiv) ist erstmals zu Beginn des 19. Jh. belegt (1811 bei Lord Byron, 1823 in

Frankreich) und bezeichnet das Prinzip der Unterstützung des griech. Unabhängigkeitskrieges gegen die seit 1461 andauernde türk. Herrschaft. Die romantische Vorstellung natürlich gewachsener Völker und ihres natürlichen Rechts auf nationale Unabhängigkeit und Freiheit führte schon vor 1800 zu Aufständen und 1821–1829 zum Freiheitskrieg gegen die Türken. Die philhellenische Begeisterung der Romantiker in fast ganz Europa und den USA förderte diese Entwicklung, speiste sich in den einzelnen Ländern jedoch aus unterschiedlichen Quellen und äußerte sich bei den Autoren in verschiedener Weise. In Deutschland schloß der Ph. an die dt. Graecophilie an die → Aufklärung an, wie sie von Johann Joachim Winckelmann bestimmt war. Diese traditionelle, klassizistisch geprägte »Graecophilie« ist streng zu unterscheiden von dem polit., kurzlebigen, romantisch bestimmten Ph., der sich auf die neuen Griechen und ihre Kultur bezog. In Ländern wie England, Frankreich und It., die sich in ihren Mythen der Volkswerdung von dem vor den Griechen aus Troja geflohenen Aeneas und seinen Gefährten ableiteten (It. von Aeneas, Frankreich von Francus, Britannien von Brutus), lag der Schwerpunkt der Klass. Altertumskunde auf Rom und dem Lat., die Lesesympathie in der Lektüre von Homers *Ilias* bei den Trojanern. Die zunehmende Zahl von Archäologen, die im 18. Jh. auch aus diesen Ländern nach Griechenland reisten, störte das Leiden der mod. Griechen unter der türk. Fremdherrschaft kaum, zumal die griech. Oberschicht den Türken meist bedenkenlos zu Diensten war.

Erst mit dem Aufstand von Epirus gegen die Türken 1790–1803 und der gleichzeitigen verstärkten Verbreitung romantischer Nationalstaatsideen entstand langsam eine romantische Begeisterung für das neue Griechenland. Sie erfolgte im Kontext revolutionärer Parteinahme für die vielfach aufflammenden Befreiungskriege anderer Völker und hatte als Vorbild den Unabhängigkeitskrieg der Vereinigten Staaten von Amerika gegen Britannien 1776–1779. So gab es rege Kontakte zw. den it. Carbonari und den griech. Palikaren. Den Vertretern der Alten Ordnung (*Ancien Régime*) in Europa waren diese populären Unabhängigkeitsbewegungen ein Ärgernis, störten sie doch das Gleichgewicht der Kräfte (*balance of power*), im Falle der Griechen etwa zw. dem Osmanischen Reich und Rußland. So stand der restaurative Wiener Kongreß 1815 dem Ph. (wie der gesamten romantischen Bewegung) skeptisch bis ablehnend gegenüber; selbst Zar Alexander I. verschloß sich aus Furcht vor nationalen Erhebungen im eigenen Reich der griech. Sache. Nur die Expansionspolitik Sultan Mahmuds II. zwang Britannien, Frankreich und Rußland zum mil. Handeln, und ihr Seesieg bei Navarino 1827 machte die griech. Unabhängigkeit unvermeidlich. Ein Invasionsversuch des Ägypters Ibrahim Pascha bewog die europ. Staaten schließlich, 1830 die griech. Unabhängigkeit zu akzeptieren. Jedoch verordneten sie 1833 Griechenland einen König ihrer Wahl, Otto von Bayern. Im Bayern König Ludwigs I., Ottos Vater, war

der von der Graecophilie mitgespeiste Ph. bes. stark ausgeprägt; im Revolutionsjahr 1848 mußten beide Könige abdanken.

B. Der Sonderfall Griechenland und Formen des Philhellenismus

Was in den Augen der Romantiker den griech. vor anderen nationalen Befreiungskriegen auszeichnete, war zunächst die Vorstellung von der ant. griech. Geisteswelt als der Wiege der europ. Kultur. Schon in der Ant. hatten die Griechen in berühmten Schlachten (Marathon, Thermopylen) sich persischer Fremdherrschaft widersetzt und europ. Kulturidentität verteidigt. Und jetzt wehrte sich das (nunmehr christl.) griech. Volk, wie zuvor schon das Byz. Reich, wiederum gegen eine fremde (nunmehr islamische) Kultur, »the cross against the crescent«. Dies verlieh den griech. Freiheitskriegen und dem Ph. prototypischen Charakter, der sich in der Vielzahl und Intensität seiner Erscheinungsformen äußerte. Es gab einen polit. Ph., da Liberale (John Lemprière in London, Friedrich Wilhelm Thiersch in München, Daniel Webster in Washington) die Sache der Griechen wider die konservative Restauration mobilisierten; einen akad. Ph., da Professoren (Edward Everett in Harvard) philhellenische Vorlesungen anboten; einen pädagogischen Ph., da Theologen, Sozialreformer und Philosophen (Jeremy Bentham) die Erziehung griech. Kinder an Schulen ihrer Länder förderten; einen mil. Ph., da professionelle Soldaten (Colonel Fabvier), aber auch Literaten (Lord Byron) und zahlreiche Ärzte und Studenten den griech. Aufständischen ihre Dienste an und hinter der Front zur Verfügung stellten; einen sozialen Ph. in Griechenvereinen und -komitees mit starker Frauenbeteiligung, die in Einforderung der Vereinigungsfreiheit der Frz. Revolution Wohltätigkeitsfeste, Konzerte und Theateraufführungen, Lotterien und Spendensammlungen, Basare mit populärem Griechenkitsch zur Unterstützung der Hetärien (griech. Geheimbünde), Palikaren (griech. Krieger) und Klephten (griech. Freischärler) sowie zum Freikauf griech. Sklaven veranstalteten; einen journalistischen Ph. mit eigenen Zeitungen (*Anastasia*) und zahlreichen gewogenen Zeitungen (*Journal de Genève, The Morning Chronicle*), da bekannte Persönlichkeiten (Benjamin Constant, Wilhelm Traugott Krug) Aufrufe zugunsten eines freien Griechenland verfaßten; einen itineraren Ph., da Autoren im Gefolge der Orientbegeisterung des 18. Jh. in Reiseberichten durch das Türkenreich die Unterdrückung der griech. Christen beklagten (François-René de Chateaubriand, *Itinéraire de Paris à Jérusalem*, 1811); einen historiographischen Ph. (François Charles Pouqueville, *Histoire de la régénération de la Grèce*, 1824); einen künstlerischen Ph., da bekannte Maler (Eugène Delacroix, Jean-Claude Bonnefond) emotionsbeladene Episoden des Krieges wie das türk. Massaker von Chios in histor. oder allegorischen Gemälden engagiert darstellten; und einen lit. Ph. als gesamteurop. und amerikanische Schreibmode, dessen Motive und Ausdrucksformen allerdings stark differierten, mit hunderten von Gedichten, Dramen und Romanen, zumeist auf dem Niveau des Griechenkitschs der Basare.

C. Der literarische Philhellenismus

Ein frühes Beispiel war der Vorromantiker André Chénier (1762–1794), in Konstantinopel geborener Sohn einer griech. Mutter, dessen philhellenische Gedichte Chateaubriand 30 J. nach dem Tode des Dichters wiederfand. Doch während Chéniers Vorzug ähnlich Friedrich Hölderlins noch traditionell dem ant. Griechenland galt, entdeckten europ. romantische Dichter nunmehr das mod. christl. Griechenland. Parallel zu neugriech. Dichtern der nationalen Unabhängigkeit wie Dionísios Solomós (1798–1857) begeisterte Claude Fauriels neogräzistische Ed. mit Übertragung von *Chants populaires de la Grèce moderne* (1824–1825) auch in engl., russ. und dt. (Wilhelm Müller) Übers. die durch den Byronismus vorbereitete lit. Welt; sie stand in der romantischen Trad. der Pflege des Volkslieds wie des polit. Protestlieds. Fauriels Sammlung enthielt u.a. Kampfgesänge (»Klephtenlieder«), einige nachgedichtet von Goethe und Chamisso. In ihr befand sich auch Solomós' *Hymne an die Freiheit*, 1825 von Charles Brinsley Sheridan (Sohn des Dramatikers R.B. Sheridan und Übersetzer Fauriels) in engl. Verse übertragen und 1864 zur griech. Nationalhymne erklärt. Motor des lit. Ph. war Lord Byron, der aus Eindrücken seiner Reise durch das Türkenreich (1809–1811) in ganz Europa und den Vereinigten Staaten gelesene Lieder, pol. Satiren und romantische Verserzählungen veröffentlichte, am bekanntesten *Childe Harold's Pilgrimage* (Canto II, 1812). Sie inspirierten zahlreiche philhellenische Werke europ. Romantiker: Felicia Dorothea Hemans' *Modern Greece* (1819), Wilhelm Müllers *Lieder der Griechen* (1821–1824), Alfred de Vignys *Héléna* (1822), Thomas Campbells *Song of the Greeks* und *Stanzas on the Battle of Navarino* (1828), Victor Hugos *Les Orientales* (1829), Pierre-Antoine Lebruns *Le voyage de Grèce* (1821–1827), Gedichte von Elizabeth Barrett Browning, Ugo Foscolo, José de Espronceda, Alexander Puschkin, Adam Mickiewicz und William Cullen Bryant.

Vier Ereignisse fachten den lit. Ph. stark an: 1819 die britische Übergabe des Städtchens Parga an die Türkei, 1821 der Ausbruch des Aufstands (Epanástasis), 1822 das Massaker von Chios, 1824 der »Soldatentod« Lord Byrons. Das von den europ. Mächten geduldete Massaker von Muslimen an Christen führte zu Massenversammlungen, in Europa zumeist von der Polizei aufgelöst, in den Vereinigten Staaten dagegen geduldet (Washington, New York, New Orleans, Natchez, Boston, etc.). Es inspirierte populäre Protestlieder, z.B. von Pierre-Jean de Béranger. Byrons banaler Sumpffiebertod wurde v.a. durch Prinz Aléxandros Mavrokordátos zum Heldenmythos stilisiert, inspirierte zahllose elegische Heroengedichte, z.B. von Solomós, Thomas Campbell, Alphonse de Lamartine, William Lisle Bowles, Adalbert von Chamisso und Jules Lefèvre, und gab dem Byronismus ungeheuren Auftrieb. Mavrokordátos, Präsident der ersten griech. Nationalversammlung 1822 und

Autor des Manifests der griech. Unabhängigkeit, hatte 1821 in It. bes. die dort lebenden Exilengländer für die griech. Sache begeistert. Er hatte Mary Shelley in Griech. unterrichtet und Percy Bysshe Shelleys Lesedrama *Hellas* (1822) inspiriert. Auch Lord Byrons Plan zur Teilnahme am Unabhängigkeitskrieg 1823–1824 dürfte von Mavrokordátos angeregt gewesen sein. So trat Byron an die Spitze der gesamten philhellenischen Bewegung. Doch seine Kriegsteilnahme war kein Ergebnis siegesgewisser Begeisterung. Der Heinrich Heine vergleichbare romantische Desillusionist (*negative romantic*) zweifelte an jedem dialektischen Fortschritt und äußerte in Gedichten, Gesprächen, Tagebüchern und Briefen mehrfach seine Überzeugung, daß mit Griechenland nach der türk. eine andere Tyrannei folgen werde. Liebe und Krieg, die ritterlichen Bewährungsfelder und großen epischen Themen aristokratischer Trad. bestimmten Leben und Werk des Lords gemäß seiner Überzeugung von der Unkontrollierbarkeit und Ziellosigkeit aller Leidenschaft (*love and glory*). Wo der alternde (35-jährige) Dichter nicht mehr erfolgreich lieben konnte, wollte er erfolgreich sterben. Dieser »passive Freitod« und die Ephebenverehrung des Dichters erweisen sich als Hauptmotive seines Griechenlandengagements, das völlig unheroisch war: er inszenierte sich effektvoll selbst als Oberbefehlshaber mit Uniformen und Sulioten-Garde, bewährte sich aber nicht im Kampf, sondern als Financier und Vermittler der zerstrittenen Griechen hinter der Front. Sein Tod in Mesolongion, der von den Griechen wider türk. Übermacht über J. gehaltenen Stadt, und die Beisetzung seines Herzens auf dem dortigen Heroon inmitten der Überreste zahlreicher europ. Freiwilliger, etablierte den polit. gewollten Mythos Byron. Goethe spürte das »Unreine« von Byrons Engagement und Ende und ließ sich erst von Wilhelm Müller (»Griechenmüller«) zur Annahme eines Heldentods überreden. Dieser Mythos scheint als Folge des Ph. bis h. ähnlich zu überleben wie der Mythos eines von der Ant. bis in die Moderne homogenen Griechentums.

Der romantische Ph. ging nach 1830 angesichts des griech. Siegs und der tristen polit. und sozialen Realität Griechenlands zur Neige (siehe z.B. Lamartines Enttäuschung in *Voyage en Orient*, 1835, und Jakob Philipp Fallmerayers subversive These einer ethnisch-kulturellen Diskontinuität zw. alten und neuen Griechen, 1830).

QU 1 The Complete Poetical Works of Byron, hrsg. v. J.J. McGann, 1980–1993 2 Byron's Letters and Journals, hrsg. von L.A. Marchand, 1973–1981

LIT 3 W. Büngel, Der Ph. in Deutschland 1821–1829, 1917 4 D. Dakin, British and American Philhellenes during the War of Greek Independence 1821–1833, 1955 5 Ders., The Greek Struggle for Independence 1821–1833, 1973 6 L. Droulia, Philhellénisme: Ouvrages inspirés par la guerre de l'Indépendance grecque 1821–1833. Répertoire bibliographique, 1974 7 S. Gourgouris, Dream Nation: Enlightenment, Colonization, and the Institution of Modern Greece, 1996 8 Griech. Botschaft in Rom,

Ausstellungskat. Risorgimento greco e filellenismo italiano: lotte, cultura, arte, 1986 **9** G. GRIMM (Hrsg.), Bayerns Ph., 1991 **10** G. HOFFMEISTER, Byron und der europ. Byronismus, 1983 **11** J. IRMSCHER, Der Dessauer Dichter Wilhelm Müller und der dt. Ph., 1968. **12** E. KONSTANTINOU (Hrsg.), Europ. Ph., 4 Bde., 1989–1995 **13** S. L. MARCHAND, Down from Olympus. Archaeology and Philhellenism in Germany 1750–1970, 1996 **14** G. MUONI, La letteratura filellenica nel Romanticismo italiano, 1907 **15** A. NOE (Hrsg.), Der Ph. in der westeurop. Lit. 1780–1830, 1994 **16** TH.C. PROUSIS, Russian Cultural Response to the Greek War of Independence 1821–1830, 1982 **17** R. QUACK-EUSTATHIADES, Der dt. Ph. während des griech. Freiheitskampfes 1821–1827, 1984 **18** M. BYRON RAIZIS, American Poets and the Greek Revolution 1821–1828: A Study in Byronic Philhellenism, 1971 **19** L. SPAENLE, Der Ph. in Bayern 1821–1832, 1990 **20** W. ST CLAIR, That Greece Might Still Be Free: The Philhellenes in the War of Independence, 1972 **21** O. VOSSLER, Der Nationalgedanke von Rousseau bis Ranke, 1937 **22** T. SPENCER, Fair Greece, Sad Relic: Literary Philhellenism from Shakespeare to Byron, 1954 **23** T. WEBB (Hrsg.), English Romantic Hellenism 1700–1824, 1982 **24** C. M. WOODHOUSE, The Philhellenes, 1969, 1971.

ROLF LESSENICH

Philologie I. GRIECHISCH II. LATEINISCH

I. GRIECHISCH

A. BYZANTINISCHE PHILOLOGIE (CA. 800–1453)
B. FRÜHNEUZEITLICHE PHILOLOGIE (CA. 1450–CA. 1800) C. MODERNE PHILOLOGIE (AB 1800)
D. MODERNE INTERNATIONALE PHILOLOGIE

A. BYZANTINISCHE PHILOLOGIE (CA. 800–1453)
1. BEGRIFF

Die byz. Ph. als wiss. Beschäftigung mit der Lit. und der Sprache der griech. Ant. ist in der Trad. der ant. griech. Ph. primär Gramm., Textkonstitution und Texterklärung. Sie ist ihrem Wesen nach human., denn sie versteht sich als Mittel der sprachlichen, lit., geistigen und sittlichen Erneuerung der Gegenwart durch Texte der Antike. Eine vergleichbare Wiss. hat es im lat. MA nicht gegeben, eine solche ist erst in der Ren. (seit 1350) entstanden. Durch ihr human. Erkenntnisinteresse ist sie verwandt der ant. alexandrinischen Ph., die sich der Sicherung der griech. lit. Trad. verpflichtet fühlte und diese Trad. durch Kanonbildung für die Bildungsinstitutionen verfügbar machte; durch dieses Interesse unterscheidet sie sich aber von der mod. Griech. und Lat. Ph., der Klass. Ph., die der histor. Erkenntnis der Ant. verpflichtet ist. Daß die byz. Ph. ihre human. Impulse nicht dauerhaft wahren konnte, sondern immer wieder – wie bereits die ant. Ph. – zu einer wiss.-antiquarischen Wissensweise mutierte, ist v. a. ein innerwiss. Prozeß, der auch vor dem Wissen des Nicht-Wissenswerten nicht haltmacht. Diese Selbstvergessenheit des wiss. Wissens wird bes. in Zeiten des Geltungsverlustes des jeweiligen Wissens als problematisch wahrgenommen.

Der human. Anspruch war nicht ohne Probleme, denn er hatte das heikle Verhältnis der paganen Ant. zur christl. Gegenwart zu berücksichtigen [9. I.42–62]. Vor allem die polytheistische Religion und die offene Moral der ant. Texte mußten domestiziert werden. Das geschah in der Regel durch die Formalisierung der ant. Texte (Texte als Muster sprachlich-stilistischer Form) und durch deren allegorische Deutung. Indem Theologie und Kirche diese Verfahren akzeptierten, blieb die Rezeption ant. paganer Texte in der Wiss., in den Bildungsinstitutionen und in der Lit. auch in geschlossenen christl. Gesellschaften möglich. Sie blieb in der Regel christl. orientiert, bisweilen war sie vielleicht achristl. (etwa im Fall des byz. Romans), nur im Ausnahmefall war sie antichristl. im Sinne eines Neopaganismus (Georgios Gemistos Plethon, byz. Philosoph, ca. 1355–1452). Auf keinen Fall bedeutet der bewundernde Umgang mit der myth. gesättigten ant. Dichtung und die Aufnahme der heidnischen Myth. in der eigenen Dichtung eine Inthronisation der alten Götter. Man war in der Regel davon überzeugt, daß die moralische Botschaft der alten Dichter und Philosophen mit dem Evangelium harmoniere oder doch wenigstens eine innere Verwandtschaft mit ihr habe (Photios). Für Theodoros II. Dukas Laskaris (Kaiser in Nikäa, 1254–1258, mit theologischen Interessen) bestand die Leistung der Byzantiner darin, daß sie Neues schufen, »indem sie in neuer Weise die Philos. mit der Theologie vermischten (...), den wilden Ölbaum in einen schönen Ölbaum veredelten und das ganze Denken für Christus gefangennahmen« (›καινὸν τρόπον φιλοσοφίας μίξαντες τῇ θεογνωσίᾳ (...) μετακεντρίζοντες τὸ ἀγριέλαιον εἰς καλλιέλαιον καὶ αἰχμαλωτίζοντες πᾶν νόημα εἰς Χριστόν‹) [9. I.3; 18]. Diese Einstellung war das Einfallstor für den Platonismus und Aristotelismus in Byzanz [9. I.11–42].

Selbst die nicht sehr liberale byz. Orthodoxie hatte keine unüberwindbaren Bedenken, zumal die ant. christl. Theologie (Klemens von Alexandrien, Origenes) die paganen Philosophen schon als Wegbereiter für sich vereinnahmt hatte; und im autokratischen byz. Staat konnte der Philologe Manuel Moschopulos (gest. 1315) die Kaiserideologie, nach der die Kaisermacht wesentlich durch Gott begründet war, ignorieren und im Horizont platonischen Denkens den Staat und seine Interessen über den Kaiser stellen [15]. So verhinderte der offizielle byz. Puritanismus auch nicht die Rezeption erotischer Literatur [9. II. 119–142]. Die allegorische Interpretation konnte ohne Schwierigkeiten den von einem ethischen Liebesideal geprägten Roman *Aithiopika* des Heliodor mit der christl. Moral versöhnen (Photios, Philologe und Patriarch von Konstantinopol, 2. H. des 9. Jh.). Außerdem wurde sein Verf. zum Bischof und zum Verfechter des Zölibats befördert. Aus dem erotisch frivolen Roman *Leukippe und Kleitophon* des Achilleus Tatios hätte auch eine akrobatische Allegorese kaum einen dem Christentum geistig verwandten Text machen können. So wurde der Roman zu dem Werk eines Heiden, der sich später zum Christentum bekehrte und schließlich noch Bischof wurde. Indem aus dem Saulus ein Paulus wurde, konnte der Roman zum Dokument überwundener Sündhaftigkeit werden. Mit recht einfachen Tricks konnte so die problematische pagane Vergangenheit für die christl. Gegenwart rezeptionsfähig bleiben. Das konnte auch deswegen gelingen, weil es neben der problematischen Lit. eine Fülle von Lit. aus der paganen Ant. gab, die nicht nur ideologisch völlig unverdächtig war, sondern auch sinnvolles Wissen vermittelte. Ideologisch verdächtig waren v. a. die fiktionale Lit., Teile der philos. Lit. und höchstens noch die Geschichtsschreibung. Demgegenüber bedurfte die ganze fachwiss. Lit. (Logik, Rhet., Gramm., Mathematik, Astronomie, Musik, Zoologie, Botanik, Mineralogie, Human- und Veterinärmedizin, Kriegswiss.) [9. II. 221–340] keiner bes. Legitimation, sie war der selbstverständliche Wissensspeicher für die Gegenwart, den es zu sichern galt. So gab es im frühen byz. MA (800–1000) ein enzyklopädisches Bildungsideal, wie die breite Editionstätigkeit auf dem Gebiete der enzyklopädischen Lit. zeigt. In dieser Tätigkeit zeigt sich nicht primär ein antiquarisches, sondern ein aktuelles lebensweltliches Erkenntnisinteresse. Die Selbstverständlichkeit, mit der diese Lit. rezipiert wurde, schützte natürlich auch die problematische Lit. als Teil des gesamten paganen Wissens. Aufs Ganze gesehen setzte die Rezeption der Ant. auf Aneignung einer als klass. angesehenen Kultur zur Erneuerung einer vom Christentum geprägten Kultur und Gesellschaft. Sie war nicht antichristl., sondern sie richtete sich gegen die mit Bildungsfeindlichkeit verbundene Vermönchung der Gesellschaft. Im Rahmen dieser Rezeption war die Ph. zuständig für die Sicherung der klass. griech. Sprache als aktueller Lit.-Sprache durch Gramm., bes. Lexikographie, sowie für die Verfügbarkeit der ant. griech. Lit. durch Ed. und Kommentierung vielfältiger Texte.

2. FRÜHES MITTELALTER

Nach den »Dunklen Jh.« (650–800) mit dem Abbruch der ganzen nichttheologischen ant. Literaturtrad. setzte zu Beginn des 9. Jh. ein neues Interesse an der ant. Lit. und Sprache als Instrument der Erneuerung der Bildung ein, das bis zum E. des Byz. Reiches 1453 in unterschiedlicher Intensität anhielt [16](→ Byzanz I. Geschichte). Das geschah zwar bereits während des »Bilderstreits« (730–843), verstärkte sich aber zu einer großen Bewegung erst nach dessen Beendigung um die Mitte des 9. Jh. Sichtbares Zeichen war die Neugründung der Hochschule in Konstantinopel durch den Staatsmann Kaisar Bardas, der unter dem Kaiser Michael III. (842–867) die Regierung des Reiches leitete und als ersten Rektor der Hochschule den Philosophen und Mathematiker Leon (ca. 790–nach 869) ernannte [17]. Neben dieser »weltlichen« Einrichtung öffnete sich auch die Patriarchatsschule (Patriarchen-Seminar) der ant. paganen Bildungstrad., wie im hohen MA als Mitglied dieser Schule Eustathios, der Homerkommentator und spätere Erzbischof von Thessalonike (2. H. des

12. Jh.), beweist. Diese neue Bewegung hat eine bemerkenswerte Intensität erreicht und wird häufig als »Makedonische Ren.« (850–1000) [21] bezeichnet (benannt nach der Herkunft des Dynastiegründers).

Im Rahmen der Geschichte der Ph. ist diese Zeit v. a. durch die Ed. aller erreichbaren bedeutenden ant. – paganen wie christl. – Texte bestimmt. Diese Ed.-Tätigkeit ist in ihrer Intention durchaus vergleichbar mit dem Vorhaben der griech. Ph. der Ant., den gesamten damaligen Bestand an griech. Lit. zu sammeln und zu edieren. Dabei ist der Begriff der Ed. (Ausgabe) natürlich nicht im mod. Sinne zu verstehen, da jeder durch Abschrift hergestellte Cod. ein Unikat war. Unter dem Begriff ist vielmehr ein Textzeuge verstanden, der nicht reine Reproduktion eines älteren Textes ist, sondern Spuren philol. Arbeit zeigt.

Medium der Ed. wurde die mod. Minuskel-Hs. (mit Worttrennung und prosodischen Zeichen), die, entwikkelt aus der älteren Gebrauchsschrift, wegen ihrer Form ein schnelleres Schreiben zuließ. Für die Überlieferungsgeschichte der griech. Lit. wurden diese neuen Editionen entscheidend [10. 66 f.]. Alles, was jetzt nicht von der Majuskel in die neue Minuskel transliteriert (*metacharaktērismós*) und ediert wurde, ging auf Dauer verloren – bis auf die ant. Reste, die seit dem E. des 19. Jh. auf Papyrus gefunden wurden. So ist auch eine Reihe von Werken verloren, die die Initiatoren dieser Transliteration zwar noch selbst gelesen haben, aber nicht in die neue Minuskel haben umschreiben lassen, wie das Beispiel Photios zeigt, der in seiner *Bibliothékē* Bücher aufgrund eigener Lektüre beschreibt, die nicht erhalten sind.

In der Qualität können es die neuen Ausgaben durchaus mit den ant. Ausgaben aufnehmen. Man übernahm nicht nur die ant. Komm., sondern fügte auch in etlichen Fällen Textvarianten hinzu, die teils aus ant. philol. Trad., teils aus eigener Lektüre älterer Ausgaben gewonnen wurden. Hier erhielten die Komm. (Scholien) die uns vertraute Form. Auch Konjekturen wurden vorgeschlagen. So entstanden Ausgaben von großer Zuverlässigkeit, deren Bed. durch Komm. erschlossen wurde. Etliche dieser Ausgaben sind erhalten.

Wie groß die Zahl der Philologen jener Zeit war, läßt sich nicht einmal annähernd ermitteln. Man war auf keinen Fall Philologe im Hauptberuf, die meisten waren als Angehörige der Bildungselite in hohen staatlichen und kirchlichen Ämtern tätig; Namen sind uns nur im Ausnahmefall bekannt. Der prominenteste Vertreter war sicherlich Photios [7; 13; 19] (ca. 810–ca. 893), der nicht nur als hoher kaiserlicher Beamter an der Verwaltung des Staates beteiligt war, sondern zeitweise auch das Amt des Patriarchen in Konstantinopel innehatte (858–867; 877–886). Mit ihm setzte der byz. christl. Humanismus ein. Zwar können wir seinen direkten Anteil an den Ed. im 9. Jh. nicht beurteilen, aber er war wesentlich für das geistige Klima verantwortlich, das zur Entstehung dieser Editionen führte; außerdem war er selbst ein kompetenter Philologe, wie seine eigenen

Werke beweisen. In seinem Umkreis entstand auch die sog. »philos. Sammlung« mit verschiedenen philos. Texten [10. 67 f.]. Sein älterer Zeitgenosse Leon, der Philosoph und Mathematiker, außerdem Bischof von Thessalonike, ist ein weiteres Beispiel für den Geist der Zeit. Im Unterschied zu Photios, der sich v. a. um fiktionale, philos. und histor. Texte bemühte, sammelte und edierte er mathematisch-naturwiss. Texte (Ptolemaios, Euklid, Apollonios von Perge, Diophantos, Archimedes) und hatte in seiner Bibl. nicht nur die prächtige Ptolemaios-Almagest-Ausgabe *Vaticanus graecus 1594* (*Handbuch der Astronomie*), sondern auch eine Hs. mit biologischen Werken des Aristoteles (Oxf. Coll. Corp. Christ. 108), so daß auch diese Texte in byz. Zeit wirken konnten. Beispiel für die selbständige Editionstätigkeit ist die Sammlung aller griech. Epigramme (einschließlich der erotischen und frivolen). Die erste Sammlung besorgte um 900 der Palastkleriker Konstantinos Kephalas; sie bildete die Grundlage für die wenig später (um 930/940) entstandene Sammlung, die als *Anthologia Palatina* (benannt nach der Haupt-Hs. *Palatinus graecus 23* in Heidelberg) in die Geschichte der Ph. und Lit. einging. Um diese Zeit entwickelte auch der Photiosschüler Arethas, Erzbischof von Kaisareia (Mitte 9. Jh.–vor 934), bedeutende editorische Initiativen [14. 214–241; 20. 690–692]. Er ließ nicht nur durch Kopisten neue kalligraphische Ausgaben anfertigen, sondern beteiligte sich auch selbst an der Arbeit und fügte Scholien zur Erklärung hinzu. Dabei entstanden Ausgaben von Platon, Aristoteles, Eukleides, Strabon, Dion Chrysostomos, Ailios Aristeides, Mark Aurel, Philostratos, Pausanias, Athenaios, Pollux, Hesychios von Alexandria und der chaldäischen Orakel. Kennzeichnend für seine Tätigkeit ist der Platontext, der vorzügliche *Vaticanus graecus 1* (Cod. O; er beginnt mit den *Nomoi*), der für Arethas geschrieben ist und der dann von ihm mit Korrekturen (Cod. O³) und durchaus selbständigen Scholien versehen wurde. Wie dieser Platon-Cod. sind über 20 Hss. aus dem Besitz des Arethas nachgewiesen (u. a. Lukian: *Londinensis Harleianus 5994*; Ailios Aristeides: *Laurentianus 60,3*; Aristoteles: *Vaticanus Urbinas graecus 35*). In ähnlicher Weise setzte sich Arethas auch für die Ed. christl. Texte ein, so z. B. für das Werk des Klemens von Alexandria. Die Arbeitsweise des Arethas kann am Beispiel der Ausgabe des *Protreptikos* und des *Paidagogos* aus dem J. 914 (*Parisinus graecus 451*) nachvollzogen werden: Der Text ist von dem »Notarios« (»Schreiber«) Baanes im Auftrag des Arethas geschrieben; teilweise sind die Scholien aus der Vorlage von Baanes abgeschrieben, weitere Scholien unterschiedlicher Provenienz sind von Arethas selbst hinzugefügt worden; von ihm stammen auch Verbesserungen aus anderen Ausgaben, schließlich auch eigene Konjekturen. Wegen seiner editorischen Verdienste ist Arethas ohne Einschränkung unter die Philologen zu rechnen.

Fachwiss. wie auch philol. ist das enzyklopädische Unternehmen bemerkenswert, das Kaiser Konstantinos VII. Porphyrogennetos (905–959) in die Wege leitete. Als Sammlung wichtigen Wissens auf verschiedenen Gebieten (u. a. Landwirtschaft, Medizin, Veterinärmedizin, Geschichte) ist es Ausdruck für die lebensweltliche Bed. ant. Wissens.

Von bes. wiss. Leistungsfähigkeit war auch die Lexikographie. Als Erklärung des Wortschatzes in der Trad. der ant. Lexikographie sollte sie zum einen zum Verständnis der ant. Werke verhelfen, zum anderen zur Beherrschung der Lit.-Sprache beitragen, die im Schatten der klass. attischen Sprache (5. und 4. Jh. v. Chr.) stand. Das Lex. des Photios (mit annähernd 8000 Lemmata, die aus Synonymengleichungen, vom Typ ἔρανα-δῶρα, und lit. Belegen bestehen) hat hier schon sehr früh nach den »Dunklen Jh.« (30er oder 40er J. des 9. Jh.) die Maßstäbe gesetzt. Über 100 J. später entstand gegen E. des 10. Jh. das umfangreichste ma. byz. Lexikon, die Suda, die mit ihren rund 30 000 Art. neben den Sprachart. (mit Synonymengleichungen) eine große Zahl an Sachart. (darunter bes. literarhistor. Art.) enthält. Diese Sachart. präsentieren auf der Grundlage der ant. Quellen ein breites Wissen aus der Ant., das so zuverlässig wie die Quellen ist. Einen bes. Typus des Lex. repräsentieren die etym. Lex. (*Etymologika*; → Lexikographie I. Griechisch) mit der Angabe der »wahren Bed.« (ἔτυμος) der Wörter. Als Sammlungen des entsprechenden ant. Wissens zeigen sie nicht so sehr ein sprachwiss., sondern sprachphilos. Interesse an der klass. griech. Sprache, das v. a. der Texterklärung zugute kommt. Das *Etymologicum genuinum* (9. Jh.) ist hier das älteste und zugleich wertvollste Werk.

3. HOHES MITTELALTER

Obwohl eine vielfältige Editionstätigkeit in den folgenden beiden Jh. (bis 1204) nachweisbar ist, bleiben die Leistungen im einzelnen meist anonym. Nur zwei Philologen sind als wiss. Persönlichkeiten erkennbar, Johannes Tzetzes und Eustathios von Thessalonike [5. 115–195]. Auf jeden Fall ist deutlich, daß die human. Impulse in jener Zeit erhalten blieben und sogar verstärkt wurden, so daß die ant. Texte auf die lit. Produktion der Zeit stimulierend wirken konnten. Von bes. Wirksamkeit war der polit. wie wiss. tätige Michael Psellos (1018–1078/79), der auch Leiter der Univ. von Konstantinopel war. Er konzipierte einen christl. Human., der philos. Ideen von Platonismus, Neuplatonismus und Vulgärplatonismus (Poimandres) mit christl. Idealen verband. Damit knüpfte er an die patristischen Theologen Klemens von Alexandria und Origenes an, was freilich nicht verhinderte, daß er sich dem Häresieverdacht aussetzte [3; 9. I. 50 f.].

Diesem christl. Human. fühlte sich auch sein Schüler Johannes Italos verpflichtet (gest. nach 1082), der allerdings wegen Häresie von der Kirche verurteilt wurde, ›weil er vorgab, orthodox zu sein, aber schamlos, oder besser gottlos, die frivolen Dinge der Hellenen in die orthodoxe und katholische Kirche einführt, die menschliche Seele, den Himmel, die Erde und die übrige Schöpfung betreffend‹ [6; 9. I. 43 f.]. Die pagane Lit. hatte im Einzelfall eben doch eine sehr labile Stellung in der christl. Gegenwart.

Als Philologe war auch Tzetzes produktiv (1. Viertel-4. Viertel des 12. Jh.). Dabei ließ er sich immer von der Aktualität der Ant. leiten, wie er bes. durch seine allegorische Deutung von *Ilias* und *Odyssee* in der Trad. ant. Verfahren zeigte. Als Lehrer an höheren Bildungsanstalten setzte er damit ein bewährtes Verfahren der Entpaganisierung und Entmythologisierung der ant. Texte fort (z. B. Zeus = νοῦς; Sirenen = Dirnen). Vor allem ist seine Leistung als Kommentator Aristophanischer Kom. (für den Schulunterricht) zu erwähnen. In einem selbständigen, nicht selten polemischen Urteil setzt er sich mit Textvarianten und älteren Erklärungen auseinander.

Eine bes. philol. Leistung sind die monumentalen Komm. des Eustathios von Thessalonike (ca. 1115–1195/97) zur *Ilias* und zur *Odyssee* (als Autograph erhalten: *Laurentianus 59, 2 + 3*). Als Professor für Rhet. an der Patriarchatsschule in Konstantinopel war er verantwortlich für die sprachlich-stilistische Ausbildung der Kleriker, zu der auch ein philos. Anteil gehörte. Seinem Beruf entsprechend wollte Eustathios – so formulierte er es in der Einleitung zum *Ilias*-Komm. – die Homer. Epen v. a. zur vertieften Ausbildung in der Rhet. und Stilistik kommentieren. Damit konnte er nicht in Konflikt mit der Orthodoxie geraten, denn diese ließ primär die sprachlich-stilistische Form der ant. Lit. gelten – unter ausdrücklicher Verurteilung der Inhalte. Daß sich sein Komm. nicht auf diese Aspekte beschränken konnte, ist angesichts der Fülle von Deutungsproblemen naheliegend. Natürlich wird die Allegorese eingesetzt, um den myth. Text an der Patriarchatsschule rezipierbar zu machen. Darüber hinaus ist der Komm. ein riesiger Speicher v. a. des ant. philol. Wissens, das mit kritischem Urteil und produktiv zum Verständnis der einzelnen Stelle eingesetzt wird. Darunter ist natürlich viel antiquarisches Wissen. Sein Komm. zu Pindar, von dem nur das Prooimion erhalten ist, zeigt ihn als einen Vorläufer der »neuzeitlichen Pindar-Ph.« [12].

4. SPÄTES MITTELALTER (1204–1453)

Die Eroberung Konstantinopels durch die Kreuzritter und durch die Venezianer 1204 im Zuge des Vierten Kreuzzuges störte nachhaltig die polit. und kulturelle Entwicklung. Die Plünderung von Kunstwerken und Büchern sowie der Brand der großen kaiserlichen Bibl. führten offensichtlich zum Verlust etlicher ant. lit. Werke (z. B. der poetischen Werke des Kallimachos wie der *Aitia* und der *Hekale*). Während des lat. Kaisertums (1204–1261) war keine kulturelle Erholung möglich. Sie setzte erst mit der Rückeroberung von Konstantinopel durch Michael VIII. Palaiologos 1261 ein. In erstaunlich kurzer Zeit gelang trotz polit. Unordnung, mil. Inkompetenz und wirtschaftlichen Niedergangs eine Erneuerung (Palaiologische Ren.) der kulturellen Tradition. Zeichen für den neuen Klassizismus war, daß christl. Pergament-Cod. zu Palimpsesten für pagane Texte wurden. So wurde ein wichtiger Pindartext (*Vindobonensis Suppl. graecus 64*) über einen liturgischen Text geschrieben, und ein etym. Lex. verdrängte einige theologische Texte (*Vindobonensis Phil. graecus 158*) [10. 20].

Die Erneuerung wurde entschieden gestützt durch Philologen, namentlich durch Manuel (Maximos) Planudes (ca. 1255–ca.1305), Manuel Moschopulos (ca. 1265–1316), Thomas Magistros (ca. 1270–1325) und Demetrios Triklinios (ca. 1280 – ca. 1340). Sie waren als Philologen immer auch Lehrer, die in ihrer Arbeit einen Beitr. zur zeitgemäßen Bildung sahen. Damit mag auch im Falle des Planudes zusammenhängen, daß dieser in der Plutarch-Ausgabe ideologisch problematische Stellen strich und in der Sammlung seiner Epigramme (*Anthologia Planudea*, mit rund 2400 Epigrammen, einem Plus von 388 gegenüber der *Anthologia Palatina*; als Autograph im *Marcianus graecus 481* aus dem J. 1301 erhalten), einer Erweiterung der *Anthologia Palatina*, die erotisch anstößigen Gedichte der *Anthologia* nicht berücksichtigte. Allerdings war diese Art der Selbstzensur trotz des theologischen und moralischen Rigorismus in Byzanz eher unüblich. Selbst die frivolen und vulgären Stellen in den Aristophanes-Kom. blieben davon verschont. Die wiss. Leistung dieser vier herausragenden Philologen besteht v. a. in der Ed. und Kommentierung der klass. Trag.-Dichter Aischylos, Sophokles und Euripides sowie des Kom.-Dichters Aristophanes. Dabei beschränkten sie sich in der Regel auf jeweils drei Stükke, die sog. Byz. Trias (Aischylos: *Prometheus, Sieben gegen Theben* und *Perser*; Sophokles: *Aias, Elektra* und *König Ödipus*; Euripides: *Hekabe, Orest* und *Phoinissen*; Aristophanes: *Plutos, Wolken, Frösche*). Diese Auswahl galt offensichtlich als bes. geeignet für den Schulunterricht. Allerdings blieb diese Kanonisierung für die weitere Überlieferung folgenlos, da sich der umfangreichere ältere Bestand halten konnte.

Für die Textkonstitution benutzten sie meist mehrere ältere Ausgaben, wählten mit gutem Urteil aus, emendierten häufig mit Geschick, konjizierten mit Maßen und erschlossen den Text durch eigene und bewährte ältere Scholien. So schufen sie nicht nur einen besseren Zugang zu den Texten, sondern auch die Grundlagen einer mod. Text- und Konjekturalkritik. Die wiss. Leistung der Byzantiner ist besser als ihr Ruf, und viele ihrer Editionen sind zuverlässiger als die mod. Editoren-Kollegen seit dem Beginn des 19. Jh. es in ihrem Hochmut wahrhaben wollten. Inzwischen ist jedoch die Euphorie geschwunden, daß durch Kollationierung sämtlicher Hss. der griech. Autoren die Textgestalt noch wesentlich verbessert werden könnte. Mögen auch noch bis zum E. des Byz. Reiches 1453 verschiedene philol. Tätigkeiten nachweisbar sein, so fehlt ihnen doch eine herausragende Bedeutung. Immerhin wurde das ant. griech. Erbe gepflegt, nicht nur in Konstantinopel, sondern auch noch in Mistra auf der Peloponnes, wo Georgios Gemistos Plethon (ca. 1355–1452) einen Platonismus gegen das Christentum oder zumindest ohne das Christentum öffentlich vertrat. Allerdings begann seit Beginn des 15. Jh. die griech. Lit. ihre Faszination im Westen auszuüben. Und nicht nur Hss. gelangten in den Westen, sondern auch zahlreiche Byzantiner siedelten in den Westen über, nicht zuletzt deshalb, weil das byz. Reich unter dem Druck der Osmanen auf das Gebiet von Konstantinopel geschrumpft und hochgradig in seiner Existenz gefährdet war. Dadurch wurde bereits vor der Eroberung Konstantinopels durch die Türken der Westen, zunächst It., zur Hochburg des Griechischen. Hier konnte dann mit neuen Impulsen eine neue Ph. entstehen.

→ Byzantinistik; Byzanz; Kommentar III. Byzantinische Literatur; Kodikologie; Lexikographie I. Griechisch; Paläographie; Überlieferung

→ AWI Arethas; Demetrios [43]; Etymologica; Eustathios [4]; Leon [10]; Makedonische Renaissance; Moschopulos, Manuel; Photios; Planudes, Maximos

1 K. ALPERS, Rezension v. N. G. WILSON, Scholars of Byzantium, in: CPh 83, 1988, 342–360 2 H.-G. BECK (Hrsg.), Byz. Lesebuch 1982, 3 U. CRISCUOLO, M. PSELLO, Epistola a Giovanni Xifilino, 1973 (Übers.: [2. 141–145]) 4 H. ERBSE, Überlieferungsgesch. der griech. klass. und hell. Lit., in: H. HUNGER et al., Gesch. der Textüberlieferung der ant. und ma. Lit., Bd. 1; 1961, 243–283 5 S. FRANKLIN, Studies on Byzantine Literature of the Eleventh and Twelfth Centuries, 1984 6 J. GOULLIARD, Le synodikon de l'orthodoxie. Edition et commentaire, in: Travaux et Mémoires 2, 1967, 57–61; Übers.: [3], 145–147 7 T. HÄGG, Photios als Vermittler ant. Lit., 1975 8 H. HUNGER et al., Gesch. der Textüberlieferung der ant. und ma. Lit., Bd. 1, 1961 9 Ders., Die hochsprachliche profane Lit. der Byzantiner, 1978 10 Ders., Schreiben und Lesen in Byzanz. Die byz. Buchkultur, 1989 11 M. IMHOF, Zur Überlieferungsgesch. der nichtchristl. griech. Lit. der röm. Kaiserzeit, in: [8. 291–307] 12 A. KAMBYLIS, Eustathios von Thessalonike, Prooimion zum Pindarkomm., 1991 13 A. KAZHDAN, s. v. Photios, ODB 3, 1669f. 14 P. LEMERLE, Le premier humanisme byzantin, 1971 15 L. LEVI (Hrsg.), Brief des Manuel Moschopulos, in: SIFC 10, 1902, 64–68; Übers.: H.-G. BECK, Das byz. Jt., 1978, 315f. 16 J. E. SANDYS, The Byzantine Age, in: Ders., A History of Classical Scholarship, Bd. 1, ³1920, 385–439 17 P. SPECK, Die kaiserliche Univ. von Konstantinopel, 1974 18 Theodori Ducae Lascaris imperatoris in laudem Nicaeae urbis oratio, hrsg. v. L. BACHMANN, Programm Rostock 1847, 5f. 19 F. TINNEFELD, s. v. Photios, LMA 6, 2109f. 20 Ders., s. v. Arethas, TRE 3, 690–692 21 W. TREADGOLD (Hrsg.), Renaissances before the Renaissance, 1984 22 N. G. WILSON, Scholars of Byzantium, ²1996 (1983) 23 N. G. WILSON, Griech. Ph. in Byz., in: H.-G. NESSELRATH (Hrsg.), Einl. in die griech. Ph., 1997, 104–116.

B. FRÜHNEUZEITLICHE PHILOLOGIE (1450–1800)
1. BEGRIFF

Die frühneuzeitliche Ph. ist wie die byz. Ph. primär Gramm., Texted. und Texterklärung. Wie die Schlüsselwörter der Ren. zur Bezeichnung der frühneuzeitlichen Ph. *studia humanitatis* (C. Salutati, L. Bruni), *litterae humanae* und *litterae humaniores* zeigen, versteht sich diese Ph. als human., die durch ihre Tätigkeit beansprucht, einen Beitr. zur lit., geistigen und sittlichen Erneuerung der Gegenwart zu leisten. Gegenüber jenen signifikanten Bezeichnungen bleibt der traditionelle Begriff *philología* unscharf und wird häufig gleichbedeutend mit *polymathía* (»Gelehrsamkeit«) gebraucht.

Mochte auch der human. Impuls als solcher bereits für die byz. Ph. gelten, so erhielt er jetzt doch eine andere Intention: Durch die forcierte Ablehnung der ma. Trad. gewann er ein hohes Maß an Radikalität, während der human. Impuls der byz. Ph. v. a. gegen die bildungsfeindliche Vermönchung der byz. Gesellschaft gerichtet war.

Gegenstand der Ph. war nicht ein ausgewählter Bereich der ant. griech. Literatur, sondern ihre ganze Breite, da diese als Speicher des gesamten ant. Wissens die Modernisierung der Gegenwart garantierte. Nicht nur Epos, Lyr. und Drama, sondern auch die fachwiss. Lit. (Logik, Rhet., Gramm., Mathematik, Astronomie, Musik, Zoologie, Botanik, Mineralogie, Human- und Veterinärmedizin, Kriegswiss.) gehörten dazu. Beispielhaft war das Programm des frz. Enzyklopädisten Petrus Ramus (1515–1572): ›Die Gediegenheit und Eleganz der Rede, den Scharfsinn der Vernunft, die Geschicklichkeit in Algebra und Geom., die Kenntnis des Himmels und der ganzen Welt können wir vereinen, um die Seele zu prägen, um sie gebildet, gesetzt, elegant und vollkommen zu machen‹ und dieses Universalwissen, den *completum quendam velut orbem doctrinae*, in Handeln umzusetzen [31. 305]. Der Enzyklopädismus ist nicht Ausdruck eines antiquarischen, sondern eines umfassenden lebensweltlichen Wissensinteresses [35. 32–37].

Träger der human. Ph. und des Human. waren bis zum frühen 16. Jh. nicht die Universitätsgelehrten, sondern institutionell ungebundene Lehrer und Gelehrte im Dienste von Fürsten und Kirchenoberen. Erasmus von Rotterdam lebte sogar als freischaffender Schriftsteller [34. 406–408]. Erst nach 1500 drang der Human. in die Univ. ein und führte dann zur Einrichtung der Griechischstudien [28. 367–373].

2. DIE ANFÄNGE DER GRIECHISCHEN PHILOLOGIE IM WESTEN

Die Begeisterung über die Entdeckung griech. Texte begünstigte seit etwa 1420 ihre schnelle Verbreitung durch Abschriften, wie auch der Enthusiasmus über die aus den Klöstern »befreiten« lat. Texte zahlreiche Kopien in viele Länder Europas trug. So beschäftigte der leidenschaftliche Sammler und geschäftstüchtige Buchhändler Vespasiano da Bisticci (1421–1498) zeitweise 45 Kopisten, die in wenigen Wochen eine ganze Bibl. in Abschriften herstellen konnten. Allerdings waren Enthusiasmus und kaum zu sättigende Nachfrage wenig geeignet, eine hohe Qualität der Abschriften zu garantieren. Die ohnehin nicht selten fragwürdige Textüberlieferung wurde durch ungezügelte Veränderungen und Konjekturen noch verschlimmert. Immerhin begann man aber bereits in den 20er J. des 15. Jh., sich nachdrücklich von dieser Praxis wilder Textkonstitution zu distanzieren und sich um authentische Texte zu bemühen. Giovanni Lamola (um 1407–1449), ein Schüler des an Fürstenhöfen erfolgreichen Griechischlehrers Guarino von Verona [5. 46f.], notierte als erster bei seinen Kollationen alle erreichbaren Varianten und beschränkte sich nicht darauf, nur die subjektiv besten zu berücksichtigen. Damit plädierte er für ein bis h. gültiges Verfahren, ohne freilich seine Zeitgenossen bereits dafür gewinnen zu können. In kritischer Auseinandersetzung mit der zeitgenössischen Praxis bekundete er in einem Brief an seinen Lehrer seinen Willen zur Authentizität [13. 63; 26. 62]. Den früheren Kopisten wirft er vor: ›multa non intellexerunt, multa abraserunt, multa mutarunt, multa addiderunt‹ (»vieles haben sie nicht verstanden, vieles getilgt, vieles verändert und vieles hinzugefügt«). Dagegen beschreibt er seine eigene Methode: ›ego (...) quantum diligentiae ac ingenii peritiaeque in me fuit (...) adhibui ut omnia secundum priorem textum restituerem (...) curavi etiam ut usque ad punctum minimum omnia ad veteris speciem exprimerem, etiam ubi essent nonnullae vetustatis delirationes‹ (›was ich an Fleiß, Intelligenz und Erfahrung besaß, habe ich dafür eingesetzt, den urspr. Text vollständig wiederherzustellen. Auch sorgte ich dafür, den gesamten Text bis zum kleinsten Punkt nach dem Muster der Urschrift einzurichten, selbst wenn einige Unstimmigkeiten in der Überlieferung vorhanden waren‹). Lamola blieb kein Einzelgänger. Nicht viel später verwirklichten Lorenzo Valla (1407–1457) und Angelo Poliziano (1454–1494) [23] das Programm umfangreicher Kollationen für die Gewinnung authentischer Texte. Folgenreich war Vallas Kollation griech. und lat. Hss. des NT in seinen *In Novum Testamentum ex diversorum utriusque linguae codicum collatione adnotationes* (»Anmerkungen zum NT auf der Grundlage der Kollation von Hss. beider Sprachen«, 1449; 1505 auf Veranlassung von Erasmus von Rotterdam in Paris gedruckt), denn sie führte zur Kritik an dem kanonischen Text der Vulgata (Hieronymus-Übers.), die auf Widerstand stoßen mußte. Und Polizianos Prinzipien – formuliert in seinen *Miscellanea* (1489) –, auch Lesarten mitzuteilen, die er selbst für falsch hielt, und die Chronologie und Abhängigkeit von Hss. zu berücksichtigen, begründeten die textkritische Methode [13. 64–75]. Diese Prinzipien wurden europaweit bekannt, wenn sie auch in der Praxis nicht immer wirksam wurden. Der Wille zur Authentizität durch – meist freilich nur gelegentliche – Kollation mehrerer Hss. führte auch zum Rückgang der ungezügelten Emendation der Texte durch Konjekturen [8].

3. Philologie und Editiones principes

Eine durchgreifende Qualitätserhöhung der Ausgaben wurde allerdings erst durch die Erfindung des Buchdrucks erreicht [5. 48–50], der aufs Ganze gesehen disziplinierend auf die Humanisten wirkte, wenn auch die Qualität zunächst noch stark schwankte [34. 406–408; 19]. Insgesamt wurde bereits in den Erstausgaben der ant. Autoren (1454 erschien die Vulgata in der 42zeiligen Gutenberg-Ausgabe; seit 1465 folgten lat., zunächst Cicero, *De officiis* bei Fust und Schöffer, seit den 80er J. auch griech. pagane Autoren) häufig eine hohe wiss. Qualität erreicht, weil für die Textkonstitution mehrere Hss. berücksichtigt wurden oder einzelne Hss., die bereits in byz. Zeit Varianten aus anderen Hss. übernommen hatten. Damit sind diese Edd. den besten byz.

Ausgaben gleichwertig, oft sogar überlegen. Es ist nur folgerichtig, daß die frühen Druckereien und Verlage v. a. an den Orten entstanden, an denen es Bibl. mit entsprechenden Beständen gab (Venedig, Florenz). Auch sorgte bisweilen die philol. Kompetenz von Druckern und Verlegern selbst für eine gute wiss. Qualität der frühen Ausgaben. So war der seit 1494 in Venedig tätige Drucker und Verleger Aldus Manutius (1449/1452–1515) urspr. ein human. Universitätslehrer [21], der griech. Gelehrte Markos Musuros (1470–1517) war sein bester Helfer. Daher sind die in Venedig erschienenen Ausgaben (*Edd. Aldinae*) griech. Autoren (darunter folgende *Edd. principes*: Aristophanes, 1498; Euripides, 1503; Platon, 1513; Athenaios, 1514; Pausanias, 1516) von beachtlicher Zuverlässigkeit. In Florenz sicherte sich der Drucker und Verleger Filippo Giunta (1450–1517) für seine seit den 1490er J. erschienenen Ausgaben (*Edd. Iuntinae*), unter denen ebenfalls zahlreiche Erstdrucke waren, die Hilfe des griech. Gelehrten Janos Laskaris (1445–1535) [45. 98–100], der zahlreiche griech. Hss. in Konstantinopel für Lorenzo de' Medici gekauft hatte und dadurch am Ausbau der Markus-Bibl. in Florenz [5. 52] beteiligt war. Er wirkte mit an den Erstdrucken von Trag. des Euripides (*Medeia, Hippolytos, Alkmene, Andromache*, 1496), der *Hymnen* des Kallimachos (um 1495), der *Anthologia Graeca* (1494), des Apollonios Rhodios (1496) und des Lukian (1496) [45. 95–97]. Bereits wenige J. zuvor hatte der griech. Gelehrte Demetrios Chalkondyles (1423–1511) seine Kompetenz für die *Edd. principes* des Homer (Florenz 1488, auf der Basis einer h. verschollenen Hs.; die Homerausgabe war das erste große Werk in griech. Sprache) und des Isokrates (Florenz 1493) eingesetzt. Erasmus von Rotterdam (1469–1536) besorgte ganz im Sinne der Ed. ant. paganer Texte die erste griech. Ausgabe des NT für den Verleger Frobenius in Basel (1516) und Robert Stephanus (1503–1559) eine solche des AT (1546 und 1549).

Gegen Mitte des 16. Jh. waren die wesentlichen griech. Autoren in Druckausgaben von beachtlicher Qualität zugänglich. Darunter befanden sich auch die naturwiss. und mathematischen Texte, die zunächst nur über lat. Übers. – nicht zuletzt aus dem Arab. – (Euklid, Ptolemaios) das mathematisch-naturwiss. Denken mobilisiert hatten. Die wichtigsten Edd. principes: Homer, Florenz 1488; Hesiod, Mailand 1493; Isokrates, Mailand 1493; Theokrit, Mailand 1493; *Anthologia Graeca*, Florenz 1494; Kallimachos, Florenz, ca. 1495; Aristoteles, Venedig 1495–1498; Theoprast (Pflanzenschriften), Venedig 1497; Aristophanes, Venedig 1498; Sophokles, Venedig 1502; Herodot, Venedig 1502; Thukydides, Venedig 1502; Euripides, Venedig 1503; Demosthenes, Venedig 1504; Plutarchs *Moralia*, Venedig 1509; Pindar, Venedig 1513; Lysias, Venedig 1513; Platon, Venedig 1513; Athenaios, Venedig 1514; Pausanias, Venedig 1515; Xenophon, Florenz 1516; NT, Basel 1516; Strabon, Venedig 1516; Plutarchs *Vitae*, Florenz 1517, Aristeides (Reden), Florenz 1517, Aischylos, Venedig 1518; Galen, Venedig 1525; Hippokrates, Venedig 1526; Polybios, Hagenau 1530; Diogenes Laertios, Basel 1533; Heliodor, Basel 1534; Aelian, *Varia historia*, Rom 1545; Cassius Dio, Paris 1548; Dion Chrysostomos, Venedig 1551; Plotin, Basel 1580.

Bis E. des 16. Jh. gab es für zahlreiche Autoren neue Ausgaben, so für Platon (durch Henricus Stephanus, Genf 1578, nach den Seiten dieser Ausgabe wird h. noch zitiert) und für Plutarch (durch Wilhelm Xylander, 1560–1570, auf ihr beruht die heutige Zitierweise). V. a. Henricus Stephanus (1528–1598) hat als Hrsg. und Drucker in jener Zeit viele griech. Texte herausgebracht, die bis zum Beginn des 19. Jh. kanonische Bed. behielten.

4. Grammatik, Metrik und Lexikographie

Die Ed. als das Kerngeschäft der Ph. wurde unterstützt durch Gramm. und Lexikographie. Da die griech. Sprache im Westen weitgehend unbekannt war, verstanden sich diese Disziplinen v. a. als Instanzen zur Vermittlung der Sprache. Einen bes. wiss. Wert hatten ihre frühen Produkte nicht. Die älteste Gramm. im Westen, die *Erotemata* (»Fragen«) des Manuel Chrysoloras (um 1400; um 1496 in Florenz, in einer verkürzten griech.-lat. Fassung bereits 1471 in Venedig gedruckt) ist noch ganz in Griech. geschrieben; sie ist der Gramm. des Dionysios Thrax (um 170 – um 90 v. Chr.) verpflichtet und enthält in der Form von Frage und Antwort die Lehre der Flexion und der Spiritus [45. 8–12]. Ebenfalls ganz in Griech. verfaßte Konstantinos Laskaris seine Gramm., die als erstes ganz in griech. Lettern gesetztes Buch 1476 (bei Paravisinus in Mailand) erschien (Faksimileausgabe Amsterdam 1966). Die erste Gramm. in lat. Sprache war ein Werk des Urbano Valerio Bolzanio, das Aldus Manutius 1497 in Venedig herausbrachte. Dadurch wurde es möglich, Griech. im Selbststudium zu lernen. Zu einer wiss. Disziplin entwickelte sich die Gramm. in der Frühen Neuzeit nicht; sie blieb ein Instrument für das Erlernen des Griechischen. Daher war das Problem der Aussprache auch ein praktisches Problem. Hier rekonstruierte Erasmus von Rotterdam in seinem *De recta Latini Graecique sermonis pronuntiatione dialogus* (Basel 1528) die histor. (= erasmische) Aussprache, die sich dann in der Praxis häufig gegen die byz.-neugriech. (= reuchlinsche) Aussprache durchsetzte (→ Aussprache I. Griechisch).

Ebensowenig kam es zur Herausbildung einer wiss. Metrik. Die frühneuzeitliche Metr. knüpfte an die ant. und byz. Überlieferung an, so daß die gewöhnlichen Metra bekannt waren und auch empirisch nachgeahmt werden konnten. Selbst dort, wo es an verwertbaren ant. Zeugnissen fehlte, wurden metr. Systeme – wie z. B. die des Lyrikers Pindar – imitativ nachgebildet. Zahlreiche wichtige metr. Einzelerkenntnisse gehen auf R. Bentley zurück. So schloß er, daß der in den Homer.-Texten nichtüberlieferte Buchstabe Digamma aus metr. Gründen notwendig sei.

Auch R. Porson arbeitete in ähnlicher Weise. Die Entdeckung einer metr. Regel im tragischen Trimeter (*Lex Porsoni*) bescherte ihm die Unsterblichkeit im Reich der Metrik. Allerdings waren dies nur isolierte Bausteine für eine wiss. Metrik.

Ähnlich elementar war die Lexikographie, deren Werke Hilfsmittel für den Umgang mit dem Griech. waren. Bereits vor 1478 wurde in Mailand das um 1440 in Florenz konzipierte *Dictionarium graecum cum interpretatione latina* des Johannes Crastonus gedruckt und bis 1500 mehrfach nachgedruckt, ohne freilich wiss. Ansprüchen zu genügen. Das tat erst der *Thesaurus Graecae Linguae* (in fünf Foliobänden) des Henricus Stephanus (Genf 1572), der nicht nur aus der Kenntnis griech. Autoren, sondern auch unter Berücksichtigung der ant. Lexikographie und Gramm. ein außergewöhnliches Maß an Differenzierung hinsichtlich der Bed. und Syntax griech. Wörter erreichte und Grundlage aller späteren griech. Lex. wurde (→ Lexikographie I. Griechisch).

5. Übersetzungen

Trotz Gramm. und Lexikographie wirkten die griech. Autoren in ihrem human. Potential für Moral, Politik, Wiss., Religion und Lit. nicht so sehr durch das Original, als vielmehr durch lat. Übers. [2. 313–318; 33. 566–570]. Die Wirkung durch die Originale bzw. mit Hilfe der Originale im Frankreich des 16. Jh. ist eher untypisch [5; 29. 133–135]. Immerhin: die Bewohner von Utopia in Th. Morus' gleichnamigem Roman (Erstdruck Löwen 1516) bleiben völlig lateinfrei und übernehmen nur griech. Originale, die von Aldus Manutius gedruckt waren. Als erster hat Leonardo Bruni (um 1370–1444) griech. Texte in großem Umfang – v. a. Prosatexte – ins Lat. übersetzt, darunter Schriften des Aristoteles und die *Viten* Plutarchs, die dann Übers. in nationale Sprachen ermöglichten. Sie begründeten einen florentinischen Bürgerhumanismus [1]. Papst Nikolaus V. (1397–1455) hat programmatisch während seines Pontifikats (1448–1455) um die Jahrhundertmitte ›ganz Griechenland für die Latinität erobern‹ wollen [45. 76–82] und zahlreiche Übers. angeregt. Auf jeden Fall lagen in der zweiten H. des 15. Jh. viele wichtige griech. Texte in lat. Übers. vor [45. 13–22], die auch sprachlich den mod. stilistischen Anforderungen genügten, was natürlich nicht verwunderlich ist, wenn diese Übersetzer Poggio (Xenophon, *Kyrupädie*, Diodor und Lukian), Valla (Äsop, Xenophon, Herodot, Teile Homers und Thukydides) und Poliziano (Homer, Epiktet, Herodian, Plutarch) heißen. Daß eine gewisse sprachliche Ciceronianisierung die Rezipierbarkeit dieser Übers. erleichterte, ist selbstverständlich. Marsilio Ficino (1433–1499) bestimmte durch die Übers. des gesamten Platon (etwa 1470–1475, gedruckt 1482 und 1484; das griech. Original erschien erst 1513 in Venedig) und Plotin (1492) die Platonismus-Kenntnisse bis zum 18. Jh. [45. 90–95]. In Deutschland leitete Willibald Pirckheimer (1470–1530) die Rezeption der griech. Lit. (Plutarch und Lukian) durch lat. Übers. ein [16].

Nationalsprachliche Übers. verstärkten die Wirkung der griech. Literatur [5. 67–82]. So wurden die Übers. der *Viten* (1559) und der *Moralia* (1572) des Plutarch

durch Jacques Amyot (1513–1593) Teil der frz. Natio-
nallit. und faszinierten Rabelais und Montaigne. Die
Übers. ins Engl. lieferten Shakespeare Stoffe für seine
Dramen.

6. Grundzüge der Philologie bis 1800
6.1 Textkonstitution

Bis zum E. des 17. Jh. sind die human. Antriebe für
die philol. Tätigkeit von Ed. und Emendation deutlich
erkennbar geblieben. Dabei ist der Umgang mit den
paganen Texten in der Regel nicht als antichristl., sondern nur als antischolastisch verstanden worden. Die
paganen Texte waren nicht weniger Teil der geoffen-
barten Weisheit Gottes als die christl. Trad.; sie mußten
in dieser Bed. für einen christl. Human. nur entdeckt
und aktiviert werden. Im Grunde genommen war die
Ph. zunächst eine Art Offenbarungs-Ph. [38. 419–421],
die daher auch wie selbstverständlich pagane Autoren
und Kirchenväter nebeneinander edierte. In der Aufklärung mutierte diese Offenbarungs-Ph. zur aufgeklärten Vernunft-Ph., die von der Existenz eines vernünftigen Schöpfers ausging und sie – darin dem Neustoizismus und den *Principia* Isaac Newtons verpflichtet
– in der sichtbaren Natur entdeckte. Diese Wende wird
durch Richard Bentley markiert, der an die Stelle der
Berufung auf die Autorität hl. Bücher ›auf die mächtigen Bände der sichtbaren Natur und die ewigen Tafeln
der gesunden Vernunft setzte‹ und diese neue Überzeugung auch für das human. Verständnis der ant. Autoren
einsetzte. Diese waren nicht mehr fraglos gültig, sondern nur insoweit, als sie Ausdruck der Vernunft als eines alles fundierenden Prinzips waren [29. 182–184].

In methodischer Hinsicht waren Griech. und Lat.
Ph. nicht verschieden; sie verstanden ihre Hauptaufgabe
als Textkonstitution mit den Mitteln der Textkritik
(Feststellung der Überlieferung, ihre Prüfung auf Authentizität, Emendation und Konjektur) und zunehmend seit dem 16. Jh. auch als sprachliche und umfassende sachliche bzw. polyhistor. Kommentierung.
Quantitativ erreichte die Griech. Ph. wegen der geringen Absicherung ihrer Gegenstände im Bildungssystem
nie das Ausmaß der Lat. Ph.; nur wenige Gelehrte waren
ausschließlich auf die griech. Lit. fixiert. Nach den Anf.
in It. wurde auch die Griech. Ph. ein europ. Phänomen
[5. 46f.] mit Zentren in Deutschland [22], Frankreich,
den Niederlanden (→ Niederlande und Belgien I.-III.)
und England [29. 81–203]. Sie konzentrierte sich seit
dem 16. Jh. v. a. an Univ., außer in Frankreich, wo sie
nach den konfessionellen Kämpfen von den großen
geistlichen Orden in die Obhut genommen wurde.
Emigrationen im Zuge solcher Konflikte waren nicht
selten (Isaak Casaubonus, 1559–1614). In Deutschland
wurde 1518 der erste gräzistische Lehrstuhl in Wittenberg gegründet, auf den Philipp Melanchthon (1497–
1560) berufen wurde [37]. Die meisten anderen Univ.
folgten bald nach, so Tübingen 1521 mit der Berufung
von Johannes Reuchlin (1455–1522), der bereits 1520 in
Ingolstadt kurzzeitig eine Professur übernommen hatte.
Die 1527 gegründete Marburger Univ. hatte von Anf.

an einen *Graecus*. In den Niederlanden wurde Leiden
Zentrum der Ph., zunächst primär der Lat. Ph.; aber
Joseph Justus Scaliger (1540–1609) [12] edierte auch
zahlreiche griech. Texte. Und andere wie Tiberius
Hemsterhuys (1685–1766), Lodewyk Kaspar Valcke-
naer (1715–1785) und David Ruhnken (1723–1798), das
»griech. Triumvirat« der Niederlande, wirkten als
griech. Philologen in Leiden. In Cambridge schließlich
waren als Gräzisten Richard Bentley (1662–1742)
[4. 21–83] und Richard Porson (1759–1808) tätig; letzterer war v. a. erfolgreich als Emendator der Tragiker-
texte [4. 99–113; 9].

Während sich die Prinzipien und Ziele der Textkonstitution nicht änderten – es ging immer um die Herstellung authentischer Texte –, wandelten sich doch die
Mittel der Textkonstitution. Bis zur Mitte des 17. Jh.
glaubte man primär über die Entdeckung neuer Hss.
authentische Texte rekonstruieren zu können. Das Aufspüren neuer Hss. sowie der Handel mit ihnen standen
v. a. im Zeichen der Verbesserung der Texte. Als der
Nachschub an neuen Hss. versiegte und auch die schon
entdeckten Hss. immer noch nicht zu einheitlichen
Texten geführt hatten, begann die Sternstunde der Konjekturalkritik. Man mißtraute zunehmend der Überlieferung; statt dessen setzte man auf Konjekturen. Es war
der Geist der → Aufklärung, der sich hier durchsetzte.

Nicht der Trad., sondern nur dem Verstand ist zu
folgen. Das Diktum R. Bentleys (in der Horazausgabe
von 1711 zu carm. 3,27,15) ›nobis et ratio et res ipsa
centum codicibus potiores sunt‹ (»Für uns sind Ver-
nunft/Verstand und die Sache selbst wichtiger als 100
Kodizes«) zeigt diese Grundhaltung, ebenso wie seine
Äußerung in der *Praefatio*: ›noli librarios solos venerari,
sed per te sapere aude‹ (»verehre nicht allein die Schreiber, sondern wage es, durch dich selbst Einsicht zu gewinnen«). In der Fortsetzung heißt es, daß es auf ›sola
ratio, peracre iudicium‹ (»allein auf den Verstand und auf
ein scharfes Urteil«) ankomme.

Im ›per te sapere aude‹ findet sich bereits der Wahlspruch, mit dem gut 70 J. später Immanuel Kant [16] das
Wesen der Aufklärung charakterisiert: ›Sapere aude!
Habe den Mut, dich deines eigenen Verstandes zu bedienen!‹ [18. 444]. Obgleich Bentley selbst nur in geringem Umfang mit griech. Texten umging, wurde sein
Wahlspruch zum Freibrief auch der griech. Philologen
für die Verachtung der hsl. Überlieferung. Dabei waren
Bentley und seine Zeitgenossen der festen Überzeugung, daß sich der Verstand über die Überlieferung hinwegsetzen dürfe, weil die klass. Texte als Manifestationen vernünftiger und harmonischer Ordnung auch nur
durch den Verstand und die Vernunft rekonstruiert werden könnten. Wenn Bentley selbst 700 Änderungen im
Horaztext vornahm, so zeigt sich darin deutlich die Verengung der Textkonstitution zur Konjekturalkritik.
Was aber noch bedenklicher wurde: Der Begriff der Ph.
ging in der Textkritik auf. Diese Reduktion blieb trotz
der wiss. Wende um 1800 durch → Neuhumanismus
und → Historismus bis zum E. des 19. Jh. ein aktuelles
Problem.

6.2 TEXTERKLÄRUNG

Das notwendige Seitenstück zur Textkonstitution wurde die Texterklärung, denn schließlich mußte vieles in den alten Texten unverständlich erscheinen; die Texterklärung verringerte die Fremdheit der Texte und erhöhte dadurch ihre Rezipierbarkeit in der Gegenwart. Ausgehend von der ant. Kommentierung, die recht zügig erschlossen wurde, produzierte die Ph. ein außergewöhnliches Maß an Detailwissen, das dann auch, geordnet etwa nach *antiquitates publicae, privatae, sacrae* und *militares* für die systematische Erschließung der ant. Welt durch die → Altertumskunde verwertet werden konnte.

Zu den großen Vertretern dieser Spezies von Philologen gehört Isaak Casaubonus (1559–1614) [27], der in einer wechselvollen Karriere v. a. in Frankreich bis zur physischen Erschöpfung Komm. schrieb, so zu Strabons *Geographica* (Paris 1587; Paris ²1620; aus ihr stammt die heutige Zitierweise) und zu Athenaios (1600). Seine *Animadversiones* blieben bis zum 19. Jh. die Grundlage für die Kommentierung der von ihm behandelten Autoren. Als Nebenprodukt zum Komm. der *Satirae* des Persius (1605, bis 1833 nachgedruckt) verfaßte er mit *De satyrica Graecorum poesi et Romanorum satira* die erste literaturgeschichtliche Monographie, die für die Erforsch. der Satire epochale Bed. erlangte. Zentrum der Kommentierung wurden im 17. Jh. die niederländischen Univ., wo die Philologen Ausgaben aus umfangreichen Komm. unterschiedlicher Provenienz (*cum notis variorum*) verfertigten; freilich dominierten hier die Komm. zu lat. Autoren (z. B. bei Jakob Gronovius, 1645–1716; Pieter Burman, 1668–1741). Mit Texted. und Kommentierung blieb die frühneuzeitliche Ph. im Horizont der Tätigkeit der ant. und byz. Philologie. Die gelegentlich praktizierte Echtheitskritik (L. Valla, *De falso credita et ementita Constantini donatione declamatio*, 1440, erste anon. Ed. 1506, Neued. durch Ulrich von Hutten, 1518 und 1519, Nachweis der Konstantinischen Schenkung als Fälschung; R. Bentley, *A Dissertation upon the Epistles of Phalaris, Themistocles, Socrates, Euripides and the Fables of Aesop*, London 1697, Nachweis der Briefe als Fälschung) ist methodisch vom selben Zuschnitt.

In den frühen Komm. ist das lebensweltliche Interesse deutlich erkennbar geblieben; seit der zweiten H. des 17. Jh. wurde es allerdings zunehmend von der Fülle des Wissens erdrückt und verwandelte sich in ein eher antiquarisches Interesse, das sein Ziel in der Vermehrung und Sicherung des Wissens um seiner selbst willen fand. Etliche Hrsg. kombinierten mehrere Komm. früherer Ausgaben zu *Edd. variorum*. Dabei übernahm die Ph. zunehmend Aufgaben der Altertumskunde, der Vorform der Geschichtswiss., denen sie sich ohnehin nie ganz verschlossen hatte. So hatte bereits Joseph Justus Scaliger (1540–1609) neben den Aufgaben der Texted. die chronologische Altertumskunde begründet [13. 104–144; 14], indem er mit Hilfe antiquarischer, philol. und mathematischer Methoden biblische und ant. Zeitsysteme zu einer objektiven Weltchronik [43. 92] in den Schriften *Opus novum de emendatione temporum* (Paris 1583) und *Thesaurus temporum* (Leiden 1606) vereinigte.

Je mehr Wissen aber angehäuft wurde, um so fremder wurde die Antike. Da auch die Textkonstitution nur noch um ihrer selbst willen betrieben wurde, verloren die Humaniora ihre menschlichkeitsbildende Kraft. Durch den Schleier der Gelehrsamkeit wurden die Vermittler der Ant. nur noch als Vertreter eines erstarrten Geistes wahrgenommen. Als geistige Verwandte der antiquarisch-polyhistor. Altertumskunde vergaß die Ph. in ihrer Selbstgenügsamkeit die Frage nach dem Sinn ihres Tuns für die Gegenwart. Die Impulse für eine neue Ph. kamen von außen. Johann Joachim Winckelmann (1717–1768) leitete mit seinen beiden kunsthistor.-kunstwiss. Schriften *Gedancken über die Nachahmung der griech. Wercke in der Mahlerey und Bildhauer-Kunst* (Dresden 1755) und *Geschichte der Kunst des Alterthums* (Dresden 1764) auch eine neue Phase der Ph. ein. Es war Christian Gottlob Heyne (1729–1812), der seit 1763 an der gerade 20 J. jungen und aus dem Geist der Aufklärung gegründeten Univ. Göttingen nicht nur der Ph. wieder eine human. Perspektive verschaffte, sondern sie auch zu einer histor. Wiss. entwickelte, die sich dann v. a. durch Friedrich August Wolf (1759–1824) durchsetzen und zum mod. Typus der Ph. werden konnte.

→ Griechisch II. Lateinisches Mittelalter

1 H. BARION, In Search of Florentine Civic Humanism, 1990 2 W. BERSCHIN, Griech.-lat. MA, 1980 3 R. R. BOLGAR, The Classical Heritage and its Beneficiaries, 1954 4 C. O. BRINK, English Classical Scholarship. Historical Reflections on Bentley, Porson, and Housman, 1985 5 A. BUCK, Die Rezeption der Ant. in den romanischen Lit. der Ren., 1976 6 Ders., Human., Seine europ. Entwicklung in Dokumenten und Darstellungen, 1987 7 C. BURSIAN, Gesch. der klass. Ph. in Deutschland von den Anf. bis zur Gegenwart, München, Leipzig 1883 8 J. F. D'AMICO, Theory and Practice in Ren. Textual Criticism. Beatus Rhenanus between Conjecture and History, 1988 9 R. D. DAWE, Richard Porson, in: W. W. BRIGGS, W. M. CALDER III (Hrsg.), Classical Scholarship. A Biographical Encyclopedia, 1990, 376–388 10 F. A. ECKSTEIN, Nomenclator philologorum, Leipzig 1871 (mit einem »Nomenclator typographorum« als Anhang) 11 J. GILL, s. v. Bessarion, in: TRE 5, 1980,725–730 12 A. GRAFTON, Joseph Scaliger. A Study in the History of Classical Scholarship, 2 Bde., 1983–1993 13 Ders., Defenders of the Text. The Trad. of Scholarship in an Age of Science, 1450–1800, 1991 14 A. GUDEMANN, Grundriß der Gesch. der klass. Ph., 1909 15 Ders., Imagines philologorum, 1911 (Bildnisse bedeutender Philologen von Manuel Chrysoloras bis Eduard Zeller) 16 N. HOLZBERG, Willibald Pirckheimer. Griech. Human. in Deutschland, 1981 17 H. HUNGER, Schreiben und Lesen in Byzanz. Die byz. Buchkultur, 1989 18 I. KANT, Beantwortung der Frage: Was ist Aufklärung? in: Berlinische Monatsschrift, Heft 4, 1784 (Ndr. in: N. HINSKE (Hrsg.), Was ist Aufklärung? Beitr. aus der Berlinischen Monatsschrift, ⁴1990, 444–451) 19 E. J. KENNEY, The Classical Texts. Aspects of Editing in the Age of the printed Books, 1974 20 W. KÜHLMANN, Gelehrtenrepublik und Fürstenstaat, 1982 21 M. LOWRY,

The World of Aldus Manutius, 1979 **22** W. LUDWIG, Hellas in Deutschland. Darstellungen der Gräzistik im dt.-sprachigen Raum aus dem 16. und 17. Jh., 1998 **23** P. MICHELE, La vita e le opere di Angelo Poliziano, Livorno 1916 **24** L. MOHLER, Kardinal Bessarion, 3 Bde., 1923–1942 **25** N. MOUT (Hrsg.), Die Kultur des Human. Reden, Briefe, Traktate, Gespräche von Petrarca bis Kepler, 1998 (bes. Kap. V, »Philol. Stud. und ihre Schwierigkeiten«, 110–132, und Kap. VI, »Arbeit an den Texten«, 133–158) **26** G. PASQUALI, Storia della tradizione e critica del testo, 1934 **27** M. PATTISON, Isaac Casaubon, Oxford 1892 **28** O. PEDERSEN, Trad. und Innovation, in: W. RÜEGG (Hrsg.), Gesch. der Univ. in Europa, Bd. 2, 1996, 367–373 **29** R. PFEIFFER, History of Classical Scholarship 1300–1500, 1976 (dt. Ausgabe: Die Klass. Ph. von Petrarca bis Mommsen, 1982) **30** W. PÖKEL, Philol. Schriftsteller-Lex., Leipzig 1882 **31** PETRUS RAMUS, Oratio de studiis philosophiae et eloquentiae conjugendis Lutetia habita anno 1564, in: Petrus Ramus und Automarus Taleius, Collectaneae Prefationes, Epistolae, Orationes, Paris 1577 (Übers. in: E. GARIN (Hrsg.), Gesch. und Dokumente der abendländischen Pädagogik, Bd. 2: Human., 1966, 62) **32** L. D. REYNOLDS, N. G. WILSON, Scribes and Scholars. A Guide to the Transmission of Greek and Latin Literature, ³1991 **33** H. RÜDIGER, Die Wiederentdeckung der ant. Lit. im Zeitalter der Ren., in: H. HUNGER et al., Gesch. der Textüberlieferung der ant. und ma. Lit., Bd. 1, 1961, 511–576 **34** W. RÜEGG, Das Aufkommen des Human., in: Ders. (Hrsg.), Gesch. der Univ. in Europa, Bd. 1, 1993, 406–408 **35** Ders., Themen, Probleme, Erkenntnisse, in: Ders. (Hrsg.), Gesch. der Univ. in Europa, Bd. 2, 1996, 46–50 **36** J. E. SANDYS, A History of Classical Scholarship, Bd. 2, 1908 **37** H. SCHEIBLE, Melanchthon. Eine Biographie, 1997 (mit einem Überblick über die griech. Stud. in Deutschland um 1500) **38** W. SCHMIDT-BIGGEMANN, Das Modell der Human- und Sozialwiss. in ihrer Entwicklung, in: W. RÜEGG (Hrsg.), Gesch. der Univ. in Europa, Bd. 2, 1996, 391–424 **39** A. SEIFERT, Das höhere Schulwesen. Univ. und Gymnasien, in: N. HAMMERSTEIN (Hrsg.), Hdb. der dt. Bildungsgesch., Bd. 1: 15.–17. Jh., 1996, 197–374 **40** E. VOGT, Griech. Ph. in der Neuzeit, in: H.-G. NESSELRATH (Hrsg.), Einl. in die griech. Ph., 1997, 117–132 **41** G. VOIGT, Die Wiederbelebung des classischen Alterthums oder das erste Jh. des Human., 2 Bde., Berlin ³1893 **42** E. WALSER, Poggius Florentinus. Leben und Werke, 1914 **43** R. WEISS, The Ren. Discovery of Classical Antiquity, ²1988 (1969) **44** U. v. WILAMOWITZ-MOELLENDORFF, Gesch. der Philol., ³1997 (1921) **45** N. G. WILSON, From Byzantium to Italy. Greek Stud. in the Italian Ren., 1992. MANFRED LANDFESTER

C. MODERNE PHILOLOGIE (AB 1800)

1. VORBEMERKUNG ZUR QUELLENLAGE

Die Aufarbeitung der neueren Fachgeschichte, begonnen um 1900 mit Bursians *Geschichte der classischen Ph. in Deutschland* (1883) und Sandys *A History of Classical Scholarship* (3 Bde.; 1903–1908), ist im Verlauf des 20. Jh., nicht zuletzt aufgrund des Kontinuitätsbruchs durch die beiden Weltkriege, zunächst nicht gezielt fortgeführt, sondern durch Gelegenheitsarbeit in Form von Einzelbetrachtungen (Antritts- u. Abschiedsvorlesungen, Kongreßbeiträge, Nekrologe u. ä.) zu bestimmten Persönlichkeiten, Standorten (Univ., Akad., Bibl.), Zeitabschnitten, Tendenzen u. ä. abgelöst worden. Die Zahl der einschlägigen Arbeiten (oft nicht explizit im Titel ausgewiesen, sondern in Jahresberichten, Jubiläumsbänden, Buch-Vorreden usw. verborgen) ist nicht bekannt (eine vorläufige unvollständige Sammlung bieten Calder III/Kramer 1992 [18]). Erst 1968 erschien wieder ein Versuch der Gesamtdarstellung, Rudolf Pfeiffers engl. geschriebene *Geschichte der klass. Ph.* [39], die, bereits 1953 aus der Beschäftigung mit Kallimachos und der alexandrinischen Ph. heraus geplant [39. I 13 f.], in persönlich gefühlter, nicht positivistisch begründeter Bewahrungspflicht die Unversiegbarkeit der »Liebe zum Wort« (*philologia perennis*) bezeugen will; die Fortsetzung im zweiten Band, von Petrarca bis Lachmann reichend, ist ein Torso geblieben, das 20. Jh. fehlt ganz. In den siebziger J. des 20. Jh. setzte dann in der Bundesrepublik Deutschland ein bewußter Neubeginn ein, der sich der alten, durch die Fachkrise und die 68er Rebellion aktivierten Einsicht verdankte, daß die Kenntnis der Geschichte der Disziplin für jede Analyse der Gegenwartssituation und damit für alle daraus abzuleitenden Zukunftskonzepte die Grundlage darstellt. Die erste Frucht dieser Bewegung war die stark durch den Rückgriff auf Nietzsches Lebenshilfepostulat geprägte *Einführung in die Geschichte der Klass. Ph.* von Hentschke/Muhlack (1972 [26]; dazu [35. 54–56]). Ihre ständig erneuerte Dynamik, die auch auf andere Länder übergriff, bezog die Bewegung nicht zuletzt aus der Mobilisierungskraft eines einzelnen Mannes, des Amerikaners William M. Calder III (geb. 1932), der die Geschichte der (speziell dt.) Griech. Ph. zu seinem zentralen Forschungsgegenstand erhoben hat (Publikationsliste bei [34. 68 Anm. 19]). Einen quantitativen und z. T. qualitativen Sprung machte der inzwischen auch durch staatl. Institutionen (z. B. Deutsche Forschungsgemeinschaft, Schweizerischer Nationalfonds, Consiglio Nazionale delle Ricerche, u. a.) sowie Stiftungen (z. B. Volkswagenstiftung, Fritz-Thyssen- Stiftung) geförderte Forschungszweig durch die Publikation der Akten des Kongresses »La Filologia Greca e Latina nel secolo XX« (Rom 1984), die 1989 in 3 Bänden mit 1480 Seiten herauskamen [21] und die fachhistor. Bilanzen der Vertreter von 41 Ländern enthalten (außerhalb Italiens bisher leider wenig genutzt). Hilfreich ist auch C. J. Classens im gleichen J. erschienener Überblick *La Filologia Classica Tedesca 1918–1988* [20]. Die reich dokumentierte Aufhellung der Beziehungen zw. Human. und Gesellschaft im 19. Jh. (1988) von Manfred Landfester [32] ist zu einem Standardwerk geworden. Für die Zeit von etwa 1900–1930 ist der von Hellmut Flashar herausgegebene Band *Altertumswiss. in den 20er J.* grundlegend [22]. Im prosopographischen Bereich, der nicht das Ziel, aber die Basis jeder Fachgeschichte bildet, steuerten u. a. die von W. M. Calder III, H. Flashar u. Th. Lindken im J. 1985 herausgebrachte primär wirkungsgeschichtliche Einzelwürdigung *Wilamowitz nach 50 J.* [17] sowie der von den beiden Amerikanern W. W. Briggs und W. M. Calder III herausgegebene Sammelband

Classical Scholarship: A Biographical Encyclopedia (1990
[14]) mit seinen 50 Biographien von Heyne bis Momigliano (überwiegend deutschsprachige Gräzisten)
wichtige Informationen bei. Die überragende Rolle,
die Berlin (Univ. und Akad.) für die Entwicklung der
Griech. Ph. gespielt hat, belegt die Darstellung von W.
Unte *Berliner Klassische Philologen im 19. Jh.* (1979 [45]).
Eine großflächige Zusammenschau dieser und weiterer
Materialien, mit dem Akzent zunächst auf der Institu-
tionengeschichte, hat Latacz 1995 [34] versucht; die folgende Skizze sucht den dort umrißhaft nachgezeich-
neten äußeren Entwicklungsverlauf durch einen (unter
professionell wissenschaftsgeschichtlichem Aspekt notwendig dilettantischen) Abriß der inneren Fachent-
wicklung zu ergänzen, wobei bes. im fundamentalen
Bereich der Verflochtenheit von Gesellschafts- und
Wissenschaftsgeschichte nur Tastversuche geboten werden können.

2. ALLGEMEINER ÜBERBLICK

Um 1750 war die Griech. Ph., ohnehin nur ärmliche
Schwester der Lat. Ph. und Dienerin der Theologie, in
den Kernländern Westeuropas in editorischer, textkritischer und antiquarischer Selbstgenügsamkeit erstarrt.
Ihre Erfolgsgeschichte, die bis heute anhält, begann mit
der Wiederentdeckung der Originalität und Vitalität
griech. Dichtung und Kunst durch Winckelmann und
Wood. Die röm. Literatur und Kunst büßte durch die
damit verbundene Aufdeckung ihrer substantiellen Abhängigkeit von den Griechen ihre bis dahin unangefochtene Vormachtstellung ein. In Deutschland ergriff
die daraufhin erwachte Begeisterung für alles Griechische, die sich untergründig auch aus wachsender Anti-
pathie gegen die kulturelle und bald auch politische
Vorherrschaft des »romanischen« Frankreich speiste, nahezu die gesamte intellektuelle Elite und wuchs zu einer
Art »Glaubensbewegung« (Pfeiffer [39. II 211]) heran,
die als »Neuhuman.« (auch »Neohuman.«) oder »Zweiter Human.« ›ihren Platz neben den Systemen der führenden Philosophen von Kant bis Hegel einnahm‹
(Pfeiffer [39. II 212]) und über die aus ihr hervorgehen-
den Staatsmänner und Kulturpolitiker bes. Preußens
(W.v. Humboldt, Süvern, Schulze) das schulische Bil-
dungsfundament der nationalen Führungsschicht für
mehr als ein Jh. bestimmte (und auch ins Ausland, insbes. in die USA und nach Italien ausstrahlte). Erst durch
das Aufkommen neuer Gesellschaftsschichten neben
dem Adel und dem Großbürgertum (Industrie-, Han-
dels-, Banken-Bürgertum) im Gefolge der zunehmenden Industrialisierung und der dadurch angebahnten
polit.-militärischen Erfolge Preußens in der 2. Hälfte
des 19. Jh. (die ihrerseits durch die kommunikations-
fördernde Homogenität des allgemeinverbindlichen
neuhuman. Bildungsfundaments der Elite begünstigt
worden waren) begann der Einfluß des Humboldtschen
Bildungsgedankens und damit auch der Griech. Ph. im
dt. Erziehungssystem gegen Ende des 19. Jh. allmählich
abzunehmen. Der Vormarsch der Naturwiss. und die
technische Revolution drängten im Dt. Kaiserreich das

Schulfach Griech. (bald auch Lat.) Schritt für Schritt
zurück. An den Univ. dagegen konnte die Griech. Ph.
(zusammen mit der Lat. Ph.), dank ihrer eindrucksvollen Anpassung an die mod. Forderung nach meßbarer
Produktivität, durch wiss. Großunternehmungen
(Inschr.-, Text-, Fragment-Sammlungen, Lexika) und
Großvisionen (Gesamtrekonstruktion der ant. Welt)
ihre führende Stellung noch bis zum I. Weltkrieg behaupten. Die Erschütterung aller Wertbegriffe durch
den Krieg und seine Folgen (Zusammenbruch des Kaiserreichs, Begründung der Republik) und der dadurch
ausgelöste (bzw. verstärkte) Zweifel an der Richtigkeit
des bisherigen positivistischen und universalistischen
Forschungsideals führte dann zu weitgehender Abwendung der Zwischenkriegsgeneration vom Gedanken der
flächendeckenden Rekonstruktion der ant. Welt in allen ihren Erscheinungsformen und zur Zuwendung
zum Singulären. Diese Entwicklung wurde unterbrochen durch die Machtergreifung des Nationalsozialismus, der die Griech. Ph. in den Dienst seiner anti-
human. Ideologie zu zwingen suchte und zahlreiche
führende dt. Gräzisten jüdischer Abstammung in die
Emigration (bes. in die USA) trieb, und durch den II.
Weltkrieg. Danach folgte in der Bundesrepublik
Deutschland (in der »Deutschen Demokratischen Republik« war die Griech. Ph. zu einem Schattendasein
verurteilt) eine Phase der Restauration, in der zunächst
verschiedenste Strömungen trotz des inzwischen einge-
tretenen gesamtgesellschaftlichen Bedeutsamkeitsver-
lusts der Disziplin nebeneinanderher existierten und in
unbefragter Selbstverständlichkeit »ihr Geschäft betrieben«. In dieser Phase der äußeren Unbedrängtheit dank
Wirtschaftsaufschwung und Ideologie des Kalten Krieges erlebte die als Trägerin westlicher Werte geförderte
Griech. Ph. ihre größte je erreichte institutionelle Ausdehnung innerhalb des westlichen (»abendländischen«)
Kulturkreises und darüber hinaus. Zugleich verlor die
dt. Griech. Ph. durch die von ihren seinerzeit vertrie-
benen Repräsentanten bewirkte Emanzipation insbes.
der US-amerikanischen Griech. Ph. ihre international
dominierende Stellung und geriet zudem durch eine
z. T. selbstgefällige Abwehrhaltung gegenüber revolu-
tionierenden fachlichen Entdeckungen, die aus dem an-
glophonen Raum kamen (Entschlüsselung von Linear
B, *Oral poetry*-Forsch.), zeitweise stark ins Hintertreffen.
Der allg. Überdruß an der ideenlosen Selbstreproduk-
tion einer Konsum- und Wohlstandsgesellschaft mit ihrem routinemäßigen Bildungs- und Wissenschaftsbetrieb ließ in den sechziger J. des 20. Jh. in der Bundesrepublik Deutschland erste kritische und selbstkritische
Stimmen auch in der Griech. Ph. lautwerden, die, durch
die 68er Bewegung verstärkt, zu einer intensiven und
ausgedehnten Suche nach neuem Sinn und zu einer Fülle von experimentellen Antworten führten, aber bisher
keine überzeugende Lösung anzubieten vermochten.
Die gegenwärtige Situation der Griech. Ph. ist insbes. in
ihren europ. Mutterländern labil – in der erfolgsver-
wöhnten deutschsprachigen Griech. Ph. wird sie sogar

als prekär empfunden –, da sich der westliche Kultur-
kreis, in einer umfassenden Orientierungskrise gefangen, über seinen künftigen Weg: Versuch einer radikalen Abkehr von der Trad. oder maßvolle Rückkehr zu
ihr, (noch) nicht klargeworden ist.

3. 1800 BIS 1920: VERWISSENSCHAFTLICHUNG (HISTORISIERUNG, SYSTEMATISIERUNG, STREBEN NACH UNIVERSALITÄT)

Die Begründung der neuzeitlichen Griech. Ph. als
Wiss. ergab sich im Rahmen der allg. Verwissenschaftlichung des Lebens als einer Folge der europ. Aufklä-
rungsbewegung des 17./18. Jh., die im deutschsprachigen Bereich während der 2. H. des 18. Jh. ihre Hauptvertreter in Kant und Lessing fand. Im Zuge der durch
die Aufklärung bewirkten Lösung aus Trad., Konventionen und Normen und der Etablierung der Vernunft
(*ratio*) als Richt- und Leit-Instanz des menschl. Lebens
und Wirkens wurde Wiss. als rein objektbezogene, von
ideologischen Zwecksetzungen befreite Erkenntnissu-
che möglich. In den mit der Ant. befaßten Bereichen
der Univ. führte das zur Befreiung aus der Dienstbarkeit
gegenüber der Kirche – bis dahin hatten Griech. Ph.
und Lat. Ph. weitestgehend als Hilfsdisziplinen bei der
Ausbildung künftiger Kirchenmänner fungiert – und
damit zur Ausbildung und Verfolgung eigener, rein
sachbedingter Erkenntnisinteressen (Prinzip der Freiheit von Forsch. und Lehre). Zur ersten und entscheidenden Erkenntnis der Ph. wurde die Einsicht in die
geschichtliche Bedingtheit ihrer Gegenstände. Ange-
bahnt wurde diese Einsicht im Rahmen eines Prozesses
wechselseitiger Beeinflussung durch Schriften, Korrespondenz und persönliche Begegnungen innerhalb eines Kreises philhellenischer Antikekenner, dessen wirkungsmächtigste Repräsentanten in den etwa 65 J. zw.
1755 (Winckelmanns Programmschrift, s. unten) und
1819 (Rücktritt W. v. Humboldts als preußischer Kultusminister) einerseits die nicht universitär gebundenen
Theologen, Philosophen, Literaten und Dichter
Winckelmann, Wood, Herder, Lessing, Wieland, W. v.
Humboldt, Goethe und Schiller, andererseits v. a. die
Universitätsprofessoren Christian Gottlob Heyne
(1729–1812) und sein Schüler Friedrich August Wolf
(1759–1824) waren (zu diesem Kreis und zur geistigen
Situation dieser Zeit allg. s. [43]).

Eingeleitet wurde dieser Prozeß 1755 durch Winckelmanns Schrift *Gedancken über die Nachahmung der
griech. Wercke in der Mahlerey und Bildhauer-Kunst*, in deren Eingangsteil der für die Begründung des Neuhuman. programmatische Satz fiel: ›Der eintzige Weg für
uns, groß, ja wenn es möglich ist, unnachahmlich zu
werden, ist die Nachahmung der Alten, sonderlich der
Griechen‹ [12. II 6. § 6]; denn ›die edle Einfalt und stille
Größe der Griech. Statuen ist zugleich das wahre Kennzeichen der Griech. Schriften aus den besten Zeiten‹
[12. II 13]. Dieser (Platonische) Appell zur Selbsterhö-
hung in der Gegenwart durch den Blick auf die »idealen« Texte und Kunstwerke der griech. Klassik (der unbeschadet aller zwischenzeitlichen Desillusionierungen

noch rund 200 J. später in reflektierter Form als einzige
Legitimierungsmöglichkeit der Griech. Ph. wieder-
kehrt: ›Humanismus (…) entspricht nur einem Instinkt
des Lebens zur Steigerung über sich selbst hinaus‹: U.
Hölscher 1962 [27. 277]) wirkte auf die Zeitgenossen als
lang ersehnte Proklamation einer allumfassenden Erneuerung. Auf diesem Nährboden konnte Winckelmanns neun J. später (1764) folgende *Geschichte der Kunst
des Alterthums* (von Ägypten bis Rom), deren Griechen-
land-Kapitel den Höhepunkt bildete, in ganz Europa
eine neue Griechenbegeisterung auslösen, die in
Deutschland als »Neuer (auch: Zweiter) Human.« oder
»Neohellenismus« fast zur Religion wurde (schon 1797
von Schiller in den Xenien als ›hitziges Fieber‹ der
»Graekomanie« gegenüber dem ›kalten Fieber‹ der gerade überwundenen »Gallomanie« identifiziert), ›und
aus eben dieser Kraft erneuerte sich die klassische Ph. in
Deutschland‹ (R. Pfeiffer [39. II 212]).

Die Umsetzung dieser Bewegung in den praktischen
Wissenschaftsbetrieb der Griech. Ph. vollzog als erster
Chr. G. Heyne [39. II 212], der nunmehr sein seit 1763 in
der Nachfolge Gesners geleitetes Göttingisches *Seminarium philologicum* aus einer Art Lehrerbildungsanstalt
für Pfarramtsanwärter im Wartestand weitgehend in
eine altertumswiss., vorzugsweise gräzistische For-
schungsvorschule (mit Textinterpretationen und Diskussionen über die schriftl. vorgelegten Abhandlungen
der Seminaristen) umformte: ›the birth of the modern
seminar‹ (→ Philologisches Seminar). Sein Schüler
F. A. Wolf (1777 in Göttingen immatrikuliert), der 1783
Ordinarius für Philosophie und Pädagogik (seit 1784 für
Eloquenz und Poesie) an der preußischen Univ. Halle
geworden war, vollendete Heynes Umformungswerk,
indem er 1787 in Halle das erste *Seminarium philologicum*
gründete, das unter ausdrücklichem Ausschluß von
Theologie-Studenten allein der Ausbildung künftiger
Griech.- und Lateinlehrer diente. Damit begründete er
jenen neuen Berufsstand des Gymnasialprofessors, der
nun für mehr als ein Jh. das Rückgrat des neuen »human.« Gymnasiums (anstelle der alten Fürsten- und Lateinschulen) bilden sollte. Damit wiederum war einerseits der preußischen (und schon vorher bayerischen)
Schul- und Universitätsreform von 1809/10 unter W. v.
Humboldt (auch er Heyne-Schüler) der (neuhuman.)
Weg praktisch vorgezeichnet [32], andererseits der Ph.
als Wissenschaftsdisziplin eine gesellschaftspolit. Aufgabe als »Produktionsstätte« der nun in zunehmender
Anzahl benötigten »gelehrten Schulmänner« und ihrer
akad. Lehrer zugewiesen. Wolfs *Seminarium philologicum*,
das rasch von anderen Universitäten (und anderen Universitätsfächern) innerhalb und außerhalb Preußens und
des Deutschen Bundes übernommen wurde, wurde so
zur tatsächlichen »Pflanzstätte« der gesamten neuhuman. Bildungs- und damit Gesellschaftsreform und auf
diese Weise zur institutionellen Grundlage der neuen
»Nationalbildung«. Dies um so effizienter, als Wolf in
Applikation der zu Beginn der neunziger J. ausgeform-
ten Bildungstheorie W. v. Humboldts auf die Ph. dem

zuvor allzu einseitig ästhetisch und emotional besetzten Neuhuman. nun auch noch ein theoretisches Fundament und eine pragmatische Zwecksetzung gab: 1792 hatte Humboldt die ›Zentralformel in der Bildungsgeschichte des 19. Jh.‹ [33. 208] formuliert: ›Der wahre Zwek des Menschen (…) ist die höchste und proportionirlichste Bildung seiner Kräfte zu einem Ganzen‹ [4. I 64], und als idealen Gegenstand dieser Bildung der menschlichen Kräfte hatte er die ›Geistesprodukte‹ der Griechen bestimmt, da nur der ›Charakter der Nation der Griechen (…) demjenigen Charakter des Menschen überhaupt, welcher in jeder Lage, ohne Rücksicht auf individuelle Verschiedenheiten da sein kann und da sein sollte, am nächsten‹ komme [4. II 9] (konzise Analyse bei [33]). In seiner 18mal wiederholten Vorlesung *Encyclopaedia philologica* (die er dann 1807 als *Darstellung der Alterthumswiss. nach Begriff, Umfang und Zweck* publizierte) bestimmte Wolf in Übereinstimmung damit die »Altertumswiss.« als Erkenntnis der Ant. in allen ihren Erscheinungsformen (Sprache, Lit., Kunst, Wiss., Religion, Sitten usw.) aus sämtlichen verfügbaren Quellen-Arten (Texte, Kunstwerke, Alltagsphänomene wie Inschr., Mz. usw). Damit definierte er die Ph. als histor. Wiss., die ihre Forschungsgegenstände stets in deren weitestmöglichen ursprünglichen geschichtlichen Kontext zu sehen und zu verstehen habe. Dieser universale Anspruch auf histor. Grundlage und verbunden mit der Forderung nach methodischer Strenge bei der Erfassung und Verknüpfung der Einzelphänomene, den er in den *Prolegomena ad Homerum* von 1795 exemplarisch einlöste (→ Homerische Frage), wurde bei allen Variationen im Detail zum Leitbild der dt. Klass. Ph. bis zum Ende des I. Weltkriegs und lebt in seiner historistischen und methodologischen Komponente bis zur Gegenwart fort. Das letzte Ziel dieser Wiederherstellung der histor. realen Welt der Ant. freilich, die Selbstformung des Wiederherstellenden im Akt des Wiederherstellens zu einer freien, autonomen, intellektuell und ästhetisch verfeinerten Persönlichkeit, geriet in der Folgezeit immer wieder einmal aus dem Blick und mußte immer wieder neu »entdeckt« werden. Die Geschichte der Griech. Ph. stellt sich daher von Winckelmann, Humboldt und Wolf bis heute als ein dialektischer Prozeß zw. Phasen der Nähe und Phasen der Ferne zum human. Ur-Ideal bewußter Ant.-Verinnerlichung als Mittel der Persönlichkeitsbildung dar. Da die Ant. unauslösbarer Bestandteil des europ. Kulturtyps ist, dürfte dieser Prozeß mit den drei bisher aufgetretenen Hauptphasen der Nähe (1., 2., 3. Human.) infolgedessen auch noch nicht abgeschlossen sein.

Wolf hatte der Winckelmann-Humboldtschen Vision einer »allgemeinen Menschenbildung« durch Selbstvervollkommnung in nacheifernder Aneignung der qualitätvollsten Kulturschöpfungen der Griechen ein System gegeben und einen Weg zur Umsetzung in die Praxis eröffnet. Die Ph., und konsequenterweise in erster Linie die Griech. Ph., war nun aufgefordert, das System mit Inhalt zu füllen und seine Nutzung für die

Nationalbildung zu realisieren. Beide Aufgaben, die sie mit großem Elan in Angriff nahm, beschäftigten sie das ganze 19. Jh. hindurch mit staunenswerten Ergebnissen, aber auch mit einer angesichts der gigantischen Dimension des Leistungsanspruchs wachsenden Angestrengtheit. Das urspr. human. Ziel des »gesteigerten Lebens« geriet immer mehr aus den Augen und konnte schließlich nur noch im Ethos der wiss. Kärrnerarbeit selbst gefunden werden. Mit der Erkenntnis des Surrogatcharakters dieses Trostes erwuchs das »Leiden« am Humanismus. Gegen das Jh.-Ende beginnt folgerichtig die beschwörende Glorifizierung und Sakralisierung der Fron im Dienst der »heiligen« Wiss., die schließlich im Gefolge des Wertzerfalls in Krieg und Nachkriegsdemütigung zur Krise und zum Ruf nach Richtungswechsel führen wird.

Zunächst jedoch beginnt der Aufstieg. W. v. Humboldt – Jurist, Klassischer Philologe, Sprachforscher und Pädagoge in einem – leitet als Direktor für Kultus und Unterricht im Berliner Innenministerium im J. 1809/10 im Zusammenwirken u. a. mit dem Wolf-Schüler und späteren -Kollegen Friedrich Schleiermacher (1768–1834) seine Reform des preußischen Bildungswesens mit der Neugestaltung der (seit 1700 bestehenden) Königlichen Akad. der Wiss. und der Gründung der Königlichen Friedrich-Wilhelms-Univ. (heute Humboldt-Univ.) zu Berlin ein. Zu den zuerst berufenen Professoren im geisteswiss. Bereich gehören neben Schleiermacher und Wolf selbst v. a. Heyne- und Wolf-Schüler: Philipp Buttmann (1764–1829), Ludwig Friedrich Heindorf (1764–1816), Ludwig Ideler (1766–1846), August Boeckh (1785–1867), Immanuel Bekker (1785–1871), etwas später noch Gottfried Bernhardy (1800–1875). Daneben halten Wolf-Schüler aber auch ins Kultusministerium, und zwar in die Unterrichtsabteilung, Einzug, darunter als einflußreiche Direktoren Johann Wilhelm Süvern (1775–1829) und Johannes Schulze (1786–1869). Die neuhuman. Bildungsidee wird auf diese Weise zeitgleich in Wiss., Univ. und Höherem Schulwesen (Gymnasialwesen) verankert. Durch die Gründung der Berliner *Graeca* [45. 9], der alle Genannten (außer Wolf), später u. a. auch Lachmann und Meineke (s. unten) angehören, wird zudem für kontinuierlichen Kontakt zw. den Persönlichkeiten und Institutionen gesorgt. Die pädagogische Gesamtrichtung ist damit festgelegt, die Dominanz des Griech. gesichert. Die geballte Kraft dieses neuen Geistes- und Willenszentrums, das sein ideelles Vorbild im alexandrinischen Museion hat, strahlt sogleich auf die 19 weiteren preußischen Univ. (→ Universität III.) und darüber hinaus auf die gesamte europ. Universitätslandschaft aus.

Innerfachlich führte bereits in dieser ersten Generation nach Wolf die natürliche, schon seit den alexandrinischen Fachbegründern bestehende Zweistufigkeit philol. Arbeitens – Text-Herstellung vs. Text-Auswertung – zu einem durch Wolfs explizit universale Zielsetzung bedingten Grundsatzstreit, der als Auseinandersetzung zw. »Wortph.« und »Sachph.« die Methodendiskussion bis etwa 1850 bestimmte, Schulbildungen veranlaßte und sogar persönliche Feindschaften auslöste [45. 16]. Äußerer Anlaß war die Weiterbildung des Wolfschen Ansatzes durch August Boeckh, der seit seiner Berufung zum Direktor des Berliner Philol. Seminars 1811 in einer über 26 J. hinweg in immer verfeinerterer Form gehaltenen Vorlesung *Encyklopädie und Methodologie der philol. Wissenschaften* ein auch durch Hegelsche Gedanken bestimmtes System der Altertumswiss. bzw. »neuen Ph.« entwickelte, das für jede Einzelforsch. die Kenntnis des Ganzen voraussetzte und damit die seit altersher betriebene grammatisch-textkritische Ph. mit ihrer oft erstaunlichen Unbekümmertheit um die Text-Inhalte entschieden abwertete: ›die Masse der Altertumsgelehrten, der jüngeren vorzüglich, (gefalle sich) selbstgenügsam in einer an sich keineswegs verächtlichen, aber meist auf das Geringfügigste gerichteten Sprachforschung‹ [1. V/VI]; wahre Ph. hingegen (und zwar nicht nur Griech. und Lat. Ph.) ziele als »Kunde« im weitesten Wortsinn auf die Erkenntnis alles von Menschen Geschaffenen und dessen histor. Entwicklung, einschließlich des darin sich manifestierenden Geistes ab, und nur in der Suche nach solcher umfassender Erkenntnis könne der Mensch ganz er selbst werden – weswegen nur eine so aufgefaßte Wiss. die Verwirklichung des Menschseins, also Humanität, verbürge. Eine derart hochfliegende Programmatik mußte wegen ihrer extrem universalistischen Zielsetzung und ihres Ausschließlichkeitsanspruchs auf Widerstand stoßen. Zu dessen Wortführer wurde der Leipziger Philologe Gottfried Hermann (1772–1848), ein hervorragender Kenner der griech. wie der lat. Dichtersprache, dessen Text-Ausgaben (*Orphica*, 1805; *Aischylos*, 1852 postum) aufgrund seiner grammatisch und metrisch gründlich fundierten textkritischen Methode vorbildlich waren und der mit manchen sprachlichen Beobachtungen seiner Zeit weit vorauseilte (Milman Parrys *Oral poetry*-Theorie hat er z. B. bereits 1840 im Kern vorweggenommen [36. 33–36]).

Der Streit, der hier nicht nachgezeichnet werden kann (dazu [37]), wurde von den Zeitgenossen als Belastung empfunden, muß jedoch aus heutiger Sicht positiv gewertet werden, da er nicht nur die gegenseitige Beeinflussung der Kontrahenten und damit ihre kritische Reflexion auf das je eigene Tun förderte, sondern auch ihren Überbietungsehrgeiz anstachelte. Die Produktion wurde dadurch quantitativ und qualitativ erheblich gesteigert, der histor. Sinn geschärft und die Anzahl der von der Griech. Ph. edierten Texte und erschlossenen Sachgebiete in diesen Jahrzehnten sprunghaft vermehrt. Im Verlauf der konkreten Arbeit brach sich dabei auf beiden Seiten allmählich die (heute selbstverständliche) Einsicht Bahn, daß Wort- und Sachkunde bei der philol. Arbeit im Interesse ganzheitlichen Verstehens Hand in Hand gehen müssen – wobei der Einzelne in seiner Forsch. aufgrund der natürlichen Neigungsunterschiede wohl immer die eine der beiden Richtungen bewußt oder unbewußt bevorzugt wird.

In der zweiten H. des 19. Jh. verlor der Streit demgemäß zunehmend an Bedeutung (lebt jedoch als latentes Ressentiment beiderseits noch heute fort).

Die aus dieser Auseinandersetzung resultierende, in heutiger Sicht nach Umfang und Qualität überwältigende Leistungsbilanz der Griech. Ph. in den rund 85 J. zw. Boeckhs und Wilamowitz' Berliner Amtsantritt (1811 bzw. 1897) kann hier nur skizziert werden: Während Wolf selbst bei der Berufung nach Berlin seine fruchtbarste Zeit, die 23jährige Tätigkeit in Halle (1783–1806), bereits hinter sich hatte und in Berlin nie heimisch wurde, übte sein Schüler Boeckh in den über 50 J. seines Wirkens an Univ., Akad. und Seminar für Gelehrte Schulen (seit 1819) einen später allenfalls noch von Wilamowitz erreichten Einfluß auf die Entwicklung der Griech. Ph. aus. Als Gelehrter, Universitätslehrer, Wissenschaftstheoretiker und -organisator sowie als Berufungs- und Lehrerbildungsstratege gleich bedeutend und erfolgreich, sechsmal Dekan, fünfmal Rektor, im In- und Ausland Mitglied zahlreicher wiss. Gesellschaften und Akad., galt er bereits der Nachfolgegeneration als ›König der Wiss.‹ [2. 26]. Boeckh begann mit Studien zu Platon und den Pythagoreern und kam dadurch zur Beschäftigung mit griech. Mathematik, Astronomie, Musiktheorie und Metrik; daraus erwuchs neben einer bes. in der Metrik wegweisenden Pindar-Ausgabe (1811–1822) seine bahnbrechende *Staatshaushaltung der Athener* (1817 [1]), mit der er die griech. Wirtschaftsgeschichte begründete und der beginnenden systematischen Erforsch. der polit. Geschichte der Griechen wichtige Impulse gab. Das Werk basierte in großem Umfang auf Inschr., und so war es nur konsequent, daß Boeckh bereits 1815 in der Akad. einen *Thesaurus Inscriptionum* beantragte, der alle griech. und lat. Inschr. erfassen sollte (→ Inschriftenkunde). Zum Leiter des Unternehmens bestellt, konnte Boeckh noch das Erscheinen wenigstens der griech. Inschr. in den vier Bänden des *Corpus Inscriptionum Graecarum* (CIG: 1828/1843/1853/1859; Index-Bd. 1877) erleben; bei den lat. Inschr. (CIL) sollte dann von 1858 an Theodor Mommsen (1817–1903) seine Nachfolge antreten.

Auf den Spuren des Meisters setzte in den Folgejahren Boeckhs große Schülerschar das Forschungsprogramm ihres Lehrers in die Wirklichkeit um: Gottfried Bernhardy (1800–1875) wurde zum Begründer der griech. Literaturgeschichte; Karl Otfried Müller (1797–1840) legte die Grundlagen für die griech. Religions-, Myth.- und Kunstgeschichte; Friedrich Adolf v. Trendelenburg (1802–1872) wandte sich der Philosophiegeschichte zu (sein Nachfolger Eduard Zeller, 1814–1908, hatte in Tübingen mit seiner großen *Philosophie der Griechen in ihrer geschichtlichen Entwicklung*, 1844/1852, den Weg gewiesen); Johann Gustav Droysen (1804–1884), zunächst als Übersetzer der damals im Publikum nicht wenig bekannten Dichter Aischylos und Aristophanes hervorgetreten, wurde durch seine polit. Interessen auf die Geschichtsschreibung gelenkt und öffnete mit seiner *Geschichte Alexanders des Großen*

(1833) und seiner *Geschichte des Hellenismus* (1836–1843) den Blick für eine objektive Bewertung Alexanders und der ganzen auf ihn folgenden Epoche; Ernst Curtius (1814–1896) begründete die Landeskunde (*Peloponnesos*, 1851/52), trieb mit seiner *Griech. Geschichte* (1857–1861) die Fachreflexion in der entstehenden Disziplin »Alte Geschichte« voran und wurde schließlich als Freund der kaiserlichen Familie und Lehrstuhlnachfolger (1868) des noch von Wolf geprägten Archäologen Eduard Gerhard (1795–1867), des Begründers des »Istituto di Correspondenza Archeologica« in Rom (1829, seit 1874 »Dt. Arch. Inst.«), durch die Initiierung der Olympia-Grabung (seit 1874/75) zu einem der Gründerväter der mod. Ausgrabungsarch.; Heinrich Kiepert (1818–1899) begründete die Geographie und Kartographie Griechenlands; Hermann Bonitz (1814–1888) gab mit seinen *Platonischen Studien* (1858–1860) und *Aristotelischen Studien* (1862–1867) sowie mit seinem Index-Band (1870) zu Bekkers vierbändiger Aristoteles-Ausgabe (s.u.) der Philosophiegeschichte wichtige Impulse; Adolf Kirchhoff (1826–1908) schließlich, seit 1865 Boeckhs Nachfolger an Univ. und Akad., bewährte sich ebenso als analytischer Philologe in Wolfs und Lachmanns Geist (*Die homer. Odyssee und ihre Entstehung*, 1859. ²1879; Arbeiten zur Komposition der Werke von Hesiod, Herodot, Thukydides und der Kranzrede des Demosthenes) wie als Erneuerer des von seinem Lehrer Boeckh geschaffenen Inschr.-Corpus (*Corpus Inscriptionum Atticarum*, CIA, 1873–1891, = Bd. 1 der *Inscriptiones Graecae*, IG; Neubearbeitung 1999 von der Berlin-Brandenburgischen Akad., Nachfolgerin der Preußischen Akad., beschlossen).

Wolfs und Boeckhs Idee der Gesamtrekonstruktion, wie sie in der allmählichen Erfassung zahlreicher Teilgebiete der griech. Kultur durch ihre Schüler konkrete Gestalt gewann, strahlte von Berlin natürlich auch auf andere Standorte der Griech. Ph. aus. Besondere Bedeutung erlangte dabei die Bonner Schule, die, vom Latinisten Friedrich Ritschl (s. II.) abgesehen, in Friedrich Gottlieb Welcker (1784–1868), Otto Jahn (1813–1869) und Hermann Usener (1834–1905) ihre im 19. Jh. bedeutendsten Vertreter fand. Schon Welcker, von seiner Ausbildung her Theologe und ›als klassischer Philologe völliger Autodidakt‹ [31. 107], hatte durch seine weitausgreifende implizite Widerlegung der Wolfschen Ilias-Analyse in seinem großen Werk *Der epische Cyclus oder die Homer. Dichter* (1835/1849) sein besonderes Interesse für eine histor. fundierte Sagenforschung und Myth. bezeigt. Jahn, der 1833–1835 in Berlin sowohl bei Boeckh als auch bei Lachmann, daneben aber auch beim Archäologen Eduard Gerhard gehört hatte, ging neben seiner editorischen, arch. und musikologischen Arbeit, in der er Wort- und Sachph. vereinigte, seit 1855 in Bonn Welckers Weg weiter in Richtung auf die Religionsgeschichte (*Über den Aberglauben des bösen Blicks bei den Alten*, 1855). Usener schließlich, seit 1866 in Bonn, krönte diese Richtung durch anregungsreiche religionswiss. Untersuchungen wie das *Weihnachtsfest* (1888), die *Sintflutsagen* (1899) und bes. die *Götternamen* (1896).

Während so die weißen Flecken auf der Karte des Wolf-Boeckhschen altertumswiss. Universums durch Ausbildung von Teildisziplinen (Alte Geschichte, Arch., Epigraphik, Philosophiegeschichte, Religionsgeschichte, Geographie, Landeskunde u. a.) allmählich zu schrumpfen begannen – das Ganze allerdings gleichzeitig auch immer unüberschaubarer wurde –, blieb auch die »Wortph.« nicht untätig. Bereits vor dem Ausbruch des Streites hatte Philipp Buttmann (1764–1829; seit 1806 Mitglied der Berliner Akad.) die Kenntnis der griech. Sprache durch seine Grammatiken auf eine neue Grundlage gestellt: Die *Griech. Schulgramm.*, zuerst 1792, bestimmte und belebte für Jahrzehnte den Griech.-Unterricht an den dt. Gymnasien, die *Griech. Sprachlehre*, zuerst 1819/1827, noch von Jacob Wackernagel als unübertroffen bezeichnet, diente den Gräzisten der Zeit bei der Text-Edition als Vademecum. Eine neue Epoche begann für die Griech. Ph., wie für alle Bereiche der Kulturwiss., mit Franz Bopps (1791–1867) Begründung der Vergleichenden idg. Sprachwiss. durch sein Werk *Vergleichende Gramm. des Sanskrit, Zend, Griech., Lat., Litauischen, Gothischen und Deutschen* (I–IV, 1833–1852). Auf ihr basierte die *Griech. Schulgramm.* (1852) des Bopp-Schülers Georg Curtius (1820–1885), die sogleich die älteren Lehrwerke Buttmanns und Karl Wilhelm Krügers (1796–1874; *Griech. Sprachlehre für Schulen*, 1842/1855) aus dem Griech.-Unterricht der preußischen Gymnasien verdrängte und bis 1902 nicht weniger als 23 Auflagen erlebte. Curtius war es auch, der mit seinen *Grundzügen der griech. Etymologie* (1858/1862) dem Wildwuchs auf diesem Gebiet ein Ende setzte. Was hier für den Schulunterricht geleistet wurde, leistete für die Wiss. Raphael Kühner (1802–1878) mit seiner *Ausführlichen Gramm. der griech. Sprache* (1844/45; später neubearbeitet von Blass und Gerth). Dem Aufschwung der Gramm. stellte sich derjenige der Lexikographie an die Seite: Die erste Auflage des WB von Franz Passow erschien 1819, die erste Auflage von Wilhelm Papes *Griech.-Dt. HWB* 1842. Auf Passow und Pape basierte das *Greek-English Lexicon* von Henry George Liddell und Robert Scott (1843. ²1845), das der Griech. Ph. in regelmäßig aktualisierten Auflagen bis zum heutigen Tage als Basiswerk dient. Für ein sprachwiss. fundiertes Verständnis der griech. Dialekte schließlich hatte Heinrich Ludolf Ahrens (1809–1881) mit seinem Werk *De Graecae linguae dialectis* (1839) gesorgt.

Auf diesen Grundlagen konnte die »Wortph.« nunmehr Textausgaben höchster Qualität schaffen, die der »Sachph.« festen Boden gaben. Unter den Editoren des 19. Jh. ragten bes. hervor der Wolf-Schüler Immanuel Bekker (1785–1871; seit 1810 Professor in Berlin), Karl Lachmann (1793–1851; seit 1825 Professor in Berlin) und August Meineke (1790–1870; Direktor des Berliner Joachimsthalschen Gymnasiums und seit 1830 Mitglied der Akademie). Bekker hat etwa hundert griech. Autoren auf der Basis eigener Handschriftenkollationen ediert und seine Editionstätigkeit mit der Akad.-Ausgabe des Aristoteles (I–IV, 1831–1836) gekrönt; Lachmann, dessen Hauptarbeitsgebiet die Ed. lat. Dichter (Catull, Tibull, Properz, Lukrez) unter Anwendung seiner berühmt gewordenen textkritischen Methode [41], daneben aber auch die mittelhochdt. Dichtung war, hat sich in der Griech. Ph. ein bleibendes Verdienst durch seine Ausgabe des NT (1842/1850) erworben (seine aus der Arbeit am Nibelungenlied auf Homer übertragene Einteilung der Ilias in 18 Einzellieder, bekannt als »Lachmannsche Liedertheorie«, war dagegen von unhistor. Willkür geprägt [42. 131–133]); Meineke schließlich legte durch seine große Ausgabe der Fr. der griech. Komödiendichter (*Fragmenta comicorum Graecorum* I-IV, 1839–1841; Band I stellt eine Geschichte der griech. Komödie dar) den Grund für alle künftige Arbeit auf diesem Gebiet bis zur Ausgabe von Kassel/Austin [5]; auch mit der Erschließung der hell. Dichter (*Analecta Alexandrina*, 1843) sowie der griech. Geographen (*Vindiciae Strabonianae*, 1852; Strabon-Ausgabe 1852/53) hat er Bleibendes geleistet. Auf dem Weg dieser drei Meister sind dann August Nauck (1822–1892) mit seiner Sammlung der Tragiker-Fragmente (*Tragicorum Graecorum Fragmenta*, 1856; für Euripides noch unersetzt), Rudolf Hercher (1821–1878) mit seinen Ausgaben kaiserzeitlicher griech. Schriftsteller (Plutarch, Arrian, Artemidor u. a.) sowie seiner Sammlung der griech. Romane (*Erotici Graeci*, 1858/59) und Johannes Vahlen (1830–1911), besser bekannt als Latinist, mit seiner Ausgabe der *Poetik* des Aristoteles (1868; Grundlage u. a. für Jacob Bernays' 1880 erschienenen wichtigen Beitrag zur Katharsis-Deutung) weitergegangen. Von großem Nutzen für die editorische Arbeit waren in diesen Jahrzehnten die oft unterschätzten → Schulprogramme, die durch die ebenso unerläßliche wie (mangels EDV) zeitraubende Arbeit des Material- und Stellensammelns und die minutiöse Aufarbeitung von (oft grammatikalischen) Spezialfragen ebensowohl der Wiss. wie der Selbstachtung der Gymnasialprofessoren als »gelehrter Schulmänner« dienten. In noch höherem Grade gilt das von den damals von Gymnasialprofessoren erarbeiteten Schulkommentaren (z. B. Ameis/Hentze zur Ilias: 6 Aufl. von 1868–1908; Classen/Steup zu Thukydides, 5 Aufl. von 1862–1919, nach Wilamowitz ›der einzige wiss. dt. Kommentar‹), deren Anspruchsniveau sich Gymnasiasten längst nicht mehr, Studenten heute nur noch ausnahmsweise gewachsen zeigen.

Die Ausfüllung des Wolf-Boeckhschen Programms hatte zwar zu einer unerhörten Steigerung von Quantität, Qualität, Methodik und Systematik (und via Lehrerbildung und Gymnasialunterricht in den Alten Sprachen auch zur Hebung des intellektuellen Niveaus sowie zur Erziehung zu Genauigkeit, Gewissenhaftigkeit, Ausdauer und verwandten Tugenden in der heranwachsenden nationalen Elite [32. 209]) geführt, hatte aber andererseits eine starke Auffächerung der Ph. in Einzelgebiete mit hoher Spezialisierung, entsprechender Dissoziation und Verzettelung in Details mit sich gebracht. Als Folge begann sich zunächst Frustration und

dann der Wunsch nach Wiederbelebung durch Zusammenführung des Getrennten auszubreiten. Eine der frühesten Stimmen im Chor der Ernüchterten und Aufbegehrenden ist die Friedrich Nietzsches (1844–1900), der, selbst Ritschl-Schüler und von diesem 1869 für die Basler Griech.-Professur empfohlen, bereits Mitte der siebziger J. die »Ameisenarbeit« der Philologen geißelt: ›Man sehe nur, womit ein wiss. Mensch sein Leben todt schlägt: was hat die griech. Partikellehre mit dem Sinne des Lebens zu thun?‹ [6. Bd. 8, 32: 3; 1875]. Nietzsches ständig neu variierte Forderung, daß die Wiss. dem Leben dienen müsse und nicht umgekehrt, und dies gerade auch in ihrem Anwendungsbereich, dem Gymnasialunterricht, wird freilich erst Jahrzehnte später, nach dem I. Weltkrieg, offene Ohren finden [26. 106–115]. Vorderhand behauptet die Selbstaskese im Dienst der Wiss. das Feld.

Sie personalisiert sich in Ulrich v. Wilamowitz-Moellendorff (1848–1931), einem Mitschüler Nietzsches in Schulpforte, der die auseinanderfallende Griech. Ph. ebensosehr durch seine außergewöhnliche Kreativität wie durch die besitzergreifende Kraft seiner Persönlichkeit zu einer damals kaum noch erhofften Synthese bringt. Wilamowitz, heute weltweit ›zu Recht als der größte Gräzist der Neuzeit‹ [23. 489] angesehen, hat in den 46 J. seines Wirkens als Universitätsprofessor (1876–1883 Greifswald, 1883–1897 Göttingen, 1897–1921 Berlin) der Griech. Ph. noch einmal einen Glanz verliehen, von dem sie über seine Schüler und Enkelschüler noch in seinen heutigen Urenkelschülern zehrt. Seine Bedeutung, die hier auch nicht im Ansatz ausgeschöpft werden kann (s. bes. [17; 23; 30]), liegt v. a. in der Vitalisierung des Fachs durch Wiedervereinigung aller seiner Teildisziplinen zu einer neuen Form der Altertumswiss., deren Ziel es war, das Alt. in seiner Totalität wieder lebendig zu machen (›Wiedergegenwärtigmachen des ganzen Lebens der Alten‹ [10. 1]: sog. »Totalitätsideal«). Damit übernahm er die Zielsetzung seines Schwiegervaters Theodor Mommsen (1817–1903; seit 1858 Mitgl. der Berliner Akad., seit 1861 Professor in Berlin), der in seiner *Röm. Geschichte* (I-III 1854–1856; V 1885) keine Parallelisierung ant. Phänomene mit Gegenwartsphänomenen scheute, um das ant. Rom möglichst realistisch »faßbar« zu machen. Wilamowitz übertrug diesen (in seiner unreflektierten Direktheit auch damals schon nicht unumstrittenen) Ansatz von der röm. auf die griech. Altertumskunde und vom Teilgebiet der polit. Geschichte auf das Gesamtgebiet der Altertumswissenschaft. Zugleich übernahm er Mommsens methodischen Grundsatz, an die Stelle philos., ästhetischer oder sonstiger theoretisch-spekulativer Leitgedanken bei der Darstellung ant. Phänomene ausschließlich die reine, objektive, wertfreie Zugrundelegung der Quellen zu setzen (Positivismus). Dazu bedurfte es einer Dimension des Quellensammelns, die im Geiste der Mommsenschen »Großwiss.« (als Parallele zur »Großindustrie«, zum »Großstaat« u. ä.) alles bis dahin Gewohnte überstieg und die Ph. zum

»Großbetrieb Wiss.‹ [10. 70] machte, in dem der Philologe als zuarbeitender ›Berufsspezialist für Trad. und Bildung‹ [26. 105] zu »funktionieren« hatte. Oberstes Ziel der philol. Arbeit ist nun konsequenterweise nicht mehr, wie bei Humboldt, Wolf und Boeckh, die harmonische Ausbildung aller im Einzelmenschen angelegten Kräfte, sondern die Zufriedenstellung der ›Majestät der Wissenschaft‹, zu der ›der Philologe von seiner kleinlichen Werkeltagsarbeit das Auge aufschlägt‹ und die ihm ›durch Arbeit einen Anteil am Ewigen und Unendlichen‹ verheißt [11. 108]. Wilamowitz' eigener Beitrag zu diesem religiös empfundenen Wissenschaftsdienst bestand in rund 50 Büchern, einer kaum überschaubaren Zahl von Aufsätzen, der Anleitung von 89 Doktoranden und der Heranbildung von etwa 50 späteren Fachvertretern, der Leitung bzw. Beaufsichtigung von großen Akad.-Unternehmungen wie dem *Corpus Medicorum Graecorum* und den *Inscriptiones Graecae*, der Mitarbeit in der Kirchenväterkommission der Akad., der Herausgabe von Papyri aus den Berliner Mus. (darunter *Aristoteles, Der Staat der Athener*, mit G. Kaibel, 1891, und *Timotheos: Die Perser*, 1903), der Übers. griech. Trag. und der Beratung bei ihrer szenischen Realisation und natürlich in der akad. Lehre sowie der öffentlichen Vortragstätigkeit über rund 100 Semester (bis 1927/28) hinweg (von seinen universitären und kulturpolit. Aktivitäten nicht zu reden). Das neue, histor., in seinen Augen realistische Bild der Ant. und speziell des ant. Griechenland, das er so erarbeitete, versuchte er zwar auch über die Lehrerausbildung zu verbreiten − 1897 begründete er zusammen mit Hermann Diels (1906 trat Eduard Norden hinzu) unterhalb des bisher allein existierenden Philol. Seminars ein Altertumswiss. Proseminar −, da er aber die Ausräumung des an den Gymnasien nach wie vor herrschenden klassizistischen Griechenbildes für zu mühsam und langwierig hielt, wählte er den seiner Meinung nach kürzeren und effektiveren Weg einer direkten Popularisierung über öffentliche Vorträge, Übersetzungen, Theateraufführungen u.dgl., die dem um die Jahrhundertwende stark angewachsenen Bildungswillen breiter Schichten entgegenkam (die Griech. Ph. der Folgezeit hat diesen für Wilamowitz' Gesamtkonzept essentiellen Tätigkeitsbereich bei ihrer Wilamowitz-Zelebration zu ihrem Schaden in der Regel übersehen). Für Wilamowitz war die für viele seiner Kollegen immer noch virulente Antithese »Wortph. : Sachph.« ohne Bedeutung. Er beherrschte und praktizierte beides und sah darin eine dialektische Einheit: ohne genaue Kenntnis des winzigsten Details kein Verstehen des Ganzen, ohne Kenntnis des Ganzen kein Verstehen des Details [11. 106]. Entsprechend bauen seine Werke, fast durchweg Interpretationen im ursprünglichsten Sinne des »Verdolmetschens«, ›immer von den untersten Elementen her auf‹ [26. 101]. Die Sachangemessenheit seiner Methode wird durch die Begrenztheit seines Verstehensbegriffs, der vom Biographisch-Individualpsychologischen bestimmt war, nicht widerlegt: nicht die Methode, sondern eben

jener Verstehensbegriff war es, der noch zu seinen Lebzeiten die »neue Hermeneutik« in der Griech. Ph. der Zwischenkriegszeit evoziert hat (s. unten).

Vorerst jedoch stand die Griech. Ph. ganz in Wilamowitz' Bann: In den Jahren seines Berliner Ordinariats (1897−1921) wurde die Ph. ›in dem großen Fluß des Historismus (...) ein Stück der allumfassenden Geschichtswiss.‹ (Hölscher [27. 43]). Zu den bleibenden Errungenschaften dieser Periode gehört v. a. die Historisierung der griech. Philos. und Wiss.: Hermann Diels (1848−1922), Wilamowitz' Kommilitone in der Bonner Zeit bei Usener und seit 1897 sein Kollege in Berlin, brachte im Rückgriff auf jahrzehntelange Vorarbeiten (*Doxographi Graeci*, 1879; *Simplikios*-Ed. als Band I der *Commentaria in Aristotelem Graeca*, 1882; *Parmenides' Lehrgedicht*, 1897; *Poetarum philosophorum fragmenta*, 1901) im J. 1903 seine *Fragmente der Vorsokratiker. Griech. und Dt.* heraus (5. Auflage 1934−1937 bearbeitet von Walther Kranz), die das neue Interesse für die Anf. europ. Philosophierens bei den Griechen weit über das Fach Griech. Ph. hinaus begründeten (u. a. Heidegger, Gadamer); Hans v. Arnim (1859−1931) publizierte die Überreste der Stoikerschule (*Stoicorum veterum fragmenta*, 1903−1905); die Berliner Akad. vollendete die Ausgabe der Aristoteles-Kommentare (*Commentaria in Aristotelem Graeca* = CAG, 23 Bde. in 51 Teilen, 1882−1909). Daneben wurde die Medizin-Geschichte, die Geschichte der Naturwiss. und der Mathematik sowie die Technik-Geschichte in Angriff genommen: mit dem *Corpus Medicorum Graecorum* (CMG, 1908 ff.); mit den bis heute nicht ersetzten Archimedes-, Euklid-, Klaudios Ptolemaios-, Heron- u. a. Editionen des dänischen Wilamowitz-Freundes Johan Ludvig Heiberg (1854−1928), der dann für das *Handbuch der Altertumswiss.* die Geschichte der Mathematik und der Naturwiss. im Alt. (1925) beisteuerte; schließlich mit Diels' wegweisender Schrift *Ant. Technik. Sechs Vorträge* (1914, ³1924). Zur gleichen Zeit begann eine im Geiste Wolfs gegründete »Vereinigung von Gelehrten« damit, ›das Gebäude der klass. Altertumswiss. nach Breite und Höhe aufzuführen‹: 1886 erschien der erste Band des nach Sachgebieten gegliederten *Handbuchs der klass. Altertumswiss. in systematischer Darstellung* (HdA), hrsg. vom Erlanger Ordinarius Iwan (später: v.) Müller (das bis heute weiterläuft). Ihm zur Seite stellte sich das alphabetische Großlexikon *Paulys Realencyclopädie der classischen Altertumswiss.* (RE) in neuer Bearbeitung (1893 ff.) (das nach mehr als hundert J. 1998 mit 85 Bänden abgeschlossen wurde). Im Anschluß an die Auffindung eines großen Alkman-Papyrus (101 Verse aus einem Partheneion) im J. 1855 (Publikation 1863) war es zu einer »Papyrus-Fundbewegung« gekommen (Gründung von Suchgesellschaften, Intensivierung der Suchgrabungen in Ägypten), die in den 1880er und 90er J. enorme Papyrusmengen zutage förderte, zumeist Urkunden und Alltagsdokumente, aber auch lit. Texte, von denen viele bis dahin unbekannt gewesen waren, etwa Aristoteles' *Staat der Athener* (1889), umfangreiche Reste von Herondas- (1889) und

Bakchylides-Gedichten (1896), Gedichtfragmente von Sappho und Alkaios (seit 1898) u.v.m. Das Material gelangt in die verschiedensten Museen, Bibliotheken, Universitätsinstitute und Privatsammlungen und bedarf der Ordnung, Inventarisierung, Konservierung, Lesung, Edition und Interpretation. Ein neuer Zweig der Griech. Ph. entsteht, die Papyrologie. In den 1890er J. beginnen die ersten Publikationsreihen zu erscheinen, z.B. die *Greek Papyri in the British Museum* (P.Lond., seit 1893), die *Berliner Griech. Urkunden* (BGU, seit 1895) und die »Königsreihe der Papyrologie« *The Oxyrhynchus Papyri* (P. Oxy., seit 1898). Die Funde (die auch heute noch längst nicht alle publiziert, geschweige denn ausgewertet sind) eröffnen der Griech. Ph. unversehens eine weitere »Produktionsstätte«. Der »Großbetrieb Wissenschaft«, inzwischen zum Weltkonzern geworden, läuft auf vollen Touren.

Untergründig hatte sich jedoch bereits seit längerem der Umschlag angekündigt. Ursächlich dafür war die allmähliche Konvergenz zweier Gegenbewegungen: (1) Überforderung durch permanente Selbstmotivation in großen Teilen der Gelehrtenwelt, (2) wachsender Druck der durch Industrialisierung und soziale Differenzierung in einem tiefgreifenden Wandel begriffenen Gesellschaft auf den Zulieferbereich, das Gymnasium, sich den praktischen Bedürfnissen der veränderten Lebenswelt anzupassen (der Ruf nach »realistischem Wissen«). Beide Bewegungen hatten denselben Effekt: zunehmende Unterhöhlung des neuhuman. Bildungsmonopols und damit auch der Dominanz der Ph., bes. der griech., im geisteswiss. Bereich der Univ. (Lat. mit seiner vordergründig stärker »formalbildenden« Funktion und seinen »pragmatischeren« Inhalten konnte sich zunächst entziehen). Erste Attacken auf der Preußischen Schulkonferenz von 1890 schossen die Festung sturmreif, auf der folgenden Schulkonferenz von 1900 fiel sie: Das human. Gymnasium mußte sein bisheriges Alleinrecht auf Verleihung der Zugangsberechtigung zum Universitätsstudium mit dem griechischlosen Realgymnasium, von 1907 an sogar mit der lateinlosen Oberrealschule teilen [32. 202–204; 19]. Die Folgen liegen auf der Hand: Fast 100 J. lang war die gesamte Studentenschaft an der Vorbereitungsschule mit Griech. und Lat. großgeworden, der Griech. Ph. hatte also potentiell das gesamte Reservoir der Studienanfänger zur Verfügung gestanden. Nach den Reformen wachsen rund 25 % der Gymnasiasten ohne Griech., weitere rund 25 % ohne Lat. auf (Statistik für das J. 1911 bei [19. 633]). Der Griech. Ph. wird also von 1907 an Jahr für Jahr das Potential verkleinert; nach dem I. Weltkrieg dürfte es, verglichen mit der Vorreformzeit, nur noch rund 50 % betragen haben. Für die Wende in der Selbstschätzung der Griech. Ph. war dieser äußere Prozeß gewiß nicht ausschlaggebend, seine Rolle hat indessen sicherlich auch er gespielt.

4. 1920–1945: RÜCKKEHR ZUM SINGULÄREN (»INNERE FORM«, »GESTALT«, »IDEE«)

Wilamowitz und seine Generation hatten die Griech. Ph. in Fortführung und z.T. Vollendung der Arbeit ihrer Vorgänger zu einer Höhe geführt, die für die Folgegeneration – ganz überwiegend Wilamowitz-Schüler – eine enorme Herausforderung bedeutete. Während der eine Teil der Schülerschaft (Aufzählung bei [23. 511]), die in den zwanziger J. des 20. Jh. nahezu sämtliche Professuren an den Univ. des deutschsprachigen Raums besetzte [29. 66], die Herausforderung als Appell zur Weiterarbeit begriff, wandte ein zweiter Teil sich in Bewunderung, zur Nacheiferung jedoch nicht willens und aufgrund umfassender Desillusioniertheit innerlich auch gar nicht fähig, vom Weg des Meisters ab.

Zu den Fortsetzern gehörten u. a. Felix Jacoby (1876–1959), dessen herausragendstes Werk, die *Fragmente der griech. Historiker* (3 Teile in 14 Bden., 1923–1958), von Wilamowitz als ›die vollkommenste (Fragmentsammlung), die wir besitzen‹ gerühmt wurde; Paul Maas (1880–1964), der mit seiner *Griech. Metrik* (1923) und seiner *Textkritik* (1927) methodische Grundlagenwerke schuf; Walther Kranz (1884–1960), der sich bes. durch die Betreuung der Dielsschen Vorsokratiker-Sammlung verdient gemacht hat; Rudolf Pfeiffer (1889–1979), dem das Fach die maßgebende Kallimachos-Ausgabe (*Callimachus*, 2 Bde., 1949/1953) und die eingangs genannte *Geschichte der klass. Ph.* verdankt, und Peter Von der Mühll (1885–1970), der mit seinem RE-Artikel *Odyssee* (1940) und seinem *Kritischen Hypomnema zur Ilias* (1952) kräftig in die Homer-Deutung eingegriffen hat.

Der andere Teil der Wilamowitz-Schüler ging eigene, neue Wege: ›Wogegen sich die Jungen damals auflehnten, war eben das, wodurch Wilamowitz entschieden dem 19. Jh. angehört und womit er seinerseits eine neue Epoche der Ph. heraufgeführt hatte: der Historismus. Sagen wir gleich: der Historismus in der eigentümlichen Wilamowitz'schen Prägung‹ (Hölscher [29. 68]). Die damals vorherrschende Stimmung unter den »Jungen« hat 40 J. später Bruno Snell so beschrieben: ›Als ich Anf. der zwanziger J. mein Studium in Göttingen abschloß, entließ mich mein Lehrer Max Pohlenz mit den Worten, wir müßten uns damit abfinden, daß die wichtigen Dinge in der Klass. Ph. erforscht seien und daß uns nichts anderes bleibe, als eine Art Ährenlese hinter den Großen wie Wilamowitz einzubringen‹ [8. 211]. Das Aufbegehren gegen Wilamowitzschen Historismus und drohendes Epigonentum, verbunden mit dem Überdruß am »Wissenschaftsdienst«, aber auch mit der radikalen Erfahrung der Existenzbedrohtheit durch den Krieg, entband ein neues Wertbewußtsein. Dieses artikulierte sich in einer neuen Form der Ant.-Sicht, die den Historismus zwar in sich aufgenommen hat, aber nicht in ihm aufgehen will, sondern auf ein neues »Verstehen« ausgeht, ein Verstehen ›in der Tiefe‹, das nicht im Kleinkram und im Kleinen steckenbleibt, sondern sich wieder ›auf die Gegenstände besinnt, die groß, wertvoll und vorbildlich‹ sind (Snell bei [35. 46]). Es geht also erneut um eine »neue« Ph. und einen »neuen« Humanismus. Das Neue drückt sich aus in einer Reihe von Büchern, die im Kern allesamt die gleiche Signatur zeigen: sie wollen die großen Werke nicht mehr primär aus ihrer Einbettung in den jeweiligen histor. Gesamtkontext begreifen, sondern als singuläre Schöpfungen, die, aus »innerer Form« organisch erwachsen, eine bestimmte »geistige Gestalt« ›von einmaliger Einzigartigkeit‹ verwirklichen und dadurch ›in aller ihrer zeitlichen Bedingtheit eine ewige Bedeutung‹ haben, wie Kurt v. Fritz (1900–1985) in einem zugleich analysierenden und programmatischen Aufsatz von 1932 unter dem bezeichnenden Titel *Die neue Interpretationsmethode in der Klass. Ph.* formuliert hat ([3], zit. bei [35. 49]). Von Fritz bespricht dort zehn zwischen 1917 und 1931 entstandene Bücher, die er alle in dieser ›neuen Art, die Dinge zu sehen, ganz ohne Programm, ohne Schule und ohne »Bewegung«‹ miteinander in Übereinstimmung sieht. Darunter sind: Werner Jaegers (1888–1961) *Aristoteles* (1923), Bruno Snells (1896–1986) *Aischylos und das Handeln im Drama* (1928), Wolfgang Schadewaldts (1900–1974) *Sophokles, Aias und Antigone* (1929), Otto Regenbogens (1891–1966) *Herodot und sein Werk* (1930) und Karl Reinhardts (1886–1958) *Poseidonios* (1921). Mit diesen Namen, denen v. a. noch der von Paul Friedländer (1882–1968; *Platon*, 1928) und der von Hermann Fränkel (1888–1977; *Die homer. Gleichnisse*, 1921) hinzuzufügen wären, kann die Richtung in der Tat auch aus heutiger Sicht als treffend charakterisiert gelten. Von dreien von ihnen hat Bruno Snell später gesagt, sie hätten den Jüngeren ›das Gefühl gegeben, daß die Ph. an einem neuen Anfang stünde – ja, daß es sich erst jetzt lohne, Philologe zu werden‹ [35. 45]: Reinhardt, Jaeger, Fränkel.

Von ihnen sollte Jaeger eine besondere Rolle spielen. Er war bereits seit 1920 mit diversen »Human.«-Schriften kulturpolitisch aktiv geworden [25. 450 Anm. 76]. Zur Leitfigur der neuen Richtung aber wurde er in den Augen einer breiten Öffentlichkeit, darunter bes. der Gymnasiallehrerschaft, erst mit dem ersten Band seiner *Paideia. Die Formung des griech. Menschen* (1934). Darin wurde die von v. Fritz nur als »neuer« Human. bezeichnete Strömung mit einer Begriffsprägung des Pädagogen Eduard Spranger von 1921 [25. 450 Anm. 77; 24. 225f.] prophetisch-programmatisch als ›der kommende dritte Human.‹ ausgerufen (von der zweiten Auflage 1936 an durch ›Ein künftiger Human.‹ ersetzt), eine Übernahme aus Sprangers »Aufruf an die Ph.« von 1921, die später für erhebliche Irritationen sorgen sollte. Ursprünglich dürfte Jaeger an eine Assoziation mit Hitlers »Drittem Reich« freilich kaum gedacht haben. Vielmehr entsprach, was Spranger 1921 formuliert hatte, auch Jaegers Vorstellungen: ›(...) ein Unterschied unseres Human., den man den dritten nennen könnte gegenüber dem zweiten, liegt in der Weite des Suchens und des Verstehens, das wir Modernen aufzubringen

vermögen‹ [24. 226]. Alle Hoffnungen der damals weit verbreiteten Erneuerungsbewegungen (Jugendbünde, George-Kreis) zerschlugen sich jedoch mit der Machtergreifung der Nationalsozialisten 1933. Auch Jaeger, der für seinen Traum von einer neuen Jugendbildung durch bewußten Nachvollzug der von ihm rekonstruierten Bildungstheorie und -praxis bei den Griechen in der Bildungspolitik der neuen Machthaber kurzzeitig eine Realisierungs-Chance gesehen haben mag [15. 219–221], war bereits 1934 aufgewacht [15. 221] und ging 1936 mit seiner jüdischen Frau nach Chicago (und von dort 1939 nach Harvard). Seine idealistischen Konzepte – ohnehin blutlose Visionen, Projektionen, Wunschvorstellungen, wie schon Snell und Reinhardt sahen (Snell bei [35. 48 Anm. 4]; Reinhardt bei [35. 52f.; vgl. 26. 134f.] – wurden von der brutalen Wirklichkeit der nationalsozialistischen Diktatur und des II. Weltkriegs hinweggefegt.

Die Periode zw. 1933 und 1945 bedeutete für die Griech. Ph. Deutschlands (und Österreichs) den größten Substanzverlust ihrer Geschichte. Von den rund 70 Altertumswissenschaftlern, die zur Emigration gezwungen oder amtsenthoben wurden, waren rund zwanzig Gräzisten – unvergleichlich viel mehr als in der Lat. Ph., alle von hohem wiss. Rang. Genannt seien: Felix Jacoby, Paul Maas, Paul Friedländer, Walther Kranz, Eduard Fraenkel (1888–1970), Hermann Fränkel, Werner Jaeger, Ernst Kapp (1888–1978), Rudolf Pfeiffer, Kurt v. Fritz, Friedrich Solmsen (1904–1989). Über ihre Schicksale und ihr Wirken in der Emigration haben u. a. Walther Ludwig [38] und W. M. Calder III [16] berichtet. Die in Deutschland bzw. Österreich Verbliebenen hatten ›in den 12 J. der nationalsozialistischen Gesinnungsdiktatur (...) unter der Pression des omnipräsenten wissenschaftsfremden Bekenntniszwangs zur Staatsideologie (den) puren Bestand, mit möglichst geringem Integritätsverlust, zu wahren‹ [34. 58]. Die Verbindungen zum Ausland lockerten sich und brachen schließlich ab. Eine Anpassungsbereitschaft wie in der Latinistik gab es nicht; der passive Widerstand ging bisweilen bis an die äußersten Grenzen (so bei Snell [13] und Reinhardt [28. 34f. 38]). Die wiss. Produktion mußte darüber versiegen. Werke wie Schadewaldts *Iliasstudien* (1938), die eine Wende im Homer-Verständnis bedeuteten, blieben die Ausnahme. Die Griech. Ph. war nahezu verstummt.

5. 1945–1970: RESTAURATION UND KRISE

Befreit wird nach dem Kriegsende die gewohnte Tätigkeit wiederaufgenommen, in zunächst verständlicher Verdrängungsneigung und in mehr oder minder bewußtem Rückgriff auf die Blütezeit des Fachs im Historismus über den diskreditierten »Dritten Human.« hinweg. Die restaurative Grundhaltung wird erleichtert durch das ermutigende Erlebnis einer unerhörten Ausdehnung der institutionellen Basis: Hatte Griech. Ph. im letzten Vorkriegsjahr an 23 deutschen Universitäten existiert, so wuchs die Zahl nunmehr auf 35 an [34. 62], zuweilen mit Doppellehrstühlen ausgestattet (z. B.

München, Heidelberg, Tübingen). Die Akzeptanz in der Öffentlichkeit, getragen vom Wunsch nach Vergessen beim Anblick des »Schönen, Wahren, Guten«, wuchs in den ersten Nachkriegsjahren ständig, der Buchmarkt öffnete sich bereitwillig sowohl für Wiss. als auch für Popularisierung (Zeitschriftengründungen, doppelsprachige Reihen usw.), die Studentenzahlen explodierten, der Griech.-Unterricht an den Gymnasien erlebte eine neue Blüte. Da eine lenkende Zentral-Instanz, wie vor dem Krieg Berlin, infolge der dt. Teilung und der neuen bundesstaatlichen Verfassung mit Kulturhoheit der Bundesländer im Westteil Deutschlands fehlte, entwickelte sich eine bunte Vielfalt der Interessen, Strömungen und Ziele, die sich von Theorie und Fachreflexion tunlichst fernhielt und ihr Tagewerk betrieb. Da das Bewußtsein, daß die große Zeit des Fachs vorüber sei, im »Wissenschaftsbetrieb« allgegenwärtig war, wurde lieber angeknüpft, ausgebaut, verzweigt und eingesammelt als wirklich Neues gewagt. Die großen Corpus-Unternehmungen wurden, wo immer möglich, fortgeführt (IG, RE, HdA) und durch Neugründungen erweitert (z. B. das *Lexikon des frühgriech. Epos* – LfgrE –, seit 1955 und der *Hippokrates-Index*, mit Vorarbeiten seit 1957 und Erscheinungsbeginn 1986, am *Thesaurus Linguae Graecae* unter Bruno Snell in Hamburg), alte Fr.-Ausgaben ersetzt (z. B. Naucks Tragikerfr., s. oben, durch ein neues fünfbändiges Werk *Tragicorum Graecorum Fragmenta*, seit 1981 [9], Meinekes Komikerfragmente, s. oben, durch ein neues Werk *Poetae Comici Graeci*, seit 1983 [5]), und das angesammelte Wissen wurde in nützliche Kurznachschlagewerke überführt (*Kleiner Pauly*, 1964–1975; *Lexikon der alten Welt*, 1965). Aber während der über fünfzig J. seit 1945 wurde nur eine einzige wiss. dokumentierte Geschichte der griech. Lit. geschaffen (Albin Lesky, ³1971); das Fach zehrt heute, 30 J. später, immer noch davon. Aufregendes geschah allenfalls bei neuen Papyrusfunden (Menander, Sappho, Alkaios, Archilochos u. a.). Pulsierendes Leben gar herrschte eigentlich nur in der Homer-Ph., die zuerst durch die Identifizierung der seit 1900 unentzifferten Linear B-Schrift als Griech. (Michael Ventris, 1952) und dann, sehr zögerlich allerdings, durch die Rezeption der amerikanischen *Oral poetry*-Forschung (Milman Parry) einen starken Aufschwung nahm (auch hier ging Albin Lesky voran, dem sich Alfred Heubeck und, in anderer Weise, Schadewaldt, Reinhardt und Hölscher zugesellten).

Der Umschwung kam in den sechziger Jahren. Die Restauration hatte die Frage nach dem Sinn nur verdrängt. Einer der ersten, die sie ungeduldig wieder auf die Tagesordnung setzten, war der Reinhardt-Schüler Uvo Hölscher (1914–1996). Das Büchlein mit dem aufrüttelnden Titel *Die Chance des Unbehagens*, das er 1965 mit einem Nietzsche-Wort als Motto publizierte, redete gleich im Vorwort von einer ›Fragwürdigkeit der Wirkung des Alt. in der Gegenwart‹, von ›Krise‹, von ›Entfremdung von der Überlieferung‹, schließlich von einem ›wachsenden Unbehagen, worin der mod. Human.

seit dem E. der Romantik sich befindet‹ [27. 3]. Im *Selbstgespräch über den Human.*, das ursprünglich (1962) an Berliner Studenten gerichtet war, las man Hilferufe wie ›Gelehrsamkeit ist kein Ersatz für Liebe‹ [27. 61]. Der Damm war gebrochen.

6. SEIT 1970: SINNSUCHE (SELBSTREFLEXION, ERNEUERUNGSSTREBEN DURCH FREMDANBINDUNG)

Zehn J. später, 1972 (die 68er Bewegung hatte nun auch dieses Fach erreicht), erschien eine *Einführung in die Klass. Ph.*, die aufhorchen ließ. Erarbeitet von einem Arbeitskreis von Frankfurter Studenten und Assistenten und publiziert von zwei Nachwuchsleuten am Frankfurter Seminar, der 30jährigen Assistentin Ada Hentschke und dem 32jährigen Assistenten Ulrich Muhlack, spiegelt dieser Versuch einer Selbstvergewisserung durch Rückblick auf die Fachgeschichte den Höhepunkt der damaligen Sinnkrise wider. Die Selbstzweifel hatten sich inzwischen kumuliert (s. die Literatur bei [34. 86 ff.]). Gegen sie tritt hier die Jugend an. Der Positivismus wird ebenso verdammt wie der »Dritte Humanismus«. Aber nicht, um das Fach als ganzes zu verwerfen. Vielmehr wird die Wiederversöhnung von Wiss. und Human. zum Zwecke tätiger, verantwortungsvoller, also ethisch begründeter Mitgestaltung der Gesellschaft angemahnt. Damit ist die Griech. Ph. wieder auf ihre Urfunktion verwiesen, die sowohl dem 1. wie dem 2. Human. seine Kraft verliehen hatte: nicht sich selbst, sondern den Menschen und ihrem Leben zu dienen.

Die Forderung ist heute noch ebenso aktuell wie damals. Ob die eilfertige Anlehnung an Entwicklungen in Nachbardisziplinen, die ihre eigenen Gesetze haben, das richtige Rezept ist, kann bezweifelt werden. Linguistik, Rezeptionsästhetik und Literaturtheorien verschiedenster Provenienz (Komparatistik, Intertextualität, Narratologie, Dekonstruktivismus, → Gender Studies u. a.) müssen zur Kenntnis genommen und, wo es sinnvoll scheint, bei der Interpretation der Texte auch verwertet werden. Die Funktion von Anregungen sollten sie jedoch nicht überschreiten; denn sie kommen als Fremdlinge und nicht als Kenner in das Fach hinein. Die Griech. Ph. muß die Methoden, die ihren Gegenständen angemessen sind, an diesen Gegenständen selbst entwickeln. Ihre Trad. seit Heyne und Wolf bietet dafür reiche Möglichkeiten – viele sind bis heute ungenutzt. Sie zu kennen kann vor allzu rascher Fremdanlehnung bewahren. Denn erstes Ziel der Griech. Ph. muß nach wie vor die intelligente Sicherung des Überlieferten zur Nutzung für die Gegenwart und Weitergabe an die Nachwelt sein. Wissenschaftsgeschichte kann, indem sie den Wert des Überlieferten am Ausmaß seiner Faszination für die besten Köpfe der Vergangenheit sichtbar macht, die Überzeugung vom Sinn dieser Bewahrungs- und Erschließungstätigkeit bestärken.

QU 1 A. BOECKH, Die Staatshaushaltung der Athener, 1817
2 E. CURTIUS, August Boeckh. Rede zur Säcularfeier von Boeckhs Geburtstag am 24. November 1885, Berlin 1885

3 K.v. Fritz, Die neue Interpretationsmethode in der Klass. Ph., in: Neue Jb. für Wiss. und Jugendbildung 8, 1932, 339–354 **4** Wilhelm v. Humboldt, Werke in fünf Bden., hrsg. v. A. Flitner, K. Giel, 1960–1981 **5** R. Kassel, C. Austin, Poetae Comici Graeci, 1983 ff. **6** F. Nietzsche, Sämtliche Werke. Kritische Studienausgabe in 15 Bden., hrsg. v. G. Colli, M. Montinari, 1980 **7** K. Reinhardt, Die Klass. Ph. und das Klass. (1941), in: Ders., Von Werken und Formen, 1948, 419–457 (auch in: Ders., Vermächtnis der Ant., 1960, 334–360) **8** B. Snell, Ph. von heute und morgen. Die Arbeiten Hermann Fränkels, in: Ders., Bodensee-Buch 1963 = Gesammelte Schriften, 1966, 211 f. **9** B. Snell, R. Kannicht, S. Radt, Tragicorum Graecorum Fragmenta, 1981 ff. **10** U.v. Wilamowitz-Moellendorff, Gesch. der Ph., 1921 **11** Ders., Ph. und Schulreform, in: Reden und Vorträge, 1901 (Ndr. 1967) **12** J.J. Winckelmann, Werke, 2 Bde., Stuttgart 1847

Lit **13** W. A. Beck, D. Irmer, B. Schönefeld, Die Situation zur Gründungszeit. 19. August 1934: Die deutschen Esel sagen immer »Ja«, in: Fünfzig J. Thesaurus 1944–1994, Hamburg 1996, 32–34 **14** W.W. Briggs, W. M. Calder III, Classical Scholarship. A Biographical Encyclopedia, 1990 **15** W. M. Calder III, Werner Jaeger, in: [14. 211–226] **16** Ders., The Refugee Classical Scholars in the USA: An Evaluation of their Contributions, in: Illinois Classical Studies 17, 1992, 153–173 **17** W. M. Calder III, H. Flashar, Th. Lindken (Hrsg.), Wilamowitz nach 50 J., 1985 **18** W. M. Calder III, D.J. Kramer, An Introductory Bibliography to the History of Classical Scholarship Chiefly in the XIX and XXth Centuries, 1992 **19** L. Canfora, Wilamowitz und die Schulreform. Das »Griech. Lesebuch«, in: [17. 632–648] **20** C.J. Classen, La Filologia Classica Tedesca 1918–1988, in: Atti delle Giornate dei Nationes (Acta Germanica IV), 1989, 165–189 **21** Consiglio Nazionale delle Ricerche, La Filologia Greca e Latina nel secolo XX. Atti del Congresso Internazionale Roma 17–21 settembre 1984, I–III 1989 **22** H. Flashar (Hrsg.), Altertumswiss. in den 20er J. Neue Fragen und Impulse, 1995 **23** R. L. Fowler, Ulrich von Wilamowitz-Moellendorff, in: [14. 489–522] **24** A. Fritsch, Ein kritischer Rückblick auf den Dritten Human. in der ersten H. des 20. Jh., in: [44. 224–242] **25** A. Henrichs, Ph. und Wissenschaftsgesch.: Zur Krise eines Selbstverständnisses, in: [22. 423–457] **26** A. Hentschke, U. Muhlack, Einführung in die Gesch. der Klass. Ph., 1972 **27** U. Hölscher, Die Chance des Unbehagens. Drei Essais zur Situation der klass. Stud., 1965 (z. T. auch in: Das nächste Fremde, hrsg. v. J. Latacz, M. Kraus, 1994, 257–281 **28** Ders., Karl Reinhardt, in: [27. 31–52] **29** Ders., Strömungen der dt. Gräzistik in den zwanziger J., in: [22. 65–85] **30** Ders., Ulrich von Wilamowitz-Moellendorff, in: [27. 7–30] **31** W. Kullmann, Friedrich Gottlieb Welcker über Homer und den epischen Kyklos, in: W. M. Calder III, A. Köhnken, W. Kullmann, G. Pflug, Friedrich Gottlieb Welcker. Werke und Wirkung, 1986 **32** M. Landfester, Human. und Gesellschaft im 19. Jh. Unt. zur polit. und gesellschaftlichen Bed. der human. Bildung in Deutschland, 1988 **33** Ders., Die neuhuman. Begründung der Allgemeinbildung in Deutschland, in: [44. 205–223] **34** J. Latacz, Die Gräzistik der Gegenwart. Versuch einer Standortbestimmung, in: [40. 41–89] **35** Ders., Reflexionen Klass. Philologen auf die Altertumswiss. der

J. 1900–1930, in [22. 41–64] **36** Ders., Trad. und Neuerung in der Homerforsch., in: Ders. (Hrsg.), Homer. Trad. und Neuerung, 1979, 33–36 **37** C. Lehmann, Die Auseinandersetzung zw. Wort- und Sachph. in der dt. Klass. Altertumswiss. des 19. Jh., Diss. Berlin 1964 **38** W. Ludwig, Amtsenthebung und Emigration Klass. Philologen, in: WüJbb 12, 1986, 217–239 **39** R. Pfeiffer, History of Classical Scholarship, I 1968, II 1976 (dt. 1970/1982) **40** E.-R. Schwinge (Hrsg.), Die Wiss. vom Alt. am E. des 2. Jt. n. Chr., 1995 **41** S. Timpanaro, La genesi del metodo del Lachmann, 1963 **42** F. Turner, The Homeric Question, in: I. Morris, B. Powell (Hrsg.), A New Companion to Homer, 1997, 123–145 **43** F. Wagner, Herders Homerbild, seine Wurzeln und Wirkungen, Diss. Köln 1960 **44** E. Wiersing (Hrsg.), Human. und Menschenbildung (Detmolder Hochschulschriften, 4), 2001 **45** W. Unte, Berliner Klass. Philologen im 19. Jh., in: W. Arenhövel, C. Schreiber, Berlin und die Ant., 1979, 9–67.　　　　Joachim Latacz

D. Moderne internationale Philologie
s. Nachtrag

II. Lateinisch
A. Mittelalter (8.–13. Jahrhundert)
B. Frühneuzeitliche Philologie
(13.–18. Jahrhundert)　C. Moderne
Philologie in Deutschland (ab ca. 1800)
D. Moderne Internationale Philologie

A. Mittelalter (8.–13. Jahrhundert)

Am Anf. der lat. Ph. allgemein wie ihrer verschiedenen paradigmatisch-methodologischen Entwicklungsschübe steht jeweils ein gesteigertes Interesse an den bevorzugten Texten aus Ant. und Spätant.; es handelt sich also um Voraussetzungen wie Begleiterscheinungen eines rezeptionsgeschichtlichen Prozesses [7. 198 f., 226–251]. Dies gilt im prägnanten Sinn erst und bereits für die Textrezeption seit der karolingischen Epoche (→ Karolingische Renaissance), als nach den sog. »dunklen« Jahrhunderten die ant. Kultur nur noch als schattenhafte Erinnerung, die gebildete Sprache auf einer (an der klass. Form gemessen) »verwilderten« Stufe wahrgenommen wurde und die gesprochene Sprache sich selbst in der Romania von dem Lat. separiert hatte, das von nun an als Kultursprache [31] ein zweites Leben von beträchtlicher Ausdauer beginnen sollte. Die an der *norma rectitudinis* orientierte Kultur- und Bildungsreform Karls des Großen, ermutigt und unterstützt durch Repräsentanten aus traditionstragenden Regionen, Alkuin (aus York; zur Überschätzung der insularen Trad. [24. XXf.; 6]), Paulus Diaconus (aus Monte Cassino) oder Theodulf (aus Spanien), nahm angesichts der Omnipräsenz, Verfügbarkeit und Autorität der ant. Bücher, die in reichen Kathedral- und Klosterbibliotheken wie dem röm. Lateran, Verona [33], York oder Monte Cassino überlebt hatten (zur zentralen Rolle Italiens [24. XVII–XXIV]), die Chance wahr, diesen Reichtum der spätant. Trad. wieder allgemeiner zugänglich, lesbar und verständlich zu machen. Zur Erreichung dieses Ziels dienten folgende Punkte:

(a) Man bemühte sich um eine möglichst gleichmä-
ßige Versorgung der Regionen mit Büchern, die z. T.
von der karolingischen Hofbibliothek ausging und für
Distribution auf große Reichsklöster wie Corbie und
St. Riquier, Lorsch und Fulda, St. Gallen und Reichenau bedacht war. Auch Einzelne wie der Abt Lupus von
Ferrières (epist. 1, 7) beteiligten sich an einem kompe-
titiven Bemühen, selbst seltene und seltenste Texte zu
besitzen ([23], Bibliographie in [25. 265; 4. 452 f.]). Erstaunlich ist z.B. die reiche karolingische Überlieferung
des antiquarischen Grammatikers Nonius (um 400
n. Chr.). *Quis legit haec?*

(b) Die Majorität dieser Texte, auf spätant., qualitätvollen Archetypen basierend, wurde in die bis h. kanonische karolingische Minuskel transskribiert – ein
zweiter, für die ant. Überlieferung kaum weniger folgenreicher Transskriptionsprozeß als der des 4./5. Jh.
von der Buchrolle in die Codices.

(c) Auch textlich erreichten die Kopien ein neues
Niveau. Neben der Qualität der Vorlage und der, wie
üblich, im Kopierprozeß korrigierten Abschrift wurde
jetzt die durch den Austausch mehrerer Kopien (Lupus,
epist. 1,7: Cicero, Gellius) gegebene Möglichkeit bedeutsam, im Verlauf einer Kollation (Lupus, epist. 69, 3:
›Tullianas epistulas, quas misisti, cum nostris conferri fa-
ciam, ut ex utrisque, si possit, veritas exculpatur‹) den
Text in begrenztem Umfang currente calamo zu emendieren. Diese etwa für Lupus (und Hadoard von Corbie
[26. 84–91, 94–97, 142 ff.]) im Detail dokumentierte
Aktivität [2. 42 f.] ergab eine ganze Reihe von anachronistisch kontaminiert genannten, in Wirklichkeit
editionsähnlichen Exemplaren [2; 3; 18], von denen
ausgehend eine erste, breite Schicht einfacher Konjekturen in Text und Apparat zahlreicher mod. Editionen
eingegangen ist.

(d) Schließlich mußte die Sprachkenntnis erneut geschult werden; Donat [27. Bd. 5. 147], später zunehmend Priscian, dienten als Basis neuer Grammatiken.

Dennoch muß vor Überbewertung (›Die Poesie und
Prosa strebt nun wieder den klass. Vorbildern nach‹
[34. 8]) dieses bedeutenden und grundlegenden Prozes-
ses gewarnt werden. Vielmehr hat das frühe MA im In-
teresse einer Kontinuität sprachlicher Qualität, zum
Aufbau einer eigenen, wesentlich theologisch-philos.
Kultur sowie für die Bedürfnisse des Alltags das aus der
Spätant. Überkommene insgesamt rezipiert [24. XXIV—
XXXI]. Präferenzen für die Bibel, der wie der *Regula
Benedicti* die textkritische Aktivität gezielter zugute kam
([15. 59–65]; zu den Bibelkorrektorien des 12. Jh.
[18. 87 ff.]), Exegese und Dogmatik wiesen – neben der
Sachlit. – der Gramm. (die Kommentierung bestimmter
Dichter eingeschlossen) eine primär propädeutische
Funktion zu. Die entsprechenden Schwerpunkte lassen
sich einer Übersicht der aus der Zeit bis zum 11. Jh.
erhaltenen Codices [17], der Entwicklung eines ein-
schränkenden Kanons [8. 10–36; 28a. 111–115; 19] und
einer korrespondierenden, gezielt auswählenden Kommentierung (vgl. [5. passim; 16. 19–32; 30. 412–443];

Bibliographie in [7. 198 f., 226 f., 228–251]) entnehmen. So sind die Konturen des im einzelnen noch un-
festen karolingischen Literaturkanons [8. 36] zunächst
nur durch die Rangfolge der Kategorien Kirchenväter,
säkulare Prosa, christl. und erst dann pagane Poesie,
gramm. Schulbücher gegeben [28a. 112 ff.], ein Profil,
das seit der Mitte des 9. Jh. durch Lehrer wie Johannes
Scottus Eriugena und Martin von Laon, Heiric und
Remigius von Auxerre ([8. 47–56; 13]; Bibliographie in
[4. 453–462]) in Komm. zu biblischen Büchern, Boëthius, Bibeldichtung (Sedulius, Arator, auch Prudentius), der Enzyklopädie des Martianus Capella, Gramm.
und immerhin jetzt auch Vergil und Horaz, Terenz, Persius und Juvenal Anschauung gewinnt. In diesem Rahmen entwickelt sich das Schema der *Accessus* (Texte bei
[11]), in deren Frageraster [30. 392–412; 32. 394–404]
das Interesse an Moralphilos. dominiert; Ansätze zu einer histor. Rekonstruktion des Texthorizontes und eines entsprechenden Verständnisses liegen noch ganz
fern [28. 29–32]. So streicht Paulus Diaconus bei seiner
Verkürzung von Festus' antiquarischem Lex. die Testimonien aus der älteren röm. Lit. als *superflua* und *minus
necessaria* [27. Bd. 4. 242 ff.]. Auch in den frühma.
Komm. selbst bleibt die Erklärung eher elementar.

Von Human. bzw. Ren. (besser also »revival«
[25. 92–106; 20]) im Sinne einer Privilegierung der ant.
Klassiker sollte also hier ebensowenig die Rede sein wie
im Zusammenhang mit dem kulturellen Aufschwung
seit dem späten 12. Jh. ([29. Bd. 1. 17–22, 78 ff.]; das
Versprechen von Leonardi [14. VIIf.] wird z.B. von
L.B. Mortensen [14. 411–420], G.W. Olsen [14. 447–
468], P. Riché [14. 551–558] und B.K. Vollmann
[14. 807–816] nicht eingelöst; differenzierter [1]). Zunächst festigt sich ein im Curriculum der Kathedral-
schulen seit dem späten 10. Jh. unter dem Bildungsziel
litterae et mores [12] nachweisbarer, erweiterter Klassiker-
Kanon [8. 62–83; 28a. 115 ff.], der 100 J. später bei dem
Franzosen Aimeric seine systematische Stelle in der Abfolge Grammatiker, Anfangslektüre (*Auctores minores*),
christl. Dichter, Prosa und pagane Dichter hat [28a.
116 f.; 9a. 34 f.]. Andererseits findet sich gerade in dem
vielfach und undifferenziert als »human.« gerühmten
12. Jh. bei Matthaeus von Vendôme im Bewußtsein einer zeitgenössischen Modernität und in Gegnerschaft zu
seinem Konkurrenten, dem Lukan-Kommentator Arnulf von Orléans, ein Generalangriff auf die stilistisch als
rückständig geltenden klass. Dichter [9. 86 f., 96–99].
Die Bewegung in Richtung auf Paris und die Artes (insbes. Theologie und Philos.) kommt auch, nicht vorrangig den Klassikern zu Gute. So ist in der Überlieferung
von Ciceros *De legibus* eine frz. Fassung des 12. Jh. nachzuweisen [21; 24. XXXVIIf.; 26. 210–216], die alle Charakteristika einer kritischen Edition aufweist, d. h. andere Textformen heranzieht, sich konjekturalkritisch
betätigt und um die äußere Organisation des herauszu-
gebenden Textes, d. h. die Aufteilung des Dialogs auf
die verschiedenen Partner bemüht ist.

1 G. C. ALESSIO, C. VILLA, Il nuovo fascino degli autori antichi tra i secoli XII e XIV, in: Lo spazio letterario di Roma antica 3, 1990, 473–511 **2** G. C. ALESSIO, Edizioni medievali, in: Lo spazio letterario del medioevo 1, 3, 1995, 29–58 **3** V. v. BÜREN, Une édition critique de Solin au IX⁰ s., Scriptorium 50, 1996, 22–87 **4** S. CANTELLI BERARDUCCI, Bibliografia della letteratura mediolatina, in: Lo spazio letterario del medioevo 1, 5, 1998, 281–725 **5** Catalogus translationum et commentariorum, Bd.1–7, 1960–1992 **6** D. N. DUMVILLE, The Early Mediaeval Insular Churches and the Preservation of Roman Literature, in: [22. 197–237] **7** K. FRIIS-JENSEN et al., Bibliography of Classical Scholarship in the Middle Ages and the Early Ren., in: [16. 197–259] **8** G. GLAUCHE, Schullektüre im MA, 1970 **9** E. GÖSSMANN, Antiqui und Moderni im MA, 1974 **9a** F. GREWING, Lat. Gramm. und Stilistik und der Ren. 1999 **10** L. HOLTZ, Glosse e commenti, in: Lo spazio letterario del medioevo 1, 3, 1995, 59–111 **11** R. B. C. HUYGENS (Hrsg.), Accessus ad auctores, ²1970 **12** C. S. JAEGER, Cathedral Schools and Humanist Learning, 950–1150, DVjS 61, 1987, 569–616 **13** C. LEONARDI, I commenti altomedievali ai classici pagani, in: La cultura antica nell'occidente latino dal VII all'XI s., 1975, 459–508 **14** Ders. (Hrsg.), Gli umanesimi medievali, 1998 **15** L. LIGHT, Versions et révisions du texte biblique, in: P. RICHÉ, G. LOBRICHON (Hrsg.), Le Moyen Age et la Bible, 1984, 55–93 **16** N. MANN, B. MUNK OLSEN (Hrsg.), Medieval and Ren. Scholarship, 1997 **17** B. MUNK OLSEN, L'étude des auteurs classiques latins aux XIᵉ et XIIᵉ s., Bd. 1–3, 1/2, 1982–1989, Addenda Revue d'histoire des textes 21, 1991, 37–76; 24, 1994, 199–249; 27, 1997, 29–85 **18** Ders., L'édition des textes antiques au moyen âge, in: The Medieval Text, 1990, 83–100 **19** Ders., I classici nel canone scolastico altomedievale, 1991 **20** Ders., L'atteggiamento medievale di fronte alla cultura classica, 1994 **21** Ders., La trasmissione dei testi nei secoli XI e XII, in: Lo spazio letterario del medioevo 1, 3, 1995, 375–414 **22** O. PECERE, M. D. REEVE (Hrsg.), Formative Stages of Classical Traditions: Latin Texts from Antiquity to the Ren., 1995 **23** C. PÉREZ GONZÁLEZ, Un humanista en el siglo IX, in: Actas II congr. hispánico de Latín medieval 2, 1998, 729–741 **24** L. D. REYNOLDS, in: Ders. (Hrsg.), Texts and Transmission, 1983, XIII-XLIII **25** Ders., N. G. WILSON, Scribes and scholars, ³1991 **26** P. L. SCHMIDT, Die Überlieferung von Ciceros Schrift »De legibus«, 1974 **27** Ders., HLL, Bd. 4, 1997; Bd. 5, 1989 **28** Ders., Bemerkungen zur Position Ciceros im ma. Geschichtsbild, Ciceroniana 11, 2000, 21–36 **28a** Ders., Traditio Latinitatis, 2000 **29** R. W. SOUTHERN, Scholastic Humanism, Bd. 1, 1995; Bd. 2, 2001 **30** M. SPALLONE, I percorsi medievali del testo: »Accessus«, commentari, florilegi, in: Lo spazio letterario di Roma antica 3, 1990, 387–471 **31** P. STOTZ, Le sorti del latino nel Medioevo, in: Lo spazio letterario del medioevo 1, 2, 1994, 153–190 **32** A. SUERBAUM, Litterae et mores, in: K. GRUBMÜLLER (Hrsg.), Schullit. im späten MA, 2000, 383–434 **33** C. VILLA, La tradizione di Orazio e la »biblioteca di Carlo Magno«, in: [22. 299–322] **34** U. v. WILAMOWITZ-MOELLENDORFF, Gesch. der Ph., ³1927.

B. FRÜHNEUZEITLICHE PHILOLOGIE (13.–18. JAHRHUNDERT)

1. DER BEITRAG DES FRÜHEN HUMANISMUS ZUR HISTORISIERUNG DES TEXTVERSTÄNDNISSES LATEINISCHER KLASSIKER

Der Begriff »Humanismus«, ein Kunstwort des 19. Jh., kann, wie neuerdings zu Recht wieder eingeschärft worden ist, seine Festigkeit nur bewahren, wenn er auf ein bestimmtes Verhältnis zur klass. lat. Lit. (vom 2. Jh. vor bis zum 1. Jh. nach Chr.) bezogen wird [123. 5, 17, 21–25]. Wie der Beginn dieser Bewegung als Abfolge von zunächst fünf Generationen und in einer, bezogen auf die Ant. wie die Reihe der »human.« Schriftsteller selbst, rezeptionsgeschichtlichen Kontinuität verstanden werden kann, ergibt die überzeugende Synthese von Witt [123]. Den an diesem Prozeß Beteiligten sollte der Ehrentitel »Philologe« weder rundweg abgesprochen [122. 10] noch anachronistisch allzu pauschal zugesprochen werden, handelt es sich doch um eine Dynamik eines gesellschaftlich wie kulturell zunehmend legitimierten Zugriffs, der sich zuerst der Texte in einer neuen Breite und Tiefe vergewissert und sie auch histor. wie sprachgeschichtlich zunehmend genauer zu lesen lernt.

1.1 LOVATO DEI LOVATI

Den Anf. macht der persönlich wie polit. motivierte Human. der Paduaner Lovato dei Lovati und Albertino Mussato, von denen der erste (1239/40–1309 [123. 87–112]) in einer frühen Versepistel (›the first poem written by an Italian since late antiquity to employ classical diction for the expression of private thought and feelings‹ [123. 99]) den ›veterum vestigia vatum‹ [14] nachgeht: Ovid ist der erste Bezugspunkt, doch treten in dem intertextuellen Gewebe Tibull und Properz (nicht Catull [69. 37–58]), Martial und Statius hinzu. Dies auf Lovatos Jugend beschränkte Interesse an der Lyrik ergänzt das an Senecas Trag. in der Handschrift Vat. lat. 1769, die die Varianten der beiden Hauptfamilien A und E (aus Pomposa) editionsähnlich kombiniert [15; 125. 83–107, Stemma 129]. Auch auf Pomposa gehen zurück die Historiker-Hs. London, BL Add. 19906 (Justin, wohl autograph [13. 124ff.]) und Codices von Livius, Dekade 1 bzw. 3/4 [9. Bd. 1. 11–33, 282–334], die aus ihrem weiten Wirkungsbereich erschließbar sind.

1.2 ALBERTINO MUSSATO

Albertino Mussato (1261–1329 [123. 117–161]), Vertreter einer jüngeren Generation und stärker polit. engagiert als sein geistiger Vater Lovato, hat sich im Zusammenhang mit seinen zeitgeschichtlichen Interessen in besonderer Weise Senecas Trag. und dem Geschichtswerk des Livius zugewandt. Mussatos *Ecerinis*, im Rahmen der ersten Dichterkrönung des frühneuzeitlichen Europa im Dezember 1315 vor dem Paduaner Publikum als polit. Proklamation pantomimisch aufgeführt, hält sich sprachlich auf das Engste an Seneca. Wie aber schon Lovato ein Interesse an der histor. Figur mit einer Verstehensbemühung zu der Metrik der Trag. kombiniert hatte [73. 104f.], so setzt Mussato die entsprechende philol. Vorbereitung seiner produktiven Rezeption in einen Dialog mit seinem Lehrer um [73. 123–130, 154–161]. In freierer Weise sind Mussatos Geschichtswerke (*Historia Augusta*, bezogen auf 1310 bis 1313, *De gestis Italicorum post Henricum VII* auf 1313–1321) an der livianischen Prosa geschult [123. 139–144], während die Benutzung Ovids in den Briefen bis nahe an die Cento-Technik heranführt.

1.3 FRANCESCO PETRARCA

Lovato ist für Petrarca (1304–1374) unter allen Dichtern der eigenen wie der vergangenen Generation *facillime princeps* (rer. mem. 2,61,1), Mussato nur der *novarum rerum satis anxius inquisitor* (rer. mem. 4,118,2). Lyrische Dichtung und die *memoria veterum*: Damit sind Petrarcas human. Interessen kurz nach der Dichterkrönung von 1341 gekennzeichnet. Über sein ganzes Leben hin gesehen bedeutet sein Human. der dritten Generation die Balance eines ›passionate classicism with a traditional Christian devotion‹ [123. 230–291, hier 290]. Dieser geht, bedingt durch Petrarcas häufig wechselnde Lebenssituation, über die kommunale, säkulare Engführung von Lovatos und Mussatos Ansatz hinaus, schließt etwa die Zuwendung zu Augustin ein. Petrarcas Beschäftigung mit seinen Autoren läßt sich in drei konzentrisch abnehmenden Kreisen beschreiben: Am umfangreichsten ist bzw. muß gewesen sein die Reihe der Autoren, die er, z. T. in autographen Kopien, besessen und in Abschriften einer privaten Verbreitung zugeführt hat [77; 99. 372–375]. Der Weite seines intellektuellen Horizonts kam dabei sein vielfach wechselnder Lebenshorizont entgegen, dem Avignon (und ganz Frankreich), später Italien, d. h. Bibl. wie die Kapitel-Bibl. von Verona oder das Kloster Monte Cassino ([10]: Cäsar) zuarbeiteten [91a. XL]. Neben Vergil [13. 3–40], Horaz [13. 41–58; 107. 294–303] und Senecas Trag. [125. 107–114], Cicero [13. 97–116; 98; 106a. 237–268 und Stemma; 107. 142–145; 92], Quintilian [1], Sueton [13. 281–296, 251–294] und Augustin [13. 57–96] ist diese Sammeltätigkeit auch spätant. Rhetoren [13. 295–361] wie Historikern [13. 187–236, 377–458], Geographen [11. 137–174] und Fachschriftstellern zugute gekommen [114; 10. 296f.]. Petrarcas Marginalien – am bedeutendsten in seinen Vergil- bzw. Livius-Codices (London, BL Harl. 2493 [8; 9. Bd. 1. 97–122], Faksimile [9. Bd. 2]) – zeigen einen aufmerksamen Leser, der persönliche Bemerkungen und histor. Komm. mit textuellen Notizen (etwa zu Parallelen) in einer Art von Vernetzung seiner verschiedenen Lektüren mischt. Zu Konjekturen [98], zu Echtheitskritik [109. 13–16]; indes bescheinigt [63. 71 ff.] Petrarcas human. und werkbiographisch orientierter Ph. »mangelndes philol. Methodenbewußtsein«.

Einen engeren Zirkel bildet der Kat. seiner *libri peculiares* [117. 113–133, die Liste 118], unter denen sich wiederum die Autoren finden, mit denen Petrarca in einer systematischen Rekonstruktion des ant. Gattungssystems wetteifert [107. 268f.] bzw. die er in fam. 24 (an Cicero, Seneca, Varro, Quintilian, Livius, Asinius Pol-

lio, Horaz, Vergil) eines Briefes in die Unterwelt würdigt. Den Kern der lit. *familiares* schließlich machen Vergil und Cicero aus, die in einer autobiographisch-fiktionalen Anekdote (sen. 16,1) sogar Petrarcas Vater von einem Autodafé lit. Allotria ausgenommen hat. Dennoch zeugt die höfliche Ablehnung einer Bitte des Bischofs von Rom ›de ipsius Ciceronis libris in ordinem redigendis et quarundam (...) veluti scintillarum lumine declarandis‹ (»bezüglich einer systematischen Anordnung von Ciceros Werken und ihrer Erklärung sozusagen durch Lichtpunkte«, fam. 7,4,1), daß sich Petrarca seiner Grenzen als Editor und Kommentator sehr wohl bewußt war. Schließlich bemüht er sich in den Totenbriefen wie in den *Viri illustres* um eine idealisierende, einer moralphilos. Anwendung (›apud me nisi ea requiruntur, que ad virtutes vel virtutum contraria trahi possunt‹, »bei mir finden sich nur Fakten, die sich auf moralische Qualitäten und ihr Gegenteil beziehen lassen«, pr. 6) dienenden Rekonstruktion der röm. Geschichte, wobei es nicht um eine kritische Sichtung der überlieferten Varianten, sondern um eine Selektion nach *verisimilitudo* und *autoritas* (pr. 5 [63. 24–33]) geht.

1.4 COLUCCIO SALUTATI UND DER FRÜHE CICERONIANISMUS

Mit Coluccio Salutati (1331–1406 [115; 123. 292–337]), mehr als dreißig Jahre Kanzler der Republik Florenz, und dem Zirkel seines Einflusses, einer 1363–1380 geborenen Gruppe überwiegend von Florentinern, verschiebt sich der Schwerpunkt der human. Bewegung eindeutig nach Florenz. Damit tritt auch Cicero, der schon bei Petrarca, wenn auch in seiner polit. Aktivität getadelt (fam. 24,3), neben und über Seneca als der führende Prosaiker Roms angesehen worden war, jetzt sowohl in seinen sprachlich-rhet. Qualitäten wie in seiner republikanischen Gesinnung in das Zentrum auch der Textarbeit. Salutati kann als Theoretiker (zu seiner Echtheitskritik [109. 16ff.]) und Propagandist dieser mod. Tendenzen wie als ihr Bibliothekar gelten: Er hatte im Laufe seines langen Lebens eine Büchersammlung von über 600 Stück, mehr als das Doppelte der für Petrarca geschätzten Zahl, zusammengestellt [115. 127–209, bes. 129–137; 91a. XLf.] und ließ seine Freunde großzügig an diesem Reichtum teilnehmen. Salutatis Bestände blieben nach seinem Tod als Grundstock u. a. der Medici-Bibl. wie der Niccolò Niccolis (1363–1437), der wie eine Spinne im Netz ([110], auch von Kontroversen [29]) alle Neufunde einfing [99. 377–380, Bibliographie 377 Anm. 20, 381ff.], weitgehend in Florenz präsent. Niccolis Bibl. war durch den großen »Entdecker« Poggio Bracciolini (1380–1459) vermehrt worden, der die Gelegenheit des Konstanzer Konzils, von 1414–1418 das Zentrum der kirchlichen Welt, zu weiten Reisen nach Frankreich und Deutschland nutzte und auch als Multiplikator seiner *Scoperte* auftrat ([102; 91a. XLI; 38. 517–520; 91b. 136–140, Bibliographie 274f.; 90; 107. 19–28]) u. a. Reden Ciceros, dazu den Komm. des Asconius; *Brutus; De oratore, Orator* und Quintilian vollständig; Lukrez, Manilius, Valerius

Flaccus, Silius Italicus, Statius' *Silvae* etc. (vgl. [106a. 279–314]).

Kulturgeschichtlich als noch bedeutsamer erwies sich Poggios Experiment (um 1400 [91b. 274]) einer human. Minuskel [31. 62–81], die Niccoli dann als Kursive weiterentwickelte [31. 44–61]. Die ästhetische Qualität von Poggios Schriftreform hat der h. als »Antiqua« bekannten Type einen vollkommenen Sieg beschert, zumal der »Erfinder« in seinen kalligraphischen Autographen sozusagen als sein eigener Drucker figurierte. Auch textkritisch hat Poggio die hsl. Trad. durch die von seinen editionsähnlichen Prototypen ausgehenden Kopien nicht unbeträchtlich beeinflußt [106a. 283–286; 97. 327–338; 99. 375ff., 380f., mit Bibliographie 376 Anm. 20], jedenfalls auf einem höheren Niveau als sein Zeitgenosse Guarino Guarini da Verona (1374–1460 [106a. 344–381, bes. 352–355]), der sich als Lehrer und Grammatiker [46. 1–28] einen Namen gemacht hat.

Salutatis allgemeinerer Zugriff auf das h. Human. genannte Phänomen zeigt sich einmal in seiner synthetischen Begrifflichkeit (*studia humanitatis* [62. 46, 68, 157, 162f., 199]), zum anderen in seiner differenzierten Periodisierung des lat. Prosastils (epist. 9,9; Bd. 3, 80–84 Novati), die Klassiker (*prisci*), kaiserzeitliche Autoren (Seneca bis Apuleius und Macrobius) und die Zeit des Theodosius einerseits von dem Qualitätseinbruch im MA, andererseits wiederum von dem Aufstieg seit Mussato abgrenzt [123. 323–326]. Erst eine solche distanzierte, Diachronie und Synchronie kombinierende Sicht erlaubt es, die Vorbildhaftigkeit eines Individualstils wie den Ciceros genauer ein- und abzugrenzen. In dem Milieu eines ersten → Ciceronianismus ([123. 443–494], u.a. Gasparino da Barzizza [123. 462–466] und Pierpaolo Vergerio [123. 370–387]) sind denn auch als Ursache wie Wirkung herauszuheben die *Inquisitio artis in orationibus Ciceronis* des Vicentiners Antonio Loschi (1365–1441 [123. 387–390]) und die Cicero-Vita Leonardo Brunis (1370–1444 [123. 392–442]), dessen isolierter literarhistor. Versuch durch die *Scriptores illustres Latinae linguae* ([70. 68f.]; zu unsicherer Echtheitskritik [109. 20–24]) des Paduaners Sicco Polentone (1375/6–1447) einen weiteren Rahmen erhielt.

2. DIE PROFESSIONELLE UND METHODISCHE VERTIEFUNG DES HUMANISTISCHEN PROGRAMMS

2.1 BUCHDRUCK UND PHILOLOGIE

Die mediengeschichtliche Bedeutung der Fixierung des geschriebenen Wortes durch den Buchdruck, die sich in It. seit etwa 1460 durchsetzt ([16; 36; 37], speziell zu Giovanni Andrea de Bussi [74]), ist in ihrer systematischen, die *memoria* ein für alle mal sichernden Bedeutung kaum zu überschätzen. Trotz der Ausstrahlung von hsl. Kopien Petrarcas, Poggios und Guarinos mit ihrem weitgehend homogenen Text und den Ansätzen zu einer Mehrfachproduktion nach Mustervorlagen durch die Florentiner Verlagsbuchhandlung Vespasianos da Bisticci [106a. 319–335; 99. 396ff.], haben die Texte erst durch Druck und Formatierung einen Standard erreicht, der über eine identische Textform eine synchron

wie diachron zuverlässige Basis wiss. Kommunikation ermöglicht letzteres zumal deshalb, weil die Editiones principes, zumeist in einer Kontinuität der hsl. Trad. bruchlos ([27. 3ff., 12–21], konkret [106a. 391–408]) in den »Accidentals« (Überschriften, Orthographie, Interpunktion, Auszeichnung der Dialogpartner etc.) die sog. Vulgata bestimmen, solange auch die spätere Editionspraxis nur in Veränderungen des Vulgata-Textes in margine bestand. Zuvor waren Emendationsversuche punktuell, flüchtig und ohne Frucht geblieben, hatten die Komm. der Unterweisung in der klass. Gramm. und Rhet. gedient und (wie auch mod. Lehrbücher überwiegend) nicht nach inhaltlicher Originalität gestrebt [49. 23ff.].

Im übrigen findet diese Fixierung der Texte seit den 1460er Jahren vor einem Horizont statt, in dem sich die human. Bewegung allgemein in It. durchgesetzt hatte. Auch Humanisten-Päpste wie Tommaso Parentucelli (Nicolaus V. von 1447–1455 [72; 99. 383–393]) und Enea Silvio de' Piccolomini (Pius II. von 1458–1464) engagieren sich in Wort und Schrift für die Verbreitung der mod. Kultur zumal in ihren Texten, ersterer durch die Neukonstitution der Vatikanischen Bibl. ([50], bes. L. E. Boyle [50. XIff., 293], A. Grafton [50. 34f., 295], J. Hankins [50. 47–63]), deren Handschriftenbestände wie die älteren der Florentiner Medici-Bibl., in deren Biblioteca publica von S. Marco 1441–1444 Niccolis bibliothekarischer Nachlaß [116. 59–104] eingegangen war [116. 12f.], den Forsch. Material für neue, kritischere Ausgaben darboten. Angelo Poliziano (1454–1494), mit Lorenzo Valla der führende Philologe der Epoche (vgl. [17; 44], Bibliographie [7]), konnte für seine Forsch. von beiden profitieren [17. 91–107, 108–124], dehnte aber seine Suche auch nach Norditalien aus [17. 134–156], während im übrigen [91a. XLIf.] mit Ausnahme des Fundkomplexes von Bobbio (meist gramm. und spätant. Codices), von Giorgio Galbiati 1493 gehoben (zuletzt [75]), die hohe Zeit der Scoperte einer Stabilisierung und Systematisierung des Bekannten Platz gemacht hatte.

Die hsl. Bücher, die bisher ggf. in einer durch Kollation oder Konjektur »verbesserten« Textform in einer Art von »Privatedition« als normale Leseexemplare gedient hatten, wurden jetzt als museale Artefakte aus dem normalen Rezeptionsprozeß ausgeschieden, andererseits aus dieser grundsätzlichen Distanz nunmehr wiederum als Basis für die erst ganz allmählich gesehene oder gar realisierte Notwendigkeit von kritischen, d.h. die besten Elemente der Trad. privilegierenden Ausgaben wahrgenommen. Zu diesem Zweck entwickelt sich jetzt eine variierende und doch prinzipiell konvergente Terminologie der Handschriftenbeschreibung [97]. Auch Kollationen, früher prinzipiell zur Verbesserung des Textes bestimmt, dem sie selektiv beigeschrieben oder in den Text selbst interlinear bzw. in Rasur eingearbeitet waren, wurden jetzt in einer (schon äußerlich wahrnehmbaren) Divergenz zw. gedrucktem Trägertext und hsl. Ergänzung zur Vorbereitung eines dritten

Exemplars vorgenommen [79. 41–108]. Die Aktivität Polizians in dieser Richtung [82], die immer noch eine beachtliche Erfolgsquote für bibliophil gesonnene Philologen garantiert, gibt allerdings angesichts eines Ausbleibens von tatsächlichen editorischen Realisierungen bereits bei dem Archegeten [44. 94] zu einer Reflexion über eine bis h. andauernde Diskrepanz zw. dem Eigengewicht solcher Vorarbeiten gegenüber dem erhofften Resultat Anlaß.

2.2 POLIZIANO (TEXTKRITIK)

Auch im Bereich der human. Textkritik (Bibliographie in [51a. 198f., 205–215]) hat das Sensorium des Valla-Schülers Polizian für die Textgeschichte, hier die Suche nach autoritativen Codices, bekanntlich zu grundsätzlichen Erkenntnissen, Argumenten und Kategorien im Bereich der Recensio geführt [113. 4ff.; 49. 37–43; 38. 522–528; 107. Bibliographie 37. Anm. 45]. Bereits Salutati hatte im gegebenen Fall zahlreiche Codices konsultiert und auf diese Weise Erfahrung mit bestimmten Fehlerkategorien gewonnen [115. 99–106; 97. 226–235], bleibt also im Bereich der Emendatio. Erst Polizian gelingt es, in einigen Fällen Ordnung in dies Chaos zu bringen: So identifiziert er im Falle der *Argonautica* des Valerius Flaccus (Misc. 1,5; vgl. 2,2) nach Autopsie ein Exemplar mit 50 Versen pro Blatt [17. 127ff.; 38. 526ff.; 107. 29–38] als Archetyp (›codicem (...) perveterem (...) e quo fluxisse opinor et ceteros, qui sunt in manibus‹, »einen sehr alten Codex, von dem sich, wie ich glaube, auch alle anderen ableiten, die im Gebrauch sind«) und macht so, wie für Ciceros *Ad familiares* (Misc. 1,25; [107. 143–150, hier 150 Anm. 37]) zugleich einen evidenten Fall der in der genealogischen (unachtsam bisweilen immer noch die Lachmannsche geheißen, vgl. aber C.3.2.) Methode »Bindefehler« genannten Kategorie dingfest. Auch der Begriff »Archetyp« ›per indicare il capostipite di tutti i manoscritti esistenti‹ [97. 308–317, hier 315; 89. 198] wird von ihm zuerst als fester Terminus gebraucht ([85. 33]: ›in Poggiano libello, a quo uno archetypo cetera exemplaria emanarunt‹ »in dem Buch Poggios, von dem als Archetyp alle anderen Exemplare ausgegangen sind«).

2.3 LORENZO VALLA (»HÖHERE« KRITIK)

Ist sich Polizian bewußt, allenfalls ein dem Autor näheres Exemplar zu fassen, so hatte sein Mentor Lorenzo Valla (1407–1457 [84. 35–41]) in den *Emendationes Livianae* von 1446/1447 (gedr. in *Lucubrationes aliquot*, Lyon 1532; zunächst autographe Ergänzungen in Petrarcas Harleianus (s.o.); [8. 137–142; 9. Bd. 1. 97–122]; dann im *Antidotum in Facium* 1447 verwendet [121. LXVII–LXXVII]) versucht, in einer *Emendatio ope ingenii*, später prägnant *Emendatio* genannt, dem Autorwillen sozusagen direkt nahezukommen [91. 53–62]. Dieser »niederen« Kritik korrespondiert als berühmtestes Beispiel der sog. »höheren« (= Echtheits-)Kritik der Epoche [109. 26–33] die Unterminierung der Herrschaftsansprüche der Bischöfe von Rom auf den Kirchenstaat durch Vallas (1440) Falsifikation der sog. Konstantini-

schen Schenkung [119]. Gleichwohl zeigt sich die Epoche nicht stets dem Ideal eines authentischen bzw. authentisch zu rekonstruierenden »auratischen« Originals verpflichtet. So beginnt man gerade jetzt damit, lückenhafte (Plautus) oder als unfertig geltende (Vergils *Aeneis*; Valerius Flaccus) Texte zu ergänzen bzw. zu erweitern [105. 48, 50f.]. Daneben stehen sogar regelrechte Fälschungen, ›in the Renaissance (...) forger and critic marched in lockstep‹ [47. 31]. Bisweilen wollte man sich wohl mit einem endgültigen Verlust nicht abfinden, so vielleicht im Fall von Carlo Sigonios Fälschung von Ciceros *Consolatio* von 1593 [47. 45–48] oder dem Versuch des Annius von Viterbo, eine interessantere Vergangenheit zu (re)kreieren als sie die antiquarische Gelehrsamkeit bieten konnte [105. 25f., 28; 48. 76–103]; auch ein Überlegenheitsgefühl war bei dem Versuch im Spiel, den intelligenten Leser weniger zu täuschen als zur Entlarvung zu provozieren, so Erasmus bei seiner Erfindung des ps.-cyprianischen *De duplici martyrio* [47. 43 ff.].

2.4 KOMMENTARE

Auch im Falle von Klassikerkomm. ([67]; Bibliographie in [51a. 198f., 226–251]; eine sprachliche Erklärung des NT in der Version der Vulgata riskiert [120], vgl. [57]), die jetzt ebenfalls als Texte unter dem Namen eines bestimmten Autors fixiert werden und insofern von den ma., oft anon. Kompilationen verschieden sind, kann sich nunmehr die Konkurrenz von lokal separaten und methodisch separierten »Schulen« ausleben. Einerseits war die neue human. Philol. zunächst durch die von Giovanni Andrea Bussi verantworteten Erstdrucke, den Druck von Giovanni Tortellis *De orthographia* (1471) und die sich als Komm. zu Martial (Buch 1) gebende etym. Enzyklopädie *Cornu Copiae* (1489 [83; 43]) von Niccolò Perotti (1429–1480) sowie den wenig zuverlässigen [34. 127–142; 33] Wahlrömer Domizio Calderini (1446–1478) röm. bestimmt. Auf der anderen Seite standen in Norditalien Giorgio Merula (1430/1–1494), der Herold des Bobienser Schatzfundes von 1493, Polizian und Hermolao Barbaro (um 1453–1493), die gegenüber jener, auf Vollständigkeit der Erklärung [49. 26ff.] bis hin zu zahlreichen Exkursen bedachten, exegetischen Methode [38. 539–542] sich mit knapperen und textnäheren Enarrationes (z.B. *Iuvenalis* von Merula, Venedig 1478) oder *Castigationes* (*plinianae* von Barbaro, zu seinen Emendationen [6. Bd. 1. LXX–LXXVI]) begnügten und die mit den Texten und ihrer Überlieferung involvierten histor. Prozesse ernster nahmen. Noch selektiver ging der von Calderini zu Ansehen gebrachte Typ der *Observationes* vor [49. 28–31], der vor einer lit. wie histor. Texterklärung das Feld von textkritischen und exegetischen *loci obscuriores* in einer vertieften, alle Aspekte einbeziehenden Behandlung reinigen sollte. In diesen Zusammenhang gehören nach den *Annotationes centum* des älteren Francesco Beroaldo (Bologna 1488; [68]) auch Polizians nach dem Vorbild des Gellius altertumswiss. (1,517f.) angelegte *Miscellanea* ([86; 87; 17. 157–181, 193–296; 49. 32–54; 44. 80–133];

zur zeitgenössischen Rezeption [42]), in denen ihr Verfasser das Beharren auf seiner Genauigkeit von Zitaten und Zuweisungen als seinen Erstgeburtsrechten dazu benutzt, den eigenen Raum gegenüber den Konkurrenten abzustecken.

3. WISSENSCHAFT UND KLASSIZISMUS

Bei all dieser zum Zweck von Rekonstruktion und Verständnis einer weit vergangenen Epoche unumgänglichen Geschäftigkeit geriet zunehmend die Frage ins Zentrum, welche Art Lat. in der gebildeten Gesellschaft der Gegenwart zu schreiben sei, d. h. welche Autoren bei der nlat. Textproduktion Pate stehen sollten (→ Neulatein). Petrarcas Anverwandlung eines individuellen Lektürekanons und Salutatis von der ma. Trad. der *Dictatores* geprägter Stil hatten noch zu großzügigen Lösungen geführt [123. 260–265, 320ff.]. Der Florentiner Kanzler geriet in eine heftige Auseinandersetzung mit seinen jüngeren Freunden (Bruni, Poggio) [123. 395–399], die einen ausgeprägteren, wenn auch nicht pedantischen Ciceronianismus in einer ›generic imitation‹ [123. 27f., 392f., 443–494] propagierten. Während auf der Ebene des einfachen Spracherwerbs noch immer spätant. (Priscian) oder gar ma. Lehrbücher Verwendung fanden und neue, human. Gramm. nur zu Teilbereichen (Guarino, *Regulae grammaticales*) bzw. zum Gesamtsystem erst später (Perotti, *Rudimenta grammatices*, 1468, gedr. 1473 [124]; allg. [78. 5–57; 81]; zur Metriktheorie [66. 154–181]) entstanden, setzten 1449 Vallas *Libri de linguae Latinae elegantia* (gedr. zuerst 1471 [118]) neue Maßstäbe, eine ›Diskussion morphologischer und lexikalischer Problemfälle (...) normativ angelegt‹ [4. 46], die sich von der ma. Gramm. implizit, aber deutlich absetzt und an Cicero wie Quintilian als den normsetzenden Autoren orientiert. Mit ihm beherrscht die Szene zunächst ›die Position der »quintilianischen« Eklektiker, die »ihr« Lat. an einem Kanon gutgeheißener ant. Autoren orientieren‹ [53. 58–64, hier 59]. So stehen in Polizians Vorlesungen [23. 277–280; 17. 73–90] unter dem Einfluß Vallas ([44. 37–70, hier 38ff.], bisweilen überpointiert) neben Plautus und Terenz, Vergil und Ovid kaiserzeitliche Autoren im Vordergrund (Persius und Juvenal, Martial und Statius, Quintilian und Sueton). Eine zweite Richtung, der in Bologna vorherrschende »Apuleianismus« [26], vertreten durch den älteren Filippo Beroaldo (1453–1505 [64], Emendationen in [22. 635–645]) und Ermolao Barbaro (1453–1493) bezieht als Stilvorbilder archaisierende Autoren (Apuleius, Gellius; auch Fachschriftsteller, Plinius maior, Festus, Nonius) ein. Zumal die *Naturalis historia*, nach [39] ›un laboratorio filologico di fine Quattrocento‹, hat von diesen Interessen profitiert (zu Barbaros philol. Aktivität [6. Bd. 1. LXI–CXI; 39; 40]). Hingegen hat sich der rigide Ciceronianismus, der, wie Erasmus satirisch anmerkt, nur von Cicero verwendete Wörter und Wortformen gebrauchen darf [35. 16–27], nach ersten Geplänkeln (Poggio-Valla [71. 126–146]; C. Landino, 1424–1498 [71. 167–183]; Polizian-P. Cortesi [71. 187–227]) in seinem vollen ideologischen Gewicht

erst im Umfeld der röm. Kurie des frühen 16. Jh., vertreten von Pietro Bembo (1470–1547) gegenüber Gianfrancesco Pico della Mirandola, durchgesetzt ([71. 249–274; 28. 280ff.; 50. 70–73; 111. 234ff.]; zu A. Castellesi, ca. 1460–nach 1521 [53]).

Hatten sich Polizians Zeitgenossen vornehmlich an kaiserzeitlichen Autoren (Martial, Juvenal, Sueton, Apuleius) philol. zu profilieren gesucht, so sind es eine Generation später wieder die Klassiker im engeren Sinne, die Johannes Pierius Valerianus (1477–1558; Vergil [45. Bd. 1. 48–51; 103]), Petrus Victorius (1499–1584; zumal Cicero [45. Bd. 1. 52–68]) und seinen Mitstreiter Gabriel Faernus (1510–1561; Terenz, Cicero [45. Bd. 1. 65–70]) in der methodischen Trad. von Polizian beschäftigen. Alle drei betonen die Bedeutung der ältesten als der präsumptiv besten Hss., die deshalb genau beschrieben und kollationiert werden sollte. Hatte Polizian nach einer glücklichen Fügung von Autopsie und Intuition in mindestens zwei Fällen (Valerius Flaccus, Ciceros *Familiares*) erhaltene Archetypen zu identifizieren und damit die jüngeren Codices als *descripti* zu eliminieren verstanden, so hielt Victorius in seinen wesentlich textkritischen Komm. auch gegen die Erfahrungen und den Widerspruch der anderen [45. Bd. 1. 49, 51, 68f.] an der Gleichung *vetus codex* = präsumptiver Archetyp [45. Bd. 1. 55, 58, 67] fest [113. 7]. Immerhin kam die Sorgfalt, mit der die ältesten = besten Hss. (Terenz, Vat. Lat. 3226 (4./5. Jh.) = Bembinus, kollationiert von Polizian [93] und Faernus; Vergil, Vat. Lat. 3867 (5. Jh.) = Romanus; Cicero, Reden, Vat, Basil. H.25 (9. Jh.) Berücksichtigung fanden, den Ausgaben und textkritischen *Castigationes* zugute, wenn man nicht, wie der jüngere Filippo Beroaldo (1472–1518) das Glück hatte, mit den ersten Büchern von Tacitus' Annalen (Rom 1515; [45. Bd. 1. 47f.]) eine Editio princeps eines Codex unicus vorlegen zu können. Auch mit der Berücksichtigung griech. Quellen schloß sich Victorius in seinen *Variae lectiones* von 1553 dem Vorbild von Polizians *Miscellanea* an. Für Editoren in der Trad. Polizians konnte es also nur darum gehen, auf der Wichtigkeit hsl. gut beglaubigter Varianten zu insistieren (= *Emendatio ope codicum*). So definiert auch die erste selbständige Abhandlung zur Textkritik, die Vorlesung Robortellos [100; 61. 29–36], die Textkonstitution [100. 40] ›aut coniectura‹ ([100. 43–53], »eine Fehlerlehre«) ›aut ex veterum librorum (...) scriptione‹ ([100. 40–43], »eine rudimentäre Paläographie«). Vorbilder für eine zuverlässige Handschriftenbenutzung sind mit Polizian, Valerian, Victorius – und ›Beatus Rhenanus, vir doctissimus, qui in eluendis maculis ex Livio, ex Tacito, ex Velleio et ex aliis tam multis praeclaram omnibus bonis navavit operam‹ (»der sehr gelehrte Beatus Rhenanus, der mit dem Abwischen von Flecken bei Livius, bei Tacitus, bei Velleius und so vielen anderen für alle Guten so viel erreicht hat«) [100. 53].

Das It. des 15. Jh. [49; 84. 47–60] hatte dem übrigen Europa den Human. als Wille und Vorstellung, die Editiones principes als Werkzeuge [80. 368f.] sowie die methodischen Ansätze einer Textbehandlung von hsl. Büchern vermittelt, bes. die dt. → Universität als Organisationsform einer wiss. Kommunikation und Professionalisierung auch des Antikestudiums »human. unterwandert« [101. 46–50]. In → Frankreich war Guillaume Budé entscheidend, der 1530 den König Franz I. veranlaßte, »lecteurs royaux«, Professorenstellen u. a. für Griech. und Lat. zu etablieren; in diesem Zusammenhang entsteht auch die Werbeschrift für den professionellen Human. *De philologia* (1536) als Dialog mit dem König [20]. In Basel konzentrierten sich ›Druckereien (...), die für den Norden die Arbeit der it. aufnahmen. Die Amerbach, Froben, Kratander, Heerwagen brauchen typographisch die Vergleichung mit Aldus nicht zu scheuen‹ [122. 20]. Hier fanden Editoren wie Simon Grynaeus, Beatus Rhenanus, Sigismund Gelenius und Henricus Glareanus [84. 85 f.], deren Ausgaben noch h. mit Respekt genannt werden, ihr Betätigungsfeld (→ Schweiz); in Frankreich wird die it. Trad. z. B. durch den Schüler des älteren Beroaldo, Jodocus Badius Ascensius, repräsentiert [106]. Jetzt kommt die Entwicklung des Buchformats (Titelblatt, Seiten- statt Folienzählung, Vorreden, Einteilung der Prosatexte in Kapitel und Paragrapheneinteilung, Dokumentation hsl. Varianten in ergänzenden Listen am Buchende etc.) wie ein in Zwischenabschnitten lesefreundlicheres Format des Komm., der im MA den Text als Glossierung eingeschlossen hatte, der Lektüre zugute.

Von der human. Wiss. profitieren im transalpinen Bereich, sowohl in Frankreich [96], wo die griech. Studien dominieren, als auch in It. bes. die Klassiker. Hervorgehoben zu werden verdienen der gelehrte Drucker Robertus Stephanus (1503–1559: Plautus und Terenz, Cicero, Horaz), der im Zusammenhang mit einem ersten *Thesaurus linguae Latinae* (1531–1536) eine erste Fragmentsammlung der frühen röm. Dichter wagte (Genf 1564 von seinem Sohn Henricus ediert [45. Bd. 1. 93 f., 110 f.]); Adrianus Turnebus (1512–1565), dessen Komm. zu Ciceros *De legibus* (1538, ²1557) wegen seiner Beachtung stoischer Parallelen noch 1921 als ›der beste‹ galt [122. 25]; schließlich Dionysius Lambinus (1520–1572: Plautus und Lukrez 1563; Cicero 1565/6 und der sog. Cornelius Nepos, hervorragend zu Horaz, zuerst 1561 [61. 63–66; 45. Bd. 1. 80 ff.]). Die konstante Berücksichtigung des griech. Horizonts steht in der Trad. Polizians, während die Vernachlässigung der Hss. gerade bei Lambinus ([61. 65 f.; 45. Bd. 1. 86, 94 f.]; H. Stephanus polemisiert indes gegen seine Emendationen *ope codicum* [61. 66 f.]) im Vergleich mit den Italienern der Epoche zu wünschen übrig läßt, d. h. auf einen nationalen Schulstreit schließen läßt.

In textkritischer Hinsicht (vorsichtig: J. Hirstein in [55. VII–XIII], gegen [27]; Ders. in [55. 1–20]; P. Petitmengin in [55. 195–222]) wird von Robortello unter den Ausländern nur der Elsässer Beatus Rhenanus (1485–1547) herausgestellt [27. 98–101], dessen philol. Tätigkeit überwiegend Kirchenvätern (Tertullian, 1521, ²1528, ³1539 [27. 61–66, 101–109, 136–142]) und histor.

Texten (Livius, erste und dritte Dekade [27. 126–136]; M. Chassignet und V. Pfeifer in [55. 397–409, 411–455]; Editio princeps von Velleius Paterculus, 1520/1 [27. 55–61]; Senecas *Apokolokyntosis*, 1515; Plinius, *Naturalis historia*, 1526 [27. 72–98]; M.-E. Boutroue in [55. 327–375]; Tacitus, *Annales*, 1533. ²1544 [27. 112–126]; J. Hirstein in [55. 377–395]; U. Muhlack [55. 457–469]; Cassiodor-Epiphanius, 1523, S. Ratti [55. 299–326]) gewidmet ist [27. 173–208]. In seinen historiographisch-histor. Interessen als Charakteristikum des Oberrheinischen Human. steht Rhenanus im Kontext der erwähnten Baseler Editionen, in seinen patristischen Bemühungen [27. 143–172] folgt er seinem Pariser Lehrer Jacques Lefèvre d'Étaples [94] wie seinem Mentor, dem europ. Erzhumanisten Erasmus (ca. 1467–1536 [84. 71–83; 91b. 158–163, 279 ff.]); dessen christl. Human. hat sich mit seinen zur allg. Benutzung gedachten Klassikereditionen [84. 77 ff.], die ›längst in den Bibl. schlummern‹ ([122. 19], vgl. aber [61. 49 ff.; 27. 30–38]; zu Erasmus' Textkritik [112]; zu seiner »Philologia« im weiteren Sinne [54. 111–166]) in der Trad. Petrarcas (zur »Patristic Scholarship« in der Ren. auch Stinger in [5. 491–510]) auch der Kirchenväter angenommen (Den Boeft in [5. 537–572]), bevor die protestantischen Versuche der Kirchenreform und die katholische Gegenreformation diese ›scharfgeschliffnen Waffen der ersten Christenheit‹ für den Kampf der Konfessionen wiederentdeckten. An Petrarca und zumal an Polizian orientiert sich auch Erasmus' großzügige, die gesamte Ant. stilistisch vereinnahmende, antiklassizistische Tendenz, die ihre Frucht in dem Meisterstück des Ciceronianismus (1528), Analyse, Satire und Protreptik zugleich, getragen hat [108. 24–31; 35. XXXIX-XLVIII; 111. 235 f.]. Erasmus verarbeitet hier seine Erfahrungen mit dem röm., in seinen Augen paganisierenden Human. [25. 138–142], und die Reaktion war entsprechend, nicht nur in It. [35. ILf.], sondern auch in Paris [108. 31–39; 35. XLVIIIf., Lf.; 111. 235 f., 239 ff.], wo vor dem *Dialogus de imitatione Ciceroniana* E. Dolets (1535 [108. 63–97]) bereits Julius Cäsar Scaliger (1484–1558), der bedeutende Vater eines größeren Sohnes, mit einem Pamphlet 1531 (ein zweites dann 1537) aktiv geworden war ([108. 42–62]; zu *De causis linguae Latinae* von 1540 [78. 58–77] D. Cherubim in [3. 125–146]). Dem entspricht, daß Scaligers berühmte normative Poetik [104] Vergil über alle anderen Poeten erhebt. Beiden, Erasmus wie Scaliger, geht es um die Qualitäten, die dem klassizistischen Human. seine Stabilität bis um die Mitte des 16. Jh. bewahrt haben, der aktiven Verwendung der lat. Sprache, und (dies bei Erasmus) die mit dem Mittel dieser Sprache transportierten human. Inhalte. An dt. Gelehrten der Zeit wäre noch der Melanchthon-Schüler Joachim Camerarius (1500–1574) mit seiner Plautus-Ausgabe von 1552 zu erwähnen [84. 139].

4. Sachphilologie und Wortphilologie

Daß die philol. Wiss. im letzten Drittel des 16. Jh. vor einem Horizont veränderter polit. (›Anpassung an die Gegebenheiten des Fürstenstaates‹ [65. 195]), rel. (Gegenreformation und Konfessionalismus), gesellschaftlicher und kultureller Erwartungen betrieben wird, schält sich als Kriterium einer Epochenabgrenzung in der Forsch. ([58; 36. 97–103, hier 101 ff.; 65. 189–204; 45. 96–100]; B. Asmuth in [56. 135–157]) immer deutlicher heraus. Die dadurch angestoßene wissenschaftsgeschichtliche Wende kann als Ansatz zu einer ahistoristischen Historisierung des Gegenstandsbereiches bzw. einer relativen Relativierung des human. Hintergrunds beschrieben werden: Einmal gewinnen die histor. bzw. altertumswiss. Einbettung der Texte an Interesse, symbolisiert etwa durch Scaligers chronologische Rekonstruktionen (*De emendatione temporum*, 1583, 1598; *Thesaurus temporum*, 1606), ebenso histor. und fachwiss. Texte, deren Lektüre bisher als Gefahr für die ästhetischen Qualitäten des gesprochenen Lat. angesehen wurden. Nebenlinien wie die Textarbeit an Festus [45. Bd. 1. 134–160] oder Justinians Digesten (Polizian [17. 182–192]; M. Ascheri in [41. 323–331]; Budé, 1508; L. Torelli und A. Agustín [45. Bd. 1. 63 ff.; 60]) rücken jetzt stärker ins Zentrum; die Rekonstruktion von Verlorenem (in Fragmentsammlungen zu Ennius (P. Merula, 1595) und Lucilius (F. Dousa, 1597), vgl. auch [51. 41]) ebenso wie Corpora des Überlieferten (H. Putschius, Grammaticae latinae auctores antiqui, 1605; die Mauriner zu den lat. Kirchenvätern, D.-O. Hurel in: [5. 1009–1038]) symbolisieren diesen Prozeß von Historisierung und Verwissenschaftlichung. Erlaubte der Streit um den rechten Ciceronianismus bisher allenfalls Ausflüge in die frühkaiserzeitliche Lit., so kommen nun alle Epochen der lat. Lit. von der Archaik bis zur Spätant. und Patristik [21; 52; 5] als Forschungsthemen in Betracht (personenbezogene Überblicke [122. 23–34; 84. 113–139; 91b. 175–184]), ersetzen Seneca (als Tragiker wie als Philosoph) oder Tacitus (zum Tacitismus: U. Muhlack in [55. 458–462, Bibliographie 458 Anm. 4]) in philos. oder polit. Hinsicht als Musterautoren eines »silbernen Human.« [24] die Klassiker, ergänzen später Charles Du Canges *Glossaria ad scriptores mediae et infimae Latinitatis* (1678) den Thesaurus des Stephanus. Die beliebtesten Autoren waren also nicht Cicero, Livius, Virgil oder Horaz, sondern Seneca, Tacitus, Lucan und sogar Claudian, und ihr Interesse ›was concentrated less on their language and style than on their political attitude‹ [84. 125]. Solche die bisherigen Grenzen sprengenden Aktivitäten werden allerdings nicht im Rahmen einer literarhistor. Synthese gleichwertiger Epochen ausgeübt, sondern dem Dekadenzschema der Metallmetaphorik (K. Schoppe, 1631 [2. 229f.] zu Olaf Borch, 1675, S. Döpp in [3. 209–254], Quellen [3. 214], Übersicht bis zu dem tönernen Zeitalter der Gegenwart [3. 236–243; 76. 836–918] geht nur bis zur Spätant. als *aetas ferrea*) eingeordnet, die Latinität mithin als sprachlich-lit. noch produktiv, als noch unabgeschlossen wahrgenommen. Auch gattungstheoretisch bleibt es bei ersten Versuchen (Satire, Historiker) gegenüber bereits möglichen systematischen Zusammenfassungen zur Textkritik ([61. 37–46]: K. Schoppe,

1597; J. Clericus, 1697, nach [61. 43] der Erfinder der Regel der *lectio difficilior*; J.-B. Morel, 1766). Gegen Ende findet sich die Epoche gar in einem bibliographisch-wissenschaftsgeschichtlichen Rückblick wieder (J. A. Fabricius, Bibliotheca Latina, 1697–1722, ³1773/4).

Entscheidend für diesen auch im mod. Sinne wiss. zu nennenden Aufschwung ist zunächst der kometenhafte Aufgang der Univ. Leiden und damit der niederländischen Philol. (→ Niederlande und Belgien) in der Person von Justus Lipsius (1547–1606 [58. 449–559; 65. 204–255]; B. Asmuth in [56. 138–153]) mit philol. Interesse an Tacitus (zu seiner komm. Ed. von 1574, ²1600 [61. 53 f.]) und philos. an Seneca (1605), dann mit dem bedeutenderen Philologen Joseph Justus Scaliger (1540–1609), einem »Altertumswissenschaftler« vor Heyne und Wolf [61. 54–57], dessen Varro (Coniectanea 1565, Ausgabe 1573 [45. Bd. 1. 107–118, 127 f.]), Manilius (1579, ²1599 [45. Bd. 1. 180–226, Bd. 2. 437–459], wichtig der Komm.) und Ausonius (1574/5 [45. Bd. 1. 128–131]) erfolgreicher waren als der Versuch der Applikation von Polizians und Victorius' textgeschichtlichen Ansätzen [113. 9ff.; 45. Bd. 1. 162–179] bei den Tresviri amoris (Catull, Tibull, Properz, 1577). Dieselbe Weite der Textauswahl zeigen in Frankreich die Arbeiten des als Erklärer erinnerungswürdigen Isaac Casaubonus (1550–1614) zu Persius (1605, *De satyrica Graecorum poesi et Romanorum satira*), Sueton (1595) und der *Historia Augusta* (1603); Pierre Pithou (1539–1596) gab die Editio princeps des Phaedrus (1596) heraus, der Nonius (1583) des Josias Mercier (ca. 1560–1626) blieb lange Standard. Unter den Holländern hat sich dann Gerardus Iohannes Vossius (1577–1649), für den aber bereits ›die Beherrschung der lat. Sprache (...) einen geringeren Rang besitzt‹ (J. Leonhardt in [3. 189–208, hier 206]), als Grammatiker und mit einer Monographie *De historicis Latinis* (1627) einen Namen gemacht. Nicolaus Heinsius (1620–1681), Handschriftenforscher und Herausgeber von Catull bis Claudian und Prudentius, ist nach seinen Kollationen, einer versuchten Recensio und als Emendator ›essentially (...) Politian with modern improvements‹ [61. 57–63, hier 58] genannt worden; sein Freund J. F. Gronovius (1611–1671) profilierte sich mit einer Ausgabe von Senecas Trag. (1661) und zahlreichen Arbeiten zur lat. histor. Prosa.

Von den Niederlanden ging allerdings im 17. Jh. jener von Wilamowitz [122. 33 f.] neben den antiquarischen Kompilationen zu Recht so perhorreszierte Editionstyp *cum notis variorum* aus, der aus Denkfaulheit oder Entscheidungsschwäche wie in der Spätant. die (überwiegend textkritischen) Adnoten der editorischen Trad. hintereinander anordnete, so die Folianten füllte und damit ›einen Gegensatz von Sprachphilol. und Sachphilol. hervorrief‹, der dann im 19. Jh. seit Wolf durch ein altertumswiss. Gesamtprogramm für einige Zeit überwölbt wurde. Mit diesem Dickicht von Textvarianten, das der Transparenz eines kritischen Apparates durchaus ermangelte [61. 68–71], sah sich Richard

Bentley [84. 143–158; 18. 21–83], dessen wiss. Charakterbild je nach individuellen bzw. nationalen Präferenzen schwankt (Wilamowitz [122. 37] vermißt im Horaz-Komm. den altertumswiss. Horizont und moniert die Horazkonjekturen; engl. Stimmen [61. 71–74; 18. 66–69], dazu [59. 12 f.] werten graduell auf) bei seinem Kampf gegen die in jener Form sich präsentierenden Vulgata konfrontiert, den er (anders als Lachmann [107. 14, 16 f.]) nicht durch den Rekurs auf die beste Hs., sondern auf die *ratio* bzw. das *ingenium* des Emendators zu gewinnen suchte. Daß er von einer potentiellen Recensio der Hss., deren Varianten er hinter dem Schleier der Vulgata und als Folie seines Konjekturwillens wahrnahm, keine rechte Vorstellung hatte [113. 13 ff.], zeigen die berühmten, immer wieder hervorgeholten Zitate zumal aus seinem Horaz (1711/12; für die Latinistik kommen noch in Betracht Bentleys Editionen von Terenz, 1726, und Manilius, 1739). Daß er auf dem prinzipiellen Recht einer Konjektur gegenüber der Überlieferung (also dem Archetyp) insistiert, bleibt indes (ganz unabhängig von dem Überlieferungszustand eines Autors) prinzipiell auch dann unbestreitbar, wenn Bentley bei Horaz, aber auch bei Milton seiner *ratio* als Reaktion auf ein eher hermeneutisch zu lösendes Problem bis zur »Verbesserung« des Autors gefolgt ist [113. 14 f.].

→ Altertumskunde

1 M. Accame Lanzillotta, Le postille del Petrarca a Quintiliano, 1988 2 W. Ax, Quattuor linguae Latinae aetates, in: Hermes 124, 1996, 220–240 3 Ders. (Hrsg.), Von Eleganz und Barbarei. Lat. Gramm. und Stilistik in Ren. und Barock, 2001 4 Ders., Lorenzo Valla (1407–1457), »Elegantiarum linguae Latinae libri sex« (1449), in: [3. 29–57] 5 I. Backus (Hrsg.), The Reception of the Church Fathers in the West, Bd. 2, 1997 6 H. Barbarus, Castigationes Plinianae et in Pomponium Melam, hrsg. v. G. Pozzi, Bd.1–4, 1973–1979 7 A. Bettinzoli, Rassegna di studi sul Poliziano (1972–1986), in: Lettere Italiane 39, 1987, 53–125 8 Giuseppe Billanovich, Petrarch and the Textual Trad. of Livy, in: JWI 14, 1951, 137–208 9 Ders., La tradizione del testo di Livio e le origini dell'umanesimo, Bd. 1, 1; Bd. 2 Faksimile von Harl. 2493, 1981 10 Ders., Nella tradizione dei »Commentarii« di Cesare, in: Studi Petrarcheschi 7, 1990, 263–318 11 Ders., Ancora dalla antica Ravenna alle biblioteche umanistiche, in: IMU 36, 1993, 107–174 12 Ders., Lovato Lovati e il Giustino e il Beda di Pomposa, in: Ders. (Hrsg.), La biblioteca di Pomposa, 1994, 181–212 13 Ders., Petrarca e il primo umanesimo, 1996 14 Guido Billanovich, »Veterum vestigia vatum«, in: IMU 1, 1958, 155–243 15 Ders., Il Seneca tragico di Pomposa e i primi umanisti padovani, in: [12. 213–232] 16 B. Botfield, Praefationes et epistolae editionibus principibus auctorum veterum praepositae, London 1861 17 V. Branca, Poliziano e l'umanesimo della parola, 1983 18 C. O. Brink, English Classical Scholarship, 1986 19 A. Buck, O. Herding (Hrsg.), Der Komm. in der Ren., 1975 20 G. Budé, De la ph., hrsg. v. M. Lebel, 1989 21 E. Bury, B. Meunier (Hrsg.), Les Pères de l'Église au XVIIe s., 1993 22 M. T. Casella, Il metodo dei commentatori umanistici esemplato sul Beroaldo, in: Studi medievali, Serie 3, Nr. 16, 1975, 627–701 23 Compendium Auctorum Latinorum

Medii Aevi (500–1500), Bd. 1, 3, 2001 24 M. W. Croll, Style, Rhetoric, and Rhythm, 1966 25 J. F. D'Amico, Ren. Humanism in Papal Rome, 1983 26 Ders., The Progress of Ren. Latin Prose: The Case of Apuleianism, in: RQ 37, 1984, 351–392 27 Ders., Theory and Practice in Ren. Textual Criticism, 1988 28 Ders., Humanism in Rome, in: [88. Bd. 1. 264–295] 29 M. C. Davies, An Emperor without Clothes?, in: IMU 30, 1987, 95–148 30 P. de Capua, Poliziano e Beroaldo, in: [41. 505–525] 31 A. C. de la Mare, The Handwriting of Italian Humanists, 1973 32 M. de Nonno et al. (Hrsg.), Manuscripts and Trad. of Grammatical Texts from Antiquity to the Ren., 2000 33 C. Dionisotti, Calderini, Poliziano e altri, in: IMU 11, 1968, 151–185 34 J. Dunston, Stud. in Domizio Calderini, in: IMU 11, 1968, 71–150 35 Erasmus von Rotterdam, Ausgewählte Schriften 7, hrsg. v. Th. Payr, 1972 36 M. D. Feld, The Early Evolution of the Authoritative Text, in: Harvard Library Bull. 26, 1978, 81–111 37 Ders., The First Roman Printers and the Idioms of Humanism, in: Harvard Library Bull. 36, 1988, 1–91 38 V. Fera, Problemi e percorsi della ricezione umanistica, in: Lo spazio letterario di Roma antica 3, 1990, 513–543 39 Ders., Un laboratorio filologico di fine Quattrocento: la »Naturalis historia«, in: O. Pecere, M. D. Reeve (Hrsg.), Formative Stages of Classical Traditions: Latin Texts from Antiquity to the Ren., 1995, 435–466 40 Ders., Poliziano, Ermolao Barbaro e Plinio, in: Una famiglia veneziana nella storia, 1996, 193–234 41 Ders., M. Martelli (Hrsg.), Agnolo Poliziano, 1998 42 Ders., Il dibattito umanistico sui »Miscellanea«, in: [41. 333–359] 43 M. Furno, Le »Cornu copiae« de Niccolò Perotti, 1995 44 P. Godman, From Poliziano to Machiavelli, 1998 45 A. Grafton, Joseph Scaliger, Bd.1, 1983; Bd. 2, 1993 46 Ders., L. Jardine, From Humanism to the Humanities, 1986 47 Ders., Forgers and Critics, 1990 48 Ders., Defenders of the Text, 1991 49 Ders., Quattrocento Humanism and Classical Scholarship, in: [88. Bd. 3. 23–66] 50 Ders. (Hrsg.), Rome Reborn. The Vatican Library and Ren. Culture, 1993 51 Ders., Ph. und Bildung seit der Ren., in: F. Graf (Hrsg.), Einl. in die lat. Ph., 1997, 35–43 51a K. Friis-Jensen et al., Bibliography of Classical Scholarship in the Middle Ages and the Early Ren., in: N. Mann, B. Munk Olsen (Hrsg.), Medieval and Ren. Scholarship, 1997 52 L. Grane et al. (Hrsg.), Auctoritas Patrum, Bd. 1, 1993; Bd. 2, 1998 53 F. Grewing, Lat. Gramm. und Stilistik in der Ren., 1999 54 D. Harth, Ph. und praktische Philos., 1970 55 J. Hirstein (Hrsg.), Beatus Rhenanus, 2000 56 Human. in Europa, hrsg. v. der Stiftung »Human. Heute« des Landes Baden-Württemberg« (Bibl. der Klass. Altertumswiss., N. F., 2. Reihe, Bd. 103), 1998 57 J. Ijsewijn, Laurentius Vallas »Sprachliche Komm.«, in: [19. 89–97] 58 J. Jehasse, La ren. de la critique, 1976 59 H. D. Jocelyn, Philology and Education, 1988 (zu [18]) 60 D. R. Kelley, Foundations of Modern Historical Scholarship, 1970 61 E. J. Kenney, The Classical Text, 1974 62 E. Kessler, Das Problem des frühen Human., 1968 63 Ders., Petrarca und die Gesch., 1978 64 K. Krautter, Philol. Methode und Human. Existenz, 1971 65 W. Kühlmann, Gelehrtenrepublik und Fürstenstaat, 1982 66 J. Leonhardt, Dimensio syllabarum, 1989 67 F. Lo Monaco, Alcune osservazioni sui commenti umanistici ai classici, in: O. Besomi, C. Caruso (Hrsg.), Il commento ai testi, 1992, 103–154 68 Ders., Poliziano e Beroaldo, in: Rinascimento 32, 1992, 103–165 69 W. Ludwig, Litterae Neolatinae, 1989 70 M. L. McLaughlin, Histories of

Literature in the Quattrocento, in: P. HAINSWORTH et al.
(Hrsg.), The Languages of Literature in Ren. Italy, 1988,
63–80 **71** Ders., Literary Imitation in the Italian Ren., 1995
72 A. MANFREDINI, I codici latini di Niccolò V, 1994
73 A. Ξ. Μέγας, Ο Προουμανιστικος Κυκλος Της Παδουας,
1967 **74** M. MIGLIO (Hrsg.), Giovanni Andrea Bussi,
Prefazioni, 1978 **75** G. MORELLI, Metricologi latini di
tradizione bobbiese, in: [32. 533–559] **76** D. G. MORHOF,
Polyhistor, Lübeck ⁴1747 **77** P. DE NOLHAC, Pétrarque et
l'humanisme, 2 Bde., ²1907 **78** G. A. PADLEY, Grammatical
Theory in Western Europe 1500–1700. The Latin Trad.,
1976 **79** G. PASQUALI, Storia della tradizione e critica del
testo, ²1952 **80** O. PEDERSEN, in: [101. 367–373] **81** W. K.
PERCIVAL, Ren. Grammar, in: [88. Bd. 3. 67–83]
82 A. PEROSA, Mostra del Poliziano, 1955 **83** N. PEROTTI,
Cornu copiae, bisher Bde. 1–7, 1989–1998 **84** R. PFEIFFER,
Classical Scholarship from 1300 to 1850, 1976
85 A. POLIZIANO, Commento inedito alle Selve di Stazio,
hrsg. v. L. CESARINI MARTINELLI, 1978 (Schluß in: L.
CESARINI MARTINELLI, Un ritrovamento polizianesco: il
fascicolo perduto del commento alle Selve di Stazio, in:
Rinascimento 22, 1982, 183–212) **86** Ders.,
Miscellaneorum centuria prima, in: Opera, 1553 (Ndr.
1971), 213–311 **87** Ders., Miscellaneorum centuria secunda,
Ed. maior (4 Bde.) 1972; Ed. minor 1978 **88** A. RABIL
(Hrsg.), Ren. Humanism, Bde. 1–3, 1988 **89** M. D. REEVE,
Archetypes, in: Sileno 11, 1985, 193–201 **90** Ders., The
Rediscovery of Classical Textes in the Ren., in: O. PECERE
(Hrsg.), Itinerari dei testi antichi, 1992, 115–157
91 M. REGOLIOSI, Le congetture a Livio del Valla, in:
O. BESOMI, M. REGOLIOSI (Hrsg.), Lorenzo Valla e
l'Umanesimo italiano, 1986, 51–71 **91a** L. D. REYNOLDS
(Hrsg.), Texts and Transmission, 1983 **91b** Ders., N. G.
WILSON, Scribes and scholars, ³1991 **92** Ders., Petrarch and a
Ren. Corpus of Cicero's »philosophica«, in: O. PECERE,
M. D. REEVE (Hrsg.), Formative Stages of Classical
Traditions: Latin Texts from Antiquity to the Ren., 1995,
409–433 **93** R. RIBUOLI, La collazione polizianea del codice
bembino di Terenzio, 1981 **94** E. F. RICE, The Humanist
Idea of Christian Antiquity, in: Stud. in the Ren. 9, 1962,
126–160 **95** Ders., The Ren. Idea of Christian Antiquity, in:
[88. Bd. 1. 17–28] **96** Ders., Humanism in France, in: [88.
Bd. 2. 109–122] **97** S. Rizzo, Il lessico filologico degli
umanisti, 1973 **98** Dies., Apparati ciceroniani e congetture
del Petrarca, in: RFIC 103, 1975, 5–15 **99** Dies., Per una
tipologia delle tradizioni manoscritte di classici latini in età
umanistica, in: O. PECERE, M. D. REEVE (Hrsg.), Formative
Stages of Classical Traditions: Latin Texts from Antiquity to
the Ren., 1995, 371–407 **100** F. ROBORTELLO, De arte sive
ratione corrigendi antiquorum libros disputatio, hrsg. v.
G. POMPELLA, 1975 **101** W. RÜEGG (Hrsg.), Gesch. der
Univ. in Europa, Bd. 2, 1996 **102** R. SABBADINI, Le scoperte
dei codici latini e greci ne' secoli XIV e XV/Nuove ricerche,
²1967 **103** G. SAVARESE, Echi polizianei in Pierio Valeriano,
in: [41. 557–575] **104** IULIUS CAESAR SCALIGER, Poetices
libri septem, hrsg. v. L. DEITZ, M. FUHRMANN,
G. VOGT-SPIRA, Bd. 1–4, 1994–1998; Bd. 5 im Druck
105 P. G. SCHMIDT, Supplemente lat. Prosa in der Neuzeit,
1964 **106** Ders., Jodocus Badius Ascensius als Kommentator,
in: [19. 63–71] **106a** P. L. SCHMIDT, Die Überlieferung von
Ciceros Schrift »De legibus«, 1974 **107** Ders., Traditio
Latinitatis, 2000 **108** I. SCOTT, Controversies over the
Imitation of Cicero in the Ren., ²1991 **109** W. SPEYER, It.
Humanisten als Kritiker der Echtheit ant. und christl. Lit.,

1993 **110** PH. A. STADTER, Niccolò Niccoli, in: Vestigia.
Studi in onore di G. Billanovich, 1984, 747–764
111 F. TATEO, s. v. Ciceronianismus, in: HWdR, Bd. 2, 1994,
225–239 **112** D. F. S. THOMSON, Erasmus and Textual
Scholarship, in: J. SPERNA WEILAND et al. (Hrsg.), Erasmus of
Rotterdam, 1988, 158–171 **113** S. TIMPANARO, La genesi del
metodo del Lachmann, ³1985 **114** C. TRISTANO, Le postille
del Petrarca nel Vaticano lat. 2193 (Apuleio, Frontino,
Vegezio, Palladio), in: IMU 17, 1974, 365–468 **115** B. L.
ULLMAN, The Humanism of Coluccio Salutati, 1963
116 Ders., PH. A. STADTER, The Public Library of Ren.
Florence, 1972 **117** Ders., Stud. in the Italian Ren., ²1973
118 L. VALLA, Elegantiae, in: Opera, 1540, 3–235 (Ndr.
Opera I, hrsg. v. E. GARIN, 1962) **119** Ders., De falso credita
et ementita Constantini donatione, hrsg. v. W. SETZ, 1976
120 Ders., Collatio Novi Testamenti, hrsg. v. A. PEROSA,
1970 **121** Ders., Antidotum in Facium, hrsg. v.
M. REGOLIOSI, 1981 **122** U. v.
WILAMOWITZ-MOELLENDORFF, Gesch. der Ph., ³1927
123 R. G. WITT, »In the Footsteps of the Ancients«. The
Origins of Humanism from Lovato to Bruni, 2000 **124** F. J.
WORSTBROCK, Niccolò Perottis »Rudimenta grammatices«,
in: [3. 59–78] **125** O. ZWIERLEIN, Prolegomena zu einer
kritischen Ausgabe der Trag. Senecas, 1983

C. MODERNE PHILOLOGIE IN DEUTSCHLAND
(AB CA. 1800)

1. BEGRIFF UND PROBLEM

Die mod. Latinistik als Disziplin zur Erforschung der
Entwicklung der lat. Lit. und Sprache wird in der wis-
senschaftsgeschichtlichen Trad. regelmäßig unter »Klass.
Ph.« subsumiert; sie tritt daher als solche, d. h. als Geschichte der Erforschung eigener Gegenstände, selten in
Erscheinung. Selbst nicht-biographisch, sondern paradigmatisch angelegte Geschichten der Disziplin oder
einzelner Etappen werden üblicherweise in der Abfolge
F. A. Wolf, A. Boeckh und G. Hermann, H. Usener, F.
Nietzsche und U. von Wilamowitz-Moellendorff sowie W. Jaeger, d. h. am Beispiel der Gräzistik abgehandelt, womit auch die institutionelle und forschungsge-
schichtliche Realität des akad. Alltags seit dem 19. Jh.
nur einseitig in den Blick kommt. Selbst eine modernere
Biographienreihe zur Altertumswiss. [43] meint, auf die
Behandlung von Bücheler und Leo, Heinze und Klingner verzichten zu können. Die Latinistik scheint methodisch nicht paradigmafähig zu sein und in ihren Vertretern selbst eines biographischen Interesses kaum wür-
dig.

2. DIE NEUE »ALTERTUMSWISSENSCHAFT«:
HEYNE, WOLF

Jene dezentrale Position der Latinistik in der dt.
Univ. seit den Reformen des späten 18. Jh. geht auf den
vielfach beschworenen dt. Sonderweg, hier das hel-
lenozentrische Antikebild der dt. Klassik (→ Klassik als
Klassizismus) zurück. Diese kulturelle Option der dt.
Bildungselite um 1800 war konzeptionell fundiert in
einer normativen Bestimmung der »Altertumswiss.«
und institutionell verfestigt durch eine entsprechende
Schlagseite der Philol. Seminare. In beiden Richtungen
war die Rolle von Friedrich August Wolf (1759–1824;

[62]) entscheidend. Ein → Philologisches Seminar war in Göttingen bereits 1737 von Johann Matthias Gesner eingerichtet, das Konzept eines altertumswiss. Studien- und Forschungsprogramms schon von Christian Gottlob Heyne (1729–1812) praktiziert worden [75. 216–223; 59; 120]. Ausschlaggebend war nunmehr die Konsequenz, mit der Wolf, jene älteren Anregungen zurückdrängend, ihre Anliegen programmatisch-systematisch in das Zentrum rückte, seine Radikalität einer Trennung des Lehrerstudiums von der Theologie, die Betonung von Wiss. als Forsch. auch in der akad. Lehre, und insbes. die enorme Breitenwirkung, die diese Konzeption vor dem Horizont des dt. Idealismus in ihrem Einfluß auf Schiller und Goethe, Herder und Humboldt zu entfalten vermochte. So ist Wolf zu Recht in seiner Tätigkeit in und für das Gymnasium, im universitären Seminar und in der kulturellen Öffentlichkeit ›der geniale Lehrer des dt. Neuhuman.‹ [62. 187–197, hier 192] genannt worden.

Wolf hat dem Charakter und den Zielen seines altertumswiss. Modells als der Ortsbestimmung des mod. Gelehrten [143] in einer seit Sommersemester 1785 regelmäßig vorgetragenen, in zahlreichen Nachschriften erhaltenen und aus solchen publizierten enzyklopädischen Grundvorlesung [124. 66f.; 51] Ausdruck verliehen [38; 39], ihre Hauptgedanken auch in der *Darstellung der Alterthums-Wiss.* von 1807 [37; 25. 48–75] zusammengefaßt. Sein historistischer Ansatz stößt indes bald an human., d.h. die griech. Ant. idealisierende Grenzen [124. 71f.]: Für ›die Kenntnis der althertümlichen Menschheit selbst‹ [37. 124f.], d.h. des ant. als des idealen Menschen schlechthin (Herder, Schiller), bieten ›unter den alten Nationen schon die Römer eben keinen erwünschten Stoff‹ [37. 131]; von der christl. Lit. der Spätant. kann in dem Umkreis einer solchen »neuen Religion« (→ Neuhumanismus) ohnehin keine Rede sein. Wolfs *Darstellung der Geschichte der lat. Lit.* von 1786 blieb nur Skizze; darauf basierende Literaturgeschichten (J. C. F. Bähr ab 1828; G. Bernhardy ab 1830) lassen der christl. Dichtung, Geschichtsschreibung und Theologie (mitsamt den Juristen) nur als Supplement oder im Anhang einen beschränkten Raum. Der vor dem Horizont extremer Gräkophilie und anti-frz. Tendenzen die Römer allenfalls in ihrer Relation zu den Griechen tolerierende Begriff von Altertumswiss. als »Einheit der ant. Kultur« bedeutete den Zusammenbruch der alteurop. lat. Trad. und riß Lücken auf, die erst die Generation des ausgehenden 19. Jh. im Blick auf die Spätant. und in den Anfängen einer mittellat. Ph. positivistisch zu schließen begann, während die Latinität des frühneuzeitlichen Human. noch bis auf unsere Generation warten mußte. Indes: In einem intellektuellen Umfeld (Schule, Univ., gelehrte Kultur), wo das Lat. noch immer dominierte, konnte Wolfs umfassender Begriff der Altertumswiss. an der lat. Lit. als einem Objekt auch und gerade der Forsch. [143] nicht gänzlich vorbeigehen. In seinen *Prolegomena ad Homerum* (1795; → Homerische Frage) war er von dem Versuch ausgegangen, feste Grundlagen einer Rekonstruktion des Überlieferungsprozesses zu legen, und das hieß die Rezeption als Verfälschung des Originalen gleichsam rückgängig zu machen. So versuchte er sich ohne rechten Erfolg auch an einigen Reden Ciceros, wobei weniger das mißlungene Experiment an sich als vielmehr ›das potentiell Zerstörerische eines methodisch übersteigerten Selbstbewußtseins‹ [123a. 127] auffällt, eine Hypothek, die der Kritiker den folgenden Generationen vermachte.

3. Philologie als Kritik der Überlieferung: Niebuhr, Lachmann, Ritschl

Die profilierten Positionen und hochfliegenden Pläne Wolfs wurden im Klima des frühen 19. Jh. unter dem Eindruck von frz. → Revolution und Freiheitskriegen rasch relativiert: Seine klassizistische, im Grunde neopagane Ideologie nahm sich im Lichte von Hegel, → Romantik und Erweckungsbewegung einigermaßen fadenscheinig aus; die systematischen Schwächen seines enzyklopädischen Programms ließen sich kaum verbergen [124. 68–70], und die Individualität der Griechen als Idealität konnte im Rahmen eines historistischen Forschungsprogramms einer genaueren Aufmerksamkeit auf die häßlichen Details der histor. Kontingenz nicht standhalten. Ein Ernstnehmen der systematischen und histor., bei A. Boeckh selbst allerdings verschwimmenden Position, daß ›Ph. (...) grundsätzlich bezogen und beschränkt (ist) auf die Grenzen eines Volkes (...) und auf dessen geistiges und praktisches Wirken‹ [83. 97f.], mußte denn auch den lat. Studien als Beschäftigung mit dem röm. Volk eine eigene Legitimität zubilligen [124. 73].

Parallel zur Professionalisierung einer als Forsch. definierten und gesellschaftlich akzeptierten Ph. [74] fand diese in einer Welle von Seminargründungen bis um 1830 über ganz Deutschland hin ihre bleibende Statt.

3.1 Niebuhr

Für lat. Prosa, Dichtung und Altlat. waren ab etwa 1820 richtungsweisend und methodisch bestimmend B. G. Niebuhr (zunächst in Berlin, dann Bonn), K. Lachmann in Berlin und F. Ritschl in Bonn, dann Leipzig. Niebuhr (1776–1831) wurde im 19. Jh. als Kontrast zu Wolf verstanden [62. 188f.; 142. 577–583]. Galt dessen Zuwendung der griech. Dichtung, so konzentrierte sich Barthold Georg Niebuhr auf eine großangelegte Rekonstruktion der röm. Geschichte [26] nach ihren kritisch zu befragenden Quellen, wobei er wie jener die Zerstörung eines traditionellen Klassikerbildes (dort Homer, hier Livius) in Kauf nahm. Sein Interesse an den polit. Qualitäten der Römer und ihrer Rezeption gegenüber einem von der Beschränkung auf die klass. Ant. ausgehenden Begriffs des bloß »kriegerischen« Römertums durch Herder [142. 342–346] provozierte Niebuhrs Widerspruch: ohne die röm. Kultur würden die Deutschen ›schwerlich aufgehört haben (...) Barbaren zu seyn‹ [142. 346]. Wolfs induktives Verfahren hatte das Ziel erst in weiter Ferne anvisiert [142. 335f.]; Niebuhr hingegen wagt den Schritt zu einer die gelehrte Aktivität überhaupt erst rechtfertigenden Rekonstruktion, es geht ihm (nach Cic. rep. 5, 2) um die ›Reinigung eines sehr schlecht restaurierten Gemäldes‹ [141. 316].

3.2 LACHMANN

Karl Lachmann (1793–1851; [79; 77; 138; 139]) hat sich als Praktiker, nicht als Theoretiker einer neuen, von der Textgeschichte endlich zu benutzbaren Ausgaben gelangenden Technik überlieferungskritisch fundierter Editionen seinen Ehrenplatz in der Geschichte der Ph. gesichert. Als Mitbegründer der wiss. Altgermanistik und d. h. einer bis in die Schüler- und Enkelgeneration hineinreichenden Kombination mit der Latinistik wie als Editor des NT (1842/50) greift er über die Grenzen der Klass. Ph. hinaus, wo er durch Ausgaben von Properz (1816), der Agrimensoren (1848) und Lukrez (1850) als Vorbild gewirkt hat. In seiner Ablehnung von *Textus receptus* und *Vulgata* konzentriert er sich auf wenige, beste Hss. [128. 11–18, 90f.; 58] – allerdings ohne Interesse an Fragen der Abhängigkeit; er kennt und benutzt ältere Termini wie *Recensio* und *Emendatio*, auf deren strikt zu trennender Schrittfolge er insistiert, Archetyp und Familien und appliziert die damit gegebene Methode, aber expliziert sie nicht [137. 77–80]. Die für den Aufbau eines Stemmas so entscheidende Kategorie des »Bindefehlers« z. B. ist erst in der frz. Ph. systematisch angewendet (G. Paris, 1872) bzw. explizit formuliert worden (P. Lejay, 1888; vgl. [117. 450–464]); erst seit Beginn des 20. Jh. wird Lachmanns Name (durch J. Bédier) fälschlich mit der genealogischen Methode in Verbindung gebracht [128. 18; 58. 359–461, hier 393 ff.]. An dem Begriff »Lachmannsche Methode« autoritätsfixiert festzuhalten [139. 250] heißt also die polemisch gemeinte Mythenbildung der Kritiker fortsetzen und verstellt den Blick auf seine eigentlichen Leistungen.

3.3 RITSCHL

Um die Mitte des 19. Jh. vollendet sich der Prozeß einer Institutionalisierung und Professionalisierung der an der Forsch. zum »Klass. Alt.« beteiligten Disziplinen (→ Universität): Mit der graduellen Verselbständigung von Alter Geschichte (Theodor Mommsen) und Arch. (Eduard Gerhard) beginnt ein human. getöntes Gesamtbild der Ant. weiter zu verblassen. Auch die Ph., die Methode und Praxis histor. Forsch. seit dem späten 18. Jh. so entscheidend geprägt hatte, konnte sich ebensowenig dem von der naturwiss. Forsch. ausgehenden Positivismus und der damit verbundenen Arbeitsteilung entziehen. Die Spezialisierung der Forsch. als Resultat wie Motor der akad. Professionalisierung sollte nicht ohne Konsequenzen für die institutionelle Etablierung von Gräzistik und Latinistik auf Lehrstuhlebene bleiben, wie sie sich auch aus den alltäglichen Aufgaben im Rahmen der Seminare, d. h. einer relativen Verselbständigung einer gräzistischen bzw. latinistischen Lehre ergab. In Lehre oder gar Forsch. wurde ein gewisses Rollenprofil erwartet bzw. lag eine Anpassung nahe. Selbst wenn der angehende Philologe mit einer gräzistischen Arbeit begonnen hatte, mochten ihn später institutionelle Notwendigkeiten (oder Karriereerwägungen)

nicht minder als eigene Interessen zu lat. Autoren führen. Innerhalb eines im Innen- wie Außenverhältnis noch ungebrochenen Selbstbewußtseins der Ph. bereitete diese arbeitsteilige Differenzierung und Spezialisierung eher selten Probleme. Seit der Mitte des Jh. zeichnen sich also, je später um so ausgeprägter, Lehrstuhlsequenzen ab, die vornehmlich gräzistisch bzw. latinistisch ausgerichtet sind [126. 122f.]. Die relative Autarkie der beiden Schwesterfächer wird durch eine genauere Funktionsbestimmung oder Neueinrichtung von Lehrstühlen bestätigt, die für den altertumswiss. Bereich, die »Realien« zuständig waren. Zumeist gräzistisch akzentuiert, konnten sie denn auch für griech. Geschichte umgewidmet werden, die erst allmählich neben die etablierte röm. Gesch. (Niebuhr, Drumann, Mommsen) trat.

Eine entscheidende Rolle spielte in diesem Prozeß für die Latinistik Friedrich Ritschl (1806–1876), der Fortschrittsoptimismus und Wissenschaftsglauben der Epoche, den er mit Mommsen, indes auch mit seinem Kritiker Wilamowitz teilte ([145. 61]; zur »Induction« als Methode seiner Forschung vgl. [118. II. 194–197]; zur Biographie [140]), wie wenige andere verkörperte. Seit 1845 konzentrierte er sich ganz überwiegend auf Autoren der älteren, republikanischen Latinität, neben Varro auf Plautus, der seinem Interesse am Altlat. in bes. Weise Stoff bot und damit bis F. Leo, E. Fraenkel und G. Jachmann zu dem Autor avancierte, an dem sich generell Selbstbewußtsein und Methodengefühl der Latinistik herausbildete. Ritschl wußte die mod. Tendenz zu arbeitsteiliger Organisation des wiss. Forschens mit beachtlichem Geschick und meßbarem Erfolg voranzutreiben. Seine Schüler (O. Ribbeck, J. Vahlen, H. Peter, H. Keil etc.) wurden systematisch mit der Anfertigung von Fragmentsammlungen betraut; er faßte u. a. den Plan eines *Thesaurus Latinitatis antiquae* [118. II. 290f.], der erst eine Generation später realisiert werden konnte, sowie eines Corpus altlat. Inschr., dessen Notwendigkeit sich ihm bei der Arbeit am Plautus-Text ergeben hatte. Auch an dem von Ritschl und J. Vahlen angeregten *Wiener Kirchenvätercorpus* (1868ff.), dem gräzistischen Parallelunternehmen, den *Griech. Christl. Schriftstellern der ersten drei Jh.* (1897ff.) um eine Generation voraus, waren Ritschl-Schüler anregend und aktiv beteiligt. Neben Berlin und Bonn, wo Ritschl 1839 bis 1865 den eigentlichen Höhepunkt seiner Lehr- und Forschungstätigkeit erreicht hatte, entwickelte sich nach seiner Übersiedelung Leipzig zum dritten Zentrum der dt. Latinistik, eine Position, die es mit Ribbeck, Heinze und Klingner lange halten sollte. Auch bei der Besetzung lat. Lehrstühle setzte sich die Qualität von Ritschls Schule durch, tatkräftig gefördert von dem regelmäßig um Empfehlungen gebetenen Meister, dessen Schüler bald die meisten philol. »Lehrkanzeln« Deutschlands beherrschten. Die Trad. der Ritschl-Schule – F. Bücheler als Nachfolger von O. Jahn [104] in Bonn 1870, J. Vahlen nach M. Haupt in Berlin 1874, O. Ribbeck 1877 als Nachfolger Ritschls selbst in Leipzig –

prägt die Latinistik der bedeutendsten dt. Seminare; von den 19 überwiegend latinistischen Lehrstühlen der zweiten Hälfte des 19. Jh. waren fast zwei Drittel mit seinen Schülern besetzt.

4. Der Historismus der Bonner Schule und die Folgen

›Mit dem (...) Tode des Meisters 1876 geriet die Hochblüte der Ritschl-Schule (...) in starken Rückgang; (...) entfaltete sich aufs kraftvollste (...) die geschichtswiss. Altertumskunde, die der (...) gramm.-textkritischen und ausgesprochen lit. Richtung den Rang abließ‹ (O. Immisch, vgl. [126. 125]). Der hier angesprochene Paradigmenwechsel (vgl. auch [89. 1f.]) hat auf die Latinistik tiefgreifend und anhaltend eingewirkt. Die »geschichtswiss. Altertumskunde«, theoretisch begründet und religionsgeschichtlich vertreten durch H. Usener und verkörpert durch U. von Wilamowitz, schien in der Figur Büchelers nicht nur der (textkritisch oder sprachwiss. definierten) Textph., sondern damit auch der Latinistik einen bescheideneren Platz zuweisen zu wollen. Usener als Theoretiker eines philol. getönten → Historismus mit seinem Programm *Ph. und Geschichtswiss.* [36] hatte einer auf einzelne Völker bezogenen oder die beiden ant. »Völker« gemeinsam umfassenden »Altertumswiss.« wissenschaftssystematisch den Abschied gegeben. Die Geschichtswiss., die es ›mit der Erforsch. allgemeiner für die Menschheit selbst gültiger Gesetze‹ zu tun habe, ›zerfällt also in solche Disziplinen, welche (...) je ein Organ oder eine Funktion des menschheitlichen Lebens erforschen (...) Sprache, Glaube, Sitte und Recht, Organisation der Gesellschaft und des Staates, Poesie und Wiss. usw.‹ [36. 21]. Bei der Klass. Ph. (=Altertumswiss.) handele es sich also ›bloß (um) ein(en) Studienkreis, ein durch die Gleichheit des Volkes und durch praktisches Interesse zusammengehaltenes Aggregat histor. Disziplinen‹ [36. 22f.], bei der Ph. speziell um ›eine Methode der Geschichtswiss., und zwar die grundlegende, maßgebende‹ [36. 29]. Damit wurde ein Weg freigegeben, die Beschäftigung mit Lit. (›Poesie‹ bei Usener) neben Sprach-, Religions- und Rechtswiss. etc. als einem abgegrenzten wiss. Sektor auch methodisch ins Auge zu fassen. In einem nun nicht mehr chronologisch (»Altertumswiss.«, »Mediävistik« etc.), sondern systematisch gliedernden System wird auch die röm. Literaturgeschichte auf Literaturgeschichte allg., d.h. auf Literaturwiss. hin beziehbar.

Mit einem so verstandenen Historismus ist der konzeptionelle Rahmen gesetzt, in dem sich das Verhältnis der Bonner Dioskuren Usener (1866–1902) und Bücheler (1870–1905) in den gemeinsamen J. (1870–1902) komplementär artikulierte und eine Schülerschar hervorbrachte, für die der Terminus »Bonner Schule« [vgl. 102, eine als Forschungsbericht maskierte Prosopographie] mehr als nur ein Etikett bedeutet. Leipzig mit den Ritschl-Schülern O. Ribbeck und J.H. Lipsius (ab 1877) sowie C. Wachsmuth (ab 1886), auch Berlin mit A. Kirchhoff und dem Ritschelianer Vahlen schienen

jetzt weniger attraktiv, und Göttingen erstarkte erst mit dem Eintreffen von Wilamowitz (1883) bzw. Leo (1889). Aus der Zahl derer, die sich dem Charme von Büchelers Lehre [78. 167f., 180–182; vgl. auch die Zeugnisse von Leo und Norden, H. Lietzmann, W.F. Otto und R. Borchardt in 36. 50–70, zur Forsch. 134; 78; 108] ergaben und die Entscheidung für die Latinistik trafen, konstituierte sich eine Generation von Enkelschülern Ritschls, geboren 1851 (Leo) bis 1874 (E. Diehl), berufen 1883 (wiederum Leo) bis 1912 (E. Lommatzsch), emeritiert bzw. früh gestorben 1912 (F. Skutsch) bis 1939 (A. Klotz), deren Aktivitäten noch die ersten Jahrzehnte des 20. Jh. bestimmen sollten.

Der altertumswiss. Historismus des späteren 19. Jh. ist als bes. Ausprägung des Positivismus, speziell als Reaktion auf den textphilol. Positivismus einer verengten Ritschl-Rezeption zu verstehen. Da Bücheler indes dem Ritschlschen Ansatz näher als Usener blieb, war der Latinistik der Weg einer stärkeren Historisierung als Sprach- und v.a. Literaturwiss. gewiesen. Der philol. Historismus zeigt sich um so mehr der vergangenen Phase verpflichtet, als er der Textkonstitution noch stark verhaftet bleibt. In dem Rahmen des skizzierten neuen Paradigmas behalten, ja gewinnen erst jetzt umfassender fundierte histor.-kritische Editionen ihre Bedeutung [88. 14–17; 128. 91], begründet in der leichteren Zugänglichkeit des hsl. Materials (Kat., Reisemöglichkeiten, Photographien) und in einem methodisch geschärfteren Bewußtsein für die histor. Bedingungen des Überlieferungsprozesses, das Ph. mit Mediävistik oder histor. Rezeptionsforsch. (mindestens als Materialsammlung [128. 86]) zu vermitteln beginnt. Die Textkritik gelangt zu zusammenfassenden, systematischen Formulierungen ihrer Prinzipien [72; vgl. 128. 16ff.]; die *Recensio* rückt gegenüber der *Emendatio* in den Vordergrund, wobei das Konzept der besten Hs. zunehmend obsolet wird.

Ganz allg. wird jetzt, dem positivistischen Programm entsprechend, die histor. Bedingtheit des einzelnen Werkes, die Abhängigkeit von Gattungsgesetzen, stilistischen Strömungen oder Quellen in Kombination mit einer Ablehnung von Geschmacksurteilen ›nach einem absoluten ästhetischen Maßstabe‹ [88. 18f.] kombiniert. Das im Sinne einer kausalen Texterklärung profilierteste Erklärungsinstrument der Epoche ist jedoch die Quellenforsch., stets von Einseitigkeit und Übertreibung bedroht, insofern sie die einfache Annahme nur einer Vorlage bevorzugt oder der Gefahr erliegt, bloß zu registrieren oder den gebenden gegenüber dem nehmenden, der alles entscheidenden Originalität entbehrenden Text zu privilegieren oder zu überschätzen [89. 2f.; 88. 18f.]. Mit dem historistischen Paradigma, das die klassizistischen Positionen des frühen 19. Jh. zumindest auflockert, wird jetzt auch der Spätant. (einschließlich der Patristik) [112] ein wenn auch bescheiden bemessener Platz zugebilligt. Hingegen gelingt es nicht, die wenigen mediävistisch arbeitenden Latinisten, etwa den Göttinger W. Meyer (1845–1917) (vgl. F. Rädle

[52. 128–148], zum allmählichen Herauswachsen aus der Latinistik [52. 137–139, 144–148]) oder L. Traube (1861–1907) [127], der immerhin 1902 einen Ruf auf ein Ordinariat für Klass. Ph. in Gießen erhielt, in den immer noch klassizistischen Orientierungsrahmen disziplinär einzubinden. Auch die human. und barocke Latinität, von Norden als Gebiete des »Fortlebens« gleichsam zufällig entdeckt (Kunstprosa 1, S. IX), blieb, soweit überhaupt betrieben, die Domäne von Historikern, Germanisten und Romanisten.

5. PHILOLOGIE ALS FORMGESCHICHTE: LEO, HEINZE

5.1 VORAUSSETZUNG

Ludwig Hatvanys Satire *Die Wiss. des nicht Wissenswerten* [10], mit der ein lit. engagierter Studiosus die latinistischen Lehrveranstaltungen des Sommersemesters 1906 eines Berliner Professors »Woepke« (gemeint wohl J. Vahlen, [12. 117, Anm. 6]) parodiert, reagiert auf die Routine, mit der im Alltagsbetrieb der philol. Auslegung des frühen 20. Jh. z.B. die poetische Einheit von Catulls *Passer*-Gedichten in positivistische Details aufgelöst wird; moniert werden ahistorische Abkanzelung und zugleich der Verzicht auf ästhetische Würdigung. Damit scheint ein allgemeinerer, zur Moderne hin drängender Prozeß symbolisiert, in dem die dt. Latinistik zunehmend sowohl institutionell (durch den Druck der Schulreformen von 1890 und 1900, die Reduktion des Griech. in den Gymnasien einhergehend mit einer quantitativen Aufwertung des Lat., das wachsende Selbstbewußtsein der mod. Literaturwiss. und einem fachinternen Differenzierungsprozeß) wie konzeptionell unter drei sich ergänzend verstärkenden Aspekten (»Latinistik«, Literaturwiss., Human.) zu sich selbst kommt.

Seit dem späten 19. Jh. wurde ein neuer Ordinarius der Latinistik regelmäßig verpflichtet, ›die klass. Ph., insbes. die lat. Sprache und Lit. in Vorlesungen und Übungen zu vertreten‹, wie Norden, ›zur Stärkung der Vertretung lat. Ph.‹ 1906 nach Berlin berufen [12. 115f.], oder Leo, zum Wintersemester 1889/90 in Göttingen dazu verpflichtet, ›das gesamte Gebiet der Klass. Ph. unter bes. Berücksichtigung der latinistischen Seite, in Vorlesungen sowohl wie in seminaristischen Übungen zu vertreten‹ [52. 149]. Solche Aufgabenbeschreibungen geben die Selbstverständlichkeit wieder, mit der nunmehr die »Klass. Ph.« zu der relativen Autonomie ihrer Teile in Beziehung gesetzt wurde. Leo etwa kann als Normalzustand davon ausgehen, daß Gräzistik und Latinistik in Forsch., Vorlesung und Betreuung der Doktoranden auseinandertreten und nur in Seminaren abgewechselt wird [126. 143f.]. Daß umgekehrt seit Beginn des 20. Jh. latinistisch definierte Lehrstühle relativ oft mit Gräzisten besetzt waren [101. IV. 46–49, V. 11ff.), wurde z. T. sogar von den Betroffenen (›stelle ich hier [sc. in Greifswald] wie in Basel den Latinisten vor, was ja eine Täuschung ist‹, so K. Latte an F. Dornseiff im August 1925 [126. 146]) als irregulär empfunden und hat bisweilen zu Spannungen bei der Auf-

gabenverteilung der Lehre geführt, so in Kiel 1890–1922 [126. 146f.], anders etwa in Gießen 1902–1934 und Freiburg 1914–31. So waren z. B. an den 23 reichsdt. Univ. ab 1914 mindestens fünf, 1928/29 und ab 1931 (zum Stand vom Wintersemester 1932 [99. 232ff.] und allg. [101. IV. 42–45]) mehr als ein Viertel der latinistischen Lehrstühle mit Gräzisten besetzt.

5.2 LEO

Einem sich institutionell also erst langsam abzeichnenden Emanzipationsprozeß vermittelten nach Konzeption, Wirkung und Schulbildung entscheidende Impulse F. Leo und R. Heinze, die seit dem späten 19. Jh., vor und nach dem I. Weltkrieg die dt. Latinistik erst eigentlich auf den Weg gebracht haben. Leo (1851–1914), einer der ältesten Schüler Büchelers und somit Enkelschüler Ritschls [52. 149–177, zu den Schwerpunkten von Leos Forsch. auch 123. 385–392], hat in seinen Publikationen die Latinistik als histor. Text- und Literaturwiss. definiert und einen Prozeß eingeleitet, der eine Lockerung des disziplinären Zusammenhangs mit der Gräzistik zur Folge haben mußte. Nach einer ›verfehlten‹ gräzistischen Dissertation, dennoch zunächst ein ›hoffnungsvoller Hellenist‹ [123. 387 mit Anm. 95], hatte er sich später speziell der älteren (Plautus) und klass. Dichtung der Römer zugewandt und dabei dem histor.-altertumswiss. Paradigma *Valet* gegeben. Gemeinsam mit Heinzes Entdeckung des Eigenwertes und der Eigenständigkeit der röm. Lit. seit 1899 entwächst Leos Rede über *Die Originalität der röm. Litteratur* [23; 52. 167f., 171] dem Versuch einer Selbstbestimmung der Latinistik über die Qualität ihrer Gegenstände. Die Dignität des Begriffs »Originalität«, seit Geniekult und Geniepoetik des 18. Jh. dem Individuum vorbehalten und seit der Dt. Klassik (F. Schlegel, Wolf) ausschließlich der Nationalkultur der Griechen zugebilligt, wird jetzt in einer sprachlichen Ambiguität auch für die Römer in Anspruch genommen, kann es doch nur um eine relative Originalität (als Substantiv nicht zu »original«, sondern zu »originell« [126. 170]) gehen, um (mod. gesprochen) gelungene Rezeption, Eigenständigkeit oder Innovation. Grundlegend für die Ausfaltung dieser »sekundären Originalität« der röm. Lit. wird für die Zukunft die mit Leos Position gegebene Aufwertung der *Imitatio* bzw. *Aemulatio* als der zentralen ästhetischen Kategorie lit. Rezeptionsvorgänge, die an ihren Früchten, nicht in ihren Wurzeln erkannt werden sollte.

Die ›Frage nach (der) Abhängigkeit von der griech. Litteratur‹, ›kürzer (mit der) Frage nach ihrer Originalität‹ [23. 6] identisch, stellt sich für Leo vornehmlich am Beispiel der herausragenden Gattungen (Kom., Satire, Redekunst) und Autoren, Vergil und den augusteischen Klassikern; sie wird also brisant im Rahmen eines jetzt erneut stärker akzentuierten Klassiker-Kanons. Ein klassizistisch getönter Historismus wird – unter dem Eindruck Nietzsches und der preußischen Schulkonferenzen – die latinistische Forsch. der Folgezeit in verstärkter Konzentration auf die alten klass. und kanonischen Autoren wie Plautus, Vergil und Horaz, Cicero, Livius, Sallust und Tacitus prägen [52. 157, 160ff.]. So nimmt man sich seit etwa 1900 der Erklärung der großen lat. Autoren an; kritische Editionen, die noch bei Leo in der Trad. des positivistisch getönten Historismus ihren Platz hatten (Seneca, 1878/79; Venantius Fortunatus, 1881; Plautus, 1885 bzw. 1895/96), treten im Oeuvre führender Latinisten jetzt überhaupt zurück. Gegenüber einer älteren Praxis, die den Leser oft mit pflichtgemäß angefertigten Editionen allein gelassen hatte, sind jetzt Komm. das Zeichen der Stunde, symptomatisch etwa Heinzes Erklärung von Lukrez 3 (1897), seine Neubearbeitung von Kießlings Horaz (1898ff.), Nordens Kommentierung von Aeneis 6 (1903) wie schließlich Krolls Komm. zu Catull (1923), Ciceros *Brutus* (1908) und *Orator* (1913). Daß zwar Heinzes Horaz-Kommentar, andererseits aber sein Tertullian (von 1910) kaum gewirkt hat, ist im Licht dieser zunehmend klassizistischen Tendenzen auch der Latinistik in der ersten Generation des 20. Jh. zu sehen.

5.3 HEINZE

R. Heinze (1867–1929), über O. Ribbeck (Leipzig) und Bücheler wie Usener (Bonn) zwiefach Enkelschüler Ritschls, wie Leo gräzistisch promoviert, hat sich später noch konsequenter als dieser für die lat. Lit. und eine latinistische Literaturwiss. entschieden [87; 113. 294–302]. In dem Programm seiner Leipziger Antrittsvorlesung von 1906 [11; 61. 147–149; 113. 314f.] hat er vor dem Horizont der Wissenschaftssystematik Useners [126. 139] und anknüpfend an O. Froehde [9; 126. 132 Anm. 74, 138f.] die Latinistik als Literaturwiss. und darüber hinaus als Teil einer allg. bzw. vergleichenden Literaturwiss. vorgestellt [9. 439, 445]. In ironischer Distanz zu einem streng positivistischen Forschungsmodell [11. 162f] konzentriert sich Heinze auf die lit. Qualitäten des Kunstwerks (Individualstil und Stilgeschichte, 11. 163–168; »lit. Technik«, 11. 168–171) und Persönlichkeit des Autors. Thematik und gesellschaftliches Umfeld sind nur von Belang ›im Hinblick auf die Wirkung, die diese Verhältnisse auf die Gestaltung der lit. Produktion gehabt haben‹ [11. 174]. Andererseits stellen für Heinze Intention des Autors und Rekonstruktion seines Umfeldes histor. beantwortbare Fragen dar; Literaturwiss. wird nicht gegen Literaturgeschichte ausgespielt. So kann seine Variante des Historismus gerade Autoren wie Vergil oder Cicero gerecht werden, deren Rezeption bis jetzt durch spezielle Vorurteilsstrukturen behindert worden war. So tritt auch in Heinzes *Virgils epischer Technik* [12], wohl der einflußreichsten und wichtigsten Monographie der dt. Latinistik des 20. Jh., der Abstand zur konventionellen Vergilverachtung [16. X] hervor. Heinze will die Applikation seines Forschungsprogramms zumindest auf die altchristl. Lit. nicht ausschließen [11. 162, 166], doch bleibt im Rahmen seiner historischen Literaturwiss. die klass. Lit., zumal die Dichtung zentral.

Das Ziel seines Programms beschreibt er mit den – gleichbedeutenden – Begriffen »Synthese« und »Inter-

pretation«. So versucht er der Überfülle von Details bei der Bearbeitung von Kießlings Horaz-Komm. (1898; 3. Aufl. der Oden/Epoden, 2. der Episteln) über 1906 (3. Aufl. der Satiren) bis 1930 (7. Aufl. der Oden) durch eine paraphrasierende Einbindung zu steuern, wie er auch die Kunst der subtil ausgearbeiteten Einzelinterpretation in Aufsatzform vollendet beherrschte. In dem Streben nach Synthese [87. 23] wird ihm die »lit. Technik« zum Dreh- und Angelpunkt seiner Interpretationen. Auf literaturhistor. Ebene kommt einem mod. Bedürfnis nach Synthese dann auch der erste Band von Leos unübertroffener *Geschichte der röm. Lit.* (1913) entgegen, hat die Epoche zur Gattungs- und Formgeschichte mit Leos *Studien zur griech.-röm. Biographie* (1901), Nordens *Kunstprosa* (1898) sowie seiner Analyse der ant. Gebetstypologie und -struktur in der zweiten Hälfte des *Agnostos Theos* (1913) [91. 47–68] systematisch Grundlegendes geleistet.

6. NEUORIENTIERUNGEN NACH DEM I. WELTKRIEG

Mit der Niederlage Deutschlands im I. Weltkrieg, dem *Vae victis!* der Sieger, dem Übergang von der Monarchie zur Demokratie und später dem allg. Verlust der bürgerlichen Vermögen durch die Inflation, d. h. mit einer polit.-sozial bedingten Beschleunigung des Modernitätsschubs der Vorkriegszeit, hatte sich die Lage der Alten Sprachen in Schule und Univ. einschneidend verändert [144. 61–114]. Eine durch die mil. Katastrophe verschärfte Kulturkrise ließ erst jetzt Nietzsche und George zu Lieblingsautoren einer Generation von Philologen avancieren [133], der traditionelle Techniken wie Textkritik und Quellenforsch. oder die Ausmalung des biographisch-histor. Hintergrunds als Zugang zu den ant. Autoren immer weniger zu genügen schienen. Im Rahmen des von dem Gräzisten W. Jaeger engagiert vertretenen sog. → Dritten Humanismus, Programm und Bewegung zugleich, zentriert um die Zeitschrift *Antike* und kulminierend in der Naumburger Tagung von 1930 [84], sollte dem Griech. wie dem Lat. eine über den wiss. Alltag hinausgehende Rolle in Schule und Univ., Kultur und Gesellschaft gesichert werden. Dabei geht Jaeger von einer impliziten Anerkennung des Usenerschen Modells aus, auf den sein Programm *Ph. und Historie* [17] schon im Titel [36] zielt: Der (Alten) Geschichte fällt das Erkennen, der Ph. (als Wiss. der Texte) im Sinne von Diltheys Geistesgeschichte das Verstehen zu. Dieses reagiert in bes. Weise auf werthaltige Texte, die von vornherein als (human.) zu rezipierende angelegt sind; die Selektion der Rezeption wird als Bestätigung einer urspr. Qualität verstanden. Vorrang genießen die klass. griech. Texte und die durch gelungene Imitation nobilitierten lat. Klassiker.

Diese »neue« Interpretationsmethode in der Klass. Ph. betraf allerdings zunächst die Gräzistik [92. 881]. Die Latinisten reagierten auf die Krise und die verschiedenen Sinnangebote unterschiedlich, wobei eindeutige Zuordnungen angesichts weitgehend fehlender methodologischer Bekenntnisse auf Schwierigkeiten stoßen. Eindeutig liegt der Fall bei Klingner; als überzeugte Anhänger (›wholehearted supporters‹) gelten auch Textphilologen wie J. Stroux (1886–1954; [126. 153f.]), der allerdings kaum hervortrat, und G. Jachmann (1887–1979; [133. 131], vgl. aber [126. 151f.; 101. IV. 60f.]). H. Fuchs hingegen stand Heinzes geistesgeschichtlichem Programm näher [126. 176. Anm. 301], und E. Fraenkel (1888–1970), Leo-Schüler wie Jachmann, zeigt sich in seinem altertumswiss. Radius zugleich eindeutig von Wilamowitz beeinflußt [126. 153f.; 123. 358. Anm. 2, 395f.; 144. 106–112, hier 109]. Dennoch beginnt aufs Ganze gesehen jetzt Diltheys Konzeption einer geistesgeschichtlichen Hermeneutik auch bei den Latinisten deutlichere Spuren zu ziehen, wird die Interpretation zunehmend als hermeneutische Aufgabe begriffen, die Intention einer schriftstellerischen Individualität zum Sprechen zu bringen. Seit den 20er Jahren kommen klass. Autoren gewidmete Monographien in programmatisch betitelten Reihen (*Das Erbe der Alten*; *Neue Wege zur Ant.*) solchen Bedürfnissen entgegen, etwa die Einführungen von O. Plasberg (1869–1924) zu Cicero (1926), von O. Regenbogen zu Lukrez (1932), oder Heinzes Aufsätze zu Cicero (als Politiker, Redner und polit. Schriftsteller) und Horaz (1918–1929). Ebenfalls einem solchen geistesgeschichtlichen Programm zuzurechnen sind Arbeiten wie Nordens *Geburt des Kindes* (1924), Klingners *Rom als Idee* (Ant. 3, 1927) oder Arbeiten von H. Fuchs (*Augustin und der ant. Friedensgedanke*, 1926; *Der geistige Widerstand gegen Rom in der ant. Welt*, 1938). Selbst nachklass. Autoren (O. Regenbogen, *Schmerz und Tod in den Trag. Senecas*, 1928; Fraenkel, *Lukan als Mittler des ant. Pathos*, 1924; P. Friedländer zu Statius, silv. 5, 4, 1932) profitieren von solchen gesamtheitlichen Verstehensbemühungen. Man versucht zudem, einen Zugang zu einem ant. Klassiker über die autoritativen Stimmen der Trad. (Dante, Herder, Goethe) zu finden. Als hermeneutisches Instrument wird nun fruchtbar gemacht, was in Materialsammlungen des späten 19. Jh. begonnen (K. v. Reinhardstoettner zu Plautus, 1886; E. Stemplinger zu Horaz, 1906; [128. 86f.]), in Th. Zielinskis *Die Ant. und wir* (1905) auf den Begriff gebracht worden war und als human. begründete Rezeptionsforsch. in der Reihe *Das Erbe der Alten* (1, 1910ff.) schon vor 1914 Wurzeln geschlagen hatte. Die Rückbesinnung auf die Trad. gewinnt in dem anscheinend unaufhaltsamen Wertezerfall der Weimarer Republik eine neue Brisanz, wie ein von Norden gemeinsam mit der Elite der dt. Geisteswiss. besorgter Sammelband [109] eindrucksvoll bezeugt. Ein Abschnitt »Nachleben« [128. 87f.] figuriert jetzt auch in der *Bibliotheca Philologica Classica*, zunächst als Ergänzung zur Wissenschaftsgeschichte (45, 1918 – 47, 1920), selbständig ab Bd. 48, 1921; R. Newald kann diesem Bereich bereits 1931 (Bursian's Jahresber. der klass. Altertumswiss. 232) und 1935 (Bd. 250) zwei stattliche Forschungsberichte widmen. Im Trend der Gräzistik, sich über den »zweiten« Human. der Dt. Klassik auf die Ant. direkt zu beziehen, ihre Vermittlung durch den Renais-

sancehuman. des 14.–16. Jh. (→ Humanismus) zu verdrängen, der auch in den Vorträgen der Naumburger Tagung [84] keinen Platz hat, wird allerdings die Erforschung eines auf Cicero basierenden Florentiner Bürgerhuman., einer von H. Baron am E. der 20er J. entwickelten Konzeption [128. 166–180] mit ihren gerade vor dem Horizont der Weimarer Republik so bedeutsamen Möglichkeiten, weiterhin Historikern und Romanisten überlassen [125. 846–860]. Auch die »Kulturwiss. Bibl.« von Aby Warburg in Hamburg beginnt als Kontrastprogramm zu den klassizistischen Akzenten der Epoche zu wirken, in deren Einzugsbereich sich mit Nordens *Geburt des Kindes* und Aufsätzen von Reitzenstein und Regenbogen Entwicklungen abzeichnen, die in der Kombination von Kanonentgrenzung (Kaiserzeit, Spätant.) und Religionsgeschichte die Konturen eines neuen, der Geistesgeschichte programmatisch entgegengesetzten, kultur- und rezeptionsgeschichtlichen Paradigmas andeuten.

7. VOM DRITTEN HUMANISMUS ZUR RÖMERTUMSFORSCHUNG

7.1 HEINZE

Unter dem Eindruck von Krisenbewußtsein und Legitimationsbedürfnis gewinnt nun auch der ältere, human. getönte Historismus Heinzes eine neue, appellative Dringlichkeit, so in der viel zitierten Rede »Von den Ursachen der Größe Roms« [15; 14. 159]. Zunächst scheint die hier artikulierte, von Norden hervorgehobene ›staatsbürgerliche Gesinnung‹, Heinzes ›polit.-histor. Sinn‹ [27. 670f.], für einen Philologen seiner Epoche kaum selbstverständlich. Die Rede selbst sendet indes Signale in irritierender Mischung aus: Daß das ›Römertum alter Zeit‹ [15. 12] bis zum zweiten punischen Krieg gegenüber dem ›intellektuell und künstlerisch gehobenen, polit. gesunkenen Römertum (der) Spätzeit‹ [15. 11] durch einen gemeinsamen Willen zur Macht groß geworden sei, wird als Rezept für die Gegenwart ausdrücklich abgelehnt: ›Wir wollen kein Volk von Machtmenschen werden‹ [15. 27]; auch der röm. Ehrgeiz, das Streben nach *dignitas* läßt ›die abgrundtiefe Kluft (…) ermessen, die das röm. Leben und Streben etwa von unserem trennt‹ [15. 17]. Umgekehrt gilt ganz allg. die röm. ›Hingabe an die res publica‹ [15. 13] auch der Gegenwart, doch diese Ausführungen im Lichte der Zeit nach 1933 und der Vereinnahmung durch den »Geist des Römertums« auszudeuten, wäre anachronistisch. In der Tat mag auch Heinzes Betonung des nichtmonarchischen Charakters von Ciceros *De re publica* seiner Zeiterfahrung entspringen ([14. 141–159], zuerst 1924). Für seinen polit. Human. sind polit. Gesinnung und System der Römer allenfalls Anstöße der Reflexion über den gegenwärtigen Zustand der *res publica*. Heinzes begriffsgeschichtliche Unt. reflektieren sowohl eigene, ältere Vorarbeiten [14. 28–42; 114] wie ein zeitgenössisches Interesse an einer »Wertphilosophie« [56]; andererseits sind seine grundlegenden Beiträge über staatstragende Wertbegriffe wie *auctoritas* (1925) und *fides* (1929) ebenfalls vor dem polit. Horizont der Zeit zu sehen, latent appellativ etwa [14. 57f., 80f., dazu Burck, 4f.], oder wie es dann bei K. Meister [111. 1–22, hier 2] so schön einfach heißen wird: ›Die Römer haben in sich sittliche Werte geschaffen, die uns in unserer heutigen Not innerlich stärken können‹.

Jedenfalls sehr viel aktionistischer gestimmt ist demgegenüber Fraenkels bildungspolit. Annäherung an die Gegenwart [7]. ›Die röm. Schöpfungen ziehen uns unwiderstehlich (. . .) zu den Kämpfenden, den Opfernden des röm. Lebens, zu der Wucht des von einem einzigen Willen beseelten Massenstoßes oder der majestätischen gravitas (. . .). Weit größer als jedes einzelne Röm. ist allezeit Rom‹ [7. 21f.]. Insofern ›gilt es die Werke aufzusuchen, in denen der röm. Gehalt am stärksten ist, sodann und v. a. nicht bei den ästhetischen und lit. Würdigung stehen zu bleiben (. . .) sondern dahinter den röm. Menschen, die Gesellschaft, den Staat aufzuzeigen‹ [7. 24].

Daß mit Ausnahme von Klingner sich nur wenige Latinisten der 20er J. dem »Dritten Human.« im engeren Sinne verschrieben haben, dürfte neben konzeptionellen auch institutionelle bzw. personale Gründe gehabt haben. Noch bis in die 20er J. hinein fällt der Schatten von Wilamowitz auf die trotz Leo und Heinze sich nur langsam und zögerlich emanzipierende Latinistik; noch Leos Insistieren auf einer griech. Quelle für jeden lat. Klassiker und zugleich die Behauptung einer röm. »Originalität« verweisen ja auf eine gewisse Spannung, eine ›Latinistik des schlechten Gewissens‹ [123. 390f.; 101. V. 39], die die Römer allenfalls apologetisch zu ihrem Recht kommen läßt [101. 13f., 36–39, 150ff.], von der Souveränität Heinzes jedenfalls weit entfernt ist. In der Präponderanz von Usener gegenüber Bücheler, von Wilamowitz und Jaeger gegenüber Norden hatte sich ein ›qualitative(r) wie quantitative(r) Überdruck auf die Latinistik‹ [123. 396; 101. IV. 47ff.] ergeben, metaphorisch mit Norden gesprochen: ›Sonnenwärme und Tagesglanz freilich werden nur die Diener der hellenischen Musen finden, aber auch in der Kühle des Schattens und bei Lampenlicht läßt sich arbeiten‹ [27. 676]. Kein Wunder, daß eine derart einseitig gewichtende Optik noch in den 20er J. einen Mangel an eindeutig konturierten Nachwuchslatinisten ergab. In der Tat hat W. Schadewaldt zw. E. Bickel (1921–28) und H. Fuchs (1929–32) in Königsberg einen latinistischen Lehrstuhl innegehabt, trat 1931 B. Snell in Hamburg neben dem Gräzisten E. Kapp (bis 1937) die Nachfolge von F. Klingner an und las bis 1939, d. h. bis zur Berufung von U. Knoche, über latinistische Themen. Daß die latinistische Lehre, wie häufig betont, pflichtgemäß, ja unter asketischem Verzicht auf eigene Forsch. (so zu Reitzenstein: W. Fauth in [52. 178–196], hier [178. 180]) wahrgenommen wurde, mußte umgekehrt dazu führen, daß der Latinistik in Forsch. und Außendarstellung die Freiheit, auf neue Entwicklungen zu reagieren, gerade in diesem Jahrzehnt bes. fehlte. Auch W. Kroll (1869–1939) [126. 155f.; 133] stand in jener älteren Tradition. Es wird ebenfalls der geistesgeschichtlichen Wende der

20er J. zuzuschreiben sein, daß nach ihm, der für die Zeitschrift *Glotta* von Bd. 5, 1914 bis 25, 1936 die (lat.) Sprachgeschichte betreut hatte, dieser Bereich endgültig in die Verantwortung der Indogermanisten überging (→ Sprachwissenschaft), obwohl eine Reihe von Latinisten der vergangenen (F. Vollmer, W. F. Otto, A. Klotz, E. Lommatzsch, E. Diehl) wie der jüngeren Generation (E. Bickel, Fraenkel, G. Jachmann) aus der latinistischen Pflanzschule des *Thesaurus linguae Latinae* hervorgegangen waren (→ Lexikographie III.).

7.2 NORDEN

Schließlich ist selbst der neben Heinze bekannteste »Latinist« der ersten Generation des 20. Jh., Eduard Norden (1868–1941 [91; 132; 101. I.44–48, 53–107, II. 5–16, V. VI.]), nicht eindeutig in dieser Richtung festzulegen [132. 106]. Als Schüler von Bücheler und Usener war Norden zwar latinistisch promoviert (über Varros Menippeen, 1891), hat indes seine unbestreitbare Kompetenz *in Graecis* durch Monographien übergeordneter Thematik wie der *Ant. Kunstprosa* (zuerst 1898 [101. V. 14ff., 25f.]) oder dem *Agnostos Theos* (1913) unter Beweis gestellt und sich erst in seiner Berliner Zeit, wohl unter dem Einfluß von Wilamowitz und Diels, stärker auf die latinistische Seite gedrängt gefühlt [101. V. 26ff., 37f.].

7.3 KLINGNER

Blieb Nordens latinistische Leistung trotz monumental eingehauener Pflöcke in Form- und Religionsgeschichte, bei Vergil und Tacitus letztlich ohne kontinuierlich begehbare Pfade, konnte seine »Latinistik des schlechten Gewissens« eine Schülerschaft von Zahl und Gewicht offensichtlich kaum begeistern, so sollte die Zukunft Heinze gehören, der entscheidender als in einzelnen Werken zunächst durch die Kategorien einer angemessenen literarhistor. Betrachtung wie dann durch die Akzentuierung der »Römerwerte« die nachfolgende Forsch. geprägt, ihr neue Aufgaben angewiesen hat [61. 149f.]. Daß sein Ansatz dem Nordens theoretisch [101. V. 27ff.] wie methodisch überlegen war, braucht kaum betont zu werden. Zunächst allerdings dauerte die Ablösung der Bücheler-Schule, symbolisiert gleichsam durch Heinzes Tod (1929) und Nordens Zwangsemeritierung (1935), mit C. Hosius (1866–1937) [126. 129], R. Helm (1872–1966), A. Klotz (1874–1956) [126. 129] und K. Barwick (1883–1965) [126. 153] noch bis in die 30er J. hinein an. Nimmt man die Latinisten der nach der Generation »Bücheler« und »Heinze/Norden« dritten Generation hinzu, d. h. die als Schüler von Heinze und Norden oder gleichzeitig 1895–1905 geborenen Zeitgenossen (u. a. H. Drexler, 1895–1984; H. Oppermann, 1895–1982; F. Levy/Lenz, 1896–1969; H. Fuchs, 1900–1985 [126. 176. Anm. 301]; E. Koestermann, 1901–1973; E. Burck, 1901–1994; U. Knoche, 1902–1968; A. Thierfelder, 1903–1986; H. Dahlmann, 1905–1988), so ist nicht zu übersehen, in welchem Ausmaß um 1930, als die ersten dieser Gruppe berufen wurden, sich die Situation der dt. Latinistik gegenüber der Epoche davor zu bessern begonnen hatte. In diesem Jahr trat auch F. Klingner (1894–1968) [19; 46] (zu biographischen Details [101. VIII. 80–118]) die Nachfolge auf Heinzes Leipziger Lehrstuhl an. Er hatte zunächst in Tübingen, dann in Berlin [101. VIII. 90–98] studiert, war dort in den Bannkreis von Wilamowitz geraten, an dessen Graeca er als einer der wenigen Latinisten (neben F. Beckmann, E. Fraenkel, H. Fuchs und R. Güngerich) teilnehmen durfte, hatte sich aber von dem Patriarchen gelöst und war mit dem von ihm angeregten Dissertationsthema, Boethius' *Consolatio*, 1921 von P. Friedländer in Marburg promoviert worden. Während einer zweiten, längeren Berliner Phase als Privatdozent (1923–25) trat Klingner Jaeger näher und publizierte ab Bd. 1, 1925 (über Livius) regelmäßig in der *Ant.*, dem Hausorgan von dessen Bewegung.

Klingner hat als einer der ersten Latinisten Diltheys Lebensphilos., seine verstehende Psychologie für die Interpretation klass. lat. Texte ebenso umfassend wie unprogrammatisch fruchtbar gemacht [54]. Hatte Heinze das Kunstwerk über seine lit. Technik zu erfassen gesucht, so wollte Klingner die Erlebniswelt eines Autors, die »Einheit seines Lebenswerkes« und damit die »röm. Geisteswelt« [19] verstehend nacherleben. Das Medium dieses neuen geistesgeschichtlichen, einer breiteren Leserschaft sich öffnenden Zugangs ist ihm der Essay geworden, etwa zu Livius (1925), Horaz (1929/1930), Vergil (1930/1931) und Tacitus (1932) etc. Innere Form, Sinn und damit Wert eines Autors werden implizit, doch deutlicher als bei Heinze thematisiert. Damit im Zusammenhang steht ein ältere Tendenzen noch überbietender Klassizismus: Klingners Habilitation über Prudentius wird nicht gedruckt, die Spätant. wirkt nach der Dissertation zu Boethius nur in Rezensionen (zu Claudian 1923, zu Bergmans Prudentius-Ed. 1930) und in dem Aufsatz über die Romidee (1927) fort. Dieser aus Klingners Hermeneutik nicht zwangsläufig ableitbare, selbst Autoren wie Augustin, Claudian und Boethius nunmehr ausklammernde Klassizismus kommt offenbar mit dem »Dritten Human.« ins Spiel. Die Beschränkung einer »Klass. Ph.« im Gegensatz zur Geschichte war ja der zentrale Punkt des Jaegerschen Programms gewesen. ›Mit den Werken Homers, Platos, Pindars, des Aeschylus, mit Cicero und Vergil läßt sich klass. Ph. Betreiben‹ [17. 10]. Besonders Jaeger also hat der Latinistik eine Beschränkung auf den Orientierungsrahmen der »kanonischen«, »klass.« Autoren des ersten Jh. vor und nach Christus nahegelegt, und der privilegierte Modus der Annäherung an die Texte ist auch für Klingner nicht Erklären, sondern Verstehen. Im Zusammenhang mit einer Konzentration auf das Wesensbild gewinnt der Begriff der Interpretation bei ihm einen prägnanten, fast emphatischen Sinn [18]. Klassizismus wie nacherlebende Interpretation erklären wohl auch Klingners weitgehenden Verzicht, zumal in seinen späteren Monographien, auf eine problembezogene Standpunktbestimmung, die den Leser über die eigene Position im Forschungskontext zu orientieren vermöchte.

8. Die Zeit des Nationalsozialismus

Klingners dezidiert geisteswiss. Variante des »Dritten Human.«, in der also Aspekte wie Geist, Werk und Text dominieren, und sein in den 30er J. immer deutlicher hervortretender werkimmanenter Interpretationsansatz sind nicht zuletzt als Reaktion auf den seit 1933 zunehmend sich verdüsternden polit. Horizont zu verstehen. Auch in der Latinistik machte sich der Druck der »Neuen Zeit« [96; 65; 130; 106; 99] zunächst durch die Verdrängung von Verfemten und eine mindestens im Ansatz versuchte Gleichschaltung der Verbliebenen bemerkbar. Die lat. Studien scheinen insgesamt weniger als die griech. [55a. 1029f.] unter Verfolgung und Vertreibung [99; 144. 373–384] gelitten zu haben, so daß in ihnen ein der Gräzistik vergleichbarer Einschnitt nicht festzustellen ist: Mit der Vertreibung von Norden (zwangsemeritiert 1935, 1939 nach Zürich emigriert) und Fraenkel (amtsenthoben 1933, nach Oxford emigriert 1934), Latte (zwangsemeritiert 1936, dann in Hamburg, seit 1943 u. a. von Ziegler versteckt [52. 220; 144. 172–180]) und Konrat Ziegler (1933 entlassen), dazu von F. W. Lenz (1896–1969), G. Rohde (1899–1960), L. Bieler (1906–1981), O. Skutsch (1906–1990), K. O. Brink (1907–1994), R. Helm (vorzeitig emeritiert 1933) büßten die Philologen ihre Wirkungsmöglichkeit in Deutschland ein, die an der traditionellen Einheit von Griech. und Lat. sowie an dem altertumswiss. Horizont der Textanalyse festhielten. Aber bei der Mehrzahl der (in der Regel konservativ-unpolit. und zugleich ehrgeizigen) latinistischen Hochschullehrer war, wie für die meisten Zeitgenossen, das Normale wohl eine Bereitschaft zum Selbstbetrug, zumindest ein fast unmerklicher Anpassungsprozeß. Selbst Norden hatte noch im Januar 1933 den neuen Machthaber mit dem Retter Fabius Maximus Cunctator verglichen. 1934 schrieb er an E. Koestermann: ›Den Steuermann Hitler liebe ich, trotz allem, wie Sie‹ [132. 33]. O. Weinreich hatte schon im Dezember 1932 eine entscheidende Übereinstimmung von »Drittem Human.« mit dem kommenden »Dritten Reich« zu konstatieren für nötig gehalten [48] und sich auf nationalsozialistische Kulturpolitiker wie Wilhelm Stapel und Ernst Krieck, gar auf Hitler selbst berufen. Schließlich bekennt M. Pohlenz [144. 229ff.; 55. 236ff.] in der Einleitung zu einer Interpretation von Ciceros *De officiis* (*Ant. Führertum*, 1934), daß ›angesichts der Umstellung, die sich im geistigen Leben unsres Volkes vollzieht‹ und angesichts der Erkenntnis, daß ›Panaitios nicht ein allg. Menschentum als Höchstes vor(schwebe), sondern das Führertum des hochgesinnten Mannes, der Dienst am Volke als sittliche Pflicht übt‹, ihm ›ungewollt der Obertitel der Schrift erwachsen‹ sei.

Der Anpassungsdruck des neuen Systems konzentrierte sich nicht ohne Erfolg in erster Linie auf die jüngere Generation. Symptomatisch etwa das Verhalten des 23jährigen V. Pöschl, der sich in einem Ultimum an vorauseilendem Gehorsam noch als österreichischer Staatsbürger 1933 für die SS entschied, die vor dem

Röhmputsch von 1934 ›als eine vergleichsweise gesittete Organisation‹ galt, ›um das eigene berufliche Fortkommen zu fördern‹, wie es ›damals sehr viele seiner Zeitgenossen in vergleichbarer Lage getan‹ haben, dann 1937 in die Partei eintrat. Es ist keine Frage, daß ein solches Verhalten, wie es ›zahllose Intellektuelle um der eigenen Ungestörtheit willen an den Tag legten, nicht unwesentlich zur Stabilisierung des Regimes beitrug‹ [149. 371]. Weiter war 1934–1938 die Erteilung der Lehrbefugnis (*Venia legendi*) an die Absolvierung eines »Gemeinschaftslagers« und einer »Dozentenakad.« gebunden, 1936 zu einem sechswöchigen Lehrgang zusammengefaßt, 1937 auf vier und 1938 auf nur noch drei Wochen »Reichslager für Beamte« reduziert, deren ›polit. Überwachungsfunktion (...) klar belegt‹ werden kann [97. 107]. Umgekehrt ›war es niemals klar, daß fanatischer Dienst bei der Partei (...) unbedingt eine akad. Karriere fördern würde‹ [97. 70]. Der Versuch einer Indoktrination mochte nicht ohne Aussicht auf Erfolg durch den zähen Widerstand institutioneller Traditionalisten in Seminar und Univ. gebremst werden; Freiräume konnten in gewissen Grenzen genutzt werden. Auch richtete sich der Grad der mehr oder weniger freiwilligen Beteiligung nach dem jeweiligen Anlaß: So wollten sich offensichtlich gerade die Altertumswissenschaftler dem »Kriegseinsatz der Dt. Geisteswiss.« (Aktion Ritterbusch) von 1940–1945 nicht entziehen, d.h. der Planung und Beteiligung an einem neuerdings dem Vergessen entrissenen monumentalen Unternehmen, Forschungsprojekt und Kongreßreihe zugleich, das, von der Euphorie nach dem Frankreichfeldzug 1940 getragen, bei der Vorbereitung einer neuen europ. Ordnung nach dem »Endsieg« auch den Geisteswiss. einen angemessenen Platz sichern sollte [96. 108–115; 98. 743 ff.; 76. 125–138]. Die »Fachgruppe Altertumswiss.«, für die der Althistoriker H. Berve federführend war, konstituierte sich im Oktober 1940 unter Beteiligung der Latinisten E. Burck, H. Drexler, H. Oppermann und U. Knoche; selbst F. Klingner und J. Stroux standen nicht abseits. Unter dem Leitthema »Das Neue Bild der Ant.« fand dann im April 1941 eine gut besuchte und auch von einer breiteren Öffentlichkeit wahrgenommene Tagung in Berlin statt; das Privileg eines Vortrags erhielten die Gräzisten H. Bogner und W. Schadewaldt, die Latinisten Burck (*Die Lebensform und Wertordnung der altröm. Familie*) und Knoche (*Die geistige Vorbereitung der Augusteischen Epoche durch Cicero*), die Althistoriker F. Miltner und J. Vogt, schließlich die Archäologen E. Langlotz und G. Rodenwaldt. In dem Rom gewidmeten zweiten Band des »Gemeinschaftswerks« [1] kamen neben den Gründungsmitgliedern als Latinisten noch C. Koch und H. Dahlmann zu Wort [76. 106f.]; Stroux fehlte. Auch in dem stärker althistor. ausgerichteten Band *Rom und Karthago* [76. 107f., 135ff.] war die Latinistik wieder durch Burck (*Das Bild der Karthager in der röm. Lit.*) vertreten. Mag bei alledem ein Legitimationsbedürfnis, das Bewußtsein einer patriotischen Tat oder die Sicherheit in der Gruppe die

Teilnahme begründet haben, so geriet in eine größere Nähe zu Ideologie und Macht, wer sich z.B. an den Lagern des Fachkreises Altertumswiss. des NS-Dozentenbundes (Würzburg 1941, Augsburg und Seefeld/Tirol 1942) beteiligte, wo nach Drexler ›nur solche geladen werden (konnten), zw. denen die nationalsozialistische Haltung nicht mehr zur Diskussion stand‹ [96. 94–108, hier 97; 98. 742f.]; als zuverlässig galten ihm also unter den Latinisten noch Burck, H. Hommel, Knoche, Oppermann, O. Seel und R. Till; die Abwesenheit Klingners kann nicht erstaunen.

In einen noch engeren Kreis trat ein, wer sich aktiv für die nationalsozialistische Ideologie engagierte oder mindestens über die Partizipation am System Karriere zu machen bereit war. In der ersten Reihe stand Drexler (1935 Nachfolger von W. Kroll in Breslau, Parteigenosse (Pg.) seit 1937; 1940 in Göttingen, Rektor 1943) als ideologische Speerspitze gegen den »Dritten Human.«, dem er 1942 eine Streitschrift gewidmet hatte [4; 144. 244–254]. Auch Oppermann (Ordinarius in Freiburg 1935–1941, dann in Straßburg bis 1945, Pg. seit 1937) tat sich als Drexlers Mitstreiter durch Umsetzung nationalsozialistischen Gedankenguts in kleine Münze mit Vorträgen und Forschungsberichten als ›der lauteste und fleißigste Propagandist einer »neuen« Art der Wiss.‹ [100. 520; 76. 67, 133. Anm. 72] hervor, etwa ständig in den *Neuen Jahrbüchern* von 1934–1942 [100. 535ff.]. Den makabren Höhepunkt seiner eilfertigen Geschwätzigkeit bildete das antisemitische Pamphlet *Der Jude im griech.-röm. Alt.* [28; 100. 538ff.; 98. 745], nachdem Oppermann auch 1942 in einer Besprechung des »Neuen Bildes der Ant.« das Fehlen einer ›Darstellung der rassischen Probleme des griech.-röm. Alt.‹ vermißt hatte [110]. Von anderem wiss. Kaliber, aber zu bedenklichen Kompromissen bereit war R. Till (Extraordinarius in München und Mitglied der SS 1938), der als Leiter der »Abteilung für Klass. Ph. und Altertumskunde« 1938, seit 1939 Abteilungsleiter der um die Gräzistik (F. Dirlmeier) erweiterten »Lehr- und Forschungsstätte für Klass. Altertumswiss.« des »Ahnenerbes« der SS tätig war; die Latinistik sollte wohl in diesem Rahmen als ›Zweckwiss. (...) den Fluß german. Kulturströme aus dem Norden in den Mittelmeerraum demonstrieren‹ [85. 72]. Till scheint allerdings das »Ahnenerbe« gleichsam als ›akad. Naturschutzpark‹ [85. 74] betrachtet zu haben, in dem man mit einer textgeschichtlichen Studie über den Codex Aesinas von Tacitus' Kleinen Schriften solide Ph. betreiben konnte [85. 72ff., 95, 99, 138, 200f.; 96. 119–123; 98. 745f.]. Andererseits war etwa bei Knoche (Pg. seit 1937, 1939 nach Hamburg berufen [144. 225f.; 95. 784–793]) seit Frühjahr 1939 und unter dem Eindruck der mil. Erfolge seit Sommer 1940 eine wachsende Zustimmung zu den nationalsozialistischen Kriegszielen festzustellen, die Publikationen wie den erwähnten Vortrag über die augusteische Epoche prägt [95. 788ff., 791f.]. Schließlich Burck, den ein Drang zu Aktivität und Omnipräsenz auffallend häufig in diese erste Linie gebracht zu haben scheint. Wir treffen ihn als

Hauptvortragenden im »Kriegseinsatz« von 1941, in dem Folgeband über Karthago sowie ganz allg. als Propagandisten eines zeitgemäß gefärbten »Römertums« an. Von seinen Aufsätzen der Epoche hat denn auch mit Ausnahme der Behandlung der »altröm. Familie« [2. II. 7–48; 1; 30. 87–141] die Mehrzahl (*Staat, Volk und Dichtung im republikanischen Rom*, 1936; *Altröm. Werte in der augusteischen Lit.*, 1938; *Altrom im Kriege*, 1940; *Das Bild der Karthager in der röm. Lit.*, 1943) den Weg in seine *Kleinen Schriften* nicht gefunden [2. 1.431 f.], ebensowenig wie Pöschls *Cato als Vorbild röm. Lebenshaltung* [115]. Einen beruhigenden Kontrast zu diesen Ausflügen in ideologisch dubioses Terrain stellt demgegenüber Burcks mutiger Einsatz für seinen ehemaligen Münsteraner Kollegen F. Münzer dar, als dieser aus »rassischen« Gründen 1942 im Alter von 74 J. nach Theresienstadt deportiert wurde ([86], isolierend [93]). Wie sich solche stets zu differenzierende Nähe oder Ferne des Einzelnen zum Regime und seiner Ideologie auf der Ebene der Seminare auswirkte, ist bisher nur für Göttingen [144], Hamburg [95] und Bonn [81a] genauer untersucht. Freiburg war fest in brauner Hand, nachdem Oppermann seit 1934 den Lehrstuhl Fraenkels vertrat und H. Bogner seit 1937 als Extraordinarius dort tätig war.

8.1 Nationalsozialismus und Römertum

Was von der Altertumswiss. erwartet wurde und worauf man, wie eine Generation später bisweilen auf Zitate von Marx und Engels, seine Legitimationsbemühungen stützen konnte, hatte der »Führer« selbst vorgegeben. War das Geschichtsbild einflußreicher Größen der Epoche vom Kontrast Rom/Germanentum (A. Rosenberg, H. Himmler) oder von der Geistesverwandtschaft griech. und german. Art (R. W. Darré) geprägt [65. 139–144; 98. 726 ff.], so hatte Hitler selbst [98. 723–726, 731] formuliert: ›Röm. Geschichte, in ganz großen Linien richtig aufgefaßt, ist und bleibt die beste Lehrmeisterin nicht nur für heute, sondern wohl für alle Zeiten. Auch das hellenische Kulturideal soll uns in seiner vorbildlichen Schönheit erhalten bleiben‹. An die Stelle von Autor, Geist oder »der Mensch« waren in dem potentiellen Referenzspektrum der röm. Lit. Begriffe wie Volk und Nation, Römertum und Nationalbewußtsein getreten. Wie auch immer Heinzes Versuche der 20er J. in dieser Richtung zu werten sind: Das durch Burcks Auswahl von 1938 [13] *Vom Geist des Römertums*, in der u. a. Heinzes Antrittsvorlesung von 1906 [11] fehlt, vermittelte Bild entspricht doch eher dem Zeitgeist als Heinzes eigenem Geist. Auch der Kontrast, den Burck hier in Heinzes Oeuvre vor und nach dem I. Weltkrieg sieht, einer ›wesentlich ästhetischen Betrachtungsweise der röm. Lit. (...), feinsinnigen analytischen Untersuchungen‹, die ›die Originalwerte röm. Poesie dem nachfühlenden Verständnis erschlossen‹ hatten, gegenüber einer moderneren ›Erforschung der staatlich-polit., völkischen und rel. Kräfte Roms‹ [13. 278], scheint zumindest überpointiert. Der Heinze-Schüler Burck läßt diese Neuorientierung am

»Dritten Human.« orientiert sein. Indes galt einer Ideologie, die im Blick auf Rasse, Volk und Nation alles Internationale (Sozialismus, Christentum oder Katholische Kirche) perhorreszierte, der »Dritte Human.« im Grunde als zu unpolitisch [65. 152; 60. 164–168]. Wessen ›Arbeiten (...) die Richtung des (...) Dritten Human.‹ verrieten, mochte es wie Knoche [144. 225–229, hier 226] auf dem Weg zur Berufung deshalb zunächst schwer haben. Auch im Rahmen der erwähnten Lagerarbeit kam es z. B. zu einer Programmdiskussion um den »Dritten Human.«, wobei die Attacken gegen Jaeger erwartbar von Oppermann und Drexler, der Widerspruch hingegen von der Seite der Gräzisten (W. Schadewaldt, F. Müller) [96. 97 f., 106 f.] kam. In der Tat waren die Schwierigkeiten, Jaegers Human. im Dritten Reich ›systemkonform zu bewältigen‹ [96. 86, 97 f.,108, 177; 98. 729 f.; 95. 807. Anm. 22; 60; 105; 92. 882] beträchtlich, konnten doch dessen jedenfalls nicht hinreichend entscheidungsfreudige und letztlich intellektualistische Positionen als solche der »Neuen Zeit« nicht verborgen bleiben. Zum eigentlichen Gegenbegriff avancierte der erst jetzt völkisch und polit. aufgeladene Begriff »Römertum« [136a; 136b], den vor 1933 ein Reformpädagoge wie Th. Herrle als Buchtitel (1926) noch durchaus harmlos verwenden konnte. Was sich konkret an erhofften Inhalten damit verband, läßt sich an den im Rahmen des »Kriegseinsatzes« vorgesehenen Themen ablesen: *Die Grundlagen der röm. Lebensordnung, Der röm. Imperialismus, Cäsar und Augustus, Römer und Germanen, Das Wesen der Augusteischen Dichtung* etc. Die Betonung von Altrom und augusteischer Epoche schien sich im Bezug auf »ein Volk, ein Reich, ein Führer« geradezu aufzudrängen.

Als *Via regia* zur Erkenntnis des »Römertums« galten ab 1933 die dies inkarnierenden, polit. jetzt zugespitzt verstandenen »Römerwerte«. Moderne Verharmlosungen dieser Ideologie unter revisionistischen Vorzeichen wie von G. Thome [136. 9–13, hier 10], die Heinzes und Meisters ›Bravourstücke‹ von den späteren ›Sumpfblüten‹ absetzen, greifen wissenschaftstheoretisch wie wissenschaftsgeschichtlich zu kurz:

1. Was zunächst bei Heinze, Fraenkel und Meister in den 20er J. noch tastender Versuch geblieben war, der den röm. Machtmenschen als Ursache der Größe Roms [15] weder ohne weiteres mit *auctoritas* und *fides* verrechnete noch die Illusionen von Meister mit Fraenkels »Massenstoß« zur Deckung brachte, hat jetzt System und Methode, wird vor dem problematischen Horizont mod., ideologisch besetzter Begriffe wie Volk und Nation zu einer »Staatsgesinnung« zusammengeführt [13. 278; 31]. Man knüpfte einerseits an die latente Politisierung der Latinistik nach dem I. Weltkrieg an; anders aber als bei Heinzes ›begrenzenden Formulierungen‹ [68. 51. Anm. 38; 95. 787 f., 811. Anm. 56] ging es jetzt umfassender und systematischer darum, mit Begriffen (Forsch.-Ber. [13. 283 f.; 111. IXff.]) wie *virtus* (zu [3] selbst [136. 11. Anm. 10]), *concordia, dignitas* [5], *fides, gloria, honos, mos maiorum, officium, pietas* die Nor-

men der röm. Aristokratie als einer geschlossenen Gesellschaft der Gegenwart gleichsam als Leitkultur anzu-
empfehlen (zur grundlegenden Kritik des Konzepts
[68. 37 f.]). So werden z. B. in V. Pöschls *Grundwerten
röm. Staatsgesinnung* von 1940 die Bereiche von *virtus*
(*labor, industria, disciplina militaris*), *moderatio* und *imperium iustum* (*iustitia*) in den Rahmen von bedenklich ak-
tualisierenden Anklängen gestellt.

Weiterhin hatten nunmehr polit. oder politisierbare
Texte Konjunktur: Vergil [57], weniger Horaz; Caesar,
Sallust, Livius, weniger Cicero, aber natürlich Tacitus'
Germania [50]. Im Zeichen eines politisierten Human.
gegenüber dem eher individualisierenden Klassizismus
der Gräzisten wurden staatstragende Autoren selektiert
und interpretatorisch zurechtgemacht, wurde die allen
Humanismen inhärente Tendenz zum Klassizismus in
polit. Absicht noch zugespitzt.

2. In der Fixierung auf die Römerwerte lebte sich
eine Tendenz aus, die Eigenständigkeit (jetzt regelmäßig
»Eigenart« statt »Originalität« in der Epoche zuvor) der
Römer nicht im Bereich von Lit. und Kultur, sondern
in einer fatalen Verengung auf Staat und Politik aufzusuchen, noch 1951 [44. 223 f.] in der ›Erforschung der
eigentümlich röm. Begriffswelt‹ die röm. ›Eigenart‹ erkennen zu wollen; die ›Frage nach der Eigenständigkeit
und dem Eigenwert des röm. Schrifttums‹ ist für Burck
noch 1960 [14. 1] ›fast eine Selbstverständlichkeit‹. Die
in ständiger Wiederholung sich abnützende Insistenz
auf »Römertum« und »Römerwerten« darf als untaug-
licher Versuch innerhalb eines lang andauernden Eman-
zipationsprozesses der dt. Latinistik gewertet werden.
Für Klingner jedenfalls scheint sich die Frage einer Originalität der röm. Lit. nicht gestellt zu haben; seine auf
das Erlebnis als das entscheidende literarhistor. Datum
konzentrierte Interpretationskunst setzt vielmehr die
»Röm. Geisteswelt« in einen dezidierten Kontrast zum
»Geist des Römertums« [95. 12. Anm. 42].

3. Indes schien die Kategorie der »Römerwerte« als
gemeinsamer Nenner einer offensichtlich kompromiß-
bereiten Gruppe, Burck [12] und Knoche [21; 22. XIff.],
Dahlmann [3] und Pöschl [32] genügend wissenschaftsgeschichtliche Reputation und geistesgeschichtliches
Fluidum zu besitzen, andererseits als »kleiner Finger« ein
noch relativ harmloses Kompromißangebot an das Regime darzustellen, konnte deshalb auch die »Obernazis«
(auch Drexler nur sporadisch, [5]) nicht wirklich interessieren und (etwa in Richtung auf klare rassistische
Äußerungen) auch nicht zufriedenstellen. Die Frage
nach dem Einfluß des polit. Umfeldes auf Thematik
und Stil der latinistischen Forsch. im »Tausendjährigen
Reich« wird sich jedenfalls aufs Ganze gesehen nicht
einfach dadurch beantworten lassen, daß man den Kreis
der direkt polit. Engagierten und Infizierten auf Drexler
und Oppermann als ›studiosi (...) senza importanza‹
eingrenzt [53]. Vielmehr ist offensichtlich, daß das Programm »Römertum und Römerwerte« – neben der
qualitativ besseren Nachwuchssituation – dem disziplinären Selbstbewußtsein der dt. Latinistik von 1933–1945
nicht unerheblich zugute gekommen ist.

Diese Zwischenposition würde auch die eigentümliche Kontinuität erklären, in der die »Römerwerte« in
der Restaurationsphase nach 1945 zunächst noch Konjunktur hatten. Zwar war es jetzt, wie mit der Deutsch-
tümelei, so mit der Römertümelei im engeren Sinn
vorbei, aber die mit dem vergangenen Engagement unmittelbar verbundenen Forschungsrichtungen »Römertum« und »Römerwerte« überlebten, wenn auch in polit. depotenzierter Form. Erst jetzt stößt neben Drexler
Oppermann als stets geschäftiger Wasserträger hinzu.
Seine Sammelbände zu *Römertum* [30], den *Röm. Wert-
begriffen* [111] und dem (Dritten) *Human.*[29], der von
dem Herausgeber noch eine Generation zuvor erbittert
bekämpft worden war, brachten es im schützenden Hafen der von Oppermanns Gesinnungsgenossen E. An-
rich [81a. 19–27] gegründeten »Wiss. Buchgesellschaft«
[100. 541] und vor dem Horizont des an einer problematischen Kontinuität festhaltenden Publikums jeweils
zu mehreren Auflagen; auch Drexler konnte sein er-
zwungenes *Otium* in diesem Sinne nutzen [6]. Daß von
jener Mittelgruppe etwa Burck und Knoche bei dieser
Stange blieben, verwundert nicht. Aber auch Büchner,
polit. ganz unverdächtig, trat bei seiner engagierten Suche nach röm. Eigenständigkeit hinzu (»Röm. Lebensbegriffe«, zumal *humanitas* [44. 185–198]; »Römertum«,
199–215), und selbst H. Fuchs räumte aus der Distanz
des sicheren Schweizer Ports im Rückgriff auf Heinze
und unter völliger Absehung vom polit. Horizont diesem Problemkreis einen beträchtlichen Raum ein
[61. 157–170]. Es muß in der Tat erstaunen, in welchem
Ausmaß der ideologische Impetus, der den »Römerwerten« einen so beachtlichen Aufschwung beschert
hatte, im Rückblick entweder beiseitegeschoben, großzügig ignoriert oder sogar apologetisch gerechtfertigt
wurde [44. 195. Anm. 1; 33; 34; 14. Einführung 2, 5 f.;
111. VIIf.]. Indes war die geistesgeschichtliche Herkunft
des (jetzt verharmlosend »Lebensbegriffe« oder »Wertbegriffe« etikettierten) Problembereichs bei Heinze unter Verdrängung seiner polit. Forschungsgeschichte
nicht mehr ohne weiteres zurückzuholen, so daß dieses
Untersuchungsfeld bis vor kurzem [104a] so radikal wie
wenig andere aus Forsch. und allgemeinerem Interesse
verschwunden war.

9. ENTWICKLUNG NACH DEM II. WELTKRIEG

Die Epoche nach 1945 in ihrem Rückgriff auf die
Zeit vor Hitlers Machtergreifung bedeutete auch für die
mit den »klass.« Sprachen Griech. und Lat. befaßten
Wiss., daß sie wieder in Sicherheit und Ruhe, allg. anerkannt und erfolgreich in Schule und Univ. wirken
und sich im alten Glanz vergangener Herrlichkeit son-
nen konnten. Die Perennität der Trad. schien sich gegen
die ephemeren Umschwünge des Politischen durchgesetzt zu haben. Wie schwer sich die nun maßgebende
Generation tat, den Aktivisten des »Tausendjährigen
Reiches« eine ihrer Verantwortung gemäße Retributi-
on zuteil werden zu lassen, ist allg. bekannt und gilt auch
für die betroffenen Latinisten: Knoche, 1945 entlassen,
durfte schon 1950 wieder als Hamburger Ordinarius

amtieren [95. 802; 144. 216]; der SS-Mann Till mußte wenigstens bis 1958 eine Zwangspause an einer Privatschule einlegen, während der als ›Obernazi‹ [100. 527] ausgewiesene Antisemit Oppermann immerhin noch eine zweite Karriere im Schuldienst (seit 1954, 1958 mit dem Titel eines Emeritus) bis hin zur Leitung eines der angesehensten Hamburger Gymnasien durchlaufen durfte. Nur Drexler wurde wegen des Verdachts der Denunziation nicht wieder in die Göttinger Fakultät aufgenommen [144. 261 ff.]. Andererseits konnten oder wollten Emigranten nur ausnahmsweise zurückkehren [144. 214–219], wurde G. Rohde (1899–1960) (rück)berufen, blieb indes Fraenkel in Oxford, erhielt Latte, jedoch nicht K. Ziegler (s)einen Lehrstuhl zurück. Konzeptionell hat sich die dt. Latinistik der zwei Jahrzehnte nach dem II. Weltkrieg im wesentlichen in einer Kontinuität der Linie Heinze-Klingner entwickelt. Zumal der Klingner-Schüler Karl Büchner (1910–1981, vgl. [147; 148]), der überzeugteste und engagierteste Vertreter von dessen Begriff von Ph. ›in ihrer letzten Stufe‹ [20. 779], personifiziert symptomatisch den Zusammenhang, der von den 20er J. über die Zäsur von 1933–1945 hinweg zu Wiederaufbau und Restauration der Nachkriegszeit reichte, bis sich dann innerhalb der (mit 80 Dissertationen und 10 Habilitationen) zahl- und einflußreichen Büchner-Schule ein ebenso charakteristischer Paradigmenwechsel ergab. Neben Büchner sind in der Trad. Heinze-Klingner, z. T. noch als ihre Schüler, E. Burck (1901–1994), U. Knoche (1902–1968), der früh verstorbene C. Becker (1925–1973) und V. Pöschl (1910–1997) zu nennen. Sie alle fühlten sich zunächst einem Klassizismus verpflichtet, einer Konzentration auf ›die höchsten Werke und die Denkmäler der Schönheit‹ [20. 779] und d. h. der klass. Dichtung (Vergil und Horaz), auch Cicero und den Historikern. Die Heinzesche Erbschaft der »Römerwerte« bleibt (außer für Klingner selbst) als geistesgeschichtlicher Horizont, indes ohne kritische Aufarbeitung ihrer Einfärbung in den 30er J. präsent; die Interpretation als Kern der Ph. schließt die Unverständigen, das *profanum vulgus* aus: ›Ph. ist letztlich Verstehen. Hier kommt der sog. subjektive Faktor ins Spiel. Große Kunstwerke können nur von einem Menschen mit entsprechendem Sensorium gewürdigt werden‹ [20. 781 f.]. Daraus ergibt sich nicht allein, daß Lit.-, Gattungs- und Funktionsgeschichte, d. h. der histor.-gesellschaftliche Kontext der Werke ausgeblendet wird, sondern auch, daß traditionelle Aufgaben der Ph. wie Textkritik (so noch bei G. Jachmann) und Editionen (Ausnahmen etwa U. Knoches Arbeiten zu Juvenal, auch Klingners Horaz, zuerst 1939), Quellenkritik und Sprachgeschichte seit den 30er J. immer erkennbarer zurücktreten. Ausnahmen von einer solchen klassizistischen Engführung bilden etwa das Œuvre des vielseitigen R. Helm [126. 129], der, von Schwerpunkten in der kaiserzeitlichen Lit. (Statius, Apuleius) herkommend, der Spätant. (Fulgentius, dann Hieronymus und Rutilius Namatianus) treu blieb, oder in ähnlicher Ausrichtung das von W. Süß (1882–1969,

vgl. [126. 161; 146]). Auch ein Großteil der Arbeiten J. Martins (1884–1973 [126. 163; 131]), der als Schüler von C. Weyman [126. 130] den Faden einer süddt.-katholisch geprägten Patristik innerhalb der Ph. weiterspann, galt der christl.-lat. Poesie und Prosa. Besonders hervorzuheben aber sind in dieser Richtung die Bonner Arbeiten zur Spätant.; W. Schmid (1913–1980 [35; 121]) hat ganz überwiegend Dissertationsthemen aus diesem Bereich vergeben.

10. ENTWICKLUNG SEIT DEN 60ER JAHREN DES 20. JAHRHUNDERTS

Epochengrenzen werden bekanntlich im Nachhinein gesetzt. Dennoch scheint das epochale Gewicht der späten 60er und 70er J. des letzten Jh. für Politik, Gesellschaft und Kultur der damaligen Bundesrepublik Deutschland unbestritten. Daß auch die dieser Wende konvergente, indes von ihr nicht kausal bedingte Antrittsvorlesung ([68], zuerst 1969) des Manfred Fuhrmann, Büchner-Schüler, sowie die ergänzende und präzisierende Disputation mit Hermann Tränkle 1970 [63] Epoche machten [66. 327 f.], haben gerade ablehnende Kritiken seiner Position [121] nur bestätigt. Während die westdt. Latinistik, von dem bundesdt. Erfolg der Restauration nach 1945 in Sicherheit gewiegt und nach der Gräzistik die zweite Geige zu spielen gewohnt, im allg. eine methodisch unkontrollierte, geistesgeschichtlich und intuitionistisch getönte Interpretation praktizierte, hatte sich Fuhrmann damals nicht allein für eine stärkere Beachtung und, soweit sachdienlich, Berücksichtigung der mod. literaturwiss. Methodendiskussion, sondern darüber hinaus (dies eigentlich den Widerspruch provozierend) auch für eine weitgehende Trennung von Latinistik und Gräzistik in Studium und Forsch. ausgesprochen, eine stärkere disziplinäre Distanz, die aus seiner Forderung einer Ausweitung der Beschäftigung mit der lat. Lit. über die sog. »klass.« Epoche hinaus gleichsam von selbst folgte. Sein Plädoyer für einen »Paradigmenwechsel« der Latinistik hat in unterschiedlicher Weise Schule gemacht: Das Postulat einer übergreifenden Latinistik ist, an einer bereits etablierten philol. Mediävistik vorbei und über sie hinaus, zumal der Beschäftigung mit der nlat. Lit. zugute gekommen [125. 864–889], stimuliert auch durch das Wirken von Walter Ludwig. Diese Erweiterung gilt heute prinzipiell als akzeptiert, ja als interdisziplinär unabdingbar [94; 82; 125. 889–897]; über Einzelforsch. und -forscher hinaus haben sich in einer ganzen Reihe von Univ. (Berlin, Bochum, Bonn, Freiburg, Hamburg, Heidelberg, Marburg, München) nlat. Forschungsschwerpunkte herausgebildet; eine »Dt. Nlat. Gesellschaft« und das »Nlat. Jahrbuch« (Bonn, ab 1,1999) sorgen zunehmend für (inter)disziplinäre Kontinuität.

Weniger erfolgreich haben sich die von und seit Fuhrmann erhofften Diskussionskontakte mit der Literaturtheorie der mod. Ph. entwickelt [66. 318 f.; 135. 301–308], der in ihrem, an sich berechtigten, Protest gegen Autorzentriertheit und Biographismus über Formalismus und New Criticism, Rezeptionsästhetik

[107; 128. 97–102] und Intertextualität bis zu einer ›vom Poststrukturalismus und Dekonstruktivismus bewerkstelligte(n) nihilistische(n) Abkehr von überkommenen Realitäts- und Wahrheitskriterien‹ [120a. 1134] die Literaturgeschichte weitgehend abhanden gekommen zu sein scheint, die jetzt durch einen Rückschwung zur → Kulturanthropologie wieder wettgemacht werden soll [120a. 1138]. An diesem Punkt scheint auch die stärkste Distanz der dt. etwa von der it. oder amerikanischen Latinistik erkennbar, wo die Intertextualität systematisch entwickelt (G. B. Conte, A. Barchiesi) und Wege aus der Sackgasse des Dekonstruktivismus gesucht werden [71]. Nur die Rezeptionsgeschichte oder genauer »Rezeptions- und Wissenschaftsgeschichte« [42; 45; 128. 85–96, 97–102; 122. 113–117] hat von den neuphilol. Anregungen erkennbar profitiert.

Fuhrmanns nüchterne und zugleich vorausweisende Bestandsaufnahme der Situation um 1970 hat jedenfalls die Alleinherrschaft des bis dahin noch weitgehend gültigen geistesgeschichtlich-interpretatorischen, Dichtung vor Prosa privilegierenden Paradigmas beendet und damit den Weg zu einem Methodenpluralismus freigemacht, von dem seither auch andere Konzeptionen und Zugänge profitiert haben. Jenes Paradigma ist fruchtbar geblieben etwa in Freiburg, Heidelberg und Tübingen. Spätantike und christl. Lit. sind Schwerpunkte in Bonn, Konstanz und Münster; auch die traditionelle Textph., als Basis einer histor. Disziplin vom Material her unverzichtbar, hat sich wieder selbstbewußter entwickelt. Kulturanthropologische Ansätze zeigen sich im Umfeld der Tübinger Religionswissenschaft. Auch die (in den 60er und 70er J. schon totgesagte oder als Aspekt der Sozialgeschichte vereinnahmte) Literaturgeschichtsschreibung der lat. Lit. hat in unterschiedlicher Form und Akzentuierung, von weit divergierendem Umfang und für unterschiedliche Rezipientenkreise eine Neublüte erlebt ([64; 69; 70; 67; 40; 41; 81; 80], dazu [122. 109–112]). Der prophezeiten oder angemahnten Wende »der Ph., die Latinistik eingeschlossen, dürfte allerdings nur dann die Zukunft gehören, wenn die Texte synchron als kulturanthropologische Phänomene an sich, nicht nur als Lieferanten für textexterne Fragen beansprucht werden [122. 93 f.], und andererseits diachron die Geschichte der Texte und ihrer Form in einem allerdings mod., nicht bloß apologetisch präsentierten Traditionsbegriff ihre Chance behält.

→ Boeckh-Hermann-Auseinandersetzung; Nationalsozialismus; Philhellenismus

QU 1 H. BERVE (Hrsg.), Das Neue Bild der Ant. 2 (Rom), 1942 2 E. BURCK, Vom Menschenbild in der röm. Lit. 1/2, 1966/1981, Schriftenverzeichnis 1, 431–435; 2, 588–592 3 H. DAHLMANN, Das röm. Mannesideal, in: Kleine Schriften, 1970, 9–22 (zuerst 1940; Titel im Ndr.: Virtus Romana) 4 H. DREXLER, Der Dritte Human. Ein kritischer Epilog, 2 Bde., 1942 (Auf dem Wege zum nationalpolit. Gymnasium 10) 5 Ders., Dignitas, (Rektoratsrede 1943), 1944, Ndr. in: R. KLEIN (Hrsg.), Das Staatsdenken der Römer, 1966, 231–254 6 Ders., Polit. Grundbegriffe der Römer, 1988 (Beitr. von 1956–1983) 7 E. FRAENKEL, Die Stelle des Römertums in der human. Bildung, 1926 8 Ders., Kleine Beitr. zur Klass. Ph. 2, 1964 9 O. FROEHDE, Der begriff und die aufgabe der litteraturwiss, Neue Jbb. 147, 1893, 433–445 10 L. HATVANY, Die Wiss. des nicht Wissenswerten, ²1914, Ndr. 1986 11 R. HEINZE, Die gegenwärtigen Aufgaben der röm. Literaturgesch., Neue Jbb. 19, 1907, 161–175 12 Ders., Virgils epische Technik, ³1914 (zuerst 1903) 13 Ders., Vom Geist des Römertums, hrsg. von E. BURCK, 1938 14 Ders., Vom Geist des Römertums, hrsg. von E. BURCK, ³1960 (mit neuer Einführung von BURCK; Schriftenverzeichnis 456 ff.) 15 Ders., Von den Ursachen der Größe Roms (1921), in: [14. 9–27], auch in: [30. 11–34] 16 Ders., Virgil's Epic Technique, 1993, Vorwort von A. WLOSOK X–XIV 17 W. JAEGER, Ph. und Historie (1914), Human. Reden und Vorträge, ²1960, 1–16, auch in: [29. 1–17] 18 F. KLINGNER, R. Heinze †, Gnomon 6, 1930, 58–62 19 Ders., Stud. zur griech. und röm. Lit., 1964; Nachwort von E. ZINN 727–735, Schriftenverzeichnis 739–745 20 Ders., Röm. Geisteswelt, 1943, ⁵1965; Ndr. mit Nachwort von K. BÜCHNER (779–805), 1979 21 U. KNOCHE, Vom Selbstverständnis der Römer, 1962 22 Ders., Ausgewählte Kleine Schriften, 1986, Schriftenverzeichnis XI–XVI 23 F. LEO, Die Originalität der röm. Litteratur, 1904 24 Ders., Ausgewählte Kleine Schriften 1, ed. E. FRAENKEL, 1960, Schriftenverzeichnis XLV–LVII 25 R. MARKNER, G. VELTRI (Hrsg.), Friedrich August Wolf, 1999, Schriftenverzeichnis 102–144 26 B. G. NIEBUHR, Röm. Gesch. 1/2, 1811/2; ²1827/30; 3, ed. J. CLASSEN, 1832 27 E. NORDEN, Kleine Schriften, hrsg. v. B. KYTZLER, 1966, Schriftenverzeichnis 683–688 28 H. OPPERMANN, Der Jude im griech.-röm. Alt., 1943 (Schriftenreihe zur weltanschaulichen Schulungsarbeit der NSDAP 22) 29 Ders. (Hrsg.), Human., ²1977 (zuerst 1970) 30 Ders. (Hrsg.), Römertum, ⁵1984 (zuerst 1962) 31 V. PÖSCHL, Grundwerte röm. Staatsgesinnung in den Geschichtswerken des Sallust, 1940 32 Ders., Kleine Schriften 2, 1983, Schriftenverzeichnis 283–292 33 Ders., Polit. Wertbegriffe in Rom, in: Kleine Schriften 3, 1995, 189–208 (zuerst 1980); Schriftenverzeichnis ergänzend 377 ff. 34 Ders., Der Begriff der Würde im ant. Rom und später, in: Kleine Schriften 3, 1995, 209–274 (zuerst 1989) 35 W. SCHMID, Ausgewählte philol. Schriften, 1984, Schriftenverzeichnis 741–745 36 H. USENER, Ph. und Geschichtswiss. (1882), in: W. SCHMID (Hrsg.), Wesen und Rang der Ph., 1969, 13–36 37 F. A. WOLF, Darstellung der Alterthums-Wiss., 1807 (Ndr. 1985) 38 Ders., Encyclopädie der Ph., hrsg. von S. M. STOCKMANN, 1831 39 Ders., Vorlesung über die Encyclopädie der Alterthumswiss., hrsg. von J. D. GÜRTLER, 1831

LIT 40 M. VON ALBRECHT (Hrsg.), Die röm. Lit. in Text und Darstellung, Bd. 1–5, 1985–1991 41 Ders., Gesch. der röm. Lit. 1/2, ²1994, ³1997 (engl. Übers.) 42 W. BARNER, Neuphilol. Rezeptionsforsch. und die Möglichkeiten der Klass. Ph., Poetica 9, 1977, 499–521 43 W. W. BRIGGS, W. M. CALDER III (Hrsg.), Classical Scholarship. A Biographical Encyclopedia, 1990 44 K. BÜCHNER (mit J. B. HOFMANN), Lat. Lit. und Sprache in der Forsch. seit 1937, 1951, 5–240 45 Ders. (Hrsg.), Lat. und Europa, 1978 46 Ders., F. Klingner, NDB 12, 1980, 96 ff. 47 W. M. CALDER III, D. J. KRAMER, An Introductory Bibliography to the History of Classical Scholarship, 1992 48 H. CANCIK,

Ant. Volkskunde 1936, AU 25, 3, 1982, 80–99, hier: 85 f.
49 Ders., Der Einfluß F. Nietzsches auf Berliner
Schulkritiker der wilhelminischen Aera, AU 30, 1987, 3,
55–74, hier: 58–61 **50** L. Canfora, La Germania di Tacito
da Engels als nazismo, 1979 **51** S. Cerasuolo, La
»Esposizione della scienza dell'antichità« di Friedrich August
Wolf, in: Ders. (Hrsg.), F. A. Wolf e la scienza dell'antichità,
1997, 17–51 **52** C.J. Classen (Hrsg.), Die Klass.
Altertumswiss. an der Georg-August-Univ. Göttingen,
1989 **53** Ders., La filologia tedesca 1918–1998, in: Atti delle
giornate delle Nationes, 1989, 174 **54** G.-B. Conte, Uno
studioso tedesco di letteratura latina: Friedrich Klingner,
Critica Storica N. S. 5, 1966, 481–503 **55** A. Dihle, GGA
249, 1997, 227–244 (Rezension von 144) **55a** Ders., Die
griech. Ph., in: La filologia greca e latina nel secolo XX. Bd.
2, 1989, 1019–1042 **56** H. Drexler, Begegnungen mit der
Wertethik, 1978 **57** R. Faber, Faschistische Vergil-Ph.:
Zum Beispiel Hans Oppermann, Hephaistos 10, 1991,
111–133 **58** G. Fiesoli, La genesi del Lachmannismo, 2000
59 W.-H. Friedrich, Heyne als Philologe, in: Der
Vormann der Georgia Augusta, 1980, 15–31 **60** A. Fritsch,
»Dritter Human.« und »Drittes Reich«, in: R. Dithmar
(Hrsg.), Schule und Unterricht in der Endphase der
Weimarer Republik, 152–175 **61** H. Fuchs, Rückschau
und Ausblick im Arbeitsbereich der lat. Ph., MH 4, 1947,
147–198 **62** M. Fuhrmann, F. A. Wolf, DVjS 33, 1959,
187–238 **63** Ders., H. Tränkle, Wie klassisch ist die klass.
Ant.?, 1970 **64** Ders. (Hrsg.), Röm. Lit., 1974 **65** Ders., Die
human. Bildungstradition im Dritten Reich, Human.
Bildung 8, 1984, 139–161 **66** Ders., Klass. Ph. seit 1945, in:
W. Prinz, P. Weingart (Hrsg.), Die sog. Geisteswiss.,
1990, 313–328 **67** Ders., Rom in der Spätant., 1994
68 Ders., Die Ant. und ihre Vermittler, in: Cäsar und
Erasmus?, 1995, 11–51 (zuerst 1969) **69** Ders., Gesch. der
röm. Lit., 1999 **70** Ders., Die lat. Lit. der Spätant. Ein Beitr.
zum Kontinuitätsproblem, in: M. Fuhrmann, Brechungen,
1982, 47–74 **71** K. Galinsky, The Current State of the
Interpretation of Roman Poetry and the Contemporary
Critical Scene, in: Ders. (Hrsg.), The Interpretation of
Roman Poetry: Empiricism or Hermeneutics?, 1992, 1–40
72 A. Gercke, Formale Ph., in: Ders., E. Norden, Einl. in
die Altertumswiss., Bd. 1, ²1912 (zuerst 1910), 36–80
73 G. F. Gianotti, Per una storia delle storie della letteratura
latina, Aufidus 5, 1988, 47–81 **74** A. Grafton, Polyhistor
into »Philolog«, History of Universities 3, 1983, 159–192
75 Ders., Defenders of the Text, 1991, 214–243 (zuerst
1981) **76** F.-R. Hausmann, »Deutsche Geisteswiss.« im
Zweiten Weltkrieg. Die »Aktion Ritterbusch« (1940–1945),
1998 **77** U. Hennig, K. Lachmann, in: M. Erbe (Hrsg.),
Berlinische Lebensbilder. Geisteswissenschaftler, 1989,
73–86 (mit Schriftenverz.) **78** H. Herter, Die Klass. Ph. seit
Usener und Bücheler, in: Bonner Gelehrte 6: Philos. und
Altertumswiss., 1968, 165–170, 177–182 **79** M. Hertz, K.
Lachmann, 1851, Schriftenverzeichnis XXIV–XXXII
80 R. Herzog, »Wir leben in der Spätant.«. Eine
Zeiterfahrung und ihre Impulse für die Forsch., 1987
81 Ders., P. L. Schmidt (Hrsg.), Hdb. der lat. Lit. der Ant. 1
(hrsg von W. Suerbaum), 2002; 4 (hrsg. von K. Sallmann),
1997; 5 (hrsg. von R. Herzog), 1989; 6 (hrsg. von
J. Fontaine), in Vorbereitung **81a** H.-P. Höpfner, Die
Univ. Bonn im Dritten Reich, 1999, 425–428
82 H. Hofmann, Nlat. Lit.: Aufgaben und Perspektiven,
Nlat. Jb. 2, 2000, 57–97 **83** A. Horstmann, Ant. Theorie
und mod. Wiss., 1992 **84** W. Jaeger (Hrsg.), Das Problem

des Klass. und die Ant., 1933 **85** M. H. Kater, Das
»Ahnenerbe« der SS 1935–1945, ²1997 **86** A. Kneppe,
J. Wiesehöfer, F. Münzer, 1983, 141–143 **87** A. Körte,
R. Heinze, Sitzungsberichte Leipzig 81, 1929, 2, 11–27,
Schriftenverzeichnis 28 ff. **88** W. Kroll, Die
Altertumswiss. im letzten Vierteljahrhundert, 1905
89 Ders., Lat. Ph., 1919 **90** B. Kytzler, Bundesrepublik
Deutschland: Latinistik, in: La filologia greca e latina nel
secolo XX. Bd. 2, 1989, 1043–1063 (weitgehend
forschungsimmanent) **91** Ders. et al. (Hrsg.), E. Norden,
1994 **92** M. Landfester, s. v. Dritter Human, DNP 13,
1999, 877–883 **93** E. Lefèvre, E. Burck, in: Gnomon 68,
1996, 85–92, hier 87 **94** J. Leonhardt, Sieben Thesen zum
Verhältnis von Lat. und Geisteswiss., Nlat Jb. 1, 1999,
283–288 **95** G. Lohse, Klass. Ph. und Zeitgeschehen, in:
E. Krause et al. (Hrsg.), Hochschulalltag im »Dritten
Reich«. Die Hamburger Univ. 1933–1945, Bd. 2, 1991,
775–826 **95a** Ders., Geistesgeschichte und Politik, A&A 43,
1997, 1–20 **96** V. Losemann, Nationalsozialismus und Ant.,
1977 **97** Ders., Zur Konzeption der NS-Dozentenlager, in:
M. Heinemann (Hrsg.), Erziehung und Schulung im
Dritten Reich 2, 1980, 87–109 **98** Ders., s. v.
Nationalsozialismus, DNP 15, 1, 2001, 723–754
99 W. Ludwig, Amtsenthebung und Emigration Klass.
Philologen, WJA 12, 1986, 217–239 **100** J. Malitz,
Römertum in »Dritten Reich«: Hans Oppermann, in:
P. Kneissl, V. Losemann (Hrsg.), Imperium Romanum.
FS. K. Christ, 1998, 519–543 **101** E. Mensching, Nugae zur
Ph.-Gesch. 1,1987; 2, 1989; 4, 1991; 5, 1992; 6, 1993; 8, 1995
102 H.J. Mette, Nekrolog einer Epoche: H. Usener und
seine Schule, Lustrum 22, 1979/80, 5–106 **103** G. W. Most,
Das 18. und 19. Jh., in: F. Graf (Hrsg.), Einl. in die lat. Ph.,
1997, 43–48 **104** C. W. Müller, O. Jahn, 1991
104a H. Mutschler, »Virtus« und kein Ende, Poetica 32,
2000, 23–49 **105** B. Näf, Werner Jaegers Paideia, in: W. M.
Calder III (Hrsg), Werner Jaeger Reconsidered, 1992,
125–146 **106** Ders., Ant. und Altertumswiss. in der Zeit von
Faschismus und Nationalsozialismus, 2001 (mit
Forsch.-Bibliographie 15–43) **107** R. R. Nauta,
Historicizing Reading: The Aesthetics of Reception and
Horace's »Soracte Ode«, in: I. J. F. de Jong, J. P. Sullivan
(Hrsg.), Modern Critical Theory and Classical Literature,
1994, 207–230 **108** K. A. Neuhausen, H. Usener und F.
Bücheler 1968–1988, Gymnasium 97, 1990, 117–130
109 E. Norden (Hrsg.), Vom Alt. zur Gegenwart, 1919,
²1921 **110** H. Oppermann (Hrsg.), Rezension zu »Das Neue
Bild der Ant.«, in: NJbb. für Ant. und dt. Bildung 5, 1942,
211 ff. **111** Ders., Röm. Wertbegriffe, ³1983 (zuerst 1967)
112 Patristique et Antiquité tardive en Allemagne et en
France de 1870 à 1930, 1993 **113** A. Perutelli, Genesi e
significato della »Virgils epische Technik« di R. Heinze,
Maia 25, 1973, 293–316 **114** Ders., R. Heinze e i
Wertbegriffe, Quaderni di storia 3 (6), 1977, 51–62
115 V. Pöschl, Cato als Vorbild röm. Lebenshaltung, in:
NJbb für Ant. und dt. Bildung 2, 1939, 411–421
116 U. Preusse, Human. und Ges., 1988, 80–88 **117** M. D.
Reeve, Shared innovations, dichotomies and evolution, in:
A. Ferrari (Hrsg.), Filologia classica e filologia romanza,
1999, 445–505 **118** O. Ribbeck, F. W. Ritschl, 2 Bde.,
1879/1881 **119** F. Ritschl, Opuscula philologica 5, 1879,
Schriftenverzeichnis 727–756 **120** M. M. Sassi, La
freddezza dello storico: Ch.G. Heyne, ASNP S. 3, 16, 1,
105–126 **120a** R. Schlesier, s. v. Kulturanthropologie, in:
DNP 14, 1131–1147 **121** W. Schmid, Fuhrmann, Die Ant.

und ihre Vermittler, Gnomon 42, 1970, 507–514
(Rezension von [68]) **122** E. A. SCHMIDT, Lat. Ph. als
hermeneutische Textwiss., in: E.-R. SCHWINGE (Hrsg.), Die
Wiss. vom Alt. am E. des 2. Jt. n. Chr., 1995, 90–117
123 P. L. SCHMIDT, Wilamowitz und die Gesch. der lat. Lit.,
in: W. M. CALDER III, H. FLASHAR (Hrsg.), Wilamowitz
nach 50 J., 1985, 358–399 **123a** Ders., Cicero in der dt. Wiss.
des frühen Historismus, Ciceroniana 6, 1988, 109–130
124 Ders., F. A. Wolf und das Dilemma der Altertumswiss.,
in: J. EBERT, H.-D. ZIMMERMANN (Hrsg.), Innere und
äußere Integration der Altertumswiss., 1989, 64–78
125 Ders., Die Stud. in Deutschland zur human. und nlat.
Lit. seit dem ausgehenden 19. Jh., in: La filologia medievale
e umanistica greca e latina nel secolo XX, 1993, 831–910
126 Ders., Zw. Anpassungsdruck und Autonomiestreben:
Die Dt. Latinistik vom Beginn bis in die 20er J. des 20. Jh., in:
H. FLASHAR (Hrsg.), Altertumswiss. in den 20er J., 1995,
115–182 **127** Ders., Ludwig Traube als Latinist, in:
Wilamowitz in Greifswald, 2000, 491–503 **128** Ders.,
Traditio Latinitatis. Stud. zur Rezeption und Überlieferung
der lat. Lit., 2000 **129** Ders., Reception theory and classical
scholarship: A plea for convergence, in: [128. 97–102]
130 Ders., Latin Stud. in Germany, 1933–1945: Institutional
Conditions, Political Pressures, Scholarly Consequences, in:
S. J. HARRISON (Hrsg.), Texts, Ideas, and the Classics, 2001,
285–300 **131** U. W. SCHOLZ, J. Martin, WüJbb NF. 11,
1985, 9–14, Schriftenverzeichnis 15–18 **132** W. A.
SCHRÖDER, Der Altertumswissenschaftler E. Norden, 1999
133 F. SOLMSEN, Classical Scholarship in Berlin Between the
Wars, GRBS 30, 1989, 117–140 **134** P. E. SONNENBURG,
F. Buecheler, Bursians Jahresber. der Klass. Altertumswiss.
155, 1911, 139–151, Schriftenverzeichnis 152–162
135 K. STIERLE, Klass. Lit., mod. Literaturwiss. und die Rolle
der Klass. Ph., Gymnasium 85, 1978, 289–311
136 G. THOME, Zentrale Wertvorstellungen der Römer 1,
2000 **136a** K. THRAEDE, in: Neue Einsichten, 1970, 68 f.
136b Ders., in: G. BINDER (Hrsg.), Saeculum Augustum 2,
1988, 394–399 **137** S. TIMPANARO, La genesi del metodo del
Lachmann, ²1981 **138** W. UNTE, Berliner Klass. Philologen
im 19. Jh., in: W. ARENHÖVEL, C. SCHREIBER (Hrsg.), Berlin
und die Antike. Aufsätze, 1979, 9–67 **139** Ders., K.
Lachmann, in: [43. 248–259] **140** E. VOGT, F. Ritschl, in:
[43. 389–394] **141** G. WALTHER, Der restaurierte Klassiker.
B. G. Niebuhrs wiss. Revolution am Beispiel seiner
Cicero-Rezeption, Philologus 139, 1993, 308–319
142 Ders., Niebuhrs Forsch., 1993 **143** Ders., F. A. Wolf
und die Hallenser Ph. – ein aufklärerisches Phänomen?, in:
N. HAMMERSTEIN (Hrsg.), Univ. und Aufklärung, 1995,
125–136 **144** C. WEGELER, »(...) wir sagen ab der
internationalen Gelehrtenrepublik.« Altertumswiss. und
Nationalsozialismus. Das Göttinger Inst. für
Altertumskunde 1921–1962, 1996 **145** U. v.
WILAMOWITZ-MOELLENDORFF, Gesch. der Ph., ³1927
(zuerst 1921) **146** Wilhelm Süss, 1882–1969. Reden bei der
Gedächtnisfeier der Philos. Fakultät der Johannes
Gutenberg-Univ. (...), 1971 **147** W. WIMMEL (Hrsg.),
Forsch. zur röm. Lit. FS. zum 60. Geburtstag von
K. Büchner; Schriftenverzeichnis (einschl. von Hab. und
Diss.) bis 1970 IX–XXIII **148** Ders., Der Philologe Karl
Büchner, 1975, 30–33 **149** A. WLOSOK, V. Pöschl, Gnomon
73, 2001, 369–378.   PETER LEBRECHT SCHMIDT

D. MODERNE INTERNATIONALE PHILOLOGIE
s. Nachtrag

Philologische Methoden s. Philologie

Philologisches Seminar A. BEGRIFF
B. ENTWICKLUNG   C. AUSBREITUNG

A. BEGRIFF

»Seminar« bezeichnet 1) eine meist universitär verankerte Forschungs- und Ausbildungseinrichtung, 2) eine
spezifische Arbeitsform universitären Lehrens, Lernens
und Forschens. Das lat. *seminarium* bedeutet eigtlich
»Baum-« bzw. »Pflanzschule«; bei Cicero erscheint es
zum ersten Mal übertragen auf menschliche Gruppen
gebraucht (Catil. 2,23; off. 1,54; vgl. Liv. 6,12,5). Das
christl. MA bezeichnete Einrichtungen zur Klerikerausbildung als Seminar. In der dt. Altertumswiss. des 18.
und 19. Jh. bildete sich der Typus des S. heraus, der zur
Grundlage des mod. Universitätsbetriebes wurde.

B. ENTWICKLUNG

Im 17. und 18. Jh. wurde die mangelhafte Ausbildung der an den Lateinschulen Deutschlands tätigen
Lehrer (sie rekrutierten sich in der Hauptsache aus
Geistlichen, die kein kirchliches Amt erlangt hatten)
zum Anlaß für eine Bildungsreform. An der Univ. Halle
schuf Chr. Cellarius zur Vorbereitung von Theologie-
Studenten auf das Lehramt ein *Collegium elegantioris lit-
teraturae* (1697–1707), ›das älteste ph. S. an einer dt. Univ.
überhaupt‹ [8. 34]. Die erste ausdrücklich als *seminarium
philologicum* bezeichnete Institution gründete J. M. Gesner 1738 an der Reform-Univ. Göttingen. Es sollte
(genauso wie die Gründungen in Kiel und Erlangen,
1777) die Mitglieder, überwiegend Studenten der theologischen Fakultät, in allen Schulfächern, nicht nur in
den alten Sprachen, ausbilden. Diese staatlich dotierte
und staatlich kontrollierte Einrichtung beruhte erstens
auf der Zahlung von Stipendien, die man als notwendigen Anreiz ansah, Studenten für die schlecht besoldete
Lehramtslaufbahn anzulocken [7. 34, 40], zweitens auf
der regelmäßigen Berichterstattung an die zuständige
staatliche Behörde und drittens auf der Protektion der
Seminaristen bei der Einstellung in den Schuldienst (anfänglich noch mit Aussicht auf anschließende Versetzung in ein lukratives Kirchenamt).

Als Chr. G. Heyne 1763 die Leitung des ph. S. in Göttingen übernahm, verlagerte er nicht nur den Schwerpunkt der obligatorischen Studien auf den Bereich der
Altertumswiss. (Philol., Arch., Geschichte), er änderte
auch die Unterrichtsform. Wichtiger als die passiv rezipierten Vorlesungen wurde jetzt die Aktivität der Studenten in gemeinsamen Übungen: Zum einen mußte je
ein Seminarist einen ant. Text interpretieren, v. a. in
gramm. und textkritischer Hinsicht, zum anderen wurde über schriftliche Abhandlungen, die die Seminaristen
reihum über selbst gewählte Themen der Altertumskunde verfassen mußten, disputiert. Diese neue Unterrichtsform Heynes markiert ›the birth of the modern
seminar‹ [5. 252]. Im Vordergrund stand die Vermittlung der Methode, nicht des Wissens. Ziel war, die Seminaristen zu Eigentätigkeit im Interpretieren, For-

schen und Verfassen wiss. Abhandlungen zu erziehen, Kooperation und Wetteifer anzuregen und zu ihrer Persönlichkeitsbildung beizutragen [2. 130 f.]. Über 300 Studenten gehörten unter Heynes Leitung (bis 1812) dem Göttinger ph.S. an; sein Modell wurde schon bald vielfach kopiert [3. 1252–1254; 5. 257].

Auch F. A. Wolf orientierte sich am Göttinger Vorbild, als er 1787 in Halle als Abspaltung von der theologischen Fakultät ein ph.S. gründete. Dies und der ausdrückliche Vorsatz, keine Theologie-Studenten als Mitglieder des ph.S. aufzunehmen [7. 34], leitete die Säkularisierung der Lehrerausbildung ein. (Faktisch waren hier wie auch in Göttingen die Seminaristen noch lange in der Mehrzahl Mitglieder der theologischen Fakultät [2. 128 f.].) ›Letztlich ging es sogar darum, die philos. Fakultät aus ihrer Position einer Art Vorstudienanstalt in die einer gleichberechtigten Stellung mit den anderen – höheren – Fakultäten zu überführen‹ [8. 31]. Unter dem Einfluß seiner Schüler A. Boeckh und J. Schulze sowie von Wolf selbst und W. v. Humboldt befördert wurde das hallesche ph.S. zum Vorbild für die Neugründungen ph.S. an den Univ. Preußens, aber auch für die staatliche Konsolidierung urspr. freier philol. Gesellschaften (z. B. Jena, Leipzig, Greifswald [3]). 1848 existierte an jeder dt. Univ. ein ph.S. (s. Tab. ›Institutionalisierung der Klass. Bildung in dt. Flächenstaaten‹ in den Corrigenda; Nachweis der Statuten: [2]). Wolfs ph.S. bildete so den Ausgangspunkt der Institutionalisierung und Professionalisierung der dt. Altertumswiss., aber auch ihrer Bürokratisierung [2. 120, 125–127]. Die neuen Berufswege des Gymnasiallehrers und des Wissenschaftlers wurden gesellschaftlich etabliert. Allerdings konzentrierte man sich im ph.S. bald ganz auf die Fragestellungen der Wiss.; die Bedürfnisse der Schule fanden nur minimale Berücksichtigung.

Inhaltlich wie formal wurde die Altertumswiss. so zur Grundlagenwiss. des 19. Jh.: Im ph.S. manifestierte sich sowohl die mod. Universitätsorganisation (Institutssystem) als auch die mod. Wissenschaftskonzeption in der Einheit von Lehre und Forsch. (amüsante Anekdoten dazu in [4. 168]): Der Studierende ist ›nicht mehr Lernender, sondern dieser forscht selbst, und der Professor leitet seine Forsch. und unterstützt ihn darin‹ (W. v. Humboldt, Akad.-Ausg. 13, 261). Freilich kam dem Direktor des ph.S. durch sein Aufnahme- und Ausschlußrecht eine dominierende Stellung zu, von der nicht nur die Qualität der Ausbildung abhing, sondern die auch interne Spezialisierung und Bildung wiss. »Schulen« begünstigte. Durch die Veröffentlichung der von den Seminaristen verfaßten Abhandlungen in eigenen Zeitschriften bzw. als Promotions-Dissertationen weitete sich der Wissenschaftsdiskurs aus. Die zunehmende Verwissenschaftlichung der ph.S. zeigt sich auch in der Umwandlung der Stipendien in Bücheretats für die Seminarbibliothek (ab der Mitte des 19. Jh.) sowie in der vertikalen Differenzierung von Haupt- und Proseminar (zuerst in Berlin 1862).

Für die Rezeption der Ant. ist die Arbeitsform des ph.S. insofern bedeutend geworden, als sie zumindest für den Bereich der wiss. Auseinandersetzung mit der Ant. eine Dominanz der Mikrophilologie oder Realienkunde bewirkte. Die Priorität der fachwiss. und methodischen Schulung im ph.S. führte auch dazu, daß die darin ausgebildeten Gymnasiallehrer für ihre praktische Tätigkeit an der Schule unangemessen vorbereitet waren [4. 168–170]. Als Reaktion richtete man neue pädagogische S. ein, die aber nicht selten unter der Leitung des Direktors des ph.S. standen (z. B. in Berlin unter A. Boeckh von 1819–1867) und ebenfalls stark fachwiss. ausgerichtet waren.

C. AUSBREITUNG

Nach dem Vorbild des ph.S. entstanden in der philos. Fakultät, die damit die Führungsrolle der mod. Univ. übernimmt, weitere S., zunächst v. a. historische S. in gleicher Organisation und mit z. T. wörtlichen Übernahmen der Statuten des ph.S. (z. B. Königsberg, 1832). Auch hier war die Grundlage ein Stipendiensystem; Textinterpretation, schriftliche Ausarbeitungen und Disputationen bildeten die Seminarübungen. Aber auch naturwiss. S. orientierten sich am Aufbau des ph.S. (z. B. das S. »für die gesamten Naturwissenschaften« Bonn, 1825) und übernahmen dessen Wissenschaftskonzeption von eigener Forschung und gemeinsamer Besprechung sowie interner Spezialisierung und äußerer Abgrenzung von anderen Wiss.

Als Grundelement der mod. Univ. verbreitete sich das ph.S. auch außerhalb Deutschlands. So hatten seit B. L. Gildersleeves Göttinger Promotion von 1853 praktisch alle führenden Altphilologen Nordamerikas in Deutschland studiert und das Seminarkonzept an amerikanischen Univ. etabliert. In einem zweiten Schub wurde diese Tendenz durch Wissenschaftler wie z. B. W. Jaeger verstärkt, die während des Nationalsozialismus in die Vereinigten Staaten emigrierten und an den dortigen Univ. in ihren Seminaren statarische, intensive Interpretationsübungen anboten [1. 163–164]. In den Ländern Europas ist die Seminaridee zwar vereinzelt aufgenommen worden, hat aber landestypische Unterrichtsformen (wie z. B. das engl. *tutorial*) nie völlig verdrängen können. An den Univ. des deutschsprachigen Raums ist das S. immer noch die grundlegende Unterrichtsform in den Geistes- und Sozialwiss.; allerdings hat das mündlich vorgetragene Referat die Diskussion schriftlich vorgelegter Abhandlungen verdrängt. Auch bei wiss. Tagungen und Konferenzen ist das S. heutzutage zu einer geläufigen Arbeitsform geworden.

1 W. M. CALDER III, The Refugee Classical Scholars in the USA: An Evaluation of their Contribution, in: Illinois Classical Studies 17, 1992, 153–173 2 W. CLARK, On the Dialectical Origins of the Research Seminar, in: History of Science 17, 1989, 111–154 3 W. ERBEN, Die Entstehung der Univ.-Seminare, in: Intern. Monatsschrift für Wiss., Kunst und Technik 7, 1913, 1247–1264, 1335–1348 4 A. GRAFTON, Polyhistor into Philolog: Notes on the Transformation of German Classical Scholarship,

1780–1850, in: History of Universities 3, 1983, 159–192
5 R. S. LEVENTHAL, The Emergence of Philological
Discourse in the German States, 1770–1810, in: Isis 77, 1986,
243–260 **6** H. PLÖGER, Studien zur Gesch. der Klass. Philol.
an der Univ. Kiel (Diss. 1972) **7** F. A. WOLF, Idee eines
Seminarii Philologici, in: O. KERN, Friedrich August Wolf
(1924), 33–40 **8** H. D. ZIMMERMANN, Die hallesche
Altertumswiss. vor Friedrich August Wolf, in: J. EBERT,
H. D. ZIMMERMANN (Hrsg.), Innere und äußere Integration
der Altertumswiss. (1989), 31–41.

MARTIN HOLTERMANN

Philosophia perennis

A. ÜBERBLICK   B. PRISCA SAPIENTIA
C. THEMEN DER PHILOSOPHIA PERENNIS
D. ZERFALL DER PHILOSOPHIA PERENNIS
UND DIE NEUE GESCHICHTSPHILOSOPHIE

A. ÜBERBLICK

Die Idee der Ph.p. erwuchs aus dem Versuch, jüd.-
christl. Schöpfungs- und Geschichtstheologie mit
griech. Philos. zu verbinden. Das Ergebnis war eine spezifische Form philos. Theologie, die sich im Verlauf der
abendländischen Philosophiegeschichte zur *metaphysica
specialis*, zur Verhältnisbestimmung von Gott, Mensch
und Welt entwickelte. Diese Philosophiekonzeption ist
vom Philos.- und Metaphysiktypus der aristotelischen
Trad. dadurch unterschieden, daß sie von der Geltung
der theologischen Vorgaben, die aus der jüd.-christl.
Trad. stammen, ausgeht. Der Terminus *philosophia perennis* stammt von dem vatikanischen Bibliothekar Agostino Steucho [18], der 1540 ein nachhaltig wirksames
Buch mit diesem Titel veröffentlichte. Von der Intention her stimmt Ph.p. am ehesten mit der Bezeichnung
philosophia prisca überein, die Giovanni Pico della Mirandola in seinem Entwurf einer universalen Geschichte
der Weisheit, dem *Heptaplus* (1496), vorgeschlagen hatte. Während *philosophia prisca* das hohe Alter der Weisheit betont und teilweise auch deren Verlust beklagt,
legt der Begriff Ph.p. einige Emphase darauf, daß die
alte Philos. sich in verschiedenen Phasen der Philosophiegeschichte immer wieder gezeigt habe und zeitlos
gültiger Maßstab der wahren Philos. bleibe. Das Konzept der Ph.p. prägte die Theologie und Philos. von der
christl. Spätant. bis zum Beginn des → Historismus im
17. Jh. Die zentralen ant. Autoren waren Philo von
Alexandrien und Josephus Flavius; ihre Motive wurden
von Justin, Clemens von Alexandrien, Origenes, Basilius und Gregor von Nyssa, von Ambrosius, Augustin
und Dionysius Areopagita, von Orosius, Beda und anderen Autoren an der Grenze von Ant. und MA rezipiert
und weiter ausgebaut. In Verbindung mit paganen und
arab. neuplatonischen Trad. sowie Elementen der
christl. und jüd. → Kabbala wirkten die Topoi der Ph.p.
vor allem auf den Florentiner Neuplatonismus (→ Platonismus) und die theosophischen und naturmystischen
Konzeptionen der Frühen Neuzeit bis hin zur Spät-
philos. Schellings.

B. PRISCA SAPIENTIA
1. LINGUA ADAMICA

Nach der Natur- und Geschichtskonzeption der
Ph.p. wurde die Welt durch das »Wort« geschaffen. Das
göttl. wirkende Wort, das analog zu den platonischen
Ideen im *Timaios* [28] gedacht ist, umfaßt auch den Gehalt der adamitischen paradiesischen Weisheit und ist
der Maßstab allen menschlichen Wissens.

Die Vorstellung von der adamitischen Weisheit (*lingua adamica*) geht auf Philos Exegese von Gn 2,19f. zurück (*De opificio mundi* 52,150). Er interpretiert die Benennung der Tiere durch Adam als die Einsicht Adams
in den göttl., vom »Logos« gestalteten Schöpfungsplan
und damit als Einsicht in das gottgewollte Wesen der
Dinge, die nach Josephus Flavius (ant. Iud. 1,1,4) auch
die Sprache der Tiere einschloß. Die Trad. der Ph.p., die
sich auf Philo und Josephus Flavius stützte, übernahm
die Schilderung des Josephus (ant. Iud. 1,1,3), nach der
Adam seinen Sohn Seth in seine astrologischen Einsichten einweihte. Da Adam gewußt habe, daß die Bosheit
der Menschen mit der Sintflut bestraft werden würde,
hätten Seth und er selbst ihr Wissen auf zwei Säulen
geschrieben, die die Sintflut tatsächlich überlebt hätten.
Diese Überlieferungsgeschichte der adamitischen Weisheit liegt allen Pseudepigraphien der Ph.p. zugrunde.
Die gesamte schriftförmige jüd. und christl. Offenbarung wurde daran gemessen, inwieweit sie die urspr.
Weisheit in ihrer moralischen und gnoseologischen
Kraft wiederherzustellen vermochte. Deshalb wurde
schon die Schöpfungsgeschichte des Buches Genesis als
physikalisches Lehrbuch begriffen, das dem Moses of-
fenbart worden sei, um der Menschheit ihr urspr., pa-
radiesisches Wissen über die Verhältnisse des Himmels
und der Erde wieder nahezubringen. Auch das NT wurde als neue Einsicht in die urspr. göttl. Weisheit verstanden: Schlüsseltexte waren der Prolog zum Johan-
nesevangelium sowie die Vision des »dritten Himmels«
und des Paradieses, von der der Apostel Paulus in 2 Kor
12,2–5 berichtet.

2. PSEUDEPIGRAPHISCHE SCHLÜSSELTEXTE

Das *Corpus Hermeticum* wurde in der christl. Ant. und
in der Frühen Neuzeit als Paralleloffenbarung zur biblischen Schöpfungsgeschichte interpretiert. Es stellte
sich als Logos-Theologie dar und wurde in der synkretistischen christl. Lektüre als esoterische ägypt. Offenbarung gedeutet, die älter sei als der Pentateuch, ihn
jedoch in seinem Kerngehalt ergänze. Das *Corpus Hermeticum* wurde v. a. nach seiner Veröffentlichung durch
Marsilio Ficino bis weit ins 18. Jh. hinein als »hermetische« → Naturphilosophie interpretiert, die die esoterische Paralleloffenbarung zum Buch Genesis enthalte
und die die *physica Mosaica* der biblischen Offenbarung
ergänze.

Während das *Corpus Hermeticum* seine große Wirkung erst nach seiner vollständigen Veröffentlichung im
16. Jh. entfalten konnte, stieg der Einfluß des *Corpus
Dionysiacum* seit dem 6. Jh., als die Textsammlung erstmals auftauchte, ständig an und prägte die griech. und

die lat. Kirche stark. Ps.-Dionysius bezeichnete seine Lehre als »Theosophie«. Ihre Kernbegriffe sind die Grundlagen der Mystik, der negativen Theologie, des Kirchenrechts (Hierarchie) sowie die christl. Theologie der göttl. Namen. Auch in der Frühen Neuzeit hatte sie trotz der Einwände, die seit Lorenzo Valla und Erasmus zu Recht gegen den pseudepigraphischen Anspruch des *Corpus Dionysiacum* erhoben wurden, eine schier unüberschätzbare Bedeutung. Ihr Glaubwürdigkeitsanspruch beruhte auf der Annahme, der Verfasser sei jener Dionysius, den Paulus in seiner Areopagrede bekehrt habe (Apg 17,34) und der in seinem esoterischen Werk die Einsichten, die Paulus in den Visionen bei seiner Bekehrung gehabt habe, überliefere: die göttl. Namen, die himmlische und die irdische Hierarchie, die mystische Theologie.

Seit Anf. des MA gab es eine Fülle esoterischer jüd. »kabbalistischer« Bücher, die ebenfalls den Anspruch erhoben, esoterische Offenbarungen zur Erklärung der biblischen Texte zu sein. Das Buch Jezira wurde z. B. Abraham [14] zugeschrieben, das Buch Raziel Adam selbst, der Sohar dem Rabbi Simeon Ben Jochai, einem Schüler Rabbi Akibas [20], doch blieben das *Corpus Hermeticum* und das *Corpus Dionysiacum* die wichtigsten ant. pseudepigraphischen Texte, die als esoterische Erklärungen des AT und NT auftraten.

3. TRANSLATIO SAPIENTIAE

Philos Interpretation der Schöpfungstheologie und Josephus Flavius' *Antiquitates Iudaicae* wurden in der christl. patristischen (nicht in der jüd.) Trad. zum Maßstab einer Universalgeschichte, die alle wiss. Topoi in den Rahmen von Schöpfungstheologie und Messianismus einordnete. Entsprechend wurden alle Kenntnisse in der Astronomie, Theologie und Philos. als abkömmlich von der urspr. göttl. Weisheit begriffen und in die biblische Chronologie eingepaßt. Die wichtigste Integrationsleistung bestand darin, die griech. Philos. in den universalgeschichtlichen Rahmen einzuordnen. Schon Philo hatte festgestellt, die Griechen hätten ihre Gesetze aus dem Gesetz Mosis (*De specialibus legibus* 4, § 59–61) abgeleitet, außerdem hätten Heraklit (legum alleg. I,108) und der Stoiker Zeno (*Quod omnis probus liber sit* 57) die mosaischen Texte gelesen. Vor allem aber hatte Clemens von Alexandrien in den *Stromateis* behauptet, die peripatetische Philos. hinge vom Gesetz Mosis ab [21]. Bei Clemens findet sich auch die Geschichte, mit der die griech. Philos. in die jüd. Heilsgeschichte integriert wurde: Der Pythagoräer Numenios habe berichtet, daß Moses der Lehrer Platos gewesen sei (Clem. Al. strom. 5,14,101.4); diese Behauptung wurde von Eusebios aufgegriffen (Pr. Ev. 18,7). Die These der Abhängigkeit der griech. Philos. von der urspr. mosaischen Offenbarung wurde von Augustinus in *De civitate Dei* (18, 37) vertreten; über ihn war sie auch dem lat. MA vertraut und selbstverständlich. In der Philosophiegeschichte der Frühen Neuzeit wurde sie mit neuen Quellen und Spekulationen belebt. Die Florentiner Neuplatoniker übernahmen z. B. von ihr die Idee der urspr.

mosaischen Weisheit. Die letzten großen Vertreter dieser Richtung waren Athanasius Kircher (*Oedipus Aegyptiacus*, Rom 1652–1654) und v. a. der frz. Theologe und Philologe Pierre Daniel Huet [9]. Noch der Philosophiehistoriker Jacob Brucker begann – wenngleich ironisch gebrochen – seine monumentale *Historia Critica Philosophiae* mit einer Darstellung der vorsintflutlichen Weisheit und der *Philosophia Mosaica* [2. 50–102].

C. THEMEN DER PHILOSOPHIA PERENNIS

Bei dem Versuch, die griech. Philos. in den Rahmen der jüd.-christl. Heilsgeschichts-Konzeptionen zu integrieren, entwickelten sich Topoi, die für die Ph.p. typisch wurden. Sie waren wesentlich von der philonischen Logos-Theologie bestimmt und bestanden vornehmlich in der Umdeutung platonischer, pythagoräischer und stoischer Philosopheme. Diese betrafen den Gottesbegriff, die Lehre der göttl. Namen, die Schöpfungstheologie, die Weisheitslehren, die platonische Ideenlehre und die Lehre von den *lógoi spermatikói* [27]. Im Christentum mußte die Logostheologie auch die Dreifaltigkeit und die Christologie erklären. In der Frage nach dem Verhältnis von Gott und Mensch verknüpfte die Ph.p. die jüd.-christl. Lehre der Gottebenbildlichkeit des Menschen, die Christologie und die Lehre von der Analogie von Mikrokosmos und Makrokosmos miteinander. Schließlich bestand gleichermaßen für → Judentum und Christentum das Problem, das Weltende und das Weltgericht (auch im Anschluß an stoische Weltenbrandtheorien) mit der griech. Philos. in Einklang zu bringen.

1. SCHÖPFUNG AUS DEM NICHTS

Die Schöpfungstheologie stellte einen Anknüpfungspunkt für eine mögliche Verbindung von griech. Philos. und Theologie dar. Vor allem der platonische *Timaios* konnte, wie bei Philo, schöpfungstheologisch interpretiert werden, indem der Schöpfergott den Ideen vorgeordnet und die Ideen zu Prädikaten Gottes gemacht wurden. Mit der Frage nach dem monotheistischen Schöpfergott ergab sich das Problem, daß neben dem einzigen, uranfänglichen Gott kein weiteres Prinzip möglich war. Deshalb mußte Schöpfung als Schöpfung aus dem Nichts radikalisiert werden. Diese Lehre hat die altchristl. Kirche seit Tatian und Theophilos von Antiochien entwickelt; sie ist über Irenäus, Tertullian, Clemens von Alexandrien und Origenes zentral für die christl. Dogmatik geblieben und behielt durch das MA hindurch bis in die Neuzeit ihren Platz in den Metaphysikkonzeptionen. Leibnizens Grundfrage der Metaphysik, ›cur potius aliquid quam nihil‹ (»Warum ist eher etwas als nichts?«), ist das späte und prominenteste Produkt dieser Entwicklung.

2. PRIMORDIALWELTEN

Philo hat in seinem Komm. zur Schöpfungsgeschichte die Frage, wie die Welt geschaffen worden sei, mit dem Konzept der Primordialwelt beantwortet, also dem göttl. Plan der Welt, der vor der eigentlichen Schöpfung der Welt in Gottes Gedanken existiert habe. Diese göttl. Vor-Welt ist die Welt des Logos, die als das

Ideal der Welt vor dem Sündenfall begriffen wird und in der alle Wesen in ihrer sündlosen, inneren Vollkommenheit gedacht werden. Diese Primordialwelt wird später in der jüd. Exegese als Gesetz und Thora interpretiert, im Christentum wird sie von Origenes an zum geistigen Muster der paradiesischen Welt, die sich nach der endgültigen Überwindung des Sündenfalls und des Bösen in der *Apokatástasis pántōn* zeigen wird. In diesem Sinn ist die Primordialwelt das ideale Bild des Lebens, zugleich verlorenes Paradies und eschatologische Hoffnung. Die bedeutendsten ma. Repräsentanten sind Eriugena mit *De divisione naturae* und Roger Bacon mit seinem *Opus majus*; die Naturspekulationen der Frühen Neuzeit von Paracelsus bis zu Comenius haben an dieses Konzept angeknüpft [31]. Noch Leibnizens Konzept der besten aller möglichen Welten beerbt diese Idee einer idealen Vor- und Hinterwelt, die erst von Nietzsche nachhaltig destruiert wird.

3. Interpretationen des Buches Genesis

Die Genesis-Exegese ist seit Philo das wichtigste Instrument der Naturphilosophie im hell. Judentum. Hier wird die Entstehung des Lichts, der Materie, der Luft und des Wassers erklärt und die ant. Elementenlehre in die jüd.-christl. Schöpfungstheologie integriert. Zugleich wird die geozentrische Astronomie (häufig mit ihren astrologischen Implikationen) in die jüd.-christl. Kosmologie übernommen. So ergibt sich eine Kosmologie, die vierfach gestuft ist. Drei Seelenteile und die Materie bilden die Elemente des Kosmos: 1. der göttl. unerkennbare Geist, 2. der Intellekt, der den platonischen Ideen und dem aristotelischen *noûs* entspricht, 3. die Seele, die die Form der Dinge und ihr Bewegungsprinzip ist, schließlich 4. die Materie, die als *potentia passiva* und Masse gilt, in der sich die Formen materialisieren. Dieser Kosmos ist von einem allg. Lebensprinzip durchdrungen, das von der göttl. bis zur materiellen Sphäre reicht. So lange das Buch Genesis als physikalische Wahrheit akzeptiert wurde, d. h. bis zum E. des 17. Jh., behielt dieses Interpretationsmuster im Abendland seine Gültigkeit.

4. Der Mensch und die mystische Vereinigung

Die Logos-Theologie privilegierte den Menschen als das ausgezeichnete Geschöpf, dessen Körper als Mikrokosmos die gesamte Schöpfung repräsentierte. Der Logos durchdrang alle Stufen des Kosmos: er entfaltete die eine, begrifflich unfaßbare Potenz des Göttl., er formte die geistigen Wesenheiten des Intellekts, er bestimmte die Gattungen der Weltseele, er informierte und belebte die Materie durch die Weltseele. An allen diesen Momenten hatte der Mensch als Mikrokosmos teil. So war es möglich, daß seine Seele die Stufen des Kosmos durchlief, zum Höchsten aufstieg und sich mit dem Göttl. vereinte. Die mystische Vereinigung der menschlichen mit der urspr., göttl. Seele, die Dionysius Areopagita im Anschluß an neuplatonische Vorgaben und in der Nachfolge der Mystik des Apostels Paulus musterhaft für das Christentum beschrieb, wurde als höchster praktischer Vollzug der Theosophie zum Ziel aller Bemühungen menschlicher Vervollkommnung und damit zum Maßstab der abendländischen Ph.p. Dieses Ideal bestimmte die theologische Anthropologie des MA und der Frühen Neuzeit von Dionysius Areopagita über Hildegard von Bingen, Meister Eckhart, Böhme, Pascal, Angelus Silesius zu Görres und Schelling bis zur Rehabilitation der jüd. Mystik durch G. Scholem im 20. Jahrhundert.

D. Zerfall der Philosophia perennis und die Neue Geschichtsphilosophie

Mit der Auflösung der am biblischen Rahmen orientierten Geschichtstheologie zerfiel auch die Ph.p. Es gab zwei Hauptbereiche der Wiss., die das jüd.-christl. Weltbild sukzessiv zerstörten, beide waren philol.-histor. Natur: 1) Die theoretische Chronologie und 2) Die »Entlarvung« der pseudepigraphischen Literatur.

1. Die theoretische Chronologie

Die Ph.p. war auf eine Weltenzeit von etwa 6000 J. festgelegt. Das entsprach der jüd. und auch der christl. Trad., die die Weltzeit in Analogie zu den sechs Schöpfungstagen bestimmt hatte. Die Christen kalkulierten die Geburt Jesu etwa 4000 J. nach der Weltschöpfung; spätestens nach weiteren 2000 J. rechneten sie mit der Wiederkunft des Herrn. Dann sollte entweder sofort oder nach einem dazwischen geschalteten 1000jährigen Reich das göttl. Endgericht stattfinden. Auf diese Berechnungen berief sich die Ph.p. während ihrer gesamten Geltungszeit [29. 83–91].

Als jedoch die Disziplin der theoretischen Chronologie bei J.J. Scaliger [15] und Dénis Pétau [13] ihren Höhepunkt in der Frühen Neuzeit erreichte und als damit deutlich wurde, daß die biblische Chronologie nicht mehr haltbar war und es eine geschichtliche Zeit gab, die nachweislich weit hinter die absolute Grenze zurückreichte, die mit dem Schöpfungsdatum 4000 v. Chr. verbunden wurde, war der universale Erklärungsanspruch der biblischen Chronologie nicht mehr zu halten.

Dieser Verlust an Glaubwürdigkeit hatte auch Auswirkungen auf die Interpretation anderer Details der biblischen Offenbarung. Zwar gab es mit Cudworth [5] und More [12], Bossuet [3] und Huet [9], Knorr von Rosenroth [10] und Gottfried Arnold [1] die letzten großen Anstrengungen, die Ph.p. und damit ihren biblischen Rahmen als verbindlich zu retten, aber es handelte sich dabei lediglich um »Nachhutgefechte« gegen den beginnenden neuzeitlichen Historismus. Isaak de la Peyrère [11] stellte die Universalität der adamitischen Geschichte durch seine Behauptung in Frage, es habe auch Menschen vor Adam gegeben. Damit stand aber zugleich die Geschichte des Paradieses zur Disposition. Vor allem waren die leitende Theorie der *Lingua adamica* und die Rolle des Sündenfalls, der die Erlösung und die messianische Wiederkunft des Herrn provozierte, diskreditiert und die Sintflut ihrer bes. Bed. in der Überlieferung des paradiesischen Wissens beraubt worden.

Mit der Widerlegung der biblischen Chronologie wurde die Bibel selbst zum Gegenstand der historisierenden Philol.: Spinoza und Richard Simon beschrieben die Redaktionsgeschichte des AT [17] und bezweifelten das Alter und die mosaische Autorschaft des Pentateuch. Das Hebräische verlor seine Geltung als Ursprache der Menschheit, was im Zusammenhang mit dem Prestigeverlust der *Lingua adamica* eine Neuformulierung der Frage nach dem »natürlichen« Ursprung der Sprachen erforderlich machte.

Mit der biblischen Chronologie wurden auch die Eschatologie und das Jüngste Gericht zugunsten einer mehr oder minder offenen Geschichte aufgegeben. An die Stelle des Jüngsten Gerichts trat zunächst die origenistische Theorie der *Apokatástasis pántōn* [31], die als innerweltliche Vervollkommnung begriffen wurde und die Leibniz in der *Theodicée* propagierte. Diese Theorie wurde säkular beerbt: Utopievorstellungen reichten von Kants Idee des ewigen Friedens bis zu den Gesellschaftsutopien des 19. und 20. Jh. (→ Utopie).

2. Die Entlarvung der Pseudepigraphien

Das *Corpus Dionysiacum* stand bei protestantischen Autoren bereits früh in dem Verdacht, eine Fälschung zu sein, weil es die kirchliche Hierarchie und bes. die Institution des Papsttums stützte. Schon Lorenzo Valla hatte in seinen Annotationen zum NT (zu Apg. 17) die Identität des Apostelschülers Dionysius mit dem Verfasser des Corpus in Frage gestellt [19. 852. Sp. 2]; Erasmus war ihm in seiner Ausgabe des NT gefolgt [6. 394]. Luther verschärfte diese Kritik in seiner Kampfschrift »Über die babylonische Gefangenschaft der Kirche« (*De captivitate babylonica ecclesiae*, 1520) und verband damit die Kritik an der Vermischung von Glaube und Philosophie. Von da an galt Dionysius bei den orthodoxen Lutheranern nur wenig; er blieb allerdings bei den Pietisten und den Frommen aller Konfessionen hoch im Kurs. Erst der Nachweis, daß Dionysius die Schriften des Proklos exzerpiert hatte, ließ den Pseudepigraphieverdacht zur Gewißheit werden [26].

Der zweite große Schlag folgte mit dem Nachweis von Claude Saumaise, daß es sich auch bei dem *Corpus Hermeticum* um eine spätant. Kompilation und somit um eine → Fälschung handelte [23]. Der Nachweis wurde zu einem Zeitpunkt erbracht, als auch die → Naturwissenschaften begannen, sich von der Orientierung am Buch Genesis zu lösen und sich statt dessen mathematisch auszurichten. Daher verlor mit der »Denunziation« des *Corpus Hermeticum* als physikalischem Text auch die *Physica Mosaica*, die bis dahin die offizielle und orthodoxe Physik gewesen war, an Bedeutung. Diese Entwicklung wurde begleitet von der Neudatierung aller kabbalistischen Texte durch christl. Philologen.

Am E. des 17. Jh. hatte die Ph.p. ihre einstige Allgemeingültigkeit weitgehend eingebüßt: Es wurden die letzten Physiklehrbücher geschrieben, die sich noch an der biblischen Erzählung orientierten (Comenius [22], More [12. 133–334], Budde [4]); nach und nach setzten sich deistische Physiken durch, die nicht mehr den mosaischen Text als unmittelbare Vorlagen benutzten.

In den philol. Fächern entstanden die großen »Bibl.« und »Enzyklopädien«, die die neuen Chronologien der Texte festsetzten. Die herausragenden Werke sind die *Bibliotheca Graeca* (1705–1728) sowie die Verzeichnisse der Pseudepigraphen des AT und NT von Johann Albert Fabricius [7; 8] und die *Bibliotheca Hebraea* (1711) seines Schülers Johann Christoph Wolff. In der Philosophiegeschichte vollzog Jacob Brucker die endgültige Wende zum neuzeitlichen Historismus [2].

Die Neuorganisation der Chronologie erforderte auch eine neue Geschichtsphilosophie: G. Vico (*Scienzia Nuova*, 1725) entwickelte als erster eine Geschichtsdeutung der Urzeit, die den Verlust der Ph.p. mit einer neuen Theorie der mythischen Urzeit und der Entwicklung von der Barbarei zur Zivilisation kompensieren sollte. Johann Gottfried Herder versuchte in seiner Geschichtsphilosophie dagegen noch einmal, den neuzeitlichen Historismus mit den Grundlagen der christl. Theologie zu vermitteln, doch konnte sich die P.ph. vor dem Hintergrund neuester naturwiss. und philol. Erkenntnisse nicht mehr als Wiss. behaupten. Ihre Motive lebten aber z.B. in den Ritualen, Theorien und Symbolen der Freimaurerei weiter (→ Gnosis; → Magie; → Paganismus).

→ Okkultismus

→ AWI Dionysios [54]; Iosephos [4] Flavios; Philon [12]; Hermetische Schriften; Pseudepigraphie

QU 1 G. Arnold, Unpartheyische Kirchen- und Ketzergesch., Leipzig 1700 2 J. Brucker, Historia Critica Philosophiae, 1742–1767, Ndr. 1975 3 J.-B. Bossuet, Discours sur l'histoire universelle, Paris 1681 4 J. F. Budde, Elementa philosophiae theoreticae, seu institutionum philosophiae eclecticae II, Halle 1703 5 R. Cudworth, The True intellectual System of the Universe, Jena 1733 6 Erasmus, Novum Instrumentum, Basel 1516, Ndr. 1986 7 J. A. Fabricius, Codex Apocryphus Novi Testamenti, Hamburg 1719 8 Ders., Codex pseudepigraphicus Veteris Testamenti, Hamburg 1722 9 P. D. Huet, Demonstratio Evangelica, Paris 1679 10 Ch. Knorr v. Rosenroth, Kabbala Denudata, 1677/78, Ndr. 1999 11 I. La Peyrère, Praeadamitae, Amsterdam 1655 12 H. More, Opera Omnia II, London 1679, Ndr. 1966 13 D. Pétau, Opus de Doctrina Temporum, Paris 1627 14 G. Postellus, Abrahami patriarchae liber Jezirah, Vertebat ex Hebraeis & commentariis illustrabat, Paris 1552, Ndr. 1994 15 J. J. Scaliger, Opus de emendatione temporum, Paris 1583, vollständige Ausgabe Genf 1629 16 R. Simon, Historie Critique du Vieux Testament, Paris 1678 (zensiert), Rotterdam 1685 17 B. Spinoza, Tractatus theologico politicus, Amsterdam 1670 18 A. Steuchus, De Perenni Philosophia, Lyon 1540, Ndr. mit neuer Einleitung von Ch. B. Schmitt, 1972 19 L. Valla, Adnotationes in Novum Testamentum. Opera Omnia, Bd. 1, Basel 1540, Ndr. 1962 20 The Wisdom of the Zohar. An Anthology of Texts, hrsg. v. F. Lachower, I. Tishby, 3 Bde., 1989

LIT 21 A. J. Droge, Homer or Moses. Early Christian Interpretations of the History of Culture, 1984 22 P. Floss, Die Physik von Johann Amos Comenius, in: Grundriss der Gesch. der P., Die P. des 17. Jh., Bd. 4, 2001, 39–43 23 A. Grafton, Forgers and Critics: Creativity and

Duplicity in Western Scholarship, 1990 **24** Ders., J. J.
Scaliger, a Study in the History of Classical Scholarship, 2
Bde. 1983–1993 **25** L. IDELER, Hdb. der mathematischen
und technischen Chronologie, 2 Bde., Breslau ²1883
26 H. KOCH, Ps.-Dionysius Areopagita in seinen
Beziehungen zum Neuplatonismus und Mysterienwesen,
1900 **27** H. MEYER, Gesch. der Lehre von den Keimkräften:
von der Stoa bis zum Ausgang der Patristik, 1914
28 D. RUNIA, Philo of Alexandria and the Timaeus of Plato,
1986 **29** W. SCHMIDT-BIGGEMANN, Philosophia Perennis.
Histor. Umrisse abendländischer Spiritualität in Ant., MA
und Früher Neuzeit, 1998 **30** D. P. WALKER, Origène en
France au début du XVIe siècle, in: Courants religieux et
humanisme à la fin du XVe siècle et au début du XVIe siècle,
1959, 101–119 **31** Ders., The Decline of hell: Seventeenth
Century Discussions of Eternal Torment, 1964.

WILHELM SCHMIDT-BIGGEMANN

Philosophie A. DER UMGANG MIT DER ANTIKE
B. ÜBERLIEFERUNG   C. WIEDERENTDECKUNGEN IM
20. JAHRHUNDERT: ETHIK UND LEBENSKUNST
D. TYPEN DES PHILOSOPHEN

A. DER UMGANG MIT DER ANTIKE

›The legacy of Greece to Western philosophy is Western philosophy‹ [57. 202]. Dieser Satz – in seiner Weite
angemessener als das Diktum Alfred North Whiteheads,
die Geschichte der abendländischen Ph. sei nichts als
eine Reihe von Fußnoten zu Platon [17. 63] – bringt
zum Ausdruck, wie umfassend das Unterfangen ist, Ph.
unter dem Aspekt der Antikenrezeption darzustellen.
Nicht einzelne Inhalte oder Formen wurden tradiert,
sondern die Sache selbst. So gut wie alles, was zweitau-
send J. lang philosophiert wurde, bis zu dem Zeitpunkt,
als etwas explizit »Neues« auch mit einer neuen Epoche
begann, steht auf der Grundlage der Antike. Bis weit in
die Neuzeit hinein war die Ant. das überlegene, unhin-
terfragte Vorbild allen weiteren Philosophierens.

1. KONTINUITÄT

Bis in das Zeitalter Kants gab das Spektrum der ant.
Strömungen bzw. Schulen, des → Aristotelismus,
→ Platonismus, → Stoizismus, → Skeptizismus und de-
mokritisch-epikureischen Materialismus (→ Epikureismus) den Philosophen die Koordinaten vor. Ein wesentlicher Grund hierfür lag im vormod. Ph.-Verständ-
nis: Ihm zufolge hieß Philosophieren, sich entweder
einer Schule bzw. Richtung (*hairesis*, *secta*) anzuschlie-
ßen oder im Sinne der »eklektischen Ph.« (→ Eklektik)
auswählend auf das überkommene Lehrgut mehrerer
Schulen zurückzugreifen. Die durch Diogenes Laertios
überlieferte Schulgliederung diente noch dem bis ins
frühe 19. Jh. einflußreichen Ph.-Historiker Jacob Bruk-
ker [2] als historiographisches Ordnungsprinzip und als
ein Schema, das geeignet war, die philos. Landschaft
seiner eigenen Epoche zu strukturieren: Zeitgenössische Ansätze wurden so als *restaurationes* ant. »Schulen«
verstanden und klassifiziert.

Die bekannten Richtungen und Disziplinen hatten
ihre jeweils größte Wirkung zu verschiedenen Zeiten.
Im frühen MA war der Platonismus in seiner neuplato-

nischen dionysianischen Ausprägung und als → Augustinismus verbreitet. Ab dem 13. Jh. bis zur neuzeitlichen Scholastik beherrschte der Aristotelismus die Lehre an den Univ. und Kollegien, wenngleich die platonische Ph. immer auch präsent war: »Der Philosoph«
war jedoch immer Aristoteles; → Metaphysik und
→ Logik (Dialektik), in deren Rahmen die → Sprach-
philosophie betrieben wurde, später auch die → Naturphilosophie, waren die beherrschenden Disziplinen.
Der Stoizismus fand als philos. System erst nach der systematischen Erschließung durch J. Lipsius eine späte,
aber dann ungemein große Verbreitung zumal im Staats-
und Naturrechtsdenken des 17. und 18. Jh. (»Neostoizismus«). Epikureismus und Skeptizismus blühten im
17. und 18. Jh. mit bes. Auswirkungen in der Natur-Ph.
und Religions-Ph. (→ Religionskritik). Immer gaben
auch hier die ant. Positionen die Leitlinien vor. Eine
bes. Form der Tradierung ant. Weisheit und Wahrheit
unabhängig von den Schultrad. findet sich im Ge-
schichtsdenken einer → Philosophia perennis.

Mit Francis Bacon [1. Bd. I] und René Descartes
begann man, sich aus der Kontinuität von ant. und neuzeitlicher Ph. zu lösen [22. 61 f.]. Bacon inaugurierte die
neue (Natur-) Wiss. programmatisch gegen Aristoteles
(*Novum Organon*). In Frankreich mußte man sich nicht
länger in Bezug zu ant. Denkern und Schulrichtungen
positionieren. Der Cartesianer B. P. S. Régis (1632–
1707) leugnete im Auftakt seines *Cours entier de la ph.* als
erster grundsätzlich den Vorrang der Ant. und stellte die
Unbedarftheit der frühen ant. Denker und den Fortschritt der Moderne heraus [15]. Die schulphilos. Trad.
im Anschluß an die »Alten« konnte einige Jh. fortbestehen. Die Loslösung von der Verpflichtung auf die
Autoritäten konnte mit dem Impetus des systematischen
»Selbstdenkens« der Probleme einhergehen, das, bei aller Emanzipation, natürlich implizit in vielerlei Hinsicht
in Inhalten, Methoden, Begriffen, Begriffssystemen
und Denkhorizonten nach wie vor vom Alten zehrte
[29].

Das Modernitätsbewußtsein postuliert – zumeist entgegen tatsächlichen Kontinuitäten – einen Bruch mit
der Tradition. Dieses Bewußtsein von etwas Neuem,
das sich gegen das Alte absetzt, ist jedoch auch später in
der Neuzeit keineswegs durchgängig und beherrschend
gewesen (→ Querelle des anciens et des modernes). Explizit griffen die Philosophen des Deutschen Idealismus
(v. a. Hegel [50] und Schelling [40]) auf die ant. Ph., bes.
auf Aristoteles, Platon und den Neuplatonismus zurück,
um ihr eigenes System herauszubilden und es, wie bei
Hegel, als »Vollendung« einer geschichtlichen Bewegung zu begreifen.

Auch die hermeneutische Trad. seit F. D. E. Schleiermacher sieht sich – wenn auch ohne teleologische Implikationen – in der geschichtlichen Kontinuität mit der
Antike. Für sie bedeutet die Auseinandersetzung mit der
ant. Ph. ein Nachdenken über den eigenen Ursprung
und dient der reflektierenden Positionierung des eigenen Denkens. Antike ist hier als Gegenwart präsent

und wird deshalb nicht nur als klass. Erbe und wesentliches Bildungsgut, sondern als Bestandteil des Philosophierens selbst aufgefaßt.

2. ABKEHR

Nicht nur der antischolastische Zug des mod. Denkens führte zur Abkehr von der Antike. Während im 16. und 17. Jh. die sich herausbildenden Naturwiss. noch an den metaphysischen Vorgaben der Ant. ausgerichtet waren, wurde im 19. und 20. Jh. auch für die neue Ph. in den Bereichen, die sich an den exakten Wiss. orientieren, der geschichtliche Rückbezug auf vormod. bzw. ant. Theorien irrelevant. Die heutigen Diskussionen und Theorieansätze in der Natur-Ph. oder Epistemologie, in der → Logik oder Psychologie, z. B. bei dem Leib/Seele-Problem, bewegen sich in theoretischen Horizonten und Begriffsfeldern, die immer weniger das ant. metaphysische Erbe fortsetzen. Abkehr von der Trad. heißt für die Ph., die sich als Wissenschaftstheorie versteht (so z. B. der Positivismus des »Wiener Kreises« um Rudolf Carnap, Moritz Schlick und Otto Neurath): Abkehr von der platonisch-aristotelischen Metaphysik und ihrer »Vernebelung« der philos. Probleme durch Sprachverwirrung [3]. Man macht sich ›mit Vertrauen an die Arbeit, den metaphysischen und theologischen Schutt der Jahrtausende aus dem Weg zu räumen‹ [3. 29]. Vorläufer der eigenen Position (wie Demokrit oder Epikur) bleiben jedoch auch hier weiterhin der Lektüre anempfohlen [3. 13].

Aus wissenschaftspositivistischer Perspektive sind die langen Wege der Ph.-Geschichte oft nicht mehr als unnötige Umwege zu den wiss. Lösungen: ›The history of philosophy would advance much faster if its progress were not so often delayed by those who have made the history of philosophy the subject of their research‹ [16. 15]. Allenfalls die auch h. noch interessierenden Fragen hat die Ant. gestellt, für angemessene Antworten hatte sie nach dieser Auffassung nicht die Mittel [16. 343].

3. RÜCKKEHR

Die Vorstellung von der griech. Ant. als dem verlorenen Ursprung der europ. Kultur wurde in der Klassik (→ Klassik als Klassizismus) populär. In elegischen Reimstrophen erinnern Dichter wie F. Hölderlin (1770–1843) an das untergegangene Griechenland, ›wo die Herzen Sokrates gewann‹ und ›Plato Paradiese schuf‹ [12. 179. Z. 4, Z. 8]. An Hölderlins kultureller Selbstverständigung über das Verhältnis von Griechenland und Hesperien, Ant. und Moderne [13] hat Martin Heidegger (1889–1976) angeknüpft. Er fand – die Fremdheit und Befremdung des Alten immer auch reflektierend – im frühen griech. Denken eine der späteren abendländischen Ph. ›verstellte‹, verlorengegangene Weise des urspr. ›Seinsbezugs‹ und des Denkens vor jeder Subjekt/Objekt-Spaltung, vor jeder Vergegenständlichung. Während er die neuzeitliche Ph. als eine Weise der Herrschaft ansah, deren Konsequenz und Gipfel die »Technik« ist [9], galt ihm das frühe Denken als ein ›Anwesenlassen von Wahrheit‹, das sich anspre-

chen läßt ohne den Anspruch zu erheben, das Sein unter das Joch der Vernunft, der *ratio*, des berechnenden Denkens zu stellen [7; 10]. Wahrheit als propositionale Satzwahrheit sei fundiert in einer urspr. Seinswahrheit, einer ontologischen Wahrheit. Das urspr. Denken fand Heidegger nur bei einigen Vorsokratikern, denn schon Platon faßte mit seiner Ideenlehre in der Sicht Heideggers die Wahrheit nicht mehr im urspr. Sinne als ›Unverborgenheit‹, sondern als Richtigkeit in der Entsprechung [7]. Die lat. Übers. des Griech. sind denn in seinen Augen nur eine philosophiegeschichtliche Katastrophe [8. 10]. Verbunden mit der philos. Aufdeckung des urspr. Anfangs ist die Utopie der Wiederholung in einem »zweiten«, zukünftigen Anfang [11. 57; 55]. So fragwürdig, ja manchmal schlicht abwegig Heideggers mikrologische Analysen und vereinnahmende Interpretationen der alten Texte und Textfragmente auch sind [19], so gingen von Heideggers Destruktion überkommener Interpretationen der philos. Texte auf eine »authentischere« Auslegung hin wichtige texthermeneutische Impulse aus, die von Jacques Derrida aufgegriffen (»Dekonstruktion«) und in der zeitgenössischen frz. Ph. diskutiert werden [27].

B. ÜBERLIEFERUNG

Das philos. Erbe der Ant. war nicht zu allen Zeiten in seinem vollen Umfang präsent, sondern zu einem großen Teil von den zufälligen Geschicken der Textüberlieferung bzw. vom Zeitpunkt der Übers. ins Lat., Arab. und andere Nationalsprachen abhängig. So war vor dem 16. Jh., d. h. vor der Übers. des 10. Buches von Diogenes Laertius' *Vitae* (1472), ein Studium der Ph. Epikurs in umfassender Form im lat. Westen nicht möglich, sondern von den überlieferten Polemiken der zahlreichen Gegner bestimmt. Ebenso war der ant. → Skeptizismus in der pyrrhonischen Ausrichtung erst nach der Übers. des Sextus Empiricus (1562) in seinen philos. Konturen zu erkennen und konnte so erst seine (nicht unerhebliche) Wirkung entfalten.

Die Schriften der Gründer der beiden bis zur Ren. prägenden Schulrichtungen des Aristotelismus und Platonismus standen im MA zur Verfügung und wurden ausgiebig kommentiert [34]. Doch viele Schriften, v. a. die des Aristoteles, wurden über das → Arabisch-islamische Kulturgebiet und durch Übers. aus dem Arab. ins Lat. verbreitet. Die aus dieser Tradierung resultierenden Interpretationen und Vereinnahmungen der Alten ließen in der Ren. → Italiens das Bedürfnis nach einer Wiederherstellung der »authentischen« Lehre aufkommen, die man nun mit philol. Genauigkeit anhand der seit dem Fall von → Byzanz (1453) in großer Zahl zugänglich werdenden Originalschriften zu erfassen suchte und durch lat. Übers. weitergab.

Neben den vollständigen Schriften der Philosophen wurden philos. Lehren auch durch die ant. Philosophiegeschichtsschreibung tradiert, v. a. durch die Philosophenviten des Diogenes Laertius und Ps.-Plutarch (Aetius/Aëtios, 1. Jh. n. Chr.) und bes. die doxographischen Schriften Ciceros. Durch deren Überlieferung von Zitaten war ein Theorie- und Ideenfundus greifbar, der das eigentliche Schriftencorpus ergänzte und manche Lücken der Textüberlieferung schloß. Für die → Vorsokratiker wurde jedoch eine angemessene philos. Würdigung erst mit der Bereitstellung der Fragmentensammlung im 20. Jh. erreicht.

Doch nicht nur von der Textüberlieferung war eine Rezeption abhängig; auch die sich wandelnden Interessen der Rezipienten führten zu unterschiedlichen Fokussierungen und gelegentlich zur Ausblendung bestimmter ant. Strömungen. Rezeption der ant. Ph. bedeutete seit dem Zusammenbruch der paganen Kultur v. a. ihre Einpassung in den rel.-weltanschaulichen Rahmen des Christentums. Einerseits konnte für die christl. Theologie die ant. Ph. aufgegriffen und fortgesetzt werden, andererseits suchte der neue Glaube auch, sich abzusetzen [18; 20; 54]. Schon in der frühen christl. Lit. kam es zur Aneignung der heidnischen Ph. und zu deren theologischer Rechtfertigung, zu einem »Gebrauch« der ant. Ph. (→ Chresis). Doch die biblischen und dogmatischen Vorgaben des Christentums haben auch selektierend gewirkt: Die Aneignung bestimmter Denkrichtungen (Epikureismus) wurde erschwert; manche Denkformen und philos. Perspektiven waren tabuisiert und führten zu signifikanten Umformungen, z. B. in der Auffassung der Tugenden [26]. Das Christentum war nicht nur das größte Auffangbecken der ant. Ph., ihrer Adaption und Weitergabe, sondern auch ihr stärkster Filter.

Ein Beispiel für die Dominanz bestimmter Denkrichtungen, die der Wirksamkeit anderer Richtungen im Wege standen, ist die Rezeption der Sophistik. Obwohl sie eine nicht zu unterschätzende Strömung bei der Herausbildung der griech. Ph. darstellte, konnte die Sophistik durch den nachhaltigen Erfolg der platonischen Darstellung nur als »Un-Philosopie« gelten und mangels anderer Quellen lange kaum mit ihren innovativen Thesen wahrgenommen, geschweige denn rezipiert werden. Die h. als aktuell angesehenen sophistischen Versuche, dem Eigeninteresse in der Moral Geltung zu verschaffen oder Normen kontraktualistisch zu begründen [53], standen jahrhundertelang unter dem Verdikt Platons. Die fehlende oder falsche Rezeption der denkerischen Impulse der Sophistik ist die Kehrseite des Erfolges von Platon. Seine kaum hinterfragte Darstellung einzelner Sophisten als Zerstörer der Moral oder bloße Rhetoriker und hohle Rabulisten, kurz, als die Gegentypen des wahren Philosophen Sokrates, hat die Sophisten in philos. Hinsicht bis in die Neuzeit diskreditiert und die Bezeichnung »Sophist« oder »sophistisch« entgegen ihrer urspr. Verwendung zu einem reinen Schimpfwort mutieren lassen. G. W. F. Hegels [6] und G. Grotes [5] positive Darstellungen der Sophisten als griech. »Aufklärer« haben eine neue Perspektive eröffnet. Erst F. Nietzsche mit seinem antisokratischen und antiplatonischen Blick auf die Sophisten verstand sich als Erbe und Fortführer ihrer Moralkritik, allerdings der platonischen Figuren wie Kallikles, nicht der zu sei-

ner Zeit bereits ins Blickfeld geratenden authentischen Sophisten. Eine histor. angemessene Sicht auf die theoretischen Ansätze oder Intentionen einzelner Sophisten war erst mit der Entdeckung authentischer sophistischer Texte (im späten 19. Jh. bzw. Anf. des 20. Jh.) und ihrer philol. und philosophiehistor. Aufarbeitung möglich, wie im Falle der *Dissoi Logoi*, der Edd. des *Anonymus Iamblichi* und der Papyrus-Fragmente aus Antiphons Schrift *Über die Wahrheit*.

C. Wiederentdeckungen im 20. Jahrhundert: Ethik und Lebenskunst

Die Dominanz bestimmter Denkmodelle und Vorstellungen von Ph. haben Aspekte des ant. Denkens verstellt oder verschüttet, die im 20. Jh. freigelegt oder wiederentdeckt wurden. Den unterschiedlich motivierten Wiederbelebungen ist die Auffassung gemeinsam, daß im ant. Denken, und zwar nicht nur in philos. Texten [47; 58], ein gedankliches Potential vorliegt, das ganz und gar nicht veraltet ist und nicht nur der histor. Abhebung dient, sondern für die heutige philos. Diskussion eine inhaltliche Bereicherung darstellt [58. Kap. 1]. Auch greift man in der neueren analytischen Ph. – nachdem die Substanzmetaphysik des Aristoteles lange als obsolet galt – in einem neuen »Essentialismus« wieder auf sie zurück [49].

Wohl in keiner anderen Disziplin wird h. so konstruktiv auf die Ant. zurückgegriffen wie in der Ethik. Die Individualethik der Alten mit ihrem Eudaimonismus und der Ausrichtung auf ein gelingendes individuelles Leben in der Gemeinschaft war im 19. und 20. Jh. verdrängt worden durch die Dominanz der Kantischen »Sollensethik« und deren hochgesteckte Begründungsansprüche [56]. Im 20. Jh. und zunehmend in den letzten Jahrzehnten entdeckt man die ant. Ethik auch als Korrektiv für eine Pflichtethik kantischen Typs [44] und versucht, systematisch an sie anzuknüpfen und in einer ›Integrativen Ethik‹ [45] beide Ethiktypen sich wechselseitig befruchten zu lassen. Eine einfache Rückkehr zu den Alten wird nie gefordert, sondern eine Profilierung ihrer Ansätze nach den inhaltlichen und methodischen Erfordernissen einer mod. Ethik. Für A. MacIntyre [14] hat nach der → Aufklärung eine Erosion der Moral-Ph. stattgefunden, und er sieht keine andere Möglichkeit einer haltbaren Ethik als die Anknüpfung an die ant. Tugendethik (→ Gerechtigkeit G).

Ein Ziel der ant. Ph. war die Selbstverständigung über die Weise, ›gut‹, d. h. glücklich zu leben. Techniken und Übungen des guten Lebens, die in der ›Sorge um sich selbst‹ Seele und Körper umfaßte, das »Sterbenlernen« (*meditatio mortis*) wie die Diätetik, wurden von allen Philosophenschulen gelehrt [35]. Solche Formen der »Lebenskunst« wurden in der gesamten Ant. in der Gemeinschaft der Schulen gelernt und von den Einzelnen praktiziert; sie gingen in Teilen fast bruchlos in die frühchristl. Mönchsasketik ein [35]. Erst mit der Scholastik des 11. und 12. Jh. und der Institutionalisierung der Univ. mit einem Wissenskanon löste sich dieses Selbstverständnis von Ph. als Lebenspraxis auf und lagerte sich an ihren Rändern, in Lit. und Geistesleben an. Vorherrschend wurde ein doktrinales Verständnis von Ph. als Wissenschaft. Durch die jahrhundertelange Festlegung der Ph. auf theoretische Inhalte und deren Vermittlung ist die ant. Auffassung, Ph. als eine Lebensform zu begreifen, verlorengegangen oder von der sich etablierenden Universitäts-Ph. in den Hintergrund gedrängt worden. Anders als die Reflexion über das Verhältnis von → Theorie/Praxis, das seit Aristoteles immer mit wechselnden Prioritäten auch ein Thema der Ph. blieb – genauso wie das delphische Motiv der Selbsterkenntnis (*gnôthi sautón*) [38] –, ging die Einheit von Leben und Lehre nicht in den Ph.-Begriff ein.

Kritik am theoretisch-scholastischen Ph.-Begriff übten schon die Aufklärer. Im 20. Jh. gehört eine solche Kritik längst zur Ph. selbst. So ist zu erklären, daß die Veröffentlichungen von Pierre Hadot, die den Aspekt der »Lebenskunst« in der spätant. Ph. herausstellen, eine so breite Resonanz über die Fachgrenzen hinaus gefunden haben und heutige Ansätze zu einer Ph. der Lebenskunst bereichern. Für Michel Foucault (1926–1984) wurde Hadots Wiederentdeckung der Ph. als Lebensform der Impetus einer Ph. des Selbst, der ›Konstituierung des Selbst‹ und der ›Techniken des Selbst‹, die er in der Analyse späthell. Quellen für eine – vergessene – ›Kunst der Existenz‹ fruchtbar machte und in sein Projekt einer *Geschichte der Sexualität* integrierte [4; 36].

D. Typen des Philosophen

Wenngleich die Einheit von philos. Lebensform und Lehre durch den scholastisch-akad. Ph.-Typ verdrängt wurde, so standen doch die alten Philosophen auch außerhalb der Ph. immer in dem Ruf, ihre Lehre auch zu leben. Herausragende Philosophen figurierten durch die Jh. als Vorbilder weiser Lebensführung, allen voran Sokrates, aber auch Epikur und Seneca und der »Mann in der Tonne«. Typologisch verkörpern »der Stoiker«, »der Epikureer«, »der Platoniker« oder »der Skeptiker« die unterschiedlichen Einstellungen zum Umgang mit dem Lebensglück, mochte dieses in der theoretischen Kontemplation oder im polit.-praktischen Leben liegen [39]. Schon in der Ant., bes. der röm., gab man sich z. B. durch die Barttracht gern als Philosoph oder Weiser [59]. Zum kultivierten Haus gehörte die Galerie von Philosophenbüsten und Statuen; Aussprüche von Philosophen, ihre Testamente und letzten Worte waren überall in der Lit. gegenwärtig. Es gab aber auch schon durch die Philosophenkarikaturen in der Alten Kom. den Gegentyp: der Philosoph, der dem Gespött dient. Die befremdlichen Skurrilitäten mancher Philosophen von der Kleidung bis zum Habitus, die in den Anekdoten der ant. Philosophenviten kolportiert werden, kehren variantenreich zu allen Zeiten wieder.

Der weltfremde Theoretiker, Mystiker oder Asket bildet einen Typus: Thales, so die Anekdote, fällt bei der Himmelsbetrachtung in eine Grube; eine thrakische Magd lacht über dieses Mißgeschick. Die Geschichte ist – in der bezweckten Moral oft abgewandelt – immer tradiert [21], der auf die Theorie konzentrierte Philo-

soph zum Typ des Theoretikers stilisiert worden, der blind für die Belange der Lebenswelt ist und dadurch lächerlich wird.

Für den Typ des Asketen und Mystikers waren Pythagoras (Iambl. v. P.) und Neuplatoniker wie Plotin (Porphyrios, *Vita Plotini*) die Vorbilder. In der Zeit von der Spätant. bis zur frühen Neuzeit stand durch die Bindung an die christl. Theologie und das Ordensleben eher der kontemplative Typ des Mystikers im Vordergrund, wenngleich prominente Philosophen auch polit. wirkten (z. B. Albert der Große, Nikolaus von Kues).

Auch der Stoiker in seinem Tugendideal der Seelenruhe, der Beherrschung der Leidenschaften, kurz, der Gleichmut gegenüber den Wechselfällen des Lebens wird durchgehend als ein Bild der Weltabgewandtheit rezipiert. Damit mutiert »der Stoiker« zum Gegenteil dessen, was er von seinem Selbstverständnis her war. Obwohl polit. Beraten und Auftreten völlig mit der stoischen Lebenshaltung vereinbar waren, ja sie dies sogar erforderte [25; 37; 52], konnte »der Stoiker«, z. B. in der Aufklärung [30], das Gegenbild eines für die Allgemeinheit wirkenden Philosophen repräsentieren. So wundert es nicht, daß z. B. für Nietzsche, der die stoische Tugend als lebensfeindlich verdammte, der ›stoische Typus‹ nur blutleer und ›der vollkommene Hornochs‹ war [46. 125].

Der Typ des Weisen, der unabhängig von der Gesellschaft und allen Konventionen und im Einklang mit der Natur lebte, wurde durch Diogenes verkörpert. Die Rezeption des → Kynismus zeigte für den Weisen als Narren genausoviel Bewunderung wie für den subversiven Anti-Bürger »in der Tonne«.

Der wichtigste Aspekt in der Vorbildfunktion der alten Philosophen war in der Neuzeit der Bezug zur Praxis [42]. Auch die alte Frage nach der Lebensform, ob die Theorie oder die Praxis vorzuziehen sei, wurde zunehmend mit der eindeutigen Priorität der Praxis beantwortet. Das, womit sich Philosophen beschäftigen, sollte für das alltägliche Leben und die Politik nützlich sein [30].

Die Forderung, die Theorie in der Politik praktisch werden zu lassen, ging jedoch im Laufe der Geschichte der Ph. selten so weit, wie Platon sie in seinem Idealstaat für den »Philosophenherrscher« konstruierte: ›Wenn nicht entweder die Philosophen in den Staaten Könige werden, oder die jetzt Könige und Herrscher heißen, in echter und richtiger Weise zu philosophieren anfangen, und dies in eins zusammenfällt, polit. Macht und Philos., (...) gibt es kein Ende der Übel für die Staaten, und wohl auch nicht für das menschliche Geschlecht‹ (rep. 473 cd). Der Philosophenherrscher oder der Philosoph als König, wie Platon ihn nicht nur theoretisch entworfen hatte [33], rief schon bei unmittelbaren Schülern wie Aristoteles Skepsis und Kritik hervor: Nicht selbst zu herrschen braucht der Philosoph, aber beraten solle er. Auch Platon wußte – und die Späteren wiederholten es –, daß es nicht dem Glück des Philosophen dient, zu herrschen, und daß er deshalb dazu gezwungen werden

muß. Aber für die mod. Theoretiker ist nicht einmal dies wünschenswert: I. Kant begründet seine Skepsis mit der Gefahr der Korruption durch Macht, ›weil der Besitz der Gewalt das freie Urteil der Vernunft unvermeidlich verdirbt‹ (*Zum ewigen Frieden*, ²1796, Schluß; auch im *Streit der Fakultäten* [41]). Kants philos. Konzept der Sittlichkeit im Vernunftstaat und zw. den Staaten, das idealiter im »ewigen Frieden« gipfelt, macht freilich einen Philosophenherrscher völlig überflüssig. Unter dem Eindruck totalitärer Herrschaft im 20. Jh. wurde das platonische Konstrukt eines Philosophenherrschers, wenn es auch vorher außer in → Fürstenspiegeln oder in an Platons *Staat* orientierten → Utopien wie Campanellas *Sonnenstaat* zumeist nur zitathaft durch die Geschichte geisterte, durch K. Poppers Kritik als Gipfel eines autoritären Staatsgebildes gänzlich diskreditiert. Da der Philosophenherrscher weder kontrollierbar noch abwählbar sei, eine Philosophenherrschaft also Veränderung ausschließt, widerspreche sie allen Erfordernissen der mod. Demokratie [48]. Wenn der Topos des Philosophenherrschers positiv bemüht wird, bei schmeichelnden Geburtstagsschriften für Monarchen, oder wenn zufällig Philosophen öffentliche Ämter bekleiden, so steht nur noch vom Wort her Platon Pate.
→ AWI Diogenes [17] Laertios; Hairesis; Philosophisches Leben

QU 1 F. BACON, Instauratio Magna, 3 Bde., 1612–1627, in: J. SPEDDING (Hrsg.), The Works, London 1857ff. 2 J. BRUCKER, Historia criticaphilosophiae a mundi incunabilis ad nostram usque aetatem deducta, 4 Bde., Leipzig 1742–1744 3 R. CARNAP, H. HAHN, O. NEURATH, Wiss. Weltauffassung – der Wiener Kreis, 1929; Ndr. in: H. SCHLEICHERT (Hrsg.), Logischer Empirismus – Der Wiener Kreis, 1975, 201–222 4 M. FOUCAULT, Histoire de la Sexualité, Bd. 3: Le souci de soi, 1984 (Dt. Die Sorge um sich, 1986) 5 G. GROTE, Plato and the Other Companions of Socrates, London 1888 6 G. W. F. HEGEL, Vorlesungen zur Gesch. der Ph., in: E. MOLDENHAUER, K. M. MICHEL (Hrsg.), Werke in 20 Bdn., Bd. 18, 1970ff. 7 M. HEIDEGGER, Platons Lehre von der Wahrheit, 1947 8 Ders., Einführung in die Metaphysik, 1953 9 Ders., Die Frage nach der Technik, in: Ders., Vorträge und Aufsätze, ⁷1954, 9–40 10 Ders., Vom Wesen der Wahrheit (Vorlesung 1931/32). Gesamtausgabe, Bd. 34, Abteilung 2, 1988, 1–144 11 Ders., Beitr. zur Ph. Vom Ereignis. Gesamtausgabe, Bd. 65, Abteilung 3, 1989 12 F. HÖLDERLIN, Griechenland (1793/4), in: F. BEISSNER (Hrsg.), Sämtliche Werke, Bd. 1, 1946 13 Ders., Brief an Böhlendorff (4.12.1801), in: F. BEISSNER (Hrsg.), Sämtliche Werke, Bd. 6, 1954, 425ff. 14 A. MACINTYRE, After Virtue. A study in Moral Theory, 1981 (dt. Verlust der Tugend. Zur moralischen Krise der Gegenwart, 1987) 15 B. P. S. RÉGIS, Cours entier de la ph., ou système général selon les principes de Descartes, Amsterdam 1691 16 H. REICHENBACH, The rise of scientific philosophy, 1951 (dt. Der wiss. Aufstieg der Ph., 1968, 25) 17 A. N. WHITEHEAD, Process and Reality, 1929 (Ndr. 1957)

LIT 18 A. H. ARMSTRONG, Greek Philosophy and Christianity, in: [31. 347–375] 19 W. BEIERWALTES, Heideggers Rückgang zu den Griechen. Bayerische Akad. der Wiss., Philol.-histor. Klasse, Heft 1, 1995 20 H. BLUMENBERG, Kritik und Rezeption ant. Ph. in der Patristik. Strukturanalysen zu einer Morphologie der Trad., in: Studium Generale 12 (1959) 485–497; Ndr. in: Ders., Ästhetische und metaphorologische Schriften, 2001, 266–290 21 Ders., Das Lachen der Thrakerin, 1987 22 L. BRAUN, L'histoire de l'histoire de la ph., 1973 23 G. CAMBIANO, Il filosofo, in: S. SETTIS (Hrsg.), I Greci, Storia, Cultura, Arte, Società, Bd. I: Noi e i Greci, 1996, 815–847 24 Ders., Il ritorno degli antichi, 1988 25 H. CANCIK, H. CANCIK-LINDEMAIER, Senecas Konstruktion des Sapiens. Zur Sakralisierung des Weisen im 1. Jh. n. Chr., in: A. ASSMANN (Hrsg.), Weisheit, 1991, 205–222 26 J. CASEY, Pagan virtues, 1990 27 B. CASSIN (Hrsg.), Nos grecs et leurs modernes, 1992 28 A. DAVIDSON, Ethics as ascetics: Foucault, the history of ethics, and ancient thought, in: G. GUTTING (Hrsg.), The Cambridge Companion to Foucault, 1994, 115–140 29 D. DES CHENE, Physiologia: natural philosophy in late Aristotelian and Cartesian thought, 1996 30 U. DIERSE, Die nützliche Wahrheit. Begriffe und Motive der »philosophes«, in: Archiv für Begriffsgesch. 26, 1982, 193–210 31 M. I. FINLEY (Hrsg.), The Legacy of Greece. A New Appraisal, 1981 32 M. FREDE, Die Gestalt des Philosophen, in: J. BRUNSCHWIG, G. LLOYD (Hrsg.), Das Wissen der Griechen. Eine Enzyklopädie, 2000, 37–51 (frz. Le Savoir grec, 1996) 33 K. v. FRITZ, Platon in Sizilien und das Problem der Philosophenherrschaft, 1968 34 A. GRAFTON, The availability of ancient works, in: CH. B. SCHMITT (Hrsg.), The Cambridge History of Ren. Philosophy, 1988, 767–791 35 P. HADOT, Exercices spirituels et ph. antique, 1981 (dt. Ph. als Lebensform, 1991) 36 Ders., Réflexions sur la notion de »culture de soi«, in: Michel Foucault Philosophe, 1989, 261–270 37 J. HAHN, Der Philosoph und die Ges. Selbstverständnis, öffentliches Auftreten und populäre Erwartungen in der hohen Kaiserzeit, 1989 38 H. HÜHN, s. v. Selbsterkenntnis III, HWdPh 9, 420–440 39 D. HUME, The Stoic; The Epicurean; The Platonist; The Sceptic, in: Essays – Moral, Political and Literary, 1741/2 (dt. Vom Schwachen Trost der Ph., hrsg. v. J. KULENKAMPFF, 1990) 40 J. JANTZEN (Hrsg.) Das ant. Denken in der Ph. Schellings, 2002 41 H. KARPP, Die Philosophenkönige bei Platon und bei Kant, in: Gymnasium 60, 1953, 334–338 42 B. KLEINHANS, Der »Philosoph« in der neueren Gesch. der Ph., 1999, 123–134 43 H. J. KRÄMER, Das Problem der Philosophenherrschaft bei Platon, in: Philos. Jb. 74, 1967, 254–270 44 Ders., Ant. und mod. Ethik?, in: Zschr. für Ph. und Theologie 80, 1983, 184–203 45 Ders., Integrative Ethik, 1992 46 F. NIETZSCHE, Nachgelassene Fr. November 1887–März 1888. Krit. Stud.-Ausgabe, Bd. 13, hrsg. v. G. COLLI, M. MONTINARI, 1999 47 M. NUSSBAUM, The fragility of goodness. Luck and ethics in greek tragedy and philosophy, 1986, ²1997 48 K. POPPER, The Open Society and its enemies, Volume I, 1945, Chapter 8 (dt. Die offene Ges. und ihre Feinde, 1957, VI. Kap.) 49 CH. RAPP, Identität, Persistenz und Substantialität. Unt. von sortalen Termen und Aristotelischer Substanz, 1995 50 M. RIEDEL (Hrsg.), Hegel und die ant. Dialektik, 1990 51 CH. B. SCHMITT, The rise of the philosophical textbook, in: Ders. (Hrsg.), The Cambridge History of Ren. Philosophy, 1988, 792–804 52 P. SCHOLZ, Der Philosoph und die Politik. Die Ausbildung der philos. Lebensform und die Entwicklung des Verhältnisses von Ph. und Politik im 4. und 3. Jh. v. Chr., 1998 53 J. SPRUTE, Vertragstheoretische Ansätze in der ant.

Rechts- und Staats-Ph. Die Konzepte der Sophisten und Epikureer. Nachr. der Akad. der Wiss. Göttingen, Philol.-histor. Klasse 1989 Nr. 2 **54** CH. STEAD, Philosophy in Christian Antiquity, 1994 (dt. Ph. und Theologie I, Die Zeit der Alten Kirche, 1990) **55** M. THEUNISSEN, Heidegger und die Ant., in: B. SEIDENSTICKER, M. VÖHLER, Urgeschichten der Moderne. Die Ant. im 20. Jh., 2001, 83–97 **56** E. TUGENDHAT, Ant. und mod. Ethik, in: R. WIEHL (Hrsg.), Die ant. Ph. in ihrer Bed. für die Gegenwart. H.-G. Gadamer zum 80. Geburtstag, 1981, 55–73 **57** B. WILLIAMS, Philosophy, in: [31. 202–255] **58** Ders., Shame and Necessity, 1993 (dt. Scham, Schuld und Notwendigkeit. Eine Wiederbelebung ant. Begriffe der Moral, 2000) **59** P. ZANKER, Die Maske des Sokrates. Das Bild des Intellektuellen in der ant. Kunst, 1995 (engl. 1995).   MARGARITA KRANZ

Philosophische Dialektik s. Nachtrag

Physik s. Naturwissenschaften

Physiognomik I. ANTHROPOLOGIE II. BILDENDE KUNST III. ZOOLOGIE, BOTANIK, MINERALOGIE

I. ANTHROPOLOGIE
A. BEGRIFF B. WISSENSCHAFTSSTATUS DER PHYSIOGNOMIK SEIT DEM 18. JAHRHUNDERT

A. BEGRIFF

Die Ph. hat die ›Formen eines tendenziell stummen Wissens‹ zu ihrem Gegenstand [16. 91] und versucht, eine Beziehung zw. dem Äußeren eines Individuums und seinem Charakter, seiner Disposition oder seinem Schicksal herauszufinden und darzustellen, wobei die äußeren Zeichen und Merkmale (Gesichtszüge, Mimik, Kopfform, Haltung, Gebärden, Sprache usw.) Anlaß sind, auf innere Eigenschaften (Fähigkeiten und Anlagen, Gefühle, Temperament und Charakter, Krankheiten und Schicksalsverlauf) zu schließen.

B. WISSENSCHAFTSSTATUS DER PHYSIOGNOMIK SEIT DEM 18. JAHRHUNDERT

Im Rahmen einer »Wiss. vom ganzen Menschen« wurde im 18. Jh. der Wissenschaftsstatus der Ph. diskutiert [1]. In der zweiten H. des Jh. gelangten die Kenntnisse der Physiologie, der Zoologie und der Erfahrungsseelenkunde, die unter anderem auf zahlreichen Entdeckungsreisen gemacht worden waren, in die Diskussion um das Für und Wider der Physiognomik. Durch eine extreme Ausweitung des Ph.-Begriffes sollte dieser die Anerkennung als Wiss. verschafft werden. Kritiker hingegen argumentierten v. a. auf kulturgeschichtlicher Basis und vor dem Hintergrund des Gegensatzes von Natur und Kultur (→ Naturwissenschaften I.) [22]. In dieser Entzauberung der Ph. fand man einerseits noch das aus der ›moralistischen Trad. geborene Vertrauen in den beobachtenden Blick‹, dem das ›Mißtrauen gegenüber einer Deutung der Körperzeichen‹ beigesellt war, andererseits das ›Vertrauen in die Einheit des Naturkörpers‹ – wie ihn schon della Porta vertreten hatte –, liiert mit dem ›Mißtrauen gegenüber dem von

allzuviel kulturellen Zeichen verdeckten und entstellten Naturzusammenhang‹ (moralistisch-skeptisch bereits 1587 in Michel de Montaignes *De la phisionomie*) [25. 99; 23]. Bis dato hatte physiognomische Semiotik Bedeutung zugewiesen, indem sie auf Unterscheidungen oder Zeichen anderer Wiss. zurückgriff. Ihr als fragil empfundener wiss. Status [21] läßt sich daran erkennen, daß sie als Teil der empirischen Psychologie im Sinne einer Entwicklung und Ästhetisierung bürgerlicher Umgangsformen [10; 17] eingeordnet und ihrem Zweck nach zur praktischen Philos. gerechnet wurde, obwohl sie Berührungspunkte mit der Naturbeschreibung, den ›medicinischen Wiss.‹ und der Mathematik hat; ihr Charakter als ›Weissagungslehre‹ wurde aber für diese Zuordnung nicht als hinderlich angesehen [14. 1; 7]. Typologie sollte durch Individualisierung (»entzifferte Typologie«) ersetzt werden, soziale Analogie durch logisch-kausale Verbindungen.

Durch die »Humanwiss.« erfährt das semiotische Paradigma trotz moralisierender Aufklärung einen disziplinären Bedeutungszuwachs, ohne daß Ph. eine eigenständige Wiss. wird. Neben Wissensgebieten, die sich mit mehr (Paläontologie) oder weniger Erfolg (Phrenologie) [4] behaupten können, ist es v. a. die Medizin mit ihrem erkenntnistheoretischen und sozialen Prestige, auf die sich – explizit oder implizit – alle »Humanwiss.« beziehen [13; 19; 16. 84 f.]. Als anthropologische Theorie und Konzept des »ganzen Menschen« bereitet Ph. einerseits vermöge des Kontinuitätsprinzips in der Reverzeitlichung von Krankheit ›ihre Integration in den lebensgeschichtlichen Zusammenhang des kranken Menschen‹ vor [8. 142 f.], andererseits wird sie zu einer ›Initiale der sozialen Holographie, (...) der polizeiförmigen Herstellung des »gläsernen Menschen«‹.

Zwei anthropologische Schlüsselvorstellungen entstehen: die Rekonstruktion der Identität des Menschen aus einer Ph. der Sprache und die Erkennbarkeit und die Deutung und Wertung des unerklärlichen und bedrohlichen »Außenseiters« im sozialen Feld. Neuroanatomische Unt. rassenspezifischer Merkmale werden physiognomisch ausgelegt: Von der ästhetischen Bewertung der Schädelform gelangt man zu einem Urteil über intellektuelle Fähigkeiten [27]. Gleichzeitig wurde die hinter der Ph. stehende Ausdrucksproblematik zum Gegenstand experimenteller Unt. der die mimischen Effekte bedingenden Muskel- und Nervenfunktionen sowie theoretischer Überlegungen und psychiatrischer Expertise [9]. Vor dem Hintergrund einer vermeintlichen Versöhnung von exakter Wiss. und philos.-ganzheitlichem Denken [24. 137] kommt es zu einem ›Rettungsversuch ganzheitlicher Ph.‹ [26. 190] im Sinne einer ›ästhetischen Anthropologie‹ [24. 130]. Dem vorausgegangen waren Versuche einer universalen physiognomischen Naturanschauung [28]. Im Gegensatz zum Modell der Degeneration geht es bei der anthropologischen Beschreibung devianter Persönlichkeitstypen, der kriminologischen Erforschung der Täterpersönlichkeit, auf der Grundlage der Atavismusthese und der

Umdeutung des körperlichen und seelischen Idealtypus des Bürgers zum Realtypus um die ›präventive Entzifferung des Bösen‹ [3. 183 f.; 15; 18. 369 ff.].

Es gab kein diskretes physiognomisches, morphologisches oder anatomisches Merkmal, in dem man nicht ›the mark of the beast‹ zu erkennen meinte [6. 153]. Ab 1925/26 entsteht ein physiognomischer »Rassenwertigkeitsindex« [12], der die ›wichtigsten Erkenntnismerkmale systematisch taxiert und eine Berechnungsformel angibt‹, die zu ermitteln gestatten soll, ob ein Mensch »niederrassig« oder »reinrassig« sei. Ph. soll polit. und soziale Orientierungshilfen bieten [6]. Während der NS-Zeit ist die physiognomische Diskussion die Grundlage für die Entwicklung von Selektionstechniken für die Menschenvernichtung.

In den Kulturwiss. ist Ph. der ›Anbeginn der Ausdruckskunde (...) als Lehre vom Symbolischen‹ [20. 214; 2]. Im 20. Jh. schufen Josef Breuer und Sigmund Freud (*Studien über Hysterie*, 1895) eine Pathognomik der Sprache, wo in der ›talking cure‹ der Wesenskern des Subjekts entziffert und zur Sprache gebracht werden soll [25. 90]. Dieser ›hoffnungslosen Entzifferung des autonom flottierenden »Mediums«, das »selbst die Botschaft«‹ ist (M. McLuhan), wird das ›Gegenprinzip emphatisch zugesellt: nämlich die Befragung des tierischen Körpers, wie er zeichenlos und in bewußter Insistenz, als »letztes Rätsel«, in der Natur und ihrer Anonymität wieder versinkt‹ [25. 106 f.]. Gegenwärtig gehört Ph. in das Gebiet der Ausdruckspsychologie und medizinischen Semiotik [5; 11] und erfährt in Disziplinen wie Sozialanthropologie und Kultursoziologie eine Wiederaufnahme [31].

1 O. ANTHROPOSCOPUS (J. G. F. FRANZ), Versuch einer Gesch. der Ph. und der damit verbundenen Wiss., 1784 2 I. BARTA FLIEDL, C. GEISSMAR, Formen der Mnemosyne. Gebärdensprachliche Bilderreihen Aby Warburgs (1866–1929), in: Dies. (Hrsg.), Die Beredsamkeit des Leibes. Zur Körpersprache in der Kunst, 1992, 156–170 3 P. BECKER, Ph. des Bösen. Cesare Lombrosos Bemühungen um eine präventive Entzifferung des Kriminellen, in: [30. 163–186] 4 M. BLANKENBURG, Seelengespenster: Zur dt. Rezeption von Ph. und Phrenologie im 19. Jh. Versuch einer histor. Sondierung, in: G. MANN, F. DUMONT (Hrsg.), Gehirn – Nerven – Seele. Anatomie und Physiologie im Umfeld S. Th. Soemmerings, 1988, 211–237 5 Ders., s.v. »Physiognomik«, »Physiognomie«, Histor. WB der Philos., 7, 955–963 6 Ders., Rassistische Ph. Beitr. zu ihrer Gesch. und ihrer Struktur, in: [30. 133–161] 7 H. BÖHME, Der sprechende Leib. Die Semiotiken des Körpers am E. des 18. Jh. und ihre hermetische Trad., in: D. KAMPER, C. WULF (Hrsg.), Transfigurationen des Körpers. Spuren der Gewalt in der Gesch., 1989, 144–185 8 Ders., Neue Erfahrungen von der Natur des Menschen. Einführung, in: [32. 139–144] 9 W. BREDNOW, Von Lavater zu Darwin. Sitzungsber. der Sächsischen Akad. der Wiss. zu Leipzig, Math.-naturwiss. Klasse 108, 1969, 6 10 R. CAMPE, Affekt und Ausdruck. Zur Umwandlung der lit. Rede im 17. und 18. Jh., 1990, 401–445 11 J. COLE, Über das Gesicht. Naturgesch. des Gesichts und unnatürliche Gesch. derer, die es verloren haben, 1999 12 W. DAIM, Der Mann, der Hitler die Ideen gab: Jörg Lanz von Liebenfels, ³1994 13 M. FOUCAULT, Die Geburt der Klinik. Eine Arch. des ärztlichen Blicks (1963), 1988 14 G. G. FÜLLEBORN, Abriss einer Gesch. und Litteratur der Ph., in: Ders. (Hrsg.), Beyträge zur Gesch. der Philos., 8. St., 1797, 1–188; 9. St., 1798, 164–169; 10. St., 1799, 116–119 15 M. C. GADEBUSCH BONDIO, Die Rezeption der kriminalanthropologischen Theorien von Cesare Lombroso in Deutschland von 1880–1914, 1995 16 C. GINZBURG, Spurensicherung. Der Jäger entziffert die Fährte, Sherlock Holmes nimmt die Lupe, Freud liest Morelli – die Wiss. auf der Suche nach sich selbst, in: Ders., Spurensicherung. Über verborgene Gesch., Kunst und soziales Gedächtnis, 1983, 61–96 17 W. GRODDECK, U. STADLER (Hrsg.), Ph. und Pathognomie. Zur lit. Darstellung von Individualität. FS K. Pestalozzi, 1994 18 J. Y. HALL, The Lineaments of Character: Physiognomy from Lavater to Lombroso, Diss. University of Michigan 1978 19 V. HESS, Von der semiotischen zur diagnostischen Medizin. Die Entstehung der klinischen Methode zw. 1750 und 1850, 1993 20 J. M. KROIS, Cassirer und die Politik der Physiognomik, in: [30. 213–226] 21 s.v. »Physiognomik«, in: Ökonomisch-technologische Encyklopädie, oder allg. System der Staats-, Stadt-, Haus- und Landwirtschaft, und der Kunstgesch. 112, 1809, 717–787 22 G. C. LICHTENBERG, Über Ph. (1778), in: Ders., Werke in einem Bd., 1978, 251–284 23 P. VAN MEEUWEN, Moralistik und Ph., Tijdschrift voor de studie van de verlichting en van het vrije denken 13, 1985, 2/3, 131–157 24 J. MÜLLER-TAMM, Kunst als Gipfel der Wiss. Ästhetische und wiss. Weltaneignung bei Carl Gustav Carus, 1995, 115–137 25 G. NEUMANN, »Rede, damit ich dich sehe«. Das neuzeitliche Ich und der physiognomische Blick, in: U. FÜLLEBORN, M. ENGEL (Hrsg.), Das neuzeitliche Ich in der Lit. des 18. und 20. Jh. Zur Dialektik der Mod., 1988, 71–108 26 S. OEHLER-KLEIN, Die Schädellehre Franz Joseph Galls in Lit. und Kritik des 19. Jh., 1990 27 Dies., Samuel Thomas Soemmerings Neuroanatomie als Bindeglied zw. Physiognomie und Anthropologie, in: G. MANN, F. DUMONT (Hrsg.), Die Natur des Menschen. Probleme der Physischen Anthropologie und Rassenkunde (1750–1850), 1990, 57–87 28 H. POLLNOW, Histor.-kritische Beitr. zur Ph., Jb. der Charakterologie 5, 1928, 157–206 29 H.-J. SCHINGS (Hrsg.), Der ganze Mensch. Anthropologie und Lit. im 18. Jh., 1994 30 C. SCHMÖLDERS (Hrsg.), Der exzentrische Blick. Gespräch über Ph., 1996 31 G. TREUSCH-DIETER, TH. MACHO (Hrsg.), Medium Gesicht. Die faciale Gesellschaft., in: Ästhetik und Kommunikation 25, 1996, 94 f.

HANS-UWE LAMMEL

II. BILDENDE KUNST
A. GRUNDLAGEN B. ÜBERLIEFERUNG
C. REZEPTION SEIT DEM 16. JAHRHUNDERT

A. GRUNDLAGEN

Grundlage der ma. und frühneuzeitlichen Ph. ist die ant. Auffassung von der proportionalen Verfaßtheit der Welt (Platon: [9]). Daraus folgte die ant. Vorstellung, daß der einzelne Mensch durch eine ausgewogene Mischung der Säfte – und damit des Temperaments – einen bes. Charakter aufweise, der sich an der Maßhaltigkeit der Oberfläche des Körpers ablesen lasse. Die Dominanz jeweils eines Temperaments in der Mischung aller Anteile bestimme die individuelle Erscheinung [8; 10]. Dieses Schema prägte die Argumentationsfolge aller Kunsttheorien und den Aufbau von Anleitungen zum Zeichnen, denn eine einschlägige ant. Überlieferung zur bildenden Kunst gab es nicht. Dies erforderte die Interpretation ant. Texte zu Chiromantik, Metoposkopie und Ph., die sich mit dem Verhältnis zw. der Seele und ihrer Zeichen auf der Oberfläche des menschlichen Körpers befaßten. Sie basierte bis ins 17. Jh. hinein auf der Humoral- und Temperamentenlehre als medizintheoretischer Grundlage, so daß die Theorie der Ph. und diejenige der Proportion (→ Proportionslehre) unlösbar miteinander verknüpft blieben.

Der in der ps.-aristotelischen Schrift *Secretum secretorum* überlieferte Zeichenkatalog bestimmte den Katalog von Charakter-Typen und ihren spezifischen Merkmalen – v.a. jenen des Kopfes, schließlich aber auch der ganzen Gestalt. In der jeweils zeitgenössischen bildenden Kunst hat es Varianten auf derartige Typenkataloge gegeben, die ihre Parallelen in der Literatur finden. Beschreibung und Darstellung lassen sich, wenn auch häufig zeitversetzt, weitgehend als deckungsgleich ermitteln.

B. Überlieferung

In der bildenden Kunst wird für das frühe Christusbild angenommen, daß es nach den Regeln der Ph. als Übernahme des parthischen Herrscherbildes gelesen werden kann (Alexandrinischer Christustyp aus Horus abgeleitet, um 250 n. Chr., antiochenischer Christustyp, gemäß ps.-aristotelischer Ph., nach dem Vorbild des parthischen/edessenischen Herrscherbildes gestaltet: löwenmähnig, langhaarig, bärtig). Ebenso wurde für das ma. Herrscherbild seit der Stauferzeit der sog. »leonine« Typus bevorzugt, wie in den ant. Ph.-Texten geschildert [10. 227].

Die Personenbeschreibung in der ma. Lit. folgte dem lit. Modell Suetons und dem Merkmalskatalog der Physiognomik. Rezipiert seit dem 14. Jh. führte diese Trad. über das 17. und 18. Jh. hinaus. Zahlreiche Ms. des 10. bis 15. Jh. belegen das anhaltende Interesse an der Ph., nachdem ihr von den Philosophen ein fester Platz in der Anthropologie eingeräumt wurde (Isidor von Sevilla, *Etymologiae*, Thomas von Aquin, Michael Scott, Albertus Magnus, Roger Bacon, Pietro d'Abano, Michele Savonarola). Dies hatte sowohl medizinisch-diagnostische Konsequenzen als auch Konsequenzen für die Theorie der bildenden Künste seit Alberti [1], Gauricus [6] und Bocchi [2; 10. 228], insofern jede darstellende Inszenierung eines spezifischen Charakters oder einer akuten Passion der metrischen Disposition und Manipulation eines idealen Grundtyps bedurfte (Leonardo, Dürer, Le Brun, Camper [4]). Diese Bedingung befolgte die Ph. in der Anordnung der Beschreibung der Teile des Körpers dann bei della Porta (1584), der die bei Leonardo und Dürer angewandte proportionale Dreiteilung des Gesichts in der Anordnung der Beschreibung systematisch einhielt, während bei anderen Autoren traditionelle Ähnlichkeitsprinzipien ausschlaggebend blieben.

Mit dem Aufkommen des Buchdrucks wurde auch die arab. Überlieferung in lat. Übers. der nachma. Wiss. zugänglich [15; 16]. In der kunsttheoretischen Debatte seit Alberti (De Pictura, Lib. II, §37–44, 1435, ed. Basel 1540, 68–73) nimmt die Forderung nach angemessener Formulierung der *motus animae* (Affekte/Passionen/Leidenschaften) in einer *historia* (jede bildnerische Darstellung von handelnden Personen) eine zentrale Stelle in der Liste der Fähigkeiten und Kenntnisse des bildenden Künstlers ein [1. 191–195]. Nach der Darlegung der angemessenen Proportioniertheit der einzelnen Figur folgt die Forderung, aus der Variation dieser Maßhaltigkeit heraus auch ihren Charakter und ihre Affekte zu formulieren.

Das erste ausgearbeitete Kapitel zur Ph. verfaßte 1504 im Rahmen einer kunsttheoretischen Schrift Pomponius Gauricus. Zwischen *simmetria* (Proportion) und Perspektive angeordnet, folgte er der von Alberti erarbeiteten Systematik. Sein Text basierte auf Adamantius, Ps.-Aristoteles, Polemon, Rhazes, Scotus und Albertus Magnus [6]. Sein Bruder Lucas gab 1551 ein bereits 1499 verfaßtes Werk, das durch Adamantius überlieferte ps.-aristotelische Schrift *Physiognomonica*, heraus. Seitdem folgten in dichter Reihe die Publikationen der griech., lat. und arab. Texte, zumeist in lat. Übersetzung. Bis in die Mitte des 17. Jh. handelte es sich weitgehend um Komm. zu oder Interpretationen von ant. Texten. Seit Le Brun und Lavater arbeitete man an einer kritischen Revision dieser diskursiven Typologie einer psychologischen Geographie der Körperoberfläche aus neuen Ansätzen – der musikalischen Moduslehre – heraus, bes. auch unter Revision des von der Erziehungslehre geprägten schematischen Aufbaus von Beschreibungen [6].

Die Stereotypisierung von Tieranalogien aber – das gute männliche Tier (Löwe, Adler, Falke) gegen das schlechte, weibliche Tier (Panther, Pfau, Elster) –, die schon bei Polemon und Adamantius vorgetragen worden waren (nach Aristoteles, [3. 126f.]), behielt von den spätant. Bestiarien an ihre Gültigkeit, sowohl generell in der christl. Ikonographie als auch selbstverständlich in den Physiognomiken von della Porta (1586) bis Le Brun (1668) und Lavater (1775) und ihren Rezipienten in Lit. und bildender Kunst [10; 11]. Die Methoden blieben die gleichen: Visuelle Assoziation wurde durch Ähnlichkeiten oder analogische Annäherung überzeugend gemacht. Die für die bildende Kunst entscheidende Konzentration auf die Zeichen am Kopf, bes. die des Gesichts, läßt sich zuerst in den Illustrationen bei Indagine (1523) und della Porta (1584) beobachten, bestimmt dann aber seit dem späten 16. Jh. zunehmend auch die Anteile und Anordnung innerhalb der Texte [5].

In diese Zeit fiel auch die Einführung der auf der Reform des Strafrechts auf dem Lateranskonzil 1215 basierenden Peinlichen Gerichtsordnung (Carolina, Art. 71) von 1532, bei der ein Inquisitionsverfahren angewandt wurde, in dem körperliche Zeichen als gewichtige Schuldindizien festgeschrieben wurden. Mit ihr wurde eine auf dieser psychosomatischen Theorie beruhende Bestimmung, das geheime Gebärdenprotokoll, eingeführt. Diese pathognomische Semiotik blieb bis zum Ende des 19. Jh. in Kraft. Quelle dieser Bestimmung könnte eine Novelle des *Corpus Iuris* durch Hadrian oder auch der Rat in Quintilians *Institutio oratoria* sein, die Glaubwürdigkeit eines Zeugen nicht durch verräterische Körpersprache zu gefährden. Zu den Autoren, die als Gewährsleute in den Kommentaren zur Carolina immer wieder zitiert werden, gehören neben (Ps.-) Aristoteles, Hippokrates, Galen, Adamantius und Polemon auch Martial, Plinius und Cicero [14].

Früh gerieten die Schriften zur Chiromantie, zur Metoposkopie und zur Ph. in das Visier der katholischen Zensur [12]. Lesenswert dazu sind die Erfahrungen des in Prag und später in Wien schreibenden Hajek, die er in der 1583 verfaßten *Epistola ad Lectorem* mitteilte (1584:24 ff.). Dabei wurde der divinatorische Anspruch dieser v. a. der arab. Trad. entstammenden Teile auch der Ph. verboten. Die Ph., als *physiognomia naturalis* apostrophiert (Achillini 1515, Indagine 1522, Nifo 1523, Cocles 1536, Rizzacasa 1541, Adamantius 1544, Gratarolo 1544, Pellegrini 1545, Pinzio 1555, Scott 1555, della Porta 1558/1593, Taisnier 1562, Salodiano 1591, Cortés 1598, Ingegneri 1606 u. a.), konnte indessen die aristotelische Trad. weiterhin ungehindert fortführen. Sie geriet nie auf den Index. Die wiss. Sammlung der für die Kunsttheorie einschlägigen ant. Texte erfolgte, nach Franciscus Junius 1637, dann in vollem Umfang im 18. Jh. (Franz 1780, Fülleborn 1795, Choulant 1852, Thorndike 1923 ff.), die der Mss. [16] und deren kritische Edd. (Förster 1886 ff., Thorndike, André) seit dem 19. Jahrhundert.

C. REZEPTION SEIT DEM 16. JAHRHUNDERT

Nach Aristoteles' *Poetik* wurden für die darzustellenden dauerhaften Charaktermerkmale drei stilistische Modi bevorzugt: edel (unter Verweis auf Polygnot), weniger edel (Pauson) und ähnlich (Dionysios). Diese Moduslehre scheint bereits in der frz. Kathedralskulptur angewandt, explizit bei Bocchi 1571 in der Kunsttheorie [2; 10]. Für die ma. Skulptur konnte bisher anhand der Kathedralskulpturen in Chartres und Amiens eine auf der Basis des Textes von Alanus ab Insulis (wohl im Anschluß an Aristoteles) in drei Modi gegliederte differenzierte Wiedergabe bestimmter Figuren nachgewiesen werden: Idealgestalten (Christus, Apostel, Tugenden), Wiedererkennbarkeit (Salomon, Judith, Remigius) und niedere Affektvarianten (Herodes, Personifikationen der Laster, Blattmasken). Demgegenüber folgen die übrigen Figuren einem einheitlichen Gesichtstyp, der nur marginalen Variationen unterliegt [13]. Giotto hat sich in der Gestaltung einiger Figuren der Arena-Kapelle des Rates und Textes des Pietro d'Abano bedient und v. a. einige Laster-Personifikationen nach den physiognomischen Charakteristika dieser Ps.-Aristoteles-Adaption gestaltet [15; 16]. Ob die mit differenzierter Mimik und Gestik gestalteten Figuren der Navicella, für die Giotto schon von den Zeitgenossen ob der differen-

zierten Wahrhaftigkeit der Affekt-Gestaltung gelobt wurde, auf der Umsetzung von Ph.-Texten basierte, ist nicht untersucht. Es scheint indessen höchst wahrscheinlich, daß auch die Apostelgestalten bereits im frühen MA ihr unterschiedliches Aussehen auf der Basis der Temperamentenlehre bzw. nach den Charakter- und Merkmalskatalogen der Ph. erhalten haben, wie im frühen 16. Jh. Dürer 1525 seine vier Apostel gestaltet hat. Im 17. Jh. folgten van Dyck und Rubens noch einmal diesem Weg.

Der schon im MA bevorzugte leonine Typus für Herrscherdarstellungen verlor seine Attraktivität auch in der Ren. nicht [8; 10]. Die Konstruktion physiognomischer Varianten eines Kopfes, die wir zuerst von Leonardo und Dürer überliefert haben, bedienen sich des ant. Proportionskanons (Vitruv) zur Erstellung eines mittleren Grundtyps, dem dann durch Variation der proportionalen Verhältnisse der drei Gesichtsteile zueinander die Notation von beliebigen Abweichungen eingeschrieben werden konnte, die sich nach den Typologien der Ph. mit bestimmten Charakter-Typen und deren Mischungen verbinden ließ. Anders sieht die Grundlage der Konstruktionssystematik bei Le Brun (1668: [11]) aus. Hier wird das cartesische Koordinatenkreuz angewendet, das im Prinzip zu vergleichbaren Ergebnissen führt, indessen eine andere theoretische Grundlage hat. Nicht mehr ausschließlich die prinzipielle Proportionalität des Kosmos, wie bei der aristotelischen Charakterlehre, sondern ein relatives räumliches Verhältnis von Orten auf der Gesichtsoberfläche und wirkender Ursache (Gehirnanhangdrüse) steht hier in Rede. Die Illustrationen derartiger Publikationen entstammten bis um 1560/1570 fast ausschließlich zeitgenössischer Bildlichkeit, die auf mögliche ant. Wurzeln bisher noch nicht untersucht wurde.

Mit Le Brun jedoch wurden im Rahmen einer akad. Expressions-Debatte Beispiele aus der ant. Skulptur (vorzüglich Laokoon und seine beiden Söhne, aber auch Antinous, Antoninus Pius, Aristoteles, Nero, Sokrates [11. 21 ff.]) als exemplarische Muster von Charakter-Typen (bei Lavater etwa Homer, Sokrates, Apoll, Antinous, Brutus u. v. a.) ausdrücklich genannt und diskutiert. Petrus Camper (1791), Charles Bell (1805), Darwin (1862) und Fau (1866) nutzten Verweise auf ant. Bildwerke, bis schließlich 1924 »Caesarenporträts« in großer Zahl nach Münzbildern der pathognomischen Diagnose unterzogen wurden (Müller 1914/1924). Nach Abano (1310), Alberti (1435: affezioni), Landino (1481) und Vasari schrieb Benedetto Varchi 1547, Giotto habe als erster mod. Künstler *páthos (affetti)* in seiner Malerei dargestellt. Francesco Bocchi verwies 1571 in seiner Erörterung des *costume* (= *éthos* nach Aristoteles' *Poetik* und *Rhetorik*) auf Vergils Beschreibung des Ganges der Venus als physiognomisches Merkmal und führte eine Reihe von ant. Bildnissen (Domitian, Marius) auf, an denen bestimmte *costumi*, bes. auf der Stirn (nach Plin. nat. 11,114) ausgeprägt erscheinen. Das Zitat von Plinius' Bericht über den Maler Aristides (Plin. nat.

35,100) wurde zu einer Legende der Darstellung von Affekten bei Andrea Gilio 1564 und Gregorio Comanini 1591 ausgeschmückt [2]. Seit Lodovico Dolce und Paolo Lomazzo verlagerte sich die kunsttheoretische Debatte unter Bezug auf Horaz' *Ars Poetica* auf die Frage der bildnerischen Inszenierung nachvollziehbarer Affektäußerungen, bes. der Mimik (*expression*). Dafür erwiesen sich die ant. medizintheoretischen Fundierungen der Ph. als nicht mehr zureichend. Descartes' Theorie der *esprits* und seine Lokalisierung der Vermittlung der Passionen v.a. auf die Mimik des Gesichts wurde mit Le Brun zum zentralen Thema der kunsttheoretischen Diskussion des 17. und 18. Jahrhunderts. Damit stand auch eine Revision der Typologie der Passionen an. Der am meisten in der Kunsttheorie diskutierte exemplarische Fall blieb auch dann noch Laokoon (Lomazzo 1584, Obstal 1667, Huret 1670, Lessing 1766 [11]). Mit der Kritik an Lavaters Ph., einhergehend mit einer ständig weiterer Differenzierung der Charakternuancen nach Geschlecht, Alter, Stand – vorbereitet durch die Kritik von Félibien 1666, dann bei Watelet 1762, Bardon 1765 – wurde der wiss. Charakter der Ph. grundsätzlich in Zweifel gezogen. In der von Winckelmann und Herder geprägten Vorstellung von der Identität von Ethik und Ästhetik in den Künsten wird von der frz. Akad. die Lösung des künstlerischen Problems der angemessenen Darstellung der Passionen (begrifflich durch *sentiments*, dt. »Gefühle« ersetzt [6]) vom Problem der wiss. Ergründung des Zusammenhanges von *anima* und körperlichem Ausdruck von Gefühlen gelöst und zu einer ausschließlich wirkungsästhetische Frage bestimmt. Davon hoben sich die wiss. Anthropologie, Psychologie und medizinisch-forensische Diagnostik ab und unterzogen die tradierte Ph. einer eigenen Prüfung.

Im 20. Jh. erlebte v.a. die ps.-aristotelische Ph. ein erneutes systematisches Interesse bei Klages sowie Bühler und erfuhr eine weiterhin ungebremste populäre publizistische Aufmerksamkeit. Es wäre daher höchst unwahrscheinlich, wenn nicht auch bildende Künstler von derartigem lit. manifestem Alltagswissen (für Frankreich: [5]) geprägt worden wären, obwohl erst in Ansätzen nachvollziehbar ist, wie sie dies in ihre bildnerischen Aufgaben umgesetzt haben. Erst die Anwendung des metrischen Systems im 19. Jh. auch auf die konstruktiven Verfahren der Kunstlehre, Proportion und Ph. (Schadow 1834/35) setzte indirekt wieder die Vorstellung von einer allg. Proportionalität des Kosmos in Kraft. Die Mode des Figurenstellens im späten 18. und frühen 19. Jh. bediente sich der bes. von Engel (1785) und Lavater (1775) beschriebenen Charakter-Kataloge und dem Modell ant. Skulpturen, eine Unterhaltungspraxis, die im Zirkus bis in die Gegenwart fortlebt. Die neuzeitliche → Karikatur (seit Carracci, um 1590/1600, Bologna) ist nicht ohne die ant. Ph. zu denken. Sowohl der Tier-Mensch-Vergleich als auch die Karikatur berufstypischer Merkmale spielen in der Rollencharakterisierung eine gewichtige Rolle. Alle Strategien der physiognomischen Deutung werden in der aussondern-

den Übertreibung gerade bei der Karikatur von Personen eingesetzt. Bereits im 17. Jh. wurden nationaltypische Merkmale – die zweite Kategorie des ant. Merkmalskatalogs – in graphischen Serien, wie z.B. dem Zwergenkabinett, vielfältig verbreitet (1687/1720 u.ö.). Die Anlehnung der engl. und frz. Karikatur des 18. und 19. Jh. an Modelle der Ph. (Lavater) ist wiederholt behandelt worden.

→ AWI Textüberlieferung; Aristoteles; Theophrastos; Hippokrates [6]; Galenos aus Pergamon; Plinius [1]

1 F. BALTERS, Der gramm. Bildhauer. »Kunsttheorie« und Bildhauerkunst der Frühren. Alberti – Ghiberti – Leonardo – Gauricus, 1991   2 M. BARASCH, Character and Physiognomy: Bocchi on Donatello's St. George. A Ren. Text on Expression in Art, in: Journal of the History of Ideas, 36, 1975, 413–430   3 T. S. BARTON, Power and Knowledge: Astrology, Physiognomics, and Medicine under the Roman Empire, 1994   4 F. CAROLI, Storia della Fisiognomica. Arte e psicologia da Leonardo a Freud, 1995   5 J.-J. COURTINE, Corps, Regard, Discours. Typologie et classifications dans les physiognomies de l'âge classique, in: Langue Française 74, 1987, 108–128   6 P. GERLACH, »Si vis me flere...«. Bilder von Gefühlen, in: LUDWIG JÄGER (Hrsg.), Zur histor. Semantik des dt. Gefühlswortschatzes. Aspekte, Probleme und Beispiele seiner lexigraphischen Erfassung, 1988, 292–348 (zur Kunsttheorie E. 15.–19. Jh.)   7 Ders., Kommentierte Bibliographie, in: CD als Beilage zum Ausstellungskat.: Von Angesicht zu Angesicht. Mimik – Gebärden – Emotionen, hrsg. v. O. ZYBOK, Leverkusen 2000   8 P. GETREVI, Le scritture del volto: Fisiognomica e modelli culturali dal Medioevo ad oggi, 1991   9 F. R. KRAUS (Hrsg.), Texte zur babylonischen Ph. (1939), Ndr. 1967   10 P. MAGLI, Il Volto e l'Anima. Fisiognomica e passioni, 1995   11 J. MONTAGU, The Expression of the Passions: The Origin and Influence of Charles Le Brun's »Conférence sur l'expression générale et particulière«, 1994   12 A. ROTONDÒ, La censura ecclesiastica a la cultura, in: Storia d'Italia V.2, 1973, 1399–1492   13 W. SCHLINK, »... in cuius facie deitatis imago splendet«. Die Prägung des Physiognomischen in der got. Skulptur Frankreichs, in: Perspektiven der Philos. Neues Jb. 23, 1997, 425–447   14 M. SCHNEIDER, Die Inquisition der Oberfläche. Kleist und die juristische Kodifikation des Unbewußten, in: R. BEHRENS, R. GALLE (Hrsg.), Leib – Zeichen. Körperbilder, Rhet. und Anthropologie im 18. Jh., 1993, 23–39   15 H. STEINKE, Giotto und die Ph., in: Zschr. für Kunstgesch. 59, 1996, 523–547   16 J. THOMANN, Stud. zum »Speculum physionomiae« des Michele Savonarola, 1997.

PETER GERLACH

III. ZOOLOGIE, BOTANIK, MINERALOGIE
A. DEFINITION   B. ENTSTEHUNG DER PHYSIOGNOMIK DER TIERE UND PFLANZEN IN DER ANTIKE   C. ÜBERLIEFERUNG IM MITTELALTER D. ERWEITERUNG IN DER RENAISSANCE E. REZEPTION IN DER NATURKUNDE F. BEDEUTUNG IN DER BOTANIK

A. DEFINITION

Die in der Antike begründete Ph. war ein Verfahren zur Bestimmung von unsichtbaren Wesenseigenschaften mittels wahrnehmbarer körperlicher Merkmale (*sēmeía* bzw. *signa*) wie dem gesamten Habitus sowie der Gestalt, Oberflächenbeschaffenheit und Farbe einzelner Körperteile, bei Tieren außerdem der Bewegungsfähigkeit und Lautäußerungen.

B. Entstehung der Physiognomik der Tiere und Pflanzen in der Antike

Die in den Frühen Hochkulturen wurzelnde Ph. (babylonische Mantik, altägyptische Medizin), die im *Corpus Hippocraticum* kodifiziert und in der griech. Dichtkunst (Anakreon, Aischylos u. a.) verarbeitet wurde [23; 24; 27], wurde nachweislich seit der klass. Zeit nicht nur auf den Menschen, sondern auch auf Tiere und Pflanzen bezogen. Besonders die Merkmale, die nach der Typologie der Ph. eine sexuelle Differenzierung kennzeichnen sollten (›Der männliche (Typus) ist größer und stärker als der weibliche, seine Gliedmaßen sind stärker, geschmeidiger, und in der Haltung und Fähigkeit für alle Tugendübungen geeigneter‹ [6. 806a-b]), wurden durch Aristoteles in der *Historia animalium* beiläufig und durch Theophrastos in der *Historia plantarum* auffälligerweise (denn die eigentlichen Sexualorgane der höheren Samenpflanzen und ihre Funktionen waren unbekannt) zur Unterscheidung von Tier- und Pflanzentypen herangezogen. Hauptsächlich die Charakterisierung von Tiertypen mittels der Ph. wurde in der sich an die selbständige Schrift *Physiognomonika* im *Corpus Aristotelicum* vom Ausgang des 4. Jh. v. Chr. [6] anschließenden schriftlichen Trad. [9] überliefert.

C. Überlieferung im Mittelalter

Fußend auf arab. Übers. der ant. Schriften schrieben mehrere muslimische Gelehrte wie Fakhr ad-dîn ar-Râzî (2. H. des 12. Jh.) über Ph., die zuerst *al-qiyâfa* (Verfahren, das Innere vom Äußeren eines Objekts abzuleiten), später *al-firâsa* genannt wurde [26]. Sie bezogen die Lehre zusätzlich auf weitere Naturkörper wie Mineralien. Im lateineurop. MA verbreitete die im 7. bis 9. Jh. entstandene Schrift *Secreti Secretorum* bes. die menschliche Ph. [9]. Wie in der Pflanzenkunde benützte Albertus Magnus (13. Jh.) die Ph. in seiner Tierkunde [4. 1,2, Cap. 2–10, 22–26; 1,3, Cap. 7].

D. Erweiterung in der Renaissance

In der Frühen Neuzeit nahm man die lückenlose Überlieferung der Ph. auf, wobei wie durch Muslime auch die Handlesekunst (Chiromantie) gepriesen wurde. Nachdem der it. Humanist Alessandro Achillini 1503 seine Apologetik der Ph. auf den Menschen angewandt hatte [1], wurden in dem Werk *Chyromantie ac Physionomie Anastasis* seines Bologneser Schülers Cocles alias Bartolomeo Della Rocca 1504 zudem Tiere, Steine, Metalle, Pflanzen und die Planeten in die Ph. einbezogen [7]. Trotz einer kritischen Erörterung der Ph. bei Agrippa von Nettesheim (*De occulta philosophia*, Ms. ca. 1510 [2], *De incertitudine et vanitate scientiarum*, Ms. ca. 1530 [3]) wurden ihre Grundsätze durch Paracelsus (1493–1541) angewandt und in eigenen Schriften vorgetragen. Ferner wurde die Ph. durch das kirchlich verbotene Werk (1522) des in der Erzdiözese Mainz wirkenden Theologen Ioannes Indagine [14; 15], in der *Physionomie* von Antoine du Moulin (1549 und 1550) [16; 17], in *Physiognomica et Chiromantica specialia* (1621) des dt. Naturphilosophen Rudolph Goclenius d. J. (1572–1621) [12], bei Richard Sanders 1653 [21] und weiteren verbreitet [28].

E. Rezeption in der Naturkunde

Zur Verbreitung der Ph. im 16. und 17. Jh. trugen die der Anthropologie, Tier-, Pflanzen- und Himmelskunde gewidmeten Bücher des neapolitanischen Naturphilosophen Giambattista della Porta (1535–1615) bei. Er stellte menschliche Charaktertypen, unterstützt durch Vergleiche mit der Ph. der Tiere, als Ausdruck von deren vermeintlichen mentalen Eigenschaften dar (1586) [18]. In seiner *Phytognomonica* (1588) verglich er morphologische Ähnlichkeiten zw. pflanzlichen, tierischen und menschlichen Organen; die Hülsen des »Skorpionskrauts«, Coronilla scorpioides L., Leguminosae, sollten dem gewundenen Postabdomen eines Skorpions gleichen und daher gegen Skorpionsgift wirksam sein [19]. Die durch Histamin-Übertragung die Haut reizenden Brennesselblätter (Urtica L.) – Rötung als *signum* – sollten frisch zerquetscht gegen äußerliche Entzündungen und Geschwülste wirksam sein. In seinen der Ph. der Himmelskörper gewidmeten *Physiognomoniae Coelestis Libri Sex* (erstmals 1603) [20], in denen er astrologische Lehren kritisierte, ließ er nur Analogien zw. Qualitäten der Gestirne wie Leuchtkraft, Helligkeit, Größe, Färbung und »Schönheit« oder »Häßlichkeit« und den Merkmalen irdischer Naturobjekte gelten. Porta versuchte durch Interpretation mittels der Ph. zu einem einheitlichen Verständnis der einzelnen Zweige der Naturkunde zu gelangen. Ferner empfahl er wie die Chemiker Oswald Croll (1608) [8] und Johann Rudolph Glauber (1658) [11], die physiognomischen Kennzeichen als »deren Signatur« [11], d. h. Anzeichen für chemisch-physikalische Eigenschaften und Heilwirkungen der Naturgegenstände auch medizinisch zu nutzen.

F. Bedeutung in der Botanik

Eine bis zur Gegenwart übergangene Trad. der Ph. prägte die Pflanzenkunde von der Ant. bis zur Aufklärung im 18. Jh. [25]. Obwohl den Pflanzen (mit wenigen Ausnahmen wie Palmen) eine der tierischen entsprechende Geschlechtlichkeit und Sexualorgane abgesprochen wurden, unterschied man »männliche« und »weibliche« Pflanzen aufgrund der Beschaffenheit ihrer vegetativen Organe und des Habitus. Zur Klassifizierung ihrer Kennzeichen zog man die in der Ph. festgelegten Eigenschaften heran. Vegetative Körperteile, die hart, knorrig, rauh und dunkel gefärbt waren, galten als »männlich«, während biegsame, weiche, glatte und helle Teile eine weibliche Pflanze auszeichnen sollten. Zusätzlich wurde die Fruchtbarkeit, d. h. die Fruchtbildung herangezogen. Theophrastos unterteilte auf Grund der Härte und Farbe des Holzes verschiedene Nadelholzgewächse in »weibliche« und »männliche«

Pflanzen (h. plant. 1.8.2; 3.9.2; 5.4.1; 9.2.3–4, etc.). Wie Theophrastos und Plinius zog Albertus Magnus die Ph. heran, um geschlechtsspezifische Merkmale der Pflanzen festzustellen, wobei er betonte, daß keine echte Sexualität, sondern nur eine *virtus imitativa* gegeben sei [5. 1,1, Cap. 7,41; Cap. 12,84,91–92; Cap. 13,100; 1,2, Cap. 9,189]: die Elementarqualitäten »warm« und »trocken« bei Samen, Rinde oder Holz sowie die Festigkeit der Laubblätter sollten auf eine »männliche«, dagegen die Qualitäten »feucht« und »kühl« sowie die Breite der Laubblätter und Üppigkeit der Früchte auf eine »weibliche« Pflanze hinweisen. In Anlehnung an ihre Vorbilder unterschieden Botaniker im Human. wie Leonhart Fuchs, Hieronymus Bock (Tragus) und Jacob Theodor Tabernaemontanus dieselben Pflanzentypen sowie zusätzlich neu entdeckte Kräuter nach den Eigenschaften der Physiognomik. Fuchs bezeichnete 1542/1543 [10. Kap. X] u. a. einen Mauerpfeffer mit gelben (dunkleren) Blütenblättern als »männlich« (Sedum rupestre L.) und die weiß blühende Art (Sedum album L., Crassulaceae) als »weiblich«. Noch im 17. Jh. war die »Ph. der Erdgewächse« (Johannes Gudrio de Tours, 1647, 1659) [13] verbreitet. Erst nach dem Nachweis von Sexualorganen und deren Funktionen bei höheren Samenpflanzen um 1700 und nach der folgenden Erneuerung der Pflanzenmorphologie und -klassifikation durch Linné seit 1735 verschwand die Ph. aus der Pflanzenkunde.

QU 1 A. ACHILLINI, De Chyromantiae principiis et Physionomiae, Bologna 1503 2 H. C. AGRIPPA VON NETTESHEIM, De occulta philosophia libri tres, Köln 1533 3 Ders., De incertitudine et uanitate scientiarum, Straßburg um 1540 4 ALBERTUS MAGNUS, De animalibus libri XXVI, hrsg. von H. STADLER, Bd. 1–2 (Beitr. Gesch. Philos. MA, Bd. 15–16), 1916–1920 5 Ders., De vegetabilibus libri VII, hrsg. von C. JESSEN (Historiae naturalis pars 18), Berlin 1867 6 ARISTOTELES, Opera, hrsg. von I. BEKKER, Bd. 2, Berlin 1831, Ndr. 1960, 805a–814b 7 B. COCLES, Chyromantie ac Physionomie Anastasis, Bologna 1504 8 O. CROLL, Tractatus de Signaturis internis Rerum seu de (...) Anatomia maj(oris) et min(oris) Mundi, Frankfurt a.M. 1608 9 R. FÖRSTER, Scriptores Physiognomonici Graeci et Latini, 1–2, Leipzig 1893 10 L. FUCHS, New Kreuterbuch (Basel 1542 lat.), Basel 1543, Ndr. 1964 11 J. R. GLAUBER, Tractatus De Signatura Salium, Metallorum et Planetarum, Amsterdam 1658 12 R. GOCLENIUS D. J., Physiognomica et Chiromantica specialia, Marburg 1621 13 J. GUDRIO DE TOURS, Anatomia et Physiognomia Simplicium, Nürnberg 1647 14 J. INDAGINE, Introductiones Apotelesmaticae (...) in chyromantiam, physiognomiam (...), Straßburg 1522 15 Ders., Chiromanie et physiognomie par le regard des membres de l'homme, frz. Übers. von A. du Moulin, Lyon 1549 16 A. DU MOULIN, De diversa hominum natura, Leyden 1549 17 Ders., Physionomie naturelle, Lyon 1550 18 G. B. DELLA PORTA, De humana physionomia, Sorrento 1586 19 Ders., Phytognomonica, Napoli 1588 20 Ders., Physionomiae Coelestis Libri Sex, Straßburg 1606, 20–23, 193–195 21 R. SANDERS, Physiognomie and Chiromancie, London 1653

LIT 22 A. DEGKWITZ, Die ps.-aristotelischen »Physiognomonica« Traktat A. Übers. und Komm., Phil. Diss. Univ. Freiburg i. Br., 1988 23 E. C. EVANS, Physiognomics in the Ancient World, in: Transactions of the American Philosophical Society, N.S., Vol. 59, Part 5, 1969 24 R. FÖRSTER, Die Ph. der Griechen, Kiel 1884 25 B. HOPPE, Physiognomie der Naturgegenstände, insbes. der Pflanzen, in der Ant. und ihre Wirkung, in: Ant. Naturwiss. und ihre Rezeption, hrsg. von K. DÖRING et al., 8, 1998, 43–59 26 Y. MOURAD, La physiognomie arabe et le Kitâb al-firâsa de Fakhr al-dîn al-Râzî (Collection des écrits médico-psychologiques arabes, 1), 1939 27 J. SCHMIDT, Art. Ph., in: RE, Halbbd. 39, 1941, Sp. 1064–1074 28 L. THORNDIKE, A History of Magic and Experimental Science, Vol. 5, 1941, Ndr. 1959, 37–68; Vol. 6, 1941, Ndr. 1959, 160–170; Vol. 8, 1958, 448–475. BRIGITTE HOPPE

Pilgerreisen s. Wallfahrten

Plastik s. AWI, Bd. 9, s. v.

Platonismus A. EINLEITUNG B. ANTIKE C. MITTELALTER D. RENAISSANCE E. 17.–18. JAHRHUNDERT F. 19. JAHRHUNDERT G. 20. JAHRHUNDERT

A. EINLEITUNG

Unter »P.« versteht man eine sich von dem Schriftwerk und der Schule Platons herleitende philos. Denkweise, welche die mannigfaltige Erscheinungswelt auf das für sie konstitutive einheitliche Ideelle erklärend zurückführt. Demnach besteht das wahrhafte und wesentliche Sein in der Sinngestalt der Idee: Dieses an sich, durch sich und mit sich selbst stets identisch bleibende, allein intellektuell betracht- und erforschbare Seiende zeichnet sich erkenntnistheoretisch-ontologisch sowie praktisch-normativ dadurch aus, daß das Phänomenale durch seine Teilhabe am Noumenalen bzw. durch die Anwesenheit dieses in jenem bestimmt wird. Zudem vollzieht nach platonischer Auffassung die in Begehren, Mut und Vernunft einteilbare Seele kraft der ihr eigenen Selbstbewegung die grundsätzlich lebendige Vermittlung nicht nur phänomenaler Mannigfaltigkeit und noumenaler Einheit, sondern auch der Ideen selbst mit sich und miteinander, deren sich die Seele wiedererinnern muß, um erkennen und handeln zu können.

Der Leitgedanke des P., die Ideenlehre, und dessen Korrelat, die Konzeption der unsterblichen dreigeteilten Seele, resultieren aus der Auseinandersetzung Platons einerseits mit der Elementenlehre der Vorsokratiker sowie der ionischen Naturphilos., andererseits mit der von Sokrates verfochtenen Verknüpfung von Tugend und Erkenntnis, beides jedoch vor dem Hintergrund der Einheitsproblematik des Eleatismus. Gegenüber der mit ihm verfeindeten Sophistik definiert sich dann Platons Philosophieren als eine auf der Dialektik – diese im Sinne von sich mit sich selbst unterredendem Denken – beruhende Psychagogie, welche die Seele aus ihrem Unwissen maieutisch befreit: Sie führt diese über ihre determinierten Wissensweisen (Wahrnehmung,

Vorstellung, Denken) hinaus zum Wissen als solchem mit seinem Gegenstandsbereich, dem wahrhaften und wesentlichen Sein, um sie schließlich zum transzendenten Prinzip des Wissens und Seins, der Idee des Guten, aufsteigen zu lassen, die gleichwohl ihrerseits die weitere Tätigkeit der nunmehr (sich) wissenden Seele in der Erscheinungswelt ermöglicht und sogar fordert.

Wichtigstes Anliegen der Philos. Platons ist es, im Gespräch das Gespräch um des Gesprächs willen voranzutreiben, mögen auch die Resultate dieses Gesprächs die Gesprächspartner nicht überzeugen. Für Platon ist es jedenfalls der äußere Dialog, der um seiner selbst willen geführt werden soll, was das Philosophische an der Philos. darstellt, nicht die in diesem Dialog bisweilen nur scheinbar, bisweilen nur partiell, bisweilen freilich auch geglückt erzielten Ergebnisse [89].

Der P. ist kein geschlossenes Lehrgebäude, auch keine bloße Exegese der Werke Platons, die seit der Ant. kommentiert werden, sondern vielmehr ein stets konstruktiv und situativ rezipierendes Denken, das jeweils gegenwärtige konzeptuelle Bedürfnisse befriedigen will. Aus dem traditionsbildenden platonischen Theoriekomplex entstehen nicht nur die abendländische → Metaphysik mit ihrer Allgemeinwissenschaft, der Ontologie, und ihren Wissenschaftszweigen, der rationalen Theologie, Psychologie und Kosmologie, sondern auch die Disziplinen der Logik, Ethik, Epistemologie und Ästhetik – dies, insofern das Gute als seins-, erkenntnis- und wertstiftendes Einheitsprinzip identisch ist mit dem an sich Schönen. Dementsprechend werden auch Dichterworte und Mythologeme nicht nur aus den Dialogen Platons, sondern auch aus der vorphilos. Trad. im P. philos. verarbeitet. Platonisches Gedankengut schlägt sich ferner sowohl in grundlegenden Reflexionen als auch in konkreten Motiven der Lit. und Kunst nieder; einzelne Dialoge bzw. Dialogteile werden sogar inszeniert [95].

B. ANTIKE

Die bedeutendsten Stationen in der Entwicklung des ant. P. bilden: 1. der zuerst durch den Pythagoreismus, danach durch die skeptische und die stoische Schule stark geprägte P. der Akademeia als Schauplatz innerschulischer Kontroversen, die sich zwangsläufig aus der Spannung zw. den platonischen Schriften und der sog. ungeschriebenen, d. h. der von Platon selbst mündlich vorgetragenen, über die Dialoge hinausgehenden Lehre ergeben; 2. der vorsätzlich theologisierende, synkretistische Mittelplatonismus, in dem sich die kosmogonisch fundamentale Dreiheit von Gott, Ideen und Materie als Wirk-, Form- und Stoffursache definitiv herauskristallisiert; 3. der zunehmend seinsstrukturierende und hierarchisierende Neuplatonismus, der die doktrinäre Harmonie des P. als einer alles Gegensätzliche begründenden Einheitsmetaphysik mit dem ihm untergeordneten → Aristotelismus darlegen will. Bereits diese ersten Transformationen verhelfen dem P. zu seiner Wirkung auch außerhalb der Philos. in einem von ihm urspr. unabhängigen Zusammenhang, bes. in der ant. Religiosität [60; 72].

Von Anf. an sind für die Gesch. des P. die Diskrepanz zw. dem elenktisch-aporetischen Denkansatz sokratischer Provenienz, dem das durch ein begründetes Wissen vom Guten ermöglichte gelingende Leben ein Desiderat bleibt, und einer pythagoreisch kolorierten Prinzipienlehre des voraussetzungslosen, überseienden und übergeistigen Einen (ἕν) sowie der ihm entgegengesetzten unbestimmten Zweiheit (ἀόριστος δυάς), welche die systematische Ableitung der gesamten Wirklichkeit beansprucht, und, damit einhergehend, die Differenz zw. exoterischer und esoterischer Philos. signifikant. Schon die Vielfalt der ant. Schultrad. platonisierender Denker, die nicht selten diese zwei polaren Momente gleichzeitig austragen, belegt, daß platonische Thesen und Theorieelemente immer wieder selektiv übernommen und gezielt transformiert werden [8].

Die Rezeption des P. ist eine Geschichte der Wechselwirkung. Somit entsteht im Anschluß an den hell.-jüd. P. der alexandrinischen Diaspora der Kaiserzeit, welcher nicht ohne Rückgriff auf die stoische Logos-Lehre die Weisheit Platons und Pythagoras' mit dem Glauben Moses' interpretierend verbindet (Philo von Alexandrien), der bewußt christl. P. der Patristik, welcher in der platonischen Begrifflichkeit bes. des seinstranszendenten, jedoch seinsbegründenden Einen die erforderlichen und geeignetsten Mittel zur inhaltlichen Bestimmung der monotheistischen Offenbarung erneut entdeckt und damit den Glaubensgehalt konzeptuell weiterbildet (Clemens von Alexandrien, Eusebius von Caesarea) [53; 99]. Platonische Theoreme vollenden die urspr., freilich bereits in der – zumindest griech. verfaßten – Hl. Schrift liegenden Ansätze zu einer Logos-Theol. bzw. Schöpfungslehre, welche die intelligible Wirkung Gottes in der Welt darlegen will, sowie zu einer Verähnlichung mit Gott anleitenden theologischen Ethik (Origenes, Gregor von Nyssa), zur sich entwickelnden Trinitätsspekulation (Marius Victorinus, Augustin) oder gar zu einer negativen Theol., die im Ausgang von der Erfahrung der göttlichen Unverfügbarkeit die Erkenntnis Gottes durch Verneinung im aphairetischen sowie apophatischen Sinne erstrebt (Ps.-Dionysius Areopagita) [62; 114]. Dagegen werden in den Systembildungen der platonisierenden Gnostik, in der grundsätzlich dualistische rel. Vorstellungen begegnen, der monistische Wesenszug des P. sowie dessen dialektischer Erkenntnisbegriff weitgehend entkräftet.

Bis zum Ausgang der Ant. im 6. Jh. wird Platons Philos. als solche nie in Reinkultur propagiert. Es herrscht einerseits das Konkordanzdenken vor, indem die platonische mit der aristotelischen Philos. als verknüpft begriffen wird, wobei jeweils perspektivisch der Philos. Platons oder der des Aristoteles eine Prädominanz eingeräumt wird. Andererseits gibt es aber auch ein spezifisch neuplatonisches Philosophieren, das im Ausgang von Platon, bes. aber vom Neuplatonismus selbst – sozusagen neuplatonisch-immanent – die Philos. fortentwickelt, wobei eine eigenständige Systematik ausgearbeitet wird, die auch infolge der Auseinandersetzung mit und der Aneignung durch das Christentum, den Islam und das Judentum das Denken des MA stark beeinflußt: Nicht das Spielerische, das häufig Dunkle, bisweilen gar bewußt Irreführende und erst später – wenn überhaupt – Lösungen offerierende Prozedieren der Dialoge Platons sind hier ausschlaggebend, sondern der Systemgedanke, der – zwar in Anlehnung an Platons Philos., aber in einer sie nahezu gänzlich modifizierenden Weise – ein neues Philosophieren hervortreten läßt (Proclus; *Liber de causis*) [52; 55; 81]. Damit verliert das Philosophieren seinen noch bei Platon selbst anzutreffenden antidogmatischen Charakter, d. h.: Philos. Probleme werden allein im Rahmen einer präzis festgelegten Struktur erörtert, nicht mehr im offenen Gespräch, wie es Platon gefordert hat.

C. MITTELALTER

Das europ. MA, dem das originäre Philosophieren Platons ohnehin nur beschränkt bekannt ist (vertraut ist man mit den Reflexionen aus dem *Meno*, dem *Phaedo*, mit der ersten Hypothese des *Parmenides* und dem *Timaeus*, ansonsten nur mit Fragmenten und Berichten, all dies jedoch bis zum 13. Jh. vorwiegend in Form lat. Übers. [20]), rekurriert eher auf neuplatonisches Philosophieren, wie etwa das *Corpus Dionysiacum*, und den P. der Kirchenväter als auf Platon selbst. Platons Intention, Philosophieren als äußeres – oder gar inneres, mit dem Denken identisches – Dialogisieren zu begreifen, ist dem MA fremd. Es gibt zwar den → Dialog als Literaturgattung; er läßt aber nicht mehr das spezifisch Platonische erkennen.

Dem MA kommt vielmehr das Systemdenken des Neuplatonismus entgegen; Platons Philos. – soweit bekannt – wirkt eher irritierend: Wie läßt sich etwa der Monotheismus mit der von Platon angenommenen Ideenpluralität vereinbaren? Welchen Nutzen haben Ideen angesichts einer stärker an der Natur und ihren Prozessen orientierten Philosophie? Der Neuplatonismus ist es also, der vom 9. bis zum 11. Jh. erstarkt (Johannes Scotus Eriugena, Alfarabi, Avicenna); aber es sind gerade Platons Kosmologie und → Naturphilosophie, die im 12. Jh. auf umfassende Resonanz stoßen (Thierry von Chartres) [79; 105]. Vielleicht als Reaktion auf das an Virulenz gewinnende aristotelische Denken im 12. und bes. im 13. Jh. ist das Faktum zu verstehen, daß man sich häufig neben der Philos. des Aristoteles parallel auch mit der des P. auseinandersetzt, Mischformen aus beiden Philos. begegnen oder sogar mehr oder weniger ausführliche Komm. zu Werken des P. verfaßt werden. Am P. neuplatonischer Provenienz fasziniert der Systemgedanke, der ein in sich geschlossenes kosmologisches Modell zu entwerfen erlaubt, im Rahmen dessen die unterschiedlichsten Logik-Theorien, Epistemologien, Naturphilos., aber auch Ethiken und Staatslehren entwickelt werden können (Anselm von Canterbury, Bernhard von Chartres, Wilhelm von Champeaux, Johannes von Salisbury, Bonaventura, Thomas von Aquin, Heinrich von Gent) [50; 68; 80]. Selbst auf die Dialoge im MA wirkt der Systemgedanke zurück.

Ein wichtiges Zeugnis der aristotelischen sowie neuplatonischen Prägung des ma. P. ist die Transzendentalienlehre, der zufolge Seiendes, Eines, Wahres, Gutes (gelegentlich auch: Ding, Etwas, Schönes) hinsichtlich der kategorial bestimmbaren Gegenstände miteinander konvertible, dem jeweiligen Bedeutungsgehalt nach jedoch voneinander differierende transkategoriale und transgenerische Erstbegriffe (*transcendentia, termini generales*) bilden [46]. Auch die vielverbreitete Illuminationstheorie, welche im Rahmen einer bereits in der Patristik einflußreichen Lichtmetaphysik menschliche Erkenntnis auf göttliche Einwirkung zurückführt, gründet auf platonischem Boden [74]. Des weiteren fällt im seit dem 11. Jh. langwährenden Streit zw. Realismus und Nominalismus, in dem das Verhältnis zw. Bewußtsein, Sprache und extramentaler Wirklichkeit thematisch wird, das platonische Gewicht auf die Betonung der Eigenständigkeit realer (also intellektunabhängiger) Universalien, bes. wenn sie allein in der göttlichen Vernunft angesiedelt werden – eine Vorstellung der seinsgründenden Ideen, die auf den Mittelplatonismus zurückgeht [45]. Im islamischen MA gibt der Sufismus dem P. eine starke rel. Prägung: Er kombiniert neuplatonische Theorien – bes. die Emanationslehre – mit gnostischen Vorstellungen der erlösenden Gotteserkenntnis.

Der Siegeszug der nahezu vollständig ins Lat. übersetzten Schriften des Aristoteles im 13. Jh. entspricht den wiss. Bedürfnissen der Zeit, bewirkt aber auch eine Erneuerung des P., insofern über Aristoteles eine vertiefte, wenn auch vorwiegend kritische, Auseinandersetzung mit urspr. (bes. kosmologischen und psychologischen) Theoremen Platons stattfindet (Heinrich Bate von Mechelen). Selbst die Aristotelische Metaphysik als Wiss. vom Seienden als Seienden wird der Kritik seitens einer platonisierenden philos. Theologie unterzogen, die das erste Gute als Prinzip und Ursache alles Seienden herausstellt (Berthold von Moosburg). Im 14. Jh. haben dann Grammatik- und Sprachtheorien Konjunktur: Im Rahmen wissenschaftstheoretischer Diskussionen wird versucht, eine Philos. mentaler Sätze zu entwickeln, was – freilich ohne Kenntnis der Quellen – auf Platons Auffassung der Identität von Denken und Sprache zurückgeht [96]. Bemerkenswert ist auch die Tatsache, daß um die Mitte des 15. Jh. mit dem P. über den P. hinaus philosophiert wird, indem das Hypostasenschema, ja auch der sensuale Bereich als integrative Bestandteile eines als allumfassend begriffenen Geistes als solchem verstanden werden (Nikolaus von Kues), im 16. Jh. sogar die Einheitskosmos-Theorie des P. philos. so ausgelegt werden kann, daß auf ihrer Basis der Gedanke von unendlichen Welten möglich wird (Giordano Bruno).

Die mathematisch bedingte platonische Auffassung der Schönheit als Proportionalität erlebt ihren Höhepunkt im 12. Jh. in der Schule von Chartres, deren Naturphilos. mittels der Konzeption formbildender Exemplare Ideell-Göttliches und Materiell-Geschaffenes zusammenbringen will [5]. Dieser P., der die Schönheit der Geschöpfe im Schöpfer begründet sieht, schlägt sich in einer die volkssprachlichen Romanzen nachhaltig beeinflussenden Poetik intellektueller Pilgerschaft nieder, welche platonische Kosmologie mit christlicher Symbolik vereinigt und mythographische Inhalte philos. interpretiert [113].

D. Renaissance

Daß der P. während des ganzen MA deutlich Spuren hinterläßt, und zwar sowohl im arab., jüd., persischen und syr. als auch im westlichen Kulturraum [67], ist gerade für den Westen um so erstaunlicher, als Kenntnisse des Griech. eher die Ausnahme sind und die bedeutendsten Denker sich fast ausschließlich mit Übers. begnügen müssen. Abhilfe kommt erst im 15. Jh., also im Zeitalter der sog. Ren.: Platons Schriften, aber auch Werke der Neuplatoniker und des sog. Hermetismus werden von Leonardo Bruni und v. a. Marsilio Ficino aus dem Griech. ins Lat. übertragen und kommentiert.

An der Spitze dieser Bewegung steht der christl. ausgerichtete Florentiner P., in dem bes. der Begriff der Seele an Sprengkraft gewinnt, insofern der menschlichen Seele eine Mittelstellung im Universum zugeschrieben und die Weltseele als Prinzip eines dialektisch gestalteten Kosmos ausgelegt wird, dessen Ziel die Rückkehr zur urspr. Einheit ist [47; 48]. Bemerkenswert ist jedoch das Faktum, daß trotz der Kenntnis der platonischen Schriften der Philos. des Neuplatonismus ein klarer Vorzug gegenüber der Platons eingeräumt wird, was wohl auf den byz. Hintergrund der neuen Platon-Studien zurückzuführen ist, auch wenn einzelne neuplatonische Ansätze, wie etwa die Seinstranszendenz des Einen, kontrovers diskutiert werden (Giovanni Pico della Mirandola [12]) [65; 76]. Es darf also konstatiert werden: Selbst bei Auslegung platonischer Texte begegnen immer auch aristotelische Theoreme, was den neuplatonischen Konkordanzgedanken widerspiegelt. Ebenso bestimmt der Neuplatonismus den erneut entflammten Streit zw. Platonikern und Aristotelikern im Kontext der christl. Theologie und gerade der Ethik (Bessarion [6], Gemistus Pletho [10], Georg von Trapezunt [11]), bes. wenn der P. als die Philos. der Kirchenväter verteidigt wird (Francesco Patrizzi). Damit besitzt das platonische Philosophieren inhaltlich ein breiteres Themenspektrum als das der strengen Aristoteliker dieses und des folgenden Jh., denen es aber gleichwohl gelingt, zu brisanten Problemen dieser Zeit (etwa zur Frage nach der Sterblichkeit der Seele) auch progressive Lösungsmöglichkeiten zu unterbreiten [30]. Indessen reihen christl. Platoniker Platon selbst (nach Hermes Trismegistus, Zoroaster, Orpheus und Pythagoras) in die fiktive Trad. einer angeblich bereits in der Ant. bekannten natürlichen bzw. universalen Theologie ein, die dem Eingeweihten die intellektuelle Anschauung des Göttlichen zuspricht; auch islamische Platoniker betrachten Platon bisweilen als Alchimisten oder Magiker. Besonders wirksam wird der stark rel. geprägte synkretistische P. einer *prisca theologia* bei den Sympathisanten mystischer Theosophie im Frankreich des 16. Jh. (Margarethe von Navarra) [95].

Gleichwohl helfen nicht nur Opponenten des Florentiner P., die das aristotelische Wissenschaftsmodell vorziehen, die ironisierende und improvisierende Gesinnung Platons, wie sich diese in den Dialogen ausdrückt, von den eindeutigen systematischen Konzeptionen der Neuplatoniker abzulösen: Auch der aufkeimende Disput über die Authentizität des neuedierten *Corpus Dionysiacum* trägt zur Differenzierung urspr. platonischer, akademischer und christl. Denkinhalte bei [29], während andere Humanisten (Mario Nizolio, Philipp Melanchthon) die durch eine oft mehrdeutige Denkweise vermittelten Erkenntnisinhalte und die umstrittenen erotischen Ansichten Platons durch das überragende stilistische und argumentative Talent des Schriftstellers in den Schatten gestellt sehen [108], und dies zu einer Zeit, in der wegweisende Editionen des *Corpus Platonicum* vorgelegt werden (Johannes Serranus, Henricus Stephanus [28]). Zudem bereitet die Wiederbelebung des akad. → Skeptizismus – die sich einerseits an dessen teilweise wiederentdeckte ant. Darstellung anschließt, andererseits nicht selten einen fideistischen Verweis auf die Grenzen des menschlichen Intellekts enthält, auch wenn platonische Theoreme, wie etwa die Schöpfungslehre und die Unsterblichkeit der Seele, aber auch das platonische Staatsideal (Jean Bodin), immer noch Anerkennung finden – den Weg für die Entwertung des P. in seinen metaphysischen Ansprüchen durch die empiristischen Tendenzen der europ. Aufklärung.

Gleichzeitig erlangen in It. und dann europaweit die Thematik der Schönheit, die der Freundschaft und die der Liebe (Leone Ebreo) eine überragende ästhetische Bed., und zwar im Sinne der nunmehr zunehmend heterosexuell verstandenen platonischen, d. h. rein geistigen, Liebe, im Sinne einer Körper und Seele dialektisch aufeinander beziehenden Erotik oder im Sinne des unaufhaltsamen menschlichen Strebens nach Gott [48; 87]. Denn in der Schönheit, als Hervorgang aus dem Ursprung konzipiert, und in der Liebe, als Rückkehr in denselben begriffen, spiegelt sich die vorbildliche göttliche Selbstreflexion wider, welche die bildenden und darstellenden Künste sowie die Belletristik sichtbar zu machen haben.

E. 17.–18. Jahrhundert

Im Anschluß an die it. Ren. des P. versuchen die sog. Cambridge-Platoniker des 17. Jh., das neue Wissen der mod. Naturwiss. mit der christl. Weltanschauung durch eine bes. im Neuplatonismus vertretene → Philosophia perennis bzw. *pia philosophia* zu versöhnen [100]. Die Entdeckungen der mod. empirischen Forsch. werden, insofern sie gültig sind, als Fortsetzungen einer mit dem Christentum vereinbaren alten Weisheit aufgefaßt. Dem von der wiederentdeckten epikureischen → Atomistik beeinflußten atheistischen Materialismus halten die Platoniker (R. Cudworth, H. More) eine philos. Theologie entgegen, die dem menschlichen Geist aufgrund der ihm angeborenen Ideen – darunter der einer Gottheit – eine wesentlich konstruktive Funktion im Erkenntnisvollzug zuspricht. Der Grundgedanke einer derartig theologisch fundierten intellektuellen Systematik des Universums schlägt sich auch bei Naturphilosophen nieder, die sich nicht ausdrücklich als Platoniker oder gar Paracelsus-Anhänger verstehen. Ferner sind es nicht nur die Cambridger Denker, welche die Autonomie des Gewissens und die Toleranz als platonische Motive der Moralphilos. herausstellen [101]: Auch die späthuman. polit. Philosophie des 17. Jh. nimmt Rekurs auf den idealen Staat Platons, wenn sie im Rahmen der *politica Christiana* eine Freiheitslehre entwirft, welche auf keine Utopie abzielt, sondern die Verwirklichung der Rechte im gesellschaftlichen Konsens begründet sieht (J. A. von Werdenhagen [44]).

Während im 17. Jh. das Lat. überall in Europa im Vordergrund des wiss. Interesses steht und das Griech. an den Univ. eher vernachlässigt wird, was sich in der Vorrangstellung Ciceros widerspiegelt [116], entwickelt sich zusammen mit der Entstehung der methodisch und textkritisch gesicherter verfahrenden mod. Philol. im 18. Jh. eine immer stärkere Hinwendung zum Griech., die durch die Erforschung der verschiedenen Sachbereiche der Ant. sowie durch die Neubelebung des klass. griech. Schönheitsideals und den lit. Geniekult angetrieben wird, welche den Dialogen und Briefen Platons u. a. theoretische Einsichten in die Grundlagen des künstlerischen Enthusiasmus abgewinnen wollen [59; 112; 115]. Die nunmehr differenzierte und differenzierende Fortsetzung des P. verdankt sich der Tatsache, daß die bisher weitgehend unangefochtene grundsätzliche Kontinuität der platonischen Trad. zum philol. und philos. Forschungsgegenstand wird, und zwar mit der Folge, daß die *philosophia perennis* und, damit einhergehend, der ontologische Status der Ideen historisiert werden. Dies geschieht einerseits in Verbindung mit der Entstehung der Philosophiegeschichte als einer eigenen philos. Disziplin (J. J. Brucker [7], Th. Stanley [36], G. J. Vossius [43]), deren Resultate sich rasch enzyklopädisch niederschlagen (D. Diderot) und ausbreiten [104], andererseits im Zusammenhang mit dem Streit um den angeblich kontaministischen P. der Kirchenväter, der im 17. Jh. mit Blick auf den Gegensatz heidnischer und christl. Weltanschauung bes. die Provenienz der Logos- und Trinitätslehren betrifft (C. Fleury [9], L. Galante [22], R. Rapin [31]), um sich dann am Anf. des 18. Jh., durch den Wahrheitsanspruch der Theologie angetrieben, virulent fortzusetzen (J. F. Baltus [3], J. L. Mosheim [24], M. Souverain [35]) [108].

Im allg. ist der P. dem nüchternen Geist der Aufklärung fremd; er erscheint in mancher Hinsicht schlichtweg obskur und irreführend, ja sogar gefährlich [25], auch wenn vereinzelte Theorieelemente, wie etwa das Platonische Staatsmodell, immer noch auf Resonanz (J. J. Rousseau) stoßen. Das Bedürfnis, das Verhältnis zw. platonischer und platonisierender Philos. bzw. zwischen Ideen- und Prinzipienlehre erst philol.-histor. zu klären, um über sie philos. bzw. theologisch überhaupt urteilen zu können, führt aber auch zu Übertragungen der gesamten Dialoge Platons in die Volkssprachen (zuerst von A. Dacier [26]) – ein Interesse, das in Frankreich durch die → Querelle des anciens et des modernes vorangetrieben wird. In der Lit. und Kunst sowie in der Philos. ist das Platon-Bild bestimmt auch durch die Faszination des aufklärerischen Moralphilosophen Sokrates (J. G. Hamann [14]), was aber zu weiterer Auseinandersetzung mit den Schriften Platons führt (M. Mendelssohn [23]).

Relativ wenig Resonanz findet der P. in den System-Konzeptionen der rationalistischen Philosophen, die das Erbe der Schulmetaphysik antreten, ausgenommen monistisch (B. de Spinoza) bzw. monadistisch (G. W. Leibniz [21]) oder immaterialistisch (G. Berkeley) angelegte Denkweisen. Diesen liegen Ideenlehre und Dialektik nahe, für jene bleibt der Aristotelismus wiss. vorbildlich. Eine qualifizierte Anerkennung der Philos. Platons, wenn nicht der platonisierenden Philos., erfolgt aber bes. in der Transzendentalphilos. am E. des 18. Jh. und den von ihr beeinflußten Philosophiegeschichten und Platondeutungen (W. G. Tennemann [39]). Einerseits wird vor der Ideenlehre als einer schwärmerischen Theorie des allein von der göttlichen Intelligenz angeschauten Übersinnlichen gewarnt, andererseits wird sie gegenüber dem Sensualismus als eine vorkritische Darlegung der synthetischen Erkenntnis *a priori* gewürdigt (I. Kant [19]). Gleichwohl wird zur selben Zeit vor dem Hintergrund des Pantheismusstreits, der auch die platonischen Wurzeln einer Alleinheitslehre thematisch werden läßt, auf das von Platon konzipierte Transzendente verwiesen, das als göttliches Maßhaltiges dem an sich Unbestimmten entgegengesetzt ist, um den von einer Glaubensphilos. promulgierten Unterschied zw. Schöpfer und Geschöpf zu befestigen (F. H. Jacobi [18]).

Auf engl. Boden pflanzt sich der P. überwiegend in ästhetischer Form fort, etwa in der sog. *metaphysical poetry* des 17. Jh., dann in der Philos. des *moral sense* (A. A. C. S. Shaftesbury), schließlich auf dem europ. Kontinent in der sich fundamental an der Anschauung des Schönen orientierenden Vereinigungsphilos. des ausgehenden 18. Jh., die nicht nur die Liebe als die Verbindung des Gegensätzlichen hervorhebt, sondern darüber hinaus eine epochemachende Dialogtheorie hervorruft (F. Hemsterhuis) – dies im Unterschied sowohl zum neuplatonisch verstandenen als auch zum transzendentalphilos. gedeuteten Platon [82; 110].

F. 19. Jahrhundert

Im 19. Jh. gewinnt der P. an Aktualität aufgrund der bisweilen überspitzten philosophiehistor. Trennung der Philos. Platons von den nachfolgenden Schultrad., bes. von der neuplatonischen Metaphysik (D. Tiedemann [40]). Auch im Zuge der frühromantischen Bewegung mitsamt ihrer Orientierung am platonischen Liebesbegriff (J. C. F. Hölderlin [17]) legen die Dialoge Platons ihren Status als Fragmente eines dogmatischen Systems ab und werden als denkerische Kunstwerke betrachtet, in denen lit. Form und philos. Inhalt so vollkommen übereinstimmen, daß an der Authentizität der sog. ungeschriebenen Lehre und damit am unmittelbaren Verhältnis der Philos. Platons zur Trad. des P. gezweifelt werden muß – dies vorerst in Verbindung mit der einflußreichen dt. Übers. der Dialoge durch F. D. E. Schleiermacher [33], die durch F. Schlegel [34] angeregt wird. Es findet eine Erneuerung der Lektüre Platons statt, indem bes. das Dialogische der Dialoge als Ursprung für Wissen herausgestellt wird.

Die Durchdringung der platonischen Denkweise vom Standpunkt der neueren Philos. aus, also die Aktualisierung der Ideenlehre durch die Transzendentalphilos., bestimmt die innovative Rezeption des P. bereits vor der Jh.-Wende (F. W. J. Schelling [32]) [69]. Anschließend begreift der sog. Dt. Idealismus intellektuell angeschautes Sein als sich-selbst-denkende Subjektivität, und dies in Anbetracht entwicklungsgesch. Dimensionen nicht nur der Philos. überhaupt, sondern bes. der wesensverwandten platonischen Philos. – oftmals gegen platonisierende Enthusiasten, jedoch immer zusammen mit Platon [109]. Die profunde Kongruenz platonischen und spekulativ-idealistischen Denkens erklärt sich aus der ihnen gemeinsamen Einsicht, daß absolut Reales absolut Ideales und die Philos. die Wiedererinnerung desselben sei, ferner, daß sich die Philos. zur Erschließung ihres Objekts – sei dies die bewußtlose Natur oder das Selbstbewußtsein, sei dies die staatliche Gesetzgebung oder gar die Kunst – der dialektischen Methode zu bedienen habe. Besonders für die spekulativ-idealistisch konzipierte polit. Ethik und Rechtsphilos. wirkt Platons Tugend- und Staatslehre als Vorbild [63; 107]. Insofern aber der transzendente Einheitsgrund als vollkommen denkimmanent betrachtet wird, wird auf der Höhe des spekulativen Idealismus (G. W. F. Hegel [15]) trotz aller Anerkennung der mit Platon anfangenden philos. Wiss. das dialogische Denken zugunsten der neuplatonischen Systemkonzeption, welche Ideenlehre und Dialektik mit der aristotelischen Nuslehre in einer metaphysischen Prinzipienlehre zu verbinden vermag, kritisiert [75].

Ganz anders macht sich der P. in Form einer negativ-theologisch geprägten Henologie am Ausgang des Dt. Idealismus um die Mitte des Jh. wieder geltend: Die Subjektivität wird nicht mehr im absoluten Wissen fundiert, sondern in einem ihr transzendenten und über dem Sein angesiedelten, unvordenklichen Absoluten als ewiger Freiheit [77]. Dementsprechend wird in der religionsphilos. Debatte um die göttliche Persönlichkeit sowie die Unsterblichkeit der Seele die spekulativ gedachte Vollendung des P. im Christentum kontrovers diskutiert, was sich im langen Streit um die histor. Dimension der Hellenisierung und Verweltlichung des Christentums fortsetzt (C. Ackermann [1], F. C. Baur [4]).

Durch die Frage nach dem inneren Verhältnis der Dialoge zur Philos. Platons angeregt, entsteht zunächst in Deutschland und England die neue histor.-kritische Arbeit am Platonischen *Corpus* (I. Bekker [27]), an der

Biographie Platons und an der Gesch. des P., einschließlich der entwicklungsgeschichtlichen Betrachtungsweise, von der mod. Unt. über die Echtheit und Abfolge der Schriften Platons ausgehen (G. Grote [13], K. F. Hermann [16], H. von Stein [37], F. Susemihl [38], F. Ueberweg [41; 42]). Besonders die Entdeckung der späten Abfassungszeit der dialektischen Dialoge wirft ein neues Licht auf Platon selbst bekannte Probleme der Ideenlehre hinsichtlich des Verhältnisses zw. Einzelding und Idee oder gar der Ideen untereinander sowie bezüglich der systematischen Gliederung seiner Schriften. Durch die wiss. Behandlung indirekt überlieferter platonischer Theoreme spitzen sich auch gegen die romantische These, die platonische Ironie diene der eigenen Ideenerzeugung bzw. dem gemeinschaftlichen Selbstdenken, die Fragen, inwiefern sich aus Platons Werken ein festgegliedertes Lehrsystem rekonstruieren läßt und ob die Schrift für philos. Mitteilung überhaupt taugt, zu.

Freilich wirkt im 19. Jh. die als für den P. traditionell zu bezeichnende Theorie von der göttlichen Einheit aller Wahrheit fort, und zwar vorwiegend als Gegenströmung zum Empirismus. Besonders die engl. Romantik der ersten H. des Jh. läßt sich nicht nur von den Übers. und Kommentierungen der Dialoge sowie zahlreicher neuplatonischer Werke durch Th. Taylor, der das Pagane am P. herausstellt, sondern auch von der neueren dt. Philos. inspirieren: Hier kondensiert sich platonisches Gedankengut, bes. die Anamnesis-Lehre, in einer Poetik, welche die Identität des Wahren, Guten und Schönen propagiert, beim Aufspüren des Ewigen im Vergänglichen jedoch die Einbildungskraft an die Stelle der Vernunft setzt [49; 94]. Sowohl dieser poetische als auch der philos. Idealismus wird im amerikanischen Transzendentalismus und bei seinen spekulativen sowie lit. Nachfolgern in der zweiten H. des Jh. intensiv rezipiert [91]. Ferner zeigen die vielgestaltigen nach-idealistischen Theorien des Kunst-Schönen (A. Schopenhauer, W. Pater), das sich von der Metaphysik und der Moral emanzipiert hat, den Einfluß der platonischen Ästhetik, wie etwa der Enthusiasmus-Lehre, allerdings mit normativer Betonung des kreativen Willens vor der vernünftigen Einsicht. Besonders der frz. Symbolismus [64] und die auf die Lit. und Kunst des *fin de siècle* wirkende mystische Theosophie greifen platonische Motive sinnstiftender Transzendenz auf.

Mit der zunehmenden Ausdifferenzierung des philos.-histor. Bewußtseins einhergehend, werden platonische Thesen und Theorieelemente im Laufe des Jh. immer selektiver bewertet. Der P. setzt sich um die Jh.-Mitte in der utilitaristischen Methodenlehre mit ihrem Hang zum Skeptizismus (J. S. Mill) und im frz. Spiritualismus (V. Cousin) sowie am Ausgang des Jh. im dt. Neukantianismus und engl. Neuhegelianismus fort; auch der logische P. rekurriert – gelegentlich auch im Rückgriff auf die Transzendentalphilos. – auf erkenntnistheoretische Dimensionen der Ideenlehre, wenn er die Gültigkeit logischer Gebilde an sich behandelt (B. Bolzano, G. Frege) [82; 92; 95]. Eine massive Kritik am

P. als einer illegitimen Trennung von wahrer und scheinbarer Welt übt dagegen F. Nietzsche [57], die jedoch erst im folgenden Jh. großen Widerhall findet.

G. 20. Jahrhundert

Auch wenn die Methode der Sprachstatistik zu einer weitgehend sicheren Einteilung des *Corpus Platonicum* in Früh-, Mittel- und Spätschriften führt, welche im Hinblick auf sprachlich-stilistische Eigentümlichkeiten die Genese und Fortbildung der Philos. Platons in großen Zügen zuverlässig durchschaubar werden läßt, bleiben die präzise Chronologie einzelner Dialoge und Briefe und damit die gesicherte Entwicklungsgeschichte der Ideenlehre, letztlich sogar ihre Vollendung als Prinzipienwiss. oder Dialogtheorie umstritten. Von philol. Unt. über das Werk und die Persönlichkeit Platons abgesehen, bewegt sich die Interpretation des P. im 20. Jh. weiterhin im Spannungsfeld zw. dem dialogischen bzw. brieflichen Schrifttum und der mündlichen Lehre und deren philosophiegeschichtlicher Rezeption und Transformation [111]. Diese Kontroverse betrifft nicht nur das Verhältnis des P. zu seiner eigenen (ant.) Geschichte, sondern es handelt sich hier um die Bestimmung der fortwährenden Kontinuität der platonischen Trad. als der denkenden Vermittlung idealer Einheit und erscheinender Mannigfaltigkeit entweder durch eine auf intellektueller Anschauung basierende Axiomatik, welche einer mathematischen Ableitung der gesamten Wirklichkeit zugrunde liegt, oder durch ein die Grenzen der Sprache thematisierendes, zetetisches Gespräch, das seine Inhalte erst dialogisch-dialektisch durch die Ermittlung der wichtigsten Ideen, welche die Falschheit oder Wahrheit singulärer Sätze ermöglichen, gewinnt.

Wenn der P. nicht nur als strittiges Eigentum der Platonforsch. betrachtet werden soll, die vielfach um eine produktive Auslegung der platonischen Denkweise aus den Perspektiven mod. Philos. kämpft, gelten als platonisch nunmehr eher vereinzelte Interpretationsrichtungen als Gesamtkonzeptionen. Um die Jh.-Wende wird der P. also weiterhin auf unterschiedlichste Weise philos. rezipiert, etwa in ethischen Intuitionismus (G. E. Moore), welcher unmittelbare Einsichten in das Gute zur Grundlage der Moral deklariert, in der metaphysischen Lebensphilos. (H. Bergson [90]) oder in der phänomenologischen Auffassung logischer Idealität im Zusammenhang mit der Wesensschau (E. Husserl [84]). Im Laufe des Jh. entwickeln sich platonische Momente in der philos. Kosmologie (A. N. Whitehead), im kritischen Realismus (G. Santayana), in der Auseinandersetzung über die ontologischen Grundlagen der Mathematik (B. Russell, P. Bernays), in der hermeneutischen Sprachtheorie (H.-G. Gadamer) und schließlich in der Ethik in Form der Idee des an sich Guten jenseits des Seins (E. Lévinas) [82; 92; 95].

Metaphysikkritisch relativiert wird der Wahrheitsanspruch des P. nicht nur durch die Herausarbeitung einer angeblich ursprünglicheren Seinserfahrung, die dem Unterschied zwischen Wirklichem und Scheinbarem vorausgeht (M. Heidegger), sondern auch durch die sprachanalytische Therapie sinnvoller Rede, die auf Kontextualität setzt, wenn sie nicht völlig auf das nicht-empirisch Verifizierbare verzichtet (L. Wittgenstein) [97; 103]. Die rhetorisch veranlagte Philos. des ausgehenden 20. Jh. widersetzt sich jeglichem Wertobjektivismus platonischer Provenienz und substituiert ihn durch einen Pragmatismus (R. Rorty [102]) oder sogar Dekonstruktivismus (J. Derrida [61], G. Deleuze), der sich im gelegentlichen Rückgriff auf die Sophistik bestenfalls konsensstiftender Rede statt der Reflexion über einen sich selbst tragenden, transzendenten Erkenntnis- bzw. Seinsgrund widmet. Hier werden auch in Anbetracht der Schriftkritik Platons potentiell subversive Dialoginhalte, wie etwa χώρα, φάρμακον oder εἰκών, einer geschlossenen Metaphysik, die für sich unmittelbare Einsicht in die Wahrheit reklamiert, entgegengehalten [58]. Nicht unverwandt damit ist die scharfe Auseinandersetzung mit der polit. Dimension platonischen Denkens, in der die polarisierenden Wirkungen eines allg., sich auf die Vernunft berufenden, dennoch elitären, nicht-demokratischen Herrschaftsanspruchs offenbar werden (K. R. Popper [98]) [70].

In der platonisierenden Kunst und Lit. des 20. Jh. dominieren sowohl Symbole bzw. hermetische Motive einer Lichtmetaphysik, die Transzendentes durchblicken lassen, als auch abstrahierende Betrachtungsweisen, welche Komplexitäten des Urbild-Abbild-Verhältnisses zum Vorschein bringen [49]. Schließlich wirkt der P. auch in der mannigfaltigen, bisweilen überschwenglichen Verherrlichung der Erotik sowie in der nachdrücklichen Behandlung der polit. Utopie ästhetisch fort, die beide für das Jh. kennzeichnend sind, gleichwohl aber selbst eine platonisch motivierte Kritik herausfordern.

→ AWI Akademeia, Mittelplatonismus, Neuplatonismus, Platon

QU 1 C. Ackermann, Das Christl. im Plato und in der platonischen Philos., Hamburg 1835 2 F. Ast, Plato's Leben und Schriften, Leipzig 1816 3 J. F. Baltus, Défense de ss. pères accusez de platonisme, Paris 1711 4 F. C. Baur, Das Christl. des P. oder Sokrates und Christus, Tübingen 1837 5 Bernardus Carnotensis, The Glosae super Platonem of Bernard of Chartres, ed. with an introd. by P. E. Dutton, Toronto 1991 6 Bessarion, In calumniatorem Platonis libri IV, in: L. Mohler, Kardinal Bessarion als Theologe, Humanist und Staatsmann, Bd. II, 1927 7 J. J. Brucker, Historia critica philosophiae a mundi incunabulis ad nostram usque aetatem deducta, Leipzig ²1767, Ndr. Hildesheim 1975 8 H. Dörrie, M. Baltes (Hrsg.), Der P. in der Ant. Grundlagen – System – Entwicklung, 1987ff. 9 C. Fleury, Discours sur Platon, Paris 1686 10 Georgius Gemistus Pletho, De Platonicae et Aristotelicae philosophiae differentia, Paris 1541, lat. Basel 1574 (= PG Bd. 160, 882ff.) 11 Georgius Trapezuntius, Comparatio philosophorum Platonis et Aristotelis, Venedig 1523, Ndr. Frankfurt a.M. 1965 12 Giovanni Pico della Mirandola, De ente et uno, in: Opera omnia, Basel 1557, Ndr. Hildesheim 1969, Bd. I, 241–256 13 G. Grote, Plato and the Other Companions of Sokrates, 3 Bde., London 1865 14 J. G. Hamann,

Sokratische Denkwürdigkeiten, für die lange Weile des Publikums zusammengetragen von einem Liebhaber der langen Weile, Amsterdam 1759, Ndr. Stuttgart 1998 **15** G. W. F. HEGEL, Vorlesungen über die Gesch. der Philos. Teil 3. Griechische Philos. II. Plato bis Proklos, hrsg. von P. GARNIRON, W. JAESCHKE, 1996 **16** K. F. HERMANN, Gesch. und System der Platonischen Philos., Heidelberg 1839 **17** J. C. F. HÖLDERLIN, Theoretische Schriften, mit einer Einl. hrsg. von J. KREUZER, 1998 **18** F. H. JACOBI, An Schlosser über dessen Fortsetzung des Platonischen Gastmahles (1796), in: Werke, Bd. VI, hrsg. von F. ROTH, Leipzig 1825, 63–94 **19** I. KANT, Von einem neuerdings erhobenen vornehmen Ton in der Philos. (1796), in: Kant's gesammelte Schriften, Bd. 8, hrsg. von der KÖNIGL. PREUSSISCHEN AKAD. DER WISS., 1923, 387–406 **20** R. KLIBANSKY (ed.), Corpus Platonicum medii aevi (Plato Arabus/Plato Latinus), 1940 ff. **21** G. W. LEIBNIZ, Epistola ad Hanschium de Platonico Enthusiasmo (1704), in: Philos. Schriften, hrsg. und übers. von W. WIATER, 1989, Bd. V.2, 282–293 **22** L. GALANTE, Christianae theologiae cum platonica comparatio, Bologna 1627 **23** M. MENDELSSOHN, Phaedon oder über die Unsterblichkeit der Seele in drey Gesprächen (1767), in: Gesammelte Schriften, Bd. 3.1, 1932, Ndr. 1972, 5–128 **24** J. L. MOSHEIM, De turbata per recentiores Platonicos Ecclesia commentatio, Helmstedt 1725 **25** S. PARKER, A Free and Impartial Censure of the Platonick Philosophie, Oxford 1666, Ndr. New York 1985 **26** PLATO, Les Œuvres de Platon, traduit en français par A. DACIER, Amsterdam 1700 **27** PLATO, Platonis Dialogi Graece et Latine ex recensione I. BEKKERI, Berlin 1816 ff. **28** PLATO, Platonis Opera quae extant omnia. Ex nova I. SERRANI interpretatione [et] H. STEPHANI, Genf 1578 **29** PSEUDO-DIONYSIUS AREOPAGITA, Theologia vivificans. Cibus solidus Ambrosii prefatio in translationem librorum sancti Dionysii Areopagite J. F. STAPULENSIS pijs lectoribus, Paris 1499 **30** PIETRO POMPONAZZI, Abhandlung über die Unsterblichkeit der Seele, lat./dt., übers. und mit einer Einl. hrsg. von B. MOJSISCH, 1990 **31** R. RAPIN, La comparaison de Platon et d'Aristote, Paris 1671 **32** F. W. J. SCHELLING, »Timaeus« (1794), hrsg. von H. BUCHNER, mit einem Beitr. von H. KRINGS, Genesis und Materie – Zur Bed. der »Timaeus«-Hs. für Schellings Naturphilos., 1994 **33** F. D. E. SCHLEIERMACHER, Über die Philos. Platons. Gesch. der Philos. Vorlesungen über Sokrates und Platon (zw. 1819 und 1823). Die Einl. zur Übers. des Platon (1804–1828), hrsg. und eingel. von P. M. STEINER, mit Beitr. von A. ARNDT und J. JANTZEN, 1996 **34** F. SCHLEGEL, Philos. des Platon, in: Krit. Ausg., hrsg. von E. BEHLER, Bd. 12, 1964, 207–226 **35** M. SOUVERAIN, Le platonisme dévoilé, ou Essai touchant le verbe platonicien, Köln 1700 **36** TH. STANLEY, A History of Philosophy, London 1687, Ndr. New York 1978 **37** H. VON STEIN, Sieben Bücher zur Gesch. des P. Unt. über das System des Plato und sein Verhältniss zur späteren Theol. und Philos., Göttingen 1862–1875 **38** F. SUSEMIHL, Die genetische Entwicklung der platonischen Philos., Leipzig 1855–1860 **39** W. G. TENNEMANN, System der platonischen Philos., Leipzig 1792 ff. **40** D. TIEDEMANN, Geist der spekulativen Philos., Marburg 1791 ff. **41** F. UEBERWEG, Unt. über die Echtheit und Zeitfolge platonischer Schriften und über die Hauptmomente aus Platons Leben, Wien 1861 **42** Ders., Grundriss der Gesch. der Philos. 1: Die Philos. des Alterthums, Berlin 1862 **43** G. J. VOSSIUS, De philosophia et philosophorum sectis, Den Haag 1657 **44** J. A. v.

WERDENHAGEN, De rebus publicis Hanseaticis, Leiden 1629 **45** H.-U. WÖHLER (Hrsg.), Texte zum Universalienstreit, 2 Bde., 1992

LIT **46** J. A. AERTSEN, Medieval Philosophy and the Transcendentals. The Case of Thomas Aquinas, 1996 **47** M. J. B. ALLEN, Synoptic Art: Marsilio Ficino on the History of Platonic Interpretation, 1998 **48** Ders., The Platonism of Marsilio Ficino. A Study of his Phaedrus Commentary, its Sources and Genesis, Los Angeles 1984 **49** A. BALDWIN, S. HUTTON (Hrsg.), Platonism and the English Imagination, 1994 **50** W. BEIERWALTES, P. in der Philos. des MA, 1968 **51** Ders., P. und Idealismus, 1972 **52** Ders., Denken des Einen. Studien zur neuplaton. Philos. und ihrer Wirkungsgesch., 1985 **53** Ders., P. und Christentum, 1999 **54** L. G. BENAKIS (ed.), Néoplatonisme et philos. médiévale, 1997 **55** E. P. BOS, P. A. MEIJER (ed.), On Proclus and his Influence in Medieval Philosophy, 1992 **56** M. BRACH, Heidegger – Platon: vom Neukantianismus zur existenziellen Interpretation des Sophistes, 1996 **57** D. BREMER, Platonisches, Antiplatonisches. Aspekte der Platon-Rezeption in Nietzsches Versuch einer Wiederherstellung des frühgriechischen Daseinsverständnisses, in: Nietzsche-Studien 8, 1979, 39–103 **58** B. CASSIN (ed.), Nos grecs et leurs modernes. Les stratégies contemporaines d'appropriation de l'antiquité, 1992 **59** M. L. CLARKE, Greek Studies in England 1700–1830, 1945 **60** J. J. CLEARY (ed.): Traditions of Platonism. Essays in Honour of John Dillon, 1999 **61** J. DERRIDA, La pharmacie de Platon, in: Ders., La dissémination, 1972, 69–197 **62** J. M. DILLON, The Great Tradition: Further Studies in the Development of Platonism and Early Christianity, 1998 **63** K. DÜSING, Polit. Ethik bei Plato und Hegel, in: Hegel-Studien 19, 1984, 95–145 **64** M. EIGELDINGER, Le platonisme de Baudelaire, 1952 **65** A. FIELD, The Origins of the Platonic Academy of Florence, Princeton 1988 **66** K. FLASCH (Hrsg.), Parusia. Studien zur Philos. Platons und zum P. Festgabe für J. Hirschberger, 1965 **67** Ders., Das philos. Denken im MA. Von Augustin zu Machiavelli, 1986 **68** Ders., Einl., in: Berthold von Moosburg, Expositio super Elementationem theologicam Procli. Prologus. Propositiones 1–13, hrsg. von M. R. PAGNONI-STURLESE, L. STURLESE, 1984, XI-XXXVIII **69** M. FRANZ, Schellings Tübinger Platon-Studien, 1996 **70** H. FUNKE (Hrsg.), Utopie und Trad. Platons Lehre vom Staat in der Moderne, 1987 **71** E. GARIN, Storia della filosofia italiana, 1966 **72** S. GERSH, Middle Platonism and Neoplatonism. The Latin Tradition, Notre Dame 1986 **73** Ders. (ed.), Platonism in Late Antiquity, Notre Dame 1992 **74** M. GRABMANN, Der göttliche Grund menschlicher Wahrheitserkenntnis nach Augustinus und Thomas von Aquin. Forsch. über die augustinische Illuminationstheorie und ihre Beurteilungen durch den hl. Thomas von Aquin, 1924 **75** J. HALFWASSEN, Hegel und der spätant. Neu-P. Unt. zur Metaphysik des Einen und des Nous in Hegels spekulativer und gesch. Deutung, 1999 **76** J. HANKINS, Plato in the Italian Renaissance, 2 Bde., 1991 **77** H. HOLZ, Spekulation und Faktizität. Zum Freiheitsbegriff des mittleren und späten Schelling, 1970 **78** W. JAEGER, Der Wandel des Platobildes im 19. Jh., in: Die Ant. 4, 1928, 85–98 **79** E. JEAUNEAU, Lectio philosophorum: recherches sur l'École de Chartres, 1973 **80** R. KLIBANSKY, The Continuity of the Platonic Trad. during the MA, 1939, Ndr. 1981 **81** P. O. KRISTELLER, Proclus as a Reader of Plato and Plotinus, and his Influence in the MA and in the Ren., in:

Proclus. Lecteur et interprète des anciens, ed. J. PEPIN, H. D. SAFFREY, 1987, 191–211 **82** TH. KOBUSCH, B. MOJSISCH (Hrsg.), Platon in der abendländischen Geistesgesch. Neue Forsch. zum P., 1997 **83** M. LEMOINE, Théologie et platonisme au XIIe siècle, 1998 **84** H. LÜBBE, Das E. des phänomenolog. P., in: Tijdschrift voor Philos. 16, 1954, 639–666 **85** A. DE LIBERA, Introduction à la mystique Rhénane, 1984 **86** J.-C. MARGOLIN (ed.), Platon et Aristote à la Renaissance. XVIe colloque international de Tours, 1976 **87** R. V. MERRILL, Platonism in French Renaissance Poetry, 1957 **88** B. MOJSISCH, Zum Disput über die Unsterblichkeit der Seele in MA und Ren., in: Freib. Zschr. für Philos. und Theologie 29, 1982, 341–359 **89** Ders., Platon und seine Philos. der Mittelposition des Menschen, in: Homo Medietas. Aufsätze zu Religiosität, Lit. und Denkformen des Menschen vom MA bis in die NZ. FS für A. M. Haas, hrsg. von C. BRINKER-VON DER HEYDE, N. LARGIER, 1999, 575–584 **90** R.-M. MOSSÉ-BASTIDE, Bergson et Plotin, 1959 **91** J. H. MUIRHEAD, The Platonic Tradition in Anglo-Saxon Philosophy. Studies of the History of Idealism in England and America, 1931 **92** A. NESCHKE-HENTSCHKE (ed.), Images de Platon et lectures de ses Œuvres. Les interprétations de Platon à travers les siècles, 1997 **93** H. NIEHUES-PRÖBSTING, Überredung zur Einsicht. Der Zusammenhang von Philos. und Rhet. bei Platon und in der Phänomenologie, 1987 **94** J. A. NOTOPOULOS, The Platonism of Shelley. A Study in Platonism and the Poetic Mind, 1965 **95** F. NOVOTNÝ, The Posthumous Life of Plato, 1977 **96** C. PANACCIO, Le discours intérieur: De Platon à Guillaume d'Ockham, 1999 **97** W. PATT, Formen des Anti-P. bei Kant, Nietzsche und Heidegger, 1997 **98** K. R. POPPER, The Open Society and its Enemies, 2 Bde., 1945 **99** J. RIST, Platonism and its Christian Heritage, 1985 **100** G. A. J. ROGERS u. a., Der P., in: Grundriss der Gesch. der Philos., begr. von F. UEBERWEG: Die Philos. des 17. Jh., hrsg. von J.-P. SCHOBINGER, Bd. 3, England, 1988, 213–290 **101** Ders., J.-M. VIENNE, Y.-C. ZARKA (ed.), The Cambridge Platonists in Philosophical Context. Politics, Metaphysics and Religion, 1997 **102** R. RORTY, Philosophy and the Mirror of Nature, Princeton 1979 **103** H. SCHANZE, J. KOPPERSCHMIDT (Hrsg.), Rhet. und Philos., 1989 **104** W. SCHMIDT-BIGGEMANN, Jacob Bruckers philosophiegesch. Konzept, in: Jacob Brucker (1696–1770). Philosoph und Historiker der europäischen Aufklärung, hrsg. von W. SCHMIDT-BIGGEMANN, TH. STAMMEN, 1998, 113–134 **105** A. SPEER, Die entdeckte Nat. Unt. zu Begründungsversuchen einer scientia naturalis im 12. Jh., 1995 **106** L. STURLESE, Die dt. Philos. im MA. Von Bonifatius bis zu Albert dem Großen (748–1280), 1993 **107** O. F. SUMMERELL, Kunstkritik und Totalitarismus. Hegel über Platons Verbannung der Dichtung, in: Hegels Ästhetik: die Kunst der Politik – die Politik der Kunst, hrsg. von A. ARNDT, K. BAL, H. OTTMANN, 2000, 36–42 **108** E. N. TIGERSTEDT, The Decline and Fall of the Neoplatonic Interpretation of Plato. An Outline and Some Observations, 1974 **109** J.-L. VIEILLARD-BARON, Platon et l'idéalisme allemand, 1979 **110** Ders., Platonisme et interprétation de Platon à l'époque moderne, 1988 **111** C. J. DE VOGEL, Rethinking Plato and Platonism, 1986 **112** E. VOGT, Griech. Philol. in der Neuzeit, in: Einl. in die griech. Philol., hrsg. von H.-G. NESSELRATH, 1997, 117–132 **113** W. WETHERBEE, Platonism and Poetry in the Twelfth Century. The Literary Influence of the School of Chartres, Princeton 1972 **114** J. WHITTAKER, Studies in Platonism and Patristic Thought, 1984 **115** M. WUNDT, Die Wiederentdeckung Platons im 18. Jh., in: Blätter für dt. Philos. 15, 1941, 149–158 **116** T. ZIELINSKI, Cicero im Wandel der Jh., ³1912 **117** C. H. ZUCKERT, Postmodern Platos. Nietzsche, Heidegger, Gadamer, Strauss, Derrida, Chicago 1996.

BURKHARD MOJSISCH UND ORRIN F. SUMMERELL

Platzanlagen   s. Forum/Platzanlage

Pléiade   s. Frankreich III.

Poeta Vates A. BEGRIFFSGESCHICHTE
B. GRIECHISCHE ANTIKE   C. MITTELALTER UND
RENAISSANCE   D. ROMANTIK

A. BEGRIFFSGESCHICHTE

Das lat. Wort *vates*, den ältesten Belegen zufolge (Enn. ann. 214; Plaut. Mil. 911) allg. im Sinne von griech. *mántis* oder *chrēsmōidós*, »Wahrsager/in«, verwendet, erhält durch Varro (116–27 v. Chr.) eine semantische Variante. Er erklärt es (Varro ling. 7,36) als urspr. Bezeichnung für die alten Dichter (*antiquos poetas*) und verleiht ihm so eine poetologische Bed., die in augusteischer Zeit aktualisiert wird: Bei Vergil, Horaz, Ovid u. a. begegnet *vates* als ein Terminus für den Dichter, und zwar häufig in anspruchsvollem Kontext (z. B. Verg. Aen. VII,41; Hor. epod. 16,66), wenn es um den Ausweis bes. dichterischer Geltung und Berufung geht. *Vates* fungiert dabei keineswegs als bloßes Syn. für *poeta*, sondern bezeichnet den göttl. inspirierten, prophetisch wissenden, höchste Wahrheit verkündenden Dichter. Die urspr. Bed. des Wortes bleibt also auch bei seiner bes. lit. Verwendung präsent. So vermochte die Vorstellung vom Dichter als *vates* an dichtungstheoretische Konzepte anzuknüpfen, wie sie bereits in der früheren griech. Ant. entwickelt worden waren und sich z. B. bei Hesiod (um 700 v. Chr.) und Platon (428–347 v. Chr.) finden [11; 14; 16].

B. GRIECHISCHE ANTIKE

Im Proömium von Hesiods *Theogonie* erscheint der Dichter als von den Musen berufener göttl. Sänger (*aoídēn théspin*, Hes. theog. 31 f.), der als ihr irdischer Stellvertreter mit herrschaftlicher Macht ausgestattet ist, über Ordnung und Gesetze (*nómous* und *éthea*, Hes. theog. 66) verfügt, zuständig für alles, was ist, sein wird und war (Hes. theog. 38) [14]. Während Hesiod die Rolle des Dichters und der Dichtung mythisch begründet, versucht Platon ihre daraus resultierende Kompetenz philos. in Frage zu stellen. Das Ergebnis ist eine kritische Irrationalisierung, die allerdings die archa. Vorstellungen scheinbar bestätigt. Sowohl im *Ion* (533d–535a) als auch im *Phaidros* (244a–245a) wird Dichtung auf eine göttl. Kraft (*theía dýnamis*), eine göttl. Begeisterung (*enthusiasmós*) und Gunst (*theía dósis*) zurückgeführt; der Dichter rangiert neben den Wahrsagern und Orakeldeutern unter den Gottbegeisterten (*éntheoi*), wie sie ist er ein göttl. Mensch (*theíos anḗr*, Plat. Men. 99d) und von einem göttl. Wahnsinn (*theía manía*)

besessen. Damit verfolgt Platon freilich den Zweck,
Dichtung als etwas Vernunftfernes auszuweisen, das mit
den Zielen und Ansprüchen der philos. Erkenntnis (*epi-stḗmē*) und Weisheit (*sophía*) nicht in Einklang zu bringen
ist [13; 20]. Entscheidend für ihre weitere Trad. aber
wurde, daß diese Vorstellungen sich aus dem kritischen
Kontext bei Platon lösen und als dichtungstheoretische
Argumente und Entwürfe gebrauchen ließen. Beispiel
dafür ist in röm. Zeit die Rezeption des platonischen
Enthusiasmus-Konzepts durch Cicero (Cic. Arch. 18;
de orat. 2,194; div. 1,80). Hesiods mythisches Dichter-
bild hat an zentraler Stelle der horazischen *Ars poetica*
Spuren hinterlassen (Hor. ars 391–407), wo davon die
Rede ist, woher ›honor et nomen divinis vatibus atque/
carminibus venit‹ (Hor. ars 400f.) [12; 18].

C. MITTELALTER UND RENAISSANCE

Die klerikal bestimmte Kultur des MA stand der enthusiastischen Dichtungstheorie der Ant. ablehnend gegenüber. Auffassungen vom P. V. vertrugen sich kaum
mit kirchlicher Inspirationslehre, vom grundsätzlichen
Mißtrauen gegenüber der ant. Poesie ganz zu schweigen. Dennoch entwickelte sich vor dem Hintergrund
der lit. Apologie der Bibel und der Lit.-Allegorese durch
die Patristik eine theologische Poetik. Sie rekurrierte
auf ant. Anschauungen einer vormals rel.-mythologisie-
renden Funktion der Dichtung, wie sie sich im Begriff
des *poeta theologus* bei Aristoteles (Aristot. metaph.
1000a, bezogen auf Hesiod), Varro, Cicero und den
Grammatikern der späten Kaiserzeit abzeichnen. So
verweist Albertino Mussato (1261–1329) auf die urspr.
Rolle der Dichtung als *altera Theologia* bzw. *philosophia*
(Epist. 4 u. 7) und leitet *vates* von *vas dei* ab. Aus dem
Dichter vermochte so neuerlich eine Art Priester und
Verkünder von Heilsbotschaften zu werden. Der Ruf
eines Propheten christl. Heilsgeschehens, in den Vergil
durch die → Interpretatio christiana der 4. *Ekloge* geriet,
belegt das ebenso wie die priesterliche Geltung, die Giovanni Boccaccio (1313–1375) in seiner *Vita di Dante e
difesa della poesia* dem Autor der *Divina Commedia* zuspricht [8. 67–87; 10. 211–234].

Über das *Trecento* in It. hinaus lebten solche Vorstellungen vom P. V. fort im umfangreichen dichtungs-
apologetischen Schrifttum der Ren., bei den Elisabe-
thanern (z. B. Philip Sidney, 1554–1586: *Defence of Poesie*), den Dichtern der Pléiade (z. B. Thomas Sebillet,
1512–1589: *L'Art poétique français*) und noch in den dt.
Barockpoetiken (z. B. Martin Opitz, 1597–1639: *Buch
von der dt. Poeterey*). Sie gehören zu den apologetischen
Topoi. Eine ungewöhnliche Aktualisierung erfahren sie
bei John Milton (1608–1674). Im Proömium (v. 6–26)
des Epos *Paradise Lost* adaptiert er ant. P. V.-Gedanken
in christianisierter Form und stellt sich in eine Reihe mit
biblischen Sängern und Propheten. Seiner Dichtung
verleiht er damit ein geradezu heilsgeschichtliches Sendungsbewußtsein [17. 97f., 103].

Im Kontext der durch die Florentiner *Accademia platonica* im *Quattrocento* initiierten Platon-Ren. kommt es
zu einer Wiederentdeckung und Übers. auch des

Phaidros und *Ion* und zu einer Rezeption der Mania-
Vorstellung, bezeichnenderweise unter Vernachlässigung ihrer kritisch-ironischen Dimension. Eine wichtige Rolle spielt dabei der *Ion*-Komm. von Marsilio Ficino (1433–1499), *De furore poetico*. Die Beschäftigung
mit Platon prägt neben der theologischen Poetik wesentlich die dichtungstheoretische Argumentation und
trägt dazu bei, das Interesse an alten Ideen vom Dichter
als göttl. inspiriertem Sänger zu wecken. So beruft sich
beispielsweise Pierre Ronsard (1524–1585) in seiner
Ode à Michel de l'Hospital auf die *sainte fureur* als Bedingung und Ausweis großer Dichtung, und Sidney verweist in seiner *Defence* darauf, daß der enthusiastische
Dichter sich sogar über die Schranken der Nachahmung
der Natur hinwegsetzen könne: ›with the force of a
diuine breath he bringeth things forth far surpassing
her (d. h. nature's) dooings‹ [3. 157; 15]. Furor-Rezep-
tion verbindet sich hier mit der (ebenfalls platonisti-
schen) *Idea*-Konzeption der Renaissance.

D. ROMANTIK

Von intensivem Rekurs auf die Trad. enthusiastischer
Dichtungstheorie, mithin auch auf die Vorstellung vom
P. V., ist die Romantik geprägt. Die von Autoren der
Romantik vertretenen Auffassungen von Wesen und
Funktion des Dichters und der Dichtung greifen auf das
gesamte Arsenal apologetischer Topoi zurück. Neu dar-
an ist der histor. Kontext, in dem dies geschieht, und die
Aktualisierung des ideengeschichtlichen Materials zu
programmatischen Zwecken. Wenn Johann Gottfried
Herder (1744–1803) in seiner vorromantischen Preisschrift von 1778, *Ueber die Würkung der Dichtkunst auf die
Sitten der Völker in alten und neuen Zeiten* auf die archa.
Rolle des Dichters als ›Gesetzgeber‹ [4. VIII. 366] verweist oder in ihm einen Boten der Götter sieht, der
inspiriert zum ›Exegeten der Geschichte‹ [4. XXIV. 338]
und zum ›Sittenverwandler‹ [4. VIII. 434] werde, hat er
immer auch die Gegenwart im Auge, in der dieser Zustand wiederherzustellen sei. Ähnlich anspruchsvoll und
gegenwartsbezogen formuliert am Ausgang der Epoche
Thomas Carlyle (1795–1881): ›The true Poet is ever, as
of old, the Seer; whose eye has been gifted to discern the
godlike Mystery of God's Universe, and decipher some
new lines of its celestial writing; we can still call him a
Vates and Seer‹ [2. 377]. Vergleichbare Verlautbarungen
lassen sich bei zahlreichen anderen Romantikern finden, so daß es nicht übertrieben erscheint, in solchen
Auffassungen vom Dichter ein epochales Charakteristikum zu sehen. Nachwirkungen reichen bis zu Walt
Whitman (1819–1892) oder Stefan George (1868–1933)
und seinem Kreis.

Zum histor. Kontext gehören Befürchtungen ebenso wie Hoffnungen. Als Reaktion auf eine als bedrohlich empfundene Hegemonie wiss. Rationalität und abstrakter Vernunft propagierten Romantiker wie Percy
Bysshe Shelley (1792–1822) in seiner *Defence of Poetry* die
Imagination als die eigentliche ›inventive and creative
faculty‹ [6. 134] und versuchten damit einen nicht zuletzt poetologischen Begriff ins Zentrum des Interesses

zu rücken. Ohne die Aufwertung der Imagination als wesentliche Instanz der Erkenntnis und Wahrnehmung wären die Aktualisierungen des P.V.-Konzepts durch die Romantiker nicht hinlänglich zu verstehen. Die postulierte Herrschaft der Imagination als Inbegriff des poetischen Vermögens verband sich mit der Idee des Goldenen Zeitalters. Auch sie zählt zu den Signifikanten der Romantik. Entscheidende Anregungen erhielt sie durch die Frz. Revolution und die von ihr erweckten säkularen geschichtlichen Hoffnungen. Nicht selten manifestierten sie sich in der Erwartung eines neuen Goldenen Zeitalters und verliehen einer ant. Vorstellung wiederum aktuelle Bedeutung. Dichtung, verstanden als seherische Exegese der Geschichte, konnte so Züge einer Heilsbotschaft annehmen wie etwa bei William Wordsworth (1770–1850, *The Prelude*), Friedrich Hölderlin (1770–1843, *Hyperion*), Novalis (1772–1802, *Heinrich von Ofterdingen*), Shelley (*Hellas*) oder William Blake (1757–1827), der das daraus erwachsene künstlerische Selbstverständnis auf die Formel brachte: ›The Nature of my Work is Visionary or Imaginative; it is an Endeavour to Restore what the Ancients call'd the Golden Age‹ [1. 605]. Die eigenartige Koinzidenz von Dichtungstheorie und Geschichtsphilos. erlaubte es auch dann noch, an diesem Glauben festzuhalten, als die unmittelbaren Hoffnungen in die Revolution sich enttäuscht sahen. Sein Ort wurde die Dichtung als Ausdruck der Imagination, sein Sprachrohr der Dichter als *vates*.

Eine nicht zu unterschätzende Rolle für die romantische Rezeption der enthusiastischen Dichtungstheorie kommt schließlich der zunehmenden Anverwandlung rel. Begriffe und Vorstellungen durch die vorromantische und romantische Ästhetik und Poetik zu, die sich von Johann Joachim Winckelmanns (1717–1768) Statuenbeschreibungen über Herder, Novalis, Wilhelm Wackenroders (1773–1798) und Ludwig Tiecks (1773–1853) *Herzensergießungen eines kunstliebenden Klosterbruders*, Blake, Shelley bis zu Victor Hugos (1802–1885) *Contemplations* verfolgen läßt. Sie manifestiert sich in einer quasi-rel. Verehrung des Kunstwerks, einer Sakralisierung der Kunst, und leistet überdies dem Bild des Künstlers und Dichters als eines Sehers und Visionärs Vorschub [19. 197–216]. Der Sinn für Poesie sei, so Novalis, ›verwandt mit dem Sinn der Weissagung und dem rel., dem Sehersinn überhaupt‹ [5. 43]. Die auf solche Anschauungen sich berufende poetische Rede gibt sich gerne als fremde, empfangene eher denn als gemachte aus. Sich mit einer Aura des Numinosen zu umgeben, gehört zu den rekurrierenden Strategien romantischer Poetik [9].

QU **1** W. BLAKE, Complete Writings, ed. G. KEYNES, 1966 **2** T. CARLYLE, Works (= Centenary Ed.), Bd. XXVII, London 1899 **3** Elizabethan Critical Essays, Bd. I, ed. G. G. SMITH, 1959 **4** J. G. HERDER, Sämtliche Werke, ed. B. SUPHAN, 1967/68 **5** NOVALIS, Werke, Briefe, Dokumente, Bd. III, ed. E. WASMUTH, 1956 **6** P. B. SHELLEY, Complete Works, Bd. VII, ed. R. INGPEN, W. E. PECK, 1965

LIT **7** M. J. B. ALLEN, The Platonism of Marsilio Ficino. A Study of his Phaedrus Commentary, its Sources and Genesis, 1984 **8** A. BUCK, It. Dichtungslehren vom MA bis zum Ausgang der Ren., 1952 (= Beih. Zschr. Romanische Philol. 94) **9** T. CLARK, The Theory of Inspiration. Composition as a Crisis of Subjectivity in Romantic and Post-Romantic Writing, 1997 **10** E. R. CURTIUS, Europ. Lit. und lat. MA, ⁵1965 **11** H. DAHLMANN, Vates, in: Philologus 97, 1948, 337–353 **12** M. FUHRMANN, Einführung in die ant. Dichtungstheorie, 1973 **13** E. A. HAVELOCK, Preface to Plato, 1963 **14** M. MAEHLER, Die Auffassung des Dichterberufs im frühen Griechenland bis zur Zeit Pindars, 1963 (= Hypomnemata 3) **15** W. MÖNCH, Die it. Platon-Ren. und ihre Bed. für Frankreichs Lit.- und Geistesgesch. 1450–1550, 1967 (= Ndr. der Ausgabe Berlin 1936) **16** J. K. NEWMAN, The Concept of Vates in Augustan Poetry, 1967 (= Collection Latomus 89) **17** M. ROSTON, Prophet and Poet, The Bible and the Growth of Romanticism, 1965 **18** A. SPERDUTI, The Divine Nature of Poetry in Antiquity, in: Transactions and Proceedings of the American Philological Association 81, 1950, 209–240 **19** R. v. TIEDEMANN, Fabels Reich. Zur Trad. und zum Programm romantischer Dichtungstheorie, 1978 **20** E. N. TIGERSTEDT, Plato's Idea of Poetical Inspiration, 1969.

RÜDIGER V. TIEDEMANN

Poetik A. BEGRIFFSKLÄRUNG

B. REZEPTIONSSTRUKTUR

C. REZEPTIONSGESCHICHTE

A. BEGRIFFSKLÄRUNG

Hinsichtlich der histor. Entwicklung der P. von der Ant. bis ins 20. Jh. lassen sich neben dem (a) Aspekt ontologisch-anthropologischer Grundlegung des Dichtens vier weitere, am funktionalen Sprachmodell orientierte Argumentationsfelder der P. ausdifferenzieren: (b) produktionsästhetische Überlegungen zum Autor und zur Entstehung von Lit., (c) rezeptionsästhetische Überlegungen zum Verstehen und zur Wirkung von Lit., (d) Überlegungen zur Relation zw. Lit. und Wirklichkeit (Sinn und Bed.) und (e) der werkästhetische Komplex des Stils, der Struktur und der lit. Verfahrensweisen der Dichtung. Historisch variant innerhalb der genannten Begriffsdimensionen von P. ist dabei nicht nur der gewählte Interessenschwerpunkt, der einzelne Konzepte heraushebt und vorübergehend zu Leitkategorien des poetologischen Diskurses erhebt; die Theoriegeschichte der P. ist überdies ganz wesentlich bezogen auf das jeweils geltende epistemische Referenzsystem, in dem sie artikuliert ist: Der theoretische Gehalt der tragenden poetologischen Konzepte wie Subjekt (Autor) und Wirkung (Leser/Hörer), Gattung und Werkstruktur, Zeichen und Wirklichkeit (Natur) unterliegt folglich fundamentalen ethischen, semiotischen und ontologischen Rahmeninterpretationen, die paradigmen- und sozialhistor. relativ sind.

Die Schrift *Perí poiētikḗs* des Aristoteles hat als Form des poetologischen Sprechens zunächst die wiss. Lehrschrift mit darlegend-diskursivem Anspruch und ihrem signifikanten Schwanken zw. philos. Spekulation einerseits und sowohl deskriptiven als auch präskriptiven An- teilen andererseits etabliert. Aber schon in der Ant. ent- stehen neben der Form der Lehrschrift alternative exo- gene Formen der P. (etwa in Briefen, Traktaten und Reden) oder endogene Poetiken innerhalb der lit. Tex- te (z. B. Horazens Oden des *Musarum sacerdos*); letztere erheben ihre Geltung durch ein Wechselverhältnis zw. drei Ebenen poetologischen Sprechens: zw. (a) den strukturalen Momenten, durch die fiktionale Texte un- ausgesprochen, aber faktisch Verfahren und Formen ih- res eigenen ästhetischen Anspruchs durchsetzen (im- manente P.), (b) ihren expliziten poetologischen Kom- mentaren auf der Figuren- oder Erzählerebene und (c) den impliziten Signalen, die den Textelementen über ihre primäre semantische Funktion hinaus einen poe- tologischen Stellenwert beimessen. Vermittelt durch den Geniegedanken im späten 18 Jh. und aufgrund genereller Vorbehalte gegenüber systematischen Denk- und Darstellungsformen geht dann die exogene Re- gel-P. zunehmend in endogene (innerfiktionale) For- men der P. über sowie in poetologische Gelegenheits- äußerungen, in den Manifestantismus der Avantgarden (Futurismus, Dadaismus, Expressionismus, Surrealis- mus) und in der 2. H. des 20. Jh. in den autobiogra- phischen Werkstatt- bzw. Erfahrungsbericht ohne allg. verbindlichen Anspruch.

B. REZEPTIONSSTRUKTUR

Die Rezeptionsgeschichte der ant. P. wird entschei- dend bestimmt von Interpretationen der Aristotelischen P. (und deren impliziter Zurückweisung der platoni- schen Kritik an der Kunst als ontologisch drittrangiger Bezugnahme auf die Sphäre der Ideen), der *Ars poetica* des Horaz (wie Quintilianus die *Epist. ad Pisones* nannte) und der fälschlicherweise Longinos zugeschriebenen Schrift *Perí hýpsus* (wahrscheinlich aus dem 1. Jh. n. Chr.). Die ant. P. läßt sich sodann auf der Basis der drei genannten Schriften um drei poetologische To- poi organisieren: Der erste Topos bezieht sich auf die Aristotelische Bestimmung der Dichtung (*poíēsis*) als *mímēsis práxeōs* (→ Mimesis), d. h. als Darstellung des menschlichen Handelns; im Gegensatz zum Historiker stellt aber der Dichter nicht Einmaliges und Wirkliches, sondern Allgemeingültiges (*kath' hólu*) und Mögliches bzw. Wahrscheinliches dar; Aristoteles ersetzt dabei in der Folge die modale Kategorie des Wahrscheinlichen durch die pragmatische (rezeptionsästhetische) Katego- rie des Glaubwürdigen, das in Form des Erstaunlichen bzw. Wunderbaren (*thaumastón*) dem Möglichen auch durchaus widerstreiten kann. Hieraus resultiert (gegen Platon) die philos. Neubewertung der Dichtung als ei- genes schöpferisches Wissen (*epistémē poiētikḗ*) und die sowohl referentielle wie auch strukturelle Bestimmung der Mimesis (als *poíēsis*): Dichtung ist kraft ihrer Allge- meinheit mittelbar auf Wirklichkeit bezogen; zugleich jedoch fordert dies eine Modellierung der Ereignis- bzw. Handlungszusammenhänge im Rahmen einer einheitlichen und ganzheitlichen Fabelstruktur (→ My- thos). Horaz erweitert das strukturelle Mimesis-Kon-

zept (das als Triade von *unum, totum, simplex* reformu- liert wird) unter dem produktionsästhetischen Begriff der → Imitatio (Horaz kennzeichnet den Dichter als *imitator*) um den intertextuellen Rückbezug auf die sti- listischen wie stofflichen Vorbilder der griech. Antike. Ps.-Longinos stellt (stärker noch als in Horazens Be- kenntnis zur *enthusiasmós*-Lehre und seiner Gleichstel- lung des *ingenium* mit der *ars* (*téchnē*)) die Nachahmung der Handlungswirklichkeit und die rhetor. Mimesis der ant. Stilvorbilder unter die Dominante des Erhabenen, des Pathos und der *phantasía* (Wiedervergegenwärti- gung), mithin eher unter produktions-, stil- und wir- kungsästhetische denn ontologisch-referentielle Kate- gorien.

Ein zweiter zentraler Topos der ant. P. bezieht sich auf die aristotelische Gattungstrichotomie von Trag., Epos und Kom., die in der nacharistotelischen Schul- trad. – gemäß der allg. Rhetorisierung der P. in der röm. Ant. – mit der rhet. Lehre der Stimmigkeit von Stoff und Stil (*prépon, harmótton; decorum, aptum*) enggeführt wird. Die Aristotelische Zweiteilung des Dramas in Ver- knüpfung (*désis*) und Lösung der Handlung (*lýsis*) und deren klimaktische Zuspitzung in der Handlungs- oder Erkenntnis-Metabole (*peripéteia, anagnórisis*) differen- ziert Horaz in das fortan schulbildende Fünf-Akt- Schema aus. Ps.-Longinos (und mit ihm die von der Rhet. abkünftige Lit.-Kritik des 1. Jh. n. Chr.) wendet sich dann verstärkt den bislang wenig beachteten klei- nen Gattungen, insbes. der Lyrik, zu und öffnet so die dogmatische Gattungstrichotomie des Aristoteles.

Der dritte zentrale poetologische Topos bezieht sich auf die rezeptionsästhetische Frage nach der Wirkung von Lit.: in dieser Hinsicht sind in der Geschichte der P. insbes. die Aristotelische *kátharsis*-Lehre, die als Ziel des Dramas die Erregung von *éleos* (»Jammer«, »Rührung«) und *phóbos* (»Schaudern«, »Schrecken«) bestimmt, und das Horazische Modell des doppelten Wirkungszwecks von *delectare* und *prodesse* bedeutsam geworden.

Abgesehen von den histor. bedingten Variationen und Akzentverschiebungen bleibt die ant. P. konstanter und weitgehend homogener Bezugspunkt des poeto- logischen Denkens bis weit ins 18. Jh. hinein. Dem MA ist die Aristotelische P. allerdings nur durch die lat. Übers. einer Paraphrase von Averroës (1256) zugäng- lich; bestimmend bleiben daher zunächst die Maßregeln der ant. Rhet. (vermittelt über Ciceros *De oratore* und *Topica*) und die Stilvorschriften der Horazischen Poetik. Erst von der Ren. an gewinnt die Aristotelische P. grundlegenden Einfluß.

Kants epochale Betonung der objektkonstitutiven Tätigkeit des urteilenden Verstandes (gegenüber den re- präsentationalen Postulaten der vorkritischen Erkennt- nistheorie sowohl des Rationalismus wie des Empiris- mus bzw. Sensualismus) revoziert die Idee einer schon aus sich heraus sinnvollen Weltordnung und Geschich- te; mithin wird die Voraussetzung einer dem lit. Schaf- fen vorausliegenden Natur (als Gegenstand oder Prinzip der Nachahmung) in Zweifel gezogen, woraus später die Frühromantik ihre Ablehnung der Kunst als Nachahmung der Natur begründet. Damit zusammenhängend postuliert die Genieästhetik in der 2. H. des 18. Jh. die Unabhängigkeit des Genies von dem, was im kategorial-rationalen Diskurs als Natur konstituiert ist; der gesetz- bzw. regelsetzende Akt des schaffenden Genies opponiert folglich gegen den Gedanken eines vorgängigen Regel- und Gattungssystems und zugleich gegen die Möglichkeit einer theoretisch-begrifflichen Durchdringung des ästhetischen Handelns *post festum*; dadurch wird P. als allg. deskriptives und präskriptives Regelwerk zunehmend außer Kraft gesetzt. Die Krise der ant. P. im späten 18. Jh. hat lediglich das Theorem der Mimesis überlebt, im 19. Jh. etwa in den Begründungen des Realismus und Naturalismus sowie um die Jahrhundertwende – kritisch – in ihrer vehementen Ablehnung (im Symbolismus und Expressionismus) oder in Brechts Konzept des »Epischen Theaters«. Die gelegentliche Wiederaufnahme ant. poetologischer Konzepte im weiteren Verlauf des 20. Jh. (z. B. Auerbachs Mimesisbegriff oder Ricœurs triadisches Mimesiskonzept in *Temps et récit*) koppelt sich hingegen von der Theoriegeschichte der P. gänzlich ab und geht direkt auf die Aristotelischen Struktureinsichten zurück.

C. REZEPTIONSGESCHICHTE

Unter den semiotisch-ontologischen Voraussetzungen der Spätant. und des MA besteht, durch die Verazität Gottes garantiert, zw. der sinnlich zugänglichen Wirklichkeit, dem Intelligiblen und der theologischen Wahrheit der Hl. Schrift zwar ein durchgängig analogischer bzw. homologer, aber doch stets verborgener Zusammenhang; der Sinn der Texte (sowie des *liber naturae*) muß demnach im Rahmen einer allegorischen Interpretation herausgearbeitet werden. Dieses später als Methode des vierfachen Schriftsinns etablierte Auslegungskonzept von Augustinus (*De doctrina christiana*) weitet im 6. Jh. Fulgentius in *De continentia Vergiliana* auch auf ant. Autoren aus. Isidor von Sevilla unterscheidet, an Aristoteles angelehnt, in seinen *Etymologiae* (ca. 560–636) Dichtung, Geschichtsschreibung und Fabel (Mythos). Dichtung transponiert geschichtliche Fakten in figürliche Redeweise; sie ist mithin imitativ auf histor. Faktizität verpflichtet. Hermannus Alemannus' 1256 ins Lat. übers. Komm. des Averroës zur Aristotelischen P. bindet das Drama und die Aristotelische *kátharsis*-Lehre eng an das ethische System des MA: Die Trag. wird dem Lob, die Kom. dem Tadel dargestellter Handlungen zugeordnet. Die unter dem Sammeltitel *Les arts poétiques* [1] bekannten Poetiken des 12. und 13. Jh. weisen allg. eine starke Orientierung an der ant. Rhet. und deren Einteilung der verschiedenen Phasen der Redeentstehung (*inventio*, *dispositio* und *elocutio*) auf. In Geoffroi de Vinsaufs *Poetria nova* wird ebenso wie in Jean de Garlandes *Parisiana poetria* (darin das sog. »Rad des Vergil«), Alexandre de Villes *Dei Doctrinale*, Matthieu de Vendômes *Ars versificatoria* und im *Laborintus* von Évrard L'Allemand das Hauptziel der Unterweisung in der *amplificatio* des Stoffes (als Teil der *elocutio* und unter gattungsspezifischer Berücksichtigung des *decorum*) gesehen. Ebenfalls weit verbreitet – und für die Tradierung des ant. Lit.-Kanons wichtig – ist im 12. und 13. Jh. die Gattung des *accessus ad auctores*, für den Unterricht bestimmte Einleitungen zu klass. Autoren mit Hinweisen zur Biographie und Autorintention, Zuordnung und Interpretation des Werkes nach Gattung und philos. Ausrichtung.

Vincent de Beauvais' *Speculum doctrinale* verbindet Isidors ant. Dichtungskonzept mit der Aufwertung der *imaginatio*, die er Alfarabias *De divisione naturae* entnimmt; er ordnet sodann die *imaginatio* als ein Vermögen der Vergegenwärtigung eines real Abwesenden der Dichtung zu. Eine in der Sache ähnliche Einschätzung ist Thomas von Aquins ambivalenter Bewertung der Dichtung zu entnehmen: Diese sei einerseits der logischen Analyse unzugänglich (von daher auch eine in der logischen Analyse untaugliche Form), aber doch über die → Allegorese ein der Vermittlung von (theologischem) Wissen fähiges Mittel.

Wie Fulgentius vor und Dante nach ihm geht Bernhardus Silvestris von einem allegorisch verdeckten wiss. Wahrheitsgehalt (*integumentum*, *involucrum*) des lit. Schönen aus (vgl. sein kosmologisches Epos *De mundi universitate*). Dante schließlich stellt dann in *Convivio* die poetische Allegorie der theologischen bzw. wiss. Allegorie gleich; im Schreiben an Cangrande della Scala (*Epistola XIII*) wird sodann die Balance gefordert zw. Logik und fünf lit. Modi: dem poetischen, fiktiven, deskriptiven, digressiven und metaphorischen Modus.

Durch Boccaccios Verteidigung der Dichtung im allg. und der ant. Lit. im bes. gegen die klerikalen Angriffe vorbereitet, ferner initiiert durch annotierte Editionen der Horazischen P. (z. B. Badius Ascenius, 1500) beginnt in der Ren. eine systematische Auseinandersetzung mit der ant. P. in De Vidas *De arte poetica*, 1527). Die Aristotelische P. ist 1508 durch Aldus' Publikation einer verläßlichen griech. Fassung und 1536 durch eine lat. Übers. von Pazzi zugänglich. Obwohl ab den 40er J. des 16. Jh. durch it. Komm. (z. B. Robortelli, 1548; Maggi, 1549; Lombardi, 1549; Minturno, *L'arte poetica* und *De poeta*, 1563 bzw. 1559; Castelvetro, *Poetica d'Aristotele vulgarizzata e sposta*, 1570) ausführlich diskutiert, wird die Aristotelische P. (meist in Verbindung mit der Horazischen P.) im übrigen Europa erst im späteren Verlauf des 16. Jh. und frühen 17. Jh. wirksam: z. B. durch Scaligers *Poetices libri septem* (1561), Pincianos *Philosophia antiqua poetica* (1596), Sidneys *Defense of Poesie* (1595), Lauduns *L'art poétique françois* (1597) und Heinsius' *De tragoediae constitutione* (1611).

Das Interesse der Ren.-P. für klass. Versformen und die *decorum*-Lehre wird hinsichtlich der ant. Gliederung der Gattungen spezifiziert. Die Gattungen werden allerdings mit der ständischen Hierarchie verbunden: Die Trag. fordert einen hohen Stil, Aristokraten und staatstragende Handlungen als Charaktere und Stoff; entsprechend sind bürgerliche Handlungen und Figuren der Kom. zugeordnet, ferner der *stilus mediocris* vorgeschrieben. Die Ren. folgt Aristoteles zwar in der Hochschätzung der Trag. im dramatischen Genre, gegen Aristoteles wird jedoch im Epos die höchste Gattung gesehen. Die enge Verbindung von Rhet., Gramm. und P. im Lehrwesen favorisiert zunächst bis zur Wiederentdeckung der Aristotelischen P. die rhet. *imitatio* ant. Stilvorbilder (insbes. Cicero und Vergil) (vgl. Erasmus' *Ciceronianus*, 1528; Aschams *Scholemaster*). In den Komm. zur Aristotelischen P. wird dann Mimesis als imitative Repräsentation des Wirklichen (vgl. Patrizis *Della poetica la deca disputata*, 1586) oder als Darstellung typischer bzw. wahrscheinlicher und idealer Aspekte des Wirklichen gedacht; dadurch wird das strukturale Konzept der Mimesis – ähnlich wie auch das Katharsismodell – einerseits moralisch interpretabel und andererseits über das ästhetische Moment des Schönen, des Wunderbaren und Neuen mit der Horazischen Idee des doppelten Wirkungszwecks verbunden (z. B. Daniello, *La poetica*, 1536; Tasso, *Discorsi dell'arte poetica*, 1567–1570; Peletier du Mans, *L'Art poétique*, 1555; Ronsard, *Abrégé de l'art poëtique françois*, 1565).

Im 17. Jh. bleiben die poetologischen Basiskonzepte, sowohl die Vorbildlichkeit der ant. Autoren als auch die Postulate der mimetischen Verpflichtung der Lit. auf das Wahrscheinliche und Angemessene sowie die Horazische Lehre vom doppelten Wirkungszweck, zunächst uneingeschränkt in Kraft, und zwar z. T. gegen die digressive lit. Praxis des Barock (Marinismus, Gongorismus, *concettismo*). So kommt etwa Opitz' *Buch von der deutschen Poeterei* (1624), das eine starke Abhängigkeit von Ronsard und Heinsius aufweist, oder Zesens *Deutscher Helicon* (1641) v. a. das Verdienst zu, die Ren.-P. in dt. Sprache zugänglich gemacht zu haben. Masens *Palastra Eloquentiae Ligatae* (1654–1657), Harsdörffers *Poetischer Trichter* (1648–1653) und Birkens *Teutsche Redebind und Dicht-Kunst* (1679) hingegen erweitern – der lit. Praxis Rechnung tragend – Stilistik und Gattungssystem, obschon auch hier von den Grundannahmen der Ren.-P. keineswegs abgerückt wird. Eine ähnliche Konstanz poetologischer Postulate gilt für die engl. P. von Jonson (*Timber or Discoveries*, 1641) über Dryden (*Of Dramatick Poesie*, 1668) bis Pope (*An Essay on Criticism*, 1713).

Die frz. Klassik verfestigt das Mimesis-Postulat (Forderung der *vraisemblance*), die *decorum*-Lehre (Forderung der *bienséance*), die dramatische Lehre der drei Einheiten und die Lehre vom doppelten Wirkungszweck in einem differenzierten Regelsystem, welches, bedingt durch den Einfluß von Descartes, dezidiert unter die Ägide der Vernunft gestellt wird (Chapelain, *Lettre sur le poème d'Adonis du Chevalier Marino*, 1623; D'Aubignac, *La Pratique du Théâtre*, 1657; Boileau, *L'Art poétique*, 1674). Zugleich aber macht sich nun eine durch die rationalistische Philos. beförderte Kritik an der unhinterfragten Autorität der ant. Autoren bzw. am blinden Befolgen der klass. Doktrin geltend (u. a. Corneille, *Trois Discours sur le poème dramatique*, 1660; Bouhours, *Entretiens d'Ariste et d'Eugene*, 1671): Dies führt zu der bis in das 18. Jh.

andauernden Kontroverse über die Vor- oder Nachrangigkeit der zeitgenössischen Lit. mit Blick auf die Ant., zur → Querelle des Anciens et des Modernes, in der Perrault und Fontenelle als Verteidiger der Modernen gegen La Fontaine, La Bruyère und Boileau als Verfechter der Alten stehen.

Eine Gegenbewegung zum poetologischen Konservativismus des 17. Jh. – ohne jedoch dessen Grundüberzeugungen im Kern zu verlassen – repräsentieren die Nachfolger Góngoras und Marinos durch ihren Stil der digressiven *préciosité*, sowie die it. und span. Traktatisten des Barock, insbes. in der Formulierung der *Acutezza*-Lehre durch Pellegrini (*Delle acutezze*, 1639) und Gracián (*Agudeza y arte de ingenio*, 1642, 1649) (→ Epigramm). Das *ingenium* (»Erfindung«, »Phantasie«, »Imagination«) wird gegenüber der *ars*, der scharfsinnige Einfall (*concettismo*) und die inhomogene Bildbereiche verschmelzende → Metapher (vgl. Tesauro, *Il cannochiale aristotelico*, 1654) gegenüber der Wahrscheinlichkeitsforderung der ant. P. aufgewertet. So bestätigt zwar Cervantes *Don Quijote* (1605/1615) in expliziten Passagen immer wieder die Standpunkte der Ren.-P., diese werden aber konterkariert durch die entfesselte Phantasie des Protagonisten und die digressiven lit. Verfahren des Textes.

Als Reaktion auf den *concettismo*, den »barbarischen« oder »gotischen Geschmack« des Barock (Bouhours, 1671; Gravina, *Della Tragedia*, 1715; Addison, *Spectator*, Nr. 58–63, 1711) wird im Zeichen der Frühaufklärung sowohl die rationale Grundlage des Dichtens als auch das Prinzip der Naturnachahmung erneuert. Beispiele hierfür sind das der frz. Klassik verpflichtete, systematisch angelegte Kompendium Gottscheds (*Versuch einer critischen Dichtkunst*, 1730) oder Luzáns *Poética* (1737). Obwohl das Ideal der Naturnachahmung als Zielpunkt der Dichtung bis in die 2. H. des 18. Jh. im Recht bleibt (Baumgarten, *Aesthetica*, 1750–1758; Winckelmann, *Gedanken über die Nachahmung der griech. Werke in der Malerei und Bildhauerkunst*, 1755; Spalletti, *Saggio sopra la bellezza*, 1765; Sulzer, *Die schönen Künste*, 1772), gerät es durch seine Reformulierung im Horizont einer umfassenden Emotionalisierung des Dichtungsverständnisses zunehmend in eine Aporie, die am E. des Jh. das Mimesis- und Vernunftpostulat schließlich auflöst. Bereits im 17. Jh. deutet sich dies an, sprachtheoretisch in der von der cartesianischen Nachfolge vertretenen Überzeugung, die Vermittlung des Wahren bedürfe einer emotional fundierten Sprache (Arnauld/Nicole, *Logique de Port-Royal*, 1662; Lamy, *De l'art de parler*, 1676); semiotisch durch die u. a. von Locke betonte Arbitrarität der Relation zw. Bezeichnendem und Bezeichnetem (*Essay Concerning Human Understanding*, 1690), woraus für die Lit. das Problem der Nachahmung mit willkürlichen Zeichen resultiert; und dramentheoretisch in der Emotionalisierung der *kátharsis*-Lehre und in der Psychologisierung der Charaktere (Corneille, *Trois Discours sur le poème dramatique*, 1660; Rapin, *Réflexions sur la Poétique d'Aristote*, 1674; Boileau; Dryden; Rymer, *Tragedies of the Last Age Considered*, 1678).

Wichtig ist in diesem Zusammenhang auch die von Boileaus Übers. und Kommentierung der ps.-longinischen Schrift *Perí hýpsus* ausgehende Diskussion des Erhabenen (Boileau, *Traité du sublime*, 1674) – eine Stilkategorie, die zwar noch auf den Bereich des Schönen und rational Faßbaren bezogen ist, diesen jedoch im Sinne eines intuitiven Geschmacks- und ästhetischen Moralkonzepts überschreitet (vgl. Burke, *A Philosophical Enquiry into the Origin of Our Ideas of the Sublime and the Beautiful*, 1757; Kant, *Kritik der Urteilskraft*, 1790; Schiller, *Vom Erhabenen. Ueber das Pathetische*, 1793). Diese Tendenzen verbinden sich zum einen in einer nun rezeptionsästhetisch motivierten Reformulierung der horazischen Formel → Ut pictura poesis: Zunächst als Übertragung der natürlichen Zeichenstruktur pikturaler Kunstformen auf das lit. Medium verstanden (Dryden, *A Parallel of Poetry and Painting*, 1695; Du Bos, *Réflexions Critiques sur la Poésie et la Peinture*, 1719–1733; Gottsched, *Versuch einer critischen Dichtkunst*; Breitinger, *Critische Dichtkunst*, 1740), wird Anschaulichkeit dann in Lessings *Laokoon, oder Über die Grenzen der Malerei und Poesie* (1766) und in seiner *Hamburgischen Dramaturgie* (1767–1769) als dynamisches Konzept der Repräsentation aufgefaßt: Über die (emotional) angeregte Einbildungskraft soll die in der Zeit sich linear ausbreitende und willkürliche Zeichenform verbaler Sprache überwunden werden. Damit zusammenhängend wird zum anderen die Befolgung der Naturnachahmung und des Wahrscheinlichen vom moralisch begründeten Endzweck der Dichtung, der Erregung bzw. Reinigung der Affekte und der Vermittlung aufklärerischer Ideen abhängig gemacht (und mithin bisweilen aufgehoben): so in Dennis' *The Grounds of Critic in Poetry* (1704), in Addisons Konzept der *imagination* (*Spectator*, Nr. 409f.), so auch in der Entgegnung Bodmers und Breitingers auf Gottscheds rigide Funktionalisierung der Phantasie (*Von dem Wunderbaren und dessen Verbindung mit dem Wahrscheinlichen*, 1740), in J.E. Schlegels *Abhandlung, daß die Nachahmung der Sache, der man nachahmt, zuweilen unähnlich werden müsse* (1745) oder in Lessings Tragödien- bzw. Katharsistheorie, in der *éleos* und *phóbos* mit Mitleid und Furcht übersetzt, folglich auf moralische Affekte bezogen werden.

Die Krise der ant. P., die sich in der Aufklärung (insbes. bei Lessing) bereits andeutet und, als homogener Thesaurus poetologischer Überzeugungen, am E. des 18. Jh. aufgelöst wird, verläuft in mehreren Schüben: Die enthusiastische Rede des frühen Goethe *Zum Shakespears-Tag* (1771) rekapituliert und negiert zugleich Schritt für Schritt die ant. P., wie sie in der frz. Klassik in Regeln und als Regel festgeschrieben wurde. Die theatralischen Einheiten, als Dogma der ›Herrn der Regeln‹ kritisiert, gelten den ›freien Seelen‹ nur mehr als ›Fesseln unserer Einbildungskraft‹. Allerdings bindet Goethe in seinem Aufsatz *Einfache Nachahmung der Natur, Manier, Stil* (1789), unter dem unmittelbaren Eindruck von Moritz' *Über die bildende Nachahmung des Schönen* (1788) entstanden, das Schöpferische und Indivi-

duelle an die Nachahmung der Natur und die Erkenntnis naturgesetzlicher Vorgänge zurück – eine Verbindung, die für die P. der Weimarer Klassik vorbildhaft ist. Schiller hingegen sieht in *Über naive und sentimentalische Dichtung* (1795) bereits eine unhintergehbare Differenz des Modernen zur ant. Naturwahrnehmung, mithin ein reflektorisches Moment, das den Bezug zur Ant. bestimmt (vgl. auch Hölderlins *Tod des Empedokles*, 1798–1800, und Hegel, *Vorlesungen über die Ästhetik*, 1820–1829).

Noch stärker negatorisch bezogen auf die neoklass. P. des 17. und 18. Jh. und ihr Bild der Ant. ist die dt. Romantik. Schlegel, zunächst noch ein Verfechter der ant. P. (vgl. Fr. Schlegel, *Über das Studium der griech. Poesie*, 1795), etabliert gegen die Harmonie-, Vollkommenheits- und Vollendungspostulate der klass. P. das Interessante, Irreguläre, ästhetisch Unvollkommene und Fragmentarische (Fr. Schlegel, *Lyceum*, 1797, *Athenäums-Fragmente*, 1798), wodurch er die Lit. des MA, aber auch die zeitgenössische Lit. als romantisch gekennzeichnet sieht. Novalis wendet sich, wie die → Romantik überhaupt, in seinen *Hymnen an die Nacht* (1800) ostentativ von der griech. Welt ab, die er metaphorisch mit dem Tag identifiziert; die Nacht hingegen gilt ihm als Symbol einer ma. Mystik des Todes und des Christentums.

Damit ist der Traditionszusammenhang, d.h. der explizite kritische oder legitimierende Rückbezug auf die Postulate der ant. P. und ihre fortlaufende Diskussion in der Geschichte der P. gekappt. Im weiteren Verlauf des 19. und im 20. Jh. dient zwar die ant. Lit. sowie die griech. und röm. Ant. immer wieder als poetologischer Bezugspunkt; dies geschieht allerdings zumeist außerhalb des traditionellen Diskussionshorizonts der ant. P. und mit sehr unterschiedlichen, meist antiklass. Intentionen: Nietzsches kunstphilos. Essay *Die Geburt der Tragödie* (1872) etwa entwickelt aus einer Genealogie der ant. griech. Dramatik einen fundamentalen Widerstreit, der jeder künstlerischen Schöpfung innewohnt: den zw. permanenter innovativer Bildung und notwendiger Zerstörung (figuriert in Apoll und Dionysos). Die lit. Trad. der frz. → Décadence hingegen referiert auf vermeintlich moralisch verwerfliche Anteile der röm. Ant., und die Lit. des → Fin de Siècle rekurriert auf die nervösen und hysterischen Anteile der Antike.

→ Aristotelismus; Gattung/Gattungstheorie; Platonismus

→ AWI Aristoteles [6]; Aristotelismus; Horatius [7]; Katharsis; Literarische Gattung; Literaturtheorie; Mimesis; Neuplatonismus; Platon [1]; Ps.-Longinos

QU **1** E. FARAL, Les arts poétiques du XIIe et du XIIIe siècle, 1924

LIT **2** C.S. BALDWIN, Medieval Rhetoric and Poetics to 1400, 1928 **3** R.R. BOLGAR, The Classical Heritage and Its Beneficiaries, 1954 **4** K. BORINSKI, Die P. der Ren., Berlin 1886 **5** A. BUCK, It. Dichtungslehren vom MA bis zum Ausgang der Ren., 1953 **6** Ders., K. HEITMANN (Hrsg.), Ant.-Rezeption in den Wiss. während der Ren., 1983

7 M. R. ERDBEER, Der Text als Verfahren. Zur Funktion des textuellen Paradigmas im kulturgeschichtlichen Diskurs, in: ZÄK (Zeitschrift für Ästhetik und Allgemeine Kunstwissenschaft) 46, 2001, 77–105 **8** M. FUHRMANN, Die Dichtungstheorie der Antike. Aristoteles, Horaz, »Longin«. Eine Einführung, 1992 **9** G. GEBAUER (Hrsg.), Das Laokoon-Projekt. Pläne einer semiotischen Ästhetik, 1984 **10** B. HATHAWAY, The Age of Criticism. The Late Ren. in Italy, 1962 **11** A. F. KINNEY, Humanist Poetics. Thought, Rhetoric, and Fiction in 16th-Century England, 1986 **12** Ders., Continental Humanist Poetics, 1989 **13** E. MARKS, The Poetics of Reason, 1968 **14** B. MARKWARDT, Gesch. der dt. Poetik, 5 Bde., 1937–1967 **15** J. MINNIS, A. B. SCOTT (Hrsg.), Medieval Literacy Theory and Criticism, ca. 1100 – 1375: The Commentary Trad., 1988 **16** A. NÜNNING (Hrsg.), Metzler Lex. Lit.- und Kulturtheorie, 1998 **17** A. PREMINGER (Hrsg.), The New Princeton Encyclopedia of Poetry and Poetics, 1993 **18** K. SCHERPE, Gattungs-P. im 18. Jh., 1968 **19** B. STOCK, The Implications of Literacy: Written Language and Models of Interpretation in the 11th and 12th Centuries, 1986 **20** D. E. WELLBERY, Lessings' Laocoon. Semiotics and Aesthetics in the Age of Reason, 1984 **21** W. WIMSATT, C. BROOKS, Literary Criticism. A Short History, 1957 **22** M. WINDFUHR, Die barocke Bildlichkeit und ihre Kritiker, 1966. KLAUS MÜLLER-RICHTER

Polen I. REZEPTIONSGESCHICHTE
II. WISSENSCHAFTSGESCHICHTE

I. REZEPTIONSGESCHICHTE
A. LITERATUR   B. BILDENDE KUNST UND ARCHITEKTUR   C. ANTIQUITÄTENSAMMLUNGEN D. RECHTSWESEN

A. LITERATUR
1. MITTELALTER

Wie überall im lat. Westeuropa wurde auch im ma. P. die ant. Trad. nicht in ihrer histor. authentischen Gestalt (und natürlich nicht in ihrem vollen Ausmaß) rezipiert und benützt, sondern in derjenigen, in der sie – seit der patristischen Epoche in die christl. Kultur integriert – schon jahrhundertelang bestand. Deswegen ist sie kaum als selbständiges Objekt der Rezeption, sondern als ein Bestandteil der ma. christl. Kultur anzusehen. Dieser Sachverhalt scheint seit der zweiten H. des 10. Jh., in dem in P. die Christianisierung begann, bis in die siebziger J. des 15. Jh. anzudauern.

Wenn wir in dem uns aus dem Anf. des 12. Jh. erhaltenen Bücherregister der schon in den letzten J. des 11. Jh. zu Krakau bestehenden → Domschule die Namen mancher ant. Autoren – Terenz, Sallust, Ovid, Statius und Persius – und dazu diejenigen des Boëthius (*De consolatione*), Gregors des Großen und Isidors von Sevilla nebst den anon. Handbüchern der Gramm. und Dialektik finden, so haben wir es mit einer typischen Schulbibl. der sog. → Ottonischen Renaissance des 10. Jh. zu tun. Typisch nämlich ist sowohl das Verzeichnis ant. Autoren als auch die Nebeneinanderstellung ihrer Namen und derer der späteren christl. Schriftsteller sowie der anon. überlieferten, öfter früh-ma. als ant. Handbücher.

Anfang des 12. Jh. verfaßte ein Mann unbestimmter Herkunft (er selbst nannte sich *hospes et peregrinus*), als Gallus Anonymus bekannt, eine polnische, hauptsächlich die *gesta* Boleslaus III. enthaltende Chronik. Der Autor richtete sich ganz nach dem Geschmack der damaligen gelehrten Lit.: Er benutzt zwar mehrfach ant. histor. oder myth. Einzelheiten und Motive; insgesamt dient dieses »ant. Material« aber nur als äußere Staffage des Werkes.

Erst das ca. ein Jahrhundert später von einem Chronisten polnischer Herkunft, Vincentius Kadłubek (Cadlubko oder Cadlubkonis) genannt, verfaßte *Cronicon Polonicum* kann als erstes Beispiel einer echten, mit dem sachlichen und geistigen Inhalt des Werkes aufs engste verbundenen Aneignung des ant. Materials gelten. Der Chronist verknüpfte die polnische und die ant. Geschichte derart miteinander, daß er nicht nur die uralten, sagenhaften polnischen Herrscher mit Alexander dem Großen, Pompeius und anderen ant. Feldherrn kämpfen ließ, sondern auch die gleichzeitige polnische Wirklichkeit vorwiegend mit ant., insbes. röm. Kategorien beschrieb. Er knüpfte damit nicht an die seit Jordanes datierende Sitte ma. Historiker an, ihre eigenen Völker von den ant. Völkern abzuleiten, sondern gestaltete jene Sitte gewissermaßen um: Er konstruierte keine auf ein aus der Ant. bekanntes Volk zurückgehende *origo gentis*, sondern betonte die Unabhängigkeit und Streithaftigkeit der autochthonen Bevölkerung.

Bei Vincentius, aber auch schon bei polnischen Autoren vor ihm, finden sich Kryptozitate aus den Briefen des Horaz. Was die westeurop. – »philos.« und »wiss.« – lit. Kultur des 12. Jh. und die sich fast ausschließlich auf die Werke des Aristoteles und seiner Kommentatoren konzentrierende scholastische Kultur des 13.–15. Jh. anbelangt, deren Sitz an erster Stelle die → Universitäten waren, so begann sie in P. erst mit dem 15. Jh., d. h. mit der Erneuerung der Univ. zu Krakau (im J. 1400), zu einer Zeit also, wo sie sich von Anfang an mit dem Frühhumanismus (→ Humanismus) auseinanderzusetzen hatte.

Das Interesse der polnischen Intellektuellen für den Frühhumanismus befaßte sich seit den dreißiger J. des 15. Jh. zunächst viel mehr mit diesem als mit dem ihm zugrunde liegenden Wiedergewinnung der ant. Trad. in ihrer authentischen Gestalt. Dementsprechend bildete man zunächst das Lat. der it. Humanisten nach und erst in diesem Rahmen auch die von ihnen nachgeahmten ant. Autoren. Der in Padua 1433 promovierte Arzt Ioannes de Ludzisko, danach Professor der medizinischen Fakultät und offizieller Redner der Krakauer Univ., darf in den vierziger J. des 15. Jh. als erstes Beispiel derartiger Nachahmung, sowie ca. 1450 der Kanzler der Univ., Sbigneus de Oleśnica (Oleśnicki), als ihr erster Theoretiker und Gönner angesehen werden. In der zweiten H. des 15. Jh. versuchte Ioannes Dlugossius (Długosz) in seinen *Annales Poloniae* den Stil des Livius und anderer ant. Autoren zu imitieren, allerdings ohne großen Erfolg.

Mit der lit. Tätigkeit des kurz vor 1470 aus It. eingewanderten Humanisten Filippo Buonaccorsi, Callimachus genannt, begann man in P., die ant. Autoren unmittelbar und mit besserem Erfolg nachzuahmen und somit einerseits das ant. Erbe als einen bewußt verselbständigten histor. Bestand zu rezipieren, andererseits auch die früheren ma. Rezeptionsweisen umzuwerten und zu bestreiten.

JULIUSZ DOMAŃSKI/
Ü: TADEUSZ KACHLAK

2. RENAISSANCE UND BAROCK

Das ant. Griechenland und Rom haben die Kultur und Lit. der polnischen → Renaissance und des → Barock beeinflußt. All das, was man als das Wesen der Ren. in Europa bezeichnet, finden wir auch in Polen. Das griech.-röm. Erbe wird reaktiviert (*renovatio*), erkannt (*studium*), nachgeahmt (*imitatio*) – und wird zu einem integralen Bestandteil der entstehenden und sich festigenden nationalen Kultur. Die altpolnische Kultur öffnet sich der ant. Philos., Wiss. und Literatur. Sie nimmt auch die Myth. (und deren Theorie) auf. Es entstehen ein System von Verknüpfungen mit dem ant. Erbe und ein System von Anknüpfungen an die griech. und röm. Tradition. In der polnischen Lit. kommt es zu Reminiszenzen und Entlehnungen, es tauchen Zitate und Kryptozitate auf, Travestien und Paraphrasen wie auch – im Laufe der Zeit immer häufiger und deutlicher – die für den Forscher am schwierigsten erfaß- und beschreibbaren schöpferischen Verarbeitungen der lit. Erfahrungen der Vergangenheit zu einer neuen künstlerischen Wirklichkeit.

Die Entwicklung der einheimischen Kultur vollzieht sich im P. des 16. Jh. in zwei sprachlichen Medien; ähnlich ist es auch noch im 17. Jh., obwohl die polnische Sprache damals schon entschieden im Vordergrund steht. Das Ideal der nationalen Sprache und das Streben nach ihrer Emanzipation koexistieren mit dem Kultus des klass. Lateins. Und eben in lat. Sprache schreiben die ersten human. Dichter: Wawrzyniec Korwin (Laurentius Corvinus), Paweł von Krosno (dem 22 ant. Autoren als Muster dienten), Klemens Janicki – sarmatischer Ovid genannt – und Andrzej Krzycki. In dem lateinischsprachigen poetischen Schaffen wurden am lebhaftesten die Signale des Ren.-Human. (→ Bildung, → Humanismus) zur Kenntnis genommen. Seit Mitte des 16. Jh. erlebt das thematische, gattungsbezogene und künstlerische Bild der nlat. Poesie (→ Neulatein) in P. eine beachtliche Bereicherung. Grzegorz von Sambor schreibt Eklogen, gesättigt mit metapoetischer und kritisch-lit. Problematik. Szymon Szymonowic verwendet horazische Metren und übersetzt Pindar (*Aelinopean*, 1589).

In der polnisch-lat. Poesie des 17. Jh. wird die Anpassung der Ant. an die polnische Kultur immer deutlicher: Es häufen sich Polonisierungsbestrebungen (Namen, Realien, Motive) wie auch (seit Anf. des 16. Jh. auftretende) Tendenzen zur Christianisierung und schließlich zur Sarmatisierung der Thematik, der Vorstellungen und der Ideen. Die Beinamen »sarmatischer Horaz« und »christl. Horaz«, die Maciej Kazimierz Sarbiewski verliehen wurden, bezeugen diese Ausrichtung. Auch die späteren Lyriker (A. Kanon, A. Ines) und Epiker schaffen in der Absicht, ihre lat. Poesie zu einem Teil der nationalen Lit. zu machen; die Epen von J. W. Ustrzycki (*Sobiesciados...*, 1686) und J. D. Kaliński (*Viennis*, 1717) sind Dokumente wichtiger histor. Ereignisse.

Die nlat. Prosa im P. des 16. und 17. Jh. beweist, daß die fremde Sprache, übernommen als Teil des ant. Erbes, kultiviert und ausgebildet nach klass. Mustern, nicht nur zu einem Mittel des künstlerischen Ausdrucks werden kann, sondern auch zu einem Instrument des wiss. Diskurses (Nicolaus Copernicus, *De revolutionibus orbium coelestium*, 1543), des polit. und juristischen Traktats (Andrzej Frycz Modrzewski, *De republica emendanda*, 1551), der historiographischen Abh. (Marcin Kromer, *De origine et rebus gestis Polonorum*, 1568), des biobibliogr. WB (Szymon Starowolski, *Scriptorum Polonorum Hecatontas*, 1625) und der zeitgenössischen Chronik histor. Ereignisse (W. Kochowski, *Annales Poloniae*, 1683–1698).

In der polnischsprachigen Lit. realisieren sich die Bezüge auf die Ant. in der eigenen, einheimischen Sprache, zugleich aber in Gattungsformen mit ant., griech.-röm. Genealogie. Es entstehen Elegien, Elogia, Epicedia, Epithalamien, Oden, Epigramme. Veröffentlicht werden Paraphrasen ant. Kom. (*Potrójny* (*Trinummus*) *z Plauta* von Piotr Ciekliński, 1598) und human. Trag., die das formale Muster der ant. Trag. übernehmen (*Odprawa posłów greckich*, Die Abfertigung der griech. Gesandten, von Jan Kochanowski, 1578). In der Barockzeit nimmt den höchsten Platz in der Hierarchie der lit. Gattungen das → Epos ein, das zugleich zu einer Norm für jedes Schaffen wird. Diese Meinung vertritt zumindest der polnische Theoretiker (und Dichter) M. K. Sarbiewski, der den epischen Dichtungen Homers und Vergils den Rang vollkommener Poesie verleiht (*De perfecta poesi, sive Vergilius et Homerus*, entstanden 1626). Er behauptet dabei, daß ein echter Dichter nur ein Christ sein kann, der Themen, Fabeln und Motive nicht den wundervollen myth. Erzählungen der Ant. entnimmt, sondern hauptsächlich der Bibel. Das in der Theorie Sarbiewskis steckende Paradoxon ist die Ankündigung der späteren großen Auseinandersetzung um die Ant., die im 18. Jh. ganz Europa erfaßt.

Im Kreise der griech.-röm. Rhet.-Trad. (→ Rhetorik) entwickeln sich Prosagattungen: Reden (polit., parlamentarische, Schul-, Fest-, Grabreden), Predigten (ihre Blütezeit erreichten sie bes. um 1600 – *Kazania sejmowe* von Piotr Skarga, 1597) und Publizistik (im Lat. würdevoll durch die Traktate von A. Frycz Modrzewski und S. Orzechowski vertreten), die u. a. die philos., rel. und kritisch-lit. Problematik aufgreift (*Rozmowy Artaksesa z Ewandrem* von Stanisław Lubomirski, 1683). Die polnischen Autoren knüpfen an die ant. Historiographie an (M. Bielski, L. Górnicki, M. Stryjkowski, W. Kochowski), an das paränetische Gedankengut, an die

Philos.: Sebastian Petrycy von Pilzno übersetzt die *Politik* (1605) und die *Nikomachische Ethik* (1618) des Aristoteles und versieht diese Übers. mit einem ausführlichen Kommentar.

Das Hauptprinzip, das die Einstellung der polnischen Lit. (und Kultur) zum kulturellen und lit. Erbe Griechenlands und Roms in der Zeit der Ren. und des Barocks bestimmt, ist die Nachahmung (→ *imitatio*). Die Konzeption der Nachahmung, die in Europa durch Verfasser von Poetiken und Rhetoriken (auch in bes. Abh.) formuliert wurde, fand in P. keine theoretische Auslegung. Sie war jedoch hervorragend bekannt und wurde in der lit. Praxis realisiert. Die Formel der Nachahmung umfaßte die Frage der Wahl lit. Muster und die Technik ihres »Kopierens«, berücksichtigte aber auch verschiedene Stufen der Imitationsabhängigkeit und ließ neben traditionellen Lösungen auch Innovationen, Kreativität, Rivalität (*aemulatio*) mit den ant. Autoritäten zu.

Auf variierte Konkretisierungen des Prinzips der Nachahmung stoßen wir schon in solchen Komplexen von lit. und künstlerischen Erscheinungen wie dem → Ciceronianismus und dem Horazianismus. Die Nachahmung der Sprache, des Stils und der Komposition der Werke Ciceros (wie auch die Übernahme seiner philos., ethischen und polit. Ideen) beginnt in P. bereits im 15. Jh. und dauert noch zwei Jahrhunderte später an, obwohl nicht mehr so intensiv. Horazianisten sind die Renaissancedichter Paweł von Krosno, J. Rybiński, M. Sęp Szarzyński, Sz. Szymonowic und D. Naborowski. Im 17. Jh. folgten W. Potocki, H. Morsztyn und W. Kochowski. In der lat. Poesie von M. K. Sarbiewski treten »horazische Parodien« auf, spezifische Beispiele der Christianisierung und Polonisierung der Poesie des Horaz durch einen vollkommenen Austausch von Themen, Motiven, Bildern (unter Beibehaltung der künstlerischen Mittel).

Sowohl in der Zeit der Ren. als auch in der des Barock greift die polnische (und polnisch-lat.) Kultur und Lit. zu dem großen Repertoire der ant. Topik und der myth. Symbolik (bes. in der Barockzeit), zu myth. Fabeln und Motiven (*Dafnis* von S. Twardowski), zur Metaphorik sowie zu stilistischen, kompositorischen und gattungsbedingten Konventionen. Auf diese Weise beteiligt sie sich an der großen human. europ. Gemeinschaft. Sie hat aber auch eigene »helle Punkte« von Begabungen, Neuerungsaktivitäten, Originalität und zugleich von dem, was man »polnisches Wesen« nennen könnte. Das Renaissanceschaffen von Jan Kochanowski (lat. und polnisch) ist ein solches bes. Aufrufen der ant. griech.-röm. Trad. – ein fast modellartiges Aufrufen, das überdies vollkommen original ist. Es nimmt die Form eines Meisterwerks an, wie es weiterhin, nach Jahrhunderten, die *Treny* (*Threnodien*) aus dem J. 1580 sind.

ELŻBIETA SARNOWSKA-TEMERIUSZ/
Ü: TADEUSZ KACHLAK

3. 18. UND 19. JAHRHUNDERT

Die erste H. des 18. Jh. bringt in die lit. Rezeption der Ant. nicht viel Neues ein. Dominierend ist die Barockpoetik der verschiedenartigen ant. Reminiszenzen, die hauptsächlich eine rhet. bzw. ornamentale Funktion erfüllen. Es tauchen nur wenige Versuche direkter Anknüpfungen an ant. Quellen auf (die lat. Gedichte von Stanisław Konarski, das Schuldrama der Piaristen). Erst die Mitte des Jh. bringt im Zuge der vollen Aufklärungsentwicklung des → Klassizismus eine Veränderung mit sich. Das Alt. hört jedoch nicht auf, eine Quelle unterschiedlicher Topoi, Motive und Exemplifizierungen zu sein, die von der Gelehrsamkeit oder der rhet. Gewandtheit der Autoren zeugen; gleichzeitig wird aber die Tendenz zu direkten und vertieften Anknüpfungen an die ant. Trad. der Myth., Philos., Geschichte, Kultur und Lit. bemerkbar. Diese Rückkehr zu authentischen Quellen steht in Verbindung mit den gelehrten und enzyklopädischen Bestrebungen der → Aufklärung. Sie ist aber v. a., als eigenartige Rückkehr zu den Quellen, der Versuch einer Erneuerung der Lit., der Reinigung des Stils von Elementen der barocken Poetik, schließlich des Aufzeigens fortsetzungswerter moralischer, patriotischer und nationaler Muster. Die Aufklärung privilegiert die der Ant. entstammenden reinen und geschlossenen Gattungen: das Epos, die Satire und die Ode, auch die Trag. und die Komödie. Seine Ren. erlebt – nicht ohne frz. und engl. Einflüsse – das heroisch-komische Poem (Ignacy Krasicki, *Myszeida*). Zu vermerken ist der gelungene Versuch der lat. Poesie (F. D. Kniaźnin, *Carmina*). Die normative Poetik stützt sich in hohem Grade – auch nicht ohne Vermittlung der lat. Lit. – auf horazische Elemente (S. Rzewuski, F. K. Dmochowski). Gleichzeitig findet der Horazianismus seinen großen und letzten Fortsetzer in A. Naruszewicz und seinem umfangreichen poetischen Schaffen. Die Ant. bildet auch eine Verkleidung für zeitgenössische polit., patriotische und weltanschauliche Inhalte, was auch in den ersten J. des 19. Jh. seine Fortsetzung findet. Von nicht zu unterschätzender Bed. ist schließlich, als Form der Rückkehr zu den Quellen, die Tendenz, der einheimischen Kultur ein möglichst vollständiges Erbtum der großen Schöpfer zu vermitteln (zahlreiche Übers. von Anakreon, Cicero, Demosthenes, Hesiod, Homer, Horaz, Ovid, Plutarch, Seneca, Tacitus, Vergil).

Im 19. Jh. ändert sich die Formel der Anknüpfungen an die ant. Trad. grundlegend. An die Stelle der Ant., die als Quelle von Themen, Topoi und Gattungen angesehen wurde, tritt die komplexe und ausgebaute Vision der Welt des Alten Griechenlands als eines Symbols der Freiheit und Roms als eines Symbols des Ruins und Untergangs. Die romantischen Dichter finden in der Myth., Philos., Geschichte, Lit. und Kunst der Ant. eine lebendige Inspiration für unterschiedliche schöpferische Unternehmen (Adam Mickiewicz: jugendliche Philomathengedichte, Prometheismus im dritten Teil der *Dziady* (*Totenfeier*), Vorlesungen in Lausanne 1839–40

und im Collège de France 1840–1844), für geschichtsphilos. (Zygmunt Krasiński, *Irydion*) und mystische
Werke (Juliusz Słowacki, *Genezis z Ducha, Król – Duch*).
Ant. Themen, Motive und Gestalten sowie philos. und
gattungsbedingte Anknüpfungen an die Ant. werden
mitunter zum Grundelement der Welt des Dichters
(Cyprian Kamil Norwid). Stark und charakteristisch ist
auch die Tendenz zur Verbindung ant. Inspirationen mit
der aktuellen patriotischen und polit. Problematik. Es
tauchen auch Versuche einer Entmythologisierung der
ant. Geschichte auf (J. I. Kraszewski) oder Polemiken
mit der antikisierenden Einstellung der Parnassisten. Die
zweite H. des Jh. bringt u. a. die parnassistische Vision
der Ant. mit sich sowie zahlreiche poetische Leistungen,
die der ästhetischen Faszination durch die Ant. entspringen (A. Asnyk, M. Konopnicka u. a.). Die Ant. verschwindet auch nicht als Verkleidung für polit. und
gesellschaftliche Anschauungen der Schriftsteller (E.
Orzeszkowa). Das Ende des Jh. bringt zwei brillante Erscheinungen hervor: die große epische Rekonstruktion
Roms aus der Zeit Neros (H. Sienkiewicz, *Quo vadis?*)
sowie die antikisierende Konzeption des Theaters, die
einheimische Themen und Fabeln mit den ant. verbindet (S. Wyspiański). JACEK BRZOZOWSKI/
Ü:TADEUSZ KACHLAK

4. 20. Jahrhundert

Antike Motive finden sich in allen wichtigeren Gattungen der polnischen Literatur. In der Lyrik machte
sich die Einwirkung der Ant. bes. bemerkbar im Schaffen der modernistischen Dichter (K. Przerwa Tetmajer,
L. Rydel, L. Staff, J. Kasprowicz). In der Zwischenkriegszeit werden die Verknüpfungen mit der Ant. am
deutlichsten in der Dichtung der Gruppen »Skamander«
(K. Wierzyński, J. Iwaszkiewicz, J. Lechoń, J. Tuwim,
M. Pawlikowska-Jasnorzewska, M. Jastrun, R. Brandstaetter) und »Kwadryga«. Die meisten dieser Dichter
gehören der klassizistischen Strömung an, die auch nach
dem II. Weltkrieg ihre Fortsetzung fand in dem Werk
von Cz. Miłosz, Z. Herbert, St. Grochowiak, J. M.
Rymkiewicz, A. Międzyrzecki u. a. Das Interesse der
polnischen Schriftsteller des 20. Jh. für die Ant. wird erst
in den dreißiger J. bemerkbar (J. Parandowski, H. Malewska, T. Parnicki). Nach dem II. Weltkrieg entwikkeln sich zwei Hauptströmungen des »ant.« Romans:
histor. Erzählungen (W. Makowiecki, H. Rudnicka,
L. W. Rosiński, K. Bunsch) und histor. Interpretationen
(H. Malewska, T. Parnicki, J. Bocheński) wie auch
myth. Romane (J. Iwaszkiewicz, J. Andrzejewski). Im
Bereich des Dramas sind die größte Errungenschaft der
polnischen Lit. des 20. Jh. die Werke von St. Wyspiański, der in seinen Trag. auf geniale Weise griech. mit
nationalen Motiven verband. Das myth. Drama repräsentieren J. Żuławski, A. Maliszewski, S. Flukowski, T.
Gajcy; nach dem II. Weltkrieg A. M. Swinarski, J. Za-
wieyski, R. Brandstaetter, W. Wirpsza, J. Andrzejewski
u. a. Das histor. Drama mit ant. Thematik pflegen L. H.
Morstin, Z. Herbert u. a. Die griech. und röm. The-

matik tritt im 20. Jh. in großem Maßstab in populärwiss.
Büchern, in Essays und Reportagen auf, die sich auf
viele Bereiche der Altertumskunde beziehen – Lit., Philos., Kunst und Archäologie.

STANISŁAW STABRYŁA/
Ü: TADEUSZ KACHLAK

5. Bedeutung der lateinischen Sprache und der antiken Kultur

Einen spezifischen Kontext für die Rezeption der
Ant. in der polnischen Kultur bildet die – verglichen mit
den westl. Gegebenheiten – wesentlich längere (bis
Mitte des 18. Jh.) Aufrechterhaltung des Lat. als einer
Sprache der allgemeinen Kommunikation in verhältnismäßig breiten Kreisen: Latein war gewissermaßen die
zweite Nationalsprache des polnischen Adels. In dem
multikulturellen Land war das ein wichtiger, das gemeinsame Handeln der polit. und kulturellen Eliten P.
erzeugender Faktor. Es war auch für P. eigentümlich,
daß man hier eine spezifische Sprache herausbildete und
noch bis zum E. des 18. Jh. sprach, eine Mischung aus
dem Polnischen und Lat., die vom polnischen Adel bes.
bei öffentlichen Auftritten verwandt wurde. Im histor.
Bewußtsein spielten die auf die Ant. zurückgreifenden
Konzeptionen eine wichtige Rolle: Die Herkunft der
Polen leitete man von den in ant. Quellen genannten
barbarischen Völkern ab (daher die Popularität des Sarmatismus); hochadelige Stämme betonten oft ihre direkte Abstammung von röm. Helden, und die polnische
Staatsform hielt man für eine Fortsetzung der Verfassung der röm. → Republik. Griech. Trad. spielte in der
polnischen Kultur eine geringe Rolle. Die Ideologie der
christl. Vormauer (*antemurale christianitatis*) unterstrich
das Gefühl der Zugehörigkeit zur lat. Kultur; auf vielen
Gebieten P. gab es jedoch v. a. mit der orthodoxen Kirche zusammenhängende byz. Einflüsse. Es ist zu unterstreichen, daß das von der Ant. inspirierte Vermächtnis
der ehemaligen Adelsrepublik in Litauen, in der Ukraine und in Weißrußland h. als Bestandteil von deren eigener Trad. großes Interesse weckt.

Eine wesentliche Rolle spielte die Rezeption ant.
Trad. auch im 19. und in einem großen Teil des 20. Jh.
mit Rücksicht auf die spezifische Situation eines Volkes,
das keinen unabhängigen Staat hatte. Die ant. Verkleidung war eine bequeme Weise, die patriotischen Gefühle auszudrücken. Im Endergebnis wurden der röm.
Republikanismus und die Freiheitsideale Griechenlands
zu einem Teil der Unabhängigkeitsideologie, und die
tyrannischen Kaiser waren eine Entsprechung der Be-
satzungsmächte (v. a. Rußlands). Die lat. Sprache fungierte nicht nur als Sprache der katholischen Kirche,
sondern auch als Zeichen der Zugehörigkeit zu Westeuropa. Ähnliche Einstellungen zur ant. Trad. waren
auch in den Jahren 1945–1989 bemerkbar. In dieser Zeit
war das ant. Kostüm eine Anknüpfung an alte polnische
Trad. und ermöglichte gleichzeitig, sich ohne Gefahr
eines Zensureingriffs kritisch über die Gegenwart zu
äußern. Klass. Trad. war das Zeichen der Zugehörigkeit

zu einem bestimmten Wertsystem. Nach 1989 hat sich das alles unter dem Einfluß der Massenkultur geändert.

JERZY AXER UND JERZY KOLENDO/
Ü: TADEUSZ KACHLAK

1 J. AXER, Lat. als Sprache der Adelsnation in der polnisch-litauischen Adelskonföderation 16.–18. Jh. Eine These, in: Lat. und Nationalsprachen in der Ren., 1998 2 Ders., Latin as a Factor in the Polish Cultural Identity in the Period of the First Polish Republic (1500–1800), in: Mare Balticum – Mare Nostrum. Latin in the countries of the Baltic Sea (1500–1800), Iyväskyla 1994 3 Ders., La tradizione classica nella letteratura polacca, in: Ricerche Slavistiche, 1992–93 4 T. BIEŃKOWSKI, s. v. Antyk, in: Słownik literatury staropolskiej – średniowiecze, renesans, barok (s. v. Ant., in: Lex. der altpolnischen Lit. – MA, Ren., Barock), Warszawa 1990 5 Ders., Antyk w literaturze i kulturze staropolskiej (1450–1750). Główne problemy i kierunki recepcji (Ant. in der altpolnischen Lit. und Kultur (1450–1750). Hauptprobleme und Richtungen der Rezeption), Wrocław 1976 6 B. BILIŃSKI, Figure e momenti polacchi a Roma, Wrocław 1992 7 Ders., Enrico Sienkiewicz. Roma e l'antichità classica, Warszawa 1973 8 J. DOMAŃSKI, Początki humanizmu. (Anfänge des Human.), Wrocław 1982 9 M. GARBACZOWA, Łacińska twórczość pisarzy polskiego Oświecenia (Das lat. Werk der Schriftsteller der polnischen Aufklärung), Kielce 1982 10 T. MICHAŁOWSKA, Średniowiecze (MA), Warszawa 1995 11 M. PLEZIA, Najdawniejsze echa poezji Horacego w literaturze polskiej (Das älteste Echo der Horazischen Poesie in der polnischen Lit.), in: Rocznik Komisji Historycznoliterackiej 24, 1978 12 T. SINKO, Antyk w literaturze polskiej: prace komparatystyczne, wyb. i oprac. T. BIEŃKOWSKI (Die Ant. in der polnischen Lit.: komparatistische Arbeiten, Ausw. und Bearb. T. BIEŃKOWSKI), Warszawa 1988 13 Ders., Mickiewicz i antyk (Mickiewicz und die Ant.), Wrocław 1957 14 Ders., Hellada i Roma w Polsce. Przegląd utworów na tematy klasyczne w literaturze polskiej ostatniego stulecia (Hellas und Rom in Polen. Übersicht über die Werke zu klass. Themen in der polnischen Lit. des letzten Jh.), Lwów 1933 15 Ders., Echa klasyczne w literaturze polskiej (Echo des klass. Alt. in der polnischen Lit.), Kraków 1923 16 Ders., Antyk Wyspiańskiego (Die Ant. von Wyspiański), Warszawa 1922 17 Ders., Hellenizm Juliusza Słowackiego (Der Hellenismus von Juliusz Słowacki), Kraków 1909 18 ST. STABRYŁA, Hellada i Roma w Polsce Ludowej: recepcja antyku w literaturze polskiej w latach 1945–1975 (Hellas und Rom in Volkspolen: Rezeption der Ant. in der polnischen Lit. in den Jahren 1945–1975), Wrocław 1983 19 Ders., Hellada i Roma: recepcja antyku w literaturze polskiej w latach 1976–1990 (Hellas und Rom: Rezeption der Ant. in der polnischen Lit. in den Jahren 1976–1990), Kraków 1996 20 S. ZABŁOCKI, Od prerenesansu do oswiecenia. Z dziejów inspiracji klasycznych w literaturze polskiej (Von der Vorrenaissance bis zur Aufklärung. Zur Gesch. der klass. Inspirationen in der polnischen Lit.), Warszawa 1976.

B. BILDENDE KUNST UND ARCHITEKTUR

Die Gebiete des polnischen Staates, dessen Existenz die Taufe von Mieszko I. im J. 996 einleitete, waren in der Vergangenheit nie Bestandteil des röm. Imperiums; es fehlte also an materiellen Überresten des griech.-röm. Altertums. Der erste Zusammenstoß mit dem künstlerischen Erbe der Ant. erfolgte, abgesehen von kleineren röm. Importen aus dem 1.–5. Jh. n. Chr., indirekt im Rahmen der Rezeption der vorromanischen und romanischen Kunst: der Architektur, Skulptur, Malerei und des Kunsthandwerks. Nur die Elemente, die die vorromanische Kunst von der ant. Kunst übernommen hatte, und das, was im Bereich der an die Ant. anknüpfenden Formen und architektonischen sowie ikonographischen Motive die Kunst der Karolinger (→ Karolingische Renaissance) und der Ottonen (→ Ottonische Renaissance) schuf und was dann die romanische Kunst (→ Romanik) und bes. die sog. Ren. des 12. Jh. rezipiert hatte, konnte in P. in Übereinstimmung mit den lokalen Bedürfnissen übernommen und verarbeitet werden. Während in der vorromanischen und romanischen polnischen Kunst die ant. Traditionen bis E. des 13. Jh. indirekt bemerkbar waren, hat die polnische Gotik, außer der astrologischen Ikonographie, auf diese Trad. fast vollkommen verzichtet.

Eine erneute Anknüpfung an das ant. Erbe brachte erst die → Renaissance mit sich. In einem Land, das bis Mitte des 16. Jh. im Ziegelsteinbau, in der Holzschneidekunst und in der Tafelmalerei den »Herbst des MA« miterlebte, erklang fast von Anf. dieses Jh. an ein Echo der Antike. Der königliche Wawelhügel in Krakau (das Schloß, die Sigismund-Kapelle, die königlichen Grabmäler) ist ein prominentes Beispiel. Sigismund der Alte (1467–1548) aus der Jagiellonen-Dynastie steckte das *iter Italicum* ab, und der Architekt und Bildhauer Bartolomeo Berrecci von Pontassieve führte, zusammen mit seiner sog. Familie, die von der Ant. entlehnte Welt der architektonischen Formen, ornamentale Elemente (Pflanzendekoration der *Ara Pacis*) sowie die von it. Künstlern abgelesenen und interpretierten Themen und myth. Motive in die polnische Kunst ein: z. B. Venus, Kleopatra, Daphne, Thiasos mit Triton und den Nereiden, Olympos oder Amor. Es war der erste Zusammenstoß P. mit der schöpferischen Nachahmung des materiellen Erbes der Antike. Die it. Vermittlung in der Übernahme dieses Erbes verursachte, daß es damals zu keiner Assimilation der ant. Kunst durch die polnische Kunst kommen konnte; ausgeblieben war nämlich das direkte Studium der ant. Denkmäler. Zum vollen *rinascimento dell'antichità* fehlte auch das Bewußtsein, das in der Lit. über die Kunst und die Kunsttheorie seinen Ausdruck findet. Lediglich die Kenntnis des ant. architektonischen Gedankenguts hinterließ feste Spuren in der Baupraxis; verdient sind dabei die polnischen »Fortsetzungen« der Abh. von Vitruv (die in einer Hs. seit 1456 zugänglich war) vom 16. bis in die Anfänge des 19. Jh.

Nach den Zerstörungen, die P. im dritten Viertel des 17. Jh. erlitt, kam das Erbe der Ant. zum dritten Mal indirekt zu Wort in der Epoche des aufgeklärten Sarmatismus, in der Regierungszeit von Jan III. Sobieski und dem Wettiner August II., v. a. in Warschauer Kreisen, unter beachtlicher Beteiligung graphischer Muster.

Die ant. Themen wurden damals in dem klassizistischen Stil der frz. Kunst, hauptsächlich der Malerei, vorgeführt. Aber die Inhalte, denen sie in den Residenzen der Könige und Magnaten dienen sollten, waren v. a. stammesbezogen: Genealogie, Heroisierung und Apotheose (u. a. *Hercules Polonus*).

Einen eigentlichen Durchbruch errang die Ant. erst in der Herrschaftszeit von Stanisław August Poniatowski (1732–1798). Durch die jetzt häufigen Italienreisen von Kunstliebhabern, Kenner-Laien und Künstlern sowie die damit verbundene Sammelleidenschaft von Werken der ant. Kunst flossen Elemente der ant. bildenden Kunst und Architektur in die polnische Kunst und Architektur ein. Das einheimische künstlerische Schaffen wurde den Normen untergeordnet, die in dem direkten Kontakt mit den in It. erhaltenen und manchmal auch nach P. überführten Denkmälern festgelegt waren.

Gleichzeitig beeinflußte das Bewußtsein der histor. Bed. der Ant. musterhaft die Gestaltung eigener Merkmale der Architektur, wie die Säulenportiken der Paläste, Magnatenresidenzen und Herrenhäuser. In dem damals organisierten Kunstschulwesen wurde das Fach des Zeichenunterrichts nach Gipsstatuen und Büsten aufgenommen.

In der histor. Perspektive war die Entwicklung der ant. Trad. in der polnischen Kunst bis Mitte des 18. Jh. ein Prozeß des indirekten Kennenlernens und der Aneignung der ideellen, subjektiven Werte der Ant., und seit der zweiten H. des Jh. der direkten Assimilation ihrer materiellen, objektiven Eigenschaften.

1 J. BANACH, Hercules Polonus. Studium z ikonografii nowożytnej (Hercules Polonus. Studium zur neuzeitlichen Ikonographie), Warszawa 1984 2 L. KALINOWSKI, Antyk w dziejach sztuki polskiej, in: Tradycje antyczne w kulturze europejskiej – perspektywa polska (Die Ant. in der Gesch. der polnischen Kunst, in: Ant. Trad. in der europ. Kultur – polnische Perspektive), Warszawa 1995 3 M. KARPOWICZ, Sztuka oświeconego sarmatyzmu. Antykizacja i klasycyzacja w środowisku warszawskim okresu Jana III (Kunst des aufgeklärten Sarmatentums. Antikisierung und Klassizierung im Milieu der Warschauer Periode von Jan III), Warszawa 1986.   LECH KALINOWSKI/
Ü: TADEUSZ KACHLAK

C. ANTIQUITÄTENSAMMLUNGEN

Die Geschichte der Antiquitätensammlungen in P. kann man in drei Phasen einteilen. Die erste bilden die Sammlungen der Könige und der Aristokratie, zusammengetragen zw. der Mitte des 18. Jh. und dem J. 1830. Es entstanden damals: ein dekorativer und didaktischer Komplex von Skulpturen, Vasen samt ihren Kopien und Imitationen des Königs Stanisław August Poniatowski (1732–1798) (Königsschloß, Łazienki-Palast in Warschau), Galerie der ant. Skulptur von Izabella (Elżbieta) Lubomirska (1736–1816) in Łańcut, die große Kollektion griech. Vasen und eine kleine Skulpturensammlung von Stanisław Kostka Potocki (1735–1821) in Wilanów, der Park *Arkadien* von Helena Radziwiłłowa (1752–

1821) mit einer großen Sammlung griech. Denkmäler, eine Sammlung von Gemmen (→ Steinschneidekunst/Gemmen) und Skulpturen von Stanisław August Poniatowski, die Steindenkmälersammlung mit in Fragmenten erhaltenen Skulpturen von Ludwik Michał Pac (1780–1835), eine Skulpturensammlung in Warschau und Jabłonna von Anna Tyszkiewicz *primo voto* Potocka *secundo voto* Dunin Wąsowiczowa (1779–1867), ein reicher Komplex von Statuen und Reliefs, erworben im röm. Atelier von Vescovali zum Schmuck des Sitzes von Artur Potocki (1787–1832) in Krzeszowice und Krakau sowie einige kleinere Sammlungen.

Die nächste Phase dauert bis Ende des II. Weltkrieges an. Außer den großen, im Ausland entstandenen Sammlungen – wie der Kollektion von Władysław Czartoryski und Jan Działyński (sowie Izabella Czartoryska), die in die Heimat, nach Krakau und Gołuchów, gebracht wurde – entstehen in den polnischen Gebieten kleinere Sammlungen der Aristokratie und des Bürgertums sowie Sammlungen von Schulen, Univ. (in Krakau und Warschau) und öffentlichen Museen.

Während des II. Weltkrieges wurden die ant. Denkmäler aus den ehemaligen polnischen Sammlungen in hohem Grade zerstört, zerstreut und ausgeplündert. Gegenwärtig gibt es in P. zwei große Antikensammlungen: die eine in Warschau, die andere in Krakau. Im National-Mus. in Warschau (Galerie der Ant. Kunst und Abteilung Nieborów) befinden sich griech., röm. und ägypt. aus verschiedenen Sammlungen und aus polnischen Ausgrabungen in Edfu und Faras (aus dem Katheder) stammende Denkmäler. Im National-Mus. in Krakau, Czartoryski-Mus., werden die bekannten Sammlungen der Fürsten Czartoryski und der Potocki von Krzeszowice aufbewahrt. Das Arch. Mus. in Krakau beherbergt eine Sammlung von hauptsächlich aus Ägypten stammenden Antiquitäten. Ein Teil der Denkmäler verblieb in den alten Magnatensitzen (Paläste in Nieborów, Wilanów, Gołuchów, Łańcut). In den Sammlungen der polnischen Mus. fanden sich einzelne Denkmäler wieder, die früher Bestandteile dt. Kollektionen bildeten, aus Beynuhnen, Braunsberg (Braniewo), Mittel-Schreiberhau (Szklarska Poręba), Königswalde (Lubniewice), Stettin (Szczecin) sowie aus anderen kleineren und unbekannten Sammlungen. Die aus Berlin stammenden röm. Porträts befinden sich im National-Mus. in Posen; exponiert werden sie im Posener Rathaus und in Gołuchów. Die seit 1936 geführten polnischen arch. Ausgrabungen bereicherten die Mus. auch mit einer Reihe von Denkmälern, hauptsächlich aus Ägypten und dem Sudan. Seit 1960 befindet sich im National-Mus. in Warschau ein reiches Depot ant. Denkmäler aus dem Louvre (→ Paris, Louvre). Kleine Sammlungen ant. Denkmäler gibt es auch in Posen, Breslau und Stettin. Außerdem befinden sich in verschiedenen prähistor. Sammlungen röm. Denkmäler (Bronzegefäße, Glasgefäße, *terra sigillata* und röm. Schwerter), die in der Ant. in polnische Gebiete importiert wurden.

1 Corpus Signorum Imperii Romani – Pologne, vol. I-IV
2 Corpus Vasorum Antiquorum – Pologne, vol. 1–10
3 J. KOLENDO, Antyk w Lyceum Hosianum w Braniewie oraz zgromadzone w nim zbiory zabytków archeologicznych i epigraficznych, in: Antiquitates Prussiae. Studia z archeologii dawnych ziem pruskich (Antiken im Lyceum Hosianum in Braunsberg und seine arch. und epigraph. Slgg., in: Antiquitates Prussiae. Stud. zur Arch. der ehemaligen preußischen Gebiete), Warszawa 2000, 45–66 **4** T. MIKOCKI, Les anciennes collections des antiquités en Pologne, in: Archeologia 37, 1986, 41–85 **5** Ders., Antikenslgg. des 18. Jh. in P., in: Antikenslgg. des europ. Adels im 18. Jh. als Ausdruck einer europ. Identität (Akten des Kolloquiums in Düsseldorf, Februar 1996) **6** Ders., Alle Zeichnungen und Stiche nach ant. Skulpturen in polnischen Sammlungen, in: Jb. des Dt. Arch. Inst. 107, 1992, 198–216 **7** Ders., Rzeźby z Beynuhnen. Kolekcja Fritza von Farenheid w Muzeum Narodowyn w Warszawie, in: Antiquitates Prussiae. Studia z archeologii dawnych ziem pruskich (Skulpturen aus Beynuhnen. Die Slg. von Fritz von Farenheid im National-Mus. Warschau, in: Antiquitates Prussiae. Stud. zur Arch. der ehemaligen preußischen Gebiete), Warszawa 2000, 41–44 **8** ST.K. POTOCKI, O sztuce u dawnych czyli Winkelman polski (Über die Kunst bei den Alten ergo Der polnische Winckelmann), 1–4, Warszawa 1992 **9** A. SADURSKA, Inscriptions latines et monuments funéraires romains au Musée National de Varsovie, Varsovie 1953 **10** Studia Antiqua. Z dziejów naśladownictwa antyku w Polsce (Studia Antiqua. Zur Gesch. der Nachahmung der Ant. in P.), Warszawa 1991.   TOMASZ MIKOCKI/
Ü: TADEUSZ KACHLAK

D. RECHTSWESEN

Im alten Landrecht gab es keine formale Rezeption des → römischen Rechts. Im polnischen Stadtrecht, das sich auf das Magdeburger Recht stützte, war die Anwendung des röm. Rechts hilfsweise zugelassen. Hilfsweise zugelassen war auch die Anwendung des röm. Rechts in den Gesetzen des Großherzogtums Litauen, aufgrund des II. Litauischen Statuts von 1588. Die Kenntnis gewisser Begriffe aus dem röm. Recht trat jedoch schon in den ersten Jahrhunderten nach der Einführung des Christentums in P. auf. Dazu trugen die röm.-katholischen Geistlichen bei, die in den königlichen und fürstlichen Kanzleien verschiedene Ämter bekleideten und sich an die lat. Rechtsterminologie hielten, welche dem röm. und kanonischen Recht entstammte. In den Statuten des Königs Kazimierz des Großen aus dem 14. Jh. kann man auf Formulierungen stoßen, die von der Kenntnis des röm. Rechts und von dessen beschränktem Einfluß auf ihren Inhalt zeugen. Auch in dem Stiftungsakt der Krakauer Akad. befand sich eine Vorschrift, daß die Mitglieder der akad. Gemeinschaft für ernsthafte Straftaten nach dem röm. Recht gerichtet werden sollten. Seit dem 13. Jh. tauchen jedoch Bedenken in bezug auf das röm. Recht auf, das mit dem kaiserlichen Recht identifiziert wird und mit der sich daraus ergebenden ma. Theorie der Überordnung der kaiserlichen Macht in Gebieten, in denen das röm. Recht angewandt wurde. Die seit dem 16. Jh. unternommenen Versuche, die Kodifizierung des pol-

nischen Landrechts auf das röm. Recht zu stützen, stießen auf den Widerwillen der Vertreter der Adelsdemokratie, die das röm. Recht mit dem Recht identifizierten, das die Interessen des Monarchen ausdrückte: Interessen, die eine Bedrohung der Idee der Adelsdemokratie darstellten. Bei der widerwilligen Einstellung zum röm. Recht spielte auch das Motiv des Vergleichs der Gesellschaftsordnung P. mit der röm. Republik eine Rolle, der das ungerechte röm. Kaiserreich entgegengestellt wurde. In den Anfängen des 19. Jh. leitete Tadeusz Czacki eine Diskussion über die Bed. des röm. Rechts in der Geschichte des polnischen Rechts ein. Elemente dieser Diskussion tauchen auch heute noch auf.

1 J. BARDACH, La réception dans l'histoire de l'état et du droit, in: Le droit romain et sa réception en Europe, red. H. KUPISZEWSKI, W. WOŁODKIEWICZ, Varsovie 1978, 27–70 **2** J. KODRĘBSKI, Prawo rzymskie w Polsce XIX wieku (Röm. Recht in P. im 19. Jh.), Łódź 1990 **3** S. SALMONOWICZ, Le droit romain en Pologne à l'époque des Lumières, in: Studi in onore di Edoardo Volterra, t. 2, Milano 1971, 351–370 **4** J. SONDEL, Rola prawa rzymskiego w kształtowaniu polskiej kultury prawnej, in: Tradycje antyczne w kulturze europejskiej – perspektywa polska (Rolle des röm. Rechts in der Gestaltung der polnischen Rechtskultur, in: Ant. Traditionen in der europ. Kultur – polnische Perspektive), Warszawa 1995, 47–69 **5** R. TAUBENSCHLAG, La storia della recezione del diritto romano in Polonia fino alla fine del secolo XVI, in: L' Europa e il diritto romano. Studi in memoria di Paolo Koschaker, t. I, Milano 1954, 225–242 **6** A. VETULANI, La Pologne médiéval et le droit romain, in: Studi in onore de Edoardo Volterra, t. I, Milano 1971, 289–307 **7** W. WOŁODKIEWICZ, Il diritto romano nella cultura giuridica polacca, in: Sodalitas. Scritti in onore di A. Guarino, t. 7, Napoli 1984, 3389–3409.
        WITOLD WOŁODKIEWICZ/Ü: TADEUSZ KACHLAK

II. WISSENSCHAFTSGESCHICHTE
A. KLASSISCHE PHILOLOGIE
B. ALTE GESCHICHTE C. KLASSISCHE
ARCHÄOLOGIE D. RECHTSWISSENSCHAFT
E. STAND DER ALTERTUMSWISSENSCHAFTEN

A. KLASSISCHE PHILOLOGIE
Nach vielversprechenden Anfängen in der zweiten H. des 16. Jh. (A. P. Nidecki, *Ciceronis fragmenta*, 1565; A. Burski, *Dialectica Ciceronis*, 1604) erlitten die klass. Studien in P. in den folgenden zwei Jh. einen erheblichen Rückschlag, teils infolge der allg. ungünstigen polit. Lage (Kosaken- und Schwedenkriege), teils durch die zunehmende Vernachlässigung des Griech. im → Schulwesen zusammen mit der rein praktischen Ausrichtung des Lat. als allgemeineurop. Kultursprache. Am Ende des 18. Jh. kam die Katastrophe des altpolnischen Reiches dazu, was die Unterordnung des polnischen Schulwesens unter die entsprechenden Systeme der Teilungsmächte zur Folge hatte. Eine weitgehende Autonomie genoß es jedoch vorläufig in den an Rußland gefallenen östl. Provinzen, wo die Wilnaer Univ. zu bedeutender Blüte gelangte. Dort lehrte 1804–1823 der

in Göttingen unter Chr.G. Heyne ausgebildete Danziger G. E. Groddeck die klass. Philol. ganz im Sinne der neuen human. Ideen. Groddeck war ein gewandter Gräzist, Verfasser der *Initia historiae Graecorum litterariae* (Bd. 1, 1821; Bd. 2, 1823) sowie einiger teils in Deutschland gedruckter Abh. zur griech. Dichtung. Er war ein Vertreter der Wolfschen Auffassung der → Homerischen Frage, der einen bedeutenden Einfluß auf die klass. → Bildung, aber auch auf das allgemeinkulturelle Leben im P. seiner Zeit ausübte. Groddeck war auch der Begründer des ersten klass.-philol. Seminars in P. (1810).

Die Abschaffung der polnischen Univ. in Wilna und in Warschau durch die russ. Regierung als Folge des November-Aufstandes (1831) erstickte die evtl. Wiederbelebung der klass. Studien in P. im Keim. Da die beiden Univ. im österreichischen Galizien (Krakau und Lemberg) damals keine bes. Bed. hatten, mußten diejenigen, die an der höheren klass. Bildung und wiss. Arbeit in diesem Fach interessiert waren, im Ausland die Möglichkeit dazu suchen. So J. Piechowski (1815–1891), der nach Studien in Moskau, Leipzig und Berlin das Professorenamt an den russ. Univ. in Moskau und Charkow bekleidete. Er verfaßte das interessante Büchlein *De ironia Iliadis* (1856), in dem er gegenüber den damals vorherrschenden Ideen in der Homerfrage den Standpunkt der Unitarier geistreich verfocht. Dieselbe Laufbahn betrat sein viel berühmterer und begabterer Landsmann Th. Zieliński (1859–1944). Im russ. Teil P. geboren, studierte er in Leipzig unter O. Ribbeck, wo er auch mit einer Arbeit über die letzten J. des zweiten punischen Krieges 1880 glänzend promovierte. Später wurde er Professor in St. Petersburg; erst nach dem I. Weltkrieg übersiedelte er ins neuentstandene P., wo er 1920–1939 in Warschau noch in hohem Alter dozierte. Ruhm erwarb er sich schon mit seinen Jugendarbeiten zur griech. Kom. (*Die Gliederung der altattischen Kom.*, 1885), in denen er den rätselhaften Ursprung dieser Literaturgattung aufhellte. Nicht weniger Beachtung schenkte er der Trag. (*Tragodumenon libri tres*, 1925). In der Latinistik zeichnete er sich durch die Studien zur oratorischen Rhythmik Ciceros (*Das Clauselgesetz in Ciceros Reden*, 1904) und das Buch über *Cicero im Wandel der Jahrhunderte* (mehrere Auflagen seit 1892) aus. Den Ausgang seines Lebens widmete er der ant. Religionsgeschichte (*Religie świata antycznego*, 6 Bde.).

Der Anbruch der konstitutionellen Ära in Österreich (seit 1867) brachte die Polonisierung der Univ. in Lemberg und Krakau mit sich (Polnisch wurde Lehrsprache, Professuren wurden von Polen bekleidet), was auch der klass. Philol. zugute kam. Man berief tüchtige junge Professoren dorthin (L. Ćwikliński 1876 nach Lemberg, K. Morawski 1877 nach Krakau), welche die Vertretung dieses Faches auf hohem wiss. Niveau sicherten. »Der feinsinnige Latinist« Morawski (*Historia literatury rzymskiej – Röm. Literaturgeschichte*, poln. in 7 Bden., 1909–1923) gründete eine fruchtbare Schule, aus der mehrere ausgezeichnete Professoren in der ersten H. des 20. Jh.

hervorgingen. Sein ebenbürtiger Kollege in Krakau war seit 1892 L. Sternbach, Hellenist und Byzantinist ersten Ranges (*Gnomologium Vaticanum*). Auf ihrer beider Antrag hin beschloß die seit 1872 bestehende Krakauer → Akademie der Wiss., welche zu ihrer I.(philol.) Klasse mehrere klass. Philologen zählte, die kritische Ausgabe der gesamten Werke des Hl. Gregor von Nazianz zu erarbeiten. Das Unternehmen, welches anfänglich mehrere treffliche Vorarbeiten hervorgebracht hatte, schlug nach einigen Jahrzehnten fehl, bes. infolge der zwei Weltkriege, die zur völligen Veränderung des Bildes der klass. Philol. in P. führten und 1940 den Tod des wichtigsten Leiters der Arbeiten L. Sternbach bewirkten. Die Akad., welche auch sonst in ihren Abh. mehrere gute philol. Aufsätze lat. veröffentlichte und die Stimme der polnischen Gelehrten im internationalen Konzert vernehmen ließ, veröffentlichte seit 1881 auch die Reihe der *Antiquissimi poetae Poloniae Latini*, welche die Grundlage für zukünftige nlat. Studien legte. Der Ausgang des I. Weltkrieges und die dadurch bedingte Wiedererstehung des polnischen Staates (1918) ermöglichten die Verdreifachung der Zahl polnischer Univ. (außer den zwei bisher genannten Posen, Warschau, Wilna und Lublin), an denen die Altphilol. mit je zwei bis drei Lehrstühlen vertreten wurde. Die zahlreiche Schülerschaft von Morawski und Sternbach in Krakau reichte zur Besetzung der meisten unter ihnen aus. In Krakau wurde die Altphilol. durch die imposante Gestalt von Th. Sinko (1877–1966) geprägt, dem Verfasser der sechsbändigen *Griech. Literaturgeschichte* (*Literatura grecka*); in Lemberg wirkten die zwei Krakauer Schüler St. Witkowski und J. Kowalski; in Warschau gründete neben dem schon erwähnten Zieliński wieder ein Krakauer, G. Przychocki (1886–1947), eine neue Warschauer Schule, zu der bes. der eminente Hellenist und Byzantinist Al. Turyn (1891–1981) gehörte, der seit 1944 in den USA tätig war. In Posen und in Lemberg sowie nach dem II. Weltkrieg in Breslau war R. Gansiniec (1888–1958) tätig, ein hervorragender Mediävist, Neulatinist und Historiker der Religion und Kultur. In Posen begann W. Steffen seine glänzende Laufbahn, Hellenist und Papyrologe (1904–1997), der Sammler der *Satyrographorum Graecorum fragmenta*. In Wilna ist Zielińskis Schüler St. Srebrny (1890–1962; *Wort und Gedanke bei Aischylos*) zu nennen.

Der II. Weltkrieg fügte der polnischen klass. Philol. schwerwiegende Verluste zu, sowohl in persönlicher als auch in materieller Hinsicht. Alle Univ. und die Akad. wurden für fünf J. stillgelegt, sämtliche Seminarbibl. mit Ausnahme Krakaus zerstört und verwüstet. Nach 1945 wurden Lemberg und Wilna von P. getrennt und schieden aus dem Wirkungskreis der polnischen Wiss., einschließlich der klass. Philol., aus. Mit erstaunlicher Energie und Tatkraft wurden diese Schäden in verhältnismäßig kurzer Zeit wiedergutgemacht. Die alten Univ. wurden belebt, an die Stelle der verlorengegangenen schuf man neue: zunächst in Łódź, Thorn und in Breslau. An der letztgenannten Univ. erlebte die klass.

Philol. um 1950 eine bemerkenswerte Blüte unter dem schon erwähnten Steffen und unter W. Strzelecki (1905–1967; *Cn. Naevii Belli Punici carmen*, 1964, sowie mehrere Artikel über röm. Grammatiker). J. Krókowski (1898–1967) stellte die Neulatinistik auf ein hohes Niveau (Ausgaben von Tricesius 1959 und Ianicius 1966). In Warschau entfaltete K. Kumaniecki (1904–1977) als Latinist (*Cicerone e la crisi della repubblica Romana*, 1972, dasselbe polnisch 1959) eine rege Tätigkeit. Er schuf dort die bedeutende Reihe *Bibliotheca Latina medii et recentioris aevi*, in der mehrere Ausgaben seiner Schüler erschienen. In Krakau wirkte Sinko noch 20 J. nach dem Krieg (bis 1966). Neben ihm begründete J. Safarewicz (1901–1992) die Lat. Gramm. auf sprachwiss. Basis (*Lateinische histor. Grammatik*, dt. Halle/S. 1959). Ebendort begann die Akad. um 1920 und publiziert regelmäßig seit 1953 das ausführliche *Lexicon mediae et infimae Latinitatis Polonorum* (bisher 7 Bde. bis *profundum*). Seine Veröffentlichung leitete der Mediävist und Neulatinist M. Plezia (1917–1996), Herausgeber eines fünfbändigen lat.-polnischen Wörterbuchs. In Thorn entwickelte Sophia Abramowicz (1907–1988), Schülerin Srebrnys aus der Wilnaer Univ., ihre homerischen Studien (vereinigt in *Collectanea Classica Thorunensia*, 1987). In Łódź wirkte die jüngere, noch heute im Schaffen begriffene Generation. In Posen schuf Steffen nach 1945 seine eigene Schule; seine Schüler bekleiden dort jetzt die Lehrstühle.

1 Antichisti dell'Università di Varsavia, Napoli 1992
2 Antiquorum non immemores... Sto lat Polskiego Towarzystwa Filologicznego (Hundert J. der Polnischen Philol. Ges.), Warszawa-Wrocław 1999 3 Z dziejów filologii klasycznej w Wilnie (Zur Gesch. der Altphilol. in Wilna), Wilno 1937 4 W. Madyda, Z dziejów filologii klasycznej w Uniwersytecie Jagiellońskim, in: Wydział Filologiczny Uniwersytetu Jagiellońskiego. Historia Katedr (Zur Gesch. der Altphilol. an der Jagiellonen-Univ.), Kraków 1964 5 M. Plezia, Z dziejów filologii klasycznej w Polsce (Zur Gesch. der Altphilol. in P.), Warszawa 1993 6 Ders., De Polonorum studiis Tullianis. Ciceroniana, Atti del VII Colloquium Tullianum, Roma 1990 7 A. Szantyr, Ernst Gottfried Groddeck, in: Neue Dt. Biographie 7, 1986, 103 f. 8 T. Ulewicz, A Hundred Years of Philological Studies in Humanisme and Latin Renaissance in Poland, in: L'Antiquité Classique au cours de 25 années de la République Populaire de Pologne, Wrocław 1974 9 K. Weyssenhoff-Brożkowa, La philologie mediolatine en Pologne au XX siècle, Roma 1993.

MARIAN PLEZIA †/Ü: TADEUSZ KACHLAK

B. ALTE GESCHICHTE

Die Forsch. über die Geschichte des Alt. leitet die Abh. *De senatu Romano* von Jan Zamoyski ein, einem hervorragenden Politiker und Mäzen der Kultur und Wissenschaft. Das Buch, 1563 in Venedig veröffentlicht, hatte sechs Auflagen (die letzte 1733) und war fast zwei Jahrhunderte lang die grundlegende Arbeit über diese Problematik. Im 17. Jh. entstanden einige Arbeiten aus dem Bereich der *antiquitates*, wie Stanisław Kobierzyckis *De luxu Romanorum*, 1628 und 1655. Der erste

Forscher, der sich mit der Geschichte des Alt. befaßte, war Joachin Lelewel (1786–1861), der hervorragendste polnische Historiker aus der ersten H. des 19. Jh., der sich auch mit anderen Epochen der Geschichte beschäftigte. Die eigentlichen Schöpfer der Geschichte des Alt. in P. waren jedoch zwei Forscher, Ludwik Piotrowicz und Tadeusz Wałek-Czernecki, Schüler der Univ. in Krakau, die ihr Studium in Deutschland und Frankreich ergänzten. Ludwik Piotrowicz (1886–1957), der sich mit der Geschichte Roms und des ant. Orients befaßte, war Professor der Jagiellonen-Univ.; Tadeusz Wałek-Czernecki (1889–1949), der sich auf die Geschichte Griechenlands spezialisierte, Professor der Warschauer Univ., wo auch der Dozent Zdzisław Zmigryder-Konopka (1898–1939) tätig war, der an der Geschichte der röm. Republik arbeitete. Mit verschiedenen Problemen der Geschichte des Alt. befaßten sich auch Altphilologen; aufgenommen wurden überdies Forsch. aus dem Bereich der → Papyrologie (Franciszek Smolka, Jerzy Manteuffel).

Nach dem II. Weltkrieg verursachte die größere Zahl der Univ. (gegenwärtig 17) und anderer Hochschulen eine gewaltige Nachfrage nach Hochschullehrern der Geschichte des Altertums. Die Nachkriegsforsch. der polnischen Historiker konzentrierten sich auf die Wirtschafts- und Sozialgeschichte, später wurden sie auf die Mentalitätsgeschichte ausgedehnt. Zu nennen sind hier die Arbeiten von Iza Bieżuńska-Małowist (1917–1995) über die Sklaverei, bes. im hell. und röm. Ägypten. Es entwickelten sich auch Stud. über die röm. Provinzen, wie Afrika (Tadeusz Kotula in Breslau) oder die Balkanhalbinsel. Das Interesse für die Donauprovinzen hängt zum Teil mit den Ausgrabungen eines Lagers der *Legio I Italica* in Novae (h. Bulgarien) zusammen, die von den Univ. Warschau und Posen durchgeführt werden. Realisiert werden auch Stud. über die Geschichte des ptolemäischen, röm. und byz. Ägyptens. Das hängt mit der Entwicklung der Papyrologie im Warschauer Zentrum zusammen, wo ein *Journal of Juristic Papyrology* erscheint. Weitere Arbeitsfelder der Alten Geschichte sind die Randkulturen (Arbeiten von Józef Wolski aus Krakau über die Parther), die Kontakte des röm. Imperiums mit den Gebieten Mitteleuropas, der Bereich der Papyrologie sowie der griech. und bes. der lat. Epigraphik. Die numismatischen Forsch. konzentrieren sich hauptsächlich auf das Problem des Geldumlaufs in den einzelnen Regionen der ant. Welt und außerhalb ihrer Grenzen.

1 J. Kolendo, Badania nad antiquitates w Polsce. Od Jana Zamoyskiego do Stefana Cybulskiego, in: Łacina w Polsce 5–6 (Forsch. über die Antiquitates in Polen. Von Jan Zamoyski bis Stefan Cybulski, in: Latein in Polen 5–6), Warszawa 1997 2 Ders., Historycy świata antycznego 1918–1939, in: Środowisko historyczne II Rzeczypospolitej, cz. IV (Historiker der ant. Welt 1918–1939, in: Das historische Milieu der Zweiten Republik, IV. Teil), Warszawa 1990, 201–214 3 Ders., Recherches menées en Pologne dans l'après guerre sur l'histoire de l'Antiquité, in: La science historique polonaise dans l'historiographie

mondiale, Wrocław 1990, 93–111 **4** Starożytne dzieje i kultura. Badacze i badania w Polsce, oprac. i red. T. KOTULA, A. ŁADOMIRSKI, W. SUDER (Ant. Gesch. und Kultur. Forscher und Forsch. in P., bearb. und hrsg. von T. KOTULA, A. ŁADOMIRSKI, W. SUDER; Text teilweise frz.), Wrocław 1995. JERZY KOLENDO/ Ü: TADEUSZ KACHLAK

C. KLASSISCHE ARCHÄOLOGIE

Seit der Ren. besteht in P. ein reges Interesse für ant. Kulturen, das sich sowohl in den Reisen des polnischen Adels nach It. und in den Nahen Osten als auch in den ersten Privatsammlungen ausdrückt. Als »Vater« mediterraner Arch. in P. gilt Stanisław Kostka Potocki, Autor des Werkes *O sztuce u dawnych, czyli Winkelman polski* (1815) und Leiter eigener Ausgrabungen in Italien. Gleichzeitig entstanden bedeutende Antikensammlungen der Adelsfamilien. Nach der Teilung P. ließ die arch. Aktivität der Polen etwas nach; bemerkenswert sind immerhin die arch. Expedition von Karol Lanckoroński nach Kleinasien (publiziert 1890–1892 in Wien) und die prächtige Antikensammlung von Michał Tyszkiewicz.

Nach dem I. Weltkrieg entwickelte sich im unabhängigen P. die klass. Arch. an den Univ., zunächst in Krakau (Piotr Bieńkowski, Stanisław Jan Gąsiorowski), dann in Lemberg (Edmund Bulanda), Warschau (Kazimierz Michałowski), Posen (Mieczysław Ruxer) und Wilna (Rajmund Gostkowski). Nach 1945 entstanden Lehrstühle mediterraner Arch. an den Univ. in Warschau, Krakau, Posen, Lublin, Breslau und Łódź. Im Rahmen der Polnischen Akad. der Wiss. wurden zwei Forschungsinstitute gegründet: Institut für Geschichte Materieller Kultur (Kazimierz Majewski) und Zentrum für Mediterrane Arch. (Kazimierz Michałowski). Letztere Institution beschäftigt sich mit der Dokumentation polnischer Ausgrabungen im Mittelmeerraum.

Systematische Ausgrabungen begann 1937 Kazimierz Michałowski, als Leiter der polnisch-frz. Grabungsmission in Edfu (Oberägypten: Stadtviertel und Nekropole aller Epochen seit dem Alten Reich bis zur byz. Zeit). Nach dem II. Weltkrieg nimmt er 1956 seine arch. Tätigkeit mit Grabungen in Mirmekeion (Krim) und Tell Atrib (Nildelta) wieder auf. In Kairo gründet er 1959 ein polnisches Zentrum für Mediterrane Archäologie. Seither werden polnische Ausgrabungen durchgeführt in Ägypten: Tell Atrib (spätant. bis byz. Stadtviertel der ant. Athribis), Alexandria (Theaterbau, spätröm. Kaiserthermen, Wohnviertel), Deir El-Bahari (Tempel von Hatschepsut und Tuthmosis III.), Marina El-Alamein (Nekropole der griech.-röm. Zeit), Naqlun (frühchristl. Klöster und Eremitagen) und Sakkara (Nekropole der Pharaonenzeit); im Sudan: Faras (frühchristl. Malereien in der Kathedrale), Dongola (monumentale frühchristl. Bauanlagen) und Kadero (neolithische und meroitische Siedlung); in Syrien: Palmyra (Westteil der ant. Stadt), Bidjan (parthisch-arabische Festung) und Tell Rad Shaqrah (Siedlung des 3. Jt. v. Chr.); im Irak: Nemrik (neolithische Nekropole), Hatra (parthische Befesti-

gungen) und Nimrud (assyrischer Palast); in Zypern: Nea Paphos (röm. Residenzen mit prächtigen Mosaiken). Andere polnische Grabungsmissionen waren auf der Krim (Mirmekeion, Nymphaion), in Bulgarien (Novae; Lager der *Legio I Italica*), It. (Torcello), Tunesien (Karthago), Ägypten (Hermopolis) und Jordanien (Jerasch) tätig.

Wichtige Beiträge leisteten polnische Archäologen in der internationalen Rettungskampagne in Nubien (E. 1950er/Anf. 1960er J.): Abu Simbel, Dabod und Tafeh, und als Teilnehmer internationaler Grabungsunternehmungen in verschiedenen Ländern.

1 J. LIPIŃSKA, Rozwój egiptologii w Polsce (Entwicklung der Ägyptologie in P.), in: Rocznik Muzeum Narodowego w Warszawie XVIII 1974, 401–415 **2** K. MICHAŁOWSKI, Archéologie méditerranéenne en Pologne après la seconde guerre mondiale, in: Etudes et Travaux, Varsovie 1966, 5–22 **3** Od Nilu do Eufratu. Polska Archeologia Śródziemnomorska 1981–1994 (Vom Nil bis zum Euphrat. Polnische Mittelmeerarchäologie 1981–1994), Warszawa 1995 **4** 50 Years of Polish Excavations in Egypt and the Near East. Acts of the Symposium at the Warsaw University 1986, Warsaw 1992 **5** A. SADURSKA, Archéologie méditerranéenne au cours des 25 années de la République Populaire de Pologne, in: L'antiquité classique au cours des 25 années de la République Populaire de Pologne, Wrocław 1974, 53–70. ZSOLT KISS UND KAROL MYŚLIWIEC/ Ü: TADEUSZ KACHLAK

D. RECHTSWISSENSCHAFT

In der 1364 gestifteten Krakauer Akad. wurden zwar (in Übereinstimmung mit der Praxis der europ. Univ.) fünf Lehrstühle des → römischen Rechts gegründet, gelesen wurde es aber nicht. Die Situation gestaltete sich ähnlich an der 1400 reaktivierten Jagiellonen-Universität. Ein größeres Interesse für das Studium des röm. Rechts wird Mitte des 16. Jh. bemerkbar. Dies hing mit den Versuchen einer Reform des polnischen Landrechts und mit der im Großherzogtum Litauen durchgeführten Kodifizierung des Rechts zusammen. Die Vorlesungen des röm. Rechts wurden mitunter ausländischen Professoren anvertraut, die ein entsprechend hohes Niveau repräsentierten (z. B. Pietro de Ruiz Moroz, ein Schüler von Alciato).

In der zweiten H. des 18. Jh. taucht in den Versuchen einer Reform des Universitätsstudiums in P. (vorbereitet von Hugo Kołłątaj) eine auch für die europ. → Aufklärung typische Kritik der Brauchbarkeit der Lehre des röm. Rechts auf. In der Zeit der Teilungen P., im 19. und in den Anfängen des 20. Jh., wurde das röm. Recht in Warschau, Wilna, Krakau und Lemberg gelesen. Von den hervorragenderen Gelehrten, die auch in der internationalen Wiss. bekannt sind, sind zu nennen: Teodor Dydyński (in Warschau), Fryderyk Zoll und Stanisław Wróblewski (in Krakau), Ignacy Koschembar-Łyskowski (in Lemberg).

In der Zeit der zweiten Republik, in den J. 1918–1939, wurde das röm. Recht an sechs Universitätszentren vorgetragen. Von hervorragenderen Professoren

sind zu nennen: Stanisław Wróblewski, Rafał Taubenschlag (in Krakau) und Ignacy Koschembar-Łyskowski
(in Warschau). Nach dem II. Weltkrieg blieb das röm.
Recht trotz verschiedener Versuche, es aus dem Rechtsunterricht zu eliminieren, weiterhin ein obligatorisches
Unterrichtsfach an den polnischen Universitäten.

Literatur siehe I. D. Rechtswesen
WITOLD WOŁODKIEWICZ/Ü: TADEUSZ KACHLAK

E. STAND DER ALTERTUMSWISSENSCHAFTEN

Die Altphilol. hat Inst. oder Lehrstühle an den Univ.
in Warschau, Posen, Krakau und Breslau, an der Katholischen Univ. Lublin, in Thorn, Łódź, Kattowitz
und Danzig. Die Geschichte des Alt. hat Sektionen in
allen 17 polnischen Univ. und in den Pädagogischen
Hochschulen. Das röm. Recht wird gegenwärtig an den
juristischen Fakultäten aller Univ. in P. gelesen. Die
klass. Arch. wird am Institut für Arch. der Univ. Warschau und an der Jagiellonen-Univ. vorgetragen; vertreten ist sie auch an den Univ. in Breslau, Posen und
Thorn. In der Polnischen Akad. der Wiss. (PAN) gibt es
einen Fachbereich für Mittelmeer-Arch.; im Rahmen
des Instituts für Arch. und Ethnographie (früher Institut
für Geschichte der Materiellen Kultur) betätigt sich eine
Sektion für Ant. Archäologie. Die Forscher der Ant.
bilden an der PAN ein Komitee der Wiss. über die Ant.
Kultur. An der Akad. der Wiss. in Krakau (PAU) betätigt
sich eine Kommission für Altphilologie. Die Polnische
Philol. Gesellschaft (1893 gegründet) vereint wiss. Mitarbeiter, Oberschullehrer und Liebhaber der Antike.

Zeitschriften: Eos, Meander, Archeologia, Etudes et
Traveaux, Journal of Juristic Papyrology sowie zahlreiche Serien, die von den einzelnen Univ. veröffentlicht
werden. Gegenwärtig sind in P. über 120 Professoren
und Dozenten tätig, die sich auf die Problematik der
Ant. spezialisieren. An der Warschauer Univ. ist seit
1992 ein interdisziplinäres Zentrum für Forsch. über die
ant. Trad. in P. und Mitteleuropa (OBTA) tätig, an dem
Spezialisten aus ganz P. arbeiten. An diesem Zentrum
wurden u.a., unter der Leitung von J. Axer und J. Kolendo, die vorliegenden Ausführungen zu P. konzipiert
und redigiert.

JERZY KOLENDO UND JERZY AXER/
Ü: TADEUSZ KACHLAK

→ AWI Aristoteles; Cicero; Horaz

Politische Theorie I. ALLGEMEIN
II. PLATONISCHE TRADITION IM LATEINISCHEN
WESTEN III. PLATONISCHE TRADITION IM
GRIECHISCHEN OSTEN IV. POLITISCHER
PLATONISMUS IN DER OSMANISCH-ISLAMISCHEN
KULTURREGION

I. ALLGEMEIN
A. IDEENGESCHICHTLICHE ZYKLEN DER
ANTIKE-REZEPTION B. MITTELALTER
C. RENAISSANCE D. REFORMATION,
MONARCHOMACHEN, SOUVERÄNITÄTS-
VORSTELLUNGEN E. 17. UND 18. JAHRHUNDERT
F. DIE GRÜNDUNG DER VEREINIGTEN STAATEN VON
AMERIKA G. MONTESQUIEU UND ROUSSEAU
H. DIE FRANZÖSISCHE REVOLUTION
I. DIE ENTDECKUNG DER GESELLSCHAFT
K. HEGEL UND MARX L. LIBERALISMUS
M. ENDE DES 19./ ANFANG DES 20. JAHRHUNDERTS
N. DIE ZEIT NACH DEM II. WELTKRIEG

A. IDEENGESCHICHTLICHE ZYKLEN DER
ANTIKE-REZEPTION

Das polit. Denken der Ant. hat maßgeblich auf die
Entwicklung der p. Th. seit dem Hoch-MA eingewirkt.
In der polit. Sprache sind wieder zahlreiche ant. Politik-
begriffe in Gebrauch gekommen und die p. Th. der
Ant. haben auch auf die Theoriebildung selbst, ihre systematischen Fragestellungen und Erkenntnisziele prägend gewirkt. Dolf Sternberger ist zu dem Befund eines
zyklischen Auf und Ab in der Auseinandersetzung mit
dem polit. Denken der Ant. gekommen [144. 178–229].
Aufschlußreich ist bei der Analyse dieser Rezeptionszyklen die Frage, welche Epochen und Segmente der
ant. polit. Lit. jeweils stärker rezipiert wurden. Die
Wahl der für vorbildlich erachteten Ausschnitte aus der
Ant. ist dabei höchst unterschiedlich und steht teilweise
in Konkurrenz zueinander. So wurde die karolingische
Herrschaftspraxis wesentlich durch das Vorbild des röm.
→ Imperiums beeinflußt, während sich der Bürgerhumanismus der it. Ren. v. a. an der röm. → Republik
orientierte. Daneben wurde das → röm. Recht zum
Vorbild bei der Systematisierung des kanonischen
Rechts, und die Praxis der Kurie zum Modell bei der
Rationalisierung weltlicher Herrschaft. Zugleich gab
die Rezeption ant. Vorbilder städtischen Legisten die
Möglichkeit, begriffliche und rechtliche Theoreme zu
entwickeln, um Herrschaftsansprüche zu begrenzen
bzw. zurückzuweisen. Die große Verschmelzungsarbeit
des Thomas von Aquin, der den → Aristotelismus mit
christl. Vorstellungen in Einklang zu bringen versuchte,
verschaffte auch bestimmten polit. Vorstellungen der
Ant. neue Relevanz und ließ die aristotelische System-
steuerung der Herrschafts- und Regierungsformen zur
terminologischen Grundlage der polit. Sprache werden.
Gleichzeitig ermöglichte der Rückgriff auf ant. Vorbilder, die mit Vorstellungen der christl. Ethik amalgamiert
wurden, die Entwicklung von Verhaltensmaßstäben für

polit. unkontrollierte Herrscher in der Lit. der → Fürstenspiegel [95]. Der berühmteste dieser Fürstenspiegel ist Erasmus' *Institutio principis christiani* [23], in dem die Erziehung des Fürsten als Alternative zur Wahl des Tüchtigsten bzw. einem System polit. Machtkontrolle entwickelt wird. Als Alternative zur Verwirklichung der guten Ordnung durch die Erziehung des Fürsten kann die Literaturgattung der Sozialutopie (→ Utopie) angesehen werden, wie sie durch Thomas Morus *Utopia* [64] begründet wurde, bei der dem von Platon in der *Politeia* entworfenen Paradigma der guten Ordnung eine entscheidende Vorbildfunktion zukam. Etwa gleichzeitig hierzu schuf die reformatorische Augustinus-Rezeption Luthers die Möglichkeiten zur Entkoppelung des Polit. von der Sorge um das Heil der Seele. Indes war es die Rezeption eines weiteren Segments der Ant., der röm. Stoa und der Schriften des Tacitus, die den Weg für eine von christl. Vorstellungen weitgehend unabhängige Auffassung der Politik frei machte [103; 147]. Das Vorbild der ant. Republiken, vermittelt über den Republikanismus der Frühen Neuzeit, insbes. das von Niccolò Machiavelli entworfene Bild der röm. Republik, gab den Revolutionären auf beiden Seiten des Atlantiks Muster für die Realisierung der Idee bürgerschaftlicher Selbstregierung an die Hand [127].

Mit Beginn der Moderne ist die Vorbildlichkeit der Ant. für die p. Th. problematisch geworden und zunehmend in die Kritik geraten. So entsteht der Liberalismus als eine dezidierte Zurückweisung der Vorbildlichkeit ant. Politikvorstellungen, insbes. des ant. Bürgerbegriffs, der durch die bürgerliche Rechtsperson abgelöst wird (→ Bürger). Die Beobachtung der Eigengesetzlichkeit gesellschaftlicher Prozesse kehrte das ant. Verhältnis von Ökonomie und Politik um, so daß die Konzeption der »bürgerlichen Gesellschaft« nicht mehr an die Ant. angeschlossen werden konnte. Durch die Totalitarismusdebatte wurde die Frage nach der Bedeutung ant. Politikvorstellungen für das Selbstverständnis der Moderne erneut aufgeworfen, insofern einige Autoren ant. Vorbilder, wie die Rom-Ideologie im it. → Faschismus oder im → Nationalsozialismus [102. 206–210] für die totale Herrschaft verantwortlich gemacht haben und gefordert wurde, die moderne p. Th. müsse sich gänzlich vom ant. Vorbild befreien, um die Liberalität einer offenen Gesellschaft zu verwirklichen. Demgegenüber haben von ihrer polit. Ausrichtung her so unterschiedliche Theoretiker wie Hannah Arendt und Leo Strauss [4; 86] nach dem II. Weltkrieg die Überlagerung des ant. Politikverständnisses durch die spezifisch neuzeitliche machttechnische und ideologische Komponente der Politik beklagt und sie für die Krisen der mod. Politik verantwortlich gemacht.

B. MITTELALTER

Die zunächst für das polit. Denken des MA wirkungsmächtigste Form der Antike-Rezeption erfolgte in den zahllosen Kommentierungen zur aristotelischen *Politik* [112; 109]. Seit der hoch-ma. Aristoteles-Rezeption setzte zwar eine Neubeschäftigung mit der p. Th.

überhaupt erst wieder ein, doch war ihr aufgrund der gänzlich unterschiedlichen Organisation der polit. Ordnung ein adäquates Verständnis erschwert, wenn nicht unmöglich. Es fehlte etwa die Möglichkeit, Aristoteles' Unterscheidung von königlicher und despotischer Herrschaft nachzuvollziehen [145. 58–84]. In *De regimine principum* gibt Th. v. Aquin den aristotelischen Gegensatz von polit. und despotischer Regierung als Unterscheidung zw. königlicher und tyrannischer Regierung wieder [2]. Das Problem einer theologischen Rechtfertigung nicht-polit. (also despotischer) Herrschaft wird mit Verweis auf die Herkunft aller Herrschaft aus dem Sündenfall gelöst (in der Trad. von Aug. civ. 19,15 und Gregor M., *Moralia* 21–32). In seiner *Summa Theologiae* [3. Bd. 1, B. 97,4] erörtert Th. v. Aquin die Frage, ob die Menschen im Stande der Unschuld bereits Herrschaft kannten: Während Augustinus nur die Herrschaft des Hirten über die Tiere kannte, vermag Th. v. Aquin unter Heranziehung aristotelischen Denkens stärker zu differenzieren und nimmt an, daß es despotische Herrschaft über Unfreie nicht gab, polit. Herrschaft von Freien über Freie aber durchaus. Dagegen verbleibt er in der augustinischen Trad., wenn er Unfreiheit nicht als eine Folge der menschlichen Natur, sondern des Sündenfalls ansieht [147. 186–192]. An die Stelle der alten Unterscheidung von Kain und Abel (Hausherrschaft und Hirtentum) tritt bei Th. v. Aquin zwar die begrifflich modernere Unterscheidung von Oikonomia und Politik, aber sie bleibt losgelöst von den aristotelischen Kategorien und den sie begleitenden Grundvorstellungen. Schon die Fortsetzung von *De regimine principum* durch Ptolemaeus von Lucca zeigt eine stärkere Hinwendung zu authentischen aristotelischen Fragestellungen und die Lösung des griech. Politik-Begriffs von seiner christl. Überlagerung [50], die dem städtischen Lebensraum des Autors geschuldet ist.

C. RENAISSANCE

Zu einer neuerlichen Auseinandersetzung mit dem polit. Denken der Ant. kam es in der it. Ren., als im Rahmen der durch den → Humanismus initiierten allgemeinen Hinwendung zur Ant. [151] auch die politiktheoretischen Texte der ant. Lit. verstärktes Interesse fanden. Dieses Interesse wurde dadurch intensiviert, daß die kommunalen Ordnungen, wie sie sich in einer Vielzahl ober-it. Städte seit dem hohen MA herausgebildet hatten, unter wachsenden Druck gerieten: einerseits durch mächtige Einzelne, die unter Ausnutzung mil. Kommandostellen die Herrschaft an sich zu reißen versuchten, und andererseits durch den Anspruch der unteren und mittleren Schichten auf stärkere polit. Partizipation. Der damit verbundene Legitimitätsverlust von Herkommen und Gewohnheit führte zu einer erhöhten Reflexion auf die Prinzipien polit. Ordnung; im Zusammenhang mit der gewachsenen Kenntnis der originalen ant. polit. Lit. hatte dies zur Folge, daß die polit. Ordnungen der Städte und Territorien zunehmend in der Begrifflichkeit der ant. Politiktheorie dargestellt bzw. kritisiert wurden [114]. Zentrum dieser Debatten war aufgrund seiner häufigen Verfassungswechsel sowie seiner Attraktivität für human. Gebildete das Florenz des 15. und frühen 16. Jahrhunderts.

Bereits in den ma. Gründungsmythen war die Stadt als eine Gründung röm. Veteranen in die Trad. Roms gestellt worden, und in den Abwehrkämpfen gegen den expandierenden Territorialstaat der Visconti hatten die Florentiner Kanzler Coluccio Salutati und Leonardo Bruni Florenz als die einzig legitime Erbin der röm. Republik apostrophiert und dadurch den polit. Selbstbehauptungswillen der Florentiner gestärkt [77; 11; 12]. Gleichgültig, ob es sich dabei um bloße Rhet. bzw. polit. Propaganda [113] oder Formeln polit. Identitätsbildung gehandelt hat [92; 93], spielte in allen anschließenden Debatten und Theoriebildungen der Bezug auf die röm. Republik eine herausragende Rolle. Die damit verbundene Norm bürgerschaftlichen Engagements für öffentliche Angelegenheiten wurde in der zweiten Hälfte des Quattrocento von den in der sog. Platonischen Akad. versammelten Philosophen und Dichtern, wie Marsilio Ficino, Angelo Poliziano, Giovanni Pico della Mirandola u.a., in Frage gestellt, die gegen die republikanische Vorstellung der *vita activa* zunehmend das Ideal der *vita contemplativa* zur Geltung brachten: Statt der Inanspruchnahme durch öffentliche Aufgaben wurde hier das philos. Gespräch im Freundeskreis gepriesen und damit die Verbindlichkeit des auf die ant. Politiktheorie gestützten republikanisch-bürgerschaftlichen Lebensideals unterhöhlt.

Gegen diese Entwicklungen hat Niccolò Machiavelli in seinen polit. Schriften entschieden Position bezogen, wobei er insbes. in seinen *Discorsi*, die als Komm. zu den ersten zehn Büchern der »Röm. Geschichte« des Titus Livius angelegt sind [54], die röm. Republik noch einmal als das freilich bislang unerreichte Vorbild aller späteren Republiken herausgestellt hat [139]. Im Unterschied zu Salutati, Bruni u.a. hat er in seinen stadtgeschichtlichen Schriften, insbes. den *Istorie Fiorentine* [53], Florenz jedoch nicht als Erbin und Nachfolgerin der röm. Republik gesehen, sondern beide in kritischer Perspektive miteinander verglichen, wobei auf der Folie des röm. Vorbildes die Schwächen und Fehler der Späteren deutlich hervortraten. Dementsprechend avanciert bei Machiavelli die röm. Republik mitsamt der Heeresorganisation, dem rel. Kult sowie den jeweiligen Maßnahmen gegen polit. und moralischen Verfall zum Vorbild aller Republiken und zur direkten Handlungsanweisung bei der Bewältigung der Krisenentwicklung in Florenz und ganz Italien. Gegen Machiavellis p. Th., die über weite Strecken polit.-praktisch mit der Option für eine auf einer breiten Partizipation beruhenden Republik verbunden war, entwickelte sich eine Gegenposition, in der die Ablehnung der kleinbürgerlichen Republik, schließlich sogar der Verzicht auf die Herrschaftsbeteiligung des Stadtpatriziats und die Unterstützung der Alleinherrschaft der Medici mit einer scharfen Kritik am polit. Vorbild Roms und der Beziehung der Antikeorientierung als polit. Romantik verbunden war.

Der wichtigste Vertreter dieser Position war Francesco Guicciardini [31; vgl. 110].

Unter deutlichem Bezug auf die Überlegungen Machiavellis entwickelt sich seit E. des 16. Jahrhunderts in scharfer Abgrenzung vom Republikanismus die Theorie der Staatsräson, die als Handlungsanweisung und Legitimationstheorie bei der Herausbildung des mod. institutionellen Flächenstaates dient. Der Referenzzeitraum der Ant. verschiebt sich dabei zunehmend von der röm. Republik zur frühen Kaiserzeit [119. 50–63].

D. REFORMATION, MONARCHOMACHEN, SOUVERÄNITÄTSVORSTELLUNGEN

Während sich Luther in seinen frühen reformatorischen Schriften energisch von den Vorgaben eines scholastisch rezipierten Aristoteles absetzte, wobei er diese Ablehnung ausdrücklich nicht nur auf die Metaphysik, sondern auch auf die Ethik und Politik des Aristoteles bezog, hat Melanchthon eine spezifisch protestantische Aristotelesrezeption begründet, die er auch für Fragen der städtischen Organisation wie der Herrschaftsordnung fruchtbar zu machen versucht hat [121. 183–206]. Zu einem folgenreichen Rückgriff auf das polit. Vorbild der Ant. ist es jedoch weniger im dt. Luthertum als vielmehr bei den frz. Reformierten gekommen, wo von Seiten der Monarchomachen unter Rückgriff auf ant. Autoren eine einflußreiche Theorie des Widerstandsrechts ausgearbeitet worden ist [vgl. 96. 107–123].

Am Anfang dessen steht Théodore de Bèzes Schrift *Du droit des magistrats sur leurs sujets* (1576) [8]. Bèze verfolgt darin die Frage, welchen Charakter die Untertänigkeit gegenüber Obrigkeiten und Gesetz haben soll. Da er das Volk systematisch den Obrigkeiten vorgelagert sieht, stellt sich ihm die Frage, wie das Volk den Herrschern einerseits Gehorsam schuldet und andererseits sich das Recht vorbehalten kann, die Obrigkeit im Notfall abzusetzen. Es ist nicht zuletzt das Beispiel der Ant., das Bèze darüber Aufschluß gibt, daß es eine der Gegenwart unbekannte Form der Untertänigkeit geben kann, die in einer Form des Gesetzgehorsams besteht, welche von der Unterwerfung unter die Anweisungen der Obrigkeit deutlich zu unterscheiden ist. Bèze verweist hierbei auf Beispiele aus den ersten acht Büchern von Livius' *Röm. Geschichte*, ferner auf Ciceros *De re publica*, wobei er freilich Mühe hat, den röm. Begriff des *populus* mit der ständischen Gesellschaft seiner Zeit in Einklang zu bringen [8. 20–22].

Das ändert sich, als es der monarchomachischen Lit. gelingt, die Geltung der polit. angestrebten Prinzipien der Geschichte zu entnehmen. Mit der allgemeinen Wende zu einer verstärkten Rezeption der ant. Historiker wird die Existenz einer vorfeudalen Gesellschaft behauptet, in der die Könige vom Volk bestimmt und eingesetzt wurden, was auf den Vorrang des Volkes gegenüber den Fürsten hinauslief. In Hotmans *Franco-Gallia* wird Tacitus' *Germania* herangezogen, um die Klugheit der Ahnen zu preisen, die die Wahl von Königen vorsahen [43. 232f.]. Im Anschluß an Plutarch führt Hotman aus, daß man den Jagdhund weniger an seiner Rasse als an seinen Fähigkeiten erkenne, weshalb man auch den Amtsträger nicht ob seiner Herkunft, sondern seiner Talente wegen wählen solle.

Diese Argumentation machte Schule und zwang die Verfechter einer absolutistischen Gewalt zu einer ebenfalls histor. Beweisführung. So versuchte Claude de Seyssel in *La Grand' monarchie de France* (1519), die ant. Institutionen umzuwerten, um ihre antimonarchische Wirkung zu begrenzen. Dabei beurteilte er das Volkstribunat grundlegend anders als Machiavelli in seinen *Discorsi* [54. 1,3,232], um die republikanische Berufung darauf zurückweisen zu können [81. 2v – 5v]. Einen noch stärkeren Gebrauch von der Ant. als Schatz an polit.-histor. Exempla machte Bodin, dessen *Six livres de la République* (1576) [10] aus der Fülle histor. Beobachtungen rechtsgeschichtlicher und polit. Natur zu übergreifenden polit. und staatsrechtlichen Prinzipien vorstoßen und den Rückgriff auf die p. Th. der Ant. eher meiden. Bodin verläßt dabei die Tradition der aristotelischen und polybianischen Mischverfassung und formuliert unter dem Einfluß der Logik des Petrus Ramus die Geltung eines einheitlichen polit. Prinzips: der Souveränität.

E. 17. UND 18. JAHRHUNDERT

In der Neuzeit löst sich die Argumentation immer stärker von ihrem ant. Vorbild, wobei insbes. der wachsende Individualismus das von der polit. Gemeinschaft her entworfene Bürgerbild der Ant. ersetzt. Die Konkurrenz zunächst der ramistischen und später der cartesianischen → Logik zu Aristoteles, die Entwicklung des empirischen Induktionismus und der geom. Methode machte sich zunehmend bemerkbar. Obwohl Francis Bacon in seinen wissenschaftstheoretischen und philos. Hauptwerken einen scharfen Bruch mit der Ant. proklamierte, zog er in seinen polit. Schriften die Ant. breit heran. In dem Essay *Of Seditions and Troubles* etwa dient sie als argumentative Folie für die Kritik an der königlichen Herrschaft seiner Zeit [6. 42–48]. So pointierte er u. a. die »Fama-Allegorie« dahingehend, daß sie die Notwendigkeit einer unparteiischen Herrschaft des Königs illustrierte. Seine Sammlung *De sapientia veterum* wurde in der Absicht zusammengestellt, mit Hilfe ant. Exempla die Gegenwart über sich selber aufzuklären [7. 32 f.].

Auch Hugo Grotius sammelte noch einmal das ant. Wissen, verknüpfte es aber mit einem rationalen System von Ansprüchen und Rechten, das am deutlichsten im Vertragsrecht das ant. Vorbild zugunsten einer individualistischen Sichtweise hinter sich läßt. Grotius steht dabei in der Tradition des Justus Lipsius sowie des niederländischen Freiheitskampfes und ist bestrebt, ant. Vorbilder als histor. Analogie für das polit. Selbstverständnis der Niederlande fruchtbar zu machen [30].

Das rationale Naturrecht des Thomas Hobbes basiert auf dem Individualismus, orientiert sich an der geom. Methode Galileis, der biologisch adaptierten Mechanik Harveys und ist darin dezidiert anti-aristotelisch. So erwächst Hobbes' minimalistische Tugendlehre aus einer scharfen Polemik gegen Aristoteles [41. 11, 4; 40. 1, 6]. Hobbes setzt als Ausgangspunkt seiner p. Th. die Gleichheit der Menschen gegen die aristotelischen Unterscheidung von Herren und Sklaven qua natura und hält dessen Auffassung für vernunftwidrig wie aller Erfahrung widersprechend. Obwohl sich Hobbes grundsätzlich auch gegen die Ant. als Vorbild ausspricht, übernimmt er doch grundlegende Annahmen, etwa die Affektenlehre Epikurs [40. 12, 1]. Ob diese Behandlung der ant. Vorlage angemessen ist oder nicht – sie ist jedenfalls gegen den Scholaristotelismus seiner Zeit gerichtet [vgl. 121a. 56 ff.]. Aber Hobbes war in seinen Attacken gegen Aristoteles nicht der erste: Bereits 1589 hatte Lipsius in seinen *Libri politicorum* den unbedingten Vorrang des Aristoteles für die Politik streitig gemacht [49]. In Lipsius' Widmung zu seiner Tacitus-Ausgabe wird das neuartige Interesse an der Ant.-Rezeption deutlich: Die Schilderung der Handlungsweise von Monarchen und Königen bei Tacitus lese sich wie ein Schauspiel der eigenen Zeit ›theatrum hodiernae vitae‹. Darin liege die Größe und der Nutzen dieser Schrift, die von denjenigen gelesen werden soll, in deren Händen das Ruder des Staates liegt ›Utilem magnumque scriptorem, deus bone(!) et quem in manibus eorum expediat, in quorum manu gubernaculum et reipublicae clavus.‹ [48. Widmung]. Der Innovationsschub der von Lipsius unternommenen Stoa-Rezeption ist beträchtlich und reicht von der Militärtechnik bis zur Sozialdisziplinierung und der Beschäftigung mit Fragen des rationalen Umgangs mit polit. Mitteln, insbes. im Innern der polit. Ordnung [123. 11–156] (zur Tacitus-Rezeption der Frühen Neuzeit vgl. [143; 107]).

Demgegenüber hat Hermann Conring eine vermittelnde Linie eingenommen. Er folgt der aristotelischen Unterscheidung zw. den von Natur zum Herrschen und zum Gehorchen Befähigten [18. 1027, Thesen I, IV–X] und lehnt daher die Idee von der Volkssouveränität kompromißlos ab [15. 607, These XV]. Die Souveränität des Herrschers wird bei Conring jedoch, im Gegensatz zu Bodin, nicht nur durch das → Naturrecht, sondern in Anlehnung an Aristoteles auch durch das Postulat des Gemeinwohls begrenzt [128. 278 ff., 383 ff.]. Conring lehnt das Naturrecht zwar nicht ab, erkennt es aber nur für den idealen Staat an. Was er anstrebt, ist in Übernahme der konstruktiven Aspekte des Machiavellismus und gegen dessen moralische Verdammung ein sachliches Verständnis von Staatsräson, deren Anfänge er bis in die Ant. zurückverfolgt. Einmal mehr zeigt sich hierin, wie sehr zu Beginn des 17. Jh. in Deutschland das Bemühen um die Legitimität eines Begriffs an den Nachweis seiner ant. Herkunft gebunden war [106. 245–249]. Da Conring dem Naturrecht und den abstrakten Ableitungen eines rationalen Systems mißtraut, will er für die neue Disziplin der Politikwiss., die sich zw. den Entwürfen des Naturrechts und der Beschreibung von Machtpolitik zu bewegen hat, in hohem Maße die Exempla der Geschichtsschreibung berücksichtigt wissen.

Durch seine Widerlegung der Lotharischen Legende hat sich Conring auch als Quellenkritiker hervorgetan [16. 135 ff.] und steht damit zw. einer Rezeption der Historia als Sammlung von Exempla und der Historia als Quellenforschung, in der histor. Gegenstände als *Facta* behandelt werden. Das Begreifen histor. und polit. Informationen als Fakten und nicht nur lehrreichen Beispielen eröffnet den Weg zur p. Th. der Statistik, eine der Quellen des mod. Verständnisses quantitativer Sozialforschung [71; 130]. Aber auch die Statistik beginnt mit deutlichen Verweisen auf die Ant., nur daß sie dort ein ganz anderes Segment für sich fruchtbar macht als zuvor die polit. Philosophie. Der von den Statistikern immer wieder zitierte Cicero (>est senatori necessarium, nosse rempublicam<: leg 3,8) wird zusammen mit anderen unkonventionellen Stellen, wie Aristot. rhet. 1,4 oder Xenophon, *Memorabilia* 3,6, herangezogen. Diese Tradition bricht sich freilich mit dem durchweg antirhet. Anspruch der Statistik, »Sachen« und nicht »Worte« darlegen zu wollen. In welchem Maße gerade die *Rhetorik* des Aristoteles einen zentralen Bezug der frühneuzeitlichen Staatslehre darstellte, wird wiederum bei Conring deutlich: Zur Kenntnis des Staates gehöre nicht nur die Kenntnis seiner Gesetze, sondern darüber hinaus auch dessen, was Aristoteles als die weiteren Hauptgegenstände der Beratung benannt hat (rhet. 1,4): Steuern und Einkünfte, Krieg und Frieden, Schutz des Landes sowie Export und Import [17. 1ff.].

Die Tendenz der p. Th., den Staat als eine statische Größe zu denken und sein Wesen daher eher in der Verwaltung als in der Politik zu suchen (letztere wird überwiegend als Macht- und Außenpolitik verstanden, die von einem in der Regel als absoluten Befehlsgeber angenommenen Fürsten gesteuert wird) verändert in der Kameralwiss. auch den Begriff der Politik, die nun als >gute policey< verstanden wird [118. 33 ff.]. Das ontologisch stillgestellte Bild von Politik und Gesellschaft aus der Tradition der Aristoteles-Rezeption des Th. v. Aquin wie des Melanchthon wird durch das Bild des Staates als funktionierender Maschine ersetzt [146].

Gegen diese Tendenzen zur Befriedung des polit. Prozesses durch die Legitimation des status quo wandte sich zunächst im England des 17. Jh. das republikanische Denken. Die absolutistische Staatstheorie wies den aristotelischen Grundgedanken des Regierungswechsels zugunsten eines Stabilitätsdenkens der Unveränderlichkeit zurück. Hiergegen bot die Zyklentheorie der Stoiker, die im Gefolge Machiavellis zu einem festen Bestandteil des frühneuzeitlichen Republikanismus wurde, die Möglichkeit, den Regierungswandel nicht als Anarchie, sondern als einen eigenständigen Regeln unterworfenen Prozeß zu begreifen [137]. So schreibt John Selden: >If the Prince be servus natura, of a servile base Spirit, and the Subjects liberi, Free and Ingenuous, oft-times they depose their Prince, and govern themselves. On the contrary, if the People be Servi Natura, and some one amongst them of a Free and Ingenuous Spirit, he makes himself King of the rest; and this is the Cause of all changes in State: Commonwealth into Monarchies, and Monarchies into Commonwealths< [80. 108 f.].

Im Vorfeld des Bürgerkrieges hatte die Frage der Verfassungs- und Machtbeziehung zw. König und Parlament ein besonderes Interesse an der ant. Mischverfassungstheorie begründet [122], deren Rezeption die Möglichkeit bot, ohne eine einseitige Entscheidung für eine Partei deren inneren Zusammenhang in der Verfassung anzugeben, und zwar von der King-in-Parlament-Theorie bis wenige Monate vor Ausbruch des Krieges in Colepeppers und Falklands *Answer of His Majesty to the 19 Propositions of both Houses of Parliament* [14; vgl. 105. 33–142]. Mit Ausbruch des Bürgerkriegs jedoch wurde eine grundlegende Neuorientierung erforderlich. Auch hier lenkte das polit. Interesse die Auswahl der rezipierten ant. Texte. Die Frage, welche Rolle Cromwell innerhalb der Revolution spielen sollte, führte zu zahlreichen Nachahmungen ant. Formen, etwa in Andrew Marvells *Horation Ode* oder in dem Werk Miltons, das es trotz seiner puritanischen Ausrichtung nicht verabsäumte, in Analogie zu Dante die Ant. als überzeitlichen Schatz insbes. polit., praktischer und moralischer Standards herbeizuziehen. Das republikanische Denken entfaltete sich hier innerhalb eines Gesprächsdreiecks zw. zeitgenössischen Autoren und ant. Referenzstellen, wobei die Ant. die Argumentationsfolie abgab, um die eigene Zeit auf ihren polit. Begriff zu bringen [111. 326–333]. John Milton entwickelte 1651 in Anknüpfung an Aristoteles, Cicero und Sallust eine polit. Partizipations- und Widerstandstheorie, die gegen die Autorität der Kirchenväter und Röm 13 eine Gegenautorität aufbaute [62. Kap. 2 und 3]. In Gegnerschaft zu Salmasius' Versuch, mit Hilfe des Tacitus die hierarchisch-königliche Herrschaft zu legitimieren, lehnte Milton diese Interpretation als Resultat einer nur durch Kompilationen vermittelten Ant.-Rezeption ab. >Hättest Du lieber den Tacitus selber gelesen, anstatt überall Zusammengelesenes allzu nachlässig abzuschreiben, so würde er dich belehrt haben, woher jenes Recht der Kaiser entsprungen ist< [62. 270], nämlich aus der Sittenverderbnis der Bürger, d. h. nicht aus einem validen Rechtsanspruch, sondern aus der temporären Aufgabe der eigentlich beim Volk liegenden Kompetenzen.

Die bedeutendsten theoretischen Reaktionen auf den Bürgerkrieg bestanden in dem naturrechtlichen, individualistischen Naturrecht des Th. Hobbes und der darauf begründeten Konzeption des Gesellschaftsvertrags sowie der Anknüpfung an den republikanischen Diskurs der Ant. bei James Harrington, dessen *Oceana* [34] eine direkte Erwiderung auf Hobbes war. Hatte Hobbes die Berufung auf die ant. p. Th. als bürgerkriegsträchtig angesehen, da erst sie einen verfehlten Freiheitsbegriff aufgebracht habe [42. 50 f.], so hebt Harrington gegen Hobbes' geom. Methode die republikanische Zugriffsweise auf die Geschichte als Erfahrungsquelle hervor. Harringtons Vorbild ist Machiavellis Livius-Rezeption, wobei er seinem Vorbild jedoch

nicht in allen Fragen folgt. So lehnt er Machiavellis einseitige Identifizierung der Ant. mit Rom und Roms mit
dem Ideal einer republikanischen Ordnung ab. Für ihn
ging es v. a. darum, gegen die Anhänger der Monarchie
zeigen zu können, daß auch die Republik zur Errichtung dauerhafter und stabiler Institutionen imstande sei.
Daher weist er die Zyklentheorie in der von Machiavelli
vertretenen Form ebenso zurück wie dessen These, die
Auseinandersetzung zw. Senat und Volk hätten in Rom
die Regenerierung der sozio-moralischen Dispositionen als Lebensbedingung einer Republik bewirkt. Harrington will dagegen den inneren Zwist gerade vermeiden und erklärt, Republiken müßten darauf bedacht
sein, in ihrem Innern Gleichheit zu schaffen, denn dann
bedürften sie nicht der Expansion nach außen als Ventil
für die Konkurrenz im Innern. Die *Oceana* ist insofern
keine Utopie, als sie nur den fiktiven Schauplatz einer
idealen Gesprächssituation stilisiert, auf dem die Möglichkeit einer republikanischen Ordnung diskutiert
wird. In der 22. Ordnung der *Oceana* etwa, in der es um
die Frage der Mitbestimmung des Volkes bei den polit.
Angelegenheiten und die daraus erwachsende Unruhe
geht, diskutieren die Beratenden so, als seien die ant.
Autoren Gutachter der Alternativen. Die Debatte wird
mit einem einschlägigen Cicero-Zitat eröffnet; dessen
Argumentation wird mit Blick auf die Staatenwelt der
griech. Ant. in Frage gestellt, weshalb anschließend
Machiavelli und mit ihm Livius in einem langen Zitat
beratend herangezogen werden. Die so zusammengestellten Thesen werden an den Beispielen der Republiken von Sparta, Athen, Rom und Venedig diskutiert,
wobei deren histor. Ungleichzeitigkeit keine Rolle
spielt. Der Diskurs des Republikanismus aktualisiert am
deutlichsten die ant. polit. Argumentation als unmittelbar relevante Stellungnahme für die p. Th. der eigenen
Zeit [127. 333 ff.].

Die engl. Republikaner mußten gegen zwei Positionen argumentieren: gegen die scheinbar überzeitliche
Legitimation fürstlicher Gewalt und gegen das Vorur-
teil, das Volk sei zu seiner Selbstregierung unfähig. Neben Hobbes sind John Filmer und James Hooker als die
Kontrahenten zu nennen, die neben der Bibel auch die
Ant. als Autoritätsbeweis für die unvordenkliche
Rechtfertigung fürstlicher Gewalt herangezogen haben
[111. 282 ff., 312 ff.]. Algernon Sidney wiederum hat
gegen den Autoritätsbeweis aus der Bibel und der spätant. Theologie eingewandt, diese von zweifellos klugen
Männern vorgebrachten Argumente gegen die polit.
Freiheit könnten nur für deren eigene Zeit Geltung beanspruchen [82. 8, 361]. Für Sidney gibt es keine von
der Natur festgeschriebene Regierungsform, und eine
verbindliche Regierungsform kann auch nicht, wie Filmer dies getan hat, durch ihre histor.-mythische Rück-
verfolgung bis auf Adam hergeleitet werden. Als einzige
Rechtfertigung polit. Herrschaft läßt Sidney die Förderung bürgerschaftlicher Tugend zwecks Schaffung
von Mächtigen unter Gleichen gelten. Statt wie Hobbes
die ant. Republiken als Orte der Anarchie zu begreifen,

will Sidney mit Verweis auf die Geschichte der röm.
Republik, die von Livius dargestellt und von Machiavelli in den *Discorsi* kommentiert worden ist, die Rea-
lisierbarkeit einer republikanischen Regierungsform
aufzeigen. Anders als Harrington geht er dabei nicht von
der Souveränität des Volkes aus, sondern von einer
Orientierung aller Gewalten am Recht und den sozio-
moralischen Erfordernissen der Selbstregierung, die in
Gestalt einer gewählten Elitenregierung erfolgen soll
[82. Teil I, Kap. 16, 49]. Der Rekurs auf die Mischverfassung als polit. Vorbild [82. Teil II, Kap. 16, 166–170]
will die Stabilität einer polit. Ordnung nicht auf statische Elemente künstlicher Unbewegtheit zurückführen; vielmehr betont Sidney die Vorzüge des Verfas-
sungswandels und der Aufstände, die erst dann die Republik ernstlich gefährden, wenn einige aufgrund ihres
Reichtums eine von den Gesetzen unabhängige Macht
erwerben und sich damit über die Gesetze stellen können [82. Teil II, Kap. 14, 153–157].

Bereits die Fortsetzer Harringtons, wie etwa Henry
Neville, haben den republikanischen Diskurs Harring-
tonscher Prägung wieder aufgegeben. Das Scheitern der
Republik, die Restauration und die Sorge um die Sicherstellung des verbliebenen parlamentarischen Einflusses legte es nahe, nicht allein in der Geschichte der
ant. und frühneuzeitlichen Republiken, sondern auch
in der engl. Verfassungsgeschichte nach Anknüpfungs-
punkten für ihre polit. Ziele zu suchen. So entwickelte
Neville eine Amalgamierung von Mischverfassungstheorie, Rückbezügen auf eine angebliche altsächsischen Freiheit (*Ancient Constitution*) und republikanischem Bürgerverständnis, das er ganz gegen das Vorbild
Harringtons auch an Platons polit. Vorstellungen anschließen wollte [65. 37; 126. 351 ff.].

F. Die Gründung der
Vereinigten Staaten von Amerika

Die Gründung der USA sah sich als polit. Ren. ant.
Vorbilder, orientierte sich teilweise unmittelbar an ihnen, und einige Gründerväter verstanden sie gar als Revolution im klass. Wortsinn, d. h. nicht nur als Wiederbelebung ant. Vorbilder, sondern als Rückkehr zu ihnen. Dabei läßt sich für die Gründungsphase mit der
Rezeption Harringtons ein Übergewicht klass. republikanischer Orientierungen und erst für die Konsoli-
dierungsphase mit dem Vordringen der Theorie Lockes
eine stärkere Orientierung an gesellschaftlichen Fragen
beobachten [152. 46 ff.; 153. 617–624]. Benjamin Franklin hob in seiner Autobiographie die Wirkung von Joseph Addisons Verstragödie *Cato* (1713) hervor, er war
vertraut mit J. Trenchards und Th. Gordons *Catos Letters*
(1720), einer scharfen Kritik an der Korruptibilität und
Verkommenheit der engl. polit. Klasse, und verfocht
bereits vor dem Unabhängigkeitskrieg als Vertreter
Pennsylvanias in England die Verbindung der republikanischen Idee mit dem Recht des freien Engländers,
das auch die Amerikaner für sich beanspruchen dürften.
Eine weitere Quelle des Republikanismus der Grün-
dungsväter waren Thomas Gordons weit verbreitete

Übers. von Sallust und Tacitus. Ein weiterer Beleg für den starken Bezug der Gründerväter auf die ant. Republiken war die Verbreitung von Pseudonymen wie Aristides, Cato, Priscus, Publius u. a., und selbst der klass. kaum gebildete George Washington fand Gefallen daran, sich als Cincinnatus darstellen zu lassen [133. 39 ff., 70 f.]. Jedenfalls beschäftigten sich fast alle Gründerväter der USA eingehend mit ant. Geschichte und Lit., da sie davon überzeugt waren, die Bürger einer Demokratie müßten wissen, wie es den Griechen und Römern gelungen sei, sich selbst zu regieren.

Die polit. Theoretiker des jungen Amerika standen vor dem Problem, daß nach Vorgaben der ant. p. Th. die Größe des amerikanischen Kontinents nur eine imperiale Regierung erlaubte, sie aber die republikanische Regierung bevorzugten. Dementsprechend wurde von fast allen gleichermaßen der Bezug zur Ant. hergestellt [132] wie auch die Distanz betont [129]. Weit ausholend stellte etwa John Adams Material aus p. Th. von der Ant. bis zur Gegenwart zusammen, welches das amerikanische Experiment für durchführbar erweisen sollte [1. 42]. Auch James Madison stellte für seine Theorie des Föderalismus histor. Vorbilder von Staatenbünden von der Ant. bis zur Neuzeit zusammen, um an ihnen Voraussetzungen, Inhalt und Grenzen dieser Staatsform zu diskutieren [33. Nr. 18]. Als histor. Vorbild wurde dabei – ob zu Recht oder zu Unrecht [116] – die Amphiktyonenliga im ant. Griechenland angeführt. Die aus den ant. Beispielen gezogene histor. Erfahrung bezeichnet Madison als ›Orakel der Wahrheit‹ [33. Nr. 20], die freilich nicht autoritative Geltung beanspruchen kann, sondern stets der Auslegung bedarf. Bei der Diskussion des Senates, den er gegen demokratische Theoretiker gerade in seiner relativen Unabhängigkeit vom jeweiligen Mehrheitswillen der Bevölkerung befürwortete, betonte Madison ausdrücklich auch die Grenzen der Vorbildlichkeit ant. Republiken [33. Nr. 63].

Auf der anderen Seite war der Verweis insbes. auf die röm. Republik dann durchschlagskräftig, wenn man im Hinblick auf die von Europa unterschiedenen Lebensformen in der Neuen Welt Analogien zur Ant. ziehen zu können glaubte, wobei die in der Neuen Welt behauptete Sittlichkeit vom Sittenverfall der Alten Welt Europas abgehoben wurde. Dabei wurde v. a. die agrarische Struktur und die Ruralität der USA mit der alt-röm. Gesellschaft parallelisiert, womit gleichzeitig der Vorwurf der Wildnis Amerikas und der Barbarei seiner Sitten durch den Hinweis auf das ant. Vorbild zurückgewiesen werden konnte. Vor allem in diesem Zusammenhang war das Cincinnatus-Motiv beliebt [132. 98 ff.].

G. MONTESQUIEU UND ROUSSEAU

Die frz. Moralisten, Montaigne an erster Stelle, hatten damit begonnen, den Einfluß der zivilisatorisch-gesellschaftlichen Bedingungen auf die Moral zu untersuchen. Die dabei herangezogenen ant. Vorbilder waren freilich ethischer Natur und weitgehend unpolitisch. Währenddessen stützte sich der Kampf der Aristokratie gegen den Absolutheitsanspruch des Königs auf die Fiktion eines histor. Feudalverhältnisses, das der engl. Vorstellung einer *ancient constitution* vergleichbar war. Hier wurde auf die Ant. nicht im Sinne ihrer polit. Vorbildlichkeit Bezug genommen, sondern es wurden systematische Fragestellungen entwickelt, die anhand ant. Materials mit Beweiskraft ausgestattet wurden, am deutlichsten in Montesquieus *Considérations* [63], einem Werk, das Friedrich d. Gr. dem des Thukydides gleichstellte. Montesquieus Interesse an der Ant. entwickelte sich vor dem Hintergrund der »augustan charade« der absoluten Monarchie, also der Vorstellung, im modernen Prinzipat seien die wesentlichen Eigenschaften der klass. Republik verwirklicht. Von Corneilles *Cinna ou La clémence d'Auguste* (1642) bis Racines *Bérénice* (1670) finden sich in der frz. Lit. Darstellungen von der Verwirklichung republikanischer Tugend unter den Bedingungen einer gemäßigten Monarchie [141. 265 f.]. Montesquieus Insistenz, bürgerliche *virtus* könne sich allein in einer Republik entwickeln, richtet sich gegen die Idee einer im ant. Sinne tugendhaften Monarchie; diese Stoßrichtung ist gepaart mit der Tacitus-Adaption, wonach die polit. Freiheit den Wäldern Germaniens entstamme. Auch die engl. Verfassung stellt Montesquieu über die vielgepriesene Mischverfassung Roms, so wie er auch die venezianische Republik denen der Ant. vorzieht.

Während Montesquieu der Ant. nur Bausteine für eine allgemeine Gesetzgebungslehre entnimmt [99. 35–46], bezieht sich Rousseau in seinem *Discours sur l'inégalité* (1755) auf die Ant. als Vorbild des zivilisatorischen Ablaufs menschlicher Vergesellschaftung [75]. Die These vom Wilden als dem einzig guten Menschen und dem Aufkommen des Bösen und der Laster infolge der gesellschaftlich-zivilisatorischen Entwicklung führt dazu, daß weitere Segmente der Ant. als polit. relevant ausgemacht werden. So werden etwa verstärkt die griech. Zeugnisse über die barbarischen Völker und deren Mythologie herangezogen, um den histor. Wilden unabhängig von der griech. Hochkultur zu skizzieren. Einerseits werden Aussagen über die Skythen aus Iustinus' *Historiae Philippicae* zitiert, und andererseits werden Vergils *Georgica*, ein Plinius-Brief an Kaiser Trajan über die freiwillige Knechtschaft und v. a. wieder Tacitus herangezogen, um die Verweichlichung derjenigen zu bezeichnen, die durch das Leben in entwickelten Gesellschaften den freiheitlich-polit. Sinn verloren haben. Rousseau engt damit den Raum der Ant., der als Alternative zur polit. und gesellschaftlichen Verfaßtheit seiner Zeit gelten darf, so weit ein, daß er schließlich nur noch auf ein idealisiertes → Sparta verweist. Im Anschluß an die Frage Montesquieus, inwiefern eine gute Gesetzgebung das moralische Verhalten der Bürger beeinflussen könne – wobei Montesquieu freilich Sparta keineswegs als ein beliebig anwendbares Modell ansah – avancierte es bei Rousseau zum Inbegriff einer polit. Ordnung, die tugendhaftes Verhalten der Bürger ermöglichte und förderte. Zwar besaß Sparta seit längerem schon den Nimbus von Stabilität und Dauerhaftigkeit [131. 220ff.], aber die Spartiaten zum Inbegriff tugendhafter Bürger zu erheben war durchaus ungewöhnlich. Wie eigenwillig Rousseaus Antike-Rezeption war, zeigt sich auch in Jaucourts kurz danach verfaßtem Spartaartikel in der *Encyclopédie* [21]: In ihm wird Lykurg als derjenige gefeiert, der es verstand, die Menschen so zu verändern, daß sie Gewohnheiten, die dem menschlichen Instinkt und der Natur des Menschen zu widersprechen scheinen, als ihr Glück anzunehmen bereit waren [21. 744]. Die Konsequenzen aus seinem Menschenbild und seiner Zivilisationstheorie hat Rousseau für die p. Th. im *Contrat Social* gezogen, wo er die Identifikation der Bürger mit der polit. Ordnung auf der Konstruktion des Gesellschaftsvertrages begründete. Im polit. Prozeß der Bildung des Allgemeinen Willens erfährt der in seiner gesellschaftlichen Partikularität und Korruptibilität befangene Bourgeois die entscheidende Transformation zum tugendhaften Citoyen. Mit dieser Antike-Rezeption ist Rousseau für die revolutionäre Vorstellung prägend geworden, wonach sich mit polit. Mitteln die Einstellungen der Bürger auch gegen ihre gesellschaftlichen Interessen verändern und verbessern ließen.

H. DIE FRANZÖSISCHE REVOLUTION

Die Nachahmung der ant. Republiken in den polit. Festen und Kultzeremonien, etwa in der Ausstattung des Konvent-Sitzungssaals in den Tuilerien oder dem Kult der Vernunft auf dem Marsfeld, war verbunden mit der Vorstellung von der erzieherischen Eingewöhnung der Menschen in ihr Bürgerdasein nach republikanischem Vorbild [125]. Hinsichtlich der bürgerschaftlichen Erziehung finden sich häufig der Darstellung des Lykurg bei Plutarch nachgebildete Vorschläge [125. 157f.]. Nach Saint-Just sollte Frankreich mit Hilfe der Revolution zum Ort einer Ren. der ant. Republiken werden [76. 812]. In der Denkschrift *Sur les factions* will Saint-Just obendrein am Vorbild Spartas das eigentliche Glück der Menschen ablesen, das nur aus der Befolgung der strengen Tugend erwächst [76. 739]. Das Vorbild Spartas war in den Reihen der Revolutionäre aber keineswegs unumstritten: Es wurde nicht nur von den Brissotins bzw. Girondisten abgelehnt, sondern auch eine Reihe von Jakobinern hielt es für eine unmittelbare Adaption ungeeignet und konzentrierte sich eher auf das demokratische → Athen, das nicht nur eine politische Einstellung gefördert, sondern auch Kunst, Kultur und Handel zugelassen und zur Blüte gebracht habe [149; 150]. Camille Desmoulins ist der wichtigste Widerpart Saint-Justs in dieser Debatte. Dabei verstand es Desmoulins vorzüglich, republikanische Einrichtungen der Ant. auf institutionelle Probleme der revolutionären Ordnung anzuwenden: So trat er etwa für die Öffentlichkeit der Parlamentsdebatten mit dem Argument ein, die Galerie sei der Tribun zur Überwachung des Senates [103. 303f.]. Auch innerhalb der jakobinischen Anhänger des Terreur gab es unterschiedliche Orientierungen an der Ant. und eine Konkurrenz zw.

Sparta und Athen um die Vorbildrolle. Der Rechtfertigungszwang der revolutionären Minderheit, als revolutionäre Regierung diktatorisch an der Macht zu bleiben, die Verfassung nicht in Kraft treten zu lassen und gegen die sozio-ökonomischen Interessen an den ethischen Sinn als Bürger zu appellieren, machte jedoch weiterhin das Vorbild Spartas attraktiv. Auf die Spitze trieb dies Billaud-Varenne, für den die Unterschiede zw. Sparta und Athen die Hauptdifferenz aller Regierungslehre darstellten: Die unbeugsame Strenge Lykurgs habe in Sparta die unerschütterliche Basis der Republik gelegt, wogegen der schwache und arglose Charakter Solons Athen in die Sklaverei stürzte [9]. Robespierre hingegen mißtraute dem Vorbild Spartas, das er in seiner Rede *Über die Grundsätze der polit. Moral* explizit ablehnte: ›Wir haben nicht die Absicht, die frz. Republik nach dem Vorbild Spartas zu errichten. Wir wollen ihr weder klösterliche Strenge noch klösterliche Korruption geben‹ [73. 590].

I. DIE ENTDECKUNG DER GESELLSCHAFT

In der Frz. Revolution erlebte das klass. republikanische Ideal der durch Politik zu gestaltenden Moral der Bürger einen Höhepunkt, der in England, das für die revolutionäre Gärung auf dem Kontinent weithin unempfänglich blieb, bereits überschritten war [124]. Gegen das von den Republikanern diskutierte Problem der Einfachheit der Lebensführung, der Tugend als Gegenbegriff zum Laster und der schädlichen Wirkungen des Luxus stellte Mandeville in seiner *Fable of the Bees* (1714) die guten Wirkungen des Lasters heraus [56], und Adam Smith erklärte in seiner Darstellung der Ökonomie den Egoismus zur eigentlichen Triebkraft menschlichen Handelns, die im Zusammenspiel der Egoismen den Reichtum der Nation hervorbringe. Hier war die Absage an die polit.-ethischen Ideale der republikanischen Ant. nicht zu überhören [100. 133ff.]. Dafür entwickelte sich in England die Kritik an der Korruption der Magistrate und Amtsträger am Vorbild des ant. Republikanismus und wurde zu einem wesentlichen Bestandteil der engl. polit. Tradition. Eine durchgängige Figur der schottischen Aufklärung ist die Insistenz auf den strukturellen Verschiedenheiten zw. der ant. Republik und der modernen bürgerlichen Gesellschaft; ethisches Verhalten wird hierbei als von den gesellschaftlichen Umständen abhängig angenommen, weshalb bloß polit. Anstrengungen zur Hebung des bürgerschaftlichen Ethos als unterkomplex verworfen werden. Immer wieder ist, wie etwa bei Francis Hutcheson, der Shaftesburys ethische Theorie gegen Mandevilles Einspruch verteidigte [47], ein Changieren zw. dem Vorbild der Ant. bzw. deren Theorie und einer als mod. behaupteten Gegenwart beobachtbar.

Auch Adam Ferguson hat in seinem *Essay on the History of Civil Society* (1767) eine Vergleichbarkeit von Ant. und Neuzeit keineswegs ausgeschlossen. Sie läßt sich u.a. anhand ähnlicher Lebensweisen in den großen Städten der Ant., wie Athen und Rom, und denen der eigenen Zeit, wie London und Paris, gut beobachten.

Gleichwohl haben die im MA wurzelnden neuen sittlichen Verhaltensmaßstäbe (Ritterlichkeit) sowie v. a. die Entwicklung des Handels Verhalten und Zivilität erheblich verändert, so daß Ferguson davon ausgeht, die Neuzeit habe die Ant. nicht nur zivilisatorisch übertroffen, sondern sei auch mit ant. Maßstäben nicht mehr zu erfassen [24. 349–366]. Wo aber auch die negativen Folgen der Zivilisation und des Luxus sowie der Verfall sozialer Verhaltensweisen beobachtet werden und beklagt wird, daß die ehedem allen Bürgern zugemutete Wehrhaftigkeit des Milizwesens nun durch stehende Heere unter der Befehlsgewalt des Königs abgelöst worden sei [101. 21 ff.], dort dient die Erinnerung an die Ant. nicht mehr der Nachahmung eines vielleicht unerreichbaren, aber weiterhin geltenden Vorbildes, sondern der kritischen Reflexion mod. Strukturen am Maßstab der Ant., um daraus die Erfordernis einer Therapie kenntlich zu machen. Ferguson hat als Feldkaplan und gälisch sprechender Befürworter der in den Highlands vorhandenen Lebensführung die Übertragung mod. Zivilität auf alle Lebensbereiche abgelehnt und stattdessen eine größere polit. Partizipation gefordert.

Eine größere Distanz zur Ant. nimmt dagegen John Millar in *The Origin of the Distinction of Ranks* ein: Nicht nur können die aus viel kleinräumigeren Gesellschaften stammenden ant. Maßstäbe nicht auf die mod. Großterritorien übertragen werden, sondern auch das Freiheitsverständnis der Ant. ist nicht mehr vorbildlich; für Millar haben erst Gewerbe und Wohlstand den wirklichen Freiheitssinn erzeugt [61. 225 f., 230 f.]. Am deutlichsten hebt Millar dies am Beispiel der Sklaverei hervor, deren Überwindung als ein entscheidender Fortschritt zur Freiheit angesehen werden kann [61. 261 f.], wobei er sich durch eine 1778 gefällte höchstrichterliche Entscheidung bestätigt sieht, die die Nichtgeltung des Eigentums an Menschen auf dem Gebiet Großbritanniens feststellte. Luxus ist bei Millar nicht zwingend negativ konnotiert, sondern wird als Begleiterscheinung des Wohlstandes begriffen; Wohlstand wiederum erst ermöglicht, wenn er breit verteilt ist, die polit. Partizipation der Bevölkerung [61. 226].

Damit entfällt der Vorbildcharakter der Ant. nicht grundsätzlich, wird aber nach Maßgabe von in der Moderne unterschiedlich wirksamen Strukturen deutlich relativiert. So kann David Hume, der sich von der Ant. am energischsten abwendet, in seinem Essay *On Liberty and Despotism* kritisieren, daß die ant. p. Th. den Handel nicht zum Gegenstand ihrer Betrachtung gemacht habe, und es doch gerade dessen Wirkung sei, die bis in das Polit. hinein den Unterschied zur Ant. darstelle [46. Bd. 1, 95]. Aber auch mit dieser Beobachtung von Hume wird die Ant. keineswegs als Ganzes verabschiedet oder nur noch als gelehrte Hintergrundfolie herangezogen: Herrschaft, Amtsverständnis und Korruption, Institutionenbildung und Normenorientierung werden weiterhin mit ant. Beispielen diskutiert. Die Ant. ist hier mehr als nur ein Bezugspunkt gelehrter Konversation; sie ist ein Schatz polit. Argumentation, der bei verän-

derten histor. Bedingungen zwar an unmittelbarer Geltung eingebüßt hat, aber weiterhin erkenntnisfördernde Wirkung zugesprochen wird.

K. Hegel und Marx

In einem letzten großangelegten Versuch, die ant., christl. und mod., d. h. individualistisch und sozioökonomisch ausgerichteten Denkstränge miteinander zu versöhnen, hat Hegel auf einer komplexen Zeitebene das zyklische mit dem eschatologischen Denken in Gestalt einer dialektischen Geschichtsphilosophie verquickt und dabei eine Vermittlung polit. Denkmotive der Ant. mit der mod. Theorie der *civil society* angestrebt [108. 207–210]. Von einer frühen Antike-Begeisterung ausgehend, die die substantielle Sittlichkeit der Alten bewunderte, war Hegel zunächst um eine Vermittlung mit dem Christentum bemüht; die Rezeption der schottischen Aufklärung, insbes. der Theorien über die bürgerliche Gesellschaft, führte zu einer erheblichen Vertiefung und Erweiterung seines Problemhorizonts. Hegels Modell einer Periodisierung der Geschichte nach einem orientalischen, griech., röm. und schließlich german. Zeitalter sieht keinen Anlaß, die Moderne gegen die Ant. zu stellen, sondern vermag jeder Epoche ihr eigenes histor. Recht zuzusprechen. Aber die Ant., so Hegel im Anschluß an die engl.-schottischen Autoren, kannte die individuelle Freiheit als Bestandteil der polit. Verfassung nicht. Der unvermittelte Aufeinanderprall des Prinzips der individuellen Freiheit in Gestalt des Sokrates und der dadurch in Frage gestellten substanziellen Sittlichkeit der Polis läßt sich mit bloßen Postulaten und Imperativen nicht auffangen. Hegels Skepsis gegenüber bloßen Appellen zeigt sich aber auch in seiner Kritik an konservativ-romantischen Übertragungen des Modells der Familie auf die polit. Ebene oder an die Adresse der Machthaber gerichteter christl. Forderungen nach Verbesserung der Sitten. Die sozialen Sitten stehen vielmehr unter dem prägenden Einfluß der sich verselbständigenden bürgerlichen Gesellschaft und ihres maßgeblichen Prinzips: der Arbeit. Die vielzitierte Formel aus der Vorrede zur *Rechtsphilosophie* – ›Was vernünftig ist, das ist wirklich; und was wirklich ist, das ist vernünftig‹ [37. 14] – ist demnach auch gegen eine nostalgisch-sentimentale Betrachtung der Ant. gerichtet, der Hegel in seinen Anfängen selbst angehangen hat [117. 80 ff.]. Die von Hegel später systematisch aus seinem Freiheitsverständnis heraus entwickelte konstitutionelle Monarchie bedurfte keines ant. Vorbildes.

Eine ganz andere Konsequenz hat Karl Marx aus dem Erbe der Hegelschen Philos. gezogen. Philosophie und p. Th. standen nach Hegels Tod einen Augenblick in dem Bewußtsein, das Ende der Geschichte erreicht zu haben [135. 67–75], als der junge Marx die Frage stellte, ob auf dem Gipfel der Philos. vielleicht nicht der Stillstand folge, sondern die Philos. nun praktisch werden müsse. Marx wollte sich mit den von einigen Hegelianern favorisierten Segnungen der Kunst nicht begnügen und fand auch in der Religion nicht das versöhnende Prinzip von Sittlichkeit und Subjektivität, sondern sah in der Nachfolge von Strauß, Feuerbach und Bruno Bauer in der Religion die Wurzel der Mißstände. Ihn interessierte die Philos. als kritische Theorie, also deren praktisch-intervenierende und nicht affirmative Stellung zur Welt, die er gerade an Hegels Philosophieverständnis bemängelte [115. 7–39]. Gleichwohl suchte er in seiner Dissertation den von Hegel angegebenen Ort der Entstehung des Selbstbewußtseins in der Ant. auf, um dort zugleich die Mängel der Feuerbachschen wie Bauerschen Religionskritik aufzuzeigen. Dieser Ort ist in Hegels *Phänomenologie des Geistes* der Hellenismus, der Stoizismus und Skeptizismus [36. 151–171]. Dieses Stadium des Denkens untersucht Marx nun an der Differenz zw. den Philosophien von Epikur und Demokrit. Wenn auch die ant. Republiken für Marx nicht mehr vorbildlich sind, so gilt dies doch für die griech. Philosophie: ›Die Griechen werden ewig unsere Lehrer bleiben, wegen dieser grandiosen objektiven Naivität, die jede Sache gleichsam ohne Kleider im reinen Lichte ihrer Natur, sei es auch ein getrübtes Licht, leuchten läßt‹ [57. 235]. Marx parallelisiert diesen Zustand der Philos. mit der polit. Situation, insofern Stoizismus und Skepsis mit dem Niedergang der griech. Polis einsetzten und sich der Frage nach dem subjektiven Glück zuwandten: ›So sucht der Nachtschmetterling, wenn die allgemeine Sonne untergegangen, das Lampenlicht des Privaten‹ [57. 218]. Aber die Philos. muß in den öffentlichen Raum zurückkehren: Was innerliches Licht ist, muß zur verzehrenden Flamme werden, das Philosophisch-Werden der Welt ist nur möglich durch das Weltlich-Werden der Philosophie. Das Problem ist jedoch, daß es des polit. Trägers dafür ermangelt, und ein solcher Akteur kann nicht durch die Erinnerung an ant. Tugenden und polit. Partizipation repristiniert werden (→ Demokratie). So stellt Marx verbittert über die dt. Verhältnisse fest: ›Der dt. Aristoteles, der seine Politik aus unseren Zuständen abnehmen wollte, würde an ihre Spitze schreiben: Der Mensch ist ein geselliges, jedoch völlig unpolit. Tier‹ [58. 339]. Marx schlußfolgert daraus: Die polit. Revolution hat den unmittelbar polit. Charakter der alten bürgerlichen Gesellschaft aufgehoben und diese in ihre Bestandteile zerschlagen, die bürgerliche Gesellschaft der Moderne ist die Koexistenz privater Individuen in ihrer bürgerlichen Lebenssituation, und jenseits der bürgerlichen Gesellschaft ist das Politische versammelt im Staat, womit sich die mod. Welt fundamental von der ant. Gesellschaft unterscheidet [59. 355, 367f.]. Im *Manifest der kommunistischen Partei* (1848) schließlich wird konstatiert, daß die beschriebene Emanzipation der Politik von der Gesellschaft kein anderes Band mehr zw. den Menschen übrigläßt ›als das nackte Interesse, als die gefühllose »bare Zahlung«‹ [60. 464]. Es verbleibt nur die Möglichkeit einer Umwälzung der gesellschaftlichen Verhältnisse, die aber nicht mehr mit primär polit. Mitteln erreicht werden kann. Die polit. Ökonomie kennt als Akteure nicht mehr Personen, sondern sozial definierte Klassen. Marx gibt darum dem institutionell-personellen Gedanken

der ant. Diktatur eine kollektive Ausdeutung in Gestalt der Diktatur des Proletariats, die als eine Überwindungsstrategie ant. polit. Kategorien angesehen werden kann (→ Diktatur).

L. Liberalismus

Die Relativierung des republikanischen Diskurses im England des 18. Jh. fand im nachrevolutionären Frankreich und den USA der Jackson-Ära ihre Fortsetzung. Die Vorstellung der tugendstrengen Revolutionäre, wonach die agrarische Struktur die Differenz zw. Europa und Amerika darstelle und insofern das ant. Vorbild in Amerika zu neuer Bedeutung gelangt sei, verlor zunehmend an Plausibilität [153. 641f.]. Auch in den USA wurde nun die Unübertragbarkeit ant. Vorbilder auf mod. Verhältnisse behauptet, was im Zusammenhang stand mit der Ausbreitung von Handelsstrukturen und der Kapitalisierung der Märkte in der Neuen Welt. Mit der Durchsetzung eines im Handel und Finanzwesen engagierten Wirtschaftsbürgertums gewann freilich Athen als ant. Lebensmodell wieder an Bedeutung für die sozio-polit. Selbstverständigung des Bürgertums. Diese Abwendung von Sparta und die Hinwendung zum handeltreibenden Athen vollzog sich ähnlich wie in Frankreich, wobei während des Bürgerkriegs in den Südstaaten, insbes. bei John Caldwell Calhoun und George Fitzhugh, der Verweis auf die ant. Gesellschaftsordnung unter Zuhilfenahme aristotelischer Begriffe zur Kritik des kapitalistischen Nordens und Rechtfertigung der Sklavenökonomie des demokratischen Südens diente [25; vgl. 153. 644f.].

Innerhalb der p. Th. kommt es in Reaktion auf die radikalisierte zweite Phase der Frz. Revolution zu einer Gegenbewegung zum Republikanismus, die in Verbindung mit dem vorrevolutionären Protoliberalismus später zusammenfassend als Liberalismus bezeichnet wird [97. 323–368]. Sie sieht neben den bereits zuvor erfolgten nicht-ant. Zusätzen zur p. Th., wie dem Repräsentativprinzip, v. a. im Individualismus die unüberschreitbare Grenzlinie zw. den polit. Ideen der Ant. und denen der eigenen Gegenwart. Der wichtigste Vertreter dieser Sicht ist zunächst Benjamin Constant: Die Alten gaben ihre persönliche Freiheit zugunsten der Politik auf, weil sie dadurch mehr gewannen als verloren. Der mod. Mensch hingegen kann diesen Verlust in der Politik nicht mehr kompensieren. Unter der Bedingung, daß man mit seinem Privatvermögen in kapitalisierter Form die Grenzen überschreiten und dort leben kann, wo man sich zuhause fühlt, kann nach Constant der mod. Mensch sein Schicksal nicht mehr in dem Maße mit der Politik verknüpfen wollen, wie es in der Ant. der Fall gewesen ist. Die Relevanz der ant. Politikvorstellungen wird durch den mod. Freiheitsbegriff entscheidend relativiert [19. 363–396]. Aber auch dort, wo das klass. Erbe weiterhin als vorbildlich verstanden wurde, brach sich die Rezeption ant. Politikmuster am mod. Individualismus. Das gilt auch für Wilhelm von Humboldt: Das von ihm vertretene ant. Bildungsideal bezieht nicht die Politik ein, die vielmehr im Hinblick auf die ihr zu ziehenden Grenzen thematisch wird [44. 56–233]. Humboldt begründet seine große Sympathie für die Griechen nicht zuletzt damit, daß sie, um sich der Ausbildung der Innerlichkeit des Menschen in Philos. und Kunst widmen zu können, das damit konkurrierende Projekt polit. Selbständigkeit aufgeben – eine Alternative, von der er jedoch ausdrücklich sagt, daß sie sich unter den polit. Verhältnissen der Neuzeit nicht mehr in dieser Schärfe stellt [45. 77]. Für die Ant. aber gilt, ›dass der Grieche eine zu edle, zarte, freie und humane Natur besass, um in seiner Zeit eine, damals die Individualität nothwendig beschränkende polit. Verfassung zu gründen‹ [45. 73].

Die große integrative Leitidee des 19. und frühen 20. Jh., die Nation, war der ant. Lit. nicht zu entnehmen, sondern wurde ihr interpretativ aufgedrängt – ein Vorgang, der im Zusammenhang mit der Historisierung der Ant. erhebliche Bedeutung gehabt hat. Die republikanische Tradition blieb in Frankreich aufgrund des beständigen Kampfes gegen die Versuche zur Wiedereinführung monarchischer oder cäsaristischer Herrschaftsstrukturen in liberaler Gestalt wach und setzte sich als Ferment der polit. Kultur bis in die Gegenwart durch. Für die dt. Geschichtswiss. dieser Zeit wurde dagegen Napoleons gegenüber Goethe gemachte Bemerkung von der Politik als Schicksal prägend, und der Staat trat in den Mittelpunkt der histor. Betrachtung. Dabei wurde die Darstellung der ant. Staatengeschichte zum Menetekel der eigenen zw. bürgerschaftlich-polit. Partizipation und machtpolit. Gestaltungsmacht stilisiert, wobei der Auseinandersetzung mit dem Hell. eine besondere Rolle zukam. Hatte Humboldt den Sieg des makedonischen Königtums noch als Sieg der Barbaren über die Zivilisation begriffen – ›Gegen die Athener, selbst gegen die Thebaner und Spartaner waren die Macedonier und Römer, die Unterjocher und Eroberer Griechenlands, nur Barbaren zu nennen; der bessere und edlere Theil erlag, und die rohe Uebermacht trug den Sieg davon‹ [45. 74] – so wurde die polit. Zerschlagung der Polis-Welt spätestens seit der Mitte des 19. Jh. als notwendige Überwindung einer histor. überlebten Epoche polit. Partizipation dargestellt, die weder den sozio-moralischen Dispositionen der Bürger entsprach noch zu polit. Gestaltungsleistungen imstande war: Demokratie und Politik im klass. Sinne waren danach nicht nur überlebt und irreal, sondern auch reaktionär im Hinblick auf die vitalen polit. Aufgaben ihrer Zeit. Johann Gustav Droysens *Geschichte des Hellenismus* [22] enthielt vor dem Hintergrund der neu zu gestaltenden polit. Ordnung Deutschlands, der Rolle Preußens und im Hinblick auf die weltpolit. Aufgaben Deutschlands eine bes. polit. Aussage [104. 50–67], die dann in Friedrich Christoph Dahlmanns *Politik* ihren systematischen Ausdruck erlangte.

Für Dahlmann ist die *Politik* des Aristoteles der Ausgangspunkt einer mod. Politikwiss., ein ›urbarer Boden (...), den wir wohl fortbauen mögen‹, wobei die harte Tugend der Griechen durch ›christl. Menschenliebe und

Menschen-Achtung ersetzt wurde‹ [20. § 220]. Angesichts des Wegfalls der gesellschaftlichen Voraussetzungen der Ant. (Sklaverei) dürfe man aber nicht in Vorstellungen (Dahlmann bezieht sich auf Morus und Harrington) verfallen, ›welche in Form der Alten ohne den Boden der Alten ein Ideal des Staates in die Luft zu malen suchten‹ [20. § 226]. Schließlich müsse man das Königtum ›gründlicher begreifen‹, als dies bei Aristoteles der Fall ist, der dem König sogar Aufseher an die Seite stellen wollte (pol. 3,11,15; 7,14), wie Dahlmann kritisch anmerkt. Ganz aristotelisch begreift Dahlmann allerdings den bürgerlichen Mittelstand als Kern der polit. Ordnung. Er warnt diesen Mittelstand davor, auch das ganz aristotelisch, sich in der Politik als Masse, womöglich gar in Verbindung mit dem Pöbel, geltend zu machen, sondern rät ihm an, die Freiheit durch schützende Institutionen zu verwirklichen, die gerade dann am besten Schutz böten, wenn sie nicht der Verfügung des Bürgertums unterlägen [20. § 236]. Damit hat Dahlmann das polit. Denken wichtiger Vertreter der Paulskirchenversammlung beeinflußt. Die polit. Schule der dt. Geschichtswiss. [134] hat den monarchischen Staatsbegriff dann fortgeschrieben, wobei ihre Ablehnung polit. Partizipation der nicht-bürgerlichen Bevölkerung als Politik der Straße nicht nur dem anti-demokratischen Gestus der nachrevolutionären Zeit geschuldet ist, sondern auch auf einem Politikbegriff beruht, der seine Orientierung an hell. Verhältnissen nicht verbergen kann. Leopold von Ranke hat diese Wandlung des Politikverständnisses auf den Punkt gebracht: Man müsse unter den gegenwärtigen Bedingungen die Kritik des Aristoteles an Gesetzgebern aushalten, die mehr danach streben, ›den Staat groß und mächtig zu machen als die Bürger weise und gut‹ [70. 328].

Mit der Interpretation der makedonischen Großreichbildung als Prototyp des Nationalstaats hängt die Zurückweisung der polit. Vorbildlichkeit des Demosthenes und parallel hierzu die vehemente Kritik Mommsens an Cicero und seine Parteinahme für Cäsar zusammen. Auch hier wurde im Mantel der Geschichte ein Idealmodell des Politikers entworfen, das rezeptionsgeschichtlich zum Traditionsbruch mit der polit. Rhet. und mit Cicero in Deutschland beitrug [136]. Während die ciceronianische Tradition, verbunden mit einem Sinn für den Vorrang der → praktischen Philosophie in Fragen der Politik, in den romanischen und anglo-amerikanischen Ländern ungebrochen blieb, versiegte sie in Deutschland weitgehend.

M. ENDE DES 19./ ANFANG DES 20. JAHRHUNDERTS

Die Staatsmänner des 19. Jh. konnten sich nicht mehr an den polit. Tugenden der Ant. und am Verhalten der Cäsaren orientieren, sondern hatten auf die christl. Überzeugungen der Bürger Rücksicht zu nehmen. Nicht von ungefähr griff Nietzsches vehemente Kritik der bürgerlichen Moralität auf die Ant. zurück. Hatte die frz. Moralistik die gesellschaftlichen Bedingungen von Tugend und Laster und die damit verbundenen polit. Implikationen untersucht, so spitzte Nietzsche dies auf die Frage nach der Wechselwirkung zw. Macht und Moral zu. Im Unterschied zu Jakob Burckhardt, für den die griech. Ant. die Funktion eines weltgeschichtlichen Paradigmas besaß, das der Unüberschaubarkeit der eigenen Zeit einen ordnenden Spiegel vorhielt [13. 206f.], hat das Diktum vom Bösen der Macht für Nietzsche keine Bedeutung. Nietzsche ist davon überzeugt, Moral sei eine Reaktion auf die ihr vorgängige Macht und führe in dem falschen Bestreben, die Macht moralisch zu beschränken, zu Lebensuntüchtigkeit; für ihn war die Moral nicht das ganz Andere der Macht, sondern selbst eine Form des Willens zur Macht. Es ist die ›Sklavenmoral‹ des Christentums, die Nietzsche in seinem ›Feldzug gegen die Moral‹ anprangert, und Schauplatz dieses Feldzuges ist zu einem erheblichen Teil die Antike. Das Christentum war danach die Rache der Untertanen am röm. Imperium, ›indem man den plötzlichen Untergang der Welt sich in der Nähe dächte‹ [66. Nr. 71]. Das Christentum war für Nietzsche aber nicht darum eine Sklavenmoral, weil seine Anhänger aus Sklaven bestanden; auch das Sklaventum kannte eine edle Gesinnung, was Nietzsche am Beispiel der Ethik Epiktets zeigt. Epiktet lehrte die ›strengste Tapferkeit‹, eine Spätwirkung ›ant. Humanität‹, die das Lebensideal des Sklaven inmitten einer Herrenwelt ohne Unterwürfigkeit denkt; der Sklave als ›der Stille, Sich-Selbst-Genügende innerhalb einer allgemeinen Verknechtung, der sich nach außen hin für sich selbst wehrt und fortwährend im Zustande der höchsten Tapferkeit lebt‹ [66. Nr. 546], wohingegen das Christentum eine Sklavenmentalität von ›willens- und vernunftschwachen‹ Unterwürfigen predige. Der Erfolg des Christentums beruhte Nietzsche zufolge auf dem Platonismus, fand er doch in dieser Philos. der Ant. einen Bündnispartner, der die Sophistik moralisch denunzierte und damit die eigentliche, philos. nicht entnervte Ant. als moralisches Vorbild der Neuzeit abzuwehren vermochte. Was Dionysos in Ergänzung Apollons für die ant. Kultur sein soll, ist für das Politische die Theorie des Thukydides, der in Kategorien der unmittelbaren und lebensdurstigen Macht dachte [66. Nr. 168]. Nietzsches *Götzendämmerung* ist eine großangelegte Purifizierung der Ant. von ihren christl. gefärbten Rezeptionen, wobei die mit Sokrates anhebende Philos., insbes. Platon, als *Décadence* des griech. ›Instinktes‹ für die Realität angenommen wird, während Thukydides und auch Machiavelli von Nietzsche als die ihm selbst am meisten verwandten Geister bezeichnet werden [120]: ›Thukydides als die große Summe, die letzte Offenbarung jener starken, strengen, harten Tatsächlichkeit, die dem älteren Hellenen im Instinkte lag. Der Mut vor der Realität unterscheidet zuletzt solche Naturen wie Thukydides und Plato: Plato ist ein Feigling vor der Realität – folglich flüchtet er ins Ideal; Thukydides hat sich in der Gewalt – folglich behält er die Dinge in der Gewalt . . . ‹ [67. Nr. 2].

Ihre aphoristische Struktur machte die Philos. Nietzsches äußerst anfällig für einseitige, teilweise auch verfälschende Rezeptionen. Zu den wirkungsmächtigsten Rezeptionen gehört die Oswald Spenglers [107a. 157–169). Er ist repräsentativ für eine Reihe von Autoren, die in der polit. Orientierungslosigkeit vor und nach dem I. Weltkrieg nicht das klass. Ideal der Ant. rezipierten, sondern in der Nachfolge Nietzsches das archa. Hellas und den griech. Mythos als Grundstruktur des Politischen aufsuchten. Spengler selbst ließ sich durch Nietzsche bereits für seine Dissertation über Heraklit inspirieren. In seiner unter dem Titel *Der Untergang des Abendlandes* publizierten Morphologie der Weltgeschichte entwarf er einen großen geschichtsphilos. Mythos zyklischer Wiederholungen und Analogien, der, anders als das republikanisch geprägte Geschichtsbild, nicht die Abfolge von Regierungformen abbildet, sondern die konkurrierender Gestaltungsprinzipien der Weltgeschichte, an deren bloßer Oberfläche die Menschen als Agenten der sich ihrer bemächtigenden Kräfte tätig sind. Für die eigene Epoche prognostizierte Spengler das Zeitalter des → Cäsarismus, worunter er aber nicht die Herrschaft eines am Vorbilde des histor. Caesar geschulten Genies verstand, sondern den Typus formloser Herrschaft, die kompromißlos nach Macht sucht [84. 1099ff.] Trotz seines weltgeschichtlichen Anspruchs bleibt auch bei Spengler die Geschichte Roms das weltgeschichtlich paradigmatische Abbild einer imperialen Zivilisation und der Abfolge polit. Ordnungsmuster. Diese Ant.-Rezeption prägte die polit. Vorstellung Spenglers von einem Führertum, das sich weder rechtlich noch polit. binden läßt und keiner Einschränkung unterliegt, damit es seinen histor. Auftrag erfüllen kann. Die Vorstellung vom Untergang der ant. Zivilisation infolge des Untergangs ihrer Eliten hat nicht nur die Vorstellungen Spenglers, sondern auch die Otto Seecks [79] und Michail Rostovtzeffs [74] geprägt. Der Hinweis auf die Spätant. wurde zu einem Argumentationsbestandteil der Elitetheorien [102. 202–205].

Die Kritik an der industriellen Moderne, in der sich immer wieder Kapitalismus- und Demokratiekritik miteinander verbanden [102. 49–57], brachte aber auch eine Reihe statischer Gesellschafts- und Politikmodelle hervor, wie etwa Othmar Spanns organischen Ständestaat [83]. Spanns Schüler versuchten in der polit. Ideengeschichte Vorbilder für diese Gesellschafts- und Staatsvorstellung zu finden und stießen dabei auf Platons *Politeia*, die in der Schriftenreihe *Die Herdflamme* neu ediert wurde. Weiterhin wurde die Tiefenstruktur histor.-polit. Vorgänge während der 20er und 30er Jahre häufig unter Rückgriff auf griech. Mythen gedeutet, etwa in den Schriften Hans Freyers [26; 27; 28]. Hierzu zählt schließlich auch die zw. Carl Schmitt und Hermann Heller ausgetragene Kontroverse um den Begriff des Politischen, dessen etymologische Wurzeln kontrovers gefaßt wurden: Während Schmitt *pólemos* im Sinne eines Ausnahmezustands als eigentlich erkenntniserhellende Sphäre des Politischen heraushob [78], hielt Heller an *pólis* und *politeía* im Sinne eines rechtlich geordneten Normalzustandes als Wurzel des Politischen fest [38].

N. Die Zeit nach dem II. Weltkrieg

Die Erfahrung des Nationalsozialismus und ihm verwandter Regime führte nach dem II. Weltkrieg zu einer heftigen Kontroverse über die Vorbildlichkeit der Ant.: Waren diese Regime verursacht, weil die mod.-szientifische Abkehr der polit. Wiss. von der Ant. keine sicheren normativen Maßstäbe bewahrt hatte, mit denen diese Regime als Tyrannis bloßgestellt und kritisiert werden konnten, wie Leo Strauss und Hannah Arendt meinten, oder hatte die Ant. gar als Vorbild für die totalitären Regime gedient, wie Friedrich August Hayek [35], Karl Raimund Popper [69] und Jakob L. Talmon [87] behaupteten?

Nach Strauss ist die mod. polit. Wiss. unfähig, die Herrschaft des Nationalsozialismus als Tyrannis zu bezeichnen und zu bekämpfen, weil sie davon ausgeht, daß Werturteile nicht Gegenstand wiss. Aussagen sein dürften; für dieses Verständnis mod. Wiss. hat Strauss Max Weber verantwortlich gemacht. Dagegen schlägt er eine Rückorientierung auf die polit. Wiss. der Ant. vor [98], in diesem Fall Xenophons *Hieron*, denn nach Strauss kann das Wesen der mod. Tyrannis erst erfaßt werden, wenn man ›die elementare und gewissermaßen natürliche Form der Tyrannis, d. h. die vor-mod. Tyrannis verstanden hat‹ [85. 33 f.]. Für Strauss gibt es ein Kontinuum polit.-philos. Denkens, das neben den ant. auch biblische und arab. Traditionen umfaßt und in dem die polit. Philos. zur Darstellung kommt; diese selbst ist überhistorisch, nur die Geschichte der Verfehlung ihrer Wahrheiten und Einsichten ist historisch.

Für Eric Voegelin ist die Polit. Wiss. die noetische Interpretation von Mensch, Gesellschaft und Geschichte, die der Gesellschaft mit dem Anspruch eines kritischen Ordnungswissens gegenübertritt [89. 284; vgl. 91]. Ordnungswissen ist aber im klass. Sinne Metaphysik und in diesem Sinne ist für Voegelin die klass. Philos. die Basis aller polit. Theorien. Dagegen vermag die mod. Sozialwiss. nur Strategien der Vermeidung der metaphysischen Ordnungsfrage zu entwickeln, etwa in Gestalt »sophistischer« Tricks zur Vermeidung von Grundlagendiskussionen, der Klassifizierung nach ideologischen Positionen oder schließlich der Behauptung, solche Grundüberlegungen stellten nur subjektive Werthaltungen dar. Besonders an Max Weber, der den Neukantianismus zu einer für die polit. Metaphysik verheerenden Konsequenz geführt habe, zeige sich, daß die Abwendung von der Ant. und die Technisierung des Ordnungswissens zum Niedergang der p. Th. geführt habe. Über Strauss hinausgehend kritisiert Voegelin im Begriff der → Gnosis den Verlust polit. Denkens durch die Kontaminierung der polit. Philos. mit dem Wissenschaftsideal der Naturwiss. [90. 22–34]. Die Ant. stellt danach den Scheitelpunkt in der Entwicklung der p. Th. dar, auf deren der Moderne zugewandter Seite nur Verfall des polit. Denkens zu finden ist.

Dagegen hat Joachim Ritter an die aristotelische Fragestellung nach der *eudaimonía* als grundsätzliches Paradigma der Politik angeknüpft: *Eudaimonía* habe für das ›bürgerliche Leben‹ sowie die daraus abzuleitenden Forderungen an die p. Th. ihre Vorbildlichkeit keineswegs verloren [72. 57–105], ist aber durch das rationale Naturrecht zurückgedrängt worden. So hat Kant die Glückseligkeit dem phänomenalen Dasein zugeordnet und den daraus entwickelten ethischen Verhaltensmaßstäben und polit. Forderungen jeglichen Geltungsanspruch abgesprochen. Dieser Einstellung korrespondiert die methodische Annahme, wonach nicht die Sammlung praktisch geltender Verhaltensmaßstäbe Ausgangspunkt der p. Th. sein könne, sondern nur die rational und unabhängig von aller Erfahrung begründeten Normen der Vernunft. Diesem »kantianischen« Strang der Sozialphilos. und Politiktheorie steht ein klar unterscheidbarer Strang p. Th. gegenüber, der die aristotelische *phrónēsis* in entsprechende Überlegungen zum *common sense* überführt und damit eine klass. ant. Denkweise des Politischen in die Moderne tradiert hat. Dieser Weg bleibt freilich versperrt, wenn man den Gemeinsinn, die polit. Urteilskraft oder den Menschenverstand nicht als angemessene wiss. Erkenntnisquelle anerkennt. Die Orientierung an der p. Th. der Ant. steht damit im Gegensatz zum Programm der Szientifizierung, das in der Moderne zum Ideal wiss. Fortschritts geworden ist.

Hannah Arendt hat an dieser Schnittstelle der Argumentation angeknüpft und versucht, in Kants Hinweisen auf den *sensus communis* und seinem Begriff der Urteilskraft einen methodischen Zugriff auf polit. Fragestellungen zu gewinnen, der das Verfehlen des Politischen im Zuge des mod. Szientismus vermeidet. Der Bedeutungsverlust der Ant. für das polit. Denken ist für Arendt aber keine methodologisch-wissenschaftshistorische Frage, denn sie ist sich darüber im klaren, daß mit der Aufwertung der Arbeit die für die Ant. nur nachrangige Frage der Ökonomie in der Neuzeit immer stärker in den Vordergrund getreten ist und dabei den Zugang zu den polit. Kategorien der Ant. verschüttet hat. Eine naive Revitalisierung ant. polit. Denkens wird von Arendt nicht verfochten, aber sie behauptet doch, daß zumindest in Augenblicken polit. Neubeginnens (vornehmlich in revolutionären Akten) ant. polit. Denken von unmittelbarer Bedeutung ist [5. 170–175]. Diese Überzeugung gründet sich auf Arendts Grundthese, wonach menschliche Gemeinschaften nicht nur aus der Verfolgung von Interessen und der Herstellung von Gütern entstehen, sondern wesentlich durch das gemeinsame Handeln der Menschen. Durch Versprechen und Verzeihen kann der Mensch Verpflichtungen und Gemeinsamkeiten schaffen, für deren Ausmaß und Intensität die zumindest in diesem Punkt von der Moderne nicht strukturell verschiedene Ant. weiterhin Vorbild sein kann [4]. Diese gerade im polit. Denken der Ant. bezeichnete Potentialität des handelnden Menschen ist der p. Th. der Moderne zusehends verloren gegangen; in die dadurch entstandene Lücke sind dann die Ideologien totalitärer Gesellschaften gestoßen.

Strauss, Voegelin, Ritter und Arendt gehen von der Überzeugung aus, es müsse nicht gezeigt werden, daß die Ant. noch von Relevanz für die Moderne sei, sondern umgekehrt zeige sich, aufgrund welcher Veränderungen des Wissenschaftsbegriffs die Moderne nicht mehr in der Lage sei, die Relevanz ant. Fragestellungen zu begreifen. Damit wird eine in der Regel nicht explizierte Kontinuität der Ant. in der Moderne vorausgesetzt. Differenzen zw. Moderne und Ant. als histor. Gegebenheit zu akzeptieren, sie aber nicht als unüberbrückbaren Chorismos anzunehmen, hat sich die Hermeneutik Hans Georg Gadamers zur Aufgabe gemacht; im Begriff der Horizontverschmelzung hat sie ihre prominenteste Lösung gefunden. ›Der Entwurf des histor. Horizontes ist also nur ein Phasenmoment im Vollzug des Verstehens und verfestigt sich nicht zu der Selbstentfremdung eines vergangenen Bewußtseins, sondern wird von dem eigenen Verstehenshorizont der Gegenwart eingeholt. Im Vollzug des Verstehens geschieht eine wirkliche Horizontverschmelzung, die mit dem Entwurf des histor. Horizontes zugleich dessen Aufhebung vollbringt‹ [29. 312].

Mit der Rezeption des *linguistic turn* der Philos. in den Sozialwiss. wuchs erneut die Hoffnung, auch der Bereich praktischen Handelns lasse sich einer wiss. Klärung zuführen. In der Tradition der Kritischen Theorie hat der frühe Habermas dieses Problembewußtsein zugespitzt, als er den Bruch der p. Th. mit der Ant. in eine komplementäre Verantwortlichkeit stellte mit der Entstehung eines technischen Herrschaftsdenkens, das die totale Herrschaft der Moderne erst ermöglichte. Habermas war der Auffassung, der von Hobbes vollzogene Bruch der mod. Sozialphilos. mit den ant. Vorbildern habe zu einem technisierten Denken geführt, das einer weitreichenden Technisierung der Lebenswelt Vorschub geleistet habe [32. 48–88]. Gleichzeitig hat Habermas die Marxsche Theorie ob ihrer Fixierung auf die Organisation der Arbeit und ihr Desinteresse an nicht auf die Herstellung von Gütern ausgerichteten Formen der Interaktion kritisiert. Gegen die daraus erwachsene Form der Szientifizierung auch des Sozialismus schlug er vor, im Anschluß an Hegel nicht die Arbeit, sondern die Interaktion einschließlich deren sprachlicher Vermittlung, der Kommunikation, zum Zentrum der Gesellschaftstheorie zu machen. Zu einem Rückgriff auf die ant. Überlegungen hierzu, etwa die Rhetorik, ist es bei Habermas allerdings nicht gekommen, weil ihn die philos. Wahrheitsfrage letztlich mehr interessierte als die polit. Praxis. In seiner späteren Theorie des kommunikativen Handelns wurde Habermas zum Wegbereiter einer Kant-Ren. in der polit. Philos., in deren Zusammenhang er einen nun wieder gesellschaftsgeschichtlich gedachten Bruch der Moderne mit der Ant. voraussetzte. Freiheit wird von ihm dabei nicht mehr als ein Gut begriffen, das durch Politik erst hervorgebracht und ermöglicht wird, sondern sie wird als vorhanden angenommen und als ein Problem der Verteilung behandelt. Habermas scheint inzwischen das ursprüngliche Er-

kenntnisinteresse an der Kritik des szientischen Umschlags der Sozialwiss. verloren zu haben, während Wilhelm Hennis durch dieses Interesse dazu veranlaßt worden ist, den liberalen Positivismus der mod. Staatslehre ideengeschichtlich zu hinterfragen. Dabei bezieht er den Bruch mit der Ant. auf die Entwicklung des rationalen Naturrechts und zieht eine Linie von Bacon über Descartes, Wolff und Kant bis zum systemischen Denken des Privatrechts, das sich dann aufgrund seines scheinbaren Wissenschaftscharakters auf das Staatsrecht übertrug und in der reinen Normenlogik Hans Kelsens ihren von der Politik am stärksten abgewandten Höhepunkt erreichte [39. 89–126]. Theoriegeschichtlich hat Hennis den Bruch mit der Ant. auf Thomas Hobbes und dessen Programm einer Szientifizierung der polit. Wiss. fixiert.

Auch Niklas Luhmann sieht bei Hobbes den ersten wirksamen Bruch mit der Ant., insofern die von Hobbes bewirkte Fortentwicklung des Gedankens individueller Freiheit den ersten ›Schub in Richtung funktionale Ausdifferenzierung‹ mit sich brachte [51. 60]. Die Versuche Arendts und Strauss', den ant. Politik-Begriff mit beachtlichem Aufwand und human. Gelehrsamkeit zu revitalisieren, werden von Luhmann als wirklichkeitsfremd zurückgewiesen [52. 72]. Luhmann knüpft darin auch an Hobbes an, als er der Fortschreibung ant. Politik-Semantik vorwirft, sie hindere die Theoriebildung daran, die Moderne zu denken; daher ist das Verlassen ant. Sinnbezüge und ihrer Semantik für Luhmann geradezu ein Ausweis mod. Theorie. Der Bruch mit der Ant. ist demnach nicht ideengeschichtlichen Konjunkturen geschuldet, sondern Ergebnis des gesellschaftsgeschichtlichen Umschlags von stratifizierten zu funktional differenzierten Gesellschaften. Versuche einer begrifflichen Durchdringung der Moderne, die sich semantisch an vormodernen Vorbildern orientieren, sind daher zum Scheitern verurteilt. Luhmann bezeichnet die alte republikanische Wendung zur Freiheit als letzte radikale Paradoxie [52. 62 f.].

Es war demgegenüber kein primär wiss. Interesse, sondern praktisches und polit. Problembewußtsein, das zur jüngeren Aristoteles-Rezeption in der p. Th. geführt hat. Dabei ist die Verbindung individualistischer Aspekte des polit. und moralischen Denkens mit klass.-ant. Argumenten, insbes. die Verbindung einer individualistischen Gesellschaftsvertragstheorie mit der aristotelischen Gerechtigkeitstheorie, von den Vertretern des jüngeren Neoaristotelismus entschieden zurückgewiesen worden. Dieser sieht sich weniger durch die Erfahrung des Totalitarismus geprägt als durch die Herausforderung der Moderne, in der moralische Bindungen zu erodieren drohen: Der liberale Individualismus kann demnach die Natur polit.-moralischer Verpflichtungen nicht erfassen, und die Anknüpfung an Aristoteles dient Alaisdair MacIntyre etwa zur Erinnerung an die Tugend als Beschreibung einer Verhaltensweise, die nicht durch den Rekurs auf das individuelle Nutzenkalkül erschlossen werden kann. In der Tradition des Republikanismus

›steht tatsächlich der Gedanke eines öffentlichen Gutes, das der Summe der individuellen Wünsche und Interessen vorausgeht und unabhängig von ihnen charakterisiert werden kann‹ [55. 314]. In der Lehre vom öffentlichen Gut habe der klass. Aristotelismus einen Maßstab individuellen Verhaltens entwickelt, worin die Tugenden Dispositionen darstellen, die gemeinschaftsorientierte und daher vorrangige Treuepflichten aufrechterhalten. In gesellschaftstheoretisch weniger traditionalistischer Perspektive als MacIntyre haben auch Charles Taylor [88] und Martha Nussbaum [68] auf die Wertlehren und Tugendvorstellungen der klass. Ant. zurückgegriffen.

Wie stellt sich die Antike-Rezeption in der unmittelbaren Gegenwart dar? Das Ende des Blockkonflikts und der Sieg der liberalen Demokratie hätte als »Ende der Geschichte« nahegelegt, die polit. Leistungsfähigkeit der liberalen Demokratien und die Orientierung an einem menschenrechtlichen Kosmopolitismus mit dem Niedergang der röm. Republik nach dem Wegfall Karthagos zu vergleichen. Gleichzeitig verlangt die globale Friedensordnung einen weitgehenden Verzicht auf polit. Selbstbestimmung und legt den Vergleich mit der spätant. Renovatio von Reichs- und Friedensideen auf Kosten der polit. Selbstbestimmung in partikularen Bahnen nahe. Für den Geltungsanspruch der universalistischen → Menschenrechte wird ein stoischer Pessimismus vorausgesetzt, der gegenüber einer partikularen Wertverwirklichung gleichgültig bleibt. Handelt es sich ideengeschichtlich also um einen platonisch-eschatologischen Zielhorizont, der die Menschenrechte als Telos der Entwicklung aufweist, oder doch nur um einen weiteren Kulminationspunkt, dem sich neue Auseinandersetzungen anschließen werden? Erfolgt dabei eine Hinwendung zu kleinteiligen, für sich betrachtet unpolit. Lebensräumen, eine Bewegung vom Leviathan zu Liliput [148], die sich mehr für die Ethik skeptischer Stoiker interessiert [94], die Entlastung von den Zumutungen des Politischen begrüßt, die Grenzen polit. Partizipation auf der Ebene supranationaler Gemeinschaften, wie der Europäischen Union, anerkennt und auf polit. Mitbestimmung verzichtet? Oder wird der liberale Rechtsstaat als formales Auffangbecken für alle Wertverwirklichungsansprüche, die sich einen unpolitischen Anschein geben, überfordert? Diese Entwicklungen haben eine lange Zeit am naturwiss. Wissenschaftsideal orientierte p. Th. wieder für eine Neurezeption ant. Themen und Argumente offen gemacht.

→ AWI Mischverfassung; Politische Philosophie; Staat; Staatsformen(lehre); Verfassungstheorie

→ Aristotelismus; Demokratie; Diktatur; Mischverfassung; Naturrecht; Praktische Philosophie; Republik; Revolution; Verfassungsformen

QU **1** ADAMS, Defense of the Constitutions of Government of the U.S.A., 1778–88, in: The Works, Bd. 4, Boston 1850–1856 **2** TH. V. AQUIN, De regimine principum, in: Opuscula philosophica, ed. R.M. SPIAZZI, 1951 **3** Ders., Summa Theologiae, 5 Bde., Madrid ³1961–1965

4 H. ARENDT, Vita activa, 1958 (dt. 1961) **5** Dies., Über die Revolution, 1965 **6** F. BACON, Essays on Councels civil and moral (1625), ed. O. SMEATON, 1962 **7** Ders., Weisheit der Alten, ed. PH. RIPPEL, 1990 **8** TH. DE BÈZE, Du droit des magistrats sur leur sujets (1576), in: Beza, Brutus, Hotman. Calvinistische Monarchomachen, ed. J. DENNERT, 1968, 1–60 **9** J. N. BILLAUD-VARENNE, Rapport faú aú nom du Comité de Salut Public ... sur la théorie du gouvernement démocratique ... Imprimerie nationalé, an II, 24 p. **10** J. BODIN, Sechs Bücher über den Staat (1625), ed. P. C. MAYER-TASCH, 2 Bde., 1981–1986 **11** L. BRUNI, Laudatio Florentinae urbis, in: H. BARON, From Petrarch to Leonardo Bruni, 1968, 232–263 **12** Ders., Historiarum fiorentini populi, ed. G. MANCINI, Florenz 1855–1860, 3 Bde. **13** J. BURCKHARDT, Weltgeschichtliche Betrachtungen, ed. W. KAEGI, 1951 **14** CHARLES I., (geschrieben von JOHN COLEPEPPER und LUCIUS FALKLAND) His Majesties Answer to the 19 Propositions of both Houses of Parliament (1642), in: D. WOOTTON, ed., Divine rights and Democracy. An Anthology of Political Writings in Stuart England, 1986, 171–174 **15** H. CONRING, Exercitatio politica de maiestate eiusque iuribus, Opera Bd. 4, Braunschweig 1730 **16** Ders., De origine iuris Germanici, Opera Bd. 4, Braunschweig 1730 **17** Ders., Examen rerum publicarum potiorum totius orbis, Opera Bd. 4, Braunschweig 1730, 1 ff. **18** Ders., Dissertatio de subiectione et imperio, Opera Bd. 3, Braunschweig 1730, 1027 ff. **19** B. CONSTANT, Von der Freiheit des Alt., verglichen mit der Freiheit der Gegenwart, in: Ders., Werke, ed. L. GALL, 1970–1972, Bd. 4, 363–396 **20** F. CHR. DAHLMANN, Die Politik auf den Grund und das Maß der gegebenen Zustände zurückgeführt (1835), ed. W. BLEEK, 1997 **21** DIDEROT, D'ALEMBERT, Encyclopédie, Bd. 15 (1765) 428–434 **22** J. G. DROYSEN, Gesch. des Hell. (1836/1877), ed. E. BAYER, 3 Bde., 1998 **23** ERASMUS V. ROTTERDAM, Institutio principis christiani (1515), in: Ausgewählte Schriften, ed. W. WELZIG, Bd. 5, 1968, 111–357 **24** A. FERGUSON, Versuch über die Gesch. der bürgerlichen Ges., ed. Z. BATSCHA, H. MEDICK, 1986 **25** G. FITZHUGH, Cannibals all, or Slaves without Masters, ed. C. VANN WOODWARD, 1960 **26** H. FREYER, Antäus. Grundlegung einer Ethik des bewußten Lebens, 1922 **27** Ders., Prometheus. Ideen zur Philos. der Kultur, 1923 **28** Ders., Pallas Athene. Ethik des polit. Volks, 1935 **29** H.-G. GADAMER, Wahrheit und Methode, in: Gesammelte Werke Bd. 1, 1986 **30** H. GROTIUS, Batavi – Parallelon rerumpublicarum liber tertii: de moribus ingenioque populorum athenensium, Romanorum, Batavorum, ed. J. MEERMAN, 4 Bde., Haarlem 1801 **31** F. GUICCIARDINI, Scritti politici e Riccordi, 1931 **32** J. HABERMAS, Theorie und Praxis, (1963) ⁴1971 **33** A. HAMILTON, J. MADISON, J. JAY, Die Federalist-Artikel, ed. A. und W. P. ADAMS, 1994 **34** J. HARRINGTON, The Commonwealth of Oceana, 1656, dt. 1991 **35** F. A. HAYEK, The Road to Serfdom, 1944 **36** G. W. F. HEGEL, Phänomenologie des Geistes, ed. JOH. HOFFMEISTER, ⁶1952 **37** Ders., Grundlinien der Philos. des Rechts, ed. JOH. HOFFMEISTER, ⁴1955 **38** H. HELLER, Polit. Demokratie und soziale Homogenität, 1928 **39** W. HENNIS, Politik als praktische Philos., 1963 **40** TH. HOBBES, Vom Menschen, vom Bürger, ed. G. GAWLICK, 1959 **41** Ders., Leviathan (1651), ed. I. FETSCHER, 1966 **42** Ders., Behemoth, ed. H. MÜNKLER, 1991 **43** F. HOTMAN, Franco-Gallia, in: Beza, Brutus, Hotman. Calvinistische Monarchomachen, ed. J. DENNERT, 1968, 203–327 **44** W. V. HUMBOLDT, Ideen zu einem Versuch, die Gränzen der Wirksamkeit des Staates zu bestimmen (1792), in: Werke, ed. FLITNER, GIEL, ²1960, Bd. 1, 56–233 **45** Ders., Gesch. des Verfalls und Untergangs der griech. Freistaaten, in: Werke, Bd. 2, 73–124 **46** D. HUME, Polit. und ökonomische Essays, ed. U. BERMBACH, 2 Bde., 1988 **47** F. HUTCHESON, Über den Ursprung unserer Ideen von Schönheit und Tugend, ed. W. LEIDHOLD, 1986 **48** J. LIPSIUS, Ad Annales Cornelii Taciti liber commentarius, Antverpiae 1581 **49** Ders., Politicorum sive civilis doctrinae libri sex, Leiden 1589 **50** P. V. LUCCA, Fortsetzung von Thomas »De regimine principum« (etwa 1302–1305), in: Thomas von Aquin, Opuscula omnia necnon opera minora, vol. I: Opera philosophica, ed. I. PERRICS, P. LETHIELLEUX, 1949, 270–426 **51** N. LUHMANN, Gesellschaftsstruktur und Semantik, Bd. 2, 1981 **52** Ders., Selbstlegitimation des mod. Staates, in: Archiv für Rechts- und Sozialphilos. 15, 1981 **53** N. MACHIAVELLI, Gesch. von Florenz, ed. K. KLUXEN, 1986 **54** Ders., Discorsi, ed. W. ZORN, 1966 **55** A. MACINTYRE, Der Verlust der Tugend, (1984) 1987 **56** B. MANDEVILLE, Die Bienenfabel oder Private Laster, öffentliche Vorteile, ed. W. EUCHNER, 1968 **57** K. MARX, Hefte zur epikureischen, stoischen und skeptischen Philos., in: Marx-Engels-Werke, Erg.-Bd. 1, 13–256 **58** Ders., Briefe aus den Dt.-Frz. Jbb., in: Marx-Engels-Werke 1, 337–346 **59** Ders., Zur Judenfrage, in: Marx-Engels-Werke 1, 347–377 **60** Ders., F. ENGELS, Manifest der Kommunistischen Partei, in: Marx-Engels-Werke 4, 459–493 **61** J. MILLAR, Vom Ursprung des Unterschied in den Rangordnungen und Ständen der Ges., ed. W. C. LEHMANN, 1967 **62** J. MILTON, Pro populo Anglicano Defensio, 1651, dt. in: E. W. TIELSCH, John Milton und der Ursprung des neuzeitlichen Liberalismus, 1980, 165–352 **63** (CH.-L. DE SECONDAT) MONTESQUIEU, Considérations sur les causes de la grandeur des Romains et de leur décadence, 1734; (dt. Betrachtungen über die Ursachen von Größe und Niedergang der Römer, mit den Randnotizen Friedrichs d. Gr., ed. L. SCHUCKERT, 1960) **64** TH. MORUS, Utopia (1516), ed. H. ONCKEN, 1979 **65** H. NEVILLE, Plato Redivivus, in: Two English Republican Tracts, ed. C. ROBBINS, 1969 **66** F. NIETZSCHE, Morgenröte, Kritische Studienausgabe Bd. 3, 1980, 9–332 **67** Ders., Götzen-Dämmerung oder Wie man mit dem Hammer philosophiert, in: Kritische Studienausgabe Bd. 6, 1988, 55–162 **68** M. NUSSBAUM, Gerechtigkeit oder Das gute Leben, 1999 **69** K. R. POPPER, Die offene Ges. und ihre Feinde, Bd. 1: Der Zauber Platons, 1957 **70** L. V. RANKE, Polit. Gespräch, in: Sämtl. Werke, Bd. 45/50, 1887 **71** M. RASSEM, J. STAGL (Hrsg.), Gesch. der Staatsbeschreibung. Quellentexte 1456–1813, 1994 **72** J. RITTER, Metaphysik und Politik, 1969 **73** M. ROBESPIERRE, Ausgewählte Texte, ed. C. SCHMID, ²1989 **74** M. I. ROSTOVTZEFF, Ges. und Wirtschaft im röm. Kaiserreich, (1926) 1929 **75** J.-J. ROUSSEAU, Diskurs über die Ungleichheit, ed. H. MEIER, 1984 **76** L. A. SAINT-JUST, Œuvres complètes, ed. MICHÈLE DUVAL, 1984 **77** C. SALUTATI, Invectiva in Antonium Luscum vicentinum, in: Prosatori latini del Quattrocento, ed. E. GARIN, 1976, 7–37 **78** C. SCHMITT, Der Begriff des Politischen, 1932 **79** O. SEECK, Gesch. des Untergangs der ant. Welt, (1895–1921) 2000 **80** J. SELDEN, Table-talk: being the Discourses of John Selden, 1689 (Ndr. ³1906) **81** C. DE SEYSSEL, La grand' monarchie de France, ed. J. POUJOL, 1961 **82** A. SIDNEY, Discourses concerning government, 1698, ed.

TH. G. WEST, 1996 **83** O. SPANN, Der wahre Staat, 1921 **84** O. SPENGLER, Der Untergang des Abendlandes, (1918/1922) 1923 **85** L. STRAUSS, Über Tyrannis, (1948) 1963 **86** Ders., Naturrecht und Gesch., 1953, dt. 1956 **87** J. L. TALMON, Die Ursprünge der totalitären Demokratie, 1961 **88** CH. TAYLOR, Quellen des Selbst, (1989) 1994 **89** E. VOEGELIN, Anamnesis. Zu Theorie der Gesch. und Politik, 1963 **90** Ders., Die neue Wiss. von der Politik, ⁴1991 **91** Ders., Order and History, 1956–1987

LIT **92** H. BARON, A Struggle for Liberty in the Renaissance: Florence, Venice, and Milan in the Early Quattrocento, in: American Historical Review, Bd. 58, 1953, 265–289; 544–570 **93** Ders., The Crisis of the Early Italian Renaissance. Civic Humanism and Republican Liberty in an Age of Classicism and Tyranny, 2 Bde., 1955 **94** L. C. BECKER, The New Stoicism, 1988 **95** W. BERGES, Die Fürstenspiegel des hohen und späten MA, 1952 **96** U. BERMBACH, Widerstandsrecht, Souveränität, Kirche und Staat, in: Pipers Hdb. d. polit. Ideen, ed. I. FETSCHER, MÜNKLER, Bd. 3, 101–162 **97** Ders., Liberalismus, in: Pipers Hdb. d. polit. Ideen, ed. I. FETSCHER, H. MÜNKLER, Bd. 4, 323–368 **98** H. BLUHM, Die Ordnung der Ordnung. Das polit. Philosophieren von Leo Strauss, 2002 **99** E. BÖHLKE, »Esprit de nation«: Montesquieus polit. Philos., 1999 **100** M. BOHLENDER, Government, Commerce and Civil Society. Zur Genealogie der schottischen polit. Ökonomie, in: Ges. im Vergleich, ed. H. KAELBLE, 1998, 115–147 **101** Ders., Die Poetik der Schlacht und die Prosa des Krieges. Nationalverteidigung und Bürgermiliz im moralphilos. Diskurs der schottischen Aufklärung, in: Die Wiedergeburt des Krieges aus dem Geist der Revolution, ed. JOH. KUNISCH, H. MÜNKLER, 1999, 16–41 **102** L. CANFORA, Polit. Philol., 1995 **103** A. CASTALDO, Les methodes de travail la constituante, 1989 **104** K. CHRIST, Von Gibbon zu Rostovtzeff, 1972 **105** I. COLTMAN, Private Men, Public Causes, 1962; dt. 1986 **106** H. DENZER, Spätaristotelismus, Naturrecht und Reichsreform, in: Pipers Hdb. d. polit. Ideen, ed. I. FETSCHER, H. MÜNKLER, Bd. 3, 233–273 **107** E.-L. ETTER, Tacitus in der Geistesgesch. des 16. und 17. Jh., 1966 **107a** D. FELKEN, Spengler, 1988 **108** I. FETSCHER, Hegel, in: Pipers Hdb. d. polit. Ideen, ed. I. FETSCHER, H. MÜNKLER, Bd. 4, 199–226 **109** CH. FLÜELER, Rezeption und Interpretation der aristotelischen Politica im späten MA, 1992 **110** F. GILBERT, Machiavelli and Guicciardini, 1965 **111** M. GOLDIE, Absolutismus, Parlamentarismus und Revolution in England, in: Pipers Hdb. d. polit. Ideen, ed. I. FETSCHER, H. MÜNKLER, Bd. 3, 275–352 **112** M. GRABMANN, Die ma. Komm. zur Politik des Aristoteles, 1941 **113** P. HERDE, Politik und Rhet. in Florenz am Vorabend der Ren., in: Archiv für Kulturgeschichte, Bd. 47, 1965, 141–220 **114** H. KOENIGSBERGER, ed., Republiken und Republikanismus im Europa der Frühen Neuzeit, 1988 **115** P. KONDYLIS, Marx und die griech. Ant., 1987 **116** G. A. LEHMANN, Die Rezeption der acha. Bundesverfassung in der Verfassung der USA, in: W. SCHULLER, Hrsg., Ant. in der Moderne, 1985, 171–182 **117** G. LUKÁCS, Der junge Hegel, ³1967 **118** H. MAIER, Die ältere dt. Staats- und Verwaltungslehre, 1966 **118a** H.-O. MÜHLEISEN, O. STAMMEN (Hrsg.), Polit. Tugendlehre und Regierungskunst, 1990 **119** H. MÜNKLER, Staatsraison und polit. Klugheitslehre, in: Pipers Hdb. d. polit. Ideen, ed. I. FETSCHER, H. MÜNKLER, Bd. 3, 23–72 **120** Ders., Analytiker der Macht: Nietzsche, Machiavelli, Thukydides,

in: G.Th. GREVEN, Hrsg., Macht in der Demokratie, 1991,
9–44 **121** Ders., Zw. Human. und Reformation. Luthers
und Melanchthons Bild des Menschen und der polit.
Ordnung, in: FS RIKLIN, 2000, 183–206 **121a** Ders.,
Thomas Hobbes, 2001 **122** W. NIPPEL,
Mischverfassungstheorie und Verfassungsrealität in Ant.
und früher Neuzeit, 1980 **123** G. OESTREICH, Ant. Geist
und mod. Staat bei Justus Lipsius, 1954 **124** R. OTTOW,
Markt-Republik-Tugend. Probleme ges. Modernisierung
im brit. polit. Denken 1670–1790, 1996 **125** H. T. PARKER,
The Culture of Antiquity and the French Revolutionaries,
1937 **126** J. G. A. POCOCK, The Ancient Constitution and
the Feudal Law, 1957/1987 **127** Ders., The Machiavellian
Moment. Florentine Political Thought and the Atlantic
Republican Tradition, 1975 **128** H. QUARITSCH, Staat und
Souveränität, 1970 **129** P. A. RAHE, Republics. Ancient and
Modern, 1992 **130** M. RASSEM, J. STAGL, Hrsg., Statistik
und Staatsbildung in der Neuzeit, 1980 **131** E. RAWSON,
The Spartan Tradition in European Thought, 1966, Ndr.
1991 **132** M. REINHOLD, Classica Americana. The Greek
and Roman Heritage in the U.S., 1984 **133** C. R. RICHARD,
The Founders and the Classics. Greece, Rome and the
American Enlightenment, 1994 **134** M. RIEDEL, Der
Staatsbegriff der dt. Geschichtsschreibung in seinem
Verhältnis zur klass.-polit. Philos., in: Der Staat, Bd. 2, 1963,
42–63 **135** R. ROTHERMUND, Jedes Ende ist ein Anfang.
Auffassungen vom Ende der Gesch., 1994 **136** W. RÜEGG,
Die Ant. als Begründung des dt. Nationalbewußtseins, in:
Ant. in der Moderne, ed. W. SCHULLER, 1985, 267–287
137 H. RYFFEL, Metabole Politeion. Der Wandel der
Staatsverfassungen, 1949 **138** G. SASSO, Niccolo
Machiavelli, 1965 **139** Ders., Machiavelli e gli Antichi,
3 Bde., 1987/88 **140** U. SCHINDEL, Demosthenes im 18. Jh.
– 10 Kapitel zum Nachleben des Demosthenes in
Deutschland, Frankreich, England, 1963 **141** J. SHKLAR,
Montesquieu and new republicanism, in: Machiavelli and
Republicanism, ed. G. BOCK u. a., 1990, 265–279
142 B. SINGER, Die Fürstenspiegel in Deutschland im
Zeitalter des Human. und der Reformation, 1981 **143** J. v.
STACKELBERG, Tacitus in der Romania, 1960
144 D. STERNBERGER, Politie und Leviathan. Ein Streit um
den ant. und den mod. Staat, in: Ders., Herrschaft und
Vereinbarung, 1986 **145** Ders., Drei Wurzeln der Politik,
1978 **146** B. STOLBERG-RILINGER, Der Staat als Maschine.
Zur polit. Metaphorik des absoluten Fürstenstaates, 1986
147 W. STÜRNER, Peccatum und Potestas, 1987 **148** ST.
TOULMIN, Kosmopolis, 1990 **149** P. VIDAL-NAQUET, N.
LOREAUX, Die Entstehung des bürgerlichen Athen, in:
Ders., Athen, Sparta, Atlantis, 1993, 95–169
150 P. VIDAL-NAQUET, Der Ort Griechenlands im
Imaginären der Männer der Revolution, in: Ders.,
Athen-Paris und zurück, 1996, 117–152 **151** R. WEISS, The
Renaissance Discovery of Classical Antiquity, 1969
152 G. S. WOOD, The Creation of the American Republik
1776–1787, 1969 **153** J. P. YOUNG, Amerikanisches polit.
Denken bis zum Bürgerkrieg, in: Pipers Hdb. d. polit.
Ideen, ed. I. FETSCHER, H. MÜNKLER, Bd. 3, 617–653.

HERFRIED MÜNKLER UND MARCUS LLANQUE

II. PLATONISCHE TRADITION IM LATEINISCHEN WESTEN

A. EINLEITUNG, BEGRIFFSBESTIMMUNG: POLITISCHER PLATONISMUS
B. DIE AUSBILDUNG DES ANTIKEN UND CHRISTLICHEN JUSNATURALISMUS
C. DIE LAIZIERUNG DES CHRISTLICHEN JUSNATURALISMUS   D. DAS 19. JAHRHUNDERT
E. DAS 20. JAHRHUNDERT

A. EINLEITUNG, BEGRIFFSBESTIMMUNG: POLITISCHER PLATONISMUS

Die in den Dialogen *Politeia* und *Nomoi* einheitlich
vertretene p.Th. Platos, wonach ein Gemeinwesen (*pólis, res publica*, Staat) sich auf den freiwilligen Zusammenschluß seiner Mitglieder zu gründen und eine gemeinsam erstrebte Norm zu realisieren hat (rep.
IV,431e–432b, leg. IV, 715a 8–b 2, VIII, 832b 10–c 8), ist
im folgenden mit dem Begriff »polit. Platonismus«
(p.P.) bezeichnet. Die gemeinsam erstrebte Norm besteht in dem ›Von-Natur-Gerechten‹/›Naturrecht‹ (rep.
VI,501b 2 τὸ φύσει δίκαιον; Tht. 172b 3, leg. IV,714b
6ff., leg. X,889e 7, polit. 294e–295a). Plato interpretiert
›das Von-Natur-Gerechte‹ mittels der Idee der Gerechtigkeit und definiert letzere bezüglich des Individuums
als ›das Seine-Tun‹ (rep. IV,443 4), in Bezug auf das Gemeinwesen als die geom. oder proportionale Gleichheit
(Gorg. 507e 7–508a 4, leg. VI,756e 9–757c 8).

Der »p.P.« ist daher eng mit der »Theorie der natürlichen Gerechtigkeit«/»Naturrecht« verbunden [96. 7–
10]. Die natürliche Gerechtigkeit wird zum Definiens
der Polis gemacht. Fehlt dieses Kennzeichen, erweist
sich die polit. Menge als eine bloße Parteienherrschaft
(leg. IV,715a 8ff. στασιωτεία).

Die Gerechtigkeit erhält in der p.Th. Platos einen
zweifachen Stellenwert: Sie bestimmt einerseits die Organisation des Gemeinwesens, seine Verfassung und bildet andererseits das Ziel des Lebens eines jeden Bürgers,
da er in der Gerechtigkeit das erstrebte Glück verwirklichen kann. So bildet zunächst die Tugend der Gerechtigkeit den Verteilerschlüssel der Herrschaft in der Polis:
Gemäß der proportionalen Gleichheit muß der Grad
der Tugend dem Grad des Anteils an polit. Verantwortung entsprechen; demzufolge fällt im Idealstaat der *Politeia* den Tugendhaftesten die ganze Herrschaft zu (Aristokratie der Philosophen); im Staat für den Menschen,
wie er ist, wird das Prinzip der Proportionalität von Tugend und Herrschaft durch das Prinzip der arithmetischen Gleichheit gemildert (leg. VI,757b 1–d 1). In den
Nomoi identifiziert Platon die Gerechtesten nicht mehr
mit den Philosophen, sondern mit denjenigen Bürgern,
die der Vernunft des positiven Gesetzes folgen (leg.
IV,715c 2–d 1; auch rep. IX,590d-e). Daher wird die
Verfassung des gerechten Staates eine ›Nomo-bzw No-
okratie‹ genannt (leg. IV,713e 6–714a 2). Auf der anderen Seite gilt die Gerechtigkeit als die höchste Tugend
des Bürgers (leg. V,730d 6–731a 1), die ihm ein gelungenes Leben (εὐδαιμονία) ermöglicht. Infolgedessen

fällt dem Gemeinwesen die Aufgabe zu, den Bürger durch Erziehung und Gesetzgebung zur Tugend zu führen [96. 160–161], damit sich einerseits seine Regierung aus den gerechten Bürgern rekrutieren, andererseits jeder Bürger das Ziel des Glücks erreichen kann (leg. V,743c 3–d 5). Die Polis ist daher der Ort, an dem allein der Mensch seine Vollendung (»Tugend« ἀρετή) und damit ein gelungenes Leben erlangen kann.

Unter der Rezeption des p.P. verstehen wir die Auseinandersetzung mit der platonischen Konzeption, gemäß derer nur das auf der natürlichen Gerechtigkeit gegründete Gemeinwesen überhaupt »Gemeinwesen« zu nennen ist. Es handelt sich hierbei um die These der Legitimation des Staates aus dem → Naturrecht. Dabei muß ein eindeutiger Bezug auf die platonischen Schriften (direkte Rezeption) oder auf die in ihrer Trad. stehenden Autoren, Cicero, Augustin, Thomas von Aquin, Suarez (indirekte Rezeption) gegeben sein. Diese Auseinandersetzung bildet einen der Veränderungsfaktoren der polit. Philos. des Abendlandes, ein zweiter wichtiger Faktor besteht in der Veränderung der Formen der real existierenden polit. Gemeinschaften von der ant. Polis bis zum mod. Rechtsstaat.

Bis zum E. des 18. Jh. vollzieht sich die Rezeption im Rahmen der an Aristoteles orientierten *philosophia practica et politica* [91. 268; 95. 11]. Es werden alle polit. Dialoge Platos rezipiert, einschließlich des h. als unecht geltenden Dialogs *Minos*. Nach dem Verlust der tradierten Architektonik der Philos. am E. des 18. Jh. wird, v. a. in Deutschland, einseitig Platos *Politeia*, d. h. seine Gerechtigkeitstheorie, gelesen. Mit dem Vergessen der *Nomoi* und des *Politikos* verschwindet auch Platos eigentlich polit. Philosophie. Eine Revision ist erst seit dem Wiederaufgreifen der vergessenen Dialoge durch A. Neschke [29; 95; 96; 107] im Gange.

B. DIE AUSBILDUNG DES ANTIKEN UND CHRISTLICHEN JUSNATURALISMUS
1. DIE ANTIKE

Aristoteles (384–323 v. Chr.) übernimmt zwar die platonische These, der gemäß erst das Gemeinwesen den Menschen zur Tugend und zum Glück führen kann, das Glück erschöpft sich jedoch nicht in der Tugend der Gerechtigkeit (pol. VII,1–3,14–15). Diese, als distributive und kommutative Gerechtigkeit konzipiert (eth. Nic. V,4–8), entwickelt zwar die zwei von Plato unterschiedenen Formen der Gleichheit fort, verliert aber ihren Status als universaler Ordnungsfaktor, d. h. als Naturrecht [96. 167–181]. Gerechtigkeit ist ein polit. Phänomen (pol. I,2,1251a 37), das neben der Freundschaft den Zusammenhalt der Polis ermöglicht; sie definiert jedoch nicht mehr das Gemeinwesen (πολιτεία), da auch Poleis mit verfehlten Verfassungen noch als Gemeinwesen bezeichnet werden (pol. III,6–9).

Die Stoa (3.–1. Jh. v. Chr.) entwickelt den Begriff der natürlichen Gerechtigkeit als universaler Norm weiter: Sie wird als ein Imperativ des den Kosmos regierenden Naturgesetzes (νόμος ἐστί λόγος τῆς φύσεως : SVF, III, 79, 40) verstanden (Kosmopolitismus bei Chrysipp).

Damit heben die Stoiker die polit. Funktion der natürlichen Gerechtigkeit auf, den Einzelstaat zu begründen (SVF, III, 80, 3) [96. 183–192]. Epikur lehnt Platos Lehre von der natürlichen Gerechtigkeit ausdrücklich ab (*Kyriai Doxai* 31–38) und führt als erster einen utilitaristischen Rechtsbegriff ein [72. 110–117].

Mit Cicero (106–42 v. Chr.) wird der p.P. zur grundlegenden Form des polit. Denkens im lat.-christl. Abendland [130]. Cicero verknüpft die kosmisch-stoische mit der polit. relevanten platonischen Gerechtigkeit, indem er einerseits die natürliche Gerechtigkeit – durch die Formel des ›suum cuique tribuere‹ wiedergebend (rep.3,11,18) – ein Gebot des ewigen Gesetzes (*lex sempiterna*) sein läßt, andererseits dieses Gebot in die rationale Natur des Menschen hineinverlegt (rep. 3,32,33; leg. 1,16,44; 2,6,18–19) [96. 192–202]. Der Mensch besitzt, dank seiner rationalen Natur, von dem ewigen Gebot unmittelbare Kenntnis und baut auf ihm die polit. Gemeinschaft als Rechtsordnung (*ius* der *res publica*) auf. Letztere kommt zustande, indem die Bürger, angeleitet durch das Prinzip des ›suum cuique tribuere‹ die Rechte, Aufgaben und Pflichten (*iura, munera, officia*, rep. 2,33,57) untereinander verteilen. Eine *res publica* ohne Konsens über das Recht auf der Basis der Gerechtigkeitstugend der Bürger verdient diesen Namen nicht (rep. 2,57,69) [102. 192–204].

2. CHRISTLICHER JUSNATURALISMUS
2.1 SPÄTANTIKE

Grundlegend für die Rezeption des p.P. im Okzident wird das Frühwerk Augustins (354–430) [64. 127–154]. Augustin rezipiert den p.P. nicht aus Plato selber, sondern aus Cicero, deutet jedoch die stoischen Elemente platonisierend um. In seinen anti-manichäischen Schriften entwirft Augustin die erste, noch unvollkommene Skizze des christl. Jusnaturalismus: Der weltliche Staat, gekennzeichnet durch die *leges temporales*, soll ein Bild (*imago*) des ewigen göttl. Gesetzes (*lex aeterna*) sein (*De libero arbitrio* 1,6,15; PL 32,1229). Dank der *lex naturalis*, d.i. der *ratio*, hat der Mensch direkten Zugang zur *lex aeterna*, da Gott sein Licht in die *lex naturalis* ergießt (*De diversis quaestionibus* 85,53,2; PL 40,36). In dieser Phase hält Augustin einen gottes- und naturrechtlich begründeten christl. Staat für möglich [62. 39–47; 112. 77–139] und bietet dem ma. »Polit. Augustinismus« einen Ansatzpunkt [47; 78. 159–160]. In *De civitate Dei* (verf. 416–423) [110] verläßt er diese Position. In kritischer Auseinandersetzung mit Cicero gesteht er dem Römer die jusnaturalistische Staatsdefinition zu (›ein Staat ohne Gerechtigkeit ist kein Staat, sondern eine Räuberbande‹, civ. 4,4), hält jedoch einen gerechten Staat im irdischen Leben für unerreichbar; seine Bürger müßten nämlich auch Gott ›das Seine geben‹, wozu die Mehrzahl jedoch nicht imstande ist (civ. 19, 21–26). Ein auf Gerechtigkeit gebauter weltlicher Staat ist daher eine *contradictio in adiecto*; erst im Gottesstaat der Ewigkeit wird er realisiert werden [103. 219–244].

Ein weiterer Befürworter des p.P. ist Calcidius (4. Jh.). Seine Übers. und sein Komm. des Platonischen

Timaios [6] schaffen die Grundlage für das bis h. geltende Einteilungsschema des Rechtes in natürliches und
positives Recht [84]. Calcidius deutet Platos *Timaios* als
die Darstellung der »natürlichen Gerechtigkeit« (*iustitia
naturalis*), die er, Plato folgend, in den mathematischen
Proportionen des Kosmos wiedererkennt. Die *Politeia*
dagegen stelle Platos Entwurf der »positiven Gerechtigkeit« dar (*iustitia positiva* [6. 59–60]). Wie Augustin die
lex temporalis an die vorbildhafte Erkenntnis der *lex aeterna* durch die *lex naturalis* bindet, stellt auch Calcidius
die beiden Formen der Gerechtigkeit in das Verhältnis
von Vorbild und Abbild: Die natürliche Gerechtigkeit,
d.i. die Proportionalität, die im Werk des göttl. Demiurgen ihren physikalischen Ausdruck findet, ist Regel
und Maßstab der positiven Gerechtigkeit [108. Kap.
1.2].

2.2 FRÜHES MITTELALTER

Über Augustin und Calcidius vermittelt wird der
p.P. ein festes Element der christl. Theologie und Jurisprudenz. Die christl. Interpretation des Calcidiustextes
durch Wilhelm von Conche (1080–1154) [80] in den
Glosae super Platonem [44] führt zur Identifikation der
natürlich-kosmischen Gerechtigkeit des Calcidius mit
der biblisch-jüd. Gerechtigkeit Gottes, die sich im Kosmos als dessen Schöpfung zu erkennen gibt [44. 58–59].
Diese Fusion der platonisch-mathematischen Proportionalität als Regel des Kosmos mit der christl. Schö-
pfungsordnung bereitet den bis ins 17. Jh. und noch für
die Formulierung der → Menschenrechte folgenreichen
Schritt vor, die Weltordnung als eine umfassende juri-
dische Ordnung zu begreifen, in der die Regeln der
Natur als deren »Rechte« (*iura*) oder »Machtbereiche«
(*potestates*) interpretiert werden. Die Ausarbeitung dieser christl.-juridischen Weltsicht geschieht in den *Sum-
mae* der das röm. Recht kommentierenden »Legisten«
und der das kanonische Recht (Gratian) kommentierenden »Dekretisten« [131]. »*Natura*« ist der Ort, an dem
sich Gott, d. h. die Gerechtigkeit, manifestiert: ›Natura,
id est Deus‹ [126. 307–322], ›Nihil aliud est aequitas
quam Deus‹ [63. 73–87].

Die Gerechtigkeit Gottes wird dabei einer weitreichenden Neuerung unterzogen. Die christl. Juristen
wenden Ulpians Gerechtigkeitsformel (›suum cuique
ius tribuere‹, vgl. [54.103–119; 89]) auf das Wirken Gottes an: Das von Gott verteilte Recht wird in das Recht
der nicht rationalen Wesen oder Dinge, das *ius concretum*,
und das Recht der rationalen Wesen, das *ius inspiratum*,
eingeteilt (*Summa Duacensis*, 12. Jh., [131. testimonium
406]). Somit wird die Welt als eine harmonische Koexistenz der Träger verschiedener Rechte (*iura*) verstanden. Der Dekretist Wilhelm von Gascogne (12. Jh.)
[124] sieht in seiner *Summa Missurus in mundum*
[131. 230–237] hinter der in der Natur wirkenden Gerechtigkeit den die Ideen schauenden ›noys‹ (sic!) des
Demiurgen aus Platos *Timaios* am Werke [131. testimonium 398]. Damit bereitet er die Interpretation Gottes bei Thomas von Aquin vor: Gott, die ewige Ordnung der Ideen in seinem Geist tragend, schafft und

erhält durch das ewige Gesetz (*lex aeterna*) die Ordnung
der Natur. Der israelische Gottkönig und der platonische Demiurg verschmelzen zu einer einzigen Figur mit
dem Ergebnis, daß Gott und die rationale Ordnung der
Ideen zusammenfallen. Letztere ist dem Aquinaten über
die theologisch-juridischen Bearbeitungen des Calci-
dius-Komm. bekannt. Darüber hinaus lieferte der *Timaios* des Calcidius dem MA auch eine Kenntnis von
Platos *Politeia*, ohne daß deren Text zur Verfügung stand
[59. 79–99].

2.3 HOCHMITTELALTER

Die ausgereifteste Ausarbeitung des platonisch-
christl. Jusnaturalismus findet sich in den *Quaestiones* Ia-
IIae 90–108 der *Summa de theologia* des Thomas von
Aquin (verf. 1265–1273, gedr. Basel 1485). Der Aquinat
(1225–1275) übernimmt die augustinische Lehre von
der Hierarchie der drei Gesetze: *lex aeterna*, *lex naturalis*,
lex humana und ergänzt sie durch die *lex divina*, die Offenbarung (ST, Ia-IIae, qu. 91; [125. 269–297; 108. Kap.
2.1]). Thomas ordnet in diese Hierarchie die aristotelische Lehre von der *res publica* als autarke, das menschliche Glück auf Erden befördernde Gemeinschaft ein
(ST, Ia-IIae, qu. 95–97). Bei Thomas wie bei Augustin
gründet sich die wahre *res publica*, repräsentiert durch die
leges humanae, auf das Naturrecht (ST, Ia-IIae, qu. 91 art.
3; qu. 95 art. 2). Gegenüber dem späten Augustin, der
die Möglichkeit jedes zeitlichen Glücks verneint, gibt
der Aquinat mit Aristoteles der *res publica* die Rolle zurück, der Ort der moralisch sittlichen Verwirklichung
des Menschen und damit seiner irdischen Glückseligkeit
zu sein. Diesem irdischen Glück wird nach dem Tode
das Glück der Gottesschau folgen (ST, Ia, qu. 12 art. 11).

Die polit. Gemeinschaft erzieht nun den Bürger zu
den Kardinaltugenden und bringt seine sozial/rationale
Natur zur Vollendung. In der Tugend der universalen
bzw. legalen Gerechtigkeit (*iustitia legalis*) gipfelt dieser
Vollendungsprozeß (ST, IIa-IIae, qu. 58, art. 12). Er ist
jedoch nur in einem Staatswesen möglich, das der Natur
des Menschen entspricht und damit das Gemeinwohl
(*bonum commune*) anstrebt. Dieses Gemeinwohl wird erreicht, wenn der menschliche Gesetzgeber seine Gesetze gemäß den Prinzipien des natürlichen Gesetzes, d. h.
bei Thomas der praktischen menschlichen Vernunft,
ausrichtet. Zu diesem Zweck muß er aus den Prinzipien
die notwendig folgenden Schlüsse für die je vorliegende
konkrete Wirklichkeit ziehen (ST, qu. 95 art. 2).

Das Gesetz entspringt bei Thomas wie bei Aristoteles
und Plato aus der Vernunft, es ist als ›dictamen rectae
rationis‹ definiert (ST, Ia-IIae, qu. 90 art. 1). Das Ver-
nunftprinzip (Naturgesetz) gebietet dem Menschen als
biologischem Wesen die Selbst- und Arterhaltung, als
rationalem Wesen das Leben in der Gemeinschaft und
die Suche Gottes (ST, Ia-IIae, qu. 94 art. 2). Thomas'
Lehre vertritt ausdrücklich gegenüber einem bereits im
13. Jh. virulenten Voluntarismus (demgemäß das Gesetz
nur ein Akt des Willens ist) die Rationalität der polit.
Gemeinschaft und des Gesetzes, sei es göttl. oder
menschlich. Einerseits folgt die *lex aeterna* den im göttl.

Geist gegebenen Ideen – Gott und rationale Ordnung fallen zusammen, andererseits muß das vom menschlichen Gesetzgeber angestrebte Gut der rational erkennbaren Essenz des Menschen entsprechen. Daher kann nur ein gerechtes Gesetz ein Gesetz und ein gerechter Staat ein Staat sein (ST, Ia-IIae, qu. 90 art. 2). [62. 69–92; 112. 143–261]. Der platonisch christl. Jusnaturalismus des Aquinaten sollte für die Zukunft (John Locke, mod. Rechtsstaat) grundlegend werden.

2.4 ITALIENISCHE RENAISSANCE

Bereits byz. Gelehrte (Gregor von Trapezunt und Basilius Bessarion) hatten in ihrem Streit um den Vorrang des Aristoteles oder des Plato deren wichtigste p.Th. bekannt gemacht und gewertet [73. I.165–192, 208–236], aber erst durch das Übersetzungs-und Kommentarwerk des Marsilio Ficino (1433–1499) aus den Jahren 1464–1469 [8] werden die platonischen polit. Schriften Gemeingut der okzidentalen polit. Philos. [73. I.267–359; 104]. Ficino zielt durch den Aufweis, daß Platos Denken und das Christentum vollständig harmonieren, darauf ab, Platos Philos. ein Bürgerrecht in Europa zu verschaffen und Vorbehalte gegen den heidnischen Denker auszuräumen. So hatte z.B. der Kirchenvater Laktanz (inst. 3,21 ff.) starke Bedenken gegen Platos Staatsentwurf der *Politeia* geäußert, da der Grieche die Familie auflöse [66. 336–339]. Ficino verleiht den platonischen Staatsentwürfen ein neues Ansehen, indem er sie in den von Thomas formulierten christl. Jusnaturalismus einordnet [108. Kap. 2.2]. Er stellt Platos *Politeia* als gottes-und naturrechtliche christl. Republik vor, die es den Menschen bereits in diesem Leben erlaubt, dank der platonischen Philos. und der Heiligen Schrift die Seligkeit der Gottesschau zu erreichen. Die Republik der *Politeia* erweist sich so als ein ›himmlisches Jerusalem auf Erden‹ [8. I.1196ff.]. Den hierzu erforderlichen Verzicht auf Eigentum nahm Plato jedoch, gemäß Ficinos Auslegung, im höheren Alter als unrealistische Forderung zurück und erfand als Ersatz die Republik der *Nomoi* [8. I.1488ff.]. Diese jedoch erfüllt dieselbe Funktion wie das Gemeinwesen der *Politeia*, denn sie liefert ein Modell für die christl. naturrechtliche Republik, die die Gottesschau bereits auf Erden zu verwirklichen erlaubt [105].

Mit seiner Deutung tritt Ficino im 15. Jh. für die Erneuerung der rationalen Staats-und Gesetzesauffassung des Thomas gegen den im 14. Jh. vorherrschenden Voluntarismus eines Duns Scotus und Wilhelm von Occam ein [132. 67–89; 62. 93–127; 65. 441 ff.].

2.5 DIE ZEIT DER RELIGIONSKRIEGE IN FRANKREICH

In → Frankreich schöpfen die Widersacher der zwei verfeindeten Konfessionen im Religionskrieg Argumente aus Platos Schriften hinsichtlich der kontroversen Stellung des Königs. Der katholische Humanist und Jurist Jean Bodin (1529–1596) [87] leitet mit seinem Werk *Les six livres de la République* [2] ein neues Kapitel der okzidentalen polit. Philos. ein [67]. Die *res publica*, auch *état* »Staat« genannt, wird weder durch die Gerechtigkeit (Plato, Cicero, Augustin) noch das Glück (Aristoteles, Thomas, Ficino) definiert, sondern durch die Verfügungsgewalt über die Gesetzgebung (*summa potestas legis ferendae*), d. h. die Souveränität [2. 1ff.]; letztere ist ihren eigenen Gesetzen nicht unterworfen, sondern ist absolut (*potestas legibus soluta*) [2. 131ff.]. Damit erhält der Souverän uneingeschränkte Macht. Bodin kommt der Gefahr, daß die souveräne Macht zur → Tyrannis degeneriert, dadurch entgegen, daß er das Verhältnis von Macht und Gerechtigkeit neu bestimmt: Dem dient zunächst die Unterordnung der tradierten Hierarchie der Gesetze (göttl., natürliches und menschliches Gesetz) unter das allgemeine Rechtsprinzip der Gerechtigkeit [3. 77f.]. Damit weist er, Plato folgend, der Gerechtigkeit eine überragende Stellung zu. In einem weiteren Schritt präzisiert Bodin das Verhältnis des Souveräns zum Recht: Der Souverän ist den göttl. und natürlichen Gesetzen unterworfen, d. h. der Staat muß sich in die göttl. Ordnung einfügen. Darüber hinaus unterscheidet Bodin die verschiedenen Verfassungen des Staates und innerhalb dieser wiederum verschiedene Regierungsformen [137]. Er gelangt auf diesem Wege zu seinem eigenen Idealstaat, von ihm die ›königliche Monarchie‹ [2. 179ff.] im Unterschied zur ›seigneuralen Monarchie‹ genannt [2. 170ff.]. Als konstitutiver Faktor der königlichen Monarchie erweist sich nun die Gerechtigkeit; denn sie zeichnet die Regierungsform des souveränen Königs unter allen möglichen Regierungsformen aus. An dieser Stelle seiner Darlegung erörtert Bodin kritisch die platonische Gerechtigkeit, die geom. Gleichheit 2. 1013; 94; 101, 99–104]. Sie entspricht nicht seinem polit. Ideal, denn die königliche Monarchie soll nicht die geom., sondern die harmonische Gleichheit zum Prinzip erheben, um einen Ausgleich zw. der Proportionalität und der strengen arithmetischen Gleichheit herbeizuführen. So ist zwar bei Bodin die Gerechtigkeit nicht mehr Definiens des Staates, wie im vorangegangen platonisch-christl. Jusnaturalismus, wohl aber der besten Regierungsform.

Die protestantische Antwort auf Bodins Theorie gibt der calvinistische Theologe, Historiker und Humanist Jean de Serres (1540–1596) [57], der die platonischen Dialoge auf Grundlage des griech. Textes von H. Stephanus neu übersetzt und kommentiert [30; 99. 187–191]. Jean de Serres nennt Platon den ›am meisten polit. Denker‹, πολιτικώτατος [30. I.32]. De Serres geht es darum, die Theorie Bodins zurückzuweisen, dergemäß der Souverän seinen eigenen Gesetzen nicht unterworfen sei. Zu diesem Zweck entwickelt er in seinem Komm. zum Dialog *Politikos* [30. II. 250–256] Platos Lehre vom Ursprung der polit. Wissenschaft. Hierbei erlangt der Kronos-Zeusmythos eine wichtige Bedeutung; denn für de Serres nimmt Plato mit diesem Mythos vorweg und knüpft an die Entartung der Menschheit das Entstehen der polit. Wissenschaft: Gott hat den Königen nach dem Sündenfall diese Wiss. gegeben, damit sie die Menschen gemäß dem Gottes- und Naturrecht regieren [30. II. 250–256]. Dieses Naturrecht hat Plato in seiner *Politeia* niedergelegt, deren Text Jean de Serres daher kommentierend in einen Katalog von moralisch-rechtlichen Maximen verwandelt [30. II. 322 ff.]. Als Instrument Gottes wird der König, der Lehre der *Nomoi* folgend, als bloßer Magistrat betrachtet. Wie dort aber festgelegt (leg. IV, 715b-e), ist der Magistrat der Diener der Gesetze, d. h. selbst der König muß sich den eigenen Gesetzen beugen [30. II. 673 ff.]. Daher tritt de Serres mit dem Plato der *Nomoi* für einen starken Konstitutionalismus gegen die Idee der absoluten Souveränität Bodins ein [30. I.3; 30. II. 252; 99. 192–194; 101. 105–113].

C. DIE LAIZISIERUNG DES CHRISTLICHEN JUSNATURALISMUS

1. DIE RATIONALISIERUNG DES PLATONISCH-CHRISTLICHEN JUSNATURALISMUS DURCH F. SUAREZ

Im Zuge der Gegenreform entwickelt der span. Jesuit F. Suarez (1548–1617) [123. 5–47] in seinen Werken *Tractatus de legibus seu Deo legislatore* [38. Bd. V und VI] und *Defensio Fidei catholicae* [38. Bd. XXIV] eine rein rationale Staatstheorie. Suarez wendet sich gegen die durch Luther favorisierte theokratische Interpretation der Staatsgewalt [122. II. 3–19], dergemäß Gott die Souveränität dem Monarchen unmittelbar übergeben habe (Paulus, Röm 13,1 ›alle Macht kommt von Gott‹).

Bei der Konstruktion des Spaniers steht Plato, seit Ficino unangefochtene Autorität der natürlichen Vernunft, an entscheidender Stelle Pate [38. Bd. V. X]. Zugleich rezipiert Suarez das von Bodin geschaffene neue Bild Platos als polit. Denker, denn Bodin hatte Plato nicht nur als Theoretiker der Gerechtigkeit, sondern auch der Demokratie vorgestellt: Plato hatte im Staat der *Nomoi* dem gesamten Volk die Souveränität zugewiesen [2. 265]. Diese Deutung Bodins wird für Suarez durch die Definition des Gesetzes als ›Volksbeschluß‹ im Dialog *Minos* bestätigt ([38. V. I. v. 10]; Plat. Min. 314b). Die Lehre von der Souveränität des Volkes impliziert, gegenüber der theokratischen Staatsauffassung, ein neues Staatsverständnis; denn die Souveränität wird hier aus der rationalen Natur der Glieder des Volkes begründet.

Zur Widerlegung der Theokratie reaktualisiert Suarez das platonisch-ciceronianische Modell der ant. Polis/Republik, um zu zeigen, daß die Souveränität von Gott nicht dem Herrscher verliehen wurde, sondern unmittelbar dem Volk innewohnt, sie entspringt dessen rationalem Konsens über die Gerechtigkeit als fundamentaler Norm des Staates. Das Argument lautet: Gott hat den Menschen als rationale Natur geschaffen. Dadurch trägt der Mensch die Sozialität, d. h. die Idee der natürlichen Gerechtigkeit, in sich und gelangt mit deren Hilfe zur Bildung eines Gemeinwesens, da der Konsens über die Gerechtigkeit eine Gemeinschaft stiftet; denn durch ihn verwandelt sich – wie bei Plato und Cicero – eine Menschenmenge (*multitudo*) in ein Staatsvolk (*populus*), dem als solchen die Staatsgewalt, die Souveränität, innewohnt [38a. V. III. i-iv; 70. 66–67; 79. 81–83;

107]. Daher ist für Suarez die ursprüngliche, d. h. zugleich natürliche und gottgewollte Staatsform die Demokratie [38b. XXIV. III. ii. 8]. Die Souveränität des Königs erweist sich als nur abgeleitete Macht; sie wird ihm vom Volk unter der Bedingung delegiert, sie im Sinne der Gerechtigkeitsnorm auszuüben [38a. V. III. xv. 3].

2. NATURRECHTLICHE STAATSTHEORIEN IM 17. UND 18. JAHRHUNDERT

Die führenden Naturrechtstheoretiker des 17. und 18. Jh., Grotius [75; 51], Hobbes [49; 81; 108], Pufendorf, Locke und Montesquieu folgen insgesamt der neuscholastischen Staatsauffassung, wonach der Staat ein Produkt der rationalen menschlichen Natur darstellt und auf einen Konsens der Individuen zurückzuführen ist. Der staatsbildende Konsens wird von ihnen allerdings kontrovers interpretiert. Dadurch entfernen sie sich zum Teil stark vom p.P. oder werden gar, wie Hobbes, dessen Gegner.

3. DIE NATÜRLICHE GERECHTIGKEIT UND DER MODERNE VERFASSUNGSSTAAT

John Locke (1632–1704) gründet den Staatsvertrag erneut auf der natürlichen Gerechtigkeit der Individuen [23]: sie besteht in dem Gehorsam gegenüber dem Naturgesetz (*law of nature*), worunter auch Locke die von Gott dem Menschen verliehene Vernunft versteht. Locke reiht sich in die indirekte Überlieferung des p.P. dadurch ein, daß er sich, bezüglich der Verbindlichkeit des Naturgesetzes auf Thomas von Aquin [22] und dessen Vermittler, den anglikanischen Theologen, R. Hooker beruft [23. II §15; 125. 387–393; 106. 268–273]. Nach Locke befiehlt die Vernunft dem Menschen, eigenes und fremdes Leben zu schützen (erstes Gebot des Naturgesetzes bei Thomas v. Aquin). Schutzwürdig ist jedoch nicht nur das Leben selbst, sondern auch Handlungsfreiheit (*liberty*) und durch Arbeit rechtmäßig erlangter Besitz (*property*). Der im Sinne dieser Grundnorm gegründete Staat erhält über den Gründungsvertrag die Aufgabe, durch die naturgesetzlichen Gebote verfassungsmäßig zu positivieren (Konstitutionalismus). Da nach Locke dem Staat die Aufgabe zufällt, Freiheit, aber nicht Tugend zu schützen, entzieht er, hierin von Suarez und Plato abweichend, die Erziehung der Bürger zum rechten Gebrauch der Freiheit dem Staat und legt sie in die Hände der Familie [24; 50. 680–693]. Bei Locke wird zuerst die individuelle Freiheit zum Prinzip des Staates erhoben (Liberalismus), was ihn in einen entscheidenden Gegensatz zu Plato bringt.

Lockes Konstitutionalismus gehört in die indirekte christl.-jusnaturalistische Trad. der Hierarchie von natürlichem und positivem Gesetz. Eine direkte Verbindung von platonischem und mod. Konstitutionalismus findet sich hingegen bei Montesquieu (Charles-Louis de Secondat, Baron de la Brède et de Montesquieu (1698–1755) [60. 52–74]. In seinem Werk *De l'esprit des lois* [28] führt Montesquieu den Konstitutionalismus Lockes durch die Lehre der Gewaltenteilung zuende, kehrt jedoch zum Ideal des platonischen Tugendstaates zurück, wenn er zustimmend auf Plato verweist, daß die beste Verfassung auf Gottesglauben und Tugend gebaut sein muß [28. II. iv. 6 und xxv. 7].

4. DIE REAKTION AUF DEN RATIONALISMUS DURCH DIE PROTESTANTISCHEN STAATSTHEORETIKER

In allen rationalen Staatstheorien wird die Lehre der biblischen Botschaft entweder gar nicht oder nur minimal berücksichtigt. In Reaktion auf diese Laizisierung erneuern die Platoniker von Cambridge einerseits [113. 252–297], sowie kontinentale protestantische Naturrechtsdenker andererseits [118. 119–159] naturrechtliche Staatstheorien und greifen auf die bereits durch Ficino geleistete Verschmelzung von Platonismus und Christentum zurück. Der Straßburger Theologe Johann Joachim Zentgravius (1643–1707) identifiziert die oberste Rechtsnorm mit Gott, Gott aber mit der Idee des Guten in Platos *Staat* [46. 2ff.]. Zentgraf leitet daraus später eine Wiss. des Naturrechts ab, die die Gerechtigkeit qua Fundament des christl. Staates mit der ›charitas‹ (sic!) gleichsetzt [118. 274–286].

Die Beziehungen von G. W. Leibniz (1646–1716) zu Platon sind nur punktuell untersucht [90. 549–555]. In Leibniz' Gerechtigkeits-und Staatslehre lassen sich jedoch zahlreiche Anregungen durch Plato und den → Platonismus nachweisen. Dieses Faktum entspricht der hohen Einschätzung, die Plato und dessen praktische Philos. bei Leibniz genießt [20. III. 605f.]. Die indirekte Tradition (Zentgravius) wirkt auf seine Lehre von der Gerechtigkeit als *caritas sapientis* ein [21. 35–49; 118. 347–401]; ebenso steht seine Rechtsmetaphysik, die die Welt als Gottesstaat betrachtet [18. II. 179; 20. VII. 306], in der platonischen Trad. [121. 1–26; 119. 220–224]. Ein direkter Einfluß Platos auf die Form und den Inhalt des im strengen Sinn polit. Denkens Leibniz scheint nachweisbar [77. II. 14–16], da Leibniz, gleich Plato, sein Staatsdenken in der Form von idealen Modellen darstellt [120. 607–650]. So unterscheidet Leibniz wie Plato die ideale Norm eines Staates von der auf die Wirklichkeit anwendbaren Norm [19. 1387–1397]: Der ideale Staat übt die distributive Gerechtigkeit allein nach dem Kriterium von Würde und Verdienst der Bürger aus und unterdrückt das Privateigentum [85. 63–68]; der reale Staat muß dagegen das Privateigentum und damit die Verteilung gemäß ›Eifer und Glück‹ zulassen [85. 68–71]. Die Nähe zu den Staatsentwürfen von *Politeia* und *Nomoi* ist evident und wird noch dadurch unterstrichen, daß Leibniz, ebenso wie Plato den Akzent auf die Erziehung der Bürger und ihr Glück legt [85. 67f.].

5. DAS 18. JAHRHUNDERT UND DIE WIEDERENTDECKUNG PLATOS SEIT KANT

Der von Leibniz verfochtenen protestantisch-platonischen Naturrechtstheorie war im Rahmen der Aufklärung kein Erfolg beschieden. Johann Jacob Brucker (1696–1770) verurteilt in seiner *Historia critica philosophiae* (Leipzig, 1742–1744) [52. 119–137] die gesamte platonische Politik als Träumerei eines überspannten Metaphysikers [4. 726f.] und artikuliert so repräsentativ das Verhältnis der Aufklärung zu Plato [93]. Erst nach Mitte des 18. Jh. erinnert man sich, beginnend mit dem aesthetischen Platonismus Shaftesburys und Winckelmanns, Platos erneut [135. 154–155].

Eine Sonderstellung in der gesamten Rezeption nimmt J. J. Rousseau (1712–1778) ein. Sein Staatsmodell – formuliert in *Du Contrat social* [33a. III] –, in dem es der öffentlichen Erziehung bedarf, um die partikuläre *volonté de tous* mit der *volonté générale* in Übereinstimmung zu bringen, erinnert nachdrücklich an Platos Erziehungsstaat [33b. IV. 58f.; 86. 475–479].

Mit Immanuel Kant (1724–1804) wird das Verständnis der platonischen Philos. insgesamt auf eine neue Basis gestellt [74. 132–140; 129. 43–56; 100. XIV-XV]. Die radikale Laizisierung der Politik durch die Aufklärung erlaubt es Kant, die menschliche Vernunft nicht mehr als das von Gott gegebene Naturgesetz (*lex naturalis*) und der darin ausgesprochenen Gebote, sondern als autonome Vernunft zu deuten, die ihre höchste Norm im selbstgesetzten, kategorischen Imperativ findet [11]. Das »Naturrecht« als Gebot des »Naturgesetzes« verwandelt sich bei Kant zum reinen Vernunftrecht (Imperativ der autonomen Vernunft), dessen obligatorischer Charakter der Selbstverpflichtung des Individuum entspringt.

Sein Konzept selbstgesetzer Normen führt Kant zu einer Neuinterpretation der platonischen Ideen als praktischer Normen und zum Verständnis des Staates der *Politeia* als Ideal [12. B369–374]. Kant lehnt zwar die These Platos von der Herrschaft der Philosophen ab [76. 349–353], folgt aber in der *Metaphysik der Sitten* Plato in Bezug des Verhältnisses von Recht und Staat: Auch bei Kant ist der Staat der Idee der Gerechtigkeit zu unterwerfen. In Übereinstimmung mit seinem Begriff der Autonomie des Menschen definiert Kant jetzt diese Idee als die ›Koexistenz der Freiheit der Individuen nach allgemeinen Gesetzen‹ [13. AB, 33 ; 12. loc. cit.]. Bezüglich des Eigentums gilt auch bei Kant das ›suum cuique‹ [13. loc. cit]. Der hohe Stellenwert der moralischen Freiheit des Individuums erlaubt es Kant, den Einflußbereich des Staates auf die äußeren Handlungen der Bürger, auf deren Legalität einzuschränken.

In der Nachfolge Kants rekonstruiert W. G. Tennemann (1761–1819) in seinem System der platonischen Philos. [39] die platonische Philos. in Analogie zur philos. Systematik Kants [129. 75–76]. In diesem Rahmen wird die polit. Philos. Platos als naturrechtliche Staatslehre dargestellt [39. Bd. 4]. Tennemann wirf Plato jedoch vor, in seinen *Nomoi* nicht wie Kant Legalität und Moralität getrennt zu haben [39. Bd. 4. 231].

Im polit. Denken von J. G. Fichte (1762–1814) stehen Platos *Nomoi* durchgehend Pate. Fichte, der die These Platos von der Herrschaft der Philosophen allg. als den Vorrang der philos. Vernunft vor dem polit. Verstand auslegt [7. 42], konstruiert in seinem Werk *Der geschlossne Handelsstaat* [7. 47–141] Plato folgend den reinen Vernunftstaat [134. 347–354; 48].

Die frz. Revolution und ihre Terrorherrschaft bringen den Vernunftstaat in Mißkredit. Der Kritik E. Burkes an der Revolution schließt sich Friedrich Köppen (1775–1858) an [16; 17]: Der platonische Tugendstaat wird hier als präventives Gegengift gegen die Revolutions- und Terroranfälligkeit der rationalistisch-laizistischen Theorien des Staates beschworen.

D. Das 19. Jahrhundert

1. Deutschland

Mit G. W. F. Hegel (1770–1831) verändert die Rezeption des p.P. radikal ihr Gesicht. Platos polit. Denken verliert seine Autorität und wird bis zum E. des I. Weltkrieges ein bloßes Moment der Philosophiegeschichte.

In seinen Berliner Vorlesungen vertritt Hegel die Meinung, daß Platos Staat der *Politeia* zwar die griech. Sittlichkeit auf den Begriff bringe [10. Bd. 19. 106ff.], diese aber für immer verloren sei; denn mit dem Auftreten des christl. Prinzips der Subjektivität sowie der Freiheit des Individuum in der bürgerlichen Gesellschaft könne die griech. Sittlichkeit nicht mehr erneuert werden [10. Bd. 19. 127–130]. Der mod. Staat müsse diese Freiheit integrieren [9. Bd. 7 §46, §185, §299; 61. 522ff.]. Trotz dieser Absage bleibt Platos Idee der Gerechtigkeit ein Vorbild für Hegels Konzeption der Sittlichkeit, sofern diese die Individuen in das Gesamte des Staates einzubetten erlaubt.

Hegel folgend verschärft Karl Marx (1818–1883) die Ablehnung des platonischen Staatsideals als das eines nunmehr vergangenen Denkens [25. 318–355]. Marx sieht darin eine Erneuerung des ägypt. Kastenwesens und nimmt die Interpretation Poppers des Gerechtigkeitsstaates der *Politeia* als ›geschlossene Gesellschaft‹ vorweg [61. 500, 505ff.].

F. D. E. Schleiermacher (1768–1834) kritisiert Platos Staatsentwurf der *Politeia* von einem modernen liberalen Standpunkt aus [35. 11–27; 138. 233–244].

Seit Schleiermacher und Hegel fallen die platonischen *Nomoi* dem Vergessen anheim, Platos praktische Philos. überhaupt wird ignoriert. Zu diesem Vergessen tragen allerdings im Deutschland des 19. Jh. weitere Gründe bei: die allgemeine Historisierung, das Vordringen der histor. Rechtsschule [34] und des Rechtspositivismus [1]. Beide Bewegungen weisen das Naturrecht zurück. Vor allem zieht die Neuorganisation der philos. Systematik seit Kant und Hegel den Verlust der an Aristoteles anknüpfenden praktischen Philos. nach sich. Letztere wird durch die mod. Staatswissenschaft ersetzt [27]. Eine Ausnahme bildet A. Trendelenburg (1802–1872), dessen *Naturrecht auf dem Grunde der Ethik* [38] noch einmal an die platonisch-aristotelische polit. Theorie anknüpft. Die aufblühende philol. Platoforschung interessiert sich für Platos »Entwicklung«, nicht jedoch für seinen systematischen Beitrag zur polit. Philosophie.

2. England

In England erhält die Staatsphilosophie Platos in den Diskussionen um polit. Reformen erneut Leben durch radikale Philosophen wie John Stuart Mill (1806–1873) und George Grote (1794–1871) [71; 56].

Der Plato Mills und Grotes ist nicht der Denker der transzendenten Idee der Gerechtigkeit, sondern der Verfasser der sokratischen Dialoge: Es ist der Plato, der die kritische, wiss. Ethik begründet und in der *Politeia* polit. Reformen entwirft, deren wichtigste darin besteht, Politik auf Wissen zu stellen. Gemeinsam erblicken die radikalen Philosophen im Erziehungsprogramm Platos ein Vorbild dafür, wie durch geeignete Institutionen eine ›constitutional morality‹ geschaffen werden kann [56. 315–332]. Grote, der durch sein Werk *Plato and the other Companions of Socrates* (London 1865) einen Markstein der engl. Platorenaissance darstellt, zollt v. a. der moralischen Autarkie des von Plato dargestellten Sokrates Bewunderung; für Mill dagegen ist das Ideal Platos einer von Wissenden ausgeübten Regierung ein zentrales Thema [56. 330–334]. Ebenso wenig wie Bodin sehen auch die radikalen Philosophen in Platos Idealpolis eine Verurteilung der Demokratie, sondern nur ein Verdikt deren Mißbrauchs [56. 335ff.].

E. Das 20. Jahrhundert

1. Die Wiederentdeckung Platos als politischer Denker (1919–1945)

Ulrich v. Wilamowitz [45] leitet eine neue Phase der Rezeption der polit. Philos. Platos in Deutschland ein, da er für die Echtheit des 7. Briefes eintritt und daraus folgert, daß Platos Staatsentwürfe ernstzunehmen seien [55. 135ff.]. Der Autorität Wilamowitz' schließt sich W. Jaeger an. In seinem Werk *Paideia* (Bd. 2, 1944) entwickelt er mittels der platonischen Staats-und Erziehungslehre ein ethisch-pädagogisches Kultur-Erneuerungsprogramm (→ Dritter Humanismus) [55. 138 f.]. Ihm gegenüber lehnen H. Kelsen (1881–1973) und K. Popper (1902–1994) die polit. Philos. Platons entschieden ab. Während Kelsen sich mit dem Gerechtigkeitsbegriff auseinandersetzt [14. 91–117] und in der Gerechtigkeit (und damit in jeder Naturrechtslehre) nur eine Leerformel sieht [15. 368–372], verurteilt Popper [31] im Namen des Liberalismus Kants die totalitären Konsequenzen der platonischen Gerechtigkeitslehre (Gliederung des Staates in Stände und die Funktion des Staates als moralischer Leiter der Bürger [68. 136]).

2. Das Naturrecht und die Erneuerung der politischen Philosophie (1945–2001)

2.1. Naturrecht

Das Nachkriegsdeutschland erlebt ein Wiederaufleben naturrechtlichen Denkens, und zwar auch mit Bezug auf Plato [117. 131, 157. 132]. Alfred Verdross [41], Wolfgang Waldstein [43. 288–320] und Horst Seidl [36. 7–17] plädieren für den Gedanken einer natürlichen Gerechtigkeit und beziehen in ihre teils histor. (Verdross), teils systematischen (Waldstein, Seidl) Argumentationen die platonische Position ein.

Gleichzeit verteidigt der nach Amerika emigrierte Leo Strauss (1899–1973) mit seinem Werk *Natural Right and History* (Chicago 1953) das objektive platonische und aquinatische Naturrecht gegenüber den mod. Theorien seit Hobbes; für Strauss enthält die Theorie des Naturrechts das Projekt der Philos. schlechthin, sofern beide universal gültige Wahrheit beanspruchen. Ferner vertieft Leo Strauss seine Position mit Hilfe von Interpretationen zu Platos *Politeia* und *Nomoi* [37a; 37b].

In scharfer Kritik an der zeitgenössischen Politikwiss. dagegen versucht der ebenfalls in Amerika lehrende Eric Voegelin (1901–1985) polit. Philos. als ἐπιστήμη, d. h. Vernunftwissen im Sinne von Plato und Aristoteles zu erneuern [42. 93–104]. Gemeint ist eine polit. Theorie, die die Einbettung der polit. Gemeinschaft in eine kosmisch-theologische Ordnung mitbedenkt.

2.2 Die neue politische Philosophie und die Antike

In der Folge beider Bewegungen erlebt die ant. polit. Philos. im Rahmen erneuerter praktischer Philos. eine Ren. [53. 1ff.]. In Deutschland knüpft sie dank Joachim Ritter an Aristoteles an [32. 9–179], jedoch wird die Frage, ob Plato oder Aristoteles als Begründer der polit. Philos. anzusehen sind, kontrovers diskutiert. Die Interpretation der platonischen *Nomoi* als genuiner Ausdruck der praktischen und polit. Philos. Platos durch Ada Neschke-Hentschke [29] korrigiert die These J. Ritters und Günther Biens, daß erst Aristoteles die polit. Philos. begründet habe (*Die Grundlegung der polit. Philos. bei Aristoteles*, Freiburg 1973) [53. 9–14].

Die aktuelle Rückkehr zu einer breiten, nicht auf den mod. Staat konzentrierten polit. Philos. bildet die Voraussetzung dafür, den p.P. als ersten Jusnaturalismus erneut wahrzunehmen [5. 18–48; 96. I; 108]. Zugleich findet in Rahmen dieser erneuerten polit. Philos. eine Diskussion um einen zeitgemässen polit. Gerechtigkeitsbegriff statt, die durch das Werk von John Rawls, *Theory of Justice* (1971), ausgelöst wurde und von O. Höffe (*Polit. Gerechtigkeit*, 1985) und W. Kersting (*Theorien der sozialen Gerechtigkeit*, 2001) unterschiedlich fortgesetzt werden.

Die aktuelle Gerechtigkeitsdiskussion reagiert auf die Umbildung des mod. Rechtsstaates zum umverteilenden Wohlfahrtsstaat, ohne nach der Legitimität des Staates als solchem zu fragen. Daher hat die Gerechtigkeit nicht mehr ihre grundlegende Funktion wie bei Plato, Locke und noch Kant, die polit. Gemeinschaft zu konstituieren.

Eine zweite Entwicklung der aktuellen polit. Philos. steht dem p.P. nahe, sofern dieser für den Tugendstaat eintritt. Alasdair McIntyre [26] steht in der Trad. von L. Strauss und E. Voegelin und stellt die Frage nach der Möglichkeit objektiver moralischer Werte als Grundlage der polit. Gemeinschaft. Obschon McIntyre v. a. an Aristoteles anknüpft, verteidigt sein moralischer Objektivismus zugleich die Position Platos [26. 177–195].

→ AWI Gerechtigkeit; Naturrecht; Platon
→ Gerechtigkeit; Glossatoren; Kanonisten; Naturrecht; Praktische Philosophie

QU 1 K. Bergbohm, Jurisprudenz und Rechtsphilos., Leipzig 1882 2 J. Bodin, Les six livres de la République, Paris 1576 (Aalen 1977) 3 Ders., Iuris universi distributio, Paris 1578, L. Jerphagnon (Hrsg.), 1985 4 J. J. Brucker, Historia critica philosophiae ab incunabilis mundi usque ad aetatem nostram deducta, Bd. I, Leipzig ²1767 5 R. Bubner, Welche Rationalität bekommt der Ges., 1996, 18–48 6 Calcidius, Timaeus a Calcidio translatus, Plato latinus IV, J. H. Waszink (Hrsg.), 1962 7 J. G. Fichte, Der geschlossene Handelsstaat, J. G. Fichte, Gesamtausgabe I.7, hrsg. von R. Lauth, K. Gliwitzky, 47–141 8 M. Ficini opera omnia I, Basel 1576 (Ndr. Turin 1962) 9 F. G. W. Hegel, Grundlinien der Philos. des Rechts, 1820–1821. Werke in 20 Bden, hrsg. von E. Moldenhauer, K. M. Michel, Bd. 7, 1986 10 Ders., Vorlesungen über die Gesch. der Philos., 1933. Werke in 20 Bden., hrsg. von E. Moldenhauer, K. M. Michel, Bd. 19, 1971 11 I. Kant, Grundlegung der Metaphysik der Sitten (Ders., Werke in sechs Bden, hrsg. von W. Weischedel, Bd. 4, 1963) 12 I. Kant, Kritik der reinen Vernunft (Ders., Werke in sechs Bden, hrsg. von W. Weischedel, Bd. 2, 1963) 13 I. Kant, Metaphysik der Sitten (Ders., Werke in sechs Bden., hrsg. von W. Weischedel, Bd. 4, 1963) 14 H. Kelsen, Die Illusion der Gerechtigkeit. Rekonstruktion der platonischen Soziallehre, 1985 15 Ders., Platonische Gerechtigkeit, Kantstudien 38 (1933) 91–117 16 F. Köppen, Politik nach platonischen Grundsätzen, Leipzig 1818 17 Ders., Rechtslehre nach platonischen Grundsätzen, Leipzig 1819 18 G. W. Leibniz, Sämtliche Briefe und Schriften. Akad. Ausgabe, 1923, II/1 19 Ders., De tribus iuris naturae et gentium gradibus, 1680. Akad. Ausgabe, Voraused. VI, N & 311, Fasc. 7, 1387–1397 20 Ders., Philos. Schriften von Leibniz, C. I. Gerhardt (Hrsg.), Berlin 1875 ff. 21 Ders., Mitt. aus Leibniz ungedr. Schriften, G. Mollat (Hrsg.), 1893 22 J. Locke, Essays on the Law of Nature, 1661–1664, hrsg. v. W. van Leyden, 1954 23 Ders., Second Treatise on Government, 1689/90, P. Laslett (Hrsg.), 1960 24 Ders., Some thoughts concerning education, London 1705. The educational writings of J. Locke, J. L. Axtell (Hrsg.), 1968 25 K. Marx, Das Kapital, 1867, ³1883 26 A. McIntyre, After Virtue, 1981 (dt. 1997) 27 R. v. Mohl, Staatsrecht, Völkerrecht und Politik, Tübingen 1860 ff. 28 C. de Montesquieu, De l'esprit des Lois, Genf 1748. Œuvres Complètes II, 1951 29 A. Neschke-Hentschke, Politik und Philos. bei Plato und Aristoteles. Die Stellung der »Nomoi« im platonischen Gesamtwerk und die »Politik« des Aristoteles, 1971 30 Platonis opera quae exstant omnia. Ex nova Ioanni Serrani interpretatione, perpetuis eiusdem notis illustrata, Genevae 1578 31 K. Popper, The Open Society and its Ennemies, Vol. 1: The Spell of Plato, 1944 (dt. 1957) 32 J. Ritter, Metaphysik und Politik, 1969, 9–179 33a J. J. Rousseau, Du Contrat social, Amsterdam 1762. Œuvres complètes III, 1964 33b Ders., Emile ou de l'éducation, Den Haag 1762, Œuvres complètes IV., 1969 34 K. v. Savigny, Vom Beruf unserer Zeit für Gesetzgebung und Rechtswiss., Heidelberg 1814 35 F. D. E. Schleiermacher, Platos Werke, Bd. 3, Berlin 1828, Berlin ²1862 36 H. Seidl, Contributo alla discussione germanofona sul diritto naturale, Aquinas XLII (1999) 7–17 37a L. Strauss, The City and the Man, 1962, 50–138 37b Ders., The Argument and the Action of Plato's Laws, 1975 38a F. Suarez, De legibus seu legislatore Deo, Coimbra 1612. R. P. F. Suarez e Societate Jesu opera omnia, D. M. André (Hrsg.), Bd. V. und VI, Paris 1856 ff. 38b F. Suarez, Defensio Fidei catholicae, Coimbra 1613. R. P. F. Suarez e Societate Jesu opera omnia, D. M. André (Hrsg.), Bd. XXIV, Paris 1856 ff. 39 W. G. Tennemann, System der platonischen Philos., 4

Bde., Leipzig 1792–1795 **40** A. TRENDELENBURG,
Naturrecht auf dem Grunde der Ethik, Leipzig 1862
41a A. VERDOSS, Abendländische Rechtsphilos., 1958
41b Ders., Statisches und dynamisches Naturrecht, 1971
42 E. VOEGELIN, The New Science of Politics, 1952
43 W. WALDSTEIN, Ist das »suum cuique« eine Leerformel?
FS Verdoss 1980, 288–320 **44** W. v. CONCHE, Glosae super
Platonem, E. JEAUNEAU (Hrsg.), 1965 **45** U. v. WILAMOWITZ-
MOELLENDORFF, Platon, 2 Bde., 1919 **46** J. J.
ZENTGRAVIUS, Specimen doctrinae iuris naturalis secundum
disciplinam Platonis exhibens genuinam Platonis
Philosophiam de Idea Boni, Strasburg 1679

LIT **47** X. H. ARQUILLIÈRES, L'augustinisme politique. Essai
sur la formation des théories politiques au Moyen âge, 1955
48 W. BECKER, Plato und Fichte. Die königliche
Erziehungskunst, 1937 **49** N. BOBBIO, Thomas Hobbes and
the Natural Law Tradition, 1993, 26–73 **50** R. BRANDT,
John Locke, in: Ueberweg, Grundriß der Gesch. der
Philosophie. Das 17. Jh., Bd. 3: England, 2. Halbbd., 1988,
680–693 **51** Ders., Eigentumstheorien von Grotius bis Kant,
1974 **52** L. BRAUN, Histoire de l'histoire de la philosophie,
1973 **53** R. BUBNER, Eine Ren. der praktischen Philos.,
Philos. Rundschau 22, 1975, 1–25 **54** A. BURDESE, Sul
concetto di giustizia nel diritto romano. Annali di storia del
diritto 14–17, 1970–1973, 103–119 **55** L. CANFORA, Plato
im Staatsdenken der Weimarer Republik, in: [69], 133–147
56 M. CANTO-SPERBER, Une interprétation de Platon dans
l'Angleterre victorienne (1835–1865), in: [98], 315–336
57 CH. DARDIER, Jean de Serres. Historiographe du roi. Sa
vie et ses écrits d'après les documents inédits. Revue
historique, 1883, Teil XXII, 291–328; Teil XXIII, 28–76
58 J. DUNN, The Politics of John Locke in England and
America in the Eighteenth Century, in: J. W. YOLTON, John
Locke, 1969, 45–80 **59** P. E. DUTTON, ›Illustre civitatis et
populi exemplum‹. Platos Timaeus and the transmission
from Calcidius to the end of the Twelfth Century of a
Tripartite Scheme of Society, Medieval Studies 45, 1983,
79–199 **60** B. FALK, Montesquieu, in: H. Maier (Hrsg.),
Klassiker Bd. 2, ⁴1979, 53–74
61 G. FARINETTI, Il confronto di Marx con Platone
(attraverso Hegel), in: [128], Bd. 4, 497–559 **62** G. FASSO, La
legge della ragione, ²1999 **63** P. FEDELE, ›Nihil aliud est
aequitas quam Deus.‹ Etudes d'Histoire de droit canonique,
dédiées à G. Le Bras, I, 1965, 73–87 **64** K. FLASCH,
Augustinus. Einführung in sein Denken, 1994 **65** Ders., Das
philos. Denken im MA, 1986 **66** F. FLÜCKIGER, Die Gesch.
des Naturrechts. I. Alt. und Früh-MA, 1954
67 H. FRANKLIN, Jean Bodin and the Rise of Absolutist
Theory, 1977 **68** D. FREDE, Popper und der Historizismus,
in: E. RUDOLPH (Hrsg.), Polis und Kosmos, 1996, 74–107
69 H. FUNKE (Hrsg.), Utopie und Tradition. Platons Lehre
vom Staat in der Moderne, 1987 **70** O. GIERKE, Johannes
Althusius und die Entwicklung der naturrechtlichen
Staatstheorien, Breslau 1880 **71** J. GLUCKER, Plato in
England. The Ninetieth Century and after, in: [69], 149–199
72 V. GOLDSCHMIDT, La doctrine d'Epicure et le droit, 1977
73 H. J. HANKINS, Plato in the Italian Ren., 2 Bde., 1990
74 H. HEIMSOETH, Plato und Kants Werdegang, in: Ders.,
D. HENRICH (Hrsg.), Stud. zu Kants philos. Entwicklung,
1967, 124–143 **75** G. HOFFMANN-LOERZER, Grotius, in:
H. MAIER, Klassiker des polit. Denkens, Bd. I, 1979, 293–320
76 O. HÖFFE, Vier Kapitel einer Wirkungsgesch. der
Politeia, in: Ders. (Hrsg.), Platons Politeia, 1997, 333–360
77 H. HOLZ, Leibniz, Polit. Schriften II, 1967, 14–20

78 C. HORN, Augustinus, 1995 **79** G. JARLOT, Les idées
politiques de F. Suarez et le pouvoir absolu, in: Suarez.
Modernité traditionnelle de sa philosophie. Archives de
philosophie XVIII, 1, 1948, 65–107 **80** E. JEAUNEAU, L'âge
d'or de l'école de Chartres, 1995, 43–50 **81** W. KERSTING,
Die Begründung der polit. Philos. der Neuzeit im
Leviathan, in: Ders. (Hrsg.), Thomas Hobbes, Leviathan,
1996, 9–28 **82** O. KRISTELLER, Byz. und westl. Platonismus
im 15 Jh., in: Ders., Human. und Ren. I, 1974, 161–176
83 Ders., Die Philos. des Marsilio Ficino, 1972
84 S. KUTTNER, Sur l'origine du terme ›droit positif‹. Revue
historique du droit français et étranger, 4ᵉ série, 15, 1936,
728–740 **85** K. LUIG, Die Wurzeln des aufgeklärten
Naturrechts bei Leibniz, in: O. DANN, D. KLIPPEL,
Naturrecht, Spätaufklärung, Revolution, 1995, 60–79
86 F. DE LUISA, La kallipolis di Rousseau, in: [128] Bd. 4,
453–496 **87** P. C. MAYER-TASCH, Einführung in Jean
Bodins Leben und Werk, in: Jean Bodin, Sechs Bücher über
den Staat (übers. v. B. Wimmer) 1981, 11–51
88 P. MESNARD, Le platonisme de Jean Bodin. Congrès de
Tours et Poitiers 1954, 352 361 **89** M. MORA, Über das
Weiterleben des röm. Rechts, Studia Gratiana, XIII, 1967,
285–325 **90** J. MOREAU, Ce que Leibniz a reçu de Plato.
Akten des 14. Internationalen Kongr. für Philos., Wien
1968, 1970, 549–555 **91** A. NESCHKE-HENTSCHKE, Über
Platos »Gesetze«, Philos. Rundschau 33, 1986, 265–281
92 Dies., Der Ort des ortlosen Denkens – Platos »Gesetze«
und der neuzeitliche Konstitutionalismus, Zschr. für philos.
Forsch. 42, 1988, 597–619 **93** Dies., Le degré zéro de la
philosophie de Plato. Platon dans l'Historia critica de
J. J. Brucker (1742), Revue de Métaphysique et Morale,
3/1992, 377–400 **94** Dies., Souveraineté et transcendance
de l'Un dans les Six Livres de la République de Jean Bodin,
Etudes de lettres (Lausanne) 1 janvier–mars, 1993, 147–162
95 Dies., Vorwort zu: [139], IX–XIV **96** Dies., Platonisme
politique et théorie du droit naturel. Contributions à une
archéologie de la culture politique européenne. Vol. I:
Platonisme politique et théorie du droit naturel dans
l'Antiquité, 1995 **97** Dies., Polit. Platonismus und die
Theorie des Naturrechts. Essai zu einer Arch. der
Menschenrechte, in: [115], 55–73 **98** Dies. (Hrsg.), Images
de Platon et lectures de ses œuvres. La réception de Platon de
l'antiquité jusqu'au XXème siècle, 1997 **99** Dies.,
Interprétation de Platon et débat politique dans la France du
XVIème siècle. Jean de Serres, 1540–1598, in: [98], 189–206
100 Dies., La singularité de la réception de Platon, in: [98],
I–X **101** Dies., Plato contra Plato. Der Antikebezug der
polit. Theoretiker im Frankreich des 16. Jh. (Jean Bodin
und Jean de Serres), in: [116], 95–115 **102** Dies., Justice et
Etat idéal chez Platon et Cicéron, in: [127], 79–105
103 Dies., La cité n'est pas à nous. Civitas et république dans
le De Civitate Dei d'Augustin, in: [127], 219–244 **104** Dies.,
›Hierusalem caelestis pro viribus in terris expressa‹. Die
Auslegung der platonischen Staatsentwürfe durch Marsilio
Ficinus und ihre »hermeneutischen« Grundlagen. WJA 23,
1999, 223–243 **105** Dies., Marsil Ficin, lecteur des Lois des
Platon. Revue philosophique de la France et de l'Etranger,
1/2000, 83–102 **106** Dies., Loi de la nature, loi de la cité. Le
fondement transcendant de l'ordre politique dans les Lois de
Platon et chez John Locke, in: F. LISI (Hrsg.), Plato's Laws
and its historical significance, 2001, 254–273 **107** Dies.,
Vom Staat der Gerechtigkeit zum mod. Rechtsstaat. Die
Theorie der Volkssouveränität bei F. Suarez und das Erbe
Platos. Internationale Zschr. für Philos., 2002/3 **108** Dies.,

Platonisme politique et théorie du droit naturel. Contributions à une archéologie de la culture politique européenne. Vol. II/1: Platonisme politique et jusnaturalisme chrétien. D'Augustin à John Locke, 2002/3 **109** D. O'Meara, Platonopolis. The political Philosophy of Plato in Later Antquity, 2003 **110** J. van Oort, Jerusalem and Babylon. A Study of Augustins »City of God« and the sources of his doctrine of the two Cities, 1991 **111** W. Ott, Der Rechtspositivismus, 1992, 45–59 **112** M. Revelli, Cicerone, Sant' Agostino, San Tommaso, 1989 **113** G. A. Rogers, Die Platoniker von Cambridge, in: Ueberweg, Grundriß der Philos. Das 17. Jh., Bd. 3: England, Bd. 1.1, 1988, 252–297 **114** F. Rosenzweig, Hegel und der Staat, 1920, Ndr. 1962, frz. Übers. 1991 **115** E. Rudolph (Hrsg.), Polis und Kosmos, 1996 **116** Ders. (Hrsg.), Die Ren. und ihre Aufklärung, Religion und Aufklärung 1, 1998 **117** H. D. Schelauska, Philos. Probleme der Naturrechtsdiskussion in Deutschland. Ein Überblick über zwei Jahrzehnte 1945–1965, 1968 **118** H. P. Schneider, Iustitia universalis. Quellenstudien zur Gesch. des christl. Naturrechts bei G. W. Leibniz, 1967 **119** Ders., G. W. Leibniz, in: M. Stolleis, Staatsdenken im 17.und 18. Jh. Reichspublizistik, Politik, Naturrecht, 1977, 198–227 **120** W. Schneiders, Naturrecht und Gerechtigkeit bei Leibniz, Zschr. für Philos. Forsch., XX, 1966, 608–650 **121** Ders., Res publica optima. Zur metaphysischen und moralischen Fundierung der Politik bei Leibniz. Studia Leibnitiana, IX, 1977, 1–16 **122** Qu. Skinner, The Foundations of Modern Political Thought, 2 Bde., 1978 **123** J. Soder, F. Suarez und das Völkerrecht, 1973 **124** A. M. Stickler, Der Dekretist Willielmus Vasco und seine Anschauungenüber das Verhältnis der beiden Gewalten, Etudes Le Bras, I, 1965, 705–728 **125** L. Strauss, J. Cropsey, History of Political Philosophy, 1963 (frz. Ausg. 1994) **126** B. Tierney, ›Natura, id est Deus. A Case of Juristic Pantheism?‹, Journ. of the History of Ideas 24, 1963, 307–322 **127** M. Vegetti, La Repubblica di Platone nella tradizione antica, 1999 **128** Ders. (übers. und komm.), Platone, La Repubblica, Bd. 1–3, 1998; Bd. 4, 2000 **129** J. L. Vieillard-Baron, Platon et l'idéalisme allemand, 1979 **130** A. Verdross, Abendländische Rechtsphilos., 1958 **131** R. Weigand, Die Naturrechtslehre der Legisten und Dekretisten von Irnerius bis Accursius und von Gratian bis Johannes Teutonicus, 1967 (mit Abdruck aller testimonia zum Naturrecht) **132** H. Welzel, Naturrecht und materiale Gerechtigkeit, 1954 **133** M. Winter, Compendium Utopiarum. Typologie und Bibliographie lit. Utopien I. Von der Ant. bis zur dt. Frühaufkläruung, 1978 **134** M. Wundt, Fichte-Forsch., 1929, 345–368 **135** Ders., Die Wiederentdeckung Platos im 18. Jahrhundert. Bl. für dt. Philos. 15, 1942, 149–157 **136** J. J. Wunenberger, Platon, ancêtre du totalitarisme? in: [98], 435–450 **137** Y. C. Zarka, Etat et gouvernement chez Jean Bodin, in: Ders., Jean Bodin, 1996, 149–160 **138** U. Zimbrich, Un Etat étrangement imaginé. La République de Platon d'après Schleiermacher, in: A. Laks, A. Neschke (Hrsg.), La naissance du paradigme herméneutique, 1990, 225–244 **139** Dies., Bibliographie zu Platos Staat. Die Rezeption der Politeia im deutschsprachigen Raum 1800–1970, 1994.

ADA NESCHKE-HENTSCHKE

III. Platonische Tradition im griechischen Osten
A. Einleitung B. Vulgärplatonismus
C. Schulplatonismus D. Einfluss des Schulplatonismus E. Byzantinische Zeit

A. Einleitung

Der Begriff »polit. Platonismus« (p.P) wird hier entsprechend der Begriffsbestimmung → Politische Theorie II. angewandt. Folgende Bemerkungen seien hinzugefügt: Wenn das Ziel des Lebens, das nach Platos Schriften *Politeia* und *Nomoi* im Staat erreicht werden soll, das gelungene Leben (*eudaimonía*) ist, dann können der Staat sowie das Gründungsprinzip des Staates (die Gerechtigkeit) dazu dienen, ein gelungenes Leben auch jenseits des polit. Bereiches zu ermöglichen. In diesem Sinne kann das Mitglied eines guten gerechten Staates die Mittel finden, ein vollkommenes Leben im Jenseits zu erreichen. Zweitens kann das Naturrecht (natürliche Gerechtigkeit) zwar den Staat begründen, es ist selbst aber zugleich auch Ausdruck gewisser transzendenter Gesetzmäßigkeiten. Diese transzendenten Gesetzmäßigkeiten können sowohl Vorbilder der Natur als auch Vorbilder des guten Staates sein. Drittens werden in der Periode, die hier besprochen wird, verschiedene Reformstufen unterschieden. Entsprechend werden Platos polit. Schriften interpretiert: Die *Politeia* stellt dabei eine fast göttl. *polis* dar, während die *Nomoi* ein weniger ambitiöses Muster einer polit. Reform vorschlagen. Es werden bei Plato schließlich auch noch bescheidenere Stufen von polit. Reform ausgemacht.

Bei der Rezeption des p.P. in der Spät-Ant. und in der byz. Zeit läßt sich v. a. zw. Vulgärplatonismus (1. Jh. v.–4. Jh. n. Chr.) und Schulplatonismus (2. Jh.–6. Jh.) unterscheiden. Der p.P. im Sinne des Vulgärplatonismus ist weithin bekannt. Darstellungen dazu finden sich in vielen Standardwerken der Geschichte der polit. Philos. [17; 21; 33]. Einige Schwierigkeiten bleiben dennoch ungeklärt, so z.B. die Frage der genauen Datierung der ps.-pythagoreischen Fürstenspiegel. Die Fortwirkung in die spätere byz. Zeit ist erst ansatzweise erforscht [10; 24; 25]: für viele Texte fehlen kritische Ausgaben und entsprechende Monographien. Der Schulplatonismus, als Version des p.P., sowie dessen Einfluß, ist in der Forsch. dagegen fast ganz vernachlässigt worden. Die Geschichte des Platonismus in der Spät-Antike (der Platonismus, vor Plotins Zeit (3. Jh.), wird h. als »Mittelplatonismus« bezeichnet, der Platonismus nach Plotin (3.– 6. Jh.) als »Neuplatonismus«) erfreut sich zwar eines regen Interesses, das sich jedoch vornehmlich auf die Biographie der Philosophen, die Entwicklung der Schulen, ihre Logik, Metaphysik und Erkenntnistheorie richtet. Das polit. Denken der Schulen wird dagegen in der Forsch. kaum ernst genommen. Die Zielsetzung der spät-ant. Platoniker, die Einigung der Seele mit überirdischen Prinzipien, bedeutet – so lautet eine in der Forsch. weitverbreitete Meinung – eine Abkehr vom polit. Leben, von polit. Theorie, von der Welt, eine Flucht, die die Seele zum Leben im Jenseits führen soll. Es läßt sich aber zeigen, daß auch eine polit. Struktur die Voraussetzung für die Einigung der Seele mit transzendenten Prinzipien jenseits der Welt schaffen kann [18; 31].

B. Vulgärplatonismus

Politisch Theorien platonischer Herkunft sind in der Lit. des Hellenismus und des röm. Reichs weit verbreitet. Diese Theorien wirken klischeehaft und zeugen nicht von einer gründlichen Vertrautheit mit Platos polit. Schriften. Es entwickelt sich eine Königs- bzw. Kaiserideologie, die urspr. im Denken von Isokrates (*Ad Nicoclem, Nicocles, Evagoras*) und Plato (*Politeia*) wurzelt, dazu aber auch stoischen Einfluß kennt und sich mit vorhandenen Monarchien abzufinden versucht, indem sie ein vorbildliches Herrschaftsmodell aufstellt. Es wird zw. dem Kosmos, oder der materiellen Welt, und einer überirdischen Wirklichkeit unterschieden. Die überirdische Welt entspricht Platos Ideenwelt. Im Jenseits ist Gott Alleinherrscher. Seine Herrschaft prägt auch die materielle Welt, den Kosmos, die Natur. Die Ideenwelt fungiert als Modell, nach dem Gott die materielle Welt ordnet. Bei den Menschen übernimmt der vollkommene König eine göttl. Funktion: Seine Aufgabe ist es, Gott und die Ideenwelt als Modell zu nehmen und sie nachzuahmen. Gott, die Ideenwelt, die Natur oder der Kosmos sind also Vorbilder für den guten Staat. Der König vertritt Gott im Staat, bemüht sich um die Tugend und das Wohl der Bürger und führt dadurch eine Vergöttlichung des polit. Lebens herbei. Der König soll selber, in seiner Funktion als Gottesvertreter, moralisch tadellos sein und die Tugenden, einschließlich die göttl. Tugend der Philanthropie, vorbildlich ausüben. Der König soll dem Philosophen-König in Platos *Politeia* entsprechen. Wenn er diese Ansprüche nicht erfüllt und das göttl. Modell nicht imitiert, ist er kein wahrer König.

Den Pythagoreern Diotogenes, Sthenidas und Ekphantos werden Schriften *Über das Königtum* (fälschlich) zugeschrieben; diese Schriften stammen in Wirklichkeit wohl aus hell. Zeit [11; 15]. Im Fall von Ps.-Ekphantos wird sogar das 3. Jh. n. Chr. als Datierung vorgeschlagen. In diesen Schriften werden v. a. die Themen der Vergöttlichung, der Nachahmung Gottes, betont. Besonderen Nachdruck erhält die Vermittlungsrolle des Königs: Als Gottesvertreter und als Vermittler einer göttl. Ordnung bringt der König den Staat, der durch Gerechtigkeit geeinigt und harmonisch wird, zur Gottähnlichkeit [13].

In seinen Reden (I-IV) vertritt Dion Cocceianus (1./2. Jh.) eine ähnliche Version dieser polit. Theorie. Dion versteht die königliche Gottesnachahmung sowohl als Nachahmung des göttl. Wesens als auch als Nachahmung der Ordnung des Kosmos. Als Ausdruck der Gottesherrschaft bildet der Kosmos eine Monarchie: So soll auch die Verfassung des guten Staats sein!

Im frühen 4. Jh. hat Eusebios von Kaisareia dem Kaiser Konstantin eine christl. Umdeutung dieser Theorie

als Leitbild vorgeschlagen und dadurch die Byz. Kaiserideologie begründet [9; 19]. Durch Konstantin hat das Christentum den Sieg über Heiden und Häretiker errungen: Kraft seiner Weltherrschaft kann der Kaiser (so Eusebios in seiner Festrede zum 30. Regierungsjubiläum des Kaisers) die Menschheit retten und zu ihrem Glück führen. Der Kaiser ist der Vertreter und Vermittler Gottes auf Erden. Er soll Gott nachahmen, d. h. nach dem Modell des überirdischen Gottesreichs regieren. (Hier wird Platos Ideenwelt zur Trinitätsstruktur, Gott als Vater und Logos, und zur Welt der Engel.) Der Staat dient somit der Erlösung des Menschen, die allerdings erst jenseits dieser Welt erreicht wird. Konstantin, der Vertreter des wahren Gottes, ersetzt Könige, die Vermittler falscher Götter sind; dabei ersetzt er auch Platos Philosophen-König.

Als letztes Beispiel sei die polit. Philos. des Themistios (4. Jh.) erwähnt [14; 35]. Themistios vertritt die gleichen Ideen, doch eine christl. Ausrichtung. Auch bei ihm wird die Ordnung des Kosmos, der Ausdruck göttl. Herrschaft, als Modell für den guten Staat vorgeschlagen. Als Verfechter der Interessen seiner Stadt Konstantinopel findet Themistios für sie zudem einen besonderen Platz im Staat [20]. Wahrscheinlich in Reaktion gegen die Ansichten zeitgenössischer Schulphilosophen (s.u.) gibt Themistios dem König gegenüber den (untätigen) Philosophen in Bezug auf die Gottesnachahmung den Vorrang. Er plädiert auch dafür, daß der Philosoph sich in der Politik engagieren und dafür die Rhet. ausüben soll.

C. Schulplatonismus

Platos *Politeia*, *Nomoi* und *Politikos* wurden in den platonischen Schulen der Spät-Ant. gelesen und kommentiert. Mittelplatonische Lehrbücher fassen die p.Th. dieser Schriften zusammen (Alkinoos, *Didaskalikos* 34; Apuleius, *De Platone et eius dogmate* 24–28). Leiter der Neuplatonischen Schule in Athen (5./6. Jh.) verfaßten Komm. und Studien zu *Politeia* und *Nomoi* [16. 206–208]. Im Grundstudium hat man aber seit Iamblichos (Anf. 4. Jh.) eher Platos *Gorgias* gelesen, um sich eine platonische polit. Erkenntnis anzueignen: *Politeia* und *Nomoi* schienen für den Zweck des Grundstudiums zu lang zu sein [31. Kap. 6]. Fortgeschrittene Schüler, wie Proklos im 5. Jh., konnten in Athen das Studium erweitern und die *Politeia* und die *Nomoi* lesen (Marinos, *Vita Procli* 14). Diese Lektüren hatten einen bestimmten Platz und eine Rolle im Lehrprogramm der spät-ant. Schulen und waren auf das Ziel der Neuplatonischen Philos. ausgerichtet.

Gemeinsames Ziel des Philosophierens, sowohl im Mittelplatonismus als auch im Neuplatonismus [27], war die Angleichung des Menschen an Gott (Plat. Tht. 176b). Das Göttliche bedeutet dabei eine transzendente immaterielle Wirklichkeit, die sich als Stufung von wirklichkeitsstiftenden Urprinzipien gliedert (bei Plotin: Seele, göttl. Intellekt (*noús*) und, als höchstes Prinzip und Quelle aller Wirklichkeit, das Eine). Der Mensch wurde verstanden als Seele, die in einen Körper hinabgestiegen ist und den Körper als Werkzeug benutzt. Angleichung an Gott heißt also, sich mit dem Göttlichen zu vereinen und dadurch das Glück, ein gelungenes Leben, zu erfahren. Bei Plotin bedeutet das Glück, am Leben des göttl. Intellekts teilzuhaben (*Enneade* I,4). Nach der Erweiterung der metaphysischen Hierarchie im späteren Neuplatonismus heißt Angleichung eine Annäherung der Seele an niedrigere Stufen des Göttlichen.

Den Weg zur Vergöttlichung des Menschen bietet eine Stufung der Tugenden. Diese Stufung wird bei Plotin (*Enneade* I,2) eingeführt. Die Anfangsstufe bilden die »polit.« Tugenden, d. h. die Tugenden, die in *Politeia* IV definiert wurden und das Leben der Seele im Körper ordnen. Diese Ordnung ermöglicht der Seele, sich von ihrer materiellen Last zu befreien und durch die »reinigenden« Tugenden hinauf zu den »theoretischen« oder kontemplativen Tugenden zu kommen und somit am Leben des göttl. Intellekts teilzuhaben. Als Vorbedingung für eine Angleichung an Gott sind auch die »polit.« Tugenden Ausdruck einer göttl. Ordnung im menschlichen Leben.

Der Tugendhierarchie entspricht eine Stufung der Wiss., die von der → praktischen Philosophie (Ethik, Ökonomik und Politik) zur theoretischen Wiss. (Physik, Mathematik und Metaphysik) aufsteigt. Die Aneignung der »polit.« Tugend geschieht sowohl über die Übung im alltäglichen Leben (in der Schule oder möglicherweise auch im polit. Leben) als auch durch Ausbildung in den praktischen Wissenschaften. Nach dieser Ausbildung kann der Schüler weiter zu den theoretischen Wiss. vorstoßen und dadurch dem Ziel eines göttl. Lebens näherkommen.

Die praktische Philosophie war in der aristotelischen Trad. dreigeteilt: Ethik, Ökonomik und Politik. Die spät-ant. Schulphilosophen gliederten sie hingegen (Plat. Gorg. 464b 8 folgend) meist in zwei Teile (Elias, *Prolegomena in Platonis philosophiam*, CAG 18.1, 32.31–34.25): Gesetzgebung (*nomothetiké*) und Rechtsprechung (*dikastiké*). Die Gesetzgebung schafft eine Ordnung gemäß den »polit.« Tugenden. Diese Ordnung herrscht in der Seele, im Haushalt und im Staat. Die Rechtssprechung korrigiert Gesetzesverletzungen und stellt die Ordnung wieder her. Die polit. Wiss., die in der Gesetzgebung sowie in der Rechtssprechung benötigt wird, ist in Platos *Gorgias*, sowie in den *Politeia* und den *Nomoi* zu finden.

Wenn der Philosoph dank eines solchen Lehrgangs das göttl. Leben erlangt hat und am Leben des göttl. Intellekts teilnimmt, ist das Ziel, die Angleichung des Menschen an Gott, erreicht. Gottähnlich zu sein heißt aber nicht nur (so die Neuplatonischen Philosophieprofessoren im 5. und 6. Jh.), das Glück des göttl. Wissens (theoretische Wiss.) zu erfahren. Das Göttliche übt auch eine praktische Tätigkeit aus: die Vorsehung (*pronoia*), die Sorge um die Welt. Entsprechend übernimmt auch der Philosoph eine Vorsehungsfunktion: die Sorge um Mitmenschen. Diese wird mit Hilfe der polit. Wiss. (Gesetzgebung und Rechtsprechung) gefördert und

kann sowohl im engeren Kreis als auch im Staatsleben ihren Ausdruck finden. Wie die Götter gut sind und das Gute (Ordnung, Schönheit) weitergeben, so wirkt die gottähnlich gewordene Seele in der Welt (Ammonios, *In Porphyrii Isagogen*, CAG IV.3,3,8–19; Olympiodoros, *In Platonis Gorgiam* [4. 166, 14–16; 116, 29–117,2]).

Politische Wiss. als Gesetzgebung erfordert praktische Weisheit (*phronesis*), die sich nach einem göttl. Modell richtet (Plat. rep. 500e; Iamblichos in Stobaios, *Anthologium* III,201,17ff.). Das Modell kann die transzendente göttl. Welt sein, oder auch die Struktur des Kosmos, durch die eine göttl. Ordnung in Erscheinung tritt (Proklos [1. II,3,5–10; 8,15–23; 99,10–100,28; I,16,20–24], Calcidius [3. 6, 59,22–60,3]). Grundlage dieser Ordnung ist Platos Gerechtigkeitsprinzip, ›das Seine tun‹, die proportionale Gleichheit (Plat. Gorg. 508a). Als Naturrecht ist diese Struktur Ausdruck der Ordnung der Wirklichkeit im allgemeinen: Diese Ordnung herrscht zugleich und in höherem Maße auch auf den Stufen der transzendenten Wirklichkeit. Für den Staat impliziert diese Ordnung eine monarchische oder aristokratische Verfassung im platonischen Sinn (d. h. die Herrschaft der Wissenden und Tugenhaften, wie in der *Politeia*), oder eine gemischte Verfassung (wie in den *Nomoi*), welche die proportionale Gleichheit gewährleisten. Durch den Staat, als eine polit. Stufung, wird Erkenntnis und göttl. Ordnung vermittelt. Durch die Förderung der »polit.« Tugenden werden die Bedingungen für die Angleichung an Gott geschaffen. Der Bürger kann somit als Teil dieser Struktur einen Zugang zu deren transzendenten Quellen finden und durch die Ausübung der »polit.« Tugenden einen Schritt auf die Gottähnlichkeit hin machen.

Proklos sieht die polit. Wiss., Plato folgend, als Versuch, das (real-polit.) Mögliche zu erreichen [1. I,238,11–21; 239,24–7]. Vorgebene Verhältnisse können polit. Reformen verschieden einschränken oder sogar ausschließen. Es werden also verschiedene Reformstufen unterschieden. Der Staat der *Politeia* wird im Schulplatonismus mit dem Staat ›der Götter oder Götterkinder‹ (Plat. leg. 739cd) identifiziert. Ein solches Reformvorbild scheint menschliche Möglichkeiten zu überschreiten. Eine weniger ambitiöse Reform fand der Schulplatonismus in Platos *Nomoi*: Hier werden menschliche Schwächen berücksichtigt, hier herrscht das Gesetz anstelle der Philosophen-Könige, hier finden (bedingt) auch Familienleben und Privateigentum einen Platz [5. 26,45–58]. Die Vorherrschaft des Gesetzes wird von Iamblichos herausgestrichen. Sie dient zur Vermittlung der Tugenden und ist ein Mittel zur Erreichung der Gottähnlichkeit (bei Stobaios, *Anth* IV,223,14–24). In Platos Briefen meinte man noch weniger ambitiöse Reformvorschläge lesen zu können. Die polit. Gegebenheiten können unter Umständen sogar jegliche Reformtätigkeit unmöglich machen. Dies dürfte wohl mehr und mehr für heidnische Philosophen gegolten haben, die in einem christl. Reich zunehmend isoliert wurden. Hier bekam Platos Rat, sich zu verbergen und das Ende des Sturms abzuwarten (Plat. rep. 496cd), einen aktuellen Sinn [4. 143,5–10].

D. Einfluss des Schulplatonismus

Mehrere Staatsmänner wurden in neuplatonischen Schulen ausgebildet. Z.B. Kaiser Iulianus sowie Synesios, Botschafter und Bischoff seiner Stadt Kyrene. Iulianus hat die Schulen der Nachfolger von Iamblichos besucht und auch als Kaiser (361–363) die Verbindung mit seinen Lehrern weiter gepflegt und vertieft [7]. Er verstand seine polit. Aufgabe darin, den Staat vor dem Atheismus (Christentum) und der moralischen Perversität und Unordnung zu retten. Dazu wurde er in einem Traum von Zeus, der ihm auch eine entsprechende polit. Erkenntnis vermittelt hat, beauftragt (»Rede gegen Herakleios«, Iul. or. 7, 227cff.). Iulianus verstand sich nicht als Philosophen-König: dazu fehlte ihm eine geeignete Natur und Erkenntnis. Als Herrscher konnte er aber die Erkenntnisse seiner Lehrer, die als polit. Philosophen und Ratgeber an seinem Hof tätig waren, verwirklichen (»Brief an Themistios«, Iul. or. 6,255c, 263d). Sein erklärtes Lebensziel war die Rückkehr zur Schau der Götter im Jenseits. Etwas später hat Synesios, der treue Schüler und Bewunderer der neuplatonischen Philosophielehrerin Hypatia, als Botschafter seiner Stadt (399), vor dem Kaiser Arcadius eine Rede über das Königtum vorgetragen [26]. Auch hier wird das Glück des Philosophen im göttl. Jenseits ausgemacht; auch hier wird die Philosophie in Anspruch genommen, um im polit. Leben auf Erden eine moralische Rettung des Menschen zu ermöglichen. Diese Aufgabe obliegt dem wahren Philosophen-König.

Zwei weitere Autoren verfügen im 5./6. Jh. über sehr gute Kenntnisse des Schulplatonismus und es zeigen sich bei ihnen interessante Aneignungen seiner polit. Theorie. Der anonyme Verfasser des *Corpus Areopagiticum*, Ps.-Dionysios Areopagites (um die Wende des 5./6. Jh.) kennt das Werk des Proklos. In seiner Ekklesiologie (*Über die kirchliche Hierarchie*) darf man eine ekklesiologische Umdeutung einer spätneuplatonischen p.Th. sehen [29]. Die Kirche soll eine Einrichtung zur Vermittlung der Erkenntnis werden und dadurch die Mittel zur Rettung des Menschen bereitstellen, d. h. die Angleichung des Menschen an Gott ermöglichen und bewirken. Diese Kirche ist gestuft nach dem platonischen Gerechtigkeitsprinzip (›das Seine tun‹). Jede Stufe in der Kirchenhierarchie soll bestimmte Aufgaben erfüllen, die entsprechende moralische und intellektuelle Fähigkeiten voraussetzen. Auf der höchsten Stufe wirken die Bischöfe als Philosophen-Könige: sie vermitteln Gottähnlichkeit durch ihre Verbindung mit einer tranzendenten Wirklichkeit. Als ganzes ist die vorbildliche Kirche Abbild einer transzendenten Struktur, die der himmlischen Hierarchie. Durch diese Stufung werden für den Mensch die Bedingungen geschaffen, die den Erwerb geeigneter Tugenden ermöglichen und den Weg zur aufsteigenden Angleichung an Gott vorbereiten. Unklar bleibt allerdings, welche Rolle für das polit. Leben bei diesem Aufstieg übrigbleibt.

Etwas später hat der Verfasser eines Dialogs *Über die polit. Wiss.* [2; 32], wahrscheinlich ein Mitglied des Hofs von Kaiser Iustinianus (527–565), ein anderes Reformprojekt vorgeschlagen. Der Verfasser scheint mit den Theorien des spät-ant. Neuplatonismus gut vertraut zu sein [30]. In seinem Dialog wird die polit. Wiss. als rettende Erkenntnis verstanden: Durch Gott gegeben, bringt sie Ordnung in das körperliche Leben der Seele und bereitet diese dadurch für die Rückkehr zum Glück des kontemplativen Lebens jenseits der Welt vor. Die Seele erkennt beim Aufstieg zur Schau der transzendenten Wirklichkeit die (recht differenzierte) hierarchische Struktur der Wirklichkeit, die sich im Kosmos widerspiegelt. Die Ordnungsprinzipien der Stufung (Vorrang eines Urprinzips, Vermittlung des Seins und des Guten durch Stufung, unentbehrliche Leistung der vermittelnden Zwischenstufen) sind Vorbild einer guten polit. Ordnung. Der Kaiser zeichnet sich durch die für sein Amt notwendigen moralischen und intellektuellen Eigenschaften aus. Seine Macht ist aber nicht absolut: Es liegt eine gemischte Staatsverfassung vor, in der das Gesetz (Teil der polit. Wiss.) herrscht. Der Kaiser ist auch für die Kirche zuständig. Der Verfasser bezieht sich auf polit. Probleme seiner Zeit und will der polit. Wiss. gegen den Mißbrauch von Macht und gegen die polit. Unordnung eine grundlegende Funktion geben. Die polit. Wiss. versteht er im Sinne der praktischen Philos. des spät-ant. Schulplatonismus.

E. Byzantinische Zeit

1. Fortwirkung des Vulgärplatonismus

In seinem *Anthologium* hat Iohannes Stobaios im 5. Jh. durch verschiedene Exzerpte der Nachwelt sowohl Beispiele des Vulgärplatonismus (nämlich die ps.-pythagoreischen Schriften *Über das Königtum*) als auch des Schulplatonismus (Exzerpte im Buch IV Kap. 5 »Über die Herrschaft« aus der Korrespondenz von Iamblichos) überliefert. Zur Trad. des Vulgärplatonismus gehört der Fürstenspiegel (*Ekthesis*) von Agapetos, der wahrscheinlich anläßlich der Thronbesteigung von Kaiser Iustinianus im Jahre 527 verfaßt wurde [22]. Agapetos vertritt bes. die Ansichten von Eusebios von Kaisareia: Iustinianus soll (wie Konstantin) in einem christl. Sinn Philosophen-König sein. Die christl. Tugenden werden dabei bes. hervorgehoben: christl. Frömmigkeit, Barmherzigkeit gegenüber den Armen. Agapetos' Kaiserbild hatte großen Erfolg, nicht nur in Byzanz, sondern auch im lat. Westen und im slavischen Osten [34].

Die späteren byz. Fürstenspiegel (oder Ermahnungsschriften) stehen in der Trad. von Eusebios und Agapetos, aber auch von Isokrates und Dion Cocceianus [10; 24; 25]: die Κεφάλαια παραινετικά (um 880), die dem Kaiser Basileios I. zugeschrieben sind (PG 107, xxi-lvi); die Παιδεία βασιλική des Theophylaktos von Ohrid (um 1088) (PG 126, 254–86); der Βασιλικὸς ἀνδριάς des Nikephoros Blemmydes, die Theodoros II. Laskaris (Kaiser 1254–1258) gewidmet ist; der Λόγος περὶ βασιλείας des Thomas Magister (ca.1270–1347), Ratgeber des Kaisers Andronikos II. Palaiologos [12]; die Ὑποθῆκαι βασιλικῆς ἀγωγῆς (PG 156, 320–384) von Manuel II. (Kaiser 1391–1425). Das Kaiserbild, das in dieser Trad. durch die Jahrhunderte lebendig blieb, konnte von Fall zu Fall mit bestimmten Akzenten oder realpolit. Ratschläge variiert werden. Die Vorstellung des Kaisers als Gottesbild war aber grundlegend und wurde auch in den Reichsurkunden propagiert [23]: Eine Entwicklung der polit. Philos. ist in diesem Sinne kaum zu beobachten [28].

2. EINFLUSS DES SCHULPLATONISMUS

Beispiel für diese bis dahin weitgehend unerforschte Trad. wäre, als guter Kenner des Neuplatonismus, der Philosoph Michael Psellos (1018–96). Er hat sich sehr für neuplatonische Quellen interessiert und diese häufig in seine Arbeit einfließen lassen. Eine Hauptquelle war Proklos: Dank Psellos hat Proklos eine gewisse Ren. bei byz. Gelehrten erlebt. Psellos vertritt die Tugendhierarchie der Neuplatoniker sowie ihre Aufforderung zur Gottesnachahmung durch polit. Wirken [6. 66–74]. Unerforscht ist, ob p.P., wie er im Schulplatonismus vertreten wurde, bei Psellos oder bei den Gelehrten, die von ihm beeinflußt wurden, eine Vertiefung und Ausarbeitung erfahren hat.

Am Ende des byz. Reiches stellte der p.P. für Georgios Gemistos Plethon (ca. 1360–1452) eine letzte Hoffnung dar. Zur Rettung des Staats hat Plethon ein platonisches Reformprojekt entwickelt [28; 36]. Gewährsmänner dieser Reform sind, nach Plethon, Plato, die Neuplatoniker und die älteren Weisen der Griechen und Barbaren. Der Staat soll nach dem Modell einer (neuplatonisch verstandenen) Götterwelt geordnet werden.

→ AWI Alkinoos; Dion [I 3]; Diotogenes; Ekphantos; Eusebios [7]; Isokrates; Mittelplatonismus; Neuplatonismus; Platon; Plotin; Proklos
→ Gerechtigkeit; Naturrecht; Platonismus

QU **1** G. KROLL, Procli Diadochi in Platonis rem publicam commentarii, Leipzig 1899–1901 **2** C. MAZZUCHI, Menae patricii cum Thoma referendario de scientia politica dialogus, 1982 **3** J. H. WASZINK, Timaeus a Calcidio translatus commentarioque instructus, 1962 **4** L. G. WESTERINK, Olympiodorus, In Platonis Gorgiam commentaria, 1970 **5** Ders., Prolegomena to Platonic Philosophy, 1962 **6** Ders., Michael Psellos De omnifaria doctrina, 1948

LIT **7** P. ATHANASSIADI, Julian and Hellenism. An Intellectual Biography, 1981 **8** E. BARKER, Social and Political Thought in Byzantium, 1957 **9** N. BAYNES, Eusebius and the Christian Empire, in: Ders., Byzantine Studies and Other Essays, 1955 **10** W. BLUM (Hrsg.), Byz. Fürstenspiegel, 1981 **11** W. BURKERT, Zur geistgeschichtlichen Einordnung einiger Pseudopythagorica, in: Pseudepigrapha I, 1972, 25–55 **12** P. CACCIATORE, Il pensiero politico di Toma Magistro nel »De regno« e nel »De subjectorum officiis«, in: M. VEGETTI, M. ABBATE (Hrsg.), La Repubblica di Platone nella tradizione antica, 1999, 245–55 **13** G. CHESTNUT, The Ruler and the Logos in Neopythagorean, Middle Platonic and Later Stoic Political Philosophy, in: ANRW II, 16.2, 1979, 1310–33 **14** G. DAGRON, L'Empire romain d'Orient au IVe siècle et les traditions politiques de l'hellénisme. Le témoignage de Thémistius, in: Travaux et Mémoires 3, 1969, 1–242 **15** L. DELATTE, Les traités de la Royauté d'Ecphante, Diotogène et Sthénidas, 1942 **16** H. DÖRRIE, M. BALTES, Der Platonismus in der Ant., III, 1993 **17** F. DVORNIK, Early Christian and Byzantine Political Philosophy, 1966 **18** A. EHRHARDT, The Political Philosophy of Neo-Platonism, in: Mélanges V. Arangio-Ruiz, 1953, I, 457–82 **19** R. FARINA, L'Impero et l'Imperatore cristiano in Eusebio di Cesarea, 1966 **20** G. GULDENTOPS, Themistius »kallipolis« between Myth and Reality, in: K. DEMOEN (Hrsg.), The Greek City from Antiquity to the Present, 2001 **21** P. HADOT, Fürstenspiegel, in: RAC 8, 555–632 **22** P. HENRY, A Mirror for Justinian: The *Ekthesis* of Agapetus Diaconus, in: Greek Roman and Byzantine Studies 8, 1967, 281–308 **23** H. HUNGER, Prooimion. Elemente der byz. Kaiseridee in den Arengen der Urkunden, 1964 **24** Ders. (Hrsg.), Das byz. Herrscherbild, 1975 **25** Ders., Die hochsprachliche profane Lit. der Byzantiner, 1978, I, 157–65 **26** C. LACOMBRADE, Le Discours sur le royauté de Synésios de Cyrène à l'empereur Arcadius, 1951 **27** H. MERKI, »Homoiosis theo«. Von der platonischen Angleichung an Gott zur Gottähnlichkeit bei Gregor von Nyssa, 1952 **28** D. NICOL, Byzantine Political Thought, in: J. BURNS (Hrsg.), The Cambridge History of Medieval Political Thought c. 350–c. 1450, 1988, 51–79 **29** D. O'MEARA, Evêques et philosophes-rois: philosophie politique néoplatonicienne chez le Pseudo-Denys, in: Ders., The Structure of Being and the Search for the Good, 1998 **30** Ders., The Justinianic Dialogue »On Political Science« and its Neoplatonic Sources, in: K. IERODIAKONOU (Hrsg.), Byzantine Philosophy and its Sources, 2002, 49–62 **31** Ders., Platonopolis. Platonic Political Philosophy in Late Antiquity, 2003 **32** A. PERTUSI, Il pensiero politico bizantino, 1990 **33** C. ROWE, M. SCHOFIELD (Hrsg.), The Cambridge History of Greek and Roman Political Thought, 2000 **34** I. SEVCENKO, Agapetus East and West, in: ders., Ideology, Letters and Culture in the Byzantine World, 1982 **35** J. STRAUB, Vom Herrscherideal in der Spät-Ant., 1939 **36** C. WOODHOUSE, George Gemistos Plethon, 1986.

DOMINIC O'MEARA

IV. POLITISCHER PLATONISMUS IN DER OSMANISCH-ISLAMISCHEN KULTURREGION

Die Rezeption der polit. Philos. Platons durch den spätbyz. Philosophen Plethon (um 1355–1452) [1. 185. Anm. 2] führte zu einer bemerkenswerten Wirkung Platons in der osmanisch-islamischen Kulturregion. Diese doppelt gebrochene Rezeption knüpfte an die Staatslehre Plethons an. Sie bildete urspr. einen Teil der *Nomoi*, des Hauptwerkes von Plethon, von dem nur ein kleiner Teil erhalten ist. Wir kennen Plethons Staatslehre deshalb nur aus zwei anderen Werken des Philosophen, nämlich aus zwei Denkschriften über eine soziale und polit. Reform der Peloponnes, die er im J. 1415 verfaßte [3]. Eine kurze Rekapitulation der polit. Vorstellungen Plethons findet sich auch in der Denkschrift von Plethons Schüler Bessarion [2. 107, 111, 118], angefertigt zw. 1443 und 1446 für den Despoten von Sparta, Konstantinos Palaiologos.

Nach Plethon besteht die Gesellschaft aus drei Ständen oder Klassen: (1) den Ackerbauern, (2) den Händlern und Handwerkern und (3) der regierenden Klasse, d. h. den Herrschern, Richtern, Regierungsbeamten und Soldaten. Die höheren Geistlichen betrachtet Plethon als Staatsbeamte und rechnet sie zur dritten Klasse. Die drei Stände sollen nur ihren jeweils spezifischen Tätigkeiten nachgehen, insbes. soll die dritte, die herrschende Klasse, sich nicht mit Handel und Wirtschaft befassen. Auch sollen z. B. die Handwerker nur je ein Handwerk ausüben und nicht mehrere.

Die Vermittlung platonischen Gedankengutes an den Islam ist durch die Lebensgeschichte Plethons möglich geworden, denn dieser hielt sich einige Zeit am osmanischen Hof auf [5. 105 ff.]. Umgekehrt wurde Plethon dadurch vielleicht auch zum Vermittler islamischen Gedankengutes an das Abendland [5; 1. 270–272]. Erhalten ist eine arab. Übers. des tradierten Teils der *Nomoi*, die aus der Zeit des osmanischen Sultans Bayezid II. (regierte 1481–1512) stammt [5. 105 ff.; 1. 270–272]. Der Schluß liegt nahe, daß auch die nicht im Original überlieferte Staatslehre Plethons im osmanischen Reich rezipiert wurde. Denn bei osmanischen Autoren des 16. und 17. Jh., bei Akhisari (schreibt 1596 = 1004 Hedschra), Kotschi Bey (schreibt erstes Viertel des 17. Jh.) und Katip Tschelebi (schreibt 1653 = 1063 H.) [4. 85, 163 f.] taucht wieder das Konzept eines platonischen Ständestaats auf, das auf die Vermittlung Plethons zurückgehen dürfte. Akhisari und Katip Tschelebi entwickeln ein Gesamtkonzept der Gesellschaft, die sie aber nicht in drei, sondern in vier Stände gliedern, indem sie die Geistlichkeit (*ulema*) als eigenen Stand voranstellen. Es folgen der mil. Stand (*asker*), die Kaufleute (*tüccar*) und die Ackerbauern oder Untertanen (*reaya*). Kotschi Bey gibt kein Gesamtbild der Gesellschaft, sondern befaßt sich fast ausschließlich mit dem mil. Stand, den er reformieren will. Er ist der geistige Vater der großen Reform der Militär-Pfründen (*timar*) von 1633–34 = 1042–43 H., für die er eine strenge Erblichkeit einführen will. Untertanen (*reaya*) sollen auf keinen Fall Zugang zu den Pfründen haben.

In platonischer Trad. steht auch der Gedanke von der Parallelität der Stände zur menschlichen Seele und von der Zuordnung der Tugenden als Grundeigenschaften der Seele zu den Ständen. Dieser Vergleich des Makrokosmos mit dem Mikrokosmos findet sich in elaborierter Form bei Katip Tschelebi, und die vier Stände sind dort die vier Grundsäfte des menschlichen Organismus: Die Geistlichen sind das Blut, die Krieger der Schleim, die Kaufleute die Gelbe Galle und die Ackerbauern die Schwarze Galle. Die Ordnung im Staat und die Gesundheit im Körper hängen von der gleichbleibenden Qualität und Quantität der vier Stände und der vier Grundsäfte ab.

Der Grundtenor der osmanischen Autoren ist also die Forderung, daß jeder Stand nur seine spezifische Tätigkeit ausüben solle. Sie wollten so das Eindringen von »bürgerlichen« Elementen in die polit. Klasse ver-

hindern. Die Vorstellung von einer histor. Entwicklung hatte im Denken der osmanischen Autoren des 16. und 17. Jh. keinen Platz. Erst am E. des 17. Jh. wird die polit. P. durch die Rezeption der Kreislauf-Theorie des Ibn Chaldun abgelöst. Diese Lehre wurde den mannigfachen Wandlungen, die der osmanische Staat im 17. Jh. erlebt hatte, besser gerecht. Sie war eine Rechtfertigung der restaurativen Reformpolitik und zugleich eine Rechtfertigung der Erfolgslosigkeit dieser Politik.

1 M. V. ANASTOS, Pletho's calendar and liturgy, in: Dumbarton Oaks papers 4, 1948 2 J. DRÄSEKE, Plethons und Bessarions Denkschriften »Über die Angelegenheiten im Peloponnes«, in: Neue Jb. für das Klass. Alt., Gesch. und Dt. Lit. 14, 102–119 3 A. ELISSEN, Georgius Gemistus Plethon's Denkschriften über die Angelegenheiten des Peloponnes, Leipzig 1860 (Analekten der mittel- und ngriech. Lit. 4,2) 4 K. RÖHRBORN, Unt. zur osmanischen Verwaltungsgesch., 1973 (Stud. zur Sprache, Gesch. und Kultur des islamischen Orients, N. F. 5) 5 F. TAESCHNER, Plethon, ein Vermittler zw. Morgenland und Abendland zu Beginn der Ren., in: Byz.-ngriech. Jb. 8, 100–113.   KLAUS RÖHRBORN

Pompeji A. EINLEITUNG B. VON 79 NACH CHRISTUS BIS ZUM BEGINN DER NEUZEITLICHEN AUSGRABUNGEN C. AUSGRABUNGEN VON 1748 BIS ZUR VEREINIGUNG ITALIENS D. AUSGRABUNGEN VON 1860 BIS HEUTE E. DOKUMENTATION UND KARTOGRAPHIE F. WISSENSCHAFTLICHE BEDEUTUNG G. WIRKUNGSGESCHICHTE

A. EINLEITUNG

›Es ist viel Unheil in der Welt geschehen, aber wenig, das den Nachkommen so viel Freude gemacht hätte.‹ Dieses Diktum Goethes in seiner *Italienischen Reise* hat für Viele bis h. Gültigkeit. Der einmalige Erhaltungszustand der Ruinen und der scheinbar direkte Einblick in das tägliche Leben der einstigen Bewohner haben alle Besucher von Anbeginn an berührt. P. ist damit zum Sinnbild der vermeintlichen Nähe und Lebendigkeit der Ant. geworden. Die kleine Landstadt am Vesuv wurde so zum Bezugspunkt und Beleg für viele Aspekte des röm. Lebens. Die kulturhistor. Aussagekraft P. wurde jedoch erst allmählich erschlossen. Die Probleme von Beobachtung, Dokumentation, Konservierung und Auswertung überlagern bis h. die methodischen Möglichkeiten, die dieser einzigartige Befund bietet. Gleichzeitig gehört P. mit mehr als zwei Mio. Besuchern im J. zu den Hochburgen des Bildungstourismus. Nicht nur die »Wiedererweckung« der Stadt, auch ihre Zerstörung durch Witterung und Besuchermassen beschäftigen deshalb h. Administration, Wissenschaft und Medien.

B. VON 79 NACH CHRISTUS BIS ZUM BEGINN DER NEUZEITLICHEN AUSGRABUNGEN

Pompeji war nur so weit vom Vesuv verschüttet worden, daß die Umrisse der großen Gebäude als Orientierungspunkte offenbar erkennbar blieben. Deshalb scheint man bereits bald nach der Katastrophe gezielt nach Bronze, Marmor und anderen wertvollen Materialien gesucht zu haben. Raubgräben, durchschlagene Hausmauern und sogar Graffiti und Skelettreste verschütteter Raubgräber zeugen von einer umfassenden Durchforschung der Stadt, wobei der Umfang dieser Aktivitäten im Einzelnen umstritten bleibt (z. B. auf dem Forum). Der Stadthügel wurde jedoch nie wieder nennenswert besiedelt. Bisher sind nur wenige Körperbestattungen aus der mittleren Kaiserzeit bekannt. Ende des 16. Jh. wurde von dem Architekten Domenico Fontana ein Wasserkanal im Tunnelvortrieb vom Sarno durch die ant. Stadt nach Torre Annunziata gelegt. Doch obwohl man damals auf zwei Inschr. stieß und mit dem Flurnamen »Cività« bereits ein deutlicher Hinweis auf den ungewöhnlichen Charakter dieser Gegend vorlag, wirkten die Ruinen offenbar zu unbedeutend, um Ausgrabungen zu initiieren.

C. Ausgrabungen von 1748
bis zur Vereinigung Italiens

Erst 1748 entschied man sich, in P. wie bereits in → Herculaneum und → Stabia punktuell nach Skulpturen und Wandmalerei zu suchen. Ab 1755 wurde dann kontinuierlich ausgegraben. Konzeption und Leitung lagen in denselben Händen wie in Herculaneum. Unter der Oberleitung Roque Joachim de Alcubierres führte zunächst Karl Jakob (Carlo) Weber [48] die örtliche Grabungsaufsicht, nach dessen Tod von 1764 bis 1804 Francesco La Vega, der nach Alcubierres Tod auch dessen leitenden Funktionen übernahm. Zunächst wandte man sich einzelnen Komplexen in verschiedenen Bereichen der ant. Stadt zu, die z. T. wegen ihrer Lage an den Kanten des Stadthügels leicht erkennbar waren und auch auf Grundstücken lagen, deren Besitzer Ausgrabungen gegen Zahlung von Entschädigungen zuließen. Auf den Komplex der Villa der Iulia Felix (1754–1757, Abb. 6,1) folgte die sog. Villa des Cicero (Abb. 6,2) vor dem Herkulaner Tor (1754, 1762–1775). Beide wurden nach Bergung der Funde, der Abnahme ausgewählter Wandmalereien und ihrem Transport in das Mus. von Portici wieder verschüttet. Zeitweise wurden sogar die am Ort verbleibenden Malereien und Mosaiken zerstört, um Diebstahl und Export zu verhindern. Erst die Bereiche um Isistempel/Theater (ab 1764, Abb. 6,3) [52] und um das nordwestl. Stadttor (sog. Herkulaner Tor, ab 1763, Abb. 6,4) blieben offen liegen und konnten besichtigt werden (Abb. 1). Mit wenigen Arbeitskräften und nur schleppend erweiterte man die beiden weit voneinander entfernt gelegenen Areale allmählich um benachbarte Häuserblöcke; 1771–1775 fügte man als weiteres Areal noch die extraurbane Villa des Diomedes (Abb. 6,5) hinzu. Eine Inschr. vor dem Stadttor hatte 1763 mit der Nennung der *res publica pompeianorum* die bis dahin umstrittene Identität des Ortes gesichert. Der zunehmende Besucherstrom führte sogar zur Einrichtung der Taverna del Rapillo (»Gasthof zum Bimsstein«). Funde und Ausschnitte qualitätvoller Wandmalerei kamen jedoch weiter ins Mus., obwohl die Idee zur Einrichtung eines Mus. unter freiem Himmel schon

im 18. Jh. formuliert wurde [46]. Erst 1807 entwickelte der neue Soprintendente und Direttore degli Scavi del Regno, Michele Arditi (1807–1838 im Amt), für den seit 1806 regierenden Joseph Bonaparte ein durchdachtes Konzept, das für die kommenden Jahrzehnte Gültigkeit behielt: Aufkauf oder Enteignung des ganzen Geländes, Verbindung der einzelnen offen liegenden Grabungsgebiete entlang der Straßen und Erkundung der Stadtmauer und ihrer Tore. Unter frz. Herrschaft wurden so bis 1815 vor der Stadt die Gräberstraße, innerhalb der Mauern die Via Consolare, Teile des Forums und seiner Umgebung sowie eine Reihe von Häuserblocks v. a. im Nordwesten der Stadt freigelegt (u. a. Casa di Sallustio 1805–1809, Abb. 6,6, Basilika ab 1813). Außerdem wurde der Verlauf der Stadtbefestigung weitgehend geklärt. Während der bourbonischen Restauration wurden diese Arbeiten fortgesetzt, wenn auch in immer langsamerem Tempo. Um 1860 war damit der westl. Teil der Stadt weitgehend bekannt. Zu den wichtigsten Funden gehören der Apollo-Tempel (ab 1817, Abb. 6,7) und der Bau der Eumachia (ab 1817, Abb. 6,8), die Case del Poeta Tragico (1823–1827, Abb. 6,9), del Fauno (1829–1833, Abb. 6,10), di Meleagro (ab 1829, Abb. 6,11), und die Stabianer Thermen (1853–1858, Abb. 6,12). Die eigentliche Ausgrabungstechnik blieb bis in die Mitte des 19. Jh. grundsätzlich gleich: Haus um Haus wurde vom Eingang aus auf dem Straßenniveau von 79 n. Chr. freigeräumt und seines wesentlichen Schmucks beraubt, über den verbleibenden Resten vereinzelt schon seit dem 18. Jh. Schutzdächer installiert. So sehr diese Zerstückelung schon immer kritisiert wurde, so hat sie doch zur Konservierung wenigstens der wichtigen Bildausschnitte im Mus. geführt, während der Rest der Wände unwiederbringlich verloren ist. Insgesamt vgl. [3; 24].

D. Ausgrabungen von 1860 bis heute

Mit dem Übergang Neapels an das Königreich Italien und unter dem neuen Grabungsleiter Giuseppe Fiorelli [25] (Grabungsleitung 1860–1875) wurden die Arbeiten wieder intensiviert. Häuserblock für Häuserblock legte man systematisch die nördl., fast ausschließlich mit Wohnbauten besiedelten Stadtteile von Westen nach Osten frei. Auf Fiorelli geht auch eine administrative Reorganisation, die Einrichtung einer spezialisierten Schule für Grabungs- und Restaurierungshandwerker und v. a. die noch h. in den Grundzügen gültige Einteilung der Stadt in Regionen, Insulae und Hauseinheiten zurück [32]. Aus seiner Hand stammt auch der erste offizielle Führer durch P. [3]. Schon unter bourbonischer Herrschaft, vermehrt aber unter Fiorelli, nahm die Genauigkeit der Beobachtung zu. Hohlräume (Bäume, Tote, Türen und Einrichtungsgegenstände aus organischem Material) wurden ausgegossen, Obergeschosse von Bauten erstmals registriert und restauriert (Via del balcone pensile). Michele Ruggiero (1875–1893), Giulio de Petra (1893–1900; 1906–1910) und Antonio Sogliano (lokale Leitung 1905–1910) setzten diese Grabungspolitik fort (u. a. die Case di Caecilius Iucundus,

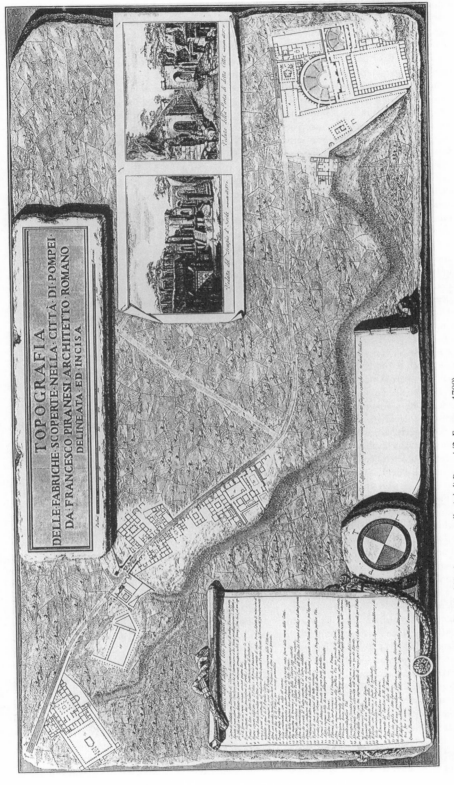

Abb. 1: Francesco Piranesi, *Topografia delle fabbriche scoperte nella città di Pompei* (2. Fassung, 1788).
Der als Ganzes wenig, im Detail aber recht korrekte Plan zeigt die beiden freigelegten Bereiche
um das Stadttor und das Theater

1875, Abb. 6,13, del Centenario, 1880, Abb. 6,14, delle Nozze d'argento ab 1883, Abb. 6,15, dei Vettii ab 1894, Abb. 6,16, di Lucrezio Fronto ab 1899, Abb. 6,17). In diesen Häusern blieb die Wandmalerei am Ort und wurde dort konserviert und überdacht. Schließlich stellte man auch Skulpturen wieder in den Gärten auf und pflanzte sie in ant. Manier neu an, um endlich die alte Forderung nach original wirkenden Ensembles zu erfüllen.

Mit Vittorio Spinazzola (1911–1923) änderte sich das Konzept [52]. Er folgte der Via dell'Abbondanza von Westen nach Osten, legte vornehmlich die Fassaden frei und drang nur in die lohnend erscheinenden Häuser auch ein (Case del Criptoportico, Abb. 6,18; di Loreio Tiburtino, Abb. 6,19 u. a.). Seine Forsch. erlaubten eine weitgehende Rekonstruktion der Dachlandschaften, deren Wiederaufbau einen besseren Schutz der ant. Räume ermöglichte. Unter Amedeo Maiuri (1923–1961) galt das Interesse zuerst großen Komplexen, wie der bereits 1911 entdeckten Villa dei Misteri (Abb. 6,20) und der Casa del Menandro (Abb. 6,21), dann konzentrierte er sich auf die Geschichte der Stadtmauern und führte v. a. im Zentrum der Stadt erstmals Sondagen unter das Niveau von 79. n. Chr. durch. Moderne stratigraphische Grabungsmethoden blieben aber noch lange die Ausnahme und haben sich erst in den letzten Jahrzehnten durchgesetzt. Nach dem Krieg nutzte Maiuri den Bedarf an Planierungsschutt zum Autobahnbau um z. T. mit mechanischen Mitteln den alten Grabungsabraum abzutragen und dann die südl. Nekropole (Abb. 6,22) und die bis dahin noch verschütteten Teile der Stadt im Süden (Regio I und II) rasch freizulegen [39]. Da diese hektischen Aktivitäten zu großen Defiziten in der wiss. Bearbeitung und zu Problemen bei der Konservierung führten, erfolgte unter Alfonso De Franciscis (1961–1977) eine weitgehende Reduzierung der Ausgrabungen (Haus des Fabius Rufus 1960ff. (Abb. 6,23) und Haus der Polybii ab 1966, Abb. 6,24), die dann unter Fausto Zevi (1977–1982) fast vollständig eingestellt wurden. Einzelne spektakuläre Gebiete wurden unter Baldassare Conticello (1984–1994) freigegelegt (Hafengebiet ab 1982 [38], Casa delle Nozze di Alessandro ab 1985, Abb. 6,26). Mittlerweile beschränkt sich die Grabungstätigkeit zumeist auf ausgewählte Tiefgrabungen. Eine Freilegung der ganzen Stadt ist nicht so bald zu erwarten und auch nicht wünschenswert. Die großen Probleme bei der Erhaltung der Ruinen zwingen h. zu Maßnahmen, die dem Wunsch nach einem kompletten Freilichtmuseum wiedersprechen: Witterungsbedingte Erosion, Schäden durch ein Erdbeben 1980, Diebstahl und die Belastung durch den Massentourismus haben die Verantwortlichen zur Auflösung der Ensembles, zur Schließung vieler Häuser und zur Sperrung ganzer Straßenzüge gezwungen, was immer wieder zu heftiger Kritik in den Medien führt. Im weiteren Umfeld der Stadt, das hier nicht im Einzelnen behandelt werden kann, zwingen jedoch Haus- und Straßenbaustellen immer wieder zu Notgrabungen, mit

z. T. spektakulären Funden. Erwähnt seien die Grabungen in der *località* Murecine nahe der ant. Sarnomündung, wo 1959 und erneut 1999/2000 bei Straßenarbeiten ein gut erhaltener Komplex mit mehreren Trikklinien und gut erhaltener Wandmalerei des 4. Stils und Teilen eines privaten Archivs freigelegt wurde [27].

E. Dokumentation und Kartographie

Der Gedanke, den überwiegenden Teil der sich ausdehnenden Ruinenlandschaft zugänglich zu erhalten, hat zu großen Verlusten an ant. Substanz – v. a. der Wandmalerei – geführt. Die zeitgenössische Dokumentation der Befunde hat deshalb bis h. große Bedeutung. Ihrer Erschließung hat man sich in den letzten J. vermehrt gewidmet. Lange hatte man die Dokumentation der bourbonischen Ausgräber für mangelhaft gehalten, da nur die wöchentlichen Berichte der lokalen Grabungsleitung veröffentlicht [3; 15] und einzelne Funde und Ausschnitte der Wandmalerei in den Antichità di Ercolano abgebildet waren. Mittlerweile weiß man jedoch, daß schon seit den 1760er J. mit großer Sorgfalt nicht nur die einzelnen Gemälde, sondern auch ganze Wände in ihrem originalen Erhaltungszustand maßstäblich dokumentiert wurden ([37], bes. der Band *L'immagine di P. nei secoli XVIII e XIX*). Obwohl z. B. die Dokumentation der Villa di Diomede und des Isistempels bereits in Stiche umgesetzt waren, kam es nie zu ihrer Publikation. Auch in der zweiten bourbonischen Periode wurden seit den 20er J. des 19. Jh. stets Zeichner beschäftigt, ihre Arbeiten jedoch selten abgedruckt. Zwar waren nun auch an unterschiedlichen, h. oft schwer zugänglichen Stellen offizielle Grabungsberichte und Illustrationen erschienen (*Real Museo Borbonico*; *Memorie della Reale Accademia Ercolanese*), doch erst Giuseppe Fiorelli richtete eine eigene Zeitschrift ein (*Giornale degli Scavi di Pompei 1868–1879*, ab 1876 in den *Notizie degli Scavi*), in denen regelmäßig, zunehmend durch Fotografien unterstützt, über den Fortgang der Ausgrabungen unterrichtet wurde. Diese Initiative wurde mit den *Cronache Pompeiane* (1975–1979) und der *Rivista di Studi Pompeiani* (ab 1989) wieder aufgenommen. Als Instrument der Dokumentation war ab 1806 auch an einem Modell der Stadt im Maßstab 1:48 aus Kork gearbeitet worden, das alle Wanddekorationen, Mauertechniken usw. wiedergab. Davon sind nur noch Akten in den Archiven und eine von Ludwig I. erworbene Ausschnittkopie erhalten [40]. Eine zweite, verkleinerte Fassung (1:100) befindet sich im Nationalmuseum Neapel und überliefert viele verlorene Einzelheiten [2. 52–57; 49].

Die restriktive Politik der Bourbonen, die die Besuche reglementierte, das Zeichnen verbot und für keine eigenen Publikationen sorgte, führte zu einer großen Nachfrage nach anderen, oft illegal entstandenen Illustrationen. Pietro Fabris bereicherte 1774 den Ber. des britischen Botschafters William Hamilton [8–10]. Offensichtlich ohne offizielle Erlaubnis entstand die aufwendige Darstellung P. in Saint-Nons *Voyage Pittoresque* (1782) [18; 42] (Abb. 2). Pläne und Ansichten Giovanni

Abb. 2: Jean Honoré Fragonard, Ansicht eines Kellerraums
in Pompeji (1774, gestochen 1781, in *Voyage Pittoresque*).
Die im sogenannten Haus Josephs II. spielende Szene betont den
plötzlichen tragischen Untergang der Stadt, der ihre Besucher erschüttert.
Das Blatt wurde vielfach kopiert und variiert

Battista Piranesis, die er kurz vor seinem Tod 1778 anfertigte, wurden größtenteils erst 1804 von seinem Sohn
Francesco gestochen und gedruckt [16]. Kleine Serien
von kolorierten Veduten entstanden nach Vorlagen von
Louis Jean Desprez und Philipp Hackert gegen E. des Jh.
[57]. Derartige Veduten wurden dann in großer Zahl im
19. Jh. von Giacinto Gigante und der Malerschule von
Posilippo für Touristen hergestellt [31]. Mit Billigung
und z. T. im Auftrag der frz. Herrscher arbeitete François Mazois über J. an einer monumentalen Darstellung,
die bis 1838 in vier Bänden erschien und hauptsächlich
auf die Architektur einging [13]. Gleichzeitig wurde
eine Reihe qualitätvoller Gesamtdarstellungen in verschiedenen Sprachen veröffentlicht, Zeichen eines zunehmenden Interesses für P. (u. a. [6; 7]). Die umfassenden Bauaufnahmen der Romstipendiaten der Académie
des Beaux-Arts aus dem 19. Jh. waren erst 1981 in Ausstellungen zu sehen [28]. Spezielle Publikationen zur
Wandmalerei überliefern h. verlorene Wanddekorationen als Kopistenvorlagen [17; 20; 23]. In Umriß-Stichen
sammelten Henri Roux und Louis Barrée die meisten
figürlichen Bildthemen [19]. Auch das umfassende Tafelwerk der Niccolini (1854–1896) besitzt bis h. Quellenwert [14; 2]. Ausführliche, oft eigenständige Ber.
ausländischer Beobachter finden sich in Zeitschriften
wie dem *Bullettino dell'Instituto di Corrispondenza Archeologica* und den *Röm. Mitteilungen* des Deutschen Archäologischen Instituts. Hier sind v. a. die Beitr. eines der
bedeutendsten Pompeianisten, August Mau, zu nennen,
die in seine bis h. unentbehrliche Gesamtdarstellung
von P. mündeten [12].

In der zweiten H. des 19. Jh. traten dann Fotoserien
von Brogi, Alinari und anderen neben die gedruckten

Führer [51]. Dokumentation des Erhaltenen und Rekonstruktion des Verlorenen stehen h. mehr denn je im
Mittelpunkt arch. Tätigkeit. Hervorzuheben sind hier
die vom Istituto Centrale per il Catalogo e la Documentazione angeregte, äußerst üppig illustrierte und auf
elf Bände konzipierte Reihe *Pompei. Pitture e Mosaici*
[37] und das dt. Projekt der *Häuser in Pompeji*, das sich
einer sehr detaillierten, auch zeichnerischen Bestandsaufnahme bereits seit längerem ausgegrabener Häuser
verschrieben hat [54].

Auch im Bereich der arch. Kartographie wurde in P.
Neuland betreten. Der dokumentarische Wert dieser
histor. Pläne muß ebenfalls hoch eingeschätzt werden,
da sie h. verlorene oder durch Restaurierungen verfälschte Befunde überliefern können [29] (viele Abb. in:
[33; 41; 55. Bd. V]). Der erste, bereits von F. La Vega
angefertigte, bis h. nur unvollständig publizierte Plan ist
im einzelnen genau, in der Darstellung der Gesamtanlage jedoch sehr fehlerhaft. Das trifft auch für den Stadtplan Francesco Piranesis zu, dem einzigen, der damals
käuflich zu erwerben war ([40a] Abb. 1). Er erschien zw.
1785 und 1793 in drei Fassungen. Geodätisch genaue
Pläne (1:500) entstanden in den 1820er Jahren. Sie wurden regelmäßig aktualisiert, blieben aber gleichfalls unpubliziert [46]. Die üblichen, den verschiedenen Beschreibungen beiliegenden Übersichtspläne (meist
1:3000) beruhen oft auf diesen Vorarbeiten. Pläne einzelner Insulae (1:200) entstanden v. a. unter Pietro Bianchi zw. 1831 und 1845, verschwanden jedoch gleichfalls in den Archiven [46]. Auf Veranlassung von G. Fiorelli fertigte Giacomo Tascone 1885 einen Plan 1:1000
an, der für den Kernbereich der Stadt bis h. die Grundlage neuerer Darstellungen (H. Eschebach, J. Müller-

Abb. 3: Karl Pawlowitsch Brjullow, *Der letzte Tag von Pompeji* (1827–1833).
Das nach genauen archäologischen Beobachtungen gemalte Bild
inspirierte Bulwer Lytton zu seinem gleichnamigen Roman

Trollius) bildet [29; 30]. Auf photogrammetrischer
Grundlage entstand schließlich der Plan (1:1000) des
Corpus Topographicum Pompeianum, dessen Ausschnitte
im doppelten Maßstab nur in Teilen erschienen sind [54.
Stadtplan und Bd. III A]. Insgesamt vgl. [3; 5; 15; 36; 41].

F. WISSENSCHAFTLICHE BEDEUTUNG

Mangels monumentaler Architektur und bedeutender Skulpturen, den traditionellen Wegweisern zur
Größe der Ant., konzentrierte man sich in P. wie in den
anderen Vesuvstädten von Beginn an auf zwei Bereiche:
die Zeugnisse des täglichen Lebens und die Malerei.
Schon Winckelmann ging in seinen *Sendschreiben* [22]
auf solch profanes Gerät ein, und die Erforsch. des *Instrumentum Domesticum* bleibt bis h. ein wesentlicher
Gegenstand pompejanischer Studien. Einen oft intimen
Einblick in das tägliche Leben bieten auch die zahllosen,
in der Mehrzahl zerstörten Graffiti und Dipinti (gemalte
Inschr.), die auch eine Analyse der lokalen Alltagssprache erlauben. Sie wurden bereits im 19. Jh. ausführlich
studiert. Vor allem mit ihrer Hilfe entwickelte später
Matteo Della Corte über Jahrzehnte ein prosopogra-
phisches System [26], das die Fiktion von der Gegen-
wärtigkeit der Ant. in faszinierender Weise wiss. untermauern wollte, sich mittlerweile aber gerade wegen
dieses unhistor. Zugangs in vielen Punkten als falsch
erwiesen hat. Eine einzigartige Quelle zum Banken-

wesen bieten die Holztäfelchen des Caecilius Iucundus.
Die Wandmalerei wurde zunächst nur als oft wenig qua-
litätvolle Illustration myth. Themen verstanden. Seit der
Mitte des 19. Jh. versuchte man sie als Beleg für die
verlorene griech. Malerei auszuwerten, was aber auf
große methodische Schwierigkeiten stößt. Gegen E. des
19. Jh. konnte August Mau durch genaue Beobachtung
von Bau- und Dekorationsphasen eine Entwicklungsgeschichte der röm. Wanddekoration schreiben; seine
vier »Pompejanischen Stile« haben bis h. weitgehend
ihre Richtigkeit behauptet und für die Entwicklung im
ganzen röm. Reich Gültigkeit bekommen [11]. Die zunächst als unscheinbar wahrgenommenen Häuser erlaubten erstmals den Vesuch, vitruvianische Terminologie mit gebauter Architektur in Deckung zu bringen.
Die – stark genormte – Vorstellung vom ital. Atrium-
haus und seiner Erweiterung durch griech. Peristylia
geht weitgehend auf pompejanische Beispiele (Case del
Chirurgo und del Fauno) zurück. Erst in den letzten J. ist
diese eingeschränkte Sichtweise einer differenzierten
Betrachtung der vielfältigen Hausformen gewichen.
Doch auch die öffentlichen Bauten erwiesen sich als
interessanter als zunächst gedacht. Eine ganze Reihe
wichtiger Bautypen der spätrepublikanischen und kaiserzeitlichen Architektur (Thermen, Basilika, Amphitheater, Macellum) ist in P. erstmals überliefert, oft noch

in vorkanonischer Ausprägung. In jüngster Zeit wird verstärkt die Vernetzung aller durch die plötzliche Zerstörung erhaltenen Elemente für neue Fragestellungen genutzt: Häuser, ihre Umbauten und ihre Einrichtung, Inschr. ihrer Bewohner auf dem Forum oder in den Nekropolen. Aus Typologien können so Beschreibungen von Prozessen und Lebensabläufen in einem erhaltenen Stadtbild werden [56].

G. Wirkungsgeschichte

Anders als Herculaneum konnte P. bei Tageslicht und während eines Spaziergangs erfahren werden und gehörte deshalb seit den 1770er J. zu den festen Adressen der Bildungsreisenden [34]. Die Wirkung der Malerei auf die Kunst des 18. und 19. Jh. war sehr unterschiedlich. Die einzelnen Bildthemen wurden nur als dekorative Elemente wahrgenommen und erscheinen als Versatzstücke in der Kleinkunst und der Wanddekoration. Die Dekorationssysteme dagegen, die nur am Ort und nicht im Mus. erlebt werden konnten, führten in ganz Europa zu einer regelrechten, bis in die Mitte des 19. Jh. reichenden Mode pompeianischer Zimmer, wobei der Grad der Adaption sehr stark schwankt [2. 26–39; 44; 58]. Ein Grund für diesen Erfolg war sicher die hoch eingeschätzte Qualität ihrer Ornamente, ein anderer die einfache Tatsache, daß man allein hier eine Vorstellung von der Innenausstattung ant. Räume gewinnen konnte. Seltener wurden Gebrauchsgegenstände kopiert oder ihre ornamentalen Details adaptiert. Kopien der dekorativen Kleinkunst fanden v. a. in der zweiten H. des 19. Jh. ihren Weg in Salons von Bürgertum und Adel (in Neapel die Gießereien Sommer, Chiurazzi und andere).

Trotz einiger phantasievoll belebter Rekonstruktionen durch Jean Louis Desprez in der *Voyage pittoresque* des Abbé de Saint-Non [18; 42] konnte P. erst im 19. Jh. zum Thema in der Malerei werden. Die gewaltige Leinwand *Der letzte Tag von Pompeji* des Russen Karl Pawlowitsch Brjullow (1827–1833) reiste mit großem Erfolg durch verschiedene Städte Europas, bevor sie nach Rußland kam. Brjullow stellte den Untergang als Familiendrama in der Nekropole dar und hatte dazu – so die zeitgenössische Kritik – Grabungsbefunde genau studiert und umgesetzt (Abb. 3). Reflexe dieses Bildes reichen bis zu Laterna-Magica-Projektionen. Später lokalisierten Maler wie Théodore Chassériau histor. Genreszenen in Pompeji. Lawrence Alma Tadema ergänzte seine eigenen Skizzen mit einer reichen Fotosammlung und erschuf daraus eine eigene pompejanische Realität (Beispiele in: [2. 40–47]). Auch die Fotografie nutzte dann die Ruinen für histor. Kostümszenen (Abb. 4).

In der Architektur sind die Reflexe eher selten. Zwar hatte man in Neapel immer wieder den vollständigen Wiederaufbau eines Hauses ins Auge gefaßt (z. B. die Casa di Pansa oder del Fauno), diese Pläne aber nie umgesetzt [46]. Das von Friedrich von Gärtner 1843–1850 für Ludwig I. in Aschaffenburg über dem Main nach dem Vorbild der Casa dei Dioscuri errichtete Pompeianum ist eine Ausnahme [50] (Abb. 5). Das h. zerstörte Palais des Prince Napoleon in Paris (1860) adaptierte nur ausgewählte Elemente des röm. Hauses. Der Pompeian Court im Londoner Kristallpalast (1854) blieb mehr einer idealen Vorstellung als einem konkreten Haus verpflichtet [20]. Vereinzelt erinnern auch noch in diesem

Abb. 4: Nachgestellte Szene mit antiken Figuren in den Ruinen Pompejis (Foto um 1900)

Abb. 5: Carl Richard, Der pompejanische Bau bei Aschaffenburg (1859).
Aus einem pompejanischen Stadthaus wird in Gärtners Umsetzung
ein belebter, freistehender Baukomplex in exponierter Lage über dem Main

Jh. Entwürfe an pompejanische Vorbilder, doch haben die allenthalben als Atrien bezeichneten Höfe mod. Bungalows nur noch den Namen damit gemein.
→ AWI Herculaneum; Stabiae

QU **1** E. G. Bulwer-Lytton, The Last Days of P., London 1834 **2** R. Cassanelli et al., Le case e i monumenti di P. nell'opera di Fausto e Felice Niccolini, 1997 **3** G. Fiorelli, Pompeianarum Antiquitatum Historia, 3 Bde., Napoli 1860–1864 **4** Ders., Descrizione di Pompei, Napoli 1875 **5** M. Forcellino, Camillo Paderni Romano e l'immagine storica degli scavi di P., Ercolano e Stabia, 1999 **6** W. Gell, J. P. Gandy, Pompeiana, London 1817–1819 **7** W. Gell, Pompeiana: The results of Excavations since 1819, London 1832 **8** W. Hamilton, Account of the Discoveries at P., in: Archaeologia 4, 1777, 160–175 (z. T. abgebildet in [9]) **9** I. Jenkins, K. Sloan, Vases and Volcanoes, Ausstellungskat. London 1996 **10** G. H. Martini, Das gleichsam auflebende P., Leipzig 1779 **11** A. Mau, Gesch. der decorativen Wandmalerei in P., Berlin 1882 **12** Ders., P. in Leben und Kunst, 1900, ²1907 **13** F. Mazois, Les Ruines de Pompei dessinées et mesurées pendant les années 1809–1811, 4 Bde., Paris 1812–1838 **13a** E. Moormann, Una città mummificata: qualche aspetto della fortuna di Pompei nella letteratura europea ed americana, in: Pier Giovanni Guzzo (Hrsg.), Pompei e società, 2001, 9–17 **14** A., F. und F. Niccolini, Le case ed i monumenti di P. designati e descritti, 4 Bde., Neapel 1854–1896 (teilweise nachgedr. in [2]) **15** M. Pagano, I diari di scavo di P., Ercolano e Stabia di Francesco e Pietro La Vega (1764–1810), 1997 **16** F. Piranesi, Antiquités de la Grande Grèce, 4 vols., Paris 1804–1819 **17** E. Presuhn, Die pompeijanischen Wanddecorationen für Künstler und Kunstgewerbeschulen, Leipzig 1877, mit Nachträgen 1878 und 1882 **18** J.-C. Richard Abbé de Saint-Non, Voyage pittoresque ou déscription des Royaumes de Naples e de Sicile, 4 Bde., Paris 1781–1786 (bes. Bd. II, 1782) **19** H. Roux, L. Barré, Herculanum et P. Receuil général des peintures, bronzes, mosaïques etc., Paris 1840 **20** G. Scharf, The Pompeian Court in Crystal Palace, London 1854 **21** W. Ternite, Wandgemälde aus P. und Herculanum, Berlin 1839–1858 **22** J. J. Winckelmann, Nachrichten von den neuesten herculanischen Entdeckungen, Dresden 1764 (Neu ediert und kommentiert in St.-G. Bruer, M. Kunze (Hrsg.), J. J. Winckelmann, Schriften und Nachlaß, Bd. 2,2, 1997) **23** W. Zahn, Die schönsten Ornamente und merkwürdigsten Gemälde aus P., Herkulanum und Stabiae, Berlin 1828–1859

LIT **24** E. C. Corti, Untergang und Auferstehung von P. und Herculaneum, 1940, ⁹1978 **25** S. De Caro, P. G. Guzzo, Giuseppe Fiorelli nel primo centenario della morte. Atti del Convegno Napoli 19–20 marzo 1997, 1999 **26** M. Della Corte, Case ed abitanti di Pompei, ³1965 **27** A. De Simone, S. C. Nappo (Hrsg.), »...mitis Sarno opes«, 2000 **28** Ecole Nationale Supérieure des Beaux-Arts (Hrsg.), P. Travaux et envois des architectes français au XIXᵉ siècle, Ausstellungskat. Paris-Neapel 1981 **29** H. Eschebach, Zur städtebaulichen Entwicklung des ant. P. Mit einem Stadtplan 1:1000, 1970 **30** L. Eschebach (Hrsg.), Gebäudeverzeichnis und Stadtplan der ant. Stadt P., 1993 **31** L. Fino, Ercolano e P. Vedute neoclassiche e romantiche, 1988 **32** L. García y García, Divisione Fiorelliana e piano regolatore di P., in: Opuscula Pompeiana

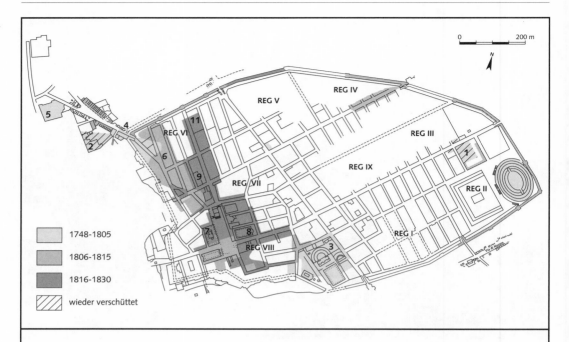

Abb.6: **Pompeji. Fortschritte der Ausgrabungen seit 1748**

1 Villa der Iulia Felix	10 Haus des Fauns	19 Haus des Loreius Tiburtinus
2 Villa des Cicero	11 Haus des Meleager	20 Mysterienvilla
3 Theater und Isis-Tempel	12 Stabianer Thermen	21 Haus des Menander
4 Herkulaner Tor	13 Haus des Caecilius Iucundus	22 Nekropole vor dem Nuceriner Tor
5 Villa des Diomedes	14 Haus der Jahrhundertfeier	23 Haus des Fabius Rufus
6 Haus des Sallust	15 Haus der silbernen Hochzeit	24 Haus der Polybii
7 Tempel des Apollo	16 Haus der Vettier	25 Vorstadt-Thermen
8 Gebäude der Eumachia	17 Haus des Lucretius Fronto	26 Haus der Alexanderhochzeit
9 Haus des tragischen Dichters	18 Haus des Kryptoporticus	

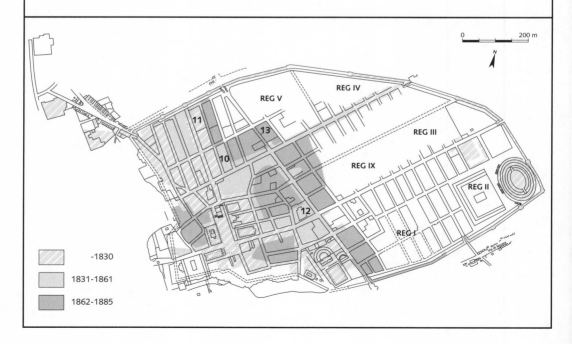

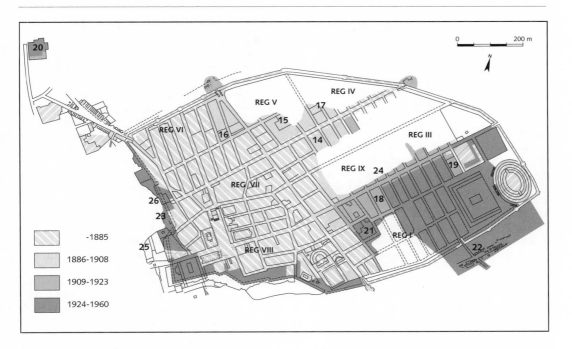

Legend:
- -1885
- 1886-1908
- 1909-1923
- 1924-1960

0 200 m
N

3, 1993, 55–70 **33** Ders., Nova Bibliotheca Pompeiana. 250 anni di Bibliografia Archeologica, 2 Bde., 1998 **34** C. Grell, Herculanum et P. dans les récits des voyageurs français du XVIIIe siècle, 1982 **35** P. Guzzo (Hrsg.), Pompeii. Scienza e società. 2001 **36** Istituto Centrale per il Catalogo e la Documentazione (Hrsg.), P. 1748–1980. I tempi della documentazione, Ausstellungskat. Rom-Pompeji 1981 **37** Istituto della Enciclopedia Italiana (Hrsg.), P. Pitture e Mosaici, 12 Bde., 1990 ff. **38** L. Jacobelli, Le pitture erotiche delle Terme suburbane di P., 1995 **39** V. Kockel et al., Arch. Funde und Forsch. in den Vesuvstädten I und II, in: AA 1985, 495–571; 1986, 443–569 **40** Ders., Das Haus des Sallust in P., in: W. Helmberger, V. Kockel, Rom über die Alpen tragen, 1993, 134–148 **40a** Ders., Arch. und Politik, Francesco Piranesi und seine drei Pompeji-Pläne, in: Riv. di Studi Pompeiani 11, 2001, 33–46 **41** Ders., K. Rieger, P. in Plänen, 2003 **42** P. Lamers, Il viaggio nel Sud del Abbé de Saint-Non, 1995 **43** W. Leppmann, P. Eine Stadt in Lit. und Kunst, 1966 **44** M. Mannsperger, J. Migl (Hrsg.), Bilder aus P. Ant. aus zweiter Hand, Ausstellungskat. Stuttgart 1998/99 **45** S. Adamo Muscettola, Problemi di tutela a Pompei nell'Ottocento: il fallimento del progetto di esproprio murattiano, in: [35. 29–49] **46** M. Pagano, Pietro Bianchi archeologo, in: N. Ossanna Cavadini, Pietro Bianchi 1787–1849. Architetto e archeologo, Ausstellungskat. Rancate-Neapel-Rom 1995/96, 151–160, 184–186 **47** Ders., Metodologia dei restauri borbonici a P. ed Ercolano, in: Rivista di Studi pompeiani 5, 1991/92, 169–191 **48** Chr. Ch. Parslow, Rediscovering Antiquity, 1995 **49** V. Sampaolo, La realizzazione del plastico di P., in: Museo. Rivista del Sistema Museale Italiano 3, 1993, 79–95 **50** K. Sinkel, Pompejanum in Aschaffenburg, 1984 **51** Soprintendenza Archeologica di Pompei (Hrsg.), Fotografi a P. nel '800, Ausstellungskat. Pompeji 1991 **52** Soprintendenza Archeologica per le Province di

Napoli e Caserta (Hrsg.), Alla ricerca di Iside, Ausstellungskat. Neapel 1992 **53** V. Spinazzola, P. alla luce degli scavi nuovi di Via dell'Abbondanza (anni 1910–1923), 1953 **54** V. M. Strocka (Hrsg.), Häuser in P., 1984 ff. **55** H. B. Van der Poel (Hrsg.), Corpus Topographicum Pompeianum (Bisher erschienen Bde. II, III, IIIA, IV, V), 1977 ff. **56** A. Wallace-Hadrill, Houses and Society in P. and Herculaneum, 1994 **57** R. Wegner, P. in Ansichten Jakob Philipp Hackerts, in: Zschr. für Kunstgesch. 61, 1992, 66–96 **58** P. Werner, P. und die Wanddekoration der Goethezeit, 1970 **59** Chr. Zintzen, Von P. nach Troja, 1998.   VALENTIN KOCKEL

Pompeji/Rezeption des freigelegten Pompeji in Literatur und Film

A. Einleitung   B. Genese des Stoffes
C. Entfaltung im 19. Jahrhundert
D. Aktualisierung und Trivialisierung im
20. Jahrhundert

A. Einleitung

Pompeji sei ein ›hundertjähriges Zauberwort‹, schrieb Walter Benjamin 1925 [2] und deutete an, daß die gut hundert Jahre andauernde lit. Rezeption der Stadt eine größere Wirkung ausgeübt habe als die Überreste selbst. Die spekulative Rekonstruktion der Überreste und die Schilderungen des Untergangs durch Plinius (Lib. VI, Epist. XVI und XX) und Cassius Dio (Röm. Geschichte 66,21 ff.) begründeten den lit. Stoff, der sich ausgehend von der Reise-Lit. [31; 36] über die Grenzen der National-Lit. hinaus formierte [34; 35; 37; 40; 41]. Während sich Verschüttung und Ausgrabung zu der Vorstellung von Niedergang und Wiedergeburt der klass. Ant. fügten, inspirierte die polychrome, kleinteilige und obszön verzierte Architektur P. das Bild einer antiklassizistischen Antike. Wenngleich nicht alle Dichtungen von lit. Wert sind, spiegeln sie doch die Muster, mit denen P. wahrgenommen und der geschichtsleere Stoff kulturkritisch aktualisiert wurde [43].

B. Genese des Stoffes

Die einzigartige Entdeckung der kunstsinnigen Vesuvstädte und die sich darin ausdrückende Konvergenz des 18. Jh. mit der klass. Ant. stehen am Anf. der Stoffgeschichte. Die Ausgrabung wurde zum Symbol für die Wiederbelebung der graeco-romanischen Ant., die Friedrich Schiller mit der Elegie *Pompeji und Herkulanum* (1796) und Johann Isaak Gerning mit der Ode *Pompeji* (1802) in antikisierender Form feierten. Zur gleichen Zeit konnotierte Johann Jakob Jägle in seiner Elegie *Pompeji* (1797) die Ausgrabung christl., wenn er mutmaßt, daß auch den heidnischen Pompejanern analog zu den freigelegten Überresten die Gnade der Auferstehung zuteil geworden sein müsse [17. 17]. Anders aber als in den histor. Dichtungen des 19. Jh. dient ihm das Auferstehungsmotiv nicht zur Distinktion zw. Heiden und Christen, sondern erscheint als universale Metapher für die lebendige Antike. Bis auf wenige Ausnahmen wurden alle Dichtungen durch einen Besuch der Ausgrabungen inspiriert, so daß fließende Übergänge zw. Stadtbeschreibung, narrativer Rekonstruktion und Fiktion die Rezeption charakterisieren. Meist unter dem unmittelbaren Eindruck eines Besuchs der Ausgrabungen gestalten die Gedichte von Friederike Brun [4; 5], Gustav von Ingenheim [16], Giacomo Leopardi [21] und Wilhelm Waiblinger [32] P. als sinnlich erfahrbares Medium der Geschichtsreflexion.

Während Schiller – ohne eigene Anschauung – meinte, in der Freilegung → Herkulaneums und P. die klass. Ant. wiederbelebt zu sehen, staunten Reisende über das unerwartete Erscheinungsbild der kleinen, unregelmäßigen, bunten und fensterlosen Gebäude [36]. Das röm. Alltagsleben, wie es unter der Asche konserviert worden war, bereicherte den Stoff um intime und obszöne Details, während der Isiskult exotische Assoziationen weckte. Vitruvs Anmerkungen zum häuslichen Leben in *De architectura* und die satirischen Schilderungen der *Cena Trimalchonis* des Petronius ergänzten bereits in der Reise-Lit. die kulturgeschichtlichen Realien zu einem *tableau vivant*. Insbesondere die seit Sulla (1. Jh. v. Chr.) geführte Bezeichnung *Colonia Veneria Cornelia* legte den Fehlschluß nahe, daß es sich angesichts der erotischen Malereien und obszönen Plastiken um eine Stadt der Göttin Venus gehandelt habe, deren Bewohner es mit der Moral nicht so genau nahmen. 1819 greift Karl Ludwig Nicolai die gefährdende Sinnlichkeit als *genius loci* für den Briefroman *Das Grab am Vesuv* auf. Seit Mitte des 19. Jh. bildeten neben dem Topos der Venusstadt [3; 30; 7] die Geschichtsreflexion [12; 21], das Auferstehungsmotiv [17; 19; 26] sowie der Antagonismus aus Kunst und Leben [1; 22] das Stoff-Repertoire für die Rezeption Pompejis.

C. Entfaltung im 19. Jahrhundert

Edward Georg Bulwer-Lyttons *The Last Days of Pompeii* (1834) begründete das Genre der histor.-arch. Romane [38]. Bereits kurz nach seinem Erscheinen wurde der → Roman in mehrere Sprachen übersetzt und avancierte zum einflußreichen Vorbild für die lit. P.-Rezeption [20; 28; 33; 11; 24]. Bulwers Erfolg beruhte v. a. auf einer Synthese, die die detailrealistische Rekonstruktion der Überreste mit Elementen der *gothic novel* verbindet und den arch. gesicherten Stoff um die Fiktion einer – bis h. nicht nachweisbaren – christl. Gemeinde erweitert. Intrigante Isispriester und die Konflikte zw. Heiden und Christen verleihen dem statischen Stoff dabei die Dynamik einer Handlung, die auf den Vesuvausbruch zuläuft. Die Deutung des Ausbruchs als Strafgericht über die pompejanischen Ausschweifungen wurde von den späteren histor. Bearbeitungen des Stoffes übernommen. Dabei verengte sich das Auferstehungsmotiv von der in P. wiederbelebten Ant. allmählich auf die verfolgten Christen. Während in Thomas Grays Roman *The Vestal or a Tale of Pompeii* (1830) der in die Zeit der Domitianischen Christenverfolgung verlegte Vesuvausbruch auch alle Christen mit in den Tod reißt, werden sie in Bulwers Roman, Woldemar Kadens Novelle *In der Morgenröthe* (1882) und Gustav Adolf Müllers Roman *Das sterbende Pompeji* (1910) durch die Katastrophe aus der Gewalt der Römer befreit.

Aus einer einzigen Realie, einem in P. gefundenen Leuchter, entfaltet Ferdinand Gregorovius mit Hilfe der Allegorese die Handlung der antikisierenden Versdichtung *Euphorion* (1858). Um den Vesuvausbruch als Ausdruck höherer Gerechtigkeit zu deuten, bedient sich Gregorovius für das nachklass. Künstlerepos ebenfalls christl. Metaphorik, ohne jedoch Bulwers Fiktion einer christl. Gemeinde zu folgen. Das »Grab« P. erscheint dem Sklaven Euphorion als »Triumphtor«, das ihn in die Freiheit führt. Komplementär zum Motiv der Überwindung rücken die detaillierten Schilderungen einer dekadenten Ant. in der zweiten Hälfte des 19. Jh. in den Mittelpunkt und suspendieren die seit Bulwer kanonische Handlung. Ohne Spannung einzubüßen, kann Müller seinem Roman von 1910 voranstellen: ›Das sterbende Pompeji wird uns zum Symbol der sterbenden alten Welt, über die seit dem Tage von Golgatha das Todesurteil gesprochen war‹ [26. 16]. Dieser Prolog beschreibt den Endpunkt einer Entwicklung, in deren Verlauf das bereits von Reisenden befremdlich und anstößig empfundene P. heilsgeschichtlich gezähmt wurde. Insbesondere die seit 1860 von Giuseppe Fiorelli angefertigten Gipsausgüsse, die fotografisch genau den Todeskampf der Pompejaner festhielten, schienen in plastischer Weise das Strafgericht zu beglaubigen. Die Vorstellung einer überzeitlichen, lebendigen Ant. trat angesichts der konservierten Leichen hinter die Erfahrung der Dekadenz und Sterblichkeit zurück. Wie sehr das antiklassizistische P. schließlich einer prästabilierten Sicht unterworfen war, zeigt die Aufnahme des moralisierten Stoffes in die Jugendliteratur (→ Kinder- und Jugendliteratur) [14; 20; 28]. Jugendgerechte Fassungen von Bulwers Roman wie Oskar Höckers Erzählung *Die letzten Tage von Pompeji* (1889) oder freiere Bearbeitungen wie Eduard Albertis *Marcus Charinus, der junge Christ in Pompeji* (1872) popularisierten den auf die Opposition von unsittlichen Heiden und moralisch handelnden Christen vereinfachten Stoff.

Einem Atavismus gleich, dessen anachronistische Gegenwart histor. Entwicklungen zurücknimmt, widersprach das in den Ausgrabungen sinnlich erfahrbare P. jedoch der christl. Teleologie des Stoffes. Mit Théophil Gautiers *Arria Marcella* (1852) avancierte deshalb die Reise in das freigelegte P. zum Modus antiklassizistischer Antikebegegnung. Die fingierte Unmittelbarkeit der Reise-Lit. ermöglichte es, die subjektive Erfahrung einer Ant. abzubilden, die aus dem klass. Kanon ausgegrenzt war. So kommt es in den Erzählungen *Geister im Licht* (1899) von Jakob Julius David und *Gradiva* (1903) von Wilhelm Jensen nicht zu einer Ren. von Winckelmanns Ant. aus dem Geiste der Asche, sondern in ihnen emanzipiert sich das Kontrastbild einer sinnlich-erotischen Ant. von der christl. Überformung während des 19. Jahrhunderts. Das Motiv der durch den Tod gestraften Liebesstadt erscheint in den Reiseerzählungen umgewertet, so daß Tod und Eros keine Gegensätze bilden, sondern sich im Empfinden der Protagonisten sogar zu nekrophilen Affekten verbinden. Sigmund Freuds Deutung der *Gradiva* analogisiert die Reise in das ant. P. deshalb auch mit der Reise in die Vergangenheit des kindlichen Ichs, dessen Unbewußtes im Verlauf der Erzählung, wie in einer Therapie, analog zu den ant. Überresten erst schichtenweise freigelegt werden muß [18. 7–126; 42].

D. AKTUALISIERUNG UND TRIVIALISIERUNG IM 20. JAHRHUNDERT

Der aufkommende Massentourismus und die zu Klischees abgesunkenen Motive erklären, warum P. in der erzählenden Lit. des frühen 20. Jh. kaum behandelt wurde. Die modernen wiss. Methoden der Arch. ließen überdies keinen Raum für die noch während des 19. Jh. kongeniale narrative Rekonstruktion. Wie bereits in den Reiseerzählungen angedeutet, traten die wiss. beschriebenen Realien zunehmend hinter die subjektive Wahrnehmung zurück. Einzelne Gedichte, die an die Trad. der auf Reisen angeregten Lyrik des 19. Jh. anknüpfen [9], gestalten diese Subjektivierung Pompejis. So bezieht sich Theodor Däubler in dem Gedicht *Pompeji* (1916) zwar erkennbar auf reale Wandmalereien, allerdings erscheinen diese von den Traumvorstellungen des lyrischen Ichs projektiv überformt. Die Malereien werden so zu Imaginationen, in denen sich die Utopie einer besseren Zeit andeutet. Ebenso nimmt Oskar Loerke in dem Gedichtzyklus *Pompeji* (1921) die Anregungen seiner Italienreise auf, verarbeitet sie jedoch – als Teil der Sammlung *Die heimliche Stadt* – zu Bildern einer über die Reise hinausgehenden Vision. Demgegenüber hatte sich der Antagonismus zw. Hei-

den und Christen weitgehend verbraucht. In *Pompeji. Komödie eines Erdbebens in sechs Bildern* (1937) nimmt Ödon von Horváth zwar das Motiv des rettenden Christentums nochmals auf, kalkulierte Anachronismen im Sprachgebrauch und ein kleinbürgerlich überformtes Sklavenmilieu wenden den Stoff aber ins Komische.

Vor dem Hintergrund der Zerstörungen des II. Weltkriegs und der Krise des mod. Fortschrittsglaubens wird P. in der zweiten Hälfte des 20. Jh. zu einem Ort pessimistischer Geschichtsreflexion [39]. Anknüpfend an die Trad. der Reiseerzählungen erfährt der Protagonist in Malcolm Lowrys *Present Estate of Pompeii* (1948) P. als → Metapher für die Zeiterfahrung der Moderne, in der die Linearität der Geschichte in eine andauernde Wiederholung des Werdens und Vergehens übergeht. Auch Jürg Federspiel entfaltet in der Erzählung *Eine Halbtagsstelle in Pompeji* (1995) den Ablauf von Zerstörung, Auferstehung und vollständigem Untergang P. als individuelles Erlebnis eines Toten, der in P. als einer Art Schattenwelt erwacht. Erst in der Erfahrung des Todes, die auf der Ebene der Erzählung in den freigelegten und deshalb erodierenden Überresten gespiegelt wird, vermag der Protagonist wirklich zu sterben.

Zum Ende des 20. Jh. zeichneten sich zwei Tendenzen der Rezeption ab: Während auf der einen Seite das Motiv des freigelegten P. aktualisiert wurde und Reflexionen über den Zeit- und Geschichtsbegriff inspirierte, erfuhr der bereits im 19. Jh. popularisierte Stoff des ant. P. auch außerhalb der Jugendliteratur [13] eine zunehmende Trivialisierung. So stellen in ant. Kriminal- und Unterhaltungsromanen die intriganten und wollüstigen Pompejaner lediglich die Staffage für exotische Kulissen [15; 27].

Von der andauernden Popularität des Stoffes, wie er in Bulwers Roman gestaltet worden war, zeugen zahlreiche Spielfilme. Die Faszination exotischer Bilder des ant. Alltags vor dem Hintergrund melodramatischer Untergangsszenen wurde bereits 1926 für den it. Stummfilm *Gli ultimi giorni di Pompei* (Regie: Carmine Gallone / Amleto Palermi) entdeckt. Die Bulwer-Verfilmung *The Last Days of Pompeii* (it.-span.-dt. Koproduktion, 1959) von Mario Bonnard mit Steve Reeves in der Hauptrolle hat aufgrund der eindrucksvollen Effekte für die Katastrophenszenen Filmgeschichte geschrieben. Filme wie *The Last Days of Pompeii* (USA 1935; Regie: Ernest B. Schoedsack) und *Les derniers jours de Pompéi* (Frankreich 1948; Regie: Marcel L'Herbier) bedienen sich lediglich des werbewirksamen Titels, ohne sich weiter auf die Romanvorlage zu beziehen. Auch das der Erzählung *Arria Marcella* entlehnte Motiv der lebendigen Toten wurde verfilmt. Allerdings wird es in dem Gruselfilm *Curse of the Faceless Man* (USA 1958, Regie Edward L. Cahn) übertragen auf einen scheinbar toten Gladiator, der von Fiorelli ausgegraben wird. Mehr noch als die Lit. neigt der → Film zur Trivialisierung des Stoffes und zeigt, daß die Rezeption P. sich im 20. Jh. kaum noch an den arch. Realien orientierte, sondern vielmehr jene Klischees variierte, die das »Zauberwort P.« bis in die Gegenwart hervorruft.

QU **1** O. BEHREND, Der Bildhauer. Künstlerroman aus P., 1907 **2** W. BENJAMIN, A. LACIS, Neapel, in: W. Benjamin, Gesammelte Schriften, Bd. IV,1, hrsg. v. T. REXROTH 1991, 307–316 **3** J. BERTHEROY, La Danseuse de Pompéi, Paris 1899 **4** F. BRUN, Der Vorhof des Schattenhauses, in: Dies., Episoden aus Reisen durch das untere It. in den Jahren 1809 – 1810, Bd. 4, Leipzig 1818, V–VIII **5** Dies., P., in: Der Neue Teutsche Merkur 2 (1810), 149–151 **6** TH. DÄUBLER, P., in: Ders., Dichtungen und Schriften, hrsg. v. FRIEDHELM KEMP, 1956, 73–76 **7** J. J. DAVID, Geister im Licht, in: Ver sacrum 2 (1899) H. 5, 7–21 **8** A. DEDEKIND, Der Priester der Isis. Ein Trauerspiel in vier Aufzügen, Wien ²1882 **9** M. E. DELLE GRAZIE, P., in: Dies., Italische Vignetten, Leipzig 1892, 91–95 **10** J. I. GERNING, P., in: Ders., Reise durch Österreich und It., 2. Theil, Frankfurt a.M. 1802, 235–236 **11** R. GREINZ, Die letzten Tage von P. Schauspiel in acht Bildern, 1902 **12** A. GRÜN, Cincinnatus, in: Ders., Schutt. Dichtungen, Leipzig ²1836, 83–146 **13** J. C. GRUND, Asche auf P.: eine Erzählung aus altröm. Zeit, 1995 **14** R. F. HEMPEL, Im Feuerregen. Erzählung aus den letzten Tagen P., Leipzig u. Berlin 1881 **15** B. HENNEN, Der Flötenspieler: ein Kriminalroman aus der Zeit Kleopatras, 1996 **16** G. v. INGENHEIM, Was zieht so mächtig mich zu fernen Hallen?, in: F. MÜLLER, Briefwechsel, Teil 2: 1812–1825, hrsg. v. R. PAULUS, G. SAUDER, 1998, 887 **17** J. J. JÄGLE, P., in: Ders., Gedichte, Straßburg 1805, 9–17 **18** W. JENSEN, Gradiva. Ein pompejanisches Phantasiestück, in: S. FREUD, Der Wahn und die Träume in W. Jensens »Gradiva«, hrsg. v. B. URBAN, 1995, 128–216 **19** W. KADEN, Pompejanische Novellen und andere, Stuttgart 1882 **20** PH. KÖRBER, Diomedes und Clodius. Histor. Erzählung aus den letzten Tagen von P. Für die Jugend, o.J. **21** G. LEOPARDI, Werke. It. und dt. v. H. HELBING, A. VOLLENWEIDER, Bd. 1, 1978, 224ff. **22** H. LINGG, Clytia. Eine Scene aus P., München ²1887 **23** O. LOERKE, P., in: Ders., Die Gedichte, hrsg. v. P. SUHRKAMP, 1958, 233–244 **24** D. L. MORDOVTSEVA, Zhertvy vulkana: istoricheskii roman iz posllednikh dnei zhizni Pompei, St. Petersburg 1894 **25** A. MÜLLER, Die letzten Tage von P. Große romantische Oper in drei Acten und einem Nachspiele Nach dem Romane von Bulwer frei bearbeitet, Darmstadt 1855 **26** G. A. MÜLLER, Das sterbende P. Ein Roman aus P. letzten Tagen, 1910 **27** X. ROHDES, Eruption: erotischer Roman, 1999 **28** SCHÄFER, P. Eine Erzählung für die Jugend, Wiesbaden 1854 **29** F. SCHILLER, P. und Herkulanum, in: Ders., Sämtliche Werke, hrsg. v. GERHARD FRICKE, HERBERT G. GÖPFERT, Bd. 1, ³1962, 234 **30** É. SCHURÉ, La Prêtresse d'Isis. Légende de P., ⁵1913 **31** G. DE STAËL-HOLSTEIN, Corinne ou l'Italie, London ⁴1809 **32** W. WAIBLINGER, Bilder aus Neapel: P., in: Ders., Werke und Briefe, hrsg. v. H. KÖNIGER, Bd. 1, 1980, 391–393 **33** A. WÜRTH, Die letzten Tage von P. und dessen Untergang. Histor.-romantisches Gemälde mit Gesang, Tanz und Chören in fünf Acten, Wien 1839

LIT **34** C. DAHL, Recreators of P., in: Archaeology 9 (1956), 182–191 **35** F. FERNÁNDEZ MURGA, Pompeya en la literatura española, 1965 **36** CH. GRELL, Herculanum et Pompéi dans les récits des voyageurs francais du XVIIIᵉ siècle, 1982 **37** W. LEPPMANN, P. Eine Stadt in Lit. und Kunst, 1966 **38** W. A. MÜLLER, Die arch. Dichtung in ihrem Umfang und Gehalt. Eine Unt. der Beziehungen der dt. Lit. des 19. und 20. Jh. zur klass. Arch. mit ihren Ergebnissen und Funden, 1928 **39** S. ROTHEMANN, Als baute der Mensch im Hinblick auf die Ruinen. P. als lit. Motiv, in: Protomoderne: Künstlerische Formen überlieferter

Gegenwart, hrsg. v. C. HILMES, D. MATHY, 1996, 71–86 **40** J. SEZNEC, Herculaneum and P. in french lit. of the eighteenth century, in: Archaeology 2 (1949), 150–158 **41** A. SOGLIANO, P. nella letteratura: conferenze tenuta al Circolo Filologico di Napoli il 6 maggio 1888, Neapel 1888 **42** J. VOGEL, Das pompejanische Phantasiestück. Konstellationen von Eros und Archäologie, in: M. ROHRWASSER u. a., Freuds pompejanische Muse. Beitr. zu Wilhelm Jensens Novelle »Gradiva«, 1996, 91–121 **43** CHR. ZINTZEN, Von P. nach Troja. Arch., Lit. und Öffentlichkeit im 19. Jh., 1998.   THORSTEN FITZON

Porträt A. EINLEITUNG   B. FRÜHES CHRISTENTUM C. FRÜHES MITTELALTER   D. HOCHMITTELALTER E. SPÄTMITTELALTER, FRÜHE NEUZEIT, MODERNE

A. EINLEITUNG

Die in der Ant. ausgebildete Gattung des Porträts, speziell des in Rom seit dem 1. Jh. v. Chr. unter Einfluß griech. Vorbilder entwickelten, hatte sich in eine Vielfalt von Typen differenziert (Bildnisstatue, → Reiterstandbild, Porträtbüste, Apotheose in Relieform, Imago clipeata auf Sarkophagen usw.), die, ihrer jeweiligen Funktion und histor. (Re-)Aktualisierung entsprechend (z. B. als Herrscher-, Dichter-Porträt), in unterschiedlichen Techniken und Bildträgern die Bildnisauffassung der okzidentalen Kunst bis an die Schwelle der Mod. nachhaltig prägten. Verquickt mit dem Kult der Persönlichkeit, waren mit seiner symbolischen Form von Anf. an in der Regel drei konstitutive Aspekte verbunden: Bewahrung der Erinnerung, Repräsentation und Substitution. Alle drei verweisen auf ein latentes Weiterwirken magischer Vorstellungen, nämlich den Wunsch nach Überwindung des Todes in der Effigies durch Fixierung in dauerhaftem Material. Definitorisch entscheidend ist für das Porträt nicht unbedingt ein veristisches Abbild (die schon von Plin. nat. 35,153, bei Lysistratos aus Sikyon hervorgehobene *similitudo*), vielmehr der intendierte Bezug zu einer benennbaren Person (vgl. die oft beigegebenen Inschr.). So konnte deren visuelle Darstellung zw. einem vagen, idealisierten Typus und einer auf größte Präzision in der Erfassung individueller Züge bedachten illusionistischen Wiedergabe, ja deren charakteristischen Zuspitzung schwanken.

B. FRÜHES CHRISTENTUM

Mit der Privilegierung der Kirche durch Konstantin d. Gr. war eine Inszenierung der Macht verbunden, die sich nicht nur in der Schaffung eines imponierenden architektonischen Rahmens für die Ausübung des Kultus manifestierte, sondern auch in der Adaptierung röm. Pathosformeln. Die in augusteischer und flavischer Zeit ausgebildeten Porträttypen erfuhren dabei je nach Medium und Funktion eine qualitative Veränderung. Der über 2 Meter hohe *Kopf Konstantins d. Gr.* (frühes 4. Jh., Rom, KM), Fragment einer urspr. fast 10 Meter hohen Kolossalstatue aus der Apsis der Maxentiusbasilika, folgt noch dem höfisch-imperialen Modell des Augustus als siegreicher Imperator, übersteigert dieses aber im Interesse einer auf Akzeptanz des Cäsaropapismus bedachten propagandistischen Wirkung vulgarisierend ins Überdimensionale. Neben dieser monumentalen Bildnisform wird der in klass.-röm. Zeit entwickelte Statuentypus weiter tradiert, ebenfalls in stärkerer Vergröberung der jetzt kaum noch individualisierend aufgefaßten Gesichtszüge (*Kaiser Valentinian II.* Um 390. Istanbul, AM). Gleiches gilt für die Porträtbüste, die – wie im Falle des sog. Plotin (spätes 3. Jh., Ostia, Mus.) oder des *Eutropius aus Ephesos* (Mitte 5. Jh., Wien, KM) – ebenfalls nicht mehr im Sinne eines identitätsverbürgenden Verismus angelegt ist, statt dessen mehr in idealtypischer Abstrahierung, etwa durch Längung der Kopfform, asketische Züge herausgearbeitet, welche oft als Ausdruck einer leibverneinenden Spiritualität gedeutet worden sind. Dem der Sarkophagplastik innewohnenden Memorialaspekt wird durch Applizierung von in eine narrative Streifenkomposition biblischer Themen zentral eingefügten Doppelbildnissen (*imagines clipeatae*) auf der Frontseite Rechnung getragen. Diese zumeist seriell gefertigten Reliefs folgen dem unter Trajan für senatorische Familien entwickelten Sarkophagtypus. In miniaturisierter Kleinform begegnet das Porträt zum einen auf Elfenbeindiptychen (*Stilicho als Konsul und Magister militum*, um 400, Monza, Domschatz; *Barberini*-Diptychon, Anf. 6. Jh. Paris, Louvre, mit Anastasius oder Justinian als auf kurbettierendem Pferd reitendem Imperator), zum andern in der Glyptik (so in dem kreisrunden Kameo *Kaiser Honorius und Maria*, 398. Paris, Sammlung Rothschild), schließlich in Missorien (Schmucktellern) wie dem kostbaren, in Silber ausgeführten des Kaisers Theodosius I. (388), das den Herrscher in Konsulartracht hieratisch-frontal unter einem stilisierten Arkadengiebel zeigt.

C. Frühes Mittelalter

Im Sinne der geschichtstheologisch begründeten Idee der Translatio imperii mit ihrer Vorstellung einer durch fortgesetzte Übertragung der Königswürde legitimierten Herrschaft wird in karolingischer und ottonischer Kleinkunst, bes. der Buchmalerei, dieser Typus des en face thronenden Herrschers aufgegriffen (*König Lothar* im Lothar-Evangeliar, um 850. Paris, B.N., Lat. 266, fol. 1v; Kaiserbild im Evangeliar Ottos III., um 1000, München, Bayer. Staatsbibl., Clm 4453, fol. 24r) und nicht selten christomimetisch transfiguriert, so in der Darstellung Ottos III. im Aachener Liuthar-Evangeliar (um 1000, Aachen, Domschatz, fol. 16r), wo der auf dem Thron sitzende Kaiser, in einer Mandorla schwebend, vom Tetramorph umgeben, durch die Hand Gottes gekrönt wird. Den konstantinischen Gedanken der Kreuzverehrung greift eine um 840 geschaffene Miniatur in dem Gedicht des Fuldaer Abtes Hrabanus Maurus *De laudibus sanctae crucis* (Rom, Bibl. Apost. Vat., Reg. lat. 124, fol. 4v) auf, die auf dem Bildgrund, vom Carmen figuratum filigran übersponnen, Kaiser Ludwig den Frommen in römischer Imperatorentracht als Miles Christianus mit Labarum (Kreuzstandarte) und Schild zeigt. Bei diesen Miniaturen ist eine

authentische Wiedergabe der individuellen Person nicht beabsichtigt. Die generalisierende Darstellung des Herrscheramtes und seiner zeremoniellen Ostentation steht im Vordergrund. Ähnlich verhält es sich bei der bronzenen, aus mehreren Teilen einzeln gegossenen Reiterstatuette Karls des Großen (?) aus dem Schatz der Kathedrale von Metz (9. Jh., Paris, Louvre), die einen deutlichen Rekurs auf das ant. Reiterstandbild (vgl. *Marc Aurel*, 161–180 n.Chr., Rom, Campidoglio) erkennen läßt. Der ehemals öffentliche Denkmalcharakter tritt hier zurück, die extreme Größenreduzierung indiziert einen Funktionswandel: Ein sakral-liturgischer Kontext im Sinne der Herrschaftstheologie ist zu vermuten. Während diese Beispiele bei aller Abstraktion und Typisierung immer einen intentionalen Bezug zu einer konkreten histor. Person aufweisen, gibt es auch den Fall, daß ant. Bildnismuster unter Verlust einer solchen Referenz für andere ikonographische Zwecke verwandt wurden, so beim Typus des Evangelistenbildes (vgl. *Markus* im Wiener Krönungsevangeliar, um 800. Wien, Schatzkammer, fol. 76v), das dem Motiv des ant. Dichterporträts angenähert ist (vgl. *Menander* auf einem Wandgemälde im Haus des Menander in Pompeji, 70 v.Chr.). Ersatzfunktion für ein einen zeitgenössischen Herrscher darstellendes Bildnis hat der Onyxcameo mit dem Porträt des Kaisers Augustus, das in den Schnittpunkt der Balken des edelsteinverzierten Lotharkreuzes (um 1000, Aachen, Domschatz) eingelassen ist. Die Verwendung dieser ant. Spolie verdeutlicht die Auswechselbarkeit von Herrscherbildnissen aufgrund des Translatio-Gedankens, wie wir sie auch auf Münzen und Siegeln dieser Zeit finden.

D. Hochmittelalter

Auch in staufischer Zeit wird diese Kontinuitätsidee aufgegriffen und mit neuer Symbolik besetzt: das Cappenberger *Kopfreliquiar* (um 1165, Schloß Cappenberg) synthetisiert die ant. Form der Bildnisbüste mit der nachträglich ihr zugewiesenen liturgischen Funktion eines Reliquienbehälters, der angebliche sterbliche Überreste des Evangelisten Johannes barg. Der auf einem Zinnenkranz als Untersatz ruhende Bronzekopf stellt Kaiser Friedrich I. Barbarossa dar, welcher nicht die Kaiserkrone, sondern die Binde der röm. Imperatoren trägt. Darin äußert sich ein bewußtes, um histor. Rekonstruktion bemühtes Anknüpfen an ant. Koronations- und Insignienkulte. Weit mehr um antikische Authentizität, zugleich um ein individuelles Konterfei bemüht ist das Marmorfragment einer lebensgroßen Herrscherbüste aus dem apulischen Südreich der Hohenstaufer, die wahrscheinlich Friedrich II. (1194–1250) zeigt (Anf. 13. Jh.; Barletta, Nationalmus.). Auch der Mainzer Kopf mit der Binde, Fragment vom ehemaligen Lettner des Mainzer Doms (vor 1239; Mainz, Dom- u. Diözesanmus.) ist wohl weniger als Adam, verstanden als *Kosmosmensch*, zu deuten, denn als gesalbter König (Konrad IV.?). Das ant. Reiterstandbild wird im 13. Jh. u.a. im sog. Bamberger (zw. 1225 und 1237) und im sog. Magdeburger Reiter (um 1245–50) rezipiert, die beide urspr. farbig gefaßt waren. Das mit weißer Farbe bemalte Pferd des Magdeburger Reiters war ein Herrschaftssymbol; die es stützende Säule muß als Rechtssinnbild begriffen werden. Somit wird bei der Person des Reiters auf den *Rex iustus* angespielt. Wahrscheinlich sollte dieser hier durch den wegen seiner legendenhaften Gerechtigkeit verklärten Kaiser Otto d. Gr. verkörpert werden, so daß das Bildwerk als sein »Leibzeichen« galt.

E. Spätmittelalter, Frühe Neuzeit, Moderne

Erst mit Donatellos Reiterdenkmal des Gattamelata (eigtl. Erasmo da Narni), eines in venezianischen Diensten stehenden Condottiere, auf der Piazza del Santo in Padua (1443) wird programmatisch eine Wiederannäherung an die urspr. Bed. dieses Bildnistypus angestrebt. Nun ist es aber nicht ein durch die Translatio imperii legitimierter Herrscher, sondern ein Emporkömmling, dem in Anlehnung an das Marc-Aurel-Vorbild (sowie die → Dioskuren vom Monte Cavallo) ein glorifizierendes Monument gesetzt wird. Indessen bekundete die Effigies des Gattamelata nicht die öffentliche Präsenz eines Mächtigen zu dessen Lebzeiten, vielmehr war dieses Reiterbildnis eng mit dem Memorialaspekt assoziiert, denn es bekrönt einen als Mausoleum intendierten Unterbau. Im 17. Jh. wird das am Marc Aurel orientierte Reiterstandbild besonders für die Repräsentation absolutistischer Herrscher reserviert (François Girardon: Reiterbildnis Ludwigs XIV. auf der Place Louis-le-Grand = Place Vendôme, 1699 enthüllt, 1792 zerstört; Andreas Schlüter: Reiterbildnis des Großen Kurfürsten, 1697–1700, Berlin). Das Thema der ehrenden Erinnerung an einen Verstorbenen, eng verknüpft mit dem Fama-Gedanken, wird im 15. und 16. Jh. – sei es retrospektiv oder antizipativ – bestimmend, und zwar v. a. bei den skulpturalen Gattungen des Grabmals und der Bildnisbüste, vgl. Bernardo Rosselinos in eine Wandnische eingelassenes Grabmal des Leonardo Bruni (Florenz, S. Croce, um 1445/1450), das den Ruhm des auf dem Totenbett liegenden florentinischen Staatskanzlers und Humanisten verkünden soll. Das Motiv der auf der Tumba liegenden Person, die im Sarkophag beigesetzt ist, geht zwar auf eine genuin ma. zurück (vgl. Grabfigur König Karls V. von Frankreich, St. Denis, ehem. Abteikirche, beg. 1347), läßt sich letztlich aber auch bis auf etr. Terracotta-Sarkophage zurückverfolgen. Auch die Bildnisbüste des Quattrocento, wie sie etwa durch Antonio Rosselinos *Giovanni Chellini* (1456, London, Victoria and Albert Mus.) oder die Damenporträts Andrea del Verrocchios und Francesco Lauranas repräsentiert ist, hat sowohl eine spezifisch ma. als auch eine spezifisch ant. Vorgeschichte. Denn einerseits orientiert sie sich formal, was die waagerechte Durchtrennung des Oberkörpers unterhalb der Schultern betrifft, an dem Vorbild des Büstenreliquiars, andererseits ist die Absicht einer Gestaltung *all'antica*, also die Zitation einer röm. Bildnisgattung, unübersehbar. Erhabenheit evozierende Assimilationen an die Ant. finden sich in der Porträtkunst des 16. und 17. Jh. überaus häufig.

Michelangelos Mediceer-Grabmäler mit den Herzögen Lorenzo und Giuliano in röm. Rüstung (1524–1534, Florenz, S. Lorenzo) sind dafür das bekannteste Beispiel. Daneben gibt es das *Portrait historié*, die Identifikation einer zeitgenössischen Person mit einer histor. oder myth. Gestalt (Agnolo Bronzino: Andrea Doria als Neptun. Um 1540/1550. Mailand, Brera), deren Fähigkeiten, Zuständigkeiten usw. sie in exponierter Weise repräsentiert. Bei der Mythenadaption wurden nicht selten Philostrats *Imagines* zugrundegelegt: vgl. Dosso Dossis auf das Verhältnis von Herrscher und Untertanen Bezug nehmendes Gemälde *Herkules unter den Pygmäen* (um 1535, Graz, Landesmus.), das vermutlich auf Ercole II. d'Este anspielt. In der Epoche des Absolutismus steht die Aufbietung eines myth. oder allegorischen Apparats im Dienste der Deifizierung der Herrscher (P. P. Rubens' Medici-Zyklus, 1621–1625, im Louvre; Paul Trogers Plafondfresko der Kaiserstiege im Benediktinerstift Göttweig, 1739, mit Kaiser Karl VI. als Phoebus Apollo im Zenit). Noch klassizistische Künstler wie Antonio Canova bedienen sich der Myth., um einem Herrscher zu huldigen, wie seine Kolossalstatue Napoleons als nackter *Mars désarmé et pacificateur* belegt. Die schließlich erfolgte Ablehnung dieser 1802 geplanten, 1808 vollendeten Statue durch den Kaiser macht deutlich, daß nach der Revolution auch bei der Gattung des Bildnisses der zuvor qua Trad. unbefragt legitimierte Rückbezug auf die Ant. in eine entscheidende Krise geraten war. Das bedeutet indes nicht das E. der Rezeption des ant. Porträts. Auf Münzen und Medaillen lebt sie ohnehin fort. Auch die Bildnisbüste perpetuiert formal und ikonographisch ant. Trad. bis in die Gegenwart, vgl. die Sammlung von Professorenbildnissen der (heutigen) Humboldt-Univ. (Berlin) seit dem Frühklassizismus. Der imperatoriale Gestus hat die Bildwelt der modernen Diktaturen zutiefst beeinflußt, wie etwa die Ikonographie des Duce B. Mussolini belegt. Und die Entdeckung der sog. Fayum-Porträts (ägypt., 1.–4. Jh. n. Chr.), seit dem E. des 19. Jh., bescherte der Kunst um und nach 1900 neue eindringliche physiognomische Dimensionen (Paula Becker-Modersohn, Georges Rouault u. a.).

1 Ausstellungs-Kat.: Theater der Natur und Kunst. Wunderkammern des Wissens, 2000 2 D. DE CHAPEAUROUGE, Theomorphe Porträts der Neuzeit, in: Deutsche Vierteljahrsschrift für Lit.-Wiss. und Geistesgesch. 42, 1968, 262–302 3 E. CASTELNUOVO, Das künstlerische Portrait in der Ges., 1988 4 H. KELLER, Die Entstehung des Bildnisses am E. des Hoch-MA, in: Jahrb. f. Kunstgesch. 3, 1939, 229–356 5 H. KELLER, Das Nachleben des ant. Bildnisses von der Karolingerzeit bis zur Gegenwart, 1970 6 J. POPE-HENNESSY, The Portrait in the Renaissance, 1966 7 R. PREIMESBERGER et al. (Hrsg.), Porträt (Gesch. der klass. Bildgattungen in Quellentexten und Komm., Bd. 2), 1999 8 A. REINLE, Das stellvertretende Bildnis. Plastiken und Gemälde von der Ant. bis ins 19. Jh., 1984 9 N. SCHNEIDER, Porträtmalerei. Hauptwerke europ. Bildniskunst 1420–1670, 1992 10 P. E. SCHRAMM, Das Herrscherbild in der Kunst des frühen MA, in: Vorträge der Bibl. Warburg II, 1922–23, 146–224.

NORBERT SCHNEIDER

Porträtgalerie   A. Definition
B. Antike Überlieferung
C. Genealogie: Macht und Kontinuität
D. Exempla und Uomini Illustri
E. Künstlerbildnisgalerien
F. Schönheitsgalerien
G. Image und kollektive Identität

A. Definition

Porträtgalerie bezeichnet die Ausstellung einer Serie von Bildnissen, deren Zusammenhang nicht in ihrem ästhetischen Wert, sondern in einer den dargestellten Personen gemeinsamen Eigenschaft liegt. Innerhalb einer solchen Reihe können die Porträtierten allg. als Repräsentanten (*exempla*) einer an persönlicher *virtus* (Tugend) orientierten Geschichtlichkeit stehen und durch ihr Andenken zur moralischen Nachfolge oder Erbauung anregen. Im Sinne einer Ahnengalerie kann eine P. die Zugehörigkeit zu einer bestimmten Familie, einem Amt oder einer Körperschaft zum Ausgangspunkt haben. Durch die Zerlegung der Geschichtslinie in eine Folge von benannten Einzelindividuen wird Kontinuität erklärt und nachvollziehbar gemacht, durch die Serialität der Bildnisse wird sie dargestellt. Dabei entsteht eine übergeordnete Identität, die das Bild der Familie oder Institution definiert und eine genealogische bzw. legalistische Authentisierung von Macht oder sozialem Status leistet [27. 68; 47. 263]. Die Leitlinie einer P. kann auch attributiv auf den Ort der Präsentation zugeschnitten sein und diesen und seine Benutzer in eine bestimmte Trad. einbinden, wie die Philosophen- und Dichterporträts in Bibliotheken [31].

In vielen Kunstsammlungen können unterschiedliche Ambitionen des Sammlers, wie im Falle der Catherina de' Medici, zu einer umfangreichen (341 Stück), aber ebenso heterogenen Anhäufung von Porträts führen [44. 138]. Zugleich können sich unter einem Dach, wie im Ambraser Schloß Ferdinands von Tirol, verschiedenste Arten und Abarten von P. versammeln: eine monumentale Ahnengalerie im Spanischen Saal (1572), die schier endlose Miniaturporträtsammlung im Studiolo (1576; 964 Stück) und die reliquienhafte Kollektion von Originalrüstungen berühmter Krieger, die durch beigegebene Porträts identifiziert werden [47. 266; 32]. Einzelne Typen und Funktionen der P. sind also nicht immer eindeutig voneinander zu scheiden, dennoch lassen sich einige Entwicklungslinien und Themen skizzieren.

B. Antike Überlieferung

Plinius verbindet die Entstehung der Porträtstatue mit dem Gedenken an eine individuelle Tat (Plin. nat. 34,16) und führt die Errichtung von Ehrenstatuen auf ein menschlich-moralisches Bedürfnis (nat. 34,17: *humanissima ambitione*) zurück. Porträtserien entstehen an Orten kultischen oder polit. Handelns, wie die Athletenbildnisse in Olympia, die Ehrenstatuen auf der Agora der griech. Städte oder jene, die der röm. Senat verdienten Bürgern am *rostrum* als Ausdruck der *res publica* er-

Abb. 1: Sogenannte Reidersche Elfenbeintafel, Frauen am Grabe Christi mit Himmelfahrt; Bildserie an antikem Grabbau (Ausschnitt), Rom oder Mailand, um 400. München, Bayrisches Nationalmuseum

richten läßt (Plin. nat 34,23 f.). Im halböffentlichen Raum des röm. Atriums empfing den Besucher eine Ahnengalerie aus Totenmasken oder deren Darstellung, auch in Form von Stammbäumen (Vitr. 6,3,6, Plin. nat. 35,6). Wie Polybios (6,53,10) verweist auch Plinius auf die ethische Funktion der Ahnengalerie, die er dem materialistischen Bildnisgebrauch seiner Zeit entgegensetzt. Zusammen mit Siegestrophäen habe die Ahnengalerie den ›ewigen Triumph‹ der jeweiligen Häuser gesichert und außerdem als ›mächtiger Anreiz‹ (*stimulatio ingens*, Plin. nat. 35,7) für die Nachwelt gedient. Auch eine ›erlogene‹ Porträt-Genealogie sei noch ein Zeichen für ›Tugendliebe‹ (Plin. nat. 35,8; vgl. hingegen die Kritik Juvenals in Iuv. 8).

In den öffentlichen Raum dringt die Ahnengalerie durch die repräsentativen Grabbauten, die Formen des Memorialbildnisses wie Halbfigurenporträt und Medaillon an die Nachantike weitergeben (Abb. 1). Mit der Stiftung dynastischer Bilderreihen in Tempeln konnte durch Ahnen- und Kinderbildnisse zugleich die Vergangenheit (*maiores*) und Zukunft (*nidus*) der herrschenden Dynastie, wie auch der göttl. Schutz solcher Kontinuität vor Augen geführt werden (Plin. nat. 35,12) [29]. In den Mosaikfußböden der spät-ant. Kirchenräume, etwa in Aquileia, finden solche Porträtserien auch Eingang in die christl. Kunst.

Histor.-thematische P. entstehen durch das Gedenken an die individuelle Leistung bestimmter Persönlichkeiten (*auctores*) an einem durch diese geprägten Ort. So werden den Dramendichtern ab dem 4. Jh. v. Chr. in den Theatern Ehrenstatuen errichtet; Dichter- und Philosophenbildnisreihen finden sich ab dem 2. Jh. v. Chr. in den Bibl. von Pergamon und Memphis. Plinius sieht solche Bildnisserien als Komplement zur permanenten Präsenz der Literaten in ihren gesammelten Texten (Plin. nat. 35,9). Auch in der Villa als Ort geistiger Beschäftigung (*otium*) werden Porträtreihen von Geistesgrößen aufgestellt (vgl. etwa Plin. epist. 3,7,8) [55 mit Bibliogr.; 31].

Neben den breit rezipierten Sammelbiographien der Ant. berichtet Plinius (nat. 35,11) auch von röm. Bildnisvitenbüchern, wie den *Hebdomades vel de imaginibus* des M. Terentius Varro (ca. 39 v. Chr.), die biographisches und visuelles Interesse verbanden [44].

C. GENEALOGIE: MACHT UND KONTINUITÄT

Das ant. Konzept der dynastischen oder institutionellen Bildnisreihe lebt in P. fort, die am Ort der Herrschaft bzw. Amtsausübung oder -legitimierung (Residenzen, Krönungskirchen) die histor. Authentizität und Kontinuität einer Institution oder Familie bezeugen. Die Papstreihen, die ab der Mitte des 4. Jh. in Alt-St. Peter, ab dem 5. Jh. in Alt-St. Paul zu sehen waren, führen diese Trad. bis in die frühe Neuzeit (etwa die Fresken in S. Piero a Grado bei Pisa, um 1300, oder die 170 Terrakottaköpfe des späten 15. Jh. im Dom von Siena) [28; 34. 29; 21. 54]. Ebenso sind bereits für das frühe MA Serien von Bischofsbildnissen in Kathedralen oder Residenzen dokumentiert, teilweise mit großem Umfang, wie der Salzburger Zyklus von um 850 oder die Bischofsreihe in der Palastkapelle des Bischofs von Prag (1301) [26; 34. 29].

Darstellungen von Herrschern im sakralen Kontext betonen im Zusammenhang mit biblischen Gestalten die rel. Legitimierung der Herrschaft. Zu den frühesten Beispielen gehören der böhmische Königszyklus der Burgkapelle in Znaim (1134) und die (nicht erh.) Glasgemälde der frz. Könige in deren Krönungskirche, St. Remi in Reims, um 1180–1200. Nach dem Sieg über den dt. Kaiser und den engl. König (1214) macht das erstarkte frz. Königtum ab 1220 mit einer auf die Karolinger zurückführenden Königsgalerie an der Fassade der Hofkirche und Kathedrale Notre Dame, wenig später in der Krönungskirche in Reims, europ. Ansprüche geltend [45. 74–77; 22]. Monumentale Herrscherreihen im säkularen Kontext dürfte es bereits im Früh-MA gegeben haben. Belegen lassen sie sich etwa 1301 für das Pariser Palais de la Cité, wo König Philipp d. Schöne den Machtkampf gegen das Papsttum durch eine monumentale Statuenreihe seiner Vorgänger unterstützt [34. 25 f.]. Metahistor. Heldenreihen veranschaulichten seit dem Früh-MA und verstärkt seit dem 14. Jh. ein heroisches, an der höfischen Ritterepik orientiertes Tugendideal, das auch dem Auftraggeber selbst, direkt oder implizit, zugeordnet wurde. Heldenzyklen entstehen z. B. 1309–1343 für Robert von Anjou im neapolitanischen Castelnuovo oder um 1339 in Mailand für Azzone Visconti, der selbst den Heroen bildlich an die Seite tritt [17; 20. 33 ff.]. Eine der umfangreichsten Genealogien, den sog. Luxemburgischen Stammbaum, gab Karl IV. 1355/1357 für seine neu errichtete Residenz Karlstein in Auftrag. Die in Kopien des 16. Jh. überlieferte Reihe von über 60 Gestalten führte von Noah über Priamus und Karl d. Gr. bis zum Auftraggeber selbst und unterstützte seine Wahl zum Kaiser (1355) unter Bezug auf das Gottesgnadentum seiner Herrschaft [24. 97; 34].

Zur gleichen Zeit (ca. 1360) stellt Boccaccio das ant. Konzept einer vererbbaren Nobilität und explizit auch den Sinn einer genealogischen Galerie in Zweifel (*De casibus virorum illustrorum*, 6,3,2: ›(nobilitas) nec ob preteritorum famosas ymagines lares successorum incolit)‹. Die Idee eines an die individuelle Leistung geknüpften Tugendadels macht das genealogische Prinzip auch auf andere Körperschaften übertragbar: Bereits 1352 entstehen die Fresken Tommaso da Modenas im Kapitelsaal der Dominikaner in Treviso (S. Nicolò). Sie führen die Ordensgeschichte als eine Folge berühmter, in ihren Schriften verewigter Einzelgestalten vor, die physiognomisch unterschieden, jedoch durch Format, Ordenshabit und Ambiente als zusammengehörig gezeigt werden (Abb. 2) [19. 63–87].

Dynastische P. können auch Zusammenhänge mit der als »Familie« aufgefaßten Gesamtheit der christl. Herrscher und der überzeitlichen Herrschaft Gottes herstellen. 1581 etwa gab Landgraf Wilhelm IV. von Hessen Kassel für den »Güldenen Saal« des Kasseler Schlosses (1811 zerstört) Bildnisse sämtlicher christl. Kaiser, Könige und Fürsten zw. 1530 und 1581 in Auftrag. Diesen Tafelbildern stand die hessische Fürstenfamilie im nobleren Medium der Skulptur voran. Die christl. Grundlage – aber auch Legitimierung – der weltlichen Herrschaft fand ihren Ausdruck in der Unterordnung unter eine Christusbüste [47. 272]. Wenig zuvor waren in der P. Philipps II. in El Pardo (1604 zerstört) auch die Künstler und damit Urteilskraft und Kunstförderung des Herrschers ins Blickfeld gerückt. Die Bildnisreihe schloß nicht nur die Familie und die Nobilität ein, sondern stellte anhand zweier Selbstporträts Philipps Hofporträtist Anthonis Mor dem vom Vater Karl V. favorisierten Tizian gegenüber [54]. Im patrizischen und bürgerlichen Bereich finden die Familiengalerien ab dem 15. Jh. Verbreitung [27]; Vasari verweist in einer Paraphrase von Polybios und Plinius (s.o.) auf das ›Entflammen der Herzen‹ zu Tugend und Ruhm durch die Betrachtung solcher Bildnisse [8. Bd. 3. 438 f.].

D. EXEMPLA UND UOMINI ILLUSTRI

Im frühen 14. Jh. gerät mit der ant. Mz. auch das Porträt ins Blickfeld antiquarisch-histor. Studien. Bereits um 1320 illustriert Giovanni Mansionario seine *Historia Imperialis* mit röm. Kaiserporträts nach Medaillen, und v. a. in Venedig sind zur gleichen Zeit einige Medaillensammlungen dokumentiert [21. 37; 46]. Ein deutlicher *iconic turn* der ethisch begriffenen Historio-

Abb. 2: Tommaso da Modena, Dominikanische Päpste und Kardinäle, 1352.
Treviso, San Nicolò, Kapitelsaal, Süd- und Ostwand

graphie zeigt sich bei Petrarca: Karl IV. schickt er einige Medaillen ant. Kaiser und verweist auf das Konzept einer moralischen Imitatio, die er explizit als über das Porträt vermittelbar bezeichnet (Familiares 19,3,14–15: ›ecce quos imitari studeas et mirari, ad quorum formulam atque imaginem te componas‹ [9].

Petrarca ist es auch, der mit seiner Schrift De viris illustribus direkt an die ant. Biographik anschließt und von den metahistor. Heldenzyklen zu dem auf das ant. virtus-Ideal gestützten Konzept der uomini illustri überleitet. Auf seinen Text stützte sich explizit die Ausmalung der Sala Virorum Illustrium in der Residenz der Carraresen in Padua (um 1370) [46]. Ähnliche Zyklen werden von den Kommunen als moralischer »Spiegel« für die Regierenden konzipiert, so die Darstellungen der Anticappella im Sieneser Palazzo Pubblico (1413) oder die Serie von 20 röm. Staatsmännern und Feldherren im Palazzo Trinci (Foligno, um 1420) [17; 20. 50]. Auch innerhalb der Antikensammlungen werden Medaillen und Büsten oft gesondert plaziert, durch Beischriften identifiziert und als exempla vorgeführt. Einen Höhepunkt bildet das ab 1566 geplante Antiquarium der Münchner Residenz, das neben etwa 3000 Mz. und Medaillen auch über 240 benannte Büsten ant. Kaiser und Feldherren in ästhetisch anspruchsvoller Präsentation enthielt. Kaiserserien finden mit dem ausgehenden 15. Jh. auch außerhalb der Sammlungen an Fassaden oder in Prunkräumen Verbreitung [21. 50; 14. 144 f.; 51]. Parallel dazu beginnt ab dem späten 15. Jh. der Aufstieg der gedruckten Bildnisvitenbücher, wie Andrea Fulvios Illustrium Imagines (Rom 1517) mit über 200 Porträts von Alexander d. Gr. bis Kaiser Konrad [21. 40; 44]. Oft stehen die Antikengalerien in direkter Nach-

barschaft der Bibl. oder studioli, die, dem bei Poggio Bracciolini, Alberti und Angelo Decembrio erwähnten ant. Gebrauch folgend, durch Serien von Dichter- und Philosophenporträts als Orte geistiger Arbeit definiert werden, so in den 1430er J. in Florenz bei Niccolo Nicoli und wenig später in der Bibl. der Badia Fiesolana, dann nördl. der Alpen in Nürnberg bei Sebald Schreyer (1495) und Cuspinian (1517). Auch Fürsten können sich in ein solches histor. Netz human. Bildung einschreiben, wie Federico da Montefeltre in Urbino (um 1470) [14. 65–75; 15].

Ebenfalls aus einer studiolo-Ausstattung entstand die wohl einflußreichste P. überhaupt: Der Historiker Paolo Giovio bestellte und sammelte seit 1521 Bildnisse berühmter Persönlichkeiten (uomini illustri), für die er ab 1536 am Comer See ein »Musaeum« errichtete. Dort waren 400 Porträts in vier Gruppen geordnet (lebende Dichter und Gelehrte, verstorbene Dichter und Gelehrte, uomini faceti, Päpste und weltliche Herrscher) und »öffentlich« ausgestellt. Jedes Bildnis verfolgte den Anspruch einer »vera effigies« und war mit einer Kurzbiographie versehen. Giovio publizierte die Sammlung ab 1546 auch durch Beschreibungen [27; 33]. Seine Kollektion wurde häufig kopiert, so schon ab 1552 für Herzog Cosimo I. de' Medici in Florenz, der eine Hängung im Regierungspalast plante, wo die Bildnisse in ein kosmologisches Programm aus Weltkarten, Himmelsglobus und Universalgeschichte integriert worden wären. Die Serie Gioviana wurde später im Korridor der Uffizien untergebracht und umfaßt h. 488 Porträts [43]. Ferdinand von Tirol und Ippolita Gonzaga ließen ebenfalls Kopien nach Giovios Sammlung ausführen [33. 145 f.].

Abb. 3: Selbstporträtgalerie Leopoldo de' Medicis (in der Hängung Cosimos III., ab 1681),
Stirnwand, Zeichnung des 18. Jh.
Wien, Österreichische Nationalbibliothek (Cod. Min. 51, fol. 8)

Auch nördl. der Alpen findet Giovio Nachfolge, so Mitte des 16. Jh. im frz. Schloß Bussy-Rabutin. Ab 1617 läßt Paul Ardier, der Schatzmeister Ludwigs XIII., Schloß Beauregard mit 363 Bildnissen berühmter Persönlichkeiten ausstatten [41. 37 f.]. Künstlerisch bes. anspruchsvoll ist die *Galerie des Hommes Illustres*, die Richelieu ab 1633 für seinen Pariser Stadtpalast in Auftrag gibt: Ph. de Champaigne und Vouet führen 25 Porträts von verdienten Patrioten (und Patriotinnen) aus, darunter der regierende Ludwig XIII. und Richelieu selbst [18]. In England richtet Lord Lumley gegen 1570 in Lumley Palace neben einer hauptsächlich in Skulptur ausgeführten Familiengalerie eine 200 Bildnisse umfassende P. ein. Mit einer dem Projekt Richelieus vergleichbaren »nationalen« P. stattet der Staatssekretär Edward Hyde ab 1666 seine neue Londoner Residenz aus [50. 45 f.].

Einen neuerlichen Aufschwung erhalten die Porträtserien der Tugendhaften in der Aufklärung, eingebunden etwa in die human. Programme der Landschaftsgärten, wie der *Temple of Ancient Virtue* (Stowe, → Park III.), 1734 von William Kent für Richard Temple ausgeführt. In Deutschland spricht 1775 C. L. Hirschfeld *Von der moralischen Einwirkung der bildenden Künste* und befürwortet eine öffentliche Aufstellung von Bildnissen, da diese ›vortheilhafte Gedanken und

Entschließungen zu erhalten mächtig sind‹ [25. 127; 5. 33 f.]. In Frankreich rückt mit dem Sturz der Monarchie die Tat des Einzelnen bes. ins Licht und spiegelt sich in zahlreichen Gedenkmonumenten, wie Etienne-Louis Boullées Entwurf eines *Muséum destiné à contenir les statues des Grands Hommes* (1789), in dem Giovios Verbindung von »Museum«, Andenken und Ruhm weiterlebt [16. 15].

E. KÜNSTLERBILDNISGALERIEN

Bereits 1464 entwirft Filarete als Ausstattung für ein ideales Künstlerhaus eine Bildnisreihe der berühmtesten ant. Künstler, der er sich als Bewohner selbst anfügt. Giorgio Vasari realisiert ab 1542 in der Casa Vasari (Arezzo) eine persönliche Malergenealogie, die von seinen Aretiner Vorgängern zu seinen Florentiner Lehrern führt. Ähnlich stellt sich Alessandro Vittoria in seinem Atelier seinen venezianischen Künstlerahnen Tizian, Tintoretto und Veronese zur Seite [33. 139, 154, 212 ff.]. Grundlage für ein allg. biographisches und visuelles Interesse an der Kunstgeschichte bildet Vasaris Sammelbiographie, die in ihrer zweiten Auflage 1568 mit 144 Holzschnittbildnissen der besprochenen Künstler erscheint [8]. Vasari plante auch für die Florentiner Accademia del Disegno einen Fries mit Porträts toskanischer Künstler [33. 130 ff.]. Am E. des 16. Jh. legen die von Federico Zuccari entwickelten Statuten der röm.

Abb. 4: (Crispijn de Passe),
Miroir des plus belles Courtisanes
de ce temps, Amsterdam 1631,
Frontispiz. Berlin, Kunstbibliothek

Academie di San Luca als Aufnahmestück ein Selbst-bildnis fest, ebenso zeichnet sich innerhalb der Medi-ceischen Kunstsammlung eine Betonung der Künstler-bildnisse ab, und auch die *uomini illustri*-Galerie des Goldschmieds und Kunsthändlers Hans Jakob König legt mit 42 von 60 Porträts einen Schwerpunkt auf Selbstbildnisse [33. 156]. 1664 beginnt Leopoldo de' Medici bei zeitgenössischen Malern Selbstbildnisse für seine Sammlung zu bestellen, die bei seinem Tod (1675) 80 Künstlerporträts enthält. 1681 stellt Großherzog Co-simo III. diese Kollektion zusammen mit einer Statue Leopoldos als »königliches« Monument für dessen Kunstsinn in den Uffizien aus (Abb. 3). Bis 1704 umfaßt die Sammlung 180 Bildnisse und wird nur von den 262 vermutlich nach Stichen kopierten Künstlerporträts des Veronesers R. Mosconi übertroffen (1718) [41. 27–40].

F. SCHÖNHEITSGALERIEN

Für die Entstehung der Schönheitsgalerie lassen sich zweierlei lit. Wurzeln anführen: Zum einen der Blick auf die Frau in der männlichen Rolle einer Kriegs- oder Tugendheldin, der mit Boccaccios *De mulieribus claris* ein historiographisches Gewand bekommt. Ein zweiter Blick gilt seit Ovids *Heroides* der Weiblichkeit der Frau als Protagonistin im Spiel der Liebe. Während den männlichen Helden tugendhafte Frauen in den Serien der »neuf preuses« gegenüber gestellt werden [48], soll schon um 1400 Louis d'Orléans eine Mätressengalerie eingerichtet haben, die man vielleicht als eine biogra-phische Reihung seiner *gesta* im Liebesspiel verstehen darf [35. 231]. Um die Mitte des 16. Jh. rückt mit der anwachsenden Lit. von und für Frauen (Bildnisviten-bücher, Gedichte V. Colonnas und G. Stampas) auch die weibliche Rolle weiter in den Vordergrund [44]. 1549 versammelt M. Biondo auf einem virtuellen Ge-mäldeentwurf die schönsten Venezianerinnen seiner Zeit in myth. Verkleidung zu einer Art Brautschau [1.

fol. 25 f.]. »Seltenste Schönheit« stand auch bei der Sammlung von 30 Frauenporträts im Vordergund, die F. Bocchi 1591 im Palast der Acciauoli (Florenz) be-schreibt [2. 59]. Vermutlich handelte es sich um eine Art soziales Netz befreundeter Florentiner Schönheiten, ähnlich wie der weibliche Hofstaat, den Cristina von Lothringen, die Frau des Großherzogs Ferdinando, ab 1599 für die Villa von Artimino in Auftrag gab [10]. Die etwa 65 formal-höfischen Brustbildnisse lassen sich in das Ausstattungsprogramm der Gemächer der Herzogin einfügen, das spezifisch weibliche, insbes. eheliche Tu-genden wie Keuschheit und Treue betont. Dem männ-lichen Blick entspricht zur gleichen Zeit das Projekt Vicenzo Gonzagas (Mantua), die Bildnisse der größten Schönheiten seiner Zeit zusammenzutragen. Im 17. Jh. werden solche Schönheitsgalerien zahlreich, ausgeführt v. a. in den 60er J., etwa für Lorenzo Colonna oder für Karl Emmanuel II. von Savoyen. Von den von Flavio Chigis 1679 in Auftrag gegebenen Schönheitsserien haben sich im Familienpalast in Ariccia 37 Bildnisse erhalten [37; 39]. Crispijn de Passes *Spieghel der Aller-schönsten Courtisannen dieser Zeyt* (1630) versammelt, an-geblich aus kostümhistor. Interesse, die Porträts ›unver-schambter Huren‹, deren Verfügbarkeit und Unkeusch-heit im Kontext der polit. Geschichte beschrieben wird [7]. Das Frontispiz (Abb. 4) zeigt einen bürgerlichen, didaktischen Umgang mit einer solchen Galerie, deren moralischer Erkenntniswert die Darstellung des Spiegels unterstreicht. Die erotische Anziehungskraft der Frau im Ambiente der Privatgemächer inszenieren Peter Le-lys ab 1660 für die Herzogin von York ausgeführten »Windsor Beauties«, teilweise Mätressen von Charles II. Godfrey Kneller hingegen wählt für seine »Hampton Court Beauties« (um 1693) die dem repräsentativen Ort (Speisesaal) angemessene Form des Staatsporträts [52. 98–107]. Im 18. Jh. sind die Grenzen von der

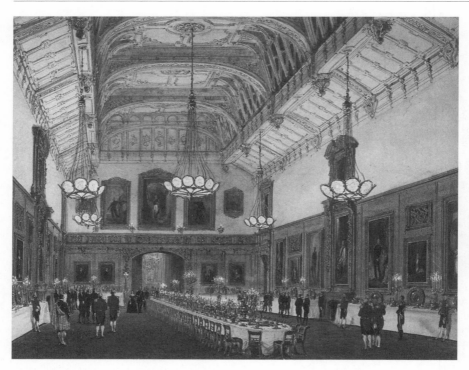

Abb. 5: Joseph Nash, The Waterloo Chamber, Windsor Castle, Aquarell um 1848.
Schloß Windsor

Schönheitsgalerie zum Genrebild fließend: Die Damen auf den 367 Porträts Pietro Rotaris (um 1756), die nach seinem Tod das »Musen- und Grazien-Kabinett« Katharinas II. in Peterhof ausfüllten, erhalten trotz des ethnographischen Charakters der Gemälde in Reiseführern eine histor. Identität [38]. Das *virtus*-Konzept steht wieder für Ludwig I. von Bayern im Vordergrund, der zw. 1826 und 1842 Joseph Karl Stieler die Bildnisse von 36 zeitgenössischen, vom König persönlich ausgewählten ›Schönheiten guter Aufführung‹ für Schloß Nymphenburg ausführen läßt [23].

G. Image und kollektive Identität

Mit einer P. kann ein Auftraggeber oder eine Körperschaft ein wirkungsvolles Image gestalten. Paolo Giovio (s.o.) etwa umgab sich zuerst mit einem Bildnisnetz berühmter Literaten, das sein eigenes Gelehrtendasein legitimiert. Die anwachsende Sammlung wurde dann mehr und mehr zu einem histor. Panorama der Tugend, das die Inschr. am Eingang dem *ingenium* des Auftraggebers zuordnete und so seinen intellektuellen und moralischen Status als Historiker außerhalb gesellschaftlicher Normen etablierte [27. 68, 74]. Von Giovio beeinflußt zeigt sich der Jurist M. M. Benavides, der die Bildnisse berühmter Rechtsgelehrter nicht nur sammelte, sondern 1566 auch publizierte [41. 21]. Ähnlich schreiben sich, wie A. Doni 1552 bemerkt, die noch jungen Akad. durch eine P. großer Literaten in die »ewige« Kontinuität geistiger Leistung ein [4. 196].

Die P. kann auch einem intimen Kreis von Zeitgenossen durch die beständige Nähe im Bild eine Gruppenidentität schaffen, wie Godfrey Knellers über 40 Porträts der Mitglieder des Londoner Kit-Cat-Clubs (1700–1720) [52]. Ab 1747 begann der Dichter Johann Wilhelm Ludwig Gleim einen »Tempel der Freundschaft« in seinem Halberstädter Wohnhaus einzurichten, der sich zu einem virtuellen Zirkel der Geistesgrößen der Aufklärung entwickelte [25. 138–147].

Für die repräsentative Identitätsstiftung von Staat und Kommune wurde die P. ebenfalls instrumentalisiert. Bereits um 1390 wurde im Florentiner Regierungspalast eine Serie ant. *uomini illustri* um fünf Florentinische Dichter erweitert, die von Claudianus bis Boccaccio ant. und aktuellen Ruhm verbinden [17. 133–148; 20]. Gleichzeitig entstand der folgenreiche Plan, den Dom zu einer Art Pantheon berühmter Florentiner umzugestalten [11; 40].

Eine kollektive Identität kann auch aus einem bestimmten histor. Moment gewonnen werden: Cosimo III. de' Medici gab 1699 die Porträts der Strategen des portugiesischen Unabhängigkeitskrieges in Auftrag, den er unterstützt hat [36]. Um 1784 begann der amerikanische Maler Ch.W. Peale in Philadelphia eigenhändig mit einer P. der Betreiber und Sympatisanten der amerikanischen Unabhängigkeit (bis 1827 über 200 Bildnisse) [12]. Besonders monumental ist die unter George IV. eingerichtete »Waterloo Chamber« in

Abb. 6: Gerhard Richter, 48 Porträts, Öl auf Leinwand. Je 70 × 55 cm.
Deutscher Pavillon der 36. Biennale in Venedig 1972 (Ausschnitt)

Schloß Windsor (ca. 1814–1830), die europ. Herrscher, Feldherren und Politiker in kolossalen Bildnissen von Thomas Lawrence als anti-napoleonische Allianz zeigt (Abb. 5) [30]. Die von Ludwig I. bereits ab 1807 geplante, dann 1830–1842 durch Leo von Klenze ausgeführte Walhalla sollte ›der Erstarkung und Vermehrung teutschen Sinnes‹ dienen, und zeigt dabei den schon 1775 von Hirschfeld angedeuteten Gedanken einer durch Bildnisse öffentlich etablierten nationalen Identität, die ihre Vorläufer z. B. in William Kents »Temple of British Worthies« in Stowe hat (1735) [45]. Es folgen die großen nationalen P., allen voran die 1856 per Parlamentsbeschluß als ›Gegenstand der Nachahmung für alle‹ gegründete National Portrait Gallery in London [3]. In It. entstand ab 1870, kurz nach der polit. Einigung, auf dem Pincio in Rom ein mehrere hundert Bildnisse umfassender Büstenhain für it. Patrioten [16]. Nach dem engl. Vorbild setzte Ludwig Justi 1913 eine dt. Bildnisgalerie in Berlin durch, deren zu wünschenden Bestand er auf 1000 Porträts ansetzt. Justi hielt diese P. für eine staatliche Aufgabe, ›pietätvolles Gedenken‹ und ›stolzes Nationalbewußtsein‹ seien ihre Grundlage sowie ihre Wirkung [6; 53]. Mit den vier riesenhaften Porträts amerikanischer Präsidenten am Mount Rushmore (South Dakota, USA) prägte John Gutzon Borglum 1927–1941 dem polit. Mutterboden selbst das Gesicht seiner Gestalter ein [49].

Nachdem schon Andy Warhol in seinem Beitr. für den New York State Pavillon des New York World Fair (1964) die Idee einer kollektiven Identität durch eine monumentale Verbrechergalerie (*Thirteen most wanted men*) in Frage gestellt hatte, führt Gerhard Richter 1972 im dt. Pavillon der Biennale in Venedig diese Kritik weiter (Abb. 6). Eine Serie von 48 formal egalisierten Porträts, alle nach winzigen Lexikonfotografien gemalt,

verwischt die Individualität der dargestellten Musiker, Wissenschaftler und Dichter und paßt sie in die Monumentalität der NS-Architektur ein. Ein auf das Subjekt fokussierter Geschichtsbegriff wird hier zugleich betrauert und dekonstruiert [13]. Angesichts dieser Skepsis an einer kollektiven histor. oder moralischen Identität scheint es umso erstaunlicher, daß der dt. Pavillon der »Expo 2000« in Hannover den Gedanken einer repräsentativen nationalen P. (Gipsstatuen und -Büsten zeitgenössischer dt. Künstler) in monumentaler Form wieder aufgenommen hat.

→ Antikensammlung
→ AWI Atticus; Biographie; Imagines Maiorum; Porträt; Plinius; Varro

QU 1 M. Biondo, Della nobillissima pittura (. . .), Venedig 1549 2 F. Bocchi, Le Bellezze della Città di Fiorenza, 1591, Ndr. 1971 3 Catalogue of the Pictures of the National Portray Gallery, London 1863 4 A. F. Doni, I Marmi, 1552, Hrsg. v. Ezio Chiòrboli, 1928 5 Ch. C. L. Hirschfeld, Von der moralischen Einwirkung der bildenden Künste, Leipzig 1775 6 National-Galerie. Führer durch die Bildnis-Sammlung, bearb. v. H. Mackowsky, Berlin 1929 7 Crispijn de Passe, Le Miroir des plus Belles Courtisannes de ce temps, Amsterdam 1631 8 G. Vasari, Le Vite de più eccellenti Pittori, Scultori e Architettori (1550/1568), Hrsg. v. R. Bettarini, kommentiert v. P. Barocchi, 1966–1984

LIT 9 H. Baader, Francesco Petrarca: Das Porträt, der Ruhm und die Gesch. Exempla virtutis (1355), in: R. Preimesberger, H. Baader, N. Suthor (Hrsg.), Porträt, 1999, 189–194 10 L. Bertani Bigalli, Le Bellezze di Artiminio, in: L. Berti (Hrsg.), Gli Uffizi, catalogo generale, 1979, 710ff. 11 R. Bonnefoit, Die Statuen der berühmten Toskaner im Hof der Uffizien, in: Mitt. des Kunsthistor. Institutes in Florenz 43, 1999, 103–187 12 B. Brame Fortune, Charles Wilson Peale's portrait gallery: persuasion and the plain style, in: Word and Image

6/4, 1990, 308–324 **13** B. H. D. Buchloh, Die Malerei am E. des Sujets, in: Gerhard Richter, Austellungskat. Bonn 1993, 3 Bde., 2, 5–78 **14** R. v. Busch, Stud. zu dt. Antiken-Slgg., 1973 **15** L. Cheles, The Studiolo of Urbino. An Iconographic Investigation, 1986 **16** A. Cremona, Il giardino della Memoria, in: Ders., S. Gnisci, A. Ponente (Hrsg.), Il Giardino della Memoria. I Busti dei Grandi Italiani al Pincio, 1999, 11–26 **17** M. M. Donato, Gli eroi romani tra storia ed »exemplum«. I primi cicli umanistici di Uomini Famosi, in: S. Settis (Hrsg.), Memoria dell'antico dell'arte italiana, Bd. 2: I generi e i temi ritrovati, 1985, 95–152 **18** B. Dorival, Art et politique en France au XVIIe siècle: La Galerie des Hommes Illustres du Palais Cardinal, Bull. de la Soc. de l'histoire de l'art français 1973, publ. 1974, 43–60 **19** R. Gibbs, Tomaso da Modena. Painting in Emilia and the March of Treviso, 1340–80, 1989 **20** M. Hansmann, Andrea del Castagnos Zyklus der »Uomini Famosi« und »Donne Famose«. Geschichtsverständnis und Tugendideal im Florentinischen Frühhuman., 1993 **21** F. Haskell, Die Gesch. und ihre Bilder, 1995 **22** J. G. Prinz von Hohenzollern, Die Königsgalerien der frz. Kathedrale, Herkunft, Nachfolge, 1965 **23** H. Hojer, Die Schönheitsgalerie König Ludwig I., 1979 **24** J. Homolka, The Pictorial Decoration of the Palace and Lesser Tower of Karlštejn Castle, in: Magister Theodoricus. Court Painter to Emperor Charles IV. The Pictorial Decoration of the Shrines at Karlštejn Castle, Hrsg. v. J. Fajt, 1998, 45–105 **25** R. Kanz, Dichter und Denker im Porträt. Spurengänge zur dt. Porträtkultur des 18. Jh., 1993 **26** H. Keller, s. v. Denkmal in: RDK 3, Sp. 1257–1297 **27** L. Klinger Aleci, Images of Identity. Italian Portrait Collections of the Fifteenth and Sixteenth Centuries, in: N. Mann, L. Syson (Hrsg.), The Image of the Individual. Portraits in the Ren., 1998, 67–79 (mit Bibliogr.) **28** G. Ladner, Die Papstbildnisse des Alt. und des MA, 1941 **29** G. Lahusen, Schriftquellen zum röm. Bildnis, Bd. 1, 1984 **30** M. Levey, Sir Thomas Lawrence's Portrait of Pope Pius VII, The Burlington Magazine 117 (1975), Nr. 865, 194–203 **31** T. Lorenz, Galerien von griech. Philosophen- und Dichterbildnissen, 1965 **32** L. Luchener, Denkmal eines Renaissancefürsten. Versuch einer Rekonstruktion des Ambraser Mus. von 1583, 1958. **33** S. Marschke, Künstlerbildnis und Selbstporträts. Stud. zu ihren Funktionen von der Ant. bis zur Ren., 1998 **34** A. Martindale, Heroes, ancestors, relatives and the birth of the portrait, 1988 **35** Ch. de Mérindol, Portrait et généalogie: La genèse du portrait réaliste et indvdualisé, in: Population et démographie au Moyen Âge, 1995, 219–250. **36** M. Mosco, La serie di ritratti di Generali portoghesi, in: L. Berti (Hrsg.), Gli Uffizi, Cat. generale, 1979, Bd. 2, 722 **37** L. Nikolenko, The Beauties' Galleries, Gazette des Beaux-Arts 67, 1966/1, 19–24 **38** L. Nikolenko, Pietro Rotari in Russia and America, in: Connoisseur 171, 1969, 191–196 **39** L. Nikolenko, The Source of the Mancini-Mazarini Iconography, Cat. of Portraits in the Chigi d'Ariccia Collection, in: Gazette des Beaux-Arts 76, 1970/1972, 146–57 **40** E. Oy-Marra, Florentiner Ehrengrabmäler der Frühren., 1994 **40** W. Prinz, Die Slgg. der Selbstbildnisse in den Uffizien, Bd. 1: Gesch. der Slg., 1971 **42** Ders., La collezione degli autoritratti, in: L. Berti (Hrsg.), Gli Uffizi, Cat. generale, 1979, Bd. 2, 765–772 **43** Ders., La serie Gioviana o la collezione dei ritratti degli uomini illustri, in: Gli Uffizi, Cat. generale, Bd. 2, 1979, 603 **44** P. A. Rave, Paolo Giovio und die Bildnisviten-B. des Human., in: Jb. der Berliner Mus. 1, 1959, 119–153 **45** A. Reinle, Das stellvertretende Bildnis. Plastiken und Gemälde von der Ant. bis ins 19. Jh., 1984 **46** A. Schmitt, Die Wiederbelebung der Ant. im Trecento, Mitt. des Kunsthistor. Inst. in Florenz 18, 1974, 167–218 **47** H. Schwindrazheim, Eine Porträtsammlung Wilhelms IV. von Hessen und der »Güldenen Saal«, in: Marburger Jb. für Kunstwiss. 10, 1937 (1939), 263–306 **48** I. Sedlacek, Die Neuf Preuses. Heldinnen des Spät-MA, 1997 **49** R. A. Smith, The Carving of Mount Rushmore, 1985 **50** R. Strong, The English Icon: Elizabethan & Jacobean Portraiture, 1969 **51** R. Stupperich, Die Zwölf Caesaren Suetons. Zur Verwendung von Kaiserporträt-Galerien in der Neuzeit, in: Ders. (Hrsg.), Lebendige Ant. Rezeptionen der Ant. in Politik, Kunst und Wiss. der Neuzeit, 1995, 39–58 **52** R. Wendorf, The Elements of Life: Biography and Portrait-Painting in Stuart and Georgian England, 1990 **53** K. Winkler, Ludwig Justis Konzept des Gegenwart-Mus. zw. Avantgarde und nationaler Repräsentation, in: C. Rückert, S. Kuhrau (Hrsg.), »Der Dt. Kunst«. Nationalgalerie und nationale Identität 1876–1998, 1999, 61–81 **54** J. Woodall, »His Majesty's most majestic room«. The division of sovereign identity in Philip II of Spain's lost portrait gallery at El Pardo, in: Nederlands Kunsthistorisch Jaarboek 46, 1995, 52–103 **55** P. Zanker, Die Maske des Sokrates. Das Bild des Intellektuellen in der ant. Kunst, 1995.

WOLF-DIETRICH LÖHR

Portugal A. Vorgeschichte
B. Die 1. Dynastie (1143–1383)
C. Von der 2. Dynastie zur Pombalinischen Reform (1385–1755)
D. Von der Pombalinischen Reform zur 1. Republik (1755–1910)
E. Von der 1. Republik zur Gegenwart

A. Vorgeschichte

Die Römer erreichten im J. 218 v. Chr. das zuvor schon teilweise von Griechen besiedelte *Hispania*. Die Romanisierung, die durch die Kriege der Feldherren Viriatus (147–139 v. Chr.) und Sertorius (80–72 v. Chr.) geprägt war, bestimmt die heutige Siedlungsform und die Verkehrswege. Die Verwaltungseinheiten weisen auf eine kulturelle und sprachliche Differenzierung des Westens der Halbinsel hin. Der Fall des weström. Reichs beschleunigt zwar die Abtrennung und Sonderentwicklung des Lat. der 654 durch die Westgoten inzwischen vereinigten *Hispaniae*, eliminiert aber im zukünftigen portugiesischen Gebiet nicht den Kontakt zur von Paulus Orosius (geb. um 390), Hydatius Flaviensis, Paschasius Dumiensis und Martinus Bracarensis († 579) hochgeschätzten ant. Kultur. Letzterer gründet das Kloster von Dume in der Trad. des östl. Eremitentums und erweitert den Einfluß Senecas. Das westgot. Reich bricht 711 unter dem Druck der maurischen Invasoren zusammen. In ihrer Zuflucht in den Gebirgen im Nordwesten gründen die Christen das Königreich Asturien und beginnen die Reconquista, gestützt auf die christl. Glauben, die lat. Sprache und das in Klöstern, Bibl. und *scriptoria* erh. geistige Erbe Hispaniens.

B. Die 1. Dynastie (1143–1383)

1. Geschichte

Im Rahmen der Reconquista entwickelt sich die Grafschaft Portucalia unter Afonso I. 1143 zu einem von León unabhängigen Königreich. Seine seit 1249 praktisch unveränderten Grenzen schaffen früh einen autonomen, nationalen Sprachraum, in dem das lat. Substrat german. und arab. Einflüsse erhält. Der Übergang zur Schrift erfolgt beim Galizisch-Portugiesischen verspätet, und zwar durch nichtlit. Texte, die zwar in lat. Sprache verfaßt sind, aber bereits deutliche romanische Anklänge aufweisen (Testament Afonsos II., 1214, *Notícia de Torto* (»Notiz vom Rechtsbruch«), 1214–1216). König Dinis führt 1279–1325 die Landessprache Portugiesisch als Kanzleisprache ein und ersetzt dadurch das Lateinische. Die Trennung zw. Galizisch und Portugiesisch erfolgt in der zweiten H. des 14. Jh.

2. Kultur

Unter den Kathedral- und → Klosterschulen treten die Klöster Santa Cruz (1131/32) und Alcobaça (1153) hervor, die beide über *scriptoria* und Bibl. verfügen. Diese Schulen unterstützen das Kanzleiwesen, das im 12. Jh. in Coimbra angesiedelt wird und dem die in It. ausgebildeten Juristen eine neue, auf das → Römische Recht gegr. Ordnung geben, die bereits im westgot. Codex erscheint und durch die Gründung des *Studium generale* (1290) gefestigt wird. Das Inventar der Bibl. aus den J. 1316–1409, einschließlich der als päpstlicher Besitz verzeichneten Werke, belegt ein großes Interesse am Buch, an internationaler wiss. Lit., eine anderen Ländern vergleichbare Kenntnis der klass. Autoren und eine starke Betonung der Moralphilos. und Historiographie. Ansehen erlangen in dieser Epoche Petrus Hispanus († 1277), Arzt, Papst und aristotelischer Philosoph, und Antonius von Lissabon († 1231), ein herausragender Prediger und Theologe, der die Klassiker ausgiebig zitiert.

C. Von der 2. Dynastie zur Pombalinischen Reform (1385–1755)

1. Geschichte und soziale Entwicklung

Mit der Krise von 1383–1385 erzwingen Bürgertum und Kleinadel die Machtübernahme durch die Avis-Dyn. und stellen die Klasse der Schrift- und Rechtsgelehrten bis zur Zeit Afonsos V. (1438–1481). Das 15. Jh. mit seinen großen Seefahrten bringt wiss. Fortschritt. Im 16. Jh., insbes. ab den 30er J., blüht die human. Bewegung, die vorwiegend aus Spanien und It. importiert wird. João III. (1521–1557) verwandelt seinen Hof in ein kulturelles Zentrum, führt 1537 die universitäre Ausbildung mit Coimbra und Évora als Zentren der portugiesischen Kultur endgültig ein, gründet Kollegschulen und Klöster und schickt Stipendiaten nach Paris, bevor er die Inquisition übernimmt. Die Personalunion mit Spanien (1580–1640) führt zu einem Niedergang der Kultur und die Zweisprachigkeit Portugiesisch-Kastilisch setzt sich durch. Nach der Restauration der Unabhängigkeit 1640 öffnet das Haus Bragança P. nach Europa, insbes. nach Frankreich hin.

2. Vorhumanismus (1385–1500)

Zu Beginn der 2. Dynastie verwendet der Infant D. Pedro († 1449) Aristoteles, Cicero und v. a. Seneca in der *Virtuosa Benfeitoria* (»Buch von den Wohltaten«), die siebzig Gräzismen und das erste Zit. der aristotelischen *Politik* in P. aufweist; er ist mit dem *Livro dos Ofícios* (»Buch von den Pflichten«; Ciceros *De officiis*) Autor der ersten Übers. eines vollständigen Werks der → politischen Theorie ins Portugiesische und regt weitere Übers. an. König Duarte († 1438) verfaßt das *Livro de ensinança* (»Buch der Unterweisung im sattelgerechten Reiten«) und den *Leal Conselheiro* (»Treuer Ratgeber«), zitiert Aristoteles, Cicero und Seneca und greift bei abstrakter Wortbildung auf das Lat. zurück. Klassische Referenzen finden sich bei den Chronisten F. Lopes († 1459) und Zurara († 1474) sowie im *Cancioneiro Geral* (»Allgemeines Liederbuch«) 1516 (Mythonyme, Topoi, Zit., Übers. von fünf Heroides Ovids), der Dramaturg G. Vicente († um 1549) verbindet die ma. Trad. mit zahlreichen Namen und einigen Motiven griech.-röm. Herkunft.

3. Humanismus und Renaissance (1500–1580)

Die Ankunft des Sizilianers Cataldus 1485 ermöglicht am Hofe Joãos II. die Einführung des Human. mit folgenden Charakteristiken: Aufwertung der empirischen Erfahrung, mil. Engagement in Übersee, Verwendung des Lat. zur Verbreitung der lusitanischen Heldentaten, ausgedehnte Reisetätigkeit durch die wichtigsten Zentren der europ. Kultur, in denen Portugiesen zahlreiche ihrer Werke veröffentlichen. Unter den neuen human. Kollegschulen treten die durch João III. in Coimbra gegr. hervor: Colégio de Santa Cruz (1537) nach dem Vorbild der Sorbonne sowie Colégio das Artes, 1547 durch A. Gouveia eröffnet und 1555 dem Jesuitenorden übergeben. Das sehr hohe Niveau im Lat. wird durch die Grammatiken von Despauterius, Nebrija und Clenardus gestützt, durch Wörterbücher von Nebrija, Calepinus und Estienne sowie ein Druckwesen, das in- und ausländische Titel veröffentlicht wie E. Cavaleiro, *Noua grammatices ars* (1516), C. Soares, *De Arte Rhetorica* (1562), M. Álvares, *De institutione Grammatica* (1572; 531 Ausgaben in Europa, Amerika und Asien), und das Lex. Lat.-Portugiesisch, Portugiesisch-Lat. von J. Cardoso (1562), die erste allg. und systematische Alphabetisierung des portugiesischen Wortschatzes. Griech. wurde trotz herausragender Gelehrter wie V. Fabricius und A. Barbosa († 1540), der in Salamanca den ersten Lehrstuhl der Halbinsel für Griech. begründete, weniger gelehrt und gefördert als das Lat., das ein sehr hohes Niveau erreichte.

3.1 Lateinischsprachige Humanisten

Neben den bereits zitierten Persönlichkeiten sowie G. Meneses, V. F. de Lucena, M. de Figueiredo, Públia Hortênsia, Luísa Sigeia, die Dichter H. Caiado und D. Pires und der Philologe A. Estaço seien als die berühmtesten Vertreter des Human. genannt: A. de Gouveia († 1548), Prinzipal der Kollegschule Santa Barbara in

Paris und Rektor der Kollegschule von Guyenne in Bordeaux, bevor er das Colégio das Artes gründete, repräsentiert den Bruch mit christl. und arab. Übers. aus der Zeit vor der Ren., er vertritt gegen la Ramée einen rationalistischen Aristotelismus; A. de Resende, Polygraph und Antiquar mit weitreichenden internationalen Beziehungen, hält die berühmteste portugiesische *Oratio sapientiae*, die *Oratio pro rostris* (1534), ein flammendes Lob der klass. Lit., und begründet die portugiesische Arch. mit *De antiquitatibus Lusitaniae* (1593); D. de Góis (†1574) lernt in den 22 im Ausland verbrachten Jahren Dürer, Luther, Melanchthon und L. Vives kennen und verbreitet die portugiesischen Errungenschaften in Löwen und Antwerpen; J. Osório (†1580) tritt in der polit. Philos. hervor; Diogo de Teive veröffentlicht die Trag. *Ioannes Princeps* (1558), mit nationaler und zeitgenössischer Thematik; Pedro da Fonseca (†1599) kommentiert Aristoteles.

3.2 VULGÄRHUMANISMUS

Das 16. Jh. fördert neben dem Lat. und Kastilischen das Portugiesische als Schriftsprache, angereichert mit gehobenen Latinismen und Gräzismen, mit etym. und latinisierter Schreibweise, im Zuge einer selbst in Camões' Syntax erkennbaren Relatinisierung. Sá de Miranda (†1558) führt das klass. Theater ein, als klass. lit. Gattungen die Epistel, Elegie, Ekloge und das Epithalamion und mit deutlicher Aktualisierung Themen wie die Überlegenheit der Philol., den Gegensatz Stadt/Land, den Mythos des Goldenen Zeitalters, das horazische Thema des ›odi profanum vulgus‹, also der Ablehung alles Niederen und Vulgären, und die *aurea mediocritas*, das »goldene Mittelmaß«. A. Ferreira (†1569), Theoretiker des Klassizismus und empfänglich für den Einfluß der griech. Lit. (*Anacreontea* und Theokrit), führt die Ode ein und hinterläßt die von Seneca, der Praetexta *Octavia* und Teive beeinflußte Trag. *Castro*. P. Nunes, ein international renommierter Mathematiker, vervollständigt die alte Kosmographie mit den durch die Neuentdeckungen gewonnenen Kenntnissen (*Tratado da Sphera*, »Traktat von der Sphäre«, 1537). J. de Barros betont die Vielfalt der Kulturen in *Décadas* (»Dekaden«), die Einflüsse von Livius und Cicero aufweisen, und nennt erstmals im Portugiesischen den Begriff »Humanist« (*Espelho de Casados* (»Ehespiegel«, 1540). Garcia de Orta korrigiert und erweitert mit dem *Colóquio dos Simples e Drogas da Índia* (»Abh. von den Pflanzen und Arzneien Indiens«, Goa 1563) die Kenntnisse über die medizinischen Wirkungen der orientalischen Flora. Luís de Camões (†1580) pflegt praktisch alle klass. Genera mit Ausnahme der Tragödie. Einzigartig sind seine Eklogen und Oden mit horazischer Thematik und die Imitation Homers und Vergils im Nationalepos *Os Lusíadas* (»Die Lusiaden«, Abb. 1), in dem er von den ersten Versen an in leidenschaftlicher *aemulatio* mit der Ant. der Wiss. vom Alt. das Wissen aus Erfahrung entgegenhält. Seine Sicht des Menschen ist prometheisch, fortschrittsgläubig, er beweist große Achtung vor fremden Kulturen, wie z. B. bei der Beschreibung der äthio-

Abb. 1: Deckblatt der Erstausgabe von *Os Lusíadas* von Luis de Camóes, veröffentlicht 1572 in Lissabon, Meisterwerk des Vulgärhumanismus und portugiesisches Nationalepos

pischen Frauen (›Die Hirtenflöte, lieblich musizierend, und Tityrus' Camenen imitierend‹, V. 63). D.P. Pereira lobt die durch die Neuentdeckungen gewonnenen wiss. Erkenntnisse und im selben J., in dem Leonardo da Vinci ›sperienza (...) è maestra vera (...) la sapientia è figliuola della sperientia‹ (»Erfahrung (...) ist die wahre Lehrerin (...) die Weisheit ist Tochter der Erfahrung«) schreibt, nennt er die Erfahrung die Mutter der Dinge (*Esmeraldo de situ orbis*, »Smaragdus de situ orbis«, 1508).

3.3 KLASSIZISMUS IN DER PORTUGIESISCHEN KUNST

Zu Beginn des 16. Jh. arbeiten in P. die Franzosen N. Chanterène und Jean de Rouen insbes. in der bildenden Kunst und verbreiten den Klassizismus in der Kunst, vom Buchdruck bis hin zum Bau von Festungen. In der Malerei zeichnet sich F. de Holanda aus, ein Bewunderer Michelangelos und Verf. eines *Álbum dos Desenhos das Antigualhas* (Album der Zeichnungen von Ruinen des Alt.«, 1540) und des Traktats *Da pintura antiga* (»Über die alte Malerei«, 1548), in dem er ein enzyklopädisches Wissen einschließlich des Griech. und Lat. für alle angehenden Maler postuliert.

4. VON DER RESTAURATION ZUR POMBALINISCHEN REFORM

Zwischen 1580 und 1680 und bis Mitte des 18. Jh. dominiert der Barock die portugiesische Kultur, unter bes. Berücksichtigung der Sätze und Redensarten, die auf Sallust, Seneca und Tacitus zurückgehen und unter rein formaler Verwendung klass. Motive wie z. B. in den beiden Liederbüchern aus dem 17. Jh., *Fénix Renascida* (»Der wiederauferstandene Phönix«), veröffentlicht 1716–1728, und *Postilhão de Apolo* (»Apolls Postillon«), veröffentlicht 1761–1762. R. Lobo (†1621) pflegt Bukolik, Dialog und Epistolographie. F. M. de Melo verfaßt *Auto do Fidalgo Aprendiz* (»Spiel vom Ritterlehrling«, 1665) mit plautinischem Beigeschmack, eine von Tacitus inspirierte *Historia (. . .) de Cataluña* (»Geschichte (…) Kataloniens«, 1645), Dialoge, Episteln und drei Gedichtbände, in denen die neun Musen evoziert werden. Der Dramaturg A. J. da Silva (1705–1739) parodiert in einigen seiner Werke klass. Themen.

D. Von der Pombalinischen Reform zur 1. Republik (1755–1910)
1. Geschichte und soziale Entwicklung

Von der Amtszeit Josés I. (1750–1777) bis zur Einführung der Republik geht P. vom aufgeklärten Despotismus zum Liberalismus (Revolte von 1820, Verfassung von 1822) und zum Republikanismus über. Die portugiesisch-span. Zweisprachigkeit verliert angesichts anderer Fremdsprachen an Bedeutung. Die aufklärerischen Ideale werden in Salons und Akad. verbreitet, 1779 wird die Königliche Akad. der Wiss. gegr. und 1796 die erste öffentliche Bibliothek. Zu Beginn dieses Abschnitts sticht die Figur des Marquis von Pombal hervor, eines Ministers Josés I., dessen Reformen eine Zentralisierung der Macht und Aufwertung des Kleinadels und Bürgertums anstreben.

2. Die Pombalinischen Bildungsreformen

Der wichtigste Theoretiker der Aufklärung in P. ist L. A. Verney, dessen *Verdadeiro Método de Estudar* (»Wahrer Weg des Studiums«, 1746) das Aufkommen des Arkadismus und die Bildungsreform favorisiert, wodurch die Jesuiten 1759 zugunsten der Oratorianer aus der Lehre und dem Land vertrieben werden. Verboten werden die *Prosódia* (»Prosodie«) Bento Pereiras und die Grammatik von M. Álvares, die durch A. P. de Figueiredos *Novo Methodo de Grammatica Latina* (»Neue Methode der lat. Grammatik«) ersetzt wird; für das bislang vernachlässigte Griech. wird die *Epítome do Método de Port-Royal* (»Epitome der Methode v. Port-Royal«, 1760) von J. de Magalhães empfohlen. Von den 1772/73 geschaffenen 273 Lehrstellen für Lat. und 38 für Griech. werden jedoch nur 181 bzw. 22 besetzt.

3. Arkadismus und Neoklassizismus
3.1 Literatur

Die *Arcádia Lusitana* (1757) versucht, das Alt. unter dem Motto der horazischen »Feile« zu rehabilitieren. Ihre Ästhetik, die v. a. von Cândido Lusitano in seiner *Arte Poética* (»Dichtkunst«, 1748) zusammengestellt wurde, geht auf Aristoteles und Horaz sowie Longin, Quintilian und Boileau zurück und verleiht Ode, Dithyrambos, Trag., anakreontischer und pindarischer Lyrik, Alkaios und Sappho, Bukolik, Gräzismen und Latinismen, der Abschaffung des Reims, der allegorischen Verwendung der Myth. und dem gesellschaftlichen Nutzen der Kunst einen hohen Stellenwert. Hervorzuheben sind C.

Garção (†1772), Reis Quita (†1770), Cruz e Silva (†1799), F. Elísio (†1819), die Marquise von Alorna (†1839), T. A. Gonzaga (†1810) und Bocage (†1805), einer der besten portugiesischen Übersetzer.

3.2 Architektur

Der Neoklassizismus äußert sich erstmals durch engl. Einfluß in der Stadt Porto, im Baustil des Hospital de Santo António (1769) des Architekten J. Carr sowie in Coimbra im Stil des chemischen Labors, des Mus. für Naturgeschichte und des astronomischen Observatoriums von G. Elsden. In Braga und im Norden des Landes stehen zahlreiche Kirchen C. Amarantes unter neoklassizistischem Einfluß wie z. B. Bom Jesus (1781). In Lissabon entwirft Costa e Silva das Real Erário (1789), Teatro S. Carlos (1792) und Palácio da Ajuda (1802), F. Lodi das Teatro D. Maria II. (1842) und die heutige Assembléia da República (Parlament).

4. Der Rückgang der klassischen Wissenschaft im 18. Jahrhundert

In der Philos. hatte Pedro da Fonseca internationales Ansehen erlangt (*Institutionum dialecticarum*, 1564, mit 34 europ. Auflagen; *Commentarii in libros Metaphysicorum Aristotelis*, 1577–1605, und *Isagoge Philosophica*, 1591, mit 53 europ. Auflagen) sowie die Kommentatoren des Aristoteles, deren *Cursus Philosophicus Conimbricensis* (1592–1597 und 1606) in Europa über 112 Auflagen erreichte. Aristoteles' Bed. im Bildungswesen ist in den Statuten der Univ. von 1559 erkennbar und in der *Ratio Studiorum* der Jesuiten, deren Ausweisung den 1773 in den Schulen verbotenen Aristotelismus ruinierte. 1791 räumt die rationale und moralische Philos. in der philos. Fakultät der Botanik und Landwirtschaft das Feld.

Das → Römische Recht, auf portugiesischem Gebiet seit den Westgoten gültig und als subsidiäres Recht in den Büchern Afonsos X. festgeschrieben und zw. 1273 und 1282 ins Portugiesische übersetzt, wird 1290 im *Studium generale* durch die neue Systematisierung der Glossatorenschule gelehrt. Der Human. beschränkt seine Anwendung auf das durch die *ratio scripta* gefilterte Recht. 1769 wird der subsidiäre Zugriff auf das Röm. Recht eingeschränkt, endgültig verworfen wird es im ersten Zivilgesetzbuch von 1867, als es bereits Bestandteil des portugiesischen Rechts war; es wird indes bis in die Gegenwart gelehrt.

Die Trad. des Hippokrates, Dioskurides und Galen (→ Galenismus; → Medizin), gefördert vom ma. Autor Petrus Hispanus, dem Verf. des ersten Traktats über Augenheilkunde und Förderer der arab. und salernitanischen Trad., und von den Ren.-Medizinern A. Luís und Amato Lusitano, einem großen Kommentator des Dioskurides, gerät gegen E. des 18. Jh. in Konflikt mit neuen Theorien und Arzneien, deren Pionier Garcia de Orta war. Die Pombalinischen Statuten von 1772 ergänzen die theoretische Lehre mit der Praxis. Ohne vom weiteren Studium des Hippokrates oder Galen abzuraten, wird der bisher unbestrittenen Geltung Galens durch das neue Studienfach »Medizinische Materie und Pharmazie«, unterstützt durch das Werk *Institutionen und Ele-*

mente der Pharmazie, ein E. gesetzt. Die Grundlagen dieses Studienfachs werden in der ersten Ausgabe der *Farmacopeia Geral* (»Allg. Pharmakopöe«) von F. Tavares (1794) festgelegt. Gleichsam als Ausgleich liefern das Lat. und Griech. der neuen wiss. und technischen Sprache Wörter und Wortbildungselemente mit hybriden Formen.

5. DIE KLASSISCHE TRADITION IM 19. JAHRHUNDERT

5.1 UNTERRICHT IN DEN KLASSISCHEN SPRACHEN

Die Reform Marias I. (1777–1816) sieht für das gesamte Land 252 Stellen für Lat. gegenüber lediglich fünf für Griech. vor. Maria II. (1826–1853) beschränkt den Griechischunterricht auf die nationalen Gymnasien in Coimbra, Lissabon und Porto und stellt das Lat. in den Dienst des Portugiesischen. 1851 porträtiert eine *Memoria* von A. de Moraes den schweren Stand des Griech. in der Univ.; 1861 verteidigt A. Viale den Nutzen der klass. Lit. im von Pedro V. gegr. *Curso Superior de Letras*. Sie wird von den Ultraromantikern als zu klass. und von den Erzkatholiken als zu profan abgelehnt. Zahlreiche Studenten haben erst in der Univ. Kontakt mit dem Griech., das den Studienabschluß hinauszögert und sich praktisch selbst zugrunde richtet, was nach G. Guimarães (1894) den völligen Untergang des Unterrichts in den klass. Sprachen ankündigt.

5.2 LITERATUR DES 19. JAHRHUNDERTS

Die im allg. antiklass. Romantik entwickelt unter dt. Einfluß Begeisterung für die Geschichte des Alt. (*História da República Romana* »Geschichte der Römischen Republik«, 1885, von O. Martins) und die griech. Kultur (zahlreiche Übers. griech. Autoren). A. Garrett, ausgebildeter Arkadier und Begründer der Romantik, spiegelt in der Trag. *Catão* (»Cato«, 1821) anhand seiner Figuren der Tyrannen und des Gelehrten seine liberalen Ideale wider, und *Frei Luís de Sousa* (1843) weist nach aristotelischer Manier Schrecken und Mitleid, Anagnorisis und abschließende Katastrophe auf. A. de Quental (†1891) betont zwar in Absetzung von dem hervorragenden Übersetzer Castilho, daß die Menschheit sich nicht erneuern lasse, indem man ›die alten, sensualistischen Dichter Griechenlands und Roms übersetzt‹, verwendet selbst aber ausgiebig Latinismen und klass. geprägte Adjektive.

E. VON DER 1. REPUBLIK ZUR GEGENWART

1. GESCHICHTE UND SOZIALE ENTWICKLUNG

Die Errichtung der Republik 1910 folgt den Idealen der Gleichheit und des Liberalismus und weitet die Hochschulbildung aus. Der ab 1933 autoritäre *Estado Novo* Oliveira Salazars leitet erst in seiner letzten Phase eine Demokratisierung des Bildungswesens ein. Sie wird nach der Revolution 1974 wieder aufgenommen, die durch die Demokratie den Weg für die Bildung breiter Schichten ebnet.

2. UNTERRICHT IN DEN KLASSISCHEN SPRACHEN IM 20. JAHRHUNDERT

1911 werden die philol. Fakultäten in Lissabon und Coimbra eingerichtet, beide mit einer Abteilung für Klass. Philol., ebenso wie in Porto 1919–1928. Die Reform von 1957 erweitert die Anzahl der klass. Studienfächer. Im Zuge der Reform von 1978 gehören Lat. und klass. Kultur zum Studienplan der meisten Studiengänge im Bereich der mod. Sprach- und Literaturwiss., auch in den neuen Univ.; an der Univ. Aveiro (1983) und der Katholischen Univ. werden Studiengänge für Lat. und Griech. eingerichtet (Braga 1980, Viseu 1989).

3. VERMITTLER DER KLASSISCHEN KULTUR IM 20. JAHRHUNDERT

Trotz einer anfänglichen Ausdünnung erlebt das 20. Jh. große Klassizisten und eine bedeutende Publikations- und Forschungstätigkeit. Von den verstorbenen Altertumswissenschaftlern übersetzt Epifânio Dias (†1916) die Gramm. Madvigs; G. Guimarães führt 1913 die restaurierte Aussprache des Lat. ein; R. Gonçalves gründet in Coimbra 1944 das Institut für Altertumswiss. und 1947 die Zeitschrift *Humanitas*, sowie in Lissabon 1957 die Zeitschrift *Euphrosyne* und 1967 das Inst. für Altertumswiss.; M. Antunes (†1985) hat in Lissabon mit dem Studienfach Geschichte der klass. Kultur große Ausstrahlung verliehen; A. Freire (†1997) leistet in Braga Bedeutendes im Bereich der Grammatik. Die zahlreichen gegenwärtig tätigen Altertumswissenschaftler, v. a. in Braga, Coimbra und Lissabon, haben ihre Arbeit auf alle Bereiche des Faches ausgedehnt und zahlreiche Werke bei öffentlichen und privaten Verlegern herausgegeben: kritische Ausgaben, literaturwiss. Arbeiten, Studien zur griech. Metrik, komm. Übers. griech. und lat. Klassiker, Lat. des MA und der Ren., christl. Lat., Human. in P., Fachbibliogr., Geschichte der klass. Kultur und Geschichte des Alt., Rezeption der klass. Kultur, Didaktik der klass. Sprachen. 1957 wird der portugiesische Verband für Altertumswiss. gegr., 1966 die Forschungszentren für Altertumswiss. in Coimbra und Lissabon. In jüngster Zeit wurden Forschungsprojekte an der Katholischen Univ. und in Aveiro ins Leben gerufen sowie die Zeitschriften *Classica* (1977), *Boletim de Estudos Clássicos* (1984), *Máthesis* (1992), *Revista Portuguesa de Humanidades* (1997) und *Ágora* (1999) begründet. Die röm. Arch. hat sich seit der Gründung des Arch. Inst. in Coimbra (1954) entwickelt, das seit 1982 die Zeitschriften *Conimbriga* und *Ficheiro Epigráfico* herausgibt. Das Mus. von Conimbriga, eines der meistbesuchten Mus. in P., spielt eine wichtige Rolle bei der Auswertung des röm. arch. Erbes, mit dessen Erforsch. sich gegenwärtig zahlreiche über das gesamte Land verteilte Projekte beschäftigen.

4. LITERATUR

Klass. Themen werden in sehr weitgefaßten und verschiedenen künstlerischen Formen behandelt. Sie können geradezu als wahre Entdeckung der Lit. des 20. Jh. gelten und von so unterschiedlichen Autoren bearbeitet sein wie dem Symbolisten E. de Castro, A. Gil, J. de

Barros, dem Modernisten A. Negreiros, und J. G. Ferreira, J. Blanc de Portugal, J. de Sena, D. Mourão-Ferreira, Mário de Carvalho, F. Guimarães, R. Knopfli, Fiama Brandão, V. Graça Moura, J. A. Seabra, Hélia Correia, Seomara Ferreira, O. Neves, M. Lourenço und F. Jorge. Unter den bekanntesten ist F. Pessoa († 1935), Mitarbeiter der Zeitschriften *Orpheu* (1915) und *Athena* (1924/25). Die Rezeption der Klassiker tritt in den *Odes* des Ricardo Reis hervor (eines Pseudonyms F. Pessoas), mit latinisierter Syntax, Strophenform und klass. Entlehnungen sowie Verbindung der griech. mit der lat. Kultur. M. Torga († 1995) läßt seine klass. Bildung in den *Odes* (1946), *Orfeu Rebelde* (»Rebellischer Orpheus«, 1958) und in den Gedichten des *Diário* (»Tagebuch«) durchscheinen, in denen die klass. Mythen, beginnend bei dem erdverhafteten Antaios, im allg. der allegorischen Interpretation unterzogen werden, um grundlegende menschliche Themen zu übermitteln und zu einer Identifizierung mit Orpheus, Prometheus und den Fauni zu führen. Für Sophia M. Breyner ist das alte Griechenland Heimat der Gerechtigkeit, Freiheit, Weisheit und Schönheit; das klass. Erbe ist sichtbar seit dem *Coral* (»Korall«, 1950) bis zu *Geografia* (1967) und *Búzio de Cós* (»Muschel von Kos«, 1997). Ohne daß Apollon Musagetes außer acht gelassen wird, ist für sie Orpheus der Patron der Dichtkunst; Eurydike, das zentrale Motiv ihres Gesamtwerks, steht für die Dichterin selbst. Virgílio Ferreira († 1996) bringt seine klass. Bildung in Zit. und Themen wie dem Labyrinth und Antaios, dem Symbol des Menschen, der seine Kraft aus der Erde schöpft, zum Ausdruck. Dem Roman *Alegria breve* (»Kurze Freude«, 1965) ist Sophokles, *Antigone* 332 f. vorangestellt und *Signo sinal* (»Zeichen Signal«, 1977) das Fr. 54 des Heraklit. Der Autor selbst bestimmt in *Fotobiografia* die für ihn wichtigsten Einflüsse: Aischylos, Sophokles, Lukrez, Vergil, Mark Aurel, Augustinus. Eugénio de Andrade verhehlt nicht seine Bewunderung für Griechenland, für Heraklit, Empedokles, Sappho (*Poemas e Fragmentos de Safo*, »Gedichte und Fragmente Sapphos«, 1974) und preist mit Feingefühl und musikalischer Einfühlungskraft Griechenland und seine rauhe Landschaft, evoziert die Platane des Anf. von Platons *Phaidros*, Kap Sounion, die Palme und die Gestalt des Odysseus und der Nausikaa, des Narkissos und die Via Appia. F. Campos zeigt solide klass. Bildung in histor. Romanen wie *A Casa do Pó* (»Das Haus des Staubes«, 1986), *Psiché* (»Psyche«, 1987), *Esmeralda partida* (»Zertrümmerter Smaragd«, 1995) und *A sala das perguntas* (»Der Frageraum«, 1999). Dieses Genre wird auch von J. de Aguiar kultiviert (*A voz dos deuses*, »Die Stimme der Götter«, 1984 über Viriatus; *O trono do Altíssimo*, »Der Thron des Höchsten«, 1988 über Bracara Augusta; *A hora do Sertório*, »Die Stunde des Sertorius«, 1994). M. Alegre, der im Exil um die Heimkehr und für die Demokratie kämpft, sieht in Griechenland die Freiheit verwirklicht. Er bevorzugt das Thema »Odysseus«, der in verschiedenen Gedichten in *Praça da canção* (»Platz der Lieder«, 1965), *O canto e as armas* (»Der Gesang und die

Waffen«, 1967), *Um Barco para Ítaca* (»Ein Schiff nach Ithaka«, 1971) und *Chegar aqui* (»Hier ankommen«, 1984) Heimweh nach dem archetypischen Ithaka verspürt, wo Penelope zur Heimat wird und Odysseus zum Dichter selbst.

1 F. G. CAEIRO, As Escolas Capitulares no primeiro século da Nacionalidade Portuguesa, 1966 2 J. S. S. DIAS, A política cultural da época de D. João III, 1969 3 Dicionário de Literatura Portuguesa, 5 Bde., 1990 4 História da Arte em Portugal, 14 Bde., 1986 5 Logos. Enciclopédia Luso-Brasileira de Filosofia, 6 Bde., 1989–1992 6 C. MAIA, História da Língua Portuguesa, 1995 7 A. H. O. MARQUES, História de Portugal, ²1972–1973 8 M. H. ROCHA PEREIRA, Novos ensaios sobre temas clássicos na poesia portuguesa, 1998 9 M. H. ROCHA PEREIRA, A Grécia em poetas portugueses contemporâneos, in: Ágora 1, 1999, 11–30 10 Raízes Greco-Latinas da Cultura Portuguesa, 1999 11 A. C. RAMALHO, Estudos sobre o séc. XVI, 1980 12 A. C. RAMALHO, Para a História do Humanismo em Portugal, Bd. 1, 1988; Bd. 2, 1997; Bd. 3, 1998 13 A. C. RAMALHO, Latim Renascentista em Portugal, 1993 14 A. C. RAMALHO, Estudos sobre a época do Renascimento, 1997 15 L. S. REBELO, A tradição clássica na literatura portuguesa, 1982 16 A. J. SARAIVA/O. LOPES, História da Literatura Portuguesa, ¹⁷1996 17 T. VERDELHO, As origens da Gramaticologia e da Lexicografia Latino-Portuguesas, 1995.
FRANCISCO DE OLIVEIRA/Ü: CORNELIA PLAG

Praktische Philosophie A. EINLEITUNG
B. AUGUSTINUS   C. FRÜHES MITTELALTER
D. THOMAS VON AQUIN   E. SPÄTSCHOLASTIK
F. RENAISSANCE   G. DIE SCHOTTISCHE SCHULE
H. KANT   I. 20. JAHRHUNDERT

A. EINLEITUNG

Der in der p. Ph. einflußreichste ant. Autor ist Cicero. Durch ihn wird die griech. Ethik, zu deren Grundbestand Platons Lehre von den vier Kardinaltugenden gehört, an die Neuzeit vermittelt. Über Augustinus, der durch den Begriff der ›geordneten Liebe‹ den stoischen Gedanken des natürlichen Sittengesetzes in einen christl. Platonismus integriert, Thomas von Aquin und die span. Scholastik wird die stoische Lehre von der *lex aeterna* und der *lex naturalis* zur Grundlage des neuzeitlichen Naturrechtsdenkens. Hume und sein Gegner Kant lesen Ciceros *De officiis*: Hume mit den Augen der Skepsis und Kant mit den Augen Platons. Außerhalb der Scholastik wird die Bed. der Handlungstheorie und Tugendlehre des Aristoteles und ihrer systematischen Entfaltung durch Thomas von Aquin erst in den letzten Jahrzehnten, v. a. in der angelsächsischen Philos., wieder gesehen.

B. AUGUSTINUS

Die drei bis zu der im 12. Jh. beginnenden Aristotelesrezeption dominierenden Vermittler der ant. Philos. sind Augustinus, Boethius und Dionysios Ps.-Areopagita. Boethius hat die *Kategorien* (mit der *Einführung* des Porphyrios) und *De interpretatione* des Aristoteles übersetzt und kommentiert; der Areopagite hat die neuplatonische Metaphysik christianisiert; aber v. a. Augustinus gibt die p. Ph. der Ant. an das MA weiter.

1. In Civ. 8,4–10 bringt Augustinus einen in die *pars moralis, naturalis* und *rationalis* gegliederten Abriß der platonischen Philosophie. Die *pars moralis* frage nach dem höchsten Gut oder dem letzten, um seiner selbst willen gewollten Ziel unseres Handelns (vgl. Arist. eth. Nic. 1,1). Die Philosophen hätten es entweder in den Genuß des Leibes, der Seele oder des ganzen Menschen gesetzt. Der Mensch sei aber nicht glückselig, wenn er Leib oder Seele, sondern nur, wenn er Gott genieße (*frui*) ›wie das Auge das Licht‹ (Aug. civ. 8,8). Keine der Philosophenschulen sei dieser Auffassung näher gekommen als die Platoniker (Aug. civ. 8,5). Kerngedanke von Augustinus' Ethik, durch den er Aristotelisches, Stoisches und Christl. miteinander verbindet, ist der *Locus classicus* der Ethik des Platonismus: die Aufforderung zur »Verähnlichung« (ὁμοίωσις, *imitatio*) mit Gott, d. h. dazu, ›gerecht und fromm, mit Einsicht zu werden‹ (Plat. Tht. 176b 1–3; vgl. Aug. civ. 8,5; 8,8).

2. Nach Aug. doctr. christ. 27,28 lebt ›gerecht und fromm‹, wer den Wert der Dinge unvoreingenommen einschätzt und deshalb die ›geordnete Liebe‹ (*ordinata dilectio*) hat. Die Stelle in Plat. Tht. 176b wird also interpretiert durch die Forderung aus dem Platonischen Symposion (211b 7), »richtig« (ὀρθῶς) zu lieben. Durch den Begriff der Ordnung kann Augustinus Platonisches mit Stoischem verbinden. Er übernimmt von Cicero (leg. 2,11; rep. 3,33) die Lehre von einem ewigen Gesetz, ›durch das es gerecht ist, daß alles in vollkommener Ordnung ist‹; es ist die ›höchste Vernunft, der immer zu gehorchen ist‹ (Aug. de libero arbitrio 1,6,15). Wie Platon (rep. 443c–444a) fragt Augustinus nach der inneren Ordnung des Menschen. Sie besteht darin, daß die Vernunft die nichtvernünftigen Antriebe lenkt. ›Dann herrscht das im Menschen, dem die Herrschaft aufgrund des Gesetzes zusteht, von dem wir wissen, daß es ewig ist‹ (de libero arbitrio 1,8,18).

3. Cicero (off. 3,34) unterscheidet zw. dem ›sittlich Guten‹ (*honestum*) und dem ›Nützlichen‹ (*utile*); er vertritt die These, daß beides einander nicht widerstreiten kann. Augustins Verbindung von Stoischem und Platonischem wird deutlich in seiner Interpretation der Begriffe und der These (de diversis quaestionibus 30): Das Verhältnis zw. dem *honestum* und dem *utile* entspricht dem zw. Genießen (*frui*) und Gebrauchen (*uti*) und dieses wiederum dem zw. Mittel und Zweck. Weil jedes Mittel einem Zweck dient, kann es keinen Konflikt zw. *utile* und *honestum* geben. Jedes Laster besteht darin, daß der Mensch das zu Genießende gebraucht und das zu Gebrauchende genießt; ›jede Ordnung, die auch Tugend heißt, besteht darin, das zu Genießende zu genießen und das zu Gebrauchende zu gebrauchen‹. Weil *honestum* die Übers. des griech. καλόν ist, wird der sittliche Wert von Augustinus als unsichtbare, »intelligible Schönheit« (*intellectualis pulchritudo*) verstanden, während vieles sichtbare Schöne nicht sittlich gut ist. Der stoische Gedanke, daß allein der sittliche Wert um seiner selbst willen gewählt zu werden verdient, und der platonische, daß die höchste Erfüllung in der Schau des Schönen besteht, sind miteinander zu einer Einheit verbunden.

4. Wie die Ältere Stoa (SVF 3,262) und Cicero (off. 1,15) übernimmt Augustinus Platons Lehre (rep. 427 d 10 f.) von den vier Kardinaltugenden. *De diversis quaestionibus* 31 ist ein Zitat aus Cicero (inv. 159–167), das sie ausführlich beschreibt. Tugend, so Augustins ›kurze Definition‹, ist ›Ordnung der Liebe‹ (*ordo amoris*). Die Tugend ist selbst wiederum Gegenstand der Liebe: Die Liebe, mit der das zu Liebende geliebt wird, ist zu lieben (civ. 15,22). De libero arbitrio 1,12,25–13,27 versteht unter Tugend diese Liebe zweiter Ordnung: Der ›gute Wille‹, das ist der Wille richtig zu leben, ist allen anderen irdischen Gütern vorzuziehen. Wer sich des überragenden Wertes des guten Willens bewußt ist, weiß, daß dieses Gut ihm gegen seinen Willen nicht genommen werden kann; wer ihn mit Liebe umfaßt und genießt, hat alle vier Kardinaltugenden.

5. Im *Gottesstaat* (civ. 9,4) wird die Kontroverse zw. Peripatetikern und Stoikern über die Affekte referiert: Erleidet auch der Weise, wenn auch von der Vernunft bestimmte, Affekte, oder ist er von ihnen in keiner Weise betroffen? Mit Cicero (fin. 4,56–58) ist Augustinus der Ansicht, daß es sich hier um einen Streit um Worte handelt. Als Beweis führt er die nach Gell. 19,1 referierte Lehre Epiktets an: Die Vorstellungen (*phantasiai*) sind nicht in unserer Gewalt und bewegen deshalb auch die Seele des Weisen, aber sie bestimmen nicht sein Urteil über Gut und Übel. Nach Augustinus (civ. 9,5) ist Kriterium für die Bewertung eines Affekts dessen Grund: Warum trauert er? Wovor hat er Furcht? Mitleid z. B. dient der Vernunft, wenn dadurch ohne Verstoß gegen die Gerechtigkeit einem Bedürftigen geholfen wird. Civ. 14,6–8 verbindet durch den Begriff des Willens (*voluntas*, syn. gebraucht mit *amor*) die aristotelische mit der stoischen Konzeption. Alle Affekte, so der aristotelische Ausgangspunkt (vgl. eth. Nic. 1,13; 2,4), sind Strebungen. Die aristotelische ὄρεξις ist hier jedoch als Wille verstanden, d. h. sie schließt das Moment der bewußten Zustimmung zu einer Strebung oder einem Werturteil ein. Von Cicero (tusc. 4,14) übernimmt Augustinus das stoische Schema von vier »Verwirrungen« (*perturbationes*; πάθη: *cupiditas, laetitia, metus, aegritudo*) und drei »Beständigkeiten« (*constantiae*; εὐπάθειαι: *voluntas, gaudium, cautio*) (Civ. 14,8), die er um eine vierte, die *tristitia* als Gegenstück der *aegritudo*, ergänzt. Sie unterscheiden sich dadurch, daß den einen der richtige, den anderen der verkehrte Wille zugrunde liegt.

C. Frühes Mittelalter

1. In den Studienprogrammen des Boethius, Cassiodor und Isidor zählt die Ethik nicht zu den sieben freien Künsten (→ Artes liberales); sie hat ihren schulmäßigen Ort in der Gramm. und der → Rhetorik. Im 11. Jh. gelten Ciceros Rhetorici libri (*De inventione*) als moralphilos. Klassiker, bes. die Stelle 2,52–56, wo zw. dem sittlich Guten (*honestum*) und dem Nützlichen (*utile*) und innerhalb des *honestum* zw. den vier ›Teilen‹ (*prudentia, iustitia, fortitudo, temperantia*) der einen Tugend unter-

schieden wird; eine Autorität ist auch Seneca, der vermeintliche Briefpartner des Apostels Paulus. Die ant. Ethik wird v. a. durch Florilegien vermittelt, die ihre Gliederung von Cicero übernehmen. Das bekannteste ist das *Moralium dogma philosophorum* (12. Jh.), eine Kette von Definitionen und Zitaten auf der Grundlage von *de officiis*; wichtig sind außerdem Cic. inv. 2,52–56 und Macr. somn. 1,8, ein Werk, das vom Ideal des kontemplativen Lebens, den vier Kardinaltugenden und Plotins Unterscheidung von vier Arten der Tugend (*politicae, purgatorii, purgati, exemplares*) handelt. Eine Konfrontation der ant. mit der christl. Ethik findet sich im Traktat des Alanus von Lille (†1203) über die Tugenden und Laster und die Gaben des Hl. Geistes; er fragt, wie die Tugenden des Cicero und Macrobius sich zu den Paulinischen Tugenden Glaube, Hoffnung und Liebe (1 Kor 13,13) verhalten. Beeinflußt von Cic. off. 3,32 vertritt der *Policraticus* (1159) des Johannes von Salisbury die Lehre vom Tyrannenmord; angeregt durch Boethius, *De consolatione philosophiae* verteidigt er Epikur gegen ein sensualistisches Mißverständnis [20. XIII-XXVII].

2. Die Auseinandersetzung des Petrus Abaelardus (1079–1142) mit der ant. Ethik findet sich in seinem *Dialogus inter philosophum, Iudaeum et Christianum*. Wie Cicero (fin. 1,12) fragt er nach dem höchsten Gut und dem größten Übel. Die einen hätten die Tugend, so unterscheidet er mit Berufung auf Augustinus (civ. 8,8), die anderen die Lust als das höchste Gut angesehen. Gegen die verbreitete Fehlinterpretation Epikurs wird die Autorität Senecas angeführt, der sich oft auf ihn berufe. Zwischen den beiden Auffassungen vom höchsten Gut bestehe daher kein oder nur ein geringer Unterschied, weil nur ein tugendhaftes Leben die Seelenruhe Epikurs schenken könne. Das sei jedoch zu differenzieren: Das höchste Gut könne nur die Glückseligkeit des zukünftigen Lebens sein, zu der die Tugend der Weg ist. Dagegen wird Cic. inv. 2,52 f. angeführt, daß die Tugend als *honestum* um ihrer selbst willen zu erstreben ist. Damit werde jedoch, so Abaelard unter Berufung auf den Topik-Komm. des Boethius, nur die Intention irdischer Vorteile ausgeschlossen. Was bei Epikur Lust heiße, nenne Christus das Himmelreich. Cicero, Paulus und Augustinus werden durch die Lehre von der Einheit der Tugend miteinander verbunden. Als Beleg zitiert Abaelard Cic. off. 2,34 f. Dieselbe Einheit lehre Augustinus, wenn er sie, im Geist von Röm 13,10 und 1 Kor 13, unter dem Namen der Liebe zusammenfasse. Als Stütze für die christl. Auffassung, daß es unterschiedliche Grade der Tugend, unterschiedliches Verdienst und unterschiedliche Grade der Vergeltung im Jenseits gebe, wird Plotins Unterscheidung der vier Arten von Tugenden angeführt. Der Weg zum höchsten Gut sind die vier Kardinaltugenden, die Platon im *Staat* (4. Buch) beschreibt. Der Begriff der Tugend wird anhand von Boethius' *Kategorienkomm.* erklärt. Bei der Gerechtigkeit wird zw. *iustitia naturalis* und *positiva* unterschieden [9. 98–127].

D. Thomas von Aquin

1. Die älteste lat. Übers. der *Nikomachischen Ethik* stammt aus dem 12. Jh.; sie umfaßt die Bücher 2 und 3. Zu Beginn des 13. Jh. entsteht eine neue Übers., von der lediglich Buch 1 und einige Fragmente erhalten sind; Buch 2 und 3 heißen jetzt *ethica vetus* und Buch 1 *ethica nova*. Um die Mitte des 13. Jh. übersetzt Robert Grosseteste die gesamte *Nikomachische Ethik*, zusammen mit einigen griech. Komm., ins Lateinische. Den ersten vollständigen lat. Komm. verfaßte Albert der Große in den Jahren 1248–1252; 1263–1267 schrieb er einen zweiten in Form einer Paraphrase. In der Pariser Artistenfakultät ist in der ersten Hälfte des 13. Jh. die Ethik gegenüber der Logik, Metaphysik und Naturphilos. von untergeordneter Bed. [34. 34–51]. Th. v. Aquin hört 1248–52 in Köln Alberts Vorlesungen über die *Nikomachische Ethik*; 1271–72 verfaßt er einen Komm., eine Vorarbeit für die *Prima secundae* der zw. 1267 und 1273 verfaßten *Summa theologiae*. Thomas' Rezeption der ant. Ethik wird v. a. in seiner Handlungstheorie, dem Traktat über die Affekte, seiner Tugendlehre und im Traktat über das Gesetz deutlich.

2. Die *Prima secundae* beginnt (q.1) mit einem Komm. zu eth. Nic. 1,1: Das menschliche Handeln setzt ein letztes, um seiner selbst willen erstrebtes Ziel voraus, das Glück (*beatitudo*). Wie eth. Nic. 1,3 fragt Thomas (q.2 und 3), worin das Glück besteht: im Reichtum, im Ansehen, in der Macht, in der Lust, in der Tätigkeit des spekulativen oder praktischen Intellekts, und er schließt mit Augustinus jedes geschaffene Gut als letztes Ziel des Menschen aus. Zum Glück kann der Mensch nur durch seine Handlungen kommen. Die Ausführungen über die menschliche Handlung (*actus humanus*) beginnen mit einer Interpretation von eth. Nic. 3,1–3, wo Aristoteles zw. freiwilligen, unfreiwilligen und nicht-freiwilligen Handlungen unterscheidet (q.6). Eth. Nic. 3,4,1111b 26–30 unterscheidet zw. zwei Formen des vernünftigen Strebens (ὄρεξις): Das Wünschen richtet sich auf das Ziel, die Entscheidung (προαίρεσις) dagegen auf die Mittel zum Ziel. Thomas verbindet beide im Begriff des Willens (*voluntas*). Es handle sich um dasselbe Vermögen, weil beide etwas erstreben, insofern es, als Ziel oder als Mittel, gut ist (q.8 a.2). Der augustinische Hintergrund wird deutlich, wenn Thomas ›genießen‹ (*frui*) (q.11) und ›gebrauchen‹ (*uti*) zu den Akten des Willens zählt. Eth. Nic. 3,5,1113 a 11 f. definiert die Entscheidung als ›überlegendes Streben nach Dingen, die in unserer Gewalt sind‹. Thomas übernimmt diesen Begriff (*electio*: q.13); wie Aristoteles (eth. Nic. 3,5) bringt er eine Analyse der Überlegung (βούλευσις; *consilium*), welche der Entscheidung vorausgeht (q.13). Er ergänzt ihn jedoch durch die von ihm durch subtile Unterscheidungen abgegrenzten Augustinischen Begriffe der Absicht (*intentio*: q.12) und Zustimmung (*consensus*: q.15).

3. Die Quästionen über die Affekte (S.th. 1–2q.22–48) setzen Platons Unterscheidung zw. dem begehrenden (*concupisicibile*) und dem zornmütigen (*irascibile*) See-

lenvermögen voraus (q.23). Dem *concupiscibile* werden zugeordnet: Liebe (*amor*), Haß (*odium*), Begierde (*concupiscentia*), Lust oder Freude (*delectatio*), Schmerz oder Traurigkeit (*dolor seu tristitia*); Affekte des *irascibile* sind: Hoffnung (*spes*), Verzweiflung (*desperatio*), Furcht (*timor*), Mut (*audacia*), Zorn (*ira*). Der Traktat verwendet eine Fülle Aristotelischen Materials, v. a. aus der *Rhetorik* (2,2–3: Zorn; 2,5: Furcht und Mut) und aus den beiden Lustabhandlungen eth. Nic. 7,12–14 und 10,1–5. Seine Grundstruktur ist jedoch ein durch Augustinus vermittelter Stoizismus. Thomas übernimmt die stoische Lehre von den vier obersten Gattungen der Affekte (Diog. Laert. 7,110), die er bei Aug. civ. 14,7 vorfindet; mit Berufung auf Boeth. cons. 1 metr. 7 ersetzt er die Begierde (*cupiditas*) durch die Hoffnung (q.25 a.4). Für Augustinus sind diese vier grundlegenden Affekte Formen der Liebe (*amor*). Thomas übernimmt diese These (›Es gibt keinen Affekt der Seele, der nicht eine Liebe voraussetzte‹ q.27 a.4), und er interpretiert sie im Sinn der stoischen Selbstliebe (Cic. fin. 3,16–22): Ursache der Liebe ist die Wesensverwandtschaft des Liebenden und des Geliebten (q.27 a.1) [27].

4. Ausgehend von Aristoteles (cat. 8) bestimmt Thomas den Begriff des *habitus*, unter den die Tugend (S.th.1–2 q.49–67) fällt. Mit eth. Nic. 1,13 unterscheidet er die ethischen (*morales*) von den dianoetischen (*intellectuales*) Tugenden und bei diesen wiederum, wie eth. Nic. 6,3, zw. *sapientia, scientia, intellectus, ars* und *prudentia*. Mit Berufung auf Cicero und die Patristik wird die Platonische Lehre von den vier Kardinaltugenden in die Aristotelische Gliederung aufgenommen; mit Macrobius werden sie in *virtutes politiciae, purgatoriae, purgati animi* und *exemplares* unterteilt (q.61). Weil der Mensch ein seiner Natur entsprechendes und ein sie übersteigendes Ziel hat, braucht er außer den ethischen und dianoetischen die Paulinisch-Augustinischen ›theologischen‹ Tugenden Glaube, Hoffnung und Liebe (q.62).

5. In Augustinus' Interpretation übernimmt Thomas Ciceros Lehre vom ewigen Gesetz; es ist die ›höchste Vernunft, der immer zu gehorchen ist‹ (S.th. 1–2 q.93 a.1). Die Teilhabe des Menschen an der *lex aeterna* nennt Thomas mit der *Glossa ordinaria* zu Röm 2,14 *lex naturalis*; sie zeigt sich darin, daß der Mensch ›natürliche Neigungen‹ (*inclinationes naturales*) zu den ihm ›eigenen Handlungen und Zielen‹ hat (S.th. 1–2 q.91 a.2). Q.94 a.2 nennt die Neigung zur Selbsterhaltung, zur Zeugung und Erziehung der Kinder, zur Erkenntnis der Wahrheit über Gott und zum Leben in Gemeinschaft. Hier übernimmt Thomas Ciceros (off. 1,11–7; vgl. fin. 3,16–22 und 62–71) Lehre von den natürlichen Antrieben (*principia naturalia*) [26. 142–145].

E. SPÄTSCHOLASTIK

Es ist das Verdienst Philipp Melanchthons, daß trotz aller Angriffe Luthers gegen die Scholastik und Aristoteles das Studium der *Nikomachischen Ethik* an dt. Schulen und Univ. im 16. und 17. Jh. neu belebt wurde. Er veröffentlichte Komm. zu eth. Nic. 1 und 2 (1529), eth. Nic. 3 und 5 und zwei Lehrbücher im Geist der Aris-

totelischen Ethik (*Philosophiae moralis epitome*, 1538; *Ethicae doctrinae elementa*, 1550). Das bis zur → Aufklärung einflußreiche Werk des Francisco Suárez (1548–1617) ist vorbereitet durch die Thomas-Kommentatoren Cajetan und Francisco de Sylvestris von Ferrara. In der Trad. der Aristotelischen Ethik stehen Suárez' Traktate über das letzte Ziel des Menschen (eth. Nic. 1), über Freiwillig und Unfreiwillig (eth. Nic. 3,1–3) und über die Affekte und Tugenden [11. Bd. 7]; das zweite Buch von *De legibus* (1612; [12. Bd. 3]) vermittelt, in der Trad. von Thomas, S.th. 1–2 q.94, die stoische Lehre vom Naturrecht (*lex naturalis*) und der rechten Vernunft (*recta ratio*) an die beginnende Neuzeit. Hugo Grotius, *De iure belli ac pacis* (1625), bescheinigt seinen scholastischen Vorgängern, daß sie, wo sie in ethischen Fragen übereinstimmen, selten irren (Prol. § 52). Seine Definition des *ius naturale* (1,1 § 10) verweist auf Thomas' Begriff des natürlichen Sittengesetzes und damit letztlich auf Cicero rep. 3,33: ›Das natürliche Recht ist ein Gebot der Vernunft, das anzeigt, daß einer Handlung wegen ihrer Übereinstimmung oder Nichtübereinstimmung mit der vernünftigen Natur moralische Häßlichkeit oder moralische Notwendigkeit innewohnt, und daß folglich von Gott, dem Schöpfer der Natur, eine solche Handlung verboten oder vorgeschrieben wird.‹ Den Begriff der röm. Juristen, nach dem *ius naturale* ist, ‹was den Lebewesen mit dem Menschen gemeinsam ist‹, verwirft er, weil nur der Mensch des Rechtes fähig sei, und zitiert dafür Hes. erg. 276–279. Bei Samuel Pufendorf erinnert bereits der Titel *De officio hominis et civis secundum legem naturalem* (1673) an Cicero. ›Pflicht nennen wir eine Handlung des Menschen, die entsprechend dem Grad der Verpflichtung der Vorschrift der Gesetze richtig angepaßt ist. Um das zu verstehen, ist zunächst auf das Wesen der menschlichen Handlung und dann auf die Gesetze im allgemeinen einzugehen‹ (1,1 § 1). Für diese Definition, die sein Werk eröffnet, verweist Pufendorf auf Seneca, Laktanz und Cicero. Vom positiven unterscheidet sich das natürliche Gesetz durch die ›notwendige und universale Übereinstimmung mit den Menschen‹; es ›stimmt mit der vernünftigen und sozialen Natur des Menschen so überein, daß für das Menschengeschlecht ohne es eine sittliche und friedliche Gemeinschaft nicht möglich ist‹ (1,2 § 16). Pufendorf verweist auf die stoische *Oikeiosis*-Lehre: Der Mensch ›hat mit allen Lebewesen, denen ein Sinn ihrer selbst innewohnt, gemeinsam, daß er nichts lieber hat als sich selbst: sich mit allen Mitteln zu erhalten strebt‹ (1,3 § 2; vgl. Cic. fin. 3,16). Im Unterschied zu Cicero kennt Pufendorf jedoch keinen natürlichen Antrieb zur menschlichen Gemeinschaft. Auch für ihn schreibt das Naturgesetz die Pflege und Erhaltung der Sozialität vor, aber diese Forderung ergibt sich daraus, daß der Mensch nur in Gemeinschaft sich selbst erhalten kann (1,3 § 7–9).

F. Renaissance

1. 1562 veröffentlicht Henri Estienne eine lat. Übers. von Sextus Empiricus' *Grundriß der pyrrhonischen Skepsis*. Als bedeutendste Gestalt der Erneuerung des ant. → Skeptizismus im 16. Jh. gilt Michel de Montaigne [23. 42–65]. Mit den Pyrrhoneern lehnen die Essais (1580, 1588, 1595), die sich v. a. Seneca und Plutarch (der am häufigsten zitierte Autor [32]) verpflichtet wissen (2, 32 [6. 699]), die dogmatische Philos. ab, aber dieser Skeptizismus ist die Aufforderung, sich an der Natur zu orientieren. ›Wir haben uns von der Natur abgewandt und wollen ihr Lehren erteilen, ihr, die uns so glücklich und so sicher führte‹ (3,12 [6. 1026]). Die praktischen Anweisungen der Essais lassen sich zusammenfassen in dem sinngemäßen Zitat aus Ciceros Darstellung der *Oikeiosis*-Lehre in 3,13 [6. 1094]: ›Alles, was der Natur entspricht, ist schätzenswert‹ (vgl. fin. 3,20). ›Natur ist eine milde Führerin, doch nicht mehr milde als weise und gerecht. Ich suche überall ihre Fußstapfen; wir haben sie mit künstlich gezogenen Spuren verwischt‹ (3,13 [6. 1094]). Die wahre Philos., für die Sokrates steht, ist die Rückkehr zur unreflektierten Naivität: ›Der Philosoph und der Bauer treffen in Ruhe und Glückseligkeit zusammen‹ (3,10 [6. 998]); was Sokrates in Platons Apologie über den Tod sagt ›verkörpert in einer kunstlosen und einfältigen Kühnheit, in kindlicher Sicherheit den reinen und ersten Eindruck und die Unwissenheit der Natur‹ (3,12 [6. 1032]).

2. Gegen das voluntaristische Gottesbild des Calvinismus und gegen Hobbes' ethischen Naturalismus wendet sich im 17. Jh. in Cambridge eine Gruppe von Theologen und Philosophen dem – vom Neuplatonismus und der Florentiner Akad. bestimmten – Studium Platons zu. Das einflußreichste moralphilos. Werk der »Platoniker von Cambridge« ist Henry Mores *Enchiridion Ethicum* (1667, ³1679). Ethik ist die Kunst (*ars*), gut und glücklich zu leben. Sie hat zwei Teile: die Erkenntnis und den Erwerb des Glücks. Mit Berufung auf Aristoteles wird »Glück« definiert als ›Lust, die der Geist (*animus*) aus der Wahrnehmung (*sensus*) der Tugend und dem Bewußtsein (*conscientia*), richtig gehandelt zu haben, empfindet‹ (1,2). Gegenüber Aristoteles ist der Begriff der Tugend intellektualisiert; die Unterscheidung zw. ethischen und dianoetischen Tugenden ist aufgegeben; Tugend ist ›eine intellektuelle Kraft der Seele‹, die so über die Begierden und Affekte herrscht, daß im Handeln das schlechthin Beste, das ist was der *recta ratio* entspricht, verfolgt wird (1,3). Norm der *recta ratio* sind die Prinzipien, welche der *intellectus* (νοῦς eth. Nic. 6,6) erfaßt; More bringt eine Liste solcher *noemata moralia* (1,4). Gegen die Stoiker wird der ›Nutzen‹ der Affekte vertreten; sie sind ›gleichsam die Flügel oder die Quadriga des Geistes, wie es einst Platon in seinem Phaedrus bemerkt hat‹ (1,6). Für das System der Affekte folgt More Descartes (1,7). Die Tugenden werden in drei ›primitive‹ (*prudentia, sinceritas, patientia*) (2,1) und drei ›abgeleitete‹ (*iustitia, fortitudo, temperantia*) (2,4) unterteilt. Die drei primitiven entsprechen den drei Seelen-

vermögen von Platons Staat (4. Buch); an die Stelle der Besonnenheit ist die *sinceritas* und an die Stelle der Tapferkeit die *patientia* getreten; More beruft sich jedoch nicht auf Platon, sondern auf ps.-pythagoreische Schriften. Die abgeleiteten unterscheiden sich von den primitiven Tugenden dadurch, daß sie dem Nutzen der anderen dienen (vgl. Arist. eth. Nic. 5,3,1130a 8–13; More zitiert die eth. Nic.-Paraphrase des Ps.-Andronikos von Rhodos aus dem 16. Jh. und Cic. off. 1) (2,7). Zum Glück sind auch außersittliche (›äußere‹) Güter erforderlich. Sie werden unterteilt in Güter der Seele (*scientia, ars, sapientia, intelligentia*; vgl. eth. Nic. 6), des Leibes und der Person (*suppositum*: Freiheit, Besitz, Freundschaft) (2,10). Die Ausführungen über den Erwerb des Glücks beginnen mit der Frage aus Platons *Menon* (70a), ob die Tugend den Menschen durch Gewöhnung, Natur oder göttl. Fügung zuteil werde. Mit Formulierungen aus Ps.-Andronikos wird das *liberum arbitrium* definiert; es wird gegen die Einwände aus dem Vorherwissen Gottes und der Determination der Entscheidung durch den Charakter (eth. Nic. 3,7) verteidigt; für die Auseinandersetzung mit Hobbes' Determinismus verweist More auf eine andere seiner Schriften (3,1–2). Daß wir uns um die Tugend bemühen müssen, ist eine Forderung der *lex aeterna* und der *lex naturalis*; dadurch wird der aristotelische mit dem stoischen Ansatz verbunden. Bezeichnend für den philosophiegeschichtlichen Hintergrund ist, daß More sich dafür u. a. auf den Neuplatoniker Hierokles beruft (3,3).

G. Die schottische Schule

1. Das Titelblatt von Francis Hutcheson, *An inquiry into the original of our ideas of beauty and virtue* (1725), faßt den Inhalt des Werkes folgendermaßen zusammen: ›in which the principles of the late Earl of Shaftesbury are explained and defended against the author of the Fable of the bees and the ideas of moral good and evil are established according to the sentiments of the ancient moralists‹. Mandevilles Bienenfabel verhöhnt Shaftesburys These, daß Tugend und Interesse im letzten übereinstimmen (*An inquiry concerning virtue or merit* 1,2,1; 1699–1711). Es geht Hutcheson wie Shaftesbury um den Nachweis in der Natur des Menschen gelegener uneigennütziger, auf das Wohl anderer gerichteter Affekte. Die bei Shaftesbury verdeckten ant. Quellen der Lehre von ›Moral Sense‹ werden bei Hutcheson durch das programmatische Zitat Cic. off. 1,14 f. auf dem Titelblatt deutlich, wo die Entsprechung zw. der Wahrnehmung (*sentire*) des Schönen und der Erkenntnis des sittlich Guten (*honestum*), das von Natur aus lobenswert ist, aufgezeigt und durch die Anspielung auf Platons Phaidr. 250d 4–6 der platonische Hintergrund angedeutet wird. Mit den Stoikern wird die Lehre, daß die Lebewesen einen Sinn (*sensus*) für ihr eigenes Sein und das ihm Zuträgliche haben (Cic. fin. 3,16), gegen ein rationalistisches Verständnis der Moral auf die sittliche Existenz des Menschen ausgedehnt: Der Urheber der Natur habe uns für das sittliche Verhalten weitaus besser ausgestattet als eine rationalistische Ethik es wahrhaben

wolle; er habe uns Instruktionen gegeben, die ähnlich mächtig seien wie die für die Erhaltung unseres Körpers: ›He has made virtue a lovely form, to excite our pursuit of it; and given us strong affections to be the springs of each virtues action‹ (1725, VII). In seinem *Essay on the nature and conduct of the passions and affections* (1728) referiert Hutcheson die Einteilung der Affekte von Ciceros tusc. 4. Er lobt die differenzierte Terminologie des Lat., das für die verschiedenen Grade der Affekte und für denselben, aber auf verschiedene Objekte gerichteten Affekt jeweils ein eigenes Wort habe; dagegen sei der Wortschatz der Scholastiker, die nicht weiter gingen als ihr bewunderter Aristoteles, erheblich kleiner (3,1). Einen Einblick in Hutchesons Auseinandersetzung mit der ant. Ethik gibt sein Lehrbuch *Philosophiae moralis institutio compendiaria* (1742; engl. 1747). Besonders viel habe er von Cicero, Aristoteles und Pufendorf übernommen. Er warnt vor einer Überschätzung von *De officiis*, das einige für ein vollständiges System der Moralphilos. hielten; die wichtigsten Teile, die Lehre von der Tugend und vom höchsten Gut, fänden sich in *De finibus* und in den Tuskulanen (1742, IIf.). Mit Aristoteles nimmt er zwei ›Seelenteile‹ an: den Intellekt und die ›Kräfte des Strebens‹, die *voluntas*, die auch das Vermögen der Affekte ist (1,1,3). Hutcheson stimmt dem Glücksbegriff von eth. Nic. 1,6 zu (1,2,11). Er unterscheidet zw. intellektuellen und moralischen Tugenden (vgl. eth. Nic. 1,13); für letztere wird die peripatetische Definition (vgl. eth. Nic. 2,6) übernommen, und sie werden in die vier Kardinaltugenden unterteilt (1,3,2). Das natürliche Gesetz ist das in der Konstitution unserer Natur promulgierte göttl. Gesetz; es umfaßt alle Vorschriften der *recta ratio* (2,1,3 f.).

2. In seinem Brief vom 17.9.1739 an Hutcheson, dem er das Manuskript des dritten Buches seines *Treatise of human nature* (1740) geschickt hatte, schreibt David Hume: ›I desire to take my catalogue of virtues from Cicero's Offices (...) I had, indeed, (...this) book in my eye in all my reasonings‹ [4. Bd. 1. 34]. ›The fame of Cicero flourishes at present; but that of Aristotle is utterly decayed‹, heißt es 1748 im *Enquiry concerning human understanding*, sect. I [3. Bd. 2. 5]. Obwohl die alten Philosophen oft behaupteten, Tugend sei Gleichförmigkeit mit der Vernunft, seien sie doch der Ansicht, Grundlage der Moral seien Geschmack und Gefühl (*An enquiry concerning the principles of morals* (1751), sect. I [3. Bd. 2. 170]). Wie Cic. off. 1,11–14 betont *Treatise* den Ursprung der Moral in der Natur und die soziale Anlage des Menschen; von den vier Kardinaltugenden in Cic. off. 1,15 kommen v. a. die Gerechtigkeit und die *magnitudo animi* zur Sprache. Eine Auseinandersetzung mit der ant. Ethik findet sich in den Essays über den Epikureer, den Stoiker, den Platoniker und den Skeptiker (1742). Hier läßt sich Humes eigene Position am ehesten mit der des Skeptikers in Essay XVIII [3. Bd. 1. 213–231] vergleichen [22]. Wiederum wird die Bed. der Natur und ihrer Neigungen hervorgehoben; das skeptische Element liegt darin, daß ihre Vielfältigkeit und Verän-

derlichkeit betont wird. Kein Gegenstand sei an sich selbst wünschens- oder hassenswert; diese Qualitäten gehörten gänzlich zum Gefühl des Geistes, der lobt und tadelt. Die glücklichste Disposition sei die, welche uns sensibel macht für die sozialen Gefühle und die Affekte auf ein richtiges Maß reduziert. Die Philos., so Humes pyrrhoneischer Gedankengang, habe allenfalls einen negativen Einfluß auf die Gefühle: Allein die Natur, aber kein künstliches Argument könne echte und dauerhafte Gefühle hervorbringen; die Reflexionen der Philos. könnten die lasterhaften Affekte nicht auslöschen, ohne zugleich die guten zu zerstören.

H. KANT

1. Im § 9 seiner Dissertation von 1770 verwirft Kant eine Moralphilos., nach der die Gefühle von Lust und Unlust Kriterium für die sittliche Richtigkeit einer Handlung sind; als Vertreter werden Epikur und ›gewisse Neuere, die ihm bis zu einem gewissen Punkt gefolgt sind, wie Shaftesbury und seine Anhänger‹ [5. Bd. 2. 396] genannt. Das *principium diiudicandi* könne nur durch die reine Vernunft erkannt werden. Für diesen Ansatz seiner kritischen Moralphilos. beruft Kant sich, wohl beeinflußt durch Moses Mendelssohns *Phädon oder über die Unsterblichkeit der Seele* (1767) [25. 15–23], auf Platons Idee (und die Idee seines Staates), die als höchster Grad der Vollkommenheit Prinzip der sittlichen Beurteilung sei. ›Denn (...) alles Urteil‹, so kommentiert die *Transzendentale Dialektik* (1781), ›über den moralischen Wert oder Unwert [ist] nur vermittelst dieser Idee möglich; mithin liegt sie jeder Annäherung zur moralischen Vollkommenheit notwendig zum Grunde‹. Platons Staat bedeute, daß eine ›Verfassung von der größten menschlichen Freiheit nach Gesetzen, welche machen, daß jede Freiheit mit der andern ihrer zusammen bestehen kann‹, eine notwendige Idee ist, die jeder Gesetzgebung zugrunde liegen muß (Kritik der reinen Vernunft A 315 f.).

2. Unmittelbar vor der Abfassung der *Grundlegung zur Metaphysik der Sitten* (1785) las Kant Christian Garves Übers. von *De officiis* mit dessen Komm.; am 8.2.1784 schreibt Hamann an Herder: ›Kant soll an einer Antikritik [...] über Garvens Cicero arbeiten‹ [5. Bd. 4. 626]. Einige Stellen der *Grundlegung* lassen die Auseinandersetzung erkennen [25. 28–44]. Wenn Kant es ablehnt, ›Mäßigung in Affekten und Leidenschaften, Selbstbeherrschung und nüchterne Überlegung (...) ohne Einschränkung für gut zu erklären‹ [5. Bd. 4. 394], so ist das eine Kritik an off. 1,15, wo Cicero die *temperantia* und die *prudentia* zum sittlich Guten (*honestum*) zählt. Wenn Kant davor warnt, den Kategorischen Imperativ aus ›der besonderen Eigenschaft der menschlichen Natur (...) aus gewissen Gefühlen und Hange, ja sogar, wo möglich, aus einer besonderen Richtung der menschlichen Vernunft‹ ableiten zu wollen [5. Bd. 4. 425], so wendet er sich damit gegen die Natur als Grundlage der Moral in Cic. off. 1,11–14 [5. Bd. 4. 394–396]. Die Naturgesetzformel [5. Bd. 4. 421] transformiert das stoische *convenienter naturae vivere* (off. 3,13) in ein Prinzip der reinen

praktischen Vernunft, und die Formel von der Menschheit als Zweck an sich selbst [5. Bd. 4. 427] ist vorgebildet etwa in der Formulierung, daß ›der Mensch für den
Menschen, wer immer er sei, aus keinem anderen
Grund als dem, daß er Mensch ist, gesorgt wissen will‹
(off. 3,13).

3. In der *Dialektik* der *Kritik der praktischen Vernunft*
(1788) bekennt Kant sich zum Philosophiebegriff der
hell. Schulen. Philos., wie die Alten das Wort verstanden hätten, sei ›eine Lehre vom höchsten Gut, so fern
die Vernunft bestrebt ist, es darin zur Wiss. zu bringen‹;
die spekulative Erkenntnis sei dem praktischen Zweck
untergeordnet [5. Bd. 5. 108]. Epikureer und Stoiker
hätten richtig gesehen, daß das höchste Gut Tugend und
Glückseligkeit umfaßt, aber sie hätten diese beiden Elemente identifiziert und nicht erkannt, daß es des Daseins
Gottes bedürfe, der sie zu einer Einheit verbindet. ›Der
Epikureer sagt: sich seiner auf die Glückseligkeit führenden Maxime bewußt zu sein, das ist Tugend; der
Stoiker: sich seiner Tugend bewußt sein, ist Glückseligkeit‹ [5. Bd. 5. 111]. Kants Beurteilung der Kontroverse
zeigt, daß seine Ethik ein nicht-naturalistischer, durch
eine platonisch-christl. Eschatologie ergänzter Stoizismus ist: ›Die Stoiker hatten (...) ihr oberstes praktisches
Prinzip, nämlich die Tugend, als Bedingung des höchsten Guts ganz richtig gewählt‹, aber sie wollten die
Glückseligkeit ›gar nicht für einen besonderen Gegenstand des menschlichen Begehrungsvermögens (...) gelten lassen‹ [5. Bd. 5. 126f.].

I. 20. JAHRHUNDERT

Gegen die beiden dominierenden Richtungen, die
kantische Moralphilos. und den Utilitarismus, opponiert der »Neoaristotelismus«. Im Gegensatz zum angelsächsischen Gebrauch [33] ist der Terminus in dt.
Sprachraum negativ besetzt; mit ihm wendet sich der
der Aufklärung verpflichtete Richtung gegen die p.Ph.
in der Trad. der Heideggerschen Hermeneutik (→ Aristotelismus G.), der sie Traditionalismus, Verrat an der
Autonomie des Individuums und eine im wiss.-techni-
schen Zeitalter ohnmächtige ›Ideologie der Phronesis‹
[31. 54] vorwirft.

1. Mittelpunkt der Aristoteles-Ren. ist der Begriff
der Tugend. Nicolai Hartmann, der sich, wie Max
Scheler Kants Formalismus kritisierend, als erster wieder
diesem Thema zuwendet, bescheinigt der *Nikomachischen Ethik* ›eine Meisterschaft der Wertbeschreibung,
die offenkundig bereits Resultat und Höhepunkt einer
ganzen Entwicklung gepflegter Methode ist‹ [2. VI]. In
ihrer bahnbrechenden Kritik an der ›modernen Moralphilos.‹ seit Hume und Kant läßt G. E. M. Anscombe [1]
das Niveau der Aristotelischen Ethik deutlich werden.
Sie kritisiert die undifferenzierte Moralpsychologie und
Handlungstheorie und v. a. Kants Begriff des Sollens,
der ohne einen göttl. Gesetzgeber sinnlos sei. An seine
Stelle müsse der Begriff der Tugend als der Verfassung,
welche die Entfaltung (›flourishing‹) des Menschen ermöglicht, treten. Der Aristotelische Begriff der → Gerechtigkeit dient der Kritik des modernen Grundsatzes,

eine Handlung sei ausschließlich anhand ihrer Folgen zu
bewerten (›Konsequentialismus‹): Einen Unschuldigen
zu verurteilen sei in sich, unabhängig von den Folgen,
ungerecht. Gegen den abstrakten Individualismus und
Universalismus der Aufklärungsethik und des Liberalismus (J. Rawls, [10]) betonen Alasdair MacIntyre [7] und
die Kommunitaristen die Bed. von Gemeinschaft und
Trad. für Tugend, Glück und persönliche Identität. Damit greifen sie Aristotelische Gedanken auf: die Notwendigkeit der Erziehung durch die Gemeinschaft; die
Einbindung des Einzelnen in die Hausgemeinschaft und
die Polis; die Spezifikation der abstrakten Gerechtig-
keitsforderung durch die konkreten sozialen Beziehungen.

2. Gegen den Utilitarismus betont John Rawls' [10]
den Vorrang der auf der → Gerechtigkeit beruhenden
Rechte des Einzelnen vor dem Wohl der Gesellschaft.
Rawls verbindet Kants Gedanken der Autonomie und
des Reichs der Zwecke mit Aristotelischen Elementen.
Mit Pol. 1,2,1253a 17 nimmt er einen Gerechtigkeits-
sinn an; seine Methode des Überlegungsgleichgewichts
zw. den wohlüberlegten moralischen Einzelurteilen
und den Gerechtigkeitsgrundsätzen ist in eth. Nic.
1,2,1095a 30–b8 vorgezeichnet; wie Aristoteles vertritt
er die Lehre von objektiven Gütern, auf die der Mensch
angewiesen ist; auch für Rawls besteht das Glück in der
Betätigung der jeweils höheren menschlichen Fähigkeit
(vgl. eth. Nic. 1,6).

3. Iris Murdoch [8] sieht eine konsequente Entwicklung von Kant über Nietzsche und die Existenzphilos.
zur angelsächsischen Ethik; Mittelpunkt sei der Begriff
des Willens als des Schöpfers des Wertes. Dem stellt sie
Platons Lehre von der Objektivität und Undefinierbar-
keit des Guten (rep. 508b–517a) entgegen. In der Kunst
könne das sittlich Gute gesehen werden (vgl. Phaidr.
250d 3–e 1); das ästhetische Erlebnis und die Wiss. von
rep. 7 lehrten den Menschen, von sich selbst weg auf die
transzendente Vollkommenheit zu schauen. Moralität
sei eine Art Mystik: Das Gute ist das, ›um dessentwillen
die Seele alles tut‹ (rep. 505d 11 f.); es sei das magnetische
Zentrum, auf das die Liebe sich in konvergierenden Linien hinbewege.

→ Aristotelismus; Augustinismus; Gerechtigkeit;
Naturrecht; Philosophie; Stoizismus

→ AWI Cicero; Praktische Philosophie; Stoizismus

QU 1 G. E. M. ANSCOMBE, Modern moral philosophy, in:
Philosophy 33 (1958) 1–19 2 N. HARTMANN, Ethik, 1926
3 D. HUME, Essays moral, political, and literary, ed. T. H.
GREEN, T. H. GROSE, 2 Bde., 1882 4 The Letters of David
Hume, ed. J. Y. T. GREIG, 2 Bde., 1932 5 Kant's Werke,
Akad.-Ausgabe, 1902 ff. 6 M. DE MONTAIGNE, Oeuvres
complètes, ed. A. THIBAUDET, M. RAT, 1962
7 A. MacINTYRE, After virtue, 1981 8 I. MURDOCH, The
sovereignty of good over other concepts, 1967 9 PETRUS
ABAELARDUS, Dialogus inter Philosophum, Iudaeum et
Christianum, ed. R. THOMAS, 1970 10 J. RAWLS, A theory
of justice, 1972 11 F. SUÁREZ, Opera omnia, edd. A. D. M.
ANDRÉ, C. BERTON, 1856–1861 12 Ders., Tractatus de
legibus ac Deo legislatore, ed. L. PEREÑA, 1971–1977

LIT **13** K. BÄRTHLEIN, Zur Lehre von der »recta ratio« in der Gesch. der Ethik von der Stoa bis Christian Wolff, in: Kant-Stud. 56 (1965/66) 125–155 **14** M. L. COLISH, The Stoic Trad. from Antiquity to the early Middle Ages Bd. 2, 1985, 142–238 **15** Ders., Cicero, Ambrose, and Stoic Ethics: transmission or transformation, in: A. S. BERNARDO, S. LEVIN, The Classics in the Middle Ages, 1990, 95–112 **16** G. DESJARDINS, Terms of *De officiis* in Hume and Kant, in: Journ. of the History of Ideas 28 (1967) 237–242 **17** K. DÜSING, Kant und Epikur, in: Allg. Zsch. für Philos. 1976, Heft 2, 39–58 **18** N. HINSKE, Die »Ratschläge der Klugheit« im Ganzen der Grundlegung. Kant und die Ethik der Griechen, 3. Abschnitt: Xenophon, in: O. HÖFFE (Hrsg.), Grundlegung zur Metaphysik der Sitten, 1989, 131–147 **19** H. LIEBESCHÜTZ, Medieval humanism in the life and writings of John of Salisbury, 1950 **20** D. E. LUSCOMBE, Peter Abelard's Ethics, 1971 **21** R. A. MARKUS, Augustine. Human action: will and virtue, in: A. H. ARMSTRONG (Hrsg.), The Cambridge History of Later Greek and Early Medieval Philosophy, 1967, 380–394 **22** G. MÜLLER, David Humes Typologie der Philosophen und der Lebensformen, 1980 **23** R. H. POPKIN, The history of scepticism from Erasmus to Spinoza, 1979 **24** E. K. RAND, Cicero in the courtroom of St. Thomas Aquinas, 1946 **25** K. REICH, Kant und die Ethik der Griechen, 1935 **26** F. RICKEN, Naturrecht I, in: TRE 24 (1994) 132–153 **27** Ders., Aristotelische Interpretationen zum Traktat De passionibus animae (S.th. I II 22–48) des Thomas von Aquin, in: M. THURNER (Hrsg.), Die Einheit der Person, 1998, 125–140 **28** Ders., Aristoteles und die moderne Tugendethik, in: Theologie und Philos. 74 (1999) 391–404 **29** W. SCHINK, Kant und die stoische Ethik, in: Kant-Stud. 18 (1913) 419–475 **29a** Ders., Kant und Epikur, in: AGPh NF 20 (1914) 257–272 **30** CH. B. SCHMITT, Aristotle and the Ren., 1983 **31** H. SCHNÄDELBACH, Was ist Neoaristotelismus?, in: W. KUHLMANN (Hrsg.), Moralität und Sittlichkeit, 1986, 38–63 **32** P. VILLEY, Les sources des Essays de M. de Montaigne, t. IV) 1920 **33** N. WHITE, Neoaristotelian inclusivist eudaimonism: some of its problems, in: Internationale Zschr. für Philos. 1 (1994) 57–72 **34** G. WIELAND, Ethica – Scientia practica. Die Anf. der philos. Ethik im 13. Jh., 1981 **35** Ders., The reception and interpretation of Aristotle's Ethics, in: N. KRETZMAN et al. (Hrsg.), The Cambridge History of Later Medieval Philosophy, 1982, 657–672 **36** T. ZIELINSKI, Cicero im Wandel der Jahrhunderte, 1897, ⁵1967.

FRIEDO RICKEN

Praxis s. Theorie/Praxis

Preußen A. PROBLEMLAGE
B. DEUTSCHORDENSLAND/HERZOGTUM PREUSSEN
C. KURFÜRSTENTUM BRANDENBURG D. HÖFISCHE ANTIKEREZEPTION E. BÜRGERLICHE UND STAATLICHE ANTIKEREZEPTION

A. PROBLEMLAGE

Die Antikerezeption in P. wird in denjenigen Territorien dargestellt, die 1701 zum Königreich P. vereinigt worden sind, d. h. im Kurfürstentum Brandenburg (B.) und im Deutschordensland, dem späteren Herzogtum Preußen. Hinzugekommene Gebiete sind ab dem Zeitpunkt ihrer Zugehörigkeit zum brandenburgisch-preußischen (b.-p.) Staatsgebiet berücksichtigt. Der Be-

trachtungszeitraum endet mit dem entstehenden Kaiserreich, da sich seitdem die Antikerezeption in P. nicht mehr signifikant von der in den anderen Gebieten des Dt. Reiches abheben läßt.

Für die Antikerezeption in Deutschland insgesamt hat P. eine bes. Rolle gespielt: Die p. Reformen zu Beginn des 19. Jh. haben der griech.-röm. Ant. zum geistigen Fundament des gesamten höheren Bildungswesens erhoben; durch die neue Institution des → humanistischen Gymnasiums und eine neue mod. Form der → Universität wurden Bildungswesen, Kultur und Gesellschaft zunächst in P., dann in ganz → Deutschland nachhaltig verändert und geprägt.

Die Vorreiterrolle des p. Staates im Bereich der institutionalisierten Antikerezeption erstaunt auf den ersten Blick, waren die geschichtlichen Voraussetzungen dafür doch denkbar ungünstig: 1) Das b.-p. Territorium umfaßte bis zum Erwerb rheinischer Gebiete niemals Bestandteile des Imperium Romanum, hatte daher keinen direkten Kontakt mit der materiellen Kultur der Antike. Zudem lag es weit entfernt von den Zentren des europ. Ren.-Humanismus. Über lange Zeiträume ist deshalb die Antikerezeption in B.-P. abhängig vom geistigen und materiellen Import aus anderen Ländern. Besonders während des Frühabsolutismus ist die primär höfisch geprägte Antikerezeption in B.-P. weitgehend ein Imitatphänomen. 2) B.-P. war die meiste Zeit seiner Existenz ein armes Land mit einer dementsprechend nur schwach entwickelten und weit verstreuten kulturellen Infrastruktur. Weder höfische Zentren, wie sie in anderen Ländern zu Kristallisations- und Brennpunkten der Antikerezeption wurden, noch Klöster und Domschulen als wichtige kirchliche Bildungsanstalten gab es in ausreichender Zahl. Der kargen Schullandschaft entsprachen die wenigen, erst spät gegründeten Universitäten. Auch Druckereien waren nur spärlich vorhanden. Vor diesem Hintergrund ist der Aufschwung der Antikerezeption in P. bemerkenswert.

B. DEUTSCHORDENSLAND/HERZOGTUM PREUSSEN

1. BILDUNGSLANDSCHAFT

Das Gebiet der heidnischen Prußen wurde 1226 dem Dt. Ritterorden als Ordensland überlassen. Die im Zuge der Eroberung gegründeten Ordensburgen und Städte schufen die Voraussetzung für erste Ansätze lit. Bildung. Allerdings fand das Deutschordensland erst mit der Säkularisierung des Ordens und der Reformation Anschluß an die neue europaweite Bildungsbewegung des Ren.-Humanismus. Der letzte Hochmeister des Dt. Ordens, Albrecht von B., der ein Schüler des Erasmus war und mit den bedeutendsten dt. Humanisten in engem Austausch stand, überführte 1525 den Ordensstaat in ein weltliches Herzogtum und schuf, indem er den lutherischen Protestantismus zur Staatsreligion erhob, den ersten protestantischen Staat.

2. DIE UNIVERSITÄT KÖNIGSBERG

Die neue Religion machte die Verbreitung von geistlichen Schriften notwendig – 1523 gründete Albrecht die erste Druckerei in Königsberg –, erforderte aber v. a. eine Ausbildungsstätte für Klerus und Verwaltung des neuen Herzogtums. Deshalb richtete Herzog Albrecht I. 1544 in Königsberg eine Univ. ein. M. Luther und Ph. Melanchthon nahmen entscheidenden Einfluß auf die an das Wittenberger Vorbild angelehnte Universitätsgründung. Auf Melanchthons Empfehlung wurde dessen Schwiegersohn G. Sabinus, bis dato Professor der Beredsamkeit an der b. Landesuniv. Frankfurt/Oder, zum ersten Rektor ernannt. Sabinus war einer der bedeutendsten human. Dichter, dessen an den ant. Vorbildern geschulte Epen, Hochzeitsgedichte, Epigramme und Hendekasyllaben weit verbreitet waren. Auch als Herausgeber ist Sabinus hervorgetreten, so von Ciceros *Orator*, v. a. aber als Ovid-Kommentator, dessen *Metamorphosen* er als *Thesaurus eruditionis* in einer vielgedruckten *Interpretatio ethica, physica et historica* (zuerst 1554) erklärte. Die Königsberger Univ. blieb das wichtigste kulturelle Zentrum des dt. Ostens, auch wenn bedeutende Wissenschaftler auf dem Gebiet der Altertumswiss. erst im 19. Jh. wieder auftraten [28; 29].

C. KURFÜRSTENTUM BRANDENBURG

1. BILDUNGSLANDSCHAFT

Schon der Name Mark B. macht die »Grenzlage« und damit Entfernung des b. Territoriums von den europ. Kulturzentren deutlich. Eine erste Basis für Kultur, abgesehen von den neu gegründeten Städten, brachten die Zisterzienser-, Dominikaner- und Franziskaner-Mönche mit sich (wichtige Klostergründungen: 1170 Zinna, 1180 Lehnin, 1258 Chorin). Das insgesamt geringe Kultur- und Bildungsniveau des dünn besiedelten Landes hob sich erst im Ausgang des 15. Jh. Die Beinamen der inzwischen regierenden Hohenzollern, Albrecht Achilles (1470–1486), Johann Cicero (1486–1499), Joachim I. Nestor (1499–1535) und Joachim II. Hektor (1535–1571), sind Glorifizierungen der Zeitgenossen oder späterer Zeit und übertreiben das Interesse der Landesherrn für die Antike.

2. DIE UNIVERSITÄT FRANKFURT AN DER ODER

Den von Kurfürst Johann Cicero gefaßten Plan, eine landeseigene Univ. zu gründen, setzte Joachim I. in die Tat um: 1506 wurde die Univ. in Frankfurt an der Oder eröffnet. Von der Struktur her noch der ma. Univ. verwandt und mit Schwergewicht auf der juristischen Fakultät, partizipierte die Viadrina dennoch gleich zu Beginn am Ren.-Humanismus: Als außerordentliche Professoren der Rhet. und Poesie hielten zugereiste Gelehrte wie Rhagius Aesticampianus (= J. Rack aus Sommerfeld, in Frankurt 1505–1507) und Publius Vigilantius Axungia (= Schmerlin) Vorlesungen über griech. und lat. Autoren. Auch U. v. Hutten wurde von der neuen Univ. angezogen und dort nach vier Semestern promoviert. Alle diese traten auch als bedeutende neulat. Dichter hervor. Von der Reformation ausgelöste

theologische Streitigkeiten bedeuteten wie für die gesamte Univ. so auch für die klass. Studien eine Schwächeperiode; bei ihrer Reorganisation ließ sich Kurfürst Joachim II. von Melanchthon beraten, wodurch den Humaniora wieder größerer Stellenwert zukam. Ansehen weit über Frankfurt hinaus gewann insbes. G. Sabinus, der seit 1538 als Professor der Beredsamkeit, seit 1539 auch als Rektor wirkte und 1555 nach seinem Königsberger Rektorat wieder an die Viadrina zurückkehrte. Während in der Folgezeit die Vertreter der philol. Fächer bis zur Schließung der Univ. 1811 keine überregionale Bed. mehr erlangen konnten [21], wurde die Univ. Frankfurt seit dem ausgehenden 16. Jh. ein Zentrum des ethischen und polit. Neostoizismus: Die Werke der Niederländer J. Lipsius und H. Grotius wurden hier intensiv studiert, gedruckt und epitomiert (seit 1502 gab es in Frankfurt eine Druckerei); stoische Ethik und Herrschaftsauffassung bestimmten die Staatswiss. an der Viadrina für lange Zeit. Lipsius hatte in seinen vielfach aufgelegten Hauptwerken *De Constantia libri duo* (1584) und *Politicorum sive civilis doctrinae libri sex* (1589) in beständiger Auseinandersetzung mit ant., v. a. röm. Autoren die stoische Pflichten-, Willens- und Tugendethik für seine Zeitgenossen so aufbereitet, daß sie gerade in den Zeiten der Glaubensauseinandersetzungen und Religionskriege zur Basis einer überkonfessionellen, säkularen Ethik werden konnte. Auch mit seiner auf die moralische Persönlichkeit des Herrschers in der *Politik* und der umfassenden, schon bald in die Praxis umgesetzen Revitalisierung des ant. Militärwesens in den auf die ant. Militärschriftsteller und Historiker zurückgreifenden Schriften *De militia Romana libri V, commentarius ad Polybium* (1595) und *Poliorceticon sive de Machinis Tormentis* (1596) gelang es Lipsius, polit., ethische, soziale und nicht zuletzt mil. Konzepte der (vorwiegend röm.) Ant. in ganz Europa populär zu machen.

D. HÖFISCHE ANTIKEREZEPTION

1. NEOSTOIZISMUS

1640 bestieg mit Friedrich Wilhelm, dem sogenannten »Großen Kurfürsten«, ein Herrscher den Thron, der sich seit seiner Jugend für alle Facetten der Ant. begeisterte. Während seiner Regierungszeit (1640–1688) erhob Friedrich Wilhelm, trotz schwieriger finanzieller und infrastruktureller Voraussetzungen seines territorial zerrissenen und vom Dreißigjährigen Krieg schwer gebeutelten Landes, die Ant. zum Vorbild und Programm in vielen Bereichen des höfisch-repräsentativen Lebens.

Im Alter von vierzehn Jahren ging Friedrich Wilhelm zu einem vierjährigen Studienaufenthalt in die → Niederlande. Deren prosperierendes Staatswesen beeinflußte auch Friedrich Wilhelms Antikeverständnis. Während seines Aufenthaltes in Leiden, dem damaligen Zentrum des europ. Human., wird der Kurprinz nicht im engeren Sinne studiert, das geistige Klima des Neostoizismus in der Nachfolge von Lipsius und Grotius aber intensiv erlebt haben. Mit Friedrich Wilhelm erhält der schon vor ihm aufgekommene niederländische

Späthuman. nachhaltigen Einfluß auf die b. Politik, Gesellschaft und Kultur.

Der junge Friedrich Wilhelm sah darin die Möglichkeit, staatliche und moralische Ordnung inmitten der von Konfessionsstreitigkeiten und -kriegen zerrissenen Zeit aufrechtzuerhalten; v. a. die Entkonfessionalisierung des Staatsbegriffes durch Lipsius mußte dem calvinistischen Herrscher über vorwiegend lutherische Untertanen als tragfähige Basis für die Staatsordnung erscheinen. Auch die in Verwaltung und Gesellschaft führenden Schichten B. machten sich die neostoische Gedankenwelt zu eigen, nicht selten sogar durch Studienaufenthalte in den Niederlanden [35. 174–179; 36. 142–154; 38. 21–23]. In einer zweiten Welle wurde das Werk von H. Grotius intensiv rezipiert, in dessen Natur- und Völkerrechtslehre ant.-stoische Elemente eine gewichtige Rolle spielen. Der Natur- und Völkerrechtler S. Pufendorf [37. 287 f.; 24. 48–49], seit 1688 als Hofhistoriograph in Berlin, setzte diese Trad. fort. ›Erst die Einbeziehung des niederländischen Späthuman., vornehmlich der neustoischen Weltanschauung, ihres polit. und mil. Gedankengutes, läßt den Wandlungsprozeß vom altdt. Territorium zu einer mod. Staatsmacht und Gesellschaft in B. ganz verstehen‹ [38. 20–21] (Einschränkungen dazu bei [11]). Dieser neostoische Einfluß hatte dauerhafte Folgen: ›Die Aneignung der röm. Willensphilos. sowie der röm. Staats- und Kriegsanschauung ist im p. Staat und seinen Trägern, dem Beamtentum und dem Offizierkorps des 18. Jh., so weit gegangen, daß man von dem im P. wiedererstandenen Römertum gesprochen hat‹ [35. 180].

2. LUSTGARTEN BERLIN

Um Berlin zu einer standesgemäßen Residenz auszubauen, beauftragte Friedrich Wilhelm als erste umfangreiche Baumaßnahme 1646 seinen Hofgärtner M. Hanff und ab 1650 auch den Baumeister J. G. Memhardt mit der Neuanlage des Lustgartens auf der Spreeinsel nordwestlich des Berliner Stadtschlosses. Neben den verschiedensten Zierpflanzen war der Lustgarten v. a. durch seine 47 antikisierenden Skulpturen geprägt [23. 26; 49. 90–92]: Eine liegende Brunnenfigur des Neptun aus Sandstein war umgeben von Abgüssen des → Apoll von Belvedere, der Diana von Versailles und Giambolognas Merkur, sowie weiteren Statuen wie Venus, Bacchus, Ceres, Flora, Aktaion, Kleopatra, Lucretia; möglicherweise waren darunter auch zwei echtant. röm. Porträtbüsten, die damit die ersten originalen Antiken in Berlin gewesen wären. Diesen Antikengarten, der Friedrich Wilhelms holländische Gartenerfahrungen mit Konzepten ital. Renaissancegärten verband, beschrieb und illustrierte 1657 der kurfürstliche Hofmediziner und -botaniker J. S. Elsholtz in seinem *Hortus Berolinensis* (Staatsbibl. PK, Ms. boruss. quart. 12, noch unpubliziert) [30. 233–235]. Zu jeder Garteneinrichtung zitiert Elsholtz ausführlich ant. Autoritäten und schreibt, indem er die (myth. wie histor.) Gärten der Ant. Revue passieren läßt, quasi eine Geschichte der ant. Gartenbaukunst aus den lit. Quellen.

3. SCHLÖSSER DES GROSSEN KURFÜRSTEN

Im Zuge der Renovierung und Erweiterung des Berliner Schlosses ließ Friedrich Wilhelm den Spreeflügel aufstocken und zur kurfürstlichen Wohnung ausbauen. Bes. zwei Räume zeigten repräsentative Antikebezüge. Im Mittelpunkt der Deckengemälde in der sogenannten »Brautkammer« stand Apollo als Gott der Musen (musizierend dargestellt) und der Geschichtsschreibung (Historia bzw. Klio) [50. 157–159]; zugleich wurde damit der Kurfürst als Mäzen der Künste und Wiss. verherrlicht. Grisaille-Kartuschen mit Porträts von Homer, Hesiod, Achill und Thetis (Indiz für die zunehmende Bed. der griech. Ant.) ahmten ant. Kameen nach. Für Staatsaktionen und große repräsentative Festlichkeiten ließ Friedrich Wilhelm den sog. »Alabastersaal« einrichten (1681–1685). Zw. korinthischen Pilastern standen B. Eggers' lebensgroße Figuren der b. Kurfürsten, ergänzt durch vier Skulpturen von Kaisern: Rudolf von Habsburg, Karl d. Gr., Konstantin und Julius Caesar. ›In dieser Berufung auf das röm. Kaisertum wurde die Legitimation der b.-p. Herrschaft durch den Großen Kurfürsten begründet‹ [49. 117].

Von den weiteren Schloßbauten Friedrich Wilhelms kann bes. das 1651–1655 nach Plänen von J. G. Memhard erbaute Schloß Oranienburg interessieren. Ein Deckengemälde zeigte die Gründung Oranienburgs nach Art der Gründungslegende Karthagos: Kurfürstin Luise läßt – wie Dido – eine Kuhhaut zerschneiden, um damit soviel Boden wie möglich für die Gründung zu umspannen [4. 21].

4. PROZESSION

In ant. Gewande gestaltet war auch die Prozession zur Einweihung des Schlosses Oranienburg im Juni 1655, die ein zeitgenössischer Ber. schildert [4. 20]: ›Der Weg zum Einzuge war längs durch die Allee genommen, worin eine Ehrenpforte, mit vielen Orangeäpfeln behangen, erbauet war, auf welcher sich die neun Musen mit einer angenehmen Musik präsentirten, vor derselben aber in dazu bereiteten Lücken die Durchlauchtigsten Herrschaften bewillkommneten, alle aber: »Es lebe Brandenburg« zum öftern riefen. Noch war auf der Havel gegen das Schloß eine Schaubühne errichtet, auf welcher sich etliche Götter, auf alte heidnische Art gekleidet, gleich anfangs hinter einigen Gardinen befanden, aber als die Herrschaft dagegen zu halten kam, wurden die Gardinen aufgezogen und fing darauf einer nach dem andern an, sowohl beide Kurfürstliche Durchlauchten als dem neugebornen Prinzen (Karl Emil) mit wohlgefaßten Reden zu gratuliren. Ein neckender Bachus aber, auf einem Weinfaß sitzend, fing an, den andern Göttern auf die Gesundheit des Durchlauchtigsten Brandenburgischen Hauses zuzutrinken, welches beides lustig und künstlich mit anzusehen war.‹ Eine vergleichbar zeremoniell-repräsentative Funktion hatten die in Form röm. Triumphbögen errichteten Ehrenpforten, die der Große Kurfürst bei Siegesprozessionen zu durchschreiten pflegte. Übernommen wurde damit eine Form der Herrscherüberhöhung durch Antikebezug, die in → Spanien, → Frankreich, → Italien usw. schon länger üblich war [2. 99–103].

5. Schloss Berlin unter Friedrich III.

Während bei Friedrich Wilhelm die repräsentative Funktion der Ant. v. a. wegen fehlender finanzieller Mittel nur punktuell umgesetzt werden konnte, kann bei seinem Sohn und Nachfolger Friedrich III. (Regierungszeit 1688–1713, seit 1701 als König Friedrich I. in P.) der Antikebezug ohne Übertreibung zu einem konstitutiven Merkmal seiner Politik gerechnet werden. In seinem Bestreben, die Position des b. Staates durch Erlangung der Königswürde zu stärken, kam der Ant. eine zentrale repräsentative und legitimierende Funktion zu: Sie prägte sowohl die unter Friedrich III. errichteten Bauten und Bauausstattungen als auch die von ihm gegründeten Institutionen zur Untersuchung und Vermittlung der Antike.

Das Berliner Stadtschloß ließ Friedrich III. ab 1698 zu einem prunkvollen Repräsentationsbau mit typisch barock antikisierender Formgebung und Ausstattung ausbauen. Verantwortlicher Schloßbaudirektor war A. Schlüter, der zuvor schon als Hofbildhauer tätig war: Sein Standbild Friedrichs III. (1698, verschollen) zeigte den Kurfürsten in röm. Kaiserornat, seine Körperhaltung und Schrittstellung waren dem → Apoll von Belvedere, das Gesicht einem Bildnis Alexanders d. Gr. nachempfunden [13]; Schlüters Reiterstandbild des Großen Kurfürsten in Gestalt eines röm. Triumphators (1703 auf der Langen Brücke aufgestellt, h. Schloß Charlottenburg) adaptierte Marc Aurels Reiterstandbild. Durch die Umbauten und Erweiterungen des Berliner Stadtschlosses wurde Schlüter zum führenden Baumeister des b.-p. Barock. Vom Schloßhof kommend betrat man den Spreeflügel durch Schlüters Großes Treppenhaus, dessen Portal sechs lebensgroße antikisierende Statuen griech.-röm. Götter und Helden jschmückten. Im Treppenhaus selber empfing den Besucher ein Gigantensturz, der ihn hinaufbegleitete in das zweite Obergeschoß zu den »Paradekammern« im Spree- und Lustgartenflügel. Diese bedeutendste Suite des dt. Barock um 1700 war als Zeremonialwohnung und Audienzsuite über 200 Jahre lang Schauplatz p. Staatsaktionen und Festlichkeiten. Der Anspruch auf die 1701 neu gewonnene Königswürde wurde durch die Raumausstattung, bes. die Deckengemälde, sinnfällig überhöht (Aufnahmen von 1943 in [50]). Wichtigste Sinnstiftungselemente sind dabei die ant. Götter- und Heroenwelt und antikisierende Personifikationen: Beispielsweise stellte S. Th. Gerickes Deckengemälde in der sog. »Rote-Adler-Kammer« die nackte *Veritas* dar, wie sie die p. Königskrone den versammelten olympischen Göttern präsentiert [50. Abb. 32]. Im anschließenden »Rittersaal« war ein vergoldeter Vouten-Fries mit den Taten des Herakles in direkte Verbindung gesetzt zu der allegorisierenden Verherrlichung der Taten und Bauten des neuen Königs Friedrich I. in dem Deckengemälde von J.Fr. Wenzel [50. Abb. 43–90]. Hier versammelten sich die Ritter des 1701 anläßlich der Königskrönung

gegründeten Schwarzen Adlerordens, dessen aus der Ant. stammende [44. 39–43] Devise ›Suum cuique‹ zu einem der bekanntesten p. Leitsprüche wurde. Auch den »Elisabeth-Saal« im gegenüberliegenden Flügel des Schlosses schmückten ant. Porträtbüsten und Reliefs, die mittels Stichwerke auf ant. Vorlagen zurückgingen: Opfer-, Tanz- und Hochzeitsszenen sowie Darstellungen der *Palladis Artes* dienten der indirekten Verherrlichung Friedrichs I. als tugendvoller Monarch und Mäzen der Künste und Handwerke [48].

6. Antikenkabinett und Geschichte der Antikensammlung

Zu den Repräsentationsbedürfnissen eines absolutistischen Fürstenhofes gehörte auch eine → Antikensammlung: Von einer direkt am Rittersaal gelegenen Galerie führte eine Treppe in die ein Geschoß höher gelegenen Räume des Antikenkabinetts sowie der Kunst- und Naturalienkammer. Schon aus dieser engen räumlichen Nähe wird deutlich, wie wichtig Friedrich ant. Kunst und ihre repräsentativ-wiss. Darbietung waren. 1703 in den neuen Räumen über den Paradekammern ausgestellt, präsentierte das b.-p. Antikenkabinett als erste Antikensammlung überhaupt unterschiedliche Gattungen in einem Zusammenhang [15; 17].

Nachdem die eigenen Sammlungsbestände der »Kunstkammer« in den Wirren des Dreißigjährigen Krieges untergegangen waren, betrieb Friedrich Wilhelm, der schon früh ant. Mz. sammelte [43], energisch den Ankauf von Antiken. Sein Kaufinteresse konzentrierte sich v. a. auf die neuen b. Gebiete am Rhein: 1642 erwarb er aus Kleve die Sammlung des Privatgelehrten E. Seidel, 1680 die Sammlung des Xantener Predigers H. Ewich. Zuvor hatte er 1670/71 Statuen aus der Sammlung Reynst (Amsterdam) angekauft. Durch Erbschaft gelangte 1686 die bedeutende Heidelberger Sammlung von 12 000 Mz. in b. Besitz. Der Heidelberger Bibliothekar und Antiquar L. Beger überbrachte sie dem Kurfürsten persönlich nach Kleve und wurde gleich in dessen Dienste übernommen: Von 1688 bis 1719 war er Vorsteher der Antikensammlung.

Im Frühjahr 1696 wurde Beger auf die zum Verkauf stehende private Antikensammlung des röm. Sammlers, Kunsthistorikers und Archäologen G. P. Bellori aufmerksam. Kurfürst Friedrich III. folgte Begers Empfehlung und kaufte die Sammlung unverzüglich für 1000 Dukaten (sie gelangte allerdings erst 1698 endgültig nach Berlin). Dieser Ankauf bedeutete weit mehr als nur einen weiteren Zuwachs der kurfürstlichen Antikenbestände: Zum einen wurde Berlin durch die Sammlung Belori mit einem Schlag zur reichsten und vielfältigsten Antikensammlung Nordeuropas; zum anderen eignete dem Ankauf eine beträchtliche polit. Signalwirkung, gelang es Friedrich III. doch als erstem protestantischen Fürsten das bis dahin unangefochtene katholische Monopol auf hochrangige Antiken zu durchbrechen [47. 379]. Empfindlich dezimiert wurde die b.-p. Antikensammlung unter König Friedrich Wilhelm I. (1713–1740), der – seiner auch sonst bekannten Geringschätzung der Ant. entsprechend – 1723–1726 wesentliche Bestände, v.a. Skulpturen, in die Dresdner Antikensammlung Augusts des Starken abgab – im Tausch gegen eine Kompanie sächsischer Dragoner.

7. ARCHÄOLOGIE UND PANEGYRIK

Seine neu erworbenen Schätze ließ Friedrich III./I. in einer wiss.-panegyrischen Prunkedition der gelehrten wie höfischen Welt bekannt machen. L. Beger präsentierte sie im dritten Band seines *Thesaurus Brandenburgicus Selectus* (1701), dessen erste beide Bände (1696/1699) den kurfürstlichen Besitz an ant. und nachant. Mz., Medaillen und Gemmen enthält. Der Kurfürst selbst kam für die Druckkosten der mit vielen qualitätvollen Kupferstichen aufwendig ausgestatteten Bände in großem Folio-Format auf. Keinesfalls zufällig kurz vor Friedrichs Antritt der p. Königswürde publiziert, ist der *Thesaurus Brandenburgicus* ein gewichtiges Instrument polit. Repräsentation, darüber hinaus aber auch das bedeutendste arch. Monumentenwerk im dt. Sprachraum vor Winckelmann. Beger verfaßte seinen Text als Dialog zw. zwei Gelehrten: Archaeophilus, dem »Antikenfreund«, der als auswärtiger Gast die Bauten und Schätze Berlins kennenlernt, und Dulodorus, hinter dem sich die Person Begers selbst verbirgt. Die Imitation realer Gelehrtengespräche ist, laut Begers eigener Aussage (Bd. I, praef. 2), nicht nur ein dem Zweck der *delectatio* geschuldetes rhet. Mittel, sondern soll es ermöglichen, die verschiedensten wiss. Meinungen dialogisch darlegen und gegeneinander abwägen zu können. Alle Objekte sind in Kupferstichen abgebildet. Der Primat bei der Interpretation der Kunstwerke liegt aber in schriftlichen Quellen aus der griech. und röm. Lit., die Beger umfänglich zitiert. Das panegyrische Fürstenlob konzentriert sich auf die Beitexte (Vorworte, Widmungen, Einleitungen zu den einzelnen Kap.) und die Titelkupfer und -vignetten. Das Werk durchzieht der Gedanke der Wiederherstellung der glanzvollen Majestät des Alten Rom durch Friedrich III./I., dessen fürstlich-königlicher *splendor* die Antiken mittels der von ihm geförderten Wiss. dem Dunkel der Vergessenheit entreißt und ihn so als *Totius Orbis Romani Restitutorem* (Bd. II, dedic. 4) erweist (zu den panegyrischen Kupferstichen siehe [12. 39–44]). Gleichsetzungen des Fürsten mit Jupiter – den Beinamen *Brennonicus* erklärt [14] –, Mars und Apollo sollen die Tugenden Friedrichs III./I. als oberster Herrscher, Kriegsherr und Kunstmäzen verdeutlichen. Die ideologische Funktionalisierung bedingt das Erkenntnisinteresse: ›Das Ziel der Bestrebungen liegt nicht in der Auseinandersetzung mit dem einzelnen ant. Kunstwerk, seiner Form und Komposition, auch nicht in einer subjektiven Begegnung mit ihm, sondern in der Gesamtheit an *mores* und *instituta* der Ant., welche der der Gegenwart vergleichbar ist und für diese insofern als Vorbild erachtet wird, als sie die Gegenwart stabilisiert und charismatisch überhöht‹ [51. 26]. Beger stilisiert Friedrich III./I. nicht nur als Kulmination der röm. Geschichte, sondern zeichnet zugleich ein Bild der Überlegenheit der Moderne über die Ant., wenngleich die Moderne auf die Ant. als Kontrastfolie angewiesen bleibt. Die Übersteigung der ant. Kulturerrungenschaften illustriert Beger durch narrative Schilderungen (und Abbildungen) verschiedenster Lebensbereiche wie Handel, Jagd, Gartenbaukunst, Architektur, Univ., höfisches Leben, die zusammen ein fast vollständiges, propagandistisch überhöhtes Panorama des kurfürstlichen Berlin ergeben. Die Hauptstadt apostrophierten die Zeitgenossen schon bald als »Spree-Athen« (als erster Erdmann Wircker in einem panegyrischen Gedicht auf Friedrich I.: *Märkische neue Musen*, 1706, 59).

8. BIBLIOTHEK

Zu diesem Herrschaftsprogramm gehörte auch eine repräsentative Bibliothek. Der Große Kurfürst hatte 1661 die Privatbibl. der Hohenzollern im Apothekenflügel des Schlosses öffentlich zugänglich gemacht; unter Friedrich III. stieg die Berliner Schloßbibl. zu einer der führenden Bibl. im Bereich der Altertumskunde auf. Auch hier wirkte Beger, Hofbibliothekar von 1686–1705, sowie der Philologe und Numismatiker E.v. Spanheim, unter dessen Oberaufsicht 1689–1697 Bücher v.a. aus den Bereichen der Philol., Geschichte und Altertumskunde erworben wurden. 1701 verkaufte Spanheim zudem seine private, 9000 Bände und ca. 100 Hss. umfassende altertumswiss. Gelehrtenbibl. an die Schloßbibliothek.

9. AKADEMIE

Dem erhöhten Bedarf an bildenden Künstlern trug Friedrich III. Rechnung durch die Gründung einer Akad. der schönen Künste (1696); er wollte damit aber nicht nur eine Anstalt für die praktische Unterweisung angehender Künstler, sondern auch ein Forum für theoretische Diskussionen über den Stand der Kunst schaffen. Der Kurfürst legte viel Wert auf das Prestige, daß die von ihm gegründete Akad. überhaupt erst die dritte in Europa, in Deutschland aber die erste sei. Schon vor der Gründung waren E. Terwesten und später auch A. Schlüter beauftragt worden, zur Ausstattung der Akad. → Abgüsse berühmter Antiken aus den it. Sammlungen zu besorgen. Die kurfürstliche Gipsabgußsammlung war bis zu ihrer Zerstörung beim Brand des Akademiegebäudes 1743 eine der bedeutendsten ihrer Zeit [1. 67–74]. Die Antikenabgüsse legten als Studienobjekte für mindestens 150 Jahre den Einfluß der Ant. auf die zeitgenössische Kunst fest. So zeigen schon die Zeichnungen, mit denen der maßgeblich an der Konzeption der Akad. beteiligte Hofmaler A. Terwesten die Gestaltung des Unterrichts in den verschiedenen Akademieklassen entwarf (Abb. in [2. 83]), die Dominanz ant. Skulpturen.

Ebenso wie die Akad. der Künste war auch die 1700 durch Leibniz gegründete »Sozietät der Scienzien«, die spätere Akad. der Wiss., im Marstall-Gebäude untergebracht. Sie läßt sich mit ihrer Ausrichtung auf die neuen Naturwiss. als bewußt mod. Gegenstück zu der von der Ant. dominierten Kunstakad. auffassen.

10. PHILOSOPHENHOF

Die Ant. kam unter Friedrichs II. Regierung (1740–1786) zu neuer Blüte, nachdem sein Vater Friedrich Wilhelm I. weder der Ant. als solcher noch ihrer aufwendigen Rezeption am Hofe Friedrichs I. etwas hatte abgewinnen können. Seinem Sohn Friedrich verbot er ausdrücklich, Lat. zu lernen; so konnte sich dieser die lat. Sprache nur beschränkt aneignen (des Griech. war er nie mächtig), ant. Autoren las er in zumeist frz. Übersetzungen.

Einen ersten Kristallisationspunkt seiner lebenslangen Auseinandersetzung mit der Ant. bildete das Schloß Rheinsberg bei Neuruppin, wo der Kronprinz 1736–40 residierte. Rheinsberg war durch eine konstruierte aitiologische Etym., von der Friedrich selbst in einem Brief an Voltaire (7.4.1737) berichtet, als »Remusberg« bereits mit der Ant. verbunden. Der Umbau des ehemaligen Wasserschlosses durch G. W. v. Knobelsdorff ließ den gesuchten Antikebezug noch deutlicher werden: Eine ionische Doppelkolonnade schloß die Flügelanlage zur Seeseite hin ab, im Schloßgarten wurde ein Bacchus-Tempel errichtet. Knobelsdorff legte auch – nach Instruktionen des Kronprinzen – einen Lustgarten außerhalb der Stadtbefestigung Neuruppins an, den er mit einem Apollotempel schmückte, dem ersten klassizistischen Monopteros in Deutschland. Friedrich gab diesem Garten den Namen »Amalthea« und spielte damit nicht allein auf den Namen »Amaltheum« an, den Ciceros Freund Atticus seinem Landgut in Epirus gegeben hatte, sondern wollte wohl auch Sympathie für dessen zurückgezogene, epikureische Lebensweise als Kunstliebhaber und Büchersammler zum Ausdruck bringen. In der Tat nutzte Friedrich die Zeit, die ihm das Leben des nur kleinen Rheinsberger Hofstaates ließ, für lit. Studien und Lektüren, darunter auch im Bereich der ant. Geschichte.

Als König gestaltete Friedrich II. das ebenfalls von Knobelsdorff errichtete Schloß Sanssouci und die → Parkanlagen in Potsdam zu seinem Lebensmittelpunkt und geistigen Zentrum. In Architektur, Ausstattung, Skulpturenschmuck und Gartenanlage war die Ant. allgegenwärtig und diente – wie schon bei Friedrich I. – der repräsentativen Überhöhung der eigenen Herrschaft. Neu ist der stark persönlich gefärbte, teilweise sogar dezidiert private Antikebezug des »philosophe de Sanssouci«. Die Antikensammlung etwa, die Friedrich durch bedeutende Ankäufe, so 1742 der Statuensammlung Polignac [40] und 1764 der Gemmensammlung v. Stosch, erweitert hatte, war in dem eigens dafür errichteten Antikentempel weniger zugänglich als während ihrer früheren Unterbringung im Antikenkabinett des Berliner Stadschlosses. Zum Gedenken an seine 1758 verstorbene Lieblingsschwester Wilhelmine ließ Friedrich einen offenen, mit Reliefs berühmter ant. Freundschaftspaare geschmückten Rundbau errichten und imitierte dabei Ciceros Vorhaben, seiner verstorbenen Tochter einen Tempel zu bauen: ›Soit faiblesse, soit adulation outrée‹, schrieb Friedrich am 24.10.1773

an Voltaire, ›j'ai exécuté pour cette sœur ce que Cicéron projetait pour sa Tullie. Je lui ai érigé un temple dédié à l'Amitié‹. Eine bes. innige Beziehung verband den König mit der bedeutendsten ant. Plastik im Park, dem 1747 erworbenen sog. »Betenden Knaben«. Friedrich ließ ihn genau in der östlichen Blickachse der Bibl. von Sanssouci aufstellen, ›so daß von seinem Arbeitsplatz aus der Blick auf die Statue fiel‹ [23. 38].

In der Bibl. von Sanssouci, aber auch in seinen sonstigen Bibl. hatte Friedrich eine große Anzahl ant. Werke in frz. Übers. immer griffbereit. Friedrich II. ist der erste »Leser« unter den b.-p. Monarchen; seine Werke und Korrespondenzen (bes. der Briefwechsel mit Voltaire) spiegeln seine weit gefächerte Kenntnis der ant. Lit., Geschichte und Philos. wider. Die ant. Stoa hat Friedrichs ethisches Weltbild geprägt, ließ sich für ihn aber auch problemlos mit dem epikureischen Ideal des zurückgezogen lebenden Weltweisen vereinbaren. Der Stoiker Mark Aurel war zudem als Herrscherpersönlichkeit (neben Kaiser Julian) sein wichtigstes Vorbild. Das große Gedicht *Le Stoïcien* (15.11.1761), quasi eine Summa seiner ethischen Überzeugungen, beschreibt Friedrich in einem Brief an Voltaire (Dez. 1766): ›Ce sont les réflexions de l'empereur Marc-Aurèle mises en vers‹. Friedrichs Rezeption der stoischen Philos. regte auch verschiedene Übers. an: Sein Hofgesellschafter J. B. de Boyer Marquis d'Argens übersetzte Schriften Julians, Plutarchs und Lukians; den Breslauer Populärphilosophen Chr. Garve beauftragte der König mit einer komm. Übers. von Ciceros *De officiis*, die 1783 erschien (bedeutend sind auch Garves postum erschienene Übers. von Aristoteles' *Nikomachischer Ethik* und *Politik*).

Die Persönlichkeit Friedrichs II. regte schon die Zeitgenossen zu vielfältigen Vergleichen mit ant. Herrschern an [52], u. a. auch mit Mark Aurel und Hadrian [10]. Von dort zieht sich eine Linie zu den Idolatrien des 19. Jh. [5], die nicht selten Friedrichs ganzes Wesen aus seiner Antikerezeption herleiten wollen, bis hin zu etwaigen homoerotischen Neigungen [7. 10].

E. BÜRGERLICHE UND STAATLICHE ANTIKEREZEPTION
1. LITERARISCHE ZIRKEL

Neben der höfischen Antikerezeption bildeten sich lit. Zirkel, in denen die Ant. intensiv rezipiert wurde. An der damals führenden dt. Univ. Halle (gegr. 1694) schlossen sich 1739 die Studenten J. W. L. Gleim, J. P. Uz und J. N. Götz zu einem Dichterkreis zusammen. Vorausgegangen waren ihnen eben dort I. J. Pyra und S. G. Lange, die reimlose Gedichte in ant. Versmaßen schufen und sich Horaz zu ihrem Vorbild erkoren hatten (Lange übersetzte ihn 1752 mit pietistisch-rel. Einschlag). Gleim, Uz und Götz priesen dagegen den Griechen Anakreon (Götz und Uz übersetzten ihn 1746 gemeinsam) und waren mit ihren den Lebensgenuß propagierenden Gedichten die bedeutendsten Dichter der dt. → Anakreontik. Gleim regte auch den Berufsoffizier E. Chr. v. Kleist zu Dichtungen in Anlehnung an Anakreon und Horaz an (v. a. *Der Frühling*, 1749).

In Berlin fand sich unabhängig von der »offiziellen« Aufklärung am Philosophenhof in Sanssouci seit den ausgehenden vierziger Jahren des 18. Jh. eine Gruppe mit ähnlichen lit.-philos. Interessen zusammen, die sog. »Berliner Spätaufklärung«. Man traf sich u. a. im »Montags-Klub«, der sich 1748/49 um den Verleger Fr. Nicolai gebildet hatte, um einander Lit. vorzustellen und zu diskutieren. Die Ant. wird, blickt man auf die Veröffentlichungen der Klub-Mitglieder Lessing, Sulzer, Mendelssohn und Ramler, nicht selten Gegenstand des angeregten Gedankenaustausches gewesen sein. G. E. Lessing hat sich von 1748 bis 1767 mit Unterbrechungen als freier Schriftsteller in diesem Zirkel bewegt und während dieser Zeit seine ersten bedeutenden Arbeiten zur Ant. publiziert. In seinen *Beitr. zur Historie und Aufnahme des Theaters* (1750), der ersten Theaterzeitschrift Deutschlands, finden sich Beitr. zu Plautus und eine Übers. der *Captivi*. ›Gegenüber der jahrhundertelangen Bevorzugung des Terenz war dies ein markanter Neuansatz in der Rezeption der röm. Kom.‹ [41. 137]. Mit der ant. Trag. beschäftigte sich Lessing in der *Theatralischen Bibl.* (1754; Lessing favorisiert den Griechen Euripides vor dem Römer Seneca) und in einer unveröffentlichten Sophokles-Studie (1760). Lessings in der Auseinandersetzung mit der Horaz-Übers. S. G. Langes entstandene Schrift *Vade mecum* (1753) und die *Rettungen des Horaz* (1754) reflektieren grundlegend auf das Verhältnis von Leben und Werk des Horaz. Während seiner Breslauer Zeit (1760–1765) als Sekretär des Generalleutnant v. Tauentzien beschäftigte sich Lessing intensiv mit antiquarischen und kunstgeschichtlichen Fragestellungen, bes. mit Winckelmann. Daraus ging dann 1766 die Schrift *Laokoon oder über die Grenzen der Malerei und Poesie* hervor, die inhaltlich durch ihre Verbindung von antiquarischer Forsch. und Kunsttheorie, äußerlich durch den sich daran anknüpfenden Streit mit dem Leipziger Philosophie-Professor Chr. A. Klotz Aufsehen erregte (→ Laokoongruppe). J. G. Sulzer, Professor am Joachimsthalschen Gymnasium und Akad.-Mitglied, schrieb seit den fünfziger Jahren an seiner enzyklopädischen *Allgemeinen Theorie der Schönen Künste* (1771 erschienen und oft nachgedr.); verfaßt in einer Zeit des Übergangs von trad. Regelpoetik hin zu Wirkungs- und Genieästhetik, ist sie eine Fundgrube für viele Ideen, die damals in der Luft lagen, gerade auch was die Beurteilung ant. Autoren betrifft. Das Werk *Phaidon oder Über die Unsterblichkeit der Seele* (1767) hat M. Mendelssohn schnell als »deutschen Platon« berühmt gemacht und erheblich zur Wiederbelebung des Interesses an Platon beigetragen. K. W. Ramler, der »deutsche Horaz« seiner Zeit, machte sich nicht nur mit seinen von der Ant. geprägten Gedichten, sondern auch mit seinen Übers. des Horaz, Catull und Martial einen Namen.

Die Beschäftigung der aufklärerischen Berliner Gelehrten mit der Ant. schlug sich auch in den Zeitschriften Fr. Nicolais nieder, in der *Bibl. der schönen Wiss. und der freyen Künste* (1757–1762), den *Briefen die neueste Lit. betreffend* (1759–1765 zusammen mit Lessing und Mendelssohn herausgegeben) und seinem Rezensionsorgan *Allgemeine dt. Bibl.* (1765–1806; schon die Titelvignette zeigt eine Büste Homers). In der *Berlinischen Monatsschrift* (1783–1796), herausgegeben von J. E. Biester und Fr. Gedike, dem Direktor des Friedrich-Werderschen Gymnasium und neuhuman. Reformator des Berliner Schulwesens, begann 1794 der junge Fr. Schlegel seine lit. Laufbahn: Im Aufsatz *Von den Schulen der griech. Poesie* gliedert Schlegel die griech. Lit. durch Übertragung kunstgeschichtlicher Prinzipien und philos. Kategorien (Winckelmann, Kant). Der Essay *Vom ästhetischen Werte der griech. Kom.* verteidigt Aristophanes gegen vielfältige moralische und ästhetische Vorwürfe und bahnt so den Weg für die Ren. dieses Dichters im 19. Jh.

Welche Rolle die Ant. für den bedeutendsten p. Philosophen der Aufklärungszeit, den Königsberger I. Kant, spielte, was er an ant. Autoren las und in welcher Form er sich die ant. philos. Trad. erarbeitete, ist nicht hinreichend geklärt (Hinweise bei [28. 70–74]). Bedeutend sind in jedem Fall seine Impulse für die Antikerezeption in Deutschland: Klass. Philologen, wie z. B. Fr. A. Wolf oder G. Hermann, standen unter dem Einfluß Kantischer Kategorien; Kants Methode (»Kritik« und Systematisierung), seine Philosopheme (z. B. die Kategorientafel) und v. a. seine *Kritik der Urteilskraft* (1790) prägten nachhaltig die Art und Weise, wie in den ästhetischen Theorien von → Romantik, → Neuhumanismus und Idealismus die ant. Kunst und Lit. verstanden wurden. Beobachten läßt sich dies z. B. an den Brüdern Schlegel, die Kant für ihre Tragödientheorie heranzogen [33. 161–166]. Aus der Verbindung philos. Kategorien mit der historisierenden Betrachtungsweise, die die Schlegels während ihrer gemeinsamen Studienzeit in Göttingen von Chr. G. Heyne übernommen hatten, entstand eine fruchtbare Spannung für die griech. Literaturgeschichte.

Die Brüder Schlegel und der Ort Berlin wurden in den Jahren vor und nach 1800 zu einem auch für die Antikerezeption bedeutenden Zentrum der Frühromantik. In den Salons des Berliner Bürgertums trafen sich Fr. und A. W. Schlegel u. a. mit L. Tieck und Fr. Schleiermacher. Friedrich Schlegel entwarf eine betont unklassizistische Theorie der ant. Lit. (*Über das Studium der griech. Poesie*, 1797), die von seinem Bruder August Wilhelm rhet. geschickt verbreitet wurde: Aus den 1801–1804 in Berlin gehaltenen Vorlesungen *Über schöne Lit. und Kunst* gingen die Wiener Vorlesungen *Über dramatische Kunst und Lit.* hervor (gedr. 1809–11), die die Auffassung des 19. Jh. vom griech. Drama bestimmten. Frucht der Schlegelschen Auseinandersetzung mit der Ant. war auch die gemeinsame Zeitschrift *Athenaeum* (erschienen 1798–1800 in Berlin). August Wilhelms klassizistisches Drama *Ion*, 1802 in Weimar und dann 1803 in Berlin aufgeführt, fand wegen seiner humanisierenden Glättung des euripideischen Konfliktstoffes keinen großen Anklang. Aufsehen erregte dagegen L. Tieck mit seiner beständig die dramatische Illusion durchbrechenden Gesellschafts- und Literaturkom. *Der*

Gestiefelte Kater (1797), der er 1799 *Die verkehrte Welt* und *Prinz Zerbino* folgen ließ. Die Zeitgenossen fühlten sich an Aristophanes erinnert. Die Komödientheorie der Schlegels, die sie aus der alten → griechischen Komödie entwickelt hatten, mag Tieck angeregt haben, letztlich aber sind seine Stücke und die Schlegelsche Komödientheorie unterschiedliche Ausprägungen des gleichen Interesses der Berliner Frühromantiker an der griech. Komödie. Den griech. Philosophen widmete sich der Theologe Fr. Schleiermacher, der mit seiner Abhandlung *Herakleitos der dunkle, von Ephesos* (1807) die Heraklit-Forsch. beförderte und 1804–1828 – auf Veranlassung Friedrich Schlegels – die noch h. meistbenutzte dt. Platon-Übers. schuf. In seinen Einleitungen und Anm. lenkte Schleiermacher das Augenmerk auf die Form der Platonischen Dialoge; in ihrer fiktiven Mündlichkeit schienen sie ihm die ganze Platonische Philos. zu enthalten, neben der es keine nur mündlich verbreitete, »esoterische« Geheimlehre gegeben habe. Von der heutigen »Tübinger Schule« der Platon-Interpretation (H. Krämer, K. Gaiser, Th. Slezák, G. Reale) ungerechtfertigt zum autoritativen »Paradigma« erhoben und bekämpft, ist Schleiermachers Platon-Auffassung in das Zentrum der aktuellen Debatte um Platons »ungeschriebene Lehren« gerückt worden.

2. DIE REFORM DES PREUSSISCHEN BILDUNGSWESENS

Der Zusammenbruch des p. Staates in den napoleonischen Kriegen und das daraus resultierende Gefühl der Rückständigkeit gegenüber den mod. Ideen Frankreichs waren der Auslöser für die p. Reformen in Staat, Verwaltung, Militär und Gesellschaft. Der Reform des Bildungswesens [31] kam dabei grundlegende Bed. zu: Neustrukturierte Bildungswege sollten es dem einzelnen ermöglichen, ständische Grenzen zu überwinden; auf der anderen Seite mußte es im Interesse des p. Staates liegen, das bisher von lokalen Schulträgern und v. a. der Kirche geleitete Schulwesen unter seine Kontrolle zu bringen. König Friedrich Wilhelm III. ernannte im Februar 1809 per Kabinettsorder W. v. Humboldt gegen dessen Widerstand zum Leiter der neugegründeten »Section für Cultus und Unterricht« im Innenministerium. Humboldt hatte keine praktisch-pädagogischen Erfahrungen und trat wegen Kompetenzbeschneidungen schon im Mai 1810 von seinem Amt zurück; dennoch prägte er mit seinen visionären Theorien das Bildungswesen in P. nachhaltig.

In vermittelnder Auseinandersetzung mit den wichtigsten geistigen Strömungen seiner Zeit (philos. Idealismus, Weimarer Klassik, Altertumswiss. [6]), wurde Humboldt zum bedeutendsten Theoretiker des Neuhumanismus. Im Zentrum seiner Konzeption steht die → Bildung, die für ihn eine möglichst allgemeine und umfassende (nicht berufsbezogene oder ständisch ausgerichtete) Bildung des Individuums zu persönlicher Selbstbestimmung sein soll. Wenn Humboldt dafür das Studium der Griechen zum maßgeblichen Bildungsinhalt erhob, so war dies nicht nur ein Reflex der allge-

mein europ. Griechenbegeisterung des 18. Jh., sondern wesentlich polit. motiviert: Mit dem Rückgriff auf die »ursprünglicheren« Griechen ließ sich der Rom-Bezug des in seiner kulturellen Identitätsfindung gleichermaßen verachteten wie beneideten Gegners Frankreich ausstechen [34. 43–44]; und indem Humboldt nicht nur eine dt.-griech. »Wesensverwandtschaft« postulierte, sondern Deutschland mit dem ant. Griechenland auch polit. parallelisierte (Zersplitterung in viele Kleinstaaten bei gleichzeitiger kultureller Blüte) [9. 124–125], konnte – zumindest oberflächlich – das Studium der Griechen als zweckmäßig für die angestrebte dt. »Nationalbildung« erwiesen werden. Freilich eröffnete die immer wieder betonte bes. Nähe der Deutschen zur griech. Ant. auch den Weg zu ihrer nationalistischen Vereinnahmung.

Dem »Griechenmythos« [27] Humboldts eignet dabei in mehrerer Hinsicht ein utopischer Zug: Zur Rechtfertigung des Griechen-Studiums schrieb Humboldt: ›So ist jene Kenntniss gerade darum heilsam, warum jede andere mangelhaft sein würde, darum, dass sie, nie ganz erreichbar, zu unaufhörlichem Studium zwingt‹ [20. Bd. 1. 7] (vgl. [34. 44–46]); und obwohl Humboldts Bildungskonzeption nur mangelhaft und die von ihm erstrebte Institutionalisierung einer für alle einheitlichen Bildung an den Griechen auf einer Einheitsschule überhaupt nicht verwirklicht wurde, bewahrte das Griechenideal seine Faszinationskraft für erstaunlich lange Zeit (anders [27. 216–217]).

3. HUMANISTISCHES GYMNASIUM

Die überragende Bed. des → humanistischen Gymnasiums ergab sich aus seiner Monopolstellung als unumgängliche Durchgangsstation auf dem Weg zu höherer Bildung, der Voraussetzung für das Erlangen höherer Staatsämter. Unerläßliche Vorbedingung für den Zugang zur Univ. war seit dem preußischen Edikt vom 25.6.1812 das auf einem Gymnasium erworbene Abitur, das im wesentlichen eine Prüfung in den alten Sprachen war. Latein und Griech. dominierten daher den Lehrplan, allerdings mit einem deutlichen Übergewicht des Lat. (1812: 76 Gesamtwochenstunden Lat., 50 Griech.), das 1837 noch verstärkt wurde (86 Stunden Lat. gegenüber 42 Stunden Griechisch). Dies bedeutete ›den staatlich verfügten Abfall von der neuhuman. Bildungskonzeption‹ [26. 71] und zog den human. Gymnasium unablässig Kritik an der Überbewertung aktiver Sprachkompetenz (v. a. im Lat.) und rein formaler Kenntnisse zu. Gleichwohl war die griech. Lit., Kultur und Geschichte immer präsent und bestimmte den Bildungshorizont der gesellschaftlichen Elite. Das human. Gymnasium schuf auch den neuen Berufsstand der staatlich geprüften (1810: *examen pro facultate docendi*), philol. gebildeten → Lehrer. Diese nahmen regen Anteil am wiss. Diskurs, nicht zuletzt mittels wiss. Abhandlungen in → Schulprogrammen, die P. 1824 als erster Staat für verpflichtend erklärte.

›In der ganzen Geschichte gibt es vielleicht kein einziges anderes Beispiel eines Staates, der das Studium einer ant. und ganz fremden Kultur als Voraussetzung für die Beschäftigung seiner Funktionärskaste auf so massive Weise und für so viele Jahre institutionalisierte‹ [34. 41]. Daß ausgerechnet dem p. Staat die Institutionalisierung der Ant. als dominierender Faktor im Bildungswesen so schnell und tiefgreifend gelang, lag vielleicht gerade an den eingangs beschriebenen bes. Voraussetzungen: Weder gab es eine gewachsene, einheitliche Bildungskultur, die zu verdrängen gewesen wäre, noch eine einheitliche, für die Bildung allein zuständige Schicht, die gegen die staatliche Monopolisierung des Bildungswesens hätte Widerstand leisten können. In jedem Fall fand der Erfolg dieser p. Institutionalierung so großen Anklang, daß andere dt. Staaten sie bald übernahmen.

4. Die Reform der Universität

Zur Errichtung einer → Universität in Berlin haben sowohl nationalpolit. (Prestigegewinn durch eine Univ., die Studenten auch von jenseits der Landesgrenzen anziehen sollte) als auch pragmatische Gründe (der Verlust der Landesuniv. Halle) geführt. Humboldt sah in ihrer Gründung seine wichtigste Leistung. Indem der Univ. nicht die utilitaristische Ausbildung zu einem Beruf, sondern die wiss. Forsch. zur Aufgabe gestellt wurde, schuf Humboldt einen neuen Typus der Universität. Wissenschaftsideal, »Forschungsimperativ« und die darauf aufbauenden Karrierewege für den akad. Nachwuchs haben die p. Reformuniv. (Berlin 1810, Breslau 1811, Bonn 1818) zu den führenden ihrer Zeit gemacht [46]. Eine bes. Rolle spielte dabei die Altertumswiss.: Nicht nur konnten mit F. A. Wolf, Fr. Schleiermacher, I. Bekker, A. Böckh, B. Niebuhr und anderen herausragende Fachvertreter gewonnen werden; die in der Klass. Philol. nach dem Vorbild Heynes und Wolfs etablierte Unterrichtsform des → philologischen Seminars war auch den anderen Disziplinen ein Vorbild der Wissenschaftsorganisation.

5. Architektur, Bildende Kunst, Museen und Kulturbetrieb

Gegen E. des 18. Jh. setzte sich der europ. → Klassizismus auch in der p. Kunst und Architektur durch. C. G. Langhans, zunächst in Schlesien (v. a. Breslau) tätig, kam 1788 als Direktor des neugeschaffenen Oberhofbauamtes nach Berlin; dort schuf er mit dem Brandenburger Tor (1789–1793), das sich an die Propyläen der Athener Akropolis anlehnt, das Wahrzeichen Berlins. Die Quadriga (Friedensgöttin bzw. Victoria auf einem Triumphwagen) und das Attika-Relief (»Der Zug des Friedens«) auf dem Brandenburger Tor stammten vom Hofbildhauer J. G. Schadow, der sich während seines Romaufenthaltes 1785–1787 im Klassizistenkreis um A. Canova intensiv mit ant. Statuen beschäftigt hatte. Schadows Statuengruppe der Kronprinzessinnen Friederike und Luise von P. in antikisierendem Gewand (1795–1797) wurde wegen ihrer schlichten Darstellung von Anmut und Grazie ohne jede myth. oder allegorische Überhöhung bewundert. Auch in den Skulpturen Chr.D. Rauchs speiste sich der Antikebezug aus häufi-

gen Italien-Aufenthalten. Antikezitate unterstreichen hier die Würde des Dargestellten; so zeigt Rauchs bekanntestes Denkmal, das Friedrichs II. (1839–1851), Skulpturen der vier Kardinaltugenden und antikisierende, allegorische Reliefs. Die heroisierende Funktion der Antikerezeption setzt sich im Werk von R. Begas fort.

Unbestritten der bedeutendste p. Architekt war K.Fr. Schinkel, dessen Bautätigkeit sich über weite Teile Deutschlands erstreckte. Die bedeutendsten seiner klassizistischen Bauten prägten das Stadtbild Berlins: die Neue Wache mit ihrer dorischen Säulenhalle (1816–18), das Neue Schauspielhaus und das Mus. am Lustgarten (1823–1828, eröffnet 1830); den Museumseingang schmückten 18 ionische Säulen, die Rotunde im Zentrum folgte dem röm. Pantheon. Bekannt wurde Schinkel auch als Maler antikisierender Ideallandschaften (*Blick in Griechenlands Blüte*, 1825) und Bühnendekorationen, so zu Mozarts *Zauberflöte*, Glucks *Alceste* und zu den klassizistischen Opern G. Spontinis (*Vestalin*, 1818; *Olympia*, 1821). Das Tafelwerk *Vorbilder für Fabrikanten und Handwerker* (1821 ff.), zur Förderung der p. Wirtschaft von der Technischen Deputation für Gewerbe herausgegeben, präsentierte ant. und antikisierende Schmuckmotive Schinkels, die auf diesem Wege das Kunstgewerbe maßgeblich beeinflußten [3. 455–472].

Schinkels Museumsbau in → Berlin machte die p. Antikensammlung nach langer Zeit wieder öffentlich zugänglich. Ziel der Ausstellung war, einen umfassenden Überblick über die ant. Kunst zu ermöglichen und dem bürgerlichen Publikum Gelegenheit zu ästhetischem Genuß zu geben. Das von A. Stüler 1843–1859 in klassizistischem Stil erbaute Neue Mus. sollte dagegen enzyklopädisch und chronologisch durch die Kulturgeschichte von den Ägyptern bis zu den vaterländischen Altertümern führen und war bewußt als Lernort gedacht; Vasen, Gipsabgüsse und Mumienporträts wurden hier untergebracht. Komplettiert wurde die »Museumsinsel«, die König Friedrich Wilhelm IV. 1841 als Stätte für Kunst und Wiss. konzipiert hatte, im 20. Jh. mit dem Pergamonmus., dessen architektonische Monumentalität den p. Führungsanspruch im Bereich der musealen Darbietung ant. Kunst unterstreichen sollte.

Die Kulturförderung Friedrich Wilhelms IV. gab auch den Anstoß zu der ersten Aufführung einer weitgehend unbearbeiteten griech. Tragödie (→ griechische Tragödie D. 19. Jahrhundert) in Deutschland [8. 60–81]. L. Tieck wurde mit der Einstudierung der *Antigone* des Sophokles beauftragt; als philol. Berater war A. Böckh beteiligt, die Musik für die Chorpartien komponierte F. Mendelssohn-Bartholdy. Am 28.10.1841 wurde die *Antigone* auf der ant. eingerichteten Bühne des Potsdamer Hoftheaters vor geladenen Honoratioren zum ersten Mal aufgeführt und erregte großes Aufsehen. Neben der ungewohnten Erfahrung, ein ant. Drama nicht als Lesetext, sondern als Bühnenstück zu erleben, spielte sicher auch die Gegenwartsrelevanz der *Antigone* eine Rolle; Hegel und seine Schüler hatten hier mit ihrer Interpretation der *Antigone* als Konflikt zwischen Staat und Familie vorgearbeitet. Von dem Aufführungserfolg der *Antigone* begünstigt gelangten in der Folgezeit noch *Medea*, *Ödipus auf Kolonos* und *Hippolytos* mit Musikbegleitung auf die Bühnen Potsdams und Berlins, blieben aber gleichwohl Randerscheinungen im Repertoire.

6. »GROSSBETRIEB« ALTERTUMSWISSENSCHAFT

Die Institutionalisierung der Antikerezeption durch den p. Staat führte auch zu einer Reihe wiss. Großprojekte, v. a. auf dem Gebiet der Inschriftenkunde und der Arch. (→ Akademie). 1815 faßte die Preußische Akad. der Wiss. den Plan, griech. und lat. Inschr. zu sammeln und zu veröffentlichen. Die Herausgabe der lat. und griech. Inschriftencorpora (→ Inschriftenkunde, griechische; → Lateinische Inschriften) leiteten A. Böckh und Th. Mommsen. Mommsen war auch sonst der entschiedenste Verfechter der Wissenschaftsorganisation in staatlichen Großinstitutionen. Den späteren Herausgeber des Corpus griech. Kirchenväter, A. Harnack, begrüßte er 1890 bei dessen Aufnahme in die Akad.: ›Wie der Großstaat und die Großindustrie, so ist die Großwiss., die nicht von Einem geleistet, aber von Einem geleitet wird, ein notwendiges Element unserer Kulturentwicklung, und deren rechte Träger sind die Akademieen oder sollten es sein‹ [32. 209]. Ebenfalls durch Mommsens bes. Einsatz wurde 1893 in Berlin der *Thesaurus Linguae Latinae* als Kooperation der dt.-sprachigen Akad. der Wiss. gegründet (→ Lexikographie III.).

Ähnlich preußisch dominiert war die Arch. des 19. Jh. Das 1829 unter dem Patronat des p. Kronprinzen von Gelehrten aus ganz Europa in Rom gegründete Istituto di Corrispondenza Archeologica finanzierte sich ab 1859 ganz aus den Mitteln des p. Kultusministeriums und wurde 1871 in eine p. Staatsanstalt umgewandelt (→ Deutsches Archäologisches Institut). Staatliche Trägerschaft ermöglichte auch groß angelegte Ausgrabungen. E. Curtius nutzte seine persönlichen Verbindungen zum p. Königshaus, um für sein Projekt der Ausgrabungen in → Olympia zu werben. 1875 begannen die vom Dt. Reich finanzierten Grabungen.

Doch die große Nähe von Staat und Wiss. beförderte auch die Anbiederungen der Altertumswiss. an die p. Monarchie. Vor allem aus der griech. Geschichte konstruierte man Analogien, die die Stellung P. in Deutschland und seine Rolle bei der dt. Einigung glorifizieren sollten. Perikles, Philipp II., Alexander d. Gr., Caesar und Augustus wurden zu Vorläufern der p. Könige und Kaiser stilisiert [26. 119–132; 45]. Auch zum Kampf gegen → Sozialismus und → Demokratie wurde die Ant. vereinnahmt. So ist es kein Zufall, daß U.v. Wilamowitz-Moellendorff, einer der einflußreichsten p. Altphilologen, 1919 ausgerechnet in seinem Platon-Buch (Bd. 2, praef.) gegen die Novemberrevolutionäre wetterte: ›In der Ochlokratie und unter den feigen oder feilen Schmeichlern, die sie in allen Ständen findet, ist für einen alten Mann, der sich seine Preußenehre von keinem Gott und keinem Menschen aus dem Herzen reißen läßt, kein Platz mehr. Er hat nur abzusterben‹.

1 AKAD. DER KÜNSTE/HOCHSCHULE DER KÜNSTE (Hrsg.), ›Die Kunst hat nie ein Mensch allein besessen‹. Dreihundert Jahre Akad. der Künste, Kat. Berlin 1996 2 W. ARENHÖVEL (Hrsg.), Berlin und die Ant., Kat. Berlin 1979 3 W. ARENHÖVEL, CHR. SCHREIBER (Hrsg.), Berlin und die Ant., Aufsätze, 1979 4 W. BOECK, Oranienburg. Gesch. eines p. Königsschlosses, 1938 5 A. BÖCKH, Gesammelte KS II, Leipzig 1859, 336–350 6 D. BORCHMEYER, Weimarer Klassik und p. Reformen. Wilhelm von Humboldt als Humanist und Staatsmann, in: Ders., Weimarer Klassik. Porträt einer Epoche, ²1998, 299–318 7 E. CAUER, Friedrich d. Gr. und das class. Alt., Breslau 1863 8 FLASHAR 9 M. FUHRMANN, Die »Querelle des Anciens et des Modernes«, der Nationalismus und die dt. Klassik, in: BOLGAR, Thought, 107–129 10 CHR. GARVE, Vergleichungen Friedrichs des zweyten mit zwey andern berühmten Regenten, in: Fragmente zur Schilderung des Geistes, des Charakters, und der Regierung Friedrichs des zweyten, I, Breslau 1798, Ndr. 1986, 1–147 11 M. VAN GELDEREN, Holland und das Preußentum. Justus Lipsius zw. niederländischem Aufstand und B.-P. Absolutismus, in: [25], 203–212 12 S.-G. GRÖSCHEL, Herrscherpanegyrik in Lorenz Begers »Thesaurus Brandenburgicus Selectus«, in: WINCKELMANN-GES. (Hrsg.), Ant. und Barock, 1989, 37–61 13 Ders., Kurfürst Friedrich III. von B.: Apoll und Alexander, in: Pegasus. Berliner Beitr. zum Nachleben der Ant. 2, 2000, 91–102 14 H. HÄKER, Brennus in P. – Gesch. eines Mythos, in: Jb. P. Kulturbesitz 18, 1981, 299–316 15 G. HERES, Der Neuaufbau des Berliner Antikenkabinetts im J. 1703, in: H. BECK et al. (Hrsg.), Antikenslgg. im 18. Jh., 1981, 187–198 16 Ders., Friedrich II. als Antikensammler, in: Friedrich II. und die Kunst, Kat. Potsdam 1986, 65–66 17 Ders., Johann Carl Schotts Beschreibung des Berliner Antikenkabinetts, in: Forsch. und Ber. 26, 1987, 7–28 18 Ders., Der Große Kurfürst als Antiken-Sammler, in: Der Große Kurfürst. Sammler – Bauherr – Mäzen, Kat. Potsdam 1988, 79 19 S. HÜNEKE, Anm. zum Apollon-Motiv am B.-P. Hof, in: H. Wiesler (Hrsg.), Akademie. Eine Ausstellung, Kat. Berlin 1996, 41–51 20 W. v. HUMBOLDT, Werke in fünf Bänden, hrsg. v. A. FLITNER, K. GIEL, 1960–1981 21 J. IRMSCHER, Die klass. Stud. an der Viadrina, in: G. HAASE, J. WINKLER (Hrsg.), Die Oder-Univ. Frankfurt. Beitr. zu ihrer Gesch., 1983, 216–219 22 K.-E. JEISMANN, Das p. Gymnasium in Staat und Ges., 2 Bde., ²1996 23 M. KÜHN, Zum Antikenverständnis am Berliner Hof von Kurfürst Joachim II. bis zu König Friedrich d. Gr., in: [2], 23–40 24 B. KYTZLER (Hrsg.), Marchia Resurge. Erhebe Dich Du Mark. Nachr. aus der Humanistenzeit Berlins und der Mark B., 1992 25 H. LADEMACHER (Hrsg.), Onder den oranje boom, Textbd. 1999 26 M. LANDFESTER, Human. und Ges. im 19. Jh. Unt. zur polit. und gesellschaftlichen Bed. der human. Bildung in Deutschland, 1988 27 Ders., Griechen und Deutsche. Der Mythos einer »Wahlverwandtschaft«, in: H. BERDING (Hrsg.), Mythos und Nation, 1996, 189–219 28 M. LOSSAU, Klass. Philol. an der Albertina zur Zeit Kants, in: J. KOHNEN (Hrsg.), Königsberg. Beitr. zu einem bes. Kap. der Geistesgesch. des 18. Jh., 1994, 65–79 29 Ders., Von Christian August Lobeck bis Arthur Ludwich: das große Jh. der Königsberger Philol., in: Quaderni di storia 41, 1995, 97–99 30 J. MEINER, M. SCHACHT (Hrsg.), Onder den oranje boom, Kat. Krefeld/Oranienburg/Apeldoorn 1999 31 C. MENZE, Die Bildungsreform Wilhelm von Humboldts, 1975 32 TH. MOMMSEN, Reden und Aufsätze, 1905 33 G. W. MOST,

Schlegel, Schlegel und die Geburt eines
Tragödienparadigmas, in: Poetica 25, 1993, 155–175
34 Ders., Vom Nutzen und Nachteil der Ant. für das Leben.
Zur mod. dt. Selbstfindung anhand der alten Griechen, in:
Human. Bildung 19, 1996, 35–52 **35** G. OESTREICH,
Calvinismus, Neustoizismus und Preußentum, in: Jb. für die
Gesch. Mittel- und Ostdeutschlands 5, 1956, 157–181
36 Ders., Polit. Neustoizismus und Niederländische
Bewegung in Europa und bes. in B.-P., in: Ders., Geist und
Gestalt des frühmod. Staates, 1969, 101–156 **37** Ders.,
Fundamente p. Geistesgesch. Religion und
Weltanschauung in B. im 17. Jh., in: Ders.,
Strukturprobleme der frühen Neuzeit, 1980, 275–297
38 Ders., Die Bed. des niederländischen Späthuman. für
B.-P., in: [44], 16–27 **39** Ders., Die Niederlande und B.-P.,
in: [25], 187–202 **40** K. PARLASCA, Die Potsdamer
Antikenslgg. im 18. Jh., in: H. BECK u. a. (Hrsg.),
Antikenslgg. im 18. Jh., 1981, 211–229 **41** V. RIEDEL,
Antikerezeption in der dt. Lit. vom Ren.-Human. bis zur
Gegenwart, 2000 **42** TH. SCHLEICH, Die Ant. als Bestandteil
des geistigen Lebens, in: J. ZIECHMANN (Hrsg.), Panorama
der Fridericianischen Zeit, 1985, 121–125 **43** H.-D.
SCHULTZ, Der Große Kurfürst als Sammler ant. Mz., in: Der
Große Kurfürst. Sammler – Bauherr – Mäzen, Kat. Potsdam
1988, 73–75 **44** H. THIEME (Hrsg.), Human. und
Naturrecht in Berlin-B.-P., 1979 **45** ST.-A. THOMAS,
Makedonien und P. Die Gesch. einer Analogie, 1994
46 R. S. TURNER, The Prussian Universities and the Concept
of Research, in: Internationales Archiv für Sozialgesch. der
dt. Lit. 5, 1980, 68–93 **47** G. WALTHER, Adel und Ant. Zur
polit. Bed. gelehrter Kultur für die Führungselite der frühen
Neuzeit, in: HZ 266, 1998, 359–385 **48** L. WIESINGER,
Der Elisabethsaal des Berliner Schlosses. Ein Beitr. zur
Antikerezeption in Berlin um 1700, in: Jb. der Berliner Mus.
24, 1982, 189–225 **49** Dies., Das Berliner Schloß, 1989
50 Dies., Deckengemälde im Berliner Schloß, 1992
51 H. WREDE, Cunctorum splendor ab uno. Arch.,
Antikenslgg. und antikisierende Ausstattungen in
Nepotismus und Absolutismus, 2000 **52** G.-H. ZUCHOLD,
›War er nicht ein Titus seiner Zeit …?‹ Ant. Beinamen
Friedrichs d. Gr., in: Jb. P. Kulturbesitz 23, 1986, 377–384.

MARTIN HOLTERMANN

Priene A. WIEDERENTDECKUNG UND ERSTE
FORSCHUNGEN   B. FREILEGUNG DURCH DIE
BERLINER MUSEEN   C. PUBLIKATION UND
REZEPTION DER GRABUNGSERGEBNISSE
D. WEITERE FORSCHUNGEN

A. WIEDERENTDECKUNG UND
ERSTE FORSCHUNGEN

Engl. Kaufleute aus Izmir suchten 1673 eine Ruinenstätte am Südhang des Mykale-Gebirges auf, die sie
versuchsweise, aber richtig mit der ant. Kleinstadt P.
identifizierten [27]. Die Ruinen der Stadt, v. a. der von
Pytheos entworfene Athena-Tempel, wurden erstmals
von Richard Chandler, William Pars und Nicolas Revett, Mitgliedern der ersten Expedition, die die Londoner → Society of Dilettanti 1764 bis 1766 nach Ionien
entsandte, erforscht und dokumentiert [24]. Dieselbe
Gesellschaft, die es sich zur Aufgabe gemacht hatte, Beispiele ant. Architektur in großformatigen Publikationen

vorzulegen, und damit zeitgenössischen Architekten
vorbildhaftes Anschauungsmaterial zur Verfügung stellte [2. 291, 343, 345. Nr. 719; 9], schickte 1811/12 Sir
William Gell mit den Architekten Francis Bedford und
John Peter Gandy auf eine zweite Forschungsreise nach
Ionien. Sie überprüften, korrigierten und erweiterten
die Ergebnisse ihrer Vorgänger in P. und stellten auch
den ersten Stadtplan vor [21].

Ebenfalls im Auftrag der *Dilettanti* führte 1868/69
Richard Popplewell Pullan die ersten regelrechten Ausgrabungen in P. durch: Er ließ Tempel, Altar und Pro-
pylon des Athena-Heiligtums freilegen. Diesmal blieb
es nicht bei einer papiernen und erstmals auch photo-
graphischen Dokumentation des Gefundenen [5; 22;
23]: Kleinfunde, Inschr. und Musterstücke der Architektur wurden nach London gebracht und zumindest
teilweise dem Publikum im British Mus. direkt vor Augen gestellt [5; 7]. Von den Arbeiten Pullans profitierten
schon vor deren Publikation Olivier Rayet und Albert
Thomas, die 1873 in P. und 1874 in London die Architektur des Athena-Tempels und ihre farbige Fassung
erforschten [16].

B. FREILEGUNG DURCH DIE BERLINER MUSEEN

Nachdem 1893 die Grabung der Berliner Mus. in
Magnesia am Mäander abgeschlossen und die angestrebte Konzession für Didyma an die frz. Konkurrenten gefallen war, es auch mit dem Milet-Projekt nicht recht
voranging, entschloß sich Carl Humann, der als auswärtiger Direktor in Izmir die Interessen der Königlichen Mus. zu Berlin vertrat, unterstützt von Reinhard
Kekulé von Stradonitz, dem Direktor der Sammlung
ant. Skulpturen und Gipsabgüsse an den Berliner Mus.,
in P. eine Museumsgrabung zu beginnen. Auslöser war
ein Besuch im Oktober 1894, bei dem die beiden Herren ›von dem Reichthum und der Feinheit der dortigen
Ruinen‹ [20. 161. Nr. 339; 29. 1] überrascht worden
waren (Abb. 1). Da man in P. nicht befürchten mußte,
wie in Magnesia bald unter der Oberfläche in sumpfiges
Erdreich zu geraten, hoffte man in tieferen Schichten
auf Funde »altionischer Kultur«. Die Berliner Museumsbestände zu bereichern war jedoch keineswegs das
einzige Ziel: Man wollte durch systematische Ausgrabung ›die feinste, die Leviten-Stadt des Jonischen Bundes‹ [20. 163 Nr. 349] ganz freilegen und freute sich
nicht nur über Skulpturen aus Terrakotta und Marmor
sowie die anfangs spärlichen Inschr., sondern auch über
interessante Beobachtungen in den Wohnhäusern
[2. 448. Nr. 1152; 20].

Schon bevor die Grabungskonzession vorlag, hatte
Humann die 15 km lange Straße von Söke nach P. pas-
sierbar gemacht sowie für 7000 Mark ein Grabungshaus
bauen und einrichten lassen [20]. Als einziges der alten
dt. Grabungshäuser in dieser Gegend steht es heute noch
und dient – inzwischen selbst zum Denkmal geworden –
weiterhin seinem alten Zweck (Abb. 2). Die Ausgrabungen fanden vom 18. September 1895 bis zum 24.
April 1899 in sechs mehrmonatigen Kampagnen statt.
Nur im Hochsommer und manchmal auch im Winter

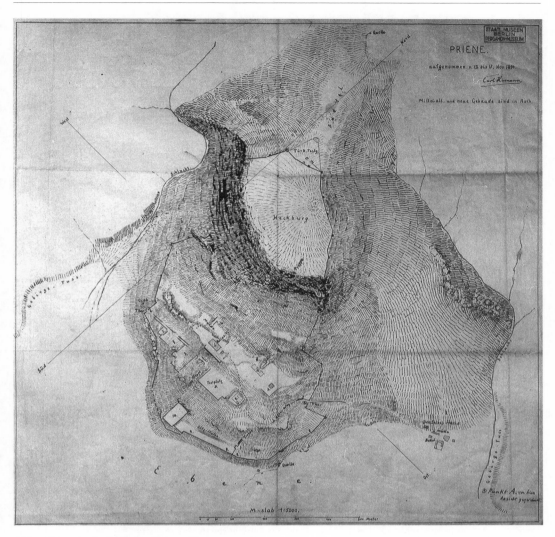

Abb. 1: Skizze des Stadtplans von Priene (Humann 1894)

wurden längere Arbeitspausen eingeschoben. Die Gesamtkosten betrugen 120000 Mark und wurden angesichts der erworbenen »Schätze« sogar von polit. Seite – im Ziel, hinter Franzosen und Briten zumindest nicht zurückzustehen, war man sich mit den dt. Archäologen einig – als gut angelegt angesehen. Nach dem Tode Humanns am 12. April 1896 ging die Leitung auch formal auf dessen bisherigen Stellvertreter in P. über, auf Theodor Wiegand, der v. a. von Hans Schrader unterstützt wurde [2. 448. Nr. 1152; 25; 29].

Man arbeitete sich vom Westtor die danach benannte Westtor-Straße entlang zur Agora vor, die samt den umliegenden Bauten freigelegt wurde. Anschließend wandte man sich dem Gebiet nördl. der Agora mit Theater und Gymnasion zu, begann auch die Freilegung vom Osttor aus und gelangte bis zum Athena-Heilig

tum, das seit der engl. Ausgrabung schwer unter Schatzsuchern und Steinräubern des benachbarten Dorfes Kelebeş sowie Steinmetzen aus Karpathos gelitten hatte. Anschließend griff man weiter aus bis zum Heiligtum der Ägypt. Götter und zur westl. sog. Theater-Straße. Während die Wohnquartiere südl. der Westtor-Straße gleich zu Anf. ausgegraben worden waren, widmete man sich nun auch den nördl. gelegenen Häusern. Außerdem wurde die Hauptkirche beim Theater vom Schutt befreit. Die letzten Arbeiten im Norden und Süden jenseits der Wohnbebauung galten dem Demeter-Heiligtum, den Klärbassins der Wasserleitung sowie dem Stadion und dem unteren Gymnasion. Vereinbarungsgemäß wurden die Funde, darunter auch Architekturproben, zw. dem wenige Jahre zuvor eröffneten Arch. Mus. in Istanbul und den Berliner Mus. geteilt [20; 29].

Abb. 2: Grabungshaus von Priene im November 1898

Von 1896 an hatte Wiegand immer wieder Ausflüge ins Mykale-Gebirge unternommen und so auch das Umland P. in die Forsch. einbezogen; u. a. entdeckte er das zu Samos gehörende Städtchen Theben, das er 1896 sogar teilweise ausgraben konnte. Von P. aus bereitete Wiegand auch die anschließende Ausgrabung → Milets vor, die wohl so lockte, daß man in P. einige Häuser halbfertig liegen ließ [25; 29]. Man hatte zwar das Zentrum und einige Wohngebiete, wichtige öffentliche Gebäude und Heiligtümer, insgesamt etwa ein Drittel der ehemals bebauten Fläche, nicht aber, wie anfangs geplant, die gesamte Stadt ergraben.

C. PUBLIKATION UND REZEPTION DER GRABUNGSERGEBNISSE

Die arch. Ergebnisse wurden in einer für die damalige Zeit mustergültigen Publikation schon 1904 vorgelegt, 1906 folgte der Band über die Inschr., 1927 der über die Mz. [8; 17; 29]. Damit war der wiss. Welt eine (v. a.) spätklass.-hell. Stadt bis in Detailaspekte erschlossen, so daß Stadtanlage, Bauten und Funde P. seitdem beispielhaft in viele übergreifende Studien und Handbücher eingingen, aber auch eine reiche Sekundärlit. zu Einzelfragen hervorriefen [1. Bibliogr.]. Wiegand selbst war darauf bedacht, daß auch Schullehrer ihren Schülern am Beispiel P. ›ein wirklich farbenreiches Bild der lebenssprühenden, sonnigen Art eines echt griech. Gemeinwesens ... vermitteln‹ [28. 545] konnten. Durch A. Zippelius und E. Wolfsfeld ließ er ein farbiges Rekonstruktionsbild für den Schulunterricht anfertigen (Abb. 3) und verfaßte eine damals »allgemein« verständliche, bebilderte Schilderung des städtischen Lebens; selbst Diapositive für Vorträge konnte man bestellen [28].

D. WEITERE FORSCHUNGEN

Schon Armin von Gerkan sah, daß die Publikation von 1904 in vielem nicht erschöpfend ist. 1911/12 untersuchte er das Theater gründlich und legte auch einzelne Sondagen an. Die Publikation der baugeschichtlichen Ergebnisse konnte jedoch erst nach dem I. Weltkrieg erscheinen [6]. Ähnlich ging es Fritz Krischen, der 1912/13 mehrmals in P. war, um die Stadtmauern näher zu erforschen, sich dann aber auch dem unteren Gymnasion widmete [14]. Krischen und seine Studenten waren es auch, die durch ausgefeilte zeichnerische Architektur-Rekonstruktionen eine detailliertere Vorstellung vom Aussehen P. vermittelten [13]. Dieses Anschauungsmaterial wurde und wird in führerartigen Beschreibungen der Ruinenstätte gern verwendet und weiterverbreitet [1; 18].

Die neueren und mit zwei Unterbrechungen bis h. andauernden Forsch. wurden von der Abteilung Istanbul des Dt. Arch. Inst. (DAI) initiiert, als von türk. Seite eine Wiederaufrichtung jedenfalls von Teilen des Athena-Tempels betrieben wurde. 1965 und 1966 erstellte Otto Bauer einen Steinplan der Tempelruine und begann, die Bauteile zu dokumentieren und listenartig zu erfassen. Dennoch konnte nicht verhindert werden, daß fünf Tempelsäulen ohne wiss. Beratung fehlerhaft aufgerichtet wurden [1; 3; 4].

Weitere Forsch. vorwiegend baugeschichtlichen Charakters wurden unter der Leitung von Wolfgang Müller-Wiener 1977 bis 1982 [12; 15] und seit 1990 von Wolf Koenigs zunächst im Bereich des Athena-Heiligtums, dann auch in der Agora [11], im östl. anschließenden Heiligtum und in der Hauptkirche [26] durchgeführt. Restaurierungsmaßnahmen galten v. a. dem Theater. Außerdem wurde für die zahlreichen Besucher das Wegesystem hergerichtet. Um die »Lesbarkeit« der

Abb. 3: Zeichnerische Rekonstruktion des späthellenistischen Priene (Zippelius 1908)

Bauruinen zu erleichtern, wurden Architekturproben signifikant aufgestellt und umgestürzte Quader am originalen Ort wieder versetzt.

Während in den späteren achziger Jahren in P. selbst keine Forsch. stattfanden, wurde die Stadt zu einem der Pfeiler, auf denen die seither kontrovers diskutierten Theorien von Wolfram Hoepfner und Ernst-Ludwig Schwandner ruhen (Abb. 4). Die beiden Bauforscher schlossen aus arch. Befunden auf ein Wechselverhältnis zw. ant. Demokratie und geplantem Städtebau bis hin zu einer Typengebundenheit der Wohnhäuser [10; 19].

Im Sommer 1998 wurde die Grabungstätigkeit unter der Leitung von Wulf Raeck wieder aufgenommen. Geklärt werden sollen offene Fragen v. a. der Stadtplanung, der Stadtentwicklung und des Wohnens. Dazu sind zunächst Arbeiten im Bereich der Agora und bestimmter Wohnquartiere sowie ergänzende Untersuchungen in schon bekannten Heiligtümern vorgesehen.
→ Berlin I. Staatliche Museen Preußischer Kulturbesitz, Antikensammlung; Deutsches Archäologisches Institut; London, British Museum
→ AWI Didyma; Ionia; Magnesia [2]; Miletos; Mykale; Priene; Pytheos; Samos; Thebai [4]

QU 1 F. RUMSCHEID, Priene. Führer durch das »Pompeji Kleinasiens«, mit Beitr. von W. KOENIGS, 1998 (mit Bibliogr.)

LIT 2 W. ARENHÖVEL (Hrsg.), Berlin und die Ant., Ausstellungs-Kat., 1979 3 O. BAUER, Beobachtungen am Athenatempel in P. bei den Bestandsaufnahmen 1965 und 1966, in: BJ 169, 1969, 117–129 4 Ders., Vorläufiger Ber. über die Neubearbeitung des Athenatempels zu P. in den J. 1965/66, in: MDAI(Ist) 18, 1968, 212–220 Taf. 58–67 5 J. C. CARTER, The Sculpture of the Sanctuary of Athena Polias at P., 1993 6 A. v. GERKAN, Das Theater von P. als Einzelanlage und in seiner Bed. für das hell. Bühnenwesen, 1921 7 E. L. HICKS, The Collection of Ancient Greek Inscriptions in the British Museum III 1. Priene and Iasos, Oxford 1886, 1–53 8 IPRIENE 9 W. HOEPFNER, in: Bauwelt 72, 1981, 343–345 10 Ders., E.-L. SCHWANDNER, Haus und Stadt im klass. Griechenland, 1986, ²1994 11 A. v. KIENLIN, Zur baulichen Entwicklung der Agora von P., in: Boreas 21/22, 1998/99, 241–259 12 W. KOENIGS, in: MDAI(Ist) 33, 1983, 134–176 Taf. 31–44 13 F. KRISCHEN, Die griech. Stadt, 1938, Taf. 11, 18, 19, 21–23, 26, 29, 30, 38 14 Ders., Das hell. Gymnasion von P. Mit 3 Beil. und 9 Abb., in: JDAI 38/39, 1923/24, 133–150 Beil. 2–4

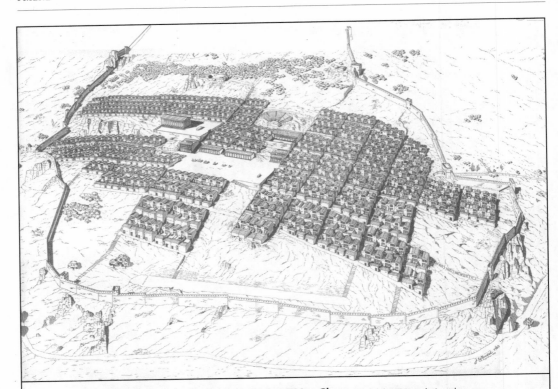

Abb.4: **Zeichnerische Rekonstruktion Prienes um 300 v.Chr.** (J. Wendel 1983 nach Angaben von W. Hoepfner und E.-L. Schwandner, mit jüngeren Korrekturen von W. Hoepfner)

15 W. MÜLLER-WIENER, Neue Weihgeschenke aus dem Athena-Heiligtum in P. Mit 8 Abb., in: AA 1982, 691–702 **16** O. RAYET, A. THOMAS, Milet et le Golfe Latmique II, Paris 1880, 1–24 Taf. 6–17 **17** K. REGLING, Die Mz. von P., 1927 **18** M. SCHEDE, Die Ruinen von P., 1934, ²1964 **19** W. SCHULLER, W. HOEPFNER, E.-L. SCHWANDNER (Hrsg.), Demokratie und Architektur, Symposion Konstanz 1987, 1989 **20** E. SCHULTE (Hrsg.), Carl Humann. Der Entdecker des Weltwunders von Pergamon in Zeugnissen seiner Zeit 1839–1896, 1971, 161–163 Nr. 338–353 **21** SOC. OF DILETTANTI (Hrsg.), Antiquities of Ionia I, London 1821, 11–28, Taf. 1–18 **22** Dies. (Hrsg.), Antiquities of Ionia IV, London 1881, 21–34, Taf. 1–21 **23** Dies. (Hrsg.), Antiquities of Ionia V, 1915, 1–9, 25–28 (W. R. LETHABY) **24** Dies (Hrsg.), Ionian Antiquities, London 1769, 13–25 mit Taf. **25** C. WATZINGER, Theodor Wiegand. Ein dt. Archäologe 1864–1936, 1944, 64–97 **26** ST. WESTPHALEN, Die Basilika von P. Architektur und liturgische Ausstattung, in: MDAI(Ist) 48, 1998, 279–340, Taf. 30–43 Beil. 3. 4 **27** G. WHELER, A Journey into Greece, London 1682, 264–268 **28** TH. WIEGAND, P. Ein Begleitwort zur Rekonstruktion von A. Zippelius, in: Neue Jbb. für das Klass. Alt., Gesch. und dt. Lit. 25, 1910, 545–570, Taf. 1–3 **29** TH. WIEGAND, H. SCHRADER, Priene. Ergebnisse der Ausgrabungen und Unt. in den Jahren 1895–1898, 1904, 1–5.

FRANK RUMSCHEID

Primitivismus s. Religionsgeschichte

Proportionslehre A. GRUNDLAGEN B. ÜBERLIEFERUNG C. REZEPTION

A. GRUNDLAGEN

Noch im MA war eine metaphysische Deutung der menschlichen Gestalt bekannt (Hildegard von Bingen [24] nach Plin. nat. 7,77 und Solinus, *Collectanea rerum memorabilium* 1,93). In ihren Körpermaßen spiegelt sie als Mikrokosmos die Maßhaltigkeit des Makrokosmos. Diese Maßhaltigkeit glaubte man über ein System mathematisch-harmonischer Beziehungen beschreiben zu können. In der bildenden Kunst wandte man diese »Theorie der Proportion« sowohl auf die Darstellungen von Personen als auch auf die Architektur von Gebäuden an [27]. In der kunsttheoretischen Debatte seit L. B. Alberti (1406–1472) nahm die Forderung nach angemessener Darstellung von Personen einer *historia* die erste Stelle in der Liste der Fähigkeiten und Kenntnisse des bildenden Künstlers ein. Gefordert wurde eine den kosmischen Gesetzmäßigkeiten entsprechende Proportioniertheit der einzelnen Figur gemäß ihres Alters und Geschlechts, aus deren Maßhaltigkeit heraus erst ihr individueller Charakter formuliert werden könne. Durch die Übertragung der musikalischen (→ Musik) und rhet. Moduslehre auf die Theorie der bildenden Kunst gewann sowohl die architektonische P. als auch die P. der Gestalt des Menschen ein hierarchisches Ordnungsprinzip [26].

B. ÜBERLIEFERUNG

Obwohl zu Beginn des 9. Jh. ca. 55 Mss. von Vitruv bekannt waren [16. 11 ff.], scheinen sie keinen Einfluß auf die Architektur oder Skulptur der nachkarolingischen Zeit gehabt zu haben. Hingegen überlieferte die byz. P. (*Malerbuch vom Berg Athos* [2]) eine Dreiteilung des menschlichen Körpers und Kopfes. Über möglicherweise späthell. Quellen war diese arab. Trad. der »lauteren Brüder« – als Teil einer harmonistischen Kosmologie, nicht als künstlerische P. geschrieben – im 9.–10. Jh. in den byz. Kunstkreis gelangt. Sie blieb für die Kunst Europas bis zum E. des MA (vgl. C. Cennini, 1437) verbindlich [24]. Erst die Wiederentdeckung von Vitruvs *De architectura* 1414–1418 (gedruckt um 1486/7) [16. 13 f.] gab der Erforsch. der Proportionen ant. Skulptur und Architektur [27] entscheidenden Anstoß (→ Architekturtheorie/Vitruvianismus).

C. REZEPTION

Lorenzo Ghiberti (1378–1455) gilt als der erste Bildhauer, der versuchte, ein Proportionssystem zu schaffen, das explizit ant. Prinzipien anwandte. Seine Anleihen aus Alhazens *Optik* über die Schönheit der Proportionen des Gesichts (II, ca. 59, um 1000) blieben folgenlos [24. Anm. 63]. Aus der Interpretation der entsprechenden Stelle bei Vitruv (3,1) erwuchs seit Albertis Schriften (Mss. von 1466) [19. 157 ff., 171 ff.; 28. 456 ff.] und Leonardos zeichnerischen Studien [24. 187 f.] die neuzeitliche Proportionslehre. Besonders der sog. Vitruvmann (*homo bene figuratus*, Abb. 1) wurde immer wieder neu interpretiert [28]. Der Name des bedeutenden ant. Bildhauers, Polyklet, der einen Kanon der menschlichen Figur verfaßt hatte, konnte mit keinem erhaltenen Kunstwerk verbunden werden; eine schriftliche Fassung seines »Kanon« ist auch nicht überliefert [29]. Seit dem 18. Jh. hoffte man daher, durch die Vermessung ant. Statuen, die bei Vitruv nur im Kontext der Säulenproportionierung (→ Säulenordnung) einleitend gestreiften Angaben zur Gestalt des Menschen, die darüberhinaus mit Widersprüchen versehen waren, aus den Kunstwerken selbst abzuleiten. Einen überragenden Rang sprach man dabei sofort nach ihrer Entdeckung den Statuen des vatikanischen Belvedere (→ Apoll von Belvedere, Venus, Herkules, → Laokoongruppe, Antinous) zu. Bereits Alberti könnte ant. Statuen vermessen haben, Michelangelo soll Vermessungen der → Dioskuren von Monte Cavallo vorgenommen haben, G. Philander und A. Berruguete eine des Laokoon. Dürer hat anfangs seinen Studien das metrische Schema des Apoll zugrunde gelegt. Poussin führte 1640 zusammen mit Ch. Errard eine systematische Vermessung der Belvedere-Statuen durch; 1683 erschien *Les proportions du corps humain* von G. Audran (Abb. 2) [23; 26], die bis in die Gegenwart als exemplarische Darstellungen menschlicher Schönheit gemäß der aristotelischen Modus-Theorie betrachtet werden, allerdings seit dem E. des 19. Jh. nicht mehr unter Hinweis auf die ant. Theorie [26.59 ff.].

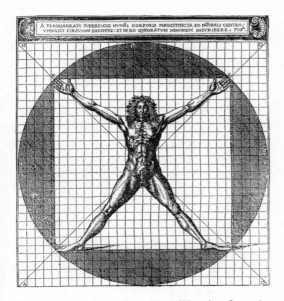

Abb. 1: Der sogenannte Vitruv-Mann (*Homo bene figuratus*), hier in einer Version von Cesare Cesariano, dem Herausgeber und Illustrator der ersten italienischen Vitruv-Ausgabe (Como 1521, Fol. XLIXr)

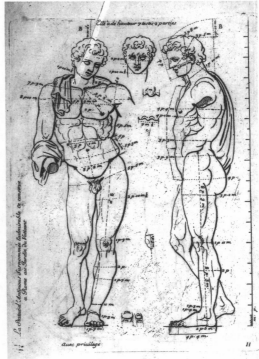

Abb. 2: Sogenannter Antinous (Hermes) von Belvedere, vermessen von G. Audran (*Les proportions du corps humain*, Paris 1683, Taf. 17.3)

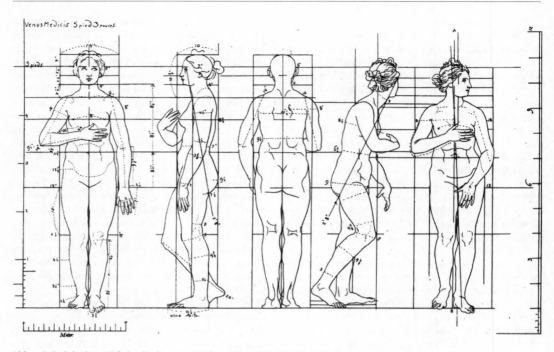

Abb. 3: J.G. Schadow, *Polyclet*, Berlin 1834, Taf. 17: Venus Medici mit Maßeintragungen

Die Frage, ob der Hinweis auf Polyklet bei Galen (*Placita Hippocratis et Platonis* 5,3) und Plinius (nat. 34,8) auf eine Statue oder einen Text (»Kanon«) hin auszulegen sei, wurde erst um 1800 ernsthaft, aber kontrovers als Problem diskutiert. Von A. Hirt [8] angeregt, verfolgte G. Schadow [13] nach Dürers Vorbild einen messenden Weg (Abb. 3). Er führte durch die Aufnahme des Meters als Maßstab – gegenüber den fakturalen (*exempeda, testa, viso*, Nasenlänge, Fuß) oder lokalen objektiven Maßeinheiten (*palmo, pied*, Elle) – indirekt wieder ein kosmisches Vergleichsmaß (den vierzigmillionsten Teil des Erdumfangs) ein und stellte die zw. dem 16. und 18. Jh. in Vergessenheit geratene kosmische Ähnlichkeit durch Analogie wieder her. Der von ihm verfolgte anthropometrische Ansatz war bereits in der frz. Kunsttheorie der 2. Hälfte des 18. Jh. vorgezeichnet [1; 3; 9] und wurde in England [7; 12; 15] und Deutschland [4; 5; 6; 14; 17; 18] aufgegriffen [21. 43 ff.]. Winckelmann schloß sich in seinen Äußerungen zur Proportion einerseits der traditionellen Modus-Gliederung an, andererseits lehnte er jedes anthropometrische Verfahren ab. Er betonte die Erfordernisse einer »idealischen« Schönheit, die sich gemäß der Zeuxislegende (Cic. inv. 2,1) nur aus einer Vielzahl individueller Fälle konstruieren läßt. Die arch.-philol. Lösung der Kontroverse um den Kanon des Polyklet fand mit K. Friederichs Identifizierung des Doryphoros 1863 ihren Abschluß [20]. Das im Laufe der Rezeptionsgeschichte der P. entwickelte anthropometrische Verfahren zur Ermittlung menschlicher Proportionen wurde im 19. Jh. Grundlage der empirisch-statischen Anthropologie der Moder-

ne – unter vergleichendem Einschluß ant. Statuen zum Aufweis der ästhetischen Qualität des erwachsenen Europäers [10].

→ AWI Galenos aus Pergamon; Hippokrates [6]; Kosmologie; Plinius [1]; Polykleitos [1]; Solinus; Varro [2]; Vitruvius; Zeuxis

QU 1 C.F. ALGAROTTI, Saggio sopra la pittura, Bologna 1762 2 Das Hdb. der Malerei vom Berge Athos, Hrsg. v. G. SCHÄFER, Trier 1855 3 E. FALCONET, Œevre, Lausanne 1781 4 J.M. FISCHER, Darstellung des Knochenbaues, Wien 1806 5 J.W. v. GOETHE, Winckelmann und sein Jh., 1805 6 C.L. HAGEDORN, Betrachtungen über die Mahlerey, Leipzig 1762 7 B. HAYDON, Lectures on Painting, London 1844 8 A. HIRT, Ueber den Kanon in der bildenden Kunst, in: Abh. der Hist.-Phil. Klasse der Königlich-Preußischen Akad. der Wiss. 1814–1815, Berlin 1818, 19–36 9 J. LACOMBE, Dictionnaire portatif, Paris 1752 10 A. QUÉTELET, Des proportions du corps humain, in: Bull. de L'Académie royal des sciences de Belgique, Bruxelles 1848, Bd. 1, 580–593; Bd. 2, 16–27 11 Ders., Anthropométrie ou Mesure des différentes facultés de l'Homme, Brüssel, Leipzig, Gent 1870 12 J. REYNOLDS, Discourses on Art (1770), 1975 13 G. SCHADOW, Polyclet, Berlin 1834 14 F.W.J. v. SCHELLING, Philos. der Kunst (1802), in: Werke, hrsg. v. M. SCHRÖTER, 1959, 135 ff. 15 G. STUBBS, Drawings for a Comparative Anatomical Exposition, London 1804 16 Vitruv. Zehn Bücher über Architektur. Übers. und mit Anm. versehen von C. FENSTERBUSCH, 1964 17 J.J. WINCKELMANN, Monumenti inediti, Roma 1767, LXX 18 Ders., Gesch. der Kunst des Alterthums, ed. Lessing, Leipzig 1881

LIT **19** F. BALTERS, Der gramm. Bildhauer, Diss. Aachen/Köln 1991 **20** K. FRIEDERICHS, Der Doryphoros des Polyklet. 23. Programm zum Winckelmannsfest, Berlin 1863 **21** P. GERLACH, Proportion. Körper. Leben. Quellen, Entwürfe, Thesen, 1990 **22** H. GRAF, Bibliogr. zum Problem der Proportion, 1958 **23** G. KAUFFMANN, Poussin-Stud., 1960 **24** E. PANOFSKY, Die Entwicklung der P. als Abbild der Stilentwicklung, in: Monatshefte für Kunstwiss., 14, 1921, 68–124 **25** N. S. SPEICH, Die P. des menschlichen Körpers. Ant., MA, Ren., 1957 **26** G. VALERIUS, Ant. Statuen als Modelle für die Darstellung des Menschen, 1992 **27** R. WITTKOWER, Architectural Principles in the Age of Humanism, 1962 **28** F. ZÖLLNER, Vitruvs Proportionsfigur, Diss. Hamburg 1987 **29** Ders., Policretior manu – Zum Polykletbild der frühen Neuzeit, in: Polyklet. Ausstellungskat. Mainz 1990, 450–472.

PETER GERLACH

Prosopographie s. Historische Methoden

Provinzialrömische Archäologie   A. DEFINITION B. BEZEICHNUNGEN UND AUFGABEN C. FORSCHUNGSGESCHICHTE   D. ARBEITSGEBIETE

A. DEFINITION

Die P. A. ist Teil der → Geschichtswissenschaften der → Antike. Innerhalb der arch. Disziplinen wird die Fachrichtung durch ihren zeitlichen, geographischen und thematischen Rahmen definiert: die histor. und kulturgeschichtliche Erforschung des abgrenzbaren Zeitabschnitts, in dem das betreffende Gebiet zum *Imperium Romanum* gehörte – die fünf Provinzen auf dt. Boden (*Gallia Belgica, Raetia, Noricum, Germania superior* und *inferior*) von 58 v. (Caesar) bis 476 n. Chr. (Romulus Augustus) – oder in enger Beziehung zu Rom stand, was in wechselnder Form (Augustus, Traianus, Diocletianus) der Fall war. In Deutschland schließt die P. A. zeitlich an die → Ur-/Frühgeschichtliche Archäologie [17] an, gefolgt von der → Arch. des Mittelalters [50]. In diesem Rahmen gilt das Interesse allen Zeugnissen menschlichen Lebens (von Anthropologie bis Verwaltung), die materielle Hinterlassenschaft stellt nur eine, wenngleich wichtige Facette der Kulturgesch. dar.

Die Arbeitsweise der P. A. wird durch die »Komplexe Methode« gekennzeichnet, d. h. durch Heranziehung aller faß- und wertbaren Quellen (Abb. 1). Die lit. Überlieferung (→ Philologie, → Alte Geschichte) stand am Anfang und ist Grundlage, ergänzt durch Inschr. (→ Inschriftenkunde, griechische, → Lateinische Inschriftenkunde), Münzfunde (→ Numismatik) und Papyri. Sie überliefern u. a. die Regierungsdaten der röm. Kaiser, welche im Zusammenhang des *Imperium Romanum* die gemeinsame Standardchronologie aller und jeder einzelnen Provinz bilden. Im Hinblick auf eine chronologische oder typologische Gliederung ordnen sich ihr alle Fundgruppen ein. Die Feldforsch. kam erst später hinzu und mit ihr die Bearbeitung von Befunden und Funden im Verbund (geschlossene Funde, Stratigraphie [17]); heute immer stärker unterstützt von naturwiss. Untersuchungen, die jahrgenaue Daten liefern (Dendrochronologie; Süddt. Eichen-Jahrringkurve [30]).

Diese Daten verdichten zunehmend das westeurop. Netz von *dated sites* [34], d. h. unabhängig datierter Fundorte, das die P. A. seit Beginn des 20. Jh. durch Fundauswertung aufgebaut hat: von der Belagerung Alesias (52 v. Chr.) [44] über die augustischen Lager (11 v. / 9 n. Chr.) [47] bis zum diokletianischen (um 300 n. Chr. [35]) oder valentinianischen (369–375 n. Chr. [42]) Festungsbau; einbezogen der Untergang von Pompeii (79 n. Chr.), dem u. a. Kisten mit Sigillata aus Südgallien zum Opfer gefallen waren [2]. Die Fundspektren dieser Plätze wie Oberaden / Dangstetten oder Niederbieber ergeben »Horizonte« [46], anhand derer Neufunde einzuordnen sind. Mehrheitlich stellt die P. A. mit ihrer Grundlagenforschung histor. Fakten bereit, deren lit. Niederschlag verloren ist oder nie erfolgt war, wie die Juthungenschlacht bei Augsburg (260 n. Chr.) [3] oder das Verbergen des Silberhortes in Kaiseraugst (351 n. Chr.) [12].

B. BEZEICHNUNGEN UND AUFGABEN

Das Forschungsgebiet der P. A. liegt vornehmlich in den Randzonen der ant. Mittelmeerwelt. In den europ. Ländern ohne Zugang zum *mare nostrum* hat sich die P. A. als selbständiger Zweig der Landesarch. entwickelt, in Frankreich zur *Archéologie Nationale* [22; 25]. Bei Mittelmeeranliegern (z. B. Spanien) aber auch Österreich [39] gilt die P. A. neben der Klass. Arch. als Teil der Römerzeit. Heute werden für die Titel arch. Fachzeitschriften häufig Provinzbezeichnungen wie *Britannia*, *Aquitania* oder *Germania* verwendet und damit eine regionale Identifikation mit ihrem röm. Geschichtsabschnitt verbunden.

Die Forschungsinhalte und -ziele sind stark von der Entstehungsgeschichte und Landschaft der einzelnen Provinzen beeinflußt: die Militär- (→ Limes, Hadrianswall, → Limes, Limesforschung) [29] und Siedlungsgeschichte prägen die sog. Grenzprovinzen (Britannien, Germanien, Donauländer, Syrien, Nordafrika), während die territoriale Stadtentwicklung [16] in den stärker romanisierten Provinzen (Spanien, Südfrankreich, Norditalien, Sizilien, Griechenland, Kleinasien, Nordafrika) die gewichtigere Rolle spielt. Eng mit beiden verbunden sind der Verkehr, die Wirtschaft und die Produktion [43]. In jüngerer Zeit verstärken sich vor dem Hintergrund der Historischen Anthropologie Fragen der Kultur-, Sozial- und Religionsgeschichte.

Th. Mommsen hatte 1885 seine Geschichte der röm. Provinzen noch ohne arch. Grundlagen geschrieben [36]. Heute widmet sich die P. A. als *Archaeology of the Roman Provinces*, *Archéologie Provinciale Romaine* oder *Archeologia delle Province Romane* diesem Thema nur gesamthaft [4; 41]. Denn jede röm. Provinzgeschichte als Bestandteil einer Landesgeschichte basiert auf zwei Komponenten: der autochthonen (z. B. → Keltisch-Germanische Archäologie) und der hell./röm. (→ Klassische Archäologie), aus denen die jeweils charakteristische Mischkultur erwuchs, die originären For-

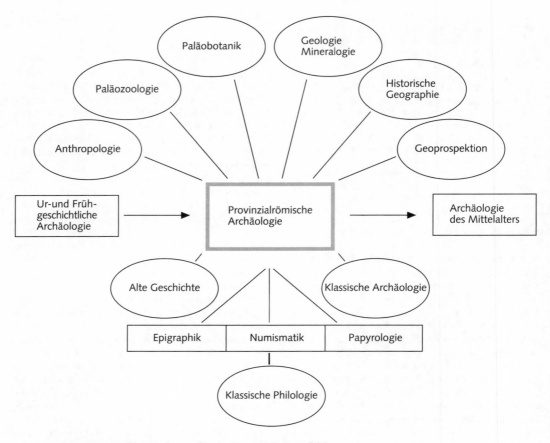

Abb.1: **Die Provinzialrömische Archäologie und ihr Umfeld**

schungsziele der Provinzialröm. Archäologie. Dieser Dualismus der Quellen, bereits in der Ant. angelegt (*cives Romani/ barbari*), führte zu Fachbezeichnungen wie *Archaeology of Roman Britain* oder *Roman Pannonia* bzw. *Romano-British Archaeology, Archéologie Gallo-Romaine, Gallo-Romeinsche Archeologie* oder »Röm.-German. Forschung«. Heute werden Begriffe wie »Röm. Deutschland« oder »Röm. Schweiz« bzw. »Die Römer in Bayern« oder »Hessen« verwendet. Gründe hierfür sind die Forschungsorganisationen und damit verbunden die administrativ-technische Bewältigung der steigenden Fülle zu verarbeitender arch. Zeugnisse. Zum anderen können bestimmte kulturgeschichtliche Phänomene (z.B. Haus- und Siedlungsformen, Güterproduktion) besser auf Provinzebene oder ihrer regionalen Untergliederungen (Gebietskörperschaften) erforscht werden, anders als Fragen der Reichs- oder Provinzverwaltung, des Fernhandels etc., deren Betrachtung nur imperiumsweit und provinzübergreifend sinnvoll ist.

Der Dualismus zw. einheimischer und röm. Komponente hatte auch einseitig polit. geprägte Tendenzen zur Folge. Entweder wurde die autochthone Wurzel zur ›hervorragend nationalen Wiss.‹ erklärt [32] oder ein-

seitig die Überlegenheit der röm. gegenüber der »barbarischen« Komponente betont [18; 33], was beides wenig förderlich war. Die Übertragung der Geringschätzung bodenständiger Entwicklungen auf ehemalige Protektoratsgebiete (Balkan, Vorderer Orient, Nordafrika) hat bei Gewinnung ihrer mod. Eigenstaatlichkeit zu ablehnenden Reaktionen geführt (Zerstörung lat. Inschr. in Nordafrika). Anders in einigen kommunistischen Staaten nach dem II. Weltkrieg, wo im Rahmen der P.A. die autochthone Komponente (Germanen, Daker, Thraker) und damit histor. Eigenständigkeit sehr bewußt gesucht wurde, was andernorts wiederum aus polit. Gründen zu neutralen, aus der urgeschichtlichen Arch. entlehnten »Kulturbezeichnungen« wie »Černjachov-Sîntana de Mureș-Kultur« führte, die erst neuerdings wieder mit histor. überlieferten Ethnien (Goten) gleichgesetzt werden.

In Deutschland gab es Tendenzen [21] mit der röm. Vergangenheit zeitpolit. Vorstellungen zu untermauern: z.B. in der Bewertung der Varusniederlage im Teutoburger Wald, wo der (fälschlich) umbenannte Hermann zum (entschuldbaren) Tyrannenmörder und Befreier Germaniens wurde, wozu Tacitus (ann II, 88) mit seinem ›liberator haud dubie Germaniae‹ ungewollt das Stichwort geliefert hatte. Von 1838–1875 mit Preußens Hilfe schließlich als eherner Koloss von 56,7 m Höhe (an falscher Stelle) errichtet, wußte seine Gemeinde ihm Verehrung aus Dank, ›daß wir‹- anders als Spanier und Franzosen – ›noch Deutsche sind‹, Gedankengut, das dann im Nationalsozialismus zur verhetzenden Aufspaltung in »Deutsche« für linientreue Prähistoriker und »Römlinge« für Vertreter der P. A. Ausdruck fand [7].

C. Forschungsgeschichte

Die P. A. ist in Deutschland der älteste Zweig der Landes-Arch., wurde jedoch – anders als in Frankreich und Großbritannien – an Univ. als eines der jüngsten arch. Lehrfächer eingerichtet [6; 41]. Zu Beginn des 20. Jh. auf bestimmten Sektoren (Limes, Materialgruppen) international führend, wurde die P. A. im Nationalsozialismus mit der Forderung nach ›Germanisierung der deutschen Geschichte‹ ausgegrenzt [7; 24] oder unter geänderter Bezeichnung (Westeurop. Arch.) nur in polit. opportunen Fällen (Reichsuniv. Straßburg) wie andere Zweige der Arch. gefördert [41]. Nach E. des II. Weltkrieges mußte der Anschluß an das allg. Niveau wieder gesucht werden [48], wobei die internationale Gemeinschaft der westeurop. P. A. über Zeiten und Grenzen hinweg Hilfe leistete. Heute nimmt die P. A. Deutschlands im europ. Kontext wieder eine gleichberechtigte Stellung ein.

Die Forschungsgeschichte (→ Deutschland) zerfällt in fünf Abschnitte: 1. Mittelalter (vor 1450), 2. Humanismus (bis 1600), 3. Barock (bis 1750), 4. Frühwissenschaft (bis 1850) und 5. Wissenschaftliche Periode (bis zur Gegenwart).

1. Mittelalter (vor 1450)

Das MA kannte keine Kriterien für die wiss. Nachprüfbarkeit röm. Überreste, sei es im Blick auf die in großer Zahl noch stehenden Ruinen, sei es im Bereich von Gräbern (z. B. »Afra«-Kult in Augsburg [8] oder in *Ad sanctos (martyres)* in Xanten [45]). Was in den großen röm. Zentren mit arch. Zeugnissen oder Überkommenem (u. a. Ortsnamen) zu Legendenbildungen wie der »Thebäischen Legion« in Köln [45], dem »Triergründer Trebeta« oder vom »Goldenen Mainz« [13] führte. Sichtbare Überreste, deren histor. Ursprung nicht mehr bekannt war, erhielten deskriptive oder myth. Bezeichnungen: »Hohe Straße« für röm. Straßendämme; »Alteburg«, »Hunnenburg« für röm. Kastelle; »Mauer«-, »Schloßäcker« für röm. Ruinenplätze. Besonders sinnfällig ist die Bezeichnung »Teufelsmauer«, *vulgo* die »Pfahl-Heck«, für den raetischen Limesabschnitt [14]. »Römerstraße«, »Taunus« oder »Teutoburger Wald« sind neuere (17. Jh.), in »historischer Kenntnis« vergebene Namen [28].

2. Humanismus (bis 1600)

Die Auffindung der *Germania* des Tacitus im Kloster Hersfeld (1455) und ihre Verbreitung in gedruckter Form (1470 Venedig; 1473 Nürnberg) bzw. die Edition der *Historia Augusta* (Mailand 1475), lösten im Deutschland des 15. Jh. eine Bewegung (→ Humanismus) aus, in

den lit. überlieferten Gegenden die Ereignisse mit röm. Funden (meist Inschr. und Mz.) von heimischem Grund zu bestätigen und diese Belegstücke in Sammlungen und fürstlichen Kunstkammern zu bewahren. Folge war die histor. Verarbeitung der Textinhalte wie z. B. bei Beatus Rhenanus (*Rerum Germanicarum libri tres*, 1531) oder von Fundstücken wie in Johann Huttichs *Collectanea antiquitatum in urbe atque agro Moguntino repertarum* (1520) und erste Feldforsch. wie die des Johan Turmair (»Aventinus«), der 1518/19 an einem Limesstück bei Eichstätt die Taten des Probus (SHA vita Probi 14,5) erkannte [11] oder Simon Studion, der in Marbach/Neckar Inschr. sammelte und 1597 nach Grabungen einen Plan des Kastells Benningen vorlegte [9; 23].

3. Barock (bis 1750)

Die Kriege und Zerstörungen des 17. Jh. waren der provinzialröm. Forsch. nicht förderlich, hinderten aber Persönlichkeiten wie Alexander Wiltheim nicht, sein berühmtes Œuvre *Luxemburgum Romanum* (1630–1682) zu edieren. Die sich methodisch entwickelnde Arbeitsweise zeigt u. a. die Arbeit J. F. Schoepflins. Seine *Alsatia illustra* (1751) enthält wie eine heutige Landesaufnahme Pläne, Ansichten, Inschr., Funde etc. Den Markstein aber bildete die Preisfrage der Berliner Akad. der Wiss.: ›Wie weit der Römer Macht, nachdem sie über den Rhein und die Donau gesetzt, in Deutschland eingedrungen, und was vor Merkmale davon ehemals gewesen und etwa noch vorhanden seien‹ (1748). Der Gewinner ist heute vergessen, aber Chr.E. Hasselmanns Bemühungen, niedergelegt 1768 in seinem Buch *Beweiß, wie weit der Römer Macht . . .*, zeitigten Folgen, da sie auf eine Weise erzielt und veröffentlicht wurden, die in bisher unbekanntem Umfang Grundforderungen der heutigen P. A. erfüllten [38]. Zur selben Zeit (1764) wies J.J. Winckelmann mit seinem Werk *Geschichte der Kunst des Altertums* der Klass. Arch. den Weg in ihre spezifische Richtung.

4. Frühwissenschaft (bis 1850)

Am Beginn der Frühwiss. steht die Ausgrabung (1784) der röm. Thermen von Badenweiler [37]. Nach heutigen Kriterien bemessen – als öffentlich geförderte Erforschung eines ant. Objektes um seiner selbst willen – mit dem Ziel seiner Bekanntmachung und Erhaltung – handelte es sich um die erste arch. Ausgrabung eines röm. Bauwerks in Deutschland. Verantwortlich war ein Staatsminister, W. von Edelsheim, der wie viele Zeitgenossen, u. a. J.W.von Goethe, anläßlich von Italienreisen ant. Bauten schätzen gelernt hatte. Mit den Freiheitskriegen (1813–1815) und der Aufklärung, welche die Arch. zu den ›nützlichen Forschungen‹ rechnete, wie der Name der bekannten, 1801 in Trier gegründeten Gesellschaft zeigt [13], änderte sich die Forschungslage. Träger wurden bürgerliche Gelehrte – Einzelpersonen oder in Vereinen [27] organisiert – die ihre Forschungsergebnisse in z. T. heute noch erscheinenden Zeitschr. (Nassauische Annalen, Bonner Jbb.) herausgaben. Von ihnen gingen die Impulse zur Feldforsch., Sammlung und Gründung von Mus. sowie Veröffentlichungen aus. Anfangs noch Dilettanten im besten Sinne des Wortes, spielten zunehmend auch Methodenfragen eine Rolle. Nach 1848 begann verstärkt der »vaterländische«, d. h. nationale Gedanke, und damit die Frage nach der Urbevölkerung (Kelten, Germanen) in den Vordergrund zu rücken, die das Geschichtsbewußtsein beeinflußte, bisweilen spaltete. Hinzu kam, daß sich in den nichtröm. Gebieten (Ostdeutschland, Skandinavien) die Urgeschichtliche Arch. zu einer eigenständigen Disziplin zu entwickeln begann, die in Ermangelung schriftlicher Quellen einen unabhängigen Weg suchte. Der Zusammenschluß zum Gesamtverein der Dt. Geschichts- und Altertumsvereine 1852 am Sitz des neugegründeten Röm.-German. Centralmus. in Mainz hatte zwar noch die Einsetzung einer Kommission zur Erforschung des *limes imperii Romani* zur Folge, doch war mit dem »Germanischen« auch ein neues, dem »Römischen« entgegen wirkendes Programm verbunden. Mit der neuen Forschungsrichtung begann neben der positiven, auch die P. A. methodisch weiterführenden Entwicklung, auch eine Entwicklung, die schließlich mit der dt. Reichseinigung (unter Preußens Führung) verknüpft wurde, in einem zeitbedingten Pathos, welches heute nur noch vor dem Hintergrund der damaligen dt.-frz. und antikatholischen Auseinandersetzungen verständlich ist.

5. Wissenschaftliche Periode (bis zur Gegenwart)

Das 19. war das Jh. des Sammelns, an dessen Ende die chronologisch / typologische Aufarbeitung des Fundstoffs stand, wofür die 1895 veröffentlichte, bis heute grundlegende Dissertation von H. Dragendorff über die *Terra Sigillata* als Beispiel steht [15]. Der Beginn der wiss. Periode ist untrennbar mit Th. Mommsen, dem Begründer des *Corpus Inscriptionum Latinarum* (1853), verbunden, dem es 1892 gelang, die immer wieder geforderte Kommission zur Erforsch. des Obergerman.-Raetischen Limes in Deutschland (Reichslimeskommission, → Limes, Limesforschung) ins Leben zu rufen [10]. Diese etablierte die P. A. in Deutschland endgültig als wiss. Richtung. 1937 beendete E. Fabricius [49] in Freiburg die Arbeit der RLK, des größten arch. Unternehmens auf dt. Boden, mit der Ed. der letzten Lieferung zum 16 Foliobände umfassenden Werk [40]. Mit den Forsch. der Altertumskommission in Westfalen und unterstützt von der 1902 gegründeten Röm.-German. Kommission des Dt. Arch. Inst. in Frankfurt a.M. haben diese Unternehmungen das gesamte arch./histor. Wissen der röm. Epoche enorm bereichert und auch in Nachbarländern die Forschung stark beeinflußt. Unter Nutzung neuer Medien (Kartographie, Photographie) wurde u. a. die Landesaufnahme (*survey*) erprobt, die z. B. über die Nachkriegsdirektoren der British School in Rom der Villenforsch. in Italien neue Wege wies. Die Entwicklungen in Grabungstechnik und -interpretation – erstmals gelang der Nachweis vergangener Bauspuren aus Holz (»Pfostenloch«) – hatte der P. A. Deutschlands europaweit eine Spitzenstellung eingebracht.

D. Arbeitsgebiete

Die provinzialröm. Forsch. arbeitet international und grenzüberschreitend. Sie erforscht im europ., und darüber hinaus im rund um das Mittelmeer reichenden Zusammenhang die größte arch. Einheit, die wir kennen, das *Imperium Romanum*. In Deutschland wird sie heute schwerpunktmäßig in öffentlichen Einrichtungen wie Denkmalpflege, Mus., Univ., Forschungsinst. (Akad. d. Wiss., Röm.-German. Kommission, Röm.-German. Zentralmus., Saalburg, Arch. Park Xanten) betrieben. Ihre Schwerpunkte sind traditionell die Provinzgeschichte, Limesforsch., Siedlungsgeschichte, Architektur-, Gräber- und Materialforsch.; freilich mit immer weiter reichenden, spezielleren und kostenintensiveren Fragestellungen und Untersuchungsmethoden. Dies fängt bei der Prospektion an (Luftbilder, Geophysikalische Messungen), reicht über digitale Aufnahmpraktiken (Fotogrammetrie, GPS) und der Experimentellen Arch. [20] bis zu anthropologischen (DNA), paläobotanischen und -zoologischen Untersuchungen. Der verkohlte Inhalt röm. Gräber, den man früher liegen ließ, weil er ›keinen des Aufhebens werten Gegenstand enthielt‹, hat sich heute wie der sedimentierte Brunnenschlamm zum begehrten Informationsträger bei der Rekonstruktion der Lebensverhältnisse ant. Menschen gewandelt [31].

Vor dem Hintergrund sich täglich reduzierender Quellen und des steigenden Finanzbedarfs für sachgerecht betriebene arch. Forsch. kommt der Ausgrabung als letztem Mittel, eine histor. Quelle zum Sprechen zu bringen und sie dabei unwiederbringlich zu zerstören, besondere Verantwortung zu. Voraussetzung sind in allen Arbeitsbereichen gut ausgebildete Fachleute, wobei auch auf diesen arch. Wissenschaftssektoren die Spezialisierung rasch voranschreitet, Fortbildung daher notwendig ist; u. a. auf Jahrestagungen und Kongressen, deren Zahl und Größenordnung allmählich unüberschaubar wird. Erkennbare Folge ist eine wachsende Zersplitterung der P. A. und die Spezialisierung auf zahlreiche Richtungen: Limes-, Militär-, Villen-, Gräberforschung, noch übertroffen von den Spezialisten für kulturgeschichtliche Hinterlassenschaften: Bronze (Toreutik), *military equipment*, Eisenwerkzeug, Glas, Keramik, Steinmetzkunst etc., die ihre Probleme auf Fachtagungen erörtern und eigene Publikationsreihen herausbringen.

Der röm. Imperialismus hatte – wie alle derartigen Erscheinungen in Geschichte und Gegenwart – unübersehbar seine häßlichen Seiten [1; 5], die auch moralisch bewertbar sind. Wie auch immer dies vor dem Hintergrund der *Pax Romana* zu beurteilen ist, die röm. Epoche stellt den grundlegenden Bestandteil am Beginn der europ. Geschichte dar. Dieser Zeitraum bedeutet für Nordwesteuropa den Austritt aus dem histor. Dunkel. Nach 500 J. Dauer hat die röm. Zeit die Grundlagen unseres heutigen abendländischen Kultur- und Wertesystems (Human., Kirche, Schrift, Recht, Kultur) hinterlassen. Was heute wieder zum Ausdruck kommt:

Überreste der röm. Zeit, zumal an solchen Orten, wo sie nicht mehr sichtbar waren, weil sie Jahrhunderte lang als Steinbrüche gedient hatten, werden mit hohen Kosten als Denkmäler restauriert, der Nachwelt erhalten und von dieser geschätzt [51].

→ AWI Arminius; Augustus; Belgica; Caesar; Diocletianus; Germani, Germania; Imperium Romanum; Kelten; Noricum; Raeti, Raetia; Romanisation; Romulus [2]; Traianus; Valentinianus [1]

1 A. ALFÖLDI, The Moral Barrier on Rhine and Danube, in: E. BIRLEY (Hrsg.), The Congress of Roman Frontier Studies 1949, 1–16 2 D. ATKINSON, A Hoard of Samian Ware from Pompeii, in: JRS 4, 1914, 27–64 3 L. BAKKER, Raetien unter Postumus – Das Siegesdenkmal einer Juthungenschlacht im J. 260 n. Chr. aus Augsburg, in: Germania 71, 1993, 369–386 4 T. BECHERT, Die Provinzen des Röm. Reiches, 1999 5 M. BENABOU, La Résistance africaine à la Romanisation, 1975 6 H. BENDER et al., Arch. der Röm. Provinzen / P. A. an dt. Univ., in: Arch. Nachrichtenbl. 5, 2000, 312–321 7 R. BOLLMUS, Das Amt Rosenberg und seine Gegner. Zum Machtkampf im nationalsozialistischen Herrschaftssystem, Stud. zur Zeitgesch.,1970 8 P. BRAUN, Gesch. der Kirche und des Stiftes der Heiligen Afra und Ulrich in Augsburg, 1817 9 R. BRAUN, Frühe Forsch. am Obergerman. Limes in Baden-Württemberg. Schriften des Limesmus. Aalen Nr.45, 1991 10 Ders., Die Gesch. der Reichs-Limes-Kommission und ihre Forsch., in: Der röm. Limes in Deutschland, Arch. in Deutschland, Sonderh. 1992, 9–32 11 Ders., Die Anfänge der bayerischen Limesforsch., in: Der röm. Limes in Bayern. 100 J. Limesforsch., 1992, 11–27 12 H. A. CAHN, A. KAUFMANN-HEINIMANN (Hrsg.), Der spätröm. Silberschatz von Kaiseraugst, 1984 13 K.-V. DECKER, W. SELZER, Römerforsch. in Rheinland-Pfalz, in: H. CÜPPERS (Hrsg.), Die Römer in Rheinland-Pfalz, 1990, 13–38 14 M. J. A. DOEDERLEIN, (...) Vallum et Murum, vulgo Die Pfahl-Heck / Pfahlrayn / item, Die Teuffels-Mauer dictum (...), Nürnberg 1723 15 H. DRAGENDORFF, Terra Sigillata, in: BJ 96, 1895, 18–139 16 W. ECK, H. GALSTERER (Hrsg.), Die Stadt in Oberitalien und in den nordwestl. Provinzen des Röm. Reiches, Kölner Forsch. 4, 1991 17 H.-J. EGGERS, Methodik der Prähistorie, in: Enzyklopädie der geisteswiss. Arbeitsmethoden. Methoden der Geschichtswiss. und der Arch. Lfg.10, 1974, 145–215 18 A. ESCH, Limesforsch. und Geschichtsvereine. Romanismus und Germanismus, Dilettantismus und Facharch., in: H. BOOCKMANN et al. (Hrsg.), Geschichtswiss. und Vereinswesen im 19. Jh., 1972, 163–191 19 E. FABRICIUS, Vorwort, in: Ders., F. HETTNER, O. v. SARWEY, Der Obergerman.-Raetische Limes des Roemerreiches, Abt. A, Bd. 1, Strecken 1–2, 1936, I–XIII 20 M. FANSA (Hrsg.), Experimentelle Arch. in Deutschland, Arch. Mitt. aus Nordwestdeutschland, Beih. 4, 1990 21 Ders., (Hrsg.), Varusschlacht und Germanenmythos, Arch. Mitt. aus Nordwestdeutschland, Beih. 9, 1994 22 R. FELLMANN, Die Arch. der röm. Provinzen, in: F. GRAF (Hrsg.), Einleitung in die lat. Philol., 1975, 655–669 23 PH. FILTZINGER, Röm. Arch. in Südwestdeutschland gestern und heute, in: Ders., D. PLANCK, B. CÄMMERER (Hrsg.), Die Römer in Baden-Württemberg, ³1986, 13–22 24 W. FRENZEL, Die Großgermanenzeit bis zum Sieg über die röm. Fremdherrschaft, in: Hdb. der Dt. Gesch., Sonderheft zu Bd.1, 1941, 47–61 25 A. GRENIER, La Trad. de l'Arch. Gallo-Romaine, in: Manuel de l'Arch. V: Arch. Gallo-Romaine, 1931 26 CHR. E. HANSSELMANN, Beweiß wie weit der Römer Macht (...) auch in die nunmehrige Ost-Fränkische, sonderlich Hohenlohische Lande eingedrungen (...), Schwäbisch Hall 1768 27 H. HEIMPEL, Geschichtsvereine einst und jetzt, in: H. BOOCKMANN et al. (Hrsg.), Geschichtswiss. und Vereinswesen im 19. Jh., 1972, 45–73 28 F.-R. HERRMANN, Die arch. Erforsch. der Römerzeit in Hessen, in: D. BAATZ, F.-R. HERRMANN, Die Römer in Hessen, ²1982, 13–37 29 H. v. HESBERG (Hrsg.), Das Militär als Kulturträger in röm. Zeit, Schriften des Arch. Inst. der Univ. zu Köln, 1999 30 E. HOLLSTEIN, Mitteleurop. Eichenchronologie, 1980 31 ST. JACOMET, A. KREUZ, Archäobotanik, 1999 32 G. KOSSINNA, Die dt. Vorgesch.: eine hervorragend nationale Wiss., ²1914 33 L. LINDENSCHMIT, Beitr. zur Gesch. des Röm.- German. Centralmus. zu Mainz, in: FS zur Feier des fünfundzwanzigjährigen Bestehens des Röm.-German. Centralmus. zu Mainz, 1902, 1–72 34 G. MACDONALD, The Dating Value of Samian Ware, in: JRS 25, 1935, 187–200 35 M. MACKENSEN, Das spätröm. Grenzkastell Caelius Mons-Kellmünz. Führer zu arch. Denkmälern in Bayern, Schwaben 3, 1995 36 TH. MOMMSEN, Röm. Gesch. V. Die Provinzen von Caesar bis Diocletian, 1885 37 H. MYLIUS, Die röm. Heilthermen von Badenweiler. Röm.-Germ. Forsch.12, 1936 38 H. NEUMAIER, Christian Ernst Hansselmann. Zu den Anfängen der Limesforsch. in Südwestdt., 1993 39 M. A. NIEGL, Die arch. Erforsch. der Römerzeit in Österreich. Denkschr. Österr. Akad. der Wiss., Philos.-Histor. Klasse 141, 1980 40 H. U. NUBER, Limesforsch. in Baden-Württemberg, in: Denkmalpflege in Baden-Württemberg 12, 1983, 109–118 41 Ders, P. A. an den dt Univ., in: Provinzialröm. Forsch. FS für Günter Ulbert zum 65. Geburtstag, 1995, 397–406 42 J. OLDENSTEIN, Neue Forschungen im spätröm. Kastell von Alzey, in: BRGK 67, 1986, 289–356 43 H. W. PLEKET, Wirtschaft und Ges. des Imperium Romanum, in: F. VITTINGHOFF (Hrsg.), Europ. Wirtschafts- und Sozialgesch. in der Röm. Kaiserzeit, 1990, 25–160 44 M. REDDÉ, S. v. SCHNURBEIN (Hrsg.), Alésia. Fouilles et recherches Franco-Allemandes sur les travaux militaires Romains autour du Mont-Auxois (1991–1997) 2001 45 CHR. B. RÜGER, Zur Erforsch. der röm. Zeit im Rheinland und in Westfalen, in: H. G. HORN (Hrsg.), Die Römer in Nordrhein-Westfalen, 1987, 13–26 46 E. SCHALLMAYER, Zur Chronologie in der Röm. Arch., in: Arch. Korrespondenzbl. 17, 1987, 483–497 47 S. v. SCHNURBEIN, Zur Datierung der augusteischen Militärlager, in: B. TRIER (Hrsg.), Die röm. Okkupation nördlich der Alpen zur Zeit des Augustus, Bodenaltert. Westfalens 26, 1991, 1–5 48 H. SCHÖNBERGER, Neue Grabungen am obergerman. und rätischen Limes, in: Limesforsch. 2, 1962, 69–134 49 K. STADE, Ernst Fabricius zum Gedächtnis, in: BRGK 32, 1942 (1950) 225 – 236 50 H. STEUER, Entstehung und Entwicklung der Arch. des MA und der Neuzeit in Mitteleuropa, in: Zschr. Arch. MA 25/26, 1997/98, 19–38 51 G. ULBERT, G. WEBER (Hrsg.), Konservierte Geschichte? Ant. Bauten und ihre Erhaltung, 1985.

HANS ULRICH NUBER

Prozeßrecht s. Anspruch; Römisches Recht

Prüfungsordnungen A. BEGRIFF
B. Geschichte   C. Gegenwart

A. BEGRIFF

P. sind Rechtsvorschriften, in denen Voraussetzungen und Verfahren zur Zulassung und Durchführung der Prüfung ebenso wie inhaltliche Anforderungen an die Prüfungsleistungen und Vorgaben zu deren Beurteilung festgelegt sind. Sie enthalten inhaltlich und formal die Voraussetzungen, unter denen Kandidaten zur Prüfung zugelassen werden, sowie die Bedingungen, unter denen die Prüfung bestanden und eine festgelegte Qualifikation zuerkannt wird. P. stehen in engem Zusammenhang mit → Lehrplänen für Schulen, Studienordnungen für → Universitäten sowie Pädagogischen Hochschulen/Fachhochschulen und Ausbildungsordnungen für Seminare. Die Ausübung beruflicher Tätigkeiten setzt öffentlich-rechtlich anerkannte Qualifikationen voraus. P. bieten zugleich den Kandidaten wie den Prüfern die notwendige Rechtssicherheit zur Durchführung eines Prüfungsverfahrens und ermöglichen dessen juristische Überprüfung. Sie betreffen (1) Schulabschlüsse jeder Art an öffentlichen Schulen und Schulen in freier Trägerschaft, insbes. die Abiturprüfung, (2) Abschlußprüfungen der beruflichen Ausbildung, (3) die Staatsexamina als Eingangsqualifikationen zur Seminar- bzw. Praxisausbildung und späteren Ausübung des öffentlich-rechtlich festgelegten Berufs sowie (4) die akad. Qualifikationen wie M. A./Diplom, Promotion, Habilitation. Damit enthalten P. die Voraussetzungen für den Erwerb von Berechtigungen: die Abitur-P. für die Studienberechtigung, die Lehrer-P. für die Ausübung des Lehramts an Schulen, die akad. P. für Forsch. und Lehre, die beruflichen P. für die selbständige Praxis eines Handwerks.

B. GESCHICHTE

Für die Schule haben sich seit der Institutionalisierung des Bildungswesens am Ausgang der Aufklärung Regelungen zur Durchführung von Abschluß- und Zugangsexamina durchgesetzt. Mit der Einrichtung des öffentlichen Unterrichts um und nach 1800 wurden in den dt. Staaten verschiedene Prüfungs- und Ausbildungsordnungen eingeführt. Zugleich wurden Unterrichtsverwaltungen etabliert und durch Dienstverordnungen sowie dienstrechtliche Bestimmungen festgelegt. Schulordnungen dienten als Vorgaben für geregelte Unterrichtsverhältnisse. Verordnungen zur Schulpflicht, zur Versetzung, zur Schuldisziplin bildeten die Grundlage der allmählich entstehenden Rechtsvorschriften innerhalb des → Schulwesens. In dieser gesellschaftlichen Situation wurden die P. für das Abitur und die Lehramtsexamina erlassen. In den Abitur-P. (Bayern 1809, Preußen 1788/1812) wurde vorgeschrieben, die allg. Bildung der Abgänger in den Schulfächern der obersten Klasse zu prüfen. Für Lat. bedeutete das an preuß. Gymnasien: Der Kandidat sollte ›den Cicero, Livius, Horaz und Virgil im Ganzen mit Leichtigkeit verstehen‹. Er sollte den Tacitus ›nach gestatteter Über-

legungszeit‹ richtig erklären können und keine groben gramm. Fehler machen. Im Griech. sollte er die att. Prosa und den Homer ohne weitere Erläuterung verstehen und einen schwierigeren Chor aus einer Trag. interpretieren können. 1834 wurde die Vergabe der Studienberechtigung in Preußen endgültig an die Ablegung der Abiturprüfung gebunden. Diese Regelung wurde dann in den dt. Staaten allg. Standard. Im Verlauf des 19. Jh. wurden die P. durch Revisionen den Lehrplanänderungen und damit neuen gesellschaftlichen Erfordernissen mehrfach angepaßt. Dabei verlor die urspr. verbindliche Prüfung in den alten Sprachen kontinuierlich an Bedeutung. Ab 1900 konnte das Abitur auch ohne Prüfung in den alten Sprachen abgelegt werden. Seit ihrer Einführung werden sie in unregelmäßigen Abständen an gesellschaftliche Entwicklungen angepaßt.

Die Lehrer-P. wurden ebenfalls am Beginn des 19. Jh. eingeführt. Sie wurden notwendig, um den Zudrang unqualifizierter Personen in das Lehramt zu unterbinden.

Akad. P. wurden mit dem Auf- und Ausbau der mod. Univ. seit dem Beginn des 19. Jh. in den Fakultäten neu konzipiert. Sie regelten die Bedingungen, unter denen die Verleihung eines akad. Grades – Diplom, M. A., Dr. – geschehen konnte. Die Fakultäten hatten dabei von Anf. an eine gewisse Autonomie in der Festlegung der Bedingungen, unterstanden aber zugleich der Selbstkontrolle durch die Gremien der Univ. und der Aufsicht durch das Ministerium. Auch akad. P. dienen nicht nur zur Regelung eines Verfahrens, sondern zugleich dazu, die Rechtmäßigkeit seiner Durchführung überprüfbar zu machen.

C. GEGENWART

Die wichtigste inhaltliche Abänderung erfuhr die Abitur-P. in der Bundesrepublik durch die Reform der gymnasialen Oberstufe 1972. Die heutige Abitur-P. regelt das Verfahren und enthält Angaben über bes. Qualifikationen wie das Latinum, Graecum, Hebraicum, die nur nach dem Bestehen des Abiturs zuerkannt werden. Vereinbarungen der Kultusministerkonferenz sichern eine weitgehende Übereinstimmung der formalen und inhaltlichen Standards für die Abiturprüfung in den verschiedenen Ländern der Bundesrepublik. Als Regelfall gilt, daß die schriftliche Abiturprüfung in den Fächern Griech. und Lat. gegenwärtig aus einer Übers. und einer Interpretationsaufgabe besteht.

Im Hochschulbereich geht die Diskussion gegenwärtig sowohl um Inhalte der akad. P. als auch darum, ob für kürzere Abschlüsse (Bachelor/Master) passende Studiengänge mit einfacheren P. zum vorzeitigen Abschluß universitärer Studien eingeführt werden sollen.
→ Humanistisches Gymnasium; Lehrer

QU 1 H. J. APEL, Die Ausbildung zum Gymnasiallehrer im 19. Jh., in: J. G. PRINZ V. HOHENZOLLERN, M. LIEDTKE (Hrsg.), Schreiber, Magister, Lehrer, 1989, 291 – 306 2 M. LIEDTKE, Gesamtdarstellung, in: Hdb. der Gesch. d. Bayerischen Bildungswesens, Bd. 2, 1993, 11 – 133

LIT **3** Abitur- und Lehrer-P. der Bundesländer
4 N. NIEHUES, Prüfungsrecht, 1994 **5** F. PAULSEN, Die
Gesch. des gelehrten Unterrichts, Bd. 2, 1921.

HANS JÜRGEN APEL

Psalmodie I. ALLGEMEINES
II. JÜDISCH III. BYZANTINISCH

I. ALLGEMEINES

Ps. ist keine Gattung, sondern ein musikwiss. übli-
cher Ausdruck für einstimmige Gesangsweisen der
West- und Ostkirchen. Es lassen sich mehrere Aspekte
unterscheiden: (1) Ps. ist ein Gegenbegriff zu → Musik,
wenn Musik als Optik verstanden wird, aus der klang-
liche Phänomene studiert werden, während Ps. eine bestimmte Spielart solcher Phänomene meint; (2) Ps. beruht wesentlich auf Psaltertexten, wobei die längste
Trad. im jüd. Ritus zu beobachten ist. Im lat. Westen
gehören dazu etwa die Meßgesänge sowie die Offizi-
umsgesänge, wobei die sog. Offiziumspsalmodie den
periodisch vorgetragenen Vortrag des ganzen Psalmen-
buches kennt. (3) Bereits A. Baumstark formulierte:
›Die entscheidenden Modalitäten altkirchlichen gottes-
dienstlichen Gesanges haben sich aber am Psalter ausgebildet. Die verschiedenartige Ps. des christl. Orients ist
so das formgebende Prinzip für die verschiedenen Gattungen seiner Kirchendichtung geworden‹ [1. 291 f.].
Damit ist der Psalter nicht nur eine Materialsammlung,
sondern fördert die Ausbildung generativer literarischer
und musikalischer Prinzipien, die ihm abgelesen werden. (4) Die einzelnen Psalmen werden ihren je nach
Trad. und Übers. wechselnden Überschriften gemäß

auch als *canticum, ode, hymnus* u.s.w. verstanden, wodurch in der Überlieferung mit solchen Termini verbundene ant. Aspekte am Psaltermaterial weiter gefördert werden.

→ AWI Psalmodie

1 A. BAUMSTARK, Psalmvortrag und Kirchendichtung des
Orients, in: Gottesminne 7, 1912/13, 290–305, 413–432,
540–558, 887–902 **2** J. DYER, Psalm II., einstimmig, in:
MGG², Sachteil 7, 1997, Sp. 1862–1876 **3** A. JUNGMANN,
Missarum sollemnia. Eine genetische Erklärung der röm.
Messe, 1962 **4** J. KROLL, Die christl. Hymnodik bis zu
Klemens von Alexandreia, in: Verzeichnis der Vorlesungen
an der Akad. zu Braunsberg im Sommer 1921, 3–46; Winter
1921/22, 47–98.

MAX HAAS

II. JÜDISCH

Alle Teile der synagogalen Liturgie, die sich im 3.–
8. Jh. n. Chr. konstituierte, werden in einer Art Sprech-
gesang vorgetragen, der in weiterem Sinn als Ps. bezeichnet werden kann. Im Zentrum des Kultes steht die
– bereits biblisch bezeugte – Toralesung, die gemäß rabbinischen Quellen nicht ohne Melodie vorgetragen
werden darf (bMeg 32a). Darum herum gruppieren sich
das *Šᵉmaʿ* mit Segenssprüchen, das Achtzehnbittenge-
bet, Psalmen und – im Zuge der Professionalisierung des
Vorbeteramtes – Piyyutim (liturgische Poesie, die oft
auf Kompilation von Psalmversen beruht). Entsprechend dem grundlegenden Konzept einer schriftlichen
Offenbarung, die mit oraler Trad. gekoppelt ist, spielt
sich die melodische Gestaltung der Ps. ganz im Bereich
mündlicher Praxis und Überlieferung ab. Zwar wurde
der Psalter wie die restlichen Bücher der hebräischen

1. Versteil

וַיֹּאמַ֗ר הָגָ֞ר שִׁפְחַ֥ת שָׂרַ֛י אֵֽי־מִזֶּ֥ה בָ֖את וְאָ֥נָה תֵלֵ֑כִי

wa-yōmer	hagar	šifḥat	saray	ʾē-mizē	bāʾt	we-ʾanā	telekhī
III	IV		III		II		I
7	14	21	12	21	8	19	2
Und er sprach:	Hagar,	Dienerin	Sarais,	woher	kommst du	und wohin	gehst du?

2. Versteil

וַתֹּ֗אמֶר מִפְּנֵי֙ שָׂרַ֣י גְּבִרְתִּ֔י אָנֹכִ֖י בֹּרַֽחַת׃

wa-tōʾmer	mipnē	saray	gevirtī	ʾanokhī	borakhat
II	III		II	II	I
6	10	19	5	8	1
Und sie sprach:	vor	Sarai,	meiner Herrin,	ich	fliehe

Abb. 1: Kantillation der Tora nach den masoretischen Akzenten
(Gen 16,8). (Arabische Zahlen stehen für einzelne Akzentzeichen,
römische Zahlen für die hierarchische Ordnung der Syntax.)

Bibel im 9./10. Jh. n. Chr. mit der masoretischen Akzentuation versehen, die Aussprache, Betonung und Zäsuren festlegt [1]; doch gibt es bis in die Neuzeit keine Niederschrift der Tonhöhenverläufe in westl. Notation. Wohl finden sich in liturgischen Quellen sowie in Komm. des 11./12. Jh. n. Chr. (Machzor Vitry, Raschi, Abraham Ibn Esra) Hinweise auf den Stellenwert und die Funktion des Gesangs [2. 94–104]. Eine Vorstellung von der musikalischen Realisierung der Ps. läßt sich aber nur durch ethnologische Erhebungen rezenter Praxis (v. a. in Reservatkulturen wie Jemen, Djerba oder Irak) erschließen. Diese erlauben zwar nicht die Rekonstruktion histor. Individualformen, vermitteln jedoch Einsichten in musikalische Strukturen und in die Faktoren, welche Ausführung und Überlieferung bestimmen. Den weitverzweigten Trad. der jüd. Diaspora ist gemeinsam, daß sie sich bei der Toralesung eines komplexen Systems melodischer Formeln bedienen, das auf die Syntax der Verse reagiert und Merkmale einer eigenen Gramm. aufweist. Abb. 1 zeigt die Gliederung eines Verses nach den Akzenten. Die Klammern gruppieren die Wortkomplexe entsprechend den melodischen Wendungen in Segmente und in Vershälften, wobei die Übers. die Wortfolge des hebräischen Textes wiedergibt. Die außerliturgische Lektüre des Psalters (»Buchweise«) orientiert sich an diesen durch die Akzente gegebenen Rezitationsmustern. Dagegen hat sich der »liturgisch gebundene« Psalmvortrag in den meisten Trad. über das System der masoretischen Akzente hinweggesetzt und wohl ältere Melodiemodelle bewahrt, die nach folgendem Schema auf die poetische Struktur des *parallelismus membrorum* reagieren: Anfangsmotiv – Rezitationston – Halbkadenz bzw. Schlußkadenz [3; 4].

1 H. AVENARY, Stud. in the Hebrew, Syrian and Greek Liturgical Recitative, 1963 2 H. ZIMMERMANN, Tora und Shira. Unt. zur Musikauffassung des rabbinischen Judentums, 2000 3 R. FLENDER, Hebrew Psalmody. A Structural Investigation, 1992 4 R. RANDHOFER, Psalmen in einstimmigen vokalen Überlieferungen. Eine vergleichende Unt. jüd. und christl. Trad., 1995.

HEIDY ZIMMERMANN

III. BYZANTINISCH

Der Großteil der Ps. war bis in die spätbyz. Zeit der oralen Trad. überlassen. Erst ab dem 14. Jh. n. Chr. finden sich in dem neugefaßten Gesangbuchtyp, der Taxis der Akolouthien, Aufzeichnungen der acht Psalmtöne. Sie bestehen aus Intonationen, Rezitationstönen und Kadenzen. Letztere stellen formelhafte Melodiewendungen dar, in denen die letzten vier Silben, ohne Rücksicht auf den Wortakzent, vier feststehenden musikalischen Elementen angepaßt werden. Diese Form der Ps. dürfte auf das 8. Jh. n. Chr. zurückgehen. Davon zu unterscheiden ist die melismatische Ps. des Prokeimenon (vor biblischer Lesung), des Alleluia (vor Evangelienlesung) und des Koinonikon (während der Kommunion), aus der Trad. der Hagia Sophia von Konstantinopel. Überliefert sind diese psalmodischen Gesänge ab dem 13. Jh. n. Chr. im Psaltikon bzw. im As-

matikon. In der Taxis der Akolouthien finden sich die festen Psalmbestandteile der Offizien in reich ornamentierter Form, im neuen Stil der Kalophonie.

1 D. E. CONOMOS, The Late Byzantine and Slavonic Communion Cycle: Liturgy and Music, 1985 2 G. HINTZE, Das byz. Prokeimena-Repertoire, 1973 3 O. STRUNK, The Antiphons of the Oktoechos, in: Journal of the American Musicological Society 13, 1960, 50–67; Ndr. in: Essays on Music in the Byzantine World, 1977, 165–190.

GERDA WOLFRAM

Psychoanalyse A. THERAPEUTISCHE METHODE UND WISSENSCHAFTLICHE LEHRE B. FREUD UND DIE ANTIKE IN DER WISSENSCHAFTSGESCHICHTE C. FREUDS SCHÜLER UND DIE ANTIKE D. PSYCHISCHE STRUKTUREN UND PHILOSOPHIE: THEORETISCHE REVISIONEN E. PSYCHOANALYSE UND ANTIKE NACH DEM II. WELTKRIEG F. ALTERTUMSWISSENSCHAFT UND PSYCHOANALYSE: WICHTIGE VERMITTLER G. PSYCHOANALYSE IN DEN ALTERTUMSWISSENSCHAFTEN H. METHODOLOGISCHES FAZIT

A. THERAPEUTISCHE METHODE UND WISSENSCHAFTLICHE LEHRE

1. FREUD

Der Begriff Ps. wurde 1896 von S. Freud (1856–1939) [3] geprägt, zunächst als Bezeichnung für die von ihm (gemeinsam mit J. Breuer [25]) bei der Therapie der Hysterie erstmals praktizierte ›kathartische‹ Methode zur ›Bewußtmachung des bisher Unbewußten‹ [4. 381]. Aus der Anwendung dieser Methode ergab sich die Entdeckung, daß die Krankheitssymptome der Psychoneurosen (Hysterie, Zwangsneurose, Paranoia) Sinn und Bed. besitzen, und zwar als transformierte Darstellungen von abgewehrten bzw. ins Unbewußte ›verdrängten‹ Affekten, v. a. affektbesetzten Erinnerungen und Wünschen. Daher war die therapeutische Praxis der Ps. von Anf. an mit wiss. Forsch. und bes. mit der Gewinnung neuer anthropologischer Erkenntnisse verbunden, zumal Freud das Faktum der Affektumwandlung als psychische Gesetzmäßigkeit auch bei nicht-neurotischen Menschen in Äußerungsformen wie Träumen [5], ›Fehlleistungen‹ (z. B. Vergessen, Versprechen usw.) und Witzen nachweisen konnte. Dementsprechend definierte Freud die Ps. als ›Deutungskunst‹ oder ›Übersetzungstechnik‹ [6. 7]. Mit ihrer Hilfe wird Gegenwärtiges gedeutet, indem es auf (rekonstruiertes, trotz Widerständen weiterwirkendes) Vergangenes zurückgeführt wird. In diesem Sinne versteht sich Freuds Ps. als eine histor. arbeitende Wiss., die sich primär der Affektgeschichte widmet, des jeweiligen Individuums (Ontogenese), aber auch, und analog dazu, der Menschengattung (Phylogenese). Wichtigste Arbeitsergebnisse und Ausgangspunkte weiterer Forsch. waren dabei v. a. die zentrale Bed. der Sexualität und die Universalität des ›Ödipuskomplexes‹ [17], also des in der (individuellen und menschheitsgeschichtlichen) Kindheit [11; 23] entwickelten und abgewehrten Wunsches, die Mutter sexuell zu besitzen und den Vater zu töten. Die ›Anerkennung‹ dieses Konfliktpotentials bestimmte Freud zum Unterscheidungsmerkmal zw. der Ps. und anderen wiss. Lehren: ›Man sagt mit Recht, daß der Ödipuskomplex der Kernkomplex der Neurosen ist (...). In ihm gipfelt die infantile Sexualität, welche durch ihre Nachwirkungen die Sexualität des Erwachsenen entscheidend beeinflußt. Jedem menschlichen Neuankömmling ist die Aufgabe gestellt, den Ödipuskomplex zu bewältigen; wer es nicht zustande bringt, ist der Neurose verfallen. Der Fortschritt der psychoanalytischen Arbeit hat diese Bed. des Ödipuskomplexes immer schärfer gezeichnet; seine Anerkennung ist das Schiboleth geworden, welches die Anhänger der Ps. von ihren Gegnern scheidet‹ (so 1920 in einer Fußnote zur 4. Auflage von *Drei Abhandlungen zur Sexualtheorie* [7. 127f. Anm. 2]).

2. FREUDS SCHÜLER

Nach der Publikation der *Traumdeutung* (1900) begann 1902, mit Freuds Gründung der Psychologischen Mittwoch-Gesellschaft (ab 1908: Wiener Psychoanalytische Vereinigung) [140] die Bildung einer (h. weltweit verbreiteten und stark segmentierten) psychoanalytischen Schule. Fast alle Psychoanalytiker der ersten Generation waren Lehranalysanden bzw. Patienten von Freud selbst oder seiner unmittelbaren Schüler. Im Innern der psychoanalytischen Schule entwickelte Abweichungen von Freuds Lehre lösten immer wieder Brüche und die Entstehung divergierender Richtungen aus. Zwei der Gründungsmitglieder, die Ärzte A. Adler (1870–1937) und W. Stekel (1868–1940), trennten sich bereits 1911 bzw. 1912 von der Vereinigung, wegen unüberbrückbarer Differenzen zur Freudschen Ps. (Adler: das Konzept des Minderwertigkeitskomplexes, Ablehnung der Verdrängungslehre, beide: Priorität des Aktuellen vor dem Histor. und Abkehr von der Sexualtheorie). Die spezifischen Positionen dieser Freud-Schüler haben jedoch die Entwicklung der nicht-orthodoxen Ps. im angelsächsischen Bereich (v. a. in den USA, wo Adler ab 1926 tätig wurde) mitgeprägt, wobei Adlers soziale Auffassung des Geschlechtsunterschieds noch die heutige »Gender«-Theorie bestimmt [166. 23]. Von dem seit 1906 bestehenden, bald auch institutionell engen Kontakt mit dem Schweizer Psychiater C. G. Jung (1875–1961) erhoffte sich Freud eine Ausweitung der Ps. auf das Studium der Psychosen und eine Widerlegung des Vorurteils, die Ps. würde nur einen angeblich typisch jüd. Wiener Zeitgeist repräsentieren. Jungs Divergenzen (monistisch-metaphysisches Libido-Konzept, Desexualisierung der Ps. usw.) zu Freuds Theorie machten 1913 den Bruch unvermeidlich. Eine entscheidende Rolle bei der Institutionalisierung und (auch außermedizinischen) Propagierung der Ps. spielten seit 1906 von Wien aus die beiden Nicht-Mediziner O. Rank (1884–1939) und H. Sachs (1881–1947), mit denen gemeinsam Freud 1912 das einflußreiche Publikationsorgan *Imago. Zeitschrift für Anwendung der Ps. auf die Geisteswissenschaften* gründete. Sachs, urspr. Jurist, half seit 1920 als Lehranalytiker mit, das Berliner Psychoanalytische Institut aufzubauen, die erste Ausbildungsstätte für Psychoanalytiker außerhalb Wiens, bevor er 1932 als Lehranalytiker nach Boston ging (ab 1939: Hrsg. von *American Imago*). Rank, urspr. kaufmännischer Angestellter, der dank Freuds finanzieller Unterstützung die Hochschulreife nachholen konnte und 1912 zum Dr. phil. promovierte, gehörte mit seinem Freund Sachs zu den ersten »Laienanalytikern« (Psychoanalytikern ohne abgeschlossenes Medizinstudium) und war bis zu seinem Bruch mit Freud 1924 nach der Publikation von *Das Trauma der Geburt* [155] der wichtigste Publizist und Organisator der psychoanalytischen Schule. Ab 1908 verstärkte sich die Internationalisierung der Ps. dank der drei Ärzte K. Abraham (1877–1925), in Berlin, S. Ferenczi (1873–1933), in Budapest, und E. Jones (1879–1958), im gesamten angelsächsischen Bereich. Abraham trug neben Rank maßgeblich zur Etablierung der Mythosforsch. als eines therapeutisch anwendbaren Arbeitsgebiets bei. Ferenczi optierte, analog zu Rank, für eine bes. Betonung der Mutterfunktion, vermied jedoch den radikalen Bruch mit Freud. Der Brite Jones dominierte lange die Außen- und Innenpolitik der Ps. und wurde zum ersten, kanonisierenden Historiker der Freudschen Ps. [105]. In den 10er und 20er J. des 20. Jh. dehnte sich die Ps. weiter auf die Geisteswissenschaften aus, zunächst durch H. Silberer (1882–1923), einen Journalisten und Privatgelehrten, A. v. Winterstein (1885–1958), urspr. Jurist, und T. Reik (1888–1969), den ersten mit einer psychoanalytischen Dissertation promovierten Literaturwissenschaftler (einen späteren therapeutischen Dissidenten) in Wien, sowie durch den ungarischen Altphilologen und späteren Ethnologen G. Róheim (1891–1953), den in der Jugendbewegung aktiven Pädagogen und sozialistischen Zionisten S. Bernfeld (1892–1953), der in der Emigration ab 1934 Pionierarbeiten auf dem Gebiet einer nicht-apologetischen Historiographie der Ps. leistete, und den Sohn des Begründers der strukturalen Linguistik F. de Saussure, den Schweizer Psychologen und Mediziner R. de Saussure (1884–1971), der 1926 an der Entstehung der Société psychanalytique de Paris mitbeteiligt war und in der Emigration während des II. Weltkriegs in den USA dem strukturalen Linguisten R. Jakobson, dem Mentor von Lévi-Strauss und Lacan, begegnete, der ihn auf die Möglichkeit einer Verbindung zw. Ps. und Sprachwissenschaften aufmerksam machte [166. 939].

3. WEITERE FILIATIONEN

Varianten der Divergenzen zw. Freuds Lehre und den Positionen seiner Schüler finden sich in der Geschichte weiterer Filiationen [166] wieder. Eine erste abweichende Schulrichtung wird ab 1926 in England durch die aus Wien stammende M. Klein (1882–1960) inauguriert, eine Analysandin von Ferenczi und Abraham. Aufgrund ihrer therapeutischen Erfahrungen (insbes. mit Kindern, darunter ihren eigenen) gelangt sie zu einer (bei Rank und Ferenczi vorgeformten, von ihr selbst niemals als Gegensatz zu Freud betrachteten) Auffassung der Mutter als entscheidendes Objekt kindlicher Ängste und (v. a. aggressiver) Phantasien. Während die Gruppe der »Kleinianer« institutionell der International Psychoanalytical Association, dem seit 1910 bestehenden offiziellen Zusammenschluß der Freudianer, verbunden blieb, trifft dies auf andere, sich ebenfalls auf Freud berufende einflußreiche Gruppierungen nicht zu: v. a. die in den USA bes. weit verbreiteten Neo-Freudianer, die die grundlegenden Positionen der Freudschen Ps. aufgegeben haben, im Anschluß u. a. an Adler, Reik und den am Berliner Psychoanalytischen Institut ausgebildeten und 1934 in die USA emigrierten E. Fromm (1900–1980). Allerdings bestehen auch innerhalb der offiziellen Ps. (nicht allein in den USA, wo die Psychiatrisierung der Gesellschaft v. a. unter psychoanalytischen Vorzeichen weiter als anderswo vorangetrieben wurde) seit langem Tendenzen zur Diversifizierung und zur Abkehr oder Umdeutung von Freuds Grundprinzipien, insbes. im Dienst sozialer Anpassung unter den Vorzeichen der »Ego-Psychology«. Demgegenüber wird die theoretische und praktische Subversität der Ps. bes. durch die frz. Ps. und die außerhalb der offiziellen Ps. angesiedelten verschiedenen Gruppierungen der »Lacanianer« reklamiert. Diese sich in Paris seit den 1950er J. verselbständigende Schule schließt an J. Lacan (1901–1981) an, dessen Lehranalytiker R. Loewenstein (1898–1976) von Sachs in Berlin ausgebildet wurde und an der Institutionalisierung der frz. Ps., nach seiner Emigration in die USA auch der »Ego-Psychology« mitbeteiligt war. Lacan hat mit einem eigenen, sich auf zentrale Konzepte Freuds berufenden, philos. und sprachtheoretisch akzentuierten Anspruch entscheidend dazu beigetragen, daß die reflektierende Auseinandersetzung mit der Ps. im heutigen Frankreich die intellektuelle Kultur in einem Ausmaß prägt wie nirgendwo sonst.

B. Freud und die Antike in der Wissenschaftsgeschichte
1. Inspirationsquellen

Die Ps. wurde von Freud von Anf. an als ein Aufklärungsunternehmen entworfen, als Enthüllung von menschlichen Trieben und Antrieben, die bisher der wiss. Forsch. entzogen waren. Hinsichtlich der Quellen seiner eigenen intellektuellen Inspiration hat Freud sich jedoch eher um Verhüllung bemüht [178]. Viele Aspekte der Entstehungsgeschichte der Ps. sind daher nach wie vor umstritten. Dazu zählen bes. die Funktion der jüd. Interpretationstrad. [173] sowie der Rekurs auf die Psychologie und Philosophiekritik von F. Nietzsche [175]. Andere Aspekte, wie v. a. die Bed. der ant. lit., arch. und philos. Überlieferung einerseits, der zeitgenössischen engl. Anthropologie andererseits, für die Entwicklung von Grundkonzepten der Ps. hat Freud selbst unterstrichen. Wissenschaftsgeschichtliche Untersuchungen zu dem den jungen Freud prägenden kulturellen Kontext konzentrierten sich bisher bes. auf den Bezug zur Wiener Moderne [134; 121], zu → Aufklärung und → Romantik [200; 120; 198] und zur altsprachlichen Bildung [145; 138].

2. Sophokles' Ödipus

Dem → Humanistischen Gymnasium verdankte Freud den für sein Œuvre programmatischen Rekurs auf Sophokles' Ödipus als Modell der Selbsterkenntnis [176]. Den Nukleus des Ödipusmythos, die unwillentlich vollzogenen Taten des Helden, Vatermord und Mutterinzest, fand Freud 1897 in seiner Selbstanalyse und in der Patientenanalyse als aus der (männlichen) Kindheit stammende, unbewußt gewordene, wichtigste Wünsche wieder [24. 293]. Den Ablauf von Sophokles' Trag. *König Ödipus* betrachtete er als Vorbild des psychoanalytischen Erkenntnisprozesses [5. 268]. Die Entstehung und Entwicklung von Freuds Deutung des Ödipus hat dementsprechend die wissenschaftsgeschichtliche Forsch. in bes. Maße stimuliert [78; 167; 195] und zu weiteren Interpretationen angeregt (z. B. [191; 94; 130; 183]; kritisch gegen [32]: [199]; auch gegen [199]: [40]).

3. Mythologie

Bereits der Umgang mit der Figur des Ödipus zeigt Freuds Tendenz, zw. → Mythos und Lit. nicht zu unterscheiden [10] und (insbes. ant.) Mythenfiguren, oft auf der Folie des Ödipus (z. B. Dionysos [180]), zu affektgeschichtlichen Modellen zu stilisieren. Weitere Beispiele hierfür sind das Konzept des Narzißmus [12], die Deutung des Medusenhauptes [16] (dazu [197]) und des Prometheus [21]. Entmythologisierung und Remythologisierung sind in diesem Procedere eng miteinander verschränkt [171].

4. Archäologie

Methodisch und theoretisch differenzierter ist Freuds Umgang mit der Archäologie. Der Aufbau einer Sammlung von (v. a. ant.) Kunstgegenständen [158; 204; 87; 96; 133] erlaubte es ihm, arch. Objekte in den Therapieprozeß zu integrieren, die Arbeit der Ps. mit einem die Arch. ins Spiel bringenden dichterischen Vorgehen zu analogisieren [9. 117f.] und einige ihrer zentralen Resultate, wie die Erhaltung von Vergangenem in der Psyche [19. 427f.] oder die prädipale ›Vorzeit‹ des weiblichen Kindes [20. 519], durch arch. Vergleiche zu illustrieren (dazu [171]). Die einzigen Altertumswissenschaftler, an denen sich Freuds Entdeckeranspruch ausdrücklich orientierte, waren H. Schliemann und A. Evans. Weitaus mehr als → Troia, → Mykene, Kreta und Athen oder Ägypten und Jerusalem besaß → Rom für Freud die Funktion eines analytisch vieldeutigen und metaphorisch umspielten top. Fixpunktes [173; 177].

5. Literatur und Philosophie, Anthropologie und Drama

Vor allem den Dichtern, aber auch einigen Philosophen (darunter Schopenhauer und Nietzsche [175]) bescheinigte Freud, Erkenntnisse der Ps. vorweggenommen zu haben. Die Frage nach der Spezifität der Lit. wird jedoch in seinem Werk vermieden. Deshalb ist die Interpretationsmethode der Ps. als eine anti-ästhetische

Hermeneutik anzusehen [177]. Konsequenterweise hat Freud, im Unterschied zu vielen seiner Nachfolger, auf Einzelinterpretationen lit. Werke weitgehend verzichtet. Komplexer ist Freuds Verhältnis zur Philos.: Einzelne Konzepte v. a. der ant. Philos. hat er in seine Traumlehre (Aristoteles [5. 555]) und bes. in seine Triebtheorie (Platon [14. 62 f.], Empedokles [22. 90–93]) zu integrieren versucht (dazu kritisch [39]). Eine radikale Kritik an der hegemonialen Trad. des idealistischen Bewußtseinsbegriffs impliziert jedoch die Ausarbeitung seines Zentralbegriffs, des Unbewußten [79] (den Begriff »unterbewußt« verwendete Freud nicht). Die damit zusammenhängenden Überlegungen zum Problem der Negation [13; 18] sind für die dialektische Reflexionsweise Freuds bes. aufschlußreich. Relativ unberührt von dieser intellektuellen Subversionstendenz ist Freuds Rekurs auf die zeitgenössische Anthropologie [203], bes. W. Robertson Smith [27] und J. G. Frazer [2]. Er übernimmt aus ihr (wie auch z. B. aus der Evolutionslehre Darwins) Versatzstücke, die sich für sein Projekt einer Dramatisierung der Menschheitsgeschichte nach dem Modell des Ödipuskomplexes (›Urvatermord‹ [11; 23]) nutzbar machen lassen. Die Möglichkeit, das Drama, insbes. die Trag., zu einer anthropologisch-therapeutischen Grundkategorie zu machen [8], kennzeichnet aber bereits das Frühstadium der Ps., als Freud auf den performativen Charakter der neurotischen Leidenssymptome aufmerksam wurde und den von Breuer aus der *Poetik* des Aristoteles übernommenen Katharsis-Begriff durch den der Ps. ersetzte. Die medizinische, nicht-ästhetische Deutung des Begriffs der Katharsis durch J. Bernays [1], den Onkel von Freuds Ehefrau Martha, steht dem auffällig nahe [118; 41. 53–55].

C. Freuds Schüler und die Antike

1. Psychoanalyse und Humanwissenschaften

Im Bündnis mit seinen ersten, hysterisch-kreativen Patientinnen hatte Freud die Ps. von Anf. an fast intuitiv mit einer wissenschaftskritischen Energie ausgestattet, die sich zunächst nur gegen die Schulmedizin richtete, bald aber auch den Positivismus der Leitwissenschaften des 19. Jh., → Klassische Philologie und → Naturwissenschaft, mit einer Radikalität in Frage stellte wie sonst nur Nietzsche. Anders aber als dieser versprach Freuds Ps. seit der in Nietzsches Todesjahr (1900) erschienenen *Traumdeutung* nicht allein die herrschenden Werte umzuwerten und das »Menschlich-Allzumenschliche« psychologisch zu durchleuchten, sondern die psychischen Äußerungsformen auf der Basis eines seriösen naturwiss. Anspruchs zu erklären und mit geisteswiss. Verstehen kompatibel zu machen. Daß sich unter den ersten Freud-Schülern eine Reihe von enttäuschten Nietzscheanern befanden, daß aber auch die ersten Schismen der Ps. sich unter Nietzscheschen Vorzeichen vollzogen (Adler, Jung, Rank), ist daher nicht überraschend [175]. Einen bes. prägnanten publizistischen Ausdruck fand die Rivalität der Ps. mit gleichzeitigen, sich auf Nietzsche berufenden geistigen Strömungen in der Zeitschrift *Imago*, die tendenziell die gesamte humanwiss. Forsch. zu einem »Grenzgebiet« der Ps. erklärte und deren Schriftleiter Rank und Sachs 1913 einen programmatischen Traktat zum Thema *Die Bed. der Ps. für die Geisteswissenschaften* publizierten [156] (spätere Bestandsaufnahmen dazu: z. B. [100; 168]).

2. Mythosforschung

Als interdisziplinär und anthropologisch bes. ergiebiges psychoanalytisches Arbeitsgebiet erwies sich die Mythosforsch., die sich zunächst bei ihrer Themenwahl eng an Freuds Vorgaben hielt. Abraham lotete bereits 1909 die völkerpsychologischen Analogien zw. *Traum und Mythus* [28] aus. *Der Mythus von der Geburt des Helden*, ein komparatistisch bes. anschlußfähiges Element des Ödipusmythos, wurde von Rank im selben J. zur Deutung ausgewählt [152] und 1912 monographisch durch ein weiteres, *Das Inzest-Motiv in Dichtung und Sage* [153], ergänzt. Den Anschluß der Ps. an die romantische Trad. suchten noch deutlicher Silberers Arbeiten von 1910 und 1914 über die dichterische Phantasie sowie das mythische Zerstückelungsmotiv [185; 186] und Ranks dem Volksgeist-Gedanken verpflichtete Homer-Deutung von 1917 [154]. Als sozialreformerisch wirksam erwiesen sich Bernfelds Bemühungen, 1925 das Motiv des Sisyphos [36] und 1931 das des Tantalus [37] in den Dienst psychoanalytischer Pädagogik-Kritik zu stellen.

3. Ödipuskomplex

Der weitere Theoriebildungsprozeß der Ps. wurde von Freuds Schülern schon früh im zentralen Referenzmythos verankert, zuerst 1912 durch Ferenczi, der Freuds metapsychologische Grundkategorien Lustprinzip und Realitätsprinzip in Iokaste und Ödipus symbolisch verkörpert sah [81]. Eine noch stärkere Aufwertung der Protagonistinnen des Ödipusmythos mit therapeutischem Anspruch vollzogen de Saussure, der 1920 einen ›Jokaste-Komplex‹ entwarf [169], und Reik, der im selben J. die Sphinx u. a. als primäres Totemtier und ›Mutterdoublette‹ des Urvaters deutete [159], wobei er auch philol.-religionshistor. Forschungsergebnisse von C. Robert miteinbezog, dessen *Oidipus*-Buch von 1915 [26] sogleich im Band 4 der *Imago* positiv rezensiert worden war. Die *Imago* bot 1924 auch ein Forum für den ersten grundsätzlichen, mit der Matrilinearität der »Primitiven« begründeten Widerspruch gegen die Universalität des Ödipuskomplexes, den B. Malinowski (1884–1942) aus seinen Feldforsch. ableitete [132] und den Jones 1927 in der *Imago* zu entkräften suchte [104], nachdem er selbst dort 1924 in einem Grundsatzart. zum Thema *Ps. und Anthropologie*, urspr. einem Vortrag am Londoner Royal Anthropological Institute, Freuds Standpunkt zu dieser Frage apologetisch untermauert hatte [103]. Später wird Róheim die Sphinx zur ethnologischen Legitimierung der Universalität des Ödipuskomplexes aufbieten und 1934 die These aufstellen, daß die Lösung des Sphinxrätsels nicht der Mensch, sondern die Sphinx selbst sei [161. 196].

4. Philosophie und Tragödie

Erste Bemühungen um die Eingemeindung der Freudschen Ps. in die Philosophiegeschichte wurden 1913 von Winterstein unternommen (auch mit Rekurs auf Nietzsche) [207] sowie 1915 von dem durch die Zürcher Schule geprägten M. Nachmansohn, der Freuds Libidotheorie mit der Eroslehre Platons in Einklang zu bringen suchte [143], was Freuds ausdrückliche Billigung fand [15. 99] und in der Folge oft wieder aufgegriffen wurde. Ebenfalls von Winterstein (der nach dem II. Weltkrieg die Ps. in Wien wieder institutionell etablierte) stammt eine von Freud und Nietzsche inspirierte psychoanalytische Interpretation des Ursprungs der Trag. [208], die auch eine entsprechende Deutung von Nietzsches gleichnamiger Schrift nach sich zog [136]. Eine bes. Genugtuung für Freud konnte das Faktum darstellen, daß zur philos. Aufwertung der Ps. 1924 auch der seit langem mit der Ps. sympathisierende H. Gomperz (1873–1942) beitrug [91], Sohn des angesehenen Klass. Philologen T. Gomperz, eines Bewunderers von J. Bernays, Verächters von Nietzsche und Repräsentanten des Wiener liberalen jüd. Großbürgertums. T. Gomperz hatte den jungen Freud gefördert und wurde von ihm lebenslang als berühmter Autor des zw. 1896 und 1909 erschienenen dreibändigen Standardwerks Griech. Denker hoch geschätzt; seine philos. gebildete Frau Elise (wie Freud selbst im Auftrag ihres Mannes beteiligt am Übersetzungsunternehmen der Werke J. S. Mills) hatte, begleitet von wachsender Skepsis ihres Mannes gegenüber Freuds neuer Behandlungsmethode, zu dessen ersten Patientinnen gehört und sich jahrelang darum bemüht, ihm zu einer a.o. Professur an der Wiener Univ. zu verhelfen, was 1902 zum Erfolg führte [118; 122].

5. Untergang des psychoanalytischen Humanismus

Innerhalb des psychoanalytischen Schrifttums trat der Rekurs auf die nicht-philos. ant. Überlieferung ebenso wie die Erforsch. eines sexuell fundierten, menschheitsgeschichtlichen Unbewußten seit Mitte der 1920er J. mehr und mehr in den Hintergrund, was mit Freuds schockhaft wirkender Aufstellung eines Todestriebs und der platonisierenden Umdeutung des Eros-Begriffs in der Schrift Jenseits des Lustprinzips von 1920 [14] zusammenhing. Im Anschluß daran erfolgte eine zunehmende individualpsychologische Medikalisierung der Ps. Diese Ausrichtung wurde bes. massiv von Freuds Tochter Anna (1895–1982) propagiert, die vom Vater nach dem Ausbruch seiner Krebskrankheit (1923) zur euripideischen Antigone, der Geleiterin des blinden Ödipus, stilisiert wurde und bis zuletzt autoritative Sachwalterin des Vatererbes blieb [85]. Verstärkt wurde die Konzentration auf klinische Probleme jedoch auch durch die unorthodoxe, von M. Klein, A. Freuds größter Rivalin auf dem Gebiet der Kinderanalyse [112], und anderen Analytikerinnen erarbeitete neuartige Weiblichkeitstheorie, welcher Freud in seinen letzten Lebensjahren noch Rechnung zu tragen suchte [171].

Freuds Reflexionsanstrengung galt jedoch am Ende angesichts des wachsenden Antisemitismus und → Nationalsozialismus weniger den seine Schule tumultuarisch erschütternden klinischen Kontroversen, sondern, von Wien aus und ab 1938 im Londoner Exil, vorwiegend seinem Vermächtnis, der als ›histor. Roman‹ konzipierten Schrift Der Mann Moses und die monotheistische Religion [23], die den Ödipuskomplex endgültig von der ant. griech. Tradition abkoppelte und religionsgeschichtlich in → Judentum und Christentum zentrierte.

D. Psychische Strukturen und Philosophie: Theoretische Revisionen

1. Jung

Während die orthodoxe Ps. v. a. in den angelsächsischen Ländern primär eine pragmatische Funktion innerhalb der medizinischen Profession zu erkämpfen suchte, standen die wichtigsten kontinentaleurop. Revisionen der Ps. im Zeichen intensivierter geisteswiss. Fundierung. Am frühesten und konsequentesten wurden die Grenzen zw. Ps. einerseits, Religion und Philos. andererseits von C. G. Jung [106] verwischt, dessen idealistisch und romantisch geprägte Tiefenpsychologie sich immer deutlicher als mythisch-polytheistisch amplifiziertes Christentum erwies [47]. Bereits in der Schrift, die den Bruch mit Freud einleitete, Wandlungen und Symbole der Libido von 1911/12, dominiert, untermalt v. a. von Rekursen auf Creuzer, die Usener-Schule, Lyrismen Hölderlins und Nietzsches, eine spiritualistische Symboltheorie sowie ein den ›Todeswillen‹ [107. 408] und Platons ›kosmogonischen‹ Eros integrierender Libido-Begriff. Jungs Theoriebildung ist (schon während seiner Zugehörigkeit zur Ps.) von der Tendenz beherrscht, die Grundbegriffe der Ps. (v. a. den des Unbewußten) zu entmaterialisieren und mit eindeutig ontologischen (wie etwa den von Augustinus übernommenen ›Archetypus‹ [108]) zu flankieren. Nachdem Jung sich zw. 1933 und 1939 publizistisch zum Antisemitismus bekannt und institutionell in den Dienst der Nazi-Psychologie gestellt hatte, nimmt er davon zu Beginn des II. Weltkriegs Abstand, ohne jedoch je Verantwortung dafür zu übernehmen [165]. 1941 veröffentlicht er gemeinsam mit dem ungarischen Altertumswissenschaftler K. Kerényi eine archetypische Deutung griech. Mythenfiguren [109] und bleibt neben diesem auch in der Nachkriegszeit die zentrale Integrationsfigur des religionsphänomenologischen »Eranos«-Kreises.

2. Lacan

Im Unterschied zu Jung, der seine christl.-metaphysische Umdeutung der Freudschen Terminologie als Abkehr von der Ps. proklamierte, wollte Lacan sein damit vergleichbares Vorgehen als ›Rückkehr zu Freud‹ verstanden wissen. Den Anspruch einer genauen Lektüre der Freudschen Texte stellte er jedoch ausdrücklich in den Dienst einer subjekt- und seinsphilos., v. a. auf Hegel, Kant und Heidegger rekurrierenden, antipsychologischen Auslegung. Für das daraus resultierende Projekt einer ›Ethik der Ps.‹ wird Sophokles' Antigone zum Paradigma erklärt [116] (Kritik daran: [42. 96–98]). Lacans Programmatik einer antimaterialistischen Freud-Revision ist emblematisch im Titel eines seiner ersten psychoanalytischen Aufsätze zusammengefaßt, *Au-delà du principe de réalité* von 1936 [115]. Nicht zuletzt inspiriert vom Surrealismus im Paris seiner Lehrjahre, machte er es sich zur Aufgabe, analog zu M. Klein [164. 164] die Herausbildung des Ichs auf einen die Realität übersteigenden Vorgang der Identifikation mit symbolischen Imagines (der Mutterfunktion und danach der Vaterfunktion) zu reduzieren. Das daran anschließende Konzept des »imaginaire« basiert jedoch, im Gegensatz zu Jungs Imago-Begriff, auf einer rationalistischen Auffassung des Unbewußten, das als sprachliche Struktur definiert wird [117]. Lacans davon ausgehende Integration der strukturalen Linguistik in die Ps. entsteht parallel zu und im Kontakt mit dem entsprechenden Verfahren von Lévi-Strauss innerhalb der Anthropologie.

3. Weitere Positionen

Nach dem II. Weltkrieg war Frankreich das einzige Land, in dem kein tonangebender Philosoph darauf verzichtet hat, der Freudschen Ps. theoretischen Tribut zu zollen. Zu denjenigen, bei denen dies mit einem pointierten Rekurs auf die Ant. verbunden war, gehören insbes. Lévi-Strauss, Ricœur, Derrida und Foucault. C. Lévi-Strauss (geb. 1908) [174. 243–295; 179], bei dem die platonisierende Grundierung am stärksten ausgeprägt ist, bekannte 1955 in *Tristes Tropiques* [124. 59–63], daß die Ps. ihn neben → Marxismus und Geologie in unorthodoxem Sinne philos. auf den Weg gebracht hatte. Nachdem er in seinem frühesten Hauptwerk, *Les structures élémentaires de la parenté* von 1947 [123], das Lacan enthusiastisch rezipierte, die Universalität des Inzestverbots als Symbolisierung des Übergangs von der Natur zur Kultur klassifiziert hatte, charakterisierte er 1955 bei der ersten Präsentation seiner strukturalen Mythenanalyse Freuds Ödipus-Interpretation als genuine Mythenvariante [125. 240] und ironisierte Freuds *Totem und Tabu* 1985 durch die Präsentation von ›einigen Übereinstimmungen zw. dem Seelenleben der Wilden und der Psychoanalytiker‹ [126. 243]. P. Ricœur (geb. 1913) [75] betrachtet Freud weniger als einen Mythenbildner denn als einen genuinen Philosophen vom Schlage Platons oder Kants, der seinerseits philos. zu interpretieren ist und, analog zu Aristoteles und der Bibel-Exegese, die dazu gehörige Methode selbst vorgibt [160]. J. Derrida (geb. 1930), der Freud eher (mit Nietzsche) an den ›Rändern‹ der Philos. lokalisiert [60. 362 f.] und (im Sinne von Lacan) ethisiert, benutzt ihn (neben Heidegger) seit Mitte der 1960er J. als Bündnispartner seines großangelegten Unternehmens einer Dekonstruktion poetischer und philos. Konstruktionen in Ant. und Moderne [59; 61; 62], mit dem er im Gegensatz zu Ricœurs Traditionalismus jeglichen ernsthaften Interpretationsversuch zu untergraben versucht. Für M. Foucault (1926–1984) war Freud zwar einerseits, wie Marx und Nietzsche, ein anerkennenswerter Revolu-

tionär im Reiche des Denkens, er sei jedoch, nicht anders als diese, dafür verantwortlich zu machen, daß Interpretation in der Moderne zu einer selbstreflexiven Aufgabe geworden ist, die Foucault außer Kraft setzen möchte [82]. Sein Werk *Histoire de la sexualité* ist in diesem Sinne als ein Projekt der Loslösung von Freuds Vorgaben zu verstehen [83], wobei im 1. Bd. von 1976 Sexualität als mod. machtstrategische Konstruktion entlarvt wird, während die beiden weiteren Bde. von 1984 die Konzeptualisierung von selbstbestimmter Askese in philos. Diskursen der ant. griech. und röm. Gesellschaft als vorbildliches Befreiungsunternehmen preisen [172].

E. Psychoanalyse und Antike nach dem II. Weltkrieg

1. Anthropologie und Mythologie

Die von Freud in *Totem und Tabu* begonnene Bemühung, die Ps. zu einem Bestandteil der Ethnologie zu machen, wurde bereits innerhalb der frühen Freud-Schule programmatisch weiterverfolgt, auf der Basis von Feldforsch. zunächst v. a. von Róheim realisiert [141] und nach dem II. Weltkrieg von G. Devereux (1908–1985) zu einem grandiosen Unternehmen ausgebaut. Für diese beiden Hauptvertreter der Ethno-Ps. blieb der Rekurs auf ant. Mythenstoffe ein wichtiger Referenzrahmen (z. B. [162; 64; 68; 71]). Vor allem Róheim [163] kämpfte vehement gegen die (ebenfalls von der Ps. inspirierte, aber anti-universalistische, seit der Zwischenkriegszeit die US-amerikanische Ethnologie dominierende »Culture and Personality«-Richtung (A. Kardiner, R. Benedict, M. Mead) [101], gegen die Devereux sich auch mit Lévi-Strauss verbündete. Mit dem Verzicht auf das bereits von Malinowskis Funktionalismus unterhöhlte evolutionistische Kulturmodell in der Ethnologie (das auch Freud übernommen hatte, auf das seine Kulturtheorie aber nicht zu reduzieren ist [80]) verlor die Ps. für die angelsächsische Sozial- und → Kulturanthropologie an Bedeutung. Die geschichtstheoretisch abstinente und sprachtheoretisch engagierte Lesart der Freudschen Theorie durch Strukturalismus und Poststrukturalismus erklärt wiederum, warum in der davon geprägten frz. Ps. der Rekurs auf Anthropologie [95] (Kritik daran: [114]) bis h. am stärksten verbreitet ist. Dies gilt ebenso für die Arbeit an einer subtileren psychoanalytischen Mythentheorie [33; 34; 93; 110], wobei der Akzent auch anderswo weiterhin auf der griech. (viel mehr als auf der röm.) Ant. liegt [29; 90; 181] und das detaillierte Studium lit. Texte [89], v. a. von Trag. [70; 30; 188], miteinbezogen wird.

2. Ödipus und andere Mythenfiguren

Paradigma bleibt nach wie vor das Spannungsverhältnis zw. Sophokles' Ödipus und der Theorie des Ödipuskomplexes (z. B. [142; 63; 111; 92; 35; 139; 200; 144]), mit deren Hilfe Freud die Psyche als anthropologischen Trag.-Schauplatz dechiffriert hatte. Zur Unterstützung eigener Neubestimmungen der Ps. wird jedoch, wie schon in der ersten Generation der Freud-Schüler, auch nach anderen myth. und lit., v. a. weiblichen, Bündnispartnern Ausschau gehalten (z. B. Penelope [64]; Baubo [71]). Es verwundert nicht, daß die tragische Dimension der Muttermord-Thematik nicht zuletzt von M. Klein und ihrer Schule aufgegriffen wurde [113; 97] und daß die Debatte über Freuds Todestrieb-Theorie sich v. a. der Figur der Antigone angenommen hat (z. B. [184; 205; 31; 84]), ja sogar zur Aufstellung eines ›Antigone-Prinzips‹ führte [209], was auch in die literaturwiss. Komparatistik [192] und die »Gender«-Theorie ausstrahlt [52].

F. ALTERTUMSWISSENSCHAFT UND PSYCHOANALYSE: WICHTIGE VERMITTLER

1. HARRISON

Die erste und bis h. wirkungsvolle Vermittlerin der Ps. in den Altertumswiss. war Freuds Altersgenossin J. Harrison (1850–1928) [174. 123–192], neben Frazer die führende Vertreterin der Cambridge Ritualists. Ebenso wie Harrison hatte Freud Frazers Theorie in seine evolutionistische Religionsauffassung einbezogen, ignorierte aber bei seinen religionshistor. Rekursen Harrisons altertumswiss. Untersuchungen nicht anders als die der Usener-Schule. Harrison ihrerseits fühlte sich zwar (nicht anders als Frazer) wegen ihres Puritanismus von Freuds Betonung der Sexualität abgestoßen, hielt ihm jedoch die Einsicht in die ›biologische‹ Funktion der olympischen Götter zugute [98. viii] und übernahm in ihre *Epilegomena to the Study of Greek Religion* von 1921 den von Freud in *Totem und Tabu* affektgeschichtlich geschärften Begriff der Ambivalenz [99. 10f.]. Allerdings blieb ihr nicht verborgen, daß ihre Religionspsychologie mit Jungs Begriff des Unbewußten eher kompatibel war als mit demjenigen Freuds [99. 31f.], was auch für ihren Mitstreiter F. Cornford (1874–1943) galt, der dies im selben J. in seinem Aufsatz *The Unconscious Element in Literature and Philosophy* zum Ausdruck brachte [58].

2. DODDS

Diskret anknüpfend an Harrison wurde E. R. Dodds (1893–1979) [128; 57] nach dem II. Weltkrieg v. a. durch sein Pionierwerk *The Greeks and the Irrational* von 1951 [73] zum wichtigsten Vermittler eines anthropologisch orientierten psychoanalytischen Zugangs zu ant. Stoffen. Auch bei ihm ist jedoch die Ps. um die Subversivität ihres dialektischen theoretischen Potentials gekappt, denn er hält sich an die von der »Culture and Personality«-Richtung und deren *pattern*-Begriff vorgebenene Lesart Freudscher Theoreme (wie etwa der Scham und des Schuldgefühls). Dies wird bei den geradezu klinischen Fallstudien und dem Rekurs auf Fromms kulturalistische Angsttheorie [86] in seinem Buch *Pagan and Christian in an Age of Anxiety* von 1965 [74] bes. deutlich.

3. DEVEREUX

Der Ethnopsychoanalytiker Devereux [77], der anders als die Cambridge Ritualists und Dodds kein ausgebildeter Altphilologe war, sondern ein in der Feldforsch. trainierter Ethnologe frz. und US-amerikanischer Prägung [196], hat bei seiner geradezu messianischen Vermittlung der Ps. innerhalb der Klass. Philol. mindestens ebenso starke Aufmerksamkeit gefunden

wie in der Ethnologie und konnte die angesehensten altertumswiss. Zeitschriften als Publikationsforum benutzen (z. B. [65; 67; 69]). Der ihn kennzeichnende enthistorisierende, die Spezifität von Lit. systematisch ignorierende Impetus, wie er sich z. B. in seiner ›therapeutischen‹ Deutung von Euripides' Trag. *Bakchen* und *Hippolytos* [66; 72] zeigt, ist in der Klass. Philol. zunehmend auf Kritik gestoßen [128; 189].

4. BURKERT

Zu den einflußreichsten Vermittlern von zentralen Elementen der Freudschen Ps. im Rahmen einer anthropologischen Orientierung der Altertumswiss. während der letzten Jahrzehnte des 20. Jh. gehört W. Burkert (geb. 1931) [174. 321–327], dessen Mentor K. Meuli (1891–1968) sich bei seiner Erforsch. des griech. ›Totenbrauchs‹ auf Freuds *Totem und Tabu* berief [137. 27f.]. Freuds Aggressionslehre im *Unbehagen in der Kultur* [19] war, neben der Verhaltensforsch. von K. Lorenz, richtungweisend für Burkerts Buch *Homo necans* von 1972, das, wie schon bei Harrison und Meuli angelegt, vom triebtheoretischen Ambivalenzbegriff der Ps. profitierte. Bei der Suche nach einer verläßlichen biologischen Grundlegung ritueller Verhaltensformen hat Burkert Freuds ›mythische‹ Konstruktion des Urvatermordes als ungenügend verworfen [48. 86–89]. Seit *Structure and History in Greek Mythology and Ritual* von 1979 nahm Burkert von tiefenpsychologischen Konzepten mehr und mehr Abstand und hat, auch in Abgrenzung von Lévi-Strauss' Strukturalismus [49. 11–14], die behavioristische Akzentuierung seiner Theorie noch verstärkt.

G. PSYCHOANALYSE IN DEN ALTERTUMSWISSENSCHAFTEN

1. PRO UND CONTRA

1957 publizierte N. O. Brown, unter Berufung auf Dodds und die »Culture and Personality«-Richtung, im *Classical Journal* ein programmatisches Manifest für die Psychologisierung der Altertumswissenschaften, die am ehesten durch die Verbindung von Anthropologie und Ps. zu erreichen sei [44]. Dies wurde (fast ausschließlich innerhalb der US-amerikanischen Altphilol.) enthusiastisch in die Tat umgesetzt, obwohl Browns eigene, höchst publikumswirksame Realisierungen seiner Programmatik, die Bestseller *Life Against Death* von 1959 und *Love's Body* von 1966 [45; 46], schon bald als unseriös verworfen wurden. Der Höhepunkt dieser Ausrichtung war Mitte der 1970er J. erreicht, was im Themenheft der Zeitschrift *Arethusa* zu *Psychoanalysis and the Classics* [194] und in zeitgleichen Bibliogr. dokumentiert ist [89; 54; 90]. Die Euphorie hat mittlerweile einer Ernüchterung Platz gemacht, die H. Lloyd-Jones 1985 bes. prägnant zum Ausdruck brachte [128].

2. WEIBLICHKEIT UND »GENDER«

Für die Erforsch. der Frau in der Ant. schien ein psychoanalytischer Zugang, den P. E. Slater [190] und S. B. Pomeroy [149] auf diesem Gebiet als erste anwendeten, bes. vielversprechend zu sein und wurde am differenziertesten durch N. Loraux [131] vertreten. Auf der Skepsis gegenüber der (allerdings meist reduziert wahrgenommenen) Sexualtheorie der Ps. beruht, wie in den Literaturwiss. [119; 148], auch in den Altertumwiss. die Hinwendung zur »Gender«-Forsch. [206; 210], die bes. auf die Metaphorisierung der Ps. durch Lacan und Derridas Kritik an dessen ›Phallogozentrismus‹ [38. 13–17] oder, speziell in der arch. »Body«-Forsch. [135], auf die Ps.-Kritik der Diskursanalyse Foucaults rekurriert. Wissenschaftsgeschichtlich fundierte Studien, wie die von K. Waldner [202] zur männlichen Initiation, oder subtile Überlegungen, wie die von W. Burkert [50], zur Sexualsymbolik in ant. Texten, sind bislang selten.

3. WAHNSINN, TRAUM, GESCHICHTE

Angeregt nicht zuletzt durch Dodds und Devereux wandten Therapeuten und Historiker seit den 1970er J. dem Wahnsinn in der Ant. und der Vorgeschichte der mod. Psychotherapie unter psychoanalytischen Vorzeichen verstärkte Aufmerksamkeit zu [127; 187; 170; 88], was auch die Unt. der tragischen *manía* [147] und das Interesse für ant. Traumtheorien [150; 206. 17–44; 201] weiterhin stimuliert. Die Anwendung der Ps. auf Objekte der Alten Geschichte hat H. Strasburger (1909–1985), dessen Großvater Freuds medizinische Laufbahn gefördert hatte [193. 1098], nach eigenen Versuchen für unergiebig erklärt. Dieser Befund scheint jedoch dann nicht zu gelten, wenn dabei auf Psychologie und Therapeutik verzichtet wird [129].

4. MYTHOLOGIE UND LITERATUR

Obwohl schon seit Freud und seinen frühen Schülern die Mythosforsch. zum zentralen Paradigma der Anwendung der Ps. auf die Geisteswissenschaften gemacht worden war, bedurfte es in den Altertumswiss. erst des Aufschwungs der Anthropologie (v. a. in ihrer strukturalistischen Variante), um auch in der Klass. Philol. psychoanalytische Mytheninterpretationen zu ermutigen und Tragödienfiguren ›auf die Couch‹ zu legen [157; 182]. Solche und andere (z. B. [55]) Anwendungen der Ps. auf lit. Texte provozierten kontroverse altertumswiss. Methodendiskussionen zum Verhältnis von Mythos und Literatur [56; 53; 76. 48 f.]. Die Probleme einer psychoanalytischen Deutung von Mythenfiguren, die primär als lit. Figuren Wirkung entfaltet haben, wurden am Beispiel des Ödipus bes. intensiv reflektiert [43; 151; 102; 146; 40; 51].

H. METHODOLOGISCHES FAZIT

Freuds Ps. verstand sich als Deutungskunst, die beanspruchte, prinzipiell auf alle Produktionen menschlicher Phantasie (einschließlich von Mythen, lit. und bildlichen Kunstwerken, philos. Theorien) anwendbar zu sein. Das Unbewußte jedoch, das sie durch Interpretation bewußt machen will, liegt jenseits von Ästhetik und künstlerischer Produktion. Freuds Ps. ist daher hermeneutisch und anti-ästhetisch zugleich. Weil sie anti-ästhetisch konzipiert ist, war sie v. a. in anthropologische Theoreme des 20. Jh. integrierbar, jedoch nur, insofern ihre hermeneutische Dimension und ihre aufklärerische Position entschärft werden konnten. Die außerordentlich vielfältige Geschichte des Gebrauchs und der Umdeutung von Konzepten der Freudschen Ps. wäre noch zu schreiben. Doch dies gilt auch für die Geschichte der kritischen oder unkritischen Verwendung von Denk-Konzepten, die aus der Ant. stammen, dort bereits umgedeutet und später weiter transformiert wurden. An diesem Umwandlungsprozeß war und ist die Ps. allerdings auf bes. instruktive Weise beteiligt.

QU 1 J. BERNAYS, Grundzüge der verlorenen Abh. des Aristoteles über Wirkung der Trag., Breslau 1857 2 J. G. FRAZER, The Golden Bough, 2 Bde., London ¹1890 3 S. FREUD, Gesammelte Werke (= GW). Chronologisch geordnet, hrsg. v. A. FREUD et al., 17 Bde., 1940–1952; Bd. 18: Gesamtregister, 1968; Nachtragsband, hrsg. v. A. RICHARDS, I. GRUBRICH-SIMITIS 1987 4 Ders., Weitere Bemerkungen über die Abwehr-Neuropsychosen, 1896 (= GW 1, 379–403) 5 Ders., Die Traumdeutung, 1900 (= GW 2/3) 6 Ders., Die Freudsche psychoanalytische Methode, 1904 (= GW 5, 3–10) 7 Ders., Drei Abh. zur Sexualtheorie, 1905 (= GW 5, 29–145) 8 Ders., Psychopathische Personen auf der Bühne, 1905–6/1942 (= Nachtragsbd., 655–661) 9 Ders., Der Wahn und die Träume in W. Jensens »Gradiva«, 1907 (= GW 7, 31–125) 10 Ders., Der Dichter und das Phantasieren, 1908 (= GW 7, 213–223) 11 Ders., Totem und Tabu. Einige Übereinstimmungen im Seelenleben der Wilden und der Neurotiker, 1912/1913 (= GW 9) 12 Ders., Zur Einführung des Narzißmus, 1914 (= GW 10, 138–170) 13 Ders., Das Unheimliche, 1919 (= GW 12, 229–268) 14 Ders., Jenseits des Lustprinzips, 1920 (= GW 13, 3–69) 15 Ders., Massenpsychologie und Ich-Analyse, 1921 (= GW 13, 73–161) 16 Ders., Das Medusenhaupt, 1922/1940 (= GW 17, 47 f.) 17 Ders., Der Untergang des Ödipuskomplexes, 1924 (= GW 13, 395–402) 18 Ders., Die Verneinung, 1925 (= GW 14, 11–15) 19 Ders., Das Unbehagen in der Kultur, 1930 (= GW 14, 421–506) 20 Ders., Über die weibliche Sexualität, 1931 (= GW 14, 517–537) 21 Ders., Zur Gewinnung des Feuers, 1932 (= GW 16, 3–9) 22 Ders., Die endliche und die unendliche Analyse, 1937 (= GW 16, 59–99) 23 Ders., Der Mann Moses und die monotheistische Religion, 1937/1939 (= GW 16, 103–246) 24 Ders., Briefe an Wilhelm Fließ 1887–1904, hrsg. von J. M. MASSON, M. SCHRÖTER, 1986 25 Ders., J. BREUER, Studien über Hysterie, Leipzig/Wien 1895 26 C. ROBERT, Oidipus. Gesch. eines poetischen Stoffs im griech. Alt., 2 Bde., 1915 27 W. ROBERTSON SMITH, The Religion of the Semites. The Fundamental Institutions, Edinburgh 1889

LIT 28 K. ABRAHAM, Traum und Mythus. Eine Stud. zur Völkerpsychologie, 1909 29 G. AIGRISSE, Psychanalyse de la Grèce antique, 1960 30 C. F. ALFORD, The Psychoanalytic Theory of Greek Tragedy, 1992 31 R. J. ALMANSI, A Psychoanalytic Study of Sophocles' »Antigone«, in: The Psychoanalytic Quarterly 60, 1991, 69–85 32 D. ANZIEU, Œdipe avant le complexe ou de l'interprétation psychanalytique des mythes (1966), in: [34. 9–52] 33 Ders., Freud et la myth., in: Nouvelle revue de psychanalyse 1, 1970, 114–145 34 Ders. et al., Psychanalyse et culture grecque, 1980 35 N. B. ATKINS, The Oedipus myth, adolescence, and the succession of generations, in: Journal of the American Psychoanalytic Association 18, 1970, 860–875 36 S. BERNFELD, Sisyphos oder die Grenzen der Erziehung, 1925 37 Ders., Die Tantalussituation. Bemerkungen zum »kriminellen Über-Ich«, in: Imago 17,

1931, 252–267 **38** P. DU BOIS, Sowing the Body. Psychoanalysis and Ancient Representations of Women, 1988 **39** J. BOLLACK, Le modèle scientiste. Empédocle et Freud (1985), in: Ders., La Grèce de personne. Les mots sous le mythe, 1997, 107–114 **40** Ders., La naissance d'Œdipe, 1995 **41** Ders., Jacob Bernays. Un homme entre deux mondes, 1998 **42** Ders., La mort d'Antigone. La tragédie de Créon, 1999 **43** J. BREMMER, Oedipus and the Greek Oedipus Complex, in: Ders. (Hrsg.), Interpretations of Greek Mythology, 1987, 41–59 **44** N. O. BROWN, Psychoanalysis and the Classics, in: CJ 52, 1957, 241–245 **45** Ders., Life Against Death. The Psychoanalytical Meaning of History, 1959 **46** Ders., Love's Body, 1966 **47** M. BRUMLIK, C. G. Jung zur Einführung, 1993 **48** W. BURKERT, Homo necans. Interpretationen altgriech. Opferriten und Mythen, 1972 **49** Ders., Structure and History in Greek Mythology and Ritual, 1979 **50** Ders., Die betretene Wiese. Interpretenprobleme im Bereich der Sexualsymbolik, in: [77. 32–46] **51** Ders., Mythen um Ödipus. Familienkatastrophe und Orakelsinn, in: Freiburger Universitätsblätter 148, 2000, 7–20 **52** J. BUTLER, Politics and Kinship. Antigone for the Present, 2001 **53** R. BUXTON, Imaginary Greece. The contexts of mythology, 1994 **54** R. S. CALDWELL, Selected bibliography on psychoanalysis and the classical studies, in: [194. 117–134] **55** Ders., The Origins of the Gods. A Psychoanalytic Study of Greek Theogonic Myth, 1989 **56** Ders., The Psychoanalytic Interpretation of Greek Myth, in: L. EDMUNDS (Hrsg.), Approaches to Greek Myth, 1990, 344–389 **57** G. CAMBIANO, Eric Dodds entre psychanalyse et parapsychologie, in: RHR 208, 1991, 3–26 **58** F. M. CORNFORD, The Unconscious Element in Literature and Philosophy (1921), in: Ders., The Unwritten Philosophy and Other Essays, 1950, 1–13 **59** J. DERRIDA, Freud et la scène de l'écriture (1966), in: Ders., L'écriture et la différence, 1967, 293–340 **60** Ders., Marges de la philos., 1972 **61** Ders., La carte postale, de Socrate à Freud et au-delà, 1980 **62** Ders., Résistances de la psychanalyse, 1996 **63** G. DEVEREUX, Why Oedipus killed Laius. A Note on the Complementary Oedipus Complex in Greek Drama, in: International Journal of Psycho-Analysis 34, 1953, 132–141 **64** Ders., Penelope's Character, in: The Psychoanalytic Quarterly 26, 1957, 378–386 **65** Ders., Greek Pseudo-Homosexuality and the »Greek Miracle«, in: Symbolae Osloenses 42, 1968, 69–92 **66** Ders., The Psychotherapy Scene in Euripides' »Bacchae«, in: JHS 90, 1970, 35–48 **67** Ders., The Nature of Sappho's Seizure in Fr. 31 LP as Evidence for Her Inversion, in: CQ 20, 1970, 17–31 **68** Ders., La naissance d'Aphrodite, in: J. POUILLON, P. MARANDA (Hrsg.), Échanges et communications (= Mélanges Claude Lévi-Strauss), Bd. 2, 1970, 1229–1252 **69** Ders., The Self-Blinding of Oidipous in Sophokles: »Oidipous Tyrannos«, in: JHS 93, 1973, 36–49 **70** Ders., Dreams in Greek Tragedy, 1976 **71** Ders., Baubo. Die mythische Vulva, 1981 **72** Ders., The Character of the Euripidean Hippolytos. An Ethno-Psychoanalytical Study, 1985 **73** E. R. DODDS, The Greeks and the Irrational, 1951 **74** Ders., Pagan and Christian in an Age of Anxiety. Some Aspects of Religious Experience from Marcus Aurelius to Constantine, 1965 **75** F. DOSSE, Paul Ricœur. Les sens d'une vie, 1997 **76** K. DOWDEN, Approaching women through myth: vital tool or self-delusion?, in: R. HAWLEY, B. LEVICK (Hrsg.), Women in Antiquity. New assessments, 1995, 44–57 **77** H. P. DUERR (Hrsg.), Die wilde Seele. Zur Ethnopsychoanalyse von Georges Devereux, 1987 **78** L. EDMUNDS, Freud and the Father: Oedipus Complex and Oedipus Myth, in: Psychoanalysis and Contemporary Thought 8, 1985, 87–103 **79** H. F. ELLENBERGER, The Discovery of the Unconscious. The History and Evolution of Dynamic Psychiatry, 1970 **80** M. ERDHEIM, Sigmund Freud (1856–1939), in: W. MARSCHALL (Hrsg.), Klassiker der Kulturanthropologie, 1990, 137–150, 337 f. **81** S. FERENCZI, Symbolische Darstellung des Lust- und Realitätsprinzips im Ödipus-Mythos, in: Imago 1, 1912, 276–284 **82** M. FOUCAULT, Nietzsche, Freud, Marx (1967), in: Ders., Dits et écrits 1954–1988, Bd. 1, 1994, 564–574 **83** Ders., Histoire de la sexualité, 3 Bde., 1976/1984 **84** C. FRANK, »Weder Mensch noch Gebein«. Annäherung an eine »Erfindung«, die »Antigone« des Sophokles, in: J.-P. HAAS, G. JAPPE (Hrsg.), Deutungs-Optionen, 1995, 344–381 **85** A. FREUD, Das Ich und die Abwehrmechanismen, 1936 **86** E. FROMM, The Fear of Freedom, 1942 **87** L. GAMWELL, R. WELLS (Hrsg.), Sigmund Freud and Art. His Personal Collection of Antiquities, 1989 **88** C. GILL, Ancient Psychotherapy, in: Journal of the History of Ideas 46, 1985, 307–325 **89** J. GLENN, Psychoanalytic writings on Greek and Latin authors: 1911–1960, in: CW 66, 1972, 129–145 **90** Ders., Psychoanalytic writings on classical mythology and religion, 1909–1960, in: CW 70, 1976, 225–247 **91** H. GOMPERZ, Psychologische Beobachtungen an griech. Philosophen, in: Imago 10, 1924, 1–92 **92** A. GREEN, Un œil en trop. Le complexe d'Œdipe dans la tragédie, 1969 **93** Ders., Le mythe: un objet transitionnel collectif. Abord critique et perspectives psychanalytiques (1980), in: [95. 147–179] **94** Ders., Œdipe, Freud et nous (1981), in: [95. 69–146] **95** Ders., La déliaison. Psychanalyse, anthropologie et littérature, 1992 **96** E. GUBEL (Hrsg.), Le Sphinx de Vienne. Sigmund Freud, l'art et l'archéologie, 1993 **97** H. C. HALBERSTADT-FREUD, Electra versus Oedipus. Psychoanalytische visies op de moeder-dochter relatie, 1997 **98** J. E. HARRISON, Themis. A Study of the Social Origins of Greek Religion (1912), ²1927 **99** Dies., Epilegomena to the Study of Greek Religion, 1921 **100** P. HORDEN (Hrsg.), Freud and the Humanities, 1985 **101** F. HUXLEY, Psychoanalysis and Anthropology, in: [100. 130–151] **102** A. INFRANCA, Edipo dal mito alla tragedia. Elementi per una costruzione dell' »In-dividuum«, in: Mythos 4, 1992, 137–153 **103** E. JONES, Ps. und Anthropologie, in: Imago 10, 1924, 133–158 **104** Ders., Das Mutterrecht und die sexuelle Unwissenheit der Wilden, in: Imago 13, 1927, 199–222 **105** Ders., The Life and Work of Sigmund Freud, 3 Bde., 1953–1957 **106** C. G. JUNG, Gesammelte Werke, 20 Bde., 1958–1991 **107** Ders., Wandlungen und Symbole der Libido. Beiträge zur Entwicklungsgesch. des Denkens (1912), 1991 **108** Ders., Über die Archetypen des kollektiven Unbewußten, in: Eranos-Jb. 2, 1934, 179–229 **109** Ders., K. KERÉNYI, Einführung in das Wesen der Myth. Das göttl. Kind/Das göttl. Mädchen, 1941 **110** L. KAHN, La petite maison de l'âme, 1993 **111** M. KANZER, On Interpreting the Oedipus Plays, in: The Psychoanalytic Study of Society 3, 1964, 26–38 **112** M. KLEIN, Die Ps. des Kindes, 1932 **113** Dies., Some Reflections on »The Oresteia« (1963), in: Dies., Envy and Gratitude and Other Works 1946–1963, 1975, 275–299 **114** K.-P. KOEPPING, Unzüchtige und enthaltsame Frauen im Demeterkult. Kritische Anm. zur strukturalistischen und psychoanalytischen Interpretation griech. Mythen und

Riten, in: [77. 85–123] **115** J. LACAN, Au-delà du »Principe de réalité« (1936), in: [117. 73–92] **116** Ders., L'essence de la tragédie. Un commentaire de l'»Antigone« de Sophocle, in: Ders., Le séminaire 7: L'éthique de la psychanalyse (1959/60), 1986, 283–333 **117** Ders., Écrits, 1966 **118** V. LANGHOLF, Die »kathartische Methode«. Klass. Philol., lit. Trad. und Wissenschaftstheorie in der Frühgesch. der Ps., in: Medizinhistor. Journal 25, 1990, 5–39 **119** T. LAQUEUR, Making Sex. Body and Gender from the Greeks to Freud, 1990 **120** J. LE RIDER, Freud zw. Aufklärung und Gegenaufklärung, in: J. SCHMIDT (Hrsg.), Aufklärung und Gegenaufklärung in der europ. Lit., Philos. und Politik von der Ant. bis zur Gegenwart, 1989, 475–496 **121** Ders., Modernités viennoises et crises de l'identité (1990), ²1994 **122** Ders., Philol. grecque et formation de la théorie psychanalytique. Sigmund Freud et Theodor Gomperz, in: Essaim. Revue de psychanalyse 7, 2001, 203–217 **123** C. LÉVI-STRAUSS, Les structures élémentaires de la parenté, 1947 **124** Ders., Tristes Tropiques, 1955 **125** Ders., La structure des mythes (1955), in: Ders., Anthropologie structurale, 1958, 227–255 **126** Ders., La potière jalouse, 1985 **127** I. M. LEWIS, Ecstatic Religion. A Study of Shamanism and Spirit Possession, 1971 **128** H. LLOYD-JONES, Psychoanalysis and the Study of the Ancient World, in: [100. 152–180] **129** N. LORAUX, L'âme de la cité. Réflexions sur une psychè politique, in: L'écrit du temps 14/15, 1987, 35–54 **130** Dies., Sur un non-sens grec. Œdipe, Théognis, Freud, in: L'écrit du temps 19, 1988, 19–36 **131** Dies., Les expériences de Tirésias. Le féminin et l'homme grec, 1989 **132** B. MALINOWSKI, Mutterrechtliche Familie und Ödipuskomplex, in: Imago 10, 1924, 228–277 **133** L. MARINELLI (Hrsg.), »Meine . . . alten und dreckigen Götter«. Aus Sigmund Freuds Slg., 1999 **134** W. J. MCGRATH, Dionysian Art and Populist Politics in Austria, 1974 **135** L. MESKELL, The Irresistible Body and the Seduction of Archaeology, in: D. MONTSERRAT (Hrsg.), Changing Bodies, Changing Meanings. Studies on the Human Body in Antiquity, 1998, 139–161 **136** A. METTE, Nietzsches »Geburt der Trag.« in psychoanalytischer Beleuchtung, in: Imago 18, 1932, 67–80 **137** K. MEULI, Der griech. Agon. Kampf und Kampfspiel im Totenbrauch, Totentanz, Totenklage und Totenlob (1926), hrsg. v. R. MERKELBACH, 1968 **138** R. N. MITCHELL-BOYASK, Freud's Reading of Classical Literature and Classical Philology, in: S. L. GILMAN et al. (Hrsg.), Reading Freud's Reading, 1994, 23–46 **139** M. MOSCOVICI, J.-M. REY (Hrsg.), Œdipe (= L'écrit du temps 12), 1986 **140** E. MÜHLLEITNER, Biographisches Lex. der Ps. Die Mitglieder der Psychologischen Mittwoch-Ges. und der Wiener Psychoanalytischen Vereinigung 1902–1938, 1992 **141** W. MUENSTERBERGER, C. NICHOLS, Róheim and the Beginnings of Psychoanalytic Anthropology, in: [161. ix–xxvi] **142** P. MULLAHY, Oedipus. Myth and Complex, 1948 **143** M. NACHMANSOHN, Freuds Libidotheorie verglichen mit der Eroslehre Platos, in: Internationale Zschr. für ärztliche Ps. 3, 1915, 65–83 **144** V. NIKOLOVA, The Oedipus Myth: An Attempt at Interpretation of Its Symbolic Systems, in: [168. 96–108] **145** M. NOUILHAN, Freud lecteur de la tragédie grecque, in: Pallas 38, 1992, 117–129 **146** M. C. NUSSBAUM, The »Oedipus Rex« and the Ancient Unconscious, in: [168. 42–71] **147** R. PADEL, Whom Gods Destroy. Elements of Greek and Tragic Madness, 1995 **148** C. PAGLIA, Sexual Personae. Art and Decadence from Nefertiti to Emily Dickinson, 1990

149 S. B. POMEROY, Goddesses, Whores, Wives, and Slaves. Women in Classical Antiquity, 1975 **150** S. R. F. PRICE, The Future of Dreams: From Freud to Artemidorus, in: Past & Present 113, 1986, 3–37 **151** P. PUCCI, Oedipus and the Fabrication of the Father. »Oedipus Tyrannus« in Modern Criticism and Philosophy, 1992 **152** O. RANK, Der Mythus von der Geburt des Helden. Versuch einer psychologischen Mythendeutung, 1909 **153** Ders., Das Inzest-Motiv in Dichtung und Sage. Grundzüge einer Psychologie des dichterischen Schaffens, 1912 **154** Ders., Homer. Psychologische Beitr. zur Entstehungsgesch. des Volksepos, in: Imago 5, 1917, 133–169 **155** Ders., Das Trauma der Geburt und seine Bed. für die Ps., 1924 **156** Ders., H. SACHS, Die Bed. der Ps. für die Geisteswissenschaften, 1913 **157** A. V. RANKIN, Euripides' Hippolytus. A Psychopathological Hero, in: American Imago 25, 1968, 333–346 **158** R. RANSOHOFF, Sigmund Freud, Collector of Antiquities, Student of Archaeology, in: Archaeology 28, 1975, 102–111 **159** T. REIK, Oedipus und die Sphinx, in: Imago 6, 1920, 95–131 **160** P. RICŒUR, De l'interprétation. Essai sur Freud, 1965 **161** G. RÓHEIM, The Riddle of the Sphinx, or Human Origins (1934), 1974 **162** Ders., Aphrodite, or The Woman with a Penis, in: The Psychoanalytic Quarterly 14, 1945, 350–390 **163** Ders., Psychoanalysis and Anthropology. Culture, Personality, and the Unconscious, 1950 **164** E. ROUDINESCO, Jacques Lacan. Esquisse d'une vie, histoire d'un système de pensée, 1993 **165** Dies., Carl Gustav Jung: De l'archétype au nazisme. Dérives d'une psychologie de la différence, in: L'infini 63, 1998, 73–94 **166** Dies., M. PLON, Dictionnaire de la psychanalyse, 1997 **167** P. L. RUDNYTSKY, Freud and Oedipus, 1987 **168** Ders., E. H. SPITZ (Hrsg.), Freud and Forbidden Knowledge, 1994 **169** R. DE SAUSSURE, Le complexe de Jocaste, in: Internationale Zschr. für Ps. 6, 1920, 118–122 **170** T. J. SCHEFF, Catharsis in Healing, Ritual, and Drama, 1979 **171** R. SCHLESIER, Konstruktionen der Weiblichkeit bei Sigmund Freud. Zum Problem von Entmythologisierung und Remythologisierung in der psychoanalytischen Theorie, 1981 **172** Dies., Humaniora. Eine Kolumne, in: Merkur 429, 1984, 817–823 **173** Dies., Jerusalem mit der Seele suchen. Mythos und Judentum bei Freud, in: F. GRAF (Hrsg.), Mythos in mythenloser Ges. Das Paradigma Roms, 1993, 230–267 **174** Dies., Kulte, Mythen und Gelehrte. Anthropologie der Ant. seit 1800, 1994 **175** Dies., »Umwertung aller psychischen Werte«. Freud als Leser von Nietzsche, in: C. JAMME (Hrsg.), Grundlinien der Vernunftkritik, 1997, 243–276 **176** Dies., Auf den Spuren von Freuds Ödipus, in: H. HOFMANN (Hrsg.), Ant. Mythen in der europ. Trad., 1999, 281–300 **177** Dies., Hermeneutik auf dem Königsweg zum Unbewußten. Freuds »Traumdeutung«, in: W. ERHART, H. JAUMANN (Hrsg.), Jh.-Bücher. Große Theorien von Freud bis Luhmann, 2000, 14–37, 427–432 **178** Dies., Die Sphinx Freud, in: H. R. BRITTNACHER, F. STOERMER (Hrsg.), Der schöne Schein der Kunst und seine Schatten, 2000, 195–209 **179** Dies., s. v. Strukturalismus, in: H. CANCIK, B. GLADIGOW, K.-H. KOHL (Hrsg.), Hdb. religionswiss. Grundbegriffe, Bd. 5, 2001, 106–123 **180** Dies., Freuds Dionysos, in: A. AURNHAMMER, T. PITTROF (Hrsg.), »Mehr Dionysos als Apoll«. Antiklassizistische Ant.-Rezeption um 1900, 2002, 181–204 **181** G. SCHMID NOERR, Myth. des Imaginären oder imaginäre Myth.? Zur Gesch. und Kritik der psychoanalytischen Mythendeutung, in: Psyche 36, 1982, 577–608 **182** C. SEGAL, Pentheus and Hippolytus on the

Couch and on the Grid. Psychoanalytic and Structuralist Readings of Greek Tragedy, in: CW 72, 1978/79, 129–148 **183** Ders., Sophocles' »Oedipus Tyrannus«: Freud, Language, and the Unconscious, in: [168. 72–95] **184** R. SEIDENBERG, E. PAPATHOMOPOULOS, The Enigma of Antigone, in: International Review of Psycho-Analysis 1, 1974, 197–205 **185** H. SILBERER, Phantasie und Mythos, in: Jb. für psychoanalytische und psychopathologische Forschungen 2, 1910, 541–622 **186** Ders., Das Zerstückelungsmotiv im Mythos, in: Imago 3, 1914, 502–523 **187** B. SIMON, Mind and Madness in Ancient Greece. The Classical Roots of Modern Psychiatry, 1978 **188** Ders., Recognition in Greek Tragedy: Psychoanalytic on Aristotelian Perspectives, in: [168. 109–127] **189** G. SISSA, Interpreting the implicit. George Devereux and the Greek myths, in: S. HEALD, A. DELUZ (Hrsg.), Anthropology and Psychoanalysis. An encounter through culture, 1994, 29–39 **190** P. E. SLATER, The Glory of Hera. Greek Mythology and the Greek Family, 1968 **191** C. STEIN, »Œdipe Roi« selon Freud, in: M. DELCOURT, Œdipe ou la légende du conquérant, 1944/1981, V–XXVII **192** G. STEINER, Antigones. The Antigone myth in Western literature, art and thought, 1984 **193** H. STRASBURGER, Ps. und Alte Gesch., in: Ders., Stud. zur Alten Gesch., hrsg. v. W. SCHMITTHENNER, R. ZOEPFFEL, Bd. 2, 1982, 1098–1110 **194** J. P. SULLIVAN (Hrsg.), Psychoanalysis and the Classics (= Arethusa 7/1), 1974 **195** J. E. TOEWS, Having and Being. The Evolution of Freud's Oedipus Theory as a Moral Fable, in: M. S. ROTH (Hrsg.), Freud. Conflict and Culture, 1998, 65–79, 241 f. **196** S. VALANTIN-CHARASSON, A. DELUZ, Contrefiliations et inspirations paradoxales: Georges Devereux (1908–1985), in: Revue internationale d'histoire

de la psychanalyse 4, 1991, 605–617 **197** H. VERMOREL, Castration et mort dans le mythe de la tête de Méduse interprété par Freud, in: Kentron 9, 1993, 65–73 **198** Ders. et al. (Hrsg.) Freud, judéité, lumières et romantisme, 1995 **199** J.-P. VERNANT, Œdipe sans complexe (1967), in: Ders., P. VIDAL-NAQUET, Mythe et tragédie en Grèce ancienne, 1977, 77–98 **200** R. VOGT, Ps. zw. Mythos und Aufklärung oder Das Rätsel der Sphinx, 1986 **201** C. WALDE, Dream Interpretation in a Prosperous Age? Artemidorus, the Greek Interpreter of Dreams, in: D. SHULMAN, G. G. STROUMSA (Hrsg.), Dream Cultures. Explorations in the Comparative History of Dreaming, 1999, 121–142 **202** K. WALDNER, Geburt und Hochzeit des Kriegers. Geschlechterdifferenz und Initiation in Mythos und Ritual der griech. Polis, 2000 **203** E. R. WALLACE IV, Freud and Anthropology. A History and Reappraisal, 1983 **204** C. WEISS, H. WEISS, Dem Beispiel jener Forscher folgend... Zur Bed. der Arch. im Leben Freuds, in: Luzifer-Amor 3, 1989, 45–71 **205** D. WERMAN, Methodologicial Problems in the Psychoanalytic Interpretation of Literature: A Review of Stud. on Sophocles' »Antigone«, in: Journal of the American Psychoanalytic Association 27, 1979, 451–478 **206** J.J. WINKLER, The Constraints of Desire. The Anthropology of Sex and Gender in Ancient Greece, 1990 **207** A. v. WINTERSTEIN, Psychoanalytische Anmerkungen zur Gesch. der Philos., in: Imago 2, 1913, 175–237 **208** Ders., Der Ursprung der Trag. Ein psychoanalytischer Beitr. zur Gesch. des griech. Theaters, 1925 **209** B. WOLMAN, The Antigone Principle, in: American Imago 22, 1965, 186–210 **210** F. I. ZEITLIN, Playing the Other. Gender and Society in Classical Greek Literature, 1996. RENATE SCHLESIER

Q

Quellenkritik s. Historische Methoden

Querelle des Anciens et des Modernes
A. DIE GRUNDTHESE DER QUERELLE
B. VORGESCHICHTE, GESCHICHTE UND REZEPTION DER QUERELLE   C. HISTORISCHE UND SACHLICHE VORAUSSETZUNGEN DER QUERELLE
D. ERBLASTEN DER QUERELLE

A. DIE GRUNDTHESE DER QUERELLE
Es gibt in der europ. Geistesgeschichte mehrere Phasen, in denen der Versuch gemacht wurde, das Eigentümliche der jeweils neuen Gegenwart aus einer direkten Konfrontation mit »der« Ant. zu erklären, noch viel häufiger gibt es in einzelnen Bereichen eine unmittelbare Abgrenzung des jeweils »Modernen« gegen »das Antike«. Besondere Aufmerksamkeit hat in der Forsch. v. a. die »Querelle des Anciens et des Modernes« (Q.) gefunden. In einem Gedicht auf das »Siècle de Louis le Grand«, vorgetragen auf einer Sitzung der Académie

Française 1687, brachte Charles Perrault seine Überzeugung von der Überlegenheit der Moderne so nachdrücklich zum Ausdruck, daß die seit der frühen Neuzeit geführte Diskussion um die Ebenbürtigkeit der Moderne gegenüber der Ant. in einem Streit mit breiter Wirkung noch einmal aufflammte. Gegenüber den »Antikefreunden« Pierre Boileau, Jean de La Fontaine (u. a.) arbeitete Perrault in fünf zw. 1688 und 1697 erschienenen Dialogen eine neue, alle Künste und Wiss. umfassende *Parallèle des Anciens et des Modernes* aus [8]. Wie für viele vor ihm und nach ihm ist auch für Perrault das leitende Kriterium, das die Differenz zw. der Moderne und der Ant. begründet, das »Licht der Vernunft«. Die v. a. durch Descartes ermöglichte methodische Klarheit des Denkens, die darauf gestützte Anwendung der Mathematik auf die Physik und die Klarheit der Regeln in den Künsten heben die eigene Gegenwart auch über die wegen ihrer Vorbildlichkeit bewunderte Ant. hinaus. Bernard le Bovier de Fontenelle, der sich — beeinflußt v. a. durch Desmaret de Saint Sorlin (*La com-*

paraison de la langue et de la poésie française avec la grecque et la latine, 1670) und Dominique Bouhours (*Entretiens d'Ariste et de Eugène*, 1671) – begeistert an Perrault anschloß, brachte in seiner *Geschichte der Akad. der Wiss. zw. 1666 und 1699* (*Histoire de L'Académie des Sciences*, 1694–1727) diese Gründe noch einmal knapp und klar auf den Begriff: ›Lorsqu' après une longue barbarie, les sciences et les arts commencèrent à renaître en Europe, l'éloquence, la poésie, la peinture, l'architecture, sortirent les premiers des ténèbres; et, dès le siècle passé, elles reparurent avec éclat. (…) Ce n'est guère que ce siècle-ci que l'on peut compter le renouvellement des mathématiques et de la physique. Descartes et d'autres grands hommes y ont travaillé avec tant de succès, que dans ce genre de littérature tout a changé de face. On a quitté une physique stérile (…), le règne des mots et des termes est passé, on veut des choses (…). L'autorité a cessé d' avoir plus de poids que la raison (…)‹ [4. 174]. Fontenelle steht mit den in dieser Weise formulierten Vorstellungen in einer langen Trad. (vgl. z.B. die im Wortlaut beinahe identischen Äußerungen schon bei Leonardo Bruni in seiner Petrarca-Vita (1436) [2. 64–66; 5. 14]). Fundamental für Fontenelles Konstruktion der Moderne ist das Bewußtsein eines Bruchs mit dem Mittelalter. Mit den Humanisten der Ren. begreift er das MA als eine Zeit der Barbarei, in der (1) Autoritäten an Stelle der Vernunft herrschten und (2) sterile Begriffsdistinktionen die Auseinandersetzung mit den unmittelbaren Gegenständen der Erfahrung unmöglich gemacht hätten. Über die »Wiedergeburt« von Wiss. und Kunst in der Ren. hinaus ist es aber erst das eigene Jh., in dem, insbes. durch die Leistung Descartes', die Vernunft ganz zu sich selbst gekommen sei. Erst dadurch konnten Wiss. und Künste wieder voll hergestellt und eine mathematisch kontrollierte, experimentelle Naturwiss. geschaffen werden.

B. VORGESCHICHTE, GESCHICHTE UND REZEPTION DER QUERELLE

Trotz der Tatsache, daß die Überzeugung, das MA sei eine dunkle, kunst- und wissenschaftslose Zeit gewesen, in ihrem Vorurteilscharakter längst durchschaut und durch eine Vielzahl von Einzelforsch. widerlegt ist, sind die zuvor genannten Einschätzungen bisher kaum in Frage gestellt worden, so daß eine histor. kritische Analyse der Konstruktionsbedingungen der Ant.-Moderne-Antithese immer noch ein Forschungsdesiderat bildet. Gegenstand bisheriger Forsch. sind 1. Vorformen der Q. in Ant. und MA, 2. die Vorgeschichte der Q. in der Ren., 3. gleichzeitige Parallelen und unmittelbare Wirkungen der Q. in England und Deutschland, 4. Nachwirkungen und konzeptuelle Parallelen des Ant.-Moderne-Vergleichs nach der Querelle.

1. Vorformen: Obwohl es auch in Ant. und MA viele Formen einer Entgegensetzung des Neuen gegen das Alte gibt und viele dort ausgebildete Topoi von den Gegnern in den neuzeitlichen Formen der Q. weiter benutzt werden [14. 256–261; 16. 11 ff.], gibt es in keiner dieser Auseinandersetzungen das Bewußtsein eines

radikalen Traditionsbruchs. Die spezifischen Gründe, die dazu geführt haben, das MA zu einer ›Nullzeit‹ [15] zu erklären, machen erst das Besondere der mod. Formen der Q. aus.

2. Vorgeschichte: Das Geschichtsbewußtsein, das sich von seiner eigenen, unmittelbaren Vergangenheit als einer dunklen, barbarischen, kunst- und wissenschaftslosen Zeit abgrenzt und seine »Modernität« als unmittelbare Wiederherstellung »der Ant.« begreift, läßt sich seit dem 14. Jh. reich belegen [15; 13]. Neben vielen Äußerungen etwa von F. Petrarca, G. di Boccaccio, L. Bruni, L. Valla, P. della Mirandola, M. Ficino, N. Machiavelli, L. Battista Alberti, M. Nizzolio, G. Vasari usw., neben ersten Begriffsbildungen des Wiedergeburtstopos etwa bei M. Palmieri (*Della vita civile* (1432) [6. 38]), der von einem ›rinascere l' arti perdute‹ spricht, gibt es seit der Mitte des 15. Jh. umfassend ausgearbeitete Vergleiche zw. Ant. und Moderne. Besonders einflußreich waren: B. Acolti, *De praestantia virorum sui aevi dialogus* (1460), Cristóbal de Villalón, *Ingeniosa comparación entre lo antiguo y lo presente* (1539), Alessandro Tassoni, *Paragone degl' ingegni antichi e moderni* (= *Pensieri diversi* (X), 1620). Charakteristisch für alle diese Vergleiche ist, daß die Leistungen der Ant. und der Moderne »vor dem Richterstuhl der Vernunft« geprüft werden und daß die Überlegenheit oder Ebenbürtigkeit der Moderne auf den selbständigen, methodischen Gebrauch eben dieser Vernunft gegründet wird. Im Gefolge einer breiten Diskussion um das Verhältnis von *ingenium* (und mit *ingenium* verbunden sind die Begriffe des Geschmacks, des *common sense*, des *bon sens*, des *criticism*, der Urteilskraft, des Genies, des Schöpferischen, der Erfindungskraft, *inventio* usw.) und *iudicium* (mit diesem Begriff verbinden sich die Begriffe von *studium*, *ars*, *ratio*, Verstand, Begriff, Regel, Methode, Experiment usw.), dessen »klass.« Formulierung Quintilian (inst. 10,1,130; 10,2,12) gegeben hatte, bildet sich schon bald diejenige Lösungsstrategie für den Streit zw. Moderne und Ant. aus, der auch Perrault wieder folgen wird: Fortschritt hat seine Bedingungen v. a. im Bereich des *iudicium*, im Bereich von Intellekt, Methode, Regel, Erfahrung; im Bereich des *ingenium*, wo es um Geschmack, Anschauung und Gefühl geht, gibt es keine vergleichbaren Fortschrittskriterien, hier kann die Ant. gleichwertig oder sogar überlegen sein. Jauß' These, diese Lösungsstrategie habe Perrault erst im Zuge der Ausarbeitung seiner *Parallèle* gefunden, beachtet diese über Jh. hin geführte Diskussion nicht [8. 41 ff.].

3. Parallelen:

a. England: Die bedeutendsten Beitr. zur Q. in England, die dort, nach dem gleichnamigen Werk J. Swifts, als »The Battle of the Books« v. a. zw. Th. Burnet, W. Wotton und R. Bentley auf Seiten der Modernen und Sir W. Temple, J. Swift und J. Dryden auf Seiten der Antikefreunde geführt wurde, dürften Wottons *Reflections upon Ancient and Modern Learning* (1694) und Drydens *Essay on Dramatick Poesy* (1668) darstellen. Die Argumente, die in der »Battle of the Books« gewechselt

werden, sind – z. T. durch die Vermittlung Ch. de Marguetel de Saint-Denis de Saint-Évremonds, z. T. weil
die traditionellen Diskurse die gleichen sind (Drydens
Essay von 1668 geht der Q. voraus und diskutiert doch
analoge Probleme) – weitgehend identisch mit denen,
die in der Q. in Frankreich vorgebracht wurden. Wotton betont die Differenz zw. Kunst und Wiss., für Dryden liegt die Überlegenheit der mod. Literatur in einer
skeptischen Reflexivität, die sie von einer dogmatischen
Befolgung der Regeln eines klass., d. h. an bloße Naturnachahmung gebundenen Schönheitsideals frei
macht. Es sind nach Dryden der »wit« und die beseelte
Innerlichkeit des Gefühls, die Shakespeare zum Homer
der Moderne machen.

b. Deutschland: Auch in Deutschland beginnt der
Ant.-Moderne-Vergleich nicht erst mit der frz. Querelle. Ähnlich wie in Frankreich wird auch in Deutschland die Überlegenheit der Moderne v. a. auf die Wis-
senschaftskritik durch J. L. Vives, F. Bacon und R. Descartes zurückgeführt [17. 11], auch wenn Descartes,
z. B. von J. Ch. Gottsched [17. 147–150, 158], oftmals
mit Kritik behandelt [17. 375 ff.] wird. Die Diskussion
in Deutschland ist häufig auf inneruniversitäre Auseinandersetzungen beschränkt und erreicht nicht die breite
Wirkung wie in Frankreich und England. Die Reaktion
auf die frz. Q. setzt aber nicht, wie die Forsch. lange
behauptete, erst mit J. J. Winckelmann und J. G. Herder
ein, die Rezeption ist vielmehr von Anf. an intensiv und
wird mit vertrauten Argumenten und auch von führenden Köpfen wie Gottsched geführt. Das Verhältnis der
Moderne zur Ant. wird auch in Deutschland meistens
danach bestimmt, in welcher Weise *ingenium* oder *iudicium* in der jeweiligen Epoche vorherrschen. Dementsprechend billigt man der Ant. in denjenigen Disziplinen, die v. a. vom *ingenium* abhängen, den Vorrang zu,
während die Moderne dort als überlegen gilt, wo es auf
das *iudicium* ankommt. Für B. H. Ehrenberger, *Dissertatio academica de studio novitatis in philosophia* (1712), gehören die poetischen, rhet. und histor. Disziplinen zum
ingenium; die Metaphysik als ›critische Philos.‹, Mathematik, Physik und Ethik dagegen zum *iudicium*. Ähnlich
urteilen J. Ch. Otto (1716), A. Haller (1734), G. H. Ay-
rer (1735) [17. 378 f.], um nur einige wichtige Namen
zu nennen. Anders als Krauss meint, der in J. B. Dubos'
Réflexions critiques sur la poésie et la peinture (1719) den
ersten Vertreter der Lehre von der gegensätzlichen Ent-
wicklungsrichtung von sinnlichen Künsten mit ihrer
Vollendung am Anf. und logischen Wiss. mit ihrem stetigen Fortschritt sieht [18. XXXVIIf.), berufen sich die
dt. Autoren des 18. Jh. eher auf A. Baillet, *Jugements
scavans sur les principaux ouvrages des auteurs* (1685), und
auf Wotton [17. 380]. Für die Entwicklungsgeschichte
der Univ. hat diese Unterscheidung eine Auflösung des
traditionellen Konzepts der → Artes liberales zur Folge.
Die Fächer des sog. Triviums bilden nun die schönen
Künste und Wiss., weil sie als primär mit der Sprache
befaßte Fächer dem Kompetenzbereich des *ingenium*
zugewiesen wurden, und werden als *studia humanitatis*

zu Vorläufern der späteren Geisteswiss. (»humanities«),
während die Fächer des sog. Quadriviums zusammen
mit der Physik und einigen mechanischen Künsten als
»höhere Wiss.« die Vorform der heutigen Naturwiss.
bilden [17. 164–206]. Daß der Geist dieser Unterscheidung nicht auf akad. Diskurse beschränkt blieb, mögen
einige Verse G. E. Lessings belegen, die zugleich zeigen
können, wie groß die Bed. des Anti-Aristotelismus in
diesem Modernitätsbewußtsein ist: ›Das Alter wird uns
stets mit dem Homer beschämen,/ Und unsrer Zeiten
Ruhm muß Newton auf sich nehmen/ (...) Die Wahrheit kam zu uns im Glanz herabgeflogen,/ Ließ Newton
sehn, wo sich der Stagirit betrogen/ (...) Wird Aristoteles nicht ohne Grund gepriesen,/ Dem nie sich die
Natur, als unterm Flohr, gewiesen?/ Ein dunkler Wör-
terkram von Form und Qualität/ Ist, was er andre lehrt
und selber nicht versteht‹ [17. 207]. Daß auch in
Deutschland die (vorgeblich) durch das Christentum
verfeinerte und verinnerlichte Moral zum Überlegenheitsbewußtsein der Moderne gehört und daß der Widerspruch, daß sich dieses Überlegenheitsbewußtsein
gerade gegen das christl. MA absetzt, weder von den
Zeitgenossen noch von der gegenwärtigen Forsch. notiert wird, sollte wenigstens angemerkt werden.

4. Nachwirkungen: Im Gefolge der Q. bildet sich in
Frankreich zu Beginn des 18. Jh. noch eine »Querelle
d'Homère«, an der sich v. a. J. M. Bouvière de La Motte
und A. Dacier beteiligen. Neue Argumente entstehen
hier kaum. Große wirkungsgeschichtliche Bed. bis in
die Gegenwart hat aber die Q. dort bekommen, wo ihre
Resultate wie etwa bei J. G. Herder, F. Schiller oder F.
Schlegel eine kongeniale Aufnahme fanden und ge-
danklich und philos. vertieft und weiterentwickelt wurden. Auch für Herder, Schiller und Schlegel liegt der
Gegensatz von Antikem und Modernem in dem Gegensatz zw. einer schönen Sinnlichkeit, bei der sich das
Innere und der Geist noch in ›unmittelbaren, ersten,
ungeschminkten Regungen‹ [3. 215] ausdrückte, bei
der die Kunst von Natur aus, d. h. von selbst, Regel,
Symmetrie und Vollkommenheit zeigte [22; 21], und
einer reflektierten, sentimentalischen, künstlichen
Form der Kunst und des Lebens. Der »naive« Künstler
bei Schiller gehört damit zum Bereich des »Ingeniösen«,
er erfüllt der Sache nach die Bedingungen, die man im
16. und 17. Jh. vom Geschmack erwartete: Er erfaßt das
Schöne ohne Begriff, aber dennoch so, wie es dem Begriff gemäß wäre, nur vollendeter, weil vom Verstand
noch nicht zergliedert und entleert. Herder zieht aus
diesem Unterschied v. a. den Schluß, daß die Zeiten
überhaupt gegeneinander verschieden und nicht vergleichbar seien [9. 56 ff.]. Schiller und Schlegel versuchen, die Implikationen des Unterschieds des Natürlichen und Künstlichen, des Naiven und Sentimentalischen von vielen Aspekten her zu entfalten; v. a. aber
geht es ihnen um eine dialektische Überbietung dieses
Gegensatzes und seine Vereinigung in einer »höheren«
Einheit, der im eigentlichen Sinn erst das Prädikat der
wahren Modernität zugesprochen werden dürfe (zu
Schiller [24], zu Schlegel [22; 16. 75–106]).

C. Historische und sachliche
Voraussetzungen der Querelle

»Die Ant.« und »die Moderne« sind keine aus histor. Forsch. hervorgegangenen → Epochenbegriffe. Sie sind nicht Resultat der Ermittlung verbindender Gemeinsamkeiten unter einer Vielzahl von Einzeldaten, sondern sie sind entstanden aus der Überzeugung, der systematische Unterschied zw. Anschauung und Verstand sei eine Entdeckung, die die Zeit nach dieser Entdeckung, die »Moderne«, radikal von ihrer gesamten Vergangenheit trenne. Anschauliches und rationales Denken sind damit die Signen zweier geschichtlicher Bewußtseinsstufen, für ein der Anschauung »verfallenes« und ein den (eigenen) Verstand gebrauchendes Denken. Es ist die Orientierung an diesem Kriterium, die dazu führt, daß in allen Formen des Ant.-Moderne-Vergleichs in der Neuzeit Ant. und Moderne – allen entgegenstehenden Zeugnissen zum Trotz – als Epochen behandelt werden, die von einer einheitlichen geistigen Physiognomie geprägt sein sollen. Die wichtigste Voraussetzung dieser Epochenkonstruktion bildet die spezifische Art der (konzeptuellen) Abgrenzung der Neuzeit gegen das Mittelalter. Die immer wieder neu vorgebrachten Argumente, die das MA insgesamt dadurch in seiner histor. Besonderheit charakterisieren, daß es als das negative Gegenbild der Errungenschaften gezeichnet wird, die die Moderne für sich beansprucht, beziehen sich a) darauf, daß das MA eine Zeit metaphysischer Spekulationen und rein abstrakter Begriffsdistinktionen gewesen sei, ohne daß sich dieses abstrakte Räsonnieren um eine Basis und eine Kontrolle in Anschauung und Erfahrung bemüht hätte; b) darauf, daß die Menschen im MA naiv der Anschauung und rel. und gesellschaftlichen Autoritäten vertraut hätten, ohne kritische Reflexion auf die methodischen Bedingungen eines richtigen Verstandesgebrauchs anzustellen. Aus dieser zweideutigen Kritik ergeben sich nicht weniger ambivalente Folgerungen für das mod. Selbstverständnis: Das Besondere der Moderne wird gesehen a) in der Abwendung von einem bloßen Jenseitsbezug des Lebens und der Hinwendung zu den sinnlich erfahrbaren und im subjektiven Gefühl erlebbaren Einzeldingen der Welt, in der Wende von den Begriffen und Methoden eines leeren, »überschwenglichen« Verstandes zu den Dingen selbst; b) in der Befreiung des Denkens von seiner Gebundenheit an das, was der Anschauung vor Augen liegt, durch die Vernunft. Das eminente und tausende Male zitierte Beispiel für diese Überwindung der Anschauung durch den Verstand ist die auf Mathematik und rationale Methodik gegründete Widerlegung des Augenscheins, die Sonne drehe sich um die Erde, durch N. Kopernikus und G. Galilei.

Aus dieser doppelten Überzeugung, endlich das bloße Räsonnieren durch Anschauung und Empfindung und das bloße Anschauen durch einen kritischen Verstandesgebrauch überwunden zu haben, ergibt sich auch die Konstruktion der Ant. als Kindheit des menschlichen Geistes, als einer frühen, der Anschauung verpflichteten Bewußtseinsstufe: Sie ist – anders als das kritisierte MA – durch Anschaulichkeit und Sinnlichkeit charakterisiert, aber – anders als die kritisch gewordene Moderne – auch durch eine unreflektierte Naivität. Erst so konnte es zu der Überzeugung kommen, die Ant. sei insgesamt in allen ihren Vertretern und Erscheinungen eine Zeit von Geschmack und Genie gewesen. Wie die Wahrnehmung nach außen gerichtet sei, so sei das anschauliche Denken der Ant. unmittelbar auf das sinnlich Gegenwärtige bezogen gewesen und habe Geist und Schönheit immer und nur in konkreter Erfahrung vergegenwärtigen können. Deshalb ist die Ant. eine Zeit der Kunst und nicht der Wissenschaft. Dem steht die Moderne entgegen, in der der Mensch sich zum ersten Mal wirklich auf sich selbst wendet und die Welt der Innerlichkeit des Gefühls und der spontanen Selbständigkeit des Denkens entdeckt. Die Phasen der Entdeckung von Innerlichkeit und Reflexivität können dabei unterschiedlich lokalisiert werden. In seinem berühmten Vergleich von Bildern des Zeuxis, Raffaels und Le Bruns führt Perrault die ant. Technik des Zeuxis auf eine bloße Wirkung der Sinne zurück, ihr »mimetisches« Ideal ist die Treue der Zeichnung; Raffaels Kunst der Ren. ist Ausdruck von Gemütsbewegungen, Le Bruns Kunst der nachcartesianischen Moderne ist – durch Abstufung des Lichts, durch Perspektive und Komposition – auf Vernunft gegründet [8. 51]. Später wird die Entdeckung der Innerlichkeit meistens dem christl. (»romantischen«) MA zugewiesen. Aus der Kombination beider »Entdeckungen« entstand die Vorstellung, erst in der Moderne gebe es ein freies, sittlich selbstverantwortliches Leben.

Diese Gleichsetzung von Ant. und Moderne mit zwei verschiedenen Bewußtseinsstufen schafft schon früh und verstärkt bei den Autoren der Q., z. B. bei Ch. de Marguetel de Saint-Denis de Saint-Évremond und F. R. de Chateaubriand, die Überzeugung, Ant. und Moderne seien gänzlich unvergleichbar, ihre Leistungen könnten überhaupt nicht aneinander gemessen werden. Sie könnten und dürften nur aus ihren je eigenen geschichtlichen Bedingungen verstanden werden. H. R. Jauß hat aus derartigen Äußerungen den Schluß gezogen, das eigentliche Ergebnis der Q. sei die Entstehung des histor. Bewußtseins [16]. Mit der Einsicht, daß das (sinnlich) Schöne der Ant. nicht ein absolutes, sondern ein relatives, auf das einfache und unvergleichbare Leben in der Ant. bezogenes Schönes sei, habe sich die Einsicht in die absolute Unvergleichlichkeit und Einmaligkeit jedes geschichtlichen Phänomens entwickelt. Diese inzw. in fast alle neueren Behandlungen der Q. übernommene These ist aber nicht nur deshalb problematisch, weil man auch ganz andere »Ursprünge« des histor. Denkens namhaft machen kann, sie beachtet v. a. auch die sachliche Begründung der Unvergleichlichkeit von Ant. und Moderne nicht. Es ist die Unvergleichbarkeit eines naiv-abhängigen mit einem vernünftig-selbständigen Leben, die verhindert, daß die geschichtlich verschiedenen Zeiten aneinander gemessen werden können, nicht die geschichtliche Verschiedenheit als solche. Jauß ist aber im Recht, wenn er belegt, daß die Übertragung eben jener sachlichen Differenz, die die Moderne zuerst nur gegenüber der Ant. empfand, auf den Unterschied, den spätestens seit 1800 jede Gegenwart gegenüber ihrer eigenen Vergangenheit meinte ansetzen zu müssen, ein allg. Bewußtsein der absoluten Historizität jeder geschichtlichen Erscheinung geschaffen hat. Die Besonderheit dieses »histor. Bewußtseins« wird freilich erst umgrenzbar, wenn man – im Sinn eines sich auf die histor. Bedingungen wirklich einlassenden Denkens – zur Kenntnis nimmt, daß es auch in der Ant. ein differenziertes Konzept von Geschichtlichkeit und dem Verhältnis von Sacherkenntnis und histor. Erkenntnis gegeben hat. Ein histor. Bewußtsein davon, daß zu unterschiedlichen Zeiten unterschiedliche Lebensbedingungen und gesellschaftliche Normen, Sitten, Moralvorstellungen usw. vorherrschend sind und den einzelnen Menschen beeinflussen (können) – also ein Bewußtsein von einem eigentlich selbstverständlichen Sachverhalt – mußte in der Neuzeit nicht erst entdeckt werden. Neu ist vielmehr die Überzeugung, histor. Bewußtsein gebe es erst, wenn die angenommene Differenz zw. der jeweiligen Gegenwart und Vergangenheit für absolut gehalten wird, wenn jedes geschichtliche Ereignis als absolut unvergleichbar mit jedem anderen gilt, d.h., wenn Gegenwart und Vergangenheit in eben der Antithese gesehen werden, in der sich die Moderne gegenüber der Ant. sieht. Gerade diese Relevanz, die die Ant.-Moderne-Antithese damit immer noch für das »gegenwärtige Bewußtsein der Modernität« (Jauß) hat, macht allerdings die Frage nach ihrer Legitimität dringend.

D. Erblasten der Querelle

Das erheblich umfassendere Wissen, das h. zur Verfügung steht, sollte einer Forsch., die sich selbst histor. Denken verpflichtet fühlt, verbieten, einfach das Selbstverständnis der Q.-Autoren konstatierend zu übernehmen und lediglich in seiner Wirkung auf spätere Rezeptionen zu beurteilen. Was war denn der Maßstab, an dem gemessen die gesamte Ant. und das MA als ein Zustand der Selbstvergessenheit des Denkens erschien? Wäre es nur die »cartesianische« Einsicht, auf die sich die Q.-Autoren v. a. berufen, die Einsicht, daß das Denken sich methodische Klarheit über die Prinzipien, nach denen es bei seinen Erkenntnisakten verfährt, in einer Reflexion auf sich selbst verschaffen muß, könnte man zum Beleg, daß es diese Reflexion auch in Ant. und MA gegeben habe, nicht nur gleich viele, sondern erheblich mehr Texte über »die Natur des Verstandes« aufbieten, als sie von der Ren. bis zur Aufklärung geschrieben wurden. In der Einleitung zu seinem Komm. zur aristotelischen Wissenschaftstheorie, den sog. *Zweiten Analytiken*, charakterisiert etwa Thomas von Aquin in belegbarer Übereinstimmung mit der Auslegungstrad. seit dem Beginn der ant. Aristoteles-Kommentierung diese Theorie folgendermaßen: Sie ist ›eine Wiss., die nicht nur deshalb rational sei, weil sie der Ratio gemäß verfährt, das gehört zu jedem methodischen Vorgehen, sondern deshalb, weil sie sich auf den Akt der Vernunft als auf ihren eigenen Gegenstand zurückwende‹ [1. 14]. Es gibt, wenn man von den Dialogen Platons absieht, beginnend mit Aristoteles bis ins hohe MA eine breite und kontinuierliche Trad. der Erkenntnis- und Wissenschaftstheorie, die ihre Basis in der Reflexion auf die Akte des Denkens selbst hat. Auch die These, die Ant. habe sich von der Bindung des Denkens an die Anschauung nicht lösen können (und nicht lösen wollen, in diesem »schönen Denken« soll ja einer der Vorzüge der Ant. liegen, um dessentwillen sie viel Bewunderung erfahren hat), kann nur vorgebracht werden, wenn die ausdrücklich und in großer Zahl formulierten Gegenpositionen nicht zur Kenntnis genommen werden.

Die griech. Philos. beginnt (bei dem vorsokratischen Philosophen Parmenides), wie H. Blumenberg zu Recht feststellt, ›mit der Entdeckung des Hiatus von Erscheinung und Sein, von Wahrnehmung und Denken‹ [11. 279], und die gesamte platonisch-aristotelisch geprägte Erkenntnistheorie der Ant. und des MA hält an dieser Entdeckung fest. Platon, dem im Sinn des Anschaulichkeitsvorurteils unterstellt wird, er habe Denken als ein geistiges Sehen (»intellektuelle Anschauung«) ausgelegt, betont nachdrücklich, daß das Begreifbare nicht wahrgenommen und nicht aus Wahrnehmbarem abgleitet werden kann (grundlegende Texte zum Beleg des erkenntniskritischen Charakters der platonischen Erkenntnistheorie sind: Plat. rep. 436b-c; 475d-480a; 523a-525a; 595c-597e; Phaid. 95b-102e, bes. 100a-102e). An den Gegenständen der Erfahrung nehmen wir Farbe, Form, Geräusch, Gerüche usw. wahr; mit den Möglichkeiten des begrifflichen Denkens erfassen wir, wie Platon formuliert, ihre *dýnamis*, ihr bestimmtes Vermögen, das uns zugänglich wird, wenn wir auf ihr Werk (*érgon*), d.h. das, was sie können und leisten, achten: Wenn ich erkennen will, was etwas kann, ›achte ich weder auf irgendeine Farbe noch auf eine bestimmte Struktur und überhaupt auf nichts derartiges (sc. Wahrnehmbares)(...), bei einem Vermögen blicke ich allein auf das hin, worauf es sich bezieht und was es leistet‹ (Plat. rep. 477c-d, s. auch ebd. 352d-353d). Wer mit einer Schere auf einen Gegenstand einwirkt, bezieht sich nur auf den Aspekt, unter dem er schneidbar ist, und die Schere wirkt als Schere und ist als Schere erkennbar genau dadurch, daß sie das Schneidbare schneiden kann. Erst von dieser begrifflichen Erkenntnis her werden die Wahrnehmungsinformationen relevant. Das Anschauungsganze »Schere« zeigt dagegen vieles, was für die Erkenntnis dieses Gegenstands als Schere überhaupt keine Bed. hat. Die von Platon vorgenommene Unterscheidung von Anschauung und Begriff finden wir auch bei Aristoteles (*De anima*) [10] (zur aristotelischen Wahrnehmungskritik und Unterscheidung zw. einfachen und zusammengesetzten Erkenntnisakten und zw. Anschauungsbegriffen und rationalen Begriffen siehe Aristot. phys. 1. 1, 184a-b; an. post. 1. 4–5; 2. 1, 89b; 2. 19, 100a-b). Über den breiten Strom der ant., spätant., syr.-arab., persischen, jüd. und lat. Aristoteles-Kommentierung ist sie bis ins ausgehende MA kontinuierlich weitertradiert worden. Was Platon das *érgon* einer Sache nennt, heißt in der scholastischen Terminologie der »Akt« (*actus*) und ist Gegenstand zahlreicher, differenzierter Analysen. Die beiden Grundkategorien, auf deren Grundlage das Eigentümliche der Ant., das sie in unvergleichlicher Weise von der Moderne scheiden soll, beschrieben wird – das Fehlen einer Reflexion auf den »spontanen« und methodischen Akt des Verstandes selbst und die Anschauungsgebundenheit –, lassen sich nicht in Einklang mit den überlieferten Quellen, sondern nur unter Mißachtung vieler Gegeninstanzen auf die Ant. als ganze anwenden.

Für ein angemessenes Verständnis, wie es zu dem radikalen Neuheitsbewußtsein der »Neuzeit« gegenüber dem MA gekommen ist, muß daher v. a. die Frage beantwortet werden, welche Vorgänge dazu geführt haben, daß die gesamte platonisch-aristotelisch geprägte Philos. mit ihrer erkenntnistheoretischen Grundlegung und ihren wirkmächtigen Folgen für Ästhetik, Ethik, Politik und Ökonomie, die sich über mehr als einein-halb Jt. in verschiedenen Kulturepochen und -bereichen in beeindruckender Einheitlichkeit erhalten hatte, in ihrer scholastischen Form von den »Modernen« nicht nur in größeren oder kleineren Teilbereichen umgedeutet oder reformuliert wurde, sondern als ganze entweder überhaupt nicht mehr oder nur noch als etwas, mit dem eine sachliche Auseinandersetzung nicht mehr lohnend, ja nicht einmal mehr möglich war, rezipiert wurde. Die zentralen Umbesetzungen im System des → Aristotelismus selbst im späten MA, die die sachlich notwendige Voraussetzung für den beschriebenen umfassenden Mentalitätswandel sind, der seinerseits Ursache für eine radikale Neukonzeption des Verständnisses von Mensch und Gesellschaft wurde, sind die folgenden: Aristoteles beginnt seine Physik mit der dem Augenschein widerstreitenden Lehre, die Anschauung (sc. von Gegenständen) sei abstrakt und konfus, erst durch begriffliche Differenzierung könne man von dieser Abstraktheit zu einem konkreten Verständnis eines Einzeldings gelangen. An vielen anderen Stellen seines Werks behauptet er aber, die Wahrnehmung richte sich auf Einzelnes, der Begriff auf Allgemeines (z. B. Aristot. an.post 2.19 100a16–b1; metaph. 7.10. 1036a7–8). In seiner *Kategorienschrift* nennt er das Einzelding die Grundlage aller Prädikate, die wir ihm zusprechen können (Aristot. cat. 5). Eine ähnliche Basisfunktion scheint das Einzelne für Aristoteles auch in dem für diese Frage wichtigen 7. Buch der *Metaphysik* zu haben. Außerdem lehrt er in seiner Psychologie, bei der Gegenstandsanschauung seien Wahrnehmung und Intellekt miteinander aktiv. Diese scheinbar diskrepanten Lehrstücke verbindet Johannes Duns Scotus (um 1300) in einer von der gelehrten Kommentartrad. der »Schule« (»Scholastik«) abweichenden Weise zu einer neuen Einheit, die den Vorzug hat, mit der Wirklichkeitserfahrung des gesunden Denkens übereinzustimmen. Abstrakt sei das

Wahrgenommene nur, wenn es wie von Ferne und unklar gesehen wird; sobald es in der richtigen Position, unter guten Bedingungen usw. betrachtet wird, sei es auch nach Aristoteles konkret. Konfus wiederum sei die Wahrnehmung deshalb, weil sie die wahrgenommenen Merkmale noch nicht begrifflich differenziert und geordnet, sondern einfach rezipiert habe. Das Einzelding sei für Aristoteles also sehr wohl die absolute Grundlage, auf die alles spätere Denken bezogen bleiben müsse, ja es werde in einer noch urspr. Einheit von Sinnlichkeit und Intellekt erfaßt, die seiner Erkenntnis größte Wirklichkeitstreue und Sicherheit gebe. Die Aufgabe des Denkens sei es dementsprechend, unter Anwendung seiner ihm eigenen logischen Prinzipien das Wahrgenommene zu differenzieren und es sich dadurch zu vergegenwärtigen und in eine deutliche Erkenntnis zu überführen (die wichtigsten Stellen zur Erkenntnis von Einzeldingen und zu deren Prinzipienfunktion im Erkenntnisprozeß sind zusammengestellt in [23]). Duns Scotus legt mit dieser Aristoteles-Interpretation den Grund zu einer neuen, von der alten Aristoteles-Auslegung scharf abweichenden Deutung des Verhältnisses von unmittelbaren und vermittelten Erkenntnisformen [23]. Für ihn gibt es nun eine einfache Opposition, auf die sich das menschliche Erkennen in der Analyse zurückführen lasse: Sie müsse als strenge Kluft gedacht werden, als Kluft zw. der unmittelbar sinnlichen, passiven Rezeption des Einzelnen und seiner reflexiven, spontanen Vergegenwärtigung im Verstand.

Diese Kluft und das mit ihr verbundene neue Verständnis von der Leistung des Denkens – es soll nun die aktive Vergegenwärtigung gegebener Sinnesdaten (sc. von Einzeldingen) sein – gab es in der aristotelisch-scholastischen Trad. bis zu Duns Scotus nicht. Das ist der philos. erkenntnistheoretische Grund, warum diese Trad. nun als naiv – sie kennt scheinbar die Subjekt-Objekt-Kluft »noch« nicht – und als eine Philos. ohne reflexives Wissen um die Akte des Denkens selbst gilt. In der Tat gibt es in der platonisch-aristotelisch geprägten Philos. keine oder nur beiläufige Analysen der Vergegenwärtigungs- oder »moderner« formuliert – der Bewußtseinsakte des Denkens. Statt dessen gilt hier, beginnend mit dem Vorsokratiker Parmenides bis zu Thomas von Aquin, das »Sein« als das allgemeinste Prinzip auch der Erkenntnis. Daher scheint diese Philos. mit dem Sein, die mod. Philos. dagegen mit dem Denken zu beginnen. Diese seit 700 J. immer wieder mehr oder weniger apodiktisch vorgetragene These hält allerdings weder einer histor. noch einer sachlichen Prüfung stand. Als ihr eigentlicher Grund erweist sich vielmehr die Tatsache, daß diese »Seins«-Philos. nicht mit gegebenen Einzeldingen rechnet und deshalb dem Denken eine andere, grundlegendere Funktion zuweist, die die »mod.« Reflexionsphilos. nicht mehr thematisiert. Diese grundlegende Erkenntnisleistung erscheint im Horizont der »Moderne« überhaupt nicht mehr als Denken. Man braucht aber nur zu überprüfen, warum Aristoteles anders als Duns Scotus und die ihm folgende Trad. die

Erkenntnis nicht mit der »reichen« Anschauung konkreter Einzeldinge anheben läßt, von der wir durch Abstraktion (usw.) dann unsere Begriffe bilden, sondern diese erste, scheinbar ganz unmittelbare Anschauung selbst als »abstrakt« charakterisiert, um zu sehen, daß gerade Duns Scotus den Anf. der Erkenntnisanalyse von den Akten des Erkennens selbst auf die ihnen vermeintlich »gegebenen« Dinge verschoben hat. Nach Aristoteles wird der Inhalt unserer Erkenntnisse von den Leistungen der verschiedenen Erkenntnisvermögen bestimmt. Bei der Wahrnehmung heißt das (zur Analyse der Wahrnehmung siehe Aristot. an. 2.8 419bff.): das Auge sieht Farben, das Ohr hört Töne usw., man sieht nicht etwa Sterne, sondern leuchtendes Weiß, und man schmeckt keine Olivenblätter, sondern einen bitteren Geschmack. Grundsätzlich hat also jedes Erkenntnisvermögen eine bestimmte Unterscheidungsleistung (zur Auslegung des Denkens als »Unterscheiden« (krínein) siehe z. B. Aristot. an. 424a; 426b; 427a; 428a; 429b). Das gilt auch von der Gegenstands-»Anschauung«: Wer an verschiedenen Wahrnehmungseindrücken einen Gegenstand erkennen will, muß irgendwie unterscheiden, was an ihnen zu einer Einheit zusammengehört. Diese Unterscheidung kann, wenn sie ohne begriffliche Klärung sozusagen im Hinsehen selbst geleistet werden soll, noch nicht differenziert sein. Wir identifizieren im Hinsehen den Wald an dem, wodurch er sich markant unterscheidet: etwa als etwas Braun-Grün-Hohes. Nicht die Gegenstände, aber das, was wir von ihnen wissen, ist also zuerst etwas Abstraktes und Konfuses, etwas, was für vieles – Birke, Fichte, Telephonstange, Mensch – zugleich gilt.

Dieser noch bei Avicenna, Albertus Magnus und Thomas von Aquin korrekt wiedergegebenen Erklärung der aristotelischen Behauptung der Abstraktheit der Anschauungsgegenstände glaubte das scotistisch und nominalistisch geprägte späte MA die Evidenz entgegensetzen zu müssen, daß sich die Anschauung, wie Aristoteles lehrt, auf den ganzen Gegenstand nicht nur »richtet«, sondern ihn auch »ganz erfaßt«. Von diesem Ausgangspunkt her war allerdings in keiner Weise mehr verstehbar, weshalb »Sein« ein Erkenntnisprinzip hatte genannt werden können. »Sein« mußte nun gedeutet werden als die Anwesenheit des (erfahrenen) Dinges, d. h. als das Allgemeinste, was von jedem Ding gilt, als bloße Existenzaussage. Für die begriffliche Erfassung konnte »Sein« damit nur der Index sein, daß eine Vielheit zu einer Einheit verbunden ist (»Sein« als Kopula).

Beginnt eine Erkenntnistheorie dagegen mit der Reflexion auf die Leistung der verschiedenen Erkenntnisvermögen, d. h. mit der Frage, zu welcher Unterscheidung sie jeweils fähig sind, dann ist die Grundbedingung, die gegeben sein muß, damit etwas überhaupt ein Erkenntnisakt sein kann, daß in ihm jeweils etwas – etwas Bestimmtes: Farbe, Ton, Vorstellungsbild, Begriff, Idee usw. – erfaßt wird. In dieser Einsicht besteht der eigentliche Anf. der europ. Philos. bei Parmenides: Nur was etwas ist – gleichgültig, ob Ding, Vorstellung oder Gedanke –, ist und existiert, was in keiner Weise etwas ist, kann auch keine Existenz haben. (Existenz ist hier also keine Zutat zum Etwas-Sein, sondern ist in ihm begründet.) ›Nur was etwas ist, kann gedacht werden‹, sagt Parmenides weiterhin [7. fr. 2 und 3]. »Sein« erweist sich daher primär als ein Grundkriterium des Denkens: Gedacht werden kann nur, was sich unterscheiden läßt, d. h., was irgendwie etwas ist; das gänzlich Unbestimmte hat weder Begriff noch Sprache [7. fr. 6 und 7]. Auf der Basis der Formulierung dieses Grundaxioms des Denkens haben schon die Sophisten eine formale Logik entwickelt, Platon und Aristoteles haben die Defekte dieser Logik korrigiert und aus der korrekten Anwendung des Widerspruchsaxioms den Syllogismus als Grundform rationaler Argumentation abgeleitet. Für die Ausbildung der Trad. der Artes liberales von besonderer Bed. war die Grundlegung einer communis mathematica scientia (griech.: koiné mathēmatikē epistēmē) durch Platon, v. a. in den Dialogen Politeia und Parmenides. Platon demonstriert dort, daß das Axiom, daß nur bestimmtes Seiendes gedacht werden kann, nicht nur voraussetzt, daß etwas nicht zugleich als es selbst und als nicht es selbst gedacht werden kann, sondern auch, daß »Sein« ein inhaltlich konkret bestimmter Begriff sein muß. Wenn, so argumentiert Platon (im 7. Buch der Politeia), bei jeder Wiss. und jedem methodischen Vorgehen überhaupt vorausgesetzt werden muß, daß ihr Gegenstand jedenfalls ein Seiendes, d. h. etwas Bestimmtes, sein muß, dann ist die reflexive Ermittlung der Bedingungen des Etwas-Seins die Bedingung von Wissenschaftlichkeit überhaupt. Die sachlich wie wirkungsgeschichtlich folgenreiche Entdeckung Platons war, daß die Analyse des Begriffs des Seins, d. h., wenn gefragt wird, was begriffen werden muß, damit etwas als Etwas verstanden werden kann, ein a priori erzeugbares Wissenschaftssystem sichtbar macht: Ohne Begriffe wie Einheit, Vielheit, Identität, Verschiedenheit, Ganzheit, Teil, Gleichheit, ohne die Begriffe des Diskreten und Kontinuierlichen, damit ohne die Begriffe von Zahl und Figur usw. kann etwas überhaupt nicht als Etwas gedacht werden. Aus der synthetischen Kombination dieser Begriffe ergeben sich in systematischer Folge die »mathematischen« Wiss. der Arithmetik, der Musik, der Geom. und der Astronomie [20]. Durch die Vermittlung des Boethius wurde dieses von ihm sog. Quadrivium, das bis in die Spätant. in den Schulen der Neuplatoniker und Peripatetiker gelehrt wurde, die Grundlage des gesamten Systems der Wiss. und Künste des frühen und hohen Mittelalters.

Durch die Überzeugung, man könne und müsse alles Erkennen auf die sinnliche intuitio von Einzeldingen gründen, die seit ihrer »wiss.«, vorgeblich auf eine erstmalig richtige »Aristotelesauslegung« gestützte Legitimierung durch Duns Scotus, die »mod.« Diskurse beherrscht, erschien die reflexive Ableitung dieses Wissenschaftssystems aus dem »Sein« als bloße Spekulation. Die Folge ist, daß die Artes liberales ihren Begründungshorizont verlieren und allmählich ganz aus dem Universitätsbetrieb verschwinden. Im Unterschied zu dem häufig vertretenen radikalen Neuheitsanspruch der Neuzeit ist diese Abwendung von einer »Seinsphilos.« hin zu einer »rationalen«, »mechanischen«, »regelgeleiteten« Verarbeitung der empirisch »gegebenen« Welt des Einzelnen allerdings keine originäre Wende, die erst der Moderne gelungen ist, sie wurde auch in der Ant. schon einmal von den hell. Philos. (Stoa, Epikureismus, Skepsis) vollzogen, die etwa seit Beginn des vierten Jh. v. Chr. für ca. 500 J. die platonisch-aristotelische Trad. zurückdrängten. Die Affinität, die die Positionen des Scotismus und (mehr noch) des Nominalismus zu diesen ant. Schulen hatten, wurde in der Ren. von vielen erkannt. Dies führte zu einer Neuentdeckung dieser im MA kaum beachteten Schulen und zu einer intensiven Neurezeption auf allen Gebieten: in der Erkenntnistheorie, der Ethik, der Staats- und Wirtschaftstheorie, aber auch in vielen anderen Bereichen, in der Grammatik, Rhet. und Poetik, in den Traktaten zur Kunsttheorie, in der Malerei (der Geist, aus dem etwa Botticellis berühmte *Primavera* geschaffen ist, ist nicht neuplatonisch, sondern ist von Lukrez inspiriert [12]), in der Lit., in der Physik, der Medizin usw. »Wiedergeboren« wurde in der Ren. daher nicht »die Ant.«, sondern die dem MA zwar bekannte, aber von ihm nur marginal rezipierte hell.-röm. Ant., in deren Licht nun auch Platon und Aristoteles uminterpretiert wurden. Erst wenn man diese Akzentverlagerung in der Antikerezeption beachtet, wird der paradoxe Sachverhalt erklärbar, weshalb die Antithese der Ren. gegenüber dem MA zu einer Antithese der Moderne zur Ant., zu einer direkten Q. wurde: Die Abwendung vom MA und der Affekt gegen es wurde als erkennende und fühlende Hinwendung zur Welt der sinnlich erfahrbaren Einzeldinge empfunden und stilisiert, die das MA verhindert, die die (hell.-röm.) Ant. aber gepflegt hatte. Die insbes. von den Wiss. formulierte Forderung nach Verdeutlichung der intuitiv erfaßten Wahrheit in logisch-distinkter Klarheit und verstandesmäßiger Deutlichkeit war aber in dem Anspruch gegründet, diesen autonomen Zugang zur Welt auch allein aus sich selbst kritisch begründen zu können: So wurde die eigentliche Aufgabe der (wiss.) Vernunft in der reflexiven Aufklärung der Mechanismen der Verarbeitung der noch dunkel und undeutlich perzipierten Sinnesmannigfaltigkeit bestimmt. Diese »begriffliche« Verdeutlichung der sinnlichen Erfahrung konnte sich aber nicht auf die »Seins«-Spekulationen der Scholastik stützen, sie konnte nur mit dem »Licht« einer »neuen« Vernunft vollzogen werden, die ihre eigentliche Auf-

gabe in der (Auf-)Klärung der noch dunklen Sinnesperzeptionen erkannte. Mit der »Entdeckung« dieser neuen Vernunft konnte sich die Neuzeit daher in direkter Konfrontation, in einer unmittelbaren *querelle* mit »der« Ant. fühlen.

QU 1 Thomas Aquinas in Aristotelis Analytica Posteriora, in: THOMAS VON AQUIN: Prologe zu den Aristoteles-Komm., hrsg., übers. u. eingeleitet v. F. CHENEVAL, R. IMBACH, 1992 2 L. BRUNI, Human.-philos. Schriften, hrsg. v. H. BARON, 1928 3 J. G. HERDER, Shakespear. Von Ähnlichkeit der mittelengl. und dt. Dichtkunst, in: Sämtliche Werke, hrsg. v. B. SUPHAN, Bd. 5, 1891 4 W. KRAUSS, Fontenelle und die Aufklärung, 1969 5 A. S. MINTURNO, De poeta (1559), 1970 6 M. PALMIERI, Della vita civile, a cura di F. BATTAGLIA, Bd. I, 1944 7 PARMENIDES, Vom Wesen des Seienden, hrsg. v. U. HÖLSCHER, 1986 8 CH. PERRAULT, Parallèle des anciens et des modernes en ce qui regarde les arts et les sciences, hrsg. v. H. R. JAUSS, 1964 (Faksimile-Druck der Ausgabe Paris 1688–1697)

LIT 9 E. BEHLER (Hrsg.), Friedrich Schlegel. Über das Studium der griech. Poesie, mit einer Einl. hrsg. von E. BEHLER, 1981 10 W. BERNARD, Rezeptivität und Spontaneität der Wahrnehmung bei Aristoteles, 1988 11 H. BLUMENBERG, Die Legitimität der Neuzeit, ²1999 12 H. BREDEKAMP, Botticelli: Primavera. Florenz als Garten der Venus, 1988 13 A. BUCK, Die Q. des Anciens et des Modernes im it. Selbstverständnis der Ren. und des Barock, 1973 14 E. R. CURTIUS, Europ. Lit. und lat. MA, 1948ff. 15 J. HEINZLE (Hrsg.), Modernes MA, 1994 16 H. R. JAUSS, Literaturgesch. als Provokation, 1970 17 P. K. KAPITZA, Ein bürgerlicher Krieg in der gelehrten Welt, 1981 18 W. KRAUSS, Der Streit der Altertumsfreunde mit den Anhängern der Moderne und die Entstehung des geschichtlichen Weltbildes, in: W. KRAUSS, H. KORTUM, Ant. und Moderne in der Literaturdiskussion des 18. Jh., 1966 19 P. O. KRISTELLER, Human. und Ren. II, 1976 20 G. RADKE, Die Theorie der Zahl im Platonismus, 2002 21 A. SCHMITT, Zur Aristoteles-Rezeption in Schillers Theorie des Tragischen. Hermeneutisch-kritische Anm. zur Anwendung neuzeitlicher Tragikkonzepte auf die griech. Trag., in: B. ZIMMERMANN et al. (Hrsg.), Ant. Dramentheorien und ihre Rezeption, 1992, 191–213 22 Ders., Klass. und Platonische Schönheit. Anm. zu Ausgangsform und wirkungsgeschichtlichem Wandel des Kanons klass. Schönheit, in: W. VOSSKAMP (Hrsg.), Klassik im Vergleich, 1993, 403–428 23 Ders., Anschauung und Denken bei Duns Scotus, in: E. RUDOLPH (Hrsg.), Die Ren. und ihre Ant. I, 1998, 17–34 24 P. SZONDI, Poetik und Geschichtsphilos. I. Ant. und Moderne in der Ästhetik der Goethezeit, 1974.

ARBOGAST SCHMITT

R

Realschule A. BEGRIFF B. GESCHICHTE
C. GEGENWARTSPROBLEMATIK

A. BEGRIFF

Unter der Bezeichnung R. verstehen wir seit dem Hamburger Abkommen von 1964 eine weiterführende Schulform im allgemeinbildenden Sekundarbereich I (früher auch Mittelschule, Aufbauzüge der Volksschule); sie ist in der Regel eine Ausleseschule zw. dem Gymnasium und der Hauptschule, die mit dem zehnten Schuljahr abschließt und die Fachoberschulreife (auch sog. Mittlere Reife) vermittelt. Ausnahmen bilden die sog. Mittelschulen in den neuen Bundesländern, die die polytechnische Einheitsschule der DDR in den Schuljahrgängen 5–10 ablösen. In den meisten alten Bundesländern umfaßt die R. sechs Schuljahre bzw. vier in Verbindung mit der Orientierungsstufe; nur wenige Länder wie Bayern, Berlin und Bremen haben eine vierjährige Realschule.

B. GESCHICHTE

Die R. bildet traditionellerweise den mittleren Zweig des allgemeinbildenden dreigliedrigen Schulwesens, der sich im wesentlichen aus dem sozioökonomischen, curricularen und bildungsadministrativen Kontext sowie der Pädagogik des 18. Jh. herausgebildet hat.

Der sozioökonomische Kontext legitimiert das Heraustreten bes. Bedürfnisse: Das mittelständische Handwerk z. B. sucht nach neuen Antrieben im vorprogrammierten Niedergang der Zunfteinschnürung des 17. und 18. Jh., eine Kaufmannsschicht tritt hinzu und verlangt nach einer Vorbildung, die im bildungsadministrativen Feld bisher ohne Antwort ist. Denn der bildungsadministrative Dualismus der nachreformatorischen Staaten kennt nach oben nur die → Lateinschule bzw. das Gymnasium, das die Sprache des Juristen, des Klerikers und allg. des Gelehrten zum Inhalt hat; nach unten regelt die Kirche das Curriculum, das sich im wesentlichen auf die Katechese mittels eines ABC-Leselehrgangs konzentriert.

Die curricularen Bedürfnisse der sich neu anmeldenden gesellschaftlichen Kräfte zielen auf die Fähigkeit zum Schreiben und Rechnen im Zusammenhang mit den »Realien«. Ineins geht mit dem Kreis der Realien eine neue Bewertung der Wirklichkeit und Diesseitigkeit des Lebens; naturwiss. Denken führt zu Entdeckungen und Erfindungen, deren Nützlichkeit und Brauchbarkeit die Einrichtung des Menschen auf das Diesseits erhöht. Die Realien symbolisieren diese Hinwendung zu der neuen zweckhaften Lebens- und Welteinstellung am stärksten. Tatsächlich wird das Curriculum der Realien zum Hauptkriterium der Schulform-Neubildung. In ihrer didaktischen Konzeption bezieht sie sich auf den Pädagogischen Realismus des 17. Jh. (F. Bacon, W. Ratke, J. A. Comenius, J. V. Andreae u. a.).

Zum geistig bestimmenden Zentrum für diese »realistische« Schulform wurde Halle, wo A. H. Francke (1663–1727) im Waisenhaus einen Realienunterricht eingerichtet hatte (*res* = Sachen; über Mathematik und Naturwiss. hinaus umfassen die Realien: Zeichnen, Naturlehre, Pflanzen- und Mineralienkunde sowie handwerkliche Fertigkeiten wie Bienenzucht, Seidenraupenzucht, Obstbaukunde etc.). Nach episodischen Einrichtungen einer Zusatzschule durch J. C. Semler in Halle (»mathematische und mechanische R.«, 1706 und 1739) wurde unter der Ägide des Francke-Schülers J. Hecker in Berlin 1747 die erste fortbestehende R. gegründet. In Norddeutschland setzt sich die Gründungslinie fort über Kloster Berge/Magdeburg nach Braunschweig, Wittenberg, Riga, Stargard u. a.; im katholischen Süd- und Westdeutschland im wesentlichen über Felbigers Schulreform von 1774 von Österreich aus. Institutionell konnte sich die R. erst nach und nach als eigenständige Schule durchsetzen. Im wesentlichen nehmen R. drei Organisationsformen und Funktionen an: 1.) Sie sind Ergänzungsschulen für Lateinschulen (vornehmlich am Nachmittag). 2.) Sie sind Spezialschulen für eine spezifische Schicht handwerklicher Aufsteiger, den sog. Mittelstand, der in der herkömmlichen niederen Schule (Armenschule, Gemeindeschule) keine bedürfnisadäquate Beschulung erhält. 3.) In bes. gelagerten Fällen hebt sich die Zwecksetzung über diese hinaus ins Gewerbemäßig-Technische, erfüllt also die Vorform einer Gewerbe- und Techniker-Fachschule. In einer analogen Begrifflichkeit sind sie »Bürgerschulen« oder »Mittelschulen«; nach dem ersten Drittel des 19. Jh. beginnt dann eine nähere Klärung ihrer Funktionsbereiche und Organisationsformen.

Für → Preußen war eine solche Ausdifferenzierung schon im ersten Drittel des Jh. mit der »Vorläufigen Instruktion über die an den höheren Bürger- und Realschulen anzuordnenden Entlassungsprüfungen« vom 8. 3. 1832 im Zuge der neuhuman. Ausrichtung der Schulverwaltung eingeleitet worden. Hier wurde ein bestimmtes »allg.« Maß an Bildung für die »Zulassung zum einjährigen Militärdienst« vorgeschrieben, ein Maß, auf das auch die neuen Schulen, die Bürger- und Realschulen, mit fest vorgeschriebenem Wissenssoll – einschließlich Lat. –, das mit Abschluß der Untersekunda erreicht wird, verpflichtet werden sollten und von dem die Berechtigung zum Eintritt in alle Behördenberufe abhängig gemacht wird. Erneut festgeschrieben wird dieses Bildungsmaß durch die »Unterrichts- und Prüfungsordnung für die Realschulen und höheren Bürgerschulen« vom 6. 10. 1859. Zugleich wird zw. einer R. I. Ordnung mit einem neunstufigen Aufbau – parallel dem Gymnasium – und einer R. II. Ordnung mit sechs Klassen und der daran geknüpften Berechtigung zum einjährigen Militärdienst unterschieden. Lat. war jeweils ein fester Lehrplanfaktor, da nur mit ihm die sog. mittlere, d. h. Univ.-Reife erreicht werden konnte.

Wir haben nunmehr beim Blick auf die in den einzelnen dt. Ländern gewachsenen Mittelpositionen der Schulorganisation zw. zwei völlig verschiedenen mittleren Schulvorstellungen unter dem Namen R. zu unterscheiden: der preußische Weg, der dem Schüler bis zum 16. Lebensjahr eine »mittlere Bildung« (sechsklassige R. II. Ordnung) vermittelt und ihn mit der Berechtigung zum »Einjährigen« mit den Folgerungen für die Behörden- und Verwaltungsberufe entläßt; der andere außerpreußische, v. a. süddeutsche Weg sieht generell keinen Grund, das Schulwesen nach einem mil. Berechtigungsprinzip aufzuschlüsseln und dieses zur Regulierungsinstanz für öffentliche Berufslaufbahnen zu machen. Ihr soziologischer Hintergrund ist nicht, wie in Preußen, ›gehorsame und gleichartig vorgebildete Beamte und Untertanen heranzuziehen‹ [7. Bd. IV, 177], sondern die Erziehung zu einem mittelständischen Handwerker-, Kaufmanns- und Werkmeisterstand, zieht also Gewerbeberufe an, die mit dem 14. Lebensjahr alter Trad. gemäß mit der Handwerkslehre beginnen. Der Lehrplan enthält so auch keine Orientierung am human.-ant. Bildungsideal.

Einen Neuansatz für den mittleren Bildungsweg bieten für Preußen die »Allg. Bestimmungen« des Ministers Falk vom 15.10.1872. Sie orientieren sich nun einerseits am süddt. lateinlosen Weg der Mittel-/Bürger-/Stadtschule, andererseits folgen sie als Oberrealschulen dem lateinlehrenden Weg des Gymnasiums und koppeln sich vom mittleren Schulbereich ab.

C. GEGENWARTSPROBLEMATIK

Nach 1945 greift das von den Kultusministern der Länder realisierte sog. Hamburger Abkommen vom 28.10.1964 die bisherigen Eckpunkte der Entwicklung auf und belehnt die Mittelschulen mit dem freigewordenen Begriff »R.« (in vierjähriger Normal- bzw. sechsjähriger Aufbauform sowie einer obligatorischen und einer fakultativen Fremdsprache). Auf einen Unterricht in Lat. wird völlig verzichtet. In der Konsequenz erscheint in den folgenden Reformplänen – dem »Strukturplan« von 1970 und dem »Bildungsgesamtplan« von 1973 – die R. nicht mehr als eine spezifische und eigene Schulform, obgleich die R. in der schulorganisatorischen Wirklichkeit nach wie vor einen wichtigen Platz einnimmt. Für die Bildungsdiskussion in Lehrerbildung und Schulreform ist die Schulform R. seit den 70er J. geradezu zu einem Tabuthema geworden – und dies, obgleich in praxi ihr ein eminenter Aufschwung bis in die Gegenwart einzuräumen ist.

Vergleicht man die progressive Entwicklung, die die R. seit 1945 in fast allen Bundesländern genommen hat, mit der jüngsten Entwicklung der Hauptschule, so drängt sich die Tendenz auf, daß sich die R. zur »Haupt-Schulform« im Sekundar-Schulsystem entwickelt, zumal ein zehntes Schuljahr vor dem Hintergrund einer breiteren Allgemeinbildung längst für alle überfällig ist.
→ Humanistisches Gymnasium; Neuhumanismus; Schulwesen

1 J. DERBOLAV (Hrsg.), Probleme des mittleren Bildungsweges, Auswahlreihe Bd. 30, 1970 2 DT. AUSSCHUSS FÜR DAS ERZIEHUNGS- UND BILDUNGSWESEN (Hrsg.), Empfehlungen und Gutachten des Dt. Ausschusses, 1966 3 DT. BILDUNGSRAT (Hrsg.), Empfehlungen der Bildungskommission: Strukturplan für das Bildungswesen, 1970 4 W. FLITNER, Das Problem des mittleren Schulwesens, in: Westermanns Pädagogische Beitr., 1955, 541–549 5 R. W. KECK, Gesch. der mittleren Schule in Württemberg, 1968 6 R. MASKUS (Hrsg.), Zur Gesch. der Mittel- und R., 1966 7 F. SCHNABEL, Dt. Gesch. im 19 Jh., 1964 8 H. WOLLENWEBER (Hrsg.), Die R., 1979.

RUDOLF W. KECK

Redegattungen A. DEFINITION UND GESCHICHTLICHER ÜBERBLICK ÜBER DIE ENTWICKLUNG DER REDEGATTUNGEN B. DIE EINZELNEN KLASSISCHEN REDEGATTUNGEN

A. DEFINITION UND GESCHICHTLICHER ÜBERBLICK ÜBER DIE ENTWICKLUNG DER REDEGATTUNGEN

Schon in den Epen Homers, den att. Trag., bei den Geschichtsschreibern und in der Philos. kristallisieren sich in wie auch immer sublimierter Widerspiegelung der soziokulturellen Realität die prominenten Bereiche öffentlicher Rede heraus: Beratungs-, Verteidigungs- und Anklagereden, Leichen- und Lobreden. Doch erst Aristoteles schuf in seiner *Rhet.* (Buch I) den bis h. wirkmächtigen Referenztext einer kanonischen Dreiteilung der R. (griech.: *génē tôn lógōn*, lat.: *genera causarum/rhetorices*) in (1) die Gerichtsrede (gr. *génos dikanikón*, lat. *genus iudiciale*), (2) die Beratungs- oder polit. Rede (gr. *génos demagogikón/symbouleutikón*, lat. *genus deliberativum*) sowie (3) die Lob- oder Festrede (gr. *génos epideiktikón/panegyrikón*, lat. *genus demonstrativum* [13; 20. 17 ff.; 42. 17]).

Orientierungsrahmen dieser Trias sind die Anlässe, die Zeitformen und die Haltung der Rezipienten. Letztere können eine Rede anhören in der Erwartung eines gegenwärtigen Genusses (Lobrede) oder um imstande zu sein, aufgrund des Gehörten ein Urteil über zukünftiges Handeln (polit. Rede) oder über einen vergangenen strittigen Sachverhalt (Gerichtsrede) zu fällen. Der Redner bediene sich unter Rekurs auf spezifische, den möglichen Mißbrauch der Redesituationen einschränkende Wertvorstellungen in auf die jeweilige R. zugeschnittener Form des Redeschmucks und -aufbaus sowie einer topischen Argumentation [20. 83]. Während eine Beratungsrede auf Nutzen und Glück aller Bürger abziele, stünden bei Lobreden Ehrenhaftigkeit und die Beurteilung von Charakterzügen (wie Hochherzigkeit, Freigebigkeit, Mäßigkeit etc.) zur Diskussion, vor Gericht hingegen die Gerechtigkeit (Aristot. rhet. 1358b 13–20). Die Zuteilung der genannten Eigenschaften zu den R. geschieht z. T. aus Gründen der Verdeutlichung und Lehrbarkeit, doch war auch schon den ant. Theoretikern aufgrund der Redepraxis bewußt, daß diese Eigenheiten auch in den anderen R. vorkommen können. Z.B. hatten in Rom die Gerichtsreden oder die dem *genus demonstrativum* zuzuordnende Panegyrik einen hochpolit. Charakter. Anlaß und Intention des Redners können also eine Differenz aufweisen. Bis in neueste Zeit lösen gerade diese Formmischungen Irritationen aus, so, wenn *laudationes* zu einer polit. Aussage genutzt werden (s.u. B.3).

Die Dreiteilung der R. ist neben anderen Klassifikationen (*officia oratoris*, Dreistil-Lehre, Redeteile) eine der wichtigsten und stabilsten Orientierungshilfen im Lehrsystem der rhet. Theorie. Dies täuscht darüber hinweg, daß Aristoteles in dieser simplen wie logischen Dreiteilung lediglich eine seiner zeitgenössischen Lebensrealität angemessene Beschreibung der öffentlichen Rede gegeben hat, die nicht in allen Aspekten übertragbar ist auf die durch gesellschaftliche Prozesse im ständigen Wandel begriffene Redepraxis anderer Epochen oder Kulturkreise, selbst wenn die von ihm skizzierten Bereiche öffentlicher Rede weiterhin ihre Geltung haben sollten. Das heißt konkret: Die polit. und juristischen *genera* der att. und röm. Demokratien waren extrem wichtig in der Theoriebildung, da sich aus polit. und forensischer Beredsamkeit die Rhet. insgesamt als eine *téchne* herausbildete. Zwar lassen sich im Laufe der Entwicklung – auch schon in der Ant. selbst – praxisorientierte Modifikationen und Neuklassifikationen, Sonderentwicklungen, und Gewichtsverlagerungen beobachten, die als Versuch zu werten sind, eben diese Kluft zwischen rhet. Theorie und Redepraxis zu schließen und dem gesellschaftlichen Funktionswandel Rechnung zu tragen. Doch gelingt dies deshalb nicht, weil das rhet. Lehrsystem konservativ, d.h. vergleichsweise unflexibel tradiert wird. Nur so ist es erklärbar, daß der Kanon lange nicht um zeitgenössische Formen erweitert wird (schon die Alexander-Rhet. des Anaximenes schlug erfolglos die prüfende Rede als eigene Gattung vor), oder daß etwa das *genus demonstrativum*, das von der röm. Kaiserzeit an die Redepraxis dominiert, in den theoretischen Schriften immer wieder für Irritationen sorgte. Daß die Trias trotz der zwangsläufig sich vergrößernden Kluft zwischen rhet. Theorie und Redepraxis bis ins 18. Jh. zumindest in der Theorie eine relative Kanonizität behielt, dürfte daran liegen, daß auch unabhängig von einer bestimmten Praxis das Verfassen und Vortragen oder Analysieren von Musterreden in den drei klass. R. eine effektvolle Einübung aller rhet. und argumentativen Techniken ermöglichte. Die Unterschiede der R. in Stil, Argumentation etc. werden denn auch mit der Zeit zugunsten allg. Regeln der Textverfertigung weitgehend eingeebnet.

Entscheidend für das westliche MA waren die röm. Theoretiker, die die von den Griechen übernommene Rhet. zum Bildungsinstrument *par excellence* perfektionierten: Vor dem röm. Hintergrund der differenzierteren staatlichen Öffentlichkeit konnte die Rhet. als Wiss. der sprachlichen Kommunikation, die die Behandlung und Regulierung polit. und sozialer Prozesse zum Ziel hat, ihr Wesen überhaupt erst voll entfalten. Insofern hat

Cicero, der in seinem Frühwerk *de inventione* eines der Standardwerke der forensischen Rhet. geschaffen hat, in seiner hohen Bewertung des *genus iudiciale* angemessen auf die Redepraxis seiner eigenen Zeit reagiert und damit eben die Flexibilität gezeigt, die spätere Theoretiker vermissen lassen. Obwohl nämlich mit dem Ende der röm. Republik die gesellschaftlich-polit. Grundlage für polit. oder forensische Beredsamkeit nach altem ciceronischem und schon gar nach aristotelischem Muster entfallen war, hielt Quintilian (1. Jh.) in seiner *Institutio oratoria* an der Trias der R. mit der ciceronischen Gewichtung fest, wodurch fortan eine immer weitere Entfernung von Redetheorie und -praxis mit der Tradierung der drei R. einhergehen mußte.

Diese Entwicklung wird vielfach mit einem zweifachen Aufstiegs- und Niedergangsmodell (Etablierung und Verfall erst der athenischen, dann der röm. Demokratie, wobei Rom noch einmal gegenüber Griechenland abgewertet wird) in Verbindung gebracht. Dieser in allen Zeiten angestimmte (parteiliche) Trauergesang über die besseren *tempi passati* verstellt den konstruktiven Blick auf die bes. Konsens herstellenden Leistungen öffentlicher Rede auch in anderen Gesellschaftsformen und Formen polit. Herrschaft [6. 46]. Gute Beispiele hierfür sind die über lange Zeiten durchweg negative Einschätzung sog. höfischer Beredsamkeit oder die Klage über den Verfall und das Verschwinden der öffentlichen Beredsamkeit in unserer eigenen Zeit. Jede Analyse der Beredsamkeit müßte von einer genauen Rekonstruktion der polit., sozialen und kulturellen Wirklichkeit der zur Frage stehenden Epoche ausgehen. Daher seien im folgenden nur die grobe Entwicklung der Theorie der R. dargestellt und einige Charakteristika und spezifische Probleme der einzelnen Gattungen markiert.

Das *genus demonstrativum* in der Gestalt von Herrscherlob (Panegyrik) und Prunkreden (bes. Zweite Sophistik) überstrahlte in der Kaiserzeit zumindest in der Redepraxis die beiden anderen Redegattungen [49]. Trotzdem tradieren Theoretiker dieser Zeit, etwa Alexander (2. Jh., Sohn des Numenios), Hermogenes von Tarsos (2./3. Jh.), C. Julius Victor (4. Jh.) und Aphthonios (5. Jh.) das aristotelische Schema nur mit schwacher Betonung des in verschiedene Untergattungen aufgeteilten *genus laudativum*. Auch die christl. Rhetoriker Augustinus und Johannes Chrysostomos übernehmen die Lehrbuchsystematik der drei Redegattungen: Unter Berufung auf Ciceros Ausführungen in *De oratore* und *Orator* überträgt Augustinus (doctr. christ. 4,12,27) das Verhältnis von Redner, Rednergegenstand und Zuhörerkreis auf die verschiedenen Situationen der Predigten im Laufe des liturgischen J., Auslegungen der Hl. Schrift, der Seelsorge etc. [1]. Unter Anwendung der Erkenntnisse des rhet. Lehrsystems formiert sich die Kunst der Predigt, die *ars praedicandi* (→ Homiletik/Ars praedicandi), die neben dem Brief (→ Brief) die einzige Ergänzung der klass. R. ist, die Bestand zeigen wird [1; 11; 39].

In Byzanz wirkt die Lehre von den drei R. in der griech. Trad. der Zweiten Sophistik mit starker Konzentration auf die epideiktisch-panegyrische Rede bruchlos weiter [13. 712]. Im westl. MA gehört die Rhet. als Teil des Trivium zum unangefochtenen Bestandteil des Schulunterrichts der zukünftigen Funktionseliten. So wurde auch die Lehre der R. durch Originallektüre, Glossen und Komm. der kanonischen Autoren (Ciceros Rhetorica, *Rhetorica ad Herennium*, ein unvollständiger Quintilian, inkl. des von Priscian ins Lat. übersetzten Hermogenes) und der spätant. Texte mit der ciceronianischen Akzentuierung des *genus iudiciale* weitergegeben. Meilensteine der Trad. sind rhet. Spezialschriften und enzyklopädische Referenzwerke wie z. B. Martianus Cappella, *De nuptiis Philologiae et Mercurii* (5. Jh.), Boethius, *De differentiis topicis*, Cassiodors *Institutiones* (6. Jh.), die *Etymologiae* Isidors von Sevilla (7. Jh.) und die *Disputatio de rhetorica et de virtutibus* des Alkuin (Wende zum 9. Jh.) [11. 163–168]. Die wachsende Verschriftlichung juristischer und bürokratischer Entscheidungswege führt im 13. Jh. bes. in den Schulen von Bologna und Montecassino zu einer weiteren epochenspezifischen Gattung, der *ars dictaminis* (rhet. Urkunden- und Brieflehre)[13; 29]. Auch in den folgenden Epochen, Human., Ren. und Reformation bleiben in Europa die ant. Autoritäten, allen voran Cicero und Quintilian, maßgeblich für die Theorie der Redegattungen. Die human. Rhetorikhandbücher (z. B. Georg von Trapezunt, *Rhetoricorum libri V* (1433–34); Enea Silvio de' Piccolomini, *Artis rhetoricae praecepta*, 1433–34; Lorenzo Valla, *De elegantiis linguae latinae*, 1471; Erasmus, *Ciceronianus*, 1528) handeln die R. als Grundlagenwissen meist am Anf. ihrer Darlegungen ab [17; 32; 35; 40; 53].

Während im Human. für die Predigt weiterhin die *ars praedicandi* maßgeblich bleibt, werden in starker Betonung des *genus demonstrativum* für alle weltlichen Anlässe – Hochzeit, Bestattung, Begrüßung, Universitäts- und Schulrede (ohne ant. Vorbild), Ansprachen von Diplomaten und Staatsmännern usw. – Musterreden und Regeln bereitgestellt. Auch die protestantische Predigtlehre, deren einflußreichster Vertreter Melanchthon ist, hält in seiner Schrift *Elementorum rhetorices libri duo* (1531, erw. 1542) an den alten Gattungen fest und macht den selbst in der protestantischen Schulrhet. erfolglosen Versuch, eine neue Gattung, das *genus didascalium* (Lehrvortrag), zu etablieren [13].

Die jesuitische Rhet., deren prominentestes Werk die Lehrschrift *De arte rhetorica libri tres ex Aristotele, Cicerone, Quinctiliano praecipue deprompti* (1577) von C. Soarez darstellt, ist in bes. Maße der scholastisch-human., d. h. primär ciceronianischen Trad. der R. verpflichtet. Die Tatsache, daß die Rhet. fest im jesuitischen Bildungsprogramm verankert war und dies sogar auch als vorbildlich für nichtjesuitische Bildungsanstalten galt (→ Rhetorik IV. Rhetorikunterricht), sorgte neben der Erfindung des Buchdrucks für eine weite Verbreitung der Lehre von den R. [3].

Im Zeitalter des Barock [2] ist in der human., jesuitischen und protestantischen Rhetoriktheorie ein Festhalten an der ant. Dreiteilung der R. zu verzeichnen (etwa in den Werken von J. Sturm, von J. H. Alsted und von Vossius). Die Kluft zur zeitgenössischen Praxis mit ihren vielfältigen Formen von öffentlicher Rede, die meist dem *genus demonstrativum* zuzuordnen wären, wird jedoch immer größer. Unter Vernachlässigung von Gerichts- und Beratungsrede konzentrieren sich die frühen deutschsprachigen Rhet. denn auch auf die Gelegenheitsreden (der Begriff »Gelegenheitsrede« als Sammelbegriff für anlaßgebundene Reden setzt sich übrigens erst im 19. Jh. durch: [28. 667]). Unter diesen seien die Schriften von B. Kindermann (1660; Titel s.u. B.3) und bes. von C. Weise hervorgehoben. Weise unterläuft in seinem 1677 erschienenen *Polit. Redner* (polit. ist hier gerade nicht polit. in unserem mod. Sinne, sondern wie engl. *polite*) in subversiver Form die ant. Gattungs- und Stillehre, indem er seine als Lebenshilfe an den Hofmann und den gebildeten Bürger gerichteten Ausführungen nach den häufiger vorkommenden Redeanlässen privater wie gesellschaftlicher Natur klassifiziert und praktische Anleitungen zum Extemporieren auf der Basis kleiner kombinierbarer Versatzstücke gibt. Gleichzeitig stellt er diese Komplimentierpraxis aber als leicht durchschaubares eitles Gesellschaftsspiel dar, wodurch er alle Vorurteile verstärkt, die man auch nur gegen das ›Wortgeklingel‹ der Rhet. entwickeln kann [20. 146–169].

Das Zeitalter der Aufklärung (18. Jh.) zeigt dieser Aufweichungstendenz folgend mannigfache praktische Lehrbücher zu den verschiedensten Redeanlässen und -gegenständen, mehr oder weniger systematisiert in verzweigten Klassifizierungen, ohne daß die alte Dreiteilung Geltung hätte oder man sich auf eine »neue« verständigen könnte. J. A. Fabricius (*Philos. Oratorie* usw., 1724) benennt unter Integration der klass. R. des weiteren fünf R. (Reden im Alltag, Schulreden, polit., juristische und geistliche Reden); F. A. Hallbauer (*Anleitung zur Polit. Beredsamkeit* usw., 1736) unterscheidet eine unsagbare Vielfalt von R. und Stilen, Fachsprachen von Berufsständen, poetische, theatralische, lächerliche, philos. Redegattungen. Gottsched wiederum hebt bes. bestimmte Reden des epideiktischen *genus*, die Lobrede und die Hof- und Staatsrede, als ruhmvolles Betätigungsfeld großer Redner hervor [20. 170–193; 21].

Die allg. Diskreditierung der Rhet. ab dem 18. Jh. hat ihre Ursache nicht ausschließlich in einer guten oder schlechten Rhet. (denn per se ist das rhet. System weder moralisch gut noch schlecht), sondern ist in dem weiten Kontext gesellschaftlich-kultureller Veränderungen zu sehen. Diese äußerten sich in der Industrialisierung, der Verabschiedung von rein patriarchalischen Gesellschaftsformen und der langsamen Akzeptanz der Rechte der Frauen (unter Herausbildung einer feministischen Rhet. [14]) sowie ethnischer Minderheiten, die nicht von dem auf einen klar definierten Phänotyp des Redners (männlich, weiß, Angehöriger der Bildungsschicht) abzielenden rhet. Lehrsystem adressiert werden. Da die rhet. Theoriebildung nach dem 18. Jh. weitgehend zum Erliegen gekommen war, wurden die z. T. dramatischen gesellschaftlichen Entwicklungen nicht mehr angemessen reflektiert. Denn diese Absenz der Theorie bedeutete keinesfalls, daß die öffentliche Rede im 19. und 20. Jh. keine wichtige Rolle mehr spielte. Gerade das 20. Jh. brachte einige sehr bedeutende polit. Redner hervor, die die Kraft der Beeinflussung durch Sprache im Guten wie im Schlechten vor Augen führten.

Die Tatsache, daß die Verabsolutierung wissenschaftlich-technischer Rationalität zunehmend in Zweifel gezogen wurde und man der menschlichen Kommunikation eine eigene Logik zuschrieb, was u. a. zum sog. *linguistic turn* in Philos. und Sozialwiss. führte, machte in den 60er- und 70er-J. des 20. Jh. den Weg frei zu einer von zahlreichen Disziplinen getragenen Rehabilitierung der Rhetorik. Die mod. Rhetorikrezeption und -theoriebildung bringt der aristotelischen Dreiteilung der R. erneut Wertschätzung als Ausgangspunkt einer den Erfordernissen der heutigen Gesellschaft angepaßten Rhet. entgegen: So wird etwa die Theorie der R. durch eine Theorie der Textsorten ersetzt oder es wird der Versuch der Klassifikation der Rede auf der Basis ihrer Wirkungen und Funktionen unternommen. Hierbei rückt die soziale Dimension des öffentlichen Sprechens in der Konstruktion von Konsens und Gemeinschaft stark in den Vordergrund, was letztlich alle Typen von Reden als im weiteren Sinne »politisch« markiert.

Podlewski [44] z. B. identifiziert die Gerichtsrede als ›juristische Rhet.‹, wovon die der Informationserzeugung dienende ›kommunikative Rhet.‹ zu unterscheiden sei. Die Lobrede taucht in Gestalt der ›ästhetischen Rhet.‹ wieder auf, in deren Zusammenhang v. a. die Probleme der figürlichen Darstellung als unverzichtbare Dimension der Rede [37] exemplarisch vorgeführt werde.

M. Edelman [47. 1448] bleibt in seiner Klassifizierung des polit. Sprechens relativ nah an der Gattungstrias: Er unterscheidet vier Öffentlichkeiten und ebensoviele Sprachstile: Die mahnende Rede (›hortatory‹) mit einem sich an die breite Öffentlichkeit richtenden Sprachstil fordere in heterogenen Kontexten (Wahlkampf, Anhörungen, Entscheidungsgremien etc.) dazu auf, eine bestimmte Politik zu unterstützen (wobei es ausreichend sei, wenn nur die Möglichkeit einer Wahl suggeriert werde). Der Bereich der juristischen Rede (›legal‹) diene zum einen der Vermittlung der Annahme eines objektiven Prozedere, zum anderen arbeite die juristische Rede an einer Perfektionierung des juristischen Diskurses (Argumentationsweisen, Definitionen etc.). Der Bereich der die Verwaltung betreffenden Rede (›administrative‹) zeige eine Argumentationsstruktur, die keine Einwände zuläßt und keine Rücksicht auf die Empfänger nimmt, wohingegen der in Verhandlungen zur Anwendung kommende Redestil (›bargaining‹) auf einen kleinen Kreis Auserwählter beschränkt ist, aber durch die Wendung an eine größere Öffentlichkeit eine Absicherung zu erlangen sucht. Die Massenmedien und die neuen Kommunikationstechnologien [30] führen zur Ausbildung neuer, angepaßter Redestile und einer Gattungsvielfalt, die, wie Ottmers betont, weder unter rhet. Gesichtspunkten reflektiert worden noch in das rhet. Lehrgebäude eingegangen wären [42. 42–46].

B. Die einzelnen klassischen Redegattungen

1. Gerichtliche Rhetorik

Die Gerichtsrede [29] ist der maßgebliche Phänotyp des *genus iudiciale*, das nach Aristoteles (Rhet. 1358a) in der Mitte zw. *genus deliberativum* und *genus demonstrativum* liegt. Kennzeichnend für diese ist eine eindeutige Kommunikationssituation, in der das dialektische Element des Pro und Contra stärker ausgeprägt ist als in den anderen beiden Redegattungen: Anklage (bzw. Klage) und Verteidigung streiten unter Orientierung an topischen Argumentationsmustern und der Statuslehre um die Rechtsnatur des meist in der Vergangenheit liegenden Tatbestandes, also letztlich um die Durchsetzung einer bestimmten Handlung oder Unterlassung. Obwohl in der Kommunikationssituation das Bemühen, durch die *argumentatio* die Entscheidungsinstanz für die eigene Position einzunehmen, inhärent ist, sollte zumindest im Idealfall die Ausrichtung am geltenden Rechtssystem resp. dem Prinzip der Gerechtigkeit den Vorrang haben. Eine zivil- oder strafrechtliche Gerichtsrede muß also dem doppelten Anspruch einer luziden kunstgerechten Darbietung des Sachverhaltes und der korrekten Auslegung der anwendbaren Rechtsnormen Genüge tun. Stärker als den beiden anderen R. sind dem *genus iudiciale* durch den Bezug auf das geltende Recht Beschränkungen auferlegt, die dem demagogischen Mißbrauch entgegenstehen.

In der Entwicklung des *genus iudiciale* ist zwischen der rhet. Theorie und der juristischen Praxis zu trennen. Sie erreichen niemals wieder die urwüchsige Nähe der röm. Zeit, sondern verharren in Distanz oder relativer Nähe zueinander. Das *genus iudiciale* bleibt Kernstück im konservativ tradierten rhet. Lehrsystem, weil an ihr die auch auf andere Bereiche ausdehnbare Argumentationstheorie ausgezeichnet vermittelt werden kann. So beschränkt sich dessen Wirkung nicht nur auf die Sphäre der Rechtsprechung, sondern gibt im Verbund mit der Praxis auch Impulse für die lit. oder pädagogischen Zwecken dienende Textproduktion: tatsächlich gehaltene Gerichtsreden werden unverändert oder aufbereitet publiziert; pädagogische Texte simulieren eine an Gerichtsreden orientierte Argumentationsweise, um das Verfassen »echter« Gerichtsreden einzuüben (ant. *Controversiae*, ma. Streitdichtungen und Schuldisputationen, in denen Rechtsstreitigkeiten zwischen biblischen Gestalten fingiert werden; Diskussion weltlicher Fragen in Gerichtsredenform, z. B. Ph. Sidney, *The Defence of Poetry*, 1580); hinzu treten lit. Fiktionen, die einen tatsächlichen Prozeß zum Vorbild nehmen oder einen erfundenen Prozeß realistisch schildern, sowie im 20. Jh. Romane, Hörspiele, Filme (z. B. *Witness for the Prosecution*, USA 1957) und beliebte Fernsehserien, die den Rechtsanwalt oft zum für das Gute kämpfenden Heroen oder zumindest Helden des Alltags stilisieren [15; 45; 52; 56].

Im MA [29] maß die rhet. Theorie dem *genus iudiciale* im Anschluß an die ant. Autoritäten, v. a. Cicero, das größte Gewicht zu. Die Erkenntnis, daß sich eine große kulturelle Kluft zwischen der Ant. und der eigenen Zeit aufgetan hatte, schlug sich in der den theoretischen Erörterungen beigesellten rudimentären Einführung in das röm. Rechtswesen nieder (z. B. Alkuin, *Disputatio de rhetorica et de virtutibus*, Wende zum 9. Jh.). Außer in der Forderung einzelner Autoren, daß die Gerichtsrede mit moralisch-ethisch-christl. Grundsätzen im Einklang stehen müsse (Isidor, *De lege* 2; 5, bes. 5, 10), wurde jedoch kaum ein Bezug zur aktuellen Rechtspraxis hergestellt. Damals war es Brauch, daß die Prozeßbeteiligten sich in »kunstlosen«, sachorientierten Plädoyers selbst vertraten oder – z. B. Frauen – einen Fürsprecher einsetzten. Konsequenterweise wollte der die lat. Rhetoriktheorie verdeutschende Notker Labeo (*De arte rhetorica*, 9./10. Jh.) der »natürlichen« Beredsamkeit wieder durch die künstliche des rhet. *genus iudiciale* (ahd. *tiu dinchlicha*) zu neuem Glanz verhelfen.

Vom 12. Jh. an deutet sich ausgehend von It. eine für die weitere Entwicklung des *genus iudiciale* entscheidende Tendenz an: Erst im kirchlichen und in der Folge im weltlichen Gerichtswesen setzen sich zunehmend nach dem Römischen Recht modellierte Verfahren durch. Damit ergab sich wiederum die Möglichkeit zu einem Redeeinsatz bzw. einer kunstvollen schriftlichen Auslegung der Rechtsvorschriften. (Die Notwendigkeit zum verstärkten Gebrauch der Schriftlichkeit führte zur Herausbildung der auf diese Bedürfnisse zugeschnittenen *ars dictaminis*). Der berühmte Bologneser Rhetoriklehrer Boncampagno de Signa monierte die ästhetisch vielfach unbefriedigende Performanz der Gerichtsredner. Da als Abhilfe seines Erachtens ein einfacher Rückgriff auf Cicero nicht mehr genügte, legte er in seiner *Rhetorica novissima* (1235) eine den Bedürfnissen der Jus-Studenten angepaßte Rhet. vor, die sich neben der *memoria*, *actio* und dem Redeschmuck auf effektvolle Invektiven gegen Prozeßgegner konzentriert. Da er aber ein sehr kritisches Bild der zeitgenössischen Advokaten (»Rechtsverdreher«) entwarf, entfaltete diese eigentlich wegweisende Schrift nicht die verdiente Wirkung. Auch Bonaguida Aretinus versuchte erfolglos mit seiner *Summa introductoria super officio advocationis in foro ecclesie* (um 1249) die rhet. Klassiker zu ersetzen.

In der Ren. [29] gewinnt die Rechtsprechung – und damit das jurist. Fachstudium mit dem Schwerpunkt auf Auslegung der Rechtsnormen – in ganz Europa weiter an Komplexität. Die Revitalisierung der rhet. Theorie, die auch die R. einbeziehen, kommt weitgehend der lit. Form zugute, reagiert aber höchstens schwach auf die zeitgenössische Redepraxis. Dies gilt selbst für die in der Betonung des *genus iudiciale* an Cicero orientierte, um-

fassendste Gesamtdarstellung der Ren., Georg von Trapezunts *Rhetoricorum libri V* (1433/34). Andere Theoretiker, z. B. B. Cavalcanti (Rhetorica, ²1504), M. A. Bragadenus (*De arte oratoria libri quinque*, 1590) oder Melanchthon (*Elementa Rhetorices*, 1542), die markante Unterschiede zwischen dem ant. Rechtswesen und der stärker verwissenschaftlichten zeitgenössischen Praxis notierten und entsprechend auch eine angemessene rhet. Ausbildung der Juristen forderten, schlößen die Kluft zwischen Theorie und Praxis nicht. Zweifellos verfügten viele Juristen aber durch Selbststudium oder Besuch der Univ. vor der praktisch ausgerichteten Rechtsschule über rhet. Kenntnisse.

Diese Verrechtlichung bedeutete die endgültige Scheidung von rhet. Theorie und juristischer Ausbildung, da von nun an der Schwerpunkt auf der korrekten Auslegung und Anwendung des Rechts liegen würde. Zunehmend dient die Beschäftigung mit und Einübung des *genus iudiciale* dazu, prinzipiell die Urteilskraft und die Disputierfähigkeit von Studierenden aller Disziplinen, bes. aber der Theologen, zu stärken. Vor diesem Hintergrund ist z. B. die Rhetorikkonzeption des Jesuiten C. Soarez (*De arte rhetorica libri tres*, 1562) zu verstehen, der zwar die ant. Trad. hochhält, aber nur eine stark vereinfachte Darstellung des *genus iudiciale* und der Statuslehre gibt. In England unternimmt lediglich T. Wilson in seiner unter den Juristen seiner Zeit populären *The Arte of Rhetorique* (1553) einen weitergehenden Versuch der Anpassung an die geltende Rechtspraxis. Auch im Frankreich des 16. Jh. erscheinen praxisferne rhet. Referenzwerke in der Landessprache. Obwohl gegen E. des 13. Jh. ein *Parlement sédentaire* geschaffen worden war, das im Rahmen spektakulärer Gerichtsfälle weiten Raum für kunstvolle Plädoyers (von denen aber lediglich die Argumentationsgerüste schriftlich überliefert sind) bot, weist P. Fabris in *Le grant et vray art de pleine rhétorique* (1521) bei genereller Berufung auf Cicero dem wenig differenziert traktierten *genre iudicial* nur den dritten Rang zu. Doch empfiehlt er, sich vordringlich Disputationsweisen, auch diejenige sokratischer Manier, anzueignen. Dies zielt wiederum auf eine generelle Anwendbarkeit seiner Ausführungen ab [29].

In der folgenden Zeit zeichnet sich in Frankreich eine zweifache europaweit trendsetzende Tendenz ab: einerseits eine klarere Herausbildung eines Redetyps klass. Stils im Zuge einer insgesamt höheren Stilbewußtheit, andererseits ein an der aktuellen Prozeßpraxis orientierter Redetyp. Gegen E. des 16. Jh. werden erstmals zeitgenössische Prozeßreden veröffentlicht; gleichzeitig erscheinen auch von Advokaten verfaßte Anweisungen für kunstgerechte Abfassung und Vortrag einer Gerichtsrede. Langsam vollzieht sich nun ein Wandel der ästhetischen Positionen: Beklagt noch etwa B. Brisson in seiner Rede *Les causes de l'immunation et diminution de l'éloquence* von 1579 die mangelnde stilistische Ausdrucksfähigkeit der zeitgenössischen Redner gegenüber den ant. Musterreden, entwirft A. Loysel in seinem *Dialogue de avocats du Parlement de Paris* (1602) ein

Cicero verpflichtetes Ideal einer funktional sachbezogenen, attizistischen Rede. Mit G. Du Vairs *Traité de l'éloquence française* (1594), in dem er eine Mittelposition zwischen Asianismus und Attizismus (Klarheit und Vermeidung übertriebenen Redeprunks) vertritt und als Musterreden Demosthenes' *Kranzrede* und Ciceros *Pro Milone* empfiehlt, wird der gemäßigte, für Frankreich zukunftsweisende Klassizismus eingeläutet [29. 801 f.].

Trotz des prinzipiellen Interesses an Gerichtsreden, die sich in der Veröffentlichung von Redensammlungen manifestiert, bleibt im 17. Jh. – selbst in Frankreich, wo die Gerichtsrede im öffentlichen und lit. Leben eine prominentere Rolle spielt – das Interesse der rhet. Fachschriftsteller an der Praxis gering; die Aufgabe, dem juristischen Nachwuchs das Reden beizubringen, obliegt weiterhin den Juristen selbst. Z. B. widmet N. Caussin in *De eloquentia sacra et humana* (1619) der Darlegung der Rechtssysteme verschiedener Kulturen einen großen Raum, wobei er auch Seitenblicke auf die zeitgenössische Rechtspraxis wirft, aber im Prinzip konzentriert er sich neben der Statuslehre in allg. Form auf die Stilistik und die Erregung von Affekten durch sprachliche Ausdrucksmittel. In England, wo die Trad. der schmucklosen Rechtsauslegung herrschte, und in Deutschland, wo man eine weitgehend schriftliche Auslegung vorzog, bezogen sich die rhet. Fachschriftsteller (z. B. G. Vossius, *Commentariorum Rhetoricorum sive Oratorium Institutionum Libri Sex*, 1606; B. Keckermann, *Systema Rhetoricae*, 1607; Th. Hobbes, *Briefe of the Arte of Rhetorique*, 1637) zwar weiterhin auf das seit der Ant. tradierte rhet. Lehrsystem (und damit auf die R.), aber sie zielen damit auf eine profunde sprachliche Ausbildung für Vertreter aller Disziplinen, nicht nur des Advokatenwesens ab.

In der Folge der Aufklärung gerät die Rhet. ab dem 18. Jh. insgesamt in Mißkredit, wodurch auch eine juristische Rhet. zunehmend als billige Advokatenkunst oder parteiliche Manipulation eingeschätzt wird. Einher geht dies mit einem ethischen Rigorismus und einer der Rhet. zwangsläufig abholden Feier des Originalgenies. Indiz für diese Entwicklung ist in Deutschland z. B. die Beurteilung der spätrepublikanischen Praxis der Gerichtsrede als Advokatenrede ohne polit. Gehalt. Hauptzielscheibe dieser Kritik ist der in regelrechten Invektiven (z. B. von Th. Mommsen, *Römische Geschichte*, Bd. 3, 570ff, 12. Aufl. 1980, weiteres: [16]) als gewissenloser ›Winkeladvokat‹ abgekanzelte Cicero. Damit war dieser auch als Stilmodell und Theoretiker der Rhet. diskreditiert.

Heute kann man eine Revitalisierung sowohl der Rhet. insgesamt als auch bes. der juristischen Rhet. beobachten, die primär auf zwei Gründe zurückzuführen ist: (1) Man gelangte zu der Erkenntnis, daß in den meisten Gerichtsreden nicht Dinge verhandelt werden, die im Sinne einer absoluten Wahrheit geklärt werden können. Die Rhet., der es um Wahrscheinlichkeit und Glaubwürdigkeitserzeugung geht, ist zum Erlernen und Praktizieren der Argumentationsfähigkeit ein nützliches

Instrument. (2) Auch wenn so gut wie alle Lebensbereiche der westl. Kultur h. gesetzesförmig, d. h. durch formale, oft auch rein schriftliche Verfahren geregelt sind (»Verrechtlichung«), ist durch die andauernde Infragestellung von Legalität und Gesetzesförmigkeit [46. 85f.] ein Raum für fundierte Diskussionen über durch Technik, Naturwissenschaft und Globalisierung neu geschaffene, bislang ungeklärte Rechtssachverhalte (Gentechnik, Umweltschutz und Kernkraft, Transplantations- und Reproduktionsmedizin etc.) eröffnet worden. Zudem erfordert eine wahrhaft pluralistische Gesellschaft die für verschiedene Optionen offene Klärung bestimmter Begrifflichkeiten (z. B. »Ehe«) vor dem Hintergrund unterschiedlicher rel. Bekenntnisse und Weltanschauungen usw., wozu Rhet. im Sinne einer Technik, Einverständnis herzustellen [18. 1], unabdingbar ist.

Eine spezifisch juristische, also aus der klass. Gattungstrias herausgelöste Rhet. gehört h. zum selbstverständlichen Bereich der juristischen Methodenlehre [27]. Davon zeugen zahlreiche Lehr- und Anleitungswerke [18; 25; 43; 55]. Diese widmen sich traditionellen Themen wie der Schulung des mündlichen Vortrags bei Gerichtsverhandlungen oder anderen Anlässen. Doch wird das durch die Rhet. bereitgestellte Interpretationsinstrumentarium auch zur sprachlichen Analyse von juristischen Problemen und Entscheidungsbegründungen sowie zur Etablierung einer auf Rechtssachverhalte fokussierten Argumentationstheorie (Ähnlichkeitsvergleiche, Topoi) genutzt.

2. POLITISCHE RHETORIK

Ursprünglicher Phänotyp des *genus deliberativum* ist die Beratungsrede [4; 47], und prägnant rhet. gefaßt auch nur im Sinne einer solchen eine polit. Rede. Diese könnte man möglichst umfassend definieren als eine Rede (oder auch eine schriftliche Äußerung) im Zuge einer nicht unter Druck geführten Diskussion unter Gleichberechtigten über wichtige, das Gemeinwohl betreffende Angelegenheiten. Sie dient der Vorbereitung einer Entscheidung und ihrer Legitimation nach innen wie nach außen. »Politisch« – legt man einen weiten Begriff von Politik zugrunde – können allerdings Reden aus allen drei R. sein.

Form und Funktion einer Beratungsrede sind abhängig von der Beziehung, die Redner und Adressatenkreis (Gleichgestellte, Abhängigkeitsverhältnisse) zueinander haben und von der Beschaffenheit des Adressatenkreises. Durch eine Beschränkung der zur Beratung Zugelassenen können Gruppen und Schichten ausgeschlossen, bekämpft oder befehdet werden. Sie kann auch denaturiert, d. h. monologisch werden, wenn die offene Kommunikationssituation durch Zwanganwendung oder das Verfolgen rein strategischer Zwecke unterminiert wird.

Da der Zweck der Beratungsrede letztlich die gesellschaftliche Organisation ist, hätte ein geschichtlicher Abriß v. a. des *genus deliberativum* die gesellschaftliche Struktur jeder Zeit/Epoche/Verfassung zu berücksichtigen (und zu rekonstruieren), denn es wird einen je anderen Charakter entfalten, wird der Rat durch das Volk gewählt oder vom Regenten/Magistraten ernannt oder durch Selbstergänzung konstituiert. Diese Phänotypen stimmen allerdings im seltensten Falle mit dem von Aristoteles entworfenen Bild der athenischen Demokratie oder Ciceros röm. *res publica* überein, weshalb die Frage zu stellen ist, ob man nach dem E. beider Verfassungstypen in der Praxis überhaupt noch von einem Fortbestehen des *genus deliberativum sensu strictu* sprechen kann. Der äußere Rahmen einer polit. Rede im weiteren Sinne kann vielfältige Formen annehmen: die athen. Volksversammlung, die Entscheidungsgremien des republikanischen und kaiserzeitlichen Rom, die Signoria im Florenz der Ren., das engl. Parlament, der dt. Bundestag oder die Knesseth in Israel, um nur einige zu nennen. In der Forschungsdiskussion wird das *genus deliberativum* in der Regel mit dem Existieren einer demokratischen Verfassung verknüpft, ja sogar die Geschichte des *genus deliberativum* mit derjenigen der Demokratie gleichgesetzt. Doch sollten Simplifizierungen vermieden werden: auch in demokratischen Gemeinwesen (oder Institutionen), die eine geregelte Institutionalisierung von Entscheidungsgremien zeigen, kann es – wie die tägliche Erfahrung zeigt – durch Bürokratisierung, Mißachtung des Gleichheitsgebots und Korruption zu einer Unterwanderung eben jener dem Gemeinwohl verpflichteten Funktionen kommen.

Die Beurteilung einer guten Beratungsrede gestaltet sich schwierig, denn das *genus deliberativum* ist in einen Rahmen gesetzt, der auch Kategorien umfaßt, die nicht mit dem rhet. System zur Deckung gebracht werden können, aber – soll eine Beratungsrede erfolgreich sein – ebenso berücksichtigt werden müssen: Konsenssystem, Staatsverfassung, Moral. Kurzum: sie stellt die Frage nach den Möglichkeiten der Soziabilität des Menschen. Auch ergibt sich, wie bei allen sprachlichen Aussagen, die Frage nach dem (notwendigen) Zusammenhang zwischen Redeinhalt und Wahrheit resp. wie »Glaubwürdigkeit« hergestellt wird. (Natürlich kommt hier Platons Rhetorikkritik durch die Hintertür.) Oder wie Schild [47. 1443] treffend formuliert: es stellt sich die Frage nach dem ›Konflikt zwischen instrumenteller Differenzierung und moralischem Anspruch‹. Von hier aus richtet sich der Blick wieder auf die Frage nach der Beschaffenheit des Adressatenkreises.

Eine Demokratie, in der das *genus deliberativum* seine konstruktiven Funktionen erfüllt, ist – fehlen entsprechende Kontrollinstanzen – störanfällig und muß gleichzeitig auch immer wieder in Frage gestellt und akkommodiert werden. So hat der Sozialphilosoph Jürgen Habermas darauf hingewiesen, daß der gesellschaftliche ›Funktionswandel der Öffentlichkeit‹ (1962) Grundlagen und Funktionsfähigkeit einer Demokratie nachhaltig beeinträchtigen kann [22].

Aristoteles entwirft die Theorie der R. in Reaktion auf zwei divergente Positionen, zwischen denen er zu vermitteln sucht: auf der einen Seite stehen die Sophisten (v. a. Gorgias und – mit gemäßigter Position – Isokrates), welche die kontextgebundene Wahrscheinlichkeit einer Aussage in den Vordergrund rücken, und auf der anderen Seite Platon, dessen Rhetorikverachtung sich primär gegen die Sophisten richtet und der den Absolutheitsanspruch der (philos.) Wahrheit postuliert. Platons Kritik wird von späteren Vertretern oft destruktiv gegen die Leistungen der Rhet. gewandt, was gerade im Falle der Beratungsrede das aufklärerische Potential der Rhet. vernebelt. Erst ihre Rehabilitierung in der zweiten H. des 20. Jh. wird dieses wieder freilegen.

Gemäß Aristoteles ist das Ziel einer Beratungsrede das Zu- oder Abraten einer anstehenden Entscheidung. Statt Zwang auszuüben, solle man lieber eine zum Guten führende Diskussion anstreben. Nach Aristoteles gibt es fünf mögliche Themenbereiche für eine Beratungsrede: Finanzen, Krieg und Frieden, Verteidigung, Handel und Legislative. Diese Agenda hat auch h. noch ihre Gültigkeit, allerdings unter Hinzufügung der Menschenrechte und vielleicht auch des Umweltschutzes.

Auch wenn die Demokratie des athenischen Stadtstaates, die Aristoteles für die einzig geeignete Form einer Demokratie (hinsichtlich der Größe) hielt und an der er sein Modell der R. entwickelte, fern davon ist, den Ansprüchen und Erfordernissen einer mod. Demokratie zu entsprechen, hat schon Aristoteles (Rhet. 1350a 4) auch h. noch aktuelle Problembereiche des *genus deliberativum* notiert: Nähme man die Funktion einer Beratungsrede ernst, so müsse man eine gewisse Unvorhersehbarkeit einkalkulieren, denn sie diskutiere Mittel, und da gebe es meist mehrere; sie richte sich also auf eine immer unsichere Zukunft; es müßten verschiedene Stimmen, auch solche, die eine abweichende Meinung vertreten, sich Gehör verschaffen können; man müsse sich zudem bewußt sein, daß man die Entscheidung für die Gemeinschaft trifft, die sich ihr dann beugen muß.

Wesentliche Impulse für die weitere Entwicklung des *genus deliberativum* gaben die röm. Theoretiker, die ihre Darlegungen unter dem Eindruck der differenzierten Entscheidungswege der röm. Republik verfaßten. Deren Mischverfassung baute – vereinfacht ausgedrückt – sowohl auf die Entscheidung der Versammlung aller Bürger als auch auf die Delegation ausgewählter Repräsentanten zur Klärung juristischer oder polit. Probleme und auf die Exekutivgewalt der Konsuln. Man sollte sich die Verfahrensweise etwa einer Senatsversammlung nicht nach dem Muster eines Parlaments unserer Zeit vorstellen, in dem durch Rede- und Geschäftsordnung die Dauer eines Beitrages limitiert und zugleich eine Redegarantie gewährleistet ist. Da dies eben nicht so war, wurden von dem potentiellen Redner weit über die Redebeherrschung hinausgehende Merkmale verlangt: Durchsetzungsvermögen, natürliche Autorität, gesellschaftliches Ansehen etc. [47. 1444].

Cicero (*De inventione*), der Rhet. als Staatskunst definierte, modifizierte die aristotelische Konzeption des *genus deliberativum* entscheidend, indem er dem Nutzen (*utile*) als Referenzrahmen der Beratungsrede die Ehrenhaftigkeit (*honestum*) zur Seite stellte: Der für eine Beratungsrede geeignete freie Mann zeichne sich durch moralische Integrität, ausgeprägten Gemeinsinn und perfekte Ausdrucksfähigkeit aus. In der Folgetrad. wird es meist eher um die Qualifikation des Redners im weiteren Sinne, um seine kontextuelle Professionalität, als um die Vermittlung der Redetechnik gehen.

Mit dem Wechsel des polit. Systems in Rom von der Republik zum Prinzipat der Kaiserzeit, einer Art monarchischer Mischverfassung, die die staatlichen Instanzen der Republik zumindest oberflächlich beibehielt, verlor die öffentliche, einen Volksentscheid herbeiführende polit. Rede an Bedeutung. Durch die stärkere Formalisierung der Entscheidungswege (feste Rechtswege und Gerichtshöfe, Reichsverwaltung; Gremienarbeit; lokale Entscheidungsinstanzen in den Regionen), war die Zeit der spektakulären Volksreden zwar vorbei, doch mangelte es nicht an Gelegenheiten für routinierte öffentliche Rede. Das Funktionieren des röm. Imperiums beruhte zu einem nicht unwesentlichen Teil auf den rhet. Qualifikationen der Verwaltungsbeamten. Da die Auswahl der Eliten u. a. über die Forderung nach einer fundierten rhet. Ausbildung gesteuert wurde, hatte die Rhet. als solche eine hochpolit. Bedeutung. Zudem übernahm auch das *genus demonstrativum* viele der Funktionen einer polit. Rede im weiteren Sinne (s.u. B.3).

Quintilians Ausführungen (inst. 3, 8ff.) schließen im wesentlichen an Aristoteles und Cicero an und tragen, wie schon dargelegt, der veränderten Redepraxis wenig Rechnung. Allerdings geht er ausführlicher auf eine Redesituation ein, nämlich wie zu verfahren sei, wenn man nicht im Rat der Weisen, sondern vor einer moralisch nicht integren oder ungebildeten Menge Überzeugungsarbeit leisten müsse.

Im MA, wo Rhet. (und mit ihr die R.) wichtiges Bildungsgut bleibt, findet das *genus deliberativum* Anwendung bei Diskussionen in kirchlichen Entscheidungsinstanzen, in Gestalt von Beratern an den Königshöfen; auch verliert es Funktionen an die neue Gattung Predigt [1; 39].

In der Ren. wendet man sich zwar verstärkt der ant. Kultur zu, doch führt dies erstaunlicherweise nicht zu einer Reproduktion der ant. Demokratien (mögen sich auch viele Verfassungen, z.B. der toskanischen Stadtstaaten, auf die röm. Republik berufen). Bes. im Zeitalter des Absolutismus übernimmt die höfische Beredsamkeit wesentliche Funktionen der polit. Rede, wenn sich Untertanen zwar oberflächlich des Wohlwollens des Souveräns versichern, dabei jedoch auch ihre eigenen Ansprüche an die Herrschenden vorbringen (s.u. B.3).

Wann immer sich in Europa und Amerika Parlamente mit anfangs geringeren, sich erst langsam erweiternden Befugnissen etablierten, bekam die polit. Rede eine neue Qualität. In England etwa, wo nach der Magna Charta von 1215 das House of Commons ins Leben gerufen wurde, hat sich über die Jh. bis auf den heutigen Tag eine lebendige Kultur der Rede erhalten. Besonders im 18. und 19. Jh. schlug sich dies sowohl in England als auch Amerika in der starken Betonung einer auf die Praxis ausgerichteten Rhet. im Bildungskanon der Funktionseliten nieder. Auch wenn es etwa in der Frz. Revolution oder im Deutschland der Revolution von 1848 sowie in den Parlamenten eine vitale Praxis der polit. Rede gab, unternahm man keine neue theoretische Grundlegung der polit. Rhet., zumal die Redner in der Praxis eher über eine große Flexibilität und ein situatives Reaktionsvermögen verfügen mußten und auch die Usancen des jeweiligen Gremiums eine determinierende Rolle spielten.

Die Bedingungen der polit. Rede im 19./20./21. Jh. machen eine völlige Neubestimmung der rhet. Theorie nötig, dies nicht nur wegen der mit der industriellen Revolution und der Ausweitung der Menschenrechte einhergehenden gesellschaftlichen Umbrüche, sondern auch, weil die sich in schneller Folge entwickelnden Massenmedien und die Kommunikationstechnologie (Printmedien, Mikrophon, Radio, Fernsehen, Internet) eine neue Form von öffentlicher Rede einfordern [39; 31]. Schild [47. 1443] stellt die Hypothese auf, daß ›mit der Zunahme an gesellschaftlicher Funktionsdifferenzierung aufgrund der konkurrierenden Verwaltungs- und Arbeitsteilung und infolge polit. und kriegerischer Konfliktsituationen, der rein instrumentelle Charakter rhetorischer Leistungen‹, also im Sinne des *genus demonstrativum* ›in den Vordergrund rückte‹.

Gerade das 20. Jh. wurde Zeuge vieler brillanter polit. Redner, die das volle Spektrum von »guter« bis zu im Dienste von zerstörerischen Ideologien stehender Rhet. zeigen: Hitler, Goebbels, Churchill (Reden an das Volk während des II. Weltkrieges über das Radio, z.B. *Blood, Sweat and Tears*, Mai 1940), M. Gandhi und M. L. King. Die große Breitenwirkung von öffentlicher Rede führte zu einer Rückbesinnung auf das von der ant. Rhet. bereitgestellte Interpretationsinstrumentarium im allg. und auf das als polit. Rede schlechthin gefaßte *genus deliberativum* im besonderen, dessen Domäne und Geltungsbereich von den Theoretikern erweitert wurde [47; 48]. Exemplarisch seien nur einige der wichtigeren Ansätze genannt:

Kenneth Burke [9] entwickelt an der Analyse von Hitlers Rhet. die These, daß es das *genus deliberativum* als eigenständigen Redetypus nicht (mehr) gebe, sondern daß vielmehr alle Arten von Symbolik eine soziale, mithin polit. Funktion hätten. Auch Richard Weaver [57], der Rhet. als wesentlichen Teil der Gesellschaft betrachtet, betont, daß polit. Rede die polit. Tagesrealität überschreitet und sich auch in so etwas wie kultureller Integrität/Kontinuität manifestiere.

Einen der bedeutendsten Beiträge zur polit. Rhet. hat die Philosophin und polit. Theoretikerin Hannah Arendt (1906–1975) geleistet [19]. Sie postuliert, daß nur dies ein reiner Begriff des Polit. sein könne, der die in der abendländ. Philos. nur unzureichend »nebenbei« behandelte Pluralität der menschlichen Gesellschaft, d.h. die Vielfalt von Meinungen, ins Zentrum stelle. Dieser manifestiere sich in einer repressionsfreien Gesellschaft in einem Handeln und Sprechen vor anderen Menschen, in der Freiheit der Rede und der Freiheit zum Gespräch, d.h. in der Inanspruchnahme des öffentlichen Raumes. Diese Vorstellung eines öffentlichen Gesprächs, das kein Hinterzimmergespräch oder Lobbying vor der Parlamentstür meint, entspricht in einigen Aspekten dem aristotelischen Ideal einer Beratungsrede, doch hat es ihrer Vorstellung nach eine gesamtgesellschaftliche Dimension und ist nicht auf gewählte Gremien beschränkt [47; 48]. Der Unterschied zur Agitation liegt in der potentiellen Offenheit des Ausgangs einer zeitaufwendigen Diskussion, deren Ergebnis immer nur als provisorisch zu verstehen sei.

Jürgen Habermas stellt in seiner *Theorie des kommunikativen Handelns* (1981) [23] keinen expliziten Bezug zur Theorie der Rhet. oder rhet. Konzepten her und ist doch mit seiner Annahme einer dem kommunikativen Handeln innewohnenden Rationalität, die eine Anweisung auf Wahrheit, Gerechtigkeit und Freiheit mit sich führt, sehr nahe an den Kerngedanken einer wohlverstandenen ant. Rhet., zumal für ihn nicht die Sprachstruktur, sondern der Sprachgebrauch, d.h. die Rede das Entscheidende ist. Und schließlich hat Habermas in *Faktizität und Geltung* (1992)[24] dann den Versuch unternommen, diese Logik der Begründung auch für den mod. demokratischen Rechtsstaat in Anschlag zu bringen, womit er seiner früheren Diagnose des Strukturwandels der Öffentlichkeit gleichsam eine Therapie der Demokratie aus dem Geiste der Rhet. hinzufügt. Auch ist der Hinweis von soziolog. Seite zu beachten, daß in unserer Gesellschaftsformation ganz unterschiedliche Öffentlichkeiten koexistieren und in Wechselwirkung treten, in denen je differente Rhet. sich ausgebildet haben. So sehen etwa Negt und Kluge in den Merkmalen und Figuren der Rede geradezu ein Unterscheidungskriterium für »bürgerliche« und »proletarische« Öffentlichkeit [41].

3. Epideiktische Rhetorik

Die mod. Sekundärliteratur belegt das *genus demonstrativum* [8; 28; 34; 58] häufig mit pejorativen Urteilen wie »inhaltsleer«, »Wortgeklingel«, »rhetorisch« (sic!) oder brandmarkt es als eitle Zuschaustellung des Redners. Damit wird eine schon in der Ant. beobachtbare Tendenz aufgenommen: Immer hat das *genus demonstrativum*, das anders als Gerichts- und Beratungsrede wenigstens vordergründig nicht einem bestimmten Anlaß und einem Beweisziel zugeordnet werden kann, für Kritik und Empörung gesorgt, v.a. im Zusammenhang mit der Redepraxis der Sophisten (bes. des Gorgias), die gerade diese R. in aufklärerischer Absicht als Propagandaträger ihrer subversiv-aufklärerischen Rhet. nutzten [42. 21].

Oft unterstellt man dieselbe kritische Distanz auch Aristoteles, in dessen *Rhet.* das *genus demonstrativum* ein fast notbehelfmäßiges Sammelsurium sonst nicht einzuordnender Redetypen darstelle. Doch in Wirklichkeit subsumiert er unter dieser Kategorie Redeanlässe und -typen, die für die athenische Öffentlichkeit von immenser Bedeutsamkeit, jedoch nicht konkret an institutionalisierte polit. oder rechtliche Entscheidungswege gebunden waren: Totenrede (Nekrolog) und Heldengedenken, Siegerlob (Epinikien), Festrede (Panegyrikos) und Lobrede im engeren Sinne; dazu traten weitere private oder öffentliche Anlässe. Er faßt diese zahlreichen, keineswegs beliebig aneinandergereihten Anlässe unter dem größten gemeinsamen Nenner, dem generell lobenden Charakter zusammen. Zwar impliziert dies, wie Aristoteles selbst andeutet, in der Kehrseite auch den Tadel, jedoch erhält dieser negative Phänotyp des *genus demonstrativum* in den theoretischen Schriften wenig Aufmerksamkeit, weil zum einen vielleicht die Strategien des Lobs einfach umgekehrt werden müssen oder auch zur versteckten Beschimpfung genutzt werden können, vielleicht aber auch, weil der Personentadel in Reinform als einziges Ziel einer Rede als im Widerspruch zum *perfectus orator* als *vir bonus* stehend zumindest im Kontext des *genus demonstrativum* über weite Strecken der Ant. negativ belegt war (polit. Schmähreden oder die negative Zeichnung der gegnerischen Partei in einer Gerichtsrede bedienen sich dieses Mittels). In der Praxis gab es – wie Ottmers betont [42. 29] – jedoch immer wieder Zeiten, in denen die Tadelrede Hochkonjunktur hatte, z.B. in der frühen Neuzeit der Reformations- und Gegenreformationszeit, wo sie dann in der Tat auch in der Theorie stärker berücksichtigt wurde (z.B. Vossius hat ein ausführliches Kapitel über die kunstgerechte Beschimpfung von Krüppeln [42. 30]).

Kunst- und sachgerecht zu loben ist wahrscheinlich eines der schwierigsten Unterfangen überhaupt. Um Wildwüchse und Peinlichkeiten zu vermeiden, forderte schon Aristoteles vom Redner eine genaue Vorstellung davon, was ehrenhaft und unehrenhaft, was lobens-, was tadelnswert sei. Doch billigt er dem *genus demonstrativum* Lizenzen zu, die leicht als moralisch verwerflich und »verlogen« gelten können und in der Tat den Hauptkritikpunkt der Philosophen (z.B. Platon, Menexenos, um 380) bilden, nämlich daß man zu Zwecken der Verdeutlichung durchaus ein wenig übertreiben dürfe (*amplificatio*). Genau hierin zeigt sich aber schon bei Aristoteles die sich im Laufe der Jh. noch verstärkende Nähe des *genus demonstrativum* zur Fiktion, zur Dichtung. Im Prinzip wird durch diese Bezugsetzung aber der Blick auf die wirklichkeitserzeugende Leistung aller sprachlichen Aussagen gelenkt.

Aus den Ausführungen des Aristoteles läßt sich eine generelle Abwertung des *genus demonstrativum* demnach nicht ablesen, zumal er zweifelsohne davon ausgeht, daß auch diese R. dem Ziele der *persuasio* dient, allerdings ohne wie die beiden anderen auf dem Dialog mit den Rezipienten/Streitpartnern zu basieren. Also muß die Wirkung und Funktion des *genus demonstrativum* woanders zu suchen sein. Es liegt nahe, die große identitätsstiftende und damit letztlich doch polit. Rolle hervorzuheben. Denn mehr noch als die anderen R. ist das *genus demonstrativum* fixierten oder ungeschriebenen moralischen Codes verpflichtet, die aber zugleich auch stark ausgrenzend wirken können. Das Bedeutungsspektrum von »epideiktisch« ist also nicht reduzierbar auf eine reine Zurschaustellung (sc. des Vortragenden), sondern umfaßt die auf das Konsenssystem (auch im Sinne einer kollektiven *memoria*) des Rezipientenkreises bezugnehmende Darlegung eines Sachverhalt unter Aufbietung aller dem Redner zur Verfügung stehenden sprachlichen und performativen Fähigkeiten. Obwohl es auch in seiner Kultur epideiktische Reden mit zweifelsfrei stark gemeinschaftsstiftender Wirkung (frühes Beispiel: Epitaphios des Perikles auf die ersten Gefallenen des Peloponnesischen Krieges, um 430/31; vgl. Thuk. 2, 35, 1 ff.) gegeben hat, engt Aristoteles die Wirkung des *genus demonstrativum* – vielleicht um der Vereinfachung willen – allzu sehr auf Genuß und Gegenwartscharakter ein.

Die enge Bindung an soziale Situationen macht eine Bestimmung dessen, was eine gelungene Rede des *genus demonstrativum* ausmacht, sehr schwierig, wenn nicht unmöglich. Sie stellt dem Redenden, der häufig den asianischen oder einen sehr gehobenen feierlichen Beeindruckungsstil wählen wird, vor eine anspruchsvollere Aufgabe in der sprachlichen Gestaltung als die beiden anderen, in einen festen Rahmen gesetzten R., weil der Adressatenkreis von einem Spezialistengrüppchen bis hin zu einer großen heterogenen Menschenmenge rangieren kann.

Die spätere überragende Position des *genus demonstrativum* in der Redepraxis ist damit zu erklären, daß es nicht wie die beiden anderen an die Existenz bestimmter staatlicher oder rechtlicher Institutionen gebunden ist. Es wäre jedoch ein fataler Umkehrschluß (den man in der Sekundärliteratur jedoch bis in die jüngste Zeit finden kann, z.B. [36. §239]), von der Existenz einer lebendigen Redekultur des *genus demonstrativum* auf die Absenz von Freiheit und rechtlicher Ordnung zu schließen. Gerade weil das *genus demonstrativum* ein funktionaler *global player* ist, kann es – wie in der röm. Kaiserzeit und der sog. höfischen Beredsamkeit – auch die Funktionen der polit. Rede mitübernehmen. Denn die Besonderheit des *genus demonstrativum*, nicht aktiv/offen in einen Diskussionsprozeß einzugreifen, kann in anderen Kontexten sehr nützlich sein, nämlich wenn etwa eine schon getroffene Entscheidung nachträglich gerechtfertigt und den Zuhörern »schmackhaft« gemacht werden soll und/oder wenn eine Konsolidierung des Wertesystems nötig erscheint. Reden dieses Typus haben sowohl in totalitären als auch demokratischen Staatsgebilden ihren Ort (z.B. Ritualisierung von Großanlässen im Dritten Reich oder den kommunistischen Systemen; die Reden zum 1. August in der Schweiz oder auch – in jüngster Zeit – die Hymnen auf die europ.-amerikanische Kultur als stabilisierende Reaktion auf die Terroranschläge des 11. September 2001).

Das *genus demonstrativum* eignete sich im Rahmen des rhet. Lehrsystems der Ant. bes. gut zur Denkschulung und Einübung der Beschreibungsfähigkeit (*descriptio*) und der von keiner jurist. oder staatlichen Konvention eingeengten Verwendung von Stil- und Beeindrukkungsmitteln. Man muß also drei Anwendungsbereiche unterscheiden: (1) die Übungsreden (*Progymnasmata*, *Praeexercitamina*); (2) die in der rhet. Theorie verstärkt berücksichtigten lit. Prunkreden, wie sie in der Sophistik und mit Akzentverschiebung in der Zweiten Sophistik öffentlich gepflegt wurden (wo die Prunkrede gleichzeitig den Redeanlaß bot), bis hin zu (3) den eigentlichen »Gelegenheitsreden«, in denen der Redner sich zu bestimmten, in jeder Gesellschaft sich bietenden Anlässen an einen öffentlichen oder privaten Adressatenkreis richtet.

In der nacharistotelischen Theorie sind zwei gegenläufige Tendenzen zu beobachten, einerseits eine Verurteilung und Abwertung im Sinne der oben genannten Vorurteile, andererseits eine Begriffserweiterung, ja Mutation zur allumfassenden Redegattung.

Das *genus demonstrativum* wird in den ant. Lehrbüchern meist sehr knapp abgehandelt, falls nicht völlig außer acht gelassen und oft in sehr schematischer Weise charakterisiert. Doch ist der Grund hierfür weniger in der Bedeutungslosigkeit zu suchen als in der Tatsache, daß das *genus demonstrativum* immer als dritte (und letzte) R. angeführt wurde und die wichtigsten Aspekte der Redenproduktion schon bei den Gerichts- und Beratungsreden zur Sprache kamen. Wegen der Vielfältigkeit der Redeanlässe und Leistungen des *genus demonstrativum* wäre eine systematisch-enzyklopädische Behandlung ohnehin schwierig zu bewerkstelligen, obwohl sich in späteren Epochen auch dies finden wird (z.B. im 17. Jh. Weise und Kindermann; s.u.). Manche Autoren umgehen dieses Problem dadurch, daß sie eine Exempla-Sammlung, die eine individuelle Textgenerierung erleichtern soll, bereitstellen.

Prägend für das Verständnis des *genus demonstrativum* in den nachant. Epochen wurde wiederum Cicero, der ihm in *De Inventione*, *Orator* und *De Oratore* – ausgehend von der eigenen sozialen Realität, in der außer der *laudatio funebris* epideiktische Reden wohl eher selten waren – nicht den Status einer eigenen Gattung zubilligen will: Diese Kunstübung möge lediglich als Hilfsmittel für die Einübung argumentativer und sprachlicher Fähigkeiten dienen. Reden nichtjuristischen oder -polit. Inhalts könnten ohnehin analog gestaltet werden, zumal ethische Leitnormen für alle öffentlichen Redeformen Geltung hätten. Dieses Bild korrigiert er nicht nur in seiner eigenen Rede *Pro Marcello* (46, vor Caesar), die das erste Specimen des Herrscherlobs in Rom darstellt, sondern er bietet auch in der späten Schrift *Partitiones Oratoriae* (69–82) eine partielle Rücknahme seiner früheren strikten Position, indem er der Lob- und Tadelrede nun auch einen polit. Nutzen zugesteht: sie diene auf nichtargumentative Weise der Herstellung und Korrektur von Handlungen im Sinne des Ethos. Das *genus demonstrativum* dürfe sich deshalb auch eher der Beeindruckungsstrategien und der Fiktion bedienen und zur Verdeutlichung wundersame Geschichten erzählen (was es insgesamt in die Nähe der Lit., bes. aber der Geschichtsschreibung stellt) [59]. Es ist evident, daß sich z.B. die Verfasser ma. Heiligenlegenden in diese Ciceronische Trad. stellen konnten.

Mit dem E. der röm. Republik avancierte das *genus demonstrativum* zur beherrschenden R. der öffentlichen Rede [49], deren Muster später problemlos auf andere polit. Herrschaftsverhältnisse oder das Verhältnis von christl. Gott und Mensch übertragen werden konnten: ›In der Monarchie (...) ersetzt die Hofrede die beratende Staatsrede und avanciert zu der beherrschenden rhet. Gattung schlechthin – nicht nur im Hellenismus und später im röm. und byz. Kaiserreich, sondern auch im Absolutismus der Frühen Neuzeit mit einer letzten Blüte im dt. Barock.‹ [42. 24]. Der kaiserzeitliche Theoretiker Quintilian reagiert nur verhalten auf die geänderte soziale Wirklichkeit, betont aber in der quer zur Trias der R. liegenden Antinomie von *ostentatio* (reine Kunstübung) und *negotium* (sachbezogene Rede), daß er in der Problematik des *genus demonstrativum* ein generelles Problem aller R. identifiziert. Dieses dürfte aber kaum einfach zu lösen sein, da sich die rhet. Lehre selbst irgendwo zwischen den Extremen der Kunstübung und der polit. Funktion bewegt [38. 1262]. Trotzdem wird das *genus demonstrativum* den Vorwurf der »Verlogenheit« niemals mehr abwerfen (z.B. prangert Isidor von Sevilla, Etymologiae 6,8,7 den panegyrischen Stil der ›leichtfertigen und lügenhaften Griechen‹ an).

In den Prunkreden der Zweiten Sophistik tritt der lit.-fiktionale Charakter dieser R. deutlich in den Vordergrund. Langsam wird durch Spezialrhet. – allesamt in griech. Sprache (von Alexander Numeniou im 2. Jh.; Schriften des 3. Jh. unter den Namen Menanders und des Dionysios von Halikarnass) – die epideiktische Praxis von der Theorie eingeholt. Hermogenes von Tarsos (2. Jh.) definiert in einer weiten Begriffsanwendung die Poesie als Panegyrik (ed. Rabe, 389, 7), was insofern auch angemessen ist, als bestimmte Themen des *genus demonstrativum* ohnehin auch zum festen Motiv- und Gattungsbestand der Dichtung gehören (Siegerlob, vgl. Epinikien Pindars, 6./5. Jh. v.Chr., Herrscherpanegyrik in den Prooemien des lat. kaiserzeitlichen Epos etc.). Hermagoras, dessen Progymnasmata in der lat. Übers. Priscians großen Einfluß auf das MA ausüben sollten, kehrt den lieblichen Stilcharakter heraus, der sich bes. für Gärten, Liebe und possierliche Kreaturen wie Schwalben eigne.

Die spätant. pagane Rhetoriktheorie stellt insbes. für die Lobrede einen weiten Themenkatalog mit einer spezifischen Topik auf, der mit leichten Akzentverschiebungen auch für das MA seine Gültigkeit behält: Menschen (bes. Herrscher), Städte, Landschaften, Länder, Jahreszeiten, Tiere, Pflanzen, Tugenden und Haltungen (auch ironisch gewendet: »Lob der Torheit« o.ä.), Künste und Berufe und natürlich die Götter (resp. der christl. Gott und die Heiligen) [11. 163–68]. Das Städte- und Länderlob, das eine Untergattung des *genus demonstrativum* mit eigener Traditionsbildung darstellt, ist ein signifikantes Beispiel für die polit. Konsensstiftung innerhalb einer Gesellschaft (z.B. *laudes Romae* oder die durch Isidor begründete Trad. der *laus Hispaniae*). Das *genus demonstrativum*, das in der sprachlichen Vergegenwärtigung der Welt auch eine sehr bewußtseinsbildende, kreativ-phantasievolle Qualität hat, ja eine ›epideiktische Anthropologie‹ schafft, übt im MA einen großen Einfluß auf die Theorie (*Ars Poetriae*) und Thematik der Dichtung aus [11. 165].

Die sog. höfische Beredsamkeit [5; 26], die in der Ren. und im Zeitalter des Absolutismus (bes. aber an der Wende zum 17. Jh.) zu einer allg. akzeptierten Sprach- und Verhaltensnorm wird, stellt eine Mischung zwischen polit. Rede und dem *genus demonstrativum* dar. Was mit schelem Blick betrachtet als reine Loyalitätsbekundung unterdrückter Höflinge erscheinen mag, ist in Wirklichkeit Bestandteil eines hochkomplexen, teils nichtsprachlichen, teils körpersprachlich-zeremoniellen Zeichensystems, das sowohl von der Seite des Höflings als auch vom System »Hof« her erschlossen werden kann [26. 1467–1476]. Wichtigster theoretischer Referenztext ist Baldesar Castigliones *Il Cortegiano* (zuerst 1528), der eine ›Synthese höfischer und klass.-human. Kultur‹ [6. 153] versucht. Seiner Vorstellung nach müsse dem idealen Hofmann ein idealer Herrscher entsprechen, der in solch einem Ausmaß Anlaß zu Lob und Bewunderung gibt, daß die Lobreden der Wahrheit entsprechen.

Der Prediger und Beichtvater am Hofe Ludwigs XIII., N. Caussin (1619; s.o.), korrigiert denn auch Ciceros Einschätzung, daß das *genus demonstrativum* ein Kinderspiel sei: während nämlich die beiden anderen Redegattungen der Notwendigkeit entsprungen seien, sei nur die epideiktische Beredsamkeit ›adulta et corroborata eloquentia‹ [38. 1264]. Der Grund dafür liege in der anspornenden Herrlichkeit des Königs.

Ein realistischeres Bild zeichnet Balthasar Gracián in seinem gesamteurop. rezipierten *Handorakel und Kunst der Weltweisheit* (1647) [6; 20. 44–61]. Er entlarvt in 300 Aphorismen die höfische Komplimentierkunst als ein von Konkurrenz und Gunst geprägtes System, das sich durch die Absenz einer echten Kommunikationsgemeinschaft auszeichne. Um der Selbstbehauptung willen müsse man die Menschenkenntnis schärfen und sich einer Rhet. des Verbergens bedienen [6. 157].

In der in ganz Europa entstehenden Anweisungs- und Bildungslit., in der das Sprachverhalten in ein ganzheitliches Bildungsideal eingebettet ist, gehen in den ›Diskurs frühmod. »Höflichkeit« die verschiedensten Trad. und Gattungen ein: Ständelehren, Ökonomik, Anstandsbücher, Tischzuchten, Hofmeisterlehren und Hofschulen, sowie die verschiedensten Formen der Komplimentier- und Konversationslehrbücher‹ [26. 1469]. Um nur zwei zu nennen: B. Kindermann (1660) deutet schon auf dem Titelblatt die universale

Anwendbarkeit seiner Ausführungen an: ›Der deutsche Redner / In welchen unterschiedene Arten der Reden auff allerley Begebenheiten, Auff Verlöbnisse / Hochzeiten / Kind-Tauffen / Begräbnüsse / auf Empfahl- Huldig- Glückwunsch- Abmahn- und Versöhnungen / Klag und Trost wie auch Bitt, Vorbitt und Dancksagungen samt dero nothwenndigen Zugehör / von der Hand / so wol bey hohen / als niedrigen Mannes und Weibespersonen zuverfertigen enthalten sind‹ [42. 40].

Insbesondere die Lobrede geriet mit der Aufklärung schnell in den Verdacht der Unehrlichkeit und der persönlichen Vorteilnahme. Insofern versuchten Theoretiker wie Gottsched den Schwulst der Lobreden auf ein vernünftiges Maß zurückzustutzen [50]. Als mit dem ausgehenden 18. Jh. das Hofzeremoniell zunehmend an Verbindlichkeit und somit Bed. verlor, verlor auch die Rhet., die sich lange weitgehend als Rhet. des Lobes dargestellt hatte, an Bedeutung. Doch lief dies keineswegs auf ein Verschwinden der verschiedenen Redetypen des *genus demonstrativum* heraus, da es weiterhin genügend öffentliche und private Anlässe für festliche, formelle Reden gab. Als hervorragende Trad. der bürgerlichen Beredsamkeit seien hier etwa die akad. Festtagsreden genannt.

Während in der rhet. Theorie und der populären Ratgeberlit. (selbst bis zum heutigen Zeitpunkt) kein wie auch immer konsistentes, der zeitgenössischen Redepraxis angemessenes rhet. Lehr- und Interpretationssystem entwickelt wurde, wurden gerade im 20. Jh. die in der ant. Rhet. niedergelegten Beeindruckungsstrategien demagogisch nutzbar gemacht (z. B. im Dritten Reich durch das Propaganda-Ministerium).

Durch die Massenmedien und Kommunikationstechnologie tritt den immer noch reichlichen Anlässen für Fest- und andere Gelegenheitsreden geradezu eine Überschwemmung mit Formen der direkten und indirekten Beeinflussung zur Seite. Die dadurch geschaffenen und affirmierten gesellschaftlichen Codes, das Wir-Gefühl, hätte man früher mit dem *genus demonstrativum* verbunden (Talkshows, Werbung, polit. Ansprachen, Journalismus). Eine theoretische Grundlegung jedes einzelnen der genannten Bereiche, die über praktische Tips hinausginge (und an Ratgebern mangelt es nicht: [7]), steht allerdings noch aus. Dies gilt selbst für den früheren Kernbereich des *genus demonstrativum*, die Fest- und Gelegenheitsreden bes. in Gestalt der Medienpräsenz führender Politiker zu bestimmten Feiertagen (Neujahrsansprache des dt. Bundespräsidenten oder Ansprachen des amerikanischen Präsidenten an das Volk in aktuellen Krisensituationen, vgl. z. B. 11.9.2001) und *laudationes* anläßlich von Preisen unterschiedlichster Natur. Gerade im Falle der *laudationes* scheint sich ein entscheidender Wandel in der Auffassung, was eine *laudatio* zu leisten hätte, anzudeuten: Das Publikum/die Veranstalter scheinen h. geradezu eine irritierende Formmischung zu erwarten, durch die z. B. polit. Kritik gleichsam im Schutzraum der lit. Form vorgetragen wird. Daß für die Redenden eine theoretische Weglei-

tung sowohl über die mit solch einer öffentlichen Rede verbundene ethische Verantwortung als auch über die situationsangemessene Stilform möglichst bald bereitgestellt werden sollte, zeigt überdeutlich die Rede, die Martin Walser im Oktober 1998 anläßlich der Verleihung des Friedenspreises des Dt. Buchhandels in der Frankfurter Paulskirche hielt und die die sog. Walser-Bubis-Debatte auslöste.

1 C. S. BALDWIN, Medieval rhetoric and poetic (to 1400) interpreted from representative works, 1928, Ndr. 1959 2 W. BARNER, Barockrhet., 1970 3 B. BAUER, Jesuitische »ars rhetorica« im Zeitalter der Glaubenskämpfe, 1986 4 I. BECK, Unters. zur Theorie des »genos symbouleutikon«, 1970 5 G. K. BRAUNGART, Hofberedsamkeit. Stud. zur Praxis höfisch-polit. Rede im dt. Territorialabsolutismus, 1986 6 Ders., Rhet. als Strategie polit. Klugheit, z. B. Balthasar Gracián, in: [33. 146–160] 7 A. BREMERICH-VOS, Populäre rhet. Ratgeber. Histor.-systematische Unters., 1991 8 V. BUCHHEIT, Unters. zur Theorie des Genos Epideiktikon von Gorgias bis Aristoteles, 1960 9 K. BURKE, Language as Symbolic Action, 1968 10 T. CONLEY, Rhetoric in the European Trad., 1994 11 CURTIUS 12 M. EDELMAN, The Symbolic Uses of Politics, 1967 13 J. ENGELS, s. v. genera causarum, HWdR 3, 1996, 701–721 14 K. FOSS, S. FOSS, C. GRIFFIN, Feminist Rhetoric Theories, 1999 15 M. FRIEDLÄNDER, Rechtsanwälte und Anwaltsprobleme in der schönen Lit., 1979 16 M. FUHRMANN, Die Trad. der Rhetorikverachtung und das dt. Bild vom »Advokaten« Cicero, in: Rhet. 8, 1989, 43–55 17 M. FUMAROLI, L'Age d'Eloquence. Rhétorique et res litteraria de la Ren. au seuil de l'époque classique, 1980 18 W. GAST, Juristische Rhet. – Auslegung, Begründung, Subsumtion, ³1997 19 H. GEISSNER, Rhet. als Vollzug polit. Partizipation: z. B. Hannah Arendt, in: [33. 161–183] 20 K.-H. GÖTTERT, Einführung in die Rhet., ²1994 21 G. E. GRIMM, Von der »polit.« Oratorie zur »philos.« Redekunst. Wandlungen der dt. Rhet. in der Frühaufklärung, in: Rhet. 3, 1983, 65–96 22 J. HABERMAS, Funktionswandel der Öffentlichkeit, 1962 23 Ders., Theorie des kommunikativen Handelns, 1981 24 Ders., Faktizität und Geltung, 1992 25 F. HAFT, Juristische Rhet., 1978 26 F. HARZER, G. BRAUNGART, s. v. Höfische Rhet., HWdR 3, 1996, Sp. 1454–1476 27 E. HILGENDORF, Was leistet die jurist. Rhet.?, in: Rhet. 14, 1995, 40–47 28 W. HILGENDORFF, s. v. Gelegenheitsrede, HWdR 3, 1996, 667–668 29 H. HOHMANN, s. v. Gerichtsrede, HWdR 3, 1996, 769–815 30 K. H. JAMIESON, Eloquence in an Electronic Age: The Transformation of Political Speechmaking, 1988 31 P. KAMMERER, Die veränderten Konstitutionsbedingungen polit. Rhet. Zur Rolle der Redenschreiber, der Medien und zum vermeintlichen E. öffentlicher Rede, in: Rhet. 14, 1995 14–29 32 G. KENNEDY, Classical Rhetoric and its Christian and Secular Trad. from Ancient to Modern Times, 1980 33 J. KOPPERSCHMIDT (Hrsg.), Politik und Rhet., 1995 34 Ders., H. SCHANZE (Hrsg.), Fest und Festrhet. Zur Theorie, Gesch. und Praxis der Epideiktik, 1999 35 P. O. KRISTELLER, Stud. zur Gesch. der Rhet. und zum Begriff des Menschen in der Ren., 1981 36 LAUSBERG, §§59–65 sowie §§139–254 37 G. K. MAINBERGER, Rhetorica I: Reden mit Vernunft: Aristoteles, Cicero, Augustinus, 1987 38 S. MATUSCHEK, s. v. Epideiktische Beredsamkeit, HWdR 2, 1994, 1258–1267 39 J. J. MURPHY, Rhetoric in the Middle

Ages. A History of Rhetorical Theory from Saint Augustine to the Ren., 1974 **40** Ders. (Hrsg.), Ren. Eloquence, 1983 **41** O. NEGT, A. KLUGE, Öffentlichkeit und Erfahrung, 1972 **42** C. OTTMERS, Rhet., 1996 **43** C. PERELMAN, Juristische Logik als Argumentationslehre, 1979 **44** R. PODLEWSKI, Rhet. als pragmatisches System, 61–168 **45** R. POSNER, Law and Literature, 1988 **46** H. RODINGEN, Rhet. im Recht: Ortsbestimmung und Überblick, in: Rhet. 2, 1982, 85, 105 **47** H.-J. SCHILD, s. v. Beratungsrede, HWdR 1, 1992, 1441–1455 **48** Ders., Political Rhetoric: A Potential Threat to Democracy. Questions Concerning the Study of Political Rhetoric, in: Rhet. 7, 1988, 13–24 **49** P. L. SCHMIDT, Die lat. Herrscherpanegyrik der röm. Kaiserzeit, in: [34. 353–363] **50** V. SINEMUS, Poetik und Rhet. im frühmod. dt. Staat. Sozialgeschichtliche Bedingungen des Normenwandels im 17. Jh., 1978 **51** B. STOLT, Wortkampf. Frühnhdt. Beispiele zur rhet. Praxis, 1974 **52** F. W. STROTHMANN, Die Gerichtsverhandlung als lit. Motiv in der dt. Lit. des ausgehenden MA, 1930 **53** J. F. TINKLER, Ren. Humanism and the »genera eloquentiae«, in: Rhetorica 5, 1987, 279–309 **54** G. UEDING, B. STEINBRINK, Grundriß der Rhet. Gesch., Technik, Methode, ³1994 **55** T. VIEHWEG, Topik und Jurisprudenz, 1953 **56** H. WALTER, Das Streitgedicht in der lat. Lit. des MA, 1920, 126 ff. **57** R. M. WEAVER, The Ethics of Rhetoric, 1953 **58** A. ZIMMERMANN, Von der Kunst des Lobes. Eine Analyse der Textsorte »laudatio«, 1993 **59** TH. ZINSMAIER, Epideiktik zwischen Affirmation und Artistik. Die ant. Theorie der feiernden Rede im histor. Aufriß, in: [34. 375–398].

CHRISTINE WALDE

Regelpoetik s. Poetik

Reiseandenken s. Souvenirs

Reiterstandbild A. MITTELALTER B. SPÄTMITTELALTER, FRÜHE NEUZEIT C. BAROCK D. MODERNE

A. MITTELALTER

Die Rezeptionsgeschichte ant. R. beginnt mit dem Bronze-Standbild des reitenden Marc Aurel (aufgestellt um 173 n. Chr.), das als einziges von zahlreichen – auch größeren und attraktiveren – röm. Denkmälern seiner Art erhalten blieb, indem es separiert und umgedeutet wurde in Konstantin d. Gr. als christl. Heros. Da das Bildwerk offenkundig auch in den »dunkelsten Zeiten« der Spätant. respektiert wurde, dürfte die erst im 10. Jh. bezeugte Umdeutung schon früheren Datums sein.

Wohl unter Papst Hadrian I. (772–795) auf dem Lateransplatz aufgestellt, wurde der »Caballus Constantini« zu einem Manifest der auf die angebliche → Konstantinische Schenkung gestützten weltlichen Papstherrschaft und diente im MA als Ort der päpstlichen Justiz [7]. Nach seiner Identifikation als Marc Aurel im 15. Jh. für diesen Zweck untauglich geworden, wurde der Reiter (nach Restaurierung unter den Päpsten Paul II. und Sixtus IV., 60/70er J. des 15. Jh.) dem Kapitol, Sitz der röm. Regierung, gestiftet. Unter Papst Paul III. 1538 dorthin verbracht [4], befindet er sich bis h. auf der Mitte des Kapitolsplatzes, aufgestellt nach Michelangelos Konzept auf dem von ihm entworfenen Sockel (h. Kopie; das Original befindet sich in den Kapitolinischen Museen; → Rom VI. Museen).

Ein vergleichbares Zeugnis gibt die Translatio des bronzenen Reiterbildes Theoderichs d. Gr. von dessen Palast in Ravenna vor die Aachener Pfalz durch Karl d. Gr. im J. 801: Intendiert als sinnstiftende Legitimation für das gerade erneuerte, auf Konstantin gestützte Kaisertum der Franken, wurde das Bildwerk indes heftig angefeindet (als Sinnbild für »superbia«: Walahfried Strabo, *De imagine Tetrici*) und bald entfernt [18]. Die Reiterstatuette Karls (?) aus Metz (Paris, Louvre), die erste Nachschöpfung des »Konstantin«, dürfte derselben legitimierenden Vorstellung zuzurechnen sein.

Das Roß Marc Aurels ist charakterisiert durch drei dem Boden aufgesetzte Beine und den ausgreifenden (rechten) Vorderfuß, der Reiter durch den grüßendgebietend vorgestreckten (ebenfalls rechten) Arm. Die (umstrittene) Vermutung von Archäologen, daß urspr. unter dem erhobenen Vorderhuf ein besiegter Barbar gekauert habe, wird erhärtet durch die Bildtrad. der Konstantins-Reiter in der romanischen Bauplastik. Diese sind meist an bevorzugter Stelle von Kirchenfassaden (»Konstantinsnische«) plaziert und stets daran erkennbar, daß sie demonstrativ eine bereits zu Fall gebrachte Figur, die Personifikation des Heidentums, mit dem Huf niederschmettern (in Frankreich: Châteauneuf-sur-Charente, Melle, Parthenay-le-Vieux, Surgères, Benet [16. 246–251]). Auf den Kapitellen der zwei östl. Chorpfeiler von S. Lazare in Autun korrespondiert solche Überwindung des Heidentums sinnfällig mit dem Bildthema der Idolatrie: Vom Huf des kaiserlichen Reiters getroffen, stürzt ein nackter Heide (Abb. 1); gegenüber die bildliche Antithese: eine nackte Heidin (Idol?), verehrt von einem verblendeten Jüngling, der indessen von einem Teufel erschlagen wird.

Wohl in Kenntnis, jedoch (ab-)sichtlicher Distanz zum sieghaft ausschreitenden »Konstantin« dürften weitere großformatige (steinerne) Reiterplastiken des MA gefertigt worden sein, so der Bamberger und der Magdeburger Reiter: diese nicht triumphierend, sondern stehend, Huldigung entgegennehmend [5].

B. SPÄTMITTELALTER, FRÜHE NEUZEIT

Seit dem 15. Jh. zählt man das R. Marc Aurels zu den vornehmsten Beispielen der Kunst des Alt.; es galt als mustergültiges Modell für die Darstellung von Roß und Reiter, als Inkarnation naturgetreuer Kunst (wie zu Michelangelo, Pietro da Cortona, Bernini berichtet [11. Nr. 49]). Eine erste Kopie im Statuettenformat von Filarete, 1465 Piero de' Medici dediziert, in Dresden (Abb. 2); weitere (v. a. kleinformatige) Kopien entstehen bis ins 18. Jh., zahlreiche Zeichnungen, Kupferstiche wurden seit dem 15. Jh. [11. Nr. 49; 2. Nr. 176] angefertigt.

Das im Spät-MA einsetzende Interesse an persönlich charakterisierten R. konnte im Laufe seiner bis h. reichenden Geschichte nie völlig absehen von dem röm.

Abb. 1: Konstantinsreiter.
Kapitellrelief, vor 1130. Autun, St-Lazare

Abb. 2: Filarete (Antonio Averlino),
Statuette des Marc Aurel. Bronze, 1465.
Dresden, Staatliche Kunstsammlungen,
Skulpturensammlung

»Urbild«, auch wenn man ikonographisch oft eigene Wege ging oder an die wenigen anderen ant. Vorbilder anknüpfte, so den »Regisole« in Pavia (mutmaßliches R. Theoderichs d. Gr., zerstört 1796) oder die → Rosse von San Marco (Quadriga aus Konstantinopel) in Venedig [17; 3. Nr. 177]).

Die Wiedergeburt des R. in It. seit etwa dem 14. Jh. war offenbar mit einem Bedeutungswandel verknüpft, der vielleicht auf volkstümliche Umdeutungen des Reiters in einen ritterlichen Freiheitshelden (Mirabilia, ca.1140 [9. 57ff.]), sodann auf Cola di Rienzos Usurpation des »Caballus Constantini« 1347 zurückgeht [10. 155f.]. Auf jeden Fall waren die »Reiter« dieser Zeit nicht mehr Könige oder Kaiser, sondern Usurpatoren, Söldnerführer und Vaterlandsverteidiger. Aufstellungsanlaß und -ort waren Sepulkralanlagen, so schmückten sie als freistehende Stein-Monumente die Scaligergräber in Verona: Cangrande I. (†1329), Mastino II. (†1351) und Cansignorio (†1375), in der Attitüde des Turnierreiters. Zahlreiche Holzmonumente finden sich in Kirchen, künstlerisch herausragend das R. des Paolo Savelli (Jacopo della Quercia?, ca. 1406, Venedig, Frarikirche); spätes Beispiel in Deutschland: das Reitergrab des mecklenburgischen Kanzlers Samuel von Behr (†1621), Klosterkirche Doberan. Ein im Dom von Florenz perspektivisch al fresco gemaltes Wandgrab des

Condottiere John Hawkwood von Paolo Uccello (1436) täuscht ein »echtes« R. vor und setzte den Maßstab für künftige Realisierungen (an der Wand daneben befindet sich ein gleichartiges für Nicolò da Tolentino von Castagno, 1456).

Mit den freistehenden Bronzemonumenten des 15. Jh., ob sie denn stärker an den Rossen von San Marco oder an Marc Aurel orientiert waren, entstanden auch in technischer Hinsicht die ersten ebenbürtigen R. der Neuzeit, so z. B. das 1796 zerstörte R. von Niccolò III. d'Este in Ferrara (1451), der Gattamelata des Donatello in Padua (1453), dessen Sockel auf röm. Grabhäuser anspielt, oder der Colleoni, nach einem Entwurf Verrocchios, 1496 in Venedig aufgestellt. Das R. des Colleoni löst sich am weitesten von dem ant. Vorbild, dessen Würde und Ruhe jenem angestrengt gewaltsamen Gestus weicht, der zum bildlichen Syn. von Militärs und Söldnerführern wurde, die sich mit R. feiern ließen. Es löst sich auch von der Reitergrabtrad., die in Colleonis Grabkapelle in Bergamo indes zusätzlich aufrechterhalten wurde.

Das berühmteste Projekt eines R. in der Ren., Leonardos Sforza-Monument in Mailand (1483–1495), kam nicht zum Abschluß (auch nicht das spätere Trivulzio-Projekt), aber die erhaltene Fülle der Studien und Skizzen zeigt die Erprobung verschiedener neuer

Modi, unter denen des Pferdes Sprung und Levade die künstlerisch und technisch anspruchsvollsten Varianten sind, die künftig die ant. Trad. des R. ergänzen; ob damals die hell. Variante des aufgebäumten Rosses präsent war, ist unsicher (vgl. die Statuette [15. 66]). Das erste realisierte Monument mit aufsteigendem Pferd entstand, orientiert an Leonardo (wohl nach einem Bild von Rubens), durch Pietro Tacca für Philipp IV. in Madrid (1636–1640, unter technisch-physikalischer Beratung G. Galileis).

Im 16. Jh. begannen sich die Monarchen für die neue Repräsentationsform zu interessieren, aber die meisten Projekte scheiterten, so Maximilians I. (Gregor Erhart), Franz' I. (Giovanni Francesco Rustici), Heinrichs II. (Michelangelo bzw. Daniele da Volterra), Karls V. (Leone Leoni). Das erste R. eines Fürsten (bezeichnenderweise eines Usurpators) ist das des Großherzogs Cosimo I. in Florenz, von Giovanni da Bologna (1594): Er präsentiert sich nicht als Feldherr, sondern in zeitgenössischem, eher zivilem Habit, als maßvoller Fürst, verkörpert damit eine Inkunabel absolutistischer R. und ihrer Devise: Geschickt wie als Lenker des Rosses, so als Lenker des Staats. Um dieselbe Zeit erschien die Kupferstich-Edition *XII Caesares in equestri forma* (...) von Antonio Testa (Rom 1596), ein veritabler Varianten-Kat. für reitende Monarchen in Bild und Standbild.

C. Barock

Die furiosen R. des Ranuccio und des Alessandro Farnese in Piacenza von Francesco Mocchi (1620 und 1625) knüpfen an die Sieger-Typen à la Colleoni an, während gleichzeitig in Frankreich der absolutistische Würde-Typus bevorzugt wird. Zwar sind diese Bildwerke ausnahmslos in der Frz. Revolution zerstört worden, aber vom größten und repräsentativsten, Louis-le-Grand auf dem gleichnamigen Pariser Platz (h: Place Vendôme) von François Girardon (1699 aufgestellt) besitzt man genügend Bildmaterial, um dessen epochalen Rang zu erkennen (Abb. 3). Die etwa 7 m hohe Plastik drückt gleichermaßen Ruhe und Bewegtheit, Leichtigkeit und Schwere, somit königliche Souveränität aus; der Reiter präsentiert sich im röm. Imperatorenkostüm, ohne Steigbügel, aber mit Allongeperücke. Bezeichnend für den herrschenden Geist: Das Marmor-R. des Louis XIV. von Bernini (1685), das den Monarchen als pathetischen Heros zeigt, wurde abgelehnt, durch Girardon selbst in einen Marcus Curtius verwandelt und als Parkplastik in Versailles abgestellt.

An Girardons Louis XIV. schließt das R. des Großen Kurfürsten von Andreas Schlüter in Berlin an (aufgestellt 1703), das jedoch barocker und dynamischer formuliert ist und im Gegensatz zum Vorbild zwei unterschiedlich charakterisierte Ansichtsseiten (Kriegsherr und Staatslenker) besitzt. Das Monument ist wirkungsvoll vermehrt um vier an den Sockel gekettete Sklaven, wie sie bereits am R. Heinrichs IV. von Pietro Tacca auf dem Pont Neuf in Paris auftraten (1614 enthüllt, 1792 zerstört). Den Ausklang des absolutistischen R. bilden, wieder stärker an der Ant. (Marc Aurel) orientiert, u. a.

Abb. 3: René Antoine Houasse,
Überführung des Reiterstandbildes des Louis XIV.
von Girardon zur Aufstellung 1699.
Gemälde, um 1700. Paris, Musée Carnavalet

das Monument König Frederiks V. von Dänemark von Jacques Saly in Kopenhagen (1754–1764), Kaiser Josephs II. von Franz Anton Zauner in Wien (1795–1806) und des Fürsten Poniatowski von Bertel Thorwaldsen in Warschau (1826/27, zerstört, h. Kopie).

In krassem Gegensatz, ja erklärter Feindschaft zur Ant. steht das R. Peters d. Gr. von Étienne Falconet in St. Petersburg (1766–1782), der in einer Schrift (*Observations sur la statue de Marc-Aurèle* (...), Amsterdam 1771) das ant. Werk im Sinne der → Querelle des anciens et des modernes als fehlerhafte Mißgestalt denunzierte. In erklärtem Naturalismus werden Pferd und Reiter auf einen gewaltigen Natursteinblock (Fels = *petros* = Peter) gestellt, vor dessen Steilabbruch sich das Roß, eine Schlange zertretend (die als Zuganker fungiert), in einer Dressur-Courbette aufrichtet und damit seinem Reiter eine triumphale Pose gewährt (letztlich in der Folge Leonardos, Taccas und Berninis).

D. Moderne

Im 19. Jh. sind R. in der Alten und Neuen Welt (dort v. a. in Südamerika: Simón Bolívar) ubiquitär und ungezählt. Für Deutschland seien pars pro toto das frühhistor. R. Friedrichs d. Gr. von Christian Daniel Rauch in Berlin (1840–1851) sowie die R. der vier letzten Hohenzollern auf der Hohenzollernbrücke von Köln erwähnt: Friedrich Wilhelm IV. von Gustav Bläser (1861–1863), Wilhelm I. von Friedrich Drake (1867) sowie Friedrich III. und Wilhelm II. von Louis Tuaillon (1909). Tuaillons früheres Monument Kaiser Friedrichs III. in Bremen (1905) war seinerzeit vielgerühmt als ein der Moderne adäquates Reiterstandbild.

Im 20. Jh., nachdem das Reiten als herrscherliche Attitüde und Sinnbild von Herrscher-Qualitas ausgespielt hatte, nahmen R. insgesamt zwar deutlich ab, tauchen aber in Ländern mit entsprechendem »Nachholbedarf« vermehrt auf. Nicht nur in der sog. Dritten Welt wurden sie als neue Herrscherikonographie adoptiert, auch in der bislang bilderlosen Türkei entstanden zahlreiche R. Kemal Atatürks. Selbst in Spanien kam es v. a. während der Franco-Zeit zu einem Spät-Boom des R., als für zahlreiche Generäle (insbes. den Caudillo selbst) R. aufgestellt wurden: Am prominentesten und stattlichsten (6 m hoch) geriet das Monument Francos in seiner galizischen Heimatstadt El Ferrol von Federico Coullat-Valera (1967). Auch in einer ausgewiesenen Demokratie wie Finnland ehrte man noch 1960 den Marschall Mannerheim mit der Errichtung eines monumentalen R. von Aimo Tukiainen (Helsinki).

Namhafte Künstler waren jetzt nicht mehr unter den Bildhauern. Allein der renommierte Rodin-Schüler Émile Bourdelle trug noch ein entsprechendes Werk bei: das R. des Generals Alvear in Buenos Aires (1926). Die künstlerische Herausforderung, die das Bild von Roß und Reiter stets geboten hatte, wird dann im Werk Marino Marinis (1901–1980) immer wieder aufgegriffen, im Gegensatz zum R. jedoch nicht personalisiert, sondern in vielen Varianten auf seine unterschiedlichen formalen und motivischen Aspekte konzentriert.

1 CH. AVERY, Equestrian Monument, in: J. TURNER (Hrsg.), The Dictionary of Art, Bd. 10, 1996, 440–442 2 Ders., Giambologna, 1987, 157–165 3 PH. BOBER, R. RUBINSTEIN, Ren. Artists and Antique Sculpture, 1986
4 T. BUDDENSIEG, Zum Statuenprogramm im Kapitolsplan Pauls III., in: Zschr. für Kunstgesch. 32, 1969, 177–228
5 P. C. CLAUSSEN, Kompensation und Innovation. Zur Denkmalproblematik im 13. Jh. am Beispiel der Reitermonumente in Magdeburg und Bamberg, in: H. BECK, K. HENGEVOSS-DÜRKOP (Hrsg.), Stud. zur Gesch. der europ. Skulptur im 12./13. Jh., 1994, 565–585
6 D. ERBEN, Bartolomeo Colleoni. Die künstlerische Repräsentation eines Condottiere im Quattrocento, 1996
7 PH. FEHL, The Placement of the Equestrian Statue of Marcus Aurelius in the Middle Ages, in: JWI 37, 1974, 362–367 8 H. FRIIS, Rytterstatuens historie i Europa, 1932
9 N. GRAMACCINI, Die Umwertung der Ant. – Zur Rezeption des Marc Aurel in MA und Ren., in: H. BECK, P. C. BOL (Hrsg.), Natur und Ant. in der Ren., Ausstellungskat. Frankfurt 1985, 51–83 10 Ders., Mirabilia. Das Nachleben ant. Statuen vor der Ren., 1996 11 FR. HASKELL, N. PENNY, Taste and the Antique, 1981 12 H. W. JANSON, The Equestrian Monument from Cangrande della Scala to Peter the Great, in: Ders., Sixteen Studies, 1973, 159–169 13 U. KELLER, Reitermonumente absolutistischer Fürsten, 1971 14 W. LIEDTKE, The Royal Horse and Rider, 1989 15 Marc Aurel. Der Reiter auf dem Kapitol, 1999 16 E. MÂLE, Religious Art in France. The Twelfth Century, 1978 (frz. 1953) 17 Die Pferde von San Marco,

Ausstellungskat. Berlin 1982 18 F. THÜRLEMANN, Die Bed. der Theoderich-Statue für Karl den Großen und bei Walahfried Strabo, in: AKG, 59, 25–65.   BERTHOLD HINZ

Rekonstruktion/Konstruktion   A. ARCHÄOLOGIE UND REKONSTRUKTION B. SPURENSICHERUNG: INTERFERENZEN UND ABGRENZUNGEN ZWISCHEN KUNST UND WISSENSCHAFT

A. ARCHÄOLOGIE UND REKONSTRUKTION

Der konstruktive Anteil wiss. R. wurde schon in klass. erkenntnistheoretischen Werken um 1900 betont [43; 44], ist aber erst durch poststrukturalistische bzw. postmod. Theorie Brennpunkt histor. Grundlagendiskussion [32] geworden (→ Historische Methoden). Unter den altertumswiss. Fächern betrifft die Verschränkung von R. und K. bes. die Arch., da in dieser schon die Aufbereitung des Materials immer einen hohen rekonstruktiven und somit konstruktiven Anteil beinhaltet hat. Wenn mod. Arch. auf der Basis von Befunden, also Kontexten von Objekten und Spuren, auf die ›Erfahrung fremder Lebenszusammenhänge‹, auf die R. von Prozessen und Strukturen abzielt und dann mit der Ausgrabung zwangsläufig die Spuren ›im Sinne einer physischen Präsenz von Wirkungen‹ zerstört werden [50. 9, 11; 51. 24], so wird arch. R. und Interpretation zwangsläufig der Status einer Quelle zugeschrieben [51. 12].

Dieser konstruktive Aspekt zeigt sich schon an dem Wandel der Bilder bedeutender Orte der Ant. infolge der E. des 19. Jh. begonnenen Ausgrabungen. In den Publikationen wurden top. und idyllische Ansichten durch arch. Pläne mit zweidimensionalen Projektionen chronologisch gegliederter Befunde abgelöst. Deutlich wird dies für Troia durch den Vergleich der Ansicht des frühen 19. Jh. bei Choiseul-Gouffier (Abb. 1) mit Dörpfelds 1902 publiziertem Plan von Troia II (Abb. 2), für Olympia mit den Zeichnungen Haller von Hallersteins einerseits und den ersten Plänen der Grabung andererseits [9. 9–18; 16. 26–48]. Das Bild Delphis war vor der *grande fouille* mit dem daraus resultierenden Plan [28. Taf. 1] v. a. durch Ansichten der Kastalìa-Quellfassung geprägt [22]. Ist der arch. Plan bis h. die maßgebliche wiss. Form bildlicher Repräsentation der Ausgrabungsstätten, so stellen fotografische Abb. in den für ein weiteres Publikum gedachten Bildbänden eine weitere Entwicklungsstufe der medialen Repräsentation der Fundorte dar. Finden sich in frühen Bänden der 1930er bis 1950er J. [21; 31] auch noch Ruine und Landschaft mit trachtentragenden Menschen, so tritt mit den Fotografien von Hirmer [8; 34] vollends die Ansicht der ausgegrabenen, leeren Ruinenlandschaften in den Vordergrund, die in Gombrich einen frühen Kritiker gefunden haben [19]. Ausgegrabene ant. Stätten wie auch Troia (Abb. 3) [30] oder ant. Monumente im Kontext mod. Stadtlandschaften wie in Rom [1] repräsentieren einen Zusammenhang von Bauten unterschiedlicher Zeiten, die so zuvor nie zu sehen gewesen sind, also auch die Eingriffe der arch. Tätigkeit.

Plan d'Ilium-Recens et de ses Environs.

Vue de l'Emplacement d'Ilium-Recens.

Abb. 1: Troia im 19. Jh. (M.G.F.A. Comte de Choiseul-Gouffier,
Voyage pittoresque de la Grèce II 2, 1822, Taf. 35/36)

Fachintern wird das Verhältnis zw. R. und K. v. a. in bezug auf einzelne architektonische Monumente diskutiert [48]. Denn für die Arch. ist R. nicht nur R. der Vergangenheit, sondern auch ganz handfest Wiederaufbau von Denkmälern, sei es als Symbol einer Nation oder im Interesse des Touristen. Dabei stellt die R. oft die einzige Möglichkeit dar, erhaltene Denkmäler und ergrabene Befunde überhaupt zu sichern und zu erhal-

ten. R. bedeutet also zwangsläufig zugleich Auswahl und »Purifizierung« bzw. eine neue Kontextualisierung der erhaltenen Überreste, die zum Teil auch die Authentizität der Monumente bedroht [11; 20]. In die Kritik geraten ist die Akropolis von Athen mit der R. auf den Zustand eines einzigen Jh. [54. 10–65]. Dafür sind seit der ersten Wiedererrichtung des Niketempels 1835/36, dessen Teile in der abgebrochenen türk. Ba-

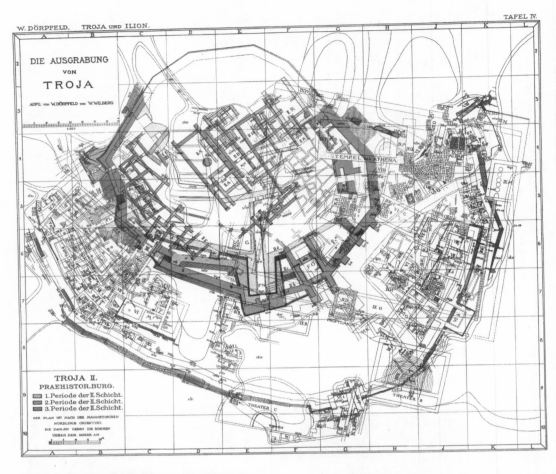

Abb.2: **Troia II im frühen 20. Jahrhundert**
(W. Dörpfeld, *Troja und Ilion. Ergebnisse der Ausgrabungen in den vorhistorischen und historischen Schichten von Ilion 1870-1894*, 1902, Taf. IV)

stion gefunden wurden, alle h. auf der Akropolis zu besichtigenden Gebäude aus Gründen wiss. R. und der Erhaltung mehrmals aufgebaut (zu den jüngsten Arbeiten [14; 33; 35]), d. h. auch mehrmals – ›eine Art Katastilosis‹ [20. 660] – wieder abgebaut worden.

Deutlich zeigt sich die zeitliche Bindung, also der konstruktive Anteil, im Vergleich zeichnerischer R., etwa denen des Nymphaeums des Herodes Attikus in Olympia (Abb. 4 a/b) [9. 27–29] und – extremer – jenen von fiktiven Denkmälern wie dem Schild des Achilleus (Hom. Il. 18,478–608) [17] oder nur lit. überlieferten wie dem Grabmal des Porsenna (Varro bei Plin. nat. 36,91–93), das schon Renaissancearchitekten wie Peruzzi, Antonio und Giovan Battista da Sangallo [55. Nr. 56, 69/70, 105, 124, 127], dann aber auch Archäologen (Abb. 5 a–c) zu R.-Zeichnungen veranlaßt hat [13]. Wie sehr künstlerische Vorstellung das wiss. Bild einer Kultur beeinflußt, läßt sich paradigmatisch anhand der Minoischen Kultur darlegen. Entscheidende Bestandteile des bis in jüngste Zeit vertretenen Bildes dieser Kultur, die bedeutende Stellung der Frauen, der friedfertige Charakter sowie der diesseitsorientierte, spielerische Geist, sind schon am Anf. des 20. Jh. festgelegt worden und hängen entscheidend an den Bildquellen dieser Kultur bzw. der R. von Architektur und Bildern [40]. Dabei ist nur die R. des Palastes von → Knossos durch den Ausgräber Evans [12] aufgrund des als anachronistisch empfundenen Werkstoffs Beton schon frühzeitig kritisiert worden, nicht jedoch die zeichnerischen R. von Bau-befunden und die R. der Wandmalerei der durch den Jugendstil geprägten Künstler. Künstlerische Elemente, die sich sowohl in minoischen Werken wie denen des Jugendstils finden, weisen auf enge Wechselwirkungen zw. Jugendstil und minoischer Kunst bzw. der (Re-) Präsentation derselben. Das heißt, im Jugendstil sind Einflüsse der minoischen Kunst aufgenommen worden [7], der Jugendstil hat aber auch unser Bild der minoi-schen Kunst beeinflußt [40. 204 f.].

B. SPURENSICHERUNG: INTERFERENZEN UND ABGRENZUNGEN ZWISCHEN KUNST UND WISSENSCHAFT

Die Sensibilisierung für die Verbindung von R. und K. in der Arch. hat einen wichtigen Bezugspunkt in der mod. Kunst [23; 24; 10; 50–54; 26]. »Spurensicherung« ist die Bezeichnung einer Kunstrichtung [37–39], in der mit Vorgehensweisen der Arch. gearbeitet wird: Me-thoden der Sicherung wie Abklatsch, Abguß, Ausgra-bung, Beobachtung und Begehung; Methoden der (Re-)Präsentation und Archivierung wie Foto, Video, Modell, Schaukasten, Zeichnung, Buch und Text, Füh-rung und Vortrag. Wichtig sind aber auch Eigenschaften des arch. Materials, wie Spuren des Alterns und der Zer-störung, an denen zeitliche Distanz am Objekt selbst sichtbar wird. Meist sind mehrere dieser Medien und Modi der Darstellung in zum Teil zeitlich begrenzten Installationen kombiniert.

Scharfe Abgrenzung prägte die arch. Rezeption der 1970er und 1980er Jahre [23; 10; 50; 51]. Die der Spu-rensicherung zugeschriebene Wendung zur privaten Erinnerung und die Subjektivität dieser »fiktiven Wiss.« wurden als Flucht aus Wiss. und technisierter Welt, aber auch aus der Geschichte in eine subjektive Innerlichkeit gesehen [10. 51]. Zudem als Parodie oder Karikatur, also Kritik der Wiss. [10.50; 50. 12; 26] aufgefaßt, wurde auch als »Individuelle Myth.« und »Arch. der Erin-nerung« bezeichneten Spurensicherung eine kritische Arch. entgegengesetzt, die sich als auf lit. Quellen stüt-zende Geschichtsforsch. [10. 58 f.] versteht, wiss. Ob-jektivität also in Abgrenzung zur Kunst betont.

Vorgeworfen wird der Spurensicherung auch ein an-tiquarisches Bild der Arch. mitsamt überholten Reprä-sentationsweisen. Der Rückgriff auf ältere, wiss. über-holte Methoden und Repräsentationsweisen mit ihrem antiquarischen Schein, d.h. auf Medien, die ihre in-strumentelle Bed. verloren haben, ist jedoch ästhetisch unabdingbar für eine künstlerische Thematisierung von Vergangenheit, Erinnerung bzw. deren Aufdeckung. *Ausée* von A. und P. Poirier (Abb. 6) [38. 72–76; 46] zeigt eine fiktive Architekturlandschaft mit Spuren der Zerstörung, schließt aber im Material an eine Kunstgat-tung des 18./19. Jh. an, nämlich Korkmodelle ant. (Grab-) Architektur Italiens. Diese zeichnen sich einer-seits durch die Genauigkeit der Befunddokumentation aus [29], standen aber andererseits in der zeitgenössi-schen Rezeption im Gegensatz zu aus Gips gefertigten

Abb. 3: Luftbild von Troia, 2000 (Troiaprojekt Tübingen)

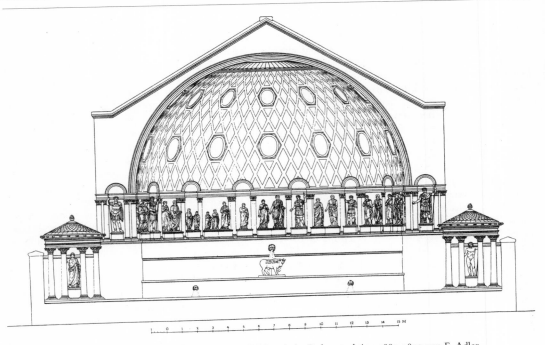

Abb. 4a: Nymphaeum des Herodes Attikus in Olympia. Zeichnerische Rekonstruktion 1885-1890 von F. Adler,
in: E. Curtius, F. Adler, *Olympia III. Die Bildwerke von Olympia in Stein und Thon*,
bearbeitet von G. Treu, 1897, 262 Abb. 294

idealen R. des ant. Zustands für die gegenwärtige Ruine
[15. 165].

    Die Rezeption in der Arch. hat also den eigentlichen
Kontext der Spurensicherung ausgeblendet, denn die
Bed. der verwendeten Materialien oder Methoden ergibt sich in erster Linie im Vergleich zur Kunstpräsen-
tation im Mus. der 1970er J. oder zu Kunstwerken der

Pop Art, der Minimal Art oder auch der Arte Povera
[49; 39. 10f.]. Die Spurensicherung ist keine Anti-Arch.
[51. 22; 26], sondern eine Kunst, deren Thema Erinnerung, Gedächtnis und Vergangenheit, Zeit, Dauer
und vielleicht Kritik an Objektivität und Evidenz ist.
Methoden der Dokumentation, Archivierung und R.
werden aus der Arch. entlehnt, weil dies die Wiss. ist,

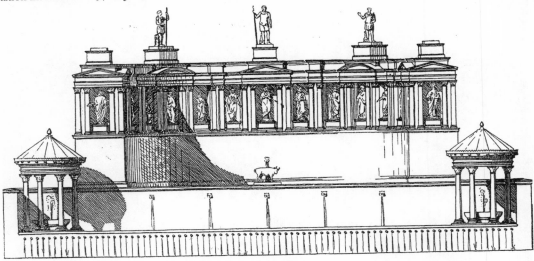

Abb. 4b: Nymphaeum des Herodes Attikus in Olympia. Zeichnerische Rekonstruktion um 1940 von H. Schleif,
in: H. Schleif, H. Weber, *Das Nymphaeum des Herodes Attikos*,
Olympische Forschungen I, 1944, 53-82, Tafel 36

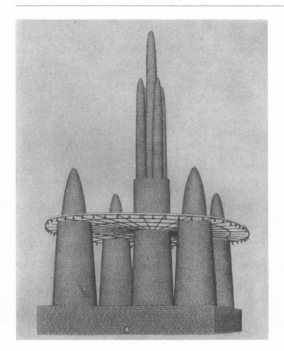

Abb. 5a: Das Grabmal des Porsenna
als Revolutionsarchitektur: Duc de Luynes 1830
(F. Messerschmidt in: H. Berve (Hrsg.),
Das neue Bild der Antike 2, 1942, 53–63 Abb. 3)

Abb. 5b: Das Grabmal des Porsenna historistisch:
Fergusson 1885 (F. Messerschmidt in: H. Berve (Hrsg.),
Das neue Bild der Antike 2, 1942, 53–63 Abb. 4)

die der Vergangenheit auf der Basis räumlicher Ordnung materieller Spuren nachgeht [56. 152f.]. Eine tiefergehende Auseinandersetzung mit der Spurensicherung findet sich von Seiten der Altertumswiss. (Ausnahme: [23]) erst in jüngsten Publikationen zur Gedächtniskultur [2–4; 6; 25–27; 41; 45; 52; 56; 18]. Voraussetzung dafür ist die etwa zeitgleich mit der Spurensicherung einsetzende Wendung der Geschichte zur Kulturwiss., in der der Gegenstand nicht in histor. Ereignissen und Strukturformationen, sondern in der kulturellen Selbst-K. der untersuchten Gesellschaft gesehen wird und in der bes. dem kulturellen Gedächtnis bzw. den Erinnerungsräumen [2; 5; 42] konstituierende Bed. zugemessen wird. Zur Erforsch. kultureller K. gehört, daß auch die eigene Forsch. als Teil gesellschaftlicher Praxis erkannt wird.

Aufgrund dieser Entwicklung der histor. Wiss. ergibt sich, daß Kunst und Wiss. z.T. denselben Gegenstand behandeln. Beispielhaft zeigt sich diese Nähe in der Gestaltung der Mnemosyne-Ausstellung für Aby Warburg in Wien von A. und P. Poirier [3]. Von der Spurensicherung führt aber auch ein Weg zur Erinnerungs- und Denkmaldiskussion am E. des 20. Jh. Denkmäler wie *The missing house* in Berlin von Christian Boltanski [3. 375–377; 36. 270–274] und das *Harburger Mahnmal gegen Faschismus* von Jochen Gerz und Esther Shalev-Gerz [47. 266–272] sind Anti-Denkmäler, die sich durch den bewußt antimonumentalen Habitus der Spu

rensicherung auszeichnen und die nicht mehr Erinnerungen, sondern den Umgang mit Erinnerung thematisieren [49. 570]. Im Rahmen einer histor. Kulturwiss. sind so durch den gemeinsamen Gegenstand neue Möglichkeiten der Bezugnahme zw. Kunst und Wiss. gegeben, ohne daß diese gleichzusetzen wären [27].
→ Archäologische Methoden; Athen III. Akropolis;
Historische Methoden; Klassische Archäologie;
Knossos; Kulturanthropologie

1 S. ALTEKAMP, Stadtarch. in Rom und den Vesuvstädten vom 18. bis zum 20. Jh., in: Stadt und Gesch. 26, 2000, 100–119 2 A. ASSMANN, Erinnerungsräume. Formen und Wandlungen des kulturellen Gedächtnisses, 1999 3 Dies., Das Gedächtnis als Leidschatz, in: B. JUSSEN (Hrsg.), Arch. zw. Imagination und Wiss.: Anne und Patrick Poirier (Von der künstlerischen Produktion der Gesch. 2), 1999, 100–108 4 Dies., Individuelles und kollektives Gedächtnis. Formen, Funktionen und Medien, in: K. WETTENGL (Hrsg.), Das Gedächtnis der Kunst. Gesch. und Erinnerung in der Kunst der Gegenwart, Frankfurt Histor. Mus., Schirn-Kunsthalle, Paulskirche, vom 16.12.2000 bis 18.3.2001, 2000, 21–27 5 J. ASSMANN, Das kulturelle Gedächtnis. Schrift, Erinnerung und polit. Identität in frühen Hochkulturen, 1997 6 Ders., Krypta. Bewahrte und verdrängte Vergangenheit. Künstlerische und wiss. Exploration des Kulturellen Gedächtnisses, in: Arch. zw. Imagination und Wiss. (wie [3]), 1999, 83–99 7 A. BAMMER, Wien und Kreta. Jugendstil und minoische Kunst, in: Jahreshefte des Österreichischen Arch. Inst. 60, 1990 Hauptblatt, 129–151

Abb. 5c: Das Grabmal des Porsenna 1941:
Messerschmidt 1941
(F. Messerschmidt in: H. Berve (Hrsg.),
Das neue Bild der Antike 2, 1942, 53-63 Abb. 5)

8 H. Berve, G. Gruben, M. Hirmer, Griech. Tempel und
Heiligtümer, 1961 **9** P.C. Bol, Olympia. Eine arch.
Grabung, Frankfurt Liebighaus, 3.12.1976–27.2.1977, 1976
10 A.H. Borbein, Arch. und histor. Bewußtsein, in:
B. Andreae (Hrsg.), Arch. und Ges.: Forsch. und
öffentliches Interesse, 1981, 45–76 **11** T. Brachert, Die
Reise nach Arkadien. Eine Kritik arch.
Wiedererrichtungen, in: Zschr. für Kunsttechnologie und
Konservierung 2, 1988, 315–328 **12** A. Brown, Arthur
Evans and the Palace of Minos, 1983 **13** B. Cardauns,
Bemerkungen zu Varros Beschreibung des
Porsenna-Grabmals bei Clusium und zu einigen R. neuerer
Zeit, in: R. Stupperich (Hrsg.), Lebendige Ant.
Rezeptionen der Ant. in Politik, Kunst und Wiss. der
Neuzeit, Kolloquium für Wolfgang Schiering, 1995, 31–38
14 R. Economakis (Hrsg.), Acropolis Restoration. The
CCAM Interventions, 1994 **15** J. Elsner, A Collector's
Model of Desire. The House and Mus. of Sir John Soane, in:
Ders., R. Cardinal (Hrsg.), The Culture of Collecting,
1994, 155–176 **16** B. Fellmann, Die Wiederentdeckung
Olympias, in: Ders., H. Scheying (Hrsg.), 100 J. dt.
Ausgrabung in Olympia, Ausstellung 1.7.–1.10.1972, Dt.
Mus. München 1972, 27–35 **17** K. Fittschen, Bildkunst I.
Der Schild des Achilleus, ArchHom N 1, 1973 **18** E. Flaig,
Spuren des Ungeschehenen. Warum die bildende Kunst der
Geschichtswiss. nicht helfen kann, in: Arch. zw.
Imagination und Wiss. (wie [3]), 1999, 16–50 **19** E. H.
Gombrich, The Art of the Greeks, in: Ders., Reflections on
the History of Art. Views and reviews, edited by
R. Woodfield, 1987, 11–17 (zuerst 1966) **20** G. Gruben,
Tempel und Touristen. Über Anastilose und R., in:
Kunstchronik 50, 1997, 657–665 **21** W. Hege,
G. Rodenwaldt, Olympia, 1936 **22** M.-C. Hellmann,
Voyageurs et fouilleurs à Delphes, in: O. Picard (Hrsg.), La
redécouverte de Delphes, 1992, 14–54
23 N. Himmelmann, Utopische Vergangenheit. Arch. und
mod. Kultur, 1976 **24** Ders., Arch. gleich Erinnerung?, in:
H.-R. Meier, M. Wohlleben (Hrsg.), Bauten und Orte als
Träger von Erinnerung. Die Erinnerungsdebatte und die
Denkmalpflege. Veröffentlichungen des Inst. für
Denkmalpflege an der Eidgenössischen Technischen
Hochschule Zürich 21, 2000, 47–57 **25** D. Hoffmann,
Vom Leben der Historie. Vor und nach ihrem Tode, in:
Gedächtnis der Kunst (wie [4]), 2000, 29–55
26 C. Holtorf, Arch. als Fiktion. Anm. zum Spurenlesen,
in: U. Veit, T. Kienlin, C. Kümmel (Hrsg.), Spuren und
Botschaften. Interpretationen materieller Kultur, im Druck
27 B. Jussen, Die »Gesch.« der Wiss. und die »Gesch.« der
Kunst. Was die histor. Wiss. von der bildenden Kunst lernen
können und was nicht, in: Gedächtnis der Kunst (wie [4]),
2000, 57–70 **28** A. D. Keramopoullos, Ὁδηγὸς τῶν Δελφῶν,
1908 **29** V. Kockel, Das Haus des Sallust in Pompeji. Eine
dreidimensionale arch. Dokumentation aus dem 19. Jh., in:
W. Helmberger, V. Kockel (Hrsg.), Rom über die Alpen
tragen. Fürsten sammeln ant. Architektur. Die
Aschaffenburger Korkmodelle, 1993, 135–148
30 M. Korfmann, D. Mannsperger, Troia – Ein histor.
Überblick und Rundgang, 1998 **31** P. de La
Coste-Messelière, Delphes, 1957 **32** C. Lorenz, K. der
Vergangenheit. Eine Einführung in die Geschichtstheorie,
1997 **33** Ph. Mallouchou-Tufano (Hrsg.), Proceedings
of the Fourth International Meeting for the Restoration
of the Acropolis Monuments, Athens, 27–29 May 1994, 1995
34 S. Marinatos, M. Hirmer, Kreta, Thera und das myk.
Hellas, 1959 **35** A. Melucco Vaccaro, Restauro e
anastilosi. Il caso dell' Acropoli di Atene, in: Prospettiva
53–56, 1988/89, 49–54 **36** C. Meier, Anselm Kiefer.
Christian Boltanski. On Kawara. Rebecca Horn. Zur
künstlerischen Konstruktion von Erinnerung, in: N. Berg,
J. Jochimsen, B. Stiegler (Hrsg.), Shoah. Formen der
Erinnerung, Gesch. Philos. Lit. Kunst, 1996, 267–284
37 G. Metken, Schöne Wiss. oder die Arch. des Humanen,
in: Documenta 6 I, 1977, 254f. **38** Ders., Spurensicherung.
Kunst als Anthropologie und Selbsterforsch., Fiktive Wiss.
in der heutigen Kunst, 1977 **39** Ders., Spurensicherung.
Eine Revision, Texte 1977–1995, 1996 **40** W.-D.
Niemeier, Die Utopie des verlorenen Paradieses. Die
Minoische Kultur Kretas als neuzeitliche
Mythenschöpfung, in: Lebendige Ant. (wie [13]), 1995,
195–206 **41** L. Niethammer, Postskript zu Gesch. und
Gedächtnis, in: U. Borsdorf, H. T. Grütter (Hrsg.), Orte
der Erinnerung. Denkmal, Gedenkstätte, Mus., 1999,
101–109 **42** P. Nora, Zw. Gesch. und Gedächtnis, 1991
43 O. G. Oexle, Im Archiv der Fiktionen, in: R. M.
Kiesow, D. Simon (Hrsg.), Auf der Suche nach der
verlorenen Wahrheit. Zum Grundlagenstreit in der
Geschichtswiss., 2000, 87–103 **44** Ders., Kulturelles
Gedächtnis im Zeichen des Historismus, in: Bauten und
Orte als Träger von Erinnerung (wie [24]), 2000, 59–75
45 M. Petzet, Nikolaus Langs Spurensicherung im Neuen
Treppenhaus der Alten Münze, in: Nikolaus Lang.
Spurensicherung, Funde aus dem Pfisterbach und Proben
von Erdfarben im Neuen Treppenhaus der Alten Münze,
1999, 9–20 **46** A. u. P. Poirier, Domus Aurea. Archéologie
– Fiction, Domus Aurea. Fascination des ruines,

Abb. 6: Anne und Patrick Poirier, Domus Aurea - Ausée, 1975, Teilansicht.
Korkplatten, Zeichenkohle, ca. 10 × 5 m. Köln,
Museum Ludwig (Rheinisches Bildarchiv)

Ausstellungskat. Paris 1977 **47** F. REUSSE, Das Denkmal an
der Grenze seiner Sprachfähigkeit, 1995 **48** H. SCHMIDT,
Arch. Denkmäler in Deutschland. Rekonstruiert und
wiederaufgebaut, 2000 **49** M. SCHNECKENBURGER,
Skulpturen und Objekte, in: I. F. WALTHER (Hrsg.), Kunst
des 20. Jh., 2000, 405–575 **50** L. SCHNEIDER, Pfade zu uns
selbst? Arch. und Spurensicherung, in: Kunst + Unterricht
90, 1985, 8–14 **51** Ders., Der Vergangenheit auf der Spur?
Überlegungen zur klass. Arch., in: Hephaistos 7/8, 1985/86,
7–37 **52** Ders., Das Pathos der Dinge. Vom arch. Blick in
Wiss. und Kunst, in: Arch. zw. Imagination und Wiss. (wie
[3]), 1999, 51–82 **53** Ders., Postmod. Vergessen und
schmerzfreie Erinnerung. Gedanken zur Akropolis von
Athen, in: Orte der Erinnerung (wie [41]), 1999, 245–266
54 Ders., C. HÖCKER, Die Akropolis von Athen. Ant.
Heiligtum und mod. Reiseziel, 1990 **55** O. VASORI, I
monumenti antichi in Italia nei disegni degli Uffizi, 1980
56 D. V. WINDHEIM, Zeiträume – Denkräume, in:
D. REICHERT (Hrsg.), Räumliches Denken, Zürcher
Hochschulforum 25, 1996, 135–59.   BEAT SCHWEIZER

Religion und Literatur   A. BEGRIFFSVERWENDUNG
UND GEGENSTANDSBEREICH
B. VORAUSSETZUNGEN UND ABGRENZUNGEN
C. ABRISS DER WISSENSCHAFTSGESCHICHTE,
PERSONEN UND PARADIGMATISCHE POSITIONEN
D. MODELLE UND THEMENKOMPLEXE IN
DER LITERATUR AM BEISPIEL DES GRIECHISCHEN
DRAMAS

A. BEGRIFFSVERWENDUNG UND
GEGENSTANDSBEREICH

Die Methode, religionswiss. Sachverhalte für die Interpretation von lit. Texten umfassend fruchtbar zu machen, faßt man unter der Begriffskombination »Religion und Lit.« zusammen. Dabei wird die produktive
Interdependenz von Religionswiss. und Lit. betont und
eingehend untersucht, wie Gegenstände der Religionswiss. als heuristisches Instrumentarium dienen können,
die Struktur und den Sinn von lit. Produkten histor.
adäquat zu erfassen.

B. Voraussetzungen und Abgrenzungen

Entscheidend ist das Faktum, daß es im Gegensatz zur Moderne keine Trennung in eine säkulare Lit. und rel. Sphäre gibt, sondern Religion in ihren Manifestationen von Ritual und → Mythos überall mit der Lebenswelt und auch mit deren kulturellen Schöpfungen interagiert. Allerdings muß innerhalb der sich über mehr als ein Jt. erstreckenden Epoche, in der ant. Lit. blühte, differenziert werden. Die Frühphase der archa. und frühen klass. Zeit Griechenlands zeichnet sich durch die Mündlichkeit der Vermittlung in einem durch den Aufführungsanlaß gegebenen Rahmen aus. Ritual und Mythos stellen hier zentrale Kategorien einer urspr., lokal begrenzten Polis dar, die sich weitgehend über diese definiert [49. 30–33]. Gattungen sind hierbei nicht nur formale, sondern v. a. funktionale lit. Bezugsgrößen, die sich aus der Gelegenheit der Aufführung ergeben [74]. Die pragmatische Verankerung einer solchen Lit. in einer mythisch-rituellen Lebenswelt, d. h. ihr »Sitz im Leben«, läßt sich bes. gut in der archa. Lyr. (Hymnik, Monodie und Chorlyrik) und im Drama zeigen. Nach dem epochalen Einschnitt, den der Übergang zur Schriftlichkeit markiert, wandelt sich das Phänomen qualitativ, doch kann auch im Hell. und in der röm. Zeit von einem kreativen, dynamischen Verhältnis der kulturellen Praktiken von Religionswiss. und Lit. gesprochen werden [29]. Neuerdings wird der Zusammenhang von Ritual und Lit. auch für die Moderne erkannt [9].

C. Abriss der Wissenschaftsgeschichte, Personen und paradigmatische Positionen

Im Rahmen der *myth-and-ritual*-Schule der Cambridge Ritualists [72. 15–88] entstanden einflußreiche Theorien vom rituellen Ursprung des Dramas [33], die mit den Namen J. E. Harrison (1850–1928), G. Murray (1866–1957) und F. M. Cornford (1874–1943) verbunden sind. Die → Tragödie und → Komödie werden in ihrer institutionellen Verankerung im Dionysoskult auf der Grundlage eines festen Schemas (*pattern*) gedeutet, wobei in Anlehnung an F. Nietzsche [50] die späten *Bakchen* des Euripides zum Musterdrama avancieren. Im *Excursus on the Ritual Forms Preserved in Greek Tragedy* zu Harrisons *Themis* (¹1912) [37. 341–369] erstellt zuerst Murray eine ritualistische Handlungssequenz. In dem reduktionistischen Konstrukt eines tänzerisch ausagierten Sakralspiels um die Verfolgung, Tötung, Zerstückelung und Wiedergeburt eines frei erfundenen Jahresgottes (*eniautós daímōn*), den Dionysos repräsentiert, treffen das romantische Bestreben nach der Ergründung von Ursprüngen und sozial-evolutionäres Denken im Sinne Ch. Darwins zusammen. Das Schema (Wettstreit, Todesleid, Botenbericht, Klage, Wiedererkennung, Rettung, Wiederauferstehung), das sich in der Trag. angeblich in Resten (*survivals*) manifestiert, verbindet das jahreszeitliche Vegetationsmuster, die auf eine fälschliche Interpretation von Hdt. 5,67,5 zurückgehenden Mysterien-Vorstellungen eines »leidenden Gottes« Dionysos Zagreus in der Person des Doppelgängers Pentheus [6. 7 mit Anm. 13] und Nietzsches einflußreiches

Konzept, nämlich daß alle tragischen Helden nur ›Masken jenes ursprünglichen Helden Dionysus‹ [50. 67] seien. Cornford konstruiert auf der nämlichen Grundlage im J. 1914 [21] seine stereotype Plot-Formel für die Kom., wobei nach seiner Überzeugung die Bauformen Parodos (Einzugslied des Chores), Agon (Wettkampfszene), Parabase (Lied, in dem der Chor teilweise aus seiner Rolle fällt), Opfer, Fest und die mit einem Komos (Schwarmumzug) begangene Hochzeit den rituellen Kern eines im bäuerlichen Brauchtum verankerten Spiels bilden. Nach den Überspitzungen der Cambridge Schule werden über viele Jahrzehnte religionswiss. Deutungen zunächst beiseite geschoben. Erst Mitte der 1960er J. lebt die Richtung mit bewußtem Rekurs auf Harrison [72. 74–79] unter erneuerten Bedingungen wieder auf. Entscheidende Impulse liefern W. Burkert (u. a. [13; 15]) und R. Seaford (u. a. [58; 59]). Zeitgleich mit Burkert entwickelt J.-P. Vernant seine strukturalistisch-anthropologischen Theorien in Frankreich und erzielt mit seiner Pariser Schule zusammen mit M. Detienne und P. Vidal-Naquet eine große Wirkung auf die Interpretation archa. und klass. Texte, v. a. in der romanischen Welt und in den USA [71].

D. Modelle und Themenkomplexe in der Literatur am Beispiel des griechischen Dramas

Als mimetisch-performative [4; 49. 8f.], polit. und mündlich vermittelte Lit. mit ritueller Einbettung, die zentrale Werte und Begriffe einer traditionell ausgerichteten Bürgerschaft in Frage stellt, ist das griech. Drama in seiner Struktur als Handlung der zentrale Schauplatz dieses Ansatzes.

1. Vorverständnis und Voraussetzung: Das Verhältnis von Ritual und Mythos

Schon Harrison deutete drei Varianten an, wie sich beide erst von der Religionswiss. erfundenen Kategorien zueinander verhalten [72. 29]: a) der Mythos geht sekundär aus dem Ritus hervor [37. 29; 58. 252]; b) der Mythos ist das Szenario eines dramatischen Rituals [32; 37. 331–334; 49. 30–33; 58. 252f.]; c) Mythos und Ritus entwickeln sich gleichzeitig und unabhängig voneinander (*pari passu*) [37. 16].

Viele rituelle Abläufe sind relativ freie, unverstandene Handlungskonstellationen, auf die der Dichter seine eigene Handlung als μῦθος (*mýthos*) im aristotelischen Sinne (z. B. Aristot. poet. 1450 a 4 f.) ablegen kann. Außerdem muß man nach Gattungen differenzieren, die als diskursive Kodifikationen konventionelle Sprechakte darstellen und gewissermaßen als Prinzipien dynamischer Produktion funktional mit dem Aufführungsanlaß in Beziehung stehen [49. 9, 362 f.]; z. B. basiert die Trag. auf variablen Mythen [20. 117–144], wobei der direkte Bezug zum Ritual eher schwächer ausgebildet ist, während die Kom. den *mýthos* zu erfinden hat (vgl. Antiphanes fr. 189 K.-A.), dafür eher Riten vereinnahmt und frei kombiniert.

2. Drama und Ritual

Hier gibt es zwei Ansätze: a) das Drama (oder ein anderes, im Aufführungsanlaß aufgehendes Werk) ist insgesamt Ritual; oder b) es verwendet lediglich Ritual zur Konstruktion einer Handlung.

Zu a): Hier kann man wiederum differenzieren, ob die gesamte Aufführung in der Einbettung in einen »Sitz im Leben« ein Ritual darstellt [3; 7; 10; 54], oder ob nach der *myth-and-ritual*-Theorie im eigentlichen Sinne auch die Handlung den entsprechenden Mythos inszeniert, die Akteure also intra-fiktional rituell agieren, indem der gespielte Mythos das Szenario der rituellen Gelegenheit darstellt (für Alkman: [19. II.]) [49. 30–33; 58].

Zu b): Ein Autor kann einzelne Ritualkomplexe (wie die Initiation, die Suche etc.) zur Konstruktion der Handlung heranziehen (für Pindar: [43]). Hierbei ist v. a. auch die strukturalistische Erzählforsch. von V. Propp [53] von Bedeutung. Einzelne Motive oder Motivketten, Festabläufe oder Ritualkomplexe können von ihrem Wirklichkeitsbezug gelöst, frei auseinandergenommen und wieder zusammengesetzt werden wie auch mit den Mitteln der Selektion, Addition und Kombination in ihrer spektakulären Zeichen- und Bildhaftigkeit für die lit. »Geschichte« funktionalisiert werden [8. 1–17; 26; 44; 46].

2.1 Aussenstruktur
2.1.1 Dionysische Rahmung

Da das Drama bekanntlich an Festen zu Ehren des Dionysos aufgeführt wurde, hat man einen direkten strukturellen Zusammenhang zw. dem Inhalt und der rituellen Einbettung gesucht [2; 6; 23; 27; 35; 54].

2.1.2 Ausnahmefest, verkehrte Welt, Übergangsritual, Theatralität

Die diversen Zeichen der Andersartigkeit lassen sich allgemeiner mit der verkehrten Welt [41] und dem Ausnahmefest erklären. Im Hintergrund stehen ethnologische Vorstellungen von brauchtümlichen Feiern und theatralen Formen, in denen die Gesellschaft kurzfristig die etablierte Ordnung verläßt und in Phantasien eine komplementäre Anderwelt im Rückfall auf Atavismen experimentell durchspielt, um dadurch im Kontrast die bestehenden Werte und Normen letztendlich zu bestätigen [3]. Die Trag. agiert auf der Folie des Heroenmythos und setzt die Verkehrung in Richtung nach oben durch, während die Alte Kom. die Perspektive zum Niederen hin verzerrt und solchen volkstümlichen rituellen Spielweisen näher steht [7; 10]. Diese karnevalesken Formen wurden neuerdings mit M. Bachtin verbunden [48], allerdings können sie in der Ant. am besten aus dem pragmatischen Bezug auf Ausnahmerituale, zu denen auch die dionysischen Feste gehören [40], abgeleitet werden. Die Zeichen einer solchen temporären Auflösung der Ordnung (u. a. Tod, Obszönität, Wildheit, tierisches Verhalten, Tanz, Utopie, Absetzung der Götter, Sklavenfreiheit, Gewalt) lassen sich mit den drei großen religionswiss. Paradigmen Initiation, Neujahr und Fruchtbarkeit deuten. Der komische Held wurde aufgrund seiner exzeptionellen Typik immer

wieder mit Dionysos und der aus der vergleichenden Myth. bekannten zwiespältigen und betrügerischen Figur des »Tricksters« assoziiert [10. 114–117; 54. 3, 244 f.]. Für die Theatralität solcher Rituale ist van Genneps [68] Dreischritt des Übergangsritus (*rite de passage*, Trennung – Übergang – Rückkehr) von Bed., den auch V. Turner in seinem ethnologischen Konzept des »social drama« [65; 66] verarbeitete. In der Theater-Anthropologie wird jüngst die Nähe von Ritual [64] und Theater als *performance* betont [56; 67; 7. 14]. In beiden durchleben Akteure und Zuschauer nach Turner eine Grenzerfahrung, in der man sich in einem Zustand zw. allen gewohnten Kategorien (»Betwixt and Between«) befindet [65. 93–111].

2.2 Zwischen Innen und Aussen – der Chor

Der dramatische Chor vermittelt zw. der extrafiktionalen Dimension des Hier und Jetzt und der internen Handlung. Als singende Tanzformation übt er eine genuin rituelle Funktion aus [16. 167–169]. Von seiner Genese her steht er mit Feiern der Fruchtbarkeit, der Jahresbegehung und v. a. mit Pubertätsweihen in Verbindung; erst später wurde er in einen dramatischen Plot integriert. Hier tendiert er dazu, durch anderweitige rituelle Sprechakte (Hikesie, Trankopfer, Klage, Gebet etc.) die Handlung spektakulär zu untermalen und dynamisch in die Ebene der aktuellen Aufführung zu wechseln, wodurch ein Gefühl sozialer Zusammengehörigkeit (*communitas*) [66] entsteht [7; 39]. Dadurch steht der Chor in direkter Nähe zu den ganz im kultischen Anlaß aufgehenden Aufführungen der Chorlyrik [19] und der Gebrauchslieder. Als traditioneller Ort der Erziehung dient er der Vorbereitung von Jugendlichen auf den Erwachsenenstatus [19]. Neuerdings wird der dramatische Chor eng mit dem Ephebendienst in Beziehung gesetzt [75; 36. 25–27]. Aber auch im Drama werden diese initiatorischen Bezüge in vermittelter Form wachgehalten. Der komische Chor ist noch weniger in die Handlung eingebunden als der tragische und schließt an volkstümliche nichtmimetische Darstellungsformen an, wobei das narrative Element des Mythos hier nahezu entfällt [7].

2.3 Binnenstruktur auf der Inhaltsebene
2.3.1 Initiation

Angeregt durch Harrison, Burkert, Vernant und A. Brelich hielt das soziologische und ethnologische Paradigma der Initiation Einzug in die Interpretation des Dramas (in der Trag. u. a. [73; 61. 158–214] und in der Kom. u. a. [8. 45–58, 78–101; 45. 45–78; 7. 225–276]). Wenn es auch in Griechenland keine Entsprechung zu stammesrechtlichen Initiationen gibt und die Ephebie noch nicht für die Frühzeit belegt ist, sind doch überall Reste initiatorischer Bräuche aus einer gemeinsamen indoeurop. Trad. [11] nachweisbar, v. a. in Kreta und Sparta; Überbleibsel finden sich auch in Athen (z. B. die Arrhephoroi [12]). Letztlich besteht eine Gefahr darin, das Schema zu undifferenziert auf alle Texte anzuwenden, zumal nahezu jede Geschichte und alle Märchen als Abläufe menschlicher Erfahrungen die Dreierstruktur des Übergangsrituals [68; 51] besitzen [72. 60–74]. Die Zeichen der Initiation überlappen sich mit dem Neujahrs- [3; 72. 57, 59, 80–83] und Vegetationsparadigma [5]. Entscheidend sind die Analyse einer spezifischen symbolischen Bildhaftigkeit von Motiven (Narbe, Jagd, Wolf, Bogen, Chlamys, Haartracht, Verkleidung, Geschlechterrollen-Indifferenz, Statusverkehrung, Weben, Wollarbeit, Tanz, Mädchentragödie, Tod und Wiedergeburt, Tod und Hochzeit etc.) und die performative Umsetzung des in der narrativen Struktur angelegten initiatorischen Geschehens [7. 225–276]. In der Lit. wird dieser Motivkomplex häufig durch die Reaktualisierung [7. 276–287, 313] und die Umkehrung [8. 78–112] des Initiationsablaufs verarbeitet.

2.3.2 MYSTERIEN

Ursprünglich mit dem Schema der Cambridge Ritualists verwoben, werden die Mysterien von Seaford [58] zunächst für die *Bakchen* wiederentdeckt. Er gab den Anstoß dazu, für dramatische Texte in den eleusinischen und anderen bakchischen Geheimkulten ein strukturelles Referenzmodell zu sehen [57; 77; 45. 45–122; 54. 92–94, 136–139], auf das auch Aristoteles in der *Poetik* zu rekurrieren scheint. So werden v. a. die Mimesis, die performative Präsentation eines zugrunde gelegten Mythos, aber auch die Rätselhaftigkeit der andeutungsreichen Sprache, die Beschäftigung mit der Terminologie zugehöriger Riten (*teletaí* und *órgia*), die Lust am Leiden, die Erregung der Affekte in Raserei (*bakcheía*), die metaphorische Belegung von Heldinnen mit diesem Schlüsselbegriff, die Reinigung von Schrecken und Jammer und das zentrale Motiv der Rettung damit in Verbindung gebracht [57]. Die Mysterienbezüge werden mit den Neufunden der Goldblättchen unterstrichen, die das Vorhandensein bakchischer Mysterien belegen [60. 41].

2.3.3 NEUJAHRSFEST

Da v. a. die Alte Kom. krisenhafte Zustände der Ausnahme und des Übergangs verarbeitet, findet hier neuerdings auch das Neujahrsfest Anwendung [8]. Burkert [12; 14] macht in Anschluß an Harrison [37] auf die enge Verflechtung zw. der Initiation und dem Jahresfest aufmerksam [12. 25]: ›In den Initiationsriten erneuert sich das Leben der Gemeinschaft, in den daraus erwachsenen Neujahrsriten erneuert sich die Ordnung der Polis‹. Beide Kategorien manifestieren sich in der Alten Kom. mittels Zeichen (z. B. Flut, Monster, Statusverkehrung, Todeserfahrung), die den Zustand der Marginalität ausdrücken [72. 80–83].

2.3.4 FRUCHTBARKEIT

Dieses Paradigma ist seit den 1950er und 60er J. ganz außer Mode gekommen, obwohl der bäuerliche Hintergrund als ökonomische Basis gerade in der archa. und klass. Zeit die Lebenswelt weitgehend bestimmte. Eine Rückkehr zu W. Mannhardt (1831–1880) [47], Frazer [32] oder Cornford [21] ist gerade für Aristophanes durchaus lohnenswert, allerdings auf dem Niveau heutiger soziologischer und anthropologischer Methoden [5].

2.3.5 ALLGEMEINE RITEN

Ein Forschungszweig untersucht, wie dramatische Autoren Riten des Alltags in ihre Handlung einbetten und welche Funktionen diese in der Konstruktion des Plots besitzen. Vor allem die Choreuten werden häufig als rituelle Akteure gekennzeichnet, um das Publikum in den Bereich zw. Wirklichkeit und Fiktion zu ziehen [26; 42. 127–137; 46]. Hochzeitsbräuche und -riten, ihre Verbindung mit Todeserfahrungen, Hikesie- und Supplikationsszenen, Opferhandlungen, feierliche Trankspenden, Reinigungen, Segnungen, Beschwörungen, Verfluchungen, Jagdriten, Heilungen, Gebetsreihen, magische Binderituale [28], Bestattungs- und Klageriten [1], Tanz [39; 7], Schwarmumzüge [7], Wettkämpfe, Prozessionen, Aischrologie und Beschimpfungen [22; 55], Überschüttungsbräuche (*katachýsmata*) etc. werden abgelöst von der Wirklichkeit und in ein theatralisches Spektakel mit herausragender Bild- und Zeichenhaftigkeit transformiert [26; 44]. Für die Kom. wird auch zunehmend das Übergreifen in den pragmatischen Rahmen (schwarmhafte Sieges- und Symposionsfeier am Schluß) gesehen [7; 63].

2.3.6 OPFERTHEORIE

Seit den 1960er J. sind unterschiedliche Opfertheorien zur Deutung des Dramas eingesetzt worden. Burkert führt zunächst die Trag. nach einer ant. Trad. auf den ›»Gesang beim Bocksopfer« bzw. »um den Preis eines Bockes«‹ [13; dt. 18. 14] zurück. In Anlehnung an Thesen K. Meulis meint er, daß aus der schrecklichen Angst, dem Schock und Schuldgefühl über den Mord am Tier soziale Gemeinschaft erwachse [16. 101–115; 17]. Die Pariser Schule um Vernant betrachtet dagegen das Opfer v. a. strukturalistisch als symbolisch-klassifikatorisches Ritual, das den Platz des Menschen zw. Gott und Tier bestimmt [25; 70]. Diese kategoriale Einordnung wird auch in der verzerrten Inszenierung des tragischen Opfers eines Helden thematisiert [31. 30–46]. Der Romanist R. Girard entwickelt im selben J., in dem Burkerts *Homo Necans* (1972) [15] erschien, ebenfalls eine evolutionistische anthropologische Theorie über den Zusammenhang zw. Aggression und ihrer gesellschaftlichen Bewältigung [34]. Die inhärenten Rivalitätsverhältnisse, deren Gewaltpotential Zusammenleben bedroht, könnten nur überwunden werden, indem die Masse einen Sündenbock auswähle. Der gemeinsame Mord wirke gemeinschaftsstiftend, wobei das Opferritual mimetisch die kollektive Gründungstat wiederhole und rituell die Grausamkeit kaschiere. Sobald diese Praktik in die Krise geraten sei, habe man die sozialintegrative Funktion qua Mimesis im Theater ersetzen können, wobei Girard auch Sophokles' *Oedipus Rex* und Euripides' *Bacchae* behandelt. Als unhistor. Konstrukt wurde Girards Modell heftig kritisiert [38. 232–234]. Als heuristische Hermeneutik für Lit. und Theater bis in die Moderne ist Girard hingegen von großer Bedeutung [30; 9. 236–241]. Wesentlich vielversprechender ist die Methode, die genannten Ansätze zu verbinden und gleichzeitig die Eigengesetzlichkeit der Lit. zu

berücksichtigen [31]. Das Opfer wird nun als struktur-
bestimmendes Element erkannt [62]. Das pervertierte
Opfer [76], die Verknüpfung mit der Jagd und die Sün-
denbock-Praxis in Verbindung mit dem Ritual der
Thargelia [61. 36–54; 69. 114ff.] finden sich in der
Trag. [71] wieder, während die Kom. des Aristophanes
v. a. das Gründungsopfer verwendet [8. Index s. v.; 54.
Index s. v.]. Neuerdings zeichnet sich gerade für die
Kom. die wichtige Tendenz ab, sich von den dunklen
Szenarien der Gewalt, Angst und Schuld [15; 17; 24; 34;
70] zu lösen und das Opfer im heiteren Festkontext po-
sitiver zu sehen [52; 63].

→ Kulturanthropologie; Mythos; Religionsgeschichte
→ AWI Arrhephoroi; Chor; Dionysos; Drama; Fest,
Festkultur; Fluch; Gebet; Hikesie; Hochzeitsbräuche
und -ritual; Jagd; Initiation; Kathartik; Komödie; Kult,
Kultus; Magie, Magier; Mysteria; Mysterien; Mythos;
Neujahrsfest; Opfer; Parabase; Parodos; Pharmakos;
Prozession; Roman; Religion; Ritual; Segen; Tharge-
lia; Totenkult; Tragödie; Trankopfer

1 M. ALEXIOU, The Ritual Lament in Greek Trad., 1974
2 J. ARONEN, Notes on Athenian Drama as Ritual
Myth-Telling within the Cult of Dionysos, in: Arctos 26,
1992, 19–37 3 C. AUFFARTH, Der drohende Untergang,
1991 4 J. L. AUSTIN, Zur Theorie der Sprechakte (How to
do Things with Words), dt. Bearbeitung von E. v. SAVIGNY,
²1994 (¹1972) 5 G. J. BAUDY, Adonisgärten. Stud. zur ant.
Samensymbolik, 1986 6 A. BIERL, Dionysos und die griech.
Trag., 1991 7 Ders., Der Chor in der Alten Kom. Ritual
und Performativität, 2001 8 A. M. BOWIE, Aristophanes.
Myth, Ritual and Comedy, 1993 9 W. BRAUNGART, Ritual
und Lit., 1996 10 A. BRELICH, Aristofane: commedia e
religione, in: M. DETIENNE (Hrsg.), Il mito. Guida storica e
critica, ³1982, 103–118 11 J. BREMMER, An Enigmatic
Indo-European Rite: Paederasty, in: Arethusa 13, 1980,
279–298 12 W. BURKERT, Kekropidensage und
Arrhephoria. Vom Initiationsritus zum Panathenäenfest, in:
Hermes 94, 1966, 1–25 13 Ders., Greek Tragedy and
Sacrificial Ritual, in: GRBS 7, 1966, 87–121 14 Ders., Iason,
Hypsipyle, and New Fire at Lemnos. A Study in Myth and
Ritual, in: CQ 20, 1970, 1–16 15 Ders., Homo Necans, 1972
(²1997) 16 BURKERT 17 Ders., Anthropologie des rel.
Opfers, ²1987 18 Ders., Wilder Ursprung, 1990
19 C. CALAME, Les chœurs de jeunes filles en Grèce
archaïque, I-II, 1977 20 Ders., Poétique des mythes dans la
Grèce antique, 2000 21 F. M. CORNFORD, The Origin of
Attic Comedy, ed. by J. HENDERSON, 1993 (¹1914)
22 E. DEGANI, Insulto ed escrologia in Aristofane, in:
Dioniso 57, 1987, 31–47 23 S. DES BOUVRIE, Creative
Euphoria. Dionysos and the Theatre, in: Kernos 6, 1993,
79–112 24 M. DETIENNE, Dionysos mis à mort, 1977
25 M. DETIENNE, J.-P. VERNANT (Hrsg.), La cuisine du
sacrifice en pays grec, 1979 26 P. E. EASTERLING, Tragedy
and Ritual. ›Cry »Woe, woe«, but may the good prevail!‹, in:
Métis 3, 1988, 87–109 27 Dies., A Show for Dionysus, in:
Dies. (Hrsg.), The Cambridge Companion to Greek
Tragedy, 1997, 36–53 28 C. A. FARAONE, Aeschylus' ὕμνος
δέσμιος (»Eum.« 306) and Attic Judicial Curse Tablets, in:
JHS 105, 1985, 150–154 29 D. C. FEENEY, Literature and
Religion at Rome, 1998 30 E. FISCHER-LICHTE, Das
theatralische Opfer, in: Forum Modernes Theater 13/1,
1998, 42–57 31 H. P. FOLEY, Ritual Irony. Poetry and
Sacrifice in Euripides, 1985 32 FRAZER 33 R. FRIEDRICH,
Drama and Ritual, in: J. REDMOND (Hrsg.), Drama and
Religion (Themes in Drama 5), 1983, 159–223
34 R. GIRARD, La violence et le sacré, 1972 35 S. GOLDHILL,
The Great Dionysia and Civic Ideology, in: JHS 107, 1987,
58–76 36 F. GRAF, Die kultischen Wurzeln des ant.
Schauspiels, in: G. BINDER, B. EFFE (Hrsg.), Das ant.
Theater. Aspekte seiner Gesch., Rezeption und Aktualität,
1998, 11–32 37 J. E. HARRISON, Themis. A Study of the
Social Origins of Greek Religion, ²1927 (¹1912, Ndr. 1962)
38 A. HENRICHS, Loss of Self, Suffering, Violence: The
Modern View of Dionysus from Nietzsche to Girard, in:
HSPh 88, 1984, 205–240 39 Ders., ›Warum soll ich denn
tanzen?‹ Dionysisches im Chor der griech. Trag., 1996
40 R. J. HOFFMAN, Ritual License and the Cult of Dionysus,
in: Athenaeum NS 67, 1989, 91–115 41 H. KENNER, Das
Phänomen der verkehrten Welt in der griech.-röm. Ant.,
1970 42 W. KRANZ, Stasimon. Unt. zu Form und Gehalt der
griech. Trag., 1933 43 E. KRUMMEN, Pyrsos Hymnon.
Festliche Gegenwart und mythisch-rituelle Trad. als
Voraussetzung einer Pindarinterpretation, 1990 44 Dies.,
Ritual und Katastrophe: Rituelle Handlung und
Bildersprache bei Sophokles und Euripides, in: F. GRAF
(Hrsg.), Ansichten griech. Rituale. FS W. Burkert, 1998,
296–325 45 I. LADA-RICHARDS, Initiating Dionysus. Ritual
and Theatre in Aristophanes' »Frogs«, 1999
46 H. LLOYD-JONES, Ritual and Tragedy, in: F. GRAF
(Hrsg.), Ansichten griech. Rituale. FS W. Burkert, 1998,
271–295 47 W. MANNHARDT, Wald- und Feldkulte, I-II,
1875–1877 (²1905) 48 P. v. MÖLLENDORFF, Grundlagen
einer Ästhetik der Alten Kom. Unt. zu Aristophanes und
Michail Bachtin, 1995 49 G. NAGY, Pindar's Homer, 1990
50 F. NIETZSCHE, Die Geburt der Trag. aus dem Geiste der
Musik, 1872, in: G. COLLI, M. MONTINARI (Hrsg.),
Nietzsche Werke. Kritische Gesamtausgabe, III.1, 1972,
17–152 51 M. PADILLA (Hrsg.), Rites of Passage in Ancient
Greece, 1999 52 S. PEIRCE, Death, Revelry, and »Thysia«,
in: Classical Antiquity 12, 1993, 219–266 und Abb. 1–18
53 V. PROPP, Morphologie des Märchens, 1972 (russ.
Original 1928) 54 X. RIU, Dionysism and Comedy, 1999
55 W. RÖSLER, Über Aischrologie im archa. und klass.
Griechenland, in: S. DÖPP (Hrsg.), Karnevaleske
Phänomene in ant. und nachant. Kulturen und Literaturen,
1993, 75–97 56 R. SCHECHNER, Theater-Anthropologie.
Spiel und Ritual im Kulturvergleich, übers. von
S. WINNACKER, 1990 57 R. SCHLESIER, Lust durch Leid:
Aristoteles' Tragödientheorie und die Mysterien, in: EDER,
DEMOKRATIE, 389–415 58 R. SEAFORD, Dionysiac Drama
and the Dionysiac Mysteries, in: CQ 31, 1981, 252–275
59 Ders., Reciprocity and Ritual. Homer and Tragedy in
the Developing City-State, 1994 60 Ders., Euripides,
»Bacchae«, with an introduction, translation and
commentary, 1996 61 C. SEGAL, Dionysiac Poetics and
Euripides' »Bacchae«, ²1997 (¹1982) 62 B. SEIDENSTICKER,
Sacrificial Ritual in the »Bacchae«, in: G. W. BOWERSOCK,
W. BURKERT, M. C. J. PUTNAM (Hrsg.), Arktouros. FS
B. M. W. Knox, 1979, 181–190 63 P. V. SFYROERAS, The
Feast of Poetry: Sacrifice, Foundation, and Performance in
Aristophanic Comedy, Diss. Princeton 1992 64 S. J.
TAMBIAH, A Performative Approach to Ritual, in: Ders.,
Culture, Thought, and Social Action, 1985, 123–166,
364–368, 382–389 65 V. TURNER, The Forest of Symbols,
1967 66 Ders., Dramas, Fields, and Metaphors, 1974

67 Ders., Vom Ritual zum Theater, übers. von S. M. SCHOMBURG-SCHERFF, 1989 68 A. VAN GENNEP, Les rites de passage, 1909 69 J.-P. VERNANT, Ambiguité et renversement. Sur la structure énigmatique d' »Œdipe Roi«, in: Ders., P. VIDAL-NAQUET, Mythe et tragédie en Grèce ancienne, I, ³1986 (1972), 99–131 70 Ders., Théorie générale du sacrifice et mise à mort dans la ΘΥΣΙΑ grecque, in: J. RUDHARDT, O. REVERDIN (Hrsg.), Le sacrifice dans l'antiquité, Entretiens 27, 1981, 1–21 71 J.-P. VERNANT, P. VIDAL-NAQUET (Hrsg.), Mythe et tragédie en Grèce ancienne, I-II, 1972–1986 72 H. S. VERSNEL, Inconsistencies in Greek and Roman Religion 2. Transition and Reversal in Myth and Ritual, 1993 73 P. VIDAL-NAQUET, Le chasseur noir et l'origine de l'éphébie athénienne, in: Annales (Économie, Sociétés, Civilisations) 23, 1968, 947–964 74 R. WARNING, Elemente einer Pragmasemiotik der Kom., in: W. PREISENDANZ, R. WARNING (Hrsg.), Das Komische, 1976, 279–333 75 J. J. WINKLER, The Ephebes' Song: »Tragôidia« and »Polis«, in: Ders., F. I. ZEITLIN (Hrsg.), Nothing to Do with Dionysos?, 1990, 20–62 76 F. I. ZEITLIN, The Motif of the Corrupted Sacrifice in Aeschylus' »Oresteia«, in: TAPhA 96, 1965, 463–508 77 Dies., Mysteries of Identity and Designs of the Self in Euripides' »Ion«, in: PCPhS 215, 1989, 144–197.   ANTON BIERL

Religionsgeschichte   A. TERMINOLOGIE
B. ANTIKE ANSÄTZE C. FRÜHE NEUZEIT
D. DAS 19. JAHRHUNDERT
E. DAS 20. JAHRHUNDERT

A. TERMINOLOGIE

Es existiert weder ein griech. noch ein lat. Begriff, welcher dem neuzeitlichen »Religion« in seiner wiss. Bed. – entweder zur Bezeichnung eines bestimmten kulturellen Subsystems (»Religion der Azteken«) oder zur Bezeichung einer anthropologischen Konstante Religion (R.) – vollständig entspricht; dieser ist vielmehr das Resultat von → Aufklärung und ethnologischen Entdeckungen und geht auf die frühe Neuzeit zurück. Antike Begrifflichkeit konzentriert sich erst einmal auf Einzelbereiche: griech. *thrēskeía*, »Verehrung« bezeichnet ebenso wie griech. *eusébeia* allein die rituelle Seite, die kollektive oder individuelle Ausübung der traditionellen Kulthandlungen. Näher kommt lat. *religio*, ein in seiner Herleitung bereits in der Ant. kontroverser Begriff: Er bezeichnet zum einen ein Gefühl der Gebundenheit oder des Ausgeliefertsein an übermenschliche Mächte, zum andern die Ausübung der traditionellen Verehrungsformen; in dieser zweiten Bed. kann er dann auch die Gesamtheit der Kultausübung bezeichnen – sei es diejenige Roms (›cum omnis populi Romani religio in sacra et auspicia divisa est‹, Cic. nat. deor. 3,5) oder diejenige anderer Völker (›sua cuique civitati religio est, nostra nobis‹, Cic. Flacc. 69, wo Juden und Römer einander gegenübergestellt werden) [6].

B. ANTIKE ANSÄTZE
1. GRIECHISCH-RÖMISCHE ZEIT

Reflexion über rel. Verhalten ist Teil jeder rel. Kultur. Im Minimum wird über richtiges und falsches ri-

tuelles Handeln reflektiert: Das ant. Gebet kann als Rechtfertigung des Gebetswunsches auf das eigene richtige Opfern verweisen, und die philos. Kritik an Kult und → Mythos entwirft seit den späten Vorsokratikern Heraklit und Xenophanes Gegenmodelle des richtigen kultischen Verhaltens, die von einem neuen, ethisch geläuterten Gottesbegriff ausgehen. Platon übernimmt und systematisiert dies in seiner Kritik an Mythos (*Politeia*) und Kult (*Euthyphron*), während er in den *Nomoi* in detaillierter rel. Gesetzgebung Ansätze der gesetzgeberischen Praxis der griech. Poleis aufnimmt und vertieft; diese Praxis, die in Athen der Volksversammlung obliegt, ist ein weiterer Ort der indigenen Reflexion über Kult und Frömmigkeit, ebenso die Tätigkeit der professionellen Ausleger der rel. Trad. – der Exegeten in Athen oder der *sacerdotes* in Rom. In allen diesen Fällen kommt R. als ein Bereich kollektiven oder individuellen Handelns in den Blick, der Normen verlangt; dies setzt sich in der philos. Trad. etwa des Vegetarismus, der nach unblutigen Opfern verlangt (Theophrast und Porphyrios, *De abstinentia*) bis ans E. der paganen R. fort und wird von den christl. Autoren seit Paulus (Normen des Opfers in Korinth), bei ihm in Fortsetzung der jüd. gesetzgeberischen Trad., aufgenommen und weitergeführt. Die Beschreibung nichtgriech. Kultformen auf der Gegenseite ist Gegenstand der Historiographie seit Herodot [7]; die Emphase liegt auf den rituellen Formen, welche den geläufigen griech. widersprechen, während die theologische Grundlage, wenn überhaupt angesprochen, in einem Polytheismus liegt, der die Gottheiten der einzelnen Völker zu identifizieren sucht.

Die Veränderung der Trad. im Verlauf der hell. Zeit zusammen mit der Sammlung und Kanonisierung der archa. und klass. Lit. der Griechen insbes. an der Bibl. von Alexandria schuf eine deskriptive Lit., die sich mit der eigenen rel. Vergangenheit beschäftigte, sei es mit den Mythen oder mit den Kulten (»Kultschriftsteller« [35]); sie ist uns fast ausschließlich aus den Medien der in der Rhetorenschule notwendigen Dichtererklärung (Scholia, Lexika) faßbar. Ausschließliche Reaktion auf den Traditionswandel, der als Traditionsverlust interpretiert wird, sind am E. der hell. Zeit in Rom Varros *Antiquitates Rerum Divinarum* (siehe das Proömium, Fr. 2a Cardauns), welche dem Pontifex Maximus C. Iulius Caesar gewidmet sind (Lact. Inst. 1,6,7; Aug. CD 7,35) und damit ihr restauratives Anliegen zu einem polit. zu machen versuchen (womit aus der Deskription wiederum eine Norm wird, Fr. 3 Cardauns) [11].

2. SPÄTANTIKE UND MITTELALTER

Die christianisierte Spätant. übernahm die klass. gewordenen griech. und röm. Texte in ihr Bildungsprogramm, und mit ihnen die antiquarischen Erklärungen kultischer Einzelheiten ebenso wie die myth. Trad.; durch die Übernahme der moralischen (insbes. stoischen) und der histor. Allegorese (»Euhemerismus«) wurden die spezifisch paganen Inhalte der Mythen neutralisiert. Das christl. MA führte die allegorische Deutung der paganen Göttermythen weiter (*Ovide morali-sé/Ovidius moralizatus*, Petrus Berchorius; [2; 4a]) und systematisierte sie, nicht zuletzt durch Remigius von Auxerre (9. Jh.) und die Schule von Chartres (13. Jh.). Die kultischen Antiquitäten wurden von den Apologeten in polemischer Absicht ausführlich exzerpiert, wobei das Schwergewicht auf den absurden und abstoßenden Riten lag (›Dies sind ihre Mysterien: kurz gesagt, Mord und Begräbnis‹, Clemens Alexandrinus, *Protrepticus* 2,19,2); doch bewahren sie dadurch sonst verlorene ant. Spezialschriften zur paganen R.: Eusebios' *Praeparatio Evangelica* etwa werden große Teile von Porphyrios' Schriften zum Kult (Fr. 303–350 Smith, *De philosophia ex oraculis haurienda*; Fr. 351–360a Smith, *De statuis*) oder Augustinus' *De Civitate Dei* die Mehrheit der Fr. von Varros *Antiquitates rerum divinarum* verdankt. Lexika wie Isidors *Etymologiae* enthalten zudem Detailinformationen (teilweise in christl. Übertönung), die ebenso auf die Schullektüre ausgerichtet waren. Außerhalb des Schulbetriebs griff das MA auf diese Seite der Trad. kaum zurück.

C. Frühe Neuzeit
1. Renaissance

Eine erneute und vertiefte Hinwendung zur R., präziser zu den Mythen und den Kultusaltertümern der griech.-röm. Antike setzte in der → Renaissance ein, wobei die beiden Kulturen kaum getrennt werden und R. v. a. Theologie, d. h. allegorisch verstandene Göttermyth. ist und nicht als autonomer Teilbereich des ant. Lebens verstanden wird. Das neue Interesse hat im wesentlichen zwei Wurzeln – den Versuch, den Gegensatz zw. Christentum und paganer R. wenn nicht zu harmonisieren, wenigstens zu verringern, und ein antiquarisches Interesse an den Realien der ant. Welt, nicht zuletzt ihrer rel. Kultur. Die Trennung der beiden Bereiche ist für einzelne Autoren und Werke nicht immer möglich. (Eine Übersicht bis ins frühe 20. Jh. bietet [15].)

1.1 Antiquare

Durch die verstärkte Beschäftigung mit den ant. Texten auch außerhalb eines lit. Kanons und ein erneutes Studium der ant. Kulturen, das durch das erwachte Interesse an den Monumenten hervorgerufen wurde, konstituierte sich eine antiquarische Forsch., die sich u. a. mit den Kulten beschäftigte. Urspünglich ist sie Teil einer umfassenderen Darstellung der ant. Götter, deren Ziel größtenteils ein praktisches ist: Dichtern und bildenden Künstlern inhaltliche und ikonographische Vorgaben mitsamt deren allegorischer Deutung zu geben. Symptomatisch ist hierfür der ausführliche Titel *Theologia mythologica ex doctissimorum promptuario labore Pictorii Villingensis in compendium congesta. Videlicet de nominum deorum gentilium ratione, de imaginibus aut formis insignibusque eorundem et omnium imaginum explanationes allegoricae* (Freiburg i. B. 1532) und, in der Anwendung, der mystisch-erotische Neopaganismus der *Hypnerotomachia Poliphili* (Venedig 1499; → Park VI.) [2; 34]. Am

bedeutendsten ist dabei das weitgespannte und oft gedruckte Werk des Lilius Gregorius Gyraldus (Giglio Gregorio Giraldi, Ferrara, 1497–1552) *De deis gentium varia et multiplex historia, in qua simul de eorum imaginibus et cognominibus agitur* (Basel 1548), auch wenn es in seinem Einfluß von den weit stärker auf mythische Allegorese beschränkten *Mythologiae sive explicationum fabularum libri X* des Natalis Comes (Venedig 1551) überstrahlt wurde. Es enthält neben einer Sammlung der Epiklesen – nach dem Muster der *specimen Epithetorum* des Ravisius Textor (Jean Tixier de Ravisi, † 1524), Paris 1518, ist das Sammeln von Epiklesen verbreitet [15] – eine Darstellung der Kultusaltertümer ebenso wie eine Darstellung der ant. (griech.-röm. wesentlich als Einheit gesehen) R. in im Rückgriff auf ant. Autoren, deren sich widersprechende Ansätze er zusammenstellt; R. ist dabei weitgehend – trotz der Realia – die in den Mythen ausgedrückte, stark euhemeristische Theologie.

1.2 Heidnische Theologie

Dies ist typisch für die gesamte Epoche, welche – in selbstverständlichem Fortschreiben christl. Anschauungen – die Theologie (und damit die Myth.) ins Zentrum des R.-Verständnisses stellt. Dabei wird – nicht zuletzt unter dem Einfluß des florentinischen Neuplatonismus und des Versuchs, pagane und christl. R. einander anzunähern – einer mystischen Theologie der Vorzug gegeben, die sich auf hermetische und neuplatonische Texte stützt. Wichtig ist für diese Tendenz der von Scaliger sehr geschätzte Augustinus Steuchus, Bischof von Gubbio, † 1549, *De perenni philosophia libri X*, Basel 1542) [38]. Gleiches gilt auch für das vielleicht bedeutendste Werk des 17. Jh., Gerhard Johannes Voss' (Vossius, Heidelberg 1577–Amsterdam 1649) *De theologia gentili et physiologia Christiana sive de origine ac progressu idololatriae* (Amsterdam 1642), ein methodologisch höchst eklektisches Werk, dessen histor. These der Primat der at. R. ist. Derselbe Diffusionismus – nur mit nun globaler Perspektive, unter Einbezug Altägyptens und Nordamerikas, und weit stärker symbolistisch als der euhemeristische Voss – dominiert die einschlägigen Kapitel in Athanasius Kirchers (1602–1680) *Oedipus Aegyptiacus* (3 Bde., Rom 1652–1654).

2. Antiquare des 17. und 18. Jahrhunderts

Im Verlauf des 16. Jh. wird die antiquarische Forschung v. a. nördl. der Alpen zu einem Teil der sich allmählich universitär ausbildenden Altertumswiss., die nur noch teilweise im Dienst der Ikonographie steht. Ein Beispiel ist die von Ortelius, *Deorum dearumque capita ex vetustis numismatibus collectae*, Antwerpen 1572, die durch Franciscus Sweertius um eine *historica narratio* erweitert wurde (Antwerpen 1602) und sich monographisch auf einzelne Themen konzentriert. Von beachtlicher Breitenwirkung, wohl wegen der reichen Illustrationen ebenso wie durch ein lokales Interesse, war die Darstellung der röm. Kultusaltertümer (wobei der Begriff weit gefaßt ist), welche Guillaume du Choul unter dem Titel *Discours de la religion des anciens Romains (...) illustré d'un grand nombre de médailles et de plusieurs belles figures retirées des marbres antiques qui se treuvent à Rome et par nostre Gaule* veröffentlichte (Lyon 1556; it. Lyon 1556; lat. Amsterdam 1685 und 1748, was die auch wiss. Anerkennung beweist). Eine zentrale Gestalt ist Johannes Meursius (Jan de Moeurs, 1579–1639; lehrte 1611–1625 Geschichte und Griech. in Leiden, seit 1625 Geschichte in Soroe, Dänemark), dessen Werke über Eleusis (*Eleusinia sive de Cereris Eleusiniae sacro ac festo liber singularis*, Leiden 1619), über die ant. Spiele (*De ludis Graecorum liber singularis*, Leiden 1622; *Graecia ludibunda sive de ludis Graecorum liber singularis*, Leiden 1625, zusammen mit Daniel Souter, *Palamedes sive de tabula lusoria, alea et variis ludis libri tres*) oder den ant. Tanz (*Orchestra sive de saltationibus veterum liber singularis*, Leiden 1618) bis ins frühe 19. Jh. die einschlägige Quellensammlung blieben; sie stehen in seinem Œuvre neben einer beeindruckenden Anzahl von kommentierten Ausgaben ant. Texte (einschließlich des Lykophron) und einer Geschichte Dänemarks. Ungewöhnlicher in seiner Ausrichtung ist der *Commentarius de praecipuis divinationum generibus* von Melanchthons Schwiegersohn Conrad Peucer (Frankfurt 1607): Divination war dank des steten Widerstands der Kirche zu einem Thema geworden, das der → Magie gefährlich nahestand.

Die Theorie einer Uroffenbarung und anschließender Diffusion wird jetzt durch Versuche konkretisiert, die griech.-röm. R. aus dem Orient herzuleiten; heuristisches Instrument ist die Etymologie der Götternamen, wobei nicht bloß die beiden klass. Sprachen mit dem Hebräischen verglichen werden, sondern – letztlich in Anlehnung an die at. Erzählung vom Turmbau zu Babel, die bereits Dantes Sprachgeschichte zugrundelag (*De vulgari eloquentia*) – eine generelle Diffusion versucht wird (Estienne Guichard, *Harmonie Etymologique des langues Hébraïque, Chaldaïque, Syriaque, Grecque, Latine, Françoise, Italienne, Espangnole, Allemande, Flamende, Angloise*, Paris 1606). Für Griechenland konstruiert Daniel Heinsius (1580–1655) eine präzisere Herleitung dadurch, daß phönizische Einwanderer (Kadmos) praktisch die gesamte griech. Mythologie eingeführt hätten (*Aristarchus sacer sive ad Nonni in Iohannem Metaphrasim exercitationes*, Leiden 1627). Das Modell wirkt mutatis mutandis noch bei Friedrich Creuzers *Symbolik und Myth. der alten Völker, bes. der Griechen* (Heidelberg 1810–1812) nach und wird erst danach durch die Indogermanenhypothese verdrängt [28]. Doch hatte bereits G. W. Leibniz auf den → Orientalismus des 17. Jh. mit einer Skythenhypothese geantwortet, die die sog. Indoeurop. (IE) Hypothese vorbereitete (u. a. in *Brevis designatio meditationum de originibus gentium*, Berlin 1710).

Im 18. Jh. werden diese Interessen weitergeführt und systematisiert, etwa in der Sammlung des Burkard Gotthelf Struve (Struvius, 1671–1738) *Antiquitatum Romanarum syntagma sive de ritibus sacris systema absolutius* (Jena 1701), die auch eine Forschungsgeschichte zu Mythographie und Theologie enthält. Grundlegende Neuansätze wie die Historisierung der griech. Kunst durch J. J. Winckelmann und die Auffassung des Mythos als ei-

genständiger und transkultureller Erscheinung durch Christian Gottlob Heyne beginnen nach der Jh-Mitte die ant. R. allmählich von der myth. und antiquarischen Forsch. zu lösen. Die Konfrontation mit den Stammes-R. insbes. Amerikas schafft einen komparatistischen Ansatz, der etwa im Werk des Missionars P. Josèphe Lafitau, *Les mœurs des sauvages américquains comparées aux mœurs des premiers temps* (Paris 1724), wie schon bei Kircher zu einer diffusionistischen Theorie führt, bei Heyne (ohne Folgen für die Altertumswiss.) als heuristisches Instrument wahrgenommen wird (*Vita antiquissima hominum, Graeciae maxime, ex ferorum et barbarorum populorum comparatione illustrata*, Göttingen 1779 = Opuscula Academica 2, 1788, 1–16). Gleichzeitig wird durch die sich ausdifferenzierende epigraphische Forsch. eine wichtige Materialgrundlage ant. Kultur sichtbar, auf die dann das 19. Jh. zurückgreift [20; 24].

Gegenüber den frühen Diffusionisten (einschließlich Lafitau), welche von einer Uroffenbarung eines urspr. Monotheismus ausgehen und damit die polytheistischen R. als Zerfallserscheinung, gar Resultat von Aktivitäten des Bösen verstehen, konstruiert man jetzt – wiederum nicht zuletzt durch die erweiterten ethnographischen Kenntnisse – einen evolutionären Primitivismus, der für die Myth. zuerst durch Bernard de Fontenelle (1657–1757; *De l'origine des fables*, gedruckt 1724) und schließlich für die gesamte Entwicklung von R. durch David Hume (1711–1776) vertreten wird (*The Natural History of R.*, 1757); die griech. und röm. R. wird dabei Bestandteil eines umfassenden ›polytheism or idolatry‹ (was etwa Heynes Rückgriff auf ethnologische Fakten rechtfertigt).

D. Das 19. Jahrhundert
1. Die philologischen Ansätze
1.1 Griechenland

Der Orientalismus des 17. Jh. erfuhr eine neue Wendung durch die Indiamanie der Romantiker als Folge der Entdeckung des Sanskrit; symptomatisch sind der orientalische Symbolismus Friedrich Creuzers (1771–1858), demzufolge indische Priester einen reinen Monotheismus nach Griechenland brachten und symbolisch verkleideten (*Symbolik und Myth. der alten Völker, bes. der Griechen*, Heidelberg 1810–1812) oder die Deutung der samothrakischen Mysterien durch F. W. J. Schelling (*Über die Gottheiten von Samothrake*, Stuttgart und Tübingen 1815). In der Auseinandersetzung mit diesen Ansätzen schuf sich die insbes. durch die Humboldtschen Reformen zum Zentrum der dt. Bildung gemachte Klass. Philol. die Instrumente eines philol. Zugangs zu den ant. Religionen. Zur Widerlegung von Creuzers Symbolismus griff Christian August Lobeck (*Aglaophamus sive de theologia mystica Graecorum causis*, Königsberg 1829) – der sich als Textphilologe einen Name gemacht hatte – weit stringenter und präziser als die früheren Antiquare auf die ant. Quellentexte zurück; auch wenn seine Arbeit weithin destruktiv (und gelegentlich hyperkritisch) ist und Creuzer mit keinem

Gegenentwurf überbieten kann, ist Lobeck doch (anders als Johann Heinrich Voss, der hochpolemische Antagonist Creuzers) der Begründer des philol.-kritischen Zugangs zur griech. Religion. Implizit ist in seiner Methode R. in keiner Weise verschieden von jeder anderen Erscheinung der ant. Kulturen, was den philol. Zugang legitimiert – die Diskussion über die Richtigkeit dieser Annahme ist auch jetzt, nachdem sich die Religionswiss. als eigene Disziplin etabliert hat, noch kaum geführt.

Noch immer beachtlich sind in dieser Trad. die *Homerische Theologie* (Nürnberg 1840) und die *Nachhomerische Theologie des griech. Volksglaubens bis auf Alexander* (Nürnberg 1857) von Carl Friedrich Nägelsbach (1806–1859); entgegen den durch den Titel erweckten Erwartungen hat er, bei allem christianozentrischen Dogmatismus, der ein theologisches System zu rekonstruieren sucht, ein waches Auge für die gesellschaftlichen Funktionen von R.; die Betonung des Volksglaubens (im Gegensatz zur homerischen Theologie) weist letztlich zurück auf Herder, der im »Volksglauben« R. als eigenständiges, für eine Volksgruppe charakteristisches Phänomen ausgemacht hatte. Für sich steht Carl Otfried Müller (1797–1840 [9]), Heynes Nachfolger in Göttingen. Bekannt ist er für seine myth. Forsch. und ihren hohen methodologischen Anspruch, die griech. Mythen auf ihren histor. Gehalt zurückzuführen (*Prolegomena zu einer wiss. Myth.*, 1825); doch ist seine Tätigkeit in Wirklichkeit folgenreicher geworden für andere Bereiche der ant. R., die er in wenig sichtbaren Arbeiten abhandelte: Auf ihn geht etwa die Unterscheidung zw. olympischer und chthonischer R. (Anhang zu *Aeschylos Eumeniden Griech. und Deutsch*, 1833) oder die erste wiss. Darstellung der Etrusker außerhalb Italiens (*Die Etrusker*, 1828) zurück; ersteres dominiert – bei aller Problematik – die gesamte Diskussion um griech. Opferrituale bis zur Gegenwart [31], letzteres wurde grundleged für ein histor. korrektes Verständnis der röm. Religion.

Demgegenüber ist die monumentale dreibändige *Griech. Götterlehre*, die der greise Friedrich Gottlob Welcker (1784–1868) zw. 1857 und 1863 veröffentlichte, bereits bei ihrem Erscheinen als Relikt einer überwundenen Epoche verstanden worden: Welcker ist nicht nur weitgehend einem idealistischen Symbolismus verpflichtet, sondern er versteht Myth., R. und Kunst als eine Einheit und versucht, ein eigentlich theologisches Lehrgebäude zu rekonstruieren, in dessen Zentrum die Götter stehen. Festzuhalten ist aber, daß Welcker im Anschluß an Heyne und Fr. Wolff Homer als bereits »spät« versteht, was zu einer Konstruktion vorhomerischer R. als einer »Naturreligion« im Sinne Humes mit Zeus als ›höchstem Wesen‹ führt; das deckt sich erstaunlich mit der IE Hypothese, die Zeus als den bereits IE ausgeprägten Himmelsgott versteht [19].

1.2 ROM

Eine Konsequenz des kritisch-philol. Ansatzes in seiner Kombination mit dem Herderschen Begriff der Religionsgeschichte ist die klare Unterscheidung zw. griech. und röm. Religion. Etwa zeitgleich mit Nägelsbach ist die eindrückliche Darstellung, welche J. A. Hartung der gesamten röm. R. widmete (*Die R. der Römer nach den Quellen dargestellt*, Erlangen 1836); er setzt sich betont vom Symbolismus ab, erkennt die ›Abwesenheit von Myth.‹ und die grundlegende Veränderung der altröm. R. durch den Einfluß bes. Griechenlands, und stellt ausführlich Riten und Kultusaltertümer dar, die bald durch die auf zahlreiche Einzelforsch. (z. B. Julius Athanasius Ambrosch, 1804–1856, *Studien und Andeutungen im Gebiet des altröm. Bodens und Cultus*, 1839; *De sacerdotibus curialibus* und *De sacris Romanorum libris*, 1840) gestützte Darstellung der röm. Kultusaltertümer von 1856 durch Joachim Marquardt (1812–1882) überholt und zu Unrecht vergessen wurde. Georg Wissowas (1859–1931) *R. und Kultus der Römer* (1902; 1912) baut in seiner noch immer maßgebenden Darstellung der R. Roms auf diesen Ansätzen auf, rekonstruiert eine indigene R., welche erst spät griech. überformt wurde, und hält sich erstaunlich fern von allen unterdessen wichtig gewordenen und die Darstellung der griech. R. dominierenden theoretischen Ansätzen.

2. EVOLUTIONISMUS

Waren im Verlauf des 18. Jh. R. als Sonderphänomen und die außereurop. Kulturen – sowohl die asiatischen Hochkulturen, bes. Indien, wie die ethnologischen Kulturen Afrikas und Amerikas – zum Vergleich und zur Konstruktion einer histor. Herleitung wichtig geworden, vertiefte und verfeinerte das 19. Jh. diese Konstruktionen, welche den ant. R. ihren Platz in einer histor. Entwicklung zuordnen. Die Erarbeitung einer etruskischen Geschichte seit dem späten 18. Jh. (neben einer reichen it. Forsch. steht in Deutschland bes. Karl Otfried Müller, *Die Etrusker*, 1828), die Rekonstruktion der idg. Sprachfamilie und ihrer Diffusion (am 2.2.1786 trat William Jones mit seiner Einsicht in die Verwandtschaft des Altindischen, Altiranischen, Griech. und Lat. an die Öffentlichkeit, 1833 veröffentliche Franz Bopp die *Vergleichende Gramm.*)[28] und die wachsende Kenntnis der altorientalischen Schriftsysteme und Sprachen (Jean François Champollion entziffert 1822 die ägypt. Hieroglyphen, Georg Friedrich Grotefend wenig später die mesopotamische Keilschrift, 1915 erschließt Benedikt Hrozný das Hethitische) schuf einen immer differenzierteren und konkreteren histor. Hintergrund für die histor. Einordnung der griech. und röm. Religion. Die zweite H. des 19. Jh. sah dann die Herausbildung der Religionswiss. und der Ethnologie/*social anthropology* als Einzeldisziplinen, in deren theoretische Konstruktionen die ant. R. eingebunden werden konnten [21].

2.1 Die deutsche Schule: Usener und Dieterich

Während in der durch August Boeckh und Theodor Mommsen geprägten historistischen Altertumswiss. R. als Teil der Staatsaltertümer subsumiert wurde, wandte sich eine durch die Volkskunde bes. Jakob Grimms geprägte dt. Religionswiss. der Ant. den ant. R. als spezifischen Formen von R. zu und formulierte eine Theorie von R., welche durch die Verbindung mit dem Tylorschen Evolutionismus für weite Teile der Religionswiss. bestimmend werden sollte. Auf der Suche nach der IE Urreligion erschloß Johann Wilhelm Emanuel Mannhardt (1831–1880), ein Schüler Jacob Grimms, agrarische Glaubensvorstellungen (»Mythen«) und Riten (»Bräuche«; der Begriff des »Ritus« im Sinne einer »heiligen Handlung«, nicht des christl. liturgischen Textes, wurde durch W. R. Smith verbreitet, s.u.) Mittel- und Osteuropas und verband sie mit denen Griechenlands (*Der Baumcultus der Germanen und ihrer Nachbarstämme*, 1875; *Ant. Feld- und Waldkulte*, 1877), während Adalbert Kuhn (1812–1881; *Die Herabkunft des Feuers und des Göttertranks*, 1859) und bes. Friedrich Max Müller in Oxford (1820–1900) als Grundlage der IE Religion eine IE Myth. rekonstruierten, wobei Müller in weitausgreifender religionsgeschichtlicher Perspektive den IE Gottesbegriff scharf vom semitischen absetzte.

Den volkskundlichen Ansatz nimmt Hermann Usener (1834–1905) in eigenständiger Weiterentwicklung auf [26]. Mit Mannhardt sieht er in Mythen und Riten eine Symbolisierung natürlicher Vorgänge (*Italische Mythen*, 1875; *Sintflutsagen*, 1888). In Auseinandersetzung mit der These eines Urmonotheismus schafft er sein eigenes evolutionäres Konzept, in dem sich personenhafte Götter aus »Sondergöttern« (an bestimmte Einzelfunktionen gebundene Wesenheiten) und diese aus »Augenblicksgöttern« herauskristallisieren; wichtiges Modell waren die vielen, bes. von Varro, *Ant. rer. div.* XIV zusammengestellten röm. *di certi*, denen er den Begriff der ›Sondergötter‹ (*Götternamen. Versuch einer Lehre der rel. Begriffsbildung*, 1896) zuordnete. Schließlich hat er die Bed. der spätant. Heiligenleben für die christl. und pagane Religionsforsch. erkannt und zahlreiche Texte ediert. Hier sind ihm wenige gefolgt (etwa Ludwig Radermacher, *Hippolytus und Thekla*, 1919, oder Louis Roberts kommentierte Ed. *Le martyre de Pionios, prêtre de Smyrne* 1994). Albrecht Dieterich (1866–1908), Useners Schwiegersohn, teilt das Interesse an Volkskunde (etwa *Mutter Erde*, 1904) und christl. Spätant. (*Nekyia*, 1893) und hat als erster die große Bed. der graeco-ägypt. magischen Papyri erkannt (*Abraxas*, 1893; *Eine Mithrasliturgie*, 1903); sein Schüler Karl Preisendanz (1883–1968) publizierte die einschlägigen Texte (*Papyri Graecae Magicae. Die griech. Zauberpapyri*, 1928/1931), nachdem bereits Richard Wünsch (1869–1915; *Inscriptiones Atticae III app.: Defixionum tabellae*, 1893) und Auguste Audollent (1864–1943, Schüler von Bouché-Leclerq; *Defixionum tabulae quotquot innotuerunt*, Paris 1904) die abgelegenen inschriftlichen Texte zugänglich gemacht hatten; Magie war dabei, im impliziten theoretischen Konzept, als eine Urform rituellen Handelns wichtig geworden.

2.2 Tylor und die Cambridge Ritualists

England als Zentrum eines Kolonialreichs hatte bereits im 18. Jh. auf die Mythenforsch. C. G. Heynes anregend gewirkt (Göttingen hatte enge Beziehungen zu England); dies verstärkte sich im 19. Jahrhundert. In Ausdehnung des Geschichtsbegriffs auf die Natur hatten der Biologe Charles Darwin (1809–1882, *The Origin of the Species*, 1859) und der Geologe Charles Lyell (1797–1857; *Principles of Geology*, 1830–1833) die Vergangenheit weit über den durch die Bibel vorgegeben Zeitraum zurückgeschoben; beide hatten auch die Konsequenzen für die menschliche Geschichte skizziert (Lyell in *The Geological Evidences of the Antiquity of Man*, 1863, Darwin in *The Descent of Man*, 1871). Dies verband Edward Burnett Tylor (1832–1917) mit einer reichen Kenntnis der Stammesgesellschaften zu seinem Konzept einer Evolution von R. und Kultur (*Primitive Culture*, 1871/72): Ethnologische Gesellschaften repräsentieren einen Frühzustand, welchen höher entwickelte Gesellschaften in Form von *survivals* (»Vorgänge, Gewohnheiten, Anschauungen« etc.), vergleichbar den geologischen Fossilien, aufbewahren, wobei Riten und Mythen ein privilegierter Platz zukommt. Von Mannhardt und Usener unterscheidet ihn nicht zuletzt die (bereits von Fontenelle und Heyne geäußerte) Annahme, daß Stammesgesellschaften und nicht (wie Herder und Vico angenommen hatten) die bäuerlichen Gesellschaften (Mittel-)Europas den Urzustand von Gesellschaft repräsentierten [8].

Die Synthese dieser beiden Ansätze und, mit Mannhardt und Usener, ihre Übertragung auf die R. der Ant. vollzieht dann der Klass. Philologe James G. Frazer (1854–1941) in der systematischen Konstruktion seines *The Golden Bough. A Study in Comparative R.* (1890; ³1913–1915, mit dem Untertitel »A Study in Magic and R.«) ebenso wie in den Anmerkungen seiner Komm. zu Pausanias (1898) und zu Ovids *Fasti* (1929). Frazers dreistufiges Evolutionskonzept verortet Magie (erste Stufe) und R. (zweite Stufe) gegenüber Wiss. (Moderne), legitimiert die wiss. Beschäftigung mit Magie und bringt die Ackerbauern als die Gesellschaften ein, deren Anliegen in magischen und rel. Riten und den daraus abgeleiteten Mythen den entscheidenden Deutungshorizont noch für die ant. R. darstellt [1].

Frazers theoretische Ansätze verdanken sich neben Tylor insbes. William Robertson Smith und Jane Ellen Harrison. Ausgehend von Tylor hatte der schottische Theologe und Semitist in Cambridge Smith (1846–1894) die Vorgeschichte der israelitischen R. untersucht. Angeregt von J. F. MacLennan, der als erster primitive soziale Formen (etwa die Hochzeit, *Primitive Marriage*, 1865) rekonstruierte, suchte er nach den Grundformen von R. bei den Semiten und fand sie in Riten und Gebräuchen, insbes. dem Opferritual als dem Mittel, Gottheit und Gruppe zu verbinden (*Lectures on the R. of the Semites*, 1889); der Primat der Riten führte ihn auch dazu, Mythen als sekundäre Deutungen von den Riten abzuleiten (›denn der Ritus war fest bestimmt, und der Mythos war veränderlich‹, S. 19 engl. = 13 dt.), womit er die theoretische Grundlegung dessen schuf, was später als die Cambridge School of Ritualists bezeichnet wurde. Frazers Interesse am Ritual leitet sich auch von Smith her; den Transfer in die Erforsch. der griech. R. aber vollzog Jane Ellen Harrison (1859–1928)[3]: Ihre *Prolegomena to the Study of Greek R.* (1903) betrachten die griech. R. unter dem ausschließlichen Primat von Ritual und seiner agrarischen Bed., was sie zu einer Analyse einer großen Anzahl attischer Feste führte. Unter dem Einfluß von Émile Durkheim, dessen soziologischer Ansatz Riten als kollektive Akte zur Stiftung und Erneuerung von Gruppenidentität und -kohärenz verstand (*Les formes élémentaires de la vie religieuse*, 1912), aber auch eingestimmt durch Robertson Smiths Betonung gesellschaftlicher Funktion von R., wandte sie sich in ihrem nächsten Buch der sozialen Rolle von Ritual zu und führte die Stammesinitiation als heuristischen Hintergrund zur Ritenerklärung ein, stimulierte Gilbert Murray zu einer ritualistischen Theorie der griech. Trag. und Francis M. Cornford zu einer solchen der Olympischen Spiele, konnte sich jedoch von einer agrarisch-naturallegorischen Riten- und Mythendeutung nicht restlos befreien (symptomatisch der *eniautos-daimon*, in dem sie ein Usenersches Konzept hellenisiert: *Themis. A Study of the Social Origins of Greek R.*).

2.3 Die »dunkeln Seiten«: Erwin Rohde

In den *Prolegomena* hatte Harrison der chthonischen Welt (›ghosts, sprites and bogeys‹) einschließlich der orphischen Mysterien (aufgrund der im Lauf des 19. Jh. in ital. Gräbern gefundenen sog. orphischen Goldblättchen – die Bezeichnung kam im Lauf des 19. Jh. auf und wurde bes. durch die Ed. von Olivieri, 1915, festgeschrieben) beachtlichen Raum eingeräumt, angeregt nicht zuletzt von Albrecht Dieterichs *Nekyia*. Doch den entscheidenden Schritt in der Erforsch. der irrationalen Seiten der griech. R. – Seelenvorstellungen, Totenglauben, Mysterien – hatte Erwin Rohde (1845–1898) vollzogen (*Psyche. Seelencult und Unsterblichkeitsglaube der Griechen*, 1894). Klassischer Philologe strenger Prägung (ausgebildet durch Friedrich Ritschl und Otto Ribbeck, führende Textphilologen des mittleren 19. Jh.), rückte er – wohl auch unter dem Einfluß seines Freundes Friedrich Nietzsche, den er 1872 in der Fehde mit Ulrich v. Wilamowitz-Moellendorff um *Die Geburt der Trag.* restlos unterstützte [14] – bewußt sowohl von einem Klassizismus Humboldtscher Prägung wie von einer philol.-antiquarischen Forsch. ab (sichtbar auch in seinem anderen zentralen Werk, *Der griech. Roman und seine Vorläufer*, 1876). Es gelang ihm so eine wegweisende Studie, welche für Jenseitsvorstellungen, Mysterienkulte und nicht zuletzt für Dionysos als eines in archa. Zeit aus Thrakien eingewanderten Gottes für Jahrzehnte das Bild der griech. R. prägte – trotz neuer Textfunde, arch. Forsch. und, im Fall des Dionysos, des berech-

tigten Widerspruchs von Meuli und W. F. Otto, der sich gegen M. P. Nilsson nicht durchsetzen konnte, selbst als die Entzifferung der Linear B-Schrift den Gott in der ägäischen Bronzezeit belegte [17; 25]. Die Forsch. des eigenwilligen Karl Meuli (1891–1968) sind ohne Rohde undenkbar; von derselben, in seinem Falle durch den Münchner George-Kreis geprägten antiklassizistischen Haltung ausgehend, versuchte Meuli in global ausgreifender Forsch., in Totenglauben und -ritual den Ursprung von R. zu finden, und trug dabei durch seine volkskundlichen Kenntnisse grundlegend zum Verständnis des Opferrituals bei [13].

2.4 Das Mutterrecht

Völlig für sich stehend, doch alles andere als folgenlos sind die Forsch. des Basler Johann Jakob Bachofen (1815–1887)[12], der in der Absetzung vom Mommsenschen Historismus seine eigene Evolutionstheorie der menschlichen Gesellschaft entwarf, deren grundlegende Achse der Wandel von einer mutterrechtlichen, matriarchalischen Gesellschaftsform zu einer patriarchalischen Epoche mit ihren je eigenen Institutionen darstellt; Spuren dieses Wandels sind nicht zuletzt in Mythen und Riten in Griechenland noch festzustellen (*Das Mutterrecht. Eine Unt. über die Gynaikokratie der alten Welt nach ihrer rel. und rechtlichen Natur*, 1861). Durch die Rezeption dieser Vorstellungen sowohl durch den George-Kreis wie durch Friedrich Engels (ersterem entsprach die Opposition zur histor.-positivistischen universitären Forsch., letzterer übernahm die in ihrer Zeit kühne Vorstellung, daß auch grundlegende Institutionen wie die Ehe nicht naturgegeben, sondern geschichtlich gewachsen waren) sind sie so sehr zum Gemeingut des frühen 20. Jh. geworden, daß auch die Religionsgeschichte Griechenlands, bes. nach der Entdeckung der scheinbar weiblich dominierten minoischen Kultur, als Bewegung von einer mediterranen matriarchalischen (Bronzezeit) zu einer indoeurop. patriarchalischen Gesellschaft gelesen wurde [16; 37].

3. Die historisch-kritische Methode

Die dt. Altertumswiss. des 19. Jh. deutete sich selbst in einem Gegensatz zw. Bonn und Berlin. Berlin vertrat die umfassende Altertumswiss., die August Boeckh (1785–1867) praktisch und theoretisch (*Encyclopädie und Methodologie der philologischen Wissenschaften*, 1877) begründet hatte und deren glänzendster Vertreter von Wilamowitz-Moellendorff (1848–1931) war. Boeckhs Schüler Ludwig Preller (1809–1861); er hatte auch mit Karl O. Müller gearbeitet) verfaßte die umfassenden Kompendien zur griech. (1854) und röm. Myth. (1858); die griech. Myth. gab dann Carl Robert (1850–1922) – Archäologe des Mythos, nicht Religionswissenschaftler – stark überarbeitet neu heraus (1894–1926). Boeckh selbst hatte die griech. Inschr. in einem ersten, umfassenden Corpus versammelt (*Corpus Inscriptionum Graecarum*, 1828–1877) und so der Forsch. besser zugänglich gemacht; damit war ein unentbehrliches Instrument zur Darstellung der Lokalkulte gegeben, welche in der zweiten Jh.-Hälfte wichtig wurden, angefangen mit der

Preisschrift von August Mommsen (dem Bruder von Theodor), *Heortologie. Antiquarische Unt. über die städtischen Feste der Athener* (1864). Das Interesse an den Lokalkulten war teilweise durch die Einsicht motiviert, daß die griech. R. sich aus Lokalkulten zusammensetzte, untersucht wurden aber bes. altertümliche Landschaften (Samuel Wide, *De sacris Troezeniorum, Hermionensium, Epidauriorum commentatio academica*, 1888, und *Lakonische Kulte*, 1893), nicht zuletzt Arkadien (Walter Immerwahr, *Die Kulte und Mythen Arkadiens*, 1891; Victor Bérard, *De l'origine des cultes arcadiens. Essai de méthode en mythologie grecque*, 1894), in der Erwartung, hier in die Frühgeschichte der griech. R. hineinsehen zu können. Die umfassendste Darstellung legte dann Lewis Richard Farnell vor, mit nur schwacher (und wenn schon dann evolutionistischer) theoretischer Fundierung (*The Cult of the Greek States*, 1896–1909). Freilich brauchte der Historismus keine solche Fundierung, man ließ die Fakten sprechen, und nicht ungern in Kompendien (für Frankreich vgl. Auguste Bouché-Leclerq, *Histoire de la divination dans l'antiquité*, 1879–1882). Demgegenüber setzte eine Forsch. zu den Lokalkulten des alten Italiens, bedingt durch den Mangel an einschlägigen Daten außerhalb Roms (trotz des von Theodor Mommsen ins Leben gerufenen *Corpus Inscriptionum Latinarum*) sehr zögernd und erst im Verlauf des 20. Jh. ein, etwa mit Lily Ross Taylor, *The Cults of Ostia* (1913) und *Local Cults in Etruria* (1923) oder Michel Lejeunes *Méfitis d'après les dédicaces lucaniennes de Rossano di Vaglio* (1990).

E. DAS 20. JAHRHUNDERT

1. ALLGEMEIN

Die Forsch. des 20. Jh. zur griech.-röm. R. blieb bis zum radikalen Paradigmenwechsel in den sechziger und siebziger J. durch das Beharren auf den durch Frazer formulierten Deutungsmodellen geprägt, wenn sie sich nicht überhaupt (in einer gesamtkulturellen Reaktion auf die Katastrophe des I. Weltkriegs) auf das Philol.-Antiquarische zurückzog. An Frazer hielt man auch fest, nachdem die britische *social anthropology* bereits in der Schülergeneration Frazers (Bronislaw Malinoswki) radikal von dessen Positionen abgerückt war und die im späten 19. Jh. von Schliemann, dann von Arthur Evans begonnene Erforsch. der minoisch-myk. Bronzezeit der griech. Zivilisation und R. in die spätere Bronzezeit erweitert hatte. Während sich Schliemann (→ Troia, → Mykene, → Tiryns) allerdings kaum für R. interessierte, projizierte Evans die Frazerschen Kategorien ungebrochen in die minoische Zeit (»Baumkult«, »Vegetationsgöttinnen«). Der äußerliche Grund – daß mit Martin P. Nilssons stupender Gelehrsamkeit und erstaunlicher Vitalität ein Forscher das Feld dominierte, dessen formativer Einfluß Frazers Ansatz war – überzeuht schon deswegen nicht, weil sich dasselbe für die röm. Religionsforsch. sagen läßt, wo Wissowas Handbuch das gesamte Jh. bestimmte. Vielmehr ist der Hauptgrund für die relative Stagnation darin zu suchen, daß sich die ant. Religionsforsch. weitgehend sowohl

von *social anthropology* wie von der sich etablierenden Vergleichenden Religionswiss. abkoppelte und sich radikal auf die Ant. zurückzog. Damit beschränkte sie sich entweder auf eine historisierende, wenn nicht gar antiquarische Position oder aber auf eine Wiederholung der von außen gekommenen und dann konservierten Paradigmen. Das zähe Festhalten an der Frazerschen evolutionistischen Vegetationsdeutung erklärt sich zum einen wohl damit, daß Frazer wie Usener Klass.-Philologen waren und sich durch Textedition und -kommentierung als solche ausgewiesen hatten, daß außerdem die agrarische Deutung sich dem Verständnishorizont einer wertkonservativen Altertumswiss. in einer Kultur, welche durch tiefgreifende Urbanisierung und Industrialisierung gekennzeichnet war, weit nahtloser einfügte als die soziologischen und funktionalistischen Modelle, welche das Feld außerhalb der Altertumswiss. bestimmten.

2. DAS HERRSCHENDE PARADIGMA

Trotz der Polemik in England gegenüber den Cambridge Ritualists (bes. durch Andrew Lang) dominierte das Frazersche Paradigma wenigstens in England und Deutschland weithin unangefochten: Gelehrte wie Ludwig Deubner (1877–1946; Schüler Useners, Hauptwerk *Attische Feste*, 1932), Kurt Latte (1891–1964; Hauptwerke *Heiliges Recht. Unt. zur Geschichte der sakralen Rechtsformen in Griechenland*, 1920; *Röm. Religionsgeschichte*, 1960) oder Herbert Jenning Rose (1883–1961; Hauptwerke *The Roman Questions of Plutarch*, 1924; *Ancient Greek R.*, 1946; *Ancient Roman R.*, 1948) trugen in ihren zahlreichen Arbeiten wichtiges zur Sachkenntnis der griech. und röm. R. bei (bezeichnend ist, daß nun die beiden R. vom selben Forscher bearbeitet werden können), ohne jedoch einen Paradigmenwandel zu bewirken oder auch nur zu versuchen. Im *Archiv für Religionswiss.*, zum erstenmal 1898 unter Federführung von Albrecht Dieterich erschienen, wurde auch ein über Deutschland hinaus wichtiges Publikationsorgan geschaffen, das freilich nach 1933 immer stärker auf die herrschende polit. Linie einschwenkte und rasch Ansehen und Ausstrahlung einbüßte [32].

Weit unabhängiger von diesen Paradigmen ist ein anderer großer Schüler Useners in Bonn, der Berliner Latinist Eduard Norden (1869–1941); wie sein Lehrer ›filologo della religione‹ (A. Momigliano über Usener), eröffneten seine auf präzise philol. Beobachtung gestützten Arbeiten nicht bloß die rel. Sprache des archa. Latium (*Aus altröm. Priesterbüchern*, 1939 durch die Hilfe von Nilsson in Lund erschienen) und die Formeln des ant. Gebets (*Agnostos Theos. Unt. zur Formengeschichte rel. Rede*, 1912); in der Kommentierung des 6. Buchs von Vergils *Aeneis* (1915) schuf er auch einen noch immer wichtigen Zugang zur griech.-hell. Jenseits- und Visionsliteratur [22].

Doch die Epoche wurde dominiert von Martin Persson Nilsson (1874–1967), Professor für Alte Geschichte in Lund, dessen stupende Kenntnis der gesamten – arch., epigraphischen, histor. und lit. – Dokumentation den Grund legte für seine weitausgreifenden Darstellungen und Forsch. zur griech. R. seit der Monographie über *Griech. Feste von rel. Bed., mit Ausschluss der attischen* (1906), die noch immer unentbehrliches Arbeitsinstrument ist. Dasselbe gilt für weite Teile seiner *Geschichte der griech. R.* (Bd. 1, *Die R. der Griechen bis auf die Weltherrschaft* 1942. 1955. 1967; Bd. 2, *Die hell. und röm. Zeit* 1950. 1961). Methodologisch zwar zeitlebens dem Evolutionismus, dem agrarischen Deutungshorizont und einem individualistischen Religionsbegriff verpflichtet (vgl. die beiden theoretischen Schriften *Letter to Professor Nock on some fundamental concepts in the science of religion*, Harvard Theological Review 42, 1949, 71–107 und *R. as Man's Protest against the Meaninglessness of Events*, 1951), war Nilsson kein Dogmatiker, sondern ein Historiker mit wachem Sinn für die geschichtliche Bindung der griech. R. (etwa *Cults, Myths, Oracles, and Politics in Ancient Greece*, 1951); nicht Theorie und große Entwürfe, sondern die geduldige histor. Rekonstruktion war seine Stärke. Das Zentrum seiner Forsch. lag auf der griech. R. der vorhell. Zeit, wobei er lange vor der Entzifferung von Linear B das Bild der minoischen und myk. R. ganz entscheidend bis in die Gegenwart prägte, bes. in *The Minoan-Mycenaean and Its Survival in Greek R.* (1927; stark verändert ²1950) und *The Mycenaean Origin of Greek Mythology* (1932), doch hat er sich mehrfach auch mit der Spätant. (und selten mit der röm. R.) beschäftigt.

3. DIE HISTORISCH-PHILOLOGISCHE FORSCHUNG
3.1 DIE SPÄTANTIKE

Deutlicher noch als Nilsson jenseits theoretischer Dogmatik, erarbeitete sich eine im wesentlichen histor. internationale Forsch. allmählich das gesamte Feld der ant. Religion. Blieb für die minoisch-myk. Bronzezeit Nilsson zeitlebens führend, widmete sich am andern E. des zeitlichen Spektrums der Belgier Franz Cumont (1868–1947) den kaiserzeitlichen Mysterienkulten, insbes. denjenigen des Mithras (*Les mystères de Mithra*, 1900; *Les religions orientales dans le paganisme romain*, 1904) und dem von Erwin Rohde nicht beachteten Jenseitsglauben der späteren Ant. (*Recherches sur le symbolisme funéraire des Romains*, 1942; *Lux perpetua*, 1949) bahnbrechende Arbeiten; derselben Epoche galten die in ihrer histor. Geduld allein mit Nilsson vergleichbaren Arbeiten von Arthur Darby Nock (Hauptwerk: *Conversion. The Old and the New in R. from Alexander the Great to Augustine of Hippo*, 1933; doch war Nock v. a. ein Meister des oft kurzen Art., von denen Zeph Stewart eine große Zahl gesammelt hat, in *Essays on R. and the Ancient World*, 1972). Die Erforsch. der kaiserzeitlichen R. gewann eine neue Dimension in der durch den Niederländer Marteen J. Vermaseren initiierten Reihe der *Etudes préliminaires aux religions orientales dans l'Empire Romain* (EPRO), in denen neben zahlreichen Monographien auch umfassende Corpora zu den Materialien bes. der orientalisierenden kaiserzeitlichen Kulte erschienen.

3.2 DIE PHILOLOGISCHE FORSCHUNG

Letztlich in der Boeckhschen Konzeption von Altertumswiss. wurzelt das Alterswerk des bedeutendsten dt. Gräzisten, *Der Glaube der Hellenen* (1931/32) von Ulrich von Wilamowitz-Moellendorff (1848–1931). Es ist, bei aller stupenden Detailkenntnis, bemerkenswert durch seine klare Absage an jeden ethnologischen Komparativismus (was auf die neue geistige Situation nach dem I. Weltkrieg verweist) und durch die unterliegende protestantische Religionsauffassung [18]. Gerade hier zeigt sich vielleicht am deutlichsten ein Grundproblem der altertumswiss. Religionsforsch. des 20. Jh., das nach der Herausbildung von *social anthropology* und Religionswiss. als eigenständigen akad. Disziplinen mit je eigener Theoriebildung und Methodologie immer dringender geworden ist – daß sich nämlich zw. der aus der Altertumswiss. heraus eher als althistor. denn als religionskundliches Anliegen betriebenen Forsch. (ihre Hauptvertreter waren Althistoriker wie Nilsson, Cumont und Vermaseren oder Klass. Philologen wie Deubner oder Latte) und der immer anspruchsvolleren Methodologie der rel. *social anthropology* und Religionswiss. eine Kluft zu eröffnen beginnt, wobei eine spezifisch altertumswiss. Methodenblindheit die Ergebnisse der Forsch. bis in die jüngste Gegenwart hinein teilweise bedenklich verzerrt.

4. ANDERE RICHTUNGEN

Neben diesen beiden eng verwandten Hauptlinien der altertumswiss. Forsch. zur Ant. stehen einige andere, marginale Strömungen, die auch durch intensiven Komparativismus und Methodentransfer gekennzeichnet sind; aus einigen von ihnen sollte der Paradigmenwechsel der sechziger Jahre hervorgehen.

4.1 VON ROHDE ZU DODDS

Der Gegensatz des 19. Jh. zw. Bonn und Berlin verwandelte sich, auch unter dem Eindruck des Streites zw. Nietzsche und Wilamowitz, in einen Gegensatz zw. histor.-kritischer und eher intuitiver Forsch.; letztere berief sich oft auf Nietzsche oder den George-Kreis und stand dem Neopaganismus der 20er J. nahe; die dominanten Themen waren einerseits Dionysos und seine Ekstase (Nietzsche), andererseits Totenkult und -glaube (Rohde). Karl Meuli war von ihm beeinflußt, ebenso Karl Kerényi (1897–1973), der nach Anfängen als Klass. Philologe in Ungarn, von wo aus er Kontakte mit Walter F. Otto und mit Carl Gustav Jung aufgenommen hatte, im Schweizer Exil eng mit Jung, seinem Inst. und dem Eranos-Kreis in Ascona zusammenarbeitete und versuchte, in der griech. Myth. die Jungschen Archetypen zu isolieren (bes. *Einführung in das Wesen der Myth. Gottkindmythos – Eleusinische Mysterien*, 1942); sein intuitives Religionsverständnis bewährt sich am besten in seiner Darstellung der eleusinischen Mysterien (*Die Mysterien von Eleusis*, 1962). Innerhalb der Altertumswiss., wo Kerényi immer marginal blieb, erzielten die Forsch. Walter F. Ottos (1874–1958), erst zur röm., dann zur griech. R., weit größere Ausstrahlung [10]. Während sein Hauptwerk *Die Götter Griechenlands. Das Bild des*

Göttl. im Spiegel des griech. Geistes (1929) durch einen idealistischen, letztlich ahistor. Zugriff gekennzeichnet ist, der Homers Götter zur griech. R. schlechthin macht und über das Ritual hinwegsieht, ist seine brillante Reaktion auf Rohdes Dionysos (*Dionysos. Mythos und Kultus,* 1933) durch die Linear B-Texte bestätigt worden; Kerényi nimmt dies in mehreren Publikationen seit *Der frühe Dionysos* (1961) auf. Ottos Zugriff auf die Eigenheit des Gottes, der den Gegensatz des ekstatischen Gottes zur Polis-R. nicht diachronisch auflöste, nimmt die Reaktion auf den Nilssonschen Historismus bereits vorweg, während sich sein Interesse für die Totenwelt (*Die Manen oder von den Urformen des Totenglaubens. Eine Unt. zur R. der Griechen, Römer und Semiten und zum Volksglauben überhaupt,* 1923) mit der von Rohde herkommenden und von Meuli aufgenommenen Linie deckt. Ottos Frankfurter Schüler legten zahlreiche Arbeiten zur ant. R. vor. Am nachdrücklichsten wirkte Carl Koch (1907–1956), der das Fehlen einer röm. Myth. mit einer bewußten Entmythisierung in histor. Zeit erklärte (*Der röm. Juppiter,* 1937) – eine These, von der sich die Forsch. erst Jahrzehnte später absetzte [27]. Vor demselben Hintergrund steht Eric Robertson Dodds (1893–1979), der vom Neuplatonismus herkommend (*Proclus. The Elements of Theology,* 1933) über einen bes. für den Kult grundlegenden Komm. zu Eur. Bacch. (1944) mit *The Greeks and the Irrational* (1951) gegen einen dominanten Klassizismus (und im Rückgriff auf Rohde und Meuli) Ekstase, Kathartik und Jenseitsglauben herausstellte.

4.2 Französische Soziologie

Etwa zeitgleich mit den Cambridge Ritualists hatte in Frankreich Émile Durkheim (1858–1917), der Begründer der Soziologie, die Rolle von R. in der Bildung und Bewahrung von Gesellschaften erarbeitet; wie sie war er einem evolutionistischen, auf Ursprünge fokusierten Geschichtsbild verhaftet (*Les formes élémentaires de la vie religieuse,* 1912)[23; 29]. Auch wenn die Arbeiten seiner Schüler, ganz bes. von Marcel Mauss (1872–1950) über Opfer oder über Magie für das Verständnis der ant. R. relevant waren, wurden sie in der Altertumswiss. ebensowenig wahrgenommen wie die Forsch. von Henri Jeanmaire (*Couroi et Courètes. Essai sur l'éducation spartiate et sur les rites d'adolescence dans l'antiquité hellénique,* 1939; *Dionysos. Histoire du culte de Bacchus. L'orgiasme dans l'antiquité et les temps modernes, origine du theâtre en Grèce, Orphisme et mystique dionysiaque, évolution du dionysisme après Alexandre,* 1951 – ein Buch, das im Schatten von Dodds blieb). Seine Einsichten in die soziale Rolle der dionysischen Ekstase wurden weit später, angeregt vom Ethnologen I. M. Lewis (*Ecstatic religion: a study of shamanism and spirit possession,* 1971), von R. S. Kraemer und Louis Gernet (1882–1962) in der altertumswiss. Forsch. rezipiert. Gernets wegweisende Arbeiten zu den griech. Institutionen schufen eine eigentliche »Anthropologie der griech. Welt« (*Anthropologie de la Grèce antique,* 1968, hrsg. v. Jean-Pierre Vernant).

4.3 Indo-Europäische Religion

Die Daten der griech. und röm. R. wurden im 19. und 20. Jh. zur Rekonstruktion einer IE Religion verwendet, und umgekehrt wurde versucht, griech. und röm. R. vor einem solchen Hintergrund zu verstehen. Oft genüg erschöpfte sich dies in problematischen Etymologien, die durch die Anforderungen außerlinguistischer Theorie bestimmt waren (etwa in den zahlreichen Arbeiten von Paul Kretschmer, 1866–1956). Erst die neuere vergleichende Forsch. versuchte weiter auszuholen (Calvert Watkins; Jaan Puhvel). Einen eigenständigen und idiosynkratischen Entwurf legte Georges Dumézil (1898–1986) vor, der vom frz. Interesse an Gesellschaftsstrukturen mitbestimmt war. Seine Arbeiten erwiesen sich weit anregender für die röm. als für die griech. Religion. Er rekonstruierte drei fundamentale IE gesellschaftliche Funktionen (Priester/König, Krieger, Nährer/Ackerbauer) und fand diese Dreiteilung etwa in der Triade Iupiter-Mars-Quirinus wieder (Versuche, Spuren der Dreiteilung in der griech. R. zu finden, sind höchst problematisch); und er verstand das Fehlen einer röm. Myth. als Resultat einer Historisierung des Mythos (vergleichbar der altisraelischen) und seiner Umwandlung in Kulte (wichtig bleibt *La religion romaine archaïque,* 1966) [4; 33].

4.4 Scuola di Roma

Religionswissenschaft verstand sich von Anf. an als komparatistisch, bezog die ant. R. oft nur am Rande in ihre Theorien ein (und wurde umgekehrt von der Altertumswiss. selten beachtet). Einzig die sich um Raffelle Pettazzoni (1883–1959) in Rom bildende Scuola di Roma bezog die Ant. systematisch und intensiv in ihre Forsch. ein (etwa *I misteri. Saggio di una teoria storica-religiosa,* 1921; *La confessione dei peccati,* 1936, und zahlreiche Art., die Pettazzoni teilweise in den von ihm begründeten *Studi e Materiali di Storia delle Religioni* veröffentlichte). Pettazzonis Freund Ernesto di Martino (1908–1965), ein Schüler Benedetto Croces, bezog die mediterrane Folklore intensiv und gelegentlich im Hinblick auf Kontinuitätsprobleme in seine Arbeiten ein (etwa in *Morte e pianto rituale nel mondo antico,* 1958, oder sein Hauptwerk *La terra del rimorso,* 1961). Pettazzonis Nachfolger Angelo Brelich (1913–1977), Ugo Bianchi und Dario Sabbatucci setzten diese Konzentration auf die Ant. fort, und Brelich wurde einer der Wegbereiter des Paradigmenwechsels nach Nilsson – auch wenn die Scuola di Roma, bei aller Einsicht in Funktionen und Strukturen von Mythos und Ritual durchaus eine diachrone Perspektive verfolgt, die (etwa in *Gli eroi greci. Un problema storico-religioso,* 1958; *Paides e partenoi,* 1969) soziale Phänomene, bes. die Initiation, privilegiert [5].

5. Der Paradigmenwechsel der Sechziger Jahre

Der II. Weltkrieg, das ihm vorausgehende, weitgehend konservative Jahrzehnt (dessen stärkster Ausdruck die totalitären Bewegungen in Deutschland und It. waren) und das im wesentlichen restaurative Jahrzehnt nach Kriegsende hatten grundlegende Veränderungen im Studium der ant. R. unmöglich gemacht; Stagnation – und die Resonanz auf Dodds *The Greeks and the Irrational* – zeigten aber das Ungenügen am bestehenden Paradigma an. Der gesellschaftliche und ideologische Umbruch der 1960er J. führte auch zum radikalen Paradigmenwechsel, der ein sprunghaftes Anwachsen der Forsch. bes. zur griech., bedeutend später auch zur röm. R. zur Folge hatte. Ausschlaggebend waren zuerst in Frankreich (und It., neben Brelich) die Arbeiten von Jean-Pierre Vernant und seiner Schüler, in der angelsächsischen Welt (und später in Deutschland) diejenigen von Walter Burkert.

In beiden Fällen waren Anregungen von außerhalb der altertumswiss. Forsch. wichtig. Vernant, der sich auf Louis Gernet und den histor. Psychologen Ignace Meyerson beruft, arbeitet in zahlreichen Einzelunt. in Konzentration auf die griech. R. deren synchrone mentale Strukturen heraus und vermeidet jeden Reduktionismus von Mythos und Ritual; sein Ansatz war offen für den gleichzeitig sich herausbildenden Strukturalismus, vermied aber jegliche monolithischen Exzesse [36]. Sein differenziertes Bild der griech. R. – als eines auf die jeweils einzelne Polis konzentrierten Systems, das aber auch in seiner Gesamtheit systematische Züge aufweist (zentral noch immer die zweibändige Sammlung *Mythe et pensée chez les Grecs. Études de psychologie historique*, 1965; methodologisch wichtig: *Religion grecque, religions antiques*, 1976, die Antrittsvorlesung am Collège de France) – wirkte unmittelbar anregend und gewann bald Einfluß weit über Frankreich und das von ihm gegründete Centre Louis Gernet hinaus, unter immer stärkerem Einbezug der von Vernant und seinem Nachfolger am Centre, Pierre Vidal-Naquet, kaum gepflegten arch. Ikonographie. Eine methodisch weniger geschlossene »Schule« konzentrierte sich auf das belgische Liège, das dort von André Motte gegründete *Centre International d'Étude de la Religion Grecque Antique* und um die Zeitschrift *Kernos*, die mit *Métis*, der Zeitschrift der Pariser Schule, in anregendem Wettstreit steht. Walter Burkert, der nicht zuletzt Walter F. Otto verpflichtet ist, erscheint demgegenüber als ein Forscher mit einem äußerst weitgespannten diachronen Interesse, das nicht nur den Alten Orient als Schlüsselbereich einbezieht (*Die orientalisierende Epoche in der griech. R. und Lit.*, 1984), sondern – über die Berücksichtigung der Ethologie – bis in die menschliche Frühzeit vordringt (*Homo Necans. Interpretationen altgriech. Opferriten und Mythen*, 1972; *Creation of the Sacred. Tracks of Biology in Early Religions*, 1996). So gelingt die Synthese von Diachronie und Synchronie (*Structure and History in Greek Mythology and Ritual*, 1977), und in seiner Darstellung der griech. R. in vorhell. Zeit hat er Nilssons Handbuch weitestgehend verdrängt (*Griech. R. der archa. und klass. Epoche*, 1979). Mit Vernant teilt er die Einschätzung des Opferrituals als zentral für ant. R., auch wenn sie in der Beurteilung von Funktion und Geschichte keineswegs übereinstimmen (vgl. die Beitr. in *Le sacrifice dans l'antiquité* Entretiens Hardt 27, 1981).

Demgegenüber hat die Forsch. zur röm. R. länger stagniert; symptomatisch ist, daß das Handbuch Kurt Lattes (*Röm. Religionsgeschichte*, 1960) sich gegen Wissowa nicht hat durchsetzen können. Die Neuansätze von Carl Koch und Georges Dumézil konnten ebensowenig wiss. Konsens stiften wie die Arbeiten von Franz Altheim (*Röm. Religionsgeschichte*, 1931/ 1933. 1956), und so beschränkte sich die Forsch. oft auf – freilich eindrückliche – antiquarische Forsch., als deren anregendster Ort sich Straßburg mit Robert Schilling (*La religion romaine de Vénus*, 1956) herausbildete. Erst in Schillings Schülergeneration hat die Forsch., insbes. mit John Scheid, den längst fälligen Paradigmenwechsel vollzogen.

→ AWI Interpretatio II. Religion; Mythographie; Macrobius; Fulgentius; Mythographi Vaticani

1 R. ACKERMAN, J. G. Frazer. His Life and Work, 1987 **2** L. BARKAN, The Gods Made Flesh. Metamorphoses and the Pursuit of Paganism, 1986 **3** M. BEARD, The Invention of Jane Harrison, 2000 **4** W. W. BELIER, Decayed Gods. Origins and Development of Georges Dumézil's »Idéologie Tripartite«, 1991 **4a** F. v. BEZOLD, Das Fortleben der ant. Götter im ma. Human., 1922 **5** A. BRELICH, La metodologia della Scuola di Roma, in: Il Mito Greco. Atti del Convegno Internazionale (Urbino 7–12 Maggio 1973), hrsg. v. B. GENTILI, G. PAIONE, 1977, 3–29 **6** J. N. BREMMER, R., ritual and the opposition sacred vs. profane. Notes towards a terminological genealogy, in: Ansichten griech. Rituale. Geburtstagssymposium für Walter Burkert, hrsg. v. F. GRAF, 1998, 9–32 **7** W. BURKERT, Herodot als Historiker fremder R., in: Hérodote et les peuples non grecs, Entretiens sur l'antiquité classique 35 (1990) 1–39 **8** W. M. CALDER III (Hrsg.), The Cambridge Ritualists Reconsidered, 1991 **9** Ders., R. SCHLESIER (Hrsg.), Zw. Rationalismus und Romantik. Karl Otfried Müller und die ant. Kultur, 1998 **10** H. CANCIK, Dionysos 1933. Walter F. Otto, ein Religionswissenschaftler und Theologe am E. der Weimarer Republik, in: Die Restauration der Götter. Ant. R. und Neo-Paganismus, hrsg. v. R. FABER, R. SCHLESIER (1985) 105–23 **11** Ders., Historisierung von R. Religionsgeschichtsschreibung in der Ant. (Varro – Tacitus – Walahfrid Strabo), in: Historization – Historisierung, hrsg. v. G. W. Most, 2001, 1–13 **12** A. CESANA, Johann Jakob Bachofens Geschichtsdeutung. Eine Unt. ihrer geschichtsphilos. Voraussetzungen, 1983 **13** F. GRAF (Hrsg.), Klass. Ant. und neue Wege der Kulturwiss. Symposium Karl Meuli, 1992 **14** K. GRÜNDER (Hrsg.), Der Streit um Nietzsches »Geburt der Trag.«, 1969 **15** O. GRUPPE, Gesch. der klass. Myth. und Religionsgesch. während des MA im Abendland und während der Neuzeit, 1921 **16** H.-J. HEINRICHS (Hrsg.), Das Mutterrecht von Johann Jakob Bachofen in der Diskussion, 1987 **17** A. HENRICHS, Loss of Self, Suffering, Violence. The Modern View of Dionysos from Nietzsche to Girard, HSPh 86 (1982) 206–240 **18** A. HENRICHS, »Der Glaube der Hellenen«. Religionsgesch. als Glaubensbekenntnis und Kulturkritik, in: Wilamowitz nach 50 J., hrsg. v. W. M. CALDER III et al., 1985, 263–305 **19** Ders., Welckers Götterlehre, in: Friedrich Gottlieb Welcker. Werk und Wirkung, hrsg. v. W. M. CALDER III, A. KÖHNKEN, W. KULLMANN, G. PFLUG, 1986, 179–229 **20** M. T. HODGEN, Early Anthropolgy in the Sixteenth and

Seventeenth Centuries, 1964 **21** H. G. KIPPENBERG, Die Entdeckung der Religionsgeschichte. Religionswiss. und Moderne, 1997 **22** B. KYTZLER, K. RUDOLPH, J. RÜPKE (Hrsg.), Eduard Norden (1868–1941), 1994 **23** S. LUKES, Émile Durkheim: His Life and Work. An Historical and Critical Study, 1973 **24** F. E. MANUEL, The Eighteenth Century Confronts the Gods, 1959 **25** P. McGINTY, Interpretation and Dionysos. Method in the Study of a God, 1978 **26** A. MOMIGLIANO, Aspetti di Herman Usener filologo della religione, 1982 **27** E. MONTANARI, Problemi della demitizzazione romana, in: Studi e Materiali di Storia delle Religioni 52 (1986) 73–99 **28** M. OLENDER, Les langues du paradis. Aryens et Sémites: un couple providentiel, 1989 **29** M. RICKMAN, Anthropology and Modernism in France. From Durkheim to the »Collège de Sociologie«, in: Modernist Anthropology. From Fieldwork to Text, hrsg. v. M. MANGANARO, 1990, 183–214 **30** R. SCHLESIER, Kulte, Mythen und Gelehrte. Anthropologie der Ant. seit 1800, 1988 **31** Dies., Olympische R. und chthonische R., in: The notion of »R.« in comparative research. Selected proceedings of the XVI. IAHR (International Association for the History of Religions) congress, hrsg. v. U. BIANCHI, 1994, 301–310 **32** Dies., »Arbeiter in Useners Weinberg«. Anthropologie und Ant. Religionsgeschichte in Deutschland nach dem I. Weltkrieg, in: Altertumswiss. in den 20er J. Neue Fragen und Impulse, hrsg. v. H. FLASHAR, 1995, 329–380 **33** C. SCOTT LITTLETON, The New Comparative Mythology. An Anthropological Assessment of the Theories of Georges Dumézil, ³1982 **34** J. SEZNEC, La survivance des dieux antiques, 1940 **35** A. TRESP, Die Fr. der Griech. Kultschriftsteller, RGVV 15:1 (1914) **36** J.-P. VERNANT, Passé et présent. Contributions à une psychologie historique, hrsg v. R. DI DONATO, 1995 **37** B. WAGNER-HASEL (Hrsg.), Matriarchatstheorien der Altertumswiss., 1992 **38** E. WIND, Pagan Mysteries in the Ren., 1967.   FRITZ GRAF

Religionskritik. Der Übergang von der paganen Ant. zur christl. Ära gilt weithin als ein überwiegend durch Kontinuität geprägter Prozeß, der sich durch das Fortwirken sowie die bewußte Übernahme kultureller Trad. (→ Chresis) und philos. Theorien (v. a. des → Platonismus) auszeichnet. Diese Sicht, die sich außerwiss. im Schlagwort vom »christl. Abendland« verdichtet hat, wird der Antikerezeption insgesamt nicht gerecht [15]. Denn diese richtete sich seit der frühen Neuzeit nachdrücklich auch auf solche Elemente ant. Philos. und Lit., die in scharfem Gegensatz zum Christentum stehen. Einerseits erinnerte man sich des Widerstands, auf den das Christentum bereits in der Ant. selbst gestoßen war, und andererseits knüpfte man an philos. Ansätze an, die mit dem Christentum unvereinbar waren. Der Rückgriff auf ant. Quellen lag nahe, weil sich ein Großteil des argumentativen Arsenals der ant. R. in den Debatten seit der frühen Neuzeit verwenden ließ. Er ergab sich auch aus dem ausdrücklichen Ziel vieler Religionskritiker, wieder rückgängig zu machen, was das Christentum in die Welt gebracht hatte – v. a. den Zwang zum Glauben an widervernünftige Lehren und die Unterdrückung der Meinungs- und Religionsfrei-

heit. Rezipiert wurden nicht allein philos. Einwände gegen die Religion. Auch lit. Formen des Spottes (exemplarisch in Lukians Werk [14]), bis hin zu kräftigeren Blasphemien (Jesus entsprang der Verbindung Marias mit einem röm. Legionär namens »Panthera« [3. 74]; nach Kelsos [1. 28]; die Christen verehren einen Eselskopf, Tert. apol. 16,1; vgl. Tac. hist. 5,3) wurden gern aufgegriffen [2. 123].

Die philos. R. schenkte seit der frühen Neuzeit bes. denjenigen Überlegungen ant. Philosophen Aufmerksamkeit, die den Glauben an Götter grundsätzlich in Frage stellen. Die ältesten – vorsokratischen – Zeugnisse wurden zwar (aus Gründen der Überlieferung) eher selten aufgegriffen, sind aber nie in Vergessenheit geraten. Beifall erhalten sie zunächst aber häufig von christl. Apologeten. Xenophanes, der den rel. Anthropomorphismus kritisierte, und sogar Diagoras (der ant. Erz-Atheist) werden gelobt, weil sie die ›fictos deos‹ der Heiden verspotteten [10. 5]. Eine bes. Sprengkraft entfalteten sozialgeschichtliche und religionspsychologische Hypothesen über den Ursprung der Religion. Die These, der Glaube an die Götter sei eine »um des Staates willen erfundene Meinung« (›opinio ficta (...) rei publicae causa‹, Cic. nat. deor. 1,118) verbindet sich zumeist mit dem (dem Sophisten Kritias zugewiesenen) *Sisyphos*-Fragment (Diels/Kranz, Fragment B 25), das die »Erfindung« des Göttl. einem urzeitlichen Gesetzgeber zuschreibt, oder mit der Theorie des Polybios (6,56,6–12), wonach die Alten die Vorstellungen von Göttern und vom Hades der Masse als Sozialregulativ eingeflößt haben [1. 541; 3. 132; 16. 217ff.]. Zumal im Zeitalter der rel. Bürgerkriege wurde Lukrez' Vers über die verheerenden polit. Folgen der Religion (Lucr. 1,101: ›tantum religio potuit suadere malorum‹) immer wieder herangezogen, wenn radikal anti-rel. Forderungen erhoben wurden [16. 234 f.]. Ebenso stark war das Echo der religionspsychologischen Herleitung der Religion, die den Götterglauben als Resultat der Furcht vor Naturgewalten und unsichtbaren Mächten begreift. Exemplarisch ist das XII. Kap. von Th. Hobbes' *Leviathan* (1651): Die ant. Referenztexte sind v. a. der bei Petronius Arbiter (Frg. 17) und auch bei Statius (Theb. 3,661) überlieferte Vers ›primus in orbe deos fecit timor‹ (»Die Furcht hat allererst die Götter geschaffen«) und immer wieder Lukrez (bes. 1,151 ff.) [16. 152 ff.]. Dessen *De rerum natura* ist in der R. der → Aufklärung nahezu allgegenwärtig. Paul-Henri Thiry d'Holbach (1723–1789), ihr Hauptvertreter am E. des Ancien régime, ließ eigens eine kommentierte Neuübers. anfertigen [9]. Eine bes. Rolle spielt auch Cicero, dessen *De natura deorum* nicht allein eine wichtige Informationsquelle über die ant. R. war, sondern seit Jean Bodins am E. des 16. Jh. verfaßtem *Colloquium heptaplomeres* [5], der Inkunabel der neuzeitlichen R., in der verschiedene rel. Standpunkte im Dialog miteinander konfrontiert werden, bis zu David Humes *Dialogues concerning natural religion* (1779) stilbildend wirkte [12]. Nur selten wurden die Argumente der ant. R. [13. 178–218] zu einem prinzipiellen Atheismus gebündelt, wie etwa in dem monumentalen *Theophrastus redivivus* (ca. 1659), dem ältesten atheistischen Text, den wir kennen [1].

Für die neuzeitliche Kritik am Christentum hatten die Einwände der ant. Philosophen einen bes. Wert, weil sie sich aus einer zeitgenössischen Perspektive auf dieses bezogen. Von den ant. Autoren, die dem aufkommenden Christentum entgegentraten, ist zwar keine Schrift vollständig überliefert worden; das antichristl. Werk des Porphyrios wurde sogar nahezu ganz vernichtet. Die entscheidenden Thesen und Argumente waren jedoch durch Referate und Zitate in der patristischen Lit. (→ Patristische Theologie/Patristik) zugänglich [7; 8]. Kelsos' Schrift *Wahres Wort* wie auch Kaiser Iulians (»Apostata«) *Gegen die Galiläer* wurden im 17. Jh. zu erheblichen Teilen aus christl. Widerlegungsschriften rekonstruiert. Beide waren auch in volkssprachlichen Übers. zugänglich [4; 11]. Kelsos gab u. a. der in der Mitte des 18. Jh. verfaßten Schrift *Celse moderne* [16. 523] den Titel. Der *Traité des trois imposteurs* [3. 143 ff.], die Programmschrift der frz. Radikalaufklärung, enthält zahlreiche Bruchstücke aus Kelsos' Schrift. Die Parallelen zw. der ant. Kritik am Christentum (eine Gesamtübersicht bietet [15]) und der neuzeitlichen R. sind substantiell. Nahezu alles, worauf diese sich richtet, gehört auch für Kelsos zu den wesentlichen Anstößigkeiten der Religion aus Galiläa: von der Bezeugung der biblischen Wunder (1,141), über die vermeintlichen at. Weissagungen auf Jesus (2,28 ff.), die Lehre von der Jungfrauengeburt Mariens, die in komparatistischer Perspektive durch Parallelen aus der paganen Myth. in Zweifel gesetzt wird (1,37), und von der Auferstehung Jesu (2,54 ff.) bis hin zur Pflicht zum vernunftlosen Glauben (1,9). Sogar der in der Aufklärung immer wieder erhobene Vorwurf [2; 3], der Stifter des Christentums und seine Anhänger seien Betrüger gewesen, ist ein Leitmotiv in Kelsos' Schrift (1,26 f. u. ö.). Angesichts dieser Antizipationen ist der neuzeitlichen R. kaum eine (ohnehin nicht beanspruchte und von der Sache her irrelevante) Originalität zuzusprechen. Ihr sachliches Gewicht erhöht sich in ihrem Lichte aber erheblich. Denn der Umstand, daß die neuzeitliche R. weitestgehend das Ergebnis einer Rezeption ant. Einwände gegen das Christentum war, entkräftet den oft geäußerten Vorwurf, sie unterwerfe das Christentum in ahistor. Weise neuzeitlichen Rationalitätsmaßstäben.

→ AWI Iulianus/-os [11]; Kelsos; Porphyrios; Atheismus; Christentum; Religion

QU 1 ANON., Theophrastus redivivus. Edizione prima e critica, a cura di G. CANZIANI, G. PAGANINI, 1981/82 2 ANON. (J.J. MÜLLER), De tribus impostoribus, hrsg. v. W. SCHRÖDER, 1999 3 ANON., Traité des trois imposteurs. Traktat von den drei Betrügern (frz./dt.), hrsg. v. W. SCHRÖDER, 1992, ²1994 4 J.-B. MARQUIS D'ARGENS, Défense du paganisme par l'empereur Julien, Berlin ¹1764, 1769 5 J. BODIN, Colloquium heptaplomeres de rerum sublimium arcanis abditis, hrsg. v. LUDWIG NOACK, Schwerin 1857 6 E. BOUHÉRAU, Traité d'Origène contre Celse. Ou défense de la religion chrétienne contre les accusations des païens, Amsterdam 1700 7 R. CUDWORTH, The True Intellectual System of the Universe, London 1678 8 CH. KORTHOLT, Paganus obtrectator. Sive de calumniis gentilium in veteres Christianos, Kiel 1698 9 N. DE LAGRANGE, De la nature des choses, traduction nouvelle, avec des notes, Paris 1768 10 D. MELLINUS, In veteres quosdam scriptores, Malevolos Christiani nominis obtrectatores, Florenz 1577 11 ORIGENES, Acht Bücher von der Wahrheit der christl. Religion wider den Weltweisen Celsus, übers. und komm. von J. L. MOSHEIM, Hamburg 1745

LIT 12 G. GAWLICK, Cicero and the Enlightenment, Stud. on Voltaire and the 18th century 25 (1963) 657–682 13 A.CH. KORS, Atheism in France, 1650–1729, Bd. I: The Orthodox Sources of Disbelief, 1990 14 CH. LAUVERGNAT-GAGNIÈRE, Lucien de Samosata et le lucianisme en France au xviᵉ siècle: Athéisme et polémique, 1988 15 W. NESTLE, Die Haupteinwände des ant. Denkens gegen das Christentum, in: Griech. Stud., 1948, 597–660 16 W. SCHRÖDER, Ursprünge des Atheismus. Unt. zur Metaphysik- und R. des 17. und 18. Jh., 1998.

WINFRIED SCHRÖDER

Religionssoziologie s. Religionsgeschichte

Renaissance A. BEGRIFF, ABGRENZUNG B. GRUNDLAGEN C. KUNSTTHEORIE D. KUNSTZENTREN E. AUFGABEN F. EUROPÄISCHE REZEPTION

A. BEGRIFF, ABGRENZUNG

Von *Rinascita*, einer »Wiedergeburt der Künste«, spricht Giorgio Vasari in seinen erstmals 1550 erschienenen Lebensbeschreibungen it. Künstler [16]: Die »neue« und »gute« Kunst seiner Epoche habe eine Zeit des Niedergangs überwunden und sich – erstmals seit der Ant. – wieder am Vorbild der Natur orientiert. Sinnverwandt gebrauchte schon um 1523 Albrecht Dürer das Wort »Wiedererwachsung« [8]. Beide Begriffe schließen zwingend die Vorbildlichkeit der ant. Kunst ein, im Unterschied zu verwandten Naturmetaphern (z. B. *renasci*), die sich bereits im human. Sprachgebrauch des 14. und 15. Jh. nachweisen lassen [47]. Wie sich bei Dürer und Vasari zeigt, war die Historisierung der Ant., d. h. die Erkenntnis ihrer zeitlichen Begrenztheit und ihrer Ablösung durch die »dunklen« Jh. nach dem E. des Imperium Romanum, eine wesentliche Komponente im Selbstverständnis und Selbstbewußtsein der Renaissance.

Als kultur- und v. a. kunsthistor. Epochenbegriff für das 15. und 16. Jh. hat sich »R.« seit J. Michelet (*Histoire de France*, Bd. 7, 1855) und J. Burckhardt (*Die Cultur der R. in It.*, 1860) durchgesetzt. Von »R.« zur Kennzeichnung früherer Phasen der Ant.-Rezeption (z. B. → Karolingische Renaissance) wird im Interesse terminologischer Eindeutigkeit inzwischen seltener gesprochen; hingegen hielt sich für die eng an der Ant. ausgerichtete toskanische Kunst des 11.–13. Jh. die Bezeichnung »Proto-R.« (zum Problem grundsätzlich: [50]). Überlagerungen mit dem R.-Begriff ergeben sich durch Termini wie »Frühe Neuzeit« (in der polit. Geschichte auf das 16. bis 18. Jh. angewendet) oder »Human.« (auf die antikisierende Schriftkultur des 14. bis 17. Jh. bezogen), wobei der Sprachgebrauch nach Fachkonventionen variiert.

Ließ Vasari die eigene Epoche bereits um 1300 mit dem Florentiner Maler Cimabue und seinem Schüler Giotto einsetzen, so wird der Beginn der R. heute allg. in der Florentiner Kunst der Zeit kurz nach 1400 gesehen (abweichend noch [65]), ihr E. mit der Entstehung der Barockkunst um 1600 angenommen. Zur genaueren Periodisierung hat sich im dt., analog auch im engl. Sprachgebrauch die Unterscheidung zw. »Früh-R.« für das 15. Jh. und »Hoch-R.« für die Jahrzehnte zw. 1500 und 1530 (v. a. auf die röm. Kunst bezogen) eingebürgert. »Manierismus« (< it. *maniera* = Stil, persönlicher Duktus) bezeichnet im engeren Sinn die Tendenz des späteren 16. Jh., das traditionelle Gebot der Natur- wie Ant.-Nachahmung zugunsten einer gesteigerten Wertschätzung von Erfindung und Originalität zu relativieren; doch wird der Begriff auch generalisierend für »Spät-R.« gebraucht [20]. In Bezug auf die it. Kunst sind ferner *Quattrocento* für das 15., *Cinquecento* für das 16. Jh. übliche Termini.

B. GRUNDLAGEN

In ihren Ursprüngen ist die Kunst der R. nicht zu trennen von der human. Kultur, die It. seit dem 14. Jh. prägt. Schon früh hinterläßt die Erschließung der ant. Lit. ihre Spuren in der Entwicklung der Künste. Wurde die Arbeit der Maler, Bildhauer und Baumeister im MA zu den manuellen Tätigkeiten (*artes mechanicae*) gezählt, so zeigt jetzt die Lektüre ant. Autoren (u. a. Plin. nat.), welch hohes Ansehen die Künste im Alt. genossen hatten. Von hier aus erfolgt – z. B. durch Hochschätzung des Entwurfs gegenüber der praktischen Ausführung bzw. durch Belegung künstlerischer Tätigkeiten und Phänomene mit rhet. Terminologie – schon seit dem 14. Jh. eine allmähliche Aufwertung der bildenden Künste und schließlich ihre Annäherung an das System der → Artes liberales [22]. Das gesteigerte Kunst- und Architekturinteresse der Bildungsschichten führte zu einem neuen ästhetischen Urteilsvermögen der Auftraggeber, das der Durchsetzung des Neuen immer wieder Vorschub leistete. Parallel dazu wuchs das soziale Ansehen der Künstler: Bereits im 15. Jh. wurde Filippo Brunelleschi (1377–1446), dem Begründer der R.-Baukunst, eine ausführliche Biographie gewidmet [13].

Bei allem Variantenreichtum, der die R.-Kunst in ihrer geschichtlichen Entwicklung und geogr. Streuung auszeichnet, ist ihr verbindliches Merkmal die Berufung auf die Autorität der Antike. Im Unterschied zur Ant.-Rezeption im MA, die stets dem Verdikt gegen alles Heidnische unterlag und sich schon deshalb innerhalb enger Grenzen bewegte, vollzog die R. des 15. und 16. Jh. ihre Auseinandersetzung mit dem Alt. von Anf. an im Sinne eines ebenso unbefangenen wie leidenschaftlichen, umfassenden wie kritischen Studiums [62;

21; 51; 63]. Sowohl die Denkmäler als auch die schriftlichen Quellen zu Kunst und Bauwesen wurden unermüdlich erforscht, die Ergebnisse wirkten entscheidend auf die zeitgenössische Vorstellung von der Ant. ein [39]. Zu Recht betrachtet man h. die antiquarische Gelehrsamkeit des 15. und 16. Jh. als den eigentlichen Beginn einer wiss. → Altertumskunde [59; 61]. An dieser Leistung hatten praktizierende Künstler wesentlichen Anteil: Wahrscheinlich sind schon Brunelleschi und Donatello zum Ant.-Studium nach Rom gereist, Pisanello und Benozzo Gozzoli verbanden röm. Kunstaufträge mit der zeichnerischen Aufnahme von ant. Skulptur [28]. Die Kenntnis ant. Werke und Formen verbreitete sich rasch über Musterbücher, nach 1500 zunehmend über das Medium der Reproduktionsgraphik (Kupferstiche Marcantonio Raimondis [48]). Einen Höhepunkt erreichte das Ant.-Studium der Künstler im Milieu der röm. Hoch-R. [68], u. a. durch die Tätigkeit Raffaels und seiner Schule. Der Modus der Ant.-Rezeption in der R. wurde durch die enge Verbindung von wiss. Erkenntnisinteresse und künstlerisch-produktiver Tätigkeit wesentlich bestimmt.

C. KUNSTTHEORIE

1416 entdeckte der Florentiner Humanist Poggio Bracciolini in der Klosterbibl. von St. Gallen das erste vollständige Ms. von Vitruvs *De architectura libri decem*. Zunehmende Kenntnis der ant. Kunstlit. führte rasch zum Anspruch auf eigene Theoriebildung: Leon Battista Alberti, als Humanist in päpstlichen Diensten stehend und ab 1450 als einer der herausragenden Architekten der R. auch selbst künstlerisch tätig, verfaßte die frühesten Abh. zu Malerei (1434), Architektur (1451) und Skulptur (1464). In *De pictura* [2], zusammen mit der lat. Fassung auch in it. Übers. herausgegeben, begründete Alberti eine Poetik der zeitgenössischen Malerei. So wurde Brunelleschis empirische Entdeckung der Zentralperspektive [43] erstmals gesetzmäßig gefaßt, ferner in Analogie zu ant. Rhetoriklehren (Cic. orat.; Quint. inst.) bzw. im Rückgriff auf das Horazische *ut pictura poesis* eine Theorie der *istoria*, des narrativen Bildes, entworfen ([23]; → Historienmalerei). Albertis Malereitraktat bleibt für die Kunstlit. der R. grundlegend, wie u. a. die Schriften Leonardo da Vincis [10] und Albrecht Dürers [8] deutlich machen. Erst im Umkreis der Florentiner Accademia del Disegno, bei Vasari [16] und Federico Zuccari [17], z. T. auch bei Lomazzo [11], wurde gegen E. des 16. Jh. mit einer neuplatonisch akzentuierten Ideenlehre der Kunst wieder theoretisches Neuland betreten. Albertis *De re aedificatoria* [1] ist eine kritische Auseinandersetzung mit Vitruvs Architekturtheorie. Der Gegenwartsbezug tritt nur selten offen zutage, ist aber unzweifelhaft intendiert: So schlug Alberti abweichend von der ant. Praxis eine Hierarchie sakraler Bautypen vor, an deren Spitze der Zentralbau steht; ferner entwarf er eine auf musikalischen Harmonien (→ Musik II. Stoffgeschichte) beruhende → Proportionslehre, die seine eigene architektonische Entwurfstätigkeit entscheidend bestimmte. Albertis Traktat begründete den Vitruvianismus (→ Architekturtheorie/Vitruvianismus; [46]). Neue architekturtheoretische Positionsbestimmungen erfolgten zunächst nur innerhalb dieses Rahmens [14; 15], erst 1562 publizierte Vignola ein illustriertes Handbuch der → Säulenordnungen, das auf theoretische Argumentation ganz verzichtete [4] und größten Einfluß auf die neuzeitliche Baupraxis gewann. Der Manierismus bildete – beginnend um 1520 – seine Konturen zunächst in der Kunstpraxis aus [20], eine theoretische Fundierung einzelner Aspekte lieferte erst im nachhinein Lomazzo [11]. Benvenuto Cellinis Autobiographie [6] formulierte den ins Exemplarische gesteigerten persönlichen Geltungsanspruch des manieristischen Künstlers; seine Traktate zu Goldschmiede- und Bildhauerkunst [5] waren u. a. ein Beitr. zum Rangstreit zw. Skulptur, Malerei und Architektur (*paragone*), seit Leonardo da Vinci ein Hauptthema der it. Kunstliteratur.

D. KUNSTZENTREN

Wichtigstes Zentrum der Früh-R. wurde Florenz – zunächst im Rahmen einer öffentlichen Auftragstrad., die seit der Wende zum 15. Jh. Impulse von herausragenden Humanisten erhielt (Leonardo Bruni, 1427–1444 Staatskanzler). Die R.-Skulptur machte zuerst das Potential des neuen Stils deutlich, indem sie die ant. Formüberlieferung in verschiedene Richtungen ausdeutete [52; 53]: Donatello folgte Prinzipien klass. Statuarik (Abb. 1) und begründete einen dramatisch bewegten Reliefstil; Nanni di Banco konzentrierte sein Ant.-Interesse auf motivische Aneignungen; Ghiberti fand zur Vermittlung von antikisierender Form und spätgot. Tradition. Brunelleschi verwirklichte überwiegend sakrale und öffentliche Bauten (u. a. Ospedale degli Innocenti 1419). Durch strenge, von ant. Vorbildern geleitete Strukturierung der Entwürfe gelang es ihm, die Bauaufgaben seiner Zeit neu zu prägen. Sein Formenrepertoire läßt sich hauptsächlich aus dem Florentiner »Proto-R.« ableiten; entscheidend wirkte sich jedoch die kritische, systematisierende Verarbeitung dieser Vorgaben aus. Masaccio, Begründer der R.-Malerei, hinterließ bei seinem Tod 1428 ein ausschließlich sakrales Œuvre (u. a. Brancacci-Kapelle in S. Maria del Carmine, begonnen 1424). Durch souveräne Anwendung perspektivischer Mittel, lapidare Erzählkunst und einen plastischen, unter dem Eindruck ant. Skulptur geformten Figurenstil übte seine Malerei größten Einfluß auf die nachfolgende Kunst aus [57]. Erst seit den 1430er J. kam es durch Initiative Cosimos de' Medici zur Allianz von R.-Kunst und einer privaten Auftragskultur neuen Stils [44]. Durch Konzentration hochrangiger Aufträge an Maler, Bildhauer und Architekten sicherte Cosimo sich und seiner Familie die Dominanz im zeitgenössischen Kunstgeschehen und begründete eine Strategie kultureller Repräsentation, die rasch zum Modell patrizischer wie fürstlicher Kunstpatronage wurde: Ab 1455 ließ z. B. der Florentiner Bankier Giovanni Rucellai durch Alberti drei künstlerisch bahnbrechende Bauten errichten, darunter die erste Palastfassade, die

Abb. 1: Donatello, David.
Eine der frühesten Freifiguren der nachantiken Kunst, vermutlich für den Hof des Palazzo Medici.
Das David-Thema steht für heroische Tugend, es gehört in die offizielle politische Ikonographie der Stadt Florenz. Bronze, um 1445. Florenz, Bargello. Foto Brogi

eine vollgültige Synthese aus ant. Säulenarchitektur und zeitgenössischem Geschoßbau formuliert (Abb. 2). Als Mittler zw. dem bürgerlich-patrizischen Kunstzentrum Florenz und den Höfen Italiens kommt Alberti größte Bed. zu. Sein Architekturtraktat war urspr. für den Hof von Ferrara konzipiert worden, seine Kirchenbauten in Rimini (S. Francesco, 1450) und Mantua (u. a. S. Andrea, 1471) erhoben kleine Fürstentümer in den Rang kultureller Metropolen [31; 33]. Wahrscheinlich war Alberti der Architekturexperte, der Papst Pius II. bei dem Vorhaben, seinen provinziellen Geburtsort in die Idealstadt Pienza umzuformen (1458–1464), zur Seite stand.

Zentrum it. Hofkultur war zw. 1460 und 1480 Urbino. Selten wird die legitimierende und überhöhende Funktion der R.-Kultur so augenscheinlich wie hier: In deutlichem Mißverhältnis zur ökonomischen und polit. Bed. seines Staates suchte Herzog Federico da Montefeltro auf allen Gebieten der Bildung und der Künste die Spitze zu behaupten, u. a. durch Ausbau des Palazzo Ducale zur mod. Residenz nach Kriterien Albertis. Macht- und Statuskonkurrenzen unter Fürsten und

Städten wurden jetzt immer mehr auf kulturellem Gebiet ausgetragen. Führende Positionen nahmen im 15. Jh. die Höfe von Ferrara, Neapel, Mailand und Mantua ein. Die Kunstproduktion im päpstlichen Rom wie in der Republik Venedig emanzipierte sich erst im letzten Drittel des 15. Jh. ganz aus der ma. Überlieferung; nach 1500 wurden beide Städte jedoch die stilbildenden Metropolen der R.-Kunst. Seit etwa 1530 profilierten sich erneut Mantua und Florenz, jetzt als wichtigste Zentren des Manierismus.

Die Künstler der R. gewannen durch die neue Gesinnung der Auftraggeber erheblich an Mobilität. In Urbino wurden Maler, Architekten und Dekorateure aus der Toskana, Dalmatien, Venedig, den Niederlanden und Spanien beschäftigt; ein flandrischer Maler wie Rogier van der Weyden wurde als Berühmtheit von Hof zu Hof gereicht; Papst Sixtus IV. engagierte die führenden Maler Mittelitaliens für die Ausstattung der Sixtinischen Kapelle. Im Anspruch einzigartig blieb die geradezu monopolbildende Berufungspolitik Papst Julius' II. (1503–1512), der für die künstlerische Moder-

Abb. 3: Pisanello, Bildnismedaille des Domenico Malatesta, um 1445. Für Pisanellos zahlreiche Bildnismedaillen waren antike Münzporträts vorbildlich. Doch verstand es der Bildhauer, die üblicherweise typisierenden Züge der Gattung zugunsten der individuellen Charakteristik zurückzunehmen, die seine Porträts im Sinne gemalter Bildnisse auszeichnen. Washington, National Gallery of Art, Samuel H. Kress Collection

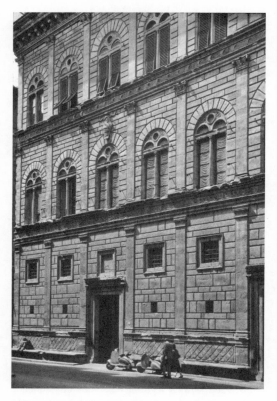

Abb. 2: Florenz, Palazzo Rucellai, um 1455. Alberti wandte sich als Architekt vor allem dem Problem der Fassade zu. In der repräsentativen Palastfront, die er für den Florentiner Bankier Giovanni Rucellai entwarf, erprobte er erstmals die Überblendung einer traditionellen mehrgeschossigen Wand mit Pilasterordnungen nach antikem Vorbild. Foto Anderson

nisierung des Vatikans (u. a.: Juliusgrabmal seit 1505, Bau von Neu-St.-Peter seit 1506, Ausmalung der Stanzen und der Sixtinischen Decke seit 1508) Michelangelo, Bramante und Raffael an seinen Hof zog. Venedigs Malerei entwickelte eine im wesentlichen ortsfeste Trad. [42], doch strahlte ihr Ruhm im 16. Jh. nach Norden wie nach Spanien aus (1533 wird Tizian Hofmaler Kaiser Karls V.).

E. Aufgaben

Das traditionelle Aufgabenspektrum der Künste wurde in der R. beträchtlich erweitert, zunächst in Florenz, v. a. aber – begünstigt durch das Repräsentationsinteresse neuer Dyn. – an den Höfen. Die Entwicklung des autonomen → Porträts in Italien folgt maßgeblich höfischem Bedarf [24]: Unter dem Einfluß Petrarcas und seiner human. Ruhmkonzeption hatte Francesco II. da Carrara, Stadtherr von Padua, schon 1390 nach dem Vorbild röm. Sesterzen Gedenkmünzen mit Bildnissen von sich und seinem Vater schlagen lassen; im 15. Jh. setzte Pisanello diese Trad. mit erheblich anspruchsvolleren Porträtmedaillen und -plaketten fort ([58]; Abb. 3). Unter dem Eindruck ant. Vorbilder entstand in Florenz die Gattung der Porträtbüste, die rasch Eingang in die Hofkunst fand. Traditionell bot die → Sepulkralkunst den wichtigsten Anlaß für Porträts; ihre Entwicklung während der R. kulminierte in Michelangelos erstem Entwurf für das Juliusgrabmal, der mit seinem reichen, aus thematischen Konventionen befreiten Figurenprogramm den bis dahin verbindlichen Rahmen der

Aufgabe sprengte. Den Übergang vom Grab- zum profanen Ruhmesdenkmal markieren im 15. Jh. die unter dem Eindruck der röm. Marc-Aurel-Statue konzipierten monumentalen Reiterbildnisse, mit denen das Andenken einzelner Heerführer geehrt wurde (Donatellos *Gattamelata* in Padua, 1444); seit dem Ende der R. wurden → Reiterstandbilder zum anspruchsvollsten Typus des Staatsporträts (erste Beispiele in Piacenza, Florenz, Paris, Madrid). Einen gestaffelten Kat. der Porträtstellung vom kleinen Brustbild privater Auftraggeber bis zum repräsentativen, ganzfigurigen Herrscherbildnis hielt schon früh die it. Malerei bereit (parallel zur Entwicklung der Gattung in den Niederlanden). Im 16. Jh. begründete Tizian (z. B. *Karl V. nach der Schlacht von Mühlberg*, 1548) eine neue Auffassung des narrativen, atmosphärisch verdichteten Porträts.

Bereits Alberti stellte in seinem Malereitraktat das vielfigurige Historienbild an die Spitze der Gattungshierarchie. Neben der bereits seit dem MA etablierten rel. Historie, die im 16. Jh. u. a. durch Tintoretto neue Akzente erhielt (nt. Zyklen in der Scuola di San Rocco in Venedig, 1564–1588), entwickelte die R. ein spezifisches Interesse für profane Ereignisbilder, deren bedeutende Rolle in der ant. Malerei durch eine Reihe lit. *ekphraseis* (u. a. Plin. nat., Lukian., Paus.; → Ekphrasis) bezeugt wird. Andrea Mantegna, seit 1460 Hofmaler in Mantua, gab dieser Gattung die entscheidenden Impulse (*Camera picta* im Palazzo Ducale, vollendet 1474), wobei auch zeitgenössische Personen und Vorkommnisse darstellungswürdig wurden [45]. Kraft ihrer vorbildlichen Bewältigung kompositorischer Ansprüche, wie sie die Historienmalerei in bes. Maß stellt, genossen schon im 16. Jh. Raffaels Wandbilder in den vatikanischen Stanzen höchstes Renommee.

Stoffe der ant. Myth. [41] wurden durch die frühe Druckgraphik aufgegriffen (Kupferstiche Mantegnas) und spielten eine herausragende Rolle in den verschiedenen Medien der Sammlerkunst, wo sie häufig der Rechtfertigung von Aktdarstellungen dienten. Epochemachende Neuformulierungen myth. Themen gelangen seit dem späten 15. Jh. Malern wie Botticelli (*La primavera*, 1478), Raffael und Tizian (*Venus von Urbino*, 1538). Als neue Gattung des argumentierenden, mit Textkomponenten verschränkten und häufig verrätselten Bildes, die v. a. im Buchdruck Bed. gewannen, entstand seit dem 16. Jh. die → Emblematik [3; 40].

Das Typenspektrum der Architektur blieb im Übergang vom MA zur R. relativ stabil. Unter den sakralen Aufgaben gilt dem Zentralbau (zuerst Brunelleschis Alte Sakristei von S. Lorenzo in Florenz, begonnen 1418) sowie der einschiffigen Saalkirche (exemplarisch Vignolas Il Gesù in Rom, begonnen 1568) größere Aufmerksamkeit als der traditionellen → Basilika, deren Herkunft aus der ant. Profanarchitektur ihre Tauglichkeit für den christl. Kirchenbau fraglich werden läßt. Zivile Bauaufgaben vom Palast bis zum Stadtentwurf gewannen generell an Bedeutung [34]. Insbesondere fand die R. eine neue Herausforderung in der human.

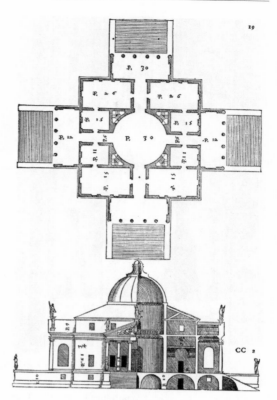

Abb. 4: Andrea Palladio, Villa Rotonda (Capra) in Vicenza. Im reichen Repertoire der palladianischen Villenbauten stellt die berühmte »Rotonda« eher die Ausnahme als die Regel dar. Der Zentralbau mit innenliegendem rundem Saal war nicht an landwirtschaftlichen Besitz gebunden; es handelt sich um eine *villa suburbana*. Die vier Aussichtsloggien nach dem Muster antiker Tempelportiken konnten so ausdrücklich dem ästhetischen Naturgenuß vorbehalten bleiben. Holzschnitt aus: A. Palladio, *I Quattro Libri d'Architettura*, 1570

inspirierten *Villeggiatura*: Erst jetzt erschlossen sich über die Lektüre röm. Autoren (u. a. Plin. epist., Cic. off., Stat. silv.) die vielfältigen Bildungsintentionen, mit denen die Ant. das Landleben überhöht und den Villenbau aufgewertet hatte [18]. Erste R.-Villa im programmatischen Sinn wurde der Medici-Sitz in Fiesole (1458 durch Michelozzo begonnen); im 16. Jh. entwickelte Andrea Palladio ein nach zeitgenössischen Bedürfnissen konzipiertes Repertoire des Villenbaus (Abb. 4), das sich durch gezieltes Zitieren ant. Formen aber zugleich als kulturelle Rekonstruktionsleistung ausweist (→ Rekonstruktion/Konstruktion).

F. EUROPÄISCHE REZEPTION

Albrecht Dürers Reisen nach Venedig (1494–1495, 1505–1507) sind ein erstes Zeugnis für das gesteigerte Interesse mitteleurop. Künstler an den Errungenschaften der it. Renaissance [30]. Kennzeichnend bleibt zunächst die indirekte, durch zeitgenössische Kunst ver-

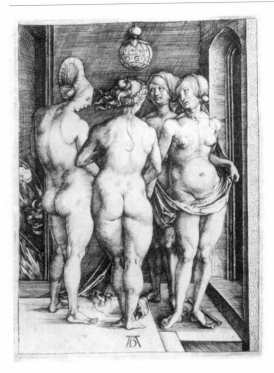

Abb. 5: Albrecht Dürer, Die vier Hexen. Als einer der ersten nordalpinen Künstler bemühte sich Dürer um die Gewinnung gesetzmäßiger Proportionen in der Darstellung des menschlichen Körpers. Wie das Blatt beispielhaft zeigt, prägte er einen spezifisch »nördlichen« Kanon der Aktdarstellung aus, der sich von antiken, aber auch von zeitgenössischen italienischen Beispielen grundlegend unterscheidet. Mit dem Anspruch auf Integration eigener Überlieferung in das vorbildliche Formenrepertoire Italiens ist ein Grundmerkmal europäischer Renaissance-Rezeption benannt. Kupferstich, 1497.
München, Staatliche Graphische Sammlung

mittelte Kenntnis der Ant., doch zeigt sich bei Dürer, daß der gesamte Kanon der Bildungsansprüche, wie er sich mit it. R.-Kunst verbindet, rezipiert und in eine eigenständige Stilhaltung sowie eine neue Existenzform als Künstler umgedeutet wurde. Dürer stand in intensivem Kontakt zu Humanisten, seine Schriften begründen die dt.-sprachige Kunstliteratur [8]. Einzelne künstlerische Medien und Bildaufgaben wie die Druckgraphik [48] oder das Selbstbildnis [70] entwickelte Dürer weit über das bis dahin in It. Erreichte hinaus, andere – z. B. die Aktdarstellung – formte er entsprechend den im Norden geltenden Forderungen und Möglichkeiten um (Abb. 5) [25]. Generell läßt sich die Rezeption der it. R. in Europa mit dem kunstgeogr. Begriff der »Ausbreitung« kaum adäquat beschreiben. Das Interesse an der zeitgenössischen Kunst It. setzte an verschiedenen, weit voneinander entfernten Orten nahezu gleichzeitig ein – in Ungarn, Frankreich, Deutschland und Polen findet

man zu Beginn des 16. Jh. erste Zitate aus dem Formen- und Themenrepertoire der Renaissance. Meist für Jahrzehnte stehen diese Entlehnungen in ihren regionalen Kontexten isoliert. Sie sind Ergebnis gezielter Nachfrage durch Auftraggeber: Für die Reichsstädte Nürnberg und Augsburg, v. a. aber für die europ. Höfe besaß das programmatische Potential der mod. it. Kunst und die führende Rolle, die sie in der Austragung polit. und sozialer Konkurrenzen übernahm, bes. Anziehungskraft [66]. Beginnend mit den Königen Matthias Corvinus von Ungarn, Sigismund I. von Polen und Franz I. von Frankreich – er berief schon 1516 Leonardo da Vinci, später zahlreiche Manieristen – wurden in einer ersten Phase der R.-Rezeption it. Künstler an Höfe des Nordens verpflichtet, wo sie die Neugestaltung der jeweiligen Residenzen einleiteten (Pest, Krakau, Fontainebleau, Landshut, Granada, Prag). Erst in vielen Schritten fand das »Modell Italien« Akzeptanz auf breiter Basis [26; 29], begünstigt von den ab 1550 verstärkt einsetzenden It.-Reisen europ. Hofkünstler, die zu selbständigen Ant.-Studien, vertiefter Rezeption ant. und zeitgenössischer Kunstlit. [12] sowie eigener kunsttheoretischer Produktion [7] führten. Die frz. R. setzte neue, vom unmittelbaren Einfluß Italiens abgekoppelte Rezeptionszyklen in Gang; so strahlte – durch auflagenstarke Graphik beschleunigt – der Dekorationsstil der »Schule von Fontainebleau« über die Niederlande, West- und Norddeutschland (»Weser-R.«) bis an die Ostseeküste (Danzig) aus. Zum Faktor zeitgemäßer Repräsentation wurde nun auch außerhalb It. der Besitz von Kunstsammlungen [32]. In → München entstand ab 1568 mit dem Antiquarium das erste selbständige Bauwerk für eine Ant.-Sammlung; in Prag begründete Kaiser Rudolf II. um 1600 eine hervorragende Kollektion manieristischer Kunst. Nachdem sich die Konfessionalisierung zunächst kaum auf das europ. Interesse an der it. R. ausgewirkt hat (protestantische Höfe wie Bükkeburg oder Dresden wurden zu Zentren der R.-Kunst in Deutschland), machte im Übergang zum → Barock u. a. die Kulturpolitik des Jesuitenordens die Rezeption aktueller it. Kunst zu einer Angelegenheit der katholischen Welt. In den protestantischen Ländern Europas wie in den USA wurde jedoch im 17. und 18. Jh. mit dem Palladianismus (Inigo Jones, Lord Burlington, Thomas Jefferson) eine Alternative zur zeitgenössischen Barockarchitektur formuliert, die noch einmal explizit auf die it. R. zurückgriff.
→ Humanismus

QU 1 L.B. ALBERTI, L'Architettura – De re aedificatoria, 1485, hrsg. v. G. ORLANDI et al. (lat. und it.), 1966 (dt. 1912, Ndr. 1975) 2 Ders., De statua. De pictura. Elementa picturae, hrsg. v. O. BÄTSCHMANN et al., 2000 3 A. ALCIATI, Emblematum liber, ¹1531, Ndr. 2000 4 J. BAROZZI DA VIGNOLA, Regola delli cinque ordini d'architettura, o.J. (¹1562) 5 B. CELLINI, Due trattati: uno intorno alle 8 principali arti dell'oreficeria, l'altro in materia dell' arte della scultura (...), ¹1568, Ndr. 1983 (dt. 1974) 6 Ders., Vita, ¹1728, hrsg. v. L. BELLOTTO, 1996 (dt. seit 1803)

7 P. Delorme, Le premier tome d'architecture, ¹1568, hrsg. v. G. Bekaert, 1981 8 A. Dürer, Schriftlicher Nachlaß, hrsg. v. H. Rupprich, 3 Bde., 1956–1969 9 G. Gaye (Hrsg.), Carteggio inedito d'artisti dei secoli XIV, XV, XVI, 3 Bde., Firenze 1839–1840 10 Leonardo da Vinci, Trattato della pittura, hrsg. v. E. Camesasca, 2000 11 G. P. Lomazzo, Idea del tempio della pittura, ¹1590, hrsg. v. R. Klein, 2 Bde., 1974 12 K. van Mander, Het Schilder Boek, ¹1603–1604, Neuausgabe 1995 13 A. Manetti, Vita di Filippo Brunelleschi preceduta dalla novella del Grasso, hrsg. v. D. de Robertis, G. Tanturli, 1976 14 A. Palladio, I quattro libri dell'architettura, ¹1570, hrsg. v. L. Magagnato et al., 1980 (dt. 1983) 15 S. Serlio, Regole generali di architettura sopra le cinque maniere degli edifici (...), Venezia 1537 ff. (als Folge einzelner Bücher publiziert) 16 G. Vasari, Le Vite de' più eccellenti architetti, pittori, et scultori italiani, ¹1550, ²1568, hrsg. v. A. Bellosi et al., 1986 (dt. ¹1832–1849, Ndr. 1983) 17 F. Zuccari, L'idea de' pittori, scultori ed architetti, ¹1607, hrsg. v. D. Heikamp, 1961

LIT 18 J. S. Ackerman, The Villa. Form and ideology of country houses, 1990 19 F. Ames-Lewis et al. (Hrsg.), Concepts of Beauty in R. Art, 1999 20 D. Arasse, A. Tönnesmann, Der europ. Manierismus 1520–1610, 1997 21 L. Barkan, Unearthing the Past: Archaeology and Aesthetics in the Making of R. Culture, 1999 22 M. Baxandall, Giotto and the Orators: Humanist Observers of Painting in Italy and the Discovery of Pictorial Composition, ²1986 23 Ders., Painting and Experience in Fifteenth Century Italy: A Primer in the Social History of Pictorial Style, ²1989 (dt. 1977) 24 A. Beyer, Das Porträt. Seine Gesch. in der Malerei, 2002 25 A.-M. Bonnet, »Akt« bei Dürer, 2001 26 F. Braudel, Le modèle italien, 1989 (dt. 1991) 27 A. Buck (Hrsg.), Zu Begriff und Problem der R., 1969 28 A. Cavallaro et al. (Hrsg.), Da Pisanello alla nascita dei Musei Capitolini. L'Antico a Roma alla vigilia del Rinascimento, 1988 29 T. DaCosta Kaufmann, Court, Cloister and City: The Art and Culture of Central Europe 1450–1800, 1995 (dt. 1998) 30 D. Eichberger et al. (Hrsg.), Dürer and His Culture, 1998 31 A. Esch et al. (Hrsg.), Arte, committenza ed economia a Roma e nelle corti del Rinascimento 1420–1530, 1995 32 P. Findlen, Possessing the Past: The Material World of the Italian R., in: American Historical Review 103, 1998, 83–114 33 F. P. Fiore (Hrsg.), Storia dell'architettura italiana. Il Quattrocento, 1998 34 C. L. Frommel, Der röm. Palastbau der Hoch-R., 3 Bde., 1973 35 P. F. Grendler (Hrsg.), Encyclopedia of the R., 6 Bde., 1999 36 H. Günther, Das Studium der ant. Architektur in den Zeichnungen der Hoch-R., 1988 37 R. Harprath et al. (Hrsg.), Ant.-Zeichnung und Ant.-Studium in R. und Frühbarock, 1989 38 V. Hart et al. (Hrsg.), Paper Palaces: The Rise of the R. Architectural Treatise, 1998 39 F. Haskell, N. Penny, Taste and the Antique: The Lure of Classical Sculpture 1500–1900, ³1988 40 A. Henkel, A. Schöne, Emblemata. Hdb. zur Sinnbildkunst des XVI. und XVII. Jh., ¹1967, Ndr. 1996 41 H.-J. Horn (Hrsg.), Die Allegorese des ant. Mythos, 1997 42 N. Huse, W. Wolters, Venedig. Die Kunst der R., ²1996 43 M. Kemp, Behind the Picture. Art and Evidence in the Italian R., 1997 (dt. 1997) 44 D. V. Kent, Cosimo de' Medici and the Florentine R.: The Patron's Œuvre, 2000 45 J. Kliemann, Gesta dipinte: La grande decorazione nelle dimore italiane dal Quattrocento al Seicento, 1993 46 H. W. Kruft, Gesch. der Architekturtheorie. Von der Ant. bis zur Gegenwart, ⁴1995 47 G. Ladner, Pflanzensymbolik und der R.-Begriff, in: [27. 336–394] 48 D. Landau, P. Parshall, The R. Print 1470–1550, 1994 49 H. Millon et al. (Hrsg.), The R. from Brunelleschi to Michelangelo: The Representation of Architecture, 1994 50 E. Panofsky, R. and Renascences in Western Art, ¹1960 51 A. Payne (Hrsg.), Antiquity and its Interpreters, 2000 52 J. Poeschke, Die Skulptur der R. in It., 2 Bde., 1990–1991 53 J. Pope-Hennessy, An Introduction to Italian Sculpture, 3 Bde., ⁴2000 54 P. Pray Bober, R. Rubinstein, R. Artists and Antique Sculpture: A Handbook of Sources, 1986 55 G. Previtali et al. (Hrsg.), Storia dell'arte italiana, 1979 (dt. 1987) 56 R. T. Ridley, To Protect the Monuments: The Papal Antiquarian (1534–1870), in: Xenia antiqua 1, 1992, 117–154 57 S. Roettgen, Wandmalerei der Früh-R. in It., 2 Bde., 1996–1997 58 S. Scher (Hrsg.), The Currency of Fame: Portrait Medals of the R., 1994 59 A. Schreurs, Ant.-Bild und Kunstanschauungen des neapolitanischen Malers, Architekten und Antiquars Pirro Ligorio (1513–1583), 2000 60 G. Schweikhart, Bücher und Aufsätze zum Themenkreis der Ant.-Rezeption, in: Kunstchronik 45, 1992, 49–62 61 Ders. (Hrsg.), Antiquarische Gelehrsamkeit und bildende Kunst. Die Gegenwart der Ant. in der R., 1996 62 Ders., Die Kunst der R., hrsg. v. U. Rehm et al., 2001 63 S. Settis (Hrsg.), Memoria dell'antico nell'arte italiana, 3 Bde., 1984–1986 64 C. Smith, Architecture in the Culture of Early Humanism. Ethics, Aesthetics, and Eloquence 1400–1470, 1992 65 H. Thode, Franz von Assisi und die Anf. der Kunst der R. in It., ¹1885 66 G. Walther, Adel und Ant. Zur polit. Bed. gelehrter Kultur für die Führungselite der Frühen Neuzeit, in: HZ 266, 1998, 359–385 67 M. Warnke, Gesch. der dt. Kunst. Spät-MA und Frühe Neuzeit 1400–1750, 1999 68 M. Winner (Hrsg.), Il Cortile delle Statue. Der Statuenhof des Belvedere im Vatikan, 1998 69 H. Wohl, The Aesthetics of the Italian R.: A Reconsideration of Style, 1999 70 J. Woods-Marsden, R. Self-Portraiture: The Visual Construction of Identity and the Social Status of the Artist, 1998.

ANDREAS TÖNNESMANN

Republik A. Begriff B. Italien (Spätmittelalter) C. Italien (16. Jahrhundert) D. Nordeuropa (16./17. Jahrhundert) E. England und Schottland (17./18. Jahrhundert) F. Gründung der USA G. Rousseau und die Französische Revolution H. Deutschland um 1800 I. 19. und 20. Jahrhundert J. Aktuelles Forschungsinteresse

A. Begriff

[86; 92; 104] »Respublica« mit den nationalsprachlichen Entsprechungen ist ein ausgesprochen vieldeutiges Wort; der amerikanische Verfassungsvater John Adams hält 1807 fest, daß er nie verstanden habe, was eine R. sei, ›and I believe no other man ever did or ever will‹ [1. 353]. Die Polysemie ist bereits bei der griech. Entsprechung πολιτεία angelegt, worunter Aristoteles versteht: a) allg. Verfassung, b) die ungemischte, gute Herrschaft der vielen, c) eine in der Praxis empfehlenswerte Mischverfassung aus Oligarchie und Demokratie (pol.

1289a, 1293b [vgl. 92. 52–62]). Hinsichtlich des ethischen Staatszwecks (tugendhafte εὐδαιμονία) ist die Staatsform eher sekundär, vielmehr variiert sie je nach der Natur einer Polis (eth. Nic. 5,7; 1135a). Polybios (Historien 6,11–18) sieht dagegen die v.a. seit Platons *Nomoi* diskutierte Mischverfassung als Erklärung für Roms Erfolg und Langlebigkeit, insofern die Werte und Qualitäten der vielen (Freiheit), der wenigen (Weisheit) und des einzelnen (Autorität) kombiniert werden. Cicero übernimmt das Modell, das die *libertas* als demokratisches Anliegen berücksichtigt (vgl. Cic. rep. 1,47) und damit das Volk in die als Personenverband (vgl. z.B. Cic. Catil. 4,24, also nicht als Trägerin staatsrechtlicher Funktionen) verstandene *res publica* integriert (Cic. rep. 1,69 [vgl. 104 zum ant. Gebrauch von *res publica*]). Letztere wird als Gegensatz zur *res privata* normativ auf das fast syn. *bonum commune* und den Erhalt der *patria* ausgerichtet definiert in Cic. rep. 1,39: ›Est ... res publica res populi, populus autem ... coetus multitudinis iuris consensu et utilitatis communione sociatus‹ (»Die öffentliche Sache ist die Sache des Volkes, wobei unter Volk eine Versammlung einer Menschenmenge zu verstehen ist, die durch Übereinstimmung im Recht und Gemeinschaft des Nutzens zusammengehalten wird.«) (spätere Rezeption über Aug. civ. 2,21), wobei die *res publica* ebenso ›res popularis‹ wie ›res regalis‹ sein kann (Cic. rep. 3,47). In der Krise der R. wird das Wort allerdings im engeren, antimonarchischen bzw. antityrannischen Sinn für die ursprüngliche, von Brutus eingerichtete freistaatliche Verfassung beansprucht (Cic. off. 2,29), welche die Freiheit vor Willkür garantiert habe (Liv. 2,1–6; vgl. 27,19,4: ›regium nomen, alibi magnum, Romae intolerabile‹, »Das Wort König galt anderswo viel, war aber in Rom unerträglich«, ähnl. Cic. rep. 1,62; 2,52). V.a. Sallust (Catil. 6–13) liefert eine wirkungsmächtige Analyse von Entfaltung und Niedergang der röm. Freiheit, während Tacitus ›res publica‹ und ›imperium‹ als Gegensätze festhält (hist. 1,50). Eine klare Eingrenzung des verfassungsrechtlich weiten Begriffs unterbleibt jedoch, und so wird unter *res publica* bis ins MA der röm. Bürgerverband verstanden, vorübergehend (im Karolingerreich) aber auch ein Syn. für *regnum* (›rei publicae administrator‹ [112. 20]).

Die Bed. der ant. Überlieferung für die abendländische Theorie der R. kann kaum überschätzt werden, insofern sie im durch christl. Monotheismus und päpstlich-imperialen Universalismus geprägten Abendland einen pädagogischen Optimismus, erfolgreiche histor. Modelle, Exempla säkularer Tugend, theoretische Konzepte und auch rhet. gestützte Rechtfertigungsmuster für den Fall liefert, daß die theoretisch kaum bestrittene Monarchie als vorherrschende Ordnungsform vorübergehend ausfällt oder de facto Autonomie zuläßt. Als grundsätzliche Probleme erörtert werden in solchen Situationen zum einen die Voraussetzungen von Stabilität in einer nicht (erb-)monarchischen Verfassung, die στάσις (»Entzweiung«) bzw. *discordia* (»Zwietracht«)/*factio* (»Parteienwesen«) bewältigen muß, und zum anderen die Freiheit, die entweder positiv als Partizipation oder negativ als Schutz vor Willkür verstanden wird. Die ant. republikanische Trad. ist im abendländischen Kulturgut unvermeidlich allgegenwärtig, selbst im frz. Absolutismus (z.B. Corneilles *Sertorius*, 1662). Im Lat. ausgeprägter als in den Volkssprachen, bleibt auch das Wort *res publica* sehr vielfältig und läßt sich am ehesten dichotomisch fassen (vgl. aber auch die Gliederung nach Denkschulen in der grundlegenden begriffsgeschichtlichen Analyse von Mager [86]): a) als auf gleichen Interessen und Voraussetzungen beruhende menschliche Gemeinschaft jenseits von sprachlichen, polit. und ständischen Grenzen, insbes. (seit Erasmus) die *Res publica literaria* in Opposition zum ungebildeten Pöbel [21. 68]; b) als Objekt der durch einen Souverän verfaßten Ordnung im Gegensatz zu Anarchie oder Barbarei, so für Bodin in *De republica* [9]; c) als am Gemeinwohl orientierte, gesetzestreue Obrigkeit im Unterschied zu eigennütziger illegitimer, tyrannischer bzw. absoluter Herrschaft eines einzelnen oder vieler; d) als zur Sozialstruktur analoge, stabile Mischverfassung im Unterschied zu den flüchtigen reinen Verfassungsformen, repräsentiert etwa in der Konfrontation von Rom oder Sparta mit dem demokratischen Athen; e) als mindestens de facto (vom Kaiser) unabhängige *universitas quae superiorem non recognoscit* (»Körperschaft, die keinen Höheren anerkennt«), und darunter die zwei Spezialfälle f) als Freistaat (verdeutlicht als *republica libera*, vgl. etwa [27. 406]) in der römisch(rechtlich)en Konfrontation mit der Monarchie (*regnum*), dies unter Betonung der inneren Freiheit vor Willkür oder der äußeren Unabhängigkeit; g) als Demokratie mit Partizipation der Vollbürger im Unterschied zur Aristokratie, insofern dem Volk an der *libertas* liegt, dem Adel an der *dignitas*. Die Bedeutungsvielfalt findet sich selbst bei einzelnen Autoren: Paolo Paruta braucht 1579 *republica* sowohl im weiten Sinn für ›certo ordine della città dintorno a supremi magistrati‹ (»bestimmte Ordnung der Stadt hinsichtlich ihrer obersten Magistraten«) als auch für die Mischverfassung in Venedig und in den gemäßigten Monarchien sowie schließlich im konkreten, demokratischen Sinn für die ›republice di molti‹, die ›più s'appressa a vera forma di republica, perché sommamente vi si pregia e si conserva la libertà‹ (»der Staat der vielen, welcher der wahren Form der Republik am nächsten kommt, weil dort die Freiheit am meisten geschätzt und gewahrt wird«) ([42. 628, 631, 635]; ähnlich für Giannotti [24. 90, dt. Ed.]). Zu der Unklarheit der Quellensprache hinzu kommt eine oft willkürliche Verwendung des Konzepts »(klass.) Republikanismus« in der neueren Forsch.; der einflußreichste Ansatz versteht darunter das an der Ant. orientierte Ideal des polit. aktiven, selbstbestimmten und tugendhaften Bürgers im Kampf gegen ökonomisch-polit. Korruption [100], während andere Antimonarchismus als unabdingbare Komponente ansehen [134].

B. Italien (Spätmittelalter)

[63; 119] Die in der ma. *ars dictaminis* (→ Briefkunst/Ars dictaminis) lokaler Rhetoriklehrer übliche Betonung röm. Trad. (z. B. von Stadtgründungen) verschiebt sich ab dem 13. Jh. zur röm. Republik, seitdem das Imperium nicht mehr selbstverständlich die reale Ordnungsmacht stellt und die Kommunen – oft mit römisch(rechtlich)er Terminologie (*consul, senatus*) erfaßte – (beschränkt) partizipatorische, konfliktträchtige Verfassungsstrukturen gegen adlig-monarchische, stabilere Herrschaftsformen (Signoria, aber auch Papsttum; vgl. Cola di Rienzo) rechtfertigen müssen. Mit der Infragestellung der gottgegebenen, ewigen Universalmonarchie stellt sich verstärkt das Problem verzeitlichter, partikularer Herrschaft und ihrer Begründung, Vergänglichkeit oder Erhaltung durch menschliche Leistung. In Abwehr imperialer Deutungen wird das → Römische Recht für kommunale Selbständigkeit beansprucht: Laut Azo († 1230) kann der *populus sive universitas* (»Volk oder Körperschaft«) [5. 44] in seiner Gesamtheit die Gesetzgebung überantworten, aber, wie in Rom geschehen, auch wieder für sich beanspruchen [6. 9]. Bartolus von Sassoferrato betrachtet im *Tractatus de regimine civitatis* (1355) die innere Freiheit eines ›populus liber‹ als Voraussetzung legaler äußerer Unabhängigkeit der ›civitas sibi princeps‹ (»autonome Stadt«); im körperschaftsrechtlichen Sinn wird diese auch *respublica* genannt, womit dieser herkömmlich auf Rom beschränkte Begriff für autonome rechtsfähige Verbandspersönlichkeiten allgemeingültig wird. Wie die Entwicklung des ant. Rom zeige, korrespondieren die guten Verfassungsformen des Aristoteles mit der Ausdehnung einer *civitas*: ›regimen ad populum‹ für kleine, aristokratisches ›regimen bonorum‹ für größere, Monarchie für Imperien [7. 162–166; vgl. 126]. Bartolus verbindet das *Corpus iuris* mit der thomistischen Deutung von Aristoteles' *Politica*, die seit Moerbekes Übers. die πόλις – gegen Augustin – als weltliche, bürgerliche Verwirklichung ermöglichende Herrschaft präsentiert, gerade in ihrer demokratischen Form (›politia‹ für πολιτεία bei Moerbeke) und als Mischverfassung. Schon 1265 bezeichnet der Florentiner Brunetto Latini in Anlehnung an Aristoteles dessen dritte Regierungsform als die beste von allen [33. 80], und Ptolomaeus von Lucca stellt um 1300 als erster die *politia* (als ›pluralitas, sive civitas‹), wie sie gemäß einer geogr. Typenlehre den selbstbewußten und mannhaften Völkern It. entspreche, dem unter die Despotie gerechneten *regnum* gegenüber [44. 564 (4,8)].

In der ant. *virtus* als *vera nobilitas* erkennen, wie schon Latini [33. 296], die Humanisten die Basis guter Herrschaft; wo kommunale Regierungsformen überleben, wird diese als *vita activa* freier Bürger verstanden, die Unabhängigkeit gegen außen und im Inneren Eintracht unter der Herrschaft des Gesetzes bezweckt ([13. 259]; vgl. Liv. 2,1,1). Es sind dies Anliegen der besitzenden Mittelschicht (*medii*), die, wahre Tugend vorausgesetzt, polit. Entfaltung für *homines novi* postulieren. Als Florentiner Kanzler gebraucht Coluccio Salutati in Staatsbriefen und Traktaten eine neuartige, an röm.-republikanischen Exempla reiche Freiheitsrhetorik, kann aber gleichzeitig die Monarchie unter einem gerechten Fürsten als beste Verfassung, ja als ›res publica‹ bezeichnen [48], und entsprechend Frankreich ein – von Willkür freies – ›regnum liberum‹ nennen [49. 143]. Während Salutati gegen die »Tyrannis« der Mailänder Visconti primär die Unabhängigkeit (*libertas*) der *patria* und nur sekundär eine bestimmte Verfassungsform verteidigt, postuliert sein Schüler und Nachfolger Leonardo Bruni eine prinzipielle Überlegenheit der republikanischen Verfassung, deren Basis die säkulare *vita activa et politica* patriotischer Bürger ist (in H. Barons Deutung *civic humanism* [63], vgl. dagegen U. Meier [88. 37–83]). Rechtfertigt Salutati 1400 in *De Tyranno* noch Dantes Caesarismus [48], lobt Bruni gleichzeitig in den *Dialogi* die Caesarmörder. Durch Brunis Neu-Übers. von Aristoteles' *Politica* (1435–1437) wird ›Respublica‹ (statt Moerbekes ›politia‹, vgl. [86. 563–567]) nicht nur im weiten Sinn als Gattungsbegriff für alle Verfassungen gebräuchlich, sondern in Übereinstimmung mit dem Wortgebrauch in den Kommunen im engeren Sinn klar freistaatlich konnotiert. Mit der analogen Verwendung von *civilis* (statt *politicus*) wird die aristotelische Lehre mit dem spät-ma. Körperschaftsrecht und der histor. röm. Realität in Übereinstimmung gebracht und Florenz neu als Tochter und Erbin des republikanischen Rom verherrlicht, gerade auch im Milizwesen (*De Militia*, 1421). Im MA hat Caesar als Gründer von Florenz gegolten, schon für Salutati ist es Sulla, und Bruni fügt davor noch eine urspr. etrurische Freiheit ein [11. 5–13]. Während Bruni in seiner Rede auf Nanni Strozzi (1428) wohl wegen der Thukydides-Imitation die Florentiner Verfassung als ›forma popularis‹ mit Gleichheit vor Gericht und auch beim Zugang zu den Ämtern charakterisiert [12. 285 (§ 21)], vertritt er im allg., so in der *Laudatio Florentinae urbis* (1403/4, nach dem Vorbild des *Panathenaikos* von Ailios Aristeides) ein Mischverfassungsmodell: Das harmonische Zusammenspiel verschiedener Kollektivbehörden mit Ämterrotation ermöglicht einen durch die Angst vor Strafe bestärkten Ausgleich zw. den wenigen Mächtigen und dem *popolo*, der durch die *respublica* selbst vor Willkür geschützt wird. Unter Rekurs auf *Codex Iustinianus* (5,59,5,2) hält Bruni als Voraussetzungen der sich gegenseitig bedingenden *libertas* und *iustitia* fest: *Quod enim ad multos attinet, id non aliter quam multorum sententia decerni consentaneum iuri rationique iudicavit* (»Was nämlich viele betrifft, das kann nicht anders als durch die Meinungsäußerung von vielen entschieden werden, wenn man mit dem Recht und der Vernunft übereinstimmen will.«) [13. 260].

C. Italien (16. Jahrhundert)

[65; 67; 119] Unter den Medici wird das republikanische Ideal formal weitergepflegt (vgl. Ghirlandaios röm. Helden von 1482 im Palazzo della Signoria), doch verschwindet Brunis Lob der partizipatorischen *vita activa* im Freistaat, und auch im übrigen It. werden Einzelherrschaft und R. nüchtern verglichen (so bei Francesco Patrizi). Nach dem Florentiner Umsturz von 1494 verkündet Savonarola das ›governo civile‹ (»bürgerliches Regiment«) wieder als Ideal [50. 448–450 (1,3)], das als *governo largo* (»weites Regiment«) mit breiter Partizipation umgesetzt wird und nun statt *civitas* den offiziellen Titel *Republica fiorentina* erhält, womit – im Unterschied zur Ant. – die *Res publica* als jurist. Person erscheint. Nach der Rückkehr der Medici (1512) analysieren Machiavellis *Discorsi* (1519) das ›vivere civile‹ in der Form eines freien Livius-Komm., wobei bei den gegen außen autonomen Staaten (›cittadi‹) unter Vernachlässigung ihrer moralischen Qualität nur zw. zwei Formen unterschieden wird: ›republica‹ und ›principato‹ ([34. 202 (1,2)]; vgl. dagegen Tac. ann. 4, 33). In einem Polybios (ed. princ. lat. 1473) nachempfundenen Verfassungskreislauf (Zwänge der ›necessità‹, Chancen der ›fortuna‹) kommt es dem – im polit.-mil. Sinn – tugendhaften Fürsten zu, über grundlegende ›ordini‹ einen Staat zu etablieren, der sich bei verbreiteter ›virtù‹ der Bürger zur R. entwickelt. Diese, verstanden als röm. Mischverfassung mit positiv gedeuteten inneren Konflikten zw. ›nobili‹ und ›plebe‹, ist Machiavellis Ideal, insofern sie ein patriotisch-hingebungsvolles, bescheidenes, durch Gesetze und eine Zivilreligion diszipliniertes ›vivere politico ed incorrotto‹ als ›vivere libero‹ unter Gleichgestellten und zugunsten des Gemeinwohls sowohl voraussetzt als auch erlaubt [34. 209 (1,4), 311 (1,55), 319 (1,58), 333 (2,2); 65]. Machiavellis Ziel ist es, die egoistischen, gemeinschaftszersetzenden Neigungen des Menschen (›ambizione‹) über kollektiv nützliche Werte, etwa den Ruhm, zur röm.-heidnisch verstandenen ›virtù‹ umzuformen und so den letztlich gerade für erfolgreiche Staaten (die Müßiggang hervorrufen) unumgänglichen Niedergang hinauszuzögern. Hieraus ergibt sich das von Machiavelli auch in der polit. Praxis verfolgte Ideal der Milizarmee, die nach röm. Vorbild durch mil. Expansion (›grandezza‹) kontinuierlich die ›virtù‹ und damit die Freiheit ihrer Bürger innerhalb von ›buoni ordini‹ reproduzieren soll [34. 496–7 (3,31); 89. 107–124]. Machiavellis Hauptanliegen bei seiner säkularen Begründung republikanischer – und fürstlicher – Herrschaft ist die außenpolit. Behauptung seiner Heimat gegen die ab 1494 in It. dominierenden nationalstaatlichen Monarchien. Darin gründet seine klare Präferenz für das expansive Rom gegenüber dem friedfertigen Venedig mit seinen Söldnerheeren.

Dagegen wird Venedig aufgrund vorwiegend innenpolit. Überlegungen unter der antimediceischen Opposition des 16. Jh. die idealisierte stabile Alternative zum durch Zwietracht zerrissenen und vergänglichen Rom. So zieht Guicciardini im *Dialogo* (1521–1525) die ›prudentia‹ der ›virtù‹ vor und verwirft die zwei Extreme, das erlebte Florentiner ›governo largo‹ der Ignoranten ebenso wie die Signorie der Medici, zugunsten der patrizisch geprägten (›stretto‹) Mischverfassung Venedigs mit einem Senat als ›temparamento tra la tirannide e licenzia populare‹ (»mäßigendes Element zw. der tyran-

nischen Einzelherrschaft und der Unbeherrschtheit des Volkes«) [27. 419]. Der exilierte Donato Giannotti bewundert Venedig 1526 in der *Repubblica de' Viniziani* wegen der Mechanik von Wahlprozeduren (›mechanized virtù‹ [100. 284]), die – bei allerdings fragwürdig schmaler sozialer Basis – Parteiinteressen eliminieren. In einem weiteren Versuch, die Unbill der Geschichte institutionell zu zähmen, fordert Giannotti unmittelbar nach dem Sturz der zweiten Republik (1527–1530) in seiner *Republica fiorentina*, die Mischverfassung in seiner Heimatstadt ›debbe inclinare nel popolo‹ (»muß zum Volk hinneigen«), müsse also ein institutionelles Übergewicht von ›mediocri‹ und ›popolari‹ haben, die sich ihrerseits durch ihren Besitz von der ›plebe‹ abgrenzen, die vom Regiment ausgeschlossen bleibt, d. h. von Behördenwahl und Gesetzgebung, Beschlüssen über Krieg und Frieden sowie von Beschwerdeinstanzen [24. 86–102 (1,5), 158–165 (3,3)]. In der Trad. Brunis rechtfertigt Giannotti 1546 in einem fiktiven Dialog mit Michelangelo den Tyrannenmord; derselbe Künstler nimmt mit seiner um 1540 wohl auf Giannottis Anregung gefertigten Brutus-Büste Bezug auf das erfolgreiche Attentat gegen Alessandro de' Medici und ein gewünschtes gegen Cosimo I. [108. Abb. 1].

Guicciardini, Giannotti und andere Florentiner von Bernardo Rucellai bis Antonio Brucioli greifen den *mito di Venezia* auf, der schon früh belegt ist. Um 1300 hat Heinrich von Rimini Venedigs beständige und friedreiche Blüte mit seiner Mischverfassung erklärt; ihm folgen unter Betonung der aristokratischen Komponente im 15. Jh. Pier Paolo Vergerio, Lorenzo de' Monacis, Poggio Bracciolini, Georg von Trapezunt und Domenico Morosini. Die Anhänger des *mito di Venezia* verstehen den Dogen als monarchisches Element, den Senat als aristokratisches und den *Consiglio maggiore* als demokratisches, auch wenn alle Gremien den Adligen (*gentiluomini*) vorbehalten sind. Den Höhepunkt dieser Trad. bildet Gasparo Contarini, der in den 1520er J. Venedigs Verfassung im Unterschied zu Giannotti nicht als histor. Produkt erklärt, sondern in konservativer Absicht als zeitlose, perfekte, anon. Institutionalisierung gesetzlicher Rationalität. Sie gewährleiste durch die Elimination persönlicher Herrschaftsbeziehungen soziale Eintracht, so daß die ewiggültige Mischverfassung bloß subsidiär klären müsse, wie die Ausführungsorgane der *leges* konstituiert sind. Der stabilen inneren Harmonie entspreche der äußere, durch die Lage auf dem Meer gesicherte Friede in Unabhängigkeit [17]. Das Ideal einer selbstdisziplinierten und opferbereiten (Steuern!) Elite von staatsklugen *uomini civili* wird bes. in der Venezianer Historiographie (Davila, Sarpi) weiter überliefert, die aktive *vita politica* aber von Paolo Paruta auch noch in theoretischen Schriften verteidigt [42]. Dank zahlreicher Übers. v. a. Contarinis bleibt Venedig im 17. Jh. ein Modell als republikanischer Ausnahmefall, so insbes. für die Niederlande und für Cromwells England [67; 75]. In It. selbst führt dagegen die Dominanz einheimischer und fremder Einzelherrscher dazu, daß die

Abb. 1: Beispiel einer weiblichen Landespersonifikation mit antiken Symbolen der Freiheit auf einer Berner Verdienstmedaille 1751/1752 (Bernisches Historisches Museum). Auf der Vorderseite: RES PUBLICA BERNENSIS. Die thronende Minerva hält eine Stange mit dem Pileus. Ihr zu Füßen das Rutenbündel. Rückseite: VIRTUTI ET PRUDENTIAE

moralphilos. Erörterung der *respublica* als eines Bürgerverbands zur Verwirklichung einer guten und gerechten Verfassung verdrängt wird vom Neostoizismus der Staatsraison-Literatur, die einem monarchischen, aber zusehends entpersönlichten Machtapparat die *respublica* als Objekt seiner auf Selbsterhalt zielenden und das Überleben der Untertanen sichernden Gestaltungsmacht überantwortet [129].

D. NORDEUROPA (16./17. JAHRHUNDERT)

[68; 72; 78] In den stärker als in It. ständisch gegliederten und monarchisch beherrschten nordalpinen Gesellschaften entsteht kein vergleichbarer, in städtischer Autonomie begründeter »Bürgerhumanismus«. In der Trad. des Marsilius von Padua erhält die sowohl lehens- als auch römischrechtlich (Dig. 1,4,1) und bundestheologisch geprägte Vorstellung eines Herrschaftsvertrags und das daraus abgeleitete Widerstandsrecht der höheren Magistraten v. a. für reformierte Theoretiker (Zwingli, Calvin, Beza, Hotman, *Vindiciae contra tyrannos*) eine große Bed., und in den frz. Konfessionskriegen taucht erstmals vereinzelt *républicain* für hugenottische Gegner der Adelsfamilie der Guise oder der Krone auf [128. 101]. Insofern ihr Gegner nicht der König, sondern der – konfessionelle – Tyrann ist und das Ziel nicht Abschaffung der Monarchie, sondern ihre normative Einbindung, entwickeln diese Autoren jedoch keine republikanische Theorie, auch wenn manche ihrer Ordnungsvorstellungen aus der kommunalen Trad. erklärbar sind und durch Rekurse auf die ant. Überlieferung verkündigt werden (vgl. das föderalistische Concordia-Motiv der Skiluros-Parabel [72. 187] oder Bullingers Brutus-Drama [14]). Ähnlich ist der Hintergrund für Althusius, als er 1603 in Auseinandersetzung mit Bodin die staatliche ›majestas‹ für den ›populus universus‹ beansprucht (als Föderation nicht von Individuen, sondern von ›civitates et provinciae‹), der sie einer monarchi-

schen oder »polyarchischen« obersten Gewalt zur Verwaltung überläßt, diesem aber als Gesamtes stets übergeordnet und damit zum Widerstand durch »Ephoren« legitimiert bleibt [3. 167–176 (9,1–19), 301 (18,68)]. Hinsichtlich der Staatsform äußert der Emdener Syndikus keine prinzipiellen Präferenzen, doch ist ihm das Reich eine seinen Postulaten genügende, gemäßigte Monarchie. Auch im übrigen Deutschland werden die (städte-)bürgerlichen Grundwerte wie Friede, Eintracht, Freiheit oder Gemeinnutz nicht als Produkt einer republikanischen Ordnung verstanden, sondern in Abhängigkeit von kaiserlichen Privilegien und damit von einer universalen monarchischen Ordnung, die erst im 17. Jh. als Mischverfassung (mit kaiserlichem Haupt) verstanden wird. Eine solche beansprucht Wawrzyniec Góslinski (Laurentius Grimaldus) analog zu Venedig für Polen bereits in *De optimo senatore* (1568), da der König durch den Konsens der ganzen Nation gewählt wird, d. h. durch den in Polen äußerst zahlreichen Adel.

Ständische Freiheits-, Mitsprache- und Widerstandsrechte legitimieren auch die niederländische Revolte gegen den »Tyrannen« Philipp II., doch wird mit einem neuen Gedanken im *Brief discours* (1579) die Souveränität für die Stände (als Repräsentanten des Volks) beansprucht und damit das Recht, in Gewissensnot Herrscher ein- und abzusetzen [20. 136–9; 73]. Die Mischverfassungslehre hat seit der Absetzung des spanischen Königs ihre Anhänger, etwa F. Vranck (1587) oder P. C. Brederode (1607), und der Amsterdamer Bürgermeister C. P. Hooft propagiert eine Oligarchie der Reichsten und Besten anstelle eines Monarchen. Der von Tacitus inspirierte »Batavermythos« (Grotius, *De antiquitate Reipublicae Batavicae*, 1610) mit einer kriegerischen Aristokratie als ursprünglicher, ständischer Wahrerin der Freiheit ist jedoch erfolgreicher als verfassungstheoretische Entwürfe [78. 169–94]. Eine wiss.

begründete republikanische Theorie entwickelt sich, ausgehend vom mythischen Venedig, von Tacitus, Machiavelli, dem Neostoizismus, Descartes und Hobbes, erst bei Lambert van Velthuysen, Ulric Huber, den Gebrüdern De la Court und – auf ihnen aufbauend – Spinoza während der *ware vrijheid* (1650–1672), der Herrschaft der »Regentenrepublikaner« um De Witt [80]. Der Staat soll die Leidenschaften der Menschen bändigen und ihrer Vernunft das wahre, langfristige Eigeninteresse lehren, das an das Gemeinwohl gebunden sei: Rel. Toleranz statt klerikale Dominanz, friedlichen Handel statt Krieg [19]. Gegen die Monarchen sprechen ihr unvermeidlicher Expansionismus und ihre Leidenschaftlichkeit, wohingegen der Stabilität ermöglichende Ausgleich der Interessen von Herrschenden und Beherrschten eine demokratische Republik (der Vollbürger, nach dem Vorbild Athens) mit ungeteilter Souveränität nahelegt, wie sie den oranischen, mit einer Mischverfassung begründbaren Prätentionen entgegengestellt wird. Nicht nur im Naturzustand besitzt die ›multitudo‹ die Souveränität, vielmehr ruht auf ihr auch die staatliche Ordnung, womit dem dynastischen Prinzip abgesagt und der Gleichheit nachgelebt werden soll, die auch für den Grundbesitz Gültigkeit hat: *aequalitas, qua semel exuta communis libertas necessario perit* (»die Gleichheit, ohne die die allgemeine Freiheit zwangsläufig zugrunde gehen muß«) [53. 216 (10,8)]. Die republikanische Theorie, wie sie sich in den Niederlanden allmählich entwickelt, ist ein komplementäres Produkt zum Absolutismus: Einerseits ist die hergebrachte Mischverfassungslehre mit ständischer Mitsprache hinfällig, wenn der Herrscher über den Gesetzen steht; andererseits respektiert das diplomatische Protokoll nur noch vollwertige Souveräne, zu denen sich die polyarchischen Gebilde mittels einer republikanischen Adaption von Hobbes' Naturrechtslehre erklären müssen und woraus sie bald einen stolzen *esprit républicain* entwickeln. Dieser Prozeß findet ähnlich wie in den Niederlanden in der Eidgenossenschaft statt, deren Kantone (bzw. Obrigkeiten) sich im späten 17. Jh. als souveräne R. zu verstehen, zu bezeichnen und bildlich auszudrükken beginnen, insbes. auf Medaillen, welche die Libertas oder keusche weibliche Landespersonifikationen mit ant. Symbolen der Freiheit zeigen (Pileus und Fasces, wie Abb. 1 [72. 53–71; 66. 129–150]). Im Unterschied dazu werden die Hanse- oder Reichsstädte in Deutschland keine freistaatlichen Völkerrechtssubjekte mit einer entsprechenden Titulatur. Dagegen verwenden die Staatsrechtler der dt. Aufklärung (Leibniz, Wolff, Vattel, Kant) *Respublica* oft im umfassenden und normativen Sinn für die Völkergemeinschaft, wie dies schon um 1620 in den frz. Föderationsplänen (Sully, Crucé) für eine *république chrétienne* angelegt ist [95].

E. England und Schottland
(17./18. Jahrhundert)

[100; 101; 127; 134] In den Debatten des engl. Interregnums wird »Verfassung« nicht mehr als fiktiver Herrschaftsvertrag verstanden, der ständische Machtpositio-

nen ausgleicht, sondern als kodifiziertes Grundgesetz, das individuelle Freiheitsrechte gegenüber und mittels einer staatlichen Ordnung sichert. Für die Argumentationen wichtig wird der »klass. Republikanismus« als ›a language, not a programme‹ [28. 15], nämlich die Sprache des »Bürgerhumanismus«, die in Bildung und Kultur seit den Tudor angelegt ist (Shakespeares Römerdramen, Bacon [98]). Das »lange Parlament« ist in seinem Kampf gegen Karl I. nicht antimonarchisch, sondern antiabsolutistisch und v. a. antikatholisch. Das auf John Fortescue (*De laudibus legum Anglie*, ca. 1471) zurückgehende Konzept des ›regimen politicum et regale‹ betrachtet für die Gesetzgebung im *commonwealth* das Zusammenwirken eines mit ansonsten weitreichender Prärogative ausgestatteten Königs mit dem Parlament (*curia*) als unabdingbar [23. 32, 40 (Kap. 13, 18)]. Diese Vorstellung wird im 17. Jh. neu – und zuerst von Karl I. – als Mischverfassung (König, Oberhaus, *Commons*) gedeutet, womit u. a. die Einschränkung königlicher Macht begründet werden kann; *mixed monarchy* im Unterschied zur Tyrannis bleibt für Englands »klass. Republikaner« stets ein Bezugspunkt und zumindest legitim. Henry Parker bekennt sich ausdrücklich als Monarchist, als er in den *Observations* von 1642 erklärt, ›that power is but secondary and derivative in Princes‹, denn ›the fountaine and efficient cause is the people‹, das vom Parlament als ›whole body of the nation‹ verkörpert wird [41. 168, 208–211]. Erst nach der Hinrichtung des Königs (30. 1. 1649), der Abschaffung der Monarchie als ›unnecessary, burdensome, and dangerous to the liberty, safety, and public interest of the people‹ (17. 3. 1649) und der Ausrufung eines *Commonwealth and Free State* (19. 5. 1649) [16. 385, 388], auch nach dem egalitären Experiment der *Levellers* (*Putney Debates* 1647), wird die ständische Widerstandslehre in eine säkulare, antiklerikale republikanische Theorie weiterentwickelt, wobei wie schon in Holland neben der Ant. und Venedig das at. Israel (Samuel 1,8; Sanhedrin) als Muster dient. John Milton exemplifiziert den Übergang vom radikalprotestantischen Widerstands- und Absetzungsrecht des souveränen Volks (*Tenure of Kings and Magistrates*, 1649) zum prinzipiellen Antimonarchismus, der nach Cromwells Tod einen ewigen Freistaat unter einer auf Lebenszeit gewählten Elite von Frommen als Garant von rel. Freiheit, *civil rights* und Meritokratie errichten will: ›a free Commonwealth without single person or house of lords is by far the best government‹ [35. 429]. Marchamont Nedham rekurriert für den demokratischen Schutz der natürlichen Rechte und Freiheiten auf das Recht der röm. Volksversammlung, Gesetze zu verabschieden. Sallust liefert ihm und Milton das Muster, um sowohl die Figur Cromwells (Diktator, Principe, neuer Sulla oder Lykurg) in einem republikanischen Umfeld als auch die erfolgreiche mil. Expansion ›adepta libertate‹ (Sall. Catil. 7,3) zu deuten [37]. Vom gescheiterten Experiment mit der Diktatur zuerst des Parlaments und dann des Lordprotektors enttäuscht, würdigen Milton und Nedham die Niederlande als friedliche, kommerzielle Variante republikanischer Ordnung.

Dagegen greift James Harringtons *Oceana* auf die ›ancient prudence‹ einschließlich Giannotti (für Venedig) und Machiavelli zurück, um gegen Hobbes ein der histor.-ökonomischen Entwicklung entsprechendes ›commonwealth for expansion‹ zu entwerfen. Cromwell, dem das Buch gewidmet ist, soll die Gelegenheit (Machiavellis ›occasione‹) ergreifen und die neue, ewiggültige Verfassung im Flächenstaat umsetzen, wozu die auf die *civitas* ausgerichtete klass. R.-Theorie durch das Prinzip der Repräsentation ausgeweitet wird. Ihre Basis ist die Aktivbürgerschaft waffentragender, autarker und gleich vermögender Landbesitzer (*Yeomen*), da in England einerseits die it. Erfahrung städtebürgerlich-kommunaler Freiheit fehlt, sich aber andererseits die einstige »gotische«, d.h. feudale Landverteilung real überlebt hat. ›The two main fundamentals of a commonwealth, participation of magistracy and the agrarian [law]‹, also Ämterrotation und eine breite Streuung des Grundbesitzes, garantieren ein ›empire of laws, not of men‹ und damit ›the liberty not only of the commonwealth, but of every man‹ [28. 161, 170, 277]. Mit jährlichen, indirekten, geheimen Wahlen (Modell: Venedig) und zeitlich befristetem Mandat sorgen eine zweikammrige Legislative mit adligem ›senat debating and proposing‹ und vom Volk bestellter ›popular assembly‹ (für die diskussionslose Beschlußfassung über Gesetze) sowie ein (monarchischer) Magistrat über konstitutionelle Mechanismen (*good orders*) dafür, daß die unberechenbare Natur der Menschen richtig gelenkt wird [28. 205].

Harringtons Gedanken werden von seinem Freund Henry Neville (*Plato redivivus*, 1680 [39]) im Sinn der Whig-Opposition gegen Karls II. »korrupten« Hof aktualisiert und der alte Adel und das Oberhaus als bewaffnete, tugendhafte Verteidiger der Freiheiten gegen eine stehende Armee stilisiert. Noch leidenschaftlicher polemisiert gegen Darnbys Regierung, ja für einen Sturz des Königs Algernon Sidney (*Discourses*, 1681–1683, gedr. 1698): Der von Natur aus freie Mensch willigt nur zugunsten höherer Güter (Sicherheit, Freiheit, Eigentum, Gerechtigkeit, Tugend, Gemeinwohl) ein, sich einer Regierung und ihren Gesetzen zu unterwerfen; so kann er sie wieder abberufen oder ihre Verfassungsform ändern, wenn sie ihre Funktion nicht erfüllt. Sidney sieht nicht nur im Eigeninteresse eines absoluten Monarchen prinzipiell – selbst ohne reale Repression – einen Herd korrumpierender Servilität, der Widerstand im Namen der Freiheit verdient, sondern legitimiert Rebellion aus einer – auch unter Republikanern – einzigartigen Bejahung des histor. Wandels, da sich für ihn die Qualität republikanischer Einrichtungen nicht in ihrer Dauer, sondern in mil. Tugend und Expansionsfähigkeit verrät. Verkörpert werden diese Eigenschaften durch eine breite Elite, die als Rom nachempfundene ›regular mixed government‹ im Parlament die Exekutive kontrolliert und gegen die Kräfte der Korruption eine Herrschaft der Gesetze, der Tugend und der Vernunft garantiert [52. 153 (2, 20)].

Im Konflikt mit den Stuarts taucht für Antimonarchisten wie Sidney 1689 erstmals ›republicanisme‹ als Feindbezeichnung auf [87. 245]; mit dem ähnlichen Neologismus erscheinen Miltons Staatsbriefe als *Republican-Letters* 1682 bezeichnenderweise in den Niederlanden. Mit der *Glorious Revolution* (→ Revolution I.) ist die Souveränitätsfrage zugunsten des Parlaments geklärt und eine ständische Mischverfassung etabliert, die fortan nicht mehr in Frage gestellt wird; es stellt sich allein die Frage, wie in ihr polit. ›virtue‹, konkret die Kontrollfunktion des Parlaments, gegenüber der *corruption* durch ›court‹ und ›commerce‹ aufrecht erhalten werden kann. In der ab 1697 geführten Kontroverse über eine ›standing army‹ übernehmen »Neo-Harringtonians« wie Andrew Fletcher of Saltoun, Walter Moyle und John Toland (Neu-Ed. der republikanischen Texte des 17. Jh.) das Modell eines integren, tapferen ländlichen Gentleman gegen den als korrupt und servil geschilderten Höfling, um die Balance innerhalb der herrschenden Elite wiederherzustellen: Das angeblich althergebrachte Übergewicht des adligen Elements wird als Garant der von Milizsoldaten verteidigten »gotischen« Freiheit in einer Mischverfassung gedeutet [39]. Aktualisiert wird diese klassizistische Verbindung von ant. Tugendideal und altengl. Freiheit (›public liberty‹) ab 1720 von Lord Bolingbroke sowie *Catos letters* (von Trenchard und Gordon), und zwar zugunsten der »patriotischen« Country-Opposition und gegen den *circulus vitiosus* von Walpoles Whig-Regierung: Die wirtschaftliche und polit. Expansion führt zu Kriegen, die eine stehende (Söldner-)Armee erfordern und die Staatsschuld aufblähen, wofür v. a. die ländliche Gentry aufzukommen hat, während die korrupten Parlamentarier ihre Kontrollfunktion nicht wahrnehmen, da sie durch ›patronage‹ dem höfischen Luxus ergeben und als Spekulanten (›monied interest‹) selbst vom eigennützigen Fernhandel und der Staatsschuld profitieren [10; 54]. Die schottische Moralphilos. (A. Ferguson, A. Smith) stellt diesen Klagen den histor. Fortschritt der ›commercial society‹ gegenüber, die zu Wohlstand und verfeinerten Umgangsformen (›politeness, civility‹) führt, und entwirft damit das polit.-partizipative Ideal zugunsten ökonomisch-gesellschaftlicher Entfaltungsmöglichkeiten und einer ihnen gemäßen theoretischen Sprache und Methode. Für David Hume verbindet die – engl. – gemischte Verfassung staatliche Autorität mit individueller Freiheit bei der Verfolgung privater Interessen; gleichzeitig hält er fest, daß ›a republican government‹ entgegen der allg. Überzeugung nicht nur (wenn auch bloß kurzlebig) in Stadtstaaten möglich sei, sondern gerade in einem großen Land über Harringtonsche Wahlprozeduren Stabilität erzeugen könne, weil die räumlichen Distanzen die gemeinschaftsschädigenden Parteiungen von ›intrigue, prejudice, or passion‹ stark erschweren [29. 232].

Die engl. Verfassung wird dank Bolingbrokes Freund Montesquieu als Gegenmodell zum frz. Absolutismus das europ. Vorbild, und konsequenterweise erfolgt ein seit Moyle und Trenchard angelegter epochaler Bruch: Die ant. partizipative R., insbes. Rom, wird zwar bewundert und liefert viel Material für die Analyse, aber sie wird nicht länger als Modell für mod. Flächenstaaten betrachtet, sondern nur für kleine, *polis*-ähnliche Stadtstaaten oder allenfalls, wie der Lykische Bund, als *modèle d'une belle république fédérative* [36. 372 (9,3)]. Voraussetzung dieser Umwertung ist Montesquieus Reduktion der aristotelischen Verfassungstypen auf die Trias rechtlose Despotie (mit dem Prinzip ›crainte‹, »Furcht«), Monarchie (Prinzip: ›honneur‹, »Ehre«) und Republik. Letztere hat die Untergruppen Demokratie und (mit dem zusätzlichen Prinzip ›modération‹, »Mäßigung«) Aristokratie und als beider Hauptprinzip die ›vertu politique‹: ›l'amour de la patrie et de l'égalité‹ (»die polit. Tugend: die Liebe zu Vaterland und Gleichheit«), zugleich als Liebe zu ›frugalité‹ (»Einfachheit«) und ›lois‹ (»Gesetze«), was die ›bonté des mœurs‹ (»hohe Sittlichkeit«) hervorbringt und von ihr wiederum genährt wird [36. 274 (5,2)]. Doch dürfe man die unbegrenzte Macht des Volkes und die durch Gesetze eingeschränkte Freiheit des Volkes nicht verwechseln, denn R. bezwecken bloß die polit. Freiheit, nicht aber die persönliche bürgerliche Freiheit (etwa in Glaubensdingen). Für letztere ist nicht die unberechenbare Tugend der Herrschenden, sondern die Herrschaft der Gesetze die entscheidende Voraussetzung – was als Barriere gegen jede Form von Absolutismus und als Verzögerung von Korruption und Dekadenz unbesehen der Regierungsform Gewaltenteilung vorausgesetzt. Die Aufspaltung der Herrschaft unter zwei Kammern und eine monarchische Exekutive – und nicht mehr die Mischverfassung, die drei Stände zu einem Souverän integriert – macht zusammen mit dem Repräsentationsprinzip für Montesquieu die Besonderheit des kommerziell prosperierenden England aus: ›une nation où la république se cache sous la forme de la monarchie‹ (»eine Nation, bei der die R. sich hinter einer monarchischen Form verbirgt«) [36. 304 (5,19); 399 (11,6)]. Damit hat auch das Modell Venedig ausgedient; Montesquieu schildert die Serenissima gemäß dem seit 1675 (Amelot de la Houssaie) greifbaren »Antimythos« als ausschweifende, despotische Oligarchie mit weniger Freiheit als die aus der »gotischen« Völkerwanderung (›source de la liberté‹) hervorgegangenen gemäßigten Monarchien [36. 528 (17,5); 133. 341–367].

F. Gründung der USA

[61; 100; 132] In der engl. Trad. wird in Nordamerika die Dichotomie puritanisch-agrarische ›virtue‹ gegen höfische ›corruption‹ aufgegriffen, anfangs um die Mischverfassung wieder ins Gleichgewicht zu bringen, später um den Aufstand und die Unabhängigkeit zu rechtfertigen, die in Ermangelung einer einheimischen Dynastie ungeplant, aber zwangsläufig zur Republik führen (Abb. 2). Die angebliche engl. Verachtung für die eigene freiheitliche Trad. und die in Nordamerika verbreitete Bewunderung für ›the ancient seats of liberty, the Republics of Greece and Rome‹ bringen John Adams 1776 zur Überzeugung, ›that there is no good

Abb. 2: Augustin Dupré, Medaille auf die amerikanische Unabhängigkeit 1783 (Genf, Musée d'art et d'Histoire, Cabinet numismatique). Vorderseite: LIBERTAS AMERICANA. Kopf der Freiheit mit Pileus auf Stange

government but what is Republican‹, verstanden als ›empire of laws, not of men‹ – womit das seit 1660 anrüchige Wort R. im Englischen neu positiv konnotiert wird [2. 87; 56. 92–110]. Gleichzeitig werden aber zusehends die Prämissen des klass. Republikanismus in Frage gestellt, seitdem 1769 Joseph Priestley ›Political Liberty‹ und ›Civil Liberty‹ klar getrennt und letztere als Sicherheit von Besitz und Person höher bewertet hat [43. 12]. In Thomas Paines *Common Sense* von 1776, dem ersten prinzipiell antimonarchischen Plädoyer für die allein legitime, auf Volkssouveränität beruhende R., entspricht dies der Trennung von – noch britischem – ›Government‹ (als notwendigem, durch repräsentative Demokratie zu bändigendem Übel) und – nordamerikanischer – ›Society‹; in der Gesellschaft, und nicht länger im Politischen, verwirklicht sich die Tugend und sucht dabei die individuellen, säkularen Werte ›happiness and freedom‹ durch technologischen Fortschritt. Dagegen ist die staatliche Verfassung so zu konzipieren, daß sie nicht auf dem stets wackligen Fundament der Bürgertugend beruht [40. 34]. Neben Montesquieu, Locke und den engl. Republikanern liefern die ant., aber auch die alteurop. R. den Stoff der amerikanischen Verfassungsdebatten, in deren Verlauf die siegreichen *Federalists* die repräsentative *republic* konzeptionell klar von der direkten *democracy* trennen, wie sie die *Anti-Federalists* wie »Brutus« (wohl Robert Yates) in einer lockeren Konföderation kleinräumiger Gemeinschaften anstreben. Gegen solche Vorstellungen proklamieren die von Hamilton, Madison und Jay unter dem Pseudonym »Publius« (P. Valerius Publicola, der Gesetzgeber der röm. R.) herausgegebenen *Federalist Papers* den Bruch mit dem histor. Modell instabiler, korrupter und bellizistischer R. (aber auch mit dem altengl. »gotischen« Freiheitsmythos): ›It is impossible to read the history of the petty Republics of Greece and Italy, without feeling sensations of horror and disgust at the distractions with which they were continually agitated, and at the rapid successions of revolutions, by which they were kept in a state of perpetual vibration, between the extremes of tyranny and anarchy‹ [22. 50 (Nr. 9)]. In der modernen R. setzen dagegen institutionalisierte ›checks and balances‹ eine ›policy of supplying by opposite and rival interests the defect of better motives‹ um, womit gleichermaßen monarchischer Tyrannis und demokratischer Willkür entgegengewirkt wird: Befristete Amtszeiten, Gewaltenteilung und zwei Kammern (Geistesadel im Senat, demokratisches Repräsentantenhaus) ermöglichen in einem Bundesstaat (›Confederate Republic‹) innere Stabilität und außenpolit. Macht. Hume bzw. Montesquieus ›république fédérative‹ folgend wird die republikanische Verfassungsform gerade für einen großen Flächenstaat beansprucht, weil dort die parteiischen Einzel- und Gruppeninteressen (›factions‹) in ihrer großen Zahl nicht mehr destruktiv wirken, sofern sich die Volkssouveränität im allgemeinen, indirekt ausgeübten Wahlrecht ausdrückt: ›In the extent and proper structure of the Union, therefore, we behold a Republican remedy for the diseases most incident to Republican Government‹ [22. 65 (Nr. 10)].

Die Amerikanische → Revolution ist als ›last act of the civic Renaissance‹ gedeutet worden [100. 462], insofern das auf Rom rekurrierende, elitär-partizipative Ideal des tugendhaften *citoyen* die Debatten ebenso prägt wie Lockes moderner, naturrechtlicher Liberalismus des *bourgeois*. 1787 hat aber das Ideal der Mischverfassung ausgedient, wie es Adams in *Defence of the Constitutions of Government* mit ant. Zitaten vertritt, da der Staat nicht mehr als bedingungslose Aufteilung obrigkeitlicher Kompetenzen unter um die Macht konkurrierende Stände verstanden wird, sondern als befristete Delegation von Herrschaftsrechten durch ein souveränes Volk, das aus gleichberechtigten, in der Gesellschaft konkurrierenden Individuen zusammengesetzt ist. Im frühen 19. Jh. überwiegt selbst bei Thomas Jefferson ein individualistischer Optimismus über sein altrepublikanisches Tugendideal, das gegen den »neuen Caesar« Hamilton und die kommerzorientierten *modern Whigs* den Harringtonschen autonomen und polit. partizipierenden Landwirt propagiert, der dem fatalen Kreislauf urbaner Dienstbereitschaft, Käuflichkeit und Ambition entzogen ist [30. 165 (Query 19)]. Stattdessen wird eigennützige Parteilichkeit als anthropologische Voraussetzung der Politik akzeptiert und in Übereinstimmung mit einer bewußt erneuerten ›science of politics‹ konstitutionell so eingebunden, daß die durch ›reflection and choice‹ entworfene, von histor. und sozialen Bedingtheiten abstrahierende Neuschöpfung zugleich den als Fortschritt (und nicht mehr als Dekadenz) verstandenen polit. Wandel institutionalisiert und als universales Vorbild ›private rights and public happiness‹ befördern kann [22. 88, Nr. 14].

G. Rousseau und die Französische Revolution

[71; 97] Montesquieu hat bereits festgehalten, daß in einem Freistaat ›le peuple en corps‹ die legislative Gewalt innehaben müsse, was aber in kleinen Ländern das Volk überfordere und in großen nur durch Repräsentation möglich sei [36. 399 (11,6)]. Daraus und aus seinem negativen Verständnis des vergesellschafteten, ungleichen und entfremdeten *bourgeois* folgert Rousseau, daß eine relativ gerechte, da egalitäre polit. Ordnung nur in kleinen Staaten wie der idealisierten Vaterstadt Genf möglich ist, wo ungeteilte direktdemokratische Volkssouveränität praktikabel und damit entpersonalisierte Herrschaft der Gesetze als Ausdruck der ›volonté générale‹ tugendhafter, da selbstbestimmter *citoyens* möglich ist. In Hinsicht auf dieses Postulat ist die Regierungsform sekundär, da sie nur dem Landescharakter gemäß die Art des vom Souverän klar zu trennenden, treuhänderischen ›gouvernement‹ regelt: ›J'appelle donc République tout État régi par des loix, sous quelque forme d'administration que ce puisse être: car alors seulement l'intérêt public gouverne, et la chose publique est quelque chose. Tout Gouvernement légitime est républicain‹ (»Republik nenne ich also jeden Staat, der von Gesetzen gelenkt wird, unter welcher Verwaltungsform das auch geschehe; denn nur dann herrscht das gemeine Interesse, und nur dann ist die öffentliche Sache tatsächlich etwas. Jede legitime Regierung ist republikanisch.«) [46. 379–380 (2,6)]. Voller Bewunderung für → Sparta, → Rom und Machiavelli räumt Rousseau dem ersten Gesetzgeber, dem Diktator, der Erziehung und einer dem Staatserhalt dienenden Zivilreligion viel Raum ein, ebenso der Dekadenz der staatlichen Ordnung; das »moderne« Repräsentativprinzip, das die vorgeblich freien Engländer zu Sklaven mache, lehnt er vehement ab. Während Rousseau in diesen Punkten und mit korrespondierenden Vorstellungen über Gemeinwohl, Patriotismus und Gesetzesliebe die republikanische Überlieferung ebenso zusammenfaßt wie mit Gesellschaftsvertrag und absoluter Souveränität die naturrechtliche Denkweise, wird die Vorstellung von ›liberté civile‹ als individueller bürgerlicher Gleichheit zum Grundelement der modernen, unveräußerlichen Volkssouveränität, von der die Gesetzgebung im nationalen Einheits- und Rechtsstaat ausgeht.

Rousseaus egalitärer Tugendrepublikanismus, der aufklärerische Klassizismus und ab 1776 auch das amerikanische Modell dienen in Frankreich der moralischen Kritik an der höfischen Dekadenz (G. B. de Mablys egalitärer Spartakult, Begeisterung für B. Franklin), nicht aber als Reformprogramm für Institutionen und Verfassung. Ähnlich ist die Wirkung in den real existierenden Republiken. Der Zürcher J. J. Bodmer propagiert gegen die optimistische Philanthropie eines Isaak Iselin den ›radikal-polit. Patriotismus‹ als Rückkehr zu Schweizer Wurzeln [66. 151–181]; in der »Helvetischen Gesellschaft« diskutieren Angehörige der Schweizer Elite letztlich fruchtlos ein nationales Reformprogramm auf republikanischer Basis, während Partizipationsansprüche in den Städten, v. a. Genf, unterdrückt werden. In den Niederlanden sprechen sich »Patrioten« wie Elie de Luzac für polit. Rechte des Volkes aus, und P. Vreede hält 1783 fest, daß die nicht regimentsfähigen Einwohner ebenso unfrei seien wie diejenigen in Monarchien; die antioranische Revolution wird 1787 mit ausländischen Truppen niedergeschlagen [133. 310–340]. Filippo Buonarottis *Ami de la liberté italienne* verbreitet den jakobinischen Radikalismus südl. der Alpen. Doch die egalitären Freiheitsforderungen insbes. der ländlichen Untertanen bleiben auch nach 1789 unerfüllt und werden erst durch frz. Invasionen in Einheitsstaaten mit Volkssouveränität verwirklicht: 1795 in der Batavischen R., ab 1797 in den it. und 1798 in der Helvetischen *république sœur*.

Beim Ausbruch der Frz. Revolution gibt es laut Camille Desmoulins in Paris nur eine Handvoll Republikaner, ›nourris de la lecture de Cicéron dans les collèges‹ (»genährt von der Lektüre Ciceros in der Schule«) [18. 309]. Als am 17. Juni 1789 die Generalstände sich zur *assemblé nationale* erklären und damit die Souveränität der Nation diejenige des Königs ablöst, ist noch undenkbar, daß er seine Rolle als Haupt der Exekutive verlieren könnte. Die u. a. von Sieyès vertretene Repräsentativverfassung, wie sie für das große Land unumgänglich ist, wird als Absage an das direktdemokratische Modell der ant. R. verstanden. Allerdings reduziert bereits die Erklärung der → Menschenrechte (26. August 1789) mit nationaler Souveränität (Art. 3) und ›la loi‹ als ›expression de la volonté générale‹ den Monarchen auf einen untergeordneten Amtsträger. Vor allem die Verfassung der großräumigen USA inspiriert republikanische Phantasien (Mably, J.-P. Brissot, E. Clavière), außerdem auch ältere republikanische Texte wie die um Komm. von Machiavelli bis Rousseau erweiterte Übers. von Nedhams *Exellency of a Free State* [38]. Doch erst Ende 1790 wird ein Buch wie François Roberts *Républicanisme adapté à la France* möglich [4. Bd. 2]. Selbst Robespierre verwirft dies aber als Herrschaft der Aufrührer; im Sommer 1791 verwahrt er sich dagegen, ein ›républicain‹ zu sein, und rechtfertigt noch bis zum Tuileriensturm (10. Aug. 1792) eine ›république avec un monarque‹ [45. Bd. 7, 552]. Diese Konstruktion wird jedoch nach der gescheiterten Flucht von Louis XVI im Juni 1791 fragwürdig. Anfang Juli reagiert Condorcet mit *De la République*, um zu zeigen, daß die Institution des Königs für die Bewahrung der Freiheit nicht notwendig ist [4. Bd. 5, Nr. 12]. In einer möglicherweise inszenierten Debatte mit Sieyès verkünden er und Paine in ihrer frisch gegründeten Zeitschrift *Le Républicain*, daß die (Erb-)Monarchie der Verfassung widerspreche, Frankreich aber nun im Zeichen des unvermeidlichen Fortschritts zu einem ›empire civique‹ werde, ›car son gouvernment sera l'empire des lois, fondé sur les grands principes républicains de la représentation élective et des droits de l'homme‹ (»denn seine Regierung wird das Reich der Gesetze sein, das auf den republikanischen

Hauptprinzipien beruht: gewählte Repräsentanten und Menschenrechte.«) [4. Bd. 3, 11]. Im Gefolge des Tuileriensturms (10. Aug. 1792) erklärt der Konvent am 21. September 1792 die Monarchie für abgeschafft, und ab dem folgenden Tag datiert das Jahr I der *République une et indivisible*. In Abkehr von Rousseau, aber Mably folgend, wird am Repräsentativsystem festgehalten, und anders als in den USA spielt das konkrete Modell der ant. oder alteurop. R. keine Rolle bei den Verfassungsdebatten. Von beiden übernommen werden hingegen öffentliche Symbole (Pileus und dann Phrygiermütze, Rutenbündel, Lanze, »Libertas« und daraus »Marianne«, vgl. Abb. 3), Statuen und Bildthemen (Davids *Brutus*, → Klassizismus, Abb. 3), Architektur (Panthéon) und der rhet. Rekurs auf republikanische Heroen (Mucius Scaevola, Cato). Entscheidend wird – gegen die Athen-Bewunderung bei Desmoulins und der Gironde – der jakobinische Spartakult: Lykurg ist das Vorbild, um durch Erziehung und Zivilreligion ein freies, gleiches, kriegstüchtiges und genügsames Volk neu zu schaffen [77. 295–316]. Dieses mit der Ant. – in ihrer Vermittlung durch Montesquieu, Mably und Rousseau – legitimierte Ziel zeigt sich in Robespierres Aufruf zur ›vertu publique‹ als ›principe fondamental du gouvernement démocratique ou populaire‹, das jetzt mit ›gouvernement républicain‹ gleichgesetzt wird [45. Bd. 10, 353]. Saint-Just hält fest, daß damit mehr gemeint ist als eine

Abb. 3: Joseph Chinard, Die Republik (1794), Terrakotta 35 × 27 × 16,4 cm. Paris, Louvre

Verfassungsform: ›la république n'est point un sénat, elle est la vertu‹ (»die Republik ist kein Senat, vielmehr ist sie die Tugend«) [47. 700]. Die *Terreur* liegt insofern in der Tugendrht. begründet, als für die durch Gesetz und Erziehung in Zukunft verwirklichten mod., individuellen Freiheiten eines *nouveau peuple* die augenblickliche ant. Unterordnung und Opferbereitschaft für das mit *patrie* syn. Gemeinwohl (bzw. die *volonté générale*) eingefordert wird. So erklärt Saint-Just 1791 einerseits, daß Menschenrechte und ›lois douces‹ (»süße Gesetze«) die großräumige moderne R. bestärkten, in den ant. R. aber nur um den Preis der Selbstzerstörung hätten verwirklicht werden können, weil diese Staaten auf einer Gleichgültigkeit gegenüber dem Eigenen und der Liebe zum Vaterland beruht hätten; doch andererseits fordert er im selben Text ganz im Geist der Alten bedingungslose Hingabe, denn die Gleichgültigkeit gegenüber dem Vaterland und die Selbstliebe seien die Quellen allen Übels [47. 287 (2,2), 307 (3,12)]. Rousseaus tugendhafter *législateur* übernimmt es anstelle des souveränen, aber unreifen Volks, diesem zur republikanischen Sittlichkeit (*mœurs*) zu verhelfen und die korrupten Elemente zu eliminieren. Saint-Just erklärt im Prozeß gegen Louis XVI, daß sich dieser qua Monarch außerhalb des Gesellschaftsvertrags befinde: ›ce qui constitue une République, c'est la destruction totale de ce qui lui est opposé‹ (»was eine Republik ausmacht, ist die völlige Zerstörung von dem, was sich ihr entgegenstellt«) [47. 703]. Auch für Robespierre wird die *république* wie *patrie* und *nation* eine exklusive Gemeinschaft: ›il n'y a de citoyens dans la République que les républicains‹ (»es gibt keine anderen Bürger in der Republik als die Republikaner«) [45. Bd. 10, 357].

Mit dem Ende der Gewaltherrschaft hat auch der herkömmliche Tugendrepublikanismus ausgedient. Im Unterschied zu diesem versteht der moderne, institutionelle Republikanismus seine Aufgabe im ›linking the idea or project of a moderate, limited, non-despotic government with popular or national sovereignty and juridical equality in a society without a king or an aristocracy‹ [70. 168]. Während in den USA eine vergleichsweise egalitäre Gesellschaft ohne ständische Vorrechte durch Separation von einer fern liegenden Monarchie günstige Voraussetzungen für die Verwirklichung einer in der engl. Trad. und wegen der föderativen Struktur stark gewaltenteiligen Repräsentativverfassung schafft, erbt Frankreich in der gegen histor. legitimierte innere und äußere Feinde gewaltsam erzwungenen Revolution die einheitsstaatliche Fixierung auf das von der ungeteilten Nation bzw. der Legislative als Hauptgewalt nicht erlassene, sondern »erkannte« Gesetz. Während hier die absolute *raison* durch die Überwindung der als *ancien régime* verstandenen Überlieferung neue Freiheitsrechte begründen soll, ergibt sich dort die neue Ordnung aus einer Analyse und Diskussion der histor. Vorläufer, um herkömmliche Freiheitsrechte durch verwickelte Herrschaftsprozeduren effizienter zu verteidigen. In beiden Fällen entsteht die R. nicht als Ziel

der Revolte, die »Notlösung« wird aber im Unterschied zu den alteurop. R. durch ihre Erfolge und Modernität ebenso wie durch die Defizite der alternativen monokratischen Ordnungen zu einem (bzw. später dem einzigen) legitimen und auf der Basis von Fundamentalrechten universal anwendbaren Modell, da die R. nunmehr nicht mehr herkömmlich als Anpassung an partikulare Landesnatur, sondern als der menschlichen Natur schlechthin gemäße, rationale Verfassung gilt.

H. Deutschland um 1800

[86] In den von Frankreich zeitweise annektierten linksrheinischen Gebieten entstehen zwei R., 1792/3 in Mainz, 1797 am Niederrhein um Köln; dort und im Süden Deutschlands (Oberrhein, Ulm, Wien) werden die frz. Ideen zuerst von Jakobinern wie Georg Wedekind oder Georg Forster propagiert, wobei die (repräsentative) R. der »untauglichen« Monarchie gegenübergestellt wird, später etwa im thermidorianischen Verfassungsentwurf Christian Sommers. ›Republikanismus‹ taucht im Deutschen gegen 1800 auf und impliziert etwa bei Görres insbes. die ›patriotische‹ Tugend, an die mit Rekurs auf Roms ›Simplizität‹ appelliert wird [25. 318f.]. Unter Abstraktion vom partizipativen Gehalt der Volkssouveränität wird in Deutschland insbes. das der amerikanisch-frz. Doppelrevolution ebenfalls inhärente Verständnis von R. als normative Verfassung übernommen, welche die persönliche und wirtschaftliche Freiheit verwirklicht und die polit. allenfalls für eine spätere Zeit unter einem aufgeklärten und vernünftigen Volk verheißt. Kant geht 1793 von Sieyès' Auseinandersetzung mit Paine und Condorcet aus, um eine repräsentative Verfassung mit (als ›republikanisch‹ definierter) Gewaltenteilung und monarchischem Haupt als beste Schutzwehr gegen – monokratischen oder demokratischen – Despotismus (als uneingeschränkt praktizierte Machtvollkommenheit) zu präsentieren. Der das Grundgesetz gebende Gesellschaftsvertrag eint den Bürger mit seinesgleichen durch ›die Gleichheit desselben mit jedem Anderen, als Unterthan‹ eines Staatsoberhaupts, das – solange absolut – seine Entscheidungen einem plausiblen, ihm aber nicht manifestierten Gemeinwillen und in einem späteren Stadium einer geschriebenen Verfassung unterwerfen soll [31. 290]. Während die modernen Monarchen nur eine – ihre – Person von der allgemeinen Unterordnung unter das Gesetz ausnehmen und Obrigkeit damit vorwiegend repräsentativ durch Übertragung erfolgt, übte in den ›alten sog. R.‹ jedermann direkte Gewalt eigenen Rechts und im eigenen Interesse aus, womit sich diese ›schlechterdings in dem Despotism auflösen‹ mußten [32. 353]. Zu Repräsentation und Gewaltenteilung fügt Johann Adam Bergk auch die zeitliche Befristung der Ämter hinzu, als notwendige Voraussetzung einer ›demokratischen R.‹, wie sie die ›bald heillosen Aristokratien, bald stürmischen und gesetzlosen Demokratien‹ der Ant. nicht kannten: ›Sklaverey oder Zügellosigkeit waren die Extreme, darinnen das Alterthum herumgeworfen wurde‹ [8. 239]. Ebenfalls in Auseinanderset-

zung mit Kant versucht Friedrich Schlegel einsam, den Wert der ant. R. und ihrer illustrativen ›polit. Bildung‹ zu behaupten: ›An Gemeinschaft der Sitten ist die polit. Kultur der Modernen noch im Stande der Kindheit gegen die der Alten, und kein Staat hat noch ein größeres Quantum von Freiheit und Gleichheit erreicht, als der britische‹ [51. 18].

I. 19. UND 20. JAHRHUNDERT

[71] In der aristotelischen, über It. und die Anglo-Amerikaner führenden Trad. ist »R.« v. a. vom Bürger und seiner Tugend her und tendenziell partizipativ erörtert worden, während die kontinental-europ. Überlieferung dasselbe Thema eher im Sinne Bodins und der Naturrechtler vom Staat und multikephalen Souverän her reflektiert hat. Diese Denktraditionen sind jedoch nicht exklusiv und finden sich nicht nur bei Rousseau vereint. Gleichzeitig kann der seit Hobbes thematisierte, von den schottischen Aufklärern und Paine analysierte und von Hegel systematisierte Gegensatz von Staat und Gesellschaft als Auseinanderfallen der klass., personal und umfassend verstandenen Einheit *respublica* verstanden werden, wobei »R.« begrifflich auf diejenige Verfassung reduziert wird, dank derer die Gesellschaft den Staat kontrollieren kann. »Positive Freiheit« im Politischen gilt nicht zuletzt wegen der Erfahrung des Jakobinismus als fragwürdig, während »negative Freiheit« im Gesellschaftlichen einen Rechtsstaat voraussetzt, dessen Verfassungsform an sich sekundär ist, weshalb vor 1848 konstitutionelle oder auch bloß willkürfreie Monarchie oft als R. gedeutet wird. Benjamin Constant ortet 1819 die Wurzeln der *Terreur* in der nicht erkannten Differenz zw. der Freiheit der Alten (aktive und ununterbrochene Teilhabe an der kollektiven Gewalt) und der Freiheit der Modernen (staatliche Rechtsgarantien zur Sicherheit beim privaten Genuß) [15.501 f.]. Die kleinen, armen, kriegerischen und sklavenhaltenden Stadtstaaten von einst haben einen anderen Freiheitsbegriff hervorgebracht als die friedlichen, homogenen und handeltreibenden Territorialstaaten der Gegenwart. ›Chez les anciens, l'individu, souverain presque habituellement dans les affaires publiques, est esclave dans tous les rapports privés‹ (»Bei den Alten ist das Individuum gewohnheitsmäßig souverän in fast allen öffentlichen Fragen, aber Sklave in allen privaten Beziehungen«) [15. 496] – während der persönlich unabhängige Moderne bei der Verfolgung seines legitimen Eigeninteresses nur den Gesetzen, nicht aber den Zwängen der Gesellschaft unterstellt ist und, ohne Muße für das Politische, dank einer repräsentativen Regierung ›quelque liberté et quelque repos‹ [15. 493] findet.

Auch wenn für den unter Louis XVIII schreibenden Constant die *liberté des modernes* als Streben nach privatem Genuß einer Monarchie wie einer R. gleichermaßen eignet und in beiden zu verwirklichen ist, so erweisen sich Volkssouveränität und das dynastische Prinzip allmählich als unvereinbar. Insofern polit. Tugend als Voraussetzung und Legitimation von Herrschaft wegfällt und ein institutionell zu bändigendes Eigeninteresse

die Basis der Sozialtheorie bildet, ergibt sich eine fundamentale Gleichheit aller Bürger, die letztlich nur eine vom souveränen Volk eingesetzte Regierung als legitim anerkennt. Dadurch wird spätestens 1848 die R. mit Repräsentation durch Wahlen sowie Ämterrotation zum klaren, universalen Kampfbegriff gegen das – absolute oder gemäßigte – dynastische Prinzip, wobei das im übrigen inhaltlich unbestimmte Wort durch Adjektive wie »demokratische« oder »soziale« R. präzisiert wird, worin sich auch neue, klassenkämpferische Frontstellungen ankündigen.

Von Tugendrhetorik abgesehen, dient die Ant. in der bis 1871 fast exklusiv monarchischen Staatenwelt Europas nirgends mehr als republikanisches Vorbild. Diese Rolle kommt jetzt einerseits – für bundesstaatliche Verfassungen wie 1848 in der Schweiz – den USA zu, an deren Beispiel Tocqueville das Wesen der modernen egalitären Demokratie in Abgrenzung von den klass. Idealen analysiert: Die ant. Überlieferung ist gerade in ihrer aristokratisch-elitären Fremdheit ›utile à la littérature d'une peuple‹, nicht aber für ›ses besoins sociaux et politiques‹ – womit in der Demokratie ›l'intérêt des individus, aussi bien que la sûreté de l'Etat, exige que l'éducation du plus grand nombre soit scientifique, commerciale et industrielle plutôt que littéraire‹ [55. Bd. 2, 68]. In der polit. Praxis einflußreicher als das Modell der USA ist allerdings das einheitsstaatliche und weniger ausgeprägt gewaltenteilige Frankreich der Revolutionsjahre. Zentrale Elemente sind dabei Volkssouveränität mit allgemeinem Wahlrecht, Konstitutionalismus, repräsentative Demokratie bzw. Parlamentarismus, Gewaltenteilung und Laizismus; in Abgrenzung zu den oft verbündeten Liberalen gewichten die Republikaner die polit. Freiheiten des *citoyen* stärker als die wirtschaftlichen des *bourgeois*. Wo der Kampf, wie in Südamerika, It. (Mazzini) oder der Donaumonarchie, mit der gegen fremde Dynastien erzwungenen Nationalstaatsbildung einhergeht, versteht man unter R. auch die Souveränität gegen außen. Nach dem Sieg dieses Prinzips im I. Weltkrieg bleibt die formale Differenz zur konstitutionellen Monarchie nur noch dort bedeutend, wo Republikaner die (volle) nationale Souveränität als Ablösung von einer Monarchie anstreben (Irland, heute Australien, vgl. aber auch 1978 die Schweizer Neubildung »République et canton de Jura«). Die ideologischen Konflikte des 20. Jh. werden nur selten (Spanischer Bürgerkrieg) als Auseinandersetzung für oder wider eine R. ausgefochten; im allgemeinen handelt es sich dabei um Systemgegensätze zw. republikanisch verfaßten Staaten, in denen dem Wort R. keine große Bed. mehr zukommt (vgl. BRD und DDR, aber auch die rechtsradikale dt. Partei der Republikaner [83]) und die begriffliche Trennung zu Demokratie unscharf geworden ist.

J. AKTUELLES FORSCHUNGSINTERESSE

[74] Mit dem Bedeutungsverlust von R. als »Nichtmonarchie« in einer Welt von R. kontrastiert das aktuelle Interesse am »Republikanismus«. Ausgangspunkt sind historiographische und philos. Arbeiten von jüd.

NS-Flüchtlingen wie H. Baron [63], der schon während der Weimarer Demokratie einen »republikanischen Human.« vertritt, und H. Arendt [59], die beide in den USA angesichts der totalitären Gefahren der (demokratischen) Massengesellschaften die aktive Partizipation des Bürgers als Voraussetzung von Freiheit und Sicherheit selbst gegen fürsorgerische Usurpatoren des Politischen erörtern. Im Gefolge dieser neuen Ansätze stellen G. Wood [132] und J. G. A. Pocock [100] bei der Interpretation der amerikanischen Gründungsgeschichte einen bis auf Aristoteles zurückgeführten »Republikanismus« der bis dahin dominierenden liberalen Deutung gegenüber: Kollektive Freiheit durch dem Menschen wesensgemäße polit. Partizipation und Pflichterfüllung für das Gemeinwohl werden dabei konfrontiert mit der naturgegebenen individuellen, durch eine anon.-staatliche Rechtssphäre geschützte Freiheit zur Verfolgung persönlicher (materieller) Interessen. Diese idealtypische Trennung zweier polit. Sprachen ist in letzter Zeit vermehrt bestritten und stattdessen deren Kompatibilität betont worden [58; 135]. In der aktualisierten Auseinandersetzung mit Sozialismus und Marxismus, v. a. aber mit J. Rawls' liberaler Vertragstheorie ist der Republikanismus gleichwohl von modernen Kommunitaristen wie Ch. Taylor oder M. Sandel aufgegriffen worden, insofern er die integrativen Normen eines »allgemeinen Guten« als Voraussetzung von Bürgersinn in einer über die bloße Marktgesellschaft hinausweisenden *civil society* thematisiert [76; 111]. Die im Gefolge Pococks bzw. als *civic humanism* der positiven Freiheit zugerechnete republikanische Trad. ist in letzter Zeit von Q. Skinner im Sinne eines »instrumentalen« Republikanismus (›neo-roman theory of free states‹) zur Voraussetzung negativer Freiheit erklärt worden [121; 65. 293–309]. Ausgehend von Skinner versteht Ph. Pettit republikanische Freiheit als *non-domination*, d. h. als Verwahrung selbst gegen bloß potentielle Willkür, wie sie auch im nichtstaatlichen Bereich begegnen kann [99]. Während die Republikanismus-Debatte im anglo-amerikanischen Raum von der Staat und Gesellschaft nicht scharf trennenden Denktradition des *commonwealth* geprägt ist, manifestiert sich das von der staatlichen Souveränität her argumentierende legalozentrische Erbe Frankreichs im neojakobinischen Plädoyer für einen starken *Etat de droit* als in der Geschichte verwurzelte *forme moderne de la république*, damit sich die egalitäre *loi* weiterhin Wirtschaft und Gesellschaft unterzuordnen vermag [82]. In Deutschland wird unter der Etikette »Republikanismus« die genossenschaftliche Trad. der herrschaftlichen gegenübergestellt (kritisch dazu Mager in [115]), während insbes. in It. ein republikanischer »Patriotismus« als säkulare, überethnische Basis einer gesamteurop. *civil society* propagiert wird, die sowohl die Nationen der EU als auch die Immigranten integrieren kann ([130], vgl. auch das Projekt »Republicanism: a shared European heritage« [122]).

→ AWI Mischverfassung; Res publica
→ Mischverfassung; Politische Theorie; Verfassungsformen

QU 1 J. ADAMS an M. Warren (20. 7. 1807), Collections of the Massachusetts Historical Society, 5. Ser., Bd. 4, 1878 2 Ders., Thoughts on Government (1776), in: Papers, ed. R. J. TAYLOR, Bd. 4, 1979 3 J. ALTHUSIUS, Politica methodice digesta, ³1614, Ndr. 1981 4 Aux origines de la République, 1789–1792, 6 Bde., Ndr. 1991 5 AZO, Lectura super codicem, ed. M. VIORA, 1966 6 Ders., Summa super codicem, ed. M. VIORA, 1966 7 BARTOLUS VON SASSOFERRATO, De regimine civitatis, in: DIEGO QUAGLIONI, Politica e diritto nel Trecento Italiano, 1983, 147–170 8 J. A. BERGK, Kritik der Konstitution der frz. R., in: Unt. aus dem Natur-, Staats- und Völkerrechte, 1796 (Ndr. 1975) 9 J. BODIN, Six livres de la république, 1576 (Ndr. 1961) (= De republica libri sex, 1586) 10 BOLINGBROKE, Political Writings, ed. D. ARMITAGE, 1997 11 L. BRUNI, Historiarum Florentini Populi, ed. E. SANTINI (Rerum Italicarum Scriptores 19), 1926 12 Ders., Rede auf Nanni Strozzi, ed. S. DAUB, 1994 13 Ders., Laudatio Florentinae Urbis, in: H. BARON, From Petrarch to Leonardo Bruni, 1968, 217–263 14 H. BULLINGER, Ein schön Spil von der geschicht der Edlen Römerin Lucretiae (1533), in: Schweizerische Schauspiele des sechzehnten Jh., Bd. 1, ed. J. BÄCHTOLD, 1890, 105–169 15 B. CONSTANT, De la liberté des anciens comparée à celle des modernes, in: Écrits politiques, ed. M. GAUCHET, 1980, 419–515 16 The Constitutional Documents of the Puritan Revolution 1625–1660, ed. S. R. GARDINER, 1906 17 G. CONTARINI, De magistratibus et republica Venetorum, Venedig 1551 (urspr. 1543) 18 C. DESMOULINS, Fragment de l'histoire secrète de la Révolution, in: Œuvres, ed J. CLARETIE, 1874, Bd. 1 19 DE LA COURT, Consideratien van Staat ofte Polityke Weeg-Schaal, Amsterdam 1661 (urspr. 1660) 20 The Dutch Revolt, ed. M. v. GELDEREN, 1994 21 ERASMUS, Antibarbarus, ed. K. KUMANIECKI, in: Opera omnia, Bd. 1, 1969 22 The Federalist, ed. J. E. COOKE, 1961 23 J. FORTESCUE, De Laudibus Legum Anglie, ed. S. B. CHRIMES, 1942 24 D. GIANNOTTI, Republica fiorentina, ed. G. SILVANO, 1990 (dt. ed. A. RIKLIN, D. HÖCHLI, 1997) 25 J. GÖRRES, Einige Ideen über die neueste Krisis im Staatensystem Europas (1799), Gesammelte Schriften, Bd. 1, ed. M. BRAUBACH, 1928 26 H. GROTIUS, De antiquitate Reipublicae Batavicae, Leiden 1610 27 F. GUICCIARDINI, Dialogo del reggimento di Firenze, in: Opere, Bd. 1, ed. E. L. SCARANO, 1970, 297–483 28 J. HARRINGTON, The Commonwealth of Oceana (1656), in: The Political Works, ed. J. G. A. POCOCK, 1977, 155–359 29 D. HUME, Idea of a perfect commonwealth, in: Political Essays, ed. K. HAAKONSSEN, 1994, 221–233 30 TH. JEFFERSON, Notes on the State of Virginia (1787), ed. W. PEDEN, 1972 31 I. KANT, Über den Gemeinspruch: Das mag in der Theorie richtig sein, taugt aber nicht für die Praxis (1793), ed. H. MAIER, in: Werke. Akad.-Textausgabe, Bd. 8, 1912 (Ndr. 1968), 273–314 32 Ders., Zum ewigen Frieden (1795), ed. H. MAIER, in: Werke. Akad.-Textausgabe, Bd. 8, 1912 (Ndr. 1968), 341–386 33 B. LATINI, Li livres dou tresor, ed. F. J. CARMODY, 1948 34 N. MACHIAVELLI, Discorsi, in: Opere, Bd. 1, ed. C. VIVANTI, 1997 35 J. MILTON, The readie and easie way to establish a free Commonwealth, Complete Prose Works, Bd. 7, 1980 (urspr. 1660) 36 MONTESQUIEU, De l'esprit des lois, in: Œuvres complètes, ed. R. CAILLOIS, 1951 37 M. NEDHAM, The Case of the Commonwealth of England Stated, ed. PH. A. KNACHEL, 1969 38 Ders., The Excellency of a Free State, 1652 (= De la souveraineté du peuple, et de l'excellence d'un état libre, 1790) **39** H. Neville, Plato redivivus (1681)/ W. Moyle, An essay upon the constitution of the Roman government (1699), ed. C. Robbins, 1969 **40** Th. Paine, Common Sense (1776), in: Collected Writings, ed. E. Foner, 1995 **41** H. Parker, Observations upon some of his Majesties late Answers and Expresses, in: W. Haller (Hrsg.), Tracts on Liberty in the Puritan Revolution 1638–1647, Bd. 2, 1934 **42** P. Paruta, Della perfezione della vita politica, in: Storici e politici veneti del Cinquecento e del Seicento, ed. G. Benzoni, T. Zanato, 1982, 491–642 **43** J. Priestley, Essay on the First Principles of Government, in: Political Writings, ed. P. N. Miller, 1993 **44** Ptolomaeus von Lucca, De regimine Principum, in: Thomas Aquinas, Opera omnia, ed. R. Busa, Bd. 7, 1980, 550–570 **45** M. Robespierre, Œuvres complètes, ed. G. Lefebvre et al., 1952/1967 **46** J. J. Rousseau, Du contrat social, ed. R. Derathé, in: Œuvres complètes, Bd. 3, 1964 **47** L. Saint-Just, Esprit de la Révolution et de la constitution de France (1791), in: Œuvres complètes, ed. M. Duval, 1984 **48** C. Salutati, De tyranno, ed. A. v. Martin, 1913 **49** Ders., Staatsbriefe, ed. H. Langkabel, 1981 **50** G. Savonarola, Trattato circa el reggimento e governo della città di Firenze, in: Prediche sopra Aggeo, ed. L. Firpo, 1965, 433–487 **51** F. Schlegel, Versuch über den Begriff des Republikanismus (1796), ed. E. Behler, in: Kritische F. S. Ausgabe, Bd. 7, 1966 **52** A. Sidney, Discourses concerning Government, 1751 (urspr. 1698; neue Ed. T. G. West, 1990) **53** B. Spinoza, Tractatus politicus, ed. W. Bartuschat, 1994 (urspr. 1677) **54** J. Trenchard, Th. Gordon, Cato's letters, ed. R. Hamowy, 1995 **55** A. de Tocqueville, De la démocratie en Amérique, ed. H. J. Laski (Œuvres complètes, Bd. 1), 1951

LIT **56** W. P. Adams, Republikanische Verfassung und bürgerliche Freiheit, 1973 **57** R. v. Albertini, Das florentinische Staatsbewußtsein im Übergang von der R. zum Prinzipat, 1955 **58** J. Appleby, Liberalism and Republicanism in the Historical Imagination, 1992 **59** H. Arendt, On Revolution, 1965 **60** D. Armitage et al. (Hrsg.), Milton and Republicanism, 1991 **61** B. Bailyn, The Ideological Origins of the American Revolution, 1967 **62** K. Baker et al. (Hrsg.), The French revolution and the creation of modern political culture, 1987 **63** H. Baron, The Crisis of the Early Italian Renaissance, ²1966 **64** C. Blum, Rousseau and the Republic of Virtue, 1986 **65** G. Bock et al. (Hrsg.), Machiavelli and Republicanism, 1990 **66** M. Böhler et al. (Hrsg.), Republikanische Tugend: Ausbildung eines Schweizer Nationalbewußtseins und Erziehung eines neuen Bürgers, 2000 **67** W. Bouwsma, Venice and the Defense of Republican Liberty, 1968 **68** J. Durand, Les Républiques au temps des Monarchies, 1973 **69** Z. S. Fink, The classical republicans, 1945 **70** B. Fontana (Hrsg.), The invention of the modern republic, 1994 **71** F. Furet, M. Ozouf (Hrsg.), Le siècle de l'avènement républicain, 1993 **72** D. Gamboni et al. (Hrsg.), Zeichen der Freiheit. Das Bild der R. in der Kunst des 16. bis 20. Jh., 1991 **73** M. v. Gelderen, The Political Thought of the Dutch Revolt 1555–1590, 1992 **74** M. Geuna, La tradizione repubblicana e i suoi interpreti: famiglie teoriche e discontinuità concettuali, in: Filosofia politica 12 (1998), 101–132 **75** E. O. G. Haitsma Mulier, The myth of Venice and Dutch republican thought in the seventeenth century, 1980 **76** A. Honneth (Hrsg.), Kommunitarismus, 1993 **77** L'influence de l'antiquité sur la pensée politique européenne (XVIᵉ–XXᵉ siècles), 1996

78 H. G. Koenigsberger (Hrsg.), R. und Republikanismus im Europa der frühen Neuzeit, 1988 **79** M. M. Klein (Hrsg.), The Republican Synthesis Revisited, 1992 **80** E. H. Kossmann, Politieke theorie in het zeventiende-eeuwse Nederland, 1960 (engl. Übers., 2000) **81** I. Kramnick, Republicanism and Bourgeois Radicalism. Political Ideology in Late Eighteenth-Century England and America, 1990 **82** B. Kriegel, Philos. de la République, 1998 **83** D. Langewiesche, R. und Republikaner. Von der histor. Entwertung eines polit. Begriffs, 1993 **84** Ch. Lazzeri, Introduction, in: H. de Rohan, De lintérêt des princes, 1995, 1–156 **85** C. Lefort, Foyers du républicanisme, in: Ders., Écrire. A l'épreuve du politique, 1992, 181–208 **86** W. Mager, s. v. R., Geschichtliche Grundbegriffe, Bd. 5, 1984, 549–651 **87** Ders., Republikanismus, in: P. Blickle (Hrsg.), Verborgene republikanische Trad. in Oberschwaben, 1998 **88** U. Meier, K. Schreiner (Hrsg.), Stadtregiment und Bürgerfreiheit, 1994 **89** J. Metzger, Die Milizarmee im klass. Republikanismus, 1999 **90** H. Münkler, Machiavelli, 1985 **91** C. Nicolet, L'idée républicaine en France (1789–1924), 1982, ²1994 **92** W. Nippel, Mischverfassungstheorie und Verfassungsrealität in Ant. und früher Neuzeit, 1980 **93** Ders., »Klass. Republikanismus« in der Zeit der Engl. Revolution. Zur Problematik eines Interpretationsmodells, in: W. Schuller (Hrsg.), Ant. in der Moderne, 1985, 211–224 **94** G. Nonnenmacher, Die Ordnung der Gesellschaft, 1989 **95** N. G. Onuf, The republican legacy in international thought, 1998 **96** R. Ottow, Markt – R. – Tugend. Probleme gesellschaftlicher Modernisierung im britischen polit. Denken 1670–1790, 1996 **97** H. T. Parker, The cult of Antiquity and the French revolutionaries, 1937 **98** M. Peltonen, Classical humanism in English political thought form 1570 to 1640, 1992 **99** Ph. Pettit, Republicanism: A theory of freedom in government, 1997 **100** J. G. A. Pocock, The Machiavellian Moment, 1975 **101** Ders., Virtue, commerce and history, 1985 **102** Ders., Die andere Bürgergesellschaft, 1993 **103** G. Poma, Res publica, in: Filosofia politica 12, 1998, 5–20 **104** P. A. Rahe, Republics Ancient and Modern, 3 Bde., 1994 **105** E. Rawson, The Spartan tradition in European thought, 1969 **106** H. Reinalter (Hrsg.), Republikbegriff und R. seit dem 18. Jh. im europ. Vergleich, 1999 **107** C. J. Richard, The Founders and the Classics, 1994 **108** A. Riklin, Giannotti, Michelangelo und der Tyrannenmord, 1996 **109** C. Robbins, The Eighteenth-Century Commonwealthmen, 1959 **110** D. T. Rodgers, Republicanism: the Career of a Concept, The Journ. of American History 79, 1992, 11–38 **111** M. J. Sandel, Liberalismus oder Republikanismus. Von der Notwendigkeit der Bürgertugend, 1995 **112** Y. Sassier, L'utilisation d'un concept romain aux temps carolingiens: la res publica aux IXᵉ et Xᵉ siècles, in: Médiévales 15, 1989, 17–29 **113** K. A. Schachtschneider, Res publica res populi. Grundlegung einer allg. Republiklehre, 1994 **114** U. Scheuner, Nichtmonarchische Staatsformen in der juristischen und polit. Lehre Deutschlands im 16. und 17. Jh., in: R. Schnur (Hrsg.), Die Rolle der Juristen bei der Enstehung des mod. Staates, 1986, 737–795 **115** L. Schorn-Schütte (Hrsg.), Strukturen des polit. Denkens im Europa der Frühen Neuzeit, 2002 **116** M. N. S. Sellers, American Republicanism. Roman Ideology in the United States Constitution, 1994 **117** J. Shklar,

Montesquieu, 1987 **118** G. SILVANO, La »republica de Viniziani«. Ricerche sul repubblicanesimo veneziano in età moderna, 1993 **119** Q. SKINNER, The Foundations of Modern Political Thought, 1978 **120** Ders., Political philosophy, in: CH.B. SCHMITT (Hrsg.), The Cambridge history of Renaissance philosophy, 1988, 389–452 **121** Ders., Liberty before liberalism, 1998 **122** Ders. (Hrsg.), Republicanism: a shared European heritage, 2002 **123** J. F. SPITZ, La liberté politique, 1995 **124** W. SUERBAUM, Vom ant. zum frühma. Staatsbegriff, 1961 **125** R. TUCK, Philosophy and government 1572–1651, 1993 **126** W. ULLMANN, De Bartoli sententia: Concilium repraesentat mentem populi, in: Bartolo da Sassoferrato. Studi e documenti, Bd. 2, 1962, 707–733 **127** F. VENTURI, Utopia e riforma nell'illuminismo, 1970 **128** J. VIARD (Hrsg.), L'esprit républicain, 1972 **129** M. VIROLI, From politics to reason of state, 1992 **130** Ders., Repubblicanesimo, 1999 **131** M. VOVELLE (Hrsg.), Révolution et république, 1994 **132** G. S. WOOD, The Creation of the American Republic 1776–1787, 1969 **133** D. WOOTTON (Hrsg.), Republicanism, Liberty and the Commercial Society 1649–1776, 1994 **134** B. WORDEN, English Republicanism, in: J. H. BURNS et al. (Hrsg.), The Cambridge History of Political Thought 1450–1700, Cambridge 1991, 443–475 **135** M. P. ZUCKERT, Natural Rights and the New Republicanism, 1994.

THOMAS MAISSEN

Revolution

I. ENGLISCHE, AMERIKANISCHE REVOLUTION
II. FRANZÖSISCHE REVOLUTION

I. ENGLISCHE, AMERIKANISCHE REVOLUTION

A. EINLEITUNG   B. DIE KENNTNIS DER ANTIKEN LITERATUR, PHILOSOPHIE UND HISTORIOGRAPHIE   C. DIE ANTIKE IN DEN VERFASSUNGSDISKUSSIONEN   D. TUGEND UND HELDEN   E. ATHEN UND SPARTA   F. REVOLUTIONSURSACHEN UND REVOLUTIONSDEUTUNG

A. EINLEITUNG

Der Bezug auf die griech.-röm. Ant. in Philos., Kunst und Rhet. in den revolutionären Umbrüchen des 17. und 18. Jh. ist unübersehbar und einflußreicher als die Anknüpfung an andere alte Kulturen. Immerhin vermochte die german. Trad. in der engl. und indirekt in der amerikanischen Verfassungsgeschichte des 17. bzw. 18. Jh. eine wichtige Rolle zu spielen. Sie blieb in ihrer urspr. taciteischen Form, vermittelt z. B. durch Montesquieu, auch in Frankreich nicht unbedeutend [7. Esprit des Lois, Buch 11, Kap. 6; 4. 128 – 152; 45; 46]. Unmittelbar vor der Amerikanischen und der Frz. R. entwickelte sich ein künstlerischer → Klassizismus [44. 5], der in Malerei und Architektur dem Willen Ausdruck verlieh, an die Ideale der republikanischen Ant. anzuknüpfen.

B. DIE KENNTNIS DER ANTIKEN LITERATUR, PHILOSOPHIE UND HISTORIOGRAPHIE

Im 17. und 18. Jh. gehörte die Lektüre ant. Texte noch zum unumstrittenen Grundbestand der → Bildung. Die Kenntnis ant. Wissensproduktion war sehr selektiv, was für ihre Rezeption in den R. des 17. und 18. Jh. von entscheidender Bed. war. Die Autoren aus röm. Zeit beherrschten die Bildungslandschaft, allen voran Plutarch, dessen vergleichende Biographien einen kaum zu überschätzenden Einfluß hatten. Cicero, Horaz, Livius, Nepos, Sallust und Vergil sowie in geringerem Maße auch Curtius, Ovid und Tacitus folgten. Die Kenntnis vor-röm. Autoren war geringer, wenn auch Homer, Herodot, Thukydides, Xenophon, Platon und Aristoteles z. T. in lat. oder neusprachlicher Übers. bekannt waren. Allgemein nahm die Kenntnis des Griech. gegenüber dem 17. im 18. Jh. v. a. in → Frankreich deutlich ab [37. 13 f.; 43. 138]. Der Bildungskanon in Nordamerika und Europa war von einer starken Bevorzugung solcher röm. und hell. Autoren geprägt, die ihre eigene Zeit als Dekadenz empfanden und die Tugenden der frühen Republiken, v. a. Spartas und Roms, als Vorbild empfahlen [37. 22]. Die Rezeption der Exempla aus der frühen Röm. Republik – etwa in der polit. Philos. Ciceros, bei Livius oder Plutarch – bestimmte entscheidend das Bild von der Ant. in den R. des 17. und 18. Jahrhunderts.

Die Bed. der klass. Ant. in den R. darf jedoch nicht allein vom schulischen und universitären Bildungskanon her beurteilt werden. Dieser erklärt zwar die Durchtränkung der Publizistik und Rhet. mit Anspielungen auf die Alte Geschichte, aber keineswegs die Fernwirkung ant. polit. Philos., die stattdessen in einem vielschichtigen Rezeptionsprozeß auf das polit. Denken der drei revolutionären Umbrüche einwirkte. Dies gilt insbes. für Platon, Aristoteles, aber auch für die ant. Geschichtsschreibung, insbes. Polybios. Die indirekte Rezeption erfolgte über die it. Ren., bes. Niccolò Machiavelli, die Theoretiker des Absolutismus wie Jean Bodin und Thomas Hobbes, und im angloamerikanischen Bereich über die Whig-Theoretiker, v. a. James Harrington [38], die wiederum durch die Rezeption der engl. Verfassung seitens Montesquieus in die frz. Diskussion hineinwirkten [32. 308]. Der Einfluß der gelehrten Editoren und der Antiquare auf die polit. Diskussion ist hingegen eher gering anzusetzen [28. 19].

C. DIE ANTIKE IN DEN VERFASSUNGSDISKUSSIONEN

Über die it. Ren. stand die engl. und amerikanische polit. Diskussion ganz unter dem Einfluß ant. → politischer Theorie [41]. Mit Pocock kann die Amerikanische R. deshalb zu Recht als ›last great act of the Renaissance‹ bezeichnet werden [39. 120]. Die → Mischverfassung – vermittelt durch Polybios und Cicero, propagiert v. a. von John Adams [32. 309] – war das Vorbild einer stabilen polit. Ordnung [32; 39]. Aus der Geschichte der ant. Republiken und den Verfassungskämpfen der frühneuzeitlichen Republiken Italiens zog man im 17. und 18. Jh. fast durchgängig den Schluß, daß eine direkte Volksherrschaft nur in kleinen Staaten, aber nicht in den großflächigen mod. polit. Gemeinwesen möglich sei. Mischverfassung, »checks and balances« und ein vielfaches Repräsentationssystem wurden in den USA als geeignete Instrumentarien angesehen, um die Herrschaft der Vielen zu vermeiden. Eine starke Zentralgewalt aber sei notwendig, um die Zwistigkeiten der losen griech. Unionen zu vermeiden [3. Number 18; 16]. Die Mischverfassung ging gerade nicht von einer unteilbaren Souveränität aus, sei es, daß die Herrschaft des Volkes durch die Herrschaft der wenigen Aristokraten und des Königs ausbalanciert wird, sei es, daß die Volksherrschaft sich in verschiedene Repräsentanzen zergliedert. In den Verfassungsdiskussionen der entstehenden USA begründete sich der Bezug auf die Mischverfassung – neben der Gewaltenteilung – aus ant. und engl. Modellen [32.309]. In der polit. Theorie der Frz. R. hingegen war die Trad. ungeteilter Souveränität bedeutend, während sie in England durch die Umbrüche des 17. Jh. überwunden worden war [32. 292]. Die Naturrechts- und Vertragslehre wurde in Frankreich mit einer Souveränitätslehre verbunden, die sich urspr. aus einer christl. polit. Theologie herleitete und u. a. über Bodin, Hobbes und Rousseau vermittelt wurde [13; 14]. Letzterer diskutiert die Mischverfassungen als Teil der Regierungsformen, koppelt sie aber von der Souveränitätsfrage ab, indem er die Konstitution der Regierung nicht als Gesellschaftsvertrag gelten läßt [9. Du Contrat Social, Buch 3, Kap. 7 u. 16]. Die Übertragung der absoluten und unteilbaren Souveränität vom Monarchen auf das Volk war der eigentlich revolutionäre Akt der Frz. R. [22]. Allerdings enthielten die Verfassungen der Jahre 1791 und 1793 auch das Prinzip der Repräsentation und Elemente der Gewaltenteilung und der Mischverfassung, die durch den Bezug auf Montesquieu, aber auch und v. a. durch die Rezeption der engl. und amerikanischen Verfassung gewonnen worden waren [12]. Erst in der Verfassung des Jahres 1795 wurde das Prinzip der direkten Souveränität endgültig von dem der repräsentativen Regierung abgelöst [15]. In die wirkungsmächtige Souveränitätslehre aus ma. und frühneuzeitlichen Quellen spielte die ant. Trad. mittels der Figur des Gesetzgebers hinein, die seit dem 18. Jh. in Frankreich eine besondere Rolle spielte, wobei Lykurg, weniger Numa und Solon, die mythisch-ant. Vorbilder waren. Nach wichtigen Durchgangsstadien in der it. Ren. stand die Vorstellung einer aus der Vernunft geborenen Neugründung in Konkurrenz zur Theorie der gesetzgebenden, göttlich-legitimierten Monarchie. Rousseau nahm im Kult des Gesetzes und des Gesetzgebers wiederum eine Schlüsselrolle ein [9. Du Contrat Social, Bd. 2, Kap. 6 u. 7]. In der R. wurde die Figur des Gesetzgebers analog zur Souveränität auf das ganze Volk übertragen – sinnfällig visualisiert im »Ballhausschwur« von Jacques Louis David – bis sie später von Napoleon wieder repersonifiziert wurde [49].

D. TUGEND UND HELDEN

»Tugend« und »Korruption« bestimmten als Leitbegriffe die polit. Diskussion im Vorfeld der Engl. R. (*Glorious Revolution*) und der Amerikanischen R. [39]. Eine → Republik beruhe auf der Tugend ihrer Mitglieder [3. Number 55]. Erst in den 90er J. setzte sich in den USA ein liberales Konzept der polit. Ordnung durch. An die Stelle des durch Tugend und wirtschaftliche Unabhängigkeit grundgelegten Systems trat die mod. Variante der Konkurrenz von Interessen [42. 128 ff.].

Die Dialektik von Tugend und Republik bestimmte auch den Diskurs der Frz. R.: ›. . . le bonheur existe dans la vertu, & la vertu ne peut se trouver que dans un gouvernement républicain‹ (»... das Glück existiert nur in der Tugend, und die Tugend findet sich nur bei einer republikanischen Regierung«) [2. 17]. Die Vorstellung, daß die Gesetze die Tugend befördern und diese wiederum die Grundlage des Gemeinwesens bilden, läßt sich mühelos über Rousseau [48], Montesquieu und Machiavelli zurück in die griech. polit. Philos. verfolgen (Plat. leg. 4,708d ff.). Tugend wurde verstanden als die verantwortungsvolle, selbstlose Teilhabe am Gemeinwohl und die Kraft, es gegen innere und äußere Bedrohungen zu bewahren: ›Laissons le pays des chimères, & marchons sur un terrain solide; attachons-nous aux vertus républicaines qui ont une physionomie incontestable; & dont nous sommes, nous, les premiers & les véritables juges. Que celui qui aura versé son sang pour la patrie reçoive les hommages de la patrie. Que la plume du législateur soit à côté de l'épée du guerrier‹ (»Lassen wir das Land der Einbildungen hinter uns und marschieren wir auf festem Grund, halten wir uns an die republikanischen Tugenden, die eine eindeutige Gestalt haben und deren erste wahre Richter wir sind. Möge der, der sein Blut für das Vaterland vergossen hat, die Ehren des Vaterlandes erhalten. Möge die Feder des Gesetzgebers dem Schwert des Kriegers zur Seite stehen.«) [6. 11] (Plat. rep. 4,428a ff.). Freiheit, Gleichheit und Tugend blieben in der Frz. R. als polit. Größen im Sinne ant. Staatslehre aufeinander bezogen, ohne daß jedoch ein neuer, naturrechtlicher Freiheitsbegriff unbedeutend gewesen wäre, spielte er doch in der »Déclaration des droits de l'homme« von 1789 und 1793 eine wichtige Rolle. Der Widerspruch zw. einer »liberalen« und einer »ant.« Vorstellung des polit. Gemeinwesens trat erst nach dem Ende der Jakobinerherrschaft offen zu Tage [34]. Die liberale, auf der Konkurrenz der Interessen und ihrer Repräsentation aufbauende Verfassung von 1795 löste die ant. Einheit von Tugend und Republik ab, ohne sie jedoch völlig verdrängen zu können.

Eine Eigenart der Frz. R. im Vergleich zur *Glorious Revolution* und zur Amerikanischen R. war ihr Erziehungspathos. Die Tugend galt es durch staatliche Erziehung ständig zu gewährleisten. Während im Erziehungsplan Condorcets der aufklärerische Rationalismus vorherrschte, war derjenige von Lepeletier de Saint-Fargeau ganz von Patriotismus, Egalität und Tugend geprägt, d. h. durchtränkt von dem, was man für »spartanisch« hielt [40]. Der Zusammenhalt durch Zivilreligion, Terror und Erziehung zur Tugend kennzeichnete die Herrschaft der Jakobiner und Sansculotten, aufgrund der Kombination absolutistischer Souveränität mit ant. Staatslehre anstelle der verlustig gegangenen monarchischen Theologie: ein Prozeß, der schon 1789 einsetzte.

Man hat darauf hingewiesen, daß die Verehrung altröm. Vorbilder – Brutus, Cato der Jüngere, Cincinnatus, die Gracchen und Mucius Scaevola sowie griech. Helden wie Aristeides, Demosthenes, Drakon, Lykurgos und Miltiades – nach dem 10. August 1792 zu einer regelrechten Manie ausartete [31. 88]. Eine genauere Analyse zeigt aber, daß man zwar die Ant. zitierte, ihre Helden aber im Lichte einer christl. inspirierten Passionsmystik darstellte. Das ant. Ideal der *virtus* wurde in der als äußerste Bedrohung der Republik empfundenen Situation mit einer urspr. christl. Metaphorik aufgeladen, die das Heil durch Leid verkündete [35. 227–232]. Letztlich beruhte eine solche polit. Ordnung auf dem Ideal des Familienvaters [17], der, ökonomisch unabhängig, seine Familie versorgte, im Zweifelsfall aber das Wohl des Staates seiner Familie vorzog, wie die von Jacques Louis David 1789 gemalte Szene (→ Klassizismus, Abb. 3), in der die Liktoren Brutus seine toten Söhne zurückbringen, zu Beginn der Frz. R. illustriert. In England und den USA verband sich dieser Kult mit dem des Landes, dessen Besitz Unabhängigkeit und Partizipation an der Herrschaft garantierte [39; 42. 123 ff.] Diese Position war zwar auch im Frankreich des 18. Jh. nicht unbekannt, spielte aber beim Ausbruch der Frz. R. 1789 keine Rolle. Das Ideal war hier der städtische Bürger, und nicht der Landedelmann. Dies bedeutet umgekehrt jedoch nicht, daß das Eigentum in der polit. Theorie Frankreichs keine Rolle gespielt hätte: Die Rezeption des röm. Privatrechts und seine Universalisierung nach der Abschaffung des Feudalismus war eine bedeutende Leistung der Frz. R. [23].

E. Athen und Sparta

In der Engl. und Frz. R. war Sparta deutlich mehr als das republikanische Rom und v. a. als Athen Ideal und Vorbild, während in Amerika die ant. Staaten stärker komparativ und eklektischer bewertet wurden. Die lakedaimonische Verfassung, die Strenge spartanischer Sitten und die mil. Stärke fanden in Europa allseits Bewunderung – wobei die Kenntnis natürlich immer durch indirekte Zeugnisse erfolgte. Athen bot zwar manche Verfassungselemente, die auch in einer modernen Republik ihren Platz finden konnten, aber von Harrington bis zu Mably, Rousseau und der Frz. R. wurde Sparta der erste Platz eingeräumt. Interessanterweise wurde jedoch in keiner der R. ein Element der spartanischen Verfassung aufgenommen, wohingegen die Anklänge an röm. Institutionen in Amerika und Frankreich sehr stark waren. Als 1788 der Abbé Jean-Jacques Barthélemy in seinem Bestseller *Le voyage du jeune Anarcharsis en Grèce* die These aufstellte, daß das Chaos in Athen Alexander dem Großen den Weg geebnet habe, gab er nur eine weitverbreitete Auffassung wieder [43. 171], die in England, Amerika und Frankreich »common sense« war. Monarchisten wie Bodin, Filmer und Hobbes konzipierten die Geschichte Athens als Geschichte des demokratischen Versagens schlecht-

hin [43. 141–143]. Allerdings hatte auch Athen seine Bewunderer: Hierzu zählten Montesquieu, Voltaire, Diderot und d'Holbach, aber auch die Girondisten und Camille Desmoulins. Neben der Freiheit des Geistes – trotz der Hinrichtung des Sokrates – fand das produktive wirtschaftliche und künstlerische Klima der Stadt unter den Aufklärern und später den Gegnern des Terrors seine Anhänger [43. 195]. Seit dem Thermidor löste in Frankreich das perikleische Athen Sparta in der Beliebtheit ab [31. 131].

F. Revolutionsursachen und Revolutionsdeutung

Den klass. Gebildeten des 17. und 18. Jh. war die ant. Vorstellung eines Kreislaufes der Verfassungen natürlich geläufig. Die Degenerierung ihrer Grundformen Aristokratie, Demokratie und Monarchie führte jeweils zu polit. Umbrüchen, die seit dem 17. Jh. als R. bezeichnet wurden [25. 70–72]. Diderot verwandte die ant. Kreislauflehre zur Prognose eines Diktators nach der bald hereinbrechenden R. [26. 35–37]. Allen polit. Denkern des 17. und 18. Jh. war aus der Ant. geläufig, daß zu große Vermögensunterschiede zu polit. Umstürzen führten, zugleich aber die Eigentümer vor den Armen geschützt werden müßten [3. Number 10; 4. 486 ff.]. Die Ant. lieferte weiterhin ein Arsenal histor. Begebenheiten, aus denen sich trefflich Argumente für oder gegen die Republik und Demokratie ziehen ließen, und alle polit. Standpunkte ließen sich mit ant. Exempla rechtfertigen. Die Stabilität oder Instabilität jeder Regierungsform fand in der ant. Geschichte ihre Beispiele.

Die Legitimität der drei R. wurde jedoch aus der Vertrags- und Bundesidee und dem → Naturrecht, nicht aus der ant. Philos. gewonnen [32. 161 f.]. Zugleich veränderte sich mit der *Glorious Revolution* das Verständnis von Revolution: Ihr unblutiger Charakter führte zur Einsicht einer histor. Einmaligkeit. Von diesem Zeitpunkt an eröffnete sich durch R. eine offene, eine neue Zukunft [27. 719]. Im 18. Jh. bestimmte das Bewußtsein eines grundsätzlichen Neuanfangs durch ihre R. Amerikaner und Franzosen [33. 330 ff.] gleichermaßen. Die Elemente der amerikanischen Republik seien, so Alexander Hamilton, das Ergebnis von neuen Entdeckungen (›new discoveries‹) oder von solchen, die erst jetzt zur Vollendung gelangt seien (›have made their principal progress towards perfection in modern times‹ [3. Nummer 9]). Deshalb werde Amerikas Republik die negativen Erfahrungen der Ant. mit dieser Verfassungsform widerlegen [3. Number 9]. Daß das Vorbild der Ant. erst durch polit. Praxis in die Tat umgesetzt werden mußte und zugleich jetzt erst konnte, war eine Erfahrung der Frz. R. In seiner berühmten Rede vom 18. Floréal II (7. Mai 1794) bemerkte Robespierre kritisch: ›... le genre humain respecte la vertu de Caton et se courbe sous le joug de César; la postérité honore la vertu de Brutus, mais elle ne la permet que dans l'histoire ancienne‹, »die Menschheit respektiert die Tugend des Cato und beugt sich unter das Joch Cäsars; die Nachwelt ehrt die Tugend des Brutus, aber sie erlaubt sie nur in der alten Geschichte« (Archives Parlementaires XC, 132). Der gemeine Mann in seiner Bereitschaft, sein Leben für die R. zu opfern, kam damit allen ant. Vorbildern gleich und löste sie ab [36]. Einerseits wies die Frz. R. auf die ant. Modelle zurück, andererseits aber war sie jetzt selbst neue, nachahmenswerte Realität. Deutlich brachte Davids unvollendetes Projekt *Le Serment du Jeu de Paume* diese Zwangslage zum Ausdruck. Der Künstler mußte sowohl das mythische Geschehen des Schwures als auch die Bed. des histor. Augenblicks der Vereinigung der drei Stände am 20. Juni 1789 darstellen. Die Abgeordneten – ganz unklassizistisch – in ihren zeitgenössischen Gewändern darstellen zu müssen, machte für David das Gemälde unausführbar [18].

→ AWI Mischverfassung

→ Athen; Politische Theorie; Sparta

QU 1 C. DESMOULINS, Le vieux Cordelier. Édition établie et presentée par Pierre Pachet, 1987 2 GAVARD, Oraison funèbre de Marat, Prononcée dans la Section du Panthéon Français, le 2 septembre, l'an deuxième de la République une et indivisible (Paris 1793) 3 A. HAMILTON, J. MADISON, J. JAY, The Federalist Papers. With an introduction, table of contents, and index of ideas by CLINTON ROSSITER, Based on the original MCLEAN ed. of 1788, 1961
4 J. HARRINGTON, The Political Works, edited with an introduction by J. G. A. POCOCK, 1977 5 TH. JEFFERSON, Political Writings. Edited by J. APPLEBY, T. BALL, 1999
6 L.-S. MERCIER, Discours sur René Descartes prononcé le 18 floréal Paris an 4 Conseil de Cinq Cent, An IV 7 CH.-L. DE SECONDAT DE MONTESQUIEU, Oeuvres complètes, éd. par R. CAILLOIS, 2 Bde., 1990 8 M. ROBESPIERRE, Écrits, présentés par C. MAZAURIC, 1989 9 J. J. ROUSSEAU, Oeuvres complètes, 4 Bde., éd. par B. GAGNEBIN, M. RAYMOND, 1959–1969

LIT 10 J. O. APPLEBY, Capitalism and a New Social Order: The Republican Vision of the 1790s, 1984 11 Ders., Liberalism and Republicanism in the Historical Imagination, 1993 12 K. M. BAKER, s. v. Constitution, in: F. FURET, M. OZOUF (Hrsg.), Dictionnaire critique de la Révolution française: Institution et Créations, 1992, 179–205 13 K. M. BAKER, (Hrsg.), The French R. and the Creation of Modern Political Culture, 4 Bde., 1987–1994 14 Ders., s. v. Souverainität, in: F. FURET, M. OZOUF (Hrsg.), Dictionnaire critique de la Révolution française: Idées, 1992, 483–506 15 K. M. Baker, s. v. Sieyès, in: F. FURET, M. OZOUF (Hrsg.), Dictionnaire critique de la Révolution française: Acteurs 1992, 296–313 16 H. BECK, Polis und Koinon, 1997 17 J.-C. BONNET, Naissance du Panthéon : essai sur le culte des grands, 1998 18 PH. BORDES, Zur Sinngebung der Historien bei Jacques-Louis David, in: Triumph und Tod des Helden. Europ. Historienmalerei von Rubens bis Manet. Kat. der Ausstellung des Wallraf-Richartz-Museums der Stadt Köln, des Kunsthauses Zürich und des Musée des Beaux-Arts Lyon 1988, 105–114 19 R. CHEVALLIER (Hrsg.), La Révolution française et l'Antiquité, 1991 20 B. FONTANA (Hrsg.), The Invention of the Modern Republic, 1994 21 J. H. FRANKLIN, Jean Bodin and the Rise of Absolutist Theory, 1973 22 F. FURET, 1789 – Vom Ereignis zum Gegenstand der Geschichtswiss., 1980 (frz. 1978) 23 B. GROETHUYSEN,

Philos. der Frz. R., 1989 (frz. 1956) 24 L. GUERCI, Libertà degli antichi e libertà dei moderni. Sparta, Atene e i »philosophes« nella Francia del Settecento, 1979
25 R. KOSELLECK, Histor. Kriterien des neuzeitlichen Revolutionsbegriffs, in: Ders., Vergangene Zukunft, 1979, 67–86 26 Ders., Vergangene Zukunft der frühen Neuzeit, in: Ders., Vergangene Zukunft, 1979, 9–37 27 Ders., s. v. Revolution IV, in: O. BRUNNER, W. CONZE, R. KOSELLECK, Geschichtliche Grundbegriffe, Bd. 5, 1984, 689–725
28 D. LEDUC-FAYETTE, J.-J. Rousseau et le mythe de l'antiquité, 1974 29 D. MACCOY, The Elusive Republic. Political economy in Jeffersonian America, 1982
30 M. MAT-HASQUIN, Voltaire et l'Antiquité grecque, 1981
31 C. MOSSÉ, L'Antiquité dans la Révolution française, 1989
32 W. NIPPEL, Mischverfassungstheorie und Verfassungsrealität in Ant. und Früher Neuzeit, 1980
33 M. OZOUF, La fête révolutionnaire: 1789–1799, 1974, 330 ff. 34 Ders., s. v. Liberté, in: F. FURET, M. OZOUF (Hrsg.), Dictionnaire critique de la Révolution française: Idées, 1992, 253–273 35 M. PAPENHEIM, Erinnerung und Unsterblichkeit. Semantic Stud. zum Totenkult in Frankreich, 1992 36 Ders., Die Helden Roms und die Helden Frankreichs. Die Vaterlandsliebe in Ant. und Frz. R., in: Francia 21/2, 1994, 241–244 37 H. T. PARKER, The Cult of Antiquity and the French Revolution. A Study in the Development of the Revolutionary Spirit, 1965
38 J. G. A. POCOCK, The Machiavellian Moment. Florentine Political Thought and the Atlantic Republican Trad., 1975
39 Ders., Virtue and Commerce in the Eighteenth Century, in: The Journ. of Interdisciplinary History, 3, 1972–1973, 119–134 40 PH. RAYNAUD, s. v. Démocratie, in: F. FURET, M. OZOUF (Hrsg.), Dictionnaire critique de la Révolution française: Idées, 1992, 113–120 41 M. REINHOLD, Classica Americana, the Greek and Roman Heritage in the United States, 1984 42 C. J. RICHARD, The Founders and the Classics. Greece, Rome, and the American Enlightenment, 1996 43 J. T. ROBERTS, Athens on Trial. The Antidemocratic Trad. in Western Thought, 1994
44 J. STAROBINSKI, 1789. Les Emblèmes de la raison, 1979
45 P. VIDAL-NAQUET, Die griech. Demokratie von außen gesehen, 2 Bde., 1993–96 (frz. 1990)
46 C. VOLPILHAC-AUGER, Tacite et Montesquieu, 1985
47 Ders., Tacite en France de Montesquieu à Chateaubriand, 1993 48 E. WEIL, Rousseau et sa politique, in: P. BÉNICHOU u. a., Pensée de Rousseau, 1984, 9–39
49 D. WISNER, The Cult of the Legislator in France 1750–1830. A study in the Political Theology of the French Enlightenment, 1997.   MARTIN PAPENHEIM

II. FRANZÖSISCHE REVOLUTION
A. GEGENSTANDSBEREICH B. POLITISCHE STRUKTUR/ERZIEHUNG C. RHETORIK
D. SYMBOLIK/KUNST/ARCHITEKTUR E. KULT-, FESTWESEN/MODE F. LITERATUR
G. NAMENSGEBUNG

A. GEGENSTANDSBEREICH

Das Zeitalter der Französichen Revolution (F. R.) ist eine der Hochphasen der Antikerezeption in → Frankreich. Die Ant. durchdrang viele Lebensbereiche der Revolutionszeit. Zu diesen Bereichen gehören neben der Lit. die neue polit. Struktur und die eng mit ihr verbundene Revolutionsrhetorik, die Kunst, Symbolik und Architektur, das Kult- und Festwesen (→ Festkultur/Trionfi), die → Mode, Namensgebung und weitere Bereiche. Als Gründe für diese starke Antikerezeption werden u. a. die folgenden angeführt: die seit der Jahrhundertmitte herrschende Antikemode, die klass. (Schul-) → Bildung der führenden Revolutionäre sowie, als wohl gewichtigstes Argument, die Möglichkeit, sich an einem Modell der idealen, von Despotismus verschonten → Republik, wie sie die Ant. in den Augen der Revolutionäre verkörperte, orientieren zu können. Dies geschah in einem Maße, das Mossé dazu veranlaßte, von einer ›revolutionären Antikenmanie‹ zu sprechen [35. 10–11]. Brunot beschreibt das antikisierende Gebaren wie folgt: ›Eine der gängigsten Arten, sich groß zu machen, bestand darin, sich die Toga überzustreifen und als Römer auszugeben. Eine sicherlich lächerliche Manie, die man jedoch nachvollziehen kann‹ [12. 35]. Weshalb war die Ant. ein derart starkes Identifikationsobjekt für die Revolutionäre, weshalb nicht die zeitgenössischen Demokratien? Genf und Venedig waren unzitierbar, Amerika war vielleicht – trotz aller Sympathie, die ihm das Frankreich des 18. Jh. entgegenbrachte [14] – eine zu junge, zu aktuelle Republik, der es am »mythischen« Glanz der ant. Vorbilder fehlte. Im übrigen ist bei dem hier vorliegenden Rezeptionsphänomen auch die Tatsache von Bedeutung, daß die Ant. ihrerseits Gegenstand von R. war, die Identifikationsmöglichkeit der Revolutionäre des 18. Jh. und deren Motivation für die Rezeption der Ant. sich demnach als eine zumindest zweifache präsentiert. Dabei ist die Übernahme ant. Gedankenguts, das Zitat ant. Kultur und ant. Personals von ausgeprägter Heterogenität: → Sparta, → Athen, → Rom, bisweilen auch Phrygien und Ägypten (in zunehmendem Maße im Umfeld der Ägyptenfeldzüge) und in gewissen Kontexten auch Gallien dienten als Quellen. Entsprechend wurden Lykurg, Solon, Demosthenes, Brutus, die Gracchen und Horatier, ja ein ganzes Arsenal ant. Personen und Motive (Tyrannenmord, Militärherrlichkeit, Tugendwerte, etc.) versatzstückhaft auf den Plan gerufen und teils konkurrierend eingesetzt (vgl. hierzu die Stildichotomie Sparta – Athen [41]).

B. POLITISCHE STRUKTUR/ERZIEHUNG

→ Revolution I.

C. RHETORIK

In Saint-Justs fragmentarisch gebliebenen *Institutions républicaines* ist ein spartanisch inspiriertes Staats-, Gesellschafts- und Erziehungsideal besonders radikal formuliert: Ziel sei es, einen auf den Fundamenten absoluter Tugendhaftigkeit und spartanischer Genügsamkeit errichteten transparenten Staat zu gründen [9]. Entsprechend wertet Saint-Just auch die Sprache, insbesondere diejenige, wie sie in der Nationalversammlung gebraucht wird, und entwirft mittels einer Dichotomie der Stile ein dichotomisches Universum von Gut und Böse: Wer blumig und rhet. kunstvoll, »attisch« spreche, der habe die Absicht zu vertuschen, zu täuschen, zu korrumpieren. Wer hingegen klar, schnörkellos, lakonisch,

lapidar, »spartanisch« spreche, der diene der Tugend, der Wahrheit und der Gesellschaft gleichermaßen. Diese antirhetorische Haltung, die zugleich höchst rhet. vermittelt wird, bildet eine der Aporien revolutionärer Rhetorik [27]. Bei der lange diskutierten, heiklen Frage um die Verurteilung Ludwigs XVI., die mit der Frage nach der Gründung einer Republik eng verknüpft wurde, stellt Saint-Just die zu treffende Entscheidung in ein fließendes Zeit-Raum-Kontinuum (Ant. – 18. Jh. – Zukunft) und evoziert den ant. Cäsarenmord als Handlungsmuster, das auch für die Situation der F. R. als durchaus adäquat geschildert wird: ›Eines Tages wird man sich darüber wundern, daß man im 18. Jh. weniger fortschrittlich gewesen sei als zu Cäsars Zeiten: dort wurde der Tyrann inmitten des Senats niedergestreckt, ohne weitere Formalität als dreiundzwanzig Dolchstöße und ohne weiteres Gesetz als die Freiheit Roms‹ [9. 377]. Deutlich wird hier der Wandel von einem aufgeklärten Antikebild, wie es neben anderen Condorcet vertreten hat [2; 3], hin zu einer radikal-totalitären Instrumentalisierung der Ant. im Umfeld der Wohlfahrtsdiktatur vollzogen. Die Rezeption der Ant. setzte sich im übrigen nach Thermidor fort: man denke nur an die Schaffung des Konsul-Amtes. Interessant ist in diesem Zusammenhang die Beobachtung Mossés, ›daß nach Thermidor die Referenz an die Ant. zunehmend formeller wird, von dem Zeitpunkt an, zu dem das egalitäre Ideal verschwindet. Es ist darüber hinaus bezeichnend, daß der Großteil der Antikenbezüge in die Zeit vom 10. August (1792: Sturz der Monarchie) bis zum 9. Thermidor (27.7.1794: Sturz der Wohlfahrtsdiktatur) fällt‹ [35. 12]. Auch das imperiale Frankreich unter Napoleon hat vor der Übernahme ant. Symbole nicht Halt und den röm. Adler zum Sinnbild des Ersten Empire gemacht.

D. SYMBOLIK/KUNST/ARCHITEKTUR

Die Symbolik der F. R. war in hohem Maße an die Ant. angelehnt bzw. aus ant. Versatzstücken geschaffen. Dies erklärt sich daraus, daß nach dem Sturz der Monarchie und dem Bruch mit der Kirche jegliche rel., überhaupt jegliche Symbolik des *Ancien Régime* unbrauchbar geworden war. Es mußten Sinnbilder geschaffen werden, die die Ideale und Schlagworte der F. R. repräsentierten: Freiheit, Gleichheit und Brüderlichkeit, Tugend, Einheit, Kraft, gesellschaftliche Erneuerung. Diese Symbole waren feste Bestandteile des täglichen Lebens aber auch der Kunst, die im übrigen nicht als Selbstzweck gesehen wurde, sondern der Verherrlichung der jungen Republik einerseits, der Identifikationsmöglichkeit der *citoyens* mit dieser Republik und deren moralisch-tugendhafter Erbauung andererseits diente. Ganz offensichtlich wurde diese neue revolutionäre Symbolik auch massiv dazu instrumentalisiert, das durch die Dechristianisierung entstandene Vakuum an Bildern, Symbolen und Heiligen durch neue Bilder, neue Symbole und »neue Heilige« (unter ihnen die Märtyrer der Revolution: Marat, Lepeletier de Saint-Fargeau, Barra u. a.) aufzufüllen.

Eines der wichtigsten Elemente ist die Darstellung der *Liberté*: sie wird zumeist von einer heroischen Frauengestalt in Tunika und Sandalen, mit griech. Profil und antikisierenden Locken oder mit der Phrygiermütze auf dem Haupt verkörpert. Bisweilen hält sie auch die Donnerkeile des Zeus in der erhobenen Hand oder wird, als dechristianisierter Ersatz für die Gesetzestafeln des Moses, mit eben jenen Tafeln dargestellt, auf denen im Schoße einer erneuerten Gesellschaft, die → Menschenrechte und die → Verfassung prangen. Der Freiheit zur Seite, da im Verständnis der F.R. untrennbar mit ihr verbunden (zu den philos. begründeten Schwierigkeiten der Engführung von Freiheit und Gleichheit vgl. [38]), steht häufig die Verkörperung der *Egalité*, ebenfalls ant. gewandet, das Bleilot der Freimaurer oder eine Waage als Sinnbild der Gleichheit in der Hand. Hinzu kommen bisweilen die Herkuleskeule, das Liktorenbündel, Symbol der Brüderlichkeit und der Einheit, das in seiner Mitte die *pique*, Symbol der Kraft und Wehrhaftigkeit des Volkes, trägt und oftmals zusätzlich von der Phrygiermütze, dem *bonnet républicain*, nach oben hin abgeschlossen wird. Freiheit und Gleichheit werden von der Vernunft verehrt und häufig als von der Natur geeint repräsentiert; die Natur ihrerseits kann durch die vielbrüstige phrygische Kybele dargestellt werden. Im reichen Vorkommen der revolutionären Symbolik findet man so gut wie alle Kombinationsmöglichkeiten dieser Symbole, oftmals auch nur die Freiheit, die umgeben von Bleilot und Liktorenbündel, das *bonnet* in der Hand, die gesamte F.R. und mit ihr die Nation, die Republik und all ihre Tugenden verkörpert (Abb. 1). Im allgemeinen werden diese Symbole mit Inschriften, Devisen und revolutionären Schlagworten versehen. Sie tummeln sich in revolutionären Vignetten auf den offiziellen Briefköpfen und Siegeln der Republik, sie verdeutlichten dem – zumeist nicht alphabetisierten – *citoyen* die revolutionären Ideale auf öffentlichen Plakaten und Bekanntmachungen, auf dem Gebrauchsgeschirr der Zeit wie auch auf kunstvollen, griech. und etr. inspirierten Henkelvasen, auf Gemälden (diese wurden durch die Schaffung öffentlicher Mus. für die Allgemeinheit zugänglich gemacht), in öffentlichen Statuen, auf Brunnen und in der Dekoration der unmittelbar durch die Ant. inspirierten Revolutionsarchitektur. Welcher Stellenwert den originalen ant. Kunstwerken im Bewußtsein der Revolutionäre zukam und welche Position sie bei der Frage nach dem rechtmäßigen Anspruch auf diese Kunstwerke bezogen, läßt sich einem Rapport Grégoires entnehmen [5], in dem er zum einen die Zerstörung des nationalen frz. Kulturgutes beklagt und dem Schutz der frz. Nation zu unterstellen gedenkt und zum anderen deutlich macht, welche Rolle die ant. Kunstwerke für das kulturelle Selbstverständnis der F.R. einnehmen: ›Das mod. Rom besitzt keine großen Männer mehr, doch ziehen seine Obelisken und Statuen die Blicke der gelehrten Welt auf sich. . . . Wenn unsere siegreichen Armeen in Italien einfallen, so wäre die Erbeutung des Apollo von Belvedere und des Farnesischen Herkules mit Sicherheit die ruhmreichste Eroberung. Griechenland schmückte Rom – doch sollen die Meisterwerke der griech. Republiken das Land der Sklaven schmücken? Die frz. Republik muß ihr letzter Zufluchtsort sein. . . . Schreiben wir also, so dies möglich ist, auf alle Monumente und graben wir in alle Herzen: »Die Barbaren und Sklaven hassen die Wiss. und zerstören die Kunstwerke; die freien Menschen lieben und bewahren sie« ‹ [5. 293]. Im Rahmen der durch Napoléon Bonaparte geleiteten Italienfeld-

Abb. 1: Vignette des Directoire éxécutif, Gravur, 1798. Bibliothèque Nationale de France, Cabinet des Estampes, Paris

züge gelangten dann tatsächlich viele ant. und antikisierende Kunstwerke nach Paris, wo sie in den Jahren 1796–98 Eingang in den Louvre (→ Paris, Louvre) fanden. Ihren Höhepunkt erlebte diese Transaktion in einem am 28. Juli 1798 durch die Straßen von Paris führenden Triumphzug der ant. Kunstwerke. Dasselbe gilt für die Kunstbeute der 1799 geführten Ägyptenfeldzüge, deren augenscheinlichste Trophäe, der Obelisk von Luxor, in Paris aufgestellt wurde. Bereits vor Beginn der R., 1784, malte der junge J.-L. David den *Schwur der Horatier* (→ Historienmalerei, Abb. 9). Er reiste eigens nach Rom, um das Bild angesichts des dortigen ant. *genius loci* zu realisieren. Bevor der spätere »Maler der R.« und Hofmaler Napoleons das Bild nach Paris schickte, stellte er es in Rom öffentlich aus. Sowohl in Rom als auch in Paris erregte das Bild ungeheures allgemeines Aufsehen, einen sensationellen Zulauf und löste eine erneute Antikebewegung aus [33. 112]. Den *Horatiern* folgten weitere wichtige Gemälde desselben Stils und mit ant. Sujets: *Der Tod des Sokrates* (1787), *Die Liktoren bringen Brutus die Leichen seiner Söhne* (1789) (→ Klassizismus, Abb. 3), *Die Sabinerinnen* (1799). Die polit. Brisanz dieser Bilder und ihre heroisch-sublime Darstellung ließen David zum offiziellen Maler der F. R. und zum künstlerischen Leiter und Organisator der Revolutionsfeste werden. Mit der Schaffung des *Ballhausschwures* (1790) und der antikisierenden Darstellung der Revolutionsmärtyrer Barra, Marat und Lepeletier ist David zugleich Chronist und Propagandist der revolutionären Sache und verleiht der Revolutionszeit künstlerischen Ausdruck [33. 51]. Auch P.-N. Guérins *Die Rückkehr des Marius Sextius* (1799, Abb. 2) ist in ant. Kolorit gehalten. Seine Aussage ist jedoch unter anderen

Vorzeichen zu sehen als diejenige der Bilder Davids: es soll auf die Situation der Revolutionsemigranten anspielen [19. 59].

Die Architektur der F. R. entspricht ebenfalls der Realisierung ant. Vorstellungen. Als wichtiger Schritt gilt zunächst die Umwandlung der klassizistischen – und insofern in ihren Bauformen ebenfalls antikisierenden – Pariser Kirche Sainte-Geneviève zum → Pantheon. Das Gebäude, von J. Gracq als ›ein Stück aus einem röm. Sammelsurium, halb ant. und halb jesuitisch‹ beschrieben [39. 139], wurde 1791 zu einem der kollektiven Gedächtnisorte Frankreichs par excellence, versehen mit der Widmung ›Den großen Männern, das dankbare Vaterland‹ (Fassadeninschrift von 1791–1822 und wieder ab 1831 [39. 152–153]). Die Anlage, von Ozouf als Akropolis bezeichnet [39. 139], trägt massiv ant. Züge und ist doch zugleich Ort der nationalen, frz., nicht ant. Verehrung [39. 155]. Doch nicht nur Bauwerke, die unmittelbar der Verherrlichung der F. R. und ihrer Protagonisten dienten, trugen ant. Züge. Auch die kurz vor und während der F. R. durch C.-N. Ledoux und L.-E. Boullée monumental ausgeführten Zweckbauten (Saline von Arc-et-Senans; Barrière de Saint-Martin, Rotonde de la Villette in Paris) und utopische Architekturentwürfe (Newton-Kenotaph) tragen den Stempel der Ant. und sind zusätzlich durchdrungen von einer systematischen Geometrie [33. 33–37]. Diese antikisierend-klassizistische Architektur findet nicht allein ihre Fortsetzung während der F. R., sondern – wie so viele andere kulturelle Bereiche auch – während des Empire: die 1806–1810 in Paris zur Verherrlichung Napoleons errichtete Vendôme-Säule kann als unmittelbares Zitat der ant. röm. → Trajanssäule gesehen werden [33. 38].

Abb. 2: Pierre-Narcisse Guérin, Die Rückkehr des Marius Sextius, Öl auf Leinwand, 1799. Paris, Louvre

Abb. 3: Das französische Volk bezwingt die Hydra
des Föderalismus, Gravur, 1793.
Paris, Musée Carnavalet

David und sein Schüler Ingres setzten die in der F. R.
praktizierte Antikenmalerei im 19. Jh. fort. Unter den
Gemälden Davids: *Madame Récamier* (1800), *Sappho und
Phaon* (1809); unter den Gemälden Ingres': *Die verwun-
dete Venus* (um 1802), *Ödipus löst das Rätsel der Sphinx*
(1808), *Die Apotheose des Homer* (1827), *Stratonike* (1866).

E. Kult-, Festwesen/Mode

Ein weiteres Spezifikum der Architektur der F. R.
muß im Zusammenhang mit dem revolutionären Fest-
und Kultwesen gesehen werden. Es handelt sich um die
eigens für die nationalen Feste errichteten antikisierenden Triumphbögen, Säulen, Statuen, Brandaltäre, Baldachine, Tempel, Brunnen. Darüber hinaus um die Arrangements der nach röm. Vorbild verlaufenden Triumphzüge zu Ehren der Föderation (Juli 1790), der
Freiheit (Oktober 1792), der Einheit und Unteilbarkeit
der Frz. Republik (August 1793), der Vernunft (November 1793), des Höchsten Wesens (Juni 1794) und
anderer. Besonders hervorgehoben seien hier nur die
monumentale Herkulesstatue, die beim Fest der Einheit
versinnbildlichen sollte, wie ein mit Phrygiermütze und

Liktorenbündel ausgestatteter Herkules die Hydra,
Symbol für den die nationale Einheit gefährdenden Föderalismus, erschlägt (Abb. 3) sowie der als ant. Natur-
göttin gestaltete Brunnen der Erneuerung, der bei demselben Fest auf den Ruinen der Bastille stand und aus
dem Hérault de Séchelles trinkt – das Wasser der Erneuerung sprudelt dabei aus der Brust der Göttin (→ Orient-Rezeption, Abb. 8).

Eine solche Selbstinszenierung der Revolutionäre in
Anlehnung an die Ant. läßt sich auch im Bereich der
Mode feststellen: Gewänder und Frisuren nach ant.
Vorbild erfreuen sich größter Beliebtheit (der sog. »Ti-
tuskopf«). Antikisierende Togen – zum Großteil wiederum von J.-L. David entworfen – wurden zur pflicht-
gemäßen Arbeitskleidung der hohen Beamten, der Mitglieder des Ältestenrates, des Rates der Fünfhundert und
anderer Gremien.

F. Literatur

Unter den Titeln der zahlreichen Zeitungen und
Zeitschriften, die während der F. R. erschienen, waren
zumindest zwei direkt von der Ant. beeinflußt: der ab
1794 erscheinende *Orateur plébéien* sowie der von G.
Babeuf ab demselben Jahr herausgegebene *Tribun du
Peuple*. Von Babeuf stammt auch das 1795 erschienene
Manifeste des plébéiens, in dem er eine kommunistische
Regierung fordert.

Auch die Lit. der F. R. lehnt sich an ant. Vorbilder an,
sei es in der Wahl des Stoffes oder der Form und des Stils.
Generell läßt sich eine Tendenz zur Vereinfachung des
Stils feststellen, der mit dem Zuviel an Raffinesse brechen will, mit dem die Lit. des Rokoko identifiziert
wurde. Das Theater wurde zum Dreh- und Angelpunkt
der revolutionären lit. Produktion: während der Revolutionsjahre entstanden 45 neue Theaterhäuser in Paris. Da dem Theater eine wichtige Rolle innerhalb der
polit. Bildung zugerechnet wurde, wurden die Spiel-
pläne in der Hochphase der F. R. strikt reglementiert:
Am 2. August 1793 erließ der Konvent ein Dekret bzgl.
der Theatervorstellungen. Darin heißt es: ›(es) werden
dreimal wöchentlich, in noch von den Behörden zu bestimmenden Pariser Theatern, die Trag. *Brutus, Wilhelm
Tell, Gaius Gracchus* und andere Dramen, die die ruhmreichen Ereignisse der R. nachzeichnen und die Tugenden der Freiheitsverteidiger verkörpern, zu sehen sein‹
[22. 211]. Neben den »modernisierten« Stücken der frz.
→ Klassik (*Phädra* ist während der F. R. mit der triko-
loren Kokarde auf der Bühne zu sehen [17. 76]) entstand auch eine Vielzahl revolutionärer Theaterstücke,
die entweder das Zeitgeschehen und die republikanischen Ideale auf die Bühne bringen, oder aber Episoden
aus der Ant. zum Thema haben, unter ihnen Arnaults
Marius à Minturnes (1791), G. Legouvés *Epicarsis et Néron*
(1794), L.-S. Merciers *Timon d'Athènes* (1794/95), N.
Lemerciers *Agamemnon* (1797) sowie folgende Stücke
M.-J. Chéniers: *Caius Gracchus* (1792), *Timoléon* (1794),
Tibère. Doch auch der ant. Stoff und die Berühmtheit
dieses Autors schützten nicht vor der Zensur: *Timoléon*
wurde vom Spielplan genommen, da Robespierre sich

in dem Stück persönlich angegriffen fühlte, *Tibère* wurde erst 1844 uraufgeführt. Neben den Theaterstücken sind auch die Opernlibretti der F. R. durch die Ant. inspiriert – *Militiade à Marathon* (1793), *Horatius Coclès* (1794), *Toute la Grèce ou ce que peut la liberté* (*Ganz Griechenland oder was die Freiheit vermag*) (1794) betitelte Werke bezeugen dies [17. 84]. In der Poesie der F. R. überwiegt die → Gelegenheitsdichtung: Oden und Hymnen anläßlich der revolutionären Ereignisse, Personen und Feste. E. Parny veröffentlichte 1799 *La Guerre des dieux*, und stellt mit dieser Dichtung die ant. Trad. in den Dienst einer antikatholischen Muse [17. 90] – Ausdruck der Antiklerikalität eines vorrevolutionären Libertins. Als wohl prominentester Lyriker der F. R. kann A. Chénier gelten. Der glühende Anhänger einer liberalen R. und konstitutionellen Monarchie wurde unter der *Terreur* verfolgt und hingerichtet. Die Ant. ist einer der wichtigsten Referenzpunkte in Chéniers Dichtung: ›Machen wir ant. Verse auf neue Gedanken‹ lautete seine Maxime. Diese verfolgte er in seinen *Iambes* (1794), in denen er eine positive ant. Welt den Greueln der *Terreur* entgegenhält. Für Chénier wie für seine polit. Gegner ist die Ant. Quelle der Erneuerung und wird gleichermaßen zum künstlerischen Versatzstück wie zum poetischen Identifikationsort.

G. NAMENSGEBUNG

Als Ausdruck der persönlichen Verbundenheit mit der Ant. kann die Flut von ant. Namen gelten, die man entweder sich selbst oder aber seinen Kindern gab. Cornelia, Scaevola und v. a. Brutus waren an der Tagesordnung. Als prominenteste Beispiele gelten wohl folgende Personen: die Feministin Marie Gouze, die zu Olympe de Gouges wurde, Anne-Louise, die Frau Camille Desmoulins', die Lucille genannt wurde und François-Noël Babeuf, der sich ab 1790 Camille und ab 1794 Gracchus nannte [32. 131]. Als vielleicht kurioseste Namensschöpfung könnte der bei Mossé zitierte *citoyen* Régénéré Anatole Pierre Lycurgue Combert gelten, bei dem ant. und christl. Namen gleichermaßen berücksichtigt wurden [35. 134]. Die Namen dienten der direkten, persönlichen, privat-intimen Umsetzung des Wunsches nach *régénération*, nach Erneuerung, der sich durch die ganze Revolutionszeit zog, der jedoch auch nicht vor den frz. Straßen- und Ortsnamen halt machte und dessen erster Referenzpunkt stets die Ant. war: so wurden unter vielen anderen die Orte Saint-Pierre-le Moutiers zu Brutus-le-Magnanime (Brutus der Großherzige) und Saint-Eusèbe zu Sparta umbenannt [35. 135].

QU 1 Archives Parlementaires. Première série (1787–99), Paris 1867 ff. 2 J.-A.-N. CARITAT, MARQUIS DE CONDORCET, Cinq mémoires sur l'instruction publique, 1791–92, hrsg. v. C. COUTEL, C. KINTZLER, 1994 3 Ders., Esquisse d'un tableau historique des progrès de l'esprit humain, 1793, hrsg. v. A. PONS, 1988 4 P. FISCHER (Hrsg.), Reden der F. R., 1974 5 H. GRÉGOIRE, Rapport sur les destructions opérées par le vandalisme, et sur les moyens de le réprimer, Par Grégoire, Séance (de la Convention Nationale) du 14 Fructidor, l'an second de la République une et indivisible, Suivi du décret de la Convention Nationale, Paris 1794, in: [15], 278–294 6 Ders., Rapport et projet de décret présentés au nom du Comité d'instruction publique, Sur les costumes des législateurs et des autres fonctionnaires publics, Séance du vingt-huit fructidor, l'an trois, Par Grégoire, Député à la Convention Nationale, Paris 1795, in: [15], 295–303 7 M. ROBESPIERRE, Pour le bonheur et pour la liberté. Discours, hrsg. v. Y. BOSC, F. GAUTHIER, S. WAHNICH, 2000 8 J.-J. ROUSSEAU, Œuvres complètes, hrsg. v. M. LAUNAY, 3 Bde., 1967–71 9 L.-A.-L. DE SAINT-JUST, Œuvres complètes, hrsg. v. M. DUVAL, 1984 10 C.-L. DE SECONDAT, BARON DE LA BRÈDE ET DE MONTESQUIEU, Œuvres complètes, hrsg. v. R. CAILLOIS, 1951

LIT 11 J. BOUINEAU, Les toges du pouvoir (1789–1799) ou la révolution de droit antique, 1986 12 F. BRUNOT, Histoire de la langue française des origines à 1900, Bd. X,1, 1939 13 E. CASSIRER, Die Philos. der Aufklärung, 1932 14 R. DARNTON, Das amerikanische Jahrhundert. Das vorrevolutionäre Frankreich feiert das Wunder einer freien Republik, in: M. JEISMANN (Hrsg.), Das 18. Jh. Vernunft und Träume, 2000 15 B. DELOCHE, J.-M. LENIAUD, La culture des sans-culottes. Le premier dossier du patrimoine 1789–1798, 1989 16 M. DELON, L'idée d'énergie au tournant des Lumières (1770–1820), 1988 17 B. DIDIER, La littérature de la Révolution française, 1988 18 ÉQUIPE 18ᵉᴹᴱ ET RÉVOLUTION DE L'INSTITUT NATIONAL DE LA LANGUE FRANÇAISE (Hrsg.), Dictionnaire des usages socio-politiques (1770–1815), 6 Bde., 1985–1999 19 W. FRIEDLAENDER, Hauptströmungen der frz. Malerei von David bis Delacroix, 1977 20 F. FURET, Penser la Révolution française, 1978 21 F. FURET, M. OZOUF et al. (Hrsg.), Dictionnaire critique de la Révolution française, 4 Bde., 1992 22 P. GASCAR, Album. Les écrivains de la Révolution. Iconographie choisie et commentée, 1989 23 J. GUILHAUMOU, Sprache und Politik in der F. R., 1989 24 M. J. GUILLAUME, Procès-Verbaux du Comité d'instruction publique de la Convention Nationale, 6 Bde. (1891–1907), hrsg. v. J. AYOUB, M. GRENON, 1997 25 H. U. GUMBRECHT, Funktionen parlamentarischer Rhet. in der F. R., 1978 26 Ders., R. REICHARDT, T. SCHLEICH (Hrsg.), Sozialgesch. der Aufklärung in Frankreich, 2 Bde., 1981 27 J. HAFNER, Tugendhafte Sprachminimierung. Lakonismus und Antikendenken bei Saint-Just, in: Beitr. zur Gesch. der Sprachwiss. 10, 2000, 5–60 28 K. HERB, Jean-Jacques Rousseau. Ein Moderner mit ant. Seele, in: L. KREIMENDAHL (Hrsg.), Philosophen des 18. Jh., 2000, 141–156 29 A. HEUSS, Das Revolutionsproblem im Spiegel der ant. Gesch., in: HZ 216, 1973, 1–72 30 L. HUNT, Politics, Culture and Class in the French Revolution, Berkeley, 1986 31 M. IPOTESI, Saint-Just et l'Antiquité, 1984 32 A. KUHN, Die F. R., 1999 33 K. LANKHEIT, R. und Restauration 1785–1855, 1988 34 D. LEDUC-LAFAYETTE, Jean-Jacques Rousseau et le mythe de l'antiquité, 1974 35 C. MOSSÉ, L'Antiquité dans la Révolution française, 1989 36 J. A. NORTH, Democratic Politics in Republican Rome, in: Past and Present 126, 1990, 3–21 37 M. OZOUF, La Fête révolutionnaire (1789–1799), 1976 38 Dies., Liberté, Égalité, Fraternité, in: P. NORA (Hrsg.), Les lieux de mémoire, Bd. III, 3, 1992, 583–629, dt. 1996 39 Dies., Le Panthéon. L'École normale des morts, in: P. NORA (Hrsg.), Les lieux de mémoire, Bd. I, 1984, 139–166, dt. 1996 40 K. SCHEINFUSS, Von Brutus zu Marat. Kunst im Nationalkonvent 1789–1795, 1973

41 B. Schlieben-Lange, ›Athènes éloquente‹ / ›Sparte silencieuse‹. Die Dichotomie der Stile in der F. R., in: H. U. Gumbrecht, K. L. Pfeiffer (Hrsg.), Stil. Geschichten und Funktionen eines kulturwiss. Diskurselements, 1986, 155–168 42 Dies., Idéologie, révolution et uniformité de la langue, 1996 43 A. Soboul, Précis de l'histoire de la Révolution française, 1962 44 Ders., La civilisation et la Révolution française, 1970 45 J. Starobinski, Jean-Jacques Rousseau: la transparence et l'obstacle, 1971 46 Ders., La chaire, la tribune, le barreau, in: P. Nora (Hrsg.), Les lieux de mémoire, Bd. II, 1986, 425–485. JOCHEN HAFNER

Rezeptionsformen A. Das Begriffsfeld B. Formen der Rezeption

A. Das Begriffsfeld

Das Verhältnis der mediterranen (altorientalischen, hell., röm., etrusk. etc.) Kulturen zueinander und das der nachant. zu den ant. wird mit einem reichen Wortfeld beschrieben, das die verschiedenen Arten der Beziehung, ihre Intensität und die Bewertung dieser Einflüsse mehr oder weniger deutlich ausdrückt. Mehr organologische (biomorphe) Metaphern stehen neben mehr technischen oder ökonomischen: Einverleibung, Nachleben, (kollektives) Gedächtnis, Einfluß, Wirkung, Impuls, Umprägung, Transfer, Re-Import (z. B. des dt. → Philhellenismus in das neuzeitliche Griechenland). Sie bezeichnen (a) die Art des zeitlichen Verlaufs: Dis-/Kontinuität der Beziehung (Nachleben, Bruch, Wiedergeburt und Rückkehr zu den Quellen: ad fontes), (b) ihren Modus (unmittelbare Begegnung, abgeleitetes Wissen, Sehnsucht, Utopie), (c) die Intensität der Aneignung (Fundament, Identifikation, äußerliche Dekoration) oder (d) die Autorität des Vorbildes (»Erbe der Alten«, Paradigma, exemplum, das Klass.), das anzunehmen, nachzuahmen, zu erneuern, zu übertreffen ist (μίμησις, imitari, aemulari, superare): Innovation durch Imitation. Der Ausdruck »Wirkung« betont die ästhetische, semiotische, intellektuelle, technische, rel. und moralische Potenz (Intentionalität) des ant. Werkes (Bauten, Texte, Gemälde), der Wiss. (Medizin, Recht, Gramm.), der Entdeckungen, Erfahrungen, der Gestalten von Mythos und Geschichte und die Tatsache, daß ihre Urheber auch für ein fernes Publikum geschaffen haben: ›Das Menschenkind soll es hören‹ (Hattusilis II./III., ca. 1265–1240 v. Chr., Großer Text/Apologie), oder: ›Nicht zur Gänze werde ich tot sein‹ (Hor. carm. 3,30,6). Der Ausdruck »Rezeption« (»Rezeptionsästhetik«), von Hans Robert Jauß zum zentralen Terminus erhoben, benutzt Theoreme der Kommunikationswiss., der Lit.-/Kunstsoziologie und der philos. Hermeneutik, um die Selektion, Anpassung (Adaption; vgl. accomodatio in der → Rhetorik), Modifikation und Interpretation zu betonen, die in jedem Prozeß der Übertragung (Transfer, Lernen, Aneignung) vom Rezipienten geleistet werden muß, für den Bereich der Texte; vgl. hierzu Allegorie/→ Allegorese, Komm., Übers., → Chresis. Das andere (fremde, exotische, über-/unterlegene) Gut muß den jeweils bestehenden (Teil-)Systemen (d. h. deren Trägern, Schichten, Klassen, Geschlechtern, Altersgruppen etc.) lose angelagert oder fest integriert werden. Dies geschieht oft unter ökonomischem oder kulturellem Druck (Kolonisation, Missionierung, Hellenisierung, Romanisation, Christianisierung), plötzlich (Vertreibung, Eroberung) oder durch langfristige Kontakte (Handel, Diaspora, Galuth). Die Aneignung kann eine Bereicherung (Entwicklung) der eigenen Kultur sein, eine unfruchtbare Überlagerung oder zerstörerische Desintegration.

Rezeption ist Vermittlung, Kommunikation, Lernen. Der Begriff Rezeption enthält notwendig die Unterschiede der Situationen von Tradent und Rezipient, von Sprecher und Hörer, von Meister und Schüler, wie sie in jedem Akt des Wahrnehmens, Verstehens, Aneignens gegeben ist.

Als Angeeignetes ist das Überlieferte immer ein Anderes. Die Art, der Grad und die Tiefe der Veränderung sind verschieden, je nach den Bedürfnissen und Fähigkeiten des Rezipienten, dem Gelingen oder Mißlingen der Vermittlung in die neue Situation.

»Gelingen« ist keineswegs immer die identische Reproduktion, das Replikat, die Kopie, sondern auch die schöpferische Aufnahme eines Impulses (Stimulus), die Entfaltung eines Keims (Anregung) und ggf. seine Fortentwicklung in eine ganz andere Richtung. Begründete Ablehnung, Mißverständnis, Ignoranz, eklektische (partielle) und synthetische (synkretistische, kontaminierende) Rezeption, die (scheinbar) Heterogenes vermischt, vollziehen sich in allen histor. und empirisch beobachteten Kulturen und in allen ihren Entwicklungsphasen. Sie sind keinesfalls als solche Indiz für zerfallende, dekadente, sich auflösende Spätkulturen, die das Fremde entweder nicht mehr abstoßen oder nicht mehr integrieren können.

Der Prozeß der Kultur ist als solcher R., Synthese, Akkumulation von Energie und Information, Mischung, friedliche oder gewaltsame Aneignung (vgl. Kunstraub, Unterdrückung indigener Trad.), mehr oder weniger starke Integration (Anverwandlung) heterogener Bestandteile. Dies gilt zumal für die vorderasiatischen und mediterranen Hochkulturen in und seit der Bronzezeit und für alle von diesen abgeleiteten Kulturen.

Die angenommene Reinheit des Ursprungs einer Kultur (Sprache, Religion, Bevölkerungsgruppe) ist immer Selbstbild, Wunsch, oft Propaganda für ein Ausschlußverfahren (Säuberung), das Reinheit allererst erzeugen und ggf. bestimmte Mischungen als »unrein« (gemischt) oder »schmutzig« (nicht sauber) diskriminieren soll. Dabei ist selten eindeutig, was »Einheit« ist, was rein und ganzheitlich ist. So benutzte z. B. der Hellene der klass. Zeit die griech., altmediterranen, anatolischen, semitischen Bestandteile seiner Sprache (z. B. minoische Lehnwörter), Schrift (»phönizische Buchstaben«) und Religion (z. B. fremde Götter wie Artemis, Aphrodite und Kybele; Weihrauch) als eine »natürliche« und »organische« Einheit.

Wo der Historiker von Kunst und Philos. die verschiedene Herkunft der Bestandteile des Werkes sieht, erfaßt der zeitgenössische Betrachter und Denker die sei's vertraute, sei's interessante neue Einheit. Die Isis neben Hercules und Augustus in einem Hausschrein ist für den Verehrer eine sinnvolle Einheit, für den Genealogen der Religion ein chaotisches *mixtum compositum*, Synkretismus oder gar Theokrasie.

Hybride sind unfruchtbar, Bastarde illegitim: Die Gramm. von »Reinheit« und »Einheit« bewertet die Legitimität der Mischung. Der Protest der Außenseiter oder der Subkultur kann die negative Etikettierung aufnehmen und, unter günstigen Bedingungen, umkehren. So werden *contaminazione* (Verschmutzung) und Hybridisierung zu positiven oder mindestens deskriptiven Bezeichnungen für neue Entwicklungen in der it. Musik oder das Selbstbewußtsein postkolonialer Kulturen (N. G. Canclini, E. Bronfen, R. J. C. Young). Die biologische Metaphorik (Bastardisierung, Chimären, Hybride) steht, auch wenn sie als Protest oder ironisch verwandt wird, immer unter der Drohung der biologistischen *fallacy*.

B. FORMEN DER REZEPTION

I. INTRA- UND INTERKULTURELLE REZEPTIONSFORMEN IN DER ANTIKE

1.1 SPRACHEN UND SCHRIFTEN

Die orientalischen und mediterranen Kulturen der Bronze- und Eisenzeit sind vielsprachig, verfügen über mehrere Schriften und, in den jeweiligen Zentren, über Dolmetscher, mehrsprachige Gelehrte und Diplomaten, Schreiber für viele Schriftsysteme. Schulen, Bibl., Archive in Tempeln, Palästen, Verwaltungszentren und Privathäusern sichern die mündliche Trad., rezipieren auch weit zurückliegende (»archa.«) Texte, schaffen neue Editionen, Komm., Übers. und Übersetzungshilfen. Die akkadische Sprache und Keilschrift dient im gesamten Raum als Verkehrssprache. Sie wird auch bei dem König von Ahhijawa und am ägypt. Hof verstanden (»ägäische Koine«). Literatur wird überregional rezipiert, ggf. übersetzt (Gilgamesch-Epos) oder in der Originalsprache übernommen (z. B. Rituale). Eine Kette von mehrsprachigen und mehrschriftigen Inschr. zieht sich um das Mittelmeer. Sie zeigt anschaulich die damaligen Möglichkeiten der sprachlichen Kommunikation: hieroglyphenluwisch/phönizisch (Karatepe/Kilikien, 720/700 v. Chr.); westsemitisch/etr. (Pyrgi bei Cerveteri, um 500 v. Chr.); griech./lykisch/aram. (Xanthos/Lykien, 5. Jh. v. Chr.); ägypt. (hieroglyphisch)/demotisch/griech. (Stein von Rosette, Ägypten, um 200 v. Chr.); lat./griech. (Ankara, Türkei, vor 13 n. Chr.). Yariri, der Herrscher von Karkemisch (um 800 v. Chr.), kennt zwölf Sprachen und vier Schriften.

1.2 KULTE UND METASPRACHEN

Durch Handel, Kolonisation, kulturelle Überlegenheit, polit. und mil. Macht, durch die rel., theologische und künstlerische Kraft ihrer Kulte haben Griechen und Römer ihre Kultur über Westeuropa, Nordafrika und Vorderasien verbreitet. Diese Expansion kann auch als

ein gewaltiger R.-Prozeß beschrieben werden. Er verläuft in vielen Formen; hier nur drei Beispiele: (a) die Hellenisierung von Juden und Christianern und die Genese des röm. Katholizismus; (b) die Ausbildung von »Reichsreligion« (*sacra transferre*) und von spezifischen Provinzialreligionen im *imperium Romanum*; (c) die Entstehung der → Romanischen Sprachen und der Erhalt der Ausgangssprache Lat. als Gelehrten-, Juristen-, Kleriker-, Diplomatensprache.

In diesen nach Art, Dauer, Modus, Intensität, Richtung, Schicht und Geschlecht verschiedenen R. wirken nicht nur die Stoffe (Inhalte) – Gesetze, Rezepte, Geschichten, Figuren – sondern, und zwar bes. tief (langfristig, unbewußt) die Formen, Denkprinzipien, ästhetischen Muster und Ansprüche an handwerkliche Qualität und sprachliche Präzision. Diese Wirkungen sind nur teilweise abhängig von der jeweiligen Ursprungssprache. So wird das Prinzip der Buchstabenschrift aus einer semitischen auf die griech. Sprache angewandt. Die an der griech. Sprache entwickelte Analyse und Terminologie von Semantik, Syntax, Topik und Logik wird von den Römern rezipiert, später sogar auf nichtindoeurop. Sprachen (Hebräisch) übertragen. Die Rhythmik der archa. griech. Lyr. wird von den röm. Dichtern übernommen, vereinfacht und an die Christianer weitergegeben. Rhet., Poetik, die kanonischen Gattungen (Epos, Drama, Lyr.) vermitteln ebenfalls, unabhängig von den jeweiligen Sprachen, bestimmte *patterns*, d. h. Pathosformeln, sprachliche Gebärden und Denkmuster.

1 E. BRONFEN (Hrsg.), Hybride Kulturen, 1997
2 N. GARCIA CANCLINI, Culturas híbridas, ²1995 **3** R. J. C. YOUNG, Colonial Desire. Hybridity in Theory, Culture and Race, 1995.   HUBERT CANCIK

2. NACHANTIKE REZEPTIONSFORMEN

Rezeptionsformen, seien es diejenigen kontinuierlicher Übermittlung oder diskontinuierlicher, innovativer Aufnahme, lassen sich präziser bestimmen als

(1) Wahrnehmungsformen und deren Voraussetzungen, wie sie objektiv in den Gegebenheiten kulturgeprägter Umwelt und deren histor. Landschaften und menschengeschaffener Materialität (Bau-Ensembles, Ruinenstätten, Bodenkulturen, Gartenbau) bestehen, subjektiv im je bes., suchenden und beobachtenden »Blick« auf die ant. Zeugnisse (»ästhetische Rezeption«);

(2) Handlungsmodi, die den Umgang mit ant. Material und Wissen steuern oder es performativ präsentieren (Festbräuche, Rituale: »pragmatische Rezeption«);

(3) soziale »Formatierungen«, die Tradierung wie Rezeption überhaupt erst ermöglichen, indem sie diese in die Kanäle bestimmter Institutionen und kanonischer Corpora leiten (die Bibel, der Kanon der »klass. Autoren« der → Lateinschule und des → Humanistischen Gymnasiums), aber auch ausschließen (»negative Rezeption«) oder in den Untergrund zwingen (»okkulte« Praktiken wie → Magie, Divinationslehren wie die Astrologie, → Gnosis und Hermetik, → Naturwissenschaften V. Astrologie, → Okkultismus);

(4) artistische Formate, die als lit. Genres und »Stoffe« oder ikonographische bzw. ikonologische Vorgaben (Bild- bzw. Pathosformeln, Ikone, Symbole, Emblematik) ant. Kulturgut wie Mythen und Historien transportieren und variieren; sowie

(5) Medien und Kulturtechniken, die je auf ihre Art Informationen über die Ant. zugänglich machen, speichern, abrufbar machen, vervielfältigen, verbreiten und vermehren (»mediale Rezeption«).

Formen, Formate und Formatierungen sind zeitlichem Wandel unterworfen. Man kann nach dem bekannten Geschichtsmodell Fernand Braudels drei parallel verlaufende Zeiten unterscheiden, denen je eigene Rezeptionsformen zugehören: den einzelnen, ereignishaften Rezeptionsakt (F. Nietzsches Publikation seiner Schrift *Die Geburt der Trag. aus dem Geiste der Musik*, 1872), zyklisch wiederkehrende Rezeptionswellen und schließlich kontinuierliche, langfristige Weitergaben und Rezeptionsstränge, wie sie etwa im Mittelmeergebiet im Bereich der Siedlungsformen (Stadtanlagen) und Kultkontinuitäten zu finden sind. Die zyklische Abfolge von Ant.-Konjunkturen, seit Jacob Burckhardt »Renaissancen« genannt, und -Baissen sind ein Merkmal europ. (Rezeptions-)Geschichte. In ersterer erreicht, wie zu Zeiten des klass. frühneuzeitlichen → Humanismus im 15./16. Jh., die Rezeptionsintensität ihren Höhepunkt.

2.1 WAHRNEHMUNGSFORMEN: DIE GESCHICHTE DER DINGE

Ein anschauliches Beispiel für Rezeptionsformen, die wahrnehmungsabhängig sind, bietet die Geschichte der ant. Dinge.

2.1.1 REZEPTION ALS PERZEPTION

Die materialen »Reste der Ant.«, Säulenstümpfe, Gebäudereste, Marmor-Frg., Scherben und Tumuli sind die handgreiflichsten und augenfälligsten Zeugnisse der Ant., als »Überbleibsel«, als erratische Monumente und Dokumente der Vergangenheit in der Gegenwart. Die Materialität dieser Hinterlassenschaft kann wahrgenommen werden, ihre Härte, Farbe oder Größe, die vom Zeitgenössisch-Alltäglichen abweicht. Kolossale Trümmer lassen die eingeschüchterten Nachgeborenen leicht, wie in Johann Heinrich Füsslis bekanntem Ölbild (1778/1780; Kunsthaus Zürich), ›vor der Größe der Ant. verzweifeln‹. Der Grad der Unvollständigkeit des Hinterlassenen oder seine Zerstörung fordert die Phantasie heraus, die Bruchstücke zu einem sinnvollen, vielleicht auch ersehnten Ganzen zu vervollständigen, wie in den imaginativen Architekturprospekten Giovanni Battista Piranesis (1720–1778; *Antichità Romane*, 4 Bde., 1756), wobei der Ruinenästhetik im engl. Landschaftsgarten (→ Park, → Ruine/Künstliche Ruine) oder bei Hubert Robert (1733–1808) eine melancholisch-sentimentale Note beigemischt sein kann.

2.1.2 WIEDERVERWENDUNG

Ruinen provozieren aber auch zweckmäßigere Überlegungen nach einer Wiedernutzung des (nun) Nutzlosen. Die Thermen, Arenen oder Tempel werden, als Teile der verfallenden Infrastruktur ant. Städte, gezielt zurück- und umgebaut oder, häufiger, man »nistet sich«, wie im Amphiteater von Lucca (Piazza Anfiteatro) oder im Circus des Domitian, der heutigen Piazza Navona in → Rom, in ihnen ein. Der Marmor wird zu Kalk verbrannt, die Bauten der »Alten« werden an ihrer kruden praktischen Verwertbarkeit gemessen und in ihre materiellen Bestandteile zerlegt – der Nutzen der Ant. hat in diesen Fällen zu ihrem Verschwinden geführt.

2.1.3 PRESTIGEÖKONOMIE

Doch brauchen diese Formen des rezeptiven Zugriffs, seien sie destruktiv oder dekonstruktiv, nicht in einen Prozeß völliger Unsichtbarkeit der ant. Denkmäler zu münden. Das geplünderte Gut (→ Spolien) kann neben dem Einsatz als Nutzelement auch Prestigeobjekt sein, das Reichtum oder einen Herrschaftsanspruch (zumal im legitimierenden Rückgriff auf ant. Machthaber) dokumentiert und öffentlich macht: Antike Säulen werden in Kirchen – wie in S. Pietro in Vincoli, Rom, 442 durch Kaiserin Eudoxia – und Palästen eingebaut, in Gemmen neu gefaßt, in Bucheinbände eingelassen und umgedeutet.

2.1.4 DIE DINGE NEU ZUSAMMENSETZEN – COLLAGE UND MONTAGE

Die Ant. wird auf diese Weise zum Fundus, aus dem die Nachwelt ihre jeweils gegenwärtigen Gestaltungs- und Repräsentationsbedürfnisse neu montiert und collagiert. Augenscheinlich wird dies, wenn Architekten wie Karl Friedrich Schinkel (1781–1841) oder Leo von Klenze ihre klassizistischen Bauten (Altes Mus. Berlin, 1822–1830) aus akad. Musterbüchern oder den Baustudien ihrer Italienreisen zusammensetzten – um von den postmodernen Eklektizismen eines Ricardo Bofill (Wohnkomplex »Space of Abraxas«, Marne-la-Vallée, 1978–1983) oder James Stirling (Staatsgalerie Stuttgart) ganz zu schweigen. Doch schon Kaiser Konstantin I. hatte seinen berühmten Bogen am Colosseum aus Schmuckteilen und Reliefs trajanischer und hadrianischer Bauten sowie eines Bogens von Marc Aurel zusammengestückelt. Das ant.-mod. »Amalgam« (P. Burke) kann den späteren Rezipienten dann wiederum zum Ideal und Ausgangspunkt für neue Montage, (Re-) Konstruktionen und Concetti werden: Die Rezeption zweiten Grades, zu finden etwa im bürgerlichen Renaissancismus des 19. Jh. als Rezeption der → Renaissance (wiederum als Rezeption der Ant.), kumuliert die histor. Rezeptionshorizonte bis zur Unkenntlichkeit.

2.1.5 ERINNERUNGSSTÜCKE – SOUVENIRS – TROPHÄEN

Die Dinge der Ant. wurden allerdings nicht nur rekombiniert, sondern auch in Form von Ausstellungsstücken isoliert: sei es als Beutestücke und Trophäen wie die berühmten → Rosse von San Marco, die Kreuzfahrer 1204 aus Konstantinopel raubten; sei es als Erinnerungsstücke von frühen Reisenden oder heutigen Touristen (die sich allerdings meist mit Replikaten begnügen müssen); sei es schließlich, als Teil neuzeitlicher Musealisierung, in der auratischen Form der Glasvitrine.

2.1.6 Die archäologische Geste – »Grabe wo die Alten standen«

Waren einmal die Augen auf die Überbleibsel der Vergangenheit gelenkt, so eröffnete sich die Aussicht auf eine »unterirdische Ant.«, die, palimpsestartig verborgen, nur ans Tageslicht geholt zu werden brauchte, indem man den Firnis der Überbauungen und des Erdreichs beiseite tat. Der rezipierende, »arch.« Blick mit seinem Gestus des »Entdeckens« war zunächst auf Schätze aus (Münzfunde, Grabbeigaben, kostbare Materialien aus Gold und Silber, Kunstwerke wie Statuen); erst mit der Verwissenschaftlichung der Grabungen seit dem 19. Jh. wurden vermehrt ganze Ensembles oder Landschaften (in der Rezeptionstechnik des *surveys*) als Zeugnisse der Lebensverhältnisse ihrer Bewohner und Benutzer erfaßt, ergraben und »ans Licht gebracht«.

2.1.7 Rekonstruktionen und Modelle

Die oft mageren oder sogar zerstörerischen Ergebnisse von Grabungen riefen das Verlangen hervor, das Fragmentarische zu vervollständigen und so der Vorstellungskraft hinreichende Anschaulichkeit zu verleihen. Nicht nur wurden zerbrochene Scherben gekittet, sondern auch Körper mit – oft unpassenden – Köpfen verbunden, Statuengruppen ergänzt (Polyphemgruppe in → Sperlonga), Säulen und Mauern wiedererrichtet, ja ganze Bauten mehr oder weniger phantasievoll *in situ* rekonstruiert (Palast von → Knossos durch Arthur Evans) oder ins Mus. verbracht (→ Pergamonaltar und babylonisches Ischtar-Tor auf der Berliner Museumsinsel, → Berlin). Als Publikumsmagneten für Bildungsreisende und Touristen geschaffen, kulminiert dieser Rezeptionstypus in kommerziell betriebenen → Archäologischen (Erlebnis-)Parks wie dem von Xanten (Colonia Ulpia Traiana) oder dem »Pfahldorf« von Unteruhldingen am Bodensee (Baden-Württemberg). Ist die Wiederherstellung zu kostspielig, so bleibt das Modell *en miniature*, das insbes. ganze Städte wiederauferstehen ließ (Jerusalem zur Zeit des Herodes; das augusteische Rom; Troja VII). Ebenso unverzichtbar wie suggestiv, verführt es allerdings, verbliebene Lücken mit freien Erfindungen zu füllen. Die technisch avancierteste Form ist h. die *virtual reality*-Animation im Cyberspace: Der Rezipient kann sich, etwa mit Hilfe einer interaktiven CD-ROM, in dreidimensionalen Raumrekonstruktionen frei bewegen.

2.1.8 Reproduktionen

Das Bedürfnis, sinnlich greifbare Fundstücke mitzunehmen und sich ins eigene Haus zu stellen, war nicht nur eine Domäne von Kriegsherren und Begüterten, sondern erfaßte auch den »Normalbürger«. Da freilich die Nachfrage nach ant. Originalen trotz vermehrter (Raub-)Grabungstätigkeit das begrenzte Angebot schnell überstieg, wurde dieses durch Reproduktionsmedien erweitert und vervielfacht, seien es ausgewiesene Kopien wie Gipsabdrücke – später zu Lehr- und Sammlungszwecken in »Gipskabinetten« vereinigt – oder seien es Fälschungen, die schon den ma. Reliquienhandel überschwemmten. Waren die Replikate an ihren vermeintlichen Ursprungsorten erstanden, im Hl. Land oder an den »klass. Stätten«, so wurden sie als »Andenken« oder → Souvenirs zum integralen Bestandteil von Rezeptionsriten wie der Pilgerfahrt, der Bildungsreise oder auch nur der Sightseeing-Tour. Als ebenso nostalgisches wie exotisches Symbol gehören Replikate h. zum unverzichtbaren Bestandteil der Innendekoration griech. Lokale in aller Welt – Versatzstücke einer neugriech. Identität, die die gebildete Welt so gewollt hat.

2.2 Rezeption durch Handlung (»Pragmatische Rezeption«)

Eine bes. Klasse von Rezeptionsformen bilden diejenigen, die durch Handlungen charakterisiert sind. Diese »pragmatische/praxeologische Rezeption« der Ant. kann

(1) den direkten Kontakt, die Interaktion mit Menschen und Dingen zum Inhalt und Ziel haben, deren Voraussetzung die Bewegung im Raum, Mobilität und Migration ist. Im Binnenhandel des Mittelmeerbeckens wie im Fernhandel verbreiteten Handelsniederlassungen (»Emporien«) Waren, Götter und Ideen und überwanden ebenso Kulturgrenzen wie sie neue Kontaktzonen etablierten, die die Rezeption des und der »Anderen«, »Fremden« erst ermöglichten. Reisen – man denke an den Besuch der Königin von Saba oder Herodots Ägyptenreise –, Diplomatie und Gesandtschaftswesen sowie die Mission rel. Gruppen (Judentum und Christentum, Isis-Religion) waren weitere innerant. Rezeptionsmittel. Nachantik war die Pilger- und neuzeitlich die Bildungsreise jene Rezeptionsform, bei der sich die Rezipienten *in corpore* aufmachten, um das Rezeptionserlebnis, die persönliche Schau (»Autopsie«) des Hl. Grabes oder der Tempel der Magna Graecia rituell herbeizuführen (*Grand Tour* des Gentleman im 18. Jh.; Lessings oder Goethes Italienreisen). Eine eigene Lit. an »Reiseführern« wie Jacob Burckhardts *Der Cicerone. Eine Anleitung zum Genuss der Kunstwerke Italiens* (1855) entstand, die die Rezeption des Reisenden formierten. Die »Studienreise« des mod. Tourismus setzt diese Trad. fort.

(2) diachron die Verbindung zu Überlieferungsgemeinschaften und Traditionsträgern herstellen:

über Familien- und Verwandtschaftsbeziehungen, wobei Genealogien, deren Ahnenkette bis in die Ant. zurückführt, in aller Regel fiktiv sind und der mythischen Legitimation dienen;

über die personalen Meister- bzw. Lehrer-Schüler-Beziehungen, die die Sozialisation im schulischen Bildungssystem (Lateinschule, Gymnasium) wie in Korporationen und Berufsgemeinschaften (Zünfte, Innungen, Burschenschaften) bestimmen und über die ant. Fertigkeiten und Kulturtechniken (Sprachkenntnisse, Ästhetiken) weitergegeben und rezipiert werden;

über die Mitgliedschaft in rel. Gemeinschaften, deren Kultkontinuität seit der Ant. besteht, wie dies im europ. Raum für das Christentum und → Judentum der Fall ist.

Grundsätzlich zu unterscheiden sind dabei diese Formen »kommunikativer Rezeption«, durch die Wissen und Informationen vermittelt werden, von denjenigen einer »performativen Rezeption«, die in der bewußt-inszenierten oder traditional-habitualisierten Darstellung und Aufführung ant. Lebens- und Kunstformen besteht. In der Alltagskultur oder subkulturellen Praxis etwa durch Kleidung und Kostüm (Priestergewand der katholischen Liturgie mit Elementen spätant. Hoftracht, astrologische Farbsymbolik an it. Renaissancehöfen), in der → Festkultur mittels Maskenwesen und den höfischen *trionfi* der Frühen Neuzeit, in den künstlerischen Darstellungsformen mittels rekonstruierender und revitalisierender Aufführungspraxis in Theater, Drama, Oper (Florentiner Camerata um 1600: *Dafne* 1598 von Ottavio Rinuccini (Text), Jacopo Peri und Jacopo Corsi (Musik); Claudio Monteverdi, *Orfeo*, Mantua 1607) und Tanz (Figurinen zur Medici-Hochzeit von 1589).

2.3 SOZIALE FORMATIERUNG – FORMELLE VS. INFORMELLE RAHMUNGEN

Rezeptionsformen müssen, um überhaupt »Formen« sein zu können, »formatiert« werden, zum einen durch »Rezeptionsaggregate« wie Institutionen und Organisationen, andererseits über diskursive und künstlerische »Formate« in bildender Kunst, Musik, Theater, Lit. etc. Die soziale Formatierung verortet somit die Antikerezeption in der Gesellschaft und erzeugt erst deren Formen.

Die Aggregate der Antikerezeption teilen sich in formelle Träger, Institutionen und Organisationen, sowie informelle Träger wie Zirkel, Kreise oder einzelne Individuen. Für die Antikerezeption wichtig wurden an formellen Trägern die erwähnten Institutionen des Bildungssystems (Schulen, Gymnasien/Lyzeen, → Universitäten und → Akademien) und rel. Organisationen (christl. Kirchen und Konfessionen). Daneben haben sich bes. Orte der Wissensspeicherung herausgebildet, die das Wissen um die Ant. und ihre Kultur jederzeit rezipierbar machten: Klöster, Hof- (später Staats- und National-)Bibl. und -Archive. Auch gesellschaftliche Sondergruppen wie das Militär (Militärhandbücher, Lateinunterricht in Kadettenanstalten, z.B. Anf. des 18. Jh. in → Preußen) oder der Justizapparat (→ Kodifizierungen des → Römischen Rechts) pflegten ihren Rekurs auf die Antike. Die Sachkultur jenseits der Mss. fand ihr Depot in den Schatz- und Reliquienkammern der Bischofssitze, in den Raritätenkabinetten und Wunderkammern von Fürstenhöfen und Schlössern, sowie in der bürgerlichen und staatlichen Museumskultur der Moderne seit der → Aufklärung. Formatierend wirken Institutionen insbes. durch die normierende Auswahl: Sie treiben Prozesse der Kanonisierung hervor und voran, so die christl. Kirche die Kanonisierung der Bibel, die Lateinschule und später das Gymnasium und die → Philologischen Seminare der Universitäten den Kanon der (griech. und röm.) »Klassiker«.

Doch die informellen Träger – Gruppen, (Lese-)Zirkel, Kreise, Bünde und insbes. einzelne engagierte Intellektuelle, Journalisten, Gelehrte – waren für das Interesse an der Ant. in Europa mindestens ebenso wichtig. Man denke an die Neuplatonische Akad. in Florenz (ab 1469), an die Weimarer »Klassiker« Schiller und Goethe, an die Kosmiker in München-Schwabing um 1900 (→ Paganismus) oder »Einzelkämpfer« wie den spätbyz. Platoniker und Paganisten Gemistos Plethon (gest. ca. 1452).

2.4 ARTISTISCHE FORMATE

Vielleicht am folgenreichsten für die vormoderne europ. Antikerezeption war die Ästhetisierung ant. Kulturtrad.: ihre Tradierung und Verwandlung in »artistische Formate« – Genres, Stoffe, Motive, Bildprägungen, »Pathosformeln« (Aby Warburg) – in Lit., bildender Kunst, Musik und den darstellenden Künsten. Über Symbole, Embleme (Genre der Ren.-Emblematik), Metaphern und Sprichwörter (Sammlung der *Adagia* des Erasmus v. Rotterdam) wurden Wissensinhalte, Abbildungsmodi, Phantasiewelten und Alltagserfahrungen ant. Gesellschaften und Kulturträger in einem Prozeß dauernden Aneignens, Auswählens, der Transformation, Übers., Variation und des Transfers aufgenommen, ge- und verformt und weitergetragen. Der Zeichenvorrat der Ant. wurde zwar in bestimmten Codes (wie der Schrift und der Sprache) und Medien (wie dem Buch oder der Statue) bevorzugt transportiert, der Umgang mit ihm ist jedoch bestimmt von Formen der Doppelcodierung (z.B. christl.-pagan in den spätant. Bacchus-Sarkophagen oder der Ren.-Ikonographie), der Intertextualität (Catenen-Komm.) und der Intermedialität bzw. des Medienwechsels, z.B. bei der Rezeption griech. Vasen(-malerei) um 1800 (Wedgwood-Tafelservice, John Flaxman als Designer und Zeichner).

2.5 ABBILDUNG UND APPLIKATION

Unter den Rezeptionstechniken sind zwei von herausragender Bed.: die Visualisierung durch Abbildung sowie die hinzufügende Ergänzung, die Applikation. Abbildungen in Form von Graphiken, Photographien – einschließlich der h. so beliebten Bildbände – und Filmdokumentationen verbreiteten das Wissen über ant. Artefakte. Sie dienten der rekonstruierenden Vorstellung, indem sie genüßlich das Leben in → Knossos oder → Pompeji ausmalten (etwa in den historisierenden Genreszenen von Lawrence Alma-Taddema, 1836–1912). Sie waren aber auch – in Form des Abzeichnens und Abbildens – aktives Lernmittel für Generationen von Künstlern, ein Medium anverwandelnder Rezeption. Die Applikation dagegen war und ist die Grundform der theologischen und wiss. Rezeption: (Ur-)Text und Komm., (ant.) Quelle und (neuzeitliche) Interpretation, die Ed. und ihr »kritischer Apparat« sind Formpaare der Textweitergabe, wie sie bis h. die biblische wie säkulare Philol. perfektioniert haben (→ Philologische Methoden). Eine Applikation ist aber auch die Ren.-Ausstattung, die an eine spätant. → Basilika angefügt wird (S. Maria Maggiore, Rom).

2.6 Funktionalisierung durch Ideologie und Politik

Kommunikate, Bildzeichen (»Ikone«) und Symbole, die aus der Ant. stammten oder mit ihr in Verbindung gebracht wurden, bildeten einen Vorrat an kollektiven Repräsentationen und Leitbildern (*imaginaires*), der in jeder Epoche der europ. Geschichte verschieden nutzbar gemacht wurde. Gesellschaftliche Einflußgruppen entwickelten ihr jeweils eigentümliches und eigennütziges Erkenntnisinteresse, was die Deutung der Ant. betraf, oder beanspruchten ein Rezeptionsmonopol in Interpretation (christl. Kirche), Materialität (Spolien aus Marmor als Prestigesymbol) oder Darstellung (Götterpersonifikationen wie der »Sonnenkönig« Louis XIV.). Diese Politisierung und Ideologisierung der Antikerezeption beschränkte sich nicht allein auf den Herrscherkult des Ancien Régime. Auch die Revolutionskulte der Frz. → Revolution wurden von ihr getragen, wie auch regionalistische (Toscana) und nationalistische Bewegungen (griech. → Philhellenismus) jeweils »ihre« Ant. fanden und propagierten, von polit. Religionen und Totalitarismen des 20. Jh. wie dem → Faschismus oder → Nationalsozialismus ganz zu schweigen.

2.7 Rezeptionsmythen

Rezeptionsformen werden jedoch nicht nur polit., rel. oder weltanschaulich funktionalisiert, die Rezeptionsprozesse selbst unterliegen mythischen Vorstellungen, von denen sie gesteuert werden. Derartige »Rezeptionsmythen« sind beispielsweise die wertende Gegensetzung von Reinheit (Klassizität etc.) und Vermischung (s. A.), von »Ursprung« und epigonaler Dekadenz. Rezeptionsmythen sind Teil von »Immunisierungsstrategien« (Ernst Topitsch), mit deren Hilfe »die Ant.« insbes. als idealer Wunschort, unhintergehbare und unhinterfragbare Bezugsgröße konstituiert wird oder werden soll und die reale, oder gar kritische Distanz verschleiert bzw. verhindert wird. Der Mythos von der »unmittelbaren Erfahrung« des Antiken (d. h. des Vergangenen, Archa., Klass. etc.), wie ihn Kulturkritiker der Neuzeit immer wieder propagiert haben, setzt die »ideale« Ant. gegen die »schlechte«, »banale« Gegenwart. Dagegen setzen Antimythen auf Desillusionierung: Die Realität wird gegen das Ideal ausgespielt, vermittels einer Entlarvungsstrategie lächerlich gemacht, relativiert oder demaskiert, wie dies, in der Nachfolge Nietzsches, Rolf-Dieter Brinkmann in seinen Tagebuchaufzeichnungen *Rom-Blicke* tat (1972/73, publiziert postum 1979).

2.8 Formen negativer Rezeption

Von den Antimythen ist es nur noch ein Schritt zu den Formen negativer Rezeption. Diese bestehen im bewußt herbeigeführten Kulturbruch mit der Ant. und ihren Kulturäußerungen, der aktionistisch – symbolisch oder systematisch – herbeigeführt werden soll. Die Ant. und ihre Träger fungieren hierbei als bedrohlich empfundene Gegenwelt und »Unpersonen«, die auszumerzen sind: durch die ikonoklastische Aktion (→ Byzanz, Reformation), durch die Tilgung des Namens (*damnatio memoriae*), durch Abbruch, Zerstörung, Überbauung, durch Friedhofsschändung (»Hier wohnen keine Juden mehr«), durch Profanierung (paganer Tempel und Kultstatuen durch die Christen der Spätant.), durch Purgierung, d. h. durch die Aussonderung des Nicht-Kanonischen, Heterodoxen oder Nicht-Klass. im Namen von Reinheitslehren. und schließlich, indem Bücher (Bibl. von Alexandria) und Menschen verbrannt, vertrieben oder zu einem anderen Bekenntnis gezwungen wurden. Dies konnte, wie bei Plethons Hauptwerk, erfolgreich sein, doch zu Giordano Brunos Statue auf dem Campo dei Fiori in Rom pilgern h. noch die Freigeister.

→ Klassik

1 P. Burke, Kultureller Austausch, 2000 2 H. R. Jauss, Die Theorie der Rezeption – Rückschau auf ihre unerkannte Vorgesch., 1987 3 G. Kubler, Die Form der Zeit. Anm. zur Gesch. der Dinge, 1982 (¹1962) 4 M. Pallottino (Hrsg.), Die Etrusker und Europa, Kat. Altes Mus. Berlin 1993 5 L. Ritter Santini (Hrsg.), Eine Reise in die Aufklärung. Lessing in It. 1775, 2 Bde., 1993.   Hubert Mohr

Rhetorik   I. Geschichte und System
II. Rhetorik und Allgemeinbildung
III. Juristisch   IV. Rhetorikunterricht

I. Geschichte und System

A. Alteuropäische Tradition und »Neue Rhetorik«   B. Konturen der Überlieferung
C. Rezeptionen im Mittelalter
D. Vom Humanismus zur Aufklärung
E. »Neue Rhetorik« im 20. Jahrhundert

A. Alteuropäische Tradition und »Neue Rhetorik«

Antike Rh. war in der europ. Welt seit ihrer ersten Konstitution im späteren 8. Jh. dauerhaft präsent, war wirksam von Anbeginn als eines der Fundamente europ. Literalisierung. Verankert im Schulsystem, gehörte die *ars rhetorica*, in welcher Reduktion, Zubereitung und Auslegung auch immer, zum Bestand jeder achtbaren Bildung. Rhetorisches Wissen diente jedoch nicht nur der Abfassung von Texten und wurde nicht nur aus einschlägigen Lehrschriften gewonnen, es sammelte sich auch und wurde lebendig in der Lektüre und Erklärung der *Auctores*. Die Texte der alten Dichter und Schriftsteller, ant. wie spätant.-christl., traten als immer schon rhet. geprägte entgegen und wurden so kommentiert. Die doppelte texttheoretische Zuständigkeit der *ars rhetorica*, ebenso für die Verfertigung wie für die Beschreibung von Texten, war ant. ererbt. Sie verallgemeinerte sich im nachant. Jt. umfassend, konnte dabei auch auf Bereiche außersprachlicher Kommunikation, den bildnerischen und den musikalischen, ausgreifen.

Die in der Überlieferung der Antiken fundierte Trad. der Rh. behauptete als Grundlage alles eruditen Schreibens und Lesens allg. Dauer bis um die Mitte des 18. Jh., bis zu jenem tiefsten Umbruch der Rh.-Geschichte, der, abgeschlossen um die Mitte des 19. Jh., häufig genug als das »Ende der Rh.« apostrophiert worden ist. Er ging aus einer Konstellation verschiedener Prozesse hervor, die sich zu einem ›antirhet. Methodologismus‹ [4. 17] verbündeten: der Nationalisierung der Kulturen Europas und damit der Preisgabe des Lat. als Hauptsprache von Schule und Wiss. [3], der Historisierung aller Überlieferung und so auch der histor. Scheidung von *anciens* und *modernes* [5], des Kompetenzverlusts der Rh. zugunsten der Philos., der Entstehung der Ästhetik, der Emanzipation der Kunst ins Reich der Subjektivität, der Autonomisierung und Professionalisierung des Autors. Das ant. fundierte Lehrsystem der *ars rhetorica*, das in der Frühen Neuzeit als leitende Instanz aller Bildungsinstitutionen den Zenit seiner Macht erreicht hatte, erlebte seine Zersetzung; in Teilen wurde es von neuen Disziplinen (Psychologie, Ästhetik, Literaturwiss.) aufgesogen.

Nicht als ob mit der Epochenschwelle zur Moderne ein Erliegen auch rhet. Praxis gedroht hätte – das Gegenteil war der Fall. Sie griff seit dem 19. Jh. im Zuge der Organisation polit. Öffentlichkeit, der Parteienpropaganda, der alltäglichen Produktwerbung vielmehr fortschreitend um sich, begann erstmals alle Lebensbereiche zu durchdringen. Diese rhet. Praxis gründete sich aber nicht mehr auf die alte *ars rhetorica*, artikulierte auf ihre Weise nur deren tatsächliche Vergangenheit.

Auch das seit der zweiten H. des 20. Jh. sich vielstimmig meldende neue rhet. Interesse [8] nahm die vormod. Trad. mit keiner Geste wieder auf, dokumentiert vielmehr ebenfalls den längst vollzogenen rhetorikgeschichtlichen Bruch: Es präsentiert sich multidisziplinär, pluralistisch in heterogenen philos., linguistischen, literaturwiss., soziologischen und anderweitig verorteten Konzeptionen, die keinerlei Anstalten machen, sich zu einem universellen Paradigma Rh. neu zu formieren. Fast alle haben indes, ausdrücklich oder verdeckt, mit je eigenen Rezeptionen oder doch Teilrezeptionen ant. Rh. angesetzt. Von Gewicht waren dabei vornehmlich die anthropologischen und argumentationstheoretischen Entwürfe, die, nicht von ungefähr an Aristoteles' »Rh.« anknüpfend, für die heutige Diskussion des Rhetorischen selbst als leitend betrachtet werden können [1; 7; 9; 10; 11; 12]. Die »alte« Rh. aber wurde gleichzeitig, maßgeblich angestoßen durch Ernst Robert Curtius [2], zum Gegenstand einer seither kontinuierlichen Erforsch. ihrer Historie.

1 H. BLUMENBERG, Anthropologische Annäherung an die Aktualität der Rh. (1970), in: [8. Bd. 2. 285–312] 2 E.R. CURTIUS, ²1954 3 M. FUHRMANN, Rh. und öffentliche Rede. Über die Ursachen des Verfalls der Rh. im ausgehenden 18. Jh., 1983 4 H.-G. GADAMER, Wahrheit und Methode, 1960 5 H.R. JAUSS, Ästhetische Normen und geschichtliche Reflexion in der »Querelle (…)«. Einl. zum Ndr. von Ch. Perraults »Parallèle«, 1964 6 G.A. KENNEDY, Classical Rhetoric and Its Christian and Secular Trad. from Ancient to Modern Times, 1980 7 J. KOPPERSCHMIDT, Argumentationstheoretische Anfragen an die Rh. Ein Rekonstruktionsversuch der ant. Rh., in: [8. Bd. 2. 359–389] 8 Ders. (Hrsg.), Rh., Bd. 1, Rh. als Texttheorie, Bd. 2, Wirkungsgesch. der Rh., 1991 (mit guter Auswahlbibliogr. der Forsch.) 9 G.K. MAINBERGER, Rhetorica I: Reden mit Vernunft, 1987; Rhetorica II: Spiegelungen des Geistes, 1988 10 CH. PERELMAN, Traité de l'argumentation. La nouvelle rhétorique, 1958 11 Ders., The New Rhetoric and the Humanities. Essays on Rhetoric and its Applications, 1979 12 TH. VIEHWEG, Topik und Jurisprudenz, ⁵1974.

B. KONTUREN DER ÜBERLIEFERUNG

Voraussetzung jeder europ. Rezeption ant. Rh. war die Wiederaufnahme der Überlieferung ant. Schrifttums in den monastischen Skriptorien der karolingischen Zeit [12]. Die h. noch bekannten Werke röm. Rh. sind sämtlich in Hss. bereits des 8. und 9., einige sogar in insularer Überlieferung des 7. Jh. überkommen, keines aber in einem Textzeugen, welcher der allg. Überlieferungspause ant. Schrifttums auf dem Kontinent vom späten 6. bis zur ersten H. des 8. Jh. noch vorausginge. Die führende Stellung hatten von vornherein – und die ma. Jh. hindurch mit wachsendem Abstand vor allen anderen – Ciceros *De inventione* und die anon., schon spätant. unter Ciceros Namen gehende *Rhetorica ad Herennium*. Beide Werke, bis um 1500 nur als Ciceros *Rhetorica prima* (auch: *vetus*) und *Rhetorica secunda* (auch: *nova*) unterschieden, sind bis in die Zeit des Frühdrucks weit überwiegend gemeinsam, als einander komplementäre Grundbücher überliefert. Auf ihnen, nicht auf den rhet. Bildungsschriften *De oratore*, *Orator*, *Brutus*, noch weniger auf den Reden selbst, beruhte im MA Ciceros Ruhm und Autorität als *rex eloquentiae* (Radbert von Corbie). Aus der Zeit bis um 1200 sind von *De inventione* ca. 180, von der *Rhetorica ad Herennium* ca. 150 Expl. erhalten, von *De oratore* dagegen nur acht, vom *Orator* eines [9]. Im Spät-MA ließ die Herennius-Rh., die für die Kultivierung des *ornatus* (Tropen und Figuren) das beherrschende Register stellte, das Interesse an *De inventione* deutlich hinter sich. Als Lehrbuch aller *officia oratoris* übertraf sie *De inventione* auch im Angebot der Frühdruckzeit mit 32 Inkunabeln um mehr als das Doppelte und blieb ebenso im 16. Jh. der gefragtere Titel. Im Gefolge von Ciceros Schrift *De inventione* und häufig im Verein mit ihr überliefert, hatte auch der Komm. des Marius Victorinus vom 8. Jh. an stete Verbreitung.

Wie Ciceros *De oratore* war Quintilians *Institutio oratoria* bis ins 15. Jh. nicht schulläufig, war ein Buch für Kenner, nur an wenigen Orten greifbar. Das gute Dutzend erhaltener ma. Hss. geht zum geringeren Teil auf ein vollständiges, zum weit größeren auf ein stark lückenhaftes Expl. zurück [7]. Insofern konnte Poggios Auffindung eines vollständigen Quintilian 1416 in St. Gallen als dessen Wiedererweckung gefeiert werden; sie hatte auch diese Wirkung [1].

Ein bis zum 12. Jh. vielbenutztes Rüstzeug schließlich boten mit ihren Abrissen der *ars rhetorica* enzyklopädische Werke wie Isidors *Etymologiae* (2,1–21) und, seit Mitte des 9. Jh., *De nuptiis Philologiae et Mercurii* (lib. V) des Martianus Capella [8]. Ohne erkennbaren Einfluß auf die rhet. Lehre war dagegen die Lit. der *Declamationes* (Quintilian), der *Controversiae* und *Suasoriae* (Seneca d. Ä.); sie bot eher Lesestoffe, die in Kurzbearbeitungen mit beigefügten Moralisationen in Erzählsammlungen wie die *Gesta Romanorum* eingehen konnten [4. 164].

Die aristotelische Trad. blieb bis ins 13. Jh. nur mittelbar durch Boëthius wirksam, beschränkt dabei auf das Feld der Argumentationstheorie; doch rückte das vornehmlich der rhet. Topik gewidmete 4. Buch von *De differentiis topicis*, das seit dem 11. Jh. auch separat verbreitet war, im Hoch-MA zu den Standardwerken des Rhetorikunterrichts auf. Aristoteles' »Rhetorik« selbst kam erstmals um die Mitte des 13. Jh. durch die »Translatio vetus« und die aus dem Arab. gearbeitete Übers. des Hermannus Alemannus, v. a. aber seit etwa 1270 durch die bald führende Übers. des Wilhelm von Moerbeke (ca. 100 Hss.) in die lat. Welt [14]. Daneben blieben die anon. Übers. von Demetrios' *De elocutione* [15] und der ps.-aristotelischen *Rhetorica ad Alexandrum* [6] unauffällig.

Der Renaissancehuman., der in allen *artes* zu den ant. Autoren als den maßgebenden zurückkehrte, brachte auch für die Überlieferungsgeschichte der ant. Rh. eine Wende, in mehrfacher Hinsicht. Die mit Erfolg betriebene planvolle Suche alter, d. h. früh-ma. Hss. [13] förderte bis etwa 1520 nahezu alles erhaltene röm. rhet. Schrifttum ans Licht; so wurden auch die »Rhetores latini minores« (Fortunatian, Sulpitius Victor, Aquila Romanus u. a.), deren immer schon spärliche Überlieferung im 13. Jh. so gut wie versiegt war, wieder bekannt; die Editio princeps der Reden Ciceros von 1471 enthielt bis auf eine bereits die gesamte erhaltene Zahl. Zum andern ermöglichten die reichen Hss.-Funde erstmals Versuche einer philol., im Vergleich der Textzeugen kritischen und rekonstruierenden Rezeption und damit nicht mehr nur Abschrift, sondern Edition. Vollends epochemachend kam der Verfügbarkeit aller überlieferten Texte für jedermann seit den 1460er J. der Buchdruck zustatten. Dem Aufbau eines human. geprägten Schul- und Universitätswesens, in dem die *ars rhetorica* nach Mitte des 16. Jh. zu ihrer histor. höchsten Rangstellung aufstieg, entsprach, wie man der Druckproduktion der Zeit entnimmt [10], ein nie gekannter Breitenbedarf an rhet. Lehrschrifttum, immer unter Leitung des antiken.

Die Wiederentdeckung der griech. Lit. durch die Fülle an Hss., die noch vor dem Fall Konstantinopels aus byz. Bibl. gerettet wurden [13], war rhetorikgeschichtlich nicht gleichermaßen spektakulär wie für die Kenntnis griech. Dichtung, Geschichtsschreibung, Philosophie. Aufsehen machte freilich der von den Kennern sogleich gefeierte Wiedergewinn der großen Redner selbst, voran des Demosthenes, der bald auch seine lat. Übersetzer fand. Erfolgreich durch zwei Jh. waren die *Progymnasmata* des Aphthonius in ihren lat. Übers.

durch Rudolf Agricola und nach ihm durch viele andere [2. 129–132; 10]. Dagegen hatte die große griech. Sammelausgabe der »Rhetores Graeci« des Aldus Manutius (Venedig 1508) keine Nachfolge. Einzelausgaben der rhet. Schriften des Dionysios von Halikarnass, Ps.-Demetrios von Phaleron und selbst des Hermogenes blieben, gemessen an der Flut der Drucke röm. Rh., im Hintergrund. Allein die »Rhetorik« des Aristoteles, zuerst 1475 gedruckt in der Übers. des Georgius Trapezuntius und noch zweimal (1481, 1499) im Lat. des Wilhelm von Moerbeke, griech. zuerst 1508 in den »Rhetores Graeci«, im 16. Jh. vermittelt durch nicht weniger als sechs weitere lat. Übersetzer, rückte neben Cicero und dem aufgestiegenen Quintilian in einen ersten Rang, weniger freilich als Lehrbuch denn als Hauptwerk der wiss. Diskussion über die Konstitutionsbedingungen überzeugungsfähiger Rede. Am E. der human. Wiederentdeckungen ant. Rh. steht die spät und nur fragmentarisch aufgefundene Schrift Περὶ ὕψους des Ps.-Longinos, die jedoch, zwar alsbald (1554) ediert und auch ins Lat. (Neapel 1566) und It. (Florenz 1575) übersetzt, auf ihre wahre Entdeckung noch mehr als ein Jh., bis zu Boileaus Übers. (*Traité du Sublime ou du Merveilleux dans le Discours*, 1674) und seinen *Réflexions critiques sur quelques passages de rhéteur Longin* (1694–1710), zu warten hatte [3; 5].

1 C. J. CLASSEN, Quintilian and the Revival of Learning in Italy, in: Humanistica Lovaniensia 43, 1994, 77–98 2 B. BAUER, Jesuitische »ars rhetorica« im Zeitalter der Glaubenskämpfe, 1986 3 J. BRODY, Boileau and Longinus, 1958 4 E. R. CURTIUS, ²1954 5 M. FUMAROLI, Rhétorique de l'école et rhétorique adulte: remarques sur la réception européene du traité »Du Sublime« au XVIᵉ et au XVIIᵉ siècle, in: Revue d'histoire littéraire de la France 86 (1986) 33–51 6 M. GRABMANN, Eine lat. Übers. der pseudo-aristotelischen Rhetorica ad Alexandrum aus dem 13. Jh., in: SBAW, Philol.-histor. Klasse 1932, 1–181 7 P. LEHMANN, Die Institutio oratoria des Quintilianus im MA, in: Philologus 89, 1934, 349–383 8 C. LEONARDI, I codici di Marziano Capella, in: Aevum 33, 1959, 443–489 und 34, 1960, 1–99, 411–524 9 B. MUNK OLSEN, Catalogue des manuscrits classiques latins copies du IXᵉ au XIIᵉ siècle, 3 Bde., 1982–1989 10 J. J. MURPHY, Ren. Rhetoric. A Short Title Catalogue of Works on Rhetorical Theory from the Beginning of Printing to A. D. 1700, 1981 11 M. REEVE, The Circulation of Classical Works on Rhetoric from the 12th to the 14th Century, in: C. LEONARDI, E. MENESTÒ (Hrsg.), Retorica e poetica tra i secoli XII e XIV, 1988, 109–124 12 L. D. REYNOLDS, N. G. WILSON, Scribes and Scholars. A Guide to the Transmission of Greek and Latin Literature, 1991 13 R. SABBADINI, Le scoperte dei codici latini e greci ne' secoli XIV e XV, 2 Bde., 1905–1914 (Ndr. 1967) 14 B. SCHNEIDER (Hrsg.), Aristoteles latinus, Rhetorica. Translatio anonyma sive vetus et translatio Guillelmi de Moerbeke, 1978 15 B. WEINBERG, Demetrius Phalereus, in: P. O. KRISTELLER (Hrsg.), Catalogus Translationum et Commentariorum. Medieval and Ren. Latin Translations and Commentaries, Bd. 2, 21–31.

C. Rezeptionen im Mittelalter

Alle Schulbildung war im Früh-MA der Klerikerausbildung unterstellt. Der Angelsachse Alkuin, 782–796 am Hofe Karls d. Gr. als dessen engster theologischer und wiss. Berater, hatte eine an Cassiodors *Institutiones* anknüpfende Ordnung des Wissens entworfen, in der sich die *philosophia* von der Gramm. an im Stufengang der *septem artes* aufwärts bis zur *sapientia* der Theologie erhebt. Diese wissenschaftstheoretische und auch pädagogische Konzeption hielt sich unverändert bis ins späte 11. Jh. Nur gebunden an sie und nirgends sonst hatte die *ars rhetorica* wie alles andere ant. Wissensgut einen Ort und war sie erfordert. In den Grenzen dieser Konzeption waren Neuerungen, die Stoff und Doktrin der vorhandenen ant. Werke überschritten hätten, nicht gefragt. So kamen über mehr als drei Jh. hin nur sehr wenige neue Lehrbücher aufs Pergament, als erstes nachant. wenige J. vor 800 Alkuins *De rhetorica et virtutibus* [9] (mehr als 60 Hss.), etwa zwei Jh. später die unsicher und spärlich überlieferte, neuerdings reichlich überschätzte kleine Rh. Notkers des Dt. († 1022) [14; 32] und ihr ahd. Seitenstück [17]. Sie waren, ungeachtet eigener wählender, ordnender, applizierender Zugriffe, wörtliche oder summarisch referierende Kompilate ant. Vorlagen. Stationen neuer Entwicklungen waren sie nicht.

Abseits der zentralen Bewahrung und Weitergabe rhet. Wissens in den klösterlichen Skriptorien und Schulen machte sich seit dem 10. Jh. eine eigene Trad. des Rhetorikunterrichts in Oberit. bemerkbar. Ihr lebendigster Zeuge ist Anselm von Besate. Orientiert ganz an seinem *preceptor* Cicero, setzte er in der *Rhetorimachia* (1048) [11] rhet. Lehre, konzentriert auf das *genus iudiciale*, in eine fiktive, mit allerlei gelehrten und unterhaltsamen Einlagen gewürzte lit. *controversia* um. Sie blieb in der rhet. Lit. des MA ohne Gegenstück.

Das letzte monastische Kompilat von ausschließlich ant. Quellen war der *Libellus* des Ulrich von Bamberg († 1127) [3]. Er beschränkt sich mit seinen Exzerpten aus der *Rhetorica ad Herennium*, aus Ciceros *De oratore*, aus Quintilian und Martianus Capella freilich auf Teilgebiete der *elocutio*, indiziert damit ein neues Sonderinteresse für Stilistik, das sich im späteren 11. Jh. auch mit den ersten separaten Figuren-Lehren meldet, den *Colores rhetorici* (1 Hs.) des Onulf von Speyer [20], den bis ins 15. Jh. verbreiteten *Ornamenta verborum* Marbods von Rennes († 1123) [12]. Mit Onulf und Marbod setzen jene ma. Colores-Lehren ein, welche in Prosa, metrisch oder rhythmisch Serien von Wort-, seltener auch Sinnfiguren und Tropen in der Reihenfolge und nach den Definitionen der *Rhetorica ad Herennium* bieten und zugleich mit eigenen Beispielen illustrieren, auch mit Beispielsreihen, die unter sich einen fortlaufenden Text ergeben [42].

Ein durchgreifender methodischer Wandel der Rezeption, Symptom und Faktor des hoch-ma. Aufbruchs der Wiss., vollzog sich, mit Zentren in Oberit. und an namhaften frz. Schulen, seit dem späten 11. bis ins 13. Jh. [23; 46]. Neue kommunikative Erfordernisse der Zeit drängten zum Aufbau neuer Organisationsformen der Rede (*ars dictaminis, ars arengandi, ars praedicandi*), innerhalb derer die ant. rhet. Doktrin nicht mehr leitete, nur in ungehinderter Auswahl, Einpassung, Umgestaltung anwesend blieb. Ähnlich unbefangen verarbeiteten ihre rhet. Vorgaben die neuen Dichtungslehren. Doch zogen gleichzeitig – wie die ant. Autoren überhaupt – auch die damaligen Leittexte röm. Rh. selber ausweislich einer Serie von Komm. zu *De inventione* und zur *Rhetorica ad Herennium* ein intensives neues Interesse auf sich [26; 28; 45]. Auffällig definierten die Kommentatoren – unter ihnen sind Manegold, Wilhelm von Champeaux, Thierry von Chartres [5], Petrus Helias – die rhet. Materie, selbst die des *genus demonstrativum*, grundsätzlich als offenen Streitfall (*controversia*); entsprechend stand die *inventio*, System und Methode der Argumentation, stets im Mittelpunkt ihrer Aufmerksamkeit. Sie folgten darin ihren wichtigsten spätant. Helfern, Marius Victorinus und Boëthius (*De topicis differentiis*), doch verband sich ihre argumentationstheoretische Ausrichtung zugleich mit der zeitgenössischen Disputationskultur der Frühscholastik.

Die *ars dictaminis*, die sich um 1100 konstituierte und mit mehr als 600 (häufig anon.) Traktaten die verbreitetste und praxisnächste rhet. Gattung des MA wurde, hatte ihr dauerhaftes Fundament in der nach Mitte des 11. Jh. einsetzenden Expansion, Vervielfachung und Differenzierung von Schriftgebrauch und Schriftbedarf. Mit ihren zentralen Gattungen, dem Brief als dem elementaren Träger aller Schriftkommunikation und dem *privilegium*, wurde sie die *ars* der Kanzleien und Notare. Schon nach diesen Voraussetzungen versteht sie sich nicht als modifizierte Fortsetzung ant. Rh., so reichlich, aber doch stets partikulär sie von dieser entlieh. Die fünf *officia oratoris* vermochte sie sich als Modell des Schaffensprozesses nicht mehr anzueignen: Blieben *memoria* und *actio* schon naturgemäß beiseite, wurde aber auch die *inventio* – bis auf Ansätze in frz. *artes* des 12. Jh. – für sie kein Thema. Vielfach integrierte sie dagegen, durchweg nach der Fassung der *Rhetorica ad Herennium*, aber meist nur in Auszügen, die Lehre des *ornatus*. Was immer aber sie rezipierte, assimilierte sie einem der ant. forensischen Rh. nicht vergleichlichen System [49].

Die Hauptwerke der hoch-ma. *poetria* [31] haben verschiedene Konzeptionen, nehmen daher auch verschiedene Sicht auf die rhet. Tradition. Gemeinsam ist ihnen das hervortretende Interesse an der rhet. inszenierten *descriptio*; sie entsprechen damit dem in der gesamten Epik der Zeit favorisierten Beschreibungswesen. Matthäus von Vendôme (*Ars versificatoria*, um 1170 [13]), der die *descriptio* am aufwendigsten traktierte und illustrierte, nahm Ciceros Topik der *attributa personis* und *attributa negotiis* (inv. 1,24,34 – 26,39) zur Grundlage. Eine Sonderform der Personenschilderung, die *descriptio a capite ad pedes*, die allerorten auch lit. reüssierte, eignete man sich vom Theoderich-Porträt des Sidonius Apollinaris (epist. 1,2,2) an. Geschlossen nach rhet. Vorgaben modelliert ist die *Poetria nova* (um 1208/1213, mehr als 200 Hss.) des Galfrid von Vinsauf [6]; sie ist zugleich ein Paradigma geschlossen transformierender Rezeption. Galfrid übernahm die *officia oratoris* als Gerüst der Beschreibung des Schaffensprozesses, doch ohne die *inventio*, da er von der Vorgegebenheit des Stoffes ausgeht. Die *dispositio*, in der klass. Rh. ohne formelle Ausarbeitung, stattete er mit Maßnahmen der Erzählpoetik aus. Als neue Stufe, noch vor der *elocutio*, schaltete er die Alternative *dilatatio* und *abbreviatio materiae* mit jeweils acht rhet. rekrutierten, teils wiederum modifizierten Verfahrensweisen ein. Die *elocutio* konzentrierte er auf die neuartige Alternative zweier *ornatus* (*difficilis – facilis*) – dem einen ordnete er, jeweils in der Fassung der *Rhetorica ad Herennium*, die Tropen, dem anderen die Wort- und Sinnfiguren zu – und rundete sie ab durch die Lehrstücke der von Sidonius angeregten *determinatio* und der *conversio* (Ausdrucksvariation). Die *Poetria nova* war nicht, wie meist mißverstanden, für Versdichtung reserviert, sondern galt auch der Prosa, grundsätzlich für jedes kunstgerechte *dictamen*. So wurde denn auch ihr gesamtes Stilprogramm von der *dilatatio* bis zur *conversio* schon um 1220 von Bene da Firenze [2] in die *ars dictandi* übernommen, im dt. 14. Jh. durch Nikolaus von Dybin ihr fester Bestandteil.

Dem Bedarf einer expandierenden Schriftlichkeit, von dem die *ars dictandi* lebte, traten im 13. Jh. in It. erstmals wieder Anforderungen auch für den Bereich der öffentlichen Rede zur Seite. 1235 veröffentlichte Boncompagno da Signa, prominenter Bologneser Rhetoriker, seine Redelehre für angehende Juristen, die rundum neuartige *Rhetorica novissima* [4], und dies mit dem nachdrücklichen Vorsatz, den angeblich unnütz gewordenen Cicero (von dem er nicht weniges genommen hatte) endlich zu verabschieden. Das aparte, mit Satire und freisinnigen Einfällen auch unterhaltsame Buch blieb freilich für sich [44; 47]. Weniger prätentiös hatte seit den 1220er J. die Herausbildung der *ars arengandi* (*arengare*, »in einer Versammlung sprechen«) begonnen, die den Podestà und bald auch andere Amtsträger einer Comune mit Redeanleitungen und -beispielen für typische Gelegenheiten ihrer Praxis zu versehen suchte [33; 36]. Die Redemuster, die etwa Guido Fabas *Arenge* (1240/41) und *Parlamenta et epistole* (1241/42, lat. und it. [8]) lieferten, gaben auf die mediale Differenz von Schrift und Rede noch wenig acht; sie operierten unbefangen noch mit den Regeln und Techniken der Briefrhetorik. Doch griff man seit Mitte des 13. Jh. zunehmend auf Elemente der röm. Rh. zurück, verlegte sich wie Matteo dei Libri (*Arringhe* [19]) bei den Mustern für Ansprachen des Podestà, des Capitano, des Ambasciatore allerdings vornehmlich auf die formalisierbaren Redeteile, auf *exordia* und *conclusiones*. Mit ausdrücklichem Hinweis auf die Belange der öffentlichen Rede in der polit. Praxis der Comuni entstanden nun auch die ersten Übers. ant. Rhetoriken, Guidottos da Bologna *Fiore di rettorica* (1258–1266), Übers. der *Rhetorica ad Herennium* mit inserierten Teilen

aus *De inventione*, und Brunetto Latinis *Rettorica* (1260–1266) [22], Übers. von inv. 1,1,1–17,24, die er abschnittsweise kommentierte, und sogar einiger Reden Ciceros [30]. Den Stand einer geschlossenen Doktrin hat die *ars arengandi* auch anhand ant. Rh. indes nie erreicht – wenn man nicht Jaques de Dinant, einen in Bologna lehrenden frz. Immigranten, nennen will; er legte seiner dem *concionator, qui uulgo dicitur arengator* zugedachten Redelehre ganz das System der *Rhetorica ad Herennium* zugrunde und wußte dabei über die *pronuntiatio* ausgiebig und originär, mit eigenem Gespür für die Wirkung von Stimme und Gestik, zu handeln [21]. Die *ars arengandi* kam schon um die Wende zum 14. Jh. zum Erliegen, als die Etablierung der Signorien das kommunale Leben erstickte und damit den *arringhe* den polit. Boden entzog. Die Volgarizzamenti inspirierten anscheinend die erste frz. Übers. von *De inventione* und der *Rhetorica ad Herennium*, die *Rettorique de Marc Tulles Cyceron* des Jean d'Antioche (um 1282) [35].

Öffentliche Rede war im MA immer schon durch die christl. Predigt vertreten. Zwar hatte bereits Augustins autoritativ wirksame Schrift *De doctrina christiana* Predigt-Rh. in den Horizont klass. Redekunst gestellt, doch zeigt sich in der ma. Predigtgeschichte keine spezifische Formierung seitens ant. rhet. Maßgaben. Die persuasive Aufgabe der Predigt war denn auch im Ansatz und grundsätzlich von forensischer Rh. und ihrer Doktrin verschieden. Nicht hatte sie sich auf Überzeugung einer Mehrheit in einem Streitfall oder einer Problemlage zu verstehen, sondern auf Belehrung, Bekehrung, Erschütterung einer jeden Einzelseele. Die essentielle Differenz zw. antiker Rh. und ma. Predigt trat förmlich zutage, als sich im frühen 13. Jh., durchaus auf zeitgenössischer Praxis bauend, in raschen Schritten erstmals eine Kunstlehre der Predigt, die *ars praedicandi*, etablierte [39. 310–355]. Gewiß zogen die ersten Vertreter der neuen *ars*, Alexander von Ashby und Thomas Chabam [34. 71–75], bei der Beschreibung des Predigtaufbaus noch die rhet. *partes orationis* zu Rate, doch stellten sich rasch als die bestimmenden und strukturierenden Kategorien *thema, prothema, divisio, subdivisio, distinctio* heraus, mit denen ein selbständiges anderes Genus der Rede definiert war. In dessen Grenzen aber konnte das Angebot der ant. Rh. neben der theologischen Exegese und dem primär formbildenden Instrumentar der scholastischen Logik ein virulentes Potential für die Predigtkunst bleiben. Angeeignet wurden in den großen *artes* des Robert von Basevorn [15], des Ranulfus Higden [10], des Thomas Waleys [18] und anderer v. a. die Reflexionen über die Wirkungsbedingungen der Rede, über die Gewinnung des Hörers, das Lehrstück der *circumstantiae*.

Nicht schon in der Weiterüberlieferung ant. Texte, erst in deren Gebrauch wird ma. Rezeption ant. Rh. manifest. Sie griff weiter noch als die zentralen Felder der neuen *artes* reichen, bezog selbst die Theorie des Gebets (Wilhelm von Auvergne) [34. 118–137] und die Kunst der geistlichen Meditation (Wessel Gansfort) [7] ein. Über die lat. Welt hinaus wurde sie ein Ferment aller neuen Schrift-Idiome. Das Wort »rhet.« blieb das Kennwort hochgeformter Sprache. Dante definierte die (lyr.) Dichtung als ›fictio rhetorica musicaque posita‹ (*De vulgari eloquentia* 2,4). Im Medium aller seiner spezifisch ma. Rezeptionen aber unterlag das ant. rhet. Erbe Prozessen der Reduktion, Abwandlung, Diffusion, die seine urspr. Gestalt unkenntlich zu machen vermochten. Eine Restitution ant. Rh. konnte, da ihr der Bedarf an entsprechender Praxis fehlte, auch die Wiederentdeckung der aristotelischen »Rhetorik« und ihre beträchtliche lat. Verbreitung seit etwa 1270 nicht fördern. Während die übersetzten Schriften des Aristoteles seit dem 13. Jh. auf alle Disziplinen, die sie berührten, innovative Wirkungen ausübten, gingen solche von seiner »Rhetorik« nicht aus. Aegidius Romanus, ihr erster Kommentator [1], ordnete sie wissenschaftssystematisch der *philosophia moralis* zu [41]. Thomas von Aquin nutzte sie reichlich für die Erörterung der Affekte (*Summa theologica*, Ia – IIae, q. 22–48). Die rhet. Lehre im Spät-MA, repräsentiert durch die *ars dictandi*, wurde durch sie nicht verändert; sie nahm von ihr neben einigen folgenlosen Definitionen nur sporadische Anleihen.

→ Briefkunst/Ars dictaminis; Homiletik/Ars praedicandi

QU 1 AEGIDIUS ROMANUS, Commentaria in Rhetoricam Aristotelis, Venedig 1515 (Ndr. Frankfurt 1968) 2 G. C. ALESSIO (Hrsg.), Bene Florentini Candelabrum, 1983 3 F. BITTNER, Eine Bamberger Ars dictaminis, in: Ber. des histor. Vereins für die Pflege der Gesch. des ehemaligen Fürstentums Bamberg 100, 1964, 145–171 4 BONCOMPAGNO, Rhetorica novissima, in: A. GAUDENZI (Hrsg.), Scripta anecdota Glossatorum, Bd. 2, Bologna 1892, 251–297 5 K. M. FREDBORG (Hrsg.), The Latin Rhetorical Commentaries by Thierry of Chartres, 1988 6 GALFREDUS DE VINOSALVO, Poetria nova, in: [27. 194–262] 7 W. GANSFORT, Scala meditationum, in: Ders., Opera, Groningen 1614, 193–326 8 GUIDO FABA, Parlamenti ed epistole, in: A. GAUDENZI, I suoni, le forme et le parole dell' odierno dialetto della città di Bologna, Torino 1889, 127–160 9 W. S. HOWELL, The Rhetoric of Alcuin and Charlemagne, ²1964 10 M. JENNINGS (Hrsg.), The Ars componendi sermones of Ranulph Higden, O. S. B., 1991 11 K. MANITIUS (Hrsg.), Gunzo, Epistola ad Augienses, und Anselm von Besate, Rhetorimachia, 1958 12 MARBOD VON RENNES, De ornamentis verborum, in: J.-P. MIGNE, Patrologia Latina, Bd. 171, Sp. 1687–1692 13 MATTHÄUS VON VENDÔME, Ars versificatoria, in: [27. 106–193] 14 NOTKER DER DT., De arte rhetorica, in: J. C. KING, P. W. TAX (Hrsg.), Notker der Dt., Die kleineren Schriften, 1996, 105–186 15 ROBERTUS DE BASEVORN, Forma praedicandi, 1322, in: [25. 231–323] 16 B. SCHNEIDER (Hrsg.), Aristoteles latinus, Rhetorica. Translatio anonyma sive vetus et translatio Guillelmi de Moerbeke, 1978 17 P. W. TAX (Hrsg.), Notker der Dt., Boëthius, Buch I/II, 1986, II 3, 9–15, 39, 49, 51 18 THOMAS WALEYS, De modo componendi sermones, vor 1350, in: [25. 325–403] 19 E. VINCENTI (Hrsg.), Matteo dei Libri, Arringhe, 1974 20 W. WATTENBACH, Magister Onulf von Speyer, in: SPrAW 20, 1894, 361–386 21 A. WILMART (Hrsg.), Jacques de Dinant, Ars arengandi, in: Ders., Analecta Reginensia.

Extraits des manuscrits latins de la reine Christine conservés au Vatican, 1933, 113–151

LIT 22 G. C. ALESSIO, Brunetto Latini e Cicerone (e i dettatori), in: Italia medioevale e umanistica 22, 1979, 123–169 23 R. L. BENSON, G. CONSTABLE (Hrsg.), Ren. and Renewal in the Twelfth Century, 1982 24 H. CAPLAN, Of Eloquence. Stud. in Ancient and Mediaeval Rhetoric, 1970 25 TH.-M. CHARLAND, Artes praedicandi. Contribution a l'histoire de la rhétorique au moyen âge, 1936 26 M. DICKEY, Some Commentaries on the De inventione and Ad Herennium of the Eleventh and Early Twelfth Centuries, in: Mediaeval and Ren. Stud. 6, 1968, 1–41 27 E. FARAL, Les arts poétique du XIIᵉ et XIIIᵉ siècle, 1923 (Ndr. 1961 und öfter) 28 K. M. FREDBORG, Twelfth Century Ciceronian Rhetoric: Its Doctrinal Development and Influences, in: B. VICKERS (Hrsg.), Rhetoric Revalued, 1982, 87–97 29 J. FRIED (Hrsg.), Dialektik und Rh. im früheren und hohen MA, 1997 30 B. GUTHMÜLLER, Die volgarizzamenti, in: Grundriß der romanischen Lit. des MA, Bd. 10/2, 1989, 201–254 31 D. KELLY, The Arts of Poetry and Prose, 1991 32 J. KNAPE, Allg. Rh., 2000, Kap. 5 33 P. KOCH, s. v. Ars arengandi, in: HWdR 1, 1992, 1033–1040 34 E. C. LUTZ, Rhetorica divina. Mhdt. Prologgebete und die rhet. Kultur des MA, 1984, 118–137 35 J. MONFRIN, Humanisme et traductions au moyen âge, in: A. FOURRIER (Hrsg.), L'humanisme médiéval dans les littératures romanes du XIIᵉ au XIVᵉ siècle, 1964, 217–246, hier S. 224ff. 36 P. v. MOOS, Die it. »ars arengandi« des 13. Jh. als Schule der Kommunikation, in: N. R. WOLF (Hrsg.), Wissenslit. im MA, 1993, 67–90 37 Ders., »Was allen oder den meisten oder den Sachkundigen richtig scheint«. Über das Fortleben des ἔνδοξον im MA, in: B. MOJSISCH, O. PLUTA (Hrsg.), Historia philosophiae medii aevi, 1991, 711–744 38 Ders., Rh., Dialektik und »civilis scientia« im Hoch-MA, in: [29. 133–155] 39 J. J. MURPHY, Rhetoric in the Middle Ages, 1974 40 Ders. (Hrsg.), Medieval Eloquence, 1978 41 J. R. O'DONNELL, Commentary of Giles of Rome on the Rhetoric of Aristotle, in: Essays in Medieval History Presented to B. Wilkinson, 1969, 139–156 42 B. SCHALLER, Die Colores rhetorici des Heinrich von Isernia, in: Dt. Archiv 49 (1993) 113–153 43 B. SCHNEIDER, Die ma. griech.-lat. Übers. der aristotelischen Rh., 1971 44 T. O. TUNBERG, What is Boncompagno's »Newest Rhetoric«?, in: Traditio 42, 1986, 299–334 45 J. O. WARD, From Antiquity to the Ren.: Glosses and Commentaries on Cicero's Rhetorica, in: [40. 25–84] 46 P. WEIMAR (Hrsg.), Die Ren. der Wiss. im 12. Jh., 1981 47 R. G. WITT, Boncompagno and the Defense of Rhetoric, in: JMRS 16, 1986, 1–31 48 F. J. WORSTBROCK, s. v. Ars dictaminis, Ars dictandi, in: Reallex. der dt. Literaturwiss., Bd. 1, 1997, 138–141.

D. VOM HUMANISMUS ZUR AUFKLÄRUNG

Der Dispersion der klass. Rh. in ihrem ma. Gebrauch trat der Human. mit programmatischem Eifer entgegen: sein erstes und allgemeinstes Ziel war der Wiedergewinn klass. *eloquentia*. Es hatte eine Begründung: Die Sprache wurde als das den Menschen auszeichnende Kriterium erkannt, im *perfecte loqui* die Möglichkeit seiner Perfektion; Maßstab des *perfecte loqui* aber waren allein die Alten. Während Rh. an der spät-ma. Univ. jeglichen Rang an die Logik abgetreten hatte und sonst nur mehr als *ars dictandi* und als *ornatus*-Lehre Prestige und Nützlichkeit reklamierte, rückte sie, wo immer der Human. eine führende Stimme bekam, in Gestalt der ant. Texte und einer nach ihren Maßen erneuerten Doktrin wieder hoch hinauf. Sie wurde essentieller Teil jeder Erziehung, bis hinauf zur höfischen, für die Baldassare Castiglione das epochemachende Modell des *cortegiano* entwarf, welcher mit der rhet. trainierten Kunst jeglicher Konversation auch die der Dissimulation beherrscht [10]. Rhet. Regulierung ergriff den gesamten Kommunikationsraum der gebildeten Welt und verinnerlichte sich ihr. Rhet. Denk- und Gestaltungsmuster durchdrangen die Wiss., rhet. Wirkungsästhetik inspirierte die Künste, rhet. Theorie wurde das Organ von Poetik [25; 49] und Kunstreflexion [24; 46].

Die neue Expansion der Rh. verlief in den europ. Ländern nicht gleichzeitig, vollzog sich in ungleichen Strukturen, entließ aus sich vielfältige Weiterentwicklungen und ebenso Distanznahmen und Opposition. Ihre Herrschaft in den meisten Bildungsinstitutionen (»Schulrhetorik«) sollte nicht die Tatsache verdecken, daß die human. Ära bis hin zur Aufklärung auch ein Stadium fortschreitender Krisen der Rh. war. Haupttendenzen im rhetorikgeschichtlichen Spannungsfeld der Epoche seien umrissen.

Neu verfaßte rhet. Schriften finden sich im 15. Jh. erst spärlich; man studierte in It., mit großem Verzug nördl. der Alpen, Cicero und Quintilian selbst. Georgius Trapezuntius, Autor der ersten neu verfaßten Rh. und neben der *Rhetorica* des Philippus Callimachus (nach 1470) [8] der einzigen modernen des Jh., kam nicht aus der it.-human. Welt, sondern war Byzantiner. Auch seine *Rhetoricorum libri V* (1433/34, Erstdruck Venedig um 1470), eine souveräne Synthese der röm. und griech. Trad. [39. 261–299], neuartig u. a. wegen ihrer Verknüpfung der drei Stilarten (*genera elocutionis*) und der Stilqualitäten (ἰδέαι) des Hermogenes, fanden erst nach 1520 größeren Erfolg. Zu eben diesem Zeitpunkt setzte ein gewaltiger neuer Ausbau des rhet. Schrifttums ein, in stetiger, bald nicht mehr überschaubarer Massierung. Bis ins 18. Jh. zählt man, ohne daß man schon erschöpfend und exakt gezählt hätte, an die 3000 gedruckte rhet. Schriften von weit über 1000 Autoren [43].

Bestandteil der Fülle wurden nun zunehmend Rhetoriken auch in den sich herausbildenden Nationalsprachen. Zwar reichen Übers. ant. Rh. in It. und Frankreich bis ins 13. Jh. (s. o.), in Spanien bis zu Alfonso de Cartagena (Übers. von Cicero, *De inventione*, 1428) zurück, doch blieben sie punktuell, begründeten keinen muttersprachlichen rhet. Diskurs von Dauer. Dieser etablierte sich mit Übers. und v. a. mit selbständigen Schriften erst im 16. Jh. In Deutschland allerdings hatte Friedrich Riederers *Spiegel der waren Rhetoric* (Freiburg 1493) – noch Kanzleihandbuch, aber im ersten Teil mit angereicherter Übers. der *Rhetorica ad Herennium* [31. 205–235] – im 16. Jh. keinerlei weiterführende Nachfolge; ein Studium der Rh. in dt. Sprache bekam ungeachtet J. H. Meyfarts *Teutsche Rhetorica oder Rede-*

kunst (1634), zahlreicher rhet. Poetiken des 17. Jh. und Chr. Weises reichem dt.-rhet. Œuvre erst in den 1720/1730er J., v. a. durch Gottsched, festen Grund.

Als einflußreicher Kopf human. rhet. Reflexion sollte sich Rudolf Agricola (1444–1485) erweisen. Dem seit Aristoteles geführten Diskurs über das Verhältnis von Rh. und Dialektik gab er mit seinem Hauptwerk *De inventione dialectica* (1479, Erstdruck Löwen 1515) [12] eine neue Wende. Während Lorenzo Valla die allein dem *docere* dienliche Dialektik der gleichermaßen das *delectare* und das *movere* beherrschenden Rh. implizierte [28], orientierte Agricola überzeugende Rede ganz auf die Instrumente des *docere* und wies dieses – und damit die rhet. *inventio* und *dispositio* insgesamt – als Aufgabe einzig der Dialektik aus; der Rh. verblieben, nachgeordnet im Rang, nur Stil (*elocutio*) und Vortrag (*actio*). Um eine Reduktion der Rh. im Sinne ihrer späteren rationalistischen Abwertung handelte es sich nicht, vielmehr um eine Rhetorisierung der Dialektik [26. Sp. 963–967], denn dialektische Topik verstand Agricola nicht als Methode der Erkenntnis innerlogischer Beziehungen, sondern der Auffindung hörer- und konsensbezogener Argumente. Ihre *loci* sollen jedoch für alle Wissensbereiche gelten, in diesem Sinne *loci communes* sein. Agricolas Scheidung von Dialektik und Rh. barg in sich den Ansatz eines die Rh. unterminierenden Prozesses, der bald an Deutlichkeit gewann, offen aufbrach und sie über Descartes' radikale Trennung von Rationalität und Emotionalität im 18. Jh. in die innere Aporie führte.

Bestimmender Bereich der Rh. ist wie bei Agricola auch bei Philipp Melanchthon, in der bis zu Gottsched einflußreichen letzten Fassung seiner Rh. (*Elementa rhetorices*, Wittenberg 1531) [7; 37], die *elocutio*, doch bleibt bei ihm auch die *inventio*, unterschieden jeweils nach den drei Gattungen der Rede, der Rh. voll belassen. Melanchthon führte indes eine neue, vierte Redegattung ein, das *genus didascalicum*, dem alle anderen Themen zufallen, über die gehandelt werden kann; als das Genus ausschließlich des *docere* vertritt es innerhalb der Rh. die Dialektik.

Agricolas systemverändernde Neuvermessung des rhet. und des dialektischen Felds griff erst Petrus Ramus seit den *Dialecticae Institutiones* (1543) auf und setzte sie in zahlreichen Abhandlungen, u. a. scharfen Kritiken an Aristoteles, Cicero, Quintilian [15], schulmäßig, mit breiter Wirkung in Frankreich, England, den Niederlanden und Skandinavien bis weit ins 17. Jh., durch [44]. Der ramistische Begriff der Dialektik war jedoch nicht der Agricolas, verstand sich vielmehr wie einst in der Scholastik als Logik. Die erste ramistische, auf *elocutio* und *actio* beschränkte Rh. erschien, besorgt von Ramus' Schüler Omer Talon, bereits 1548 [18]. Sie erlebte europaweit bis zum E. des 17. Jh. 120 Auflagen, und ihr folgten zahlreiche Rh. ähnlichen gekappten Zuschnitts. Sonder-Rh. allein für die *elocutio* mit erschöpfenden Sammlungen von 150 und mehr Figuren und Tropen aus allen erreichbaren ant. Quellen wurden auch unabhängig von der ramistischen Strömung kompiliert [13; 17]; sie waren v. a. in England verbreitet.

Der Ramismus opponierte mit seinem Rh.-Begriff gegen den human. Ciceronianismus, der im 16. Jh. doch die führende Rolle spielte und auch im 17. Jh. das maßgebliche Substrat blieb. Prominente Schulkompendien der human. Richtung waren *De arte rhetorica libri tres ex Aristotele et Quintiliano praecipue deprompti* (um 1560) des Jesuiten Cyprian Soarez [21. 138–242], die in konziser systematischer Fassung die Doktrin der klass. Rh. vermitteln, und, für die protestantischen Gymnasien, die ebenfalls auf Aristoteles, Cicero und Quintilian aufbauenden *Rhetorices contractae, sive partitionum oratoriarum libri quinque* (Leiden 1606) des Leidener Rhetorikprofessors Gerardus Johannes Vossius, die in Neuauflagen oder Bearbeitungen noch im frühen 18. Jh. ihre angesehene Stellung behaupteten.

Weit stärkeres Gewicht als frühere Gelehrte gab Vossius der Affektenlehre und damit der Kategorie des *movere*; er erörtert 2,1–14 kapitelweise 13 *affectus*. Nicht minder gehobenes Interesse beanspruchen die Affekte im *Orator christianus* des Carolus Regius (1613) und in der universalgelehrten Rh. des Jesuiten Nicolaus Caussin (*De eloquentia sacra et humana*, Paris 1619). In Bartholomäus Keckermanns *Systema rhetoricae* (1608) wird Rh. insgesamt als *ars movendi* verstanden; *oratio affectuosa* ist für alle Redegattungen verlangt. Valentin Thilo schließlich verfaßte eine eigene *Pathologia oratoria* (1647). Die Erzeugung von Pathos verband sich fest mit der Vorstellung von rhet. Kunst. Zwar war die emotionale Wirkung der Rede – in ma. Lehre mit Ausnahme der Predigt-Rh. so gut wie vergessen – mit der human. Rezeption von *De oratore* und der aristotelischen »Rhetorik« wieder ein Thema geworden, doch ging das spätestens seit Mitte des 16. Jh. beständig steigende Interesse an der Natur der Affekte und den Mitteln ihrer Stimulierung weit über die ant. Vorgaben hinaus. Es korreliert mit der Bed. der Affekte als konstitutivem Gegenstand in der bildenden Kunst wie der Dramatik seit der Spätrenaissance. Als Instrumentar emotionaler Darstellung und Wirkung wurde speziell die rhet. Figurenlehre neu verstanden; Figuren und Tropen wurden bestimmten Affekten als deren Ausdrucksformen zugeordnet [45].

Zur rhet. Organisation des Wissens gehörten seit dem 16. Jh die → Loci communes. Der mehrdeutige Terminus entfaltete im Human. eine schon antik geläufige Bed. (*thesis*, »allg. Thema«) zu einer neuen. Rudolf Agricola hatte in *De formando studio* [1] ein Verfahren empfohlen, mit dem alles Gelesene und Erlernte für einen künftigen Gebrauch abrufbar gespeichert werden könne: die Entwicklung von Rubriken, nach denen die Wissensbestände zu ordnen und unter sie einzutragen seien. Erfolgreich wurde dieses Konzept durch Erasmus von Rotterdam, der es in das 2. Buch von *De duplici copia verborum ac rerum* aufnahm, und v. a. durch seine Weiterentwicklung bei Melanchthon. Als *loci communes* bezeichnet Melanchthon einerseits die systematischen Hauptbegriffe einer Wiss. [11], zum andern benennen sie die Ordnungsfächer, durch welche die Vielfalt der Welt und des Lebens kategorial eingefangen werden kann [7. 138f.]. Auf Melanchthon fußt der lange verbreitete Komm. des Johannes Bernhardi (Veltkirchius) zu Erasmus' *De duplici copia* [4], der 12 *loci communes* (Gott, Natur, Mensch, Seele, Sprache, Staat usf.) ansetzt, die er jeweils in weitere *loci* unterteilt; es ergibt sich ihm ein 180 *loci communes* umfassendes System. Von den Methoden der Wissensordnung, die Erasmus und Melanchthon beschrieben, ging die Mode der praktischen Sammlungen der *loci communes* (*libri memoriales, commonplace-books*) aus [38; 41]. Sie hatte ausgedient, als die Aufklärung der Orientierung an Traditionsgut und Autoritäten selbständige Erfahrung und eigenes Urteil entgegensetzte.

Im 17. Jh. verdichteten sich manieristische Tendenzen der Spät-Ren. zu einem europ. Epochenstil. Sie waren begleitet von einer Verschiebung der Antikenrezeption auf Autoren der sog. Zweiten Sophistik, der Silbernen Latinität, auch der christl. Spätantike [32. 189–255; 33; 47]. Repräsentativ für den barocken Manierismus wurde die von Spanien (Góngora, Gracián) und It. (Pellegrini) ausgehende, vielfach durch Jesuiten getragene Argutiabewegung [50]. Argutia (»scharfsinnige, geistreich-effektvolle Rede«) als Stilprinzip meint eine auf Reiz, Überraschung, Bewunderung zielende sprachliche Artistik, ist instrumentiert mit Concetti, ingeniöser Metaphorik, allen Spielarten der Antithese, Paralogismen, Pointen u. a., kann sich aber auch in formalen Kunststücken wie Buchstaben- und originellen Wortspielen ergehen. Sie wurde Gegenstand eigener rhet. Theorien in großer Zahl (E. Tesauro, *Il Cannocchiale aristotelico*, 1654; J. Masen, *Ars nova argutiarum*, ²1660 u. a.) [34]. In der Wendung des 18. Jh. von aller barocken Manier zu Einfachheit und Natürlichkeit der Rede fand die Argutia als rhet. Stilrichtung rasch ihr Ende.

Distanzierungen von der Dominanz der Rh. begegnen, unabhängig vom Ramismus, auch sonst bereits im 16. Jh. Montaigne (*Essais* I 51) unterschrieb die alte Denunziation der Rh. – er zitiert Platons *Gorgias* – als einer Technik bloßer Täuschung, karikierte im übrigen ihre schulmäßigen Pedanterien. Doch auf solche Polemik kam es nicht an. Wesentlich war die Beschränkung des Geltungsanspruchs der Rh., den v. a. die Wortführer frühneuzeitlicher szientistischer Avantgarden betrieben. In Francis Bacons Studienprogramm [3] hat Rh. ihre Rangstellung an Naturwiss. und Logik verloren. Im Gefolge von Descartes' Verbannung der am Wahrscheinlichen haftenden Rh. wiesen die Logiker von Port-Royal [2] die Methode der rhet. *inventio* als erkenntnisfeindlich von sich; sie ließen auch der *elocutio* nur periphere Bedeutung.

Ähnlich reduktionistisch nimmt sich die von ramistischen und cartesianischen Prämissen getragene *Art de parler* des Bernard Lamy (1676) [9] aus, die indes eine neuartige Verteidigung der Rh. intendiert. Zwar hat auch sie der Rh. die Zuständigkeit für rationale Beweisführung entzogen, sucht ihr jedoch ein unverwechselbar eigenes Feld zu lassen, das der affektischen Äußerung und Einwirkung. Rhetorik wird ganz der affektiven Natur des Menschen zugeordnet und so auf emotionale Rede festgelegt; diese aber ist Sache der *elocutio*, wird in Tropen und Figuren faßbar. In Lamys Theorie der *elocutio* geht es nicht um eine affekttypische Beschreibung rhet. Figuren, wie man sie immer schon geübt hatte, sondern um die Bestimmung aller Ausdrucksweisen, die von der normalen ruhigen abweichen, als natürlicher Korrelate seelischer Bewegungen. Trachtet die emotionspsychologische Beschreibung des Rhetorischen der Rh. einen genuinen Ort sichern, verfestigt sie doch auf ihre Weise die cartesianische antirhet. Trennung von Rationalität und Emotionalität [22. 33–86; 26. 967–970]. Lamys *Art de parler*, nicht wie der herkömmliche rhet. Traktat eine Anleitung zur Beredsamkeit, sondern eine Analyse der natürlichen Grundlagen rhet. Wirkung [29. 173–177], blieb bis weit ins 18. Jh. mit hoher Anregungskraft präsent. Sein Theorem, daß jede Art der Rede natürlicherweise aus den inneren Empfindungen hervorgehe, erledigte den Begriff des rhet. *ornatus*. Es veranlaßte F. H. Hallbauer in der *Teutschen Oratorie* (1725) [6] zu dem Schluß, daß eine rhet. Figurenlehre in der Tat entbehrlich sei. Hier entgleitet der Rh. bereits der Anspruch, Instanz des sprachlichen Ausdrucks zu sein.

In der dt. Frühaufklärung hat Johann Christoph Gottsched eine Erneuerung der Rh. versucht [5], mit planvollem Rückgriff auf ihr klass. System; das Regelwerk, das er aufbaute, adaptierte die ant. Vorgaben freilich entschieden dem zeitgenössischen Redebedarf. Legitimieren konnte er die umfassend angelegte *Ausführliche Redekunst* nur durch Neubegründung des rhet. Anspruchs auf Argumentationsleistung. Er wählte den hohen philos. Maßstab der Vernünftigkeit: rednerische Persuasion sollte den strengen Regeln der Vernunft genügen, Gründe und Schlüsse im Beweisgang des Redners logischer Prüfung standhalten. Tribut zu zollen hatte die ideale Vernunft-Rh. freilich dem Verstand und Willen des durchschnittlichen Hörers; um ihn zu gewinnen, war vom Anspruch strikter Rationalität abzusehen, durfte man sich mit wahrscheinlichen Gründen bescheiden und durchaus auf affektive Mittel setzen. So geriet die reine Vernünftigkeit, welche der Aufgabe, die Einsehbarkeit des Wahren herbeizuführen, von sich aus mächtig wäre, von vornherein an pragmatische Grenzen. Der Konflikt des Vernunftprinzips mit den Wirkungsbedingungen der Rede, die beständig Zugeständnisse fordern, zieht sich durch die gesamte *Redekunst* und blieb ihr Dilemma. Probable statt zwingender Beweisgründe blieben unvermeidliche zweite Wahl, die Wendung ans Außervernünftige, an alles Affektische eine Konzession an menschliche Unvollkommenheit. Der mit Gottscheds *Redekunst* vertraute Daniel Peucer [14] leitete aus der gleichen Konfliktlage eine verständliche andere Begründung der Rh. ab: sie sei unentbehrlich, solange Menschen Affekten unterworfen seien.

Die zw. rationaler und emotionaler Verankerung der Rh. fluktuierenden Diskussionen waren die letzten, die sich um Ort und Aufgabe der *ars rhetorica* mühten. Die verlorene Selbstorientierung der Rh. indizierte einen Zustand des Zerfalls. Rhetorik hatte den Anspruch auf ihren eigenen Begriff von Rationalität aufgegeben, war, in welcher Version auch immer, der Überordnung der Philos. erlegen. Sie vermochte auch nicht mehr über sich hinaus zu wirken, verlor ihre seit Jh. sicherste Herrschaft, die über die Poesie, welche sich im Zeichen der an Ps.-Longinos gewonnenen Kategorien des Erhabenen und Wunderbaren nun regelfrei und unabhängig konstituierte.

QU 1 R. AGRICOLA, De formando studio, in: J. HAUSER, Quintilian und Rudolf Agricola, Programm Günzburg 1910, 48–59 2 A. ARNAULD, P. NICOLE, La logique ou l'art de penser, Paris 1662; dt. Übers.: Die Logik oder die Kunst des Denkens, 1972 3 F. BACON, The Advancement of Learning, in: J. SPEDDING et al. (Hrsg.), F. Bacon, The Works, Bd. VI, London 1879 4 ERASMUS VON ROTTERDAM, De duplici copia verborum ac rerum libri duo. Vna cum commentariis M. Veltkirchii (…), Hagenau 1534 5 J. C. GOTTSCHED, Grund-Riß zu einer vernunfftmäßigen Redekunst, Hannover 1729; erweiterte Fassung: Ausführliche Redekunst, nach Anleitung der alten Griechen und Römer, wie auch der neuern Ausländer (…), Leipzig 1736; kritische Ausgabe von P. M. MITCHELL, 1981 6 F. A. HALLBAUER, Anweisung zur Verbesserten teutschen Oratorie, Jena 1725, Ndr. 1974 7 J. KNAPE, Philipp Melanchthons »Rhetorik«, 1993, 121–165 8 C. F. KUMANIECKI (Hrsg.), Philippi Callimachi Rhetorica, Warschau 1950 9 B. LAMY, L'art de parler, Paris 1676, Ndr. 1980 (mit der dt. Übers. von D. C. Messerschmidt, Altenburg 1753) 10 B. MAIER (Hrsg.), Il Cortegiano con una scelta della Opere minori, 1955 11 PH. MELANCHTHON, Loci communes rerum theologicarum seu hypotyposes theologicae, Wittenberg 1521 12 L. MUNDT (Hrsg.), Rudolf Agricola, De inventione dialectica libri tres, 1992 13 H. PEACHAM, The Garden of Eloquence, London 1577, ²1593 (Ndr. Gainesville 1954) 14 D. PEUCER, Erläuterte Anfangs-Gründe der Teutschen Oratorie (…), Naumburg 1739, Ndr. 1974 15 P. RAMUS, Scholarum rhetoricarum libri XX, Frankfurt 1581 16 C. SOAREZ, De arte rhetorica libri tres ex Aristotele, Cicerone et Quintiliano praecipue deprompti, Köln 1557 u.ö. 17 J. STURM, De universa ratione elocutionis rhetoricae, Straßburg 1576 18 O. TALON, Rhetorica e Petri Rami praelectionibus observata, Paris 1548

LIT 19 D. ABBOTT, La Retórica y el Renacimiento: An Overview of Spanish Theory, in: [42. 95–104] 20 W. BARNER, Barockrhet. Unt. zu ihren geschichtlichen Grundlagen, 1970 21 B. BAUER, Jesuitische »ars rhetorica« im Zeitalter der Glaubenskämpfe, 1986 22 B. BEHRENS, Problematische Rh. Stud. zur frz. Theoriebildung der Affektrhet. zw. Cartesianismus und Frühaufklärung, 1982 23 J. BRODY, Boileau and Longinus, 1958 24 G. L. BUELOW, Rhetoric and Music, in: The New Grove, Bd. 15, 1980, 798–803 25 J. DYCK, Tichtkunst. Dt. Barockpoetik und rhet. Trad., 1966, ³1991 26 E. EGGS, s. v. Argumentation, in: HWdR 1, 1992, 914–991 27 M. FUMAROLI, Rhétorique de l'école et rhétorique adulte: remarques sur la réception européenne du traité »Du Sublime« au XVIe et au XVIIe siècle, in: Revue d'histoire littéraire de la France 86 (1986) 33–51 **28** H.-B. GERL, Rh. als Philos. Lorenzo Valla, 1974 **29** K.-H. GÖTTERT, Einführung in die Rh., ²1994 **30** V. KAPP, Die Rh. in Frankreich vom 16. bis zum 18. Jh., in: C.J. CLASSEN, H.-J. MÜLLENBROCK (Hrsg.), Die Macht des Wortes. Aspekte gegenwärtiger Rhetorikforsch., 1992, 81–94 **31** J. KNAPE, Allg. Rh., 2000, Kap. 5 **32** W. KÜHLMANN, Gelehrtenrepublik und Fürstenstaat. Entwicklung und Kritik des dt. Späthuman. in der Lit. des Barockzeitalters, 1982 **33** H.-J. LANGE, Aemulatio Veterum sive de optimo genere dicendi. Die Entstehungs des Barockstils (. . .), 1974 **34** K. P. LANGE, Theoretiker des Manierismus. Tesauros und Pellegrinis Lehre von der »acutezza« oder von der Macht der Sprache, 1968 **35** D. A. LARUSSO, Rhetoric in the Italian Ren., in: [42. 37–55] **36** P. MACK (Hrsg.), Ren. Rhetoric, 1994 **37** K. MEERHOFF, The significance of Philipp Melanchthon's Rhetoric in the Ren., in: [36. 46–92] **38** E. MERTNER, Topos und Commonplace, in: P. JEHN (Hrsg.), Toposforsch. Eine Dokumentation, 1972, 20–68 **39** J. MONFASANI, George of Trebizond. A Biography and a Study of His Rhetoric and Logic, 1976 **40** Ders., Humanism and Rhetoric, in: A. RABIL, JR. (Hrsg.), Ren. Humanism, Bd. 3, 1988, 171–235 **41** A. MOSS, Printed Commonplace-Books and the Structuring of Ren. Thought, 1996 **42** J. J. MURPHY (Hrsg.), Ren. Eloquence, 1983 **43** Ders., One Thousand Neglected Authors: The Scope and Importance of Ren. Rhetoric, in [42. 20–36] **44** W. J. ONG, Ramus, Method, and the Decay of Dialogue, 1958 **45** H. PLETT, Rh. der Affekte, 1975 **46** G. POCHAT, s.v. Human., Bildende Kunst, in: HWdR, Bd. 3, Sp. 60–69 **47** B. L. SPAHR, Barock und Manierismus: Epoche und Stil, in: W. BARNER (Hrsg.), Der lit. Barockbegriff, 1975, 534–567 **48** B. VICKERS, Rhetoric and Poetics, in: C. B. SCHMITT (Hrsg.), The Cambridge History of Ren. Philosophy, 1988, 715–745 **49** B. WEINBERG, A History of Literary Criticism in the Italian Ren., 2 Bde., 1961 **50** R. ZYMNER, s.v. Argutia, in: Reallex. der dt. Literaturwiss., Bd. 1, 1997, 133–135.

E. »NEUE RHETORIK« IM 20. JAHRHUNDERT

An der Wiederentdeckung der Rh., die in der zweiten H. des 20. Jh. vielfältig und vielstimmig zum Zuge kam – vgl. die dichte Skizze von Kopperschmidt [7. Bd. II. 1–33] –, kommen die genuinen und wirksamsten Anteile der Literaturwiss. und der Philos. zu. Es leiteten die Beteiligten der beiden Disziplinen höchst unterschiedliche Fragen und Ziele, die man nicht von ungefähr auch an der Verschiedenheit der Paradigmen ant. Rh., an die sie anknüpften, abliest. Während sich die literaturwiss. Zugriffe vornehmlich an Konzepten und Zeugnissen der röm. Rh. (Cicero, Quintilian) orientierten, war für das philos. Interesse die ganz andere aristotelische *Rh.* das erstrangige Bezugswerk. Im folgenden seien einige Beitr. der Literaturwiss. und der Philos. illustriert, die in der Epoche des Neuaufbruchs Richtung wiesen oder wenigstens exemplarische Bed. hatten und v. a. für eine Rezeptionsgeschichte ant. Rh. unverzichtlich sind.

Die in den 1950er J. einsetzende und nach und nach weltweit sich anbahnende neue Aufmerksamkeit für Rh. ging zu einem guten Teil auf die überragende Wirkung von Ernst Robert Curtius' *Europ. Lit. und lat. MA* (1948, ²1954 u.ö.) zurück; das Buch wurde Jahrzehnte lang aufgelegt und in alle Kultursprachen übersetzt. Curtius hatte nicht mit Rh. als forensischer Disziplin oder, allgemeiner, als Theorie persuasiven sprachlichen Handelns zu schaffen. Der Romanist und *homme de lettres* blickte vielmehr auf die europ. Literaturtrad. und glaubte als die sie tragende und kontinuierende Kraft die ant. Rh. und ihre fortdauernde bildungsgeschichtliche Präsenz ausgemacht zu haben. Er verlor sich nicht in den verschiedenen Lehrgebäuden der klass. Rh. und ihren variablen Details, sondern rückte in den Mittelpunkt seiner durch die Jh. verfolgten Beobachtungen, die er zu präsentieren wußte, die Topik – eine Topik, die er, beträchtlich entfernt von der Topik der ant. Doktrinen selbst, nur mehr als Topik von → Loci communes auftreten ließ, und viele der »Topoi«, die er so nannte, waren nicht einmal Loci communes nach deren möglichem rhet. Begriff, waren vielmehr geprägte sprachliche Denkbilder kategorial unterschiedlichster Art, die mehr oder minder häufig und dauerhaft in den Literaturen des alten Europa begegnen. In Wahrheit entwarf Curtius eine ›histor. Topik‹ [2. 92] der Lit., die für ihn auch ›Nova Rhetorica‹ [2. 138] heißen durfte. Das Konzept hat, soweit es eine insgesamt rhetorikgeschichtliche Basis beanspruchte, berechtigte scharfe Kritik erfahren, allerdings auch die ihm inhärente Vorstellung von Geschichte als Tradition [4]. Seine Popularität, die noch anhält, verdankt es gerade seiner begrifflichen Schlichtheit und Schwäche, die es für jeden auch der Rh. gänzlich Unkundigen handhabbar macht, v. a. früh schon einen inflationären Gebrauch des Topos-Begriffs stimulierte. So war Curtius' Topik der lit. Konstanten das Muster der um 1955 von H. Popitz kreierten »sozialen Topik« [12], welche den sich auch sprachlich manifestierenden Bestand von Konstanten der Mentalität sozialer Gruppen zum Gegenstand hat. Es bleibt Curtius' bedeutendes Verdienst, das rhetorikgeschichtliche Interesse wirksam geschürt und mit der »histor. Topik« eine wesentliche Dimension der europ. Lit. freigelegt zu haben, für die man zuvor keinen Blick hatte.

Als eine Grundlagendisziplin der Literaturwiss. suchte auch Heinrich Lausberg die ant. Rh. zu aktualisieren, in einem Entwurf, der mit Curtius' »Nova Rhetorica« so gut wie nichts gemein hat, sich auch im übrigen gänzlich geschichtslos verhält. Zentrale Prämisse seines *Handbuchs der lit. Rh.* [8] war die Annahme der Universalität der rhet. *materia*; sie legte ihm den Schluß nahe, daß die rhet. Technik sich in ihren gedanklichen und sprachlichen Formen auf die gesamte Lit. anwenden und das Genus iudiciale sich als Modellfall aller lit. Inhalte betrachten lasse [8. §§ 47–52]. Lausberg überführte das ant. rhet. Lehrgut – mit erheblichen Abstinenzen (insbes. von der aristotelischen Theorie) – in ein zwar auf Quintilian aufbauendes, aber durchaus übergeordnetes taxonomisches System, das er als Darstellung einer allg., von der Ant. bis in die Neuzeit ausgreifenden lit. *langue* verstanden wissen wollte. Das recht unlesbare

Buch baut einer rhet. Texttheorie vor, hatte aber v. a. als technische und doxographische Sammlung und als konkurrenzloses Nachschlagewerk seinen Erfolg.

Noch entschiedener machte Jacques Dubois 1970 in seiner *Rhétorique générale* [3] Rh. zum Reservat der Lit. und beschränkte dabei ihren Gegenstand sogar strikt auf lit. Sprachkunst. Er verteidigte diese Reduktion als histor. fällige Distanznahme von der untergegangenen alten Rh.; nurmehr Stilistik sei die Rh. der Moderne. Literarische Sprache konstituierte sich für Dubois im *écart* (Abweichung) von einer bestehenden Sprachnorm, genauer: in deren Transformation; transformierende Abweichung aber sah er in den rhet. Figuren manifestiert. Daraus folgte sein zentrales Anliegen, die rhet. Figurenlehre neu zu formulieren, sie erstmals – in schmaler bes. Auswahl – als konsistent strukturiertes System der Stilistik zu beschreiben. So ausdrücklich er sich dafür auf eines linguistischen Instrumentars bediente, blieb er doch wesentlichen Vorgaben der klass. Rh. verpflichtet. Schon das Leitkriterium der Abweichung, das er selbst auf Theoretiker des russ. Formalismus zurückführte, ist bereits typisch in ant. Definitionen der rhet. Figur enthalten, etwa bei Quintilian (inst. 9,1,4): ›figura, sicut nomine ipso patet, conformatio quaedam orationis remota a communi et primum se offerente ratione‹. Ausdrücklich Quintilian entlehnt sind die vier Operatoren der Transformation in lit. Sprache, sind identisch mit den vier sprachlichen Änderungskategorien *adiectio, detractio, transmutatio, immutatio* (Quint. inst. 1,5,38–41).

Die literaturwiss. Zugriffe auf Rh. vermochten deren textanalytisches und texttheoretisches Potential bewußt zu machen und – literarhistor. wie systematisch – neu zu nutzen. Mit der Verlagerung des Interesses auf Rh. allein als lit. Erscheinung entglitt ihnen jedoch gänzlich die Frage nach dem urspr. Begriff und der Begründung des Rhet. selbst. Bereits 1958 aber hatte Chaim Perelman eine auf die Theorie der Argumentation konzentrierte *Neue Rh.* [9; 10; 11] vorgelegt, welche, bauend auf der aristotelischen *Rh.*, das Verständnis von Rh. und ihres Geltungsanspruchs fundamental erneuerte. Perelman war an die ant. Rh. geraten auf der Suche nach der Logik der Werturteile, die der traditionellen Philos. als wahrer Gewißheit nicht zugänglich und daher als außervernünftig galten. Am Beispiel der Rh. erkannte er, daß die Fragen der praktischen Vernunft, die sich in der Tat deduktiver wie induktiver Lösungen verschließen, einer anderen Rationalität, der argumentativen, zugänglich sind und durch argumentativen Diskurs für sie Übereinstimmung der Meinungen erzielt werden kann. Mit Aristoteles teilt er die argumentationstheoretische Legitimation der Rh.: In jeder Gesellschaft besteht die Notwendigkeit, sich über Angelegenheiten zu beraten, die der Entscheidung bedürfen und deren Entscheidung herbeizuführen einer konsensfähigen Argumentation obliegt (Aristot. rhet. I 2. 1357a1–7 u.ö.). Von wesentlichem Belang ist, daß Perelman spezifische Eingrenzungen, die Aristoteles für die Rh. vorsah, tilgt. Er hebt die qualitative Differenz

zw. dialektischer und rhet. Argumentation auf, eine Konsequenz nur seiner neuen Fassung des Publikumsbegriffs. Gerade darin ist seine Rh. »neu«, daß sie Argumentation als Appell an die Vernunft einer beliebigen Art und Zahl von Hörern betrachtet, als Appell an eine virtuell universale Zuhörerschaft. Es versteht sich, daß mit solcher Entgrenzung des Publikums höchste Verallgemeinerungs- und Stringenzansprüche an die Argumentation gestellt sind. Konsens mit einem »auditoire universel« gefunden zu haben, bedeutet das erreichbare Maß an argumentativer Rationalität. Perelmans Ideal des Consensus opponiert den neuzeitlichen apodiktischen Philosophien, denen die Bescheidung der Rh. mit dem Wahrscheinlichen verächtlich sein konnte, solange ihre Versprechen, zu endgültigen Gewißheiten zu führen, verläßlich schienen. Die Ph. hat für ihn einzuräumen, daß auch sie nur über Argumentation verfügt, Wahrheitsansprüche nur als argumentativ ermöglichte und konsensuell anerkannte Geltungsansprüche einlösbar sind. Damit ist auch der Gegenstandsbereich der Rh., konzeptualisiert im Sinne der *Rhétorique nouvelle*, universell; sie umfaßt jeden Diskurs außerhalb der formalen Logik und der Mathematik.

Perelman hat im *Traité* wie in *L'empire* nach einem einleitenden und grundlegenden Teil die Logik der Argumentation zu analysieren unternommen, beispielreich Arten von Argumenten und Prämissen, von argumentativen Techniken und Schlußverfahren untersucht, vieles auf der Folie ant. Rh. und Topik. Zu breiterer Resonanz kam sein Werk in Deutschland seit den 1970er Jahren. Die Diskussion der von ihm aufgenommenen aristotelischen Substanz kam, wie beispielhaft zahlreiche Arbeiten J. Kopperschmidts [5; 6] zeigen, einer vertiefenden Erkenntnis der Eigenart und des Rangs der aristotelischen *Rh.* selbst zugute.

Es überrascht nicht, daß auch in einem von Reflexion einer Vielzahl großer europ. Denkbewegungen gesättigten Essay, wie in Hans Blumenbergs brillanter *Anthropologischer Annäherung* (1970) [1], wiederum Aristoteles' *Rh.* von zentraler Wirksamkeit war. Nicht daß Blumenberg eine förmliche Besprechung des Ausgangswerks allen Nachdenkens über Rh. bemüht hätte; er erwähnt es nicht einmal. Doch die Merkmale, die Blumenberg als konstitutiv für die »rhet. Situation«, Ausgangszone seiner *Annäherung*, ausmachte, nehmen deutlich genug aristotelische Leitkriterien des Rhet. auf: ›Evidenzmangel und Handlungszwang sind die Voraussetzungen der rhet. Situation‹ [1. 297] und, vervollständigt um den Faktor Zeit: ›Sich unter dem Aspekt der Rh. zu verstehen heißt, sich des Handlungszwanges ebenso wie der Normenentbehrung in einer endlichen Situation bewußt zu sein‹ [1. 293]. Notwendig erscheint als drittes das ingrediente Konsensprinzip, Herstellung von Verständigung als Ermöglichung von Handeln [1. 289]. Blumenberg lotet das von Aristoteles markierte Aporetische der rhet. Situatiuon auf seinen anthropologischen Grund aus, erschürft ihn im Mängelwesen Mensch, das naturhafte ›Regelungen‹, die ihm fehlen, durch Handlungen ersetzen muß‹ [1. 289] und dabei auf die Kunst angewiesen ist, ›sich im Provisorium vor allen definitiven Wahrheiten und Moralen zu arrangieren‹ [1. 290f.]. Die verspätete philos. Disziplin, als die bei Perelman die »neue Rh.« in ihrer Zuständigkeit für das gesamte Gebiet des nichtformalisierten Denkens erscheint, ist Rh. bei Blumenberg nach der in ihr angelegten Anthropologie.

1 H. BLUMENBERG, Anthropologische Annäherung an die Aktualität der Rh., in: [7. Bd. II. 285–312] 2 E. R. CURTIUS, Europ. Lit. und lat. MA, ²1954 u.ö. (¹1948) 3 J. DUBOIS, F. EDELINE et al., Rhétorique générale, 1970 (dt. Allg. Rh., 1974) 4 P. JEHN (Hrsg.), Toposforsch., 1972 (Einleitung, bes. der Beitr. von E. MERTNER) 5 J. KOPPERSCHMIDT, Rhetorica. Aufsätze zu Theorie, Gesch. und Praxis der Rh., 1985 6 Ders., Philos. und Rh. – das E. einer Konfliktbeziehung?, in: Ders., H. SCHANZE (Hrsg,), Rh. und Philos., 1989, 341–360 7 Ders. (Hrsg.), Rh. Bd. 1: Rh. als Texttheorie, Bd. 2: Wirkungsgesch. der Rh., 1990f. 8 H. LAUSBERG, Hdb. der lit. Rh. Eine Grundlegung der Literaturwiss., 1960, ³1990 9 CH. PERELMAN, L. OLBRECHTS-TYTECA, La nouvelle rhétorique. Traité de l'argumentation, 1958 10 Ders., The New Rhetoric: A Theory of Practical Reasoning, in: Ders., The New Rhetoric and the Humanities, 1979, 1–42 11 Ders., L'empire rhétorique. Rhétorique et l'argumentation, 1977 (dt. Das Reich der Rh., 1980) 12 H. POPITZ, H. P. BARDT et al., Das Gesellschaftsbild des Arbeiters, 1957, bes. 81ff. u. 163ff. FRANZ JOSEF WORSTBROCK

II. RHETORIK UND ALLGEMEINBILDUNG

A. DEFINITIONEN   B. BEZUGSMÖGLICHKEITEN
C. ANTIKE BEZUGSMODELLE   D. PATRISTIK
E. MITTELALTER   F. KAROLINGISCHE ZEIT
G. RENAISSANCE/HUMANISMUS
H. RATIONALISTISCHE UND PIETISTISCHE ABWEHR
(17. JAHRHUNDERT)   I. WIEDERENTDECKUNG (18.
JAHRHUNDERT)   J. BÜRGERLICHE BEREDSAMKEIT
UND TABUISIERUNG (19. JAHRHUNDERT)
K. DEMAGOGIE UND NEUBEGINN

A. DEFINITIONEN

»Rh.« steht einerseits für die in Griechenland entwickelte Redetechnik bzw. -methodik, wie sie in der röm. *Rhetorica ad Herennium* erstmals zusammenhängend überliefert ist. Dort geht es um die Regeln des richtigen und überzeugenden Redens, die rhet. Produktionsstadien der Materialerfassung und -gliederung (*inventio, dispositio*), der Vertextung, des Einprägens und des Vortragens (*elocutio, memoria, actio*), um die Arten des Redeaufbaus sowie die nach Anlaß differierenden Redeformen. Zunehmend wird diese rhet. Technik durch lit., gramm., rhythmische und schauspielerische Prinzipien sowie durch Kompendien von Bonmots, Sprichwörtern, Beispielen, Analogien oder sprachlichen Wendungen ergänzt [51]. »Rh.« wird aber andererseits im erweiterten Sinne verstanden, wenn die typischen Überzeugungskräfte des Redners *ethos, pathos* und *logos*, dessen Wirkungsarten *docere, delectare* und *movere*, die

sprachlich-emotiven und aussagenlogischen Mittel des Redens *paradigma* und *enthymema*, die unveränderlichen logischen Quellen der Argumentation (*tópoi koinoí, loci communes*) oder die Bedeutsamkeit der Affekte und der rhet. Situationsebenen (Redner/Stoff/Publikum) thematisiert werden. Die scharfsinnige Durchdringung dieser und ähnlicher Fragestellungen gelang erstmals Aristoteles in seiner »Rh.« [27; 75]. Seither meint dieser Terminus neben den röm. Begriffen *ars rhetorica* bzw. *ars dicendi* sowohl die Redetechnik als auch die mit ihr verbundenen allg. Fragestellungen. In variabler Betonung fließen beide Seiten der Rh. in spätere Bildungskonzeptionen ein.

Bezeichnet »Erziehung« die Absicht, Kinder und Jugendliche an gesellschaftlich anerkannte Haltungen zu gewöhnen, »Sozialisation« dagegen den unbewußten Prozeß der Annahme und Weitergabe von Denk- und Handlungsweisen, so steht »Bildung« für einen verständigen Nachvollzug von Wissens- und Erfahrungsgehalten zur individuellen Erfassung von Zusammenhängen. Diese strukturelle Dreiteilung verliert in empirischen Forsch. zwangsläufig an Trennschärfe. Generelle Übereinkunft besteht wohl darin, daß der Bildungsbegriff seit Pestalozzi »allg. Menschenbildung« im Sinne einer Zurückweisung vorzeitiger Spezialisierungen und Ideologisierungen zu nationalen, rel., beruflichen, parteipolit., industriellen etc. Zwecken meint. Das bestmögliche Wachstum der gesamten geistigen und körperlichen Fähigkeiten aller Menschen ist das eigentliche Ziel des Bildungsvorgangs. Erst Bildung befreit aus ungewollter Bevormundung und ermöglicht einen intelligenten und vernünftigen Einsatz der aus Erziehung und Sozialisation resultierenden Haltungen innerhalb einer selbstbestimmten Lebensführung [10. 97]. Diesen letztlich demokratischen Ansatz impliziert bereits Aristoteles, wenn er – im Anschluß an Platon – *enkýklios paidéia* als eine auf die menschliche Natur (*phýsis*) aufbauende und durch Erziehung (*éthos*) vorbereitete umfassende Bildung (*lógos*) definiert [54], womit er dem Bildungsprozeß gleichzeitig einen generellen Ort in der pädagogischen Praxis zuweist. »Allgemeinbildung« und »Bildung« werden also im folgenden synonymisiert, womit die oftmals bevorzugten Ansätze einer Vorab-Formulierung von Kenntnisstandards oder einer statistischen Ermittlung von Kenntnisdurchschnitten sekundären Charakter erhalten.

B. BEZUGSMÖGLICHKEITEN

Die generellen Möglichkeiten, Rh. und Bildung aufeinander zu beziehen, sind auf der Basis dieser Festlegungen beschränkt: Entweder ist Rh. Teil eines insgesamt bildenden Lehrkanons und entwickelt ihre Wirkung als erlernter Wissensbereich und/oder als eingeübte Handlungsfertigkeit. Historisch beginnt diese Einbindung mit der griech. Zusammenstellung der *septem artes liberales* (Gramm., Rh., Dialektik, Arithmetik, Musik, Geom., Astronomie), die wohl in den *disciplinae* Marcus Terentius Varros (116–27 v. Chr.) erstmals systematisiert wird [23; 65]. Oder aber die Rh. wird als interdisziplinäre Konzeption zur Mehrung des Wissens, zur Erkenntnisgewinnung und zur Erhöhung geistiger Fähigkeiten verstanden und stellt damit eine eigenständige Bildungstheorie dar. Als solche ergänzt sie die philos. Auffassung von *paidéia* [45; 61], wie sie insbes. von Platon (428/27–349/48, *Gorgias, Menexenos*) gegen die Behauptung der sophistischen Rhetoren, nur sie seien vollkommen gebildet, verteidigt wurde (*Gorgias* 449a ff.).

C. ANTIKE BEZUGSMODELLE

Rh. als Bildungstheorie läßt sich bereits im Alt. finden: Entgegen seiner frühen Abwehrhaltung läßt sich Platon im Dialog *Phaidros* auf die Redekunst ein und erfaßt sie erstmals mit philos. Mitteln. Ein guter Redner, so schlußfolgert er aus seinen Überlegungen, muß v. a. die seelischen Ideen und damit die Wahrheit kennen (Phaidr. 259e ff., 271b ff., vgl. auch [45. 1142]). Mit diesem Diktum wird dem Redner die Fähigkeit zugesprochen, über philos. Erkenntnis zur Wahrheit gelangen zu können. Isokrates (436–338) vertritt dagegen nicht nur eine sprachlich-ästhetische Geistesschulung des Redners, sondern beschäftigt sich auch mit ersten Ansätzen einer spezifisch rednerischen Erkenntnistheorie wie etwa der Erlangung von Weisheit (*sophía*) durch rhet. motivierte Beschäftigung mit dem Weltwissen (*Antidosis, Nikokles, Antisophistes* [19; 91]).

Basierend auf Aristoteles, Platon, Isokrates u.a baut dann Marcus Tullius Cicero (106–43 v. Chr.) die Redetechnik zu einem generellen Verfahren der effizienten Erfassung, Zusammenordnung, Aneignung, Interpretation, Erkenntnis und Versprachlichung von Wissen aus. Damit wird erstmals eine durchgängige rhet. Bildungstheorie überliefert [84; 8; 12]. Grundgedanke Ciceros ist der moralisch gute Redner, da die Redetechnik allein keine sozialethischen oder rechtlichen Bindungen enthält. Darüberhinaus kann das Regelwerk nur sinnvoll eingesetzt werden, wenn der Redner weiß, worüber er spricht. Sittliche Erziehung und soziale Integration werden so zu notwendigen Bedingungen des rhet. Bildungsprozesses. Philosophische, histor. und juristische Kenntnisse sollen einer kontinuierlichen Vervollkommnung der *humanitas*, bestehend aus wiss.-kognitiver *eruditio*, sozialethischer *urbanitas* und sprachlich-ästhetischer *litterae*, dienen. Kernpunkt der rhet. Logik ist mit Aristoteles das Enthymem (*logismós*, Wahrscheinlichkeitsschluß) als ein spezifischer Syllogismus. Seine Prämisse ist immer eine wahrscheinliche Annahme, nicht jedoch eine festliegende Wahrheit oder eine vage Hypothese. Durch die logische Verknüpfung mit einer zweiten wahrscheinlichen Annahme oder mit einem Faktum ergibt sich als *conclusio* ein höherer oder minderer Grad der Wahrscheinlichkeit. Dieses aus dem ant. Prozeßwesen stammende Verfahren kann bei geschickter Handhabe zur hochgradigen, sich der Wahrheit annähernden Wahrscheinlichkeit (*veri simile*) eines Sachverhalts führen. Folglich geht Cicero nicht mehr wie Platon von angeborenen Ideen aus, sondern faßt die Idee (*species*) als einen individuell wählbaren methodi-

schen Fixpunkt zur allgemeinsten Bestimmung eines Gegenstandes auf, der in seinem ganzen Umfang noch zu erfassen ist. Cicero hat diese Denkmethodik zu einem generell einsetzbaren, apperzeptiven und sich der *perfectio* annähernden Selbstlernverfahren (*ipse discere*) entwickelt, das zwangsläufig die Möglichkeit des eigenen Irrtums einschließt. Innerhalb der rhet. *inventio* ist das Enthymem logische Basis einer kontradiktorischen Abwägung aller sachlich zugehörigen Informationen. Dieses auf die Sokratische *Maieutik* zurückgehende Verfahren der *ratio disserendi* bzw. des *in utramque partem disserere* ist nicht mehr wahlloses Stoffsammeln, sondern ein hermeneutischer und ideologiefreier Verständnis- und Erkenntnisgang. Zur Durchdringung rel. Fragestellungen eignet sich die Methode nicht. Über seine stete Rückbesinnung auf Erfahrung und Handlung hat enthymematisches Denken pragmatisch-skeptischen Charakter. Nur ein Mensch, der auf diese Weise in seinem Denken frei (*liber*) ist, kann auf dem Boden einer soliden sittlichen Erziehung zur *humanitas* kommen. Er überwindet dann nicht nur die Grenzen der Fachdisziplinen [88], sondern auch das strenge Reglement der hergebrachten Redetechnik und entwickelt stattdessen im gesamten kognitiven, mündlichen und schriftlichen Sprachgebrauch humanitäre Eloquenz. Spätestens seit diesem Ansatz kann von einer Allgegenwart (Ubiquität) der Rh. gesprochen werden [87. 134; 161]. Aufgrund ihrer Erkenntnisbasis konfligiert die rhet. Bildungstheorie zwar immer wieder mit statischen Denksystemen, führt aber auch nachhaltig zu einer freieren geistig-kulturellen Entwicklung.

M. Fabius Quintilian (ca. 35–100 n. Chr.) institutionalisiert im systematischen Werk *Institutio oratoria* (ca. 95 n. Chr.) die Rh. zu einem Lehrfach. Über die Rezeption Ciceros bleibt der Bildungsgedanke zwar rudimentär erhalten, wird aber durch didaktische Fragestellungen überlagert [63; 5; 55]. Ursache hierfür ist, daß das Buch als Einweisung für die neuen Rhetoriklehrer konzipiert war, die an den von Vespasian wiedereröffneten Rhetorikschulen beschäftigt werden sollten [26. 1308].

D. PATRISTIK

Über ihre frühchristl. Rezeption bei Tertullian (160–220) läßt sich die pädagogische Wirkung der Rh. zunächst in die Patristik verfolgen [86]. Hier ist, wie etwa bei Johannes Chrysostomos (347–407), eine scharfe Zurückweisung der technisch aufgefaßten Schul-Rh. zu verzeichnen, da sie ausschließlich auf äußeren Erfolg, nicht jedoch auf Erkenntnisgewinn und Moralität bedacht sei (PG 58,584B; PG 62,152A). Auch Augustinus (354–430) berichtet aus seiner Zeit als Rhetoriklehrer, daß er seine Kunst als ›siegreiche Geschwätzigkeit‹ gelehrt habe (Conf. 4,2). Trotzdem führt er seine erste »Bekehrung« auf die – verlorene – rhet. Schrift Ciceros, den *Hortensius*, zurück (Conf. 4,7 und 8,17) [25. 18]. Aus ihr habe er gelernt, irdischen Gütern zu entsagen und die Weisheit (*philosophia, sapientia*) um ihrer selbst willen zu suchen (Conf. 4,7 und 7,17). Die bereits in *De oratore* inhaltlich skizzierte Schrift, in der es wohl um die höchste rednerische Vervollkommnung durch stetes, lebenspraktisches Philosophieren innerhalb der *ratio disserendi* ging, wirkt über Augustinus auf den inneren Aufbau der Kirche ein. Eine erste Brechung der Überlieferung läßt sich jedoch in der Festlegung des rhet. Bildungsprozesses auf christl. Überzeugungen erkennen, wenn etwa Augustinus »Weisheit« als eine die Vernunft (*ratio*) überschreitende Glaubenserkenntnis Gottes faßt.

E. MITTELALTER

Auffälligerweise kann trotz des gestrengen *ipse dixit*, mit dem sich die Scholastik auf Aristoteles beruft, weder von einer pädagogischen Wirksamkeit seiner Rh. noch anderer rhet. Schriften gesprochen werden. Vielleicht liegt die Ursache für diese Entwicklung darin, daß Boëthius (ca. 470–525), dessen Übers. und Erläuterungen Aristotelischer Werke die Scholastiker vermehrt heranzogen, rhet. Schrifttum ausgeklammert hatte. In den Kloster- und Lateinschulen, die speziell der Rekrutierung des Klerus dienten, bildete sich unter Rückgriff auf Augustinus stattdessen die Predigtlehre als christl. Sonderweg des Vortraghaltens heraus. Auch wenn die Homiletik in ihren technischen Möglichkeiten letztlich auf der traditionellen Rh. fußte, hatte sie ihr inhaltliches Vorbild in der biblischen Rede der guten Beispiele und Gleichnisse und überging auf diese Weise die entscheidenden philos. Fragestellungen. Keinesfalls durfte sie die Verfahren enthymematischer Erkenntnisgewinnung aufnehmen, da sie darin die Anleitung zur Häresie verbarg. Demgemäß war es die aristotelische Dialektik, die – inhaltlich festgelegt auf Syllogismen, die von obersten Glaubenssätzen als Prämissen ausgingen – ihren Siegeszug durch Schul- und Studierstuben begann. Im pädagogischen Diskurs wird auf dieser Grundlage die christl. Erziehung thematisiert, wie etwa bei Ägidius de Colonna. Von hier aus zieht sich über Johannes Ch. Gerson, Dionysius Carthusianus und Jacob Sadolet eine katholische Linie der Pädagogik bis zu den Konkordatslehrstühlen der Gegenwart.

F. KAROLINGISCHE ZEIT

Ein freierer Umgang mit der ant. Überlieferung geht noch im MA von Alkuin (735–804) aus, seit 782 Rhetoriklehrer Karls d. Gr. [85. 22], wichtigster Ratgeber in Bildungsfragen sowie Begründer und Organisator des westfränkischen Schul- und Bildungswesens. Alkuin läßt eine große Zahl Klosterschulen eröffnen, deren Erstunterricht er den *septem artes*-Kanon zugrunde legt. Die Lehrer stattet er mit selbstverfaßten, weitgehend auf Cicero und Quintilian fußenden Lehrbüchern in Gramm., Rh. und Dialektik aus [18. 63 f.] und hält sie zur Erforsch. des gesamten ant. Schrifttums, zu Übers. und christl. Interpretationen an. Alkuins bedeutendster Schüler Rhabanus Maurus (784–856) baut ab 817 die Fuldaer Klosterschule zur zentralen klerikalen Bildungsstätte des Ostfränkischen Reichs aus. Seine Didaktik *De clericorum institutione* (Fuldensis/Fulda 819), in die er Alkuins Zentrierung der *septem artes* übernimmt, wird zum einflußreichsten pädagogischen Handbuch des 9. und 10. Jh. Neu in ihm ist die rhet. Forderung, der Novize solle sich den Stoff nicht mechanisch aneignen, sondern selbsttätig erarbeiten, da allein die Gedankenoperation zu einem fortschreitenden Sachverständnis führe. Damit läßt Rhabanus nicht nur der individuellen Suche nach Wahrheit Raum, sondern gibt dem klerikalen Unterricht auch bildenden Charakter. Die Fuldaer Schule entwickelt sich daraufhin zur wichtigsten Kultur- und Wissenschaftsstätte Süddeutschlands: aus ihr gehen bedeutende Gelehrte des 9. Jh. wie etwa Servatus Lupus und Walafridus Strabo hervor, an ihr orientiert sich die gesamte ostfränkische Literatur. Rhabanus' Unterrichtsverfahren wird von einer Anzahl Klosterschulen – unter ihnen St. Gallen und Reichenau – übernommen. Obwohl die Kirche dieser Entwicklung inquisitorisch beizukommen versucht, finden sich schon in der rhet. Abteilung von Hugo de St. Victor (1097–1141) sieben Büchern *Eruditio didascalica* (Parisiis/Paris um 1125) wieder Hinweise auf effizientes Lernen und die individuelle Erlangung von Weisheit.

G. RENAISSANCE/HUMANISMUS

Seit dem 13. Jh. wenden sich christl. Gelehrte mit ihren Fragen erneut an die ant. Überlieferung. Nahezu einhellig geht diese kritische Haltung mit einer Ablehnung der scholastisch vereinnahmten Dialektik Aristoteles' und einer wachsenden Anbindung an Ciceros rhet. *humanitas* einher (Ciceronianismus; [77], anders [66], vgl. allg. [14; 15; 43]). Im Zuge dieses Methodenstreits fällt das kirchliche Wahrheitsmonopol.

Im 14. Jh. entfaltet die ant. Rh. ihre Bildungswirkung zunächst nur spärlich. Francesco Petrarca (1304–1374) wendet sich in seiner Stilfindung zwar nur an das mittelbar rhet. Schrifttum Ciceros, verfügt aber auch über eine Teilüberlieferung (*codex mutilus*) der *Institutio oratoria*. Nachweislich setzt er die Rh. konzeptionell gegen die scholastische Dialektik [23. 177]. Seine Prosaschriften zur Formkraft der menschlichen Rede, zum Dialog als Verfahren des Lernens und Erkennens und zum Verfassen von Briefen als Möglichkeit der Selbstfindung bieten vielfache Hinweise auf die rhet. Überlegungen Ciceros und Quintilians [14. 76 ff.]. Auch in die *studia humanitatis* fließen diese ersten rhet. Anbindungen ein [17].

Angesichts dieser Entwicklung ist es wohl kaum als Zufall zu bezeichnen, daß zu Beginn des 15. Jh. im Kloster von St. Gallen (1416) ein Gesamtcodex von Quintilians *Institutio oratoria*, im Kirchenarchiv der oberitalienischen Stadt Lodi (1421) die vollständigen Abschriften von Ciceros *De inventione* (ca. 92 v. Chr.), *De oratore* (55 v. Chr.), *Orator* und *Brutus* (beide 46 v. Chr.) sowie von der anon. *Rhetorica ad Herennium* aufgefunden werden. Diese Entdeckungen lösen eine Dynamisierung des human. Bildungsgeschehens aus [63]. Die zunehmenden Versuche, pädagogische Fragestellungen mit rhet. Mitteln zu durchdringen und zu systematisieren, führen zur Anbindung eines Großteils bildungstheoretischer und didaktischer Überlegungen an die Rh. [72. 59 f.]. Während bei frühen Humanisten dieser Zeit wie Guarino von Verona, Maphaeus Vegius, Paulus Vergerius oder Victorinus von Feltre Rh. hauptsächlich noch als stilistische und gramm. Ratgeberin verwandt wird [14. 171 ff.], fügt der Scholastiker Konrad Bitschin (ca. 1400–1472) seiner Enzyklopädie *De vita coniugali* (hrsg., übersetzt und kommentiert von R. Galle 1905) mit *De prole et regimine filiorum* (Culmensis/Culm 1433) einen eigenständigen Pädagogikband hinzu und durchbricht damit die übliche, den *septem artes* folgende Siebenteilung. Dort bezieht er sich insbes. auf die *Rhetorica ad Herennium*, auf Cicero, Quintilian und Hugo de St. Victor, ebenso aber auf die aristotelische Rh., um die korrekten Methoden des Studiums alter Philosophen, des effizienten Lesens und Zuhörens sowie des erfolgreichen Lernens und Memorierens aufzuzeigen (*De prole* 44.68 ff.). Der einzige Weg der Erkenntnis sei dabei das rhet. ›Nachforschen mittels der Vernunft (*ratio*)‹, um das Gute auffinden und zu seiner Handlungsmaxime machen zu können (*De prole* 48). Rudolf Agricola (1442–1485) übersetzt nicht nur Reden und Schriften von Isokrates und Demosthenes ins Lat., sondern lehnt sich in *De inventione dialectica* (Lovaniensis/Löwen 1515) auch programmatisch an den ersten Arbeitsschritt des Rhetors, die Materialsammlung und -sichtung (*inventio*), an und baut sie zu einem dialektischen Erkenntnis- und Bildungsverfahren aus. Dialektik wird damit zur rhet. verstandenen Methode der logisch korrekten Unt. des Weltwissens nach seinen möglichen Beziehungen. Agricolas Lütticher Schule wird daraufhin zur bedeutungsvollsten human. Bildungsanstalt der Zeit. Mit seiner Erkenntnismethodik und seinen Organisationsformen (gruppenunterrichtliche Dekurienteilung) inspiriert er u. a. die Schulpraktiker Alexander Hegius in Deventer, Valentin Trotzendorf in Schlesien und Johannes Sturm in Straßburg. Aus Deventer gehen wiederum Erasmus von Rotterdam sowie die Schulgründer Moritz von Spiegelberg (Emmerich), Richard von Langen (Münster) und Johannes Murmellius hervor. In Süddeutschland ist es Jakob Wimpfeling (1450–1528), der rhet. Gedankengut in die Pädagogik überführt. Die auf Moralerziehung folgende Geistesschulung versteht er mit Rhabanus als einen von äußeren Zweckbestimmungen unabhängigen Bildungsvorgang: ›Der Jüngling studiere die Wiss. in frommer Absicht und zu einem guten Zwecke, nicht, um eitlen Ruhm zu erwerben oder um sich Reichtümer zu verschaffen, sondern zur Zierde seines Geistes, zum Wachstum in der Tugend (...) zum Wohle des Gemeinwesens (...) zur Erkenntnis seiner selbst, bes. seiner unsterblichen Seele‹ (Übers. [42. 235]). Wie ihm hierbei v. a. die rhet. Lern- und Verständnismethoden behilflich sein können, führt Wimpfeling in seiner Schrift »Die nützlichste Art der Rh., speziell Schülern zugeeignet« (*Rhetorica eiusdem pueris utilissima*, Spira/Speyer 1493) aus und schlußfolgert in seiner Didaktik *Isidoneus Germanicus* (Spira/Speyer 1497), daß ›die Lehrer (...) aufs Sorgfältigste in acht nehmen (sollen), daß sie den Schülern nicht einen Unterricht erteilen, der ihren geistigen Anlagen

nicht entspricht oder ihre Kräfte übersteigt; wie die meisten tun, welche (...) denselben ohne Auswahl und Überlegung hohe und dunkle Dinge eintrichtern‹ (Übers. [42. 235]). Diesem Ansatz liegt erstmals eine Übertragung der rhet. Trias und ihrer Implikationen auf die didaktische Grundsituation (Lehrer-Stoff-Schüler/didaktisches Dreieck) zugrunde. Dabei berücksichtigt Wimpfeling insbes. den Ciceronischen Ausgangspunkt, Inhalte seien sprachlich und inhaltlich an den Kenntnis- und Entwicklungsstand des Publikums anzupassen (*aptum*).

Im 16. Jh. ist sowohl bei frz.- als auch bei deutschsprachigen Humanisten eine vermehrte Hinwendung zur Rh. als Bildungs- und Erkenntnismittel zu verzeichnen [79]. Zeitgleich zur Reformation findet allerdings ein von katholischer und protestantischer Seite ausgehender Abwehrkampf gegen die Rh. statt, der sich im wesentlichen gegen die ideologische Unabhängigkeit des rhet. Lernens und Erkennens richtet. Aus katholischer Sicht gehen letztgültige Wahrheiten in Fragen der Weltbetrachtung und Regeln christl. Handelns vom Papst aus. Demgemäß setzen sich katholische Humanisten, seit Ignatius von Loyola (1491–1556) insbes. die Gesellschaft Jesu, ausschließlich mit der rhet. Technik auseinander. Zur fast völligen Ausgrenzung beider rhet. Teilgebiete führen die pädagogischen Überlegungen der protestantischen Reformatoren. Die Loslösung vom Katholizismus verlangt eindeutige Grundhaltungen, die mit skeptischem Denken unvereinbar sind. Hinsichtlich der weltlichen Einbindung der neuen Glaubensrichtungen steht außerdem die Entstehung eines republikanischen Politikverständnisses zu befürchten. Demgemäß finden sich bei Martin Luther (1483–1546) kaum Hinweise auf den Erkenntnis- und Bildungswert der Rh., dagegen legt sich der Reformator lehrplantheoretisch auf die alten Sprachen fest, deren Beherrschung zur freien Beurteilung der Hl. Schrift führen könne. Ähnliche Ansätze lassen sich bei Calvin, aber auch bei Zwingli auffinden, dessen »Volkspädagogik« sich schon durch ihren stark altruistischen Zug kaum zur Rh. fügt.

Das innere Schisma, mit dem sich gläubige Humanisten durch eine Beschäftigung mit der Rh. aussetzen, läßt sich an Erasmus von Rotterdam (1469–1536) zeigen, der trotz scharfer Kritik am päpstlichen Dogmatismus weiterhin zum katholischen Glauben steht [15. 212 ff.]. Sein offenes Bekenntnis zu Cicero im *Brief an Johann von Vlatten* (1523) bezieht sich zwar auf die *Tusculanae disputationes*, Titel und Aufbau seiner Bücher verraten jedoch das Hauptanliegen, rhet. Sprachgestaltung lit. fruchtbar zu machen. Diese auf *imitatio Ciceronis* beruhende Bildungswirkung der Rh. zeigt sich v. a. in seiner Sammlung von Sprichwörtern (*Adagio*, Parisiis/Paris 1500), einer Verständnishilfe für die rhet. Sprachästhetik ant. Autoren, aber auch in »Anleitung zum Briefschreiben« (*De conscribendis epistulis*, Basilia/Basel 1522) oder in »Der Ciceronianer oder der beste Redestil« (*Ciceronianus sive de optimo genere oratorum*, Basilia/Basel 1528). Damit ist der Begriff des »Ciceronianers« geprägt. In den vier

Büchern »Der Kirchenmann oder die Methodik öffentlichen Redens« (*Ecclesiastes sive de ratione concionandi*, Basilia/Basel 1535) entwickelt Erasmus erstmals eine systematische Homiletik. Seine entscheidende Leistung ist es, das aus der bildungstheoretischen Rh. stammende Wissen über die didaktische Wirkung von Sprachbildern wieder aufzunehmen und ihnen ihre ästhetische Bildungsfunktion zurückzugeben. Daß die Nachahmung Ciceros aus christl. Sicht nicht unproblematisch ist, da sie in letzter Konsequenz zur Anwendung rhet. Erkenntnismittel und damit zu einer skeptischen Haltung in Glaubensfragen führt, diskutiert Erasmus in *De imitatione* (»Über die Nachahmung«). Pierre de la Ramée greift diese Fragestellung in *Ciceronianus* (»Der Ciceronianer«, Parisiis/Paris 1557), Johannes Sambucus in *De imitatione Ciceroniana* (»Über die Ciceronianische Nachahmung«, Parisiis/Paris 1561) nochmals auf.

Die erste spezifisch pädagogische Rezeption der bildungstheoretischen Rh. erfolgt durch Johannes Ludovicus Vives (1492–1540). Schon seit 1509 mit rhet. Studien beschäftigt, führt ihn seine Bekanntschaft mit Erasmus zur kritischen Auseinandersetzung mit den scholastischen Dialektikern (*Pseudo-dialecticos*, Lovaniensis/Löwen 1519). Sein Generalthema ist die Überwindung der Scholastischen Dialektik durch rhet. Erkenntnismittel. Zum sachlichen Kern dieses Ansatzes stößt Vives in seiner Schrift *De ratione dicendi* (Lovaniensis/Löwen 1532) vor, in der er wie Cicero Rh. nicht als eine technische *ars dicendi*, sondern als ein zu rationaler Sprachgestaltung führendes Bildungsverfahren auffaßt. Demgemäß soll es im Schulunterricht um allg. Bildung der geistigen Anlagen gehen, etwa um die Schärfung der Sinne sowie um Verstandes- und Gedächtnisübungen. Nach dem Vorbild der Ciceronischen Rednerschulung basiert der Unterricht auf der (frz.) Muttersprache und beginnt mit einer Einführung in die Philosophie. Danach folgt – als zeitgemäßer Ersatz für Ciceros *urbanitas* – eine Phase christl. Erziehung, die dann wieder in logische Schulung an rhet. Erkenntnisformen übergeht. Schließlich folgen die naturwiss. Fächer mitsamt Anleitungen zur beobachtenden Erfahrung. Philipp Melanchthon (1497–1560) kommt in seinem unermüdlichen Einsatz um die Einrichtung human. Univ. zu hochschuldidaktischen Konzeptionen, die ihre Herkunft aus der Rh. ebenfalls nicht verleugnen können [43. 32 ff.]. Wohl infolge seiner kommentierten Erstausgabe von *De oratore* (Frankfurt 1514) entwickelt er als Ersatz für die scholastischen Disputationen und in Erweiterung der drei ant. Redearten das *genos didaskalikon*, ein rhet. Arbeitsschritten und Regeln folgendes Lehrverfahren (Op. XIII, 423 ff.) [28. 281]. Die didaktische Rede ist damit als eine erste Systematisierung der rhet. Technik unter pädagogischen Fragestellungen zu verstehen [43. 122 f.]. Unter dem Titel *Loci communes rerum theologicarum* (»Allgemeine Topoi theologischer Sachverhalte«, Wittenberg 1521) faßt Melanchthon Luthers Hauptlehrsätze zur ersten protestantischen Dogmatik zusammen, löst aber gleichzeitig die *loci communes* aus

der rhet. Argumentationslehre [30; 31; 64]. Johannes Sturm (1507–1589), seit 1537 Theologieprofessor in Straßburg, eröffnet und leitet dort ab 1538 das bereits von Wimpfeling angeregte human. Gymnasium. Die Lehranstalt, als Bindeglied zw. → Lateinschule und → Universität konzipiert, orientiert sich organisatorisch an Agricola, pädagogisch an Sturm: Aufgabe des gelehrten Unterrichts ist es, die Schüler zu *pietas* (protestantischer Gläubigkeit), *sapientia* (philos. Erkenntnis), schließlich aber zu *eloquentia* (lat. Beredsamkeit) zu führen. Noch im Eröffnungsjahr erscheint Sturms Ruf *De amissa dicendi ratione* (»Über den Mangel an Redekunst«, Argentinae/Straßburg 1538), in dessen Folge er die Schriften Ciceros zur Grundlage aller Unterrichtsfächer macht. Das Fach Rh. selbst wird dagegen nach Quintilian gelehrt, wobei die *imitatio* als handelnd-reflexive Bewußtmachung von Verfahrensweisen methodisches Zentrum des Unterrichts ist. Die in der Rh. liegenden universellen Bildungsmöglichkeiten, etwa den Fortschritt aller geistigen Fähigkeiten, aber auch das Lernen durch selbsttätiges rhet. Handeln beschreibt Sturm in seinen verschiedenen Komm. zu den ab 1555 erscheinenden Hermogenes-Ausgaben, in seinen vier Büchern *Universa ratione elocutionis rhetoricae* (»Vom universellen Prinzip einer rhet. Versprachlichung«) und in *De imitatione oratoria* (»Über die rhet. Nachahmung«, beides Argentoratum/Straßburg 1576): ›Mir scheint es ein Zeichen des Fortschreitens in allen Klassen zu sein, wenn der Schüler nicht nur ein Schreiber, sondern auch ein Ausführender ist‹ (›per omnes classes progredi cogito, ut non solum scriptor, sed etiam actor esse videar‹, zit. nach [93. 38]. Zuvor hatte er die Erstausgabe der *Partitiones oratoriae* Ciceros (Argentoratum/Straßburg 1575) besorgt. Das Straßburger Gymnasium wird zum Modell einer Anzahl weiterer human. Lehranstalten, unter anderem in Württemberg, Braunschweig und Kursachsen (Schulordnungen von 1559, 1569 und 1580) [74. 254–260; 71. 303f, 311 f. 316 f.; 80; 81; 43. 152 ff.].

1556 beauftragt Ignatius von Loyola Johannes Rhetius (1532–1574), von Köln aus ein Netzwerk jesuitischer Gymnasien gegen den nordwesteurop. Human. aufzubauen. Im Tricoronatum, das Rhetius sofort übernimmt, wird Rh. zwar nach *De inventione*, *De oratore* und der »Herennius-Rh.« gelehrt, die Überlieferungen kommen aber nur als formal-technische Sprechanleitungen zur Geltung. Der Grammatikunterricht gründet sich auf Ciceronische Reden und Briefe als Vorbilder für eine korrekte lat. Syntax [52. 64–66]. Methodisch gesehen geht es um *imitatio Christi* und um Exerzitien zur Überwindung der Affekte. Die Erkenntnismöglichkeiten der ant. Rh. sind damit vollständig zurückgedrängt, ihr Bildungswert im wesentlichen auf Sprachschulung beschränkt [9; 16]. Pierre de la Ramée (1515–1572), Schüler Sturms, beginnt 1551 als Königlicher Lektor für Philos. und Beredsamkeit am Collège Royal in Paris (1551) die *septem artes liberales* für die human. Gegenwart aufzuarbeiten. Seit 1557 Neuorganisator des frz. Hochschulwesens, beschreibt er in seiner Schrift

Avertissements sur la reformation de l'université de Paris au roi (»Über die Reform der Pariser Hochschule«, Parisiis/Paris 1561) die notwendigen, aus der Rh. abgeleiteten Reformschritte: Die lat. Lehrsprache soll durch das Frz., die scholastischen *disputationes* durch rhet. eingerichtete, zusammenhängende *declamationes*, die kirchliche Beengtheit durch eine Entideologisierung der wiss. Urteilsfindung ersetzt werden. Als Erkenntnismethode bevorzugt Ramée die histor.-genetisch ausgeweitete Analyse, als Darstellungsverfahren bei praktischen Zielsetzungen den induktiven, sonst aber den deduktiven Weg, als Lernmethode – wie Sturm – die *imitatio*, sowie als oberstes Lehrplankriterium die Praxisorientierung der Inhalte. Jan Amos Comenius' (1592–1670) *Böhmische Didaktik* (Lissa 1632, übersetzt von K. Schaller 1970) und *Didactica magna* (Lissa 1638, hrsg. von H. Ahrbeck 1957) sind dann die eigentlichen Zeugen einer ersten neuzeitlichen Systematisierung des Lehr- und Lerngeschehens, müssen aber gleichzeitig als Versuch gewertet werden, die bildungstheoretische Rh. aus protestantischer Sicht zu übergehen. Wie schon bei Luther und Zwingli feststellbar, finden sich in Comenius' Werken keine expliziten Aussagen zur rhet. Erkenntnismethodik oder zur selbstmotivierten Vervollkommnung im permanenten Bildungsprozeß. Wohl aus diesem Grund geißelt Comenius die zersetzende Kraft der ant. Überlieferung, gründet sich dann aber doch auf die didaktischen Ansätze Quintilians. Demzufolge ist es der Lehrer, der »Allen Alles lehren« können soll, womit Comenius implizit nicht nur die ideale Option der Ciceronischen Rednerschulung, jedes Thema jedem Publikum verständlich machen zu können, übernimmt, sondern auch mit Wimpfeling die rhet. Trias als didaktisches Dreieck interpretiert. Über die Linie Quintilian-Comenius entwickelt sich eine zwar aus der Rh. stammende, aber im wesentlichen institutionell orientierte Didaktik, die den bildungstheoretisch-rhet. Anteil des Selbstlernens zwangsläufig weniger berücksichtigt.

H. RATIONALISTISCHE UND PIETISTISCHE ABWEHR (17. JAHRHUNDERT)

Bereits bei Michel de Montaigne (1533–1592) zeichnet sich eine radikale Abwehr des inzwischen aristokratisch eingerichteten Schulwesens ab. *Paidéuein*, so Montaigne, sei nur noch ein anderes Wort für schulische Pedanterie, die ausschließlich auf eine »Wissensmöblierung« (›meubler la tête de science‹, *Essais*, 1, 25 (1580)) abziele. Bildungswesen und Bildungsprozeß selbst seien durch eine erneute Anbindung an die ant. Überlieferungen zu reformieren. Diese Forderung wird jedoch durch das aufkommende naturwiss. Weltbild überlagert, das keine rhet. Ungenauigkeiten erlaubt. So ist etwa die Wahrscheinlichkeitsrechnung Blaise Pascals (1632–1662) als der Versuch anzusehen, das Wahrscheinliche in mathematische Gewißheit zu überführen. In Preußen läßt die pietistische Bekehrungspädagogik August Hermann Franckes (1663–1727) eine rhet. Anbindung ebensowenig zu. Nur im *Polit. Redner* (Dresden 1683, Ndr. Kronberg 1974) und im *Gelehrten Redner* (Leipzig

1714) des Zittauer Gymnasialrektors Christian Weise (1642–1708) bleibt die Rh. als Sprach- und Sprechanweisung erhalten. In der Praxis wirkt sie in Weises Schultheater, das er als eine Verbindung von rhet. Schulkom. und lebendiger Darstellung versteht, sowie in den ersten deutschsprachigen Vorlesungen des Rechtslehrers Christian Thomasius (1655–1728) weiter. Allgemein hat Barner für diese Zeit von einer höfisch idealisierten »Barock-Rh.« gesprochen, einer Sprechkonvention, deren Ausübung zwar zu einer Aristokratisierung des Bürgertums führen konnte, aber ebenso polit. Abhängigkeiten schuf [7; 46. 438].

I. WIEDERENTDECKUNG (18. JAHRHUNDERT)

Zu Beginn des 18. Jh. ist es Christian Rollins Unterrichtsmethodik (*De la manière d'enseigner et d'étudier les belles lettres*, Paris 1726) zu verdanken, daß die didaktische Seite Quintilians wieder ins Rampenlicht der Rezeption gerät. Bald darauf wird die *Institutio oratoria* Quintilians von J. M. Gesner (Berlin 1738), später von G. L. Spalding (Berlin 1789) neu ediert. Vor allem Gottscheds rhet. Schriften, u. a. *Vorübungen der Beredsamkeit, zum Gebrauche an Gymnasien und größeren Schulen* (Leipzig 1754) und *Akad. Redekunst* (Leipzig 1759), erzielen starke Wirkung. In Rousseaus *Émile* (Paris 1762), dem Generalentwurf einer entinstitutionalisierten »negativen« Naturerziehung, werden dagegen die auf Ciceros Rh. fußenden Prozesse des Selbstlernens und der persönlichen Bemühung um Perfektion thematisiert, wenn auch eine positive Bestimmung von Lehr- oder Lernregeln bzw. -inhalten, wie sie die ant. Rh. bietet, ausbleibt (vgl. [34; 11]). Abweichend von Rousseau beziehen sich seine dt. Rezipienten, die Philanthropisten Basedow (1724–1790), Trapp (1745–1818) und Salzmann (1744–1811), in Abwehr der pietistischen Pädagogik und der sozialen Determination der Gelehrtenschulen vorwiegend auf die Redetechnik. Diese Einbindung der Rh. in das pädagogische Paradigma bewirkt zunehmend ein Einschwenken der Rezeption in den dt.-fachdidaktischen Bereich [56. 12 ff.]. Dort findet sie bald ein so großes Ansehen, daß Friedrich d. Gr. Auszüge aus der *Institutio oratoria* zur schulischen Pflichtlektüre machen will (Kabinettsordre an den Minister v. Zedlitz v. 5. 9. 1779) und Friedrich Gedike (1754–1803) mit seinen *Gedanken über den mündlichen Vortrag des Schulmannes* (Berlin 1789) erstmals eine aus der Rh. gewonnene, systematische Unterrichtsmethodik präsentiert.

J. BÜRGERLICHE BEREDSAMKEIT UND TABUISIERUNG (19. JAHRHUNDERT)

Anfang des 19. Jh. sorgen die Schulverwaltungen für eine zunehmende Durchdringung der Schulpraxis mit Rede-, Stil- und Vertextungsübungen. Eine wachsende Anzahl rhet. Konzeptions-, Lehr- und Musterbücher wie die Mallinckrodts, Püllenbergs, Falkmanns, Kerndörffers, Kannegießers, Wolffs und Rupps ist die Folge [56. 90 ff., 163 ff.]. Kaum ein Präparanden-Lehrbuch, das nicht Gedächtnisübungen, Schüler-Deklamationen und den besten Lehrervortrag behandelt, so etwa J. B. Hergenröthers *Erziehungslehre im Geiste des Christentums*

(Sulzbach 1823, 166ff., 430f., 556ff.). In *Quintilians Gedanken über die öffentliche Erziehung* (Berlin 1803) erfaßt Gedike erstmals den histor.-genetischen Zusammenhang zw. Redekunst und Pädagogik. Gewichtige Gegenstimmen erheben Hegel mit der Ausgrenzung der Rh. aus der idealistischen Philos. [60. 7ff.; 69. 266] und Schleiermacher mit seiner Einschätzung, die Rh. habe ausschließlich berufsbildenden Charakter [56. 71]. In den Normallehrplan für preußische Gymnasien 1816 geht die Rh. nicht mehr ein und wird im Zuge der neuhuman. Bildungsorientierung durch → Altsprachlichen Unterricht ersetzt. Redeübungen bleiben nur in den Bürgerschulen erhalten, wo sich ihre bildende Wirkung in der Herausformung einer republikanisch gefärbten bürgerlichen Beredsamkeit zeigt. Nach dem Niederschlag der Revolte von 1848 entsteht eine ostentative Abkehr von der unterrichtlichen Redeübung, so daß nun beide Bildungsanteile der Rh. tabuisiert sind. Th. Mommsen erwirkt sogar, die Schriften des »Advokaten Cicero« ganz aus dem lat. Gymnasialunterricht zu verbannen und durch Caesars *Bellum Gallicum* zu ersetzen [82. 35f.]. Erst Willmann [90. 532ff.] versucht 1882, der Auseinandersetzung eine neue Qualität zu geben, indem er die Regeln der rhet. Technik als allg.-didaktische Maßgaben des Lehrens und Lernens versteht.

K. Demagogie und Neubeginn

Die Tabuisierung der Rh. führt Anf. des 20. Jh. zum polit. Wildwuchs ihrer amoralischen Schwundstufe, der Demagogie. Im pädagogischen Diskurs und in den Schulverwaltungen verliert die neuhuman. Bildungstheorie gleichzeitig an Einfluß [3]. Im Zuge dieser Entwicklung verschwindet auch das pädagogische Interesse. Wohl nicht zufällig besinnt sich die Wiss. erst mit der Demokratisierung Westdeutschlands wieder auf die Rh., um neue Zugänge zu fachdisziplinären Fragestellungen zu finden. Diese erneute Bildungswirkung beginnt in Komparatistik und Anglistik, breitet sich auf Philos., Theologie und Germanistik aus (vgl. etwa [20; 21; 53]) und findet schließlich in der Tübinger Schule der Rh. ihren Mittelpunkt [50; 87; 68]. Die pädagogische Auseinandersetzung setzt etwa zur gleichen Zeit ein: Im Zuge der Diskussion um polit. Bildung in der Schule hebt Herrlitz [41] die Wirkung einer mod. dt. Aufsatz-Rh. hervor, Ockel [67] sieht in der Rh. ein Verfahren der Anleitung zu kommunikativen Prozessen im Deutschunterricht, Asmuth [6] weist schließlich histor. nach, daß der dt. Aufsatz aus der ant. Rh. entwickelt wurde. Diese fachdidaktischen Ansätze werden von Dyck und Geißner [24; 29] in eine allg. Richtung gelenkt, wenn sie die Rh. als ein fächerübergreifendes Prinzip des Lehrens und Lernens verstehen. Rh. wird in diesen Arbeiten allerdings vorwiegend als sprechwiss. Technik verstanden, deren bildender Wert bereits im Alt. in Frage gestellt worden war. Insofern diese Methodik aber dazu dient, außerrhet. Denkgegenstände zu systematisieren, kann sie dazu beitragen, Bildungsprozesse zu initiieren.

Erst in den 1990er J. entwickelt sich eine allgemeinere Diskussion um die Bezüge zw. Pädagogik und Rh. Die pädagogische Forschungspraxis hat sich diesbezüglich auf zwei hermeneutische Zugangsmethoden, auf das histor. und auf das systematische Verfahren zugespitzt. Beide Ansätze unterscheiden sich letztlich nur durch den Schwerpunkt ihrer Betrachtung: Während aus histor. Sicht zunächst die rhet. Überlegungen eines ant. Autors auf breiter Basis verglichen und das so gewonnene werkimmanent-rekonstruktive Textverständnis auf mod. Fragestellungen bezogen wird, findet der Systematiker umgekehrt eine bereits als Zusammenhang bestehende Theorie rückwirkend in ant. Angaben wieder. Das Problem eines reinen Historikers ist der Verlust neuer pädagogischer Sichtweisen, das Risiko des reinen Systematikers ist Fehlinterpretation aufgrund mangelnder Grundlagenforsch. bzw. die Neigung, eventuelle Vorläufer seiner Überlegungen als spätere Interpretation zu empfinden [32]. Eine sachlich begründete Ausschließlichkeit der Verfahren liegt jedoch nicht vor, da sich die wahrscheinlich zutreffendste Auslegung aus dem – seinerseits rhet. – gegenargumentativ-abwägenden Vorgehen ergibt. Zudem bietet ein *linguistic turn* in der Interpretation ant. Texte die Chance, den jeweiligen Wortgebrauch eines Autors ohne Festlegung auf Modernismen erschließen zu können.

Nachdem Schmitz [83] zu einer dialogisch-deliberativen Auslegung des rhet. Lernbegriffs gekommen war, legt Paschen [70] dar, daß die wiss. Pädagogik eigene Fragestellungen und Argumentationsmuster enthält, die durchaus als *loci communes* verstanden werden können. Dieser fachspezifische Aspektwechsel grenzt den rhet. Begriff von Topik jedoch gleichzeitig ein, da die rhet. *tópoi* allg. und interdisziplinär auf die Unt. von Sachgebieten abzielen. Horner und Left [44] sprechen diesen und andere Bezugsaspekte ebenfalls an, wenn auch die spezifisch rhet. Erkenntnisinstrumentarien dort wenig berücksichtigt bleiben. In ihrem Buch *Überzeugende Rede und pädagogische Wirkung* überprüfen die Hrsg. Apel und Koch mit den Autoren Hansmann, Helmer und Prange dann erstmals den Verwendungsaspekt ant. rhet. Erkenntnisse in pädagogischer Theorie und Praxis [4]. Nach einer systematischen Einführung von Hansmann ([36], vgl. [35]) arbeitet Apel heraus, daß die pädagogische Situation eines Lehrers zwar in bestimmten Punkten der rhet. ähnelt, sein pädagogisches Handeln aber weit umfangreicher ist als die *actio* des Redners [1]. Helmer bedient sich der Personen- und Sachtopoi (*loci ad personam/loci ad re*), um die Themenvielfalt der wiss. Pädagogik zu strukturieren [38]. Koch fügt mit seiner *Rhet.-pädagogischen Stimmungslehre* den bisher kaum beachteten emotionalen Teilaspekt effizienten Unterrichtens, die Möglichkeiten der Affektabschwächung, Sympathiegewinnung, der Erlangung von Aufmerksamkeit, Interesse, Handlungsmotivation und moralischem Gefühl [47] hinzu. Daß die virtuelle Welt der digitalen Informationstechnologie eine sprachlich-rhet. Aufarbeitung von Inhalten geradezu erforderlich macht, zeigt schließlich Prange ([73], vgl. [13]). Im Anschluß an diese Überlegungen verleiht Apel der akad. Lehrform der Vorlesung neue Bedeutung [2].

Wie sich im pädagogischen Diskurs zeigt, stößt das skeptische Potential der Rh. auch in der Gegenwart auf starke Abwehr, wie sich an den Beitr. im Band *Zur Theorie der Argumentation in der Pädagogik* [40] zeigen läßt. Das Pro vertreten Koch, der auf die Identität von Rednerbildung und Menschenbildung (*paidéia, humanitas*) im Medium der Sprache hinweist [48], und Helmer, der zeigt, daß sich die ›Problematik von Urteil, Zustimmung und Geltung‹, mithin eine Kernfrage der Bildungsphilos., ›von der Theorie der rhet. Argumentation her ausfalten und bedenken‹ läßt [39. 15]. Dieser Seite lassen sich auch Hansmann, der Argumente als Mittel zur Operationalisierung pädagogischer Zielsetzungen unter dem Gesichtspunkt des Angemessenen versteht [37. 135 ff.], und Dörpinghaus, der aufgrund einer Synthetisierung postmod. und traditioneller Sichtweisen sogar zu Eckpunkten einer »Bildungstheorie der argumentativen Verständigung« kommt [22. 93], zurechnen. Dagegen sind die anderen Autoren eher darum bemüht, die Unvereinbarkeit von Pädagogik und rhet. Argumentation nachzuweisen. Die Ablehnung entsteht insbes. vor dem Hintergrund außerdisziplinärer Denkrichtungen, soweit sie derzeit den fachinternen Dialog bestimmen. Dies ist auf der einen Seite die philos. Postmoderne, deren Vertreter nach Wittgenstein [92] und Lyotard [59] die Unmöglichkeit letzter Gewißheiten betonen und aufgrund dieses Ansatzes Argumentationsabläufe als gleichwertige und subjektive Sprachspiele verstehen, die nie zu objektivierbaren Erkenntnissen führen können [49; 62]. Pädagogisch geht es um die Gewährleistung der Eigentümlichkeit des Schülers als Subjekt und um dessen Bewahrung vor dem Einfluß normativer Wahrheiten. In irrtümlicher Einschätzung ihrer histor. Grundlagen und eigentlichen Absichten steht rhet. Argumentation unter dem Verdacht der Herrschaftstechnologie und wird als der pädagogischen Theorie und Praxis abträglich empfunden.

Aus der Sicht der soziologisch, ideologiekritisch und systemtheoretisch bestimmten Moderne [33; 57; 58] geht es dagegen um Lernen, Wissen und Verstehen objektiver Gehalte innerhalb sozialer und kommunikativer Situationen. Rh. wird hier ebenfalls als pädagogisch untragbar empfunden [78], sofern sie in ihren Teilgehalten die Gleichrangigkeit der Kommunizierenden nicht anerkennt [89]. Wenn dies aber der Fall ist, steht die Geltung von Argumenten überhaupt zur Disposition [76].

Insgesamt gerät die Debatte damit zu einer Auseinandersetzung über Verortung und Dignität der wiss. Pädagogik, wobei die Rh. als unbequeme Infragestellerin stabil geglaubter Positionen ihrem inhärenten Bildungsanspruch erneut gerecht wird.

→ Homiletik/Ars praedicandi; Loci communes

1 H.J. APEL, Der Lehrer als Rhetor? Lehrkunst und Redekunst, in: [4. 53–80] 2 Ders., Die Vorlesung. Einführung in eine akademische Lehrform, 1999 3 Ders., S. BITTNER, Human. Schulbildung 1890–1945. Anspruch und Wirklichkeit der altertumskundlichen Unterrichtsfächer, 1994 4 H.J. APEL, L. KOCH (Hrsg.), Überzeugende Rede und pädagogische Wirkung. Zur Bed. traditioneller Rh. für pädagogische Theorie und Praxis, 1997 5 B. APPEL, Das Bildungs- und Erziehungsideal Quintilians nach der Institutio oratoria, 1914 6 B. ASMUTH, Die Entwicklung des dt. Schulaufsatzes aus der Rh., in: H. F. PLETT, Rh. Kritische Positionen zum Stand der Forsch., 1977, 276 ff. 7 W. BARNER, Barock-Rh. Unt. zu ihren geschichtlichen Grundlagen, 1970 8 K. BARWICK, Das rednerische Bildungsideal Ciceros. Abh. der Sächsischen Akad. der Wiss. Leipzig, Philol.-histor. Klasse, Bd. 54/3, 1963 9 B. BAUER, Jesuitische »Ars Rhetorica« im Zeitalter der Glaubenskämpfe, 1980 10 D. BENNER, Wilhelm von Humboldts Bildungstheorie. Eine problemgeschichtliche Stud. zum Begründungszusammenhang neuzeitlicher Bildungsreform, ²1995 11 Ders., F. BRÜGGEN, Das Konzept der Perfectibilité bei Jean Jacques Rousseau. Ein Versuch, Rousseaus Programm theoretischer und praktischer Urteilsbildung problemgeschichtlich und systematisch zu lesen, in: [34. 12–48] 12 S. BITTNER, Ciceros Rh. – Eine Bildungstheorie. Von der Redetechnik zur humanitären Eloquenz, 1999 12a Ders., Ciceros Cognition Rerum. Ein vormodernes Verfahen mit. Erkenntnis, Vierteljahrsschrift für wiss. Pädagogik 78/2, 2002, 183–200 13 Ders., Bill Gates und die Bildung der Zukunft. Zur pädagogischen Vorstellungswelt eines Software-Tycoons, Vierteljahrsschrift für wiss. Pädagogik 75, 1999, 248–268 14 G. BÖHME, Bildungsgesch. des frühen Human., 1984 15 Ders., Bildungsgesch. des europ. Human., 1986 16 G. P. BRIZZI, »Studia humanitatis« und Organisation des Unterrichts in den ersten it. Kollegien der Ges. Jesu, in: W. REINHARD (Hrsg.), Human. im Bildungswesen des 15. und 16. Jh., 1984, 155–170 17 A. BUCK, Die »studia humanitatis« im it. Human., in: W. REINHARD (Hrsg.), Human. im Bildungswesen des 15. und 16. Jh., 1984, 11–24 18 Ders., Human. Seine europ. Entwicklung in Dokumenten und Darstellungen, 1987 19 A. BURK, Die Pädagogik des Isokrates als Grundlegung des human. Bildungsideals. Im Vergleich mit den zeitgenössischen und mod. Theorien dargestellt, 1923 20 E. R. CURTIUS, Europ. Lit. und lat. MA, 1948, ⁴1963 21 K. DOCKHORN, Macht und Wirkung der Rh., 1968 22 A. DÖRPINGHAUS, Argumentation diesseits der Transzendentalität. Über Möglichkeiten einer Theorie der argumentativen Verständigung in der Pädagogik, in: [40. 76–98] 23 J. DOLCH, Lehrplan des Abendlandes, ³1971 24 J. DYCK et al. (Hrsg.), Rh. in der Schule, 1974 25 K. FLASCH, Augustin. Einführung in sein Denken, 1994 26 M. FUHRMANN, s. v. Quintilianus, in: KlP 4, 1979, Sp. 1308–1311 27 D.J. FURLEY (Hrsg.), Aristotle's Rhetoric: Philosophical Essays, 1994 28 H.-G. GADAMER, Wahrheit und Methode, Bd. 2, Ergänzungen. Reg., 1986, ²1993 29 H. GEISSNER, Rh. und polit. Bildung, in: [24] 30 F. GOYET, Les Diverses Acceptations de »lieu« et »lieu commun« à la Ren., in: C. PLANTIN (Hrsg.), Lieux communs, topoi, clichés, 1993, 411–422 31 Ders., Le sublime du »lieu commune«. L'invention rhétorique dans l'Antiquité et à la Ren., 1996 32 E. GUTJAHR, Zur Theorie der Argumentation in der Pädagogik. Diskussionsber. zur Tagung in

Witten-Bommerholz vom 2.–4.3.1998, in: [40. 99–114]
33 J. HABERMAS, Erkenntnis und Interesse, 1973
34 O. HANSMANN (Hrsg.), Seminar: Der pädagogische
Rousseau, Bd. II, Komm., Interpretationen,
Wirkungsgesch., 1996 35 Ders., Sprachliche Präsentation
als Aspekt schlechten Unterrichts. Schlechter Unterricht im
Lichte der Aristotelischen Rh., in: B. SCHWARZ, K. PRANGE
(Hrsg.), Schlechte Lehrer/-innen. Zu einem
vernachlässigten Aspekt des Lehrberufs, 1997, 275–307
36 Ders., Zur Bildung des Redners, in: [4. 17–52] 37 Ders.,
Operative Pädagogik und rhet. Argumentation unter dem
Gesichtspunkt des Angemessenen, in: [40. 135–152]
38 K. HELMER, Topik und Argumentation, in: [4. 81–100]
39 Ders., Zur Theorie der Argumentation in der Pädagogik,
in: [40. 10–22] 40 Ders., A. DÖRPINGHAUS, Zur Theorie der
Argumentation in der Pädagogik, 1999 41 H.-G. HERRLITZ,
Vom polit. Sinn einer mod. Aufsatzrhetorik, in: [24]
42 H. HÖHNK, Wimpfeling, Wympfeling oder
Wimpheling, in: W. REIN (Hrsg.), Encyklopädisches Hdb.
der Pädagogik, Bd. 10, ²1910, 232–235 43 F. HOFMANN,
Pädagogik und Reformation von Luther bis Paracelsus.
Zeitgenössische Schriften und Dokumente, 1986 44 W. B.
HORNER, M. LEFT (Hrsg.), Rhetoric and Pedagogy, 1995
45 W. JAEGER, Paideia, Ndr. 1973 46 W. JENS, s. v. Rh., in:
Reallex. der dt. Literaturgesch., Bd. 3, ²1977 47 L. KOCH,
Rhet.-pädagogische Stimmungslehre, in: [4. 101–128]
48 Ders., Rh. und Pädagogik. Eine
Verwandtschaftsbeziehung, in: [40. 36–52] 49 H.-CHR.
KOLLER, Ungewißheit zur Sprache bringen. Zur Bed. der
Rh. für eine »postmoderne« Theorie der Argumentation,
in: [40. 170–185] 50 J. KOPPERSCHMIDT (Hrsg.), Rh. 2 Bde.,
1990 51 W. KROLL, s. v. Rh., in: RE Suppl. Bd. 7, 1958, Sp.
1039–1138 52 J. KUCKHOFF, Johannes Rhetius. Der
Organisator des Katholischen Schulwesens in Deutschland
im 16. Jh., 1929 53 H. LAUSBERG, Hdb. der lit. Rh., ³1990
54 E. LICHTENSTEIN, Aristoteles: Über Erziehung, in: H.-T.
JOHANN (Hrsg.), Erziehung und Bildung in der heidnischen
und christl. Ant., 1976, 319–336 55 W. LOCH, Redekunst
und Unterricht. Zur pädagogischen Theorie in Quintilians
»Institutio oratoria«, in: H.-T. JOHANN (Hrsg.), Erziehung
und Bildung in der heidnischen und christl. Ant., 1976,
448–483 56 I. LOHMANN, Bildung, bürgerliche
Öffentlichkeit und Beredsamkeit. Zur pädagogischen
Transformation der Rh. zw. 1750 und 1850, 1993
57 N. LUHMANN, Soziale Systeme. Grundriß einer allg.
Theorie, 1984 58 Ders., Religion als Kommunikation, in:
H. TYRELL, V. KRECH, H. KNOBLAUCH, Religion als
Kommunikation, 1998, 135–147 59 J.-F. LYOTARD, Das
postmod. Wissen. Ein Ber., 1986 60 J. MANCAL, Unt. zum
Begriff der Philos. bei M. T. Cicero, 1982 61 H. I. MARROU,
Gesch. der Erziehung im Klass. Alt., 1977 62 N. MEDER,
Rh. – das bes. Sprachspiel für Theorie, in: [40. 186–200]
63 A. MESSER, Quintilian als Didaktiker, Neue Jbb. für
Philol. und Pädagogik 7, 1897, 25–38 64 A. MOSS, Printed
Commonplace Books and the Structuring of Ren.
Thought, 1996 65 J. J. MURPHY, Medieval Eloquence. Stud.
in the Theory and Practice of Medieval Rhetoric, 1978
66 H.-U. MUSOLFF, Erziehung und Bildung in der Ren.,
1997 67 E. OCKEL, Rh. im Deutschunterricht. Unt. zur
didaktischen und methodischen Entwicklung mündlicher
Kommunikation, 1974 68 C. OTTMERS, Rh., 1996 69 J. G.
PANKAU, Rh. und Pädagogik, in: B. MÖLLER (Hrsg.), Logik
der Pädagogik. Pädagogik als interdisziplinäres
Aufgabengebiet, Bd. 2, 1992, 261–278 70 H. PASCHEN, Zur

Topik pädagogischer Rede, in: P. NENNINGER (Hrsg.),
Erziehung-Bildung-Unterricht, 1990, 29–36
71 F. PAULSEN, Gesch. des gelehrten Unterrichts, Bd. 1,
³1919 72 K. PRANGE, Pädagogik im Leviathan. Versuch über
die Lehrbarkeit der Erziehung, 1991 73 Ders., Neue
Medien und alte Didaktik, in: [4. 129–146] 74 K. V.
RAUMER, Gesch. der Pädagogik vom Wiederaufblühen
klass. Stud. bis auf unsere Zeit, Teil 1, Gütersloh ⁴1872
75 A. RORTY (Hrsg.), Essays on Aristotle's Rhetoric, 1996
76 J. RUHLOFF, Rh. – Geltung – Zustimmung, in:
[40. 23–35] 77 R. SABBADINI, Storia del Ciceronianismo,
Turin 1885 78 A. SCHÄFER, Eine unerträgliche Rh. Zur
Semantik einer sich für praxisnah haltenden Pädagogik, in:
[40. 201–222] 79 H. SCHANZE (Hrsg.), Rh. Beitr. zu ihrer
Gesch. in Deutschland vom 16.–20. Jh., 1974
80 A. SCHINDLING, Human. Hochschule und Freie
Reichsstadt. Gymnasium und Akad. in Straßburg
1538–1621, 1977 81 Ders., Die human. Bildungsreform in
den Reichsstädten Straßburg, Nürnberg und Augsburg, in:
W. REINHARD (Hrsg.), Human. im Bildungswesen des
15. und 16. Jh., 1984, 107–120 82 W. SCHMID,
Cicerowertung und Cicerodeutung, in: B. KYTZLER (Hrsg.),
Ciceros lit. Leistung, 1973, 33–68 83 H.-G. SCHMITZ,
Lernen und Rh. Zu den Voraussetzungen eines
Bildungsbegriffs, der in rhet. Deliberation gründet, 1982
84 H. K. SCHULTE, Orator. Unt. über das Ciceronianische
Bildungsideal, 1935 85 E. SCHOELEN, Erziehung und
Unterricht im MA, ²1965 86 R. D. SIDER, Ancient Rhetoric
and the Art of Tertullian, 1971 87 G. UEDING,
B. STEINBRINK, Grundriß der Rh.
Gesch.-Technik-Methode, ³1994 88 H. WIEGMANN,
Ciceros Wahlverwandtschaften oder die Reorganisation des
Redens. Entwurf einer interdisziplinären Rh., 1990
89 L. WIGGER, Kritik der rhet. Argumentation. Zu den
Kriterien der Beurteilung öffentlicher Rede, in: [40. 53–75]
90 O. WILLMANN, Didaktik als Bildungslehre nach ihren
Beziehungen zur Sozialforsch. und zur Gesch. der Bildung,
Freiburg 1882, ⁶1957 91 H. WILMS, Techne und Paideia bei
Xenophon und Isokrates, 1995 92 L. WITTGENSTEIN,
Werkausgabe in 8 Bänden. Bd. 8: Über Gewißheit, 1984
93 TH. ZIEGLER, Johann Sturm, in: W. REIN (Hrsg.),
Encyklopädisches Hdb. der Pädagogik, Bd. 9, ²1909, 32–41.

STEFAN BITTNER

III. JURISTISCH

Dialektik und Rh. sind dem Begriff und der Sache
nach Erscheinungsformen des kulturellen und polit.
Diskurses des griech.-röm. Altertums. Sie sind insoweit
in das damalige System höherer Bildung, in die polit.
und gerichtliche Praxis wie auch in den ant. lit. Betrieb
eingebettet. Dies gilt auch für das Rechtssystem. Das
griech. und auch das röm. Recht wurden wesentlich
von der zeitgenössischen Rh. beeinflußt [40]. Eine spätere »Ren.« der Dialektik und der Rh., die den Zugang
zur spätant. Überlieferung wie auch zu deren praktischer Heranziehung voraussetzt, setzte in der Zeitspanne von etwa 800 bis 1200 n. Chr. ein. Der Rückgriff auf
Dialektik und Rh. im Rahmen des klass. Schulkanons
der *artes liberales* entfaltet im Hoch-MA große Breitenwirkung und vielfältige praktische Konsequenzen. Das
gilt für die Briefkultur, für die Dichtungstheorie und für
die übrigen Kulturerscheinungen. Rh. und Dialektik
geraten zugleich auch in Konkurrenz zu anderen Kon-

zepten der Wissensorganisation. Dies gilt etwa für die karolingische Epoche sowie auch im späteren 9. Jh. So diente die als »Logik« verstandene Dialektik dazu, Aussagen von autoritativen Texten, etwa der Bibel oder von Aristoteles, mit rein begrifflichen Schlußfolgerungen in Einklang zu bringen. Schon bei den ersten Rezeptionserscheinungen begegnet man glossierenden Erläuterungen in Mss. zu den von Boëtius ins Lat. übersetzten Kategorien und Hermeneutika des Aristoteles, die gerade das Interesse und das Verständnis der damaligen Benutzer erkennen lassen. Die Streitschriften-Lit. aus dem Investiturstreit zeigt eine ausgiebige Verwendung dialektischer oder rhet. Grundbegriffe. Von dieser Entwicklung wird auch die Wiederentdeckung und universitäre Heranziehung der röm. Quellen maßgebend beeinflußt. Die Schule der → Glossatoren begegnet dem Text der → Digesten mit dem Instrumentarium aus der Gramm., Dialektik und Rh. der Spätantike [5; 13; 26]. Die neuere Forsch. zu der ma. Legistik und insbes. zu den Glossenapparaten der präaccursianischen Kommentierungen der Digesten zeigen den zentralen Nutzen, den die frühen Glossatoren bei der Durchdringung der Stellen aus den röm. Rechtsquellen aus dieser dialektischen Schulung zogen [3; 17; 21; 27]. Die Literaturgattungen der *distinctiones* und *questiones disputatae* stellen ein zentrales Zeugnis für die Fortwirkung der spätant. dialektischen und rhet. Kultur im Argumentationshaushalt der ma. und spät-ma. Juristen dar. Auch die rhet. Mnemotechnik (→ Mnemonik/Mnemotechnik), wie sie aus dem Kulturgut der Spätant. tradiert wurde, spielt in der universitären Didaktik der damaligen Jurisprudenz im 12. Jh. eine zentrale Rolle. Rechtsunterricht wurde damals auch als Weg des künstlich geschulten Gedächtnisses verstanden. Von daher war bei der damaligen Kommentierung der röm. Quellen die Benutzung von *loci* und *imagines* typisch. Die Ansprüche, die in den röm. Rechtsquellen dargestellt werden, wurden in der frühscholastischen Didaktik als *arbora actionum* präsentiert: ein rhet. bewährtes Instrument einer nach mnemotechnischen Kriterien effektiven Stofforganisation [8]. Dasselbe gilt für die zentrale Funktion der *distinctiones* als Denkform und als Mittel der juristischen Didaktik (›qui bene distinguit, bene docet‹). Daraus erklärt sich auch die zentrale Bed. der *distinctiones* als juristische Literaturgattung. Die Argumentation mit autoritativen Argumenten bei den damaligen Legisten begünstigte diese rhet. Arbeitstechnik.

Der konstitutive Einfluß der rhet. und dialektischen ant. Trad. in der ma. Jurisprudenz setzt sich in der gemeinrechtlichen Wiss. des 15. und 16. Jh. fort. Ähnlichkeits- und topische Argumente charakterisieren die Argumentationsweise der damaligen Rechtspraktiker [7]. Dasselbe gilt für die Technik des Rückgriffs auf die Stellen der röm. Quellen und des Aufbaus eines Rechtsgutachtens (Relationstechnik). Im 16. und 17. Jh. kennen die gemeinrechtlichen Juristen bei der argumentativen Heranziehung der röm. Quellen den Ähnlichkeitsschluß. Dieser wird noch der Topik und der Inter-

pretationslehre im Sinne einer »extensiven Auslegung« als Ausgleich der Widersprüche der Stellen der Digesten zugeordnet [35. 3–12; 37. 23–45]. Erst die Aufklärung als Gegnerin jegliches *argumentum ab autoritate* läßt Dialektik und Rh. in Verruf geraten. Im 18. Jh. verschwindet die Topik aus der rechtswiss. Methodenlehre. Der Ähnlichkeitsschluß bleibt, zusammen mit dem *argumentum e contrario*, wird aber nunmehr als »Rechtsanalogie« angesehen [35. 12ff.; 37. 119ff.]. Die analogische Interpretation einer Rechtsnorm wird als eine Gesetzesinterpretation, die Antinomien auflöst, als eine Rechtsfindung aus dem Zusammenhang von Rechtsnormen angesehen, ohne damit jedoch schon die Vorstellung eines einheitlichen Rechtssystems zugrundezulegen [35. 28–34]. Erst Anf. des 19. Jh. lösen die führenden Juristen wie Friedrich Carl von Savigny die alte gemeinrechtliche Verbindung von ausdehnender Interpretation und Analogie auf. Die Gesetzesinterpretation wird historisiert als Ermittlung der wirklichen histor. Absicht des Textautors und Gesetzgebers. Die Rechtsanalogie ist nunmehr eine rein logische Ergänzung des Rechts aus dem Rechtssystem geworden [35. 34ff.]. Für topische, rhet. und dialektische Momente in der juristischen Argumentation gibt es keinen Platz mehr. Es ist bezeichnend, daß zu gleicher Zeit auch die Gerichts-Rh. und die Kunst des Gerichtsplädoyers in den Hintergrund treten. Die Einführung der formalen Mündlichkeit des Zivilprozesses bedeutet zugleich dessen Technisierung. Anders als h. noch im US-amerikanischen Recht sind in der mod. Rechtsprechung die demokratischen, also rhet. Elemente so gut wie ausgestorben. Das Prinzip der Öffentlichkeit und Mündlichkeit der Hauptverhandlung im Zivilprozeß war allerdings zugleich gerade eine liberale Forderung des 19. Jh. ebenso wie der – nicht erfüllte – Wunsch nach Geschworenengerichten. Für diese ambivalente Entwicklung ist es bezeichnend, daß im dt. Zivilprozeß einerseits die Vorträge der Parteien eigentlich in freier Rede zu halten wären, zugleich aber eine Bezugnahme auf Schriftstücke zulässig ist, soweit keine der Parteien widerspricht und das Gericht sie für angemessen hält. Die Vorlesung von Schriftstücken findet nur insoweit statt, als es auf ihren wörtlichen Inhalt ankommt.

Die Bed. der Rh. im juristischen Argumentationshaushalt ist allerdings bis h. nicht obsolet. Gerade die mod. Rechtstheorie hat v. a. nach dem II. Weltkrieg die rhet. Momente in der juristischen Argumentation des kontinentalen europ. Juristen wiederentdeckt. Hier ist auf die *nouvelle rhétorique* von Chaim Perelman [15; 30; 32; 38], auf die Unt. des dt. Rechtsphilosophen Theodor Viehweg (dessen Schrift *Topik und Jurisprudenz*, 1953 [28; 39] Ausgangspunkt dieser Richtung der juristischen Methodenlehre war) und auf die umfassenden histor. Arbeiten des it. Rechtsphilosophen Alessandro Giuliani [15; 16; 17] hinzuweisen. Moderne rechtstheoretische Unt. haben deutlich gemacht, wie h. noch die juristische Rh. – als Kunst, das Einverständnis anderer zu gewinnen – weiter wirkt; sie lehre die bes. Mittel, mit deren Hilfe der Jurist in der fachlichen Auseinandersetzung das kollegiale Einverständnis sucht; sie stelle zugleich die vertrauten juristischen Methoden ins richtige, nämlich praktische Licht. Allerdings bekennen sich nur wenige Rechtsphilosophen und -theoretiker h. explizit zur »Rh.« als Verfahrensweise für Jurisprudenz und Rechtspraxis. Man spricht eher von juristischer »Argumentation« [11; 29]. Der offene Rekurs auf den Fundus der klass. Rh. scheint als »unwiss.« verpönt zu sein. Neben dogmatisch-begrifflichen Argumenten spielen jedenfalls auch topische und rhet. Kunstgriffe h. noch in der Argumentation des kontinentalen und des angloamerikanischen Juristen eine nicht unbeträchtliche Rolle. Unter »Topik« in der juristischen Argumentation versteht man dabei ›die Lehre von der Kunst des Auffindens und Verwertens von Gesichtspunkten und Argumenten bei der Behandlung nicht streng deduktiv zu lösender Probleme‹ [7a. 246, Anm. 263].

→ AWI Rhetorik

1 R. ALEXY, Theorie der juristischen Argumentation. Die Theorie des rationalen Diskurses als Theorie der juristischen Begründung, 1978, ³1996 2 O. BALLWEG, M. SEIBERT (Hrsg.), Rhet. Rechtstheorie. Theodor Viehweg zum 75.Geburtstag, 1982 (mit zahlreichen wichtigen Beitr. zur Topikdiskussion) 3 M. BELLOMO, Factum proponitur certum, sed dubium est de iure, in: M. BELLOMO (Hrsg.), Die Kunst der Disputation (Schriften des Histor. Kollegs. Kolloquien, 38), 1997, 1ff. 4 A. BOKELOH, Der Beitr. der Topik zur Rechtsgewinnung, Diss. Göttingen 1972 5 G. CHEVRIER, Sur l'art de l'argumentation chez quelques romanistes médiévaux au XIIème et au XIIIème siècle, in: Archives de philosophie du droit, 11, 1966, 115–148 6 H. COING, Grundzüge der Rechtsphilos., ²1969, 300–302 7 Ders., Europ. Privatrecht, Bd.1, 1982, 19–22, 70–72 7a K. ENGISCH, Einführung in das juristische Denken, 1956 8 A. ERRERA, Arbor actionum. Genere letterario e forma di classificazione delle azioni nella dottrina dei glossatori, in: Archivio per la storia del diritto medioevale e moderno I, 1995, 16–20, 26ff. 9 J. ESSER, Vorverständnis und Methodenwahl in der Rechtsfindung. Rationalitätsgarantien der richterlichen Entscheidungspraxis (Stud. und Texte zur Theorie und Methodologie des Rechts 7), 1970, 151–159 10 V. FROSINI, Topica e teoria generale del diritto, in: Rivista internazionale di filosofia del diritto, 1971, Heft 1 11 W. GAST, Juristische Rh. Auslegung, Begründung, Subsumtion, ³1997 12 Ders., Einführung, in: Sonderheft »Juristische Rh.«, in: Rh. Ein internationales Jb., Bd.15, 1996 13 A. GIULIANI, La controversia. Contributo alla logica giuridica, 1966, 37–83 14 Ders., L'elemento giuridico nella logica medievale, in: Jus. Riv. di scienze giuridiche 15 (1964), 1–28 15 Ders., Nouvelle rhétorique et logique du language normatif, in: Logique et analyse 13 (1970), 65–90 16 Ders., Le rôle du »fait« dans la controverse (à propos du binôme »rhétorique – procédure judiciaire«) in: Archives de philos. du droit 1995, 229–237 17 Ders., L'»ordo iudiciarius« medievale tra retorica e logica, in: M. BELLOMO (Hrsg.), Die Kunst der Disputation (wie [3]), 133ff. 18 M. HERBERGER, Dogmatik. Zur Gesch. von Begriff und Methode in Medizin und Jurisprudenz (Ius Commune, Bd.12), 1981, 178–181 19 N. HORN, Zur Bed. der Topiklehre Theodor Viehwegs für eine einheitliche

Theorie des juristischen Denkens, in: Neue Juristische Wochenschrift 1967, 607ff. 20 HWdR, s. v. Rhet. Rechtstheorie und s. v. Juristische Rh. 21 M. KRIECHBAUM, Zur juristischen Interpretationslehre im MA, in: Ders. (Hrsg.), FS für Sten Gagnér, 1996, 73ff. 22 A. LANG, Rhet. Einflüsse auf die Behandlung des Prozesses in der Kanonistik des 12. Jh., in: FS für E. Eichmann, 1940, 78ff. 23 H. LAUSBERG, Hdb. der lit. Rh. Eine Grundlegung der Literaturwiss., ³1990 24 I. MITTENZWEI, Teleologisches Rechtsverständnis. Wissenschaftstheoretische und geistesgeschichtliche Grundlagen einer zweckorientierten Rechtswiss. (Schriften zur Rechtstheorie 130), 1988, 70ff., 333ff. 25 P. G. MONATERI, La sineddoche. Formule e regole nel diritto delle obbligazioni e dei contratti, 1984 26 G. OTTE, Dialektik und Jurisprudenz. Unt. zur Methode der Glossatoren, 1971 27 Ders., Logische Einteilungstechniken bei den Glossatoren des röm. Rechts, in: J. FRIED (Hrsg.), Dialektik und Rh. im früheren und hohen MA. Rezeption, Überlieferung und gesellschaftliche Wirkung ant. Gelehrsamkeit vornehmlich im 9. und 12. Jh. (Schriften des Histor. Kollegs 27), 1997, 157–169, insbes. 163ff. 28 Ders., Zwanzig J. Topikdiskussion: Ertrag und Aufgaben, in: Rechtstheorie I (1970), 183ff. 29 H. M. PAWLOWSKI, Einführung in die juristische Methodenlehre, ²2000, 70–73 30 C. H. PERELMAN, L. OLBRECHTS TYTECA, La nouvelle rhétorique. Traité de l'argumentation, 1958, ²1970 31 O. PÖGGELER, Dialektik und Topik, in: Hermeneutik und Dialektik. FS H.-G. Gadamer, Bd. 2, 1970, 273ff. 32 R. SCHMETZ, L'argumentation selon Perelman. Pour une raison au coeur de la rhétorique, 2000 33 J. SCHROEDER, Wissenschaftstheorie und Lehre der »praktischen Jurisprudenz« auf dt. Univ. an der Wende zum 19. Jh., 1979, 61ff., 69 34 Ders., Die privatrechtliche Methodenlehre des Usus Modernus, in: D. SIMON (Hrsg.), Akten des 26. Dt. Rechtshistorikertages, 1987, 254–278 35 Ders., Zur Analogie in der juristischen Methodenlehre der frühen Neuzeit, in: ZRG, Germ. Abt. 114 (1997), 1ff. 36 Ders., Rh. und juristische Hermeneutik in der frühen Neuzeit, FS Peter Landau, 2000 37 Ders., Recht als Wiss. Gesch. der juristischen Methode vom Human. bis zur histor. Schule, 2001, 23–45; 119–129; 209–210 38 G. VANNIER, Argumentation et droit. Une introduction à la Nouvelle rhétorique de Perelman, 2001 39 TH. VIEHWEG, Topik und Jurisprudenz, 1953, ⁵1974 (it. 1962, beachtenswert zur it. Auflage die Einführung von G. Crifó, VII–XXIV) 40 U. WESEL, Rhet. Statuslehre und Gesetzesauslegung der röm. Juristen, 1967 41 F. WIEACKER, Zur Topikdiskussion in der zeitgenössischen dt. Rechtswiss., in: Xenion. FS P. J. Zepos, 1973, Bd.1, 390–415. FILIPPO RANIERI

IV. RHETORIKUNTERRICHT

A. ÜBERBLICK   B. VON DER SPÄTANTIKE ZUM MITTELALTER   C. VON DER RENAISSANCE ZUM BAROCK   D. VOM 18. JH. ZUR GEGENWART

A. ÜBERBLICK

Wohl auf keinem anderen Feld abendländischer Kultur ist das Weiterleben der Ant. evidenter als in der Kunst der Rede. Seitdem die großen rhet. Lehrgebäude, aus der Praxis und dem Erfahrungswissen der Sophisten des 5. Jh. v. Chr. erwachsen, von Aristoteles (384–322 v. Chr.) auf philos. Grundlagen gestellt, im Hell. weiterentwickelt, von Cicero (106–43 v. Chr.) für den röm. Bereich übernommen und adaptiert und von Quintilian (ca. 35–100 n.Chr.) in Form eines großangelegten Lehrwerks systematisiert worden waren, wurden sie über die Jh. lediglich tradiert und in Details verändert, kaum jedoch grundlegend neu überdacht. Unzählige Male überarbeitet, verschiedenen Zwecken dienstbar gemacht und den jeweiligen Bedürfnissen der Zeit angepaßt, bildeten die ant. Vorschriften die Grundlage für den europ. Rhetorikunterricht (Rh.U.). Noch wichtiger war, in Byzanz durchgängig, in Westeuropa insbes. seit dem Beginn der it. Ren. im 14. Jh., die Nachahmung der ant. Stilmodelle, die auch im Unterricht breitesten Raum einnahm; vielfach ist daher eine klare Scheidung zw. Rh.U. und → Altsprachlichem Unterricht kaum möglich, da Lektüre der ant. Schriftsteller in Hinblick auf Verfeinerung des eigenen Stils und Erweiterung des Ausdrucksvermögens (sowohl in Prosa als auch in Versform) betrieben wurde. Fließend ist in der Neuzeit auch der Übergang des Rh.U. zum fremd- oder muttersprachlichen Aufsatz; im MA lassen sich keine klaren Grenzen zw. Rh.U. als Schulung des mündlichen Ausdrucksvermögens, Unterweisung im Prosastil und → Poetik ziehen.

B. Von der Spätantike zum Mittelalter

Der Rh.U. der Ant. nahm seinen Ausgangspunkt von den praktischen Unterweisungen der Sophisten, die ihre Schüler lehrten, in der Volksversammlung und vor den Gerichtshöfen der griech. Stadtstaaten erfolgreich ihre Sache zu vertreten. Schon nach relativ kurzer Zeit wurde er jedoch zum Bestandteil der Allgemeinbildung (ἐγκύκλιος παιδεία; s. II.), so daß auch nach dem Zusammenbruch der griech. Poliswelt und dem Entstehen der hell. Großreiche keineswegs ein Rückgang des seiner ursprünglichen praktischen Funktion entkleideten Rh.U. zu verzeichnen war, sondern er seinen festen Platz am E. des (im Hell. formalisierten, in Rom praktisch unverändert übernommenen) dreigliedrigen ant. Bildungsgangs fand, der die (ausschließlich männliche) Jugend der höheren Schichten vom Elementarunterricht beim γραμματιστής/litterator über die Klassikerlektüre beim γραμματικός/grammaticus bis zum Einüben eigener Beredsamkeit beim ῥήτωρ/rhetor führte. Die Integration in den Bildungskanon war abgeschlossen, als der Rh.U. unter die → Artes liberales eingereiht wurde; deren wohl im Verlauf des 1. Jh. n.Chr. festgelegter Kanon blieb bis in die Neuzeit verbindlich. Nur eine geringe Anzahl derjenigen, die Rh.U. genossen, tat dies in der Erwartung, das Gelernte jemals in öffentlichen Reden anzuwenden. So erklärt sich der seit der Kaiserzeit zu beobachtende Schwerpunkt rhetor. Handbücher auf fiktiven Deklamationen über histor. oder juristische Themen: der Ort kunstgemäßer Rede war in zunehmendem Maße weniger der Gerichtssaal oder das Forum als das Klassenzimmer. Geographisch dehnte sich dieses System aufgrund der weitgehend homogenen Kultur der Oberschicht bis in die entlegensten Winkel des röm. Reichs aus; histor. blieb es bemerkenswert sta-

bil: im Westen bis in das 5. und 6. Jh., im byz. Osten bis in das 7. Jh. finden wir Nachrichten über Rhetorikschulen. Verantwortlich für den zu diesem Zeitpunkt einsetzenden allmählichen Niedergang des Rh.U. ist nicht nur der langsame Zerfall der staatlichen und kulturellen Ordnung in der Völkerwanderung, sondern auch die ambivalente, vielfach umkämpfte Einstellung der christl. Kirche gegenüber der paganen Kultur [29]. Schon früh lassen sich zwei gegensätzliche Positionen unterscheiden: Auf der einen Seite stehen Kritiker, die den Rh.U. als für das Seelenheil christl. Menschen unnütz oder gefährlich verwerfen und seine Abschaffung betreiben; sie konnten sich auf Worte des Apostels Paulus berufen, der für seine Verkündigung rhet. Schmuck ablehnt (1 Kor 2,1). Tertullian (ca. 160–220 n.Chr.) bezeichnet Rh.U. als »Gift« und verbietet allen Christen, sich als Lehrer der Rh. zu betätigen (De idolatria 10,6); der berühmte Traum des Hieronymus (ca. 345–420 n.Chr.), er werde bestraft, weil er ›Ciceronianus (...), non Christianus‹ sei (epist. 22,30), wird als mahnendes Beispiel noch im MA immer wieder zitiert. Andererseits möchten viele gelehrte Christen nicht auf eine rhet. Verfeinerung des Ausdrucks verzichten und suchen nach Wegen, christl. Bildung mit ant. Formen zu bereichern. So erkennt Basileios von Kaisareia (ca. 330–379 n.Chr.) in seiner »Schrift an die Jugend über die Lektüre griech. Lit.« der heidnischen Bildung einen hohen propädeutischen Wert für das Bibelstudium zu; Augustinus (354–430 n.Chr.), der selbst in mehreren Städten Afrikas und Italiens Rh. gelehrt hatte, plädiert im 4. Buch von De doctrina christiana dafür, diese zur Verkündigung der christl. Lehre, insbes. zur Auslegung der Bibel in Predigten, nutzbar zu machen; beide mahnen jedoch auch zu sorgfältigem und vorsichtigem Umgang mit diesem Erbe [28]. Die (schon in der platonischen Rhetorikkritik präfigurierte) Debatte zw. Rh. und Philos. bzw. Theologie sollte in den nächsten Jh. immer wieder mit wechselndem Ausgang aufgegriffen werden; die genannten Texte dienen Apologeten wie Gegnern des Rh.U. häufig als Argumentationshilfe – so wurde die Rede des Basileios von Leonardo Bruni (1369–1444) übersetzt und sogar als Schullektüre verwendet [25. 1, 77f.].

Im Laufe des 6. Jh. kommt im Westen der Rh.U. allmählich zum Erliegen; im Osten hält er sich etwas länger: Zwar hatten bereits im 7. Jh. viele Schulen ihren Betrieb eingestellt; doch bringt erst der Bilderstreit (717–843) den vollständigen Stillstand des höheren Schulwesens. Obwohl sich in beiden Reichsteilen etwa zur selben Zeit im 9. Jh. wieder Interesse für die ant. Autoren zu manifestieren beginnt, entwickelt sich der Rh.U. unterschiedlich. Im Westen, wo der staatliche und gesellschaftliche Wandel wesentlich tiefgreifender war (anders als in Byzanz existierte eine gebildete Oberschicht, aus der sich die wichtigsten Staats- und Kirchenfunktionäre rekrutierten, nicht mehr oder nur noch rudimentär), läßt sich eine stärkere Umorientierung des Rh.U. beobachten, der zudem seine im Bildungsgang beherrschende Stellung verliert. Man kann vergröbernd feststellen, daß nach der Unterbrechung der Bildungstrad. in der Völkerwanderung, trotz gewissen Schwankungen, das westl. MA insgesamt eine Epoche war, in der Philos. und Theologie rhet. Bildung den Rang abgelaufen hatten; dementsprechend wurde Unterricht in diesen Fächern an den Dom-, Kloster- und Hofschulen ernster genommen als Rh.U., der zu einem Anhängsel des Grammatikunterrichts verkümmerte. Ganz im Sinne des Augustinus wird dem Rh.U. allenfalls propädeutischer Wert zugeschrieben [30. 680–684]. Symptomatisch ist etwa das niedrige Niveau und der geringe Stellenwert des Rh.U., die man Alcuins (ca. 730–804) einflußreichem *Dialogus de rhetorica et uirtutibus* entnehmen kann, in dem Karl d. Gr. (742–814) selbst als Dialogfigur auftritt. Alcuins Schüler Hrabanus Maurus (ca. 780–856) hält in seiner *Institutio clericorum* (3, 19) Rh.U. nur ›in congrua aetate‹, d. h. in der Jugend für angemessen und belegt mit Zitaten aus Augustinus' *Doctrina christiana*, wie er für christl. Verkündigung fruchtbar gemacht werden könne. Diese Entwicklung verstärkt sich mit dem Aufkommen der ma. Univ. im 13. Jh., in denen (aristotelische) Philos. gegenüber der Rh. ein wesentlich stärkeres Gewicht erhält; in der frühesten erhaltenen Studienordnung Europas, den Statuten der Univ. Paris aus dem J. 1215, wird vorgeschrieben, daß Rh. ausschließlich an Feiertagen gelesen werden soll [31. 68]. Die Beschäftigung mit paganen Texten wird argwöhnisch betrachtet; Theologen wie Petrus Damiani (1007–1072) verdammen den Rh.U. zugunsten der »sancta simplicitas« (PL 145, 232). Zwar fehlt es nicht an Versuchen, den Formalismus der Logik zurückzudrängen und dem Rh.U. wieder größeres Gewicht zu verleihen; zu nennen sind hier insbes. die frz. Schulen von Chartres [41] (s. den ausführlichen Ber. des Johannes von Salisbury, 1115–1180, in seinem *Metalogicon* 1,24, über die Unterrichtsmethoden Bernhards von Chartres, † ca. 1126, in denen Imitation der ant. Autoren einen wichtigen Platz einnahm) und von Orléans (anschaulich wird der Gegensatz der Logik in Paris und der Gramm. in Orléans dargestellt in dem allegorischen Gedicht *La Bataille des sept arts* von Henri d'Andeli, 13. Jh.). Dennoch ließ sich der Siegeszug der Scholastik nicht aufhalten. Der Rh.U. wurde aus seinem ererbten Platz im Zentrum eines umfassenden Bildungsideals herausgerissen und überlebte fast ausschließlich in reduzierter, den unmittelbaren Bedürfnissen angepaßter Form: in den Lehren zur christl. Predigt (*ars praedicandi*, v. a. seit dem 13. Jh. [8. 105–134; 9]), den Anweisungen zum Briefeschreiben (*ars dictaminis* [42]; auch im Human. noch wichtiger und lebendiger Zweig der Rh.) sowie in den Regeln zum Abfassen notarieller Schriftstücke (*ars notaria*); die beiden zuletzt genannten Formen wurden bes. an den nord-it. Univ. entwickelt und gepflegt, gelangten aber auch nach Nordeuropa [31]. Wo er nicht rein praktischen Zielen dient, wird der Rh.U. des MA in starkem Maß durch das Auswendiglernen von Regeln und Definitionen geprägt, weshalb sich versi-

fizierte Handbücher großer Beliebtheit erfreuen; der Blick für übergeordnete Kompositionsprinzipien droht verloren zu gehen [6. 211–214]. Auch den ant. Progymnasmata verwandte rhet. Übungen in Form fiktiver Reden und Debatten werden als Hinführung zu eigenem Schreiben eingesetzt [36. 254–258].

C. Von der Renaissance zum Barock

Während die heutige Forsch. die zahlreichen Kontinuitätslinien zw. spätem MA und frühem Human. betont (auch für viele Details des human. Rh.U. gab es Vorläufer bes. im It. des späten MA [25. 1, 122 f.]), überwog im Selbstverständnis der Humanisten der Gegensatz zur als barbarisch empfundenen Sprache der Scholastik. Daher werteten sie den Rh.U. gegenüber philos. und theologischem Unterricht auf und versuchten, ihm seine ant. Stellung als krönender Abschluß des Bildungsgangs zurückzugeben. Zunächst öffneten sich nur wenige (zumeist nord-it.) Univ. der neuen Strömung. Rh.U. in der Form der → Ars dictaminis war bereits früh im 13. Jh. an der Univ. Bologna stark vertreten; mit dem Aufkommen der *ars arengandi* (Kunst der öffentlichen Ansprache, s. I.) und der Einrichtung eines eigenen Lehrstuhls für Rh. 1292 findet ein nahtloser Übergang zu frühhuman. Bildungsideen statt [3; 17. 83–94]. Auch sonst gibt es in It. eine Reihe von Humanisten, die an Univ. und neugegr. Akademien Rh. lehrten, so etwa Giovanni Conversino (1343–1408), Gasparino Barzizza (ca. 1360–1431), Vittorino da Feltre (1378–1446), Guarino Guarini Veronese (1374–1460) [26. 85–114; 40]. In Nordeuropa setzt die Gründung von Lehrstühlen für Rh. im Lauf des 15. Jh. ein [4. 419]; erst im 16. Jh. ist das human. Bildungsmodell an Schulen und Univ. fest verankert. Eine Sonderstellung nimmt England ein: An den Univ. von Oxford und Cambridge läßt sich zw. ma. und human. Rh.U. keine klare Trennlinie ziehen. Dies belegt etwa der it. Franziskaner Lorenzo Guglielmo Traversagni (1422–1503), der 1472–1482 in Cambridge tätig war: Sein 1479 gedrucktes Lehrbuch *Nova Rhetorica*, das erste in engl. Sprache, stellt human. Beredsamkeit ganz in den Dienst christl. Verkündigung [7. 1, 120 f.]. Auch in Oxford setzten sich human. Veränderungen des ma. Curriculums nur allmählich durch; eine Vorreiterrolle spielt das 1501 gegründete Corpus Christi College [2. 3, 21 f.]. Erst im Laufe des 16. Jh. beginnt sich Rh.U. als feste Größe zu etablieren; symptomatisch ist die Ablösung der scholastischen Disputation durch die Deklamation [2. 3, 193 f.].

Entscheidend für Entwicklung und Stellenwert des human. Rh.U. sind jedoch weniger die Univ. als die auf sie hinführenden höheren Schulen, an denen er sofort einen festen Platz gewinnt. Zunächst zielt der Rh.U. fast ausschließlich auf Beredsamkeit in der lat. Sprache, die sich nur durch Nachahmung der besten ant. Stilvorbilder erreichen läßt. Da hierzu intensive und extensive Lektüre der ant. Texte nötig ist, diese andererseits niemals als Selbstzweck betrieben wird, sondern auf die Nachahmung hinführen soll, kann man große Teile des

Grammatikunterrichts bereits als Formen des Rh.U. verstehen. Für die ersten Generationen der Humanisten besteht kein Zweifel daran, daß der Rang eines unbestrittenen Vorbilds v. a. dem Prosastil Ciceros zukommt; ihn zu imitieren ist daher kennzeichnendes Merkmal beinahe aller human. Prosa. Wie der ma. verlangt auch der human. Rh.U. von seinen Schülern umfangreiches Auswendiglernen; allerdings sind es jetzt bes. Texte der Vorbildautoren, die wieder und wieder gelesen, übersetzt, paraphrasiert und umgeformt werden, um schließlich eine möglichst exakte Kopie des Stils zu ermöglichen. Den durch diese Form des Unterrichts geprägten Schülern stehen Zitate, Anspielungen und Versatzstücke aus den ant. Autoren in beliebiger Anzahl spontan zur Verfügung; wo das Gedächtnis nicht ausreicht, bedient man sich der zahlreichen Hilfsmittel wie Anthologien, Phraseologien und Lexika. An die ant. Progymnasmata angelehnte Übungsformen stellen eine weitere Kontinuität aus dem MA dar [18. 138–145].

Bald jedoch setzt eine heftige Debatte über diesen Ciceronianismus ein [14], die teilweise den bereits in der christl. Spätant. diskutierten Konflikt von paganer Bildung und christl. Glauben erneut aufgreift. Verschärft wird der Gegensatz jetzt noch durch die Glaubenskämpfe innerhalb des Christentums, bes. durch die in Nordeuropa erfolgreiche Reformation (daß Humanisten atheistische oder antichristl. Positionen vertreten, ist eine seltene Ausnahme). Einflußreich ist die Ansicht des Erasmus von Rotterdam (1469–1536), der sich während seines gesamten Schaffens dezidiert als christl. Humanist verstand und deshalb immer wieder davor warnte, durch eine übertriebene Anlehnung an Cicero heidnischen Geist in die Seelen der Schüler zu tragen; als Alternative empfahl er, die lat. Kirchenväter zu Vorbildern zu nehmen. Zwar ist er als Humanist vom Wert einer von ma. Barbarismen gereinigten und rhet. ausgeschmückten Latinität überzeugt, doch ordnet er, insbes. in seinem *Ecclesiastes* (1535), darin ganz die Position des Augustinus aufgreifend, rhet. Kunst dem Ziel der christl. Verkündigung eindeutig unter. Trotz dieser Bemühungen um christl. Kontrolle wird damit dem Rh.U. eine bedeutende Stelle im Bildungsgang zurückgegeben. Diese Auffassung wird zunächst eher von protestantischen Pädagogen geteilt. Philipp Melanchthons (1497–1560) im August 1518 in Wittenberg gehaltene Antrittsvorlesung *De corrigendis adolescentiae studiis* (»Die Verbesserung der Jugendbildung«) entwirft für die im Umbruch befindliche Univ. ein human. Bildungsprogramm; wie hoch der Stellenwert war, den er dem Rh.U. zuwies, ersieht man auch aus dem maßgeblich von ihm beeinflußten Privilegienbrief für die neugegr. Univ. Marburg aus dem J. 1529: Von neun einzurichtenden Lehrstühlen an der Artistenfakultät sollen zwei der Rh. gewidmet sein [15. 61]. Zwar flammt auch im Innern des Protestantismus der Streit über die Legitimität ant. Rh.U. auf – so gibt es in Wittenberg eine starke bildungsfeindliche, nur an der Bibel orientierte Bewegung –, doch gelingt es den Reformatoren, human.

man. Inhalte in ihren Bildungskanon zu integrieren. Rh.U. spielt lange Zeit an den human.-protestantischen Gelehrtenschulen eine gewichtige Rolle [33. 1, 276–387], so in dem von Johannes Sturm (1507–1589) in Straßburg gegr. Gymnasium, das für eine Reihe anderer Anstalten zum Vorbild wird; allerdings wird auch immer wieder betont, seine Funktion sei in erster Linie propädeutisch.

Katholische Kreise hingegen standen der human. Bildung und damit auch dem Rh.U. zunächst eher ablehnend gegenüber. Zwar gibt es auch hier bereits zu Beginn des 16. Jh. Versuche, human. Rh.U. zur besseren Ausbildung christl. Prediger zu nutzen, so etwa an der vom Kardinal Francisco Jiménez de Cisneros (1436–1517) 1508 in Alcalá de Henares gegr. neuen Univ.; zur vollen Entfaltung kamen diese Ansätze jedoch erst nach dem Abschluß des Konzils von Trient (1563), auf dem die Gegenreformation endgültig den Widerstand gegen eine antikisierende Rh. aufgab und eine genuin christl. Beredsamkeit forderte. Die folgenden Jahrzehnte sahen die Gründung einer Vielzahl von katholischen Bildungseinrichtungen, die dieses Ziel zu verfolgen suchten und in denen daher der Rh.U. großes Gewicht hatte; zu nennen sind etwa die unter dem Einfluß von Carlo Borromeo (1538–1584), der maßgeblichen Anteil an den Beschlüssen des Tridentinums hatte, in Nord-It. entstandenen Institutionen [14. 135–142]. Insbesondere die Jesuiten, deren Position durch das Konzil gestärkt worden war und die somit zu den herausragenden Trägern der europ. Gegenreformation wurden, erkannten der Rh. in ihren Kollegien einen wichtigen Platz zu, und der Einfluß der jesuitischen Erziehungslehren und damit des jesuitischen Rh.U. auf das europ. Geistesleben bis in das 18. Jh. ist kaum zu überschätzen [4; 5]. Im 16. Jh. wurde Rom so noch einmal zum Zentrum der europ. Bildung: am jesuitischen Collegium Romanum waren als Lehrer der Rh. Gelehrte wie Pedro Juan Perpiñà (1530–1566) und Francesco Benci (1542–1594) tätig, während an der Univ. Sapienza etwa Marc-Antoine de Muret (1526–1585) und Agostino Mascardi (1591–1640) lehrten. Der jesuitische Rh.U. muß als Versuch verstanden werden, human. Ciceronianismus und (durch Augustinus und Erasmus vermittelte) christl., an der Bibel und den Kirchenvätern orientierte Frömmigkeit miteinander zu harmonisieren und somit den protestantischen, gebildeten Gegner mit seinen eigenen Waffen zu schlagen. Lektüre der Klassiker und deren stilistische Imitation bilden den Kern des Unterrichts [11]; zur rhet. Theorie werden neben den ant. Lehrbüchern (insbes. Cicero und die pseudo-ciceronische *Rhetorica ad Herennium*, aber auch Aristoteles) auch eigene Werke von jesuitischen Gelehrten, so etwa Cypriano Soarez' (1524–1593) *De arte rhetorica* (1560) [5. 119–242] herangezogen. Weil Curriculum und Methode des jesuitischen Rh.U. streng zentralistisch organisiert waren, genossen große Zahlen von Schülern in Europa, ja in der gesamten Welt dieselbe eng an den ant. Vorbildern ausgerichtete Unterweisung [20. 119]. Die Schar bedeutender Gelehrter, Schriftsteller und Machthaber, die durch diesen jesuitischen Rh.U. gingen und in ihrem eigenen Ausdruck von ihm beeinflußt wurden, läßt sich kaum abschätzen. Einen lebendigen Eindruck vom technischen Vorgehen der jesuitischen Lehrer vermittelt das *Palatium Reginae Eloquentiae* Gérard Pelletiers (1587–1648). 1641 erschien dieses monumentale Werk zunächst unter dem Namen seines Zöglings Louis de Bourbon, prince de Condé (1621–1686; der als »le Grand Condé« bezeichnete spätere Anführer des Fronde-Aufstands); erst in einem Ndr. 1663 wurde der wahre Autor angegeben. Bis in das 18. Jh. erschienen in ganz Europa Raubdrucke und Adaptationen. Im Detail zeigt dieses Buch, wie die Jesuiten ihre Schüler zur Nachahmung der großen ant. Autoren anleiteten [14. 343–349].

D. Vom 18. Jahrhundert zur Gegenwart

In ihrer Hochschätzung eines an ant. Theorie und ant. Vorbildern orientierten Rh.U. begegneten sich somit protestantische und katholische Bildungsbestrebungen [4. 258–366]. Dieses gegen E. des 16. Jh. zur vollen Entwicklung gelangte Modell sollte bis in das 18. Jh., teilweise noch länger, Bestand haben; in allen europ. Ländern wurde in der höheren Schulbildung größter Wert auf Ausdrucksvermögen in der lat. Sprache gelegt. Zwar blieb der Rh.U. grundsätzlich immer der moralischen, insbes. christl.-rel. Unterweisung nachgeordnet, aber da sich die Einhaltung gramm. und rhet. Standards einfacher und genauer überprüfen läßt als richtige Gesinnung, nahm er in der Schulpraxis häufig doch den Rang eines Selbstzwecks ein. Gelegenheiten zur praktischen Umsetzung des Gelernten finden sich in der höfischen Kultur des 17. Jh. häufig und fehlen auch im 18. Jh. nicht völlig: Herrscherbesuche, Jubiläen, Hochzeiten, Todesfälle, Feste wurden regelmäßig durch den Vortrag lat. Reden und Gedichte geschmückt; an den Schulen wurden Wettbewerbe in Beredsamkeit veranstaltet (erwähnt sei auch das ebenfalls eng mit dem Rh.U. verbundene Jesuitentheater). Doch kann man auch beobachten, daß in einer seit der Erfindung des Buchdrucks immer stärker verschriftlichten Kultur mündliches Ausdrucksvermögen nicht mehr die alles beherrschende Stellung einnimmt: Obwohl die freie lat. Rede noch bis in das 19. Jh. gepflegt wurde (z. B. als Teil der Abiturprüfung bis 1890/1892), verlor sie gegenüber der Übersetzung in das Lat. und dem lat. Aufsatz allmählich an Bedeutung.

Doch mit dem Zeitpunkt der festen institutionellen Verankerung und der größten Ausdehnung des Rh.U. im 17. Jh. setzt von verschiedenen, teilweise gegensätzlichen Positionen aus die Kritik an ihm ein, die seinen langsamen Niedergang an Schulen und Univ. einleitet und bis 1800 zur Marginalisierung der Rh. führt. Von den zeitlich und regional verschieden gewichteten Gründen für diese Krise seien sechs genannt:

1) Die seit dem 17. Jh. zunehmend geschmückte, »sophistische« Beredsamkeit erzeugt eine Gegenbewegung gegen den »Pedantismus« (Ideal des Gentleman oder *honnête homme*), die allzu enge Imitation der ant. Stilmuster (die seit der → Querelle des Anciens et des Modernes in ihrer Geltung nicht mehr unangefochten waren) und allzu ängstliches Befolgen der Regeln ablehnt.

2) Dieses Unbehagen an Regeln verstärkt sich mit dem Aufkommen romantischer Strömungen, die Wert auf Originalität und Authentizität legen und daher einem als einengend und unaufrichtig empfundenen Rh.U. feindlich entgegentreten; bes. in Deutschland wird daher die »oberflächliche« Rh. gegenüber der »Tiefe« und »Innerlichkeit« der Philos. des Idealismus abgewertet, etwa bei Immanuel Kant (1724–1804) oder Georg Wilhelm Friedrich Hegel (1770–1831).

3) In dieselbe Richtung zielen seit dem 17. Jh. existierende Bestrebungen der Pädagogik, im Unterricht »Sachen statt Wörter« in den Vordergrund zu stellen; auch die in ganz Europa einflußreiche »negative Pädagogik« Jean-Jacques Rousseaus (1712–1778) mit ihrer Betonung des »Natürlichen« ist dem Rh.U. abträglich.

4) Damit einher geht, daß der Lateinunterricht gegenüber den Muttersprachen an Boden verliert (Lat. nicht mehr Unterrichtssprache; zunehmendes Interesse für die »nationalen« Lit.; Forderung nach weiterer Verbreitung und unmittelbarer Nützlichkeit von Bildung); dadurch wird auch der eng mit dem Lateinunterricht verbundene Rh.U. in Mitleidenschaft gezogen [13].

5) Die bes. seit dem 18. Jh. erzielten Fortschritte auf dem Gebiet naturwiss. Forsch. und die größere Bed. der Naturwiss. im öffentlichen Bewußtsein führen zu Forderungen, ihnen auch in den Schulen mehr Raum zu gewähren. Diese realistische Ausrichtung war durchaus mit dem Bildungsideal des frühen Human. vereinbar, nicht jedoch mit dem formalisierten und rel. dominierten Rh.U. seit dem 17. Jh.

6) Auch im Innern der Geisteswiss., insbes. der Klass. Philol., kommt es zu einer zunehmenden Professionalisierung und Verwissenschaftlichung, die der erbaulichen und an eigener Produktion orientierten Lektüre klass. Texte, wie sie im Rh.U. betrieben wurde, nichts abgewinnen kann. Ziel des Unterrichts wird daher im Laufe des 19. Jh. immer mehr die Fähigkeit zur wiss.-kritischen Lektüre der Quellentexte, nicht die aktive Beherrschung der Alten Sprachen.

→ AWI Aristeides [3]; Aphthonios; Aristoteles; Augustinus; Attizismus; Cicero, Paulus (Apostel); Platon; Quintilianus; Tertullianus; Zweite Sophistik

1 H.J. Apel, L. Koch (Hrsg.), Überzeugende Rede und pädagogische Wirkung, 1997 2 T. H. Aston (Hrsg.), The History of the Univ. of Oxford, 8 Bde., 1984–1994 3 J.R. Banker, The Ars dictaminis and Rhetorical Textbooks at the Bolognese Univ. in the Fourteenth Century, in: Medievalia et Humanistica 5 (1974) 153–168 4 W. Barner, Barockrhet., 1970 5 B. Bauer, Jesuitische »ars rhetorica« im Zeitalter der Glaubenskämpfe, 1986 6 R. R. Bolgar, The Classical Heritage and Its Beneficiaries, 1954 7 C. Brooke (Hrsg.), A History of the Univ. of Cambridge, 4 Bde., 1988–1993 8 H. Caplan, Of Eloquence. Stud. in Ancient

and Medieval Rhetoric, 1970 **9** TH.M. CHARLAND, Artes praedicandi. Contribution à l'histoire de la rhétorique au moyen âge, 1936 **10** D.L. CLARK, John Milton at St. Paul's School, 1948 **11** A. COLLINOT, F. MAZIÈRE, L'Exercice de la parole, 1987 **12** G. FREY, Das Ant. an der mod. Rh., 1979 **13** M. FUHRMANN, Rh. und öffentliche Rede, 1983 **14** M. FUMAROLI, L'Age de l'éloquence, ²1994 **15** H. HERMELINK, S. A. KAEHLER, Die Philipps-Univ. zu Marburg 1527–1927, 1927 **16** G. HIGHET, The Classical Trad., 1949 **17** W. B. HORNER, M. LEFF (Hrsg.), Rhetoric and Pedagogy, FS J. J. Murphy, 1995 **18** W. S. HOWELL, Logic and Rhetoric in England, 1500–1700, 1961 **19** H. HUNGER, Die hochsprachliche profane Lit. der Byzantiner, 2 Bde., 1978 **20** J. IJSEWIJN, Companion to Neo-Latin Stud., Bd. 1, History and Diffusion of Neo-Latin Literature, ²1990 **21** W. JENS, s. v. Rh., in: W. KOHLSCHMIDT, W. MOHR (Hrsg.), Reallex. der dt. Literaturgesch., Bd. 3, 1977, 432–456 **22** G. A. KENNEDY, Classical Rhetoric and Its Christian and Secular Trad. from Ancient to Modern Times, 1980 **23** Ders., Greek Rhetoric under Christian Emperors, 1983 **24** J. KOPPERSCHMIDT (Hrsg.), Rh., 2 Bde., 1990–1991 **25** P. O. KRISTELLER, Human. und Ren., 2 Bde., o.J. **26** C. LANEVE, Retorica e educazione, 1981 **27** I. LOHMANN, Bildung, bürgerliche Öffentlichkeit und Beredsamkeit, 1993 **28** H.-I. MARROU, Saint Augustin et la fin de la culture antique, 1938 **29** J. J. MURPHY, Saint Augustine and the Debate about a Christian Rhetoric, in: Quarterly Journal of Speech 46 (1960) 400–410 **30** E. NORDEN, Die ant. Kunstprosa, ³1918 **31** L. J. PAETOW, The Arts Course at Medieval Univ., 1910 **32** L.-H. PARIAS (Hrsg.), Histoire générale de l'enseignement et de l'éducation en France, 4 Bde., 1981. **33** F. PAULSEN, Gesch. des gelehrten Unterrichts, 2 Bde, ³1919 **34** C. PERELMAN, Justice et raison, 1963 **35** H. F. PLETT (Hrsg.), Rh. Kritische Positionen zum Stand der Forsch., 1977 **36** P. RICHÉ, Ecoles et enseignement dans le Haut Moyen Age, ²1989. **37** W. RÜEGG (Hrsg.), Gesch. der Univ. in Europa, Bd. 1, 1993; Bd. 2, 1996 **38** H. SCHANZE (Hrsg.), Rh. Beitr. zu ihrer Gesch. in Deutschland vom 16.–20. Jh., 1974 **39** H. SCHLANGE-SCHÖNINGEN, Kaisertum und Bildungswesen im spätant. Konstantinopel, 1995 **40** R. SCHWEYEN, Guarino Veronese. Philos. und Human. Pädagogik, 1973 **41** R. W. SOUTHERN, Medieval Humanism and Other Stud., 1970 **42** F. J. WORSTBROCK, Die Anf. der ma. Ars dictandi, in: Früh-ma. Stud. 23 (1989) 1–42.　　　　　THOMAS A. SCHMITZ

Rhodos s. Nachtrag

Ritterakademie A. BEGRIFF UND ENTSTEHUNG B. VERBREITUNG C. CHARAKTERISIERUNG

A. BEGRIFF UND ENTSTEHUNG

Im Geist des sozialgeschichtlichen Aufeinanderprallens von Ren. und Reformation, dem Niedergang des Rittertums und dem Aufstieg der Städte bilden sich neue Leitbilder der Stände und neue Berufsklassen heraus, die eine entsprechende spezielle Bildung erforderlich machen. Der Gelehrte, bisher nicht nur der Vermittler und Lehrer zw. den Generationen, sondern auch bei Gesandtschaften und polit. Unterhandlungen gefragt, beschränkt sich nunmehr in dem Maße auf das Lehramt, als entsprechend der Umgestaltung auf polit.

und wirtschaftlichem Gebiet der Adlige als neuer *homo politicus* in die Funktionen der Macht- und Herrschaftsausübung eintrat. Entsprechend waren Konsequenzen für eine spezielle Erziehung für diese Funktionen zu ziehen. Die Impulse, die für die Pflege dieses *galant homme* von der Ren. ausgingen, schlagen sich v. a. in Schriften zur Fürsten- und Prinzenerziehung nieder, einer bes. Literaturgattung der Neuzeit. Die R. – auch »Ritterkollegien« – waren ihr institutionelles Pendant, eine spezielle Ausbildungsform in Abgrenzung von der klass. Lateinschultrad. und durch die Herausstellung von neuartigen Disziplinen, die auf Staats- und Kriegsdienst und die adelsspezifischen Kavaliers- und Hofdienste zugeschnitten waren. Nach V. Trichters *Curiöses Reit-, Jagd-, Fecht-, Tantz- oder Ritterexercitien-Lexicon* von 1742 ist die R. ›eine Ritter-Societät, bey welcher nicht allein galante Ritterliche Exercitia anzutreffen als Reuten, Fechten, Tantzen, Voltigiren, auf allerhand Instrumenten spielen sodann auch die Historie und Geogr., ja die Philos. selbst und alle Tugenden gelehret werden, wie auch fremde und ausländische Sprachen ingleichen in der Mathesi und allen derselben Theilen, als Arithmetica, Geometria, Mechanica, Optica, Goniomica, Fortification, Architectur nebst anderen Collegia gelesen werden‹ [8. Sp. 11]. Die R. entstanden in Konsequenz zur Rationalisierung der Herrschaft, wie sie sich in einer Vielzahl von Ordnungen – vom Finanz-, Steuer- und Verwaltungssektor bis zur Kleiderordnung – widerspiegelt, was für den Adel im Interesse der Öffentlichkeit neue Verwendungsfelder mit sich brachte. Zu ihrer Qualifizierung konnten weder die Adelserziehung des MA auf den Fürstenhöfen oder Ritterburgen noch der neuzeitliche nichtadlige Hofmeister Genüge leisten. Doch auch wenn die Gymnasien den neuen Bedürfnissen sich anzupassen bestrebt waren – meist in der Form eines »Gymnasium Illustre« wie z. B. in Nürnberg, Danzig, Hamburg, Gotha oder Weißenfels –, so konnten sie doch nur ungenügend den Bedürfnissen nach bes. Ausbildung im Fortifikationswesen, in Mathematik, in den »galanten Sprachen« Frz. und It., in der Adelsgenealogie und Heraldik, in Recht, Geschichte und Geogr., in Baukunst und anderen kameralistischen Kenntnissen nachkommen. Ganz ausnehmend aber war die Erlernung und Übung der sog. »ritterlichen Künste«, nämlich Tanzen, Fechten und Reiten. So entstanden spezielle Standesschulen für den Adel, dem Leitziel des *galant homme* verpflichtet, die insoweit auf einer ritterlichen Trad. fußten, als sie den sportlichen Tätigkeiten und Fähigkeiten eine bes. Pflege angedeihen ließen.

B. VERBREITUNG

Solche R. nannten sich auch gerne »Collegia Illustria« – so in Colberg 1653, in Lüneburg 1655, in Wolfenbüttel 1687, in Halle 1680, in Erlangen 1699 –; dazwischen liegen Gründungen in Ettal, Berlin, Hildburghausen, Liegnitz und anderen Orten. Jedoch in früheren Versionen hießen sie auch »Collegia Nobilium« – so bei den Jesuiten; »Kriegs- und Ritterschule« hieß eine entsprechende Schule im nassauischen Siegen ab 1617 –, oder sie nannten sich »Artillerie-Schule«, so ab 1682 in Bayern, oder später »Kadetten-Corps« bzw. kurzlebig »Militärakademie« ab 1705 in Berlin [7. Bd. 1, 5ff.]. Vor dem Dreißigjährigen Krieg standen jedoch bereits Pionierinstitute zur Verfügung, so 1589 in Tübingen als »Collegium Illustre« und in Kassel ab 1599 als »Collegium Mauritianum«. Häufig blieben sie jedoch in der Planung und Programmatik stecken – so nach einem Plan von Leibniz für das welfische Göttingen, so nach den Vorstellungen von Veit von Seckendorf für Karl Ludwig von der Pfalz, so auch nach Plänen Ernsts des Frommen für Gotha.

C. Charakterisierung

Bei aller Schwierigkeit, sich ein konkretes Bild von der Schulart zu verschaffen, sind doch die folgenden Grundzüge typisch:

1) Die R. beansprucht einen Platz zw. dem Gymnasium und der → Universität, in der Regel aber wird sie wohl eher einer etwas gehobenen → Realschule oder einer Fachoberschule [2] – statt für die bürgerliche Schicht eben für den Adel – entsprochen haben; dies schon deshalb, weil die sog. lit. Studien – gemeint ist v. a. der → Altsprachliche Unterricht – auch vernachlässigt werden konnten bzw. fakultativ waren [5. 9f.].

2) Ohne Frage wird der eigentliche curriculare Kern in den sog. »Ritterlichen Übungen«, den »Exercitien« oder *arts académiques*, dem Reiten, dem Fechten und dem Tanzen gesehen. Dazu kamen häufig Schwimmen, Ringen und Ballspiele, ferner die Exerzierübungen.

3) Wegen der aufwendigen räumlichen Ausstattung, der Notwendigkeit einer Reitbahn und -halle, eines Fechtbodens und Tanzplatzes sowie eines Ballhauses wurden die R. meist in Residenzstädten errichtet und standen, wie dies am Beispiel der Wolfenbütteler R. sehr eindrücklich wird, dem Hofleben an der Residenz sehr nahe. Entsprechend lag, wie in Wolfenbüttel, die Leitung der R. in der Hand eines Oberhofmeisters aus der Wolfenbütteler Ritterschaft [4].

Mit dem Ende dieser R., die häufig ab der Mitte des 18. Jh. nach und nach aussterben, die aber auch genauso häufig zu diesem Zeitpunkt schon nicht mehr den Namen Akad. verdienten, wird deutlich, daß einerseits die Univ. zu freierer wiss. Forsch. übergingen und andererseits die Bed. des Adels für das Staats- und Verwaltungswesen abzunehmen begann. Für die Pflege des altsprachlichen Unterrichts spielten sie i.a. eine untergeordnete Rolle [3. 187–224]. Mit Hinsicht auf die körpererzieherischen Curriculumelemente geben sie ein Vorspiel für die philanthropische Körpererziehungsbewegung ab, wenngleich in extrem standespolit. Begrenzheit.

1 F. Debitsch, Die staatsbürgerliche Erziehung an den Dt. R., 1928 2 J. Dolch, Lehrplan des Abendlandes. Zweieinhalb Jt. seiner Gesch., 1959 3 G. Fachinger, Anspruch und Wirklichkeit des Neuhuman. Das Beispiel E. A. Evers, Diss. Hildesheim 1988 4 F. Koldewey, Die R. zu Wolfenbüttel, in: Ders., Beitr. zur Kirchen- und Schulgesch. des Herzogtums Braunschweig, Wolfenbüttel

1888, 1–83 5 B. Mahler, Die Leibesübungen in den R., Phil. Diss. Erlangen 1921 6 W. Münch, Gedanken über Fürstenerziehung in alter und neuer Zeit, 1909 7 B. Pothen, Gesch. des Militär-, Erziehungs- und Bildungswesens in den Landen dt. Zunge, Berlin 1889 (Monumenta Germaniae Paedagogica, Bd. 10, 11, 15, 17, Berlin 1889–1896, mit Register 1900 8 V. Trichter, Curiöses Reit-, Jagd-, Fecht-, Tantz- oder Ritterexercitien-Lexicon, Leipzig 1742 9 R. Vormbaum (Hrsg.), Evangelische Schulordnungen, Gütersloh 1860/1863/1864. RUDOLF W. KECK

Römisch-Germanische Kommission (RGK)
A. Gründung und Zeit bis 1933
B. Die Römisch-Germanische Kommission in der NS-Zeit C. Von 1945 bis heute

A. Gründung und Zeit bis 1933

1902 gegründete Zweiganstalt des Deutschen Archäologischen Instituts (DAI). Die Gründung fällt in eine Zeit intensiver Bemühungen, die überwiegend von regional tätigen Institutionen und Vereinen getragene Forsch. auf dem Gebiet der dt. Vorgeschichte und der röm. Präsenz auf dt. Boden durch zentrale, reichsabhängige Einrichtungen zu stärken. Stärker noch als von dem 1852 geschaffenen Röm.-German. Zentral-Mus. in Mainz gingen von der 1891 ins Leben gerufenen Reichslimeskommission (RLK), die sich der Erforschung des Obergerman.-Rätischen Limes widmete, wichtige Impulse für die Einrichtung der RGK aus. Sobald sich die hohe Effizienz der Arbeit der RLK gezeigt hatte, drängte sich der Plan auf, nicht allein auf dem begrenzten Feld der Limesforschung, sondern auch für das Gesamtgebiet der dt. Vorgeschichte und der provinzialröm. Forsch. eine Zentraleinrichtung zu schaffen. Der Gründung gingen heftige Kontroversen über den Status und das Aufgabengebiet voraus. Die RGK wurde schließlich zwar als »Abteilung« dem DAI eingegliedert, jedoch mit relativ großer Selbständigkeit (u. a. eigenes Statut) ausgestattet, um weitgehende Autonomie in inhaltlicher Hinsicht zu garantieren. Ihr erster Leiter (bis 1911) wurde Hans Dragendorff (1870–1941).

Kernaufgabe der RGK stellte in den ersten Jahrzehnten ihres Bestehens satzungsgemäß die Erforschung der arch. Zeugnisse in den Teilen Deutschlands dar, die dauerhaft unter röm. Besatzung gestanden haben, wobei jedoch der älteren Epoche der rein german. und keltischen Besiedlung die gleiche Bed. zukommen sollte. Nicht nur beim provinzialröm., sondern auch beim prähistor. Forschungszweig legte die RGK von Anfang an großen Wert auf internationale Ausrichtung der eigenen Unternehmungen, ein für die Entwicklung nach 1933 wesentlicher Punkt. Daß die vorgeschichtlichen Befunde im Norden und Osten Deutschlands zunächst nicht in gleichem Umfang zum Arbeitsfeld der RGK wurden, hat mehrere Gründe: Der entstehungsgeschichtliche Zusammenhang mit der Limesforschung; der Widerstand namhafter Gelehrter, insbesondere von Rudolf Virchow, gegen eine allzu starke Zentralisierung der prähistor. Forschung; eine wichtige Rolle spielte aber auch die Tatsache, daß sich bei einer Konzentration auf die Funde im Raum des früheren Imperium Romanum eine enge inhaltliche Verknüpfung mit der Arbeit der übrigen, auf dem Gebiet der klass. Ant. tätigen Abteilungen des DAI (in Rom und Athen) ergab. Bis 1931 standen ausschließlich Klass. Archäologen und Althistoriker an der Spitze der Institution und garantierten so schon durch ihre akad. Schulung den Zusammenhang der beiden Forschungszweige [3].

Das Frankfurter Inst. unterstützte seit seiner Gründung kleinere und größere Ausgrabungen nach dem Prinzip der Subsidiarität finanziell und organisatorisch. Daneben übernahm in Einzelfällen der Direktor oder ein Mitarbeiter der RGK die wiss. Leitung an bedeutenden Ausgrabungsplätzen z. B. in Haltern und Oberaden an der Lippe. Diese Grabungen galten als vorbildlich und methodisch richtungsweisend für die Entwicklung der Ausgrabungstechnik. Darüber hinaus hat insbesondere Gerhard Bersu spezielle Lehrgrabungen mit internationaler Beteiligung im In- und Ausland durchgeführt. Funde gingen an die beteiligten Museen, da die RGK keine Museumsaufgaben übernahm. Daneben galt es in den ersten Jahren, systematisch private Sammlungen oder Museumsbestände und fremde wie eigene Ausgrabungsergebnisse ausführlich zu publizieren und somit weitere Auswertung zu ermöglichen und Standards in der Lit. zu setzen. Im Sinne der Nachwuchsförderung wurden junge Wissenschaftler an allen Projekten beteiligt und seit 1928 ein »prähistor. Reisestipendium« vergeben.

Seit 1904 erscheinen jährlich die *Berichte der Römisch-Germanischen Kommission*, die neben einem offiziellen Tätigkeitsbericht Überblicksdarstellungen zum Stand einzelner und zu Vergleichszwecken auch außerdeutscher Forschungsgebiete geben. Zur schnellen Information über neu erschienene Lit. sowie über neue Ausgrabungen, Funde und Forschungsergebnisse, die der rasche Aufschwung der Arch. in Deutschland in immer unübersichtlicherem Maße hervorbrachte, wurde 1917 die Zeitschrift *Germania* gegründet. Diese fortlaufenden Mitteilungen wurden ergänzt durch mehrere Monographienreihen: Den Anfang machten 1911 die *Kat. west- und süddeutscher Altertumssammlungen*, es folgten 1914 die *Materialien zur röm.-german. Keramik*, 1923 die *German. Denkmäler der Frühzeit* und 1931 die *German. Denkmäler der Völkerwanderungszeit*. Seit 1928 ermöglichen die *Röm.-German. Forschungen* die Veröffentlichung umfangreicherer Einzeluntersuchungen [1].

B. DIE RÖMISCH-GERMANISCHE KOMMISSION IN DER NS-ZEIT

In der dt. Vorgeschichtsforschung entwickelte sich etwa seit der Jahrhundertwende eine zunehmend kontrovers werdende Diskussion über den Zusammenhang von wiss. Aufgabenstellung und gesellschaftlichem Auftrag. Der Primat der klass. Altertumswiss. im Bereich von Bildung und Kultur hatte auch auf dem Gebiet der professionellen Forschung – Univ., Akad., Forschungs-inst. – zur Folge, daß die Vor- und Frühgeschichte Deutschlands, verglichen mit der Klass. Arch., stark unterrepräsentiert war. Anlaß zur Klage gab jedoch nicht allein die geringe Ausstattung mit Mitteln und Stellen, sondern v. a. die darin gesehene Geringschätzung der frühen Geschichte des eigenen Landes gegenüber den Hochkulturen des Mittelmeerraums und anderer Regionen. In erster Linie war es der Kreis um Gustaf Kossinna (1858–1931), der den Kampf um größere Anerkennung für das eigene Anliegen mit dezidierter Kritik an der Hochschätzung der klass., speziell der röm. Kultur verband. Es kam das Schimpfwort »Römling« auf, »Rom« wurde zum Inbegriff des Mediterranen, Fremden, Undeutschen.

Seit 1933 wurden ideologische Attacken dieser Art mit ungleich größerer Schärfe vorgetragen; »natürlicher« Gegner war die provinzialröm. Forsch. in Deutschland und als ihr Träger insbesondere die RGK. In die Defensive gedrängt sahen sich RGK und DAI zum einen durch die Desavouierung ihres 1. Direktors Gerhard Bersu (1888–1964), der aufgrund seiner jüd. Abstammung 1935 entlassen wurde (von 1950 bis 1956 hatte er erneut die Leitung inne, ein seltenes Beispiel erfolgreicher Remigration). Zum anderen drohte mit dem »Reichsinst. für dt. Vorgeschichte«, hinter dem der NS-»Chefideologe« Alfred Rosenberg stand, ein Konkurrenzunternehmen nationalsozialistischer Observanz zu entstehen, das der RGK die Existenzberechtigung streitig machte. Das »Reichsinst.« sollte nach der Vorstellung seiner Initiatoren zu einer Zentraleinrichtung heranwachsen, die die gesamte Forschung auf dem Gebiet der deutschen Vorgeschichte koordinierte und die de facto deren Gleichschaltung durchgesetzt hätte.

Diese Pläne kamen jedoch, obwohl es 1936 einen Beschluß zur Schaffung des »Reichsinstituts« gegeben hatte, nicht zur Ausführung, der status quo blieb im Kern erhalten. Die RGK konnte ihre Tätigkeit fortsetzen, und zwar in bescheidenem Rahmen auch die provinzialröm. Forschungen. Von den zahlreichen Gründen für diesen Verlauf kann nur weniges angedeutet werden. Zusätzlich zum »Reichsinstitut« wurde – teilweise in Abstimmung mit DAI und RGK – noch eine weitere Institution auf dem Gebiet der dt. Prähistorie tätig, das »Ahnenerbe«, die mächtige Wiss.-Organisation der SS. Daß die drei Instanzen über mehrere Jahre hinweg mit nur geringen Interferenzen nebeneinander operierten, deutet gleichzeitig auf das Fehlen einer konsequenten NS-Wiss.-Politik für die Geisteswissenschaften. Die innerhalb der Parteielite vorhandene Skepsis gegenüber naiver Germanophilie sowie die planvoll eingerichteten Kompetenzunschärfen unterhalb der obersten Ebene der Macht behinderten eine grundlegende Umstrukturierung und trugen so dazu bei, daß die RGK, was innere Verfassung und wiss. Aufgaben betrifft, in der NS-Zeit keine starken Veränderungen erlebte [3].

C. Von 1945 bis heute

1945 begannen die verbliebenen Mitarbeiter unter der kommissarischen Leitung des an der Univ. Frankfurt lehrenden Althistorikers Matthias Gelzer mit großem Engagement den Wiederaufbau des Instituts. Die RGK stand unter der treuhänderischen Verwaltung des Landes Hessen, das die Verwaltung und einzelne kleinere Arbeiten finanziell unterstützte. Obwohl das Inst. nur gerettete Lagerbestände zum Tausch anbieten konnte, zeigten ausländische Institutionen bereits in den ersten Nachkriegsjahren Interesse an der Wiederaufnahme des Tauschverkehrs und an einzelnen unveröffentlichten Manuskripten. Eigene Publikationsvorhaben, die während des Krieges liegengeblieben waren, konnten vor allem aus technischen Gründen zunächst nicht realisiert werden.

Nach den Kriegszerstörungen war man beim allg. Wiederaufbau und dem intensiven Ausbau der Städte und Dörfer auf zu viele Fundstellen gestoßen, um sie fachgemäß zu bearbeiten, aber das Interesse an der Arch. war erneut geweckt. Einzelne Landesdenkmalämter, z. B. in Bayern, konnten dies nutzen und sich im direkten Kontakt zum jeweiligen Kultusminister zügig organisieren und richtungsweisende Projekte bearbeiten. Nun konnte und mußte die RGK sich erneut auf Themen überregionaler Art beschränken. Die Koordinationsaufgaben zw. einzelnen regionalen Institutionen durch die RGK gingen damit aber zurück. Wissenschaftspolitisch konnte die RGK ihre zentrale Position wieder ausbauen.

Die Vor- und Frühgeschichtsforsch., seit 1930 als selbständige Univ.-Disziplin anerkannt, konnte an den Hochschulen der Bundesrepublik ihren im Dritten Reich ausgebauten Status halten. Ergänzend versuchte die RGK, die an den Univ. inzwischen kaum mehr vertretene provinzialröm. Arch. zu fördern und junge Wissenschaftler zu schulen. Hierbei half die enge Verbindung zur Frankfurter Univ., an der die Inst.-Direktoren Lehraufgaben wahrnahmen.

1954 organisierte Bersu den wiss. Aufsichtsrat, die »Kommission« neu. Dieses Gremium, das der ganzen Institution seinen Namen gibt, setzte sich ursprünglich aus 18 Wissenschaftlern zusammen und wurde 1929 zur ›stärkeren Förderung der prähistorischen Forschung‹ um vier Mitglieder erweitert. Bersu hatte bewußt neben Vor- und Frühgeschichtsforschern auch Vertreter der Fächer Klass. Arch., Alte Geschichte, einen Bauforscher und einen Wissenschaftler aus der DDR berufen. Heute besteht die Kommission aus dem Präsidenten des DAI, den beiden Direktoren der RGK, einem Vertreter des Auswärtigen Amts und der Stadt Frankfurt am Main, dem Generaldirektor des Röm.-German. Zentralmus. Mainz und 14 gewählten Gelehrten aus Universitäten, Museen und Denkmalpflegeämtern.

In den 1950er J. konnte die RGK, die während des »Dritten Reichs« entgegen dem Zeittrend keine neuen Stellen erhalten hatte, ihr wiss. und technisches Personal erheblich vermehren und so ihrer stark angewachsenen Publikationsverpflichtung nachkommen. Alte Trad. der RGK, wie die Nachwuchsförderung, wurden wieder aufgenommen, ebenso Kolloquien oder Vortragsveranstaltungen. Das wiederaufgebaute Inst.-Gebäude bot wie von 1927 bis 1944 Arbeitsmöglichkeiten für Gastwissenschaftler.

Große Flächen- und Forschungsgrabungen konnten erst mit finanzieller Unterstützung, z.B. durch die Deutsche Forschungsgemeinschaft, in Angriff genommen werden. Dazu gehören die umfangreichen Grabungen in der keltischen Stadt Manching bei Ingolstadt, die der Erste Direktor Werner Krämer bereits am Bayerischen Landesamt für Denkmalpflege begonnen und 1957 als Forschungsunternehmen in die RGK eingebracht hat. Daneben beschäftigte sich das Inst. seit 1966 wieder intensiv mit der Limesforschung und bemühte sich generell, sich erneut stärker aktiv an der Forschung zu beteiligen. Auslandsgrabungen wurden erst 1991 wieder durchgeführt mit der Bearbeitung der caesarischen Belagerungswerke von Alesia bei Dijon sowie der Siedlungsforschung in La Bureba, Nordspanien.

Nach der dt. Wiedervereinigung führt die RGK seit 1991 in einem neu geschaffenen Arbeitsbereich Ur- und Frühgeschichte wiss. Projekte des ehem. Zentralinstituts für Alte Geschichte und Arch. (ZIAGA) der Akademie der Wissenschaften der DDR weiter. Dadurch wurden das aktive Forschungsgebiet, z.B. durch die Ausgrabungen des spätröm. Militärstützpunktes von Iatrus/Krivina, und die naturwiss. Arbeitsbereiche wesentlich erweitert.

Zur Förderung der arch. Forsch. dient eine öffentlich zugängliche Präsenzbibliothek. Gesammelt wird weltweit erscheinende Lit. zu den Forschungsschwerpunkten Vor- und Frühgeschichte Europas, Arch. der röm. Provinzen, Arch. des MA sowie in begrenztem Umfang zur ant. Numismatik, Epigraphik und Alten Geschichte. Die engen wissenschaftlichen Kontakte, welche die RGK zu anderen europ. Inst. und Fachkollegen unterhält, schlagen sich auch im regen Austausch von Publikationen nieder. Dies gelang in großem Umfang auch in außenpolitisch schwierigen Zeiten. Seit 1992 erstellt die Bibl. einen sachlich erschlossenen elektronischen Katalog (DYABOLA) und erarbeitet damit eine ständig aktualisierte, vielfältig auswertbare Bibliographie zum gesamten Arbeitsgebiet der RGK.

Zu den frühen ersten Publikationsserien, die v. a. bedeutende Denkmälergruppen und deren wiss. Auswertung thematisieren, kamen weitere hinzu: 1954 die *Inventaria Archaeologica*, 1959 die *Limesforsch.* und die *Ausgrabungen in Haithabu*, 1960 die *Fundmünzen der röm. Zeit in Deutschland*, 1966 der *Atlas der Megalithgräber Deutschlands*, 1967 die *Feddersen Wierde*, 1969 die *Ausgrabungen in Manching*, 1973 *Corpus Signorum Imperii Romani*, 1975 der *Magdalénien-Fundplatz Gönnersdorf* und die *Stud. zur Küstenarch. Schleswig-Holsteins*, 1979 *Stud. zu den Fundmünzen der Ant.*, 1994 *Corpus der röm. Funde im europ. Barbaricum* und 1997 die *Kolloquien zur Vor- und Frühgeschichte* [1].

1 K. BECKER, Die Gesch. der Röm.-German. Kommission 1902–2002 (in Vorbereitung) 2 R. BOLLMUS, Das Amt Rosenberg und seine Gegner, 1970, 153–235 3 K. JUNKER, Das arch. Inst. des Dt. Reiches zw. Forsch. und Politik. Die Jahre 1929 bis 1945, 1997, 35–37, 49–66 4 M. H. KATER, Das »Ahnenerbe« der SS 1935–1945. Ein Beitr. zur Kulturpolitik des Dritten Reiches, 1974, 17–24, 72–82 5 W. KRÄMER in: FS zum 75jährigen Bestehen der RGK. Beiheft Berichte RGK 58, 1977, 5–23 6 Ders., Gerhard Bersu: ein dt. Prähistoriker 1889–1964 (im Druck für die Berichte der RGK) 7 M. UNVERZAGT, Wilhelm Unverzagt und die Pläne eines Inst. für die Vorgesch. Ostdeutschlands, 1985.

KATHARINA BECKER UND KLAUS JUNKER

Römische Archäologie s. Klassische Archäologie

Römisches Recht I. LATEINISCHES ABENDLAND II. BYZANZ

I. LATEINISCHES ABENDLAND
A. EINLEITUNG, REZEPTION DES RÖMISCHEN RECHTS B. RECHTSSTUDIUM UND JURISTEN C. KOMMENTATOREN, »MOS ITALICUS« D. EINFLUSS GELEHRTER JURISTEN E. AUSBREITUNG DES GELEHRTEN RECHTS F. URSACHEN UND BEWERTUNG G. PERIODISIERUNG H. REZEPTIONSPROZESSE I. FORTWIRKEN RÖMISCHEN RECHTS

A. EINLEITUNG, REZEPTION DES RÖMISCHEN RECHTS

Das von den → Glossatoren und Kommentatoren bearbeitete R. R. wurde zum Gegenstand der sog. Rezeption. (Dieser Begriff hat in der Rechtsgeschichte eine spezifische Bedeutung erlangt, die sich von dessen sonstiger Verwendung unterscheidet.) Zusammen mit dem Recht der Kirche (Kanonistik), dem langobardischen Lehnsrecht (Libri Feudorum) sowie mit einer Reihe ausgewählter Rechtsinstitute territorialer Rechte und Gewohnheiten bildete dieses R. R. (Legistik) als sog. Gemeines Recht (ius commune) den Gegenstand des Rechtsstudiums an den ma. Universitäten. Die einheitliche Ausbildung schuf die Basis für eine Übernahme bzw. Aufnahme des R. R. in weiten Teilen West-Europas.

Bei der Rezeption des R. R. handelt es sich um einen komplexen histor. Vorgang. Zentrale Faktoren dieses kultur- und sozialhistor. Prozesses [41. 1014; 43. 4] waren das universitäre Rechtsstudium und die Herausbildung einer Schicht gelehrter Juristen. Als Spätfolge gilt das R. R. noch h. in San Marino und Südafrika (→ Roman Dutch Law), wenngleich in veränderter Gestalt. Die Rezeption des R. R. gehört zu den am häufigsten behandelten Gegenständen der Rechtsgeschichte (→ Romanistik/Rechtsgeschichte), ihre Lit. ist unüberschaubar geworden (bester Zugang: [47]). Neuere Gesamtdarstellungen der Rezeption des R. R. fehlen (grundlegend: [9; 63]), hingegen fließen Beitr. zu Einzelthemen und lokalen Besonderheiten reichlich.

B. RECHTSSTUDIUM UND JURISTEN

Ermöglicht wurde das Wiederaufleben des R. R. durch das einheitliche Studium des Rechts an den ma. Universitäten. Dieses basierte auf dem Text der justinianischen Kompilation, an dessen Teilen (Codex, Institutionen, → Digesten) sich bereits die Gliederung der juristischen Fakultäten orientierte. Auslöser der Wiederbeschäftigung mit dem Gesetzgebungswerk Iustinians war möglicherweise die Auffindung einer spätant. Digesten-Hs. in Pisa im 11. Jh. Die Absolventen dieser Ausbildung waren professionell geschulte Juristen, die sich rasch zu einem eigenen Berufsstand entwickelten [21]. Sie verfügten infolge ihres Studiums nicht allein über eine gemeinsame Basis im Sinne eines einheitlichen Kanons von Regeln des materiellen Rechts. Ihnen war daneben die an den Quellen des röm. (und kanonischen) Rechts orientierte und erarbeitete Begrifflichkeit nebst zugehöriger (scholastischer) Methodik gemein.

C. KOMMENTATOREN, »MOS ITALICUS«

Beides entwickelte sich fort. Die Arbeit der Glossatoren hatte sich um 1240 in einer Standardkommentierung (Glossa ordinaria) verfestigt. Die nachfolgende Juristengeneration baute auf diesen Ergebnissen auf. An die Stelle der Glosse als charakteristischer Literaturform traten jedoch kommentierende Literaturtypen und insbes. das für die Praxis bestimmte Rechtsgutachten (consilium). Man hat diese Juristen deshalb unterschiedlich bezeichnen wollen: als Postglossatoren, Kommentatoren oder Konsiliatoren. Corpus iuris civilis und Glossa ordinaria waren für sie nur Ausgangspunkt (→ Romanistik). Hatten sich die Glossatoren den Text überhaupt erst aneignen müssen und ihn annotiert, so schufen die Kommentatoren ein den veränderten Anforderungen ihrer Zeit angepaßtes Rechtssystem. Sie formulierten allg. Rechtssätze, die sich aus dem ant. Text induktiv gewinnen lassen, und verwendeten diese deduktiv zur Lösung von Einzelfällen. Die von Glossatoren und Kommentatoren entwickelte Technik zur Aneignung und Umsetzung der Quellen (mos italicus), wie sie im akad. Unterricht vermittelt wurde, führte zu einer Verwissenschaftlichung des Rechtsdenkens, das sich auch in der Rechtspraxis widerspiegelte.

D. EINFLUSS GELEHRTER JURISTEN

Am röm.-kanonischen Recht geschulte Juristen erlangten bereits im 12. Jh. erheblichen polit. und sozialen Einfluß [21]. Deutlichstes Beispiel hierfür ist die Mitwirkung der quatuor doctores an den 1158 von Kaiser Friedrich I. in Roncaglia verkündeten Gesetzen. In den oberit. Städten sorgten die Bedürfnisse einer hochentwickelten, auf Handel und Gewerbe basierenden Gesellschaft für stetig steigenden Bedarf an gelehrten Juristen. Hierzu trug in der Folgezeit auch die Podestà-Verfassung bei. Sie war gekennzeichnet durch die zeitlich begrenzte Übertragung der Stadtherrschaft auf einen auswärtigen Fachmann, der nach Ablauf seiner Amtszeit in einem gesonderten Verfahren (Syndikatsprozeß) Rechenschaft geben mußte. Entscheidungen, die der Podestà aufgrund herrschender Rechtsansichten, insbes. nach Beratung durch anerkannte Juristen, getroffen hatte, konnten ihm nicht als fehlerhaft angelastet werden [17].

Von Oberit. ausgehend breitete sich die Wertschätzung gelehrter Juristen rasch auch nördl. der Alpen aus. Durch ihre Fähigkeit zur Argumentation und ihre Kenntnis des Gelehrten Rechts erwiesen diese sich einheimischen Rechtskundigen als überlegen. Dies zeigte sich zuerst in den geistlichen Gerichten. Mit Klerikerjuristen nahm die Rezeption des R. R. ihren Anfang. Kirchliche Verbote, das R. R. zu studieren (1219, 1231), stehen hierzu nur in scheinbarem Widerspruch. Sie dienten lediglich der Regulierung und belegen die Attraktivität dieses Studiums. Bereits im 13. Jh. gibt es Klagen darüber, daß in der Kirche ein Klerikerjurist größere Wertschätzung genieße als ein guter Theologe [47. 133].

Im Dt. Reich fanden sich gelehrte Juristen zuerst auf Reichsebene. Von dort aus drangen sie in städtische und territoriale Verwaltungen ein, wo ihr methodisches Vorgehen und eine rational geprägte Arbeitsweise sie auszeichneten. Neue Tätigkeitsbereiche (Richter, Anwalt) folgten. Schon 1442 sollte das königliche Kammergericht von Richtern besetzt sein, von denen manche gelehrte Doktoren waren [47. 135]. Die Reichskammergerichtsordnung von 1495 sah dann eine Richterbank vor, die je zur Hälfte mit Adligen und Doktoren besetzt war [47. 136]. Doch waren bei den Niedergerichten noch im 16. Jh. gelehrte Juristen die Ausnahme, wie die Vorrede zur *Constitutio Criminalis Carolina* (1532) beklagt.

Mit den gelehrten Juristen zog auch gelehrtes Recht (*ius commune*, »Gemeines Recht«) ein. Freilich genoß einheimisches Recht grundsätzlich Vorrang. Gemeines Recht sollte nur angewendet werden, wenn das Ortsrecht keine einschlägigen Regelungen bereithielt (Subsidiarität des *ius commune*). Doch dürften örtliche Normen den gelehrten Juristen oft unbekannt gewesen sein. Zudem begünstigte das ebenfalls auf röm.-kanonischen Ursprüngen beruhende Prozeßrecht zumindest in Deutschland die Anwendung des gelehrten Rechts. Während die Geltung lokaler Rechtsnormen, die eine Prozeßpartei zu ihren Gunsten angewendet wissen wollte, dem Gericht gegenüber förmlich zu beweisen war, sprach für Rechtssätze des röm.-kanonischen Rechts die sog. *fundata intentio*. Sie galten als gerichtsbekannt und bedurften keines Beweises.

E. AUSBREITUNG DES GELEHRTEN RECHTS

Zeitlich und räumlich vollzog sich die Rezeption des R. R. unterschiedlich. Ihr Kerngebiet bildete der Kontinent. Hier begann die Rezeption des R. R. in Spanien, Nordfrankreich, Süddeutschland und Österreich bereits im 13. Jh. und war zum Ausgang des 15. Jh. im wesentlichen abgeschlossen. Norddeutschland und die Niederlande erlebten dieselbe Entwicklung erst zw. etwa 1480 und 1600. Namentlich die Gründung des Reichskammergerichts und die Tätigkeit gelehrter Juristen im

Umkreis dieses Gerichts förderten die Rezeption des R. R. erheblich. Osteuropa und Skandinavien nahmen erst spät (um 1700) oder gar nicht an der Rezeption des R. R. teil. England hatte durch den in Bologna ausgebildeten Juristen Vacarius und dessen *Liber pauperum* sehr früh das R. R. kennengelernt, doch bildete sich das Common Law in der Folge eigenständig aus. Bezeichnenderweise erlangten gelehrte Juristen (→ Civilians) dort nur geringe Bed., weil sich die Ausbildung des engl. Juristen in der praktischen Tätigkeit, fern der Univ., in den Inns of Court abspielte. Schottland hingegen räumte bis ins 18. Jh. hinein den gelehrten Juristen eine bedeutende Stellung ein (→ Scotland, Law of). Auch Wales hatte seine eigene Entwicklung.

F. URSACHEN UND BEWERTUNG

Ursachen und Bewertung der Rezeption des R. R. waren und sind in der Rechtsgeschichte umstritten. Jede monokausale Erklärung würde der Komplexität der Rezeption des R. R. nicht gerecht. Doch lassen sich eine Reihe von Einflußgrößen nennen.

Bis ins 19. Jh. hinein sah man in der Rezeption des R. R. in erster Linie die Übernahme materiell-rechtlicher Regeln des R. R. und suchte nach einem Geltungsgrund. Die früheste Erklärung führte die Rezeption des R. R. auf eine ausdrückliche Anordnung Kaiser Lothars III. (1135) zurück. Diese im MA entstandene »Lotharische Legende« wurde jedoch schon 1643 von Hermann Conring als falsch erwiesen.

Heute betont man als Kern der Rezeption des R. R. die Verwissenschaftlichung von Rechtsdenken und Rechtspraxis, die aus der Schulung am Vorbild der röm.-kanonischen Quellen erwuchs. Die Glossatoren hatten die röm. Rechtstexte erschlossen und durch ihre Bemühungen um Harmonisierung mit einer inneren Einheitlichkeit versehen, die deren Wert und praktische Verwertbarkeit steigerte. Auf dieser Basis hatten die Kommentatoren diese Rechtsmasse an die Bedürfnisse einer veränderten Welt angepaßt. Dabei wurden systematische Kategorien geschaffen, die dem ant. R. R. möglicherweise immanent gewesen, jedenfalls aber nicht explizit formuliert worden waren. Recht konnte nunmehr als ein in sich widerspruchsfreier, geschlossener und vollständiger Komplex von Normen verstanden werden. Rechtskenntnisse hatten sich zu Rechtswiss. gewandelt. Deren Studium förderte durch seine Einheitlichkeit die Ausbreitung des gelehrten Rechts.

Daneben traten als Motoren der Rezeption des R. R. die gelehrten Juristen als Träger und Multiplikatoren. Sie konnten jedoch nur deshalb derartigen Einfluß erlangen, weil sie einen Bedarf befriedigten. Mitursache für die Rezeption des R. R. ist auch ein Bedürfnis nach gelehrter Rechtspflege. Röm.-kanonischer Prozeß und gelehrtes Recht erwiesen sich als besser geeignet, die Anforderungen einer veränderten Umwelt zu erfüllen. Wirtschaftliche Aspekte mögen eine Rolle gespielt haben. Bedeutender jedoch war das Bedürfnis nach einem rationalen Prozeß, der den althergebrachten Rechtsgang, der von Laien regiert wurde, ablösen konnte.

Fachlich ausgebildete Richter leisteten den Übergang vom »Orakel« zur »ratio decidendi« [63. 114] und von einem auf Autorität gegründeten Schöffenspruch zum durch Argumente überzeugenden, auf Rechtsnormen gegründeten Urteil.

Wesentlichen Anteil an der Rezeption des R.R. besaß auch die Kirche. Als Kind der Ant. lebte sie nach R.R. (*ecclesia vivit lege Romana*), das jedoch bald durch eigene Elemente modifiziert wurde. Für die kirchliche Verwaltung und Rechtsprechung war die Kenntnis des R.R. daher unverzichtbar. *Ius romanum* und *ius canonicum* beeinflußten einander wechselseitig. Die Praxis der geistlichen Gerichte wurde zum Einfallstor für das gelehrte Recht und den gelehrten Juristen.

G. PERIODISIERUNG

So gesehen wird die noch übliche Periodisierung der Rezeption des R.R. zweitrangig. Die bereits im 13. Jh. einsetzende sog. Frührezeption und die seit etwa 1450 erkennbare Vollrezeption werden zu Phasen eines einheitlichen Vorganges: einer ersten Phase der Infiltration, des Eindringens oder Durchsickerns und einer zweiten der Penetration, des Durchdringens [24. 143]. Späte Auswirkungen im 19. Jh. (→ Historische Rechtsschule), namentlich die Beschäftigung mit dem ant. R.R. durch die → Pandektistik und die resultierende Aufnahme röm.-rechtlicher Elemente in das dt. Bürgerliche Gesetzbuch (BGB) von 1900 werden als Nachrezeption bezeichnet.

H. REZEPTIONSPROZESSE

Zugleich eröffnet sich der Zugang zu einem Verständnis der Rezeption des R.R. als Typus eines auch an anderer Stelle anzutreffenden Vorganges. Rezeptionsvorgänge lassen sich ebenso bezüglich anderer Gegenstände beobachten, und die Rezeption des R.R. ist nur ein Beispiel für die Rezeption einer Rechtsordnung. Der Vergleich etwa mit der Rezeption des dt. BGB in Japan oder der des schweizerischen ZGB in der Türkei (1926) verspricht Erkenntnisse über den Vorgang einer Rechtsrezeption an sich, die ihrerseits wiederum zum besseren Verständnis der Rezeption des röm.-kanonischen Rechts beitragen könnten.

I. FORTWIRKEN RÖMISCHEN RECHTS

Die Beschränkungen des überkommenen Verständnisses der Rezeption des R.R. (Privatrecht, Westeuropa) haben lange Zeit übersehen lassen, daß das R.R. auch in anderen Bereichen und Regionen [6; 48] Einfluß genommen oder fortgelebt hat. So lassen sich auch im öffentlichen Recht Einflüsse des R.R. erkennen (grundlegend: [53]). Untersucht wurde insbes. der Einfluß der Rezeption des R.R. auf die Bildung des mod. Staates. Auch im → Strafrecht wurde das R.R. rezipiert [26; 35]. Das Fortwirken des R.R. beschränkte sich zudem nicht auf Europa, sondern erreichte auch Lateinamerika [44] und die USA [19] sowie Südafrika (→ Roman Dutch Law). Eine Bewußtwerdung des *ius commune* als den Europäern gemeinsame Trad. und des R.R. als prägendem Bestandteil europ. Kultur [15; 50] hat in jüngster Zeit zu Vorschlägen geführt, es als Vor-

bild für ein zukünftiges Europ. Zivilrecht zu verwenden [66].

1 M. BELLOMO, L'Europa del diritto comune, 1991 2 O. BEHRENDS, M. DISSELHORST, W.E. VOSS (Hrsg.), R.R. in der europ. Trad., 1985 3 G. BELOW, Die Ursachen der Rezeption des R.R. in Deutschland, 1905, Ndr. 1964 4 P. BENDER, Die Rezeption des R.R. im Urteil der dt. Rechtswiss., 1979 5 H. BOOCKMANN, L. GRENZMANN et al. (Hrsg.), Recht und Verfassung im Übergang vom MA zur Neuzeit, I. Teil, 1998 6 K.H. BURMEISTER, Das Studium der Rechte im Zeitalter des Human. im dt. Rechtsbereich, 1974 7 W.W. BUCKLAND, A.D. MCNAIR, Roman Law and Common Law, 1965 8 H. COING, Die Rezeption des R.R. in Frankfurt am Main, 1939, ²1962 9 Ders., R.R. in Deutschland, Ius Romanum Medii Aevi V, 6, 1964 10 Ders. (Hrsg.), Hdb. der Quellen und Lit. der neueren europ. Privatrechtsgesch., Bd. I, MA, 1973 11 Ders., Europ. Privatrecht, Bd. I, Älteres Gemeines Recht (1500 bis 1800), 1985 12 G. DAHM, Zur Rezeption des röm.-it. Rechts, 1935 13 El dret comú i Catalunya. Actes del VII simposi internacional, Barcelona, 23–24 de maio de 1997, ed. AQUILINO IGLESIA FERREIRÓS, 1998 14 Droit romain et identité européenne. Actes du Colloque, organisé du 12 au 14 mai 1992 par l'institut des Hautes Etudes de Belgique, ed. J.-H. MICHEL, 1994 (= RIDA 41 Suppl.) 15 F. ELSENER, Stud. zur Rezeption des gelehrten Rechts, 1989 16 W. ENGELMANN, Die Wiedergeburt der Rechtskultur in It. durch die wiss. Lehre, 1938 17 L'Europa e il diritto romano. Studi in memoria di Paolo Koschaker, 2 Bde., 1954 18 R. FEENSTRA, Romeinsrechtelijke grondslagen van het Nederlands Privatrecht, 1984 19 M. FRANKLIN, Roman law and the constitution of the United States, in: Synteleia Vincenzo Arangio-Ruiz (1984) I, 315–323 20 O. FRANKLIN, Beitr. zur Gesch. der Reception des R.R. in Deutschland, Hannover 1863 21 J. FRIED, Die Entstehung des Juristenstandes im 12. Jh., 1974 22 Ders. (Hrsg.), Schulen und Studium im sozialen Wandel des hohen und späten MA, 1986 23 A. GAUTHIER, Roman law and its contribution to the development of canon law, ²1996 24 E. GENZMER, Einl., Ius Romanum Medii Aevi (IRMAE) I, 1, 1961 25 D. GIESEN, Rezeption fremder Rechte, in: HandWB zur Dt. Rechtsgesch. Bd. IV, 995–1004 26 H.P. GLÖCKNER, Cogitationis poenam nemo patitur (D. 48.19.18). Zu den Anf. einer Versuchslehre in der Jurisprudenz der Glossatoren, 1989 27 W.M. GORDON, Scotland and France. The legal connection, in: Omaggio a Peter Stein (= Index 22, 1994), 557–566 28 P.-J. HEINIG, Gelehrte Juristen im Dienst der röm.-dt. Könige des 15. Jh., in: [5. 167–184] 29 E.E. HIRSCH, Rezeption als sozialer Prozeß. Erläutert am Beispiel der Türkei, 1981 30 Ius Romanum Medii Aevi, Milano 1961 ff. (Internationales Gemeinschaftswerk zum R.R. im MA) 31 H. KIEFNER, Rezeption (privatrechtlich), in: HandWB zur Dt. Rechtsgesch. Bd. IV, 970–984 32 P. KOSCHAKER, Europa und das R.R., 1947, ⁴1966 33 H. KRAUSE, Kaiserrecht und Rezeption, 1952 34 K. KROESCHELL, Die Rezeption des gelehrten Rechts und ihre Bed. für die Bildung des Territorialstaats, in: K.G.A. JESERICH et al. (Hrsg.), Dt. Verwaltungsgesch., Bd. I, 1983, 279–288 35 P. LANDAU, F.C. SCHROEDER (Hrsg.), Strafrecht, Strafprozeß und Rezeption, 1984 36 H. LANGE, R.R. im MA. I. Die Glossatoren, 1997 37 A. LAUFS, Rechtsentwicklungen in Deutschland, ⁵1996, 45–81 38 A.D.E. LEWIS, D.J. Ibbetson

(Hrsg.), The Roman law trad., 1994 **39** I. MÄNNL, Gelehrte Juristen im Dienst der dt. Territorialherren am Beispiel von Kurmainz (1250–1440), in: [5. 185–198] **40** F. RANIERI, Recht und Ges. im Zeitalter der Rezeption, 1985 **41** Ders., s. v. R. R., Rezeption, in: LMA VII, 1014–1016 **42** F. C. VON SAVIGNY, Gesch. des R. R. im MA, 7 Bde., Heidelberg 1834–1851 **43** H. SCHLOSSER, Grundzüge der Neueren Privatrechtsgesch., ⁹2001 (Lit. zur Rezeption in den europ. Territorien) **44** T. SCHOLL, Die Rezeption des kontinental-europ. Privatrechts in Lateinamerika am Beispiel der allg. Vertragslehre in Costa Rica, 1999 **45** C. SCHOTT, Wir Eidgenossen fragen nicht nach Bartele und Baldele, in: K. KROESCHELL (Hrsg.), Gerichtslauben-Vorträge, 1985, 17–45 **46** ELTJO J. H. SCHRAGE (Hrsg.), Das R. R. im MA, 1987 **47** W. SELLERT, Zur Rezeption des röm. und kanonischen Rechts in Deutschland von den Anf. bis zum Beginn der frühen Neuzeit: Überblick, Diskussionsstand und Ergebnisse, in: [5. 115–166] **48** M. SILNIZKI, Gesch. des gelehrten Rechts in Rußland, 1997 **49** P. G. STEIN, The influence of Roman law on the common law, in: Historisch vooruitzicht (Redaktion M. E. FRANKE, J. P. JORDAANS) 1994, 165–169 **50** Ders., R. R. und Europa. Die Gesch. einer Rechtskultur, 1996 (engl. 1999) **51** W. STELZER, Gelehrtes Recht in Österreich. Von den Anf. bis zum frühen 14. Jh., 1982 **52** Ders., Die Rezeption des gelehrten Rechts nördl. der Alpen, in: S. DE RACHWITZ, J. RIEDMANN (Hrsg.), Kommunikation und Mobilität im MA, 1995, 231–247 **53** M. STOLLEIS, Rezeption (öffentlichrechtlich), in: HandWB zur Dt. Rechtsgesch. Bd. IV, 984–995 **54** D. TAMM, Roman law and European legal history, 1997 **55** W. TRUSEN, Anf. des Gelehrten Rechts in Deutschland, 1962 **56** Ders., Gelehrtes Recht im MA und in der frühen Neuzeit, 1997 **57** P. VINOGRADOFF, Roman law in medieval Europe, ³1928 **58** H. G. WALTHER, It. gelehrtes Recht im Nürnberg des 15. Jh., in: [5. 215–229] **59** A. WATSON, Legal transplants, ²1993 **60** M. WEBER, Rechtssoziologie, 1967 **61** P. WEIMAR, Zur Ren. der Rechtswiss. im MA, 1997 **62** G. WESENER, Einflüsse und Geltung des röm.-gemeinen Rechts in den altösterreichischen Ländern in der Neuzeit (16. bis 18. Jh., 1989 **63** F. WIEACKER, Privatrechtsgesch. der Neuzeit, ²1967 **64** W. WIEGAND, Stud. zur Rechtsanwendungslehre der Rezeptionszeit, 1977 **65** D. WILLOWEIT, Rezeption und Staatsbildung im MA, in: D. SIMON (Hrsg.), Akten des 26. dt. Rechtshistorikertages, 1987, 19–47 **66** R. ZIMMERMANN, Das röm.-kanonische ius commune als Grundlage europ. Rechtseinheit, in: Juristenzeitung 47 (1992), 8–20. HANS PETER GLÖCKNER

II. BYZANZ

A. AUSGANGSSITUATION B. DIE ERSTE ANEIGNUNG (6. JAHRHUNDERT) C. EIN EMANZIPATIONSVERSUCH: DIE ECLOGA (8. JAHRHUNDERT) D. DIE VOLLREZEPTION DES RÖMISCHEN RECHTS IN DEN BASILIKEN (9. JAHRHUNDERT) E. RECHTSLITERATUR (10.–14. JAHRHUNDERT) F. DAS KANONISCHE RECHT G. DIE GESETZGEBUNG H. DIE RECHTSPRAXIS I. WISSENSCHAFTSGESCHICHTE

A. AUSGANGSSITUATION

Als Kaiser Justinian das im Lauf der sieben Jh. vor ihm entstandene R. R. zw. 529 und 534 n. Chr. kodifizieren

ließ, stand der westl. Teil des röm. Reiches schon nicht mehr unter seiner Herrschaft. Die monumentale Kodifikation hatte nur dort eine Chance, bemerkt, bearbeitet und in die Praxis umgesetzt zu werden, wo sie entstanden war: in Konstantinopel. Eben dort und nur dort setzte denn auch gleich mit Abschluß der Kodifikation deren pädagogische Vermittlung und praktische Umsetzung ein. Das byz. Reich sollte in der Folge bis zu seinem Untergang (1453) mit R. R. leben. Das bis auf republikanische Zeiten zurückgehende, in lat. Sprache verfaßte R. R. wurde also in ein östl., christl., griech.-sprachiges Kaiserreich eingepflanzt. Im folgenden wird das Schicksal des R. R. in dieser ihm kulturell fremden Umgebung betrachtet.

B. DIE ERSTE ANEIGNUNG (6. JAHRHUNDERT)

Die ersten Juristen, *antecessores* genannt, die sich im 6. Jh. mit der Kodifikation beschäftigten, waren Rechtslehrer aus Beirut und Konstantinopel. Sie, die wie andere Gebildete der Zeit bilingual waren, übersetzten die Institutionen, die → Digesten und den Codex für die überwiegend griech.-sprachigen Studenten. Dabei blieben die zahllosen t. t. der lat. Rechtssprache – mangels griech. Komplementärbegriffe – in der Regel unübersetzt. Deren Sinn pflegten die Antezessoren an Beispielsfällen zu erläutern und ihren dogmatischen Zusammenhang durch Sammlung von Parallelstellen zu verdeutlichen [8; 17; 24; 26]. Überliefert ist diese Unterrichtslit. als Institutionenparaphrase des Theophilos [16. III.], für die Digesten und den Codex hingegen fast nur in Bruchstücken als Scholien zu den »Basiliken« (s. u.). Im 6. Jh. fand so eine erste Übertragung des R. R. auf die byz. Welt statt. Unter Beibehaltung der originär röm.-lat. Begrifflichkeit des Rechts wurde dieses in griech. Sprache formuliert und interpretiert. »Der Körper des Rechts wurde griech., die Seele blieb lateinisch.«

C. EIN EMANZIPATIONSVERSUCH: DIE ECLOGA (8. JAHRHUNDERT)

Was die zwei folgenden auch in Byzanz »dunklen« Jh. betrifft, weiß man so gut wie nichts über die Geschichte des Kodifikationstextes. Daß er verfügbar blieb, sieht man aber an dem wichtigsten Rechtstext des 8. Jh., der *Ecloga* aus dem J. 741 [1]: die undurchschaubare Masse an Rechtstexten – eben die Hinterlassenschaft Justinians und der Antezessoren – sollte, so die erklärte Absicht der Kaiser Leon III. und Konstantinos V., auf das Notwendige, Passende und für jedermann Verständliche reduziert werden. Es entstand ein in der Tat kurzes Werk mit 18 Titeln. Inhaltlich weitgehend neu stellt sich das Strafrecht dar. Im Zivilrecht hingegen sind die röm.-justinianischen Quellen auf Schritt und Tritt erkennbar. Doch ist die radikal reduzierte Menge des Rechts – erstmals – in eine leicht durchschaubare Ordnung gebracht. Die Sprache der *Ecloga* ist schlicht, lat. Rechtswörter sind fast vollständig ausgemerzt. Die *Ecloga* hat die enorme Last der justinianischen Kodifikation und der Antezessorenlit. deutlich erleichtert. »Röm.« blieb das Recht der *Ecloga* in vielem. Aber die Vereinfachung und Neuordnung des Materials waren ein Akt der Emanzipation von der Last röm. Textmassen und ein Versuch, ein den byz. Lebensverhältnissen angemessenes Recht zu schaffen.

D. Die Vollrezeption des Römischen Rechts in den Basiliken (9. Jahrhundert)

Ein ähnlicher Versuch wurde in Byzanz nicht wieder unternommen. Im Gegenteil: Im 9. Jh. setzte eine restaurative – auch als byz. bzw. makedonische »Ren.« bezeichnete – Politik ein. Vermutlich als Reaktion auf die erstarkende Macht von Papst und Kaiser im Westen knüpfte das byz. Kaisertum nun verstärkt an Justinian und die röm. Trad. an. Die Byzantiner definierten sich mehr denn je als »Romaioi«, die einzig legitimen Römer des Erdkreises. Solchen Ansprüchen konnte die kleine *Ecloga* nicht genügen. Zwei neue Rechtsbücher, die *Epanagoge* [16. II.] oder *Eisagoge* [25] (885/6) und das *Prochiron* (907?) [16. II.; 25], überschreiten deren Umfang deutlich und sind den justinianischen Quellen in hohem Maße verpflichtet. Das große Unternehmen der Zeit aber waren die »Basiliken« [12] (*Tá basiliká (biblía)* = die kaiserlichen (Gesetz-)Bücher), die um 888 fertiggestellt wurden [25]. Sie enthalten in 60 Büchern so gut wie das gesamte röm.-justinianische Recht in griech. Sprache und in neuer thematisch orientierter Ordnung. Grundlage der umfassenden Neukodifizierung waren die Übersetzungen der Antezessoren aus dem 6. Jh. Diese aber waren, wie erwähnt, von zahllosen lat. t.t. durchsetzt und ohne Kenntnis von deren Bed. schlicht unverständlich. In mühsamer Kleinarbeit – die vielen erh. lat.-griech. Rechtslexika zeugen von diesem Prozeß [3] – eigneten sich die Byzantiner das benötigte Fachvokabular und damit nolens volens das Verständnis der alten Texte an. Im Ergebnis erstrahlte der Text der Basiliken in reinem Griechisch. Ende des 9. Jh., also lange ehe ein ähnlicher Vorgang im Westen stattfand, wurde das R. R. in Byzanz »rezipiert«. Nicht nur der Text der Basiliken, sondern auch die »Seele« des Rechts war nun griechisch. Beigefügt wurden den Basiliken im Laufe der Jh. Scholien, die teils neuere Anm., teils Texte aus dem 6. Jh. enthielten. Aus diesen sog. alten Scholien ist für uns der urspr. Zustand der Antezessorenlit. erkennbar.

E. Rechtsliteratur (10.–14. Jahrhundert)

Die folgenden Jh. sind durch unermüdliche Neukompositionen des Stoffes gekennzeichnet. Bald nach den Basiliken, im 10. Jh., entstand aus diesen ein alphabetisch geordneter Auszug, die sog. *Synopsis Basilicorum Maior* [16. V.]. Der Volltext blieb jedoch greifbar und wurde, einschließlich der Rechtslit. des 6. Jh., im 11. Jh. Gegenstand mehrerer anspruchsvoller, dem röm. Rechtsdenken erstaunlich näherer Traktate (z.B. über *pacta nuda* [9], über Darlehen und Pfand [4], über das *peculium* [5]). Aus dem 12. Jh. stammt ein umfassender Komm. zu ausgewählten Stellen der ersten zehn Bücher der Basiliken [2]. Unabhängig von den Basiliken wurden jedoch auch die teils älteren Gesetz- und Rechtsbücher erweitert und miteinander verbunden. Keine einmal erstellte Kompilation blieb ohne Derivate, die

später Namen wie *Eisagoge cum Prochiro composita, Ecloga ad Prochiron mutata* etc. erhalten sollten. Neue Kompilationen, wie das Rechtsbuch des Michael Attaleiotes aus dem 11. Jh. [16. VII.] und die *Synopsis Basilicorum Minor* aus dem späten 13. Jh. [16. VI.], kamen hinzu. Beschlossen wird die lebhafte Produktion byz. Rechtsbücher mit der *Hexabiblos* des Armenopoulos [6], die 1345 vollendet wurde und bis ins 20. Jh. in Griechenland Verwendung fand. In den byz. Rechtsbüchern spiegelt sich ein stetiges Bedürfnis nach Reduktion des Stoffes, wobei jedoch jede Kurzform neue erweiterte Texte gebar. Gemeinsam ist ihnen die hohe Abhängigkeit vom »Urtext«, und das heißt: vom R. R. in seinen *versiones graecae*. Ob byz. Recht damit ausschließlich oder überwiegend R. R. war, kann nur ein Blick auf das parallel laufende kanonische Recht, auf die Gesetzgebung und die Rechtspraxis zeigen.

F. Das kanonische Recht

Das R. R. durch christl. und die Organisation der Kirche betreffende Zutaten zu ergänzen hatten die Kaiser seit Konstantin d. Gr. und hatte insbes. Justinian in seinen Nov. unternommen. Noch im 6. Jh. wurde dieser Teil des röm.-justinianischen Rechts in Form von Komm., Exzerpten und systematischen Zusammenstellungen bearbeitet (z.B. [13; 15]). Gegen E. des 6. Jh. entstand aber auch der erste Nomokanon in 14 Titeln [11. I.] und damit eine Literaturform, die in den folgenden Jh. in Byzanz fleißig weitergepflegt wurde. Ein Nomokanon stellt weltliches und kanonisches, von den Konzilien bzw. den Patriarchen erlassenes Recht zusammen, und dies in vergleichender, häufig harmonisierender oder Differenzen diskutierender Absicht. Einen Höhepunkt dieser kritischen und riskanten Fusion weltlichen und kanonischen Rechts bilden im 12. Jh. die großen Komm. der Kanonisten Zonaras, Aristenos und Theodor Balsamon [11. II.-IV.]. Abgeschlossen wird die Arbeit durch den alphabetisch geordneten Nomokanon des Matthaios Blastares im 14. Jh. [11. VI.]. Für das byz. Recht stellt die nomokanonische Lit. ein Forum stetiger Auseinandersetzung und Anpassung des hergebrachten röm.-justinianischen Rechts dar. Die empfindlichsten Eingriffe und Innovationen fanden dabei im Eherecht und Personenrecht statt.

G. Die Gesetzgebung

Die byz. Kaiser griffen eher selten in das überlieferte Recht ein. Die einzige größere Sammlung von (113) Nov. stammt von Leon VI. [10]. Er begleitete die Neukodifizierung des Rechts in den Basiliken mit vorsichtigen »Modernisierungen«. Durchschlagende Eingriffe in das Privatrecht blieben aus. Anders verhält sich dies mit der Agrargesetzgebung des 10. Jh. [14], welche der Feudalisierung vorbeugen sollte. Legislative Anstrengungen finden sich später (11./12. Jh.) v. a. in der Reform des Prozeßrechts. In der Spätzeit, deutlich ab dem 13. Jh., tritt aber das allg. Gesetz gegenüber individuellen Verfügungen und Privilegien zurück [19]. Am Zustand des R. R. in Byzanz hat die Gesetzgebung wenig, auf manchen Gebieten des Privatrechts gar nichts geändert.

H. Die Rechtspraxis

Das wichtigste Zeugnis der Rechtsprechung in Byzanz ist die sog. *Peira* aus dem 11. Jh. [16. IV.], eine Sammlung von Exzerpten aus Urteilen des Kaisergerichts, die größtenteils auf den Richter Eustathios Rhomaios zurückgehen. Die Peira ist eine der raren Quellen zur Sozialgeschichte von Byzanz, belehrt aber auch über den damaligen Rechtszustand. Römisch-justinianisches Recht in Form der Basiliken ist prominent in den Urteilen vertreten, teils in geradezu klass. anmutender, teils in kühner neuer Interpretation. Daneben schimmern überraschende Rechtsgebräuche und -ansichten durch, deren Herkunft meistens diffus bleibt. Insgesamt zeugt die *Peira* davon, daß die »Rezeption« des R. R. in Byzanz nachhaltige Wirkungen auch in der Praxis hatte [27]. Ab dem 13. Jh., mit dem Zusammenbruch der staatlichen Strukturen infolge der lat. Besetzung (1204–1261), übernehmen v. a. das Patriarchatsgericht [7] und einzelne Bischöfe die Rechtssprechung. Überliefert sind Urteile des Ioannes Apokaukos [20] und des Demetrios Chomatianos [28]. Während ersterer eine Art »freie Rechtsfindung« praktiziert, ist letzterer in vielen Rechtsmeinungen und Argumentationsweisen ein »Römer«. Ein anderes Bild ergibt sich aus den Urkunden, über die wir für die Spätzeit in großer Anzahl (Ed. v. a. »Archives de l'Athos«, Paris 1988ff., bisher 20 Bände) verfügen: Die grundlegenden Strukturen des R. R. wie Vertrag, Eigentum, Mitgift und Testament sind in ihnen ungeschmälert erhalten, doch beginnen viele alte Unterscheidungen zu verschwimmen, so bes. die von Besitz und Eigentum sowie von Vertrag und Übereignung.

I. Wissenschaftsgeschichte

Byzanz und sein Recht traten – nach langer gegenseitiger Mißachtung des Ostens und des Westens – im 16. Jh. in das Blickfeld der Forschung. Die ersten Editionen byz. Rechtstexte sind E. Bonefidius (1573), J. Leunclavius (1596) und C. A. Fabrot (Ed. princeps der Basiliken, 1647) und für das kanonische Recht W. Voell und H. Justell (1661) zu verdanken. Die Welt, die sich dem Westen damit eröffnete, wurde weniger histor. als philol., nicht zuletzt zugunsten der Textkonstitution und Rekonstruktion des *Corpus Iuris Civilis*, geplündert. Eine neue Welle byz. Studien setzte im 19. Jh. ein: C. W. E. Heimbach legte die zweite Ed. der Basiliken vor (1833–1850); K. E. Zachariae von Lingenthal nahm sich der Ed. des übrigen weltlichen Rechts an [16]; G. A. Rhalles und M. Potles widmeten sich dem kanonischen Recht [11]. Gleichzeitig wurde das byz. Recht inhaltlich und histor. aufgearbeitet [22. 32]. Im 20. Jh. entstanden dank neuer Hss.-Funde und -Studien [18] zahlreiche Erst- und Neueditionen. Auf dem Feld der juristischen Byzantinistik sind vorwiegend Forschergruppen in Groningen (*Subseciva Groningana* 1984ff., bisher 5 Bände; vgl. auch [8; 12; 15; 17; 24; 31]) und in Frankfurt am Main (*Forsch. zur byz. Rechtsgeschichte*, 1976ff., bisher 22 Bände.; vgl. auch [1–5; 13; 18–20; 25–29]) in Verbindung mit Athen (*Forsch. zur byz. Rechtsgeschichte,* *Athener Reihe,* 1986ff.) tätig. Die juristische Byzantinistik tritt im 20./21. Jh. allmählich aus dem Schatten des R. R. heraus und vollzieht den Sprung in die Historisierung ihres Gegenstands (→ Romanistik). Und gleichwohl gilt: Ohne R. R. war und ist byz. Recht nicht zu denken.

→ AWI Codex II.; Collectiones canonum; Digesta; Institutiones; Iustinianus; Rechtskodifikation

QU 1 L. Burgmann, Ecloga. Das Gesetzbuch Leons III. und Konstantinos' V., 1983 2 Ders., Ecloga Basilicorum, 1988 3 Ders., M. Th. Fögen, R. Meijering, B. Stolte, Lexica Iuridica Byzantina, 1990 4 Ders., Tractatus de creditis et de testo uno, in: Fontes Minores IX, 1993, 35–80 5 M. Th. Fögen, D. Simon, Tractatus de peculiis, in: Fontes Minores X, 1998, 261–318 6 G. E. Heimbach, Const. Harmenopuli Manuale legum sive Hexabiblos, Leipzig 1851 (Ndr. 1969) 7 H. Hunger, O. Kresten, Das Register des Patriarchats von Konstantinopel, I, II, 1981, 1995 8 J. H. A. Lokin, R. Meijering, Anatolius and the Excerpta Vaticana et Laurentiana, 1999 9 H. Monnier, G. Platon, La Meditatio de nudis pactis, 1915 10 P. Noailles, A. Dain, Les Novelles de Léon VI le Sage, 1944 11 G. A. Rhalles, M. Potles, Syntagma ton theion kai hieron kanonon, I-VI, Athen 1852–1859 (Ndr. 1966) 12 H. J. Scheltema, N. van der Wal, D. Holwerda, Basilicorum libri LX, A I-VII (Text), B I-IX (Scholien), 1953–1985 13 D. Simon, Sp. Troianos, Das Novellensyntagma des Athanasios von Emesa, 1989 14 N. Svoronos, Les Novelles des Empereurs Macédoniens, 1994 15 N. van der Wal, B. H. Stolte, Collectio Tripartita. Justinian on Religious and Ecclesiastical Affairs, 1994 16 K. E. Zachariae von Lingenthal, Jus Graeco-Romanum, Leipzig 1856–1884, Ndr. in J. u. P. Zepos, Jus Graecoromanum I-VIII, 1931, Ndr. 1962

LIT 17 F. Brandsma, Dorotheus and his Digest Translation, 1996 18 L. Burgmann, M. Th. Fögen, A. Schminck, D. Simon, Repertorium der Hss. des byz. Rechts, I: Die Hss. des weltlichen Rechts, 1995 19 M. Th. Fögen, Gesetz und Gesetzgebung in Byzanz, in: Ius Commune 14, 1987, 137–158 20 Dies., Horror iuris. Byz. Rechtsgelehrte disziplinieren ihren Metropoliten, in: Cupido legum, 1985, 47–71 21 A. P. Kazhdan, A.-M. Talbot, A. Cutler (Hrsg.), The Oxford Dictionary of Byzantium, I-III, 1991 22 J.-A.-B. Mortreuil, Histoire du Droit Byzantin, Paris 1843–1846 (Ndr. 1966) 23 P. E. Pieler, Byz. Rechtslit., in: H. Hunger, Die hochsprachliche profane Lit. der Byzantiner II, in: HdbA XII 5.2, 1978, 341–480 24 H. J. Scheltema, L'enseignement de droit des antécesseurs, 1970 25 A. Schminck, Stud. zu mittelbyz. Rechts-B., 1986 26 D. Simon, Aus dem Codexunterricht des Thalelaios, in: ZRG Rom. Abt. 86, 1969, 334–383; 87, 1970, 315–394; RIDA 16, 1969, 283–308; 17, 1970, 273–311 27 Ders., Rechtsfindung am byz. Reichsgericht, 1973 28 Ders., Byz. Provinzialjustiz, in: ByzZ 79, 1986, 310–343 29 Ders., Die Epochen der byz. Rechtsgesch., in: Ius Commune 15, 1988, 73–106 30 Sp. N. Troianos, Hoi peges tou byzantinou dikaiou, ²1999 31 N. van der Wal, J. H. A. Lokin, Historiae iuris graeco-romani delineatio. Les sources du droit byzantin de 300 à 1453, 1985 32 K. E. Zachariae von Lingenthal, Gesch. des griech.-röm. Rechts, Berlin ³1892, Ndr. 1955. MARIE THERES FÖGEN

Rom I. Geschichte und Deutung II. Forum
Romanum III. Kaiserfora IV. Katakomben
V. Palatin VI. Museen

I. Geschichte und Deutung
A. Grundzüge der Stadtgeschichte
B. Entwicklung der Stadtstruktur
C. Umgang mit der in der Antike geschaffenen
städtischen Infrastruktur und mit den
antiken Monumenten
D. Die Auseinandersetzung mit Rom in
Kultur und Wissenschaft
E. Rom-Idee; Rom als Argument

A. Grundzüge der Stadtgeschichte
Nach dem E. des Röm. Reiches und der Auflösung
staatlicher Strukturen ist es die Kirche, der als einzig
verbliebener intakter Institution und größter Grund-
besitzerin nun von selbst auch viel weltliche Aufgaben
zuwachsen: polit. Verhandlungen, Organisation der Ge-
treideversorgung, Reparatur von Stadtmauern und
Aquädukten usw. Da der oström. Kaiser die Herrschaft
über Rom nur noch nominell ausübt und dem Papsttum
wirksamen Schutz nicht mehr bieten kann, wendet sich
dieses, angesichts der Bedrohung durch die Langobarden, um die Mitte des 8. Jh. an die fränkischen Könige,
versucht dabei aber durch die Fälschung einer angebli-
chen → Konstantinischen Schenkung (nämlich Roms
an den Papst) sich die Herrschaft über die Stadt vorzu-
behalten. Das seither als Schutzmacht auftretende karolingische Königtum (dann westl. Kaisertum: Kaiserkrönung Karls d. Gr. in Rom 800) gibt der Stadt und
dem Papsttum, das mit Hadrian I. (772–795) und Leo III.
(795–816) denn auch eine erstaunliche Bautätigkeit entfaltet, zeitweilig einen sichernden Rahmen, der mit der
Auflösung des karolingischen Reiches aber zerbricht:
Papsttum und Stadtherrschaft werden die Beute rivali-
sierender stadtröm. Adelsfamilien, die sich nach der
Auflösung der alten Senatsaristokratie als neue Führungsschicht gebildet und ein neues röm. Identitätsbe-
wußtsein (*senatus*) entwickelt hatten und die Wahl des
Bischofs von Rom als röm. Angelegenheit ansahen.
Papsttum und Stadt aus diesem herabwürdigenden Zustand herauszuführen, wird zur selbstgesetzten Aufgabe
der deutschen Könige, die als »röm.« Kaiser (Kaiserkrönung Ottos I. in Rom 962, *renovatio imperii Romanorum* Ottos III. 998 mit Hofzeremoniell und Ämterti-
tulaturen nach ant. Vorbild) Rang und Rom-Bezug von
den Karolingern erben und die daraus resultierenden
herrschaftlichen Ansprüche und Pflichten persönlich in
»Rom-Zügen« wahrnehmen: die Ottonen und frühen
Salier im Einvernehmen mit dem noch schwachen
Papsttum, die späten Salier und Staufer im Konflikt mit
den durch die Kirchenreform inzwischen erstarkten,
sich nun selbstbewußt gegen das Kaisertum wendenden
Reformpäpsten.
Zwischen diesen beiden Universalgewalten in ihrem
Konflikt sucht nun auch die kommunale Bewegung ei-

nen eigenen Platz: schwächer, später und mit geringerem Spielraum als in anderen Städten, jedoch mit über-
höhtem ideologischen Anspruch unter Berufung auf republikanische wie imperiale Trad. des ant. Rom (»Erneuerung des Senats« 1143, polit. Instrumentalisierung
der ant. Monumente). Doch gelingt es der röm. Kommune mangels eigenen Gewichts nur selten, sich gegenüber dem Papsttum wie dem röm. Baronaladel, der im
13. Jh. mehrere Päpste stellte, zu behaupten. Erst der
Zusammenstoß des Papsttums mit dem frz. König und
die daraus folgende Übersiedlung der Kurie nach Avignon (1309–1376) geben der röm. Stadtgemeinde Spielraum für begrenztes eigenes Handeln und für Besinnung auf eigene, nicht vom Papsttum abgeleitete Substanz. Die im 12. Jh. ausgebildete Rom-Ideologie wird
nun, in groteskem Kontrast zum völlig verkommenen
Zustand der Stadt (›Rom jetzt Schwanz, einst Haupt der
Welt‹: Boccaccio, *Decamerone* V,3), schwärmerisch
übersteigert in dem aus ant. Reminiszenzen und mystischen Vorstellungen seltsam gemischten Programm
eines Cola di Rienzo, der als »Volkstribun« die Macht
ergreift (1347, 1354) und in pompösen Manifesten It.
zur Einigung unter der Führung Roms aufruft. Außerhalb Roms kaum ernst genommen, hat seine Herrschaft
in der Stadt selbst doch die Folge, daß der große Adel
(Colonna, Orsini) hinausgedrängt wird und die Mittelschicht polit. und wirtschaftlich Raum gewinnt.
Mit der Rückkehr des Papsttums aus Avignon 1376
beginnt eine Phase schwierigen Zusammenlebens: Das
durch die Kirchenspaltung (1378–1415) geschwächte
Papsttum sieht sich durch die – direkter päpstlicher
Herrschaft inzwischen entwöhnte – Kommune dauernd drangsaliert. Doch gelingt es Bonifaz IX. 1398 in
einem Befreiungsschlag, die Kommune auf immer nie-
derzuwerfen. Diese entscheidende Wende ermöglicht
es dem Papsttum, das vom Reformkonzil von Konstanz
gefestigt nach Rom zurückkehrt (Martin V. 1420), die
röm. Gesellschaft im Laufe des 15. Jh. endgültig zu zähmen. Erst jetzt wird Rom, ›das nicht mehr wie eine
Stadt aussah‹ (Platina, *Liber de vita Christi*, zu Martin V.),
stabile päpstliche Residenz: 1434 muß ein letztes Mal
ein Papst aus Rom fliehen, dann 400 J. lang nicht mehr,
bis 1848. Diese Besitzergreifung der Stadt ist die Grund-
voraussetzung für alles Folgende: für das Rom der
→ Renaissance wie für das Rom des → Barock. Die hier
erst um die Mitte des 15. Jh. einsetzende Ren. geht von
der höfischen, nicht der städtischen Gesellschaft aus und
erhält entscheidende Impulse von den im Dienst des
Papstes (Finanz, Kanzlei, Kunst) stehenden Florentinern. Dann kommen auch röm. Familien auf den Geschmack und staffieren (Manili, Porcari) ihre Häuser
antikisch aus.
Im Zuge der allg. polit. Entwicklung zum Territo-
rialfürsten geworden, formt der Papst – wie andere Fürsten – seine Residenzstadt nun nach seinem Willen,
ohne bei solch programmatischer *renovatio Urbis* noch
bes. Rücksicht auf gewachsene Strukturen zu nehmen.
Erste größere Bauvorhaben unter Nikolaus V. (1447–

55), erste massive urbanistische Eingriffe unter Sixtus IV. (1471–1484) und Julius II. (1503–1513): Straßen werden verbreitert und begradigt, Kirchen modernisiert oder neu gebaut, Amtsgebäude errichtet – hier wird nicht mehr MA geflickt, sondern Ren. gebaut. Die Kardinäle tun es dem Papst gleich: Neuen Erwartungen an bauliche Repräsentation nachkommend, errichten sie große Paläste umgeben von Plätzen als sozialem Achtungsabstand – ein Aufwand, für den rücksichtslos ganze ma. Wohnviertel oder gar Kirchen (S. Lorenzo in Damaso) niedergelegt werden. Die zunehmende Anziehungskraft einer endlich stabilen und prachtvollen Residenz (noch im 15. Jh. sanken bei Abwesenheit des Papstes Warenimport, Schiffsverkehr, Mieteinnahmen auf jeweils knapp zwei Drittel des Normalen) gab in einer Stadt, die keine Exportindustrie kannte und v. a. vom Dienstleistungs-Sektor lebte, nun vielen ein Auskommen und ließ die Bevölkerungszahl von den vielleicht 25 000 Einwohnern um 1400 auf gut 50 000 um 1525 anwachsen, mit hohem Anteil ausländischer Wohnbevölkerung.

Die umfassende Umgestaltung der Stadt, zu der die mäzenatischen Päpste der Hoch-Ren. die bedeutendsten Künstler Italiens beriefen, und der selbstsichere und raffinierte Lebensstil des Hofes, der in seinem bewußten Rückbezug auf die Ant., überall Kontinuitäten konstruierend, auf viele Kritiker pagan wirkte, erfahren zeitweilig eine brüske Unterbrechung durch den *Sacco di Roma* 1527, in dem die dt. und span. Soldateska Kaiser Karls V. Rom wochenlang plündert und verwüstet. Die größte Herausforderung aber wird die Reformation. Rom-Kritik hatte es im MA immer gegeben – aber mit der Reformation wurde Rom als Zentrum der Christenheit in Frage gestellt und die Welt, die auf Rom geschaut hatte, halbiert. Auf die protestantische Reformation konnte nur mit einer katholischen Reform geantwortet werden. Die Päpste erkannten dies und ließen sich nicht mehr zum Objekt der Reformbestrebungen machen wie noch hundert J. zuvor, sie ergriffen vielmehr die Initiative und setzten sich an die Spitze der Reformbewegung. Die neue Übereinstimmung zw. Papsttum und Rom, wie sie das MA so nicht gekannt hatte, macht die Gegenreformation zum integrierenden Bestandteil der Stadtgeschichte Roms, und das umso mehr, als die Päpste die erneuerte Festigung ihrer Autorität auch im Stadtbild sichtbar machen wollten. Das Zentrum füllt sich mit repräsentativen Kirchen, Behördenbauten und mit den gewaltigen Gebäuden der mit der Reform wachsenden Orden, urbanistische Konzepte geben der Umgestaltung Roms Kohärenz (bes. Sixtus V., 1585–1590) und leiten über in das Rom des Barock (bes. Alexander VII., 1655–1667).

Die Silhouette Roms, in der Ant. bestimmt durch monumentale Giebel, im MA durch einander feindselig anstarrende Türme, wird nun eine Folge einander harmonisch antwortender Kuppeln. Der päpstliche Hof und die Haushalte der Kardinäle (nun meist Italiener, darunter stets Angehörige der großen röm.schen Adelsfamilien) saugen die röm. Gesellschaft an. Daß das Papsttum im 18. Jh. seine Rolle unter den großen Mächten endlich ganz verliert, konnte nicht ohne Wirkung auf Rom bleiben. Die Anziehungskraft, die die Stadt damit einbüßt, bewahrt sie sich jedoch als Ziel eines neuen Kultur- und Gesellschaftstourismus (*Grand Tour*), der sich umso mehr den *antichità* zuwendet, als er, in seinen aufgeklärten Vertretern, an den aktuellen Zuständen nichts mehr zu bewundern findet: Rom und der Kirchenstaat werden zum Inbegriff des heruntergewirtschafteten, unproduktiven Staatswesens. Die kurze napoleonische Besetzung (1809–1814) versucht mit energischen urbanistischen und ökonomischen Eingriffen Rom, nun ›zweite Hauptstadt des Empire‹, auf die Höhe dieses Ranges zu heben, und unternimmt darum auch erste flächige Ausgrabungen (Trajansforum). Seit Rom 1870 Hauptstadt des geeinten It. geworden war, geriet das Interesse am ant. Rom, das im *Risorgimento* die Wahl der zukünftigen Hauptstadt (gegen Turin und Florenz) legitimiert hatte, sogleich in Konflikt mit den Bedürfnissen einer mod. Hauptstadt, die für den Bau von Ministerien, gehobenem und schlichtem Wohnraum, neuer Infrastruktur usw. sofort und massenhaft Fläche benötigte und – über und unter der Erde – auf die von der Wiss. sorgfältig inventarisierten ant. Reste nicht die gebotene Rücksicht nehmen konnte. Noch programmatischer nahm der → Faschismus mit seinen imperialen Attitüden Bezug auf das ant. Rom, zerstörte mit massiven urbanistischen Eingriffen histor. Siedlungsstrukturen und isolierte ant. Monumente – teils gerechtfertigt, teils nicht (Via dell' Impero), teils gelungen, teils nicht (Augustusmausoleum). Das bis dahin allg. übliche Vorgehen, dabei den nachant. architektonischen Kontext rücksichtslos zu beseitigen, wird erst seit Grabungen der 1980er J. (Crypta Balbi, Nerva-Forum) durch schonendere Behandlung der ma. Transformationen abgelöst.

B. Entwicklung der Stadtstruktur

In der Stadt, die schon 330 ihren Rang als Reichshauptstadt an Konstantinopel abgeben mußte und 663 ein letztes Mal von einem oström. Kaiser (Constans II.) besucht wurde, hatte sich nach den demographischen Katastrophen von Gotenkrieg und Pest im 6. Jh. nicht nur das Sozialgefüge, sondern auch das ant. Siedlungsgewebe weitgehend aufgelöst. Zwar saß der byz. Gouverneur noch auf dem Palatin, der Militärkommandant wohl beim Trajansmarkt, und auch die Diakonien (als Versorgungsstellen ein Indiz für Bevölkerungsballung: S. Maria in Cosmedin, S. Giorgio in Velabro, S. Teodoro, S. Maria in Via Lata) lassen noch eine gewisse Konzentration um den ant. Mittelpunkt der Stadt vermuten. Aber die Umwandlung des heidnischen in das christl. Rom hatte urbanistisch eher zentrifugale Tendenz, denn die neuen rel. Schwerpunkte, die nun Siedlung anzogen, lagen an diametral entgegengesetzten Punkten der Stadt: die Gräber der beiden Apostelfürsten im äußersten Nordwesten bzw. Süden außerhalb der Stadtmauern, die Laterankirche als Kathedrale und Sitz

Abb. 1: Engelsburg und Engelsbrücke werden in der Umverteilung
der Siedlungskerne nach dem Ende der Antike zur Schlüsselstelle.
Codex Escurialensis fol. 26^v (um 1500)

des Bischofs ganz dezentral im Südwesten; vielbesuchte
Basiliken über weiteren Märtyrergräbern lagen (da Tote
nicht innerhalb der Mauern hatten bestattet werden
dürfen) gleichfalls weit außerhalb des ant. Stadtkerns.

So verschieben sich die Schwerpunkte von Siedlung
und öffentlichem Leben. Während sich in der Ant. die
Wohnbevölkerung in der Subura beim Forum Romanum und den benachbarten Hügeln konzentriert hatte,
rückt das Siedlungszentrum nun zunehmend auf die andere Seite des Kapitols in den Tiberbogen gegen Peterskirche und Vatikan (Abb. 1), die aus neuem päpstlichen
Selbstbewußtsein und wegen der Sarazenengefahr jetzt
als *Civitas Leonina* (Leo IV., 847–855) in die Stadtmauer
einbezogen werden. Dieser Tiberbogen war zwar schon
in der Ant. bebaut, jedoch mit Tempeln, Theatern, Portiken und anderen öffentlichen Gebäuden (»Marsfeld«),
in deren monumentalen Ruinen sich nun die – auf einen Bruchteil der ant. Zahl sinkende – Wohnbevölkerung notdürftig einrichtet: Dabei mag, neben der Anziehungskraft der Petrus-Reliquien, nach dem Verfall
von Infrastruktur und Verkehrswegen auch die Nähe
zum Fluß eine Rolle gespielt haben. Das Kapitol, das
durch die Bildung der röm. Kommune im 12. Jh. wieder Bed. gewinnt, wird aus der Umverteilung der Bevölkerung die Konsequenzen ziehen und sich mit allen
seinen Fassaden um 180 Grad drehen: statt (wie Jupiter
Capitolinus- und Juno Moneta-Tempel und noch die
Kirche S. Maria in Aracoeli in ihrer früh-ma. Orientierung) auf das nun vereinsamende Forum Romanum
fortan auf die neue Siedlungskonzentration im Tiberbogen blickend.

Neben Tiberbogen und vatikanischem Borgo bleibt
nur Trastevere dicht besiedelt. Die anderen Regionen
innerhalb der viel zu weit gewordenen Aurelianischen
Mauern veröden: In diesem *Disabitato* halten sich Sied-
lungsinseln um Hauptkirchen wie S. Maria Maggiore
und S. Giovanni in Laterano, wo der Papst als Bischof
von Rom mit seinen Behörden residierte (der Vatikan
wird päpstliche Residenz definitiv erst seit 1378). Die
römische Campagna dringt mit ihrer Vegetation bis aufs
Forum Romanum vor.

In diese elende Stadt mit ihren Trümmerpfaden und
Viehtriften, die während des Großen Schismas um 1400
einen absoluten Tiefpunkt erreichte und nur Hohn
oder Mitleid weckte, brachten eine urbanistische Konzeption erst die Päpste der Ren. und der katholischen
Reform. Die Modernisierung der Stadt verstand sich als
renovatio Urbis, und die human. Ideologen der Kurie
waren leicht bei der Hand, überall Kontinuitäten zu sehen. Aber obwohl diese Päpste, als Humanisten, die ant.
Reste bewunderten oder sie doch, als Kirchenpolitiker,
absichtsvoll dem neuen Rom-Bild der Gegenreformation dienstbar machten, führte das nicht zu einem sy-
stematischeren Schutz der ant. Monumente. Im Gegenteil, zw. 1450 und 1650 wurden mehr ant. Monumente
vernichtet als während des ganzen MA. Denn da diese
Päpste mehr bauten als je zuvor und keine Bedenken
hatten, in das Siedlungsgewebe einzugreifen, mußte jeder neue Straßendurchbruch, jeder große Neubau auch
Ant. zerstören. Mit wiederaufgerichteten ant. Obelisken, die bei den Hauptbasiliken plaziert und durch ge-
radlinige Straßenzüge untereinander verbunden werden, organisiert Sixtus V. innerhalb der ant. Mauern

Abb. 2: *Disabitato*, das noch im 19. Jh. unbewohnte Rom: Das Gemälde von J.C. Baehr,
als »Campagna-Landschaft« mißverstanden, zeigt in Wirklichkeit
Rom innerhalb der Mauern zwischen Caelius und Porta Ardeatina

auch außerhalb des Zentrums weite Flächen, die jedoch überwiegend unbebaut bleiben: Veduten noch des frühen 19. Jh. zeigen hier Ruinenlandschaften, die oft fälschlich für Campagna außerhalb der Mauern gehalten werden (Abb. 2). Die Wohnbevölkerung, die nach 1450 endlich zu wachsen beginnt, dehnt sich im 16. Jh. zunächst nach Norden gegen Porta del Popolo und Pincio aus (dieser Raum wird mit dem *Tridente*, drei auseinanderstrebenden Straßenzügen, gegliedert), dann über die Kaiserforen in Richtung Kolosseum und Esquilin. Doch wird die Weite des Aurelianischen Mauerrings erst gefüllt, als die immer noch von unbesiedelter, extensiv bewirtschafteter Öde umgebene Stadt, in ihrer Entwicklung stagnierend (um 1700: 140000, um 1800: 165000 Einwohner), durch die Erhebung zur Hauptstadt Italiens 1870 brüsk erwacht und in ein explosives Wachstum ausbricht. Aus dem Ensemble von Barockstadt und Ruinenidylle wird in jähem Spekulationsfieber eine mod. europ. Metropole werden, nur anders: Hauptbahnhof an ant. Thermen, Konzertsaal in monumentalem Kaisergrab, Gasometer in röm. Wagenrennbahn, Börse in ant. Tempel, Hotels in ant. Theater – alltägliches Leben mit der Ant., auch ohne daß man sie wahrnähme.

C. Umgang mit der in der Antike geschaffenen städtischen Infrastruktur und mit den antiken Monumenten

Der starke Rückgang der Bevölkerung in der kritischen Übergangsphase zwischen Ant. und MA und die markante Verschiebung der Schwerpunkte von Siedlung und öffentlichem Leben innerhalb der Stadt hatten zwangsläufig zur Folge, daß weite Teile der ant. Infrastruktur aufgegeben und viele Gebäude entweder umgenutzt wurden oder verfielen, genauer: verfielen, wenn sie nicht umgenutzt wurden. Und daß man die Trümmer einstürzender Gebäude, den täglichen Abfall, den Schlamm der häufigen Tiberüberschwemmungen und das von den vielen Hügelhängen mangels instandgehaltener Böschungsmauern nun heruntergeschwemmte Erdreich nicht mehr systematisch forträumte: All das ergibt sich allein schon aus dem auffälligen Anwachsen des Bodenniveaus (oft 8 m Differenz).

Das ant. Straßennetz verfiel. Seit das Marsfeld, einst v. a. von großen öffentlichen Gebäuden besetzt und von geraden Straßenzügen durchzogen, zum Zentrum der Wohnbevölkerung geworden war, stieg ein Gewirr enger Gassen, auch mitten durch zusammengebrochene Kuppelbauten hindurch (*Arco della Ciambella*), über das Trümmergelände (Abb. 3), in dem sich nur noch wenige ant. Baukomplexe in Konturen abhoben (z. B. Stadion des Domitian = Piazza Navona). Nur in wenigen Straßenzügen bildeten sich hier noch die ant. Geraden

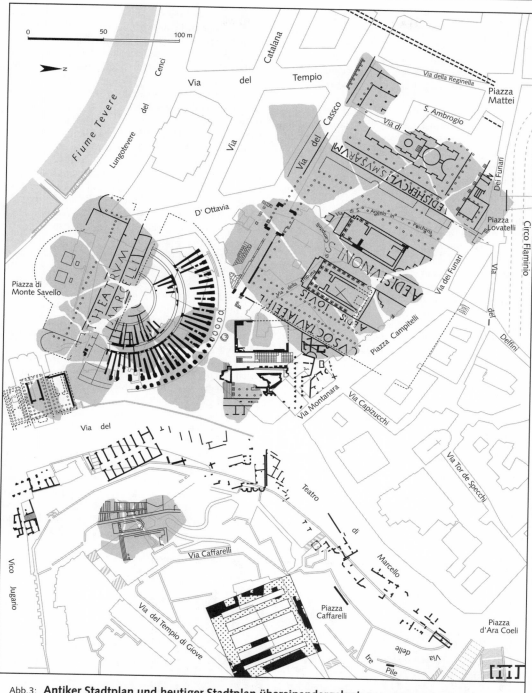

Abb.3: Antiker Stadtplan und heutiger Stadtplan übereinandergelegt: Fragmente der marmornen *Forma Urbis* und jetziger Straßenverlauf beim Marcellustheater (Karte nach A.P. Frutaz, *Le Piante di Roma*, leicht geändert von G. Müller)

ab, so in der Straße von der Porta del Popolo zum Kapitol (*Via Flaminia* = *Via Lata* = Via del Corso), so in der Straße von der Engelsbrücke zum Corso (*Via Recta* = Via dei Coronari/delle Coppelle). Die großen Zufahrtsstraßen verkamen, da ihr röm.-geradliniger Verlauf viele Kunstbauten und somit dauernde Instandhaltung erforderte.

Von den sieben ant. Tiberübergängen im Stadtbereich blieben im MA drei: die Engelsbrücke, als Zugang zu Peterskirche und Papst von großer strategischer Bed. und namengebend für das benachbarte Viertel Ponte; die beiden Tiberinsel-Brücken *Fabricius* und *Cestius*, und gleich flußabwärts der *Pons Aemilius*, im MA erneuert als *Pons S. Marie* oder *Senatorius* (h. Ponte Rotto). Die Reste des *Pons Valentiniani*, damals *Pons ruptus* genannt, wurden 1473–1475 durch den Ponte Sisto ersetzt, den ersten Brückenneubau nach dem E. der Ant.; die Reste des *Pons Probi* am Aventin verarbeitete man 1484 zu Kanonenkugeln.

Die großen Aquädukte waren von den Goten bei ihrer Belagerung Roms 537/38 sämtlich unterbrochen worden und wurden nicht reaktiviert. Nur kürzere wurden zeitweilig repariert, die meist unterirdische *Aqua Virgo* (sie speist h. die Fontana Trevi) scheint immer funktioniert zu haben. Erst mit der Acqua Felice (1585–1587), die die ant. *Aqua Alexandrina* nutzte, und der Acqua Paola (1608–1612), die die *Aqua Traiana* wiederverwendete, wurde die Wasserzuführung wieder verbessert.

Die Aurelianischen Mauern, die noch der gotischen Belagerung von 537/38 standgehalten hatten, in ihrer Länge von 18,8 km weiterhin instandzuhalten, war weder möglich noch sinnvoll. Sie verfielen, wurden nur abschnittsweise von den Päpsten (auch der Kommune: Bauinschr. der Porta Metronia von 1157) repariert und gegen 850 um die Ummauerung des vatikanischen Borgo erweitert. Die Päpste des 15. Jh., beginnend mit Nikolaus V., sorgten für systematische Instandsetzung, die des 16. Jh. für stellenweise Modernisierung nach neuen fortifikatorischen Gesichtspunkten.

Was die Nutzung der ant. Bauwerke betrifft, so ist die Verwandlung heidnischer Tempel in christl. Kirchen – wie sie gerade in Rom nahegelegen hätte – auffallend spät und selten. Schutzgesetze der ersten christl. Kaiser und eine tolerantere Haltung als im Osten schützten die 356 offiziell geschlossenen Tempel zunächst, bis 458, vor Zerstörung und Materialentnahme. Einer bequemen Umwandlung stand aber v. a. die unterschiedliche Raumkonzeption entgegen: Während die Tempel-Cella nur für Gott und Priester gedacht ist, braucht die christl. Kirche Raum für die Gemeinde – und so ist es einfacher, eine Kirche in einem ant. Saalbau, in Thermen oder Getreidemagazinen einzurichten, als in einem Tempel. Frühe Beispiele in Rom sind SS. Cosma e Damiano (um 530 in einer Audienzhalle am Forum), S. Maria Antiqua (um 580 in einem Palast-Vestibül am Palatin), S. Maria *ad Martyres* (609 in das Pantheon), S. Adriano (um 630 in die *Curia* des Senats, Abb. 4). Doch konnten, wenn man hier das Martyrium lokalisierte, Kirchen auch unter die Sitzstufen eines Theaters oder Stadions eingebaut werden (S. Agnese an der Piazza Navona), wobei man in Kauf zu nehmen hatte, daß der Kirchenraum gegen den Altar immer niedriger wurde. Unter den öffentlichen Gebäuden boten gute Nutzungsmöglichkeiten (was ihnen zugleich eine höhere Überlebenschance sicherte) Thermen und sogar Theater, da sie sich durch bloße Vermauerung der Arkaden leicht in eine Festung verwandeln ließen, fest und doch repräsentativ, ein idealer Stützpunkt für die großen röm. Adelsgeschlechter an strategischen Stellen innerhalb der Stadt: so das Marcellustheater an den wichtigen Tiberinsel-Brücken für die Savelli, das Pompejustheater (Abb. 5) an der Hauptachse zwischen Kapitol und Peterskirche für die Orsini, das Kolosseum am Weg vom Kapitol zur Kathedrale für die Frangipane, dann Annibaldi. Andere Geschlechter errichteten sich – wie die Conti auf einer Exedra des Vespasiansforums – unter Verwendung ant. Quadern Türme, die in dauerndem Kampf untereinander standen und, wenn niedergelegt (der strenge Senator Brancaleone degli Andalò soll 1257

Abb. 4: Die *Curia Senatus* verwandelt in eine Kirche, der Septimius Severus-Bogen versehen mit einem Wachtturm. Stich von Du Pérac, um 1575

Abb. 5: Das Pompejustheater, ins mittelalterliche Siedlungsgewebe integriert, hebt sich noch heute deutlich als Halbrund ab. Eine ähnliche Struktur bildet am rechten Bildrand das in direkter Nachbarschaft gelegene Odeon des Domitian (Luftaufnahme, American Academy Rome Fot 5796)

allein 140 solcher Türme gebrochen haben), ihr begehrtes ant. Steinmaterial zu abermaliger, nun dritter Verwendung freigaben. Das ist die Welt, aus der die Päpste des 13. Jh. kommen: Während 60 dieser 100 J. waren Römer Päpste. Als Festungen eigneten sich (wichtiger Gesichtspunkt in einer Stadt, die nicht gegen außen, sondern gegen innen kämpfte) auch die monumentalen Kaisergräber: Das Hadriansmausoleum wird, den Zugang zw. Stadt und Vatikan sichernd, zur »Engelsburg«, das Augustusmausoleum zum Stützpunkt der Colonna.

Wurden so einerseits ganze Bauwerke umfunktioniert, so war andrerseits die Wiederverwendung einzelner Architekturstücke naheliegend. Es war ein bes. signifikanter Vorgang, wenn diese Einzelstücke (sog. → Spolien) nicht als bloßes Steinmaterial recycelt, sondern in erkennbarer Absicht versetzt wurden. Während im spätant. Rom die Wiederverwendung noch festen Regeln gefolgt war, v. a. dem Prinzip der paarigen Entsprechung symmetrisch zur Gebäudeachse (z. B. je eine rote oder eine kannelierte Säule links und rechts), kommt es seit dem 7. Jh. zunächst zu gänzlich regelloser Wiederverwendung, die völliges Unverständnis des Kanons und gänzliche Unempfindlichkeit für Proportionen verrät. Erst in hoch-ma. Kirchen Roms werden Spolien wählerisch und gezielt eingesetzt (→ Säulenordnung).

Da Rom, unter Berufung auf die Ant., *caput mundi* für den Papst wie für den Kaiser wie für die Kommune ist, erhalten Spolien darüberhinaus polit.-ideologische Bedeutung. Mit Spolien aus Rom (und aus Ravenna) legitimiert schon Karl d. Gr. sein neues Kaisertum, denn sie sind transferiertes Rom, *translatio Romae*; das Interesse Ottos III. am ant. Kaiserzeremoniell wird auch mit Wiederverwendung kostbaren ant. Materials einhergegangen sein; im kaiserlichen Krönungsordo spielte die große *rota porphyretica* in der Peterskirche eine wichtige Rolle. Der Papst seinerseits bekräftigt mit der Wiederverwendung von Porphyr seinen Rang gegenüber dem Kaiser, denn Porphyr ist kaiserliches Material, Porphyr zu spoliieren heißt kaiserliche Ansprüche zu usurpieren (Innozenz II. 1143 und Anastasius IV. 1154 in ant. Porphyrsarkophagen bestattet). Überhaupt ist das 12. Jh. in Rom eine Zeit, in der das durch die Reform und den Sieg über das Kaisertum gestärkte und selbstbewußtere Papsttum durch eindrucksvolle Neu- und Umbauten von Kirchen unter bewußter Verwendung von ant. und frühchristl. Spolien hervortritt: S. Clemente (ca. 1110–1130), S. Maria in Trastevere (ca. 1130–1140), SS. Quattro Coronati (gegen 1115) und weitere, einige mit aus Spolien montierten Bischofsthronen (S. Clemente, S. Maria in Cosmedin, S. Lorenzo in Lucina); bes. massive und überlegte Spolienverwendung dann, im frühen 13. Jh., an S. Lorenzo fuori le mura. Programmatisch ist auch die Spolienverwendung der röm. Kommune in ihrer versuchten Emanzipation vom Papsttum: wüste Spolienhäufung an der sog. Casa di Crescenzio (wohl gegen 1150 in der Absicht, *Romae veterem renovare decorem*, so die Portalinschr.), Denkmalsschutz für die Trajanssäule 1162, ant. Skulpturen als Gerichtssymbole; Korn-, Wein- und Ölmaß der Kommune werden aus ant. Stücken gemeißelt. Im damaligen Stadtbild waren längs der Straßen auffallend auch die Portiken aus Spo-

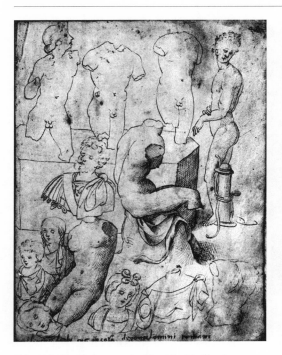

Abb. 6: Antike Skulpturen »in diversi loghi c(i)oe in casa de gentilomi romani« gezeichnet von Amico Aspertini. Codex Wolfegg fol. 42 (um 1500)

liensäulen oft mit (andernorts in It. verschmähten) ionischen Kapitellen.

Hingegen hatten die Tausende ant. Statuen im ma. Rom über der Erde fast keine Überlebenschance. Denn die Statue, v. a. die nackte, galt als Symbol des Heidentums schlechthin, als *idolum.* Unverstanden, gefürchtet und auch noch schlecht verwertbar, wurden sie meist durch Brennen zu Kalk verwandelt. Über der Erde blieben in Rom nur etwa ein Dutzend Statuen erhalten (alle andern stammen aus nach-ma. Grabungen), weil sie als Gerichtssymbol dienten (die bronzene *Lupa*), durch → Interpretatio Christiana entschärft wurden (die Reiterstatue Mark Aurels gedeutet als Konstantin; → Reiterstandbild) oder in vertraulichen Umgang mit ihrem Stadtquartier getreten waren (sog. *statue parlanti: Marforio, Pasquino, Madama Lucrezia* u. a. m.). Wie ant. Statuen gleichwohl beeindrucken konnten, zeigen die Antikenerwerbungen des Bischofs von Winchester Henry von Blois und die Urteile des Magister Gregorius über ant. Skulpturen (12./13. Jh.; Renaissance: Abb. 6).

Die in Rom verfügbare ungeheure Masse ant. Materials aller Formen und Größen führte zu regelrechtem Spolienexport in ganzen Schiffsladungen, wie lit. und urkundliche Quellen und stilistischer Vergleich zeigen. Meist handelte es sich dabei um Beschaffung bloßen Baumaterials. Doch legte man, wie im Pisa des 11./12. Jh. mit seiner rombezogenen kommunalen Ideologie, auch ausdrücklich Wert auf röm. Provenienz:

Mehrere Kapitelle der Kathedrale stammen nachweislich aus den Caracallathermen, aus Rom auch viele Sarkophage im Camposanto. Eine bes. qualifizierte Form des Exports boten die sog. Cosmaten. Diese römischen Künstlerfamilien des 12. und 13. Jh. verarbeiteten die farbigen Marmore, die sich in solcher Menge nur in den Ruinen Roms fanden (*rosso antico, pavonazzetto* usw.), als Elemente ihrer charakteristischen Ornamentik (z. B. Porphyrsäulen wie eine Wurst in Scheiben geschnitten), meißelten gegebenenfalls auch fehlende Stücke gleicher Art neu *all'antica* und exportierten ihre Produkte – Kirchenausstattung und Fassadenschmuck – auch nach außerhalb. Die Cosmaten, antikisierend in Stil und Ikonographie (Sphingen, Sirenen, Atlanten), bedienten sich der Ant. als Vorbild und als Rohmaterial zugleich.

Während die Verwendung ornamentierter Spolien im Spät-MA praktisch aufhört, weil am einheitlich durchgeformten Baukörper der → Gotik oder Ren. solche Stücke keinen Platz mehr haben, geht die Materialentnahme aus ant. Bauten während der Ren. ungeniert weiter, mochten sich die Humanisten auch schon mit den gleichen Bauten beschäftigen und die Päpste ihnen darin applaudieren. Denn die Ren. setzte ihre neuen urbanistischen Konzepte rücksichtslos durch und erlag leicht der Versuchung, durch die Verwendung ant. Quadern (z. B. des Kolosseums) die eigenen Bauvorhaben zu beschleunigen und zu verbilligen. Was im Wege stand oder brauchbares Baumaterial liefern konnte, wurde bedenkenlos beiseitegeräumt, und nicht etwa nur unförmige Ruinen: so 1499 die (der Cestius-Pyramide ähnliche) *meta Romuli* im vatikanischen Borgo für den Durchbruch der Via Alessandrina, so noch 1589/90 das *Septizonium* für mehrere Bauvorhaben, so noch 1606 der Minervatempel im Nervaforum für die Ausschmückung der Fontana Paola. Trajans- und Mark Aurels-Säule werden von Sixtus V. restauriert, aber zugleich mit den Statuen von St. Peter und St. Paul bekrönt, denn alles hatte dem Gedanken zu dienen, den Siegeswillen der röm. Kirche über die Herausforderung der Reformation nun auch in der Gestalt der Hauptstadt zu manifestieren. Der Vorsatz des Kardinals Gabriele Paleotto, das Bilderdekret des Tridentiner Konzils durchzusetzen, führte bisweilen zur Herauslösung oder Verdeckung »paganer« Spolien, hatte aber für die ant. Kunst weiter keine Bedeutung. Erst das 18. Jh. beginnt, in aufklärerischer Absicht und mit klassizistischen Neigungen, das Ensemble aus barocker und ant. Stadt auseinanderzudividieren und sucht im Stadtbild, auf Kosten des gegenwärtigen, das ant. Rom, von dessen ›Schatten (...) einer mehr wert ist als dies ganze Geschlecht‹ (W. v. Humboldt 23.8.1804 an Goethe).

Das nachant. Schicksal der einzelnen Bereiche und Monumente ist ganz unterschiedlich, je nachdem, ob sie eine Funktion behalten oder gewinnen (Abb. 7):

a) Das Kapitol, auf dem sich zunächst, wohl schon im 7. Jh., nur ein byz. (dann benediktinisches) Kloster bei den Ruinen des Juno Moneta-Tempels befand, gewinnt erst durch die kommunale Bewegung des 12. Jh. mit

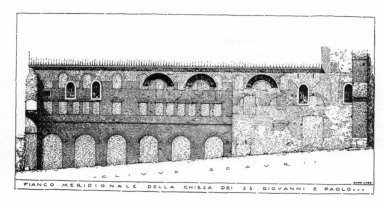

Abb. 7: Palimpsest-Wände:
ein antikes Wohnhaus bildet sich
an der Außenwand der Kirche SS.
Giovanni e Paolo ab (Gismondi)

ihrem Legitimierungsbedürfnis neuen Stellenwert: *re-edificandum Capitolium* propagiert hier damals Arnold von Brescia. Mit seinem Amtsgebäude auf dem ant. *Tabularium* wird es, zumal während der Abwesenheit der Päpste in Avignon, zum polit. Zentrum der Stadt, S. Maria in Araceli zur eigentlichen Bürgerkirche, der Markt am Fuß der Araceli-Treppe zum Stadtmarkt. Nach der Niederwerfung der Kommune durch das Papsttum verliert das Kapitol dann im 15. Jh. an Bed. und wird durch seine Neugestaltung (Michelangelo, seit 1538) vom Papsttum architektonisch assimiliert. Da als – kommunaler oder laikaler – Gegenpol zum Vatikan angesehen, wird es nach dem E. des päpstlichen Rom 1870

als Standort für das pompöse Nationaldenkmal ausersehen.

b) Auf dem Forum Romanum (siehe auch II.) war die Spoliierung der Monumente wohl schon im Gange, als 608 eine letzte Ehrensäule für den byz. Kaiser Phokas errichtet und wenig später die Curia des Senats in eine Kirche umgewandelt wurde. Das Forum gerät an den Rand des – nun im Tiberbogen konzentrierten – städtischen Siedlungsgebiets; bezeichnenderweise wendet ihm das Kapitol fortan den Rücken zu. Es wird zur Viehweide (*Campo vaccino*), zum Parkplatz für die von Süden kommenden Transportgespanne, und ist von der Ausbeutung ant. Steinmaterials bes. betroffen. Dem Fo-

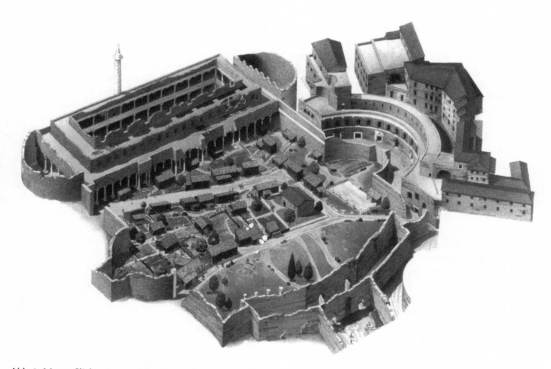

Abb. 8: Mutmaßlicher Zustand des Trajansforums im 10. Jahrhundert.
Sovraintendenza ai Beni Culturali

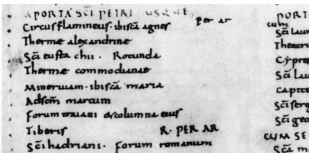

Abb. 9: Codex Einsidlensis (um 800), Wege durch Rom, hier:
»Von der Porta S. Petri [an der Engelsburg] zur Porta Asinaria (am Lateran)«.
Was sieht man zur Linken (»Circus Flamineus«, gemeint Piazza Navona
mit S. Agnese), und was zur Rechten? (»S. Lorenzo in Damaso«).
Ein durchschrittener Bogen (»per arcum«) wird darum zwischen die Spalten
gerückt (Ausschnitt)

rum, von dem sogar die *Mirabilia* keine rechte Vorstellung haben, schenkt erst die arch. Forsch. der frühen Humanisten wieder Beachtung. Für den Einzug Karls V. 1536 läßt Paul III. die ansehnlicheren ant. Fassaden herrichten, anderes beseitigen und die ant. Triumphbögen des Konstantin, Titus und Septimius Severus durch eine *Via triumphalis* miteinander verbinden. Die von Alexander VII. angelegte Allee bestimmt das Bild des Forums bis zum Beginn der flächigen Ausgrabungen im 19. Jahrhundert.

c) Der benachbarte Palatin (siehe auch V.) mit seinen Kaiserpalästen folgte, gleichfalls früh aus der ma. Siedlung ausscheidend, im wesentlichen den Geschicken des Forums. In den weitläufigen Ruinen der Kaiserpaläste richtete sich noch Kaiser Otto III. bei seinen Rom-Aufenthalten 996/1001 ein, doch bedurfte es dazu schon einer eigenwilligen Kaiseridee. Dann stand der Palatin, bis auf seine Klöster, weitgehend verlassen, lieferte aus seinen bes. prachtvoll ausgestatteten Bauten die begehrten Buntmarmore und bedeckte sich gegen 1550 mit den Farnesischen Gärten, in die erst die Grabungen des 19. Jh. eingriffen.

d) Die Kaiserforen (siehe auch III.) scheinen an ihrem nördl. E. (um die spätere Torre delle Milizie) im Früh—MA zunächst noch, neben dem Palatin, Funktionen als byz. Verwaltungssitz gehabt zu haben. Doch wurde das Trajansforum, wie neue Grabungsergebnisse zeigen, wohl schon um 850 seines gesamten wertvollen Plattenbelags beraubt, im 10. Jh. aber stellenweise wieder überbaut (Abb. 8). Insgesamt geriet auch das Areal der Kaiserforen bald aus dem Zentrum an den Rand des städtischen Siedlungsgebietes. Da sie aber auf dem Weg zw. neuem Siedlungszentrum und Kathedrale (Tiberbogen bzw. Lateran) lagen, blieb ihnen eine gewisse Schlüssellage, von der sich wohl Frangipane, Conti, Annibaldi bei ihrer Standortwahl leiten ließen. Im Bereich der Kaiserfora entstanden im MA nicht weniger als neun Kirchen: So richteten sich im Augustusforum im 9. Jh. Basilianermönche ein, im 16. Jh. Dominikanerinnen.

Der Ausfall der *Cloaca maxima* ließ das Gelände versumpfen, die – darum so genannten – *Pantani* wurden erst seit der zweiten H. des 16. Jh. wieder besiedelt. Nach ersten Grabungen unter frz. Besetzung (1811) führte die völlige Beseitigung des gesamten Viertels zw. Palazzo Venezia und Kolosseum in faschistischer Zeit für eine Paradestraße 1924–1930 zu weitgehender Freilegung, die in jüngster Zeit mit größerer Skrupulosität fortgesetzt wurde.

e) Unter den ant. Monumenten, die im MA Symbolcharakter gewannen, sind Pantheon und Kolosseum die bedeutendsten: Auf den konzentrierten Rom-Darstellungen ma. Kaisersiegel und Rom-Tondi treten sie als Sigle für Rom bes. hervor. Das Pantheon galt schon seines Namens wegen als einst bes. heidnisch, wurde darum vor Umwandlung in eine Kirche 609 durch ganze Wagenladungen von Märtyrergebeinen exorzisiert und beschäftigte, schon durch seine ungewöhnliche Gestalt (keine Fenster, ein rätselhaftes Loch oben) die Phantasie mehr als andere Monumente. Von ma. Reisenden bes. beachtet und (noch von Luther) mit den Augen der *Mirabilia* gesehen, fand das Pantheon früh das Interesse der Humanisten und Künstler (von denen sich viele, auch Raffael, hier bestatten ließen) und die Fürsorge der Päpste (Restaurierung durch Eugen IV. um 1444, aber noch 1625 Entfernung der Bronzeteile der Vorhalle durch Urban VIII. Barberini: ›Was die Barbaren nicht taten, das taten die Barberini‹, wurde damals am Pasquino angeschlagen).

f) Das Kolosseum (so allg. seit dem 11. Jh. bezeichnet), noch vom Ostgotenkönig Theoderich restauriert und dann verfallend, war im MA ganz oder teilweise (*quartam partem totius Colisei*) zunächst im Besitz der Adelsfamilie Frangipane, dann Annibaldi, seit dem 14. Jh. im Besitz einzelner Kirchen und insbes. der Bruderschaft S. Salvatore ad Sancta Sanctorum und des Kapitols. Die Gewölbe waren teilweise bewohnt und von den unterschiedlichsten Gewerben genutzt (unter Sixtus V. war sogar die Nutzung des Ganzen als Wolltuch-

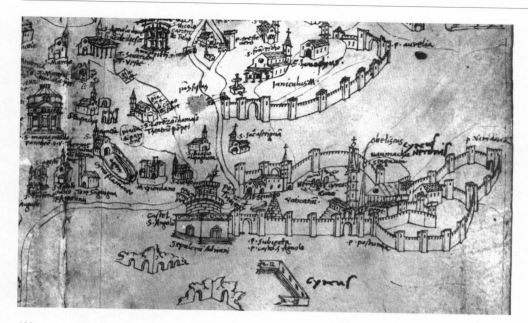

Abb. 10: Der erste Rom-Plan von antiquarischem Anspruch: Alessandro Strozzi 1474 (Ausschnitt). Florenz, Bibl. Laurenziana, Cod. Redi 77, fol. 7ᵛ-8ʳ

manufaktur geplant). Das Innere, von dichter Vegetation bedeckt (noch gegen 1850 zählte ein engl. Botaniker Spuren von 420 in Rom teilweise nur hier vorkommenden Pflanzenspezies), wurde als Schauplatz vieler Martyrien angesehen und – v. a. seit dem 17. Jh. – entsprechend verehrt. Die Quadern bes. der zusammengebrochenen Südflanke wurden bis ins 18. Jh. für Neubauten genutzt. Geradezu zum Weltgebäude erhoben (›Solange das Kolosseum steht, steht Rom; solange Rom steht, steht die Welt‹: Ps.-Beda, 8. Jh., *Patrologia Latina* 94,543), spielt das Kolosseum auch in der autobiographischen Lit. (Cellini, Goethe) eine Rolle.

D. Die Auseinandersetzung mit Rom in Kultur und Wissenschaft
1. Itinera, Mirabilia, Rombeschreibungen bis zum Humanismus

Welche ant. Monumente im MA bekannt waren, wie sie wahrgenommen und wie sie Fremden vermittelt wurden, ist aus Itineraren und Pilgerführern zu ersehen. Ein frühes Beispiel ist der *Anonymus Einsidlensis* (um 800, Abb. 9), der die heidnischen und christl. Bauwerke der Stadt in Form von 12 Routen (»links dies, rechts das«) und noch ohne Phantasienamen aufführt und eine Sammlung von Inschr. (die Spätere schon nicht mehr zu lesen verstehen) beifügt: ein schönes Zeugnis für Interesse und Gewissenhaftigkeit der karolingischen »Ren.« (→ Karolingische Renaissance). Der bekannteste Text der Gattung sind die *Mirabilia urbis Romae*, die die ant. Monumente in drei Teilen bieten: nach Sachgruppen (z. B. Tore, Theater); die zugehörigen Legenden (z. B. Kapitol, Rossebändiger); als Gang durch die Stadt in

grob top. Ordnung (z. B. auf Esquilin, Aventin). Die *Mirabilia* entstanden wahrscheinlich um 1140 und sind ein sprechender Beleg für das damals erwachende Antikeninteresse, das der 1143 gegen die päpstliche Stadtherrschaft auftretenden kommunalen Bewegung zur polit. Legitimation diente. Als Autor erwogen wird Benedikt Kanoniker von St. Peter, damals Verfasser eines päpstlichen Zeremonienbuches. Vielleicht hatten einzelne Teile ältere Vorformen, doch hat sich die Zuweisung der *Mirabilia* schon in den Umkreis einer anderen *renovatio*-Idee, der Ottos III. gegen 1000, nicht durchgesetzt. In den gleichen Kontext der jungen röm. Kommune und ihrer ›polit. Arch.‹ (P. E. Schramm) dürfte die *Graphia aureae urbis Romae* gehören, von deren drei Teilen (Vorgeschichte und Gründung Roms; die Monumente in überarbeiteter Mirabilienfassung; phantasievolle Beschreibung des kaiserlichen Hofzeremoniells) der letzte auch ins 10. und ins 11. Jh. datiert worden ist (von H. Bloch jedoch Petrus Diaconus zugeschrieben); die *Graphia* als Ganzes wird bald auf die *Mirabilia* gefolgt sein. Die Mirabilien hatten breite Wirkung, erfuhren mehrere Bearbeitungen in verschiedenen Sprachen und wurden später gern mit Ablaßverzeichnissen (*Libri indulgentiarum*) kombiniert, womit sie dem Rompilger alles Nötige boten.

Mirabilien sind nicht einfach eine Textgattung, sondern eine Sehweise, die das ant. Monument nicht eigentlich auf histor. Abstand bringt und auch gar nicht genauer hinschauen muß, um zu »wissen«, worum es geht. Überwunden wurde diese Sehweise, über wichtige Zwischenstufen wie Petrarca mit seiner freilich mehr lit. als arch. Rom-Top., erst im 2. Viertel des

15. Jh. (Abb. 10). An die Stelle unreflektierten Staunens trat im Umgang mit dem ant. Monument jetzt wirkliche Beobachtung, die unter Heranziehung ant. Autoren, Einbeziehung zugehöriger Inschr. und Verwendung der ant. Fachterminologie alles zu einer »wiss.« Behandlung integrierte. Den entscheidenden Schritt tat Flavio Biondo (*Roma instaurata*, 1444–1446), der, anders als dann viele seiner Nachfolger, das nachant. Schicksal röm. Monumente nicht geringschätzig wegdachte, sondern einbezog, darin ein echter Historiker und nicht bloßer Antiquar.

1 A. Esch, s. v. Reimpiego, in: Enciclopedia dell'arte medievale 9 (1998), 876–883 2 P. Delogu (Hrsg.), Roma medievale. Aggiornamenti, 1998 3 R. Krautheimer, Rom. Schicksal einer Stadt 312–1308, 1987 4 R. Lanciani, Storia degli scavi di Roma (1902–1912), Ndr. 1975 5 Roma nell' alto medioevo (Settimane di studio del Centro italiano di studi sull'alto medioevo, 48, 2001) 6 S. Settis (Hrsg.), Memoria dell'antico nell' arte italiana, 3 Bde., 1984–1986 7 E. M. Steinby (Hrsg.), Lexicon topographicum urbis Romae (6 Bde.), 1993–2000 8 R. Valentini, G. Zucchetti, Codice topografico della Città di Roma, 4 Bde., 1940–1953 9 R. Weiss, The Ren. Discovery of Classical Antiquity, 1969. ARNOLD ESCH

2. Neue Wege der Aneignung des ant. Rom ab Flavio Biondo – antiquarische Studien

In seiner *Roma instaurata* (1444–1446) hatte Biondo eine antiquarische Rekonstruktion des ant. Rom angestrebt. Das Werk regte die Entstehung einer ganzen Reihe von arch. Stadtbeschreibungen an und verlieh der zeitgenössischen päpstlichen Baupolitik Impulse. Übertroffen wurde Biondo erst 1543 durch Bartolomeo Marlianis *Topographiae antiquae Romae*. In Biondos *Italia illustrata* (1448–1453) bestand das Ziel in einer histor. Top. Italiens unter Einbezug sowohl der lit. als auch der arch. Überlieferung. Die *Roma triumphans* (1457–1459) nahm die polit. Institutionen, Militär, Religion und Sitten im ant. Rom zum Gegenstand. Zentral erscheint der an Varros *Antiquitates* anschließende antiquarische Charakter dieser Werke, die Idee systematischen Sammelns der Überreste einer vergangenen Kultur. Von der antiquarischen Forsch. seit Biondo wurde keine diachrone ereignisgeschichtliche Darstellung der röm. Geschichte versucht; dies hatten gemäß der Auffassung der Antiquare bereits die röm. Historiker geleistet. Beabsichtigt wurde ein synchroner, systematischer Überblick über die gesamte ant. röm. Zivilisation, wobei die Stadt Rom als wichtigster Gegenstand und als Zentrum der antiquarischen Studien Ausgangs- und Mittelpunkt der das ganze Alt. betreffenden Unt. war (→ Altertumskunde). Den Enthusiasmus für die Altertümer förderte im 15. Jh. nicht zuletzt auch Giulio Pomponio Leto (1428–1497). Als Symbol der Wiederbelebung Roms in der Ren. kann die Gründung der Vatikanischen Bibl. 1475 gelten.

Seit der Mitte des 16. Jh. wurden in Rom antiquarische Studien im Umfeld Kardinal Alessandro Farneses betrieben. Ein hauptsächliches Verdienst dieses Kreises,

dem Persönlichkeiten wie Alfonso und Pedro Chacón, Pirro Ligorio, Girolamo Mercuriale, Fulvio Orsini oder Onofrio Panvinio angehörten, bestand in der Auswertung materieller Überreste zu einem bis dahin unbekannten und von den Gelehrten der nördl. Länder lange nicht erreichten Grad. Der zunächst als Maler und Architekt tätige Pirro Ligorio (1513–1583) legte u. a. eine große, alphabetisch organisierte Antikenenzyklopädie vor, die nebst lit. auch epigraphische, monumentale und numismatische Zeugnisse zugrunde lagen. Girolamo Mercuriale (1530–1606) präsentierte antiquarische Arbeiten, die v. a. der ant. Medizin galten, ebenso einen bedeutenden Exkurs über das ant. Triclinium. Der Spanier Pedro Chacón (1525–1581) verfaßte eine Abhandlung über das ant. röm. Gastmahl und die zugehörige Sachkultur. Fulvio Orsini (1529–1600), prominenter Bibliothekar Farneses, tat sich v. a. mit Hilfe der Numismatik und Glyptik auf dem Gebiet der Porträtikonographie hervor, während sich 1557–58 Onofrio Panvinio (1530–1568) mit der Publikation der wenige J. zuvor ausgegrabenen Fasten (vom Partherbogen des Augustus) einen Namen machte und in seinen staatsrechtlich orientierten Arbeiten Text- und Bildüberlieferung überzeugend kombinierte. 1576 publizierte Alfonso Chacón (1540–1599) die Trajanssäule und vermochte im zugehörigen Komm. die beiden auf der Säule dargestellten Feldzüge in der Hauptsache adäquat zu erklären, womit er das ikonographische Moment innerhalb der antiquarischen Methode emphatisierte.

Die systematische antiquarische Erforsch. Roms wurde im 17. Jh. v. a. durch Gelehrte um Kardinal Francesco Barberini wie Cassiano Dal Pozzo (1588–1657) vorangetrieben sowie durch ausländische Antiquare wie Nicolas-Claude Fabri de Peiresc und Philipp Rubens, die Rom besuchten. Der Antiquar Cassiano Dal Pozzo gab mit seiner als *Museum Chartaceum* bezeichneten umfangreichen Sammlung von Antikennachzeichnungen der antiquarischen Forsch. ein umfangreiches Arbeitsinstrument an die Hand.

3. Antikensammlungen

Eine wichtige Voraussetzung für den stärkeren Einbezug ant. Realien in die antiquarische Arbeit seit der Ren. stellten die schon früh sich formierenden Antikensammlungen dar. Solche Sammlungen wurden in der Ren. durch Päpste, Kardinäle, Fürsten sowie durch Repräsentanten des röm. Adels angelegt, die die Gärten und Höfe ihrer Villen und Paläste mit ant. Skulpturen, Büsten und Reliefs versahen. Als einer der ersten Sammler dieses Typs ist hier Kardinal Prospero Colonna († 1463) zu nennen, der im Familienpalast der Colonna bei SS. Apostoli die drei Grazien sowie den als → Torso vom Belvedere bekannten Statuenrest, der später in die Sammlung des Vatikan eingehen sollte, besaß. Weiter muß der venezianische Kardinal Pietro Barbo (der spätere Papst Paul II.) als einer der ersten Antikensammler in Rom gelten; ihm gehörte eine ebenso kostbare wie umfangreiche Sammlung ant. und ma. Kunst, die er 1455 im Palast neben seiner Titularbasilika S. Marco unterbrachte.

Auch die Päpste hatten ein Interesse an den Antiken und ließen Sammlungen aufbauen, die nicht zuletzt auch den Einfluß der Päpste manifestierten; im J. 1471 veranlaßte Papst Sixtus IV. den Transfer wichtiger Skulpturen wie der Lupa, des Camillus oder des Kolossalkopfes einer Kaiserstatue vom Lateranpalast aufs Kapitol, nicht ohne damit gleichzeitig der Einbindung des einst für die Kommune so wichtigen Kapitols ins päpstliche Rom Vorschub zu leisten. Unter dem Pontifikat Julius II. (1503–1513) erfuhr der Belvederehof im Vatikan eine Ausstattung mit ant. Statuen und wurde so zum Nukleus der Antikensammlung des Vatikan. In der Sammlung figurierten so prominente Stücke wie der bereits E. des 15. Jh. gefundene sog. → Apoll vom Belvedere, die 1506 auf dem Esquilin ausgegrabene → Laokoongruppe sowie die ebenfalls zu Beginn des 16. Jh. gefundene Statue der schlafenden Ariadne. Unter Clemens VII. und Paul III. kamen der genannte Torso vom Belvedere sowie eine Hermesstatue hinzu. Wichtige Sammlungen von Antiken wurden durch die Kardinäle Andrea Della Valle (†1534), Paolo Emilio (†1537), Rodolfo da Carpi (†1564) sowie Stefano Del Bufalo geleistet. Letzterer hatte beim Trevi-Brunnen einen Antikengarten. Diese Form der Aufbewahrung der Antiken unter freiem Himmel hatten auch die Cesi mit ihrem Antikengarten bei St. Peter gewählt, Kardinal Jean Du Bellay besaß einen Antikengarten bei den Diokletiansthermen, Kardinal Rodolfo Pio di Carpi wie auch Kardinal Ippolito d'Este unterhielten solche Gärten am Quirinal.

In der zweiten H. des 16. Jh. lassen sich zwei unterschiedliche Tendenzen wahrnehmen. Während die päpstlichen Antikensammlungen unter dem Einfluß der rigiden Moralvorstellungen verpflichteten gegenreformatorischen Ideologie eine Reduktion erfuhren, so v. a. während der Pontifikate Pius V. (1566–1572) und Sixtus V. (1585–1590), fand in den Palästen Roms vielfach ein Ausbau der Sammlungen statt; wichtige Sammlungen beherbergten die Paläste Riario (seit 1517 als »Cancelleria« bezeichnet), della Valle-Capranica, Massimo alle Colonne, Capodiferro-Spada und Mattei di Giove. Dieser letztere Palast war 1598–1616 durch Asdrubale Mattei erbaut worden und enthielt dessen bedeutende Antikensammlung (darunter eine auf die seit 1622 bestehende Verbindung zum habsburgischen Kaiserhaus hinweisende Reihe von Imperatoren-Büsten). Einen raschen Zuwachs erfuhren auch die Sammlungen der Kardinäle Alessandro Farnese (†1589) und Ferdinando de Medici (†1609). Abgesehen von diesen beiden Sammlungen von Papstnepoten – einer Gruppe, zu der auch die bedeutenden Sammlungen der Kardinäle Ludovico Ludovisi (†1632) und Scipio Borghese (†1633) sowie die Sammlung Camillo Pamphilj (†1666) gezählt werden müssen – befand sich die größte private Statuensammlung im Rom des 17. Jh. im Besitz des Marchese Vincenzo Giustiniani (1564–1637), der in den 1630er J. mit dem Stichwerk *Galleria Giustiniana* seine Antiken publizierte und damit den ersten Kat. einer

Antikensammlung schuf. Nach ihrer Abdankung im J. 1655 legte Königin Christina von Schweden in Rom die zweitwichtigste private Sammlung Roms an. Als Hofantiquar diente ihr Giovanni Pietro Bellori (1613–1696), neben Raffaele Fabretti der wichtigste Antiquar Roms zu dieser Zeit. Am erneuten Aufschwung der sammlerischen Tätigkeit hatte nun auch wieder das Papsttum mit der Sammlung Papst Urbans VIII. (1623–1644) im Palazzo Barberini seinen Anteil.

Das 18. Jh. brachte die Auflösung bzw. die ganzheitliche Ausfuhr verschiedener röm. Antikensammlungen aus Rom; so kam die Sammlung Medici 1780–1788 nach Florenz, die Sammlung Farnese 1787 nach Neapel, die Sammlung Borghese 1808 nach Paris (wo sie den Grundstock der h. im Louvre sich befindenden Antikensammlung darstellt), während viele Einzelstücke nach England ausgeführt wurden. Der Kunstraub Napoleons 1797–98, der in der Zurschaustellung einiger der bedeutendsten röm. Antiken – so u. a. der Laokoongruppe und des Apoll vom Belvedere – durch einen Triumphzug in Paris 1798 gipfelte, bedeutete eine weitere drastische Reduzierung des röm. Antikenbestands (erst nach der Restauration erfolgte eine teilweise Rückerstattung). Zuvor waren durch Unterstützung der Päpste neue Mus. entstanden, wie 1734 die Kapitolinischen Mus. (deren Ursprung in den genannten, 1471 durch Sixtus IV. auf dem Kapitol vereinigten Skulpturen zu sehen ist) und seit 1769 das vatikanische Museo Pio-Clementino. Ein eminentes Interesse hatten die Päpste an frühchristl. Altertümern, die schon unter Benedikt XIV. (1742–1758) in den Vatikanischen Mus. gesammelt worden waren; unter Papst Pius IX. wurden diese Denkmäler (überwiegend Sarkophage) 1854 in einem eigenen Mus. im Lateranpalast untergebracht. Eine der besten und reichhaltigsten Antikensammlungen war diejenige des Kardinals Alessandro Albani, deren Bekanntheit durch die Tätigkeit von Johann Joachim Winckelmann (Albani war Winckelmanns wichtigster röm. Förderer und hatte ihn 1758 zu seinem Bibliothekar ernannt) eine zusätzliche Steigerung erfuhr.

Im 17. und 18. Jh. stellten die Antikensammlungen für die Reisenden des *Grand Tour* eine der hauptsächlichen Attraktionen Roms dar. Während sich das Interesse an Antiken in der Ren. und im Barock auf human. Gelehrte sowie große Familien beschränkt hatte, erreichte nun die Diskussion antiquarischer Fragen in Rom weite Kreise, was sich in einer v. a. seit der Mitte des 18. Jh. regen Ausgrabungstätigkeit und einem damit einhergehenden schwunghaften Antikenhandel niederschlug. Dieser Handel hatte an der Auflösung der röm. Sammlungen maßgeblichen Anteil und wurde allmählich zur vornehmlichen Einnahmequelle des Kirchenstaats. Bei vielen der Händler handelte es sich um vormalige Künstler, so bei den zu Winckelmanns Zeit agierenden ehemaligen Malern Thomas Jenkins und Gavin Hamilton oder bei Händlern wie Bartolomeo Cavaceppi, Vincenzo Pacetti, Carlo Albacini und Pietro Pacilli, die vormals Bildhauer und Antikenrestauratoren ge-

Abb. 11: Blick auf das Forum Romanum, Kupferstich von Giovanni Batista Piranesi, um 1750.
Stendal, Winckelmann-Museum, Inv. Nr. VI-b-c-297,
Radierung, 40 cm × 54,5 cm, 1746-1748

wesen waren. Cavaceppi war selbst im Besitz einer großen Antikensammlung, die ihm als Magazin für den
Handel diente und Künstler des Klassizismus wie Antonio Canova, Jean-Louis David, Anton Raphael
Mengs (der ebenfalls eine Sammlung besaß) oder Bertel
Thorwaldsen anzog. Bis ins späte 18. Jh. gingen die
wichtigsten Antikensammlungen auf aristokratische
oder fürstliche Initiative zurück, bedeutende bürgerliche Sammlungen existierten vor dem 19. Jh. kaum.

4. KUNST UND ARCHITEKTUR

Durch die Jh. hindurch hat Rom eine herausragende
Rolle gespielt als Gegenstand der bildenden Kunst, wo,
abgesehen von der gelehrten Beschäftigung mit der
Ant., seit dem 15. Jh. eine ebenfalls um histor. Authentizität bemühte Darstellung Roms begonnen hatte. In
der röm. Hoch-Ren. profilierten sich Maler wie Poli-
doro da Caravaggio, Raffael, Jacopo Ripanda oder Giulio Romano als Vertreter einer möglichst adäquat nach
dem ant. Vorbild stilisierten Historienmalerei. Im Werk
Raffaels schlägt sich zu Beginn des 16. Jh. eine auf der
ant. Reliefkunst basierende antiquarische Ikonographie
nieder, die von großer Vertrautheit mit der ant. Sachkultur zeugt. Die Arbeit aller hier erwähnten Künstler
der Ren. ist gekennzeichnet durch ein anachronistisches
Oktroyieren einer kaiserzeitlichen Ikonographie auf
Darstellungen etwa der frühen Republik oder der
spätröm. Zeit, eine Fehlleistung, die wohl im Wesen der

die histor. Entwicklung vernachlässigenden antiquarischen Methode begründet und auch für die antiquarische Gelehrsamkeit immer wieder charakteristisch ist.

Im 17. Jh. wurden die Versuche einer adäquaten
künstlerischen Rekonstruktion der Ant., wie die röm.
Hoch-Ren. sie unternommen hatte, durch Künstler
wie Rubens und Poussin noch übertroffen. Beide standen dem Gelehrtenkreis um Kardinal Francesco Barberini nahe, arbeiteten mit Antiquaren wie Rubens'
Bruder Philipp oder Cassiano Dal Pozzo zusammen und
orientierten sich am Historismus der Malerei der
Hoch-Renaissance. Im 18. Jh. entstand eine Sichtweise
des ant. Rom, welche sich an den Ruinen Roms als an
Symbolen einstiger Größe sowie deren Unverwüstlich-
keit orientierte und in den höchst wirkungsmächtigen
Radierungen und Stichen Giovanni Battista Piranesis
(1720–1778) ihren prominentesten Ausdruck erfuhr
(Abb. 11+12). Als Vorbilder dieser im 18. und 19. Jh.
immer wieder imitierten Ästhetik können Stiche von
Hieronymus Cock, Giovanni Antonio Dosio, Marten
van Heemskerck sowie Etienne du Pérac genannt werden.

Im Bereich der Architektur setzte in der Ren. ebenfalls ein starkes Interesse an der materiellen Überlieferung der Ant. ein. Namentlich die Architekten Filippo
Brunelleschi und Leon Battista Alberti befaßten sich im
15. Jh. mit Relikten ant. röm. Baukunst. Alberti verfaß-

Abb. 12: G. Panini, *Roma Antica*, 1756/1758 (Paris, Louvre).
Die imaginäre Gemäldegalerie mit bedeutenden und bekannten Ruinen und Antiken
veranschaulicht die Vorlieben und Interessen der Epoche

te, orientiert an Vitruv, 1452 ein Werk *De re aedificatoria*.
Auch Andrea Palladios Zugang zur ant. Architektur ein
Jh. später in seinen *Le antichità di Roma* (1554) (wie auch
in seiner eigenen, stilbildenden antikisierenden Architektur) war sowohl von Vitruv als auch von seiner Auseinandersetzung mit den Ruinen Roms geprägt. Seit
Antoine Desgodetz' Publikation über die ant. Bauten
Roms (1682) und engl. Ber. über die röm. Ruinen von
Palmyra und Baalbek in der Mitte des 18. Jh. war es
möglich geworden, ant. röm. Architektur andernorts zu
kopieren, ein Umstand, von dem die klassizistische Architektur in ganz Europa, aber beispielsweise auch das
zw. 1793 und 1864 entstandene Kapitol in Washington,
D. C. zeugt.

5. Die Erforschung Roms im Zeitalter der sich ausdifferenzierenden Altertums-wissenschaften

Die Entwicklung der Altertumswiss. verdankt Rom
unendlich viel. Seitdem im 18. Jh. aber das Interesse und
die Sympathie für die Griechen immer stärker geworden ist, ist diese Bed. zuweilen unterschätzt worden.
Schon 1752 wies Anne Claude Philippe de Thubières,
Comte de Caylus mit dem ersten Band seines *Recueil
d'Antiquités, égyptiennes, étrusques, grecques, romaines et
gauloises* auf das höhere Alter der griech. Kultur – und im
Vergleich dazu wiederum der ägypt. – hin und sah den

Höhepunkt der Kunstentwicklung in der Zeit Alexanders. Johann Joachim Winckelmann, der als Begründer der mod. Arch. gilt, legte dann den Grundstein für
die Idealisierung der Griechen. Zwar nicht die Grund-
idee, aber doch die weiterführende Ausarbeitung erfolgte wesentlich in Rom, wo die besten Antikensammlungen vorhanden waren, die Nähe zu den wichtigen
neuen Grabungen v. a. in den Vesuvstädten anregend
wirkte und die am Alt. interessierten Kreise und Zirkel
gemischt aus Gebildeten, Künstlern, Gelehrten und Angehörigen adliger Familien – meist außerhalb der it.
Gesellschaft – aktiv waren.

Die Arch. als Wiss., welche die materielle Hinterlassenschaft der alten Welt nicht mehr im Dienste ästhetischer Erbauung oder aristokratischer Repräsentation
benützt, sondern als Zeugnis der systematischen Rekonstruktion vergangener Kultur und Geschichte untersucht, hat gerade von Rom ausgehend Fortschritte
gemacht. Was die Erforsch. Roms selbst angeht, so wäre
etwa Carlo Fea (1753–1836) zu nennen, der während 36
J. – zu einem großen Teil während des Pontifikats Pius
VII. – als päpstlicher *Comissario delle antichità* für den
Schutz der Baudenkmäler zuständig war und die arch.
und top. Kenntnisse Roms entscheidend voranbrachte.
Viel Neues brachten die umfangreichen Grabungskam-
pagnen in der Zeit der napoleonischen Besetzung. Die

bereits 1740 gegründete Pontificia Accademia Romana di Archeologia wurde von der frz. Administration wiederhergestellt.

Höchst folgenreich war 1829 die Gründung des Istituto di corrispondenza archeologica, des späteren → Deutschen Archäologischen Instituts Rom (1859 wurde das Inst. von Preußen, 1874 vom Dt. Reich übernommen). Pläne für eine Gesellschaft, welche Zentrum arch. Forsch. sein sollte, waren verbreitet. Die treibende Kraft des Archäologen Eduard Gerhards führte 1829 unter dem Protektorat Friedrich Wilhelms IV. von Preußen zur Gründung eines Inst., das für die arch. Wiss. – ebenso aber auch für weitere altertumswiss. Disziplinen – außerordentlich wichtig wurde.

Der Fortgang der arch. Erforsch. Roms zeigt sich in den top. Synthesen, wie sie H. Jordan und Ch. K. F. Hülsen (1871–1907) vorlegten. Rodolfo Lanciani (1847–1923), der an zahlreichen Ausgrabungen beteiligt war, schuf mit seiner *Forma Urbis Romae* (1893–1901) ein nach wie vor grundlegendes Arbeitsinstrument, das zugleich die neuen Entdeckungen festhält. Von den zahlreichen Grabungen sind diejenigen auf dem Forum die wohl eindrücklichsten. Von grundlegender Bed. waren die Arbeiten von Giacomo Boni (1853–1925), die um die vorletzte Jh.-Wende mit einer sorgfältigen Schichtenanalyse bis in das Rom der Königszeit vorstießen, aber nicht hinreichend publiziert wurden. Heute orientieren über den aktuellen Stand der Rom-Führer von F. Coarelli (1995), das einbändige top. Lex. von L. Richardson jr. (1992) oder das von E. M. Steinby herausgegebene *Lexicon Topographicum urbis Romae* (1993 ff.) sowie die Ber. in den maßgeblichen Zeitschriften, wie dem *Bulletino della Commissione Archeologica del Comune di Roma.*

Der histor. Aufarbeitung der arch. Forsch. kommt erhebliche Bed. zu, hat die wiss. Forsch. doch immer wieder unter dem Einfluß der Zeitgeschichte gestanden. Große Ausgrabungsanstrengungen erfolgten durch das faschistische Italien. Im Hinblick auf den 2000. Geburtstag des Augustus im J. 1937 wurden die Ausgrabungen in It. wie auch in den mil. besetzten Gebieten Afrikas und des Balkans intensiviert (→ Faschismus). Spektakulär waren insbes. die Ausgrabung der Foren von Cäsar und Augustus durch Corrado Ricci und die Entdeckung der augusteischen *Ara Pacis* und ihre Ausgrabung durch Giuseppe Moretti. Diese Ausgrabungen waren wesentlich vom Kriterium ihrer ideologischen Instrumentalisierbarkeit geleitet. Neben den bedeutenden Ergebnissen müssen in einer Bilanz die mit den Ausgrabungen einhergegangenen schwerwiegenden Zerstörungen Erwähnung finden; so wurden der Veliahügel neben dem Kolosseum wie auch das gesamte Gebiet zw. Kapitol und Marcellustheater zerstört, viele Zeugnisse fielen der repräsentativen Zwecken dienenden »Via dell' Impero« zw. Kolosseum und Piazza Venezia zum Opfer. Die ausgegrabene Architektur wurde von der zeitgenössischen faschistischen Architektur nachgeahmt, als Beispiel hierfür mögen die den *insulae* Ostias

nachempfundenen Mietshäuser in Rom dienen oder der anläßlich der nicht realisierten Weltausstellung von 1942 erstellte Architekturkomplex zw. Rom und Ostia.

Einen von solchen Bemühungen um das ant. Rom verschiedenen Charakter hatte die Erforsch. des christl. Rom, die in ihren Ursprüngen eher theologisch denn – wie damals üblich – antiquarisch motiviert war und v. a. im Kontext der Auseinandersetzungen des 16. Jh. um die ma. Entwicklung der Kirche betrachtet werden muß. Die gegenreformatorischen Apologeten der Kirche – namentlich der Kreis der sog. Oratorianer um Filippo Neri ist hier zu nennen – hatten ein starkes Interesse an Zeugnissen einer kirchengeschichtlichen Kontinuität seit dem Urchristentum. Auch der bereits erwähnte Onofrio Panvinio stand den Oratorianern nahe und verfaßte verschiedene Werke zu den Kirchen Roms und ihrer Geschichte mit dem Ziel einer Rekonstruktion des Lebens der frühesten Kirche.

Größere Aufmerksamkeit noch als den Kirchen wurde den christl. Katakomben Roms zuteil (siehe IV.). Im 19. Jh. begann die den Altertumswiss. verwandte neue Wiss. der → Christlichen Archäologie die unterirdische Gräberwelt Roms systematisch zu erforschen. Beeindruckend ist hier v. a. das Werk von Giovanni Battista de Rossi (1822–1894), der sich auch auf dem Gebiet der christl. Epigraphik hervortat. Zu Beginn des 20. Jh. wurde die weitgehende Gleichsetzung der Christl. Arch. mit der röm. Katakombenforsch. aufgegeben zugunsten einer Öffnung der Disziplin hin zu den frühchristl. Zeugnissen generell. Mit den Ausgrabungen unter St. Peter bald nach dem II. Weltkrieg und der Entdeckung einer bis in vorkonstantinische Zeit zurückreichenden Verehrung Petri am Vatikan richtete sich die Aufmerksamkeit der Christl. Arch. erneut auf Rom; weitere Entdeckungen in den Bereichen der Katakomben (so der Katakombe an der Via Latina, 1955) sowie des konstantinischen Kirchenbaus folgten. Dem Studium der frühchristl. Basiliken Roms galt auch Richard Krautheimers (1897–1994) monumentales *Corpus Basilicarum Christianarum Romae* (Bd. I–V, 1937–1977).

Die im ausgehenden 18. und beginnenden 19. Jh. sich entwickelnde Disziplin der Alten Geschichte bezog viele Anregungen aus dem Studium Roms und förderte umgekehrt wiederum die Erforsch. der Stadtgeschichte. Edward Gibbon (1737–1794) erzählte – allerdings nicht ohne zu mystifizieren –, er habe ›admidst the ruins of the Capitol‹ die Anregung für seine berühmte *History of the Decline and Fall of the Roman Empire* empfangen. Barthold Georg Niebuhr (1776–1831), dessen *Röm. Geschichte* einen Grundstein der mod. Geschichtsforsch. darstellt, hatte Rom immer als ›Wunderstadt‹ apostrophiert. Allerdings war er beim Antreten seines siebenjährigen Aufenthalts sehr ernüchtert und vermochte ›außerordentlich wenig‹ als ›wahrhaft schön‹ zu empfinden (Brief an D. Henseler, Weihnachten 1816). An den »Röm. Geschichten«, die seit Niebuhr entstanden sind, läßt sich trotz des Einbezugs der Erkenntnisse von immer mehr Teildisziplinen, der »vorröm.« Frühzeiten, der

»Spätzeiten« und der einst als »Randgebiete« bezeichneten Regionen doch noch immer die Geltung des Satzes nachweisen: *Roma caput mundi regit frena orbis rotundi*.

Das Studium Roms als Gegenstand per se hat nicht allzu häufig zu Werken geführt, welche vom Titel her den Anspruch erheben, eine Geschichte der Stadt zu bieten: Zu gewaltig ist die Fülle des Materials, zu unübersichtlich die Masse der Forschung. Dafür sind die verschiedenen Abschnitte und Teile der Stadtgeschichte in vielfältigen Einzel-Unt. ebenso intensiv studiert worden wie die zahlreichen Monumente oder die sprachlichen Zeugnisse. Von großer Bed. sind die Unternehmungen, welche – initiiert u. a. von Theodor Mommsen (1817–1903) – die Überlieferung nach den Regeln der mod. Quellenkritik geprüft und in Corpora geordnet zugänglich gemacht haben.

E. ROM-IDEE; ROM ALS ARGUMENT

1. ALTERTUM

Die lat. Rom-Idee reicht zurück bis in die Zeit der röm. Republik. Eine Differenzierung zw. der Stadt Rom und einer davon abgeleiteten abstrakten Rom-Idee läßt sich bereits im Hinblick auf die seit dem zweiten vorchristl. Jh. verehrte *Dea Roma* feststellen. In augusteischer Zeit erfuhr die Rom-Idee dann eine Orientierung hin zur Vorstellung von Rom als des Zentrums sowie der Stifterin des röm. Imperiums, die Rom-Idee wurde um das Moment der geogr. Ausdehnung erweitert. Ein wichtiger griech. Beitr. zur Rom-Idee besteht in dem um die Mitte des zweiten nachchristl. Jh. entstandenen Rom-Panegyricus Εἰς Ῥώμην des Aelius Aristides, der die zeitgenössische, adoptivkaiserzeitliche Weltherrschaft Roms mit den Begriffen der Demokratie und der Freiheit beschreibt und ihr eine zivilisatorische Wirkung attestiert. Dieser letzte Aspekt der Rom-Idee sollte auch in einem Großteil der lat. Zeugnisse der Spätant. seinen Niederschlag finden.

Eine neue Konjunktur erlebte die Rom-Idee in theodosianischer Zeit. Neben heidnischen Zeugnissen wie der Eingabe des Symmachus (rel. 3), des Stadtpräfekten von Rom, an den kaiserlichen Hof zu Mailand aus dem J. 384 sowie den bei Ammianus Marcellinus, Claudian oder Rutilius Namatianus geltend gemachten Auffassungen standen nun christl. Texte, wie ein als Entgegnung auf Symmachus intendierter Brief des Ambrosius oder das Lehrgedicht *Contra Symmachum* des Prudentius aus dem J. 402 oder 403. Symmachus hatte in der 3. Relatio im Zusammenhang mit dem Streit um den Victoria-Altar eine greise Göttin Roma auftreten lassen (Symm. rel. 3,9 f.), welche die Kaiser um die Erneuerung des überkommenen Kultes bat, und hatte so Rom mittels eines allegorischen Lebensaltervergleichs im Greisenalter situiert.

Ambrosius übernahm in seiner Entgegnung auf Symmachus dessen Allegorie, ließ Roma aber ihr Heidentum bereuen und sich für die Bekehrung des ganzen *orbis* zum Christentum aussprechen (epist. 18,7). Die Bekehrung der greisen Roma erscheint hier als Voraussetzung einer Erneuerung Roms. An diese Vorstellung

anschließend schuf Prudentius in *Contra Symmachum* eine sich durch ihre Bekehrung verjüngende Roma (2,655–683; das Motiv der Verjüngung findet sich bereits bei Flor. epit. 1), welche den Endpunkt einer teleologisch auf das Christentum hin orientierten Geschichte Roms markiert. Diese Identifizierung des profanen Rom mit der Heilsgeschichte wurde dann von Augustin unter dem Eindruck der Verwüstung Roms 410 durch Alarich in seiner *Civitas Dei* wieder zurückgewiesen.

Ammianus Marcellinus betrachtete in seinem Geschichtswerk Rom als die durch vergangene Macht gekennzeichnete Heimat des Imperiums sowie dessen sakralen Mittelpunkt und zeigte Interesse an den Baudenkmälern Roms, welche in einer die ma. Mirabilienkataloge vorwegnehmenden Aufzählung figurieren (16,10,13–17). Auch bei Ammian erscheint Roma in einem Lebensaltervergleich, dem Greisenalter nahe (14,6,3–6), jedoch zur Erneuerung fähig. Claudian emphatisierte in seinen panegyrischen *Laudes Stilichonis* den Gedanken einer *Roma aeterna*; wie auch bei Ammian wird die Macht des röm. Imperiums mit den diese Macht rechtfertigenden zivilisatorischen Errungenschaften Roms verbunden (3,130–173). Im Rom-Hymnus des Rutilius Namatianus (1, 47–164) findet sich eine Synthese all dieser die heidnische Rom-Idee konstituierenden Vorstellungen. Rom figuriert hier als heilige Stätte, deren Bauten die enkomiastische Beachtung des Autors finden. Der *Roma-aeterna*-Gedanke gründet sich bei Namatianus auf die Fähigkeit Roms, Katastrophen zu überwinden und sich zu erneuern, während in der Weltherrschaft Roms ein zivilisatorisches Mittel zur Erreichung von Gesetz und Freiheit für den *orbis* gesehen wird.

Mitte des 5. Jh. findet sich beim Gallier Sidonius Apollinaris in seiner Panegyrik wieder der Verjüngungstopos (carm. 7,597 f.) sowie, in den Briefen, die Differenzierung zw. zusammengebrochenem Imperium einerseits und aufrechtzuerhaltender röm. Kultur andererseits (epist. 4,17,2). Auch aus got. Zeit sind Zeugnisse für den Verjüngungstopos auf uns gekommen, so im Panegyricus des Ennodius auf Theoderich (cap. 11), wo die Verjüngung der Bautätigkeit Theoderichs zugeschrieben wird – eine Argumentation, die sich auch bei Cassiodor nachweisen läßt (var. 1,25,3), neben der Vorstellung von der Erneuerung einer allegorisch dargestellten Roma durch die got. Herrschaft (var. 11,13,3–5).

2. KONSTANTINOPEL
ALS ZWEITES ODER NEUES ROM

Ein wichtiger Aspekt der Rom-Idee, der die Unabhängigkeit der Vorstellungen von den Eigenschaften Roms vom konkreten Rom bes. eindrücklich belegt, besteht in der Vervielfältigung Roms, in der Auffassung, es könne ein zweites und ein drittes Rom geben. Als Kaiser Konstantin im J. 330 das alte Byzantium zu einer neuen röm. Hauptstadt des Ostens und zum Sitz des Hofes machte, wurde noch nicht von einer *Roma nova* oder *Roma secunda* gesprochen, der Vorrang Roms sollte aufrechterhalten werden. Baulich wie auch hinsichtlich der Institutionen war Konstantinopel allerdings deutlich Rom nachempfunden.

Bereits 357 wurde Konstantinopel von Themistios als ›neues Rom‹ bezeichnet (or. 3,42c), eine Bezeichnung, die in den Konzilsakten von Konstantinopel 381 kanonisiert wurde (can. 3). In der Folgezeit begann sich im Ostreich das Bewußtsein durchzusetzen, in Konstantinopel verkörpere sich die Kontinuität des röm. Reiches. Dieses Bewußtsein ging einher mit der Auffassung vom Fall des *Hesperium imperium*, wie sie beispielsweise aus der in der ersten H. des 6. Jh. in Konstantinopel entstandenen Chronik des Marcellinus Comes hervorgeht (MGH AA 11, 60–104). Die byz. Herrscher begriffen sich als röm. Kaiser: Justinian stellte sich im Vorwort zu einer Novelle aus dem J. 537 in einen Traditionszusammenhang mit Aeneas, Romulus, Caesar und Augustus (Nov. 47 praef.), und Michael I. (811–813) illustrierte dann – sich in einen Gegensatz zu den karolingischen Kontinuitätsvorstellungen begebend – seine Ansprüche auf das röm. Reich mit dem Titel βασιλεὺς τῶν Ῥωμαίων. Der Gedanke, Rom beerbt zu haben und sich in seiner legitimen, alleinigen Nachfolge zu befinden, blieb prägend bis zum Fall Konstantinopels und ging dann über auf Moskau, das »dritte Rom«.

BENJAMIN STRAUMANN

3. MOSKAU

Ein Hauptvertreter der Theorie von Moskau als dem »dritten R.« war der Mönch Filojev von Pskov (Pleskau) (1465–1542), wie drei seiner Briefe, die um das J. 1524 datierbar sind, zeigen. Der Metropolit Zosima sah 1492 im Großfürsten Ivan III. (1462–1505), der als einer der ersten Herrscher den Titel eines Zaren beanspruchte (zuvor hatten dies schon Bulgaren und Moskowiter getan), einen neuen Konstantin und in Moskau ein neues Konstantinopel. Als Zar stellte sich Ivan III. in die Nachfolge der byz. Kaiser. Seine 1472 erfolgte Heirat mit Sophia Palaiologa, der Nichte des letzten oström. Kaisers, vermochte diese Ideologie einer Nachfolge noch zu unterstreichen.

JOSÉ MIGUEL ALONSO-NÚÑEZ

4. MITTELALTER

Im MA lassen sich, abgesehen von Byzanz, im wesentlichen zwei Ausprägungen der Rom-Idee differenzieren, eine päpstliche sowie eine kaiserliche. Für die päpstliche Rom-Idee war die ins 5. Jh. zurückgehende, von Leo dem Großen artikulierte Vorstellung (sermo 82,1 = PL 54, 422f.) von Rom als der Stadt der Apostel und Märtyrer zentral, welche auch für die außerordentliche Bed. Roms als Wallfahrtsort verantwortlich zeichnete; insbes. aus dem Anspruch, das Grab Petri zu beherbergen, resultierte die Stellung Roms als christl. *caput mundi* und der Primat des röm. Bischofs (epist. 14,11 = PL 54, 675ff.). Einen weiteren wichtigen Schritt in der Entwicklung der päpstlichen Rom-Idee stellt das *Constitutum Constantini* dar, eine in der zweiten H. des 8. Jh. im nächsten Umkreis der Kurie entstandene Fälschung, welche eine dem Papsttum durch Konstantin d. Gr. zu-

erkannte Privilegierung zu dokumentieren beabsichtigte (→ Konstantinische Schenkung). Dem Papst wird darin, die Verlegung des kaiserlichen Regierungssitzes nach Konstantinopel begründend, die Hoheit über Rom abgetreten sowie kaiserlicher Rang zugestanden.

Die Ursprünge der ma. kaiserlichen Rom-Idee sind in karolingische Zeit zu datieren; zur Vorstellung von Rom als der Stadt der Apostel trat wieder die Erinnerung an das röm. Kaisertum, dessen zeitgenössische Relevanz in der Kaiserkrönung Karls d. Gr. in Rom seinen Ausdruck fand. Das röm. Kaisertum, v. a. in seiner augusteischen oder aber in seiner konstantinischen Form, wurde nun als in einer *renovatio* begriffen gedacht: Die Kaiserbulle Karls weist die Inschr. RENOVATIO ROMAN. IMP. auf, darin an ant. Mz. anknüpfend, und Naso (Muadwinus) sagt in einem Vers: *Aurea Roma iterum renovata renascitur orbi* (MGH PL 1, 385, Zeile 27). Auch Ludwig II., im J. 850 in Rom zum Kaiser gekrönt, gründete die Legitimität seiner Herrschaft auf sein röm. Kaisertum. Später trat zur Vorstellung von der *renovatio imperii* diejenige der *translatio imperii* hinzu, das röm. Kaisertum wurde als auf die Franken übergegangen aufgefaßt (so beispielsweise in der zw. 1143 und 1146 entstandenen Weltchronik Ottos von Freising, → Sacrum Imperium).

Im J. 962 erneuerte Otto I. das Kaisertum, indem er sich in Rom durch Papst Johannes XII. zum Kaiser krönen ließ. Dieses neue Kaisertum referierte v. a. auf die karolingische Zeit und erst in zweiter Linie auf die römische. Schon Otto II. begann dann ab 976 wieder – in Konkurrenz zum byz. Kaiser – den bis 1806 maßgeblichen Titel eines *Romanorum imperator augustus* zu führen (MGH DD 2/1, 159, Nr. 142). Diese Nomenklatur wurde vom 996 in Rom zum Kaiser gekrönten Otto III. aufrechterhalten, der außerdem noch die programmatische Vorstellung einer *renovatio imperii Romanorum* hegte und die Verlegung seiner Hauptresidenz nach Rom beabsichtigte. Dieses Vorhaben scheiterte, die Beziehung des Kaisertums zu Rom als Idee blieb indes auch ohne den Bezug zum konkreten Rom als Residenzstadt virulent. Auch in salischer und staufischer Zeit blieb Rom Krönungsort der Kaiser und, v. a. in staufischer Zeit, stützte sich das Kaisertum auf seine röm. Tradition. Seit 1034 wurde *imperium Romanum* als neuer Reichstitel geführt (MGH DD 4, 284, Nr. 208). Bei Otto von Freising wird auf den Übergang der röm. Amtsgewalten auf das staufische Kaisertum Friedrichs I. Barbarossa hingewiesen (MGH SS 20, 404ff., Kap. 21), in scharfem Kontrast allerdings zu einer seit dem 10. Jh. wahrnehmbaren stadtröm. Variante der Rom-Idee.

Diese stadtröm. Rom-Idee, die vornehmlich auf die verfassungsmäßigen Verhältnisse der republikanischen Zeit rekurrierte und mit dem Volkstribunat des Cola di Rienzo von 1347 einen Höhepunkt erlebte, konnte in einem Gegensatz zur Vorstellung einer Erneuerung des Kaisertums stehen, wie die kurz nach 972 entstandene, unvollständig erhaltene Chronik Benedikts, eines Mönchs des unweit Roms gelegenen Klosters S. Andrea del Soratte, zeigt. Hier wird Rom als Beute des sächsischen Kaisertums Ottos betrachtet, die Inanspruchnahme der imperialen Rom-Idee durch Otto I. wird nicht als Erneuerung, sondern als endgültiger Niedergang Roms aufgefaßt.

Der Topos vom endgültig gefallenen, mit seinen Ruinen aber von seiner einstigen unwiederbringlichen Größe zeugenden Rom bildet auch den Gegenstand der Rom-Elegie des frz. Bischofs Hildebert von Lavardin zu Beginn des 12. Jh., welche in ihrer frühen Betonung der Überreste des ant., heidnischen Rom gegenüber dem christl. Rom einen bedeutenden Vorläufer des späteren human. Rom-Interesses sowie einer antiquarischen Beschäftigung mit den arch. Zeugnissen darstellt. Im Human. setzte sich dann bei Petrarca (in seinen Briefen), der den Niedergang in der Prinzipatszeit ansetzt, wie auch bei Boccaccio (in seiner Schrift *De casibus illustrium virorum* von 1358) die Einsicht in Roms Untergang durch, gemischt mit Hoffnung auf eine Erneuerung.

Diese Vorstellungen vom endgültigen Fall Roms sind sicherlich nicht repräsentativ zu nennen für das MA, das sich insgesamt betrachtet durch die auf die Gedanken von der *renovatio imperii* und der *translatio* gestützte Überzeugung auszeichnet, das röm. Reich währe im Grunde noch immer. Diese Überzeugung war grundlegend für die drei maßgeblichen Gewalten des MA, den Papst, den Kaiser sowie den byz. Basileus, die alle Anspruch auf das röm. Erbe erhoben und folgerichtig den Fortbestand Roms postulieren mußten. Der bedeutendste ma. Vertreter dieser Auffassung von der Kontinuität Roms ist Dante, der in seiner *Divina Commedia* eine von Aeneas bis Heinrich VII. währende, ununterbrochene Trad. des röm. Imperiums feststellte und, Kaisertreue und christl. Glauben vereinigend, die Legitimität der weltlichen Macht des Papsttums bestritt (Inferno 19,115 ff.).

5. Neuzeit

Der Rekurs auf die Reichsidee des röm. Kaisertums erlebte einerseits eine zumindest formale Kontinuität bis tief in die Neuzeit hinein (die juristische Liquidation des Hl. Röm. Reiches Dt. Nation durch Kaiser Franz II. erfolgte erst 1806), andererseits sind in der Neuzeit neue Rückgriffe, wie etwa im frz. Absolutismus, auf die röm. Reichsidee feststellbar. Die Wichtigkeit der kaiserzeitlichen Institution der Monarchie nahm für die Antikenrezeption erst um die Mitte des 18. Jh. ab, als im Kontext der → Aufklärung und eines damit einhergehenden größeren bürgerlichen Selbstbewußtseins die Orientierung an den röm. Institutionen der republikanischen Zeit ein größeres Gewicht erhielt. Diese Infragestellung monarchistischer Vorstellungen auf der Grundlage eines röm.-republikanischen Staatsverständnisses war insbes. für Frankreich sowie für die nordamerikanischen Kolonien Englands folgenreich (→ Revolution).

Mit seinen *Considérations sur les causes de la grandeur des Romains et de leur décadence* von 1734 hatte Baron Charles de Montesquieu eine Grundlage für eine Alternative zur herrschenden absolutistischen Staatsauffassung geschaf-

fen. Seine Hinwendung zu den Idealen der röm. Republik hatte ihr Vorbild in den *Discorsi sopra la prima deca di Tito Livio* von Niccolò Machiavelli, welche mit ihrer Idealisierung der röm.-republikanischen Staatslehre sowohl auf die Konzeption einer *religion civile* im Sinne von Rousseaus *Contrat social* als auch auf die demokratischen Tendenzen des it. Risorgimento im 19. Jh. großen Einfluß ausgeübt haben. Auch das Staatsverständnis der jungen amerikanischen Republik wurde, unter dem Einfluß der frz. Aufklärung, stark von den damals über die röm. Republik herrschenden Auffassungen geprägt, was sich unter anderem in der polit.-institutionellen Nomenklatur und Ikonographie (der im »Kapitol« residierende »Senat«, der Wappenadler) niedergeschlagen hat.

Das Verhältnis des wilhelminischen dt. Reiches zu Rom war ambivalent. Einerseits bestand schon früh die Vorstellung eines dt.-röm. Antagonismus, der seinen Ursprung im Freiheitskampf des als dt. aufgefaßten Arminius (Hermann) gegen Rom gehabt und in den Auseinandersetzungen der Staufer sowie Luthers mit dem Papsttum seine Fortsetzung gefunden habe (so schon 1855 Wilhelm von Giesebrecht in der Vorrede seiner *Geschichte der dt. Kaiserzeit*). Andererseits war die Ikonographie der dt. Kaiser (wie etwa in ihren → Reiterstandbildern) sowie die gesamte, mit allegorischer Symbolik (man denke an die Germania) untermauerte Herrscherideologie des dt. Reiches stark an Vorbilder der röm. Ant. angelehnt. Während des → Nationalsozialismus waren die Bezüge auf das ant. Rom abgesehen von der imperialen Komponente und Symbolen wie dem Reichsadler eher schwach vertreten, zugunsten eines Rückgriffs auf die griech. Antike. Unter dem Eindruck der Achse Berlin-Rom wurde dann allerdings den arch. Zeugnissen der Römer auf dt. Gebiet vermehrt Interesse zuteil.

→ AWI Rom

1 P. Bondanella, The Eternal City. Roman Images in the Modern World, 1987 2 P. Delogu (Hrsg.), Roma medievale. Aggiornamenti, 1998 3 A. Demandt, Der Fall Roms. Die Auflösung des röm. Reiches im Urteil der Nachwelt, 1984 4 A. Esch, Reimpiego, in: Enciclopedia dell'arte medievale 9, 1998, 876–883 5 F. Gregorovius, Gesch. der Stadt Rom im MA, 4 Bde., hrsg. v. W. Kampf, ²1988 6 I. Herklotz, Cassiano Dal Pozzo und die Arch. des 17. Jh., 1999 7 F. Kolb, Rom. Die Gesch. der Stadt in der Ant., 1995 8 R. Krautheimer, Rom. Schicksal einer Stadt 312–1308, 1987 9 M. Kunze (Hrsg.), Röm. Antiken-Slgg. im 18. Jh., 1998 10 B. Kytzler (Hrsg.), Rom als Idee, Wege der Forsch. 656, 1993 11 R. Lanciani, Storia degli scavi di Roma e notizie intorno le collezioni romane di antichità, 4 Bde., 1902–1912 (Neuauflage mit Illustrationen 1989–1992) 12 W. Lettenbauer, Moskau, das Dritte Rom. Zur Gesch. einer polit. Theorie, 1961 13 C. Moatti, À la recherche de la Rome antique, Découvertes Gallimard 56, 1989 14 Ch. Pietri, Roma Christiana. Recherche sur l'Église de Rome, son organisation, sa politique, son idéologie de Miltiade à Sixte III (311–440), Bibliothèque des Écoles Françaises d'Athènes et de Rome 224, 1976 15 R. T. Ridley, The Eagle and the Spade. Archaeology in Rome

During the Napoleonic Era, 1992 **16** Da Roma alla terza Roma, Documenti e studi, 1981 ff. **17** P. E. SCHRAMM, Kaiser, Rom und Renovatio. Stud. und Texte zur Gesch. des röm. Erneuerungsgedankens vom E. des karolingischen Reiches bis zum Investiturstreit, 2 Bde., 1929 **18** S. SETTIS (Hrsg.), Memoria dell'antico nell'arte italiana, 3 Bde., 1984–1986 **19** E. M. STEINBY (Hrsg.), Lexicon topographicum urbis Romae, 1993 ff. **20** R. VALENTI, G. ZUCHETTI, Codice topografico della Città di Roma, 4 Bde., 1940–1953 **21** R. WEISS, The Ren. Discovery of Classical Antiquity, 1969.   BENJAMIN STRAUMANN

II. FORUM ROMANUM
A. DAS FORUM ROMANUM IN SPÄTANTIKE UND MITTELALTER   B. ERFORSCHUNG UND AUSGRABUNGEN VON DER RENAISSANCE BIS 1870   C. ERFORSCHUNG UND AUSGRABUNGEN SEIT 1870

A. DAS FORUM ROMANUM IN SPÄTANTIKE UND MITTELALTER

Das F. R. war bis in die Spätant. polit., rel. und auch gesellschaftliches Zentrum Roms und des Imperium Romanum. Der zw. Palatin (s. V.), Kapitol und Velia gelegene Bereich blickt auf eine Geschichte zurück, die bis ins 9./8. Jh. vor Chr. reicht. Damals diente das sumpfige Gelände noch als Bestattungsplatz. Seit dem E. des 7. Jh. legte man das Gebiet zunächst durch Drainagekanäle und Erdaufschüttungen, später durch die Anlage der Cloaca Maxima trocken. Dadurch war überhaupt erst die Voraussetzung für die Pflasterung und Bebauung dieses Areals gegeben. Nach und nach entstanden Profan- wie Sakralbauten, die einen unregelmäßigen Platz in ihrer Mitte aussparten, der ältere Kult-

male beherbergte. Seit dem 2. Jh. v. Chr. erhielt das F. R. durch die Anlage rahmender Basiliken an der Nord- und Südseite eine geordnete architektonische Gestalt. Unter Caesar und Augustus wurden einerseits ältere Bauten erneuert, andererseits solche Monumente errichtet, die den propagandistischen Absichten der julisch-claudischen Familie entsprachen und das F. R. in einen Ort herrscherlicher Repräsentation verwandelten. Weitere Bauten traten in nachaugusteischer Zeit hinzu: Tempel vergöttlichter Kaiser und Ehrenbögen. Die heterogene Grundstruktur des F. R., in der sich die enorme Historizität des Platzes spiegelte, blieb jedoch weitgehend unangetastet. Zuletzt wurde der Platz in tetrarchischer Zeit einer tiefgreifenden Umgestaltung unterzogen, indem man an den beiden Schmalseiten jeweils fünf Säulenmonumente und, vermutlich wenig später, an der Südseite des Platzes weitere Ehrensäulen errichtete. Auf diesen waren Standbilder der regierenden Kaiser zu sehen (Abb. 1). Mit der Verlagerung der kaiserlichen Residenz nach Konstantinopel bzw. der Etablierung weiterer kaiserlicher Residenzstädte im Norden It. (Mailand, Ravenna) veränderte sich die Bed. des F. R. Es wandelte sich von einem Bezirk, der fast ausschließlich der Verherrlichung der regierenden Kaiser diente, in einen Schauraum der vergangenen Größe Roms. Vor allem Angehörige der in Rom ansässigen spätant. Senatsaristokratie bemühten sich um die Instandhaltung der Bausubstanz, die teilweise bereits ihre Funktion verloren hatte. Die 410 zerstörte Basilica Aemilia wurde zwar in den Folgejahren wiederaufgerichtet, doch beschränkte man sich auf den Bau einer eingeschossigen Portikus an der Platzseite, die den dahinter

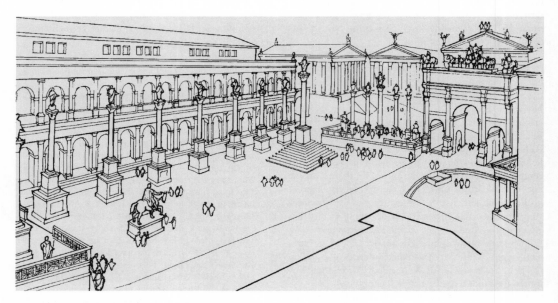

Abb. 1: Rekonstruktion des Forum Romanum in der Spätantike.
Seit tetrarchischer Zeit ist der Platz auf drei Seiten von Ehrensäulen umgeben,
die Statuen der regierenden Kaiser trugen

Abb. 2: Lievin Cruyl, Ansicht des Campo Vaccino vom Kapitol (1675). Rom, Museo di Roma.
Der Platz des einstigen Forum Romanum wird von der unter Alexander VII. (1655-1667)
gepflanzten Ulmenallee durchzogen; daneben ist noch ein hochmittelalterlicher Geschlechterturm zu sehen

befindlichen Trümmerhaufen kaschieren sollte. Die Porticus Deorum Consentium wurde im J. 367 renoviert. Die Vorhalle des Saturntempels ist Folge einer Wiederherstellungsmaßnahme des späten 4. Jahrhunderts. Auch Inschr. auf Statuenbasen dokumentieren das Bestreben, das Erscheinungsbild des Platzes zu konservieren: Als »potemkinsches Dorf« sollte das F. R. dem Betrachter eine Bed. suggerieren, die Rom spätestens nach dem Fortzug des Kaisers de facto verloren hatte. Dafür spricht auch, daß das F. R. bei den wenigen spätant. Kaiserbesuchen architektonischer Rahmen von bewußt traditionell gehaltenen Feiern war. Bis ins Früh-MA blieb das F. R. anschaulicher Beleg für die Bed. Roms: Die ostgotischen Herrscher bemühten sich um eine Wahrung der Bausubstanz und der verbliebenen Statuenausstattung, um durch eine demonstrative Aufwertung Roms die eigene Herrschaft zu legitimieren. Und noch im frühen 7. Jh. widmete man dem Kaiser Phokas auf der Platzmitte eine Ehrensäule, wobei man freilich eine ältere spätant. Ehrensäule wiederverwendete. Bereits zuvor, seit dem frühen 6. Jh. waren am F. R. die ersten Kirchen in älteren Gebäuden eingerichtet worden, die ihre Funktion verloren hatten: etwa der Versammlungssaal des Senats (S. Adriano), das benachbarte Secretarium Senatus (S. Martina), ein Nebensaal des Friedensforums (SS. Cosma e Damiano) und schließlich auch das mutmaßliche Vestibül des Kaiser-

palasts auf dem Palatin (S. Maria Antiqua). Weitere kleine christl. Kapellen nisteten sich in den verfallenden Großbauten ein, so etwa in der Basilica Iulia die Kirche S. Maria in Cannapara. Nach wie vor muß das F. R. als Versammlungsort gedient haben, wurde doch vor S. Adriano, der ehemaligen Senatskurie, am 1.8.768 unter Anwesenheit ›der Priesterschaft, der vornehmen Krieger, der angesehenen Bürger und aller Einwohner vom größten bis zum geringsten‹ der Presbyter Stephanus zum Papst ausgerufen (*Liber Pontificalis* I,471). Im späten 8. Jh. waren vier der am F. R. gelegenen Kirchen Diakonien (S. Adriano, SS. Sergio e Bacco, S. Maria Antiqua, SS. Cosma e Damiano), hatten also für Bedürftige aufzukommen und trugen so dazu bei, daß der Platz frequentiert blieb. Der *Anonymus Einsidlensis*, die wichtigste Quelle zur Top. Roms im späten 8. Jh. zeigt, daß der Platz auch im früh-ma. Rom ein Verkehrsknotenpunkt blieb; doch war die Bezeichnung »Forum Romanum« in Vergessenheit geraten. In den Quellen werden neben vereinzelten ant. Monumenten nur noch Kirchen genannt. Bis in karolingische Zeit scheint man sich auf dem ant. Fußbodenniveau bewegt zu haben; erst in der Folgezeit wurde der Platz von einer stetig wachsenden Erdschicht bedeckt, die die verbliebenen Monumente sowie die Rahmenbebauung allmählich einsinken ließ, und somit auch jegliches Bewußtsein für den Platz als solchen unterband und schließlich im MA eine partielle Überbauung zur Folge hatte.

Die hoch-ma. Itinerare, v. a. die Prozessionsordines des Benedictus Canonicus (1140–1143) zeigen, daß man vom Severusbogen zum Titusbogen nicht mehr über den Bereich des F. R. schritt, sondern einen weiten Umweg über die benachbarten Kaiserfora (s. III) in Kauf nahm. Nachweislich seit dem 12. Jh., vielleicht aber schon früher, bemächtigten sich die Adelsfamilien Roms des Gebiets. Geschlechtertürme erhoben sich im Bereich zw. Palatin und Subura und gaben dem Gebiet den Namen Campo Torrecchiano. Manche dieser Geschlechtertürme sind noch auf neuzeitlichen Veduten des F. R. zu sehen (Abb. 2). Etwa zur selben Zeit wurden erstmals Tempelbauten am F. R. in Kirchen umgewandelt: Aus dem Saturntempel wurde die Kirche S. Salvatore de Statera, aus dem Antoninus-und-Faustina-Tempel die Kirche S. Lorenzo in Miranda.

Die Erinnerung an die histor. Bed. der einzelnen ant. Bauwerke war im Hoch-MA allmählich in Vergessenheit geraten. Die Mirabilien, eine »Beschreibung« der ant. Monumente Roms, deren Entstehung auf die Mitte des 12. Jh. zurückgeht, verknüpfen mit den sichtbaren Ruinen legendäre Ber. aus der heidnischen und christl. Geschichte Roms und charakterisieren diese als anschauliche Zeugnisse einer ruhmreichen Vergangenheit.

B. ERFORSCHUNG UND AUSGRABUNGEN
VON DER RENAISSANCE BIS 1870

Im 15. Jh. entstand mit den Abhandlungen Poggio Bracciolinis (*De varietate fortunae*, erstmals gedr. 1723) und Flavio Biondos (*Roma instaurata*, erstmals gedr. 1481) die ersten wiss. Werke, die mit der legendären Überlieferung der Mirabilien brachen und versuchten, die erhaltenen Monumente des F. R. anhand der ant. Schriftquellen zu identifizieren. Gleichzeitig wurden erste Zeichnungen und Ansichten des F. R. angefertigt, die das wachsende antiquarische Interesse an der röm. Ant. widerspiegeln. Die älteste erhaltene Ansicht des F. R., jene im *Codex Escurialensis* (um 1491), ist ganz auf die Monumente des Alt. fixiert und unterschlägt teilweise die nachant. Bebauung (Abb. 3). Trotz des wachsenden Interesses an der röm. Top. seit dem 15. Jh. setzte sich zunächst der Verfall der Bauten und Ruinen des F. R. fort. Ursächlich war der Wunsch nach Gewinnung von Baumaterial, das man im Bereich des F. R. in Hülle und Fülle fand und das die Päpste für ihre aufwendigen Bauprojekte, Kirchen und Paläste in und um Rom benötigten. Besonders der Neubau von St. Peter erforderte beständig Materialnachschub. In den Pontifikaten Julius' II. (1503–1513) und Leos X. (1513–1521) nahm die Zerstörung der erhaltenen Bauten im Bereich des F. R. beträchtliche Ausmaße an. Zwar enthält ein Raffael zugeschriebener Brief die Mahnung, man solle die Denkmäler des alten Rom, namentlich des F. R., erhalten und rekonstruieren, doch verhallte diese Aufforderung ungehört: Basilica Aemilia, Basilica Iulia, Vestatempel, Vestalinnenhaus, Saturn- und Vespasianstempel hatten auch weiterhin Baumaterial für die päpstlichen Großprojekte beizusteuern. Wie zwiespältig das Verhalten der damaligen Päpste war, zeigt die Tatsache, daß derselbe Paul III. (1534–1549), der für St. Peter und den Palazzo Farnese auf dem F. R. noch Materialbeschaffung betrieb und der *fabrica* von St. Peter einen Freibrief zur Ausbeutung der Forumruinen gab, den Ort des einstigen F. R. wieder seiner urspr. Bestimmung zuführte: Der Papst ließ für den Einzug Kaiser Karls V. (1530–1556) im J. 1536 eine Triumphalstraße schmücken, die durch sämtliche auf dem F. R. und der Via Sacra stehende Triumphbögen führte. Dazu mußten neben weiteren nachant. Gebäuden die ma. Geschlechtertürme eingerissen und der Platz eingeebnet werden. Indem man den Kaiser gleichsam in die Fußstapfen der ant. Imperatoren treten ließ und ihn mit den Ruinen des ant. Rom konfrontierte, wies man auf die Bed. der Stadt Rom hin, die nach dem *sacco di Roma* (1527) erheblich gelitten hatte. 1656 ließ Papst Alexander VII. (1655–1667) zw. Titusbogen und Septimius-Severus-Bogen eine Ulmenallee pflanzen, die den Verlauf der ant. Via Triumphalis in diesem Abschnitt anschaulich machen

Abb. 3: Anon. (Domenico Ghirlandaio?), Ansicht des Forum Romanum vom Kapitol (ca. 1491). Codex Escurialensis 28-II-12, fol. 20. Die Betonung des Septimius-Severus-Bogens (links) und der Tempel des Saturn bzw. Vespasian (rechts) sowie die Tilgung nachantiker Bebauung zeigen das einseitige Interesse an der römischen Antike zur Zeit der römischen Hochrenaissance

Abb. 4: Claude Lorrain, Ansicht des Campo Vaccino vom Kapitol (1636). Paris, Louvre. Nicht mehr die Verherrlichung der antiken Baudenkmäler steht im Vordergrund dieser Vedute, sondern deren Verfall als Sinnbild vergangener Größe

sollte und auch auf Ansichten dieser Zeit zu sehen ist (Abb. 2).

Die Materialsuche und die damit verbundene Kritik gaben nicht zuletzt den Anstoß zu ersten top. Traktaten, in denen man das F. R. zu lokalisieren versuchte. Bartolomeo Marliani (*Urbis Romae topographia*, 1544) vermutete bereits richtig, daß sich das F. R. zw. Septimius-Severus-Bogen und Titus-Bogen befunden haben müsse. Andere, wie Pirro Ligorio, verlegten das F. R. in die Senke zw. Kapitol und Palatin – eine Hypothese, die noch im späten 19. Jh. vertreten wurde. Offenbar wollte Ligorio damit von der Barbarei der Zerstörung ant. Ruinen ablenken.

Die nunmehr abgeschlossene Ausbeutung des F. R. und die falsche Lokalisierung des Platzes trugen dazu bei, daß das wiss.-antiquarische Interesse an den Ruinen im Bereich des F. R. allmählich erlahmte. In dieser Zeit taucht auch die Bezeichnung »Campo Vaccino« auf (erstmals belegt 1563). Vieh weidete auf dem Platz, 1593 wurde ein Brunnen errichtet, der laut Inschr. dem »Nutzen der Viehhändler« diente. Diese bukolische Konnotation machte das Areal zu einem beliebten Motiv auf Romveduten des 16. und 17. Jh., da es dem Bedürfnis nach einer idyllischen Gegenwelt entsprach. Der Kontrast zw. den Relikten der ant. Zivilisation und dem friedvoll-ländlichen Charakter des Campo Vaccino zog v. a. ausländische Künstler an, deren Veduten die Ruinen als Vergänglichkeitsmotiv erscheinen lassen (Abb. 4).

Erst gegen E. des 18. Jh. erwachte das F. R. wieder aus seinem Dornröschenschlaf. Die ersten wiss. Ausgrabungen begannen. Der Platz wurde nicht mehr als idyllisches Ambiente begriffen, sondern diente der röm. Republik (seit 1798) als Rahmen für »patriotische Feste« (Abb. 5). C. F. von Fredenheim, schwedischer Gesandter in Rom, setzte im J. 1788 erstmals den Spaten an und legte einen Teil der Basilica Iulia frei. Damit läutete er

eine Epoche intensiver arch. Erforsch. ein, die mit Unterbrechungen bis h. andauert. Fünfzehn J. später – Carlo Fea war seit zwei J. *commissario delle antichità* – wurde die Freilegung des Severusbogens eingeleitet, bereits mit der Perspektive, das gesamte Areal des F. R. auszugraben und in einen → Archäologischen Park zu verwandeln. Man riß die beim Saturn- und Vespasianstempel errichteten Häuser ab und befreite auch die Phokassäule von mod. Anbauten. Wenig später ergrub man die Vorderseite des Dioskurentempels, die Westecke der Basilica Iulia, den Bereich um die Phokassäule und den Concordiatempel. Unter der frz. Besatzung (1808–1814) wurden auf Initiative des Stadtpräfekten de Tournon die Grabungen fortgesetzt – mit dem Ziel, einen weitreichenden arch. Park zu schaffen, der das Gewicht des päpstlichen Roms relativieren und der Ant. mehr Gewicht verschaffen sollte: Der Sockel der Phokassäule wurde freigelegt und damit die Widmungsinschr. sichtbar, so daß Lord Byrons *nameless column* als kaiserliche Ehrensäule identifiziert werden konnte. Grabungen am Dioskuren-Tempel und am Tempel des Vespasian folgten. Von 1829 bis 1834 wurden unter Antonio Nibby der Abhang des Kapitols und die Substruktion des Tabulariums freigelegt, die bereits begonnenen Grabungen beim Septimius-Severus-Bogen und der Phokassäule erweitert. Hintergrund war ein Plan der Commissione generale di Antichità e Belle Arti aus dem J. 1827, das gesamte Gebiet zw. Kolosseum und Kapitol auszugraben. Um die Jh.-Mitte, zur Zeit der kurzlebigen röm. Republik, erfolgten unter der Leitung Luigi Caninas Grabungen im Bereich der Basilica Iulia und der Phokassäule. Die 1656 gepflanzte Ulmenallee Alexanders VII. wurde gefällt; sie hatte der nun folgenden systematischen arch. Erforsch. des Forumareals zu weichen. Wenig später, 1858, wurde die Porticus Deorum Consentium restauriert, nachdem Giuseppe Valadier 1821 bereits den Titusbogen von ma. Anbauten befrei-

Abb. 5: Th. Piroli, »Festa patriottica« auf dem Forum Romanum (1799)
(nach F. Hermanin, Gabinetto nazionale delle stampe, App., 1899, Taf. 2).
Während der römischen Republik (seit 1798) diente das Forum Romanum als Rahmen
»patriotischer Feste«, die die glorreiche Vergangenheit des antiken Rom wiederaufleben lassen sollten

en und instandsetzen hatte lassen. Zahlreiche Rekonstruktionszeichnungen des F. R., Pläne wie Ansichten von zumeist frz. Künstlern, vermitteln eine Vorstellung von der idealisierten Antikenvorstellung dieser Zeit, die mit den tatsächlichen Befunden in Konflikt geriet und die bisweilen kleinteiligen und wenig spektakulären Befunde zeichnerisch überhöhte (Abb. 6).

C. ERFORSCHUNGEN UND AUSGRABUNGEN
SEIT 1870

Das Interesse galt nun verstärkt dem gesamten Platz, nicht mehr allein einzelnen Monumenten. Der polit. Hintergrund für die seit 1870 erneut geplante vollständige Freilegung des F. R. war die Einigung It. im selben J. und die ein J. später erfolgte Ernennung Roms zur Hauptstadt der Republik. Unter der Leitung von Pietro Rosa, Giuseppe Fiorelli, Rodolfo Lanciani und Giacomo Boni begann man mit der systematischen Ausgrabung der Monumente und der Platzanlage. 1870–71 wurde die Basilica Iulia freigelegt und im Bereich des Dioskurentempels, des Caesar-Tempels und bei der Phokassäule gegraben; 1872–73 deckte man den zentralen Platz des F. R. auf, im selben J. begannen die Grabungen im Bereich des Vestatempels; 1878–1880 wurde die Via Sacra bis zu S. Maria Nova (S. Francesca Romana) freigelegt. Schließlich entdeckte man das Haus der Vestalinnen und ließ die beiden Straßen, die das Forumareal von Nord nach Süd durchzogen, abtragen, um den Platz in seiner Gesamtheit freizulegen. 1882 konnte Lanciani zufrieden feststellen, es sei nun möglich, die Sacra Via in ihrer gesamten Erstreckung vom Kapitol bis zum Kolosseum zu bewundern (Abb. 7). In Anwesenheit des Königs feierte das röm. Volk bis in die Nacht auf dem F. R. den Geburtstag Roms (21. April). In der Folgezeit ruhten die Grabungen, sieht man von eher lokalen Eingriffen im Bereich des Dioskurentempels, der Regia und des Augustusbogens auf Initiative von Heinrich Jordan, Otto Richter und Francis M. Nichols ab (1884–1888). Zugleich systematisierte man die enorme Menge an lose gefundenen Bauteilen und Fragmenten.

Erst 1898 begann eine weitere Phase intensiver Ausgrabung unter Giacomo Boni, der das Grabungsareal fast verdoppeln, zugleich aber auch in dem bereits freigelegten Bereich Tiefengrabungen vornehmen ließ, die der Erforsch. der Frühgeschichte dienten (*Lapis niger*,

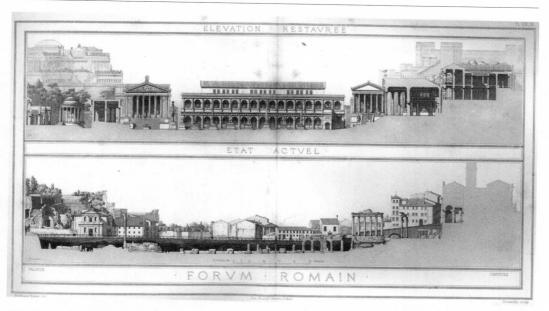

Abb. 6: Forum Romanum, Befund und Rekonstruktion (nach Ferdinand Dutert, Le Forum Romain, 1875, Taf. 8-9). Tatsächlicher Befund (unten) und Rekonstruktion (oben) stehen bei den Darstellungen des Forum Romanum im 19. Jahrhundert in einem eigenartigen Gegensatz und bezeugen die überhöhte Antikenvorstellung dieser Zeit

archa. Nekropole). Die bereits begonnenen Arbeiten im Bereich des Clivus Capitolinus, des Caesar-Tempels und der Regia wurden abgeschlossen, ferner die Basilica Aemilia zur Gänze freigelegt. Die am Palatinabhang gelegene Barockkirche S. Maria Liberatrice wurde 1900 abgerissen, um die Forumsgrabung nach Süden auszudehnen und den Vestalinnenkomplex vollständig freizulegen. Dabei fand man die Kirche S. Maria Antiqua mit dem Oratorium der 40 Märtyrer und ihrer einzigartigen früh-ma. Malereiausstattung. Bonis energische Vorgehensweise als Ausgräber wurde begleitet von dem Bemühen, das F. R. als touristische Attraktion aufzuwerten. Auf ihn gehen ein Teil der noch h. erhaltenen Bepflanzung der Grabungsstätte sowie die ersten Anastylosemaßnahmen zurück.

Die mitunter sehr genaue Dokumentation der Grabungen, die in jährlich erscheinenden Ber. publiziert wurde, steht in einem eigenartigen Kontrast zur Behandlung der spätant. und früh-ma. Phasen: Bereits 1872/1874 riß man die östl. Rostra bis auf einen kleinen Rest ab, da man sie für ma. hielt. 1899 entfernte man die kaiserzeitliche Via Sacra, um die republikanische Phase dieses Straßenabschnitts zw. Forumplatz und Titusbogen freizulegen. Auch die reichen früh-ma. Befunde im Bereich der Basilica Aemilia fielen den Grabungen zum Opfer. Nicht der spät- und nachant. Verfall der Platzanlage sollte dokumentiert und arch. anschaulich gemacht werden, sondern die Glanzzeit Roms. Zugleich erschienen die ersten Touristenführer, die sich eingehend mit der Geschichte und den Monumenten des F. R. beschäftigten und diese einer stetig wachsenden

Schar von Rombesuchern nahebrachten.

Nach 1905 trat eine Pause ein, die man nutzte, um in zusammenfassenden Veröffentlichungen die Ergebnisse der Grabungen zu publizieren. Erst in den 20er- und 30er-J. setzte man die Grabungstätigkeit sporadisch fort; einzelne Bauten wurden unter der Leitung von Alfonso Bartoli wiederhergestellt, darunter die Basilica Aemilia, das Vestalinnenhaus mit dem Vestatempel sowie die Kurie, die ihrer gesamten postant. Ausstattung beraubt wurde: Man profanierte die Kirche S. Adriano und nahm tiefgreifende Rekonstruktionsmaßnahmen vor, deren Ergebnis ein steriler Bau ist, der seine Geschichtlichkeit verloren hat. Geistige Grundlage dieser extremen Form der Wiederherstellung der Ant. war der it. → Faschismus, der sich auf das Imperium Romanum berief und in bisweilen skurriler Form das F. R. seiner einstigen Funktion zuführen wollte. So endet Bartolis Arbeitsber. mit der Aufforderung, die instandgesetzte ant. Curia Senatus solle nun, unter dem *impero rinnovato*, ihre alte Funktion als Sitzungssaal des Senats wiedererhalten. Zugleich entstand mit der Via dei Fori Imperiali (eingeweiht 1932) eine repräsentative Aufmarschroute, die durch den Bereich des F. R. und der in den 20er J. freigelegten Kaiserfora führte.

Die wenigen punktuellen Sondagen, die nach dem II. Weltkrieg durchgeführt wurden, galten der Frühgeschichte des F. R. In den J. 1946/1948 bzw. 1960 wurden Tiefensondagen unter der Basilica Aemilia bzw. der Basilica Iulia durchgeführt. Gleichzeitig erfolgten Spezialunt. zu den einzelnen Baukomplexen, die in den Grabungsberichten aus der Zeit der Jh.-Wende nur

Abb. 7: Photographie des Forum Romanum vom Kapitol (um 1885). Der Platz des Forum Romanum ist bereits vollständig freigelegt. In den folgenden Jahren wurde die Bebauung am Südrand (im Bild hinter dem Septimius-Severus-Bogen) sowie die Kirche S. Maria Liberatrice (am Abhang des Palatins) abgetragen, um die Ausgrabung auszudehnen

summarisch behandelt worden waren. Für mehrere Monumente, darunter die Tempel des Saturn, der Concordia und des Vespasian wurden Monographien vorgelegt; eine Unt. des eigentlichen Platzes und der darauf befindlichen Monumente brachte weitere wichtige Ergebnisse. Schließlich erschienen seit den 1970er J., im Zuge einer Neuausrichtung der → Klassischen Archäologie auf funktionale und sozialgeschichtliche Fragen, mehrere Studien, in denen die wechselnden Bau- und Ausstattungsphasen des F. R. als Spiegel des röm. Gesellschaftsgefüges im Wandel beleuchtet wurden. Tiefgreifende Umgestaltungen des F. R. wurden vermieden. Erst in jüngster Zeit wurde erneut eine Wiederherstellungsmaßnahme in Angriff genommen und aus Anlaß des Hl. Jahres 2000 das Oratorium der 40 Märtyrer in voller Höhe wiederaufgerichtet.

Das gewaltige Grabungsareal im Herzen der mod. Stadt Rom stellte stets ein großes Problem dar, verhinderte doch das eingezäunte F. R. jegliche freie Zirkulation zw. Kapitol, Via dei Fori Imperiali, Kolosseum, Palatin und Velabrum. Nur mit einer Eintrittskarte war der Bereich zu betreten, was dem Besuch stets eine museal-didaktische Note gab. Der Aufenthalt auf dem F. R. war ein Bildungsvorgang, der außerhalb der städtischen Realität Roms stattfand. Dies änderte sich – bezeichnenderweise in einer Zeit, in der die traditionelle Museumskonzeption mehr und mehr in Frage gestellt wurde – indem man das F. R. in einen öffentlich zugänglichen Bereich umwandelte, der bis zu einem gewissen Grad wieder seinen natürlichen Platz im Herzen der Stadt gefunden hat. Zwar wurden der eigentliche Platz des F. R. und die Bauten selbst von unauffälligen kniehohen Abschrankungen umgeben, doch ist es seit 1999 seit langer Zeit erstmals wieder möglich, das F. R. als Passageraum (kostenlos) zu durchschreiten. Dadurch wird den seitdem viel zahlreicheren Besuchern das Gefühl gegeben, daß die steinerne Ant. Roms nicht nur summarisch Objekt musealer Betrachtung, sondern auch selbstverständlicher Teil der heutigen Stadtlandschaft sein kann.
→ Forum/Platzanlage
→ AWI Forum Romanum

1 Archeologia in posa. Cento anni di fotografie del Foro Romano, Kat. Rom 1993 2 M. HOFF, Rom. Vom F. R. zum Campo Vaccino. Stud. zur Darstellung des F. R. im 16. und 17. Jh., 1987 3 C. HÜLSEN, Das F. R. Seine Gesch. und seine Denkmäler, ²1905 4 I. JACOPI, G. MAETZKE, F. PETRUCCI NARDELLI, G. TEDONE, La riscoperta del Foro nel secolo XIX, in: Forma. La città antica e il suo avvenire, Kat. Rom 1985, 63–68 5 R. LANCIANI, Storia dei scavi di Roma, I-VI, Ndr. 1989–2000 6 S. LE PERA BURANELLI, R. TURCHETTI et al., Scavi al Foro Romano, in: Archeologia a Roma nelle fotografie di Thomas Ashby 1891–1930, Kat. Neapel 1989, 19–92.   FRANZ ALTO BAUER

III. KAISERFORA

A. EINLEITUNG   B. CAESARFORUM
C. AUGUSTUSFORUM   D. TEMPLUM PACIS
E. TRAJANSFORUM   F. FUNKTIONEN

A. EINLEITUNG

Das Gesamtbild der Kaiserfora hat nach den neuen Grabungen entscheidende Veränderungen erfahren, auch wenn sich noch immer viele Zweifel bezüglich ihrer Funktion als ganzes und der Anordnung mancher Gebäudestrukturen nicht auflösen lassen. Der Vergleich zw. Italo Gismondis Plan aus dem J. 1932, von dem es einige Varianten aus den folgenden J. gibt (Abb. 1), und dem a. E. der neuen Grabungen erstellten Rekonstruktionsplan (Abb. 2) allein läßt ersehen, welche neuen Erkenntnisse sich aus den jüngsten Grabungen ergeben haben. Das Gesamtbild ist eindeutig das der trajanischen Zeit, obwohl es erforderlich war, auch die wesentlichen Teile der Anlage zu bestimmen, die bedeutende Umgestaltungen erfahren haben.

Abb. 1: Traiansforum (links) und anschließendes Augustusforum in einem Modell von Italo Gismondi. Foto DAI Rom, Inv. Nr. 68.1043, Photo Hützel

B. Caesarforum

Das Caesarforum (*Forum Caesaris/ Forum Iulium*) ist derzeit als einziges in seiner ganzen Länge sichtbar. Man kann nunmehr schon der caesarischen Bauphase die für die Zeit Diokletians belegte Lösung von zweischiffigen Portiken ohne eine obere Säulenordnung zuweisen, in denen die innere Säulenstellung den doppelten Säulenabstand der äußeren hat. Im Zustand nach dem Brand des Carinus erhielt die südöstliche Säulenstellung, die außen schon zur Zeit der Errichtung des Forum Transitorium mit einer Mauer aus Peperinblöcken verkleidet worden war, eine zweite Verkleidung im Inneren, über die ganze Länge des Marmorstylobats der caesarischen Säulenstellung, durch eine Mauer in *opus latericium* mit vorspringenden Elementen. Nach Beseitigung der mittleren Säulenreihe und Erneuerung der Pflasterung in Übereinstimmung mit der der Kurie wurde der Säulengang in einen großen, der Kurie selbst dienenden Saal verwandelt. In diesem Raum könnte man eine diokletianische Bauphase des *atrium Libertatis* erkennen, das bisher nur seit einer der Stadtpräfekturen des Anicius Acilius Glabrio Faustus (421–423) belegt ist. Auf einem der erhaltenen Fragmente des Architravs des südwestlichen Säulengangs, gefunden im Bereich der Fundamente der Accademia di San Luca, liest man: (– – –)*nius Bas*(*sus* – – –). Das belegt eine Restaurierung des Caesarforums entweder während des Vikariats von Iunius Bassus *signo* Theotecnius (der *vicarius Urbis Romae* 357, zum Zeitpunkt des Besuchs Constantius' II. in Rom, war; diese Datierung ist dem J. 359 vorzuziehen, als Iunius Bassus wegen seines plötzlichen Todes nur für wenige Monate *Praefectus Urbi* war), oder während der Stadtpräfektur des Anicius Auchenius Bassus (382), dem auch der Baubeginn der Brücke des Theodosius in der Höhe des Aventin verdankt wird.

Durch die neuen Grabungen hat sich auch eine genauere Vorstellung von den komplexen Bauarbeiten Julius Caesars ergeben, der bereits mit der Beschneidung der Abhänge der Arx und des Bergsattels zw. Quirinal und Kapitolshügel begann, lange vor den Eingriffen Domitians und Traians. Durch eine beeindruckende Einebnung des Geländes erreichte Caesar eine Vergrößerung des *Forum Romanum*, das inzwischen angesichts seiner vielfältigen Funktionen räumlich sehr beengt war. Die Servianische Mauer und die *Aqua Marcia*, die durch dieses Viertel verliefen, wurden wahrscheinlich geopfert. Direkt unter der Pflasterung des Platzes hat man zwei Brandbestattungen in Form von Pozzo-Gräbern gefunden, die nach der gängigen Chronologie um das E. des 10. Jh. v. Chr. datiert werden, oder, nach einem neuen Datierungsvorschlag, basierend auf den dendrochronologischen Untersuchungen an der Ausstattung von Gräbern der letzten Phase der Urnenfelderzeit nördlich der Alpen, zu Beginn desselben Jh. (Übergang von der Phase 1 zur frühen Phase II A1). Am E. der Phase II A1, um die Mitte des 9. Jh. v. Chr. (bzw. nach der neuen Chronologie in der ersten H. des 10. Jh.) wurden die Gräberfelder der *Via Sacra* (in der Nähe des Tempels des Antoninus und der Faustina) und des Augustusforums aufgegeben, während die Funktion als Begräbnisstätte für den Esquilin, längs des *clivus Suburanus* (im Bereich der Via Giovanni Lanza) bezeugt ist. Es ist klar, welche Bed. dieser kleine Gräberkomplex für die Diskussion über die frühen röm. Ansiedlungen hat, da die Lage der Gräber die Existenz einer Siedlung auf den Hängen der Arx oder eher auf dem Bergsattel zw. Quirinal und Arx zu dokumentieren scheint.

C. Augustusforum

Unter den zur Südostseite des Traiansforums gehörigen Strukturen sind die Fundamente einer weiteren Exedra des Augustusforums (*Forum Augusti*) entdeckt worden, etwas kleiner in den Ausmaßen als die bereits bekannten. Das Forum hatte also urspr. vier Exedren – es ist kaum zu bezweifeln, daß die jüngst gefundene Exedra ein Pendant an der anderen Seite der Platzanlage hatte. Die Hemizyklien im Nordwesten und Südosten

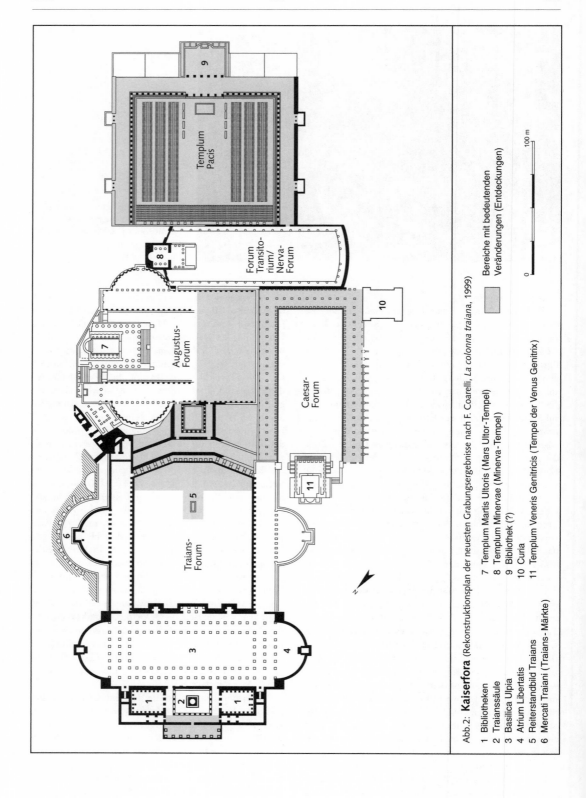

Abb. 2: **Kaiserfora** (Rekonstruktionsplan der neuesten Grabungsergebnisse nach F. Coarelli, *La colonna traiana*, 1999)

1 Bibliotheken	7 Templum Martis Ultoris (Mars Ultor-Tempel)		
2 Traianssäule	8 Templum Minervae (Minerva-Tempel)		
3 Basilica Ulpia	9 Bibliothek (?)		
4 Atrium Libertatis	10 Curia		
5 Reiterstandbild Traians	11 Templum Veneris Genitricis (Tempel der Venus Genitrix)		
6 Mercati Traiani (Traians-Märkte)			

Bereiche mit bedeutenden
Veränderungen (Entdeckungen)

0   100 m

wurden offensichtlich bei der umfassenden Neugestaltung des Areals seit den Arbeiten Domitians zur Errichtung des *Forum Transitorium* aufgegeben. Es scheint jetzt klarer, daß der Plan des Apollodorus für das Traiansforum, wenn das Projekt sein Werk ist, konsequent den Grundriß des Augustusforums nachahmt, und daß die Neuerungen des großen Architekten aus Damaskus eher in den kühnen Bautechniken als in der absoluten Originalität der räumlichen Anordnung zu suchen sind. Die Exedren des Augustusforums sind das Ergebnis eines langen Experimentierens, das schon in hell. Zeit mit dem System der *stoai* beginnt, an die sich Anlagen mit runder Exedra anschließen (Seepalästra in Delos; Gymnasion von Stratonikeia in Karien; Heroon von Kalydon). Doch die Exedren – obwohl im Grundriß ein wesentliches und unverzichtbares Element, in vielerlei Hinsicht der originellste und innovativste Teil des Augustusforums – waren für einen Betrachter, der im Zentrum des Platzes stand, gar nicht wahrnehmbar. Sie bieten nur scheinbar den Eindruck einer Ausweitung des Raumes. Sogar von den Säulengängen aus waren die runden Exedren durch eine Zwischenwand aus Pilastern verdeckt, die die Sicht versperrten. Nur die Fortsetzung der Grabungen wird klären können, ob es am Eingang des Forums, gegenüber dem Mars Ultor-Tempel, tatsächlich eine Basilika des kanonischen Typs nach dem System der dreigeteilten Foren gab, d. h. der Foren, die in derselben Sichtachse Basilika, Platzanlage und Tempel besaßen. Basiliken mit seitlichen Exedren sind im Bereich der Provinzen bekannt; sie lassen sich noch ins 1. Jh. v. Chr., jedenfalls vor der Errichtung der *Basilica Ulpia*, datieren (Martigny, das ant. Octodurus in den *Alpes Poeninae*, aus der Zeit des Claudius; Nyon in der Germania Superior, aus neronischer Zeit; Virunum in Noricum, aus spätclaudischer Zeit; Augst, Augusta Raurica in Germania Superior, aus vespasianischer Zeit). Die Bürgschaftsurkunden aus Herculaneum und Pompeji haben bestätigt, daß im Augustusforum der *praetor urbanus* und der *praetor peregrinus* ihr Amt ausübten. Sie sprechen allerdings nicht explizit von einer Basilika, sondern von einer *porticus Julia*, in der Handelsgeschäfte abgewickelt wurden. Vor kurzem ist jedoch eine aus dem Gelände des Augustusforums stammende Inschr. ediert worden, die ein *beneficium duarum Antoniarum* erwähnt, das man versuchsweise mit einer *basilica Antoniarum duarum* in Verbindung gesetzt hat, die aus einer weiteren Inschr. bekannt, aber nicht lokalisierbar ist. Es gibt keinen zwingenden Hinweis, der es erlaubte, *beneficium* als Stiftung einer Basilika zu interpretieren, oder zu vermuten, daß die Basilika der beiden Antoniae sich gerade auf dem Augustusforum befunden habe. Andererseits ist es nicht unmöglich, daß Augustus seinen Verwandten die Erlaubnis zur Stiftung eines bedeutenden öffentlichen Monuments zugestanden hat – die Portikus der Octavia ist ein Beispiel unter vielen – wenngleich die Quellen überliefern, daß sowohl das Forum als auch der Tempel des Mars Ultor vom *Princeps* auf eigene Kosten aus der Kriegsbeute errichtet wurden.

D. TEMPLUM PACIS

Sicher bezeugt sind endlich die Grundelemente des *templum Pacis*, die bisher nur durch die *Forma Urbis Severiana* und einige Sondierungen bekannt waren, welche die Gesamtanlage des Bereichs nicht klar festzulegen erlaubten. Die Errichtung des Forum Transitorium hatte die urspr. Form des Eingangs zum Gebäudebereich verändert. Hinter der hohen Wand der Colonacce erhob sich, an der Nordwest-Seite der Anlage eine entsprechende Wand mit vorspringenden Kolossalsäulen aus afrikanischem Marmor, vor denen auf einem breiten Streifen eine Pflasterung aus weißem Marmor verlief. An der Nordost-, Südost- und Südwestseite verliefen dagegen Säulengänge mit Granitsäulen, die in ungewöhnlicher Weise im Verhältnis zum Platz um vier Stufen erhöht waren. Der Grund ist jetzt klar: Der gesamte Zentralbereich, ohne Pflaster, war ein weitläufiger Garten, den sechs Wasserkanäle durchschnitten, die in der Mitte einen Streifen freiließen. Die Kanäle bestanden aus 4,70 m breiten Mauern in *opus latericium*, bis zu einer Höhe von etwa einem halben Meter erhalten (urspr. waren sie etwas mehr als einen Meter hoch), die mit Marmorplatten verkleidet und von Marmorrinnen zum Abfluß des Wassers flankiert waren. Auf der Einfassung der Kanäle waren in die Erde Blumenvasen eingesetzt. Man hat mit einiger Wahrscheinlichkeit feststellen können, daß dort *Rosa gallica* gepflanzt war. Zu klären bleibt noch, wo die Basen der Statuen, die zu den berühmtesten des Alt. gehörten, standen. Sie waren z. T. von Nero zur Ausstattung der *Domus Aurea* in Griechenland geraubt (›(...) violentia Neronis in Urbem convecta et in sellariis domus aureae deposita‹) und dann von Vespasian hierher überführt worden. Die lit. Quellen nennen unter den Skulpturen die Bronzekuh des Myron, die Statue des Olympiasiegers Cheimon (ein Werk des Naukydes), den Ganymed (des Leochares?), eine Venusstatue, den Nil mit sechzehn Putten in Basanit, und unter den Gemälden den Ialysos des Protogenes, die Skylla des Nikomachos, sowie Tafeln mit der Darstellung der Schlacht bei Issos von Helena, der Tochter des Timon. Obwohl der Tempel infolge eines Blitzschlags eingestürzt war, sah Prokop noch Statuen des Phidias und des Lysipp: eine der Statuen war sicherlich von Phidias, wie die Inschr. besagte. Von den dort versammelten Skulpturen hatte man bisher die Basis der Statue des Athleten Pythokles von Polyklet, die wahrscheinlich in neronischer Zeit aus Olympia nach Rom gebracht wurde, und die Basis der Ganymedstatue des Leochares gefunden, von der wir aus anderen Quellen wissen, daß sie im *Templum Pacis* stand. Die Grabungen haben die Frg. von mindestens drei weiteren Basen ans Licht gebracht, ähnlich in der Schrift und, zumindest in zwei Fällen, von gleichem Format wie die früheren, wie diese wiederhergestellt nach dem Brand, der die Region 192 n. Chr., kurz vor dem Tod des Commodus, verwüstete. Eine von diesen nennt ein Werk des Praxiteles (die *Pselioumene*, erwähnt von Tatian zusammen mit dem Ganymed des Leochares?). Die zweite überliefert den Namen eines Bronzebildhauers, Parthenokles aus Athen (aber böotischen Ursprungs), der vielleicht Schüler des Teisikrates war (dieser wiederum Schüler des Lysipp), bereits bekannt als Schöpfer von Porträtstatuen um die Mitte des 3. Jh. v. Chr., u. a. der Statue der Phila, Tochter des Seleukos Nikator und der Stratonike und seit 278 v. Chr. Frau des Antigonos Gonatas. Die letzte Basis, die kleiner ist als die anderen, bezeugt eine Statue des Kephisodotos (ob der Vater oder der Sohn des Praxiteles, ist schwer zu entscheiden). Die jüngst gefundenen Basen und der Gesamtbefund bezeugen einigermaßen verläßlich, daß der Brand von 192 nicht so verheerend war wie bisher angenommen. Der architektonische Dekor, die Säulen aus Granit und afrikanischem Marmor, stammen noch aus der vespasianischen Phase; und die Skulpturen sind anscheinend noch dieselben, die Vespasian dort aufgestellt hatte. Das bedeutet, daß wahrscheinlich alle Basen ersetzt, die Kunstwerke restauriert und vielleicht, falls eine von ihnen zerstört worden war, durch Kopien ersetzt wurden.

Unklar bleibt, wie der eigentliche Tempel an der Südostseite des Parks angelegt war – vorausgesetzt, daß es sich um einen Tempel handelte. In den ältesten Quellen wird das Areal auf lat. *templum*, auf griech. τέμενος genannt. Nur bei Aurelius Victor wird von einer *aedes Pacis* gesprochen; aber die Quelle ist spät, aus der zweiten Hälfte des 4. Jh. Prokop wiederum erwähnt in einem nicht ganz klaren Abschnitt, daß das Gelände von den Römern »Forum der Pax« genannt wurde, da sich dort von alters her ein Tempel (νεώς) der Eirene befand, der infolge eines Blitzschlags eingestürzt war. Da Prokop die Notiz an der berühmten Stelle bringt, an der er von einer Rinderherde erzählt, die zur Zeit des Athalaricus, des Enkels Theoderichs, das Forum Pacis überquert hatte, läßt sich mit einer gewissen Wahrscheinlichkeit sagen, daß der Schriftsteller mit dem Begriff »Forum« den tatsächlichen Zustand seiner Zeit meinte. Nach der Zerstörung des *templum Pacis* gab es nun an seiner Stelle einen Marktplatz, der den Namen des alten *templum* übernahm und von dessen vergangener Größe noch einige Spuren bewahrte: Doch war der Ort nunmehr Ziel von Hirten mit ihren Herden. Die *Forma Urbis* zeigt im Zentralbereich des Gartens nach Südosten hin eine altarähnliche Struktur, die die eigentliche Kultstätte sein könnte. In diesem Fall könnte der Raum in der Mitte der Südostseite als Bibl. mit der Basis für eine Statue an der Rückwand interpretiert werden. Auf diese Weise würde sich die für die gesamte Anlage gebrauchte Terminologie besser erklären: Das ganze Gelände ist ein *templum*, und nichts deutet auf die Existenz einer wirklichen »aedes« in seinem Inneren hin. Die Ausnahme von Aurelius Victor und Prokop könnte dahingehend gedeutet werden, daß sie keine richtige Kenntnis der wirklichen Struktur des Gebäudekomplexes hatten, der, wie die Grabungen gezeigt haben, seit konstantinischer Zeit seine urspr. Funktion verloren und sich in einen Marktbereich verwandelt hatte. Es bleibt jedoch das Problem, wo die von Flavius Josephus und einem der

Reliefs des Titusbogens bezeugten Beutestücke des jüd. Triumphs aufgestellt waren, ebenso die von Herodian erwähnten Wertgegenstände, die hier wegen der Sicherheit des Ortes hinterlegt waren.

E. TRAJANSFORUM

Die Ergebnisse der jüngsten Grabungen auf dem Trajansforum (*Forum Traiani*) scheinen die Verlegung seines Haupteingangs nach Nordwesten, zw. den Palazzo Valentini und den Hof der Trajanssäule, zu bestätigen. Der Bereich, an dem man bisher den Tempel des vergöttlichten Trajan vermutete, lag auf einer niedrigeren Höhe im Vergleich zum Niveau des Forums: Das macht es wenig wahrscheinlich, daß sich dort ein Sakralbau von kolossalen Ausmaßen befand, der der perspektivische Brennpunkt des ganzen Forums hätte sein sollen. Ob weiterhin zu diesem Eingang die kolossalen Säulen aus grauem Granit und die unter dem Palazzo Valentini gefundenen korinthischen Kapitelle gehörten, ist eine noch offene Frage, ebenso wie die mögliche Identifizierung dieses monumentalen Eingangs mit der Darstellung auf den Münzprägungen mit der Aufschrift *Forum Traian(um)*. Sicher ist, daß die Reliefs auf der Nordwestseite der Trajanssäule die vielleicht bedeutendsten Szenen der dakischen Feldzüge enthalten, einschließlich der Victoria, die in der Mitte zw. den beiden Feldzügen auf einem Schild die Taten Trajans einmeißelt. Es scheint naheliegend, zu vermuten, daß solche Darstellungen für einen vom Marsfeld kommenden Besucher der Hauptbezugspunkt, beinahe eine Synthese des ganzen Figurenprogramms, waren.

Die Ausgrabung der Platzanlage und des Südostsektors des Forums hat weitere aufschlußreiche Elemente hinzugefügt. Der umschlossene Raum erweist sich im Vergleich zu Gismondis Plan als kleiner, da die große Abgrenzungswand des Forums an der Südostseite (der sog. *murus marmoreus*), tatsächlich von einer zweiten Wand mit einem Säulenvorbau aus Giallo Antico von imposanter Höhe abgeschirmt war. Es handelt sich um eine mehr als zehn Meter hohe Galerie, die als Verbindung zw. den Säulengängen im Südwesten und Nordosten zu dienen scheint. Zu den verkleinerten Maßen des Platzes kommt die Entdeckung hinzu, daß der Sockel des *Equus Traiani* nicht in seinem Zentrum stand, auf einer Achse mit den Halbkreisen der Saulengänge, sondern deutlich nach Südosten verschoben war. Außerdem verlaufen Galerie und *murus marmoreus* nicht kreisförmig, sondern in drei geraden Abschnitten, die sich untereinander in stumpfem Winkel verbinden. Schließlich gibt es keine Spur vom Triumphbogen als Eingang zum Platz. Es ist wahrscheinlich, daß nach der neuen durch die Grabung dokumentierten Lösung der Besucher der *Basilica Ulpia* den Rücken zukehrte. Sein Blick war auf die zum E. des Platzes hin aufgestellte Reiterstatue gerichtet. Die Gliederung der Wand mit vorspringenden Säulen scheint das Auge zu einer auf diese Seite gerichteten Fokussierung und zur Überwindung der Abschirmung durch den phantastischen Wald von Riesensäulen aus Giallo Antico einzuladen. Hinter der

Galerie öffnen sich zwei Quergänge, vielleicht als Verbindung zum benachbarten Augustusforum. Galerie und Gänge, großartig gepflastert mit Platten aus Cipollin und Portasanta, waren auf eine Struktur mit Säulengängen ausgerichtet, die im Vergleich zum Normalniveau des Forums auf einer tieferen Ebene lag. Die Säulen waren aus Cipollin, mit korinthischen Kapitellen. Ringsum verlief ein Fries heraldischer Gruppen von antithetisch gestellten Greifen zu Seiten eines Kandelabers: ein ikonographisches Motiv, das zur Verstärkung der rel. Bed. des in den dreiseitigen Säulengang einbeschriebenen Raumes bestimmt war. Weiterhin wurden Fragmente wahrscheinlich einer Balustrade gefunden mit einer Inschr., die Trajan noch zu Lebzeiten erwähnt. Welches die Funktion dieser Struktur war, die wir uns, in Erwartung genauerer Daten, als nicht überdacht vorstellen müssen, ist noch völlig ungeklärt. Ihre zentrale Stellung als sichtbarer Abschluß der Platzanlage macht es wahrscheinlicher, daß es sich um ein Tempelareal unter offenem Himmel handelt. In spätant. Zeit wurde, während das Forum Romanum der Standort par excellence für Kaiserstatuen blieb, das Trajansforum häufig zur Aufstellung von Statuen von Mitgliedern des Senatorenstandes gewählt, bes. von solchen, die das Amt von *praefecti Urbi* (seltener von *praefecti Praetorio* und Konsuln) erreicht hatten. Hinzu kommen die Statuen von Dichtern, die das Kaiserhaus verherrlicht hatten, wie Claudius Claudianus und Flavius Merobaudes. Noch 468 wurde dem Dichter Sidonius Apollinaris eine Statue geweiht, die sich ›inter auctores utriusque (...) bybliothecae‹ befand. Senatorische Weihungen setzen sich auf dem Forum bis fast ans E. des 5. Jh. fort.

Trotz der Bezeugung von Restaurierungs- und Instandhaltungsarbeiten in den Foren von Caesar und Augustus sowie im Forum Transitorium bis zum 5. Jh. geht die Zahl dort befindlicher Ehrenstatuen dramatisch zurück, so weit, daß zu vermuten ist, das Trajansforum habe im Verlauf des 5. Jh. eine Vorrangstellung gegenüber den anderen Foren angenommen. Das Augustusforum war gegen E. des 5. Jh. schon ein Marmorsteinbruch geworden. Auf der Schnittfläche einer der Säulentrommeln des Mars Ultor-Tempels ist die Inschr. *Pat(rici) Deci* eingemeißelt. Es muß sich um ein Mitglied der Senatsaristokratie handeln, das entweder mit Caecina Mavortius Basilius Decius, Stadt- und Prätorianerpräfekt, dann Konsul 486, zu identifizieren ist oder mit Flavius Decius, Konsul 529, der 546 beim Anmarsch Totilas und der Goten von Rom nach Konstantinopel floh. Wer immer die Person ist, die Einmeißelung bezeugt, daß der Marstempel zw. dem E. des 5. und dem 6. Jh. schon abgetragen wurde.

F. FUNKTIONEN

H. Kyrieleis hat in Weiterentwicklung einiger Hypothesen von P. H. von Blanckenhagen gezeigt, wie die Kaiserforen mehr zu »vornehmen« – bürgerlichen wie gerichtlichen – als zu Handelszwecken bestimmt und, randvoll mit Kunstwerken, eine ganz ähnliche Stellung hatten wie die großen Monumentalanlagen, die die *viri*

triumphales in spätrepublikanischer Zeit zum unvergänglichen Andenken an ihre Unternehmungen gestiftet hatten: geschlossene Plätze, die planmäßig vom Verkehr und der allgemeinen Betriebsamkeit abgegrenzt und bewußt mit einer starken religiösen Bed. belegt waren, noch verstärkt durch die Zugangssysteme, die den Besucher zum Mittelpunkt der Platzanlage, zum Tempel lenkten. Sie scheinen unter formaler – nicht jedoch funktionaler – Hinsicht von den Vorbildern abzustammen, die wir in ihren deutlichsten und wirkungsvollsten Ausprägungen als »Peristylanlagen« definieren könnten (z. B. das sog. Asklepieion von Messene). Die Portikus des Metellus mit den Tempeln des Jupiter Stator und der Juno Regina in seinem Inneren ist ein erhellendes Beispiel, wie das griech.-hell. Modell, modernisiert und »verbessert«, sich in Rom verbreitet hat. Eine bedeutende Rolle bei der Gestaltung der neuen Foren können auch die größeren griech. Gymnasien aus hell. Zeit gespielt haben, deren Flächen nicht nur zu sportlicher, sondern auch zu didaktischer und musikalischer Tätigkeit bestimmt waren. Die Exedren in den Gymnasien, die Lehrer, Philosophen und Rhetoren aufnehmen konnten, wurden manchmal *acroateria* genannt, d. h. Säle für ἀκροάσεις, Vorträge. Diese Funktionen werden von Vitruv bestätigt: Unter den drei Portiken einer Palästra müssen angelegt werden ›exedrae spatiosae habentes sedes, in quibus philosophi, rhetores, reliquique qui studiis delectantur sedentes disputare possint‹. Gegen E. des 4. Jh. ist Rhetorikunterricht *in foro Martis* bezeugt. Einige große Lehrmeister der Zeit übten Lehrtätigkeiten im Augustusforum aus. Nach der Lektüre und Kommentierung berühmter lit. Werke führten ihre Schüler eine kritische Analyse einiger Passagen durch und versuchten den korrupten Text zu emendieren. Im J. 395 ist auf dem Forum die Anwesenheit von Severus Sanctus Endelechius, eines Freundes des Paulinus von Nola, und 401 die des Torquatus Gennadius bezeugt. Im benachbarten Trajansforum übte vermutlich 379–380 Hierius eine ähnliche Tätigkeit aus, ein hochberühmter Redner, von dem selbst Augustinus begeistert war und dem er seine erste Schrift *De pulchro et apto* widmete. Es ist schwierig festzustellen, ob diese Tätigkeiten im Augustusforum seit seiner Errichtung stattfanden. Die Verse einer von Tampia Hygia dem Sohn Tiberius Claudius Tiberinus, *libertus Augusti*, dessen *carmina* im Caesarforum wohlbekannt waren (›doctus Maeonio spirantia carmina versu / dicere, Caesareo carmina nota foro‹), dargebrachten Grabelegie scheinen die Wirkung, die die Dichtung auf die Zuhörer durch eine gute Deklamation ausübt, zu beschreiben. Sollte das der Fall sein, dann würde die Elegie die Durchführung von Dichterlesungen im Bereich der Foren (ob es sich um das Caesar- oder Augustusforum handelt, läßt sich nicht sagen) lange vor der Spätant. bestätigen.

Infolge der Grabungen erscheint die Geschlossenheit der Foren, die streng in weitläufige, vom täglichen Verkehr getrennte Areale einbeschrieben sind und in ihrem Inneren keine Straßen haben, noch deutlicher. Es ist kein größerer Gegensatz denkbar zu den republikanischen Foren, die sich sehr oft an Straßenkreuzungen, als ein zum Markt und zum Abwickeln von Handelsgeschäften bestimmter Ort, entwickelt haben; die schließlich erreichte Anordnung ist dabei das Ergebnis ständiger Verbesserungen mit dem Ziel, den dort vorhandenen Flächen und Gebäuden ein vollkommen regelmäßiges und, soweit möglich, an eine strenge Axialität gebundenes Aussehen zu geben. Die Heterogenität des Forum Romanum, das erst in der augusteischen Phase eine weniger verworrene und ungeordnete Gestalt annehmnen wird dank einer umsichtigen Neugestaltung der Räume, fehlt von der Planungsphase an völlig bei den Kaiserforen, die auf der Grundlage einheitlicher Konzepte entstanden und nach einem kohärenten Plan nebeneinander angeordnet sind. h. Kyrieleis, der ihre Eigentümlichkeiten genau herausgestellt hat, hat ihren Charakter als Denkmäler politischer Propaganda hervorgehoben, bestimmt zur Verewigung der Taten ihres Stifters, der sie *ex manubiis*, aus der Kriegsbeute, errichtet hat. Dieselben »vornehmen« Funktionen, zu denen sie als Zentren für Gerichtstätigkeit, dichterische und musikalische Darbietungen dienten, schützten sie vor dem Alltagschaos der Handelsforen. Die Qualität ihrer Ausstattung geht auch aus der großen Zahl der dorthin gebrachten Kunstwerke hervor, deren der aristokratischen, »vornehmen« Charakter unterstrichen.

Betrachtet man die Gestaltung der Fora – streng eingeschlossen zw. hohen Mauern, eines beinahe brutal neben das andere gefügt, mit Lösungen, die zweifellos nicht wenige Veränderungen und schmerzliche Zerstörungen beinhalteten (man denke an die Exedren des Augustusforums oder an die Nordwestwand des *templum Pacis*), ausgeschmückt mit größtem Aufwand und verschönert mit der Ausstellung nicht weniger erstrangiger Kunstwerke – stellt sich die Frage, ob sie normalerweise der Öffentlichkeit zugänglich waren; ob es nicht im Gegenteil eine strenge Kontrolle der Zugänge gab, die – soweit man das gegenwärtig beurteilen kann – ohne jede Schwierigkeit geschlossen werden konnten, um Beschädigungen der Monumente und Diebstähle von Kunstwerken oder auch gefährliche Menschenansammlungen zu vermeiden. Ihre Funktion als Sitz der Rechtsverwaltung kann in gewisser Weise diese Entscheidung begünstigt haben: doch das reicht nicht aus. Wir wissen auch, daß in den Foren die *arcae* aufbewahrt wurden, die das Privatvermögen der Senatoren enthielten; und im Trajansforum fanden *congiaria* statt, wurden Schulden erlassen und wertvolle Gegenstände versteigert. Wahrscheinlich hat jedoch gerade ihre Unzugänglichkeit eine Verwendung, ähnlich der von Banken mit Tresorfächern, begünstigt, und nicht umgekehrt.
→ AWI Forum)

1 C. ANDERSON, The Historical Topography of the Imperial Fora, Collection Latomus 182, 1984 2 E. D'AMBRA, Private Lives, Imperial Virtues. The Friese of Forum Transitorium in Rome, 1993 3 C. M. AMICI, Foro di Traiano: Basilica Ulpia e Biblioteche, 1982 4 Ders., Il Foro di Cesare, 1991

5 H. BAUER, C. MORSELLI, s. v. Forum Nervae, in: E. M. STEINBY (Hrsg.), Lexicon Topographicum Urbis Romae, II, 1995, 307ff. 6 E. CARNABUCI, I luoghi dell'amministrazione della giustizia nel Foro di Augusto, 1996 7 F. COARELLI, s. v. Pax, Templum, in: E. M. STEINBY (Hrsg.), Lexicon Topographicum Urbis Romae, IV, 1999, 67ff. 8 J. GANZERT, Der Mars-Ultor-Tempel auf dem Augustusforum in Rom, 1996 9 V. KOCKEL, s. v. Forum Augustum, in: E. M. STEINBY (Hrsg.), Lexicon Topographicum Urbis Romae, II, 1995, 289ff. 10 E. LA ROCCA, L. UNGARO, R. MENEGHINI (Hrsg.), I luoghi del consenso imperiale. Il Foro di Augusto, il Foro di Traiano: Introduzione storico-topografica 11 Ders., I Fori Imperiali, 1995 12 Ders., Das Forum Transitorium. Neues zu Bauplanung und Realisierung, Antike Welt 29.1, 1998, 1–12 13 Ders., Il Foro di Traiano e i fori tripartiti, MDAI(R) 105, 1998, 149ff. 14 Ders., S. RIZZO, R. MENEGHINI, R. SANTANGELI VALENZANI, Fori Imperiali. Relazione preliminare degli scavi eseguiti in occasione del Grande Giubileo del 2000, MDAI(R) 108, 2001, 169ff. 15 CH. LEON, Die Bauornamentik des Trajansforum, 1971 16 R. MENEGHINI, L'architettura del Foro di Traiano attraverso i ritrovamenti archeologici più recenti, MDAI(R) 105, 1998, 127ff. 17 R. MENEGHINI, C. M. AMICI, J. PACKER, P. LIVERANI, Addenda et corrigenda, s. v. Forum Nervae, Forum Traianai, in: E. M. STEINBY (Hrsg.), Lexicon Topographicum Urbis Romae, V, 1999, 257ff. 18 C. MORSELLI, E. TORTORICI (Hrsg.), Curia, Forum Iulium, Forum Transitorium, 1989 19 Ders., s. v. Forum Iulium, in: E. M. STEINBY (Hrsg.), Lexicon Topographicum Urbis Romae, II, 1995, 299ff. 20 J. PACKER, s. v. Forum Traiani, in: E. M. STEINBY (Hrsg.), Lexicon Topographicum Urbis Romae, II, 1995, 348ff. 21 J. E. PACKER. The Forum of Trajan in Rome, 1997 22 S. RIZZO, Addenda et corrigenda, s.v. Fori Imperiali, Forum Augustum, Forum Iulium, in: E. M. STEINBY (Hrsg.), Lexicon Topographicum Urbis Romae, V, 1999, 257ff. 23 R. SANTANGELI VALENZANI, Addenda et corrigenda, s.v. Pax, Templum, in: E. M. STEINBY (Hrsg.), Lexicon Topographicum Urbis Romae, V, 1999, 285ff. 24 M. SPANNAGEL, Exemplaria Principis. Unt. zu Entstehung und Ausstattung des Augustusforums, 1999 25 R. B. ULRICH, Julius Caesar and the Creation of the Forum Iulium, in: AJA 97, 1993, 48ff. 26 L. UNGARO, M. MILELLA (Hrsg.), Catalogo, 1995 27 P. ZANKER, Forum Augustum. Das Bildprogramm, 1968 (aktualisierte it. Ausgabe: Il Foro di Augusto, 1984) 28 Ders., Das Trajansforum in Rom, AA 1970, 499ff.

EUGENIO LA ROCCA/Ü: CHRISTIAN ORTH

IV. KATAKOMBEN

A. EINLEITUNG   B. ENTDECKUNG UND ERSTE SUCHE   C. VOM 17. ZUM 19. JAHRHUNDERT: POLEMIK UND PLÜNDERUNG   D. DE ROSSI UND DIE ENTSTEHUNG DER CHRISTLICHEN ARCHÄOLOGIE E. VOM 20. JAHRHUNDERT BIS HEUTE

A. EINLEITUNG

Die röm. K. waren im MA fast völlig in Vergessenheit geraten, nachdem sie ihre Funktion als Zömeterien im 5. Jh. an oberirdische Friedhöfe und als Pilgerstätte im 8. und 9. Jh. mit der Translation der Märtyrer-Reliquien an innerstädtische Kirchen verloren hatten. Seit der Wiederentdeckung im 16. Jh. war ihre Erforsch. stark

vom ideologischen Wert geprägt, den man den verehrten Stätten und ihrer Bildkunst (Sarkophage, Malerei)
beimaß. Die K. wurden zu zentralen Denkmälern der
Gegenreformation, was oft auch die Fragestellung der
Forsch. in der konfessionellen Auseinandersetzung bestimmte. Die röm. Kirche war als Konfliktpartei zugleich auch immer ihre Verwalterin. In der 2. H. des
19. Jh. wurden die K. zu »Initial«-Monumenten der
→ Christlichen Archäologie, wie sie von G. B. De Rossi
in einem romzentrierten Ansatz neu begründet wurde;
daher deckt sich deren Entstehungsgeschichte und die
Entwicklung adäquater Methoden weitgehend mit der
Forschungsgeschichte der K. In fast 400 J. Forsch. sind
an den Ausfallstraßen Roms bis h. rund 70 katakombale
Anlagen mit unterirdischen Gangsystemen von etwa
170 km Länge entdeckt worden, darunter fast alle aus
den Quellen bekannte K. Im Verlauf des 20. Jh. gelang
es, ihre Charakteristika und allg. chronologischen Entwicklungsphasen zu bestimmen. Die mod. Forsch. ist
bemüht, auch die künstliche Isolation zu überwinden,
die aus der Trennung der »christl.« von den »paganen«
Monumenten entstand.

B. Entdeckung und erste Suche

Die K. kehrten 1578 ins Bewußtsein der Zeitgenossen zurück, als Pozzolana-Arbeiter in einem Weinberg
an der Via Salaria vor Rom zufällig in Gänge der h.
»Anonima di via Anapo« genannten K. einbrachen. Ihre
Grabmalereien mit Szenen des AT und NT weckten sofort Interesse bis in höchste Kirchenkreise, da sie die
Trad. des zuvor auf dem tridentinischen Konzil bestätigten christl. Bilderkultes seit unmittelbar nachaposto-
lischer Zeit zu belegen schienen. Auch hielt man einen
Großteil der erhaltenen Gebeine für Reliquien von
Märtyrern der Christenverfolgungen, wie Palmritzun-
gen oder sog. Blutampullen (bei den Gräbern im Putz
befestigte Gefäße) zeigen sollten. Erste Kopien einzelner christl. Bilder entstanden. In der Folge setzte eine
systematische Suche nach den K. ein, deren Protagonist
A. Bosio (1575–1629) wurde. Er konnte sich dabei auf
eine Studie O. Panvinios stützen, der bereits Namen
und top. Angaben von 43 K. aus den Quellen zusammengestellt hatte. Bosio gelang die Entdeckung und
teilweise Freilegung von etwa 30 K., darunter so bedeutender wie SS. Marcellino e Pietro, aber auch jüd. Anlagen. 1632 erschien postum sein umfassendes Werk
Roma Sotterranea (Abb. 1), in dem jede K. mit Plan,
raumgebundenen Zeichnungen der Malerei, den Sarkophagen, Inschr. und z. T. sogar Keramikfunden vorgestellt ist. Somit verfügte die christl. Altertumskunde
lange vor der Entstehung der → Klassischen Archäologie über ein Corpus einer ihrer zentralen Denkmälergruppen.

C. Vom 17. zum 19. Jahrhundert: Polemik und Plünderung

Doch Bosios epochales Werk fand für zwei Jh. keine
Nachfolge, und die wiss. Auseinandersetzung wurde
denkmalfern und mit apologetischen Zielen geführt.
Zugleich richteten die vom Papst eigentlich zum Schutz

Abb. 1: Titelblatt der *Roma sotterranea*
des A. Bosio von 1632

der K. eingesetzten Personen und Institutionen größten
Schaden an bei der Suche nach Devotionalien und Reliquien. Die betroffenen Gänge sind h. größtenteils aller
Inschr. und Objekte wie Lampen beraubt, wichtige Befunde sind unwiederbringlich zerstört. Berühmt-
berüchtigt ist etwa das Wirken von M. A. Boldetti, von
1700–1749 »Kustos der Reliquien und Zömeterien«.
Speziell die mit der Bergung vermeintlicher Märtyrer-
reliquien betrauten sog. *corpisantari* plünderten und ver-
wüsteten im Auftrag der Obrigkeit weite Teile der Galerien. Neufunde wie das Vibia-Hypogäum mit dem
Grab, das der Sebazius-Priester Vicentius seiner Gattin
anlegte, blieben in ihrer Bed. verkannt oder unpubliziert.

D. De Rossi und die Entstehung der Christlichen Archäologie

Erst G. Marchi (1795–1860) etablierte aus dem In-
teresse für die Architektur der K. wieder einen arch.
Zugang. Er entdeckte 1845 den ant. verschütteten, ein-
zig unversehrt angetroffenen Loculus eines Märtyrers
(Hyazinth in Ermete). Sein Schüler G. B. De Rossi
(1822–1894) knüpfte endlich an Bosios systematische
Studien an und wurde so zum Begründer der mod.
Christlichen Archäologie. Methodisch kombinierte er
das Studium der Quellen und Inschr. mit der top.-arch.
Feldforschung. Erstmals wurden in K. systematische
Ausgrabungen unternommen und dabei ganze Regio-
nen freigelegt. Ganz gezielt und sehr erfolgreich suchte

Abb. 2: Papstgruft in S. Callisto bei ihrer Auffindung durch G.B. De Rossi, aus *La Roma sotterranea christiana*

er nach den »histor. Grüften«, den aus Pilgeritineraren und Märtyrerlisten bekannten Krypten verehrter Märtyrer und/oder röm. Bischöfe. So entdeckte er etwa die Grüfte von Cornelius (in Lucina bei S. Callisto), Caecilia (in S. Callisto), Hippolytus (in S. Ippolito) und die Basilika der hl. Nereus und Achilleus (in Domitilla); auch konnte er viele weitere K. wie z.B. Domitilla endlich richtig benennen. Zugleich hatte er die Unterstützung des Papstes: Auf dem Grundstück, das Pius IX. auf sein Geheiß erwarb, entdeckte er 1852 die Papstgruft (Abb. 2) und identifizierte mit der sog. Area I das älteste Gemeindezömeterium Roms (S. Callisto). Bereits 1851 hatte Pius IX. die Commissione di Archeologia Sacra (später Pontificia CAS) ins Leben gerufen. Berichte seiner unermüdlichen Grabungstätigkeit in nahezu allen K. publizierte De Rossi in der selbstgegründeten ersten Fachzeitschrift (*Bolletino di Archeologia Christiana*, später *Nuovo BAC* bzw. h. *Rivista di Archeologia Cristiana*). Zudem begann er die Ed. der christl. Inschr. Roms, deren erste zwei Bände er selbst betreute. Obwohl sein Hauptwerk *Roma sotterranea cristiana* unvollendet blieb, ist es bis h. auch methodisch grundlegend.

E. VOM 20. JAHRHUNDERT BIS HEUTE

Im Verlauf des 20. Jh. bildeten sich mehrere Spezialbereiche der K.-Forsch. heraus. 1903 publizierte J. Wilpert (1857–1944) fast alle damals bekannten Malereien auf Photoaquarellen, allerdings systematisch nach Bildthemen gruppiert. Sein dogmatischer Deutungsansatz wurde in den Studien F.J. Dölgers und Th. Klausers weiterentwickelt. Als größte Sammlung der K.-Malerei ist das Corpus bis h. Grundlage für ikonographische Studien. 1975 erschien A. Nestoris Übersicht der top. Verteilung der Malereien in allen K., doch erst ab 1987 begann man ein neues Repertorium, das die Malereien – bislang von drei K. – im raumgebundenen Kontext dokumentiert.

P. Styger (1889–1939) widmete sich der Top. und Architektur der K. und erforschte ihre Entwicklung aus Kernregionen heraus, indem er urspr. Ganghöhen und Bodenniveaus aus Beobachtungen im Tuff erschloß. Seinen Ansatz perfektionierten später va. F. Tolotti für Priscilla bzw. Pretestato, L. Reekmans für Regionen in S. Callisto und J. Guyon für SS. Marcellino e Pietro.

Die von De Rossi begonnene Ed. der Inschr. wurde in den *Inscriptiones christianae urbis Romae* (ICUR) systematisch nach Zömeterien weitergeführt, so daß über 40 000 Inschr. aus den K. und zahlreiche Spezialstudien zur Verfügung stehen.

Die arch. Erforsch. war v.a. in der ersten Jh.-Hälfte von Neufunden geprägt, über die u.a. E. Josi (1885–1975) berichtete. Immer mehr Monumente wurden gefunden, je weiter sich die Stadt Rom über den aurelianischen Mauerring ausdehnte. Spektakulär war 1955 die Entdeckung der sog. K. an der Via Latina durch A. Ferrua, da dieses Hypogäum in den Malereien ein ungewöhnliches Nebeneinander biblischer und myth. Szenen zeigt. Die sich daran entzündende hermeneutische Diskussion dauert bis h. an und charakterisiert die K.-Forsch. in ihrer Wahrnehmung der spätant. Monumente zw. christl. und heidnischer Prägung. Neben Neufunden vertiefen ständig spezielle Studien und gezielte Ausgrabungen oder auch Restaurierungsmaßnamen in Regionen bekannter K. das Detailwissen. Erst relativ spät, in den 1990er J., wurden Ausgrabungen nach stratigraphischer Methode durchgeführt und publiziert, mit großem Gewinn etwa für chronologische Aussagen. Jüngste Publikationen zu Grabtypen (D. Nuzzo) oder Berufsdarstellungen (F. Bisconti) öffnen neue Fragestellungen zu soziologischen Aspekten der Zömeterien. Trotz der Fülle an einschlägigen Publikationen fehlen für viele K. weiterhin eine ausreichende Dokumentation und top. Analysen, wie sie etwa für die K. Priscilla, Marcellino e Pietro, Anonima di via Anapo, Commodilla und zuletzt Marco, Marcelliano und Damaso vorgelegt wurden. Insgesamt bleibt daher die Rezeption der K.-Forsch. weiterhin ebenso schwierig wie ihr Überblick.

Die Wahrnehmung der K. war seit jeher geprägt von der unheimlichen, die Phantasie anregenden Atmosphäre, die das unterirdische Labyrinth ihrer dunklen und engen Gänge vermittelt; schon Hieronymus beschrieb eine Art heiligen Schauer, der ihn ergriff, als er um die Mitte des 4. Jh. als Heranwachsender in Rom die Märtyrergräber in den K. besuchte (comm. in Ez. 40). Ähnlich ergeht es ihren Besuchern bis h.: Die K. sind stark frequentierte christl. Pilgerstätten, deren Faszination aus dem direkten Kontakt mit den authentischen histor. Orten entsteht, an denen die frühchristl. Gemeinden ihre Angehörigen und die Märtyrer der Verfolgung bestatteten und verehrten. Reflexe finden sich z. B. in der christl. Erbauungslit. vom Beginn des 20. Jh., etwa in den lit. Berichten A. De Waals oder in H. Sienkiewicz' 1905 nobelpreisgekröntem Roman *Quo Vadis* (1896), in dem die K. eine zentrale Rolle spielen. Auch die Hollywood-Verfilmung von 1951 trug viel zur Verbreitung einer romantisch-verklärten Sicht der K. als Fluchtorte und Feierstätten der Christen seit apostolischer Zeit bei, die noch immer als Allgemeinplatz gegenwärtig ist. Es finden sich aber auch kritischere Rezeptionen des Reliquienhandels und der Tätigkeit der *corpisantari*, so z. B. in S. Vasallis histor. Roman *La chimera* (1990). Charakteristisch für das Phänomen der K. bleibt, daß neben der nüchtern-wiss. Forsch. die Auffassung von den K. als glaubensstärkenden Heilsorten am weitesten verbreitet ist und auch dementsprechend auf der offiziellen Homepage propagiert wird (http://www.catacombe.roma.it).

→ AWI Katakomben

1 F. BISCONTI, Mestieri nelle catacombe romane, 2000 2 A. BOSIO, Roma sotterranea, Roma 1632 3 H. Brandenburg, Coemeterium. Der Wandel des Bestattungswesens als Zeichen des Kulturumbruchs der Spätant., in: Laverna 5 (1994) 206–232 4 J. G. DECKERS, H. R. SEELIGER, G. MIETKE, Die K. »Santi Marcellino e Pietro«. Repertorium der Malereien, 1987 5 J. G. DECKERS, G. MIETKE, A. WEILAND, Die K. »Anonima di via Anapo«. Repertorium der Malereien, 1991 6 Dies., Die K. »Commodilla«. Repertorium der Malereien, 1994 7 G. B. DE ROSSI, La Roma sotterranea cristiana, 1, Roma 1864; 2, Roma 1867; 3, Roma 1877 8 A. FERRUA, Catacombe sconosciute. Una pinacoteca sotto terra, 1990 (dt.: Unbekannte Bilder des frühen Christentums unter der Via Latina, 1991) 9 V. FIOCCHI NICOLAI, F. BISCONTI, D. MAZZOLENI, Roms christl. K., 1998 10 J. GUYON, Le cimetière aux deux lauriers. Recherches sur les catacombes romaines, 1987 11 D. MAZZOLENI, Le »Inscriptiones christianae urbis Romae septimo saeculo antiquiores« (ICUR): stato attuale e prospettive: RACr 70 (1994) 313–320 12 A. NESTORI, Repertorio topografico delle pitture delle catacombe romane, ²1993 13 D. NUZZO, Tipologia sepolcrale delle catacombe romane. Le vie Ostiense, Ardeatina ed Appia, 2001 14 PH. PERGOLA, Le catacombe romane. Storia e topografia, 1997 15 L. REEKMANS, La tombe du pape Corneille e sa région cémétériale, 1964 16 Ders., Le complexe cémétérial du pape Gaius dans la catacombe de Callixte, 1988 17 P. SAINT-ROCH, Le cimetière de Basileus ou coemeterium sanctorum Marci et Marcelliani Damasique, 1999 18 P. STYGER, Die Röm. K., 1933 19 F. TOLOTTI, Il cimitero di Priscilla, 1970 20 Ders., Ricerca dei luoghi venerati nella Spelunca Magna di Pretestato: RACr 53 (1977) 7–102 21 J. WILPERT, Die Malereien der K. Roms, 1903 22 N. ZIMMERMANN, Werkstattgruppen röm. K.-Malerei, JbAC Ergbd. 34 (2002).

NORBERT ZIMMERMANN

V. PALATIN

A. AUSGRABUNGEN VOM 16. BIS ZUM 19. JAHRHUNDERT   B. DIE FORSCHUNGEN DES 20. JAHRHUNDERTS BIS HEUTE

A. AUSGRABUNGEN VOM 16. BIS ZUM 19. JAHRHUNDERT

Mit der Verlegung der kaiserlichen Residenz nach Konstantinopel und dem Triumph des Christentums begann der Niedergang des Palatin. Während des MA wurde der Hügel nur sporadisch erwähnt, v. a. in der Folge der heftigen Kämpfe, die die mächtigsten Familien Roms im 11. und 12. Jh. untereinander ausfochten. Bis zum E. der Ren. konnte der P., bedeckt von Schutt und Vegetation, nur ein Echo der früheren Pracht hervorrufen; im 16. Jh. aber wurde der Hügel mit Weinbergen und Gärten neu bepflanzt (Eigentum röm. Hochadelsfamilien) und gewann die alte Schönheit wenigstens teilweise zurück, gleichsam in imaginärer Fortsetzung seiner glorreichen Vergangenheit. Das Gebiet des Stadium übernahm die Familie Roncioni, die Severus-Bauten das Collegio Inglese, den Abhang zum Circus Maximus teilten sich die Familien Nusiner und Butirroni; die Barberini wurden Eigentümer der Ostterrasse, die das Tal des Kolosseum überragt; auf dem zentralen Teil des Hügels oberhalb des Flavierpalastes ließ sich die Familie Stati nieder und in der Folge die Familien Mattei, Spada, Magnani, Rancoureil und der Schotte Charles Mills. Die schönsten Gärten jedoch waren die Farnese-Gärten, geschaffen vom Kardinal Alessandro Farnese (Neffe des Papstes Paul III.) – oberhalb der *Domus Flavia* und der *Domus Tiberiana*.

Seit dem 16. Jh. – so verzeichnen es die Tafeln 29 und 35 der *Forma Urbis Romae* (FUR) von Lanciani – fanden auf dem P. unregelmäßig Grabungen statt mit dem Ziel, die fürstlichen Gärten zu verschönern und Kunstwerke zu bergen, die verkauft oder Kunstsammlungen einverleibt werden sollten (Abb. 1). Über diese ersten Forschungsarbeiten (meistens ruinöser Art) verfügen wir über nur wenige fragmentarische Nachrichten aus zeitgenössischen Grabungs- und Kaufverträgen. Weitere, allerdings nicht immer zuverlässige Informationen gewinnen wir aus den Aufzeichnungen bekannter Künstler wie Bramante, Palladio, Pirro Ligorio, Dosio, Flaminio Vacca, van Heemskerk, Panvinio: sie hinterließen wichtige Zeugnisse über den Zustand des »Palazzo Maggiore«, wie damals die *Domus Flavia* genannt wurde [8]. Die Notizen und Zeichnungen besagter Künstler haben nicht unerheblichen Quellenwert für die (nicht selten von Päpsten durchgeführten) Raubgrabungen dieser Zeit: im J. 1552 organisierte die Familie Roncioni eine Plünderung, wie man es nennen muß, und verkaufte dann Zwiebelsäulen, Säulenbasen und sogar den marmornen Dachtrauf einer Portikus an Papst Julius III. Flaminio Vacca berichtet übrigens, das im Stadium 20 Amazonenstatuen ausgegraben und abtransportiert wurden (manche hielten sie für die berühmten Danaiden, die die Porticus des Apollontempels schmückten),

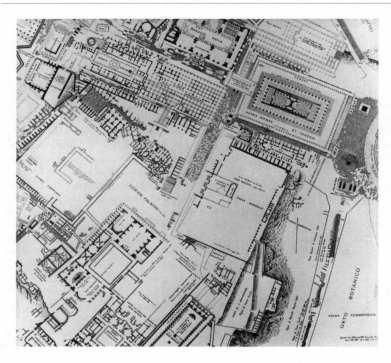

Abb. 1: Ausschnitt aus
R. Lanciani,
Forma Urbis Romae,
Tafel 29 mit Grabungen
des 16.-19. Jahrhunderts

außerdem ein Basaltkopf, der den kapitolinischen Jupiter darstellte, und der berühmte Herakles von Lysipp, den Cosimo III. Medici erwarb, um ihn in Florenz auszustellen. In den J. 1588/89 ließ ferner Papst Sixtus V. die Reste des Septizoniums von seinem Architekten Domenico Fontana abreißen; es war aber bereits 1257 von Senator Brancaleone weitgehend zerstört worden. Die Kosten der Arbeiten beliefen sich auf 905 Scudi; sie wurden aber durch den Ertrag an Peperin, Travertin, seltene Marmorarten und Säulen mehr als aufgewogen. 1664 wurden im Inneren der *Domus Augustana* (damals im Besitz der Familie Mattei) eine außergewöhnlich reich verzierte Porticus entdeckt mit Säulen aus Giallo antico und zwei Basreliefs, auf denen Romulus und Remus dargestellt waren sowie die röm. Wölfin, der Lupercal, Faustulus, der Tiber und andere Motive, die sich auf die Gründung Roms beziehen. 1728 entdeckte Graf Spada, der das Territorium von den Mattei erworben hatte, sieben Räume, ›dekoriert mit kostbarem Marmor, vergoldeter Bronze, Reliefstuck auf Goldgrund und Pflanzendekor. In einem anderen Raum, einem ehemaligen Badezimmer, konnte man eine Marmor-Kathedra mit einem bleiernen Bassin davor sehen. Zwei Säulen aus orientalischem Alabaster zu beiden Seiten der Kathedra wurden entfernt und in der Kapelle des Fürsten Odescalchi in der Kirche Santi Apostoli aufgestellt‹. Auch ›verwitterte Marmor- und Bronzestatuen‹ wurden aufgefunden [9]. Systematische Grabungen begannen hingegen erst im 18. Jh. auf Veranlassung von Francesco I., Herzog von Parma, der 1720 Eigentümer der Farnese-Gärten geworden war. Die Dokumenation der Ausgrabungen, die in wechselnden Abständen bis

1729 dauerten, oblag dem Abt Francesco Bianchini, der damals Antikenbeauftragter war; sie wurde postum 1738 veröffentlicht [1]. Hinsichtlich der Ausgrabungen des 18. Jh. muß erwähnt werden, daß Francesco von Parma sich weigerte, sich an die urspr., recht restriktiven Grabungsbedingungen, die ihm Kardinal Patrizi auferlegt hatte, zu halten; schließlich ließ ihm Kardinal Albani auf dem P. freie Hand. Bei dieser Gelegenheit wurden die *Domus Flavia* und ihre Substruktionen (die *Aula Isiaca*, das sogenannte Greifenhaus, die *Domus Transitoria*) ausgegraben und wiederentdeckt. Die hochwertige Malerei im Neropalast wurde glücklicherweise von Gaetano Piccini (dessen Zeichenbuch erhalten blieb und h. in der Wiener Hofburg liegt) und Francesco Bartoli (dessen Tafeln sich h. in der Sammlung Topham in Eton befinden) kopiert, bevor sie größtenteils zerstört wurden. Einige Zeichnungen wurden abgetragen und nach Parma geschickt; von dort gingen sie per Erbschaft an Karl III. von Bourbon in Neapel über, wo ein Teil von ihnen h. noch im Magazin des arch. Mus. liegt. Im Laufe der Arbeiten wurden auch ein großer Jupiterkopf sowie die Kolossalstatuen aus Basalt von Hercules und Bacchus aufgefunden. Ausgegraben wurden sie bei der Basilika der *Domus Flavia*, urspr. aber schmückten sie die *Aula Regia*; die entsprechenden Stücke befinden sich h. in der Pinakothek von Parma [6]. Die reichhaltige und qualitativ hochwertige Dekoration der *Domus Transitoria* (Fresken, Wände mit Marmorintarsien, kostbarer Marmor, Löwenköpfe aus vergoldeter Bronze etc.) wurde anscheinend im Mai 1721 größtenteils zerstört: so jedenfalls das Zeugnis des engl. Künstlers E. Kirkall, der zwei kolorierte Stiche des Hohlraums der *Domus nero-*

niana hinterließ; der Hohlraum wurde auf barbarische Weise zerstört, um die Stücke einzeln nach Parma zu expedieren. Eine große Anzahl von Statuen, Reliefs mit figürlichen Darstellungen, Gebäudeverzierungen und wertvollen Marmorstücken wurde auf die Kunstsammlungen in Parma, Neapel und Florenz aufgeteilt. Im Palazzo Farnese in Rom befinden sich h. noch die sog. »Farnese-Trophäen«, zusammengesetzt aus Ausgrabungsstücken des 18. Jh.; diese Kompositionen erfreuten sich großen Interesses, z.B. bei Piranesi [12].

Die Schriften von Rodolfo Lanciani bestätigen, was schon Guattani verlautbart hatte: daß nämlich während der Farnese-Ausgrabungen des 18. Jh. mit unausgesprochener Billigung des Leiters Akte des Vandalismus, und zwar erhebliche, begangen wurden. Den Dokumentationsband Bianchinis (s.o.) kritisierte Pier Leone Ghezzi (Augenzeuge der »Forsch.«, dem wichtige Nachrichten und Zeichnungen zu verdanken sind) als ›bar jeglichen Interesses‹; seine Tafeln als ›Fälschungen‹ [10]. Etwa ein halbes Jh. später, im J. 1775, unternahm der frz. Abt von Rancoureil, diesmal heimlich, eine weitere Großgrabung: im unteren Peristyl der *Domus Augustana* kamen drei gewaltige Areale zum Vorschein, außerdem alle Lokalitäten, die sich zum Circus Maximus hin orientierten.

Diese Ausgrabungen, die man bis auf die nördl. Areale sofort wieder zuschüttete, ließen eine Gliederung des kaiserlichen Palastes in zwei Ebenen erkennen. Auch die Arbeiten Rancoureils kann man durchaus als Akte der Barbarei bezeichnen: sie galten nur finanziellem Profit. Die wichtigen Skulpturenfunde (darunter zwei Statuen der Leda mit dem Schwan und der h. im Vatikan ausgestellte Apollon Sauroktonos) wurden verkauft und verstreut. Nur dem Eifer eines jungen Assistenten Rancoureils, des Architekten Barberi, ist es zu verdanken, daß ein, wenn auch wenig genauer, Plan der ausgegrabenen Strukturen vorliegt; dieser Plan wurde später von Guattani ediert. 1835 ließ der König von Neapel einige von Francesco Bianchini vorher schon sondierte Regionen der Farnese-Gärten erneut ausgraben, was nur zu unspektakulären Resultaten führte. In den J. 1845–1847 ließ das Antiquario Vescovali im Auftrag des russischen Zaren vereinzelte Sondierungen im Nusiner-Weinberg an der südwestl. Ecke des P. zw. Sant' Anastasia und San Teodoro ausführen: Man entdeckte dabei die *Schola Praeconum* und die Reste der Stadtmauer des Romulus. Die Probegrabungen wurden aber rasch wieder aufgegeben, weil die dabei aufgefundenen Kunstwerke den Ansprüchen nicht genügten.

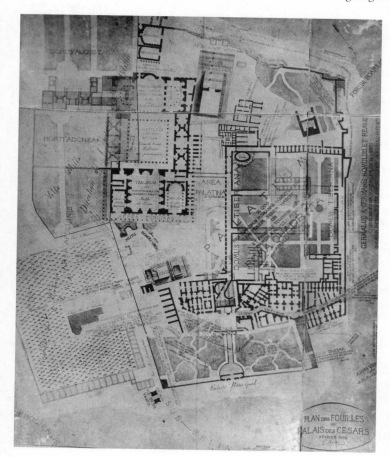

Abb. 2: Karte der Grabungen von Pietro Rosa, 1870. Zu erkennen sind Reste des ursprünglichen Mauerrings und der Porta Mugonia. Archivio della Soprintendenza Archeologica di Roma

Das tieferliegende Areal des Hügels, zw. *Domus Tiberiana* und dem Velabrum gelegen, wurde von den Archäologen Pius' IX. erneut erforscht: C. L. Visconti
brachte das *Paedagogium* ans Licht. Kardinal Macchi entdeckte 1859 eine Grotte bei Sant' Anastasia und war der
Ansicht, es handele sich um den Lupercal. Die gepfla-
sterte Straße, die hinter der Kirche S. Teodoro entlang-
läuft, wurde wieder ans Licht gebracht. Nachdem Napoleon III. die Farnese-Gärten von Franz II. von Bourbon (dem früheren König von Neapel) gekauft hatte,
vertraute er die Ausgrabungen dort Pietro Rosa, dem
Schüler von Luigi Canina, an. Die Ausgrabungen dauerten ununterbrochen bis 1870 an; sie sind die wichtigsten, die jemals am P. stattfanden, und brachten wieder
zum Vorschein: den Clivio Palatino; den Tempel des
Jupiter Stator (zumindest hielt ihn Rosa dafür), weite
Teile der *Domus Tiberiana*, v. a. an der Nord-, Ost- und
Südfront und entlang der neronischen Kryptoportikus.
Ausgegraben wurden ferner ein großer Teil der *Domus
Flavia* bis zu den Bibliotheken Domitians (einschließlich
des *Intermontium*, also dem tiefen Tal, das den P. urspr. in
zwei Teile teilte und in der Folgezeit mit dem Bau des
Kaiserpalastes aufgefüllt wurde). Die vom frz. Kaiser finanzierten Ausgrabungen brachten auch den Apollo-
tempel wieder ans Licht (Rosa identifizierte ihn mit
dem Tempel des Jupiter Victor), ferner die Aedes der
Magna Mater, das Haus der Livia, die Treppen des Cacus
und die archa. Zisterne. Im Laufe dieser Forsch. (Rosa
veröffentlichte allerdings nur kurze Nachrichten davon,
hinterließ aber diverse sehr genaue Pläne) konnte man
vor der Nordfront der *Domus Flavia* nicht unbedeuten-
de Reste des urspr. Mauerrings und der Porta Mugonia
ausfindig machen. Sie wurden aber sofort wieder zuge-
deckt (Abb. 2). Diese Ausgrabungen veränderten das
Aussehen des P. vollständig; im Ergebnis kamen sie seinem heutigen Erscheinungsbild schon recht nahe. Zahlreiche bedeutende Funde (v. a. Skulpturen) konnten si-
chergestellt werden. Mit ihnen stattete Rosa das erste
P.-Mus. im Erdgeschoß eines Farnese-Baus im Innern
der *Domus Tiberiana* (der später von Lanciani abgerissen
wurde) aus (Abb. 3). Dieses Material ist im Augenblick,
gemeinsam mit bedeutenderen Funden, die im Laufe
der Jh. ans Licht kamen, im renovierten Mus. ausgestellt; es befindet sich auf dem Gipfel des Palatin [16].
Rosa (und anderen) kommt das große Verdienst zu,
wiss. adäquatere Grabungsmethoden eingeführt zu haben; sie zielten nicht mehr so sehr auf den sensationellen
Einzelfund ab, sondern eher auf top. und histor. Forschung [17].

Nachdem der Vatikanstaat einiges an Grundeigen-
tum auf dem P. erworben hatte, ließ auch Pius IX. in
direkter Konkurrenz zu den Forsch. Napoleons III. umfassende Ausgrabungen vornehmen und teilweise vom
Militär durchführen. Die Archäologen Grifi und Visconti gruben zw. 1865 und 1868 weite Gebiete im Garten des Collegio Inglese und im Biondi-Garten aus (auf
dem Areal der severianischen Bauten und des P.-Stadi-
um) und förderten reichhaltiges Material zutage, das in

Abb. 3: Das Palatin-Museum wurde von Pietro Rosa
mit Grabungsfunden ausgestattet. Archivio Fotografico
della Soprintendenza Archeologica di Roma

den Vatikan geschafft wurde. Nach 1870 wurde mittels
eines fein verästelten Systems von Ankäufen und Ent-
eignungen die it. Staat Eigentümer des Romulus-Hü-
gels. Durch ausgeklügelte Vermittlungtätigkeit Rosas
trat Napoleon III. die Farnese-Gärten ab; zuletzt wurden die Gärten der Mills-Villa (mit dem angrenzenden
Convento della Visitazione), einer bizarren neugot. Konstruktion, die über der *Domus Augustana* errichtet und in
der Folgezeit abgerissen wurde, und schließlich der Barberini-Weinberg am Ostabhang des P. erworben. Anläßlich der neuen Staatsgründung kam es zu neuen Gra-
bungsaktivitäten, als könnten neu aufgefundene ant.
Denkmäler durch neue Zielsetzungen gewissermaßen
polit. aufgeladen werden. Zwischen 1871 und 1878
wurde beim Stadium und den Severus-Thermen ge-
forscht; dabei fand man zahlreiche wichtige Skulpturen.
Zwischen 1878 und 1884 stellte Rodolfo Lanciani den
top. Zusammenhang zw. Forum und P. wieder her: Er
ließ die Umfassungsmauer und das Portal der Farnese-
Gärten niederreißen. Im letzten Viertel des 19. Jh. kam
auch die Ausgrabung des Abhangs der *Domus Tiberiana*
nach S. Teodoro hin zum Abschluß; das *Paedagogium* in
der Via dei Cerchi wurde erneut untersucht. Rosa (in
der Zwischenzeit mit der Aufsicht über den P. betraut)
vertiefte die Ausgrabung um den Magna-Mater-Tem-
pel herum und bei den Treppen des Cacus [15]: zur
Gänze wieder ans Licht gebracht wurden die Monu-
mentalbauten der *Schola Praeconum*. Die Flächenmessungen des Marco Giammiti, Mitarbeiter Lancianis, dokumentieren präzise die Lage der gegen E. des 19. Jh.
ausgegrabenen Bauten auf dem Palatin (Abb. 4).

B. DIE FORSCHUNGEN DES 20. JAHRHUNDERTS BIS HEUTE

1907 begann Dante Vaglieri das südwestl. Hügelareal
zu erkunden; dabei gelangen ihm wichtige Entdeckungen, nämlich die Hütten des Romulus auf dem Germalus. Von 1908 an, bes. aber in den J. 1912–1914, grub
Giacomo Boni, nach Abschluß der Erforschung des Fo-

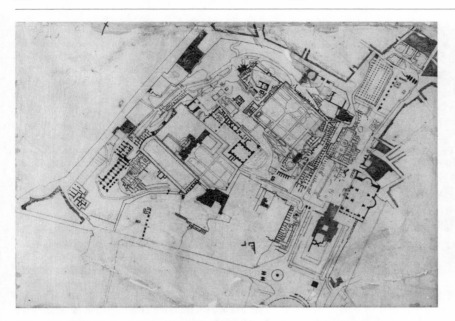

Abb. 4: Die Flächenmessungen des Marco Giammiti dokumentieren präzise die Lage
der gegen Ende des 19. Jahrhunderts ausgegrabenen Bauten auf dem Palatin.
Archivio della Soprintendenza Archeologica di Roma

rum, auf dem P. unter bes. Berücksichtigung der *Domus Flavia* und der darunter liegenden Konstruktionen aus republikanischer Zeit. Dabei wurden die schon von Francesco Bianchini ausgegrabenen Areale wieder freigelegt: das Haus der Greifen, die Aula Isiaca und die Reste der Strukturen aus neronischer Zeit, die man allg. »Bäder der Livia« nannte. Diese Ausgrabung wurde bald aufgegeben; die Ergebnisse wurden leider nie angemessen publiziert. Abgesehen von Monumentalresten kam beim Clivio Palatino auch die üblicherweise unter dem Namen Aura bekannte Statue zum Vorschein, ein griech. Original aus dem 5. vorchristl. Jh., das sich h. unter den Ausstellungsstücken des palatinischen Mus. befindet. Unter der Leitung von Alfonso Bartoli, des Nachfolgers Bonis als Leiter des Forum und des P., begann eine außergewöhnlich aktive Grabungs- und Restaurierungsphase. Zwischen 1927 und 1934, nach dem Abriß der Mills-Villa, konnte Bartoli die Ausgrabung der zwei Stockwerke der *Domus Augustana* zum Abschluß bringen (die Forsch. Rancoureils im 18. Jh. waren überaus unzulänglich). Mit neueren Methoden wurden zwei Peristyle (der untere und der obere) und der zum *Circus Maximus* orientierte Palastteil (mit besonders reichhaltig ausgestatteter Architektur und gegliederter Bauweise) freigelegt. Im Laufe der Ausgrabungen wurden bedeutende Skulpturen geborgen. Bartoli gelang es darüberhinaus, auf der Terrasse des früheren Barberini-Weinbergs das Fundament eines Tempels ans Licht zu holen; er wurde als der Tempel des Elagabal identifiziert. Zwischen 1934 und 1936 grub er auf der Suche nach dem Lupercal die Westabhänge des

P. zum Velabrum hin aus. Bartoli verdankt man auch die Schaffung einer neuen Antikensammlung, ausgestattet mit der Einrichtung des früheren Convento della Visitazione auf dem Gipfel des Hügels. Im Krieg kam es unvermeidlicherweise zu einer Unterbrechung der Arbeiten; in den 50er J. wurden neue Ausgrabungen auf dem Germalus auf dem Gebiet der Romulus-Hütten und des Magna-Mater-Tempels, den bereits Vaglieri teilweise ausgegraben hatte, unternommen. Die Ergebnisse waren überaus bedeutsam und konnten die urspr. Siedlungsgeschichte des Hügels endgültig klären [14]. Den Vorrang in der Ausgrabungsgeschichte des P. nehmen allerdings die Forsch. ein, die Gianfilippo Carettoni im Areal zw. den Treppen des Cacus und der *Domus Flavia* über Jahrzehnte hinweg seit der Mitte der 60er J. durchführte. Nach jahrhundertelangen Diskussionen über den genauen Ort des augusteischen Gebäudekomplexes gelang nun endlich die sichere Identifikation des Apoll-Tempels und des angrenzenden Wohnhauses des Augustus mit seinen raffinierten Wandmalereien des 2. Stils und Charakteristika, die in vollem Umfang den vorliegenden Beschreibungen ant. Quellen entsprachen [3].

Die seit den 80er J. an der *Domus Tiberiana* durchgeführten und bis h. andauernden Untersuchungen trugen zur Klärung der Chronologie der verschiedenen Bauphasen mit immer wieder neuen Erweiterungen des Tiberius-Palastes bei. Es stellte sich heraus, daß die Anlage insgesamt anscheinend nicht auf Tiberius, sondern auf Nero zurückgeht: er war es, der die wenigen *Domus* aus republikanischer Zeit (darunter vermutlich das Ge-

Abb. 5: Teilansicht der Grabungen am Nordabhang
des Palatin 1986.
Archivio della Soprintendenza Archeologica di Roma

burtshaus des Tiberius) in einen gewaltigen viereckigen
Sockel integrierte; sie bildeten den Kern der ganzen
Anlage. Die Grabungen belegten außerdem, daß die
Gärten seit der Ant. ein wichtiges Element im Innern
des Palastes waren: das erste Geschoß (h. leider verloren)
bestand aus weiten begrünten Flächen, die mit Pavillons
abwechselten [7]. Seit mehr als 20 J. wird am Bezirk des
Magna-Mater-Tempels gearbeitet; er wurde nach wiss.
Methodik ganz neu ausgegraben. Die Forsch. dehnen
sich weit bis in den Sockel aus; sie erlaubten es, die
Fundamente und einen Teil des Podiums eines großen
Gebäudes aus Tuffblöcken zu identifizieren; es handelt
sich hierbei um den Tempel der Victoria, geweiht 294
v. Chr. von L. Postumius Megellus. Auch die Trasse des

Clivus Victoriae, die von der Porta Romana auf der Seite
des Velabrum hinab bis zum Tempel führte, konnte rekonstruiert werden. Auf demselben Areal kamen auch
die Reste eines rechteckigen Raums ans Licht; es handelt sich wohl um das Sacellum der Victoria Virgo, geweiht 193 v. Chr. von M. Porcius Cato direkt neben der
Aedes Victoriae [13]. Im J. 1985 begannen Erkundungen
am Nordabhang des P. zw. der Via Sacra und der Via
Nova; sie liefern ständig neue Erkenntnisse über das archa. Rom (Abb. 5). Sie führten bis in tiefere Schichten
(tiefer als die, die Giacomo Boni zu Beginn des Jh. erreicht hatte) weiter und förderten unterhalb der spätrepublikanischen Häuser die Reste großer Adels-Domus
zutage sowie eine Zisterne aus Tuffblöcken (beides
möglicherweise aus der ausgehenden Königszeit) und
noch tiefer einige Mauern, die man als die Reste der
Verteidigungsanlagen Roms zur Zeit des Romulus ansieht [2]. Auf dem Ostabhang des Hügels zum Kolos-
seums-Tal und dem Konstantinsbogen hin wurde ein
spätröm. Gebäudekomplex ausgegraben, vermutlich ein
Adelshaus aus dem 3./4. nachchristl. Jh., zu dessen Bau
man Materialen früherer Zeiten wiederverwendete [5].
Die Ausgrabungs- und Restaurierungsarbeiten der 80er
J. am severianischen Baukomplex sowie die kürzlich
fertiggestellten Vermessungen (Pläne und Schnitte auf
verschiedenen Ebenen) brachten auch die Rekonstruktion der Architekturgeschichte des Baukomplexes voran; er war in flavischer Zeit angelegt und in severischer
Zeit erweitert worden, wobei die Funktion als Residenz, Garten und Refugium für das *otium* immer beibehalten wurde. Erst Maxentius ließ in diesem Winkel
des Palastes an prominenter Position die Kaiserthermen
anbauen; dafür wurde teilweise Garten- und Brunnen-
areal der vorherigen Anlage miteinbezogen [4]. Auf
dem Barberini-Weinberg schließlich wurden die im J.
1985 begonnenen Ausgrabungen abgeschlossen; auf ihrer Basis konnten die verschiedenen Lebensetappen der
bislang kaum erforschten künstlichen Terrasse, die den

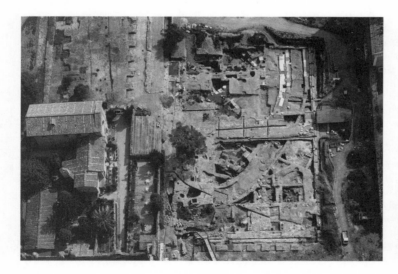

Abb. 6: Luftbild der Grabungen
auf dem Barberini-Weinberg 1999.
Archivio della Soprintendenza
Archeologica di Roma (Foto M.
Letizia)

P. nach Osten hin abschließt, aufgeklärt werden (Abb. 6). Über ein wichtiges Stadium in archa. Zeit hinaus fand man bedeutende Reste, die in die republikanische Zeit datiert werden konnten; eine luxuriöse Domus nahm das Gebiet in julisch-claudischer Zeit ein, während in flavischer Epoche die Terrasse in den Kaiserpalast integriert wurde. Auf ihr wurde im Übergang vom 2. zum 3. Jh. n. Chr. der Elagabal-Tempel erbaut, mit Portiken umgeben und mit einem ausgefeilten Gartensystem verschönert [19].

1 F. BIANCHINI, Del palazzo de' Cesari, Verona 1738 2 A. CARANDINI, P. CARAFA (Hrsg.), »Palatium« e »Sacra via«, in: Bollettino di Archeologia 31–33, 1995 3 G. CARETTONI, Das Haus des Augustus auf dem P., 1983 4 A. HOFFMANN et al., Grandiose Ausblicke, Antike Welt 5, 31. Jahrgang 2000, 445–457 5 E. HOSTETTER et al., Palatino. Versante nordorientale. Complesso tardoromano (1991), in: Bollettino di Archeologia 19–21, 1993, 81–88 6 I. IACOPI, Gli scavi sul colle Palatino, 1997 7 C. KRAUSE, Domus Tiberiana, I. Gli scavi, in: Bollettino di Archeologia 25–27, 1994 (1999) 8 R. LANCIANI, Il »Palazzo Maggiore« nei secc. XVI–XVIII, in: MDAI(R), 9, 1894, 4–36 9 Ders., Rovine e scavi di Roma antica, 1985 (The ruins and excavations of ancient Rome, London 1897) 10 Ders., Storia degli scavi di Roma e notizie intorno le collezioni romane di antichità, Bd. I–IV, 1989–1994 (ristampa anastatica) 11 G. LUGLI, Il Palatino, in: Roma antica. Il centro monumentale, 1946, 414–420 12 P. PENSABENE, Frammenti della decorazione architettonica della »Domus Flavia« sul Palatino, in: Piranesi nei luoghi di Piranesi, 1979, 73–84 13 Dies., Vent'anni di studi e scavi dell'Università di Roma »La Sapienza« nell'area sud-ovest del Palatino (1977–1997), in: Il Palatino. Area Sacra sud-ovest e »domus Tiberiana«, 1998, 1–154 14 S. M. PUGLISI, Gli abitatori primitivi del Palatino attraverso le testimonianze archeologiche e le nuove indagini stratigrafiche sul Germalo, in: Monumenti antichi 41, 1951, 1–98 15 P. ROSA, Sulle scoperte archeologiche della città e provincia di Roma negli anni 1871–72, Roma 1873 16 M. A. TOMEI, Museo Palatino, 1997 17 Dies., Scavi francesi sul Palatino. Le indagini di Pietro Rosa per Napoleone III (1861–1870), Roma antica 5, 1999 18 C. VIRLOUVET et al, Palatino. Vigna Barberini. Fouilles de l'Ecole Française de Rome, in: Bollettino di Archeologia, 23–24, 1993, 131–164.

MARIA ANTONIETTA TOMEI/Ü: VERA BINDER

VI. MUSEEN

A. KAPITOLINISCHE MUSEEN
B. NATIONALMUSEUM/THERMENMUSEUM
C. VATIKANISCHE MUSEEN (MUSEI E GALLERIE PONTIFICIE, CITTÀ DEL VATICANO) D. VILLA ALBANI E. VILLA GIULIA (MUSEO NAZIONALE DI VILLA GIULIA, ROMA)

A. KAPITOLINISCHE MUSEEN
1. ÜBERSICHT

Die Kapitolinischen Museen (KM) auf dem Kapitolshügel in Rom können als das erste öffentliche Mus. der Welt bezeichnet werden. Sie besitzen die größte Slg. (Sammlung) von aus der Stadt Rom stammenden Antiken. Ein großer Teil ist direkt bei Ausgrabungen, bes.

des ausgehenden 19. Jh., gefunden worden, viele weitere Objekte sind aus päpstlichen und privaten Slgg. (Sammlungen) in die KM gelangt.

2. GEBÄUDE

Die KM befinden sich in mehreren Gebäuden mit jeweils sehr unterschiedlicher Baugeschichte. Papst Nikolaus V. ließ von 1447–1455 den Konservatorenpalast errichten, dessen Säle in mehreren Phasen (überwiegend des 16. Jh.) mit Historiengemälden geschmückt wurden. 1544 begann die Neugestaltung des Kapitolshügels (Abb. 1), seit 1562 nach dem Projekt Michelangelos, der bereits 1564 verstarb. Die Ausführung mit einigen Änderungen besorgte Giacomo Della Porta: 1578–1582 wurden der Treppenaufgang und die Balustrade angelegt, 1586 war die Fassade des Konservatorenpalasts fertig, und von 1582–1605 arbeitete man an der Fassade des Senatorenpalasts. Wie dort legte man 1596 auch gegenüber des Konservatorenpalasts einen Brunnen an (Fontana di Marforio). Hier errichtete Girolamo Rainaldi von 1644–1655 mit städtischen Geldern den schon 1603 begonnenen Palazzo Nuovo, mit einer der des Konservatorenpalasts entsprechenden Fassade; der Brunnen wurde in den Innenhof integriert. Klemens X. schloß 1670–1676 mit dem Palazzo Clementino eine Baulücke hinter dem Konservatorenpalast. Der angrenzende Palazzo Caffarelli, 1576–1584 auf dem ant. Podium des Iuppiter-Tempels (509 v. Chr.) errichtet, war im frühen 19. Jh. von der Familie Caffarelli an Preußen verkauft worden, das hier seine Botschaft und 1829–1836 auch das Instituto di Corrispondenza Archeologica unterbrachte (→ Deutsches Archäologisches Institut). Das 1870 in den Besitz des dt. Kaiserreiches übergegangene Gebäude wurde im I. Weltkrieg enteignet und den KM zugeschlagen, die hier 1925 das Mus. Mussolini (Nuovo Capitolino) eröffneten. 1952 wurde der Braccio Nuovo, der alte Reitstall des Palazzo Caffarelli, den KM angeschlossen.

3. SAMMLUNGSGESCHICHTE

a) Konservatorenpalast. Mit der Schenkung Sixtus IV. an das röm. Volk beginnt 1471 die Gesch. der Slgg. auf dem Kapitol. Vom Lateran ließ dieser Papst die Wölfin, den Dornauszieher, Kolossalkopf und Hand mit Globus des Konstantin sowie wahrscheinlich auch den Camillus in den Konservatorenpalast bringen; noch vor 1484 folgte der vergoldete Herkules. Alle Stücke – bis auf die in der Fassade angebrachte Wölfin – wurden in der Porticus aufgestellt. Es folgte eine Reihe h. berühmter Marmorskulpturen: 1486 Kopf und weitere Frag. einer Kolossalstatue Konstantins (Abb. 2), 1515 die Mark-Aurel-Reliefs, 1513–1527 die Flußgötter Nil und Tigris, 1536–1544 die konstantinischen Statuen und 1548 die Konsular- und Triumphalfasten. Die bronzene Reiterstatue des Mark Aurel vom Lateran war 1538 auf Veranlassung Pauls III. auf dem Kapitolsplatz aufgestellt worden. Nach dem Brutus aus der Slg. des Kardinals Rodolfo Pio (1564) gelangten mit der Schenkung Pius' V. 1566–1572 ca. 80 Statuen aus der Slg. Pius' IV. vom Teatro di Belvedere im Vatikan in den Konservatoren-

Abb. 1: Der mit der Hinzufügung des Palazzo Nuovo vollständig umgestaltete Kapitolsplatz.
Stich von Lievin Cruyl aus dem Jahre 1665

palast. Einige wurden zur Dekoration der Dachbalu-
straden verwendet, wo insgesamt 32 Marmorstatuen
aufgestellt sind. Weitere Schenkungen in der zweiten H.
des 16. Jh. machten die wiederholte Neuordnung der
Slgg. erforderlich (Reliefs 1573, Bronzen 1578). An
Treppe und Balustrade wurden 1581–1590 zwei ägypt.
Löwen, die Dioskuren, die Trophäen des Marius und
1653 die erwähnten konstantinischen Statuen aufgestellt. Eine Porphyr-Athena und die Flußgötter
schmückten nun den Senatorenpalast, der Marforio seit
1596 den Brunnen an der Stelle des späteren Palazzo
Nuovo.

b) Museo Capitolino. Zahlreiche Erwerbungen im
17. Jh. verlangten nach mehr Ausstellungsfläche, die
endlich der Palazzo Nuovo bieten konnte: Ein Inventar
von 1671 nennt 49 dort aufbewahrte Stücke, und in der
Folge wurden die ersten Antiken aus dem Konservatorenpalast überführt, darunter wohl auch die Statue des
Pirro/Mars Ultor. Erst 1734 weihte Klemens XII. im
Palazzo Nuovo das Mus. Capitolino ein. Es nahm bis
1739 die von Klemens aus der Slg. des Kardinals Alessandro Albani erworbenen 418 Marmorskulpturen, darunter viele Kaiser- und Philosophenbildnisse, auf. Auch
die Slg. Pietro Ottoboni, 500 Inschr. der Slg. Ficoroni,
der Sterbende Gallier aus der Slg. Ludovisi und der se-
verische Marmorplan der Stadt Rom, die Forma Urbis
(1744), gelangten bald nach der Eröffnung in die KM.
Direktor wurde Alessandro Gregorio Capponi, der das
Material nach Themen (Kaiserbildnisse, Philosophen-
und Dichterbildnisse) und Gattungen (Privatporträts,

Idealplastik, Inschr.) ordnete. Ihm ist wahrscheinlich
auch einer der ersten Museumsführer neben denjenigen
von Gaddi und Bottari zuzuschreiben. Benedikt XIV.
(und Klemens XIII.) schenkten den KM zahlreiche Antiken, darunter die Kapitolinische Venus und viele Stükke aus der Villa Hadriana in Tivoli (Antinous, Kentau-
renpaar, Fauno rosso, Taubenmosaik). 1748 gründete
Benedikt die Pinakothek und ließ im Erdgeschoß des
Mus. Capitolino eine ägypt. Slg. einrichten. Mit der
Gründung des Mus. Pio Clementino im Vatikan durch
Klemens XIV. gelangten seit 1772 keine Neuerwerbun-
gen mehr in die KM. Nach dem Vertrag von Tolentino
1797 ließ Napoleon die 21 berühmtesten Stücke der KM
nach Paris transportieren. Fast alle kehrten 1816 zurück
und gaben Anlaß für die neue Konzeption der Ausstellung in den folgenden Jahren; 1834 richtete man das
Gabinetto della Venere ein.

c) Städtische Leitung. Mit dem *Motu Proprio* von 1838
übergab Gregor XVI. die Verantwortung für die KM, die
bis dahin als Teil der Sacri Palazzi Apostolici unter päpstlicher Leitung gestanden hatten, den Konservatoren
bzw. der Stadtverwaltung. Ausgenommen wurde die
Slg. der Aegyptiaca, die als Mus. Gregoriano Egizio den
Vatikanischen Mus. einverleibt wurde. 1866–1870 kamen Vasen und Mz. der Slg. Augusto Castellani in den
Besitz der Kapitolinischen Museen. Einen ungeheuren
Zustrom an Objekten, insbes. aus den ant. *horti* auf dem
Esquilin, Quirinal und Viminal, bescherten die seit der
it. Einigung für die Stadterweiterung betriebenen
Großbaustellen. 1876 schuf man für diese Neufunde das

Abb. 2: Der Innenhof des Konservatorenpalasts mit den aus der Maxentius-Basilika
stammenden Fragmenten eines kolossalen Sitzbildes Konstantins

Mus. del Palazzo dei Conservatori und errichtete in dem benachbarten Innenhof (Giardino Romano) einen provisorischen Pavillon. 1870 war die numismatische Slg. gegr. worden. Rodolfo Lanciani ordnete das Material 1903 neu. 1907 wurde in der Sala del Cortile des Mus. Capitolino eine neue Slg. mit ausschließlich aus Rom und Umgebung stammenden Aegyptiaca eingerichtet. Durch die Enteignung des dt. Grundbesitzes auf dem Kapitol im I. Weltkrieg ging der Palazzo Caffarelli in städtischen Besitz über: 1925 wurde die aus nach 1870 entdeckten Funden zusammengestellte Ausstellung im Mus. Mussolini (h. Mus. Nuovo Capitolino) eröffnet. Die 1890 begonnene Auslagerung der nicht monumentalen arch. Zeugnisse führte zur Gründung des Antiquarium Comunale, das nach einem Zwischenspiel 1929–1939 auf dem Caelius in verschiedenen Magazinen aufbewahrt wird.

4. AKTUELLER STAND

Der 1952 den KM angeschlossene Braccio Nuovo enthält neuere Funde aus den Grabungen der 30er J. in der Umgebung des Kapitolshügels. 1957 wurde in einem die drei Kapitolspaläste verbindenden unterirdischen Gang das 1300 röm. Inschr. umfassende Lapidarium eingerichtet. 1990 wurde die ägypt. Slg. neu ausgestellt. Die 1981–1989 restaurierte Reiterstatue Mark Aurels ist nun geschützt im Mus. Capitolino untergebracht, den Kapitolsplatz schmückt eine mod. Kopie. 1995–1997 erfolgte die Renovierung der Gebäudefassaden, einschließlich der Statuen auf den Balustraden. Wegen der anschließenden Sanierung des Konservato-

renpalasts sowie der angrenzenden Gebäude wurden 2000 die zahlreichen Antiken dieser Abteilungen in das alte Elektrizitätswerk Montemartini an der Via Ostiense ausgelagert, von denen einige (z. B. die Giebelfiguren des Apollo-Sosianus-Tempels) dort auf Dauer verbleiben werden. Die zukünftige Aufstellung in den histor. Sälen des Konservatorenpalasts und im Mus. Capitolino wird unverändert die Anordnung des 18. Jh. beibehalten, in den übrigen Bereichen wird dagegen eine stärkere Orientierung an Fundkontexten und Chronologie erfolgen. Das Tabularium und der Veiovis-Tempel sind in den Publikumsrundgang einbezogen worden, geplant ist dies auch für das Tempelpodium unter Palazzo Cafarelli. Der hinter dem Konservatorenpalast gelegene Giardino Romano soll mit einem Glasdach geschlossen werden und den Mark Aurel sowie den Bronzekopf Konstantins aufnehmen.

→ Antikensammlung

1 F. P. ARATA, L'allestimento espositivo del Mus. Capitolino al termine del pontificato di Clemente XII (1740), BMusRom 8, 1994, 45–94 2 M. G. BARBERINI, Clemente Bianchi e Bartolomeo Cavaceppi 1750–54, BMusRom 8, 1994, 95–121 3 M. BERTOLETTI, M. CIMA, E. TALAMO, Sculture di Roma antica, 1997 4 T. BUDDENSIEG, Zum Statuenprogramm im Kapitolsplan Pauls VI., Zschr. für Kunstgesch. 32, 1969, 177–228 5 Ders., Die Statuenstiftung Sixtus' IV im J. 1471. Von den heidnischen Götzenbildern am Lateran zu den Ruhmeszeichen des röm. Volkes auf dem Kapitol, Röm. Jb. für Kunstgesch. 20, 1983, 33–73 6 BCAR 95, Mus. Capitolini – Restauri, 1993, 175–293 7 M. CIMA (Hrsg.), Restauri nei Mus. Capitolini, 1995

8 A. Cipriani, D. Gallavotti, P. Liverani (Hrsg.), Scritti scelti di Carlo Pietrangeli, 1995, 279–378 **9** CVA Italia, Mus. Capitolini di Roma I-II, 1962–65 **10** M. De Felice, Miti ed allegorie egizie in Campidoglio, 1982 **11** S. Ensoli Vittozzi, Mus. Capitolini. La collezione egizia, 1990 **12** S. Ensoli Vittozzi, C. Parisi Presicce, Il reimpiego dell'antico sul colle Capitolino sotto il pontificato di Sisto V., in: Il Campidoglio e Sisto V, Ausstellung Rom, 1991, 85–116 **13** K. Fittschen, P. Zanker, Kat. der röm. Porträts der Capitolinischen Museen I, 1983 ([2]1994), III, 1985 **14** G. L. Gregori, M. Mattei, Supplementa Italica. Imagines. Roma (CIL VI, 1), Mus. Capitolini, 1999 **15** W. Helbig, Führer durch die öffentlichen Slgg. klass. Altertümer in Rom II, [4]1966, 18. 242 **16** B. Kuhn-Forte, Antikenslgg. in Rom, in: M. Kunze (Hrsg.), Röm. Antikenslgg. im 18. Jh., Ausstellung Wörlitz, 1998, 42–47 **17** R. Lanciani, Storia degli scavi di Roma I, 1902, 76–77 ([2]1989, 94–95), II, 1903, 67–96 ([2]1990, 75–102) **18** W. Liebenwein, Der Portikus Clemens' XI. und sein Statuenschmuck, in: H. Beck et al. (Hrsg.), Antikenslgg. im 18. Jh., 1981, 73–118 **19** R. Magrì, La lupa Capitolina dal Laterano al Campidoglio, in: Da Pisanello alla nascita dei Mus. Capitolini, Ausstellung Rom, 1988, 207–238 **20** A. Melucco Vaccaro, A. Mura Sommella (Hrsg.), Marco Aurelio, 1989 **21** A. Michaelis, Storia della collezione Capitolina di antichità fino all'inaugurazione del Museo (1734), in: RM 6, 1891, 3–66 **22** A. Mura Sommella, Le raccolte storiche, in: I Musei Capitolini, in: Eutopia I 2, 1992, 3–9 **23** Dies., Musei Capitolini, in: Roma. Guida d'Italia del Touring Club Italiano, [8]1993, 405–420 **24** C. Parisi Presicce, Il Marco Aurelio in Campidoglio, 1990, 85–108 **25** Ders., in: M. E. Tittoni (Hrsg.), La facciata del Palazzo Senatorio in Campidoglio, 1994, 135–174 **26** C. Pietrangeli, Mus. Capitolini. Guida breve, 1951 ([8]1974), 8–19 **27** Ders., Il Campidoglio. La formazione delle raccolte, in: Capitolium 39, 4, 1964 **28** Ders., Musei Capitolini, in: EAA VI, 1965, 927f. **29** Ders., Guide rionali di Roma, Rione X Campitelli II, 1976 ([3]1983) **30** E. Rodocanachi, Le Capitole Romain, 1905, 191–216 **31** M. E. Tittoni (Hrsg.), Il Palazzo dei Conservatori e il Palazzo Nuovo in Campidoglio I-II, 1996–97

Älteste Kat.: **32** G. Gaddi, Roma nobilitata nei suoi monumenti, Rom 1736 (= G. Roisecco, Roma antica e moderna, 1745) **33** G. Forier, (A. G. Capponi), Breve Descrizione del Mus. (…), Biblioteca Apostolica Vaticana, Capponi 300, ff. 61–72 (codici Capponiani, ca. 1740) **34** G. P. Lucatelli, R. Venuti, Mus. Capitolino, osia Descrizione delle Statue (…), Rom 1750/1771 **35** G. G. Bottari, Il Mus. Capitolino, Rom 1741–1755 (Mus. Capitolinum, 1750–1755) **36** F. E. Guasco, Mus. Capitolini antiquae inscriptiones, Rom 1775 **37** A. Tofanelli, Catalogo delle sculture antiche e de' quadri esistenti nel Mus. e Galleria del Campidoglio, Rom 1817 **38** Nuova descrizione del Mus. Capitolino, Commissione archeologica comunale, Rom 1882 ([2]1888) **39** H. Stuart Jones, A Catalogue of the Ancient Sculptures Preserved in the Municipal Collections of Rome, Oxford 1912–1926 **40** D. Mustilli, Il Mus. Mussolini, Rom 1939.

B. Nationalmuseum/Thermenmuseum

Das Thermenmuseum (TM) in Rom besitzt eine große Anzahl griech. und röm. Skulpturen und Malereien, mit dem Schwerpunkt auf stadtröm. Antiken und Funden aus Latium.

Die Ruinen der 298–306 n. Chr. erbauten Diokletiansthermen gehörten im 16. Jh. zu den Horti Bellayani. In dem zentralen Hauptsaal, der Anf. des 16. Jh. als Reithalle genutzt worden war, ließ Pius IV. 1561–1566 unter der Leitung Michelangelos die Kirche S. Maria degli Angeli einrichten. Zum gleichen Projekt gehört die Herrichtung der umgebenden Räume für die Aufnahme eines Kartäuserklosters mit der Anlage eines großen Kreuzganges durch Jacopo del Duca. 1749 erfolgte eine Neugestaltung durch Luigi Vanvitelli. Für die Unterbringung des TM wurden bis 1884 Renovierungen vorgenommen und 1911, 1926 und 1950–1952 weitere Räume mit einbezogen bzw. neue Flügel angebaut. Seit 1979 gehört die Aula Ottagona, die im 16. und 17. Jh. als Getreidespeicher gedient hatte und nach verschiedenen anderen Nutzungen 1928 als Planetarium eingerichtet worden war, zum Thermenmuseum. Von 1995–1997 wurden mehrere neue Museumssitze eröffnet: Der benachbarte Palazzo Massimo alle Terme, 1883–1887 von Jesuiten als Schulgebäude erbaut, wurde ab 1981 renoviert. 1982 konnte der Palazzo Altemps an der Piazza S. Apollinare erworben werden, der 1595 von Baldassare Peruzzi und Martino Longhi d. Ä. für Girolamo Riario erbaut worden war und dann Sitz der span. Kardinäle und zuletzt des österreichischen Kardinals Marco Sittico Altemps (Hohenems) war. Schließlich wurde auf dem Palatin, im 1868 auf den Ruinen der Domus Augustana erbauten Konvent der Suore della Visitazione, das 1882 aufgelöste Antiquarium wiedereröffnet.

Das 1870 zunächst als Antikendepot entstandene TM wurde 1889 als staatliches Mus. den berühmten städtischen Kapitolinischen Mus. und päpstlichen Vatikanischen Mus. gegenübergestellt. Es war zur Aufnahme der klass. Antiken v. a. aus der Stadt Rom bestimmt, während die etr. und ital. Monumente in das zugleich gegründete Mus. der Villa Giulia wanderten. Diesem Konzept entsprechendes Material übernahm man bei der Gründung aus dem seit 1651 im Collegio Romano beheimateten Mus. Kircherianum. Die zahlreichen Neufunde dieser J. gelangten nach vorübergehender Lagerung im Mus. Palatino und im Mus. Tiberino (Palazzo Salviati alla Lungara) 1882/83 in das TM. Von 1880–1891 kamen die Malereien, Stuck und Mosaike aus der Villa Farnesina, der schlafende Hermaphrodit, der Knabe von Subiaco, die Bronzestatuen des Thermenherrschers und des Boxers aus den Konstantinsthermen sowie der Tiber-Apoll hinzu. 1903 folgten die Reliefs der Ara Pacis, die 1938 ein eigenes Gebäude neben dem Augustusmausoleum erhielten, und 1906 die Bronzen der Prunkschiffe aus dem Nemisee. Zwischen 1909 und 1914 sind an wichtigen Zugängen das Mädchen von Antium, der Augustus von der Via Labicana (Abb. 1), der myronische Diskobol Lancelotti (Abb. 2),

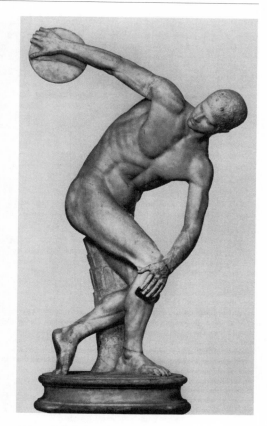

Abb. 2: Diskobol Lancelotti.
Kopie nach dem griechischen Original des Myron
um 450 v. Chr. Rom, Thermenmuseum

Abb. 1: Augustus von der Via Labicana.
Die Marmorstatue zeigt Augustus in langer Toga
und mit verhülltem Haupt beim Opfer.
Rom, Thermenmuseum
(Vgl. Augustus als Feldherr → Rom VI. Museen C.
Vatikanische Museen, Abb. 2)

die Tänzerin aus Tivoli, die Aphrodite und andere Skulpturen aus den it. Grabungen in Kyrene zu nennen. Ein Zwischenspiel bedeutete 1911 die große arch. Ausstellung in den Räumen des TM, die nach wechselnden Standorten die Grundlage für das Mus. della Civiltà Romana bildete. Schon 1901 konnten ca. 100 Stücke der Slg. (Sammlung) Boncompagni Ludovisi erworben werden, die 1621 von Kardinal Ludovico Ludovisi in seiner Villa auf dem Quirinal angelegt worden war und ca. 450 Stücke umfaßte. Einige dieser Skulpturen gehen auf andere Sammlungen (Cesi, Cesarini, Villa Altemps in Frascati) zurück; Restaurierungen stammen u. a. von Gian Lorenzo Bernini, Alessandro Algardi und Ippolito Buzzi. Seit 1914 wurden der Ludovisische Thron, Ares,

Galater mit Weib, Ganswürger, Schlachtsarkophag und viele andere berühmte Marmorskulpturen dieser Slg. im kleinen Kreuzgang des TM ausgestellt. Die Münzslg. Viktor Emanuels III. bildete den Kern des numismatischen Mus., das 1923 um die Slg. Francesco Gnecchi erweitert wurde.

Nach dem 1931 gefundenen Portonacciosarkophag kamen 1952 die Malereien des Gartensaales aus der 1863 entdeckten Villa der Livia in Prima Porta ins TM. Die zahlreiches *instrumentum domesticum* enthaltende Slg. Gorga, seit 1950 endgültig in staatlichem Besitz, wird seit 1992 im TM aufbewahrt. Die früher in den Sale dei Capolavori ausgestellten Antiken, bes. Idealplastik, Porträts und Malerei von der späten Republik bis zur Spätant., befinden sich jetzt im Palazzo Massimo. Die Slg. Ludovisi ist dagegen komplett im Palazzo Altemps ausgestellt, gemeinsam mit Stücken der im 16. Jh. entstandenen Slg. Mattei, der ägypt. Slg. des TM und Skulpturen aus anderen Privatsammlungen. Im Antiquarium auf dem Palatin befinden sich die dort seit 1870 gemachten Funde, die einen guten Eindruck vom kaiserlichen Ausstattungsluxus vermitteln. Seit 2000 sind in den Diokletiansthermen monumentale Architektur, Sepulkralkunst, die epigraphische und die prähistor. Slg. ausgestellt, und bei der Crypta Balbi wurde eine Slg. ma. Funde eingerichtet.

→ Italien VI. Museen 11. Rom, Museo della Civiltà Romana

1 S. AURIGEMMA, Le Terme di Diocleziano e il Mus. Nazionale Romano, 1958 (⁶1970) 2 M. BARBERA (Hrsg.), Mus. Nazionale Romano. La Collezione Gorga, 1999 3 D. BERNINI, Origini del sistema museale dello stato a Roma, in: BA 6. Ser. 99, 1997, 25–33 4 S. BRUNI, I musei archeologici di Roma capitale, in: RIA 3. Ser. 14/15, 1991/92, 379–392 5 E. DELLA RICCIA, Il museo nazionale romano trasferito dalle Terme di Diocleziano in cinque prestigiose sedi, in: Strenna dei Romanisti 53, 1992, 179–194 6 E. DE RUGGIERO, Catalogo del Mus. Kircheriano, Rom 1878 7 A. GIULIANO (Hrsg.), La collezione Boncompagni Ludovisi. Ausstellung Rom, 1992 8 A. GIULIANO (Hrsg.), Mus. Nazionale Romano I 1–12. II 1. III 1. IV 1. V 1–2. VI 1–2, 1979–1996 9 Guida del Mus. Nazionale Romano nelle Terme Diocleziane, Spoleto 1896 10 W. HELBIG, Führer durch die öffentlichen Slgg. klass. Altertümer in Rom II, Leipzig 1891; III, ⁴1969, 2–4 11 A. LA REGINA (Hrsg.), Palazzo Massimo alle Terme, 1998 12 F. MANERA, Museo nazionale Romano, in: Roma repubblicana fra il 509 e il 270 a. C., 1983, 119–124 13 L. MARIANI, D. VAGLIERI, Guida del Mus. Nazionale delle Terme Diocleziane, 1900 (³1905) 14 R. PARIBENI, Le Terme di Diocleziano e il Mus. Nazionale Romano, 1911 (⁴1922) u. 1928 (²1932) 15 Roma Capitale 1870–1911. Dagli Scavi al Museo. Ausstellung Rom, 1984 16 F. SCOPPOLA, S. D. VORDEMANN, Palazzo Altemps, 1997 17 G. TAGLIAMONTE, Terme di Diocleziano, 1998 18 M. A. TOMEI, Mus. Palatino, 1997 19 G. M. VITI, Evan Gorga e le sue grandi collezioni, 1926.

C. VATIKANISCHE MUSEEN
(MUSEI E GALLERIE PONTIFICIE, CITTÀ DEL VATICANO)

1. ÜBERSICHT

Die Vatikanischen Museen (VM) sind mit den vom 16. bis 19. Jh. entstandenen päpstlichen Sammlungen (Slgg.) eines der größten Antikenmus. der Welt. Sie bestehen aus mehreren Teilmus. mit sehr unterschiedlichen Slgg. und umfassen auch die Stanzen und Loggien Raphaels sowie die Sixtinische Kapelle.

2. GEBÄUDE

Den Kern der VM bildet der 1487 von Innozenz VIII. auf dem Belvederehügel errichtete Palazzetto. Julius II. ließ ihn durch zwei von Bramante erbaute Korridore an den Papstpalast anbinden und für die Aufstellung seiner Skulpturenslg. den Cortile delle Statue anlegen. Eine Loggia auf der Westseite wurde 1560 zur Stanza del Torso (später Sala degli Animali) ausgebaut. Pius IV. ließ durch Pirro Ligorio den Belvederehof für die Aufstellung von Statuen mit Terrassen versehen, die dortige Fassade neu gliedern (Giardino della Pigna) sowie in den Gärten das Casino del Boschetto erbauen. Für die Einrichtung des Mus. Pio Clementino nahmen die Architekten A. Dori, M. Simonetti und G. Camporese größere Eingriffe vor: Loggia und Räume Innozenz' VIII. wurden bis 1772 in die Galleria delle Statue und Sala dei

Busti verwandelt. Der Cortile delle Statue erhielt 1773 eine umlaufende achteckige Portikus, die zur Bezeichnung Cortile Ottagono führte. Bis 1789 entstanden die Scala Simonetti, die Sala a Croce Greca, Sala Rotonda und Sala delle Muse; 1791 folgten das Atrio dei Quattro Cancelli und die darüberliegende Sala della Biga, 1822 der Braccio Nuovo des Architekten R. Stern. Aus dem J. 1932 stammen das Pinakotheksgebäude Pius' XI. und der neue Zugang zu den VM an der Viale delle Mura Vaticane (Doppelspiralrampe Scala Momo). 1844 wurde im Erdgeschoß des Lateranpalastes, der 1586–1589 von Domenica Fontana für Sixtus V. erbaut worden war, das Mus. Gregoriano Profano eingerichtet. Dieses erhielt seinen neuen Sitz gemeinsam mit anderen Abteilungen im 1963–1965 gegenüber der Pinakothek errichteten Neubau des Mus. Paolino.

3. SAMMLUNGSGESCHICHTE

a) Julius II. – Klemens XIII. (1503–1769). Gründer der vatikanischen Antikenslg. ist Julius II. Die private päpstliche Slg. war einer kleinen Elite von Besuchern vorbehalten. Für den seitdem so benannten Cortile delle Statue wurden von 1506–1513 einige der berühmtesten Skulpturen der Ant. erworben, die in dieser Zeit oder kurz zuvor entdeckt wurden: Laokoongruppe, Apoll vom Belvedere, Herakles mit Telephos, Herakles und Antaios, Venus Felix; als Brunnenensemble wurden die »Kleopatra«-Ariadne, Tiber und Nil aufgestellt. Unter Leo X., Klemens VII. und Paul III. (1513–1549) kamen weitere bedeutende Stücke hinzu: Torso vom Belvedere, Hermes-»Antinous«, Venus ex balneo-Knidia, »Zitella«, Tigris-Brunnen und 13 marmorne Theatermasken, die 1525 an den Wänden angebracht wurden. 1534 wurde das Amt eines Antikendirektors (Commissario delle Antichità) geschaffen und mit Latino Giovenale Manetti besetzt. Die zahlreichen Erwerbungen Julius' III. und Pius' IV. (1550–1565) wurden nun auch in anderen Höfen und Räumen aufgestellt. Pius V. setzte der Sammelleidenschaft seiner Vorgänger 1566–1569 mit der Schenkung der von ihm verachteten *idola profana* an die Stadt Rom (ca. 30 Statuen für den Konservatorenpalast, statt urspr. vorgesehener 146) und an die Familien d'Este und Medici ein Ende. Der Cortile delle Statue und das Casino Pius IV. blieben jedoch unberührt.

Nach langer Zeit der Schließung und Stagnation befaßte sich erst wieder Klemens XI. mit der Erweiterung und Organisation der Slgg. Sein 1703 gegr. und von Francesco Bianchini geleitetes Mus. Ecclesiastico bestand jedoch nur bis 1716. Unter Klemens XII. entstanden nach 1728 in der Bibl. die Galleria Clementina (ca. 200 griech. Vasen der Slg. Gualterio) und 1738 mit dem Kauf der Münzslg. Kardinal Albanis der Medagliere Vaticano. Benedikt XIV. gründete 1757 das Mus. Cristiano/Sacro Vaticano für christl. Altertümer und Klemens XIII. 1767 das Mus. Profano, beide untergebracht in der Bibliothek.

b) Klemens XIV. – Pius IX. (1769–1870). Den entscheidenden Schritt zu einem öffentlichen Mus. machte

1771 Klemens XIV. mit der Gründung des Mus. Clementino. Das Zentrum des Mus. bildete weiterhin der Cortile delle Statue, der wie mehrere benachbarte Räume für diesen Zweck umgebaut wurde. Erst Pius VI. ließ Säle speziell für die museale Nutzung errichten, in die oft die Antiken, z. B. Mosaikfußböden, integriert wurden. Ein neuer Eingang hatte die Umkehr der Besichtigungsroute zur Folge und stellte die neuen Räume in den Mittelpunkt. Bei ihrer Gestaltung ist die Mitwirkung des Antikendirektors Giovan Battista Visconti spürbar, der mit seinem Sohn Ennio Quirino auch den Kat. verfaßte. Die Anordnung der Antiken zeigt den Einfluß der Schriften J. J. Winckelmanns, der 1764–1768 Antikendirektor gewesen war. Nach dem Vertrag von Tolentino 1797 schafften die Franzosen die wichtigsten Antiken in das Musée Napoleon in Paris, die erst 1815 auf Bemühen Antonio Canovas zurückgeführt werden konnten. Pius VII. hatte auf die Situation mit einer neuen Antikengesetzgebung und Ausfuhrbeschränkungen, die Canova und Carlo Fea ausgearbeitet hatten, reagiert (1802 »Chirografo« und 1820) und die entstandenen Lücken 1802–1808 durch umfangreiche Ankäufe gefüllt. In kürzester Zeit wuchs die 1806 im Bramante-Korridor gegr. Galleria Chiaramonti auf ca. 1000 in den Museumsinventaren von 1806/1808 verzeichnete Stücke an. Im hinteren Teil des Korridors, der Galleria Lapidaria, fanden die von Luigi Gaetano Marini 1772–1808 geordneten und katalogisierten Inschr. ihren Platz. Der von Canova beeinflußte prunkvolle Neubau des Braccio Nuovo nahm 1822 ausgewählte Stücke aus der magazinartigen Galleria Chiaramonti auf. Gregor XVI. gründete 1837 für griech. Vasen und andere Funde aus dem südl. Etrurien das Mus. Gregoriano Etrusco, 1839 das Mus. Gregoriano Egizio mit dem Material der ägypt. Slg. der Kapitolinischen Mus., der 1819 erworbenen Slg. Guidi und Stücken aus der Villa Hadriana. Seit 1844 wurden die zahlreichen Neufunde aus Grabungen wegen Platzmangels im neuen Mus. Gregoriano Profano im Lateranpalast untergebracht. Dort schuf Pius IX. für die Funde aus den Katakomben und christl. Basiliken 1854 das Mus. Pio Cristiano. An berühmten Zugängen vor der Gründung It. 1870, nach der keine Grabungsfunde mehr in die VM eingingen, sind der Mars von Todi (Abb. 1), Regolini-Galassi-Grab, Apoxyomenos, Odysseelandschaften und der Augustus von Primaporta (Abb. 2) zu nennen.

4. Aktueller Stand

Die wichtigste jüngere Veränderung betraf die Überführung der Bestände des Lateranmus. in den Vatikan: 1970 wurden im Mus. Paolino das Mus. Gregoriano Profano und Pio Cristiano wiedereröffnet; im gleichen Gebäude fanden das 1926 von Pius XI. gegr. Mus. Missionario-Etnologico und die Slg. mod. religiöser Kunst Platz. In den Antikenabteilungen der VM versuchte man, die histor. Präsentation zu bewahren bzw. wiederherzustellen, wie z. B. 1956 bei der Entfernung der Mauern Canovas aus dem Cortile Ottagono geschehen. 1989 wurde das Mus. Gregoriano Egizio entsprechend

Abb. 1: Mars von Todi.
Die 1835 entdeckte etruskische Bronzestatue stellt einen jugendlichen Krieger in kurzer Tunika und Lamellenpanzer dar. Anfang 4. Jh. v. Chr. Rom, Vatikanische Museen, Museo Gregoriano Etrusco

renoviert, bis 1996 das Anf. des 20. Jh. veränderte Mus. Gregoriano Etrusco. In dieses Konzept reiht sich auch der 2000 fertiggestellte mehrstöckige Eingangsbereich in der Bastione del Belvedere ein. Von den zahlreichen an den Antiken vorgenommenen Restaurierungen sei die Laokoon-Ergänzung durch Filippo Magi 1958–60 erwähnt. Das Mus. Gregoriano Etrusco erhielt wichtige Zugänge mit den Slgg. Guglielmi (1937) und Astarita (1967/68). Für Neufunde auf dem Vatikangebiet wurde ein eigener Raum eingerichtet. Eine Außenstelle mit wichtiger Idealplastik ist das 1989 hergerichtete Antiquarium in Castel Gandolfo. Seit der Ausstellung 1983 in New York fanden im Ausland viele weitere Ausstellungen mit Stücken, die nie zuvor den Vatikan verlassen hatten, statt.

→ Antikensammlung; Apoll vom Belvedere; Laokoongruppe

1 W. Amelung, Die Sculpturen des Vaticanischen Museums, 1903–1908, Ndr. 1995 **2** B. Andreae (Hrsg.), Die Skulpturen des VM I 1–3, II, 1994–1997 **3** S. Bedin et al., Tutela e restauro nello stato pontificio, 1998 **4** Bolletino Monumenti, Mus. e Gallerie Pontificie I, 1979 ff.
5 G. Botti, P. Romanelli, Il Mus. Gregoriano Egizio, 1951

Abb. 2: Augustus von Prima Porta.
Marmorstatue von der Gartenstraße der Villa der Livia.
Der Reliefschmuck auf dem Brustpanzer zeigt
die Rückgabe römischer Feldzeichen
durch die Parther 20 v. Chr.
Rom, Vatikanische Museen, Braccio Nuovo
(Vgl. Augustus beim Opfer → Rom VI. Museen B.
Thermenmuseum, Abb. 1)

6 H. H. BRUMMER, The Statue Court in the Vatican
Belvedere, 1970 7 F. BURANELLI, La raccolta Giacinto
Guglielmi 1, 1997 8 G. P. CONSOLI, Il Mus.
Pio-Clementino, 1996 9 G. DALTROP et al., RendPontAcc
48, 1975–76, 401–18 10 F. W. DEICHMANN (Hrsg.),
Repertorium der christl.-ant. Sarkophage 1, 1967, 3–110
11 I. DI STEFANO MANZELLA, Inscriptiones Sanctae Sedis I 1.
II, 1995–1997 12 J. FICKER, Die altchristl. Bildwerke im
Christl. Mus. des Laterans, 1890 13 C. GENNACCARI, Museo
Pio Cristiano in Vaticano, in: MEFRA 109, 1997, 833–854
14 J.-C. GRENIER, Mus. Gregoriano Egizio, 1993
15 W. HELBIG, Führer durch die öffentlichen Slgg. klass.
Altertümer in Rom I, ⁴1963 16 F. HASKELL, N. PENNY,
Taste and the Antique, 1981, 1–26, 70–74 17 High
Renaissance in the Vatican. Ausstellung Tokyo 1993, 1994
18 G. V. KASCHNITZ-WEINBERG, Le sculture del magazzino
del Mus. Vaticano, 1936/37 19 G. LIPPOLD, Die Skulpturen
des VM III 1–2, 1936/1956 20 P. LIVERANI, L'Antiquarium
di Villa Barberini a Castel Gandolfo, 1989 21 Ders., in: Pio
VI Braschi e Pio VII Chiaramonti, Kongreß Cesena 1997,
1998, 27–41 22 Ders., Der Statuenhof im Belvedere, in:
R. WÜNSCHE (Hrsg.), Der Torso. Ruhm und Rätsel,

Ausstellung München 1998, 12–19 23 F. MAGI, Catalogo
dei ritratti romani del Mus. Profano Lateranense, 1957
24 A. MICHAELIS, Geschichte des Statuenhofes im
Vaticanischen Belvedere, in: JdI 5, 1890, 5–72
25 O. MARUCCHI, Il Mus. Egizio Vaticano, 1899 26 Ders.,
Guida speciale della Galleria Lapidaria del Mus. Vaticano,
1912 27 B. NOGARA, Origine e Sviluppo dei Mus. e Gallerie
Pontificie, 1948 28 C. PIETRANGELI, Il Museo Clementino
Vaticano, in: RendPontAcc 27, 1951–52, 87–109; 49,
1976–77, 195–233 29 C. Pietrangeli, I Mus. Vaticani.
Cinque secoli di Storia, 1985, engl. 1993 30 R. T. RIDLEY,
To protect the monuments. The papal antiquarians
(1534–1870), in: Xenia Antiqua 1, 1992, 117–54 31 F. SINN,
Reliefs, Altäre, Urnen, MGPEL I, 1, 1991 32 Ders.,
K. S. FREYBERGER, Die Ausstattung des Hateriergrabes.
MGPEL 1, 2, 1996 33 G. SPINOLA, Il Mus. Pio Clementino
1–2, 1996–99 34 H. v. STEUBEN in: H. BECK u. a. (Hrsg.),
Antikenslgg. im 18. Jh., 1981, 149–165 35 A. D. TRENDALL,
Vasi antichi dipinti del Vaticano, 1953–1976 36 The Vatican
Collections. The Papacy and Art, Ausstellung New York
1982, 1983 37 C. VORSTER, Werke nach Vorlagen und
Bildformeln des 5. u. 4. Jh. v. Chr. MGPEL II, 1, 1993
38 K. E. WERNER, Die Slg. ant. Mosaiken in den VM, 1998
39 M. WINNER (Hrsg.), Il Cortile delle Statue. Kongreß
Rom 1992, 1998

Älteste Kat.: 40 F. ALBERTINI, Opusculum de mirabilibus
novae et veteris urbis Romae, Rom 1510 41 ULISSE
ALDROVANDI, 1550, in LUCIO MAURO, Le antichità di
Roma, Venedig 1556, 115–315 42 G. B. u. E. Q. VISCONTI,
Il Mus. Pio Clementino 1–7, Rom 1782–1807 43 P. MASSI,
Indicazione antiquaria del Mus. Pio-Clementino in
Vaticano, Rom 1792 44 F. A. VISCONTI, G. A. GUATTANI, Il
Mus. Chiaramonti aggiunto al Pio-Clementino da N. S. Pio
VII, Rom 1808 45 Dies., Il Mus. Chiaramonti descritto e
illustrato, Mailand 1820 46 G. u. A. D'ESTE, Elenco degli
oggetti esistenti nel Mus. Vaticano 1, Rom 1821 47 A.
D'ESTE, Nuovo Braccio del Mus. Chiaramonti, Rom 1822
48 E. PISTOLESI, Il Vaticano descritto e illustrato, Rom
1829–1838 49 Musei Etrusci quod Gregorius XVI Pont.
Max. in aedibus Vaticanis constituit, Rom 1842
50 R. GARRUCCI, Monumenti del Mus. Lateranense, Rom
1861 51 O. BENNDORF, R. SCHÖNE, Die ant. Bildwerke des
Lateranensischen Museums, Leipzig 1867.

D. VILLA ALBANI

Die von Kardinal Alessandro Albani (1692–1779) in
seiner Villa angelegte Slg. (Sammlung) ist eine der bedeutendsten Slgg. (Sammlungen) ant. Skulpturen, die
sich bis h. in privatem Besitz befinden.

Nicht zu verwechseln mit dem älteren Stadtpalast,
dem Palazzo Albani-del Drago an den Quattro Fontane,
ist die wenig außerhalb der Porta Salaria gelegene Villa
Albani (VA). Auf dem 1743 von Kardinal Albani speziell
zur Aufnahme seiner Antikenslg. erworbenen Gelände
entstanden von 1751–1767 die Gebäude und der umgebende Garten. Geplant war ein ausgedehnter Antikengarten, der mit Rücksicht auf bestehende Grundstücks-
grenzen etwas eingeschränkt werden mußte. Die großen Bauten entwarf Carlo Marchionni, Garten und
kleinere Gebäude Antonio Nolli. Das Hauptgebäude,
das mit Deckengemälden von Anton Raphael Mengs
u. a. ausgestattete Casino, besitzt eine große Portikus

Abb. 1: Rücksicht des Kaffeehauses in der Villa Albani. Die Loggia unten ist die ehemalige Porticus Romae, in der ursprünglich ein Sitzbild der Dea Roma von mehreren Porträtstatuen flankiert wurde

und wird von zwei kleineren Portiken flankiert. Vor diesen errichtete man als Fassaden die Nachbauten des ephesischen Artemistempels und etwas später des Karyatidentempels. Gegenüber liegt eine große halbrunde Portikus (Emiciclo), in deren Zentrum sich das Kaffeehaus und auf der Rückseite die später veränderte Porticus Romae befinden (Abb. 1). Erwähnenswert ist noch der in der it. Architektur recht seltene und vielleicht auf engl. Vorbilder zurückgehende Ruinentempel.

Die erste Slg. Kardinal Albanis wurde größtenteils verkauft: 1728 ca. 32 Skulpturen an Friedrich August von Sachsen nach Dresden (Athena Lemnia, Dresdner Zeus, Gruppe Satyr und Hermaphrodit) und 1733 über 400 Stücke, darunter 20 Philosophenporträts aus der Slg. Verospi, an Klemens XII. bzw. das neugegründete Kapitolinische Museum. Spätere Verkäufe betrafen die Münzslg. (1738 an den Vatikan) und die Bibl. mit Zeichnungen dal Pozzos und Domenichinos (ca. 1762 an George III. nach Windsor). Die neue Slg. Albani entstand in den J. nach 1734, mit Stücken aus Grabungen und aus den Slgg. Villa Medici, Giustiniani und Farnese. Sie wurde ab ca. 1751/1755 in der 1763 eingeweihten VA untergebracht, seit 1758 vielleicht mit der Beratung J.J. Winckelmanns. Die Aufstellung behielt jedoch eindeutig den Charakter einer aristokratischen Villenausstattung: Die Galerien der Kaiser und Feldherren, der Dichter und Denker, der Bildnisse, der griech. Götter und der Aegyptiaca lassen eine thematische Ordnung und die Vorliebe für Exempla erkennen. Nur die Gabinetti, auch Appartamento dei Bagni oder eben: »Museum« genannt, warteten mit einer musealen Präsentation auf. Lediglich im Billardhaus erfolgten bis h. keine größeren Umstellungen. Einige der berühmtesten Antiken der VA sind der 1722 an der Via Appia beim Caecilia-Metella-Grab gefundene Peleussarkophag, das 1764 in den Gärten des Maecenas gefundene Reiterrelief Albani (Abb. 2), der 1769 entdeckte Stephanos-Jüngling und das Leukothea-Grabrelief. 1798 beschlagnahmten die Franzosen die gesamte Villa; von 516 für den Transport bestimmten Antiken gelangten jedoch nur 134 tatsächlich nach Paris. Diese kehrten 1815 nicht zurück, da die Familie Albani die Transportkosten nicht aufbringen konnte. Viele Stücke blieben im Louvre, 46 wurden von Ludwig I. von Bayern 1815 für die Münchner Glyptothek erworben (Diomedes, Münchner König, Eirene). Lediglich das 1735 in der Villa Hadriana gefundene Antinousrelief kehrte zurück in die VA. Die nach diesem Verlust in den Innenräumen der Villa entstandenen Lücken füllte man seit 1803 mit weniger qualitätvollen Skulpturen aus dem Garten und aus dem Palazzo Quattro Fontane; im Zuge der Neuaufstellung nahm man Restaurierungen vor. 1852 fiel die Slg. durch Erbschaft von Filippo Albani an Carlo Castelbarco Visconti, und 1866 kaufte Alessandro Torlonia die VA. 1866–1869 gelangten einige Antiken aus der 1816 von Giovanni Torlonia erworbenen Slg. Cavaceppi und aus dem Palazzo Torlonia in die VA. Jetzt erfolgten wesentliche Veränderungen zu einer musealen Aufstellung der Skulpturen und auch die Anbringung von Beischriften, nun ganz im Sinne der kunstgeschichtlichen Ideale Winckelmanns, dessen Büste 1857 im Garten aufgestellt

Abb. 2: Reiterrelief Albani.
Griechisches Original
um 430 v. Chr. Aus den Gärten
des Maecenas auf dem Esquilin.
Rom, Villa Albani, Casino

worden war. So entstand in den Gabinetti die Galleria della Leda, und die Porticus Romae wurde in das Gabinetto Egiziano umgewandelt.

Seit dem ausgehenden 19. Jh. wurde die VA zunächst von industrieller und dann von Wohnbebauung eng umschlossen, was v. a. zu Lasten des Gartens ging. Die Slg. befindet sich nach wie vor im privaten Besitz der Familie Torlonia. Sie kann zwar weiterhin nur auf schriftlichen Antrag besichtigt werden, doch liegt mit den *Forsch. zur VA / Kat. der ant. Bildwerke* eine ausführliche Publikation der Antiken vor.

1 A. ALLROGGEN-BEDEL, Die erste Aufstellung der Antiken in der VA, in: H. BECK et al. (Hrsg.), Antikenslgg. im 18. Jh., 1981, 119–128 2 Dies., Die Antikensammlungen in der VA zur Zeit Winckelmanns, in: P. C. BOL (Hrsg.), Forsch. zur Villa Albani. Kat. der ant. Bildwerke 1–5, 1989–1998 3 H. BECK, P. C. BOL (Hrsg.), Forsch. zur Villa Albani. Ant. Kunst und die Epoche der Aufklärung, 1982 4 A. CARANDINI, VA, ArCl 15, 1963, 264–270 5 E. DEBENEDETTI (Hrsg.), Il Cardinale Alessandro Albani e la sua villa. Documenti. Quaderni sul Neoclassico 5, 1980 6 C. GASPARRI, L'esposizione dell'antico: sulla Galleria Nobile di VA, in: RdA Suppl. 21, 1999, 42–50 7 Ders., O. GHIANDONI, Lo Studio Cavaceppi e le collezioni Torlonia, RIA 3. Ser., 1993, 16 8 W. HELBIG, Führer durch die öffentlichen Slgg. klass. Altertümer in Rom IV, ⁴1972, 175 f. 9 C. JUSTI, Winckelmann und seine Zeitgenossen, ⁵1956, II 75 ff., 376 10 B. KUHN-FORTE, Antikensammlungen in Rom, in: Röm. Antikenslgg. im 18. Jh., Ausstellung Wörlitz, 1998, 61–66 11 P. LIVERANI, La situazione delle collezioni di antichità a Roma nel XVIII secolo, in: Antikenslgg. des europ. Adels im 18. Jh. als Ausdruck einer europ. Identität, Kongreß Düsseldorf 1996, 1999 12 C. PIETRANGELI, Le collezioni private romane attraverso i tempi, Quaderni del Circolo della caccia 2, 21. 2. 1985, 5–20 (= Scritti scelti di Carlo Pietrangeli, 1995, 243) 13 R. WÜNSCHE, »Göttliche, passliche, wünschenswerte und erforderliche Antiken«, in: Ein griech. Traum. Leo v. Klenze, Ausstellung München 1986, 15–37

Älteste Kat.: 14 F. TITI, Descrizione delle pitture, sculture e architetture esposte al pubblico in Roma, Rom, 1763, 441–445 15 S. RAFFEI, Sei dissertazioni sopra monumenti della Villa Albani (= J. J. Winckelmann, monumenti antichi inediti III), Rom 1772–1779 (²1821) 16 G. MARINI, Iscrizioni antiche delle ville e de' palazzi Albani, Rom 1785 17 S. A. MORCELLI, in: C. FEA (Hrsg.), Indicazione antiquaria per la Villa suburbana dell'Eccellentissima Casa Albani, Rom 1785 (²1803) 18 Ders., C. FEA, P. E. VISCONTI, Description de la Villa Albani/La Villa Albani descritta, Rom 1869.

E. VILLA GIULIA (MUSEO NAZIONALE DI VILLA GIULIA, ROMA)

Das Mus. der Villa Giulia (VG) besitzt neben dem Arch. Mus. in Florenz die wichtigste Slg. etr. und altital. Denkmäler, die zum Teil aus Privatslgg., zum Teil aber auch direkt aus Grabungen stammen und somit einen guten Überblick über die ant. Top. geben.

Papst Julius III. ließ von 1551–1555 vor der Porta Flaminia die VG erbauen. Beteiligt waren Giorgio Vasari, Bartolomeo Ammannati, Jacopo Barozzi da Vignola und beratend auch Michelangelo. Das Hauptgebäude mit Deckengemälden der Gebrüder Zuccari bildet zum Innenhof ein Halbrund, das dem von Vitruv beschriebenen idealen Theater nachempfunden ist. Gegenüber befindet sich ein urspr. von dem Aquädukt Aqua Virgo gespeistes Nymphäum, das, wie auch die davorliegende Loggia, mehrmals umgebaut worden ist. Im Südosten wurde eine mit Stuck und Malerei verzierte Grotte in den Berg getrieben (Neviera). Nach der wechselvollen Nutzung der VG als Gästehaus der Päpste, als Hospital und schließlich als Militärmagazin erfolgte 1880–1889 der Umbau zum Museum. 1911 wurde der Südflügel fertiggestellt, 1923 der Nordflügel. Die

Abb. 1: Hochzeitssarkophag aus Cerveteri.
Der Terrakottasarkophag ist als Kline mit Decken
und Kissen gestaltet, auf dem ein Ehepaar lagert.
Um 520 v. Chr. Rom, Villa Giulia
(→ Paris, Louvre I. Klassische Antike, Abb. 4)

Innenräume gestaltete 1955–1960 der Architekt F. Minissi neu, u. a. durch Einzug eines durchgehenden Bal-
kons in den Flügelbauten. Im Zuge der 1999 abgeschlossenen Renovierungen wurde im Südflügel ein
echter erster Stock eingerichtet.

Die urspr. Skulpturenausstattung Julius' III. wurde
schon 1556–1564 verstreut: Die meisten Antiken gelangten in den Vatikan (Porphyrlabrum aus den Titus-
thermen, Amazonensarkophag), viele zu den Medici
nach Florenz und nur sehr wenige Stücke sind bis h. in
der VG verblieben. Auf Betreiben Felice Barnabeis wurde parallel zur Einrichtung des Thermenmus. für Denkmäler des klass. Alt. aus der Stadt Rom die Gründung
einer Slg. ital. und etr. Funde aus Grabungen in Latium
Vetus, Umbrien und Südetrurien verwirklicht; den
Kern des 1889 eröffneten Mus. bildeten die Funde aus
dem Ager Faliscus. Kritik an Barnabei wegen angeblich
zweifelhafter Funde aus Narce und die Konkurrenz des
schon 1870 gegr. Mus. Etrusco in Florenz erschwerten
die Konsolidierung des jungen Museums. 1889–1891
errichtete Adolfo Cozza im Hof die Rekonstruktion des
Tempels von Alatri in Originalgröße. Die Slg. wuchs
bes. in den Jahrzehnten nach der Gründung schnell an:
1893 gelangte der Hochzeitssarkophag aus Cerveteri/

Caere (Abb. 1) aus dem Besitz der Familie Ruspoli in
die VG, 1908 wurde die Slg. Barberini mit Material aus
von 1855–1866 in Palestrina/Praeneste durchgeführten
Grabungen gestiftet (Grabausstattung Tomba Barberini). 1910/1917 entstand auf der Basis von 788 Stücken
aus dem Mus. Kircherianum im Collegio Romano, darunter die vor 1738 in Palestrina gefundene Ficoronische
Ciste, das Antiquarium, in dem auch die 1882 in For-
mello gefundene Chigikanne aufbewahrt wird.
1914/1919 wurde die Slg. Augusto Castellani mit vor
allem aus Cerveteri und Palestrina stammender Keramik, Bronzen und Goldschmuck von dessen Sohn
Alfredo gestiftet. Ab 1912 wurden reiche Funde bei den
Grabungen in Cerveteri und bald darauf in Veii gemacht, wo man 1916 die große Terrakottagruppe des
Apoll mit Hirschkuh (Hermeskopf und Fragmente
noch 1949) entdeckte. Mit der Zuständigkeit der VG für
Tarquinia und Viterbo seit 1912 und der Einrichtung der
Soprintendenz für das südl. Etrurien 1939 wuchs der
Zustrom an Material weiter an. Beginnend mit Cerve-
teri entstanden zw. 1967 und 1988 Regionalmus. in
Civitavecchia, Vulci, Civita Castellana, in der Rocca
Albornoz in Viterbo und im Forte Sangallo in Tuscania.

Außer Tarquinia, wo schon 1878 eine kommunale
Slg. und 1924 im Palazzo Vitelleschi ein Mus. gegr. wurden (Malerei aus etr. Gräbern; Vasen), sind alle etr.
Fundorte in Südetrurien im Ausstellungsbereich der VG
vertreten (Vulci, Bisenzio, Veii, Cerveteri), hinzu kommen Fundorte in Latium Vetus (Palestrina, Satricum)
und Umbrien (Terni, Todi); dieser top. Ordnung folgen
auch die Magazine. 1955 rekonstruierte man im Nordflügel die Tomba II »Maroi« aus Cerveteri. Wichtige
Zugänge waren 1960 aus dem Mus. Pigorini die Grabausstattung der 1876 in Palestrina entdeckten Tomba
Bernardini und 1972 ca. 100 Vasen aus der Slg. Cima-
Pesciotti. Die 1962 zunächst links des Eingangs gegenüber einer Fachbibl. untergebrachten Funde aus Pyrgi
(Terrakotta-Giebelfiguren der Sieben gegen Theben)
sind seit 1997 in der Sala di Venere ausgestellt, weitere
befinden sich im Antiquarium in Santa Severa. 1998
wurden die Säle des Ager Faliscus mit dem Apollotempel aus Falerii Veteres und Funden aus Narce, Nepi und
Capena (Elephantenteller, Abb. 2) neu gestaltet. 1999
sind neben der neu eröffneten Slg. Castellani Säle für die
Inschr. und zur Museumsgeschichte eingerichtet worden. Eingeleitet ist die Übernahme und Renovierung
der benachbarten Villa Poniatowsky, in der die Abteilung Latium Vetus, Sonderausstellungen und die Mu-
seumsdienste untergebracht werden sollen.

→ Italien VI. Museen, D. 4. Florenz, Museo Archeo-
logico

1 M. BARNABEI, F. DELPINO (Hrsg.), Le »Memorie di un
Archeologo« di Felice Barnabei, 1990 2 T. BENEDETTI, Gli
scavi di Narce ed il Mus. di VG, 1900 3 F. BOITANI (Hrsg.),
Mus. di VG, 1994 4 CVA Italia, Mus. Nazionale di VG in
Roma I–III, 1927–1938, IV, 1991 5 A. DELLA SETA, Mus. di
VG, 1918 6 E. DE RUGGIERO, Catalogo del Mus.
Kircheriano, 1878 7 M. A. FUGAZZOLA DELPINO, La Cultura

Abb. 2: Elefantenteller aus Capena.
Die Darstellung des faliskischen Keramiktellers wurde
wahrscheinlich von den Kriegselefanten des Pyrrhus
angeregt. 1. Hälfte 3. Jh. v. Chr. Rom, Villa Giulia

Villanoviana, 1984 **8** W. HELBIG, Führer durch die
öffentlichen Slgg. klass. Altertümer in Rom II, 1891
(²1899); III, ⁴1969, 468–470 **9** P. MINGAZZINI, Vasi della
Collezione Castellani 1–2, 1930–1971 **10** Monumenti
Antichi della Reale Accademia dei Lincei 4, 1894
11 M. MORETTI, Il Mus. Nazionale di VG, 1961 ff. **12** A. M.
MORETTI SGUBINI, Le Antichità dei Falisci al Mus. di VG,
1998 **13** Dies. (Hrsg.), Il Mus. Nazionale etrusco di VG,
1999 **14** A. M. SGUBINI MORETTI (Hrsg.), La Collezione
Augusto Castellani, 2000 **15** P. PELAGATTI, M. A. RIZZO,
C. SFORZINI, Il Museo di VG e gli altri musei dell'Etruria
meridionale nell'ultimo triennio, in: SE 51, 1983, 511–534
16 G. PROIETTI (Hrsg.), Il Mus. Nazionale etrusco di VG,
1980 **17** E. STEFANI, Il Mus. Nazionale di VG in Roma, 1948
18 R. VIGHI, F. MINISSI, Il nuovo Mus. di VG, 1955 **19** VG.
Dalle Origini al 2000, 2000 **20** D. J. WAARSENBURG,
Satricum. Cronaca di uno scavo: ricerche archeologiche alla
fine dell'ottocento, 1998, 41–47, 66, 70.   JENS KÖHLER

Roma, Scuola di   s. Religionsgeschichte

Roman A. GRIECHISCH   B. LATEINISCH

A. GRIECHISCH
›What Schole-boy, what apprentice knows not He-
liodorus?‹ [20]. So übertrieben diese Einschätzung aus
England zu Beginn des 17. Jh. auch erscheinen mag, so
zeigt sie doch die Sonderstellung dieses Autors innerhalb
der ant. Gattung und die rasche Verbreitung nach dem
Beginn seiner Rezeption im mittel- und westeurop.
Kulturraum. Vorbereitet wird diese Ausnahmestellung
des Autors und seines Werkes in Byzanz durch die folgenreiche Legende seiner Erhebung zum Bischof von
Trikka und die stilistische und moralische Aufwertung
des Textes namentlich durch Photios im 9. und Psellos

im 11. Jh., der ihm letztlich den Vorzug vor Achilleus
Tatios gibt [22]. Dementsprechend breiter ist hier bei
beiden die hsl. Überlieferung etwa im Vergleich zu
Chariton und Xenophon von Ephesos, wie auch im
Erzählmodell die byz. Romanciers des 12. Jh. sich
mehrheitlich (T. Prodromos, N. Eugenianos, K. Ma-
nasses) an den *Aithiopika* orientieren und nur ausnahmsweise (E. Makrembolites) *Leukippe und Kleitophon* folgen [12](→ Byzanz II. Literatur).

Diese Sonderstellung der *Aithiopika* in Byzanz bestätigt sich im Westen: Der R. wird als erster seiner Gattung 1534 von V. Opsopoeus in Basel ediert, *Daphnis
und Chloe* erst 1598, *Leukippe und Kleitophon* 1601, ganz
zu schweigen von Xenophon von Ephesos (1726) und
Chariton (1750). Die lat. Übers. durch S. Warschewicz-
ki (1551), die ebenfalls lat. Epitome des M. Crusius
(1584) und die sorgfältige, auf der Basis von vier Hss.
beruhende Ed. des H. Commelinus (1596) zeugen von
der für die Gattung einzigartigen Anerkennung des
Werkes in gelehrten Kreisen. An Heliodors Komposi-
tionstechnik entzünden sich früh gattungspoetologische
Reflexionen, zunächst bei J. Amyot im Vorwort zu seiner frz. Übers. von 1547, dann bei J. C. Scaliger (1561),
der in seiner einflußreichen Poetik die *Aithiopika* sogar
dem Epiker als Modell empfiehlt, worin ihm Tasso
(1587), freilich mit Blick auf die Liebe als legitime Thematik für das Epos, folgt. El Pinciano seinerseits dienten
Heliodor ebenso wie Homer und Vergil als Exempel für
die Diskussion poetologischer Probleme in seiner *Phi-
losophía antigua poética* (1596) und als modellhaftes Pro-
saepos, zu dessen *imitatio* er Cervantes auffordert. Damit
ist schon der Boden bereitet für die in Vorreden frz.
heroisch-galanter R. der ersten H. des 17. Jh. manifeste
Orientierung an den *Aithiopika* als Prototyp, die schließlich in der theoretischen Nobilitierung des Werks als
Gattungsmodell bei P.-D. Huet (1670) gipfelt [21; 3].

Die Breitenwirkung der griech. R. weit über gelehrte Zirkel und des Lat. mächtige Leser hinaus unterstreicht – neben dem Eingangszitat – eine Vielzahl von
Übers. in die wichtigsten europ. Nationalsprachen oftmals noch vor der Publikation des griech. Originals oder
einer lat. Version: Amyots frz. Version Heliodors geht
der lat. Warschewiczkis vier J. voraus, seine Longos-
Übers. von 1559 der Ed. Princeps fast 40 J., die vollständige it. Version des Achilleus Tatios von 1551 der Ed.
Princeps genau 50 Jahre. Und wenn ein professioneller
verlagsabhängiger Übersetzer wie L. Dolce 1546, und
damit nur zwei J. nach der ersten unvollständigen lat.,
seine it. Teil-Übers. auf den Markt bringt, zeugt dies
von klarer Spekulation auf Nachfrage seitens eines relativ breiten Publikums.

Die Erneuerung der Großformen fiktionaler Prosa
durch den heroisch-galanten R. des 17. Jh. in Spanien,
Frankreich, It., England und Deutschland verdankt sich
seiner Orientierung am Erzählmodell des griech. Liebes-
und Abenteuer-R. und hier in erster Linie an Heliodor
mit Blick auf die spannungsfördernde Verrätselungs-
technik des *in medias res*-Einsatzes und auf die zur Ver-

meidung moralischer Kritik betont keusche Liebesbe-
ziehung der Protagonisten. Häufig exotisch angehauch-
te Abenteuer in fernen Zeiten und Räumen eines durch
widriges Schicksal auf See durch Stürme und Piraten
getrennten Paares, das seine finale Wiedervereinigung
im Happy-End göttl. Providenz schuldet, markieren
diesen Rekurs auf das ant. Erzählmodell. Nach der raschen Etablierung dieses R.-Typs im Europa des Barock
läßt sich angesichts des internationalen Erfolgs von J.
Barclays nlat. *Argenis* (1621) und des regen kulturellen
Austauschs, wenngleich zunehmend im Zeichen frz.
Dominanz, ein direkter Bezug auf das ant. Modell oftmals kaum nachweisen.

Im einzelnen ist hier an erster Stelle die frühe Rezeption von *Leukippe und Kleitophon* in den *Amores de
Clareo y Florisea* (1552) des Núñez de Reinoso zu nennen; ungleich bekannter ist das ehrgeizige Unternehmen des Cervantes, im *Persiles* (1617) explizit mit Heliodor zu konkurrieren, wenngleich die Abenteuer dieser *Historia Septentrional* in etwa dort beginnen, wo die
der *Unglaublichen Abenteuer jenseits von Thule* des Anto-
nios Diogenes enden, bevor sie ganz ins Phantastische
übergehen [10]. In Frankreich beginnt die Nachahmung des griech. R. um die Wende zum 16. Jh. und
erreicht mit *Du vray et parfait amour* (1599) insofern einen
frühen Höhepunkt, als sich der Verf. M. Fumée hinter
dem Pseudonym Athenagoras versteckt und so seinen
Text als Übers. eines ant. Originals ausgibt. Neben Romanciers wie Gerzan (*L'Histoire afriquaine*, 1627–1628)
oder Baudoin (*Histoire nègre-pontique*, 1631), die Heliodors Erzähltechnik nachahmen, ist es insbes. G. de Scu-
déry, der in seiner Vorrede zu *Ibrahim* (1641) den Autor
aus Emesa programmatisch zum Modell erklärt [22; 3].

Diese Exemplarität Heliodors gilt nicht allein für den
heroisch-galanten R., sondern auch für die Pastoral-R.
Montemayors, Sidneys und D'Urfés, deren Schäfer sich
im übrigen an der arkadischen Welt, nicht aber an der
einfachen Hirtenwelt von Lesbos orientieren, wie wir
sie bei Longos finden. Diese Neuorientierung des Pastoral-R. an Longos vollzieht sich erst mit dem Auszug
der Schäfer aus der arkadischen Spielwelt in Gessners
Daphnis (1754) und Bernardin de Saint-Pierres *Paul et
Virginie* (1788). Darüberhinaus fehlt es nicht an stoffli-
cher Verarbeitung der griech. R. auf den europ. Bühnen
der frühen Neuzeit (u. a. Shakespeare, *The Tempest*,
1611; Calderón, *Los hijos de la fortuna, Teágenes y Cariclea*,
1664).

Mit der Ablösung des heroisch-galanten R. in der
zweiten H. des 17. Jh. wird auch das ant. Modell obsolet
und dient allenfalls noch gelegentlich als Zielscheibe der
Parodie wie in Voltaires *Candide* (1751), während die
erstmals publizierten R. des Xenophon und Chariton
kaum Beachtung finden. Im Gegensatz zur intensiven,
v. a. erzähltechnisch motivierten mod. Auseinandersetzung mit dem lat. R. (bes. Petron) bleibt die spielerische
Anverwandlung des Heliodorschemas in U. Ecos *Isola
del giorno prima* (1994) eher eine Ausnahme.

B. Lateinisch

Der lat. R. der Ant. zeigt quantitativ wie qualitativ in
Textüberlieferung, Übers., Adaptationen eine deutlich
dichotomische Entwicklung mit der *Historia Apollonii
Regis Tyrii* und lat. Versionen des Alexander-R. einerseits als Bestsellern mit weiter Verbreitung in Form populärer Lesestoffe bis ins 17. Jh. hinein, und Petron und
Apuleius auf der anderen Seite mit spärlicher, bzw. frag-
mentarischer ma. Trad. und intensiverer, doch durchweg elitärer Rezeption erst seit dem 16. (Apuleius) bzw.
17. Jh. (Petron). Neben moralischen Normverstößen
dürften v. a. sprachliche Polyphonie, stilistisches und
erzähltechnisches Raffinement bei beiden Autoren als
Rezeptionsbarriere gewirkt haben.

Dagegen zirkuliert die *Historia Apollonii* dank pro-
blemloser Christianisierbarkeit in einer Vielzahl ma.
Hss., wird schon um 1000 ins Altengl., bis zum 15. Jh. in
einen Großteil der europ. Sprachen übertragen, als einer
der ersten fiktionalen Texte überhaupt gedruckt (ca.
1470) [1], während der Alexander-R. in der lat. Version
des Archipresbyters Leo (Mitte 10. Jh.) und insbes. in
den drei Rezensionen der sog. *Historia de preliis* (11.–
13. Jh.) zum Ausgangspunkt für eine breite volkssprachliche epische Trad. wird, die, begünstigt durch die In-
tegrationsfähigkeit des Makedonenherrschers als Zerstörer des Perserreichs in den Plan der Heilsgeschichte,
mit *chanson de geste* und höfischem R. konkurriert [25].

Schon im frühen MA konzentriert sich die prekäre
hsl. Überlieferung der *Satyrica* auf Frankreich (Fleury,
Auxerre), während im 12. Jh. der Bischof von Chartres
Johannes von Salisbury als Kenner Petrons herausragt.
Ausschlaggebend für die human. Wiederentdeckung
des Textes sind die Hss.-Funde Poggios in England 1420
und Köln 1423, die auch den Text der *Cena Trimalchionis*
umfaßten. Dieser verschwand für über 200 J. im Privatbesitz in Dalmatien und wurde erst 1664 veröffentlicht. Während sich das Interesse an dem die ästhetischen und gattungspoetischen Vorstellungen der Ren.
sprengenden R.-Fragment im 16. Jh. auf enge Gelehr-
tenzirkel (Cujas, Turnèbe, Mesmes, Pithou, J. J. Scaliger) beschränkt, die erstmals mit John Barclays nlat.
Nachahmung, dem *Euphormionis Lusinini Satyricon*
(1605/1607), durchbrochen werden, wird im höfischen
Absolutismus seit Ludwig XIV. die Figur Petrons zur
Ikone des Höflings und sein Werk zum Schlüssel-Ro-
man; diese auch von Barclay verwendete Verschlüsse-
lungstechnik gewinnt tragende Bedeutung für die nlat.
Gattungsrekonstruktion der menippeischen Satire [6;
23]. In Anlehnung an das taciteische Petron-Bild deutet
so Saint-Évremond (*Jugement sur Sénèque, Plutarque et
Pétrone*, 1664) den Autor in libertinistischer Manier als
Modell höfischer *politesse* und vorbildlicher Indifferenz
im Moment des Sterbens. Dieses Bild von prägender
Trad. erstarrt bei H. Sienkiewicz in seinem Erfolgs-R.
Quo vadis (1896) zum Klischee, von dem sich Romanciers wie z. B. A. Burgess erst in jüngster Zeit zu lösen
beginnen. Die im höfischen Kontext dominierende Interpretation der *Satyrica* als Enthüllungs-R. manifestiert

sich schlaglichtartig, wenn Bussy-Rabutin die Circe-Polyaenus-Episode umstandslos in seine Skandalgeschichte des Hofes Ludwigs XIV., die *Histoire amoureuse des Gaules* (1666), montieren kann oder ein frz. Übersetzer die *Satyre de Pétrone* (1742) in die Gattung der Geheimgeschichte einreiht. Die stilistischen und kompositorischen Qualitäten der *Satyrica* werden erst im Zeichen einer Ästhetik der Dekadenz von Des Esseintes als Sprachrohr von J.-K. Huysmans in *A rebours* (1884) in den Vordergrund gestellt; ihr Fragmentcharakter hingegen, der Ende des 17. Jh. Nodot zu seinem Supplement reizt, gilt der mod. Ästhetik des Films (Fellini, *Satyricon*, 1969) und des R. (Pasolini, *Petrolio*, 1972–75, publ. posthum 1992) als Herausforderung zu kreativer Nachahmung [26; 9].

Obwohl die ma. Überlieferung der *Metamorphosen* des Apuleius auf einer den *Satyrica* vergleichbar schmalen Basis beruht, haben dennoch sein Ansehen als platonischer Philosoph und die, wie die bis in die frühe Neuzeit folgenreiche Deutung des Fulgentius zeigt, allegorischer Interpretation zugängliche Erzählung von Cupido und Psyche die Rezeption des R. auch insgesamt begünstigt. Dasselbe gilt für Boccaccio und seine Funktion als Katalysator für die Verbreitung der *Metamorphosen*, selbst nachdem sich die heroische Rettung des Apuleius vor dem Vergessen durch den Hs.-Fund in Monte Cassino als Mythos herausgestellt hat. Jedenfalls wird der Text – als einer der ersten ant. Texte in It. überhaupt – 1469 in Rom ediert und 1500 schon von Beroaldo kommentiert. Sein später, wegen seiner Geschwätzigkeit viel gescholtener Komm. liest die *Metamorphosen* moralphilos., hebt gegen Vallas Verdikt seine sprachlich-stilistischen Vorzüge hervor und zeigt in typischer Ren.-Manier großes Interesse für Magie. Insgesamt verdankt sich die Popularität des Autors im Human. seiner Indienstnahme in den Auseinandersetzungen zw. Aristotelikern und Platonikern sowie den Debatten um den vorbildlichen lat. Stil. Andererseits beweist eine Vielzahl früher Übers. des Textes ins It. (1518), Frz. (1518), Span. (ca. 1525), Dt. (1538) und Engl. (1566) sein rasches Ausgreifen über human. Kreise hinaus. Doch trotz manifester Interessen für den Gesamttext (Machiavelli, *L'asino*, 1517; Shakespeare, *A Midsummer Night's Dream*, 1600; Cervantes, *Don Quijote*, 1605/1615; Burton, *The Anatomy of Melancholy*, 1621) reizt eindeutig die Erzählung von Cupido und Psyche am häufigsten zur *aemulatio* von Spenser (*The Faerie Queene*, 1590–1596) über La Fontaine (*Les Amours de Psiché et de Cupidon*, 1669) bis hin zu W. Pater, dessen Protagonist in *Marius the Epicurean* (1885) freilich in seiner Jugend schon von der Lektüre der *Metamorphosen* insgesamt fasziniert ist und an Cupido und Psyche v. a. den »gentle idealism« schätzt. Wie im Falle der *Satyrica*, so steht auch die erneuerte produktive Auseinandersetzung der Moderne also im Zeichen des Ästhetizismus des → Fin de siècle [15; 5].

Eine immer wieder postulierte gattungskonstitutive Funktion der *Satyrica* und der *Metamorphosen* als Erzähl-modell für den span. Schelmen-R. läßt sich angesichts der sozialen Differenz der Ich-Erzähler wie auch ihrer Schreibsituation ebensowenig nachweisen wie eine explizite Auseinandersetzung vor der *Pícara Justina* (1605) des López de Ubeda.

→ AWI Roman

1 E. ARCHIBALD, Apollonius of Tyre in the Middle Ages and the Ren., in: H. HOFMANN (Hrsg.), Latin Fiction, 1999, 229–237 2 R. BEATON, The Medieval Greek Romance, 1989 3 G. BERGER, Legitimation und Modell: Die *Aithiopika* als Prototyp des frz. heroisch-galanten R., in: A&A 30, 1984, 177–189 4 E. BOWIE, The Readership of Greek Novels in the Ancient World, in: J. TATUM (Hrsg.), The Search for the Ancient Novel, 1994, 435–459 5 R. CARVER, The Protean Ass. The Metamorphoses of Apuleius from Antiquity to the English Ren., 1991 6 Ders., The Rediscovery of the Latin Novels, in: H. HOFMANN (Hrsg.), Latin Fiction, 1999, 253–268 7 B. EGGER, Zu den Frauenrollen im griech. R. Die Frau als Heldin und Leserin, in: Groningen Colloquia on the Novel 1, 1988, 33–66 8 M. FUSILLO, Il romanzo greco. Polifonia ed eros, 1989 9 DERS., From Petronius to Petrolio: the Satyricon as Pattern for the Contemporary Novel, in: M. ZIMMERMAN, S. PANAYOTAKIS, W. KEULEN (Hrsg.), The Ancient Novel and Beyond, 2002 (im Druck) 10 M. FUTRE PINHEIRO, The Nachleben of the Ancient Novel in Iberian Literature in the Sixteenth Century, in: G. SCHMELING (Hrsg.), The Novel in the Ancient World, 1996, 775–799 11 N. HOLZBERG, Der griech. Briefroman, 1994 12 H. HUNGER, Die hochsprachliche profane Lit. der Byzantiner, HdbA 12, 5, 2, 1978, 119–142 13 K. KERÉNYI, Die griech.-orientalische Romanlit. in religionsgeschichtlicher Beleuchtung, 1927 14 D. KONSTAN, Sexual Symmetry: Love in the Ancient Novel and Related Genres, 1994 15 K. KRAUTTER, Philol. Methode und human. Existenz. Filippo Beroaldo und sein Komm. zum Goldenen Esel des Apuleius, 1971 16 R. MERKELBACH, R. und Mysterium in der Ant., 1962 17 P. A. MILLER, CH. PLATTER (Hrsg.), Bakhtin and Ancient Studies: Dialogues and Dialogics, in: Arethusa 26, 1993, 117–216 18 B. P. REARDON (Hrsg.), Erotica antiqua: Acta of the International Conference on the Ancient Novel, 1977 19 E. ROHDE, Der griech. R. und seine Vorläufer, 1876, Ndr. 1974 20 G. SANDY, Ancient Prose Fiction and Minor Early English Novels, in: A&A 25, 1979, 41–55, 41 21 DERS., Classical Forerunners of the Theory and Practice of Prose Romance in France, in: A&A 28, 1982, 169–191 22 DERS., The Heritage of the Ancient Greek Novel in France and Britain, in: G. SCHMELING (Hrsg.), The Novel in the Ancient World, 1996, 735–773 23 J. A. R. DE SMET, Menippean Satire and the Republic of Letters 1581–1655, 1996 24 S. STEPHENS, Who Read Ancient Novels?, in: J. TATUM (Hrsg.), The Search for the Ancient Novel, 1994, 405–418 25 R. STONEMAN, The Medieval Alexander, in: H. HOFMANN (Hrsg.), Latin Fiction, 1999, 238–252 26 A. SÜTTERLIN, Petronius Arbiter und Federico Fellini, 1996 27 U. WILCKEN, Ein neuer griech. R., in: Hermes 28, 1893, 161–193. GÜNTER BERGER

Roman Dutch Law. Englische Bezeichnung für das röm.-kanonische »Gemeine Recht« (→ Römisches Recht) holländischer Prägung (*Romeins-Hollands Reg*). Es blieb bis in die neueste Zeit erhalten in ehemals holländischen Kolonien, welche unter britische Herrschaft gelangten und infolgedessen nur in geringem Maß von Kodifikationsbestrebungen erfaßt wurden. In British Guayana wurde das R.D.L. 1917 abgeschafft. Hingegen lebt es fort in Sri Lanka (Ceylon) und in der Republik Südafrika, von wo aus es sich in fünf Nachbarländer verbreitet hat: Botswana, Lesotho, Namibia, Swaziland, Zimbabwe. Die holländische Prägung des »Gemeinen Rechts« unterschied sich von anderen dadurch, daß man bei Rechtsfragen, welche im Gemeinen Recht umstritten waren, bevorzugt die Meinung von führenden niederländischen Rechtsgelehrten befolgte. In bes. hohem Ansehen standen und stehen noch h. Werke von Hugo Grotius, Johannes Voet, Simon Groenewegen van der Made, Ulrich Huber, Cornelius van Bijnkershoek, Johannes van den Sande, Arnoldus Vinnius, Dionysius van der Keessel, Simon von Leeuwen. Da fast alle ihre Werke lat. abgefaßt sind, wurden einige davon ins Engl. oder Afrikaans übersetzt.

Alle Länder des R.D.L. haben aus England folgendes Prinzip übernommen: Entscheidungen der Obergerichte, außer wenn sie *per incuriam* (»versehentlich«) das Recht falsch darlegen, haben Präzedenzwirkung für künftige Fälle. Die Präzedenzwirkung bindet untere Gerichte ebenso stark wie ein Gesetz. Infolgedessen zitiert man, um die Existenz einer Rechtsnorm zu belegen, möglichst eine jüngere Gerichtsentscheidung, welche die Norm angewandt hat. Die ursprünglichen Quellen der Rechtsnormen hingegen, also im R.D.L. das *Corpus iuris* und alte Kanonisten und Zivilisten, werden nur äußerst selten zitiert – nämlich nur, wenn keine zitierfähige jüngere Gerichtsentscheidung vorliegt. Insofern gleicht das R.D.L. dem schottischen Recht: Auch dort stammt ein hoher Prozentsatz der angewandten Rechtsnormen aus dem alten Gemeinen Recht. Aber wie im R.D.L. ist man sich dessen kaum bewußt; denn statt der urspr. Quellen der Rechtsnormen werden ja nur Präzedenzfälle zitiert.

In den betroffenen Ländern wurde das R.D.L. inzwischen stark überlagert durch Übernahme von engl. Doktrinen und engl. Gesetzen sowie auch durch neuzeitliche nationale Gesetzgebung. Infolgedessen sind überall gemischte Rechtssysteme entstanden, in welchen nun Befürworter der engl. Rechtstradition den Befürwortern der gemeinrechtlichen Trad. gegenüber stehen.

→ Römisches Recht, Kanonisten

1 Annual survey of South African law, 1947ff.
2 G. Dolezalek, »Stare decisis«: Persuasive force of precedent and old authority (12th–20th centuries), Cape Town 1989 3 L. M. Duplessis, An introduction to law, Cape Town ³1999 4 R. Feenstra, R. Zimmermann (Hrsg.), Das röm.-holländische Recht. Fortschritte des Zivilrechts im 17 und 18. Jh., 1992 5 H. R. Hahlo, E. Kahn, The South African legal system and its background, Cape Town 1968 6 W. A. Joubert (Hrsg.), The law of South Africa, Durban 1976ff. (first reissue 1993ff.) 7 E. Kahn, The reception and development of Roman-Dutch law in South Africa, Lesotho Law Journal 1, 1985, 71ff. 8 Recht und Verfassung in Südafrika, 1998ff.

9 A. A. Roberts, A South African legal bibliography, Cape Town 1942 10 Ders., Die geskryfte van die nederlandse praktisyns voor 1800 as hedendaagse regsbron, Tydskrif vir hedendaagse romeins-hollandse reg 22, 1959, 46ff. 11 M. Shahabuddeen, The legal system of Guayana, Georgetown 1973 12 South African Law Reports, Cape Town 1947ff. 13 M. H. J. Van der Horst, The Roman-Dutch law in Sri Lanka, 1985 14 P. J. Verdam, Het Hooggerechtshof over Surinaamse zaken rechtsprekend naar Romeins-Hollandsch recht, Tijdschrift voor rechtsgeschiedenis 38, 1969, 529–549 15 G. Wille, D. Hutchison et al. (Hrsg.), Wille's principles of South African law, Cape Town ⁸1991 16 R. Zimmermann, Das röm.-holländische Recht in Südafrika, 1983 17 Ders., Southern cross: civil law and common law in South Africa, 1996 18 Ders. (Hrsg.), Roman law, contemporary law, European law: the civil law trad. today, 2000.

GERO DOLEZALEK

Romanik A. Definition B. Architektur C. Kunst D. Spolien

A. Definition

Im heutigen Sprachgebrauch meint R. einen Kunststil, der seinen Schwerpunkt im 11. und 12. Jh. hat und dessen Geltungsbereich mit dem der röm. dominierten christl. Kirche übereinstimmt. Vielfach wird auch frühma. Kunst, z. B. die der karolingischen und ottonischen Zeit, als »frühromanisch« bezeichnet. Außerhalb des Gebietes der → Gotik bleibt der romanische Stil bis in die 2. H. des 13. Jh. präsent. Als Epochenbegriff wurde R. (*ère romane*) von A. de Caumont um 1850 für die Kunst zw. Spätant. und Gotik eingeführt. In Analogie zu den → Romanischen Sprachen trägt der Begriff die Abhängigkeit von der röm. Ant. im Namen.

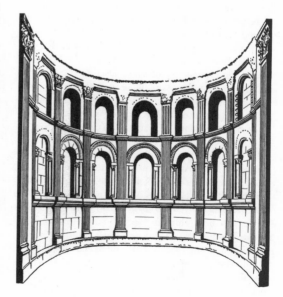

Abb. 1: Saint-Lazare, Autun. Aufriß Apsis; ca. 1120-1146 (nach D. Grivot, G. Zarnecki, *Gislebertus*, 1960)

Abb. 2: Badia, Fiesole.
Fassade, 1225-1228

Abb. 3: Wiligelmus, Relief eines fackellöschenden Genius.
Nach 1099. Modena, Dom

B. ARCHITEKTUR

Die Kennzeichen der Romanik − »Rundbogen«,
»Wölbungsbau«, »Kreuzgratgewölbe«, »Systematisierung«, »wuchtige Mauern und Pfeiler« (Beispiele: Dom
in Speyer, 11. Jh.; Abteikirche Cluny III, spätes 11. −
frühes 12. Jh.) − treffen sich mit dem Eindruck vieler
Architekturen der röm. Antike. Fassaden und Portale
der R. werden häufig nach Art ant. → Triumphbögen
strukturiert, so z.B. die Abteikirche Saint-Gilles (2.
Viertel 12. Jh.), Saint Trophime in Arles (2. H. 12. Jh.),
die Fassade der Kathedrale von Poitiers oder die Vorhalle des Domes von Civita Castellana (1210) bei Rom.
Hinzu kommt in einigen Kunstlandschaften (Südfrankreich, Nordspanien, verschiedene Regionen Italiens
und einige burgundische Gebiete) eine an der Ant. geschulte Bauornamentik. Ein Beispiel ist der innere Aufriß von Saint-Lazare in Autun (ca.1120−1146) mit einem dreigeschossigen System kannelierter Pilaster
(Abb. 1), das für burgundische Bauten (Cluny III) in
Analogie zu ant. Architekturen wie den röm. Stadttor-
fassaden in Autun entwickelt wurde. Bauten wie der
Dom von Pisa (seit 1065), S. Miniato in Florenz (12. Jh.)
oder die Badia in Fiesole (1025−1028, Abb. 2) verdeutlichen, daß die Architektur der R. in ihrer Entstehungszeit als kontinuierliche Erneuerung, wenn nicht gar als
Verbesserung ant. Architektur angesehen wurde. Das
Baptisterium in Florenz (2. H. 11. Jh.) galt in der Frühren. als ant. und prägte zusammen mit den genannten
toskanischen Bauten wesentlich den Stil Filippo Brunelleschis (1377−1446). Dagegen ist für die Trad. der
frühchristl. Basilika ohne Gewölbe, die in weiten Ge-

bieten Italiens und bes. in Rom bis ins 14. Jh. vor-
herrscht, der Stilbegriff R. ungebräuchlich, obwohl
auch dort der Anschluß an spätant./frühchristl. Architektur eng ist.

C. KUNST

Heterogen ist das Bild in der Skulptur. Neben ab-
strahierender Vereinfachung gibt es differenzierte Spiritualität und plastische Vitalität. Gerade in der Frühzeit
um 1100 läßt sich ein erstaunliches Interesse am nackten
menschlichen Körper (→ Nacktheit in der Kunst) beobachten. Wie an den Kapitellen der Abteikirche von San
Martín de Frómista in den Pyrenäen nachzuweisen, ist
diese Faszination geprägt durch intensives Antikenstudium, in diesem Fall eines Sarkophages mit Orest-Sze-
nen, der sich im MA in einer benachbarten Abteikirche
befand. Wohl urspr. als warnendes Abbild heidnisch-
erotischer Dämonen gemeint, ist die ant. Sinnlichkeit
unter den Händen der Bildhauer zum ästhetischen Katalysator mit eigengesetzlicher Dynamik geworden. Das
zeigt sich außerhalb eines apotropäischen Zusammenhangs in der Kapitellszene mit der Opferung Isaaks in
San Pedro in Jaca, wo das ant. Motiv ähnlich nackt in
einem biblischen Kontext verwendet wird. Der Erfolg
des neuen Bildmediums ist nicht zuletzt in einer sinnlichen Kraft begründet, die aus der Auseinandersetzung
mit ant. Skulptur gezogen wurde (Beispiel: Saint-Sernin
in Toulouse, ca.1100/1120). Die fackellöschenden Genien in Modena (nach 1099) entstammen ant. Sepul-
kralsymbolik und sollen an der Domfassade mit ihrer
Schönheit zugleich vor fleischlicher Liebe warnen [20]
(Abb. 3). Die Würdeformeln romanischer Portalfigu-
ren machen in vielen Fällen deutliche Anleihen bei ant.
Gewandfiguren (Beispiele: Saint-Gilles, Arles, Fiden-
za). Weite Bereiche Europas bilden dagegen eine ver-

einfachende oder auch bewegt übersteigernde Skulptur mit geometrisierenden oder ornamentalisierenden Tendenzen aus, die ohne Antikenanschauung Volumen und Monumentalität entwickelt.

Eine bes. Rolle kommt der Antikenrezeption in der romanischen Metallkunst zu. Ein Werk wie das Lütticher Taufbecken des Reiner von Huy (1107–1118) ist in der antikennahen Gewandung, den Frisuren und der Körperlichkeit offensichtlich durch das Vorbild ant. Kleinbronzen geprägt. Zur Frühgeschichte des Porträts gehört der gegossene Cappenberger Kopf (bald nach 1155), ein Porträt Friedrich Barbarossas mit Herrscherbinde und Lorbeerkranz *à l'antique*. Die partielle Aufnahme ant. Formen ist bes. weit getrieben am siebenarmigen Bronzeleuchter des Mailänder Domes (»Trivulzio-Kandelaber«), der um 1200 von ostfrz.-maasländischen Künstlern ausgeführt worden sein dürfte. Antiken- und Naturstudium verbinden sich im Œuvre des Goldschmiedes Nikolaus von Verdun (Klosterneuburger Ambo, 1181; Dreikönigenschrein in Köln, 1198–1206; Marienschrein in Tournai, 1205), eine R., die mit ebensoviel Recht den antikisierenden Strömungen der → Gotik um 1200 zugerechnet werden kann.

Die Kunst der R. ist von keinem theoretischen Schrifttum begleitet. Auch hat sie so gut wie nie Eingang in die Lit. gefunden. Topisch sind allerdings in der Lit. und in einigen Künstlerinschr. die Vergleiche mit ant. Künstlern und Helden. So wird der Architekt Busketus, der in der ersten H. des 12. Jh. in einem ant. Sarkophag an der Domfassade von Pisa begraben wurde, epigraphisch seiner technischen Fähigkeiten wegen mit Odysseus und seine strahlenden Bauten mit dem dunklen Labyrinth des Dädalus in einer Rhet. des Übertreffens verglichen.

D. SPOLIEN

In romanischer Zeit ist die → Spolie aber nicht nur willkommenes Baumaterial, sondern in vielen Fällen Bedeutungsträger mit einer eigenen Ästhetik. Spolien werden nach Schönheit und Material, z. T. vielleicht auch nach Säulenordnung hierarchisch zur Akzentuierung eines Gebäudes oder eines liturgischen Raumes eingesetzt. Reichte eine Serie gleichartiger Spolien wie in der Langhausarkade von S. Maria in Trastevere (1140–1143) in Rom nicht aus, so wurden ergänzende Kapitelle neu angefertigt. Vielerorts entstand im 12. Jh. ein hochentwickeltes Steinmetzhandwerk (Florenz, Pisa, Rom, Provence), das Kapitelle nach ant. Vorbild anfertigte, die für den heutigen Beurteiler kaum von den Vorbildern zu unterscheiden sind. In vielen Fällen wird dem Auftraggeber ein solches Imitat als Äquivalent einer ant. Spolie präsentiert worden sein, so daß man eigentlich von Pseudo-Spolien sprechen sollte. Von der Weiternutzung ant. Reliefsarkophage abgesehen, ist ant. Bildwerk nur in Ausnahmefällen in einen neuen Sinnbezug aufgenommen worden. Reliefs sind wie ant. Inschr. häufig absichtlich invertiert vermauert worden. Wenn Statuen über der Erde überlebt haben, so verdanken sie das ihrer Bed. als Sehenswürdigkeiten und Wahrzeichen, die von einer reichen Legendenbildung begleitet wurde. Umdeutungen im Sinne einer → Interpretatio Christiana sind selten. Wie sehr eine ant. Statue als magisches Idol und wie sehr ihre sinnliche Schönheit als Bedrohung empfunden wurde, belegt die jahrhundertelange Steinigung einer angeketteten Venusstatue in Trier.

1 J. ADHÉMAR, Influences antique dans l'art du moyen âge français, recherches sur les sources et les thèmes d'inspiration, 1939 **2** X. BARRAL I ALTET, Romanische Kunst, 1983 f. **3** H. BREDEKAMP, Die nordspan. Hofskulptur und die Freiheit der Bildhauer, in: H. BECK, K. HENGEVOSS-DÜRKOP (Hrsg.), Stud. zur Gesch. der europ. Skulptur im 12./13. Jh., 1994, 263–275 **4** A. DE CAUMONT, Abécédaire ou rudiment d'archéologie, Caen 1850 **5** P. C. CLAUSSEN, Nikolaus von Verdun. Über Antiken- und Naturstudium am Dreikönigenschrein, in: Ornamenta Ecclesiae. Kunst und Künstler der R. Ausstellungskat. Köln 1985, 447–456 **6** K. J. CONANT, Carolingian and Romanesque Architecture, 1959 **7** O. DEMUS, Romanische Wandmalerei, 1968 **8** A. ESCH, Spolien. Zur Wiederverwendung ant. Baustücke und Skulpturen im ma. It., in: AKG 51, 1969, 1–64 **9** H. FOCILLON, L'art des sculpteurs romans, 1931 **10** M. GREENHALGH, Ipsa ruina docet: l'uso dell' antico nel Medioevo, in: S. SETTIS (Hrsg.), Memoria dell' antico dell' arte italiana I, 1984, 115–167 **11** R. HAMANN, Die Abteikirche von St. Gilles und ihre künstlerische Nachfolge, 3 Bde., 1955 **12** R. HAMANN-MACLEAN, Antikenstudium in der Kunst des MA, in: Marburger Jb. für Kunstwiss. 15, 1949/1950, 157–250 **13** R. HAUSHERR (Hrsg.), Die Zeit der Staufer. Geschichte – Kunst – Kultur. Ausstellungskat. Stuttgart 1977 **14** E. KITZINGER, The Arts as Aspects of a Ren.: Rome and Italy, in: R. L. BENSON, G. CONSTABLE (Hrsg.), Ren. and Renewal in the 12th Century, 1982, 637–670 **15** H. E. KUBACH, A. VERBEEK, Romanische Baukunst an Rhein und Ruhr, 1976–1989 **16** V. LASALLE, L'influence antique dans l'art roman provençal (= Revue Archéologique Narbonnaise, suppl. 2), 1970 **17** A. LEGNER, Dt. Kunst der R., 1982 **18** O. MAZAL, Buchkunst der R., 1978 **19** W. OAKESHOTT, Classical Inspiration in Medieval Art, 1959 **20** E. PANOFSKY, Ren. and Renascenses, 1960 **21** J. POESCHKE (Hrsg.), Ant. Spolien in der Architektur des MA und der Ren., 1996 **22** B. RUPPRECHT, Romanische Skulptur in Frankreich, 1975 **23** M. SCHAPIRO, Romanesque Art, 1977 **24** S. SETTIS, Continuità, distanza, conoscenza. Tre usi dell' antico nell' arte italiana, in: Ders. (Hrsg.), Memoria dell'antico nell' arte italiana III, 1986, 375–486 **25** H. SWARZENSKI, Monuments of Romanesque Art, 1954.

PETER CORNELIUS CLAUSSEN

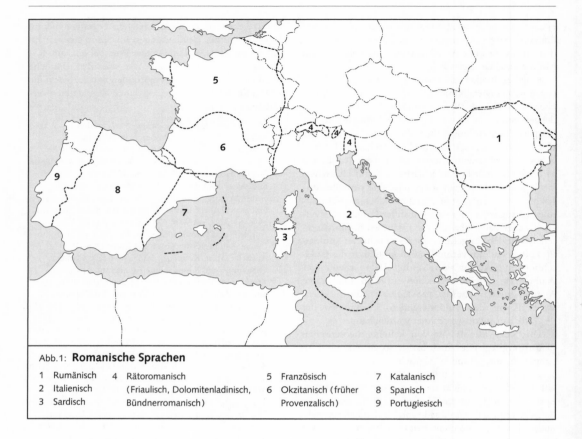

Abb.1: Romanische Sprachen

1	Rumänisch	4	Rätoromanisch	5	Französisch	7	Katalanisch
2	Italienisch		(Friaulisch, Dolomitenladinisch,	6	Okzitanisch (früher	8	Spanisch
3	Sardisch		Bündnerromanisch)		Provenzalisch)	9	Portugiesisch

Romanische Sprachen A. DEFINITION UND
FORSCHUNGSGESCHICHTE   B. DAS ERBWÖRTLICHE
FORTLEBEN DES LATEINISCHEN WORTSCHATZES IN
DEN ROMANISCHEN SPRACHEN   C. GRÜNDE UND
ARTEN DER REGIONALEN AUSGLIEDERUNG
ROMANISCHER EINZELSPRACHEN   D. DIE
AUSBILDUNG ROMANISCHER SCHRIFTSPRACHEN
UND DIE GELEHRTEN EINFLÜSSE DES LATEIN

A. DEFINITION UND FORSCHUNGSGESCHICHTE
Als »R. S.« werden diejenigen Idiome bezeichnet, die
in ihrem Kern in direkter Fortsetzung aus dem Lat. hervorgegangen sind. Sie bilden histor. die Sprachformen,
die das gesprochene Lat. (»Vlat.«) nach der Ant. in den
dauerhaft latinisierten Gebieten des ehemaligen Imperium Romanum angenommen hat (dem tatsächlichen
Verhältnis nicht angemessen ist das verbreitete Bild von
der lat. »Muttersprache« und den romanischen »Toch-
tersprachen«, vgl. [1. 97f.]). Die Gruppe der R. S. umfaßt h. nach der traditionellen Untergliederung
(Abb. 1): Rumänisch (1), It. (2), Sardisch (3), Rätoro-
manisch (Friaulisch, Dolomitenladinisch, Bündnerro-
manisch) (4), Frz. (5), Okzitanisch (früher Provenza-
lisch) (6), Katalanisch (7), Span. (8) und Portugiesisch
(9). Angesichts der nicht eindeutigen Abgrenzbarkeit
zw. »Sprache« und »Dialekt« werden teils auch weitere

Einheiten wie Korsisch oder Galicisch als eigene Sprachen angesehen.
Den verlorengegangenen Gebieten der »Romania
submersa« (v. a. in Nordafrika, Thrakien, im
Rhein/Donau-Gebiet, im Ostadriaraum mit dem erst
E. des 19. Jh. ausgestorbenen Dalmatischen und in Britannien) stehen die neuzeitlichen Erweiterungen der
»Romania nova« (v. a. in Lateinamerika, Kanada, Teilen
Afrikas) gegenüber. Bei Einbeziehung dieser Expansion
beläuft sich die Gesamtzahl der Romanischsprechenden
h. auf rund 700 Millionen.
Die genealogische Zusammengehörigkeit der R. S.
wurde fallweise schon früh (etwa von Dante) erkannt,
in wiss. fundierter Form aber erstmals von Friedrich
Diez (1794–1876) und dann von Wilhelm Meyer-Lübke (1861–1936) [4; 5] dargestellt. Als jüngere histor.
Gramm. vgl. v. a. [2], als Gesamtüberblick zur Entwicklung des Faches Romanistik und zum jüngeren For-
schungsstand v. a. [10; 11; 6] und das *Lex. der Romanistischen Linguistik* (LRL) [3].
B. DAS ERBWÖRTLICHE FORTLEBEN
DES LATEINISCHEN WORTSCHATZES IN
DEN ROMANISCHEN SPRACHEN
Die traditionellen lat. Wörter treten in der Entwicklung zum Romanischen teils zurück (z. B. *loqui* »sprechen«, *flere* »weinen«, *edere* »essen«, *equus* »Pferd«, *pulcher*

»schön«, *valde* »sehr«), teils leben sie kontinuierlich (»erbwörtlich«) fort. Ein panromanisches Fortleben haben beispielsweise *videre* (rumänisch: *vedea*, it.: *vedere*, frz.: *voir*, span.: *ver*, portugiesisch: *ver*), *venire* (rumänisch: *veni*, it.: *venire*, frz.: *venir*, span.: *venir*, portugiesisch: *vir*), *caelum* (rumänisch: *cer*, it.: *cielo*, frz.: *ciel*, span.: *cielo*, portugiesisch: *céu*), *homo* (rumänisch: *om*, it.: *uomo*, frz.: *homme*, span.: *hombre*, portugiesisch: *homem*), *bonus* (rumänisch: *bun*, it.: *buono*, frz.: *bon*, span.: *bueno*, portugiesisch: *bom*).

Ein teilromanisches Fortleben zeigen etwa *scire* »wissen« (rumänisch *şti*, sardisch *iskire*) und *metus* »Furcht« (span. *miedo*, portugiesisch *medo*). Mit verschobener Bed. weitergeführt werden z. B. *causa* (als Ersatz für *res* »Sache«, u. a. it. *cosa*, frz. *chose*, span. *cosa*, portugiesisch *coisa*) und *mittere* (als Konkurrent von *ponere* »setzen, legen, stellen«, u. a. it. *mettere*, frz. *mettre*, span., portugiesisch *meter*). Einzelne Bezeichnungen für wenig volkstümliche Begriffe zeigen insofern einen »halbgelehrten« Charakter, als ihre Lautentwicklung durch die geläufigere klass. Entsprechung teilweise gehemmt wurde (z. B. die Fortsetzer von *liber* »Buch« wie frz. *livre*, anstelle eines lautgesetzlich zu erwartenden **loivre*).

Als Bezeichnungsersatz für die zurücktretenden traditionellen Wörter rücken überwiegend (zunächst) ausdruckskräftigere (teils zugleich eindeutigere und/oder einfachere) lat. Bezeichnungsvarianten sowie in geringerem Umfang nachklass. Neubildungen ein, z. B. für *loqui* »sprechen« v. a. *fabulari* (eigentlich »plaudern, schwatzen«; > span. *hablar*, portugiesisch *falar*) und *parabolare* (7. Jh. als durchsichtige Entsprechung zum vlat. Gräzismus *parabola* »Wort«; > u. a. it. *parlare*, frz. *parler*); zu den Gräzismen s. [8. 192 f. mit Verweisen].

Insgesamt lebt mit höchstens zehntausend lat. Basiswörtern des Romanischen nur ein kleiner Teil des lat. Wortschatzes weiter. Innerhalb des zentralen Bestandes der tausend häufigsten (klass.-)lat. Wörter beläuft sich jedoch der Anteil des erbwörtlichen Fortlebens auf rund zwei Drittel (davon gut die Hälfte mit einer Verbreitung in allen oder den meisten der R. S.) [8].

C. Gründe und Arten der regionalen Ausgliederung romanischer Einzelsprachen

Die histor. Grundlage für die räumlich differenzierte Vielfalt der romanischen Idiome bildet die im Gefolge der Dezentralisierung seit dem 3. Jh. n. Chr. zunehmende, aber wohl erst nach dem 6. Jh. ausgeprägte regionale Differenzierung des Vulgärlatein. Als Voraussetzungen und Gründe dieser protoromanischen Ausgliederung fungieren v. a.: die divergierenden Bedingungen der Romanisierung bzw. Latinisierung (Chronologie und Intensität; soziale und regionale Herkunft der Romanisierungsträger), die jeweiligen Kontaktverhältnisse und Verkehrsbedingungen, die divergierenden soziokulturellen Entwicklungsbedingungen (Kräfteverhältnisse zw. Sprachneuerung und Sprachtrad.) sowie die räumlich begrenzten fremdsprachlichen Einflüsse (vorröm. Substratsprachen; Superstrate; Adstrate); vgl. LRL [3. II,1. v. a. Art. 97].

Die Art der Entwicklung und der Charakter der jeweiligen protoromanischen Regionalformen der Latinität sind prinzipiell vielschichtig-komplex. Insgesamt aber kennzeichnet sich etwa das Sardische entsprechend der frühen Romanisierung und isolierten Lage durch eine Reihe von spezifisch archa. Zügen (z. B. Bewahrung des sonst palatalisierten *k* vor *e*, *i* in *centum* > *kentu* sowie von sonst höchstens vereinzelt fortgeführten Worttypen wie *domus* »Haus« > *domo* oder *magnus* »groß« > *mannu*) und das Protofrz. durch eine relativ starke Wegentwicklung von der gemeinsamen lat. Grundlage – was durch den starken german. Superstrateinfluß mitbedingt und später durch bes. starke Veränderungen vom Alt- zum Neufrz. noch verstärkt wird (vgl. etwa als Fortsetzer von lat. *cantare* frz. *chanter* versus it. *cantare*, span., portugiesisch *cantar* und von lat. *maturus* altfrz. *meür*, neufrz. *mûr* versus it. *maturo*, span., portugiesisch *maduro* oder das gänzliche Zurücktreten etwa von *dare* »geben« gegenüber *donare* > frz. *donner* und von *sol* »Sonne« gegenüber *soliculus* > frz. *soleil*). Die Latinität der iberoromanischen Sprachen vereinigt – als Auswirkung v. a. der Randlage – spezifisch archa. Züge (z. B. die erwähnte Bewahrung von *metus*) mit spezifischen Innovationen (z. B. formale Erweiterungen wie *coratio* »Herz« > span. *corazón*, portugiesisch *coração* und semantische Neuerungen wie *quaerere* »wollen; lieben« > span., portugiesisch *querer*). Das insgesamt höchste Maß an Weiterführung des lat. Wortschatzes kennzeichnet den it. Sprachraum [12; 7; 8. v. a. 84 ff.].

D. Die Ausbildung romanischer Schriftsprachen und die gelehrten Einflüsse des Latein

Auf der Basis der aus dem Vlat. hervorgegangenen romanischen Sprechsprachen entstehen ab dem 9./10. Jh. neue romanische Schriftsprachen (etwa als ältestes Dokument bzw. Literaturdenkmal des Frz. die *Straßburger Eide* von 842 und die *Eulaliasequenz* von 881/82; vgl. [10. 365 ff.]). Diese übernehmen in einem längeren Emanzipationsprozeß (im wesentlichen bis zum 16. Jh.) alle schriftsprachlichen Funktionen des Lat. und führen auf der Grundlage jeweils bestimmter regionaler Varietäten zu den mod. Nationalsprachen (das It. auf der Basis v. a. des Toskanischen, das Frz. auf der zentralen Varietät der Ile-de-France, das Span. auf dem Kastilischen).

Die Ausbildung und Funktionsausweitung der romanischen Schrift- und Bildungssprachen ist verbunden mit einer nachhaltigen gelehrten Beeinflussung durch das (Mittel-)Lat. auf allen Sprachebenen (also auch graphisch, phonisch, morphologisch und syntaktisch, z. B. in Nachahmungen lat. Partizipial- und AcI-Konstruktionen v. a. bei human. Übersetzern), in erster Linie aber in Form von lexikalischen Entlehnungen (»Buchwörter« bzw. »Latinismen«, einschließlich von häufig über das Lat. vermittelten Gräzismen); vgl. [8. 199 f.], LRL [3. II,1. Art. 100]. Die gelehrten Übernahmen dienen in erster Linie den gegenüber dem (v. a. in den abstrakten Begriffsbereichen) reduzierten spontansprachlich-erbwörtlichen Wortschatz erweiterten und differenzierteren Ausdrucksbedürfnissen. So werden gerade viele der erbwörtlich zurückgetretenen Wörter – in häufiger, wenn auch keineswegs durchgehender interromanischer Parallelität – entlehnt, beispielsweise *natura* »Natur« (u. a. it. *natura*, frz. *nature*), *casus* »Fall, Zufall« (it., span., portugiesisch *caso*, frz. *cas*), *permittere* »erlauben« (it. *permittere*, frz. *permettre*, span., portugiesisch *permitir*), *cedere* »weichen, nachgeben« (it. *cedere*, frz. *céder*, span., portugiesisch *ceder*), *facilis* »leicht« / *difficilis* »schwierig« (it. *facile / difficile*, frz. *facile / difficile*, span., portugiesisch *fácil / difícil*). Mehrfach koexistieren aber auch als »Dublette« die erbwörtliche (lautlich und teils semantisch veränderte) und die gelehrt-entlehnte (dem Lat. näherstehende) Form, etwa neben den genannten Fortsetzern von vlat. *causa* »Sache« die Entlehnungen von lat. *causa* »Grund, Ursache« (it., span., portugiesisch *causa*, frz. *cause*).

Ein guter Teil der zunächst in speziellem gelehrtem Milieu übernommenen Latinismen erfährt sekundär – wie etwa die genannten Beispiele zeigen – eine starke gemeinsprachliche Ausbreitung und kennzeichnet h. selbst den lexikalischen Kernbestand der romanischen Sprachen. Zur Bed. gelehrter lat. und griech. Elemente im Rahmen der romanischen Wortbildung (z. B. frz. *humaniste* oder die »nlat.« Kompositionsweise vom Typus frz. *automobile*) vgl. u. a. [1. 106 f.]. Zum Gesamtanteil der in den heutigen R. S. bestehenden erbwörtlichen plus gelehrten Entsprechungen zum lat. Zentralwortschatz (z. B. im It. fast drei Viertel) und zu dessen Transferierbarkeit beim Erwerb romanischer Sprachen s. [9].

1 H. GECKELER, Das Lat., die R. S. und der gelehrte Einfluß, in: FS A. Weische, 1997, 97–107 2 H. LAUSBERG, Romanische Sprachwiss., 1967–1972 3 Lex. der Romanistischen Linguistik, Hrsg. G. HOLTUS et al., 1988 ff. 4 W. MEYER-LÜBKE, Gramm. der R. S., 1890–1902 5 Ders., Romanisches etymologisches WB, ³1935 6 L. RENZI, Einführung in die romanische Sprachwiss., 1980 7 G. ROHLFS, Romanische Sprachgeogr., 1971 8 A. STEFENELLI, Das Schicksal des lat. Wortschatzes in den R. S., 1992 9 Ders., Die Transferierbarkeit des lat. Wortschatzes beim Erwerb R. S., in: Frz. heute, 1992, 379–387 10 C. TAGLIAVINI, Einführung in die romanische Philol., ²1998 11 B. E. VIDOS, Hdb. der romanischen Sprachwiss., 1968 12 W. v. WARTBURG, Die Ausgliederung der romanischen Sprachräume, 1950.

ARNULF STEFENELLI

Romanistik/Rechtsgeschichte A. DAS ÄLTERE GEMEINE RECHT UND DIE HUMANISTISCHE ENTDECKUNG DER GESCHICHTLICHKEIT DER RÖMISCHEN RECHTSQUELLEN B. DIE ROMANISTIK ALS RECHTSDOGMATIK C. DIE ENTDECKUNG DER RECHTSGESCHICHTE UND DIE HISTORISIERUNG DER ROMANISTIK D. HEUTIGER FORSCHUNGS- UND LEHRBETRIEB

A. DAS ÄLTERE GEMEINE RECHT UND DIE HUMANISTISCHE ENTDECKUNG DER GESCHICHTLICHKEIT DER RÖMISCHEN RECHTSQUELLEN

Das ältere röm. Gemeine Recht, das Rechtswiss. und Rechtspraxis in Kontinentaleuropa vom 11. bis – wenigstens prinzipiell – zum 18. Jh. geprägt hat, hatte von den röm. Rechtsquellen ein statisches und unhistor. Verständnis. Diese wurden nicht nur in den ma. Rechtsschulen, sondern in gewisser Weise bis in die letzte Phase der gemeinrechtlichen Wiss. als geltendes Recht angesehen. Ein histor. Zugang zu den Texten des *Corpus Iuris* hat sich in der kontinentalen Rechtskultur nur langsam, erst in Ansätzen seit dem 16. Jh. entwickelt und durchgesetzt. Die Eigentümlichkeit im Umgang mit den röm. Rechtsquellen seitens der ersten Rechtslehrer in Bologna und der späteren Vertreter der Schule der → Glossatoren lag gerade darin, daß man in den → Digesten und im Codex das Recht schlechthin sah. Die ma. Juristen haben also in der justinianischen Kompilation eine unmittelbare, gegenwärtige Autorität gesehen, genauso wie übrigens das MA die Kaiserwürde unmittelbar an die röm. Vergangenheit anknüpfte. Deshalb wurde auch die Widerspruchsfreiheit der Justinianischen Rechtsquellen als selbstverständlich vorausgesetzt. Die Textstellen der Digesten und des Codex wurden aus sich heraus verstanden und mit den Kulturtechniken der Zeit, v. a. also der Grammatik und der Logik sowie der → Rhetorik, erschlossen, erklärt und im Unterricht dargestellt. Die interpretatorischen Bemühungen der Glossatoren und in einer gewissen Fortsetzung dazu der Kommentatoren lagen also primär in der textuellen Beherrschung der einzelnen Quellenfragmente. Das gewaltige Werk der ma. Kommentierung, welches sich vornehmlich in den Glossenapparaten und in den dazugehörigen Allegationen niederschlug und seine Krönung in der *Glossa accursiana* fand, überzog den Text der röm. Quellen mit einem völlig ahistor. [39. 37–38], in sich jedoch geschlossenen Verständnis, das die praktische Anwendung der einzelnen Quellenfr. in der gutachtlichen Praxis der »Consilia« ermöglichte. Die Behandlung und Verortung einzelner Sachprobleme und Streitfragen bei der Kommentierung bestimmter Stellen des *Corpus Iuris*, typisch für die gemeinrechtliche Wiss. und Praxis bis zu ihrem Ende, ist in diesem Rahmen entstanden. Dabei wurden Quellenstellen miteinander in Verbindung gebracht und zur Erläuterung herangezogen, welche im Werk der röm. Juristen und selbst noch bei der justinianischen Kompilation beziehungslos nebeneinander gestanden hatten. Bereits in dieser Epoche entstand eine Trad. von Problemerörterungen, ›die auf das röm. Recht projiziert wurden, jedoch histor. damit oft wenig zu tun hatten‹ [8. 206]. Diese Technik der Behandlung von Rechtsproblemen durch das argumentative unhistor. Heranziehen einzelner Fr. der röm. Quellen findet in den darauffolgenden Jh. Niederschlag in den großen Kommentarwerken von Bartolus de Saxoferrato (1313–1357) und von dessen Schüler Baldus de Ubaldis (ca. 1320/1327–1400) sowie in der in jenen Jahrzehnten beginnenden gutachtlichen Praxis der »Consilia« der sog. Schule der Kommentatoren [38. 80–96].

Seit Anf. des 16. Jh. beginnt der Umgang mit den röm. Rechtstexten sich allerdings langsam zu verändern. Zum einen gehören in diesen Zusammenhang die ersten systematischen Bemühungen, etwa eines Hugo Donellus (1527–1591), die Quellenüberlieferung aus ihrer Legalordnung aufzulösen und in einen neuen Systemzusammenhang zu bringen. Diese systematischen Anstrengungen, welche ihre Fortsetzung in den Lehren des dt. *Usus modernus pandectarum* (→ Deutscher Usus modernus) und des → Naturrechts bis zum E. der gemeinrechtlichen Zeit haben werden, bleiben jedoch weiterhin von einem statischen, unhistor. Verständnis des *Corpus Iuris* als geltendem Recht beherrscht [38. 167f.]. Das 16. Jh. kennt allerdings unter dem Einfluß zunächst des it. und später des frz. → Humanismus auch die ersten Versuche, die Textstellen des *Corpus Iuris* aus ihrem ma. scholastischen Korsett herauszulösen und einer histor. bewußten quellenanalytischen Betrachtung zu unterziehen [39. 39f.]. Der it. Jurist Andreas Alciatus (1492–1550) beginnt erstmals mit der Erschließung der darin enthaltenen griech. Texte. Die späteren Vertreter des juristischen Human. eröffnen somit den Weg, den Text der Digesten mit histor. Differenziertheit zu lesen und sich anzueignen. Hier sei etwa der frz. Jurist Jacques Cujacius (1522–1590) genannt, der als erster den ›scheinbar monolithischen Block des überlieferten röm. Rechts aufzusprengen‹ beginnt [8. 208]. Damit sind wir am Vorabend einer wiss. Geschichte des Röm. Rechts angelangt.

Inwieweit die philol. und histor. Bemühungen der Vertreter des juristischen Human. Einfluß auf die damalige Rechtspraxis hatten, ist bis h. umstritten und nicht restlos geklärt. Sie bedeuten allerdings den Beginn einer Entdeckung der Geschichtlichkeit der röm. Rechtsquellen und damit des rechtshistor. Umgangs mit dem Röm. Recht. In diesem Zusammenhang ist der bedeutendste Philologe dieser jüngeren Juristengeneration zu nennen, Gregor Haloander (1500–1531), welcher die erste human., wenn auch nicht streng kritische Ausgabe der Digesten auf der Grundlage der Florentiner Hs. vorlegte. Dazu gehört ebenfalls die Herausgabe des *Corpus Iuris* sowie die ersten kritischen Konjekturen zu justinianischen Interpolationen durch Dionysus Gothofredus d. Ä. (1549–1622), ›dessen Vermutungen noch die mod. Kritik Recht gibt‹ [38. 167]. Es handelt

sich hier um eine Trad., welche in den philol. Unt. der sog. niederländischen »eleganten Jurisprudenz« des 17. und 18. Jh. ihre Fortsetzung fand [39. 41–42].

B. DIE ROMANISTIK ALS RECHTSDOGMATIK

Die dt. → Historische Rechtsschule bedeutet Anfang des 19. Jh. eine radikale Erneuerung im Umgang mit den Quellen des älteren röm. Gemeinen Rechts, indem sie diesen auf ihre Weise als »histor. Methode« begriff. Die Vertreter der Histor. Rechtsschule zielten allerdings auf eine neue Rechtsdogmatik, nicht auf eine Geschichtsforsch. um ihrer selbst willen. Damit bleibt der Beitr. dieser Generation von Romanisten für das histor. Verständnis der röm. Rechtsquellen ambivalent [39. 42–43]. Das Ringen um eine neue, um die Person und ihre Willensautonomie zentrierte allg. Rechtstheorie stellte nämlich ein Hindernis für einen historisierenden Umgang mit den Fr. des *Corpus Iuris* dar [41. 9–11]. Im *System des heutigen Röm. Rechts* (vol. I–VIII, Berlin 1840–1849) von Friedrich Carl von Savigny (1779–1861) [38. 396–398] sowie in den Lehren der deutschen → Pandektistik haben die Hinweise auf die Stellen der Digesten eine rein untergeordnete, nur legitimatorische Funktion. Im Vordergrund steht das Streben nach systematischer Geschlossenheit und dogmatisch-begrifflicher Konsistenz. Die Fr. aus den röm. Quellen werden hier bewußt nach Stellenwert und Leistung im System selektiert. Die Polyvalenz der »geschichtlichen Rechtswiss.« von Friedrich Carl von Savigny wird aber zugleich deutlich, wenn man neben das *System* seine *Geschichte des röm. Rechts im MA* stellt (Bd. I–VII, Heidelberg ¹1815–1831; ²1834–1851; Ndr. 1956): die erste, h. noch z. T. unübertroffene Darstellung der westeurop. Wirkungsgeschichte des röm. Rechts bis zu der Zeit der Glossatoren [38. 387–390].

Mit der dt. Histor. Rechtsschule beginnt zugleich aber auch ein Entdeckungszeitalter für die Geschichte des röm. Rechts. Hier ist etwa die *Röm. Geschichte* (Bd. I, Berlin ¹1811; Bd. II, Berlin 1812; Bd. III, Berlin 1832) von Barthold Georg Niebuhr (1776–1831) [38. 416–17; 39. 43] zu nennen, welche mit ihrer philol. Quellenkritik einen neuen Standard setzte. Die Entdeckung der Veroneser Palimpsesten-Hs. (um 600 n. Chr.) mit den Institutionen des Gaius durch denselben Niebuhr (1816) eröffnete erstmalig einen sicheren Einblick in eine röm. Juristenschrift aus der klass. Zeit [36]. Damit begann eine Revolution bei der histor. Erschließung und dem Verständnis der Digesten. Dazu gehört ferner die wenig später (1820) formulierte Theorie von Friedrich Bluhme (1797–1874) über die »Massen« der justinianischen Kompilation der Digesten. Dasselbe gilt für die Entdeckung vorjustinianischer Juristen-Fr. in der vatikanischen Bibl. durch Angelo Mai (1821). Zu diesem histor. und philol. Ertrag der dt. Histor. Rechtsschule gehört auch die bis h. gültige kritische Ausgabe der Digesten, welche von Theodor Mommsen (1817–1903) initiiert und organisiert wurde. Dazu gesellt sich schließlich die Rekonstruktion der in den Digesten exzerpierten juristischen Werke aus der klass. und postklass. Zeit in der

Palingenesia iuris civilis (Bd. I-II, Leipzig 1889; Ndr. 1960) von Otto Lenel (1849–1935).

C. Die Entdeckung der Rechtsgeschichte und die Historisierung der Romanistik

Das dt. BGB von 1900, welches die wesentlichen Ergebnisse und Lehren der Pandektistik für das dt. Zivilrecht kodifizierte, bedeutete die Beendigung der letzten Phase der gemeinrechtlichen Trad. in Europa und leitete zugleich den Beginn eines neuen histor. und philol. Zugangs zu der röm. Rechtsüberlieferung ein. Die Emanzipation der damaligen dt. Romanistik (Ro.) von den dogmatischen und konstruktiven Ansätzen bei der praktischen Anwendung des Gemeinen Rechts führte in jenen J. zu ihrer zunehmenden, am Ende totalen Eröffnung für die Erwartungen und die Anforderungen der klass. Philol. und der ant. Geschichte. Es wurde dabei an die editorischen Leistungen der dt. Histor. Rechtsschule angeknüpft und eine weitgehende Historisierung der Ro. eingeleitet [38. 420]. Eine Entwicklung, welche auch die damaligen it. Romanisten, etwa Contardo Ferrini (1859–1902), Silvio Perozzi (1857–1931) und Pietro Bonfante (1864–1932) wesentlich beeinflußte und für Selbstverständnis und Ausrichtung des Faches bis h. maßgebend bleiben sollte. Bereits in die 80er J. des 19. Jh. fallen die ersten grundlegenden philol. Leistungen, welche die Ro. zur eigentlichen histor. Wiss. gemacht haben und zum Ausgang neuer Methoden und Forschungsbereiche werden sollten [38. 420f.; 41. 17–26]. Hier seien genannt *Das Edictum perpetuum* (Leipzig ¹1884; ³1927) von Otto Lenel, ferner das grundlegende Werk von Otto Gradenwitz (1860–1935), *Interpolationen in den Digesten* (Leipzig 1887) sowie *Reichsrecht und Volksrecht in den östl. Provinzen des Röm. Weltreichs* (Leipzig 1891) von Ludwig Mitteis (1859–1921), der als Begründer der mod. Erforsch. der nicht-röm. ant. Rechtsgeschichte (Re.) gelten kann [42].

Das Ergebnis dieses philol. und rein histor. Umgangs mit den röm. Rechtsquellen bedeutete zugleich die Ausweitung der bisherigen Forschungsgebiete der Ro. in zwei Richtungen: Zum einen führt die von der Klass. Philol. übernommene, im Laufe des 19. Jh. immer mehr verfeinerte Editionstechnik zu einer histor. philol. Kritik der justinianischen Kompilation. Es ist die Geburtsstunde der sog. → Interpolationsforschung, welche wenigstens drei Generationen von Romanisten beeinflußte und beherrschte und in einer → Textstufenforschung zur Freilegung von immer neuen Tiefenschichten in der Textüberlieferung der Digesten führen sollte. Zum anderen gehören hierher die systematische Herausgabe und Auswertung einer unermeßlichen Masse an Papyrifunden (Josef Partsch, 1882–1925), welche die Arch. des Nahen Ostens zugänglich gemacht hatte. Durch diese Entdeckungen und philol. Leistungen ist die Ro. als Re. der röm. Rechtsquellen in der Forsch. seit Beginn des 20. Jh. ein Teil der Altertumswiss. und der Klass. Philol. geworden [38. 420f.]: Emil Seckel (1864–1925), Leopold Wenger (1874–1953), Fritz Schulz (1879–1957), Ernst Levy (1881–1968). Diese Standort-

veränderung der Disziplin erfaßte damals nicht nur die deutschsprachige Ro., sondern auch die it. [35; 40. 290–310]: etwa Salvatore Riccobono (1864–1958), Pietro De Francisci (1883–1971), Emilio Albertario (1886–1948), Vincenzo Arangio Ruiz (1881–1964). Die sog. Interpolationsforsch. und der damit verbundene Versuch der Reinigung der Digesten von den justinianischen Überarbeitungen und Veränderungen beherrschte in ganz Europa die romanistischen Studien der ersten H. des 20. Jh., und als »Forschungsmode« ist sie endgültig erst in den 1970er J. aufgegeben worden. Im Rückblick bleibt dabei festzuhalten [23; 8. 212f.; 39. 154–182], daß der Ertrag dieser Studien nicht überbewertet werden sollte: Neben einigen wichtigen philol. Ergebnissen war ein Großteil der damaligen Diskussionen und Auseinandersetzungen einseitig und offenbar durch Verwendung von rein syntaktischen und wortkritischen Kriterien methodisch nicht ganz abgesichert. Die damaligen Versuche der Einebnung und Bereinigung der Brüche und Widersprüche in der justinianischen Textüberlieferung führten zugleich zu fragwürdigen Kategoriebildungen sowohl bei der Rekonstruktion einzelner Rechtsinstitute als auch bei der Periodisierung, wie etwa die inzwischen z. T. aufgegebene Einteilung der Digestenfr. in »klass.« und »postklass.« Texte. An die Stelle dieser Bemühungen um die Freilegung vermeintlich unterschiedlicher Textstufen in der justinianischen Textüberlieferung sind in der Nachkriegszeit zunehmend Fragestellungen und Methoden aus der Sozial- und Wirtschaftsgeschichte der Ant. [39. 55–58] getreten (Antonio De Martino) sowie eine Wiederbelebung systematischer und dogmatischer Interessen (Max Kaser, 1906–1997; Giovanni Pugliese, 1914–1995). Hinzu kommt eine zunehmende Hinwendung zu Studien über die Persönlichkeit und das Werk einzelner röm. Juristen, etwa die grundlegende Unt. von Wolfgang Kunkel (1902–1981), *Herkunft und soziale Stellung der röm. Juristen*, 1952, ²1967. Seit den letzten Jahrzehnten zeigt sich eine wachsende Verlagerung der Forschungsthemen auf die Zeit der vorjustinianischen und nachjustinianischen Gesetzgebung sowie auf die Quellenüberlieferung des oström. Rechts von → Byzanz (Dieter Simon). Der Niedergang der allg. human. Bildung erklärt das vermehrte Aufkommen von mod. Übers. der Digesten (span., engl., niederländisch) in den letzten Jahrzehnten. Neuerdings werden die Institutionen und die Digesten in einem großen kollektiven Unternehmen ins Dt. übersetzt [4; 25] (Okko Behrends, Rolf Knütel, Berthold Kupisch, Hans Hermann Seiler; bisher Bd.I-III, 1990–1999). Die für die erste H. des 20. Jh. typische, fast ausschließlich philol. und histor. Selbstdefinition der Ro. und das Verbleiben vieler ihrer Vertreter als Hochschullehrer in den juristischen Fakultäten hat zu einer Aporie im wiss. Selbstverständnis des Faches und zu Auseinandersetzungen um dasselbe geführt.

D. Heutiger Forschungs- und Lehrbetrieb

Stellung und Aufgabe der Ro. und der Re. im gegenwärtigen universitären Forschungs- und Lehrbetrieb stehen h. im Vordergrund des Interesses aber auch der Auseinandersetzungen vieler Vertreter des Faches. In den Jahrzehnten nach dem II. Weltkrieg wurde von etlichen dt. Romanisten (Erich Genzmer, 1893–1970; Paul Koschaker, 1879–1951; Ernst Rabel, 1874–1955; Helmut Coing, 1913–2000; neuerdings Reinhard Zimmermann) die übernationale und im wesentlichen einheitliche Trad. des europ. *Ius Commune* eindringlich in Erinnerung gerufen [27; 40; 41], nämlich als Voraussetzung einer künftigen europ. Zivilrechtswissenschaft. Gegen eine solche vermeintliche rechtspolitische Inanspruchnahme der europ. Geschichte des röm. Gemeinen Rechts melden neuerdings andere Fachvertreter (etwa Dieter Nörr, Dieter Simon, Mario Bretone [6; 7]) erhebliche Bedenken an. Rechtshistor. Erkenntnisse seien histor. und nicht normative Aussagen. Ihnen könne deshalb keine Funktion in der Arbeit des Juristen am geltenden Recht zukommen. Die Ro. sei unwiderruflich eine rein histor. Wiss. geworden. Die gemeinrechtliche Trad. vor dem Kodifikationsalter sei deshalb kritisch in einer den histor. Abstand wahrenden sozial- und kulturhistor. Perspektive zu hinterfragen. Eine intensivere Erforsch. des wirklich praktizierten Rechts in spezifischen geogr. Landschaften würde das Bild eines angeblich einheitlichen europ. *Ius Commune* möglicherweise erheblich verändern (Pio Caroni).

Für eine Einordnung der Ro., als histor. Wiss. im Rahmen der Geschichte der Ant. und der Klass. Philol., ist etwa kürzlich ganz entschieden Mario Bretone eingetreten. Für ihn ist das Studium des röm. Rechts ›una disciplina storico-antichistica‹ (»eine histor.-antiquarische Disziplin«) [11. 48]. Die Wiederbelebungsversuche der gemeinrechtlichen und pandektistischen Lehrtrad. haben mit dem röm. Recht, histor. verstanden, nichts zu tun: ›Il fine che il neopandettismo persegue non è, se si guarda bene, la comprensione storica, ma la custodia o la ripresa di una tradizione, il riconoscimento della sua continuità millenaria, reale o fittizia che sia. Quel che conta è il »nucleo dogmatico-scolastico« della romanistica‹ (»Zweck der Neopandektistik ist, bei näherem Hinsehen, nicht das histor. Verständnis, sondern die Aufbewahrung oder Wiederaufnahme einer Trad., um die Bestätigung deren tausendjähriger Kontinuität es geht, unabhängig davon, ob es sich hierbei um Realität oder Fiktion handelt. Entscheidend ist also der »dogmatische, lehrmäßige Kern« der Romanistik.«) [11. 49]. Ganz kritisch, geradezu polemisch, hat neuerdings auch Regina Ogorek [11. 183–191] Stellung zu den Versuchen genommen, an die gemeinrechtliche Trad. des europ. *Ius Commune* anzuknüpfen, um eine künftige mod. europ. Zivilrechtswiss. zu entwickeln: Solche Anknüpfungspunkte seien völlig unhistorisch. Das röm. Recht sei kein autonomes und kohärentes System ableitbarer Regeln, welche die Jh. überlebt hätten; der Prozeß der Historisierung der Re. und der Ro. könne deshalb ohne

wesentliche Verluste im wiss. Standard nicht mehr rückgängig gemacht werden.

Im deutlichen Gegensatz zu den bisher zitierten Standpunkten stehen diejenigen Romanisten, welche der Überzeugung sind, daß für die gegenwärtigen Probleme des Zivilrechts und der Rechtsvergleichung eine Rückbesinnung auf die gemeinsame europ. Trad. des *Ius Commune* von zentraler Bed. ist. An erster Stelle ist hier Reinhard Zimmermann zu nennen [11. 281–321]. Ausgehend von den programmatischen Schriften Savignys skizziert er das Programm einer erneuerten »Histor. Rechtsschule«. Ihr obliege die Aufgabe einer Europäisierung der Zivilrechtswissenschaft. Nur durch die histor. Rückbesinnung auf die gemeinsame europ. Trad. des röm. Gemeinen Rechts sei ein angemessenes Verständnis für das geltende Recht erreichbar. Das Studium des röm. Gemeinen Rechts führe damit im Rahmen einer europ. Perspektive nahtlos in die Rechtsvergleichung [42. 36–38].

Eine Stellungnahme zur gegenwärtigen Auseinandersetzung in der heutigen Ro. fällt schwer. Man gewinnt gelegentlich den Eindruck, daß manche Beiträge in einer vielleicht übersteigerten Polemik aneinander vorbeireden. Es scheint, daß eine differenziertere Sicht der aufgeworfenen Fragen die Fronten bereinigen und manche Vorwürfe eher klären würde. Das Verhältnis zw. Ro. und geltendem Recht im Rechtsunterricht und im Forschungsbetrieb läßt sich nicht allg. und abstrakt erörtern, ohne auch die national verschiedenen, jeweils histor. bedingten Voraussetzungen in Hochschulunterricht und -wissenschaft zu berücksichtigen. Die histor. gewachsene Verbindung zw. Unterricht im geltenden Recht und in den rechtshistor. Fächern, typisch für die dt. Univ. seit dem 19. Jh., sowie – allerdings weniger – für die österr. und Schweizer Rechtsfakultäten, hat das Problem für die dt. Rechtshistoriker bes. verschärft. Es ist kein Zufall, daß ein Großteil der Diskussion gerade zu der vermeintlich »applikativen« Funktion der Re. für die heutige Rechtsdogmatik v. a. eine deutschsprachige Diskussion war und bis heute geblieben ist. In der it. Univ., aber nicht nur hier, sondern in nahezu sämtlichen romanischen Ländern, ist eine Verbindung zw. rechtshistor. Fächern und Fächern des geltenden Rechts nahezu unbekannt, war vielleicht nur bei einigen it. Romanisten in den 1920er oder 1930er Jahren noch z. T. vorhanden (Vittorio Scialoja, 1856–1933; Emilio Betti, 1890–1968). Dies prägt den heutigen Stand der Diskussion bei den it. Rechtshistorikern und bedingt zudem wesentliche Konsequenzen für die Realität des rechtshistor. und romanistischen Unterrichts- und Forschungsbetriebs in Italien. Die Historisierung der it. Re. und v. a. der it. Ro. ist inzwischen so weit fortgeschritten, daß eine realistische Durchsicht von Themen in Unterricht und Forsch. gelegentlich den Eindruck erweckt, daß die it. Rechtshistoriker und Romanisten, wenigstens ideell, von den juristischen Fakultäten in die histor. umgesiedelt sind. Ähnlich ist die Situation an den span. Universitäten. In Frankreich ist der Unterricht im röm. Recht in den juristischen Fakultäten h. praktisch verschwunden. Eine solche uneingeschränkte Orientierung und Einordnung der Re., insbesondere der Ro., in die allg. Geschichte [39. 53–58] ist zwar aus der Perspektive der Forsch. legitim, bleibt aber fraglich, solange Rechtshistoriker Unterricht in einer juristischen Fakultät anbieten wollen. Ohne Studenten und Kollegen Funktion und Bedeutung von rechtshistor. Reflexion für das Rechtssystem angemessen zu verdeutlichen und glaubhaft zu machen, ist die weitere Existenz eines rechtshistor. Unterrichts im Rahmen der mod. Juristenausbildung mehr als fraglich. Eine noch weitere Technokratisierung der Juristenausbildung, ein verhängnisvoller Verlust an histor. Reflexionsbereitschaft bei dem juristischen Nachwuchs und nicht zuletzt die endgültige Verlagerung der rechtshistor. Disziplinen in die Philos. Fakultäten wären die Folge. Eine Folge übrigens, die manche radikalen Befürworter der Historisierung der Ro. ausdrücklich erwarten und wünschen.

Auch die Formulierung des Problems als Frage des Verhältnisses zw. Ro. und mod. Rechtsdogmatik bzw. als Frage der »applikativen« oder historisierenden, »kontemplativen« Funktion der Re. (Franz Wieacker, 1909–1994) trägt wahrscheinlich in dieser Allgemeinheit nicht zu einer angemessenen Differenzierung bei. Zu diskutieren wäre, ob es sinnvoll ist, ohne Differenzierungen von einem Einheitsproblem »Privatrecht« zu sprechen. Das Problem des Verhältnisses zw. Ro., Re. und heutiger Zivilrechtsdogmatik stellt sich nämlich je nach Rechtsgebiet und Thema unter völlig verschiedenen Voraussetzungen. Die Frage reduziert sich letztlich auf bestimmte klass. Gebiete des Zivilrechts, hier insbes. auf das → Schuldrecht und auf das allg. Vertragsrecht. Wenn die Frage so präzisiert wird, läßt sich allerdings nicht leugnen, daß die kontinentale Privatrechtskultur der Systeme von *Civil Law* noch in einem durch die röm. Rechtstexte geprägten histor. Gesamtzusammenhang gesehen und verstanden werden kann und muß. Die naturrechtlichen → Kodifikationen des Zivilrechts am E. des 18. Jh. brechen zwar mit der gemeinrechtlichen Rechtsquellenlehre ab, sie bedeuten jedoch nicht zugleich eine radikale Veränderung in der kontinentalen Rechts- und Argumentationskultur. Es sei hier daran erinnert, daß die gemeinsame europ. Geschichte des kontinentalen *Ius Commune* primär nicht in der Anwendung identischer röm. Rechtsregeln bestand; d. h., das europ. *Ius Commune* stellte keine uniforme Rechtspraxis dar, sondern bestand v. a. in einer gemeinsamen wiss., bes. universitären Tradition. Die Einmaligkeit der europ. gemeinrechtlichen Trad. lag gerade darin, daß es der universitäre wiss. Zugang zu den röm. Rechtstexten war, der einen Traditions- und Diskussionszusammenhang schuf, worauf sich die lokale Vielfalt von Rechtspraxis und Rechtsprofession entwickeln und stützen konnte [30]. Mißverständlich ist bei manchen heutigen Romanisten (etwa [25]), aber nicht zuletzt auch bei vielen Kritikern derselben (etwa [10]), die Vorstellung, daß die wiss. Wiederanknüpfung an die histor. kontinentale

Trad. des röm. Gemeinen Rechts in der Ermittlung und dem Aufspüren identischer oder ähnlicher Lösungen oder Rechtsfiguren bestehen soll. Im Vordergrund stehen hier vielmehr die Denkweise, die unbewußten Argumentationsstrukturen, welche den kontinentalen Juristen auszeichnen und charakterisieren. Solche Denkstrukturen wurden häufig unbewußt über Unterricht und Praxis vermittelt [31] und dauern bis h. über Generationen hinweg als wesentliches Charaktermerkmal der kontinentalen Zivilrechtsordnungen fort.

Insoweit ist die Frage nach dem Verhältnis zw. Re. und Rechtsdogmatik wahrscheinlich umzuformulieren. Es handelt sich hier also letztendlich um eine Frage der Rechtsquellenlehre, inwieweit nämlich im heutigen kontinentalen Recht, unter den Bedingungen des mod. Verfassungs- und Justizstaats, dem Juristen, v. a. dem Zivilisten, noch eine schöpferische Wertungs- und Entwicklungsaufgabe bei der Rechtsfindung zukommt. Dies ist sicher für manche klass. Gebiete des Zivilrechts, insbesondere des Vertrags- und Schuldrechts, heute noch der Fall. Die histor. Kodifikationen stellen hier keinesfalls einen endgültigen Bruch in der kontinentalen Rechtskultur dar. Eine realistische Betrachtung etwa der Rolle der Rechtsprechung bei der Fortbildung und Entwicklung des frz. Zivilrechts des 19. und 20. Jh. würde geradezu das Gegenteil belegen. Die gesetzlichen Normen mancher histor. gewordenen Gesetzbücher stellen heute ein juristisches Argument besonderer Dignität dar, aber auch nicht mehr. Insoweit wird zu Recht darauf verwiesen [30], daß eine histor. Besinnung auf die europ. gemeinsame gemeinrechtliche Trad., welche – hier sei es nochmals nachdrücklich betont – v. a. eine wiss. und universitäre war, einen Weg eröffnen kann, die Verständigung zw. den kontinentalen Juristen zu erleichtern. Selbstverständlich ist es zugleich vollkommen legitim, das Rechtsleben der Ant., des MA und der europ. Neuzeit auch als Thema für die Sozial- und Kulturgeschichte zu sehen und zu erforschen. Entscheidend ist hier nämlich immer wieder das jeweilige Erkenntnisinteresse des Forschers und des Lehrers. Aus der Sicht des Zivilisten und des Rechtsvergleichers bleibt es demnach allerdings genauso legitim, ein juristisches und zugleich histor. und rechtstheoretisches Erkenntnisinteresse zu verfolgen und daran zu erinnern, wie gegenwärtig, wenn auch häufig unbewußt, längst verschüttet geglaubte gemeinrechtliche Denkstrukturen und Denkformen im Denken des kontinentalen Juristen heute noch sind [31]. Es gebt nicht, wie manche Autoren polemisch glauben lassen wollen [10; 11. 183–191], um eine histor. Aktualisierung der röm. Rechtsquellen, der Lehren der Pandektistik oder gar des *Usus modernus*. Historischen Studien zu juristischen Methoden, Arbeitsweise und Rechtsdenken des kontinentalen Juristen [31], auch und v. a. unter Einbeziehung der Trad. des röm. Gemeinen Rechts jenseits der Kodifikationsgrenze, würden uns den Weg zum besseren Verständnis des *Civil Law* eröffnen und zugleich zeigen, wie Re. auch heute mod. Juristen ansprechen und die Ein-

sicht in die Funktion histor. Erkenntnisse für das Verständnis des heutigen Zivilrechts vermitteln kann.
→ AWI Recht

1 V. ARANGIO RUIZ, Gli studi di storia del diritto romano, in: Cinquant'anni di vita intellettuale italiana 1896–1946, ²1966, 373 ff. 2 O. BEHRENDS, Das Werk Otto Lenels und die Kontinuität der romanistischen Fragestellungen. Zugleich ein Beitr. zur grundsätzlichen Überwindung der interpolationistischen Methode, in: Index 19, 1991, 169 ff. 3 Ders., Die Grundbegriffe der Ro. Zugleich eine Warnung vor dem »l'art pour l'art«, Index 24, 1996, 1 ff. 4 Ders., La nuova traduzione tedesca dei »Digesta« e la critica interpolazionistica, Index 25, 1997, 13 ff. 5 L. BREUNUNG, Ro. in der Weimarer Republik. Das »Selbstbild« einer Disziplin, in: ZRG Rom. Abt. 116, 1999, 279–312 6 M. BRETONE, La storia del diritto romano e la romanistica come storia, in: Index 23, 1995, 347 ff. 7 Ders., La »coscienza ironica« della romanistica, in: Norm und Trad., 35–55 (auch in: Labeo 43, 1997, 187–201) 8 A. BÜRGE, Röm. Privatrecht. Rechtsdenken und gesellschaftliche Verankerung. Eine Einführung, 1999, 204–214 9 P. CARONI, La romanistica svizzera ottocentesca fra »irregolarità« e conferme, in: Index 23, 1995, 83 ff. 10 Ders., Der Schiffbruch der Geschichtlichkeit: Anm. zum Neo-Pandektismus, in: Zschr. für neuere Re. 14, 1994, 85 ff. 11 Ders., G. DILCHER (Hrsg.), Norm und Trad. Welche Geschichtlichkeit für die Re.?, 1998 12 A. FERNANDEZ-BARREIRO, Los estudios de derecho romano en Francia despues del codigo de Napoleon, 1970 13 T. GIARO, L'art de comparer les cas, in: SDHI 60, 1994, 507 ff. 14 Ders., Geltung und Fortgeltung des röm. Juristenrechts, in: ZRG Rom. Abt. 111, 1994, 66 ff. 15 Ders., Zivilistik als Gesch. und Theorie, in: Rechtshistor. Journal 14, 1995, 345 ff. 16 Ders., Röm. Recht, Ro. und Rechtsraum Europa, in: Ius Commune 22, 1995, 1 ff. 17 Ders., Über methodologische Werkmittel der Ro., in: ZRG Rom. Abt. 115, 1998, 180 ff. 18 Ders., Dogmatische Wahrheit und Zeitlosigkeit in der röm. Jurisprudenz, in: Bullettino, Terza Serie 29, 1990, 1 ff. 19 G. GROSSO, Premesse generali al corso di diritto romano, 1960, 1–61 20 Ders., Sguardo retrospettivo all'opera di Emilio Albertario, in: Scritti Antonio Giuffrè, 1967, 567 ff. 21 E. HÖBENREICH, A propos »Ant. Re.«: Einige Bemerkungen zur Polemik zw. Ludwig Mitteis und Leopold Wenger, in: ZRG Rom. Abt. 109, 1992, 547 ff. 22 M. KASER, Zur Methodik der röm. Rechtsquellenforsch., 1974 23 Ders., Ein Jh. Interpolationenforsch. an den röm. Rechtsquellen, 1979 (auch in: Ders., Röm. Rechtsquellen und angewandte Juristenmethode, 1986, 112–154) 24 D. KLIPPEL, s.v. Re., in: Kompass der Geschichtswiss. Ein Hdb., hrsg. v. J. EIBACH, G. LOTTES, 2002, 126–141, Bibliogr. 171–173 25 R. KNÜTEL, Tradurre il »Corpus iuris«. I problemi della traduzione giuridica, in: Index 25, 1997, 1 ff. 26 G. KÖBLER, Zur Gesch. der röm. Re., in: Geschichtliche Rechtswiss. Freundesgabe für Alfred Söllner, 1990, 207 ff. 27 P KOSCHAKER, Europa und das Röm. Recht, 1948, ³1966 28 R. OGOREK, Re. in der Bundesrepublik (1945–1990), in: D. SIMON (Hrsg.), Rechtswiss. in der Bonner Republik. Stud. zur Wissenschaftsgesch. der Jurisprudenz, 1994, 12–99 29 R. ORESTANO, Diritto romano tradizione romanistica e studio storico del diritto, in: Riv. italiana per le scienze giuridiche 1950, 162 ff. 30 F. RANIERI, Der europ. Jurist.

Rechtshistor. Forschungsthema und rechtspolit. Aufgabe, in: Ius Commune 17, 1990, 1–25 31 Ders., Das Reichskammergericht und der gemeinrechtliche Ursprung der dt. zivilrechtlichen Argumentationstechnik, in: Zschr. für Europ. Privatrecht, 1997, 718–734 32 D. SIMON, Ernst Levy (1881–1968), in: B. DIESTELKAMP, M. STOLLEIS (Hrsg.), Juristen an der Univ. Frankfurt a.M., 1989, 94 ff. 33 Ders., Die dt. Wiss. vom röm. Recht nach 1933, in: M. STOLLEIS, D. SIMON (Hrsg.), Re. im Nationalsozialismus, 1990, 161 ff. 34 M. TALAMANCA, La romanistica italiana fra Otto e Novecento, in: Index 23, 1995, 159 ff. 35 Ders., Un secolo di »Bullettino«, in: Bullettino. Terza Serie 30, 1991, 9–147 36 C. VANO, »Il nostro autentico Gaio«. Strategie della scuola storica alle origini della romanistica moderna, 2000 37 F. WIEACKER, Textkritik und Sachforsch., in: ZRG Rom. Abt. 91, 1974, 1–40 38 WIEACKER, PGN, 161–169, 416–430 39 WIEACKER, RRG, 3–182 (insbes. 36–59; grundlegend, mit umfassender Bibliogr.) 40 R. ZIMMERMANN, Savignys Vermächtnis. Re., Rechtsvergleichung und die Begründung einer europ. Rechtswiss., in: Norm und Trad., 281–320 (auch in: Tübinger Universitätsreden. N. F., Bd. 23, 1998) 41 Ders., Heutiges Recht, Röm. Recht und heutiges Röm. Recht. Die Gesch. einer Emanzipation durch »Auseinanderdenken«, in: Re. und Privatrechtsdogmatik, 2000, 1–39 (insbes. 17–28 mit weiteren Nachweisen) 42 Ders., »In der Schule von Ludwig Mitteis«. Ernst Rabels rechtshistor. Ursprünge, in: Rabels Zschr. für ausländisches und internationales Privatrecht 65, 2001, 1–38 (insbes. 5–31 mit umfassenden Nachweisen) 43 W. ZWALVE, Teaching Roman Law in the Netherlands, in: Zschr. für Europ. Privatrecht 1997, 393–404.   FILIPPO RANIERI

Romantik I. DEUTSCHLAND   II. ENGLAND   III. FRANKREICH   IV. ITALIEN

I. DEUTSCHLAND
A. ALLGEMEINE BEGRIFFSBESTIMMUNG UND SYSTEMATISCHE VORKLÄRUNGEN
B. VERSCHIEBUNG AUF DAS FELD DES TRANSZENDENTALEN   C. NEUE MYTHOLOGIE
D. POETISCHE EINLÖSUNGEN

A. ALLGEMEINE BEGRIFFSBESTIMMUNG UND SYSTEMATISCHE VORKLÄRUNGEN

Versucht man das Spezifische romantischer Ant.-Rezeption im Verhältnis zur vorausliegenden lit. Trad. in Deutschland zu bestimmen, so zeichnet sich als augenfälligstes Novum die Entlassung »der Alten« aus der bis dahin unbestrittenen Position der ästhetischen Norm ab. Infragegestellt hatte man die künstlerische und lit. Autorität ant. Muster auch schon vor der R., etwa in der im 17. Jh. von Frankreich ausgehenden → Querelle des Anciens et des Modernes oder Mitte des 18. Jh. in der Genieästhetik des Sturm und Drang; gleichwohl legt gerade der (wenn nicht imitative, so doch aemulative) *Querelle*-Gestus, der die Ant. monolithisch in den Rang der Konkurrentin der Moderne zitiert, Zeugnis ab von der ungebrochenen Geltung ant. Vorbilder, überdies suchen die Gegenbewegungen ihre Leitfiguren ihrerseits vielfach im ant. Kanon (etwa Pindar als »Gegennorm«

des Sturm und Drang). An die Stelle solcherart positiv oder negativ bestimmter Normativität setzt die R. einen prinzipiell anderen Modus des Umgangs mit der Ant.; dennoch wäre es unzutreffend und bedeutete eine Simplifizierung, in Opposition zu einer »klass.« Ausrichtung an der (seit J.J. Winckelmann v.a. griech.) Ant. eine romantische Abkehr von »den Alten« zu postulieren. Vielmehr läßt sich pointiert mit ebensogutem oder größerem Recht die Geburt der romantischen Bewegung und ihrer poetisch-poetologischen Programmatik aus der Ant. (freilich weniger aus ihrem »Geist« als aus ihren »Buchstaben«) behaupten, zieht man etwa F. Schlegels noch vorromantischen Aufsatz *Über das Studium der Griech. Poesie* (1795/1797) in Betracht oder die 1798 von den Brüdern Schlegel als frühromantisches Forum begründete Zeitschrift *Athenaeum*, die bereits der ›auffallend antikisierende Name‹ [7. 5] verrät (lat. *Athenaeum* hieß zunächst ein Athene-Tempel in Athen, in dem Dichter und Gelehrte ihre Werke vorlasen, davon abgeleitet die Bezeichnung einer von Kaiser Hadrian begründeten Akad. zur Förderung der Wiss. und Künste). Denn die führenden Köpfe der um das *Athenaeum* zentrierten Jenaer und Berliner Früh-R. sind – wie später F. Nietzsche – von Hause aus Klass. Philologen: A.W. Schlegel studierte 1786–1791, sein jüngerer Bruder 1790/91 Klass. Philol. bei C.G. Heyne, L. Tieck 1792–1794 bei dem berühmten Homer-Philologen F.A. Wolf sowie gleichfalls bei Heyne [13. 18–38]; F. Schlegels Schriften vor dem *Studium*-Aufsatz tragen Titel wie *Von den Schulen der griech. Poesie, Vom ästhetischen Werte der griech. Kom.* (beide 1794), *Vom Wert des Studiums der Griechen und Römer* (1795), in dem Aufsatz *Über die Homerische Poesie* (1796) setzte er sich mit Wolfs aufsehenerregenden *Prolegomena ad Homerum* (1795) auseinander [8], seine (verschollene) Jenaer Habilitationsschrift handelte *De Platone* (1801) [6. 187, Anm. 81]; von 1799 an plante er zusammen mit F. Schleiermacher eine Übers. der platonischen Dialoge, die 1804–1828 von Schleiermacher allein realisiert wurde.

Diese in ihren Ursprüngen nicht so sehr literaturtheoretische als gelehrt-philol. Auseinandersetzung mit den ant. Texten, die weniger im Zeichen von ›Nachahmung‹ (Winckelmann) als von ›Studium‹ stand, mündete aber – anders als in der ohne dieses im strengen Sinn philol. Fundament auskommenden Klassik [9] – nicht in eine sei es verehrende, sei es kritisch respektierende Haltung gegenüber einer »intakten«, als Ganzes sui generis wahrgenommenen Antike. Nach einer den *Querelle*-Gestus fortsetzenden und kritisch auf die Spitze treibenden Konfrontation von als defizient (aber zugleich ›interessant‹ [1. 222 u.ö.] und daher progressionsfähig) empfundener Moderne und vollkommener (und daher im positiven wie negativen Sinn abgeschlossener) Ant. in F. Schlegels *Studium*-Aufsatz [15] speiste sie vielmehr das ant. Traditionspotential als eines unter anderen in das integrative und per definitionem unendlich erweiterbare Konzept einer romantischen ›Universalpoesie‹ [2. 182] ein. An die Stelle einer die normativen Mu-

ster unversehrt lassenden respektvollen Distanz tritt damit ein Modell performativer Interaktion, die sich im Modus sowohl ›radikaler Deformation‹ als auch ›schöpferischer Instrumentalisierung‹ [26. 249] entfalten kann, in jedem Fall aber die bis dahin von allen anderen, in ihrer Historizität relativierten Trad. absolut geschiedene Ant. in einen dehierarchisierenden Prozeß der Traditionsmischung involviert. Damit einher geht eine ebenso prozessual sich vollziehende begriffliche Entgrenzung. So formuliert F. Schlegel in der Vorrede zum vorromantischen *Studium*-Aufsatz sein Ziel noch relational (›das *Verhältnis der ant. Poesie zur mod.*, und den Zweck des Studiums der klass. Poesie überhaupt und für unser Zeitalter insbesondre zu bestimmen‹ [1. 207]), während der nun bereits romantische Programmatiker Novalis um 1798 in einem Essay über Goethe (nicht über die Griechen!) die Relation ant./mod. transzendental verflüssigt: ›Denn man irrt sehr, wenn man glaubt, daß es Antiken giebt. Erst jezt fängt die Ant. an zu entstehen. Sie wird unter den Augen und der Seele des Künstlers. Die Reste des Alterthums sind nur die specifischen Reitze zur Bildung der Antike. (...) Der classischen Litteratur geht es, wie der Antike; sie ist uns eigentlich nicht gegeben – sie ist nicht vorhanden – sondern sie soll von uns erst hervorgebracht werden. Durch fleißiges und geistvolles Studium der Alten entsteht erst eine klassische Litteratur für uns – die die Alten selbst nicht hatten‹ [4. 640, 642].

Indem sich so romantische Ant.-Rezeption als ein Projekt der Dehierarchisierung und Denormativierung, der begrifflichen Entgrenzung und der bis in die eigene Gegenwart und Zukunft hineinreichenden Verzeitlichung einer bis dahin in ihrer Klassizität zeitlos gültigen Ant. darstellt, erweist sich zugleich aber auch die literaturgeschichtliche Klassifizierung als ungleich komplizierter. Während die Bestimmung dessen, was klassizistische Ant.-Rezeption sei, aufgrund einer vergleichsweise homogenen Programmatik allenfalls graduell davon abhängen wird, welche Autoren und Texte man als repräsentativ in den Zeugenstand ruft, ergeben sich aus der programmatischen Heterogenität romantischer Ant.-Rezeption je nach personeller Konstellierung beträchtliche qualitative Unterschiede. So ist ihrer begrifflichen Bestimmung notwendig die Klärung des je zugrundegelegten R.-Begriffs vorgeschaltet, und je nachdem, ob man etwa Kleist oder Hölderlin der R. zurechnet oder nicht, ob man den Akzent stärker auf die poetologisch-programmatische Früh-R. um die Brüder Schlegel, Novalis, Schleiermacher, Tieck und Wackenroder legt oder auf die dominant poetische spätere R. (Brentano, Arnim, E.T.A. Hoffmann, Eichendorff und nochmals Tieck), wird das begrifflich zu Fassende unterschiedliche Konturen annehmen. Insofern ist es durchaus konsequent, daß eine übergreifende systematische Unt. romantischer Ant.-Rezeption bislang aussteht, die Forsch. sich vielmehr einzelnen romantischen Ant.-Rezeptionen zugewandt hat.

B. Verschiebung auf das Feld des Transzendentalen

Mit der transzendentalen Verschiebung des Rezeptionsmodus vom Gegenständlich-Objektbezogenen auf das Feld performativer Interaktion, wie sie stellvertretend für die Früh-R. das angeführte Novalis-Zitat formuliert, verschiebt sich zugleich auch der Gegenstand romantischer Ant.-Rezeption selbst ins Mediale. Nicht Autor, Einzelwerk, Gattung oder eine bestimmte Periode der griech. Literaturgeschichte stellen die Bezugsgrößen dar (wiewohl A. W. Schlegel – aber eben nicht mehr in normativer Exklusivität – den euripideischen *Ion* »modernisiert« oder im *Athenaeum* eine antikisierende ›Elegie an Goethe‹, *Die Kunst der Griechen*, veröffentlicht [19]); im Zentrum des Rezeptionsinteresses stehen vielmehr zw. Kunst und Leben, Poesie und Philos. schwebende Modi transzendentalpoetischer Darstellung: griech. Myth., Mysterientrad., platonische Dialogführung, sokratische Ironie. Aus ihnen entwickeln sich, gleichfalls auf der Schwelle von Lit. und Leben, programmatisch-diskursiver und performativ-poetischer Rede, romantische Projekte: von F. Schlegels in einem platonischen *Gespräch über die Poesie* vorgetragener *Rede über die Myth.*, in der in zirkulärer Divinatorik eine Neue Myth. postuliert und zugleich ihr Anbruch diagnostiziert wird, bis hin zur hermetischen Selbstinszenierung der Romantiker als Mysterienbund in orphischer und (neu)platonischer Tradition. Im Brennpunkt romantischen Interesses steht nicht zufällig Platon, wobei sich die Aufmerksamkeit weniger auf die aus seinen Dialogen positiv abstrahierbaren philos. Lehrinhalte richtet (etwa auf die platonische Ideenlehre aus der Perspektive des Idealismus) als auf die dialogische Performanz, auf seine poetischen Strategien, dem Undarstellbaren in adäquaten (Nicht-)Darstellungsmodi zu begegnen: das Changieren der Rede zw. ›poetischen Philosophemen‹ und ›philos. Poemen‹ [1. 332], das Ausweichen der platonischen Sokratesfigur in mythisch-enthusiastisches und komplementär dazu ironisches Sprechen, beides zum Zweck der Vermeidung diskursiver Letztaussagen. Ja in F. Schlegels (retrospektiv systematisierender) Vorlesung *Die Entwicklung der Philos. in zwölf Büchern* von 1804/05 avanciert Platon mit der Annahme, ›die unendliche höchste Realität könne der Mensch (...) nur negativ, indirekt und unvollkommen erkennen‹ [3. 208], regelrecht zum geistigen Paten philos.-poetischer Darstellungsstrategien der Früh-R.: ›Plato hatte nur eine Philos., aber kein System; und wie die Philos. selbst mehr ein Streben nach Wiss., als eine vollendete Wiss. ist, findet sich dieses auch bei ihm in einem vorzüglichen Grade. (...) Geben (seine Werke) gleich nichts absolut Vollendetes, entweder weil Plato als durchaus progressiver Denker mit seiner Philos. oder mit ihrer Darstellung nicht fertig ward, so zeigen sie uns doch die ganze Tendenz seines Geistes in der schönsten, kräftigsten Fülle‹ [3. 209, 211]. Als ›rückwärts gekehrter Prophet‹ [2. 176] entfaltet Schlegel aus dem ant. Philosophen, statt ihn zum normativen Zentrum zu erheben,

ein progressiv-romantisches Potential, die begriffliche und gedankliche Affinität zu zahlreichen frühromantischen Fragmenten (z. B. Athenaeumsfr. 53, 116) sowie zur Programmatik des Fragmentarischen an sich ist markant. Im Verhältnis zu dieser frühromantischen Freisetzung und Aneignung eines »mod.«-progressiven Potentials, die (in einem »de-konstruktiven« Gestus) zugleich die Zersetzung der ant. Autor-Autorität impliziert, läßt sich ein wesentliches Differenzmoment zur zeitgleichen Platonrezeption F. Hölderlins bestimmen (die ihrerseits auf das klass. Ant.-Bild repliziert). Sein 1797–1799 erschienener Briefroman *Hyperion oder Der Eremit in Griechenland* vereinnahmt nicht eine aus dem traditionsgeschichtlichen Zentrum gerückte Ant. zugunsten der romantischen »Moderne«, sondern verhält sich »exzentrisch«: ›Hölderlin zerrt Hyperions Griechenland dahin, wo es nicht ist, dafür aber erreichbar: nach Deutschland und in die Gegenwart, in ein zweifaches Exil‹ [14. 52f.]. Er zitiert in der (auf Platons *Symposion* verweisenden und insofern »intakt« transponierten) Figur der Diotima das Andere platonisch inspirierter Ant. in den um 1770 beginnenden griech. Freiheitskampf, in eine Gegenwart der Nicht-Existenz Griechenlands also, dem eine imaginäre Existenz allein in der Griechenlandsehnsucht der dt. Klassik zuteil wird; »Griechenland« ist nicht ein in sich ruhender Ort, sondern ereignet sich in räumlicher und diachroner Spannung, der gegenläufig und dissonant Hyperions Adressierung seiner Briefe von Griechenland nach Deutschland antwortet.

C. Neue Mythologie

In der Forsch. wird der im *Ältesten Systemprogramm des dt. Idealismus* (1797) und dann v. a. in F. Schlegels *Rede über die Myth.* (1800) inaugurierte Entwurf einer Neuen Myth. als Hauptfeld produktiver romantischer Ant.-Rezeption wahrgenommen (weiterführende Lit: [22. 391]); in komplementärem Spannungsverhältnis zum exoterischen Mythologiekonzept, einem ›Extremfall poetologischer Allmachtsphantasie‹ [17. 15] mit dem universalen Fernziel, ›die Welt‹ zu ›romantisiren‹ [4. 545], sieht man neuerdings die esoterische Selbstinszenierung eines elitären Intellektuellenzirkels im Gewand ant. Mysterienkulte [20]. Die Neue Myth. versucht Schlegels fiktiver Sprecher zu fassen als ›mütterlichen Boden‹, ›Himmel‹ und ›lebendige Luft‹, als ›Mittelpunkt‹ ›unsrer Poesie‹, als ›ein neues Bette und Gefäß für den alten ewigen Urquell der Poesie und selbst das unendliche Gedicht, welches die Keime aller andern Gedichte verhüllt‹ [2. 312] – ein ›Begriffs- und Metapherngetümmel, (...) das den Leser taumeln macht‹ [22. 385] und ihn so im Akt des Lesens in die erst beschworene ›schöne Verwirrung der Fantasie‹ taucht, deren ›Symbol‹ ›das bunte Gewimmel der alten Götter‹ sei [2. 319]. Das Tertium comparationis zw. der ›alten ehemaligen‹, unmittelbar an die sinnliche Welt sich anschließenden ant. Myth. und der neuen, die ›im Gegenteil (...) das künstlichste aller Kunstwerke‹ sein müsse [2. 312], wird in dieser selbst schon logozentrisch nicht faßbaren »mythischen« Rede nicht begrifflich festgeschrieben, sondern in einer offenen Relation gefaßt: im analogischen Modus des »wie«. Einen Schlüssel zum Konzept der Neuen Myth. bietet nicht zufällig wiederum die Philol., nämlich Wolfs *Prolegomena ad Homerum*, die streng wiss. auf textkritischer Basis den einen Dichter Homer in die ›Heterogenität einer jahrhundertelangen Entstehungs- und Überlieferungsgeschichte‹ auflösten [17. 16]. Diesen philol.-analytischen Gestus der Zergliederung greift F. Schlegel (anders als die Klassiker Goethe, Schiller, J. H. Voß) produktiv auf und münzt ihn in ›spekulativer Resynthetisierung‹ [17. 19] um in einen Entwurf kollektiven, die festen Größen Autor und Werk auflösenden Dichtens im Zeichen eines pluralisierten Homer. ›Während die *Prolegomena* Homer als histor. Figur beseitigen, entsteht er im Kontext der »Neuen Myth.« als philos. Gestalt neu‹ und wird ›zur Metonymie einer neuen Ästhetik‹ [17. 19, 21]. Fortgeführt zu einem gesellschaftlich in eine Versöhnungsutopie gewendeten Konzept Neuer Myth., das in der Idee kollektiver Individualität gründet, wird dies von F. W. J. Schelling in der Vorlesung *Philosophie der Kunst* (1802/03) – weiterhin unter der (nun aus ὁμοῦ und ἀραρίσκω zu »der in Einheit Fügende« etymologisierten) Chiffre ›Homeros‹.

D. POETISCHE EINLÖSUNGEN

Insofern Schlegels *Rede über die Myth.* sich als *self-fulfilling prophecy* entwirft, ihre ›Theorie‹ in der poetischen Amalgamierung von alter Poesie und Naturphilos. mit neuer Philol. und Philos. epiphanisch als θεωρία ›im ursprünglichen Sinne des Wortes‹ [2. 337] selbst schon in Erscheinung treten läßt, ist die Frage nach poetischer Einlösung falsch gestellt. Setzt man sich über diese Grundsatzbedenken hinweg, so läßt sich im programmatischen Horizont der Neuen Myth. am ehesten Klingsohrs Märchen am E. des ersten Teiles von Novalis' fragmentarischem Roman *Heinrich von Ofterdingen* (1800/1802) lesen, das ant., nordische und christl. Mythologeme mit alchemischen und modernsten physikalischen Ingredienzien zu einer Art Science-fiction legiert. Gerade an diesem Text werden freilich auch die Grenzen poetischer Applikation und der damit verbundenen Verschiebung vom Modus heterogenisierter Rede zur synkretistischen Amalgamierung heterogener Materialien zu einer Neuen Myth. sichtbar (Problem einer tendenziell hermetischen ›Privatmyth.‹ [22. 389]). In der Folgezeit gehen die poetischen Texte der R. andere Wege, rekurrieren auf tradierte Mythologeme, allerdings in einer Weise, die den doppelten Gestus der Neuen Myth. von analytischer Zergliederung und polyphoner Resynthetisierung strukturell fortführt. Nicht einzelne mythologische Geschichten oder Gestalten stehen im Zentrum des Rezeptionsinteresses, sondern das mediale, prozessuale, metamorphotische Potential der Myth., ›dieses Anbilden und Umbilden‹ als ›eben ihr eigentümliches Verfahren, ihr innres Leben, ihre Methode‹ [2. 318]. Entsprechend werden Mythen bevorzugt, denen ein solches medial-reflexives Moment eignet, wobei die Prädominanz der griech. über die lat.

Prätexte teilweise revidiert wird. Eine entscheidende Rolle kommt etwa Ovids *Metamorphosen* zu, die ihr Entwurf als nur willkürlich sistierbares *perpetuum carmen* (Ov. met. 1,4) bereits konzeptuell in die Nähe romantischer Programmatik rückt. Beispiele solcher Romantisierung ant. Mythologeme wären: die ihrerseits in ein komplexes narratives Spiegelszenario eingelassene, die Narziß-Echo-Geschichte neu konstellierende Ballade von der Lore Lay in C. Brentanos ›verwildertem Roman‹ *Godwi oder Das steinerne Bild der Mutter* (1801/02) [16. 210–220]; die Transformation des Pygmalion-Mythos vom teleologischen Modell der Verlebendigung zur Wechselrelation einer das »Urbild« vervielfältigenden Doppelgängergenese in E. T. A. Hoffmanns *Die Elixiere des Teufels* (1815/16) [16. 318f.]; die ›schöne Heydinn‹ [5. 146] Romana in J. v. Eichendorffs *Ahnung und Gegenwart* (1815), die in einem ›Tableau die griech. (…) lebenslustige, vor dem Glanz des Christenthums zu Stein gewordene Religion der Phantasie‹ [5. 141] darstellt, folgerichtig im Roman auch zu Tode kommt, zugleich jedoch in ihrem Namen die (die Epochenbezeichnung stiftende) romantische Gattung schlechthin trägt; die ikonographische Überblendung von Venus und Maria in Eichendorffs Erzählung *Das Marmorbild* (1818) [25]. Strukturell gemeinsam ist diesen Rezeptionen das atomisierende Aufbrechen tradierter Mythologeme, die so für neue Konnotationen, Motivlegierungen, Sinnverbindungen offen werden, ohne ihr urspr. Bedeutungspotential preiszugeben. Gegenüber solchen »de-konstruktiven« Verfahren der Sinndispersion akzentuieren H. v. Kleists Mythendramen *Amphitryon* (1807) und *Penthesilea* (1808), die den ant. Mythos als äußerlich intakten auf die mod. Bühne zitieren, stärker den destruktiven Aspekt, wenn etwa Penthesilea in der Zerfleischung Achills am E. des Trauerspiels nicht nur das klass.-ideale Ant.-Bild, sondern auch das eigene Spiegel- und Selbstbild zerfetzt, dabei jedoch etwas freisetzt, was später die Psychoanalyse – ihrerseits unter Rekurs auf ein ant. Mythologem (Ödipus) – als das Unbewußte fassen wird [12].

QU 1 Kritische Friedrich-Schlegel-Ausgabe (KFSA), hrsg. v. E. BEHLER et al., Bd. I, 1979 2 KFSA II, 1967 3 KFSA XII, 1964 4 NOVALIS, Schriften, hrsg. v. R. SAMUEL et al., Bd. II, 1981 5 J. v. EICHENDORFF, Histor.-kritische Ausgabe, hrsg. v. H. KUNISCH, H. KOOPMANN, Bd. III, 1984

LIT 6 B. AUEROCHS, Platon um 1800. Zu seinem Bild bei Stolberg, Wieland, Schlegel und Schleiermacher, in: Wieland-Stud. 3, 1996, 161–193 7 E. BEHLER, Athenaeum. Die Gesch. einer Zschr., in: Athenaeum. Eine Zschr. von A. W. Schlegel und F. Schlegel, Bd. III, Ndr. 1960, 5–64 8 Ders., Einleitung, in: [1. LXXIV-CLXXXIII] 9 W. BINDER, Die dt. Klassik und die Ant. Goethe, Schiller, Hölderlin, in: M. SVILAR, S. KUNZE (Hrsg.), Ant. und europ. Welt. Aspekte der Auseinandersetzung mit der Ant., 1984, 121–143 10 M. BRÜCK, Ant.-Rezeption und frühromantischer Poesiebegriff. Stud. zur »Gräkomanie« F. Schlegels und ihrer Vorgesch. seit J. J. Winckelmann, Diss. Konstanz 1981 11 S. FORNARO, Lo »studio degli antichi«, 1793–1807, in: Quaderni di storia 43, 1996, 109–155

12 H. Gallas, Ant.-Rezeption bei Goethe und Kleist. Penthesilea – eine Anti-Iphigenie?, in: T. Metscher, C. Marzahn (Hrsg.), Kulturelles Erbe zw. Trad. und Avantgarde, 1991, 341–352 **13** A. Hölter, L. Tieck. Literaturgesch. als Poesie, 1989 **14** A. Honold, Hyperions Raum. Zur Top. des Exzentrischen, in: H. Bay (Hrsg.), *Hyperion* – terra incognita. Expeditionen in Hölderlins Roman, 1998, 39–65 **15** H. R. Jauss, Schlegels und Schillers Replik auf die »Querelle des Anciens et des Modernes«, in: Ders., Literaturgesch. als Provokation, 1970, 67–106 **16** N. Kaminski, Kreuz-Gänge. Romanexperimente der dt. R., 2001 **17** S. Matuschek, Homer als »unentbehrliches Kunstwort«. Von Wolfs »Prolegomena ad Homerum« zur »Neuen Myth.«, in: D. Burdorf, W. Schweickard (Hrsg.), Die schöne Verwirrung der Phantasie. Ant. Myth. in Lit. und Kunst um 1800, 1998, 15–28 **18** M. Nottelmann-Feil, L. Tiecks Rezeption der Ant. Lit. Kritik und Reflexion griech. und röm. Dichtung im theoretischen und poetischen Werk Tiecks, 1996 **19** R. Paulin, Antikisierende Dichtung der R. Zu A. W. Schlegels Elegien in klass. Metren, in: Athenäum 3, 1993, 55–81 **20** D. v. Petersdorff, Mysterienrede. Zum Selbstverständnis romantischer Intellektueller, 1996 **21** V. Riedel, Ant.-Rezeption in der dt. Lit. vom Ren.-Human. bis zur Gegenwart. Eine Einführung, 2000, 187–222 **22** M. Schwering, Die Neue Myth., in: H. Schanze (Hrsg.), R.-Hdb., 1994, 380–391 **23** P. Szondi, Ant. und Moderne in der Ästhetik der Goethezeit, in: Ders., Poetik und Geschichtsphilos. I, 1974, 13–265 **24** W. Volke, »O Lacedämons heiliger Schutt!« Hölderlins Griechenland: Imaginierte Realien – Realisierte Imagination, in: Hölderlin-Jb. 24, 1984/85, 63–86 **25** W. Wiethölter, Die Schule der Venus. Ein diskursanalytischer Versuch zu Eichendorffs *Marmorbild*, in: M. Kessler, H. Koopmann (Hrsg.), Eichendorffs Modernität, 1989, 171–201 **26** L. Zagari, »Die Leiche der Venus«. Griech. Myth. und Kunst der Deformation in romantischen Gedichten und Erzählungen, in: Jacques e i suoi quaderni 13, 1989, 249–262.
NICOLA KAMINSKI

II. England
A. Allgemeine Begriffsbestimmung und ideengeschichtlicher Kontext B. Klassische Bildung C. Romantischer Neuplatonismus D. Neue Mythologie

A. Allgemeine Begriffsbestimmung und ideengeschichtlicher Kontext

Die Adjektive *romantic* und *romanesque* waren, ähnlich *Gothic*, ursprüngliche Dysphemismen der Klassizisten für alles Vernunftwidrige, Regellose, Normverachtende. Man bezog sich damit insbes. auf die Kunst (die phantastischen *romances* und verwirrenden *piles*) der »finsteren vernunftignoranten« Vorantike und des »finsteren vernunftignoranten« referierten MA: die kulturellen Niederungen vor der ersten »augusteischen« Aufklärung (»Klassik«) und der zweiten »augusteischen« Aufklärung (»Klassizismus«, *Augustan Age*; → Klassizismus II.) im Sinne eines polybianischen Geschichtsbildes aufeinanderfolgender Größe und Niedergangs. Wenn die engl. Vorromantik, früher als die Vorromantiken anderer europ. Nationalit., aus Vorlagen eines liberalen

engl. Klassizismus diese ant. »Vernunftnormen« und »Vernunftregeln«, insbes. der Poetik des Horaz, zunehmend in Frage stellte und mehr »britische Freiheit« (d.i. individuelle Künstlerphantasie) einforderte, war dies keine Abkehr von der klass. Ant., sondern nur von ihren ästhetischen Normen und ihrem Anspruch auf ästhetische Exklusivität. Die Norm galt, wie die sie setzende Vernunft (*reason, judgment, common sense*), als generell, und eine Aufwertung der jedem Menschen individuell eigenen Phantasie (*imagination, fancy*) stellte die Gültigkeit von Normen grundsätzlich in Frage. Der antikenkritische Gestus der »Modernen« in der → Querelle des Anciens et des Modernes förderte diese Entwicklung zusätzlich. In dem Maße, wie man so die als regelwidrig und vernunftverachtend empfundenen »primitiven«, »orientalischen« und »gotischen« Lit. neubewertete (althebr. Bibelpoesie, Ossian, Edda, Nibelungenlied, Volkslieder und -balladen, Ritterromanzen, Taliesin, Firdausi, Hafis, Ibn Unein, etc.), las man auch die Autoren der Klass. Ant. nicht mehr unter dem homogenen Aspekt zeitloser Gültigkeit. Homer und Pindar schrieben viel früher und waren »wilder« als Vergil und Horaz, die ant. Rhapsoden rückten in die Nähe keltischer Barden, german. Skalden, hebr. Psalmisten und ma. Minnesänger. Dichter (John Keats, Lord Byron) und Maler (Joseph Severn, Henry Fuseli) stellten die ant. Ruinen neben die der eigenen Länder (»romantischer Ruinenkult«). Homer wurde zunehmend aus der Phalanx klassizistischer Vorbilder herausgebrochen, von Richard Blackwells Sicht Homers als eines sich spontan und ehrlich äußernden Rhapsoden (1735) über Robert Woods Sicht Homers als Originalgenie (1767) bis zur Rezeption von Friedrich August Wolfs Homeridentheorie (1795). Ähnlich unterschieden sich die pindarischen Oden der Vorromantik (William Collins, Thomas Gray) von denen des Klassizismus (John Dryden) dadurch, daß Pindar der Rang einer »Gegennorm« zufiel. Die Formen weniger »wilder« ant. Dichter wurden, ähnlich dem Sonett, äußerlich übernommen, jedoch von innen gesprengt. Diese Heterogenisierung und Dehierarchisierung ant. Autoren führte zu eben dem offenen Prozeß dynamisch erweiterbarer Traditionsmischung, der dem romantischen Konzept einer alle Nationallit. verbindenden »Universalpoesie« zugrundeliegt. An die Stelle der respektvollen Distanz zum normativen ant. Kanon trat eine emotionale Nähe und performative Interaktion, die der vorromantischen Verkürzung des Abstands von Leser und Werk entsprach, bis hin zur Miteinbeziehung des Lesers in die Autorschaft, wie exerziert (und zugleich parodiert) in Laurence Sternes *Tristram Shandy* (1760–1768). Der Titelheld dieses (Anti-)Romans, der zu keiner vernünftigen Zügelführung seines durchgehenden Musenpferdes Pegasus mehr fähig ist, löst alle ant. Normen auf, indem er traditions- und pedanterieverachtend sein umfangreiches erlesenes und erreistes Wissen dekonstruiert, kontaminiert und individuell phantastisch zu Neuem umgestaltet. Sterne zeigt im voraus die Folgen des romantischen Programms imaginativer Individualität. Die romantischen Antikenrezeptionen waren so verschieden, daß die Forsch. sich einzelnen Autoren zugewandt hat und eine übergreifende systematische Unt. in Anglistik wie Germanistik bislang aussteht.

B. KLASSISCHE BILDUNG

So waren die Vorromantiker und Romantiker nicht weniger in den Antiken belesen als die Klassizisten. In der Knabenerziehung gehörte die Unterweisung in Lat. und Griech. sowie in den ant. Lit. ohnehin zum Lehrplan der (noch immer privaten) höheren Schulen wie auch des Hausunterrichts. In der Mädchenerziehung, auch der Erziehung adliger Töchter, standen an der Stelle der Alten Sprachen die »praktischeren« Neusprachen. Jedoch blieb allen, die keine formale *liberal education* (Bildung in den *septem artes liberales*; → Artes liberales) genossen hatten, gleich ob Männern wie William Blake oder Frauen wie Mary Tighe, das Selbststudium. Daß dabei Frauen, etwa Mary Shelley, auch Griech. lernten, war nicht ungewöhnlich. In ihrer Behandlung von Stoffen der Klass. Ant. standen die romantischen Dichterinnen den Dichtern kaum nach, allerdings mit dem Unterschied, daß sie die gewöhnlichen Tugenden (Bescheidenheit, Sanftmut, Verantwortung) mehr betonten als exzeptionellen Geniekult oder prometheischen Revolutionsgestus. Typische Beispiele sind Mary Robinsons Sonettsequenz *Sappho and Phao* (1796) und Mary Shelleys anti-prometheischer Roman *Frankenstein, or, The Modern Prometheus* (1818). Ältere, vorklassizistische Vers- oder Prosaübertragungen ant. Autoren wurden mit Begeisterung gelesen, so George Chapmans *Homer* (1598–1608), etwa von Keats (*On First Looking into Chapman's Homer*, 1816). Auch hier wird die Nähe deutlich, mit der Keats seine Homerlektüre und seine Lektüre der Geschichte Amerikas ekstatisch überblendete. Hinzu kam das starke Interesse der Romantiker an den Ausgrabungen und Kunstfunden der Klass. Archäologen des 18. und frühen 19. Jh. sowie an Rekonstruktionen ant. Lebens. Keats z. B. bezog sein Wissen über griech. Sitten und Feste, wie er sie in *Endymion* (1818) und *Lamia* (1820) darstellte, aus John Potters *Archaeologiae Graecae* (2 Bde., Oxford 1697–1699). Seine Begeisterung für die Schönheit des von Lord Elgin 1816 an Großbritannien verkauften Parthenonfrieses (»Elgin Marbles«) war so groß, daß er – im Unterschied zu Byron – selbst als Philhellenist und Revolutionär den »Diebstahl« vom Osmanenreich nicht vermerkte, also im Vorgriff auf die Ästhetizisten des → Fin de siècle die Ethik von der Ästhetik abkoppelte. Überhaupt läßt sich feststellen, daß Griechenland Inbegriff der Schönheit und Rom Inbegriff der Größe blieb. Edgar Allan Poes Huldigung ›To the glory that was Greece, And the grandeur that was Rome‹ (*Helen*, 1831, 1845) entsprang dem platonischen Gedanken der Kalokagathie, so wie Keats in seiner *Ode on a Grecian Urn* (1819) das Schöne mit dem Wahren und Ralph Waldo Emerson in seinen *Essays* (1841–1844) das Schöne mit dem Guten verband. Emerson zufolge ließ das Naturschöne

wie das Kunstschöne jede ›individual soul‹ (entsprechend dem hinduistischen Ātman) sich zurücksehnen zu ihrem Ursprung in der ›over-soul‹ oder Ideenwelt (entsprechend dem hinduistischen Brahman).

C. ROMANTISCHER NEUPLATONISMUS

Hinter allem romantischen Weltverständnis stand Platon, mit Ausnahme der »negativen Romantiker« oder »romantischen Desillusionisten« um Byron und Heinrich Heine. Der junge Thomas Carlyle hat für diesen philos. Idealismus, der die engl. (wie die dt.) »positiven« romantischen Dichter von Blake über William Wordsworth bis zu Percy Bysshe Shelley in England und Emerson in Amerika prägte, den Begriff ›natural supernaturalism‹ geprägt (*Sartor Resartus*, 1833–34). Die sinnlich erfahrbare, diesseitige, materielle Welt wurde als Abschattung und Schein (›appearance‹) begriffen, hinter dem sich die eigentliche jenseitige ideelle Welt (›substance‹) verberge, deren Eigenschaften Alleinheit, Ewigkeit und Unendlichkeit seien. Das Diesseits wurde als ein Geflecht von Symbolen begriffen, die – auch über metaphorische Wortbedeutungen – auf abstrakte oder jenseitige Wahrheiten zurückverwiesen. ›I always seek in what I see the likeness of something beyond the present and tangible object‹ (P. B. Shelley, nach Wordsworth und S. T. Coleridge, Brief an T. L. Peacock, 6. 11. 1818). Es war die propheten-priesterliche Aufgabe des »symbolistischen« romantischen Dichters, die zunehmend im Materialismus verstumpfenden Menschen an ihre Heimat, die Ideenwelt, zu gemahnen, in die alles Irdische zurückstrebe. Diese reintegrative Tendenz der Romantik, gebündelt in der »esemplastischen« (Coleridges gräzistischer Neologismus für »wiederineinsbildenden«) Fähigkeit des Genies, ließ die engl. Romantiker Neuplatonismus mit verwandten Naturphilos. wie der Emanuel Swedenborgs synkretisieren, so schon voll ausgeprägt im Werk des ersten eigentlichen Romantikers, Blake (1757–1827). Blake kannte auch die spätant. → Gnosis, welche als unterschwellige Gegenströmung der christl. Orthodoxie stets entgegenlief. Ihr zufolge war die diesseitige Welt eine Absplitterung aus der urspr. ideellen Alleinheit, verursacht von einem Weltenschöpfer oder Demiurg, der als *spiritus malignus* nicht identisch war mit der Urgottheit. Im dichterischen Werk Blakes und P. B. Shelleys taucht er auf als Urizen (»Grenzensetzer«), eine Kontamination von Zeus und Jehovah. Blake kannte zudem die hinduistische Religion durch die Vermittlung des Orientalisten und Vorromantikers Sir William Jones, welche die materielle Welt ebenfalls als Absprengsel aus einer Ureinheit (Advaita) begriff. Mit dieser Synkretisierung Platons hingen die engl. Romantiker einer Universalreligion analog einer Universalpoesie an, jedenfalls bevor sich die mittlere Generation der in den 1770er J. Geborenen (Wordsworth, Coleridge, Robert Southey, ähnlich Joseph Görres und Friedrich Schlegel) unter dem Trauma des Scheiterns der Frz. Revolution auf die Orthodoxie und Dogmatik etablierter Kirchen zurückverengte. Diese Universalreligion konnte antinomistisch sein wie bei Blake, der alle Gesetzeskodizes als weltdesintegrative Fesseln begriff, oder stoisch wie bei Wordsworth, der aus seiner Lektüre Epiktets und Senecas strenge Treue gegenüber einem natürlichen Moralgesetz forderte. So gestalteten die großen visionären Gedichte der Tyrannenbefreiung, Blakes *The Song of Los* (1795) und *Vala* (ca. 1800), P. B. Shelleys *Prometheus Unbound* (1819), Keats' beide *Hyperion*-Fragmente (1820), etc., ihren Neuplatonismus und ihre Mythen jeweils verschieden.

D. NEUE MYTHOLOGIE

Folge dieses Neuplatonismus war das in der Romantik verbreitete Verständnis von Mythen als surrealistisch traumgeschöpfter, imaginativ verbilderter, kulturell diversifizierter Reminiszenzen der Menschen an ihre Heimat, die Ideenwelt (Platons Anamnesis). Schon Blake vertrat diese Mythentheorie mit radikalster Konsequenz, indem er sie auch auf die hebraeo-christl. Mythen anwandte und daraus die Existenz einer Universalreligion ableitete (*All Religions are One*, 1788), wie sie später noch der Neuromantiker W. B. Yeats propagierte. Die in der ersten Fallstufe der Menschheit (Paradies) noch freischwebenden Mythen wurden in der zweiten Fallstufe (verlorenes Paradies) von »urizenischen« Priesterschwindlern dogmatisiert, Religionskriege zum Zweck von Machtgewinn inszeniert. Allgemeingültiger Heilsmythos verkam zu alleinseligmachender Heilsgeschichte. Auch hier war Aufgabe des Dichters die Wiederineinbildung (wiedergewonnenes Paradies) durch Wiederverflüssigung der dogmatisierten Mythen. Dies führte, neben der für romantische Dichter typischen Mythenkontamination und -variation, zur imaginativen Ausbildung einer eigenen, von Werk zu Werk differierenden Myth. aus persönlicher Anamnesis, wie dargestellt in der weitbekannten vor-Freudschen Schrift Gotthilf Heinrich Schuberts, *Die Symbolik des Traumes* (1814). So Blake: ›I must create a system, or be enslaved by another man's‹ (*Jerusalem*, 1803–1820). Namen und Motive dieser Myth. legierten Trad. mit Traum, Antikes mit Nichtantikem und Modernem. Auch in dieser Hinsicht wurde die Ant. vom distanzierten Status einer abgeschlossenen Periode interaktiv in die eigene Zeit geholt. Andere Romantiker (P. B. Shelley, Keats) zeigten ein ähnliches, wenngleich weniger radikal gedachtes und realisiertes Mythenverständnis. Sie empfanden die Konversion der o. g. Dichter der mittleren Generation zur dogmatischen Orthodoxie als Verrat am dialektisch erwarteten Millennium, selbst ein prophetischer Mythos ähnlich dem des entfesselten Prometheus und des wiedergewonnenen Paradieses. Wenn Keats und Leigh Hunt trotz Vorbehalten gegen jede etablierte Religion den Glauben Griechenlands wegen seiner größeren Freiheit, Heiterkeit, Schönheit und Ganzheitlichkeit wider das skripturale, dogmatische, leidensfixierte Christentum mobilisierten, prägten sie damit den Neopaganismus von → Décadence und → Fin de siècle vor.

1 M. H. ABRAMS, Natural Supernaturalism, 1971 2 W. J. BATE, From Classic to Romantic, 1946 3 S. CURRAN, Poetic Form and British Romanticism, 1986 4 D. S. FERRIS, Silent Urns: Romanticism, Hellenism, Modernity, 2000 5 D. M. FOERSTER, Homer in English Criticism, 1947 6 G. M. HARPER, The Neoplatonism of William Blake, 1961 7 G. HIGHET, The Classical Tradition, 1949 8 R. LESSENICH, Aspects of English Preromanticism, 1989 9 J. A. NOTOPOULOS, The Platonism of Shelley. A Study of Platonism and the Poetic Mind (1949), Ndr. 1969 10 R. M. RYAN, The Romantic Reformation, 1997 11 K. SCHLÜTER, Die engl. Ode, 1964 12 T. WEBB, Romantic Hellenism, in: S. CURRAN (Hrsg.), The Cambridge Companion to British Romanticism, 1993, 148–176 13 J. WORTHINGTON, Wordsworth's Reading of Roman Prose, 1946. ROLF LESSENICH

III. FRANKREICH

A. ROMANTIKDEBATTE B. POETOLOGIE
C. LITERARISCHE PRAXIS

A. ROMANTIKDEBATTE

Die frz. R. versucht sich in einer gegen den → Klassizismus geführten Debatte zu definieren, die sich vom Beginn des 19. Jh. bis 1830 entwickelt und nach dem »Sieg« der Romantiker in der heftigen Auseinandersetzung um die Erstaufführung von V. Hugos romantischem Versdrama *Hernani* (»Bataille d'*Hernani*«) abebbt [8; 12]. Die theoretische Formation dieser Debatte ist entscheidend bestimmt von drei romantischen Programmschriften: A. W. v. Schlegels *Vorlesungen über dramatische Kunst und Lit.* (Erstveröffentlichung 1809–1811, frz. Übers. 1813/14) [13], Mme de Staëls *De l'Allemagne* (1813) und S. Sismondis *De la littérature du midi de l'Europe* (1813). Diesen Schriften ist eine axiomatische Basisantithese zur Definition der romantischen Lit. gemein: »Romantisch« ist gleichbedeutend mit »mod.« und stellt sich gegen »ant.«/»klass.«/»klassizistisch«; damit erscheint die R. zunächst nicht nur als Anti-Klassizismus, sondern gar als Anti-Ant. definiert. »Antike« und »Klassizismus« sind in der R.-Debatte über weite Strecken fest verklammerte Konzepte. In dem wirkungsmächtigen Kap. 2,11 von *De l'Allemagne* (»De la poésie classique et de la poésie romantique«) ordnet Mme de Staël Ant., Heidentum und Süden gegen R., Christentum und Norden; die »poésie classique« verschwimmt mit ersterem Bereich und steht unter dem Vorzeichen der Imitation, während die »poésie romantique« in letzteren Bereich fällt und eine Dichtung der Inspiration ist. Die Lit. der Ant., der die klassizistische Dichtung zugeschlagen wird, ist der Moderne ein heterogenes Transplantat, da die reflexionsarme Simplizität und Naturnähe des ant. Menschen in der Jetztzeit nicht mehr zuhanden ist; die romantische Lit. dagegen ist der christl.-spiritualistischen Moderne, die das ritterliche MA mit einschließt, endogen. Die frz. Lit. ist diejenige zeitgenössische Lit., die sich am deutlichsten in ersterem Bereich ansiedelt und sich somit selbst aus der Moderne ausgrenzt; solch klassizistische Fixierung auf die Ant. soll durch eine Öffnung Frankreichs auf die »romantische« Lit. des Nordens, bes. Deutschlands, überwunden werden. Diese Argumentation läuft auf die Destruktion des frz. Klassizismus hinaus und ist ein Angriff gegen die häufig als integraler Bestandteil der nationalen Identität empfundene Doktrin des *siècle classique*. Der frz. Klassizismus kontert mit der Reklamierung eines anti-romantischen Großkomplexes aus ›chefs-d'œuvre grecs, latins, français, et la plus grande partie de ceux de la langue italienne‹ (so 1816 der *Anti-Romantique* des Vicomte de Saint-Chamans [2. 324]), verknüpft diesen antikisch-klassizistischen Komplex mit der nationalen Frage (Saint-Chamans, ferner etwa L.-S. Augers Akademierede vom 24.4.1824 [1]) und erklärt somit die Verteidigung des als Erbgut der Ant. gesehenen frz. Klassizismus zur patriotischen Pflicht. Raffiniertere, weil romantische Theoreme refunktionalisierende anti-romantische Strategien wie die Versuche von A. Jay (*Discours sur le genre romantique en littérature*, 1814), die klassizistische Lit. als christl. Lit. vorteilhaft von der paganen Ant. abzusetzen und ihr das (von Mme de Staël für die romantische Lit. beanspruchte) Adelsprädikat der Perfektibilität zuzuschreiben [3. 248 f.], bleiben demgegenüber im Hintergrund.

B. POETOLOGIE

Die R.-Debatte ist eng mit einer dichtungstheoretischen Diskussion verbunden, in der die Romantiker den klassizistischen, traditionell an die Ant. rückgebundenen Prinzipien (1.) von der Immutabilität eines absolut gedachten Schönheitsideals, (2.) von der transhistor. Valenz der durch Aristoteles, Horaz und Boileau aufgestellten regelpoetischen Grundsätze und (3.) von der Unterordnung des künstlerischen Genius unter das Regiment von *raison* und *goût* das Gegenbild einer romantischen Poetik gegenüberstellen, das fundamental durch eine Denormativierung der Ant. gekennzeichnet ist; ant. Autoritäten werden in ihrer histor. Relativität erkannt, entkanonisiert und dehierarchisiert.

Im einzelnen: (1.) Die Vorstellung eines auf überzeitliche, von der Ant. »entdeckte« Normen rückführbaren Schönheitsideals wird zugunsten eines ästhetischen Relativismus verabschiedet, der die Forderung höchstmöglicher Eigenständigkeit der einzelnen Nationallit. und die Möglichkeit der Vermischung von nationallit. Trad. impliziert [14]. Dem Schönen kann nun kontrastiv das Groteske zur Seite gestellt werden, das die in der Ant. wurzelnden Kunstregeln ausgeschlossen hatten (V. Hugo, *Préface de Cromwell*, 1827). (2.) Die normative Ausrichtung der taxonomischen klassizistischen Poetik wird durch eine dynamisch-historisierende Poetik substituiert, der es auf histor. begründbare Erhellung lit. Erscheinungen ankommt. Die Normativität des klassizistischen Gattungsgefüges verliert zugunsten der poetologischen Individualcharakteristik einzelner Autoren an Bed. [15. 94 f.]; von den durch das *aptum*-Postulat bestimmten Relationen zw. Gegenstand, Gattung und Stil verlagert sich das poetologische Interesse zunehmend auf die von der romantischen Norm der *sincérité* bestimmten Ausdrucksrelationen zw. Autor und Stil [15. 131–139]. Eine neue Ausdrucksästhetik ersetzt die hergebrachten, auf der aristotelisch-horazischen Trad.

fußenden Konzeptionen der *imitatio naturae* und *imitatio auctorum* [15. 96–116, 170–179]. Ungeachtet dieser radikal innovativen Tendenzen hat sich die R. mit dem Klassizismus auf eine vertiefte Diskussion einer einzelnen lit. Gattung eingelassen, und zwar der Dramatik; hier bekämpft sie das herkömmliche, oft auf ant. Sujets zurückgreifende und den Prinzipien von *convenance* und *bienséance* verpflichtete klassizistische Trag. zugunsten eines romantischen histor. Dramas, das auf die Einhaltung der Einheiten von Ort und Zeit und auf *aptum*-Rücksichten verzichtet und mit der Erfahrung der Jetztzeit relationierbar sein will (Stendhal, *Racine et Shakespeare*, 1823/1825; Hugo, *Préface de Cromwell*). (3.) Die klassizistische Ästhetik eines durch Vernunft und Norm fundierten Geschmacks (*goût*) wird durch das Diktat eines von normativen Eingrenzungen befreiten *génie* ersetzt [15. 156–179]; Mme de Staël (*De l'Allemagne* 2,14) etwa gestattet nur soviel *goût* in der Lit., wie mit den Erfordernissen genialischen Dichterschaffens vereinbar sei.

C. LITERARISCHE PRAXIS

Ungeachtet der Tatsache, daß R.-Debatte und poetologische Diskussion die klassizistisch gefaßte Ant. aus romantischer Sicht in theoretische Antithese zur R. und damit zur Jetztzeit stellen, ist die Wirkungsmacht der Ant. in der frz. R. faktisch persistent. Der Modus der Ant.-Rezeption ist dabei freilich determiniert von der Aberkennung des Status normativer Exzeptionalität, die die Ant. erfährt; er vollzieht sich dereguliert in großer Variationsbreite, die in der Forsch. bis h. keine umfassende Darstellung erfahren hat. Tendenziell findet auf der Achse der Diachronie eine Verschiebung der Ant.-Rezeption »von Rom nach Athen« statt; während im Empire die polit. gewollte Inszenierung röm.-republikanischer Bilderwelten und Wertigkeiten dominiert (→ Revolution II.), setzt in der Restauration verstärkt ein philhellenischer Sog ein (→ Philhellenismus) [7], begünstigt einerseits durch die frühromantische Herausbildung einer dem romantischen sentimentalischen Primitivismus entsprechenden Idealvorstellung von Griechenland als Wiege der Menschheit in einer unverfälschten Jugendzeit der Welt, als chronotopischer Zone von Freiheit und a-regulärer Spontaneität (so u. a. im Kreis um Mme de Staël in Coppet [9]), andererseits durch die romantische Begeisterung für den griech. Freiheitskampf. Hatte hinsichtlich der Übers. ant. Texte das 18. Jh. sich auf Versübers. v. a. lat. Lit. unter stilpoetischen Aspekten konzentriert, werden in der R. griech. Texte interessant, wobei die Tendenz zum histor.-dokumentarischen Übersetzen zunimmt [10]. Einzelne ant. Autoren und Motivkomplexe werden nach der Vorgabe romantischer Programmatik revalorisiert bzw. refunktionalisiert: So ist Vergil nicht mehr der Verfasser großer autoritativer Texte der Regelpoetik, sondern (bei Chateaubriand) ein quasi-romantischer Melancholiker oder (bei Lamartine) ein orpheushafter Sänger kosmischer Geheimnisse [4]; so rückt Homer als romantischer Poet der Ursprünglichkeit und des »Wahren« neben die Bibel, Ossian, Shakespeare oder die *Edda* [10. 70–72; 17. 278]; und so kann der im 17. und 18. Jh. im Vergleich zu Sophokles und Euripides gering geschätzte Aischylos als Romantik-kompatibler, zyklopenhaft-titanischer Dichter der originären Irregularität Auferstehung feiern und zum »griech. Shakespeare« avancieren [5]. Orphismus [16] und Platonismus [6] leben in mannigfacher Brechung in mystizistischen und idealistischen Konzeptionen der R. fort.

QU **1** L.-S. AUGER, Akademierede vom 24.4.1824, in: STENDHAL, Racine et Shakespeare, hrsg. v. B.LEUILLIOT ²1996, 109–123 **2** A. DE SAINT-CHAMANS, L'Anti-Romantique, in: [11. 317–444] **3** A.JAY, Discours sur le genre romantique en littérature, in: [11. 243–256]

LIT **4** J.-M. ANDRÉ, La survie de Virgile dans le préromantisme et dans le romantisme français, in: WJA 8, 1982, 149–159 **5** M.BRIX, »Quelque chose d'énorme, de sauvage et de barbare«. Le romantisme français et les tragédies d'Eschyle, in: Les études classiques 60, 1992, 329–343 **6** Ders., Le romantisme français. Esthétique platonicienne et modernité littéraire, 1999 **7** R.CANAT, L'hellénisme des romantiques, 3 Bde., 1951–1955 **8** P.T. COMEAU, Diehards and innovators: The French romantic struggle 1800–1830, 1988 **9** P.DEGUISE, Coppet et le thème de la Grèce, in: S.BALAYÉ, J.-D. CANDAUX (Hrsg.), Le groupe de Coppet, 1977, 325–345 **10** L. D'HULST, La traduction des poètes classiques à l'époque romantique, in: Les études classiques 55, 1987, 65–74 **11** E.EGGLI, Le débat romantique en France 1813–1816, (1933) Ndr. 1972 **12** K.HEITMANN, Klassiker und Romantiker, sich heftig bekämpfend, Neues Hdb. der Literaturwiss. 15, 1982, 1–24 **13** C.NAGAVAJARA, A.W. Schlegel in Frankreich, 1966 **14** F.PENZENSTADLER, Ästhetischer Relativismus und Klimatheorie in klassizistischer und romantischer Poetik, in: Zschr. für frz. Sprache und Lit. 102, 1992, 263–286 **15** Ders., Romantische Lyrik und klassizistische Trad., 2000 **16** H.B. RIFFATERRE, L'orphisme dans la poésie romantique, 1970 **17** M.WALECKA-GARBALINSKA, Trad. du traditionalisme ou trad. de l'innovation, in: Revue Romane 27, 1992, 275–284. BERNHARD HUSS

IV. ITALIEN

A. ROMANTIKDEBATTE
B. POETOLOGIE UND MYTHOLOGIEDISKUSSION
C. LITERARISCHE PRAXIS

A. ROMANTIKDEBATTE

In It. findet eine theoretische Diskussion um die R. statt [4; 5; 6], die der frz. R.-Debatte in vielem gleicht; auch hier sind die Schriften, die Theoreme der europ. R. vermitteln, die Bücher von Mme de Staël, S. Sismondi und die *Vorlesungen* A. W. v. Schlegels, die 1817 in einer mit Hilfe der zuvor schon bekannten frz. Übers. erstellten it. Version von G. Gherardini erscheinen. In dieser 1816–1819 bes. lebhaften Debatte (Texte: [1]) sind die Mailänder Romantiker (L. di Breme, E. Visconti, G.Berchet u.a.) bemüht, ihre im Gegensatz zu bestimmenden Tendenzen der europ. R. fast durchweg deutlich illuministisch unterlegte Auffassung einer neuen, progressiven und aufgrund sozialer und ethisch-

moralischer Nutzbarkeit zeitgemäßen Dichtung gegen die Persistenz eines seit der Ren. fortlaufenden Formalklassizismus zu etablieren. Diese Versuche beginnen mit Mme de Staëls im Januar 1816 publiziertem Art. *Sulla maniera e l'utilità delle traduzioni*, der die Vereinnahmung der Ant. durch den it. Lateinhuman. zu konterkarieren sucht, indem dem Bild eines unter dem Signum eines romantischen Primitivismus positivierten Homer die deplorablen Entwicklungen seit der it. Ren. entgegengehalten werden, die zu einem Verfall der it. Lit. geführt hätten, so daß es zeitgenössisch nur noch antikisierende Erudite und rhetorisierende Wortklingler gebe. Das Remedium sei die Lektüre romantischer Lit. aus Deutschland und England in it. Übers., die dazu führen werde, die sterile *imitatio* der lat. Ant. durch eine fruchtbare ›emulazione operosa‹ [1. 9] von Autoren zu ersetzen, die sich außerhalb der lat.-it. Trad. situieren. Diese bezeichnenderweise durch Verweis auf den »Horazischen Dual« von *prodesse* und *delectare* untermauerte Entwertung der it. literarhistor. Entwicklung seit der Ren. wird aus klassizistischer Warte entweder radikal-nationalistisch verworfen (T. Caleppio u. a. [3]) oder durch komplexere Konzepte gekontert: So stimmt P. Giordani in seiner Antwort auf Mme de Staël [1. 16–24] ihrer negativen Analyse der it. Gegenwartslit. zu, fordert aber eine Erneuerung der it. Lit. aus der indigenen it., bruchlos auf die Ant. zurücklaufenden lit. Trad. und verrechnet diese Trad. im Rahmen seines stark altertumskundlich unterfütterten Plädoyers mit den Leistungen der philol. und antiquarischen it. Altertumsforschung (A. Mai, G. Marini, E.Q. Visconti). Der wohl bedeutendste Beitr. zur it. R.-Debatte, seinerzeit nicht veröffentlicht, gibt sich anti-romantisch, ist dies aber nur bezüglich der aufklärerisch-fortschrittsoptimistischen Mailänder R.: G. Leopardis *Discorso di un italiano intorno alla poesia romantica* (1818) setzt seiner eigenen Zeit, die er als vom analytisch-wiss. Zeitgeist, von Phantasieferne und einer u. a. von den (Mailänder) Romantikern vertretenen fehlgeleiteten Zivilisationsbegeisterung korrumpiert sieht, das Bild einer naturunmittelbaren, unverbildeten und daher glücklichen Ant. entgegen; während sich deren Dichtung durch sinnenhaftes Ansprechen der Imagination und Erzeugung lebensnotwendiger Illusion auszeichne, sei die romantische Poesie rationalistisch-intellektualistisch und auf unselige Weise metaphysisch-spiritualistisch ausgerichtet. Der unmittelbare Zugang zur Natur sei dem mod. Menschen verbaut; der einzige Weg zurück zur Ursprünglichkeit laufe über die ant. Lit., deren Studium die mod. Lit. lehren könne, in Analogie zur Ant. den unverbaut imaginativen Blick des ›stato primitivo de' nostri maggiori‹ [2. 357] anzunehmen.

B. POETOLOGIE UND MYTHOLOGIEDISKUSSION

Die poetologischen Axiome der it. R. laufen parallel zur frz. Diskussion: Auch hier tritt die R. für die Verabschiedung der Normativität der Ant. und der darauf basierenden rinascimentalen *imitatio*-Poetik ein und bekämpft die regelpoetischen Prinzipien, insbes. die dramatischen Einheiten von Ort und Zeit (u. a. E. Visconti, *Dialogo sulle unità drammatiche di luogo e di tempo*, 1819; A. Manzoni, *Lettre à M. Chauvet sur l'unité de temps et de lieu dans la tragédie*, 1823). Der Forderung nach einer volkspädagogischen Funktion der Lit. entspricht die Ablehnung des Wahrscheinlichkeitspostulats der aristotelisch-klassizistischen Poetik zugunsten einer Darstellung des histor. Wahren in einfacher Sprache. Die Orientierung am histor. Wahren bedingt eine auch in Frankreich festzustellende, in It. aber schärfere Polemik gegen die Verwendung der ant. Myth., die als superstitiöses Residuum ant. Ignoranz gebrandmarkt wird (u. a. L. di Bremes Essay über *The Giaour* von Byron, 1818), das der mod. Wahrheitserkenntnis zuwiderlaufe und als Idolatrie zu verwerfen sei (A. Manzoni, *Sul romanticismo*, 1823). Selbst nach Abflauen der R.-Debatte ist die Virulenz der Mythologiefrage [7] noch so groß, daß die Verteidigung der Verwendung ant. Mythen in zeitgenössischer Dichtung durch V. Montis *Sermone sulla mitologia* (1825) eine eigene Mythologiedebatte (Texte: [1. 753–890]) nach sich zieht.

C. Literarische Praxis

Den lit. Versuchen aus dem Umkreis der Mailänder R., den avancierten Forderungen der R.-Debatte praktisch zu entsprechen und damit das h. namenlose, aber breite Fortdauern eines u. a. durch jesuitische Schulpraxis fundierten lat. *imitatio*-Klassizismus [8] endgültig zu unterbinden, blieb dauernder Erfolg versagt. Die beiden einzigen großen lit. Autoren der Zeit, Manzoni und Leopardi, gehen hinsichtlich der Ant.-Rezeption unterschiedliche Wege: Während Manzoni ant. Stoffe in seinen histor. Dramen (*Il conte di Carmagnola*, 1820; *Adelchi*, 1822) entsprechend romantischer Programmatik bewußt vermeidet und mit dem histor. Roman (*I promessi sposi*, 1825/26–1840/1842) das von der it. R. geforderte Projekt einer Synthese von Dichtung und (nicht-ant.) histor. Wahrem einzulösen versucht, radikalisiert Leopardi in Vers (*Canti*, ab 1818) und Prosa (u. a. *Operette morali*, Erstausgabe 1827) seine Theorie vom Verlust der Ant. in der Moderne soweit, daß der zunächst noch über die ant. Lit. ermöglichte Zugang zur urspr. Natursituation zunehmend verstellt erscheint; die pessimistische Konzeption der menschenfeindlichen »stiefmütterlichen Natur« (*natura matrigna*) läßt eine optimistische Rückversicherung der Gegenwart in der Ant. prekär bis hin zur Verunmöglichung werden.

QU 1 E. Bellorini (Hrsg.), Discussioni e polemiche sul romanticismo, 2 Bde., Ndr. 1975 2 G. Leopardi, Discorso di un italiano intorno alla poesia romantica, in: Ders., Poesie e prose, Bd. 2, hrsg. v. R. Damiani, 1988, 345–426

LIT 3 V. De Caprio, »L'Accattabrighe«, in: Paragone 31 Nr. 360–362, 1980, 139–156 4 P. Fasano, Il »romantico« dei classicisti, in: Rassegna della Letteratura Italiana 87, 1983, 36–51 5 M. Santoro, La polemica classico-romantica in Italia, 1963 6 A. Sozzi Casanova, Il romanticismo lombardo, 1981 7 R. Stillers, Leopardi und die Myth., in: Romanistisches Jb. 40, 1989, 130–150 8 S. Timpanaro, Classicismo e illuminismo nell'Ottocento italiano, ²1969.

BERNHARD HUSS

Rosse von San Marco/Quadriga

A. Rosse von San Marco
B. Nachantike Quadrigae

A. Rosse von San Marco

Die vier, ursprünglich vergoldeten Bronzepferde von San Marco stellen das einzige bekannte Beispiel einer freiplastischen Q. des Altertums dar. 1204, während des vierten Kreuzzugs unter dem Dogen E. Dandolo von venezianischen Söldnern aus Konstantinopel geraubt, wurde die Pferdegruppe kurz nach der Mitte des 13. Jh. auf einer platzseitigen Terrasse über der Portalzone der Markusbasilika aufgestellt, wo sie durch ein Mosaik von ca. 1265 (Alypios-Portal) in der Basilika selbst sowie einen Brief Petrarcas (1364) bezeugt ist [6].

Bis heute sind Datierung und Zuschreibung der Rosse kompliziert und unsicher. Es handelt sich, vorsichtig resümiert, um die spätröm. Kopie (3./4. Jh. n. Chr.) einer spälhell. Q., die unter Konstantin d. Gr. nach Konstantinopel verbracht wurde und am Hippodrom Aufstellung fand.

Erste künstlerische Auseinandersetzungen mit den Bronzepferden lassen sich in Malerei und Zeichnung der Ren. nachweisen (u. a. Zeichnungen Jacopo Bellinis im Pariser Skizzenbuch; Fresko Giulio Romanos, Mantua, Palazzo Tè, Troja-Saal, 1538): Die bedeutendsten Reflexe zeitigt jedoch die Bildhauerei. Hier regte die ant. Pferdegruppe v. a. → Reiterstandbilder an, die in Venedig und im Veneto seit dem 15. Jh. zahlreich verwirklicht wurden. Die Reihe dieser Denkmäler beginnt beim Savelli-Grab (ca. 1408; Frari-Kirche, Venedig) und findet ihren ersten Höhepunkt in den beiden bronzenen Reiterstandbildern Donatellos (Gattamelata, Padua, 1447–1453) und A. Verrocchios (Colleoni, Venedig, 1487–1496). Es folgt eine ganze Reihe venezianischer Grabdenkmäler mit Reiterstandbild im 16. und 17. Jh.

Auch die wiss. Diskussionen über Herkunft und Schöpfer der Pferdegruppe sind kontrovers. Gestützt auf Plinius (nat. 34,63) wird sie im 16. Jh. verstärkt mit einer Q. des Lysipp identifiziert, die dieser für Rhodos geschaffen habe. Oft wird auch Kaiser Nero als Auftraggeber genannt, was noch Winckelmann geltend machte. Schließlich entbrennt eine Debatte darüber, ob die Pferde ein griech. Werk, wie A. W. Schlegel (1816) meinte, oder, nach L. Cicognara (1815), ein röm. seien [6].

1798 verfügte Napoleon die Überführung der Rosse nach Paris, sicher auch vor dem Hintergrund der allg. Höherbewertung originär griech. Kunst. Nach Aufstellung im Hôtel des Invalides und im Hof des Tuilerien—Palastes bekrönten die Rosse ab 1807, um einen Triumphwagen, Viktorien und eine Statue des Kaisers vervollständigt, den frisch erbauten Arc du Carrousel. Nach der Entmachtung Napoleons wurden die Pferde nach Venedig zurückgebracht, was A. Canova dem österr. Kaiser Franz I. nahegelegt hatte; vgl. die betreffende Allegorie auf die Rückerstattung der Gruppe

Abb. 1: Allegorie auf die
Rückerstattung der Pferde nach
Venedig 1815.
Radierung um 1815/16.
Venedig, Museo Correr

(Abb. 1). Canova selbst rezipierte die Rosse in eigenen
Werken, bes. im Reiterdenkmal Karls III. von Spanien
in Neapel sowie in zahlreichen Entwürfen und Zeichnungen.

B. Nachantike Quadrigae

In der nachant. Kunst finden sich Q. im Rahmen
von Götterikonographien und Herrschertriumph bzw.
-allegorie. An vorbildhaften ant. Text- und Bildquellen
mangelt es nicht: Ovid (met. 2,106ff.) beschreibt den
Wagen und die Q. des Sol, der in der röm. Myth. z. T.
mit Apoll identifiziert wird. Herrschertriumphe mit Q.
werden u. a. bei Appian (12,17,117: Triumph des Pompeius) und Sueton (Nero 25) beschrieben; Streit- bzw.
Triumphwagen u. a. bei Plinius (nat. 34,19) und Horaz
(epod. 9,22). U. a. hierauf beruhen die lit. Rezeptionen
der »trionfi« bei Petrarca oder Dantes »Triumph der Kirche« im Purgatorium (29. Gesang).

Vorbildliche Bildmotive befinden sich im Durch-
gang des Titusbogens (Titus in der Triumphal-Q.), im
Konservatorenpalast (Relief des Marc Aurel mit Q.; bereits im 16. Jh. nachgezeichnet), des weiteren ein Me-
topenrelief mit Q. am Tempel in Selinunt. Daneben
dienen ungezählte Mz., Mosaiken, Gemmen oder Sarkophage mit Q. als Anknüpfungspunkte.

In den ma. Darstellungen von Sol und Luna dienen
Q. oder Bigae als ikonographische Attribute (Abb. 2):
bes. virulent in astrologischen, auf karolingischen Vorbildern beruhenden Handschriften (bes. Aratos, *Phainomena*, u.a.: Göttweig, Stiftsbibl., Ms. 146). Davon
abhängig (jedoch selten) werden Sol und Luna innerhalb der Architekturdekoration dargestellt (Parma, Baptisterium; Piacenza, Kathedrale). Die sinnbildhafte Bed.
der Gestirn-Q. als »q. temporum« bezieht sich hier auf
die kosmische Bewegung und den Lauf der Zeit [3].

Renaissance- und Barockkunst stellen Q. und Bigae
innerhalb der Aurora (Eos)– und Sol (Helios)-Ikono-

graphie dar, greifen abgegrenzt davon aber auch auf das
ant. Triumph- und Festwesen zurück (vgl. Dürers *Triumphwagen Kaiser Maximilians*, 1522). Das Gespann des
Sonnengottes (u. a. Sol, Giulio Romano, Mantua, Palazzo Tè, 1536) und der Botin des Tages steht anfangs
noch im Rahmen myth. Rahmendekorationen (u. a.
Peruzzi-Werkstatt, Villa Farnesina, Perspektivsaal,
1517/18, Rom), entwickelt sich jedoch in der Barockmalerei zu einem beliebten und zentral plazierten Motiv
der Decken- und Gewölbemalerei (u. a.: G. Reni, Fresko im Casino dell'Aurora, 1614, Palazzo Rospigliosi-
Pallavicini, Rom; Guercino, Fresko im Casino d'Aurora
der Villa Ludovisi, 1621–1623, Rom).

Der Entwurf einer aus 20 Rossen gebildeten »Q.«
von Boullée, die einen Nationalpalast bekrönt, bleibt in
seiner Monumentalität singulär [1]. Seit dem späten
18. Jh. werden Q. verstärkt als freiplastische Bildhau-
eraufgabe wahrgenommen, die für Gebäudebekrönun-
gen zum Einsatz kommt. Als Initialwerk kann J.G.
Schadows Quadriga mit der Siegesgöttin auf dem Brandenburger Tor gelten (1790–1793, getriebenes Kupfer;
nach Kriegszerstörung 1958 durch eine Kopie ersetzt)
[4].

Die Aufstellung von Q. dient v. a. polit. Triumphal-
motivik. Die Reihe der Bsp. ist lang: Fr. Gilly, Entwurf
für ein Denkmal Friedrichs d. Gr. (1797); St. Petersburg,
Generalstabsbogen (1819–1829); Bauten der Wiener
Ringstraße; Q. auf dem Grand Army Plaza Arch in
Brooklyn, N.Y. (1892); Q. auf dem Wellington Arch in
London von A. Jones (1912). Quadriga wird ergänzt
durch die an Theaterbauten aufgegriffenen Ikonographien Apolls und Dionysos' (F. Tieck, Greifen-Q. mit
Apoll auf Schinkels Schauspielhaus, Berlin 1851 fertiggestellt; J. Schilling, Panther-Q. mit Dionysos und Ariadne auf der Hofoper, Dresden 1877; des weiteren: Q.
auf dem Moskauer Bolschoi- und auf dem St. Petersburger Aleksandrinskij-Theater).

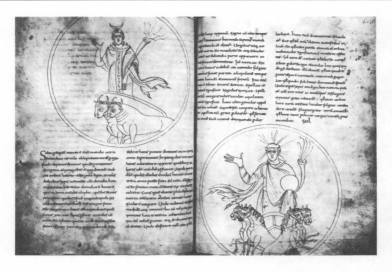

Abb. 2: Luna und Sol.
Illustration in einem
karolingischen Aratus-
Manuskript. St. Gallen,
Stiftsbibliothek (Ms. 902)

Auch allegorische Ikonographien lassen sich – abgelöst von der ant. Überlieferung – mit Triumphal-Q. ausstatten, wie das am Münchner Siegestor (Löwen-Q. mit »Bavaria«, J. M. Wagner, 1843–1854), am Braunschweiger Schloß (Q. mit »Brunonia«, E. Rietschel, 1858/59) oder am → Triumphbogen der World's Columbian Exhibition in Chicago von 1893 (versinnbildlicht war hier die Eroberung Amerikas durch den die Q. lenkenden Chr. Columbus; Bildhauer A. P. Proctor) der Fall ist.

Selten werden Q. in der Moderne als bildhauerische Einzelaufgabe wahrgenommen. Die Formen reichen von Kleinplastiken (C. Fontana, 1908, Sarzana), Reliefs (M. Marini, Museo M. Marini, Florenz) bis hin zu raumgreifenden Abstraktionen (B. Jakober u. Yannick Vu, 1994, Palma de Mallorca, Privatbesitz).

→ Dioskuren vom Monte Cavallo
→ AWI Triumphbogen; Quadriga

1 E.-L. BOULLÉE, Architektur, 1987 (nach 1793)
2 F. HASKELL/N. PENNY, Taste and the Antique, 1981
3 G. KERSCHER, Q. temporum, in: Mitt. d. Kunsthistor. Instituts Florenz 32, 1988, 1–76 4 U. KRENZLIN, J. G. SCHADOW: Die Quadriga, 1991 5 E. KÜNZL, Der röm. Triumph, 1988 6 Die Pferde von San Marco, Kat., 1990 7 J. SEZNEC, Das Fortleben der ant. Götter, 1990 8 D. WATKIN, German Architecture and the Classical Ideal, 1987.   STEFAN SCHWEIZER

Ruine/Künstliche Ruine
A. DAS MOTIV DER RUINE IN DER
ABENDLÄNDISCHEN KUNST
B. KÜNSTLICHE RUINEN

A. DAS MOTIV DER RUINE IN DER
ABENDLÄNDISCHEN KUNST
Bereits seit dem MA ist das Motiv der R. in der abendländischen Kunst weit verbreitet. In der christl. Ikonographie kommt ihm als Symbol für die Vanitas sowie für das aus christl. Perspektive überwundene AT bes. Bed. zu. Im ersten Fall drückt es die Nichtigkeit alles Irdischen aus, im zweiten Fall bezeichnet es die durch Christus überwundene heilsgeschichtliche Epoche, der eine intakte Architektur als Symbol des NT entgegengestellt sein kann. Diesem Sinn entspricht auch das Motiv der »Geburtsruine« auf Darstellungen der Geburt Christi seit dem frühen 15. Jh. (*Anbetung der Könige* von Gentile da Fabriano 1423, Florenz, Uffizien). Ausgehend von It. verbreitet sich ab dieser Zeit die Gestaltung des Ruinenmotivs in röm.-ant. Stil, der bis ins 18. Jh. hinein üblich bleibt. Bei Andrea Mantegna (1431–1506), Sandro Botticelli (ca. 1444–1510) und Domenico Ghirlandaio (1449–1494) finden sich frühe Beispiele. In Korrespondenz zum weiter zunehmenden arch. und architektonischen Interesse an der röm. Ant. entfalten sich bis zum 18. Jh. eigene Formen der Ruinenmalerei, die oft arch. und top. Treue zugrundelegen, aber aus dem gesammelten Material phantasievolle, ja phantastische »Ruinenlandschaften« entwerfen, so bei Giovanni Paolo Pannini (ca. 1692–1765) oder Hubert Robert (1733–1808). Diese Bilder vergegenwärtigen – nach dem auf Hildebert von Lavardins Romgedicht (um 1100) zurückgehenden Motto ›Roma quanta fuit, ipsa ruina docet‹ [6. 151] – die selbst in ihren Trümmern noch spürbare Größe der Antike.

B. KÜNSTLICHE RUINEN
1. DEFINITION UND GESCHICHTE
Künstliche R. sind absichtlich als R. gestaltete Gebäude. Die früheste bekannte ruinöse Struktur an einem Gebäude wurde ca. 1485 an der Ostwand des Untergeschosses der Görlitzer Kreuzkapelle verwirklicht: ein außen wie innen sichtbarer Mauerspalt, der auf das Erdbeben beim Tod Christi und das Zerreißen des Tempelvorhangs nach Mt 27,51 f., anspielt [4]. Die früheste bekannte künstliche R. wurde ca. 1530–1540 von Girolamo Genga im Park der Residenz von Pesaro errichtet (im 19. Jh. zerstört): ein zweistöckiger, außen ruinöser, innen bewohnbarer schlichter Bau ohne bes.

Merkmale antikischer Architektur, der dem Herzog von Pesaro und Urbino, Francesco Maria della Rovere, als Eremitage diente. Aus der nachfolgenden Zeit bis zum Beginn des 18. Jh. sind nur vereinzelte Beispiele bekannt (die Innenraumruine der *Grotta della Galatea* im Kellergeschoß der Medici-Villa von Pratolino, ca. 1580 von Bernardo Buontalenti, h. zerstört; 1615 die Ruinengrotte in Hellbrunn bei Salzburg von Santino Solari; ca. 1630 Gian Lorenzo Berninis Ruinenbrücke am Palazzo Barberini in Rom). In den J. um 1710 und wenig später häufen sich erstmals die Beispiele; danach steigert sich die Zahl kontinuierlich bis zur Jahrhundertwende, um nach 1820 wieder zurückzugehen und einen neuen Höhepunkt ab dem letzten Drittel des 19. Jh. bis zum Ausbruch des II. Weltkriegs zu erleben. Im 17. und 18. Jh. dominiert die röm.-ant. Stilform, im 19. Jh. die gotische. Obwohl auch h. noch gelegentlich künstliche Ruinen erbaut werden (z. B. von der amerikanischen Architektengruppe SITE), war damit die Zeit des Ruinenbauens im wesentlichen beendet.

2. TYPOLOGIE UND BEDEUTUNG

Typologische Differenzen sind in struktureller und in motivischer Hinsicht festzuhalten. Strukturell lassen sich drei Hauptformen unterscheiden: erstens die künstliche R., die im Innenraum eines ansonsten intakten Gebäudes realisiert wird (Pratolino); zweitens das Gebäude, das nur außen ruinös gestaltet, innen aber intakt, eventuell auch bewohnbar ist (Pesaro); drittens der selbständige, gänzlich ruinöse Bau. In vielen Fällen sind künstliche R. Kombinationen aus einem meist intakten funktionalen Teil (z. B. einem Wirtschaftsgebäude) und einem nichtfunktionalen ruinösen Teil (z. B. einer Tempelfassade). Beim funktionalen Teil können vier Hauptgruppen unterschieden werden: 1. Grotten und mit Wasser verbundene Gebilde (z. B. Brunnen, Aquädukte; Beispiel: Jakobsbrunnen auf der Pfaueninsel in Berlin, 1795 von Johann Gottlieb Brendel); 2. Eremitagen, d. h. private Rückzugsorte in der Nähe einer Residenz oder eines fürstlichen Landsitzes (Magdalenenklause im Schloßpark zu Nymphenburg bei München, 1725–1728 von Joseph Effner) oder verwandte Gebäude, z. B. Jagdhäuser oder Teesalons; 3. Nutzgebäude aller Art, die durch eine ruinöse Außenhaut verkleidet und nobilitiert werden, z. B. Küchen, Eisgruben, Wirtschaftsgebäude in der Nähe eines Schlosses (die Küche beim Marmorpalais in Potsdam von Karl von Gontard, 1790); 4. Kleinarchitekturen verschiedener Art und Sonderformen, z. B. Tore, Brücken, Aussichtstürme, Denkmäler, Grabstätten, Theater. Motivisch lassen sich drei häufige Grundformen benennen, zu denen einige nur vereinzelt auftretende Sonderformen hinzukommen: 1. Der ant. Bogen, der relativ einfach ausgebildet sein kann, aber auch den Charakter eines → Triumphbogens annehmen kann (London, Kew Gardens, 1759 von William Chambers; Dessau, Georgium, Abb. 1). 2. Der ant. Tempel, in der einfachsten Ausbildung zwei oder drei isoliert stehende, durch ein Architravstück verbundene Säulen (Potsdam, Park von Sanssouci, Ruinenberg, 1748 von Georg Wenzeslaus von Knobelsdorff und Innocente Bellavite), auch mit größeren Fassadenteilen oder der gesamten Giebelfassade (Dessau, Park Georgium, *Die sieben Säulen*, vor 1786 von Friedrich Wilhelm von Erdmannsdorff) bis hin zum praktisch kompletten Tempel (Rom, Villa Albani, Ruinentempel von Carlo Marchionni, vermutlich vor 1766). 3. Die ma. Burg, die in der überwiegenden Zahl der Fälle einen dominanten Turm aufweist, der oft als außen und innen intakes Gebäude ausgeführt wird und an den nur noch zeichenhaft ruinöses Mauerwerk angefügt ist. Diese typische Struktur war bereits mit der wahrscheinlich frühesten künstlichen Burgruine, Alfred's Hall im Park von Cirencester (Gloucestershire), gegen 1730 von Allen, First Earl of Bathurst, und Alexander Pope, gegeben: ein intakter zweigeschossiger Hauptbau war von (h. verschwundenen) niedrigen, weitläufig verteilten Ruinenmauern mit gotischen Fen-

Abb. 1: Dessau, Georgium: Weißer Bogen (Friedrich Wilhelm von Erdmannsdorff, vor 1786). Aquatinta von Friedrich Salathé. Anhaltische Gemäldegalerie Dessau, Graphische Sammlung

Abb. 2: Kassel-Wilhelmshöhe, Aquädukt von
Heinrich Christoph Jussow (1788-1792)

stern umschlossen. Einige umfangreichere Bauten dieser Gruppe erwecken den Eindruck einer nur wenig zerstörten kompletten Burganlage, z. B. die Löwenburg im Park zu Wilhelmshöhe bei Kassel (1793–1798 von Heinrich Christoph Jussow, Abb. 2). Innerhalb der Gruppe der pseudoant. künstlichen R. (wobei fast ausschließlich auf die röm. Ant. Bezug genommen wird)

gibt es neben den beiden genannten Hauptformen Bogen und Tempel eine ganze Reihe weiterer Formen. Es tauchen Säulenstellungen auf, Pfeiler/Säulen-Kombinationen, Aquädukte, Phantasiefassaden, Mauern mit statuenbesetzten Rundbogennischen, Grabpyramiden; ja sogar der Säulenstumpf wird eingesetzt, z. B. im Park Désert de Retz bei Paris in überproportionaler Vergrößerung als bewohnbare Eremitage (1780/81 von Nicolas-François Barbier).

Analog zur Malerei lassen sich auch für die künstliche Bauruine drei Grundbedeutungen festhalten: 1. Die R. als Vanitaszeichen kommt bei den ruinösen Eremitagen und bei allen Grabmälern zum Tragen. 2. Die R. verdeutlicht, daß etwas Altes untergeht, aber zugleich etwas Neues, das positiv bewertet wird, entsteht. Sie verweist somit auf etwas Zukünftiges. Im Garten zu Hohenheim bei Stuttgart (ab 1776 entstanden, Abb. 3) sollten die künstlichen R. einer röm. Stadt den Hintergrund für eine ländliche Siedlung abgeben – die mod. Agrarkultur erscheint als zukunftsträchtige Alternative zur untergegangenen röm. Stadtkultur. Diese Idee folgt dem Muster christl.-eschatologischer Vorstellungen, wie sie sich im Motiv der »Geburtsruine« ausdrücken. 3. Die R. soll – wie ein Denkmal – die Kontinuität mit der Vergangenheit bekräftigen; sie soll eine bestimmte Sache durch den Hinweis auf Trad. und Alter nobilitieren. Dies ist der Sinn vieler künstlicher Burgruinen, die aristokratische Auftraggeber in der Zeit der Frz. Revolution errichten ließen. Der ruinöse Charakter dieser altehrwürdigen »Stammburgen« bedeutet hier weniger »Zerstörung«, sondern nur »Patina« oder »Alter«, und daher ist er oft nur angedeutet, ja es besteht generell eine Tendenz zur → Rekonstruktion. Wenn seit dem 19. Jh. auch bürgerliche Auftraggeber künstliche Burgruinen errichten lassen, dann zeigt dies ihr Bedürfnis, ihren gesellschaftlichen Status dem der Aristokraten anzugleichen.

1 H. BURDA, Die R. in den Bildern Hubert Roberts, 1967
2 G. HARTMANN, Die R. im Landschaftsgarten: Ihre Bed.

Abb. 3: Stuttgart-Hohenheim,
Englisches Dorf: Tempel der Vesta
(Reinhard Ferdinand Heinrich
Fischer, ca. 1778).
Aquatinta von Victor Heideloff
1795 (Landesmedienzentrum
Baden-Württemberg)

für den frühen Historismus und die Landschaftsmalerei der Romantik, 1981 **3** W. S. HECKSCHER, Die Romruinen: Die geistigen Voraussetzungen ihrer Wertung im MA und in der Ren., 1936 **4** E. H. LEMPER, Kreuzkapelle und Hl. Grab Görlitz, 1992 **5** R. MORTIER, La poétique des ruines en France: Ses origines, ses variations de la Ren. à Victor Hugo 1974 **6** R. ZIMMERMANN, Künstliche R. Stud. zu ihrer Bed. und Form, 1989.   REINHARD ZIMMERMANN

Rumänien

I. ALLGEMEINES; SPRACHE UND SCHRIFT
II. DIE ANTIKE IN DER RUMÄNISCHEN KULTUR
III. GESCHICHTE DER ALTERTUMSWISSENSCHAFTEN

I. ALLGEMEINES; SPRACHE UND SCHRIFT

Das Karpaten-Schwarzmeer-Donau-Gebiet war vor der Ankunft der Römer von Illyrern, Thrakern und Griechen der pontischen Kolonien bewohnt. Zwischen diesem und dem ägäischen Gebiet bestanden seit der Bronzezeit wirtschaftliche und kulturelle Beziehungen, und bereits frühzeitig hatten, ausgehend von den pontischen Kolonien, Hellenisierungsprozesse eingesetzt.

Die Römer fanden bei der Einnahme Dakiens unter Trajan (101–105) eine bereits weitgehend hellenisierte thrakisch-illyrische Welt vor, und die griech. Komponente verband sich später mit den röm. und byz. Einflüssen auf die Völker an der unteren Donau [5] und blieb sogar nach dem Fall Konstantinopels (1453) erhalten. So unternahm Prinz Stephan der Große (1457–1504) in der Moldau den recht erfolgreichen Versuch, seinen Ländern den gleichen Glanz wie → Byzanz zu verleihen [6].

Nach der Eroberung Dakiens verstärkten sich die Kolonisierungs- und Romanisierungsprozess bes. in Transsilvanien (Siebenbürgen), aber auch in den beiden Moesien südl. der Donau und in Scythia Minor (Dobrudscha). Die Herausbildung des rumänischen Volkes als Ergebnis dieser Entwicklung gelangte im 8. Jh. zu ihrem Abschluß, nach Ankunft der Südslawen, aber vor Ankunft der Bulgaren [1]. Konstantinopel, seit 330 Hauptstadt des Röm.-Byz. Reiches, war für alle osteurop. Völker – einschließlich der Rumänen – von großer Bedeutung. Während der zweiten H. des 1. Jh. nahm Südosteuropa eine »interkulturelle« Prägung an. ›Das Paradoxe in Dakien und überhaupt auf dem ganzen Balkan besteht darin, daß sich zwar hier ganz verschiedene Einflüsse kreuzten, gleichzeitig aber, wie die archa. Kulturelemente bezeugen, die bis ins 20. Jh. überlebt haben, diese Länder sehr konservativ sind‹ [3. 158]. Dieses Überleben der materiellen und geistigen Kultur in den Karpaten und an der unteren Donau wurde vom Christentum unterstützt. Dies war für die Rumänen eine große Hilfe bei der Verteidigung ihrer ethnischen Einheit unter dem Schutz des Patriarchen von Konstantinopel – auch noch nach der Eroberung der Stadt durch die Türken.

Die rumänische Sprache entwickelte sich aus der Latinitas Orientalis unter Einfluß des Slawischen. In den ersten Druckereien, die im 17. Jh. in der Moldau entstanden, wurden kyrillische und griech. Buchstaben verwendet. In dieser Zeit legte der moldavische Historiker Miron Costin in seiner an der Univ. Polens verfaßten *Chronik* dar, daß die Rumänen als Nachfahren der röm. Kolonisatoren eine Sprache haben, die dem Volkslatein nahesteht, und daß sie, obwohl sie durch einen breiten Fluß und durch Bergketten voneinander getrennt leben, ein einheitliches Volk sind. Wenig später entwarf Constantin Cantacuzino, ein Walache griech. Abstammung, in dem monumentalen Werk *Die Chronik der Rumänen* ein Bild von der Formierung des rumänischen Volkes und seiner Geschichte nach Quellen, die er in It. untersucht hatte. Dabei berücksichtigte er auch die Rumänen südl. der Donau und deren Mundart.

Stärker erforscht wurde die Latinität des rumänischen Volkes in der latinistischen Schule des 18. Jh. in Transsilvanien, an der Historiker, Sprachwissenschaftler und Schriftsteller tätig waren, die sich von der päpstlichen Politik *De propaganda fide* angespornt fühlten. Die – in Südosteuropa einzigartige – Union der transsilvanischen orthodoxen Kirche mit der katholischen (1699) wurde von vielen jungen Leuten mit Begeisterung aufgenommen, weil sie damit Zutritt zu dem kulturellen Reichtum erhielten, den der Vatikan bot. Zu dieser Zeit wurden in Transsilvanien das lat. Alphabet (zunächst noch vermischt mit kyrillischen Buchstaben) und eine allg. Reform zur Normierung der rumänischen Sprache eingeführt.

Zur gleichen Zeit entwickelte sich in den beiden rumänischen Donaufürstentümern der Walachei und der Moldau eine neugriech. Strömung, die von den ihrer Abstammung nach griech. Fürsten unterstützt wurde und die »nicht rechtgläubigen Christen« verdrängen sollte. Ihr bedeutendster Vertreter war der Fürst Constantin Brâncoveanu (1688–1714), der große Förderer der rumänischen »Wiedergeburt«, dessen kirchliche und weltliche Stiftungen das beredteste Beispiel für westl. Einflüsse auf die schönen Künste, die Architektur und die Malerei geblieben sind. Die wichtigste neugriech. Kulturinstitution war die Doppelstiftung der »Fürstlichen Akad. in der griech. Sprache«, die einen human. Unterricht vom Typ einer Univ. mit sachverständigen Professoren organisierte, unter denen Sevastos Kyminitis herausragte. Ihre Tätigkeit endete zu Beginn des 19. Jh., nach den Aufständen der Balkanvölker gegen die osmanische Fremdherrschaft.

Zu Beginn des 19. Jh. kam die sog. italienisierende Strömung auf, die eine Version der latinistischen Schule darstellte. Sie wurde in der Walachei von Ion Heliade Rădulescu und in der Moldau von Gheorghe Asaki verfochten. 1860 wurde in Bukarest die Societé Académique Roumaine gegründet, die künftige rumänische Akad. der Wiss., deren erste Aufgabe es war, eine Gramm. der rumänischen Sprache und ein etym. WB des Rumänischen auszuarbeiten und die Orthographie zu normieren. Erst 1862 wurde das kyrillische Alphabet endgültig beseitigt. Allerdings beging man dabei den Fehler, das Rumänische allzusehr dem Frz. und It. angleichen zu wollen, bes. durch die Einführung entsprechender Suffixe.

1 L. Bârzu, Der Fortbestand der Rumänen im ehemaligen Dazien, Bukarest 1981, 49–72 2 Em. Condurachi, Un exemple d'interculturalité: le sud-est européen au premier millénaire av. notre ère, in: Diogène 111, 1963, 116–140 3 M. Eliade, De Zalmoxis à Gengis-Khan, 1976 4 G. G. Giurescu, Istoria Românilor, 3 vol., 1942, 1946, 1951 5 N. Jorga, Byzance après Byzance, Bucureşti 1971 6 D. Nastase, Ideea imperiala in tările Romăne. Geneza şi evoluţia în raport cu arta moldovenească, Athènes 1972.

ADELINA PIATKOWSKI/Ü: IRIS V. BREDOW

II. Die Antike in der rumänischen Kultur
A. Mittelalter B. Humanismus
C. Aufklärung D. Literatur
E. Kirchenmalerei F. Musik
G. Byzantinische Motive in der zeitgenössischen bildenden Kunst

A. Mittelalter
1. 602–971

Im 7. Jh. trat nach dem Fall der Donaugrenze des Oström. Reiches (602) auf dem Balkan eine Zeit tiefer ethnischer, sozial-polit. und kultureller Umwälzungen ein. Im 7.–9. Jh. durchlebte das byz. Reich eine Krisenzeit, die als »Periode der dunklen Jh.« bezeichnet und mit einem finsteren »Korridor« verglichen wurde, der die griech.-röm. Ant. mit der Feudalzeit, die »Ära der Basilika und der frühchristl. Grabinschr.« mit der »Ära der kreuzförmigen Kirche« verbindet. Die Ära der frühchristl. Basilika bedeutet die Fortsetzung der Kultur und des Städtewesens der griech.-röm. Spätantike. In diese Zeit fiel die Phase der Vollendung der rumänischen Ethnogenese und Sprache. Danach waren im Laufe des 10. Jh. ein intensiver Handel und die Entwicklung der Gewerbe an der unteren Donau spürbar; diese Aktivitäten führten zur allmählichen Reurbanisierung – ein Prozeß, der durch die Wiedererrichtung der byz. Herrschaft an der ehemaligen Grenze des spätröm. Reiches unter dem Kaiser Ioannes Tzimiskes (971) beschleunigt wurde. Der gesamte karpaten-donauländisch-pontische Raum wies in dieser Zeit eine einheitliche Kultur auf, die aus Elementen dakisch-röm. und röm.-byz. Herkunft entstand und im 10.–11. Jh. ihre höchste Entwicklung erreichte. Diese Kultur stellt den arch. Beleg dafür dar, daß die Rumänen als ein Volk romanischer Kultur, Zivilisation und christl. Religion anzusehen sind. Auf einem in Capidava entdeckten amphorenartigen Krug röm. Trad. ist ein großes Kreuz mit dem Namen der Gottesmutter und der bekannten christl. Formel νικᾷ eingeschnitten, um das Kreuz das griech. Alphabet sowie ebenfalls mit griech. Buchstaben der Name ΠΕΤΡΕ in der Form, in der er bis h. in der rumänischen Sprache geblieben ist. Die lat. Inschr. gilt als ältester schriftlicher Beleg für die rumänische Sprache. Eine ganze Reihe von Kleinfunden (Keramik, Glaswaren, Werkzeuge, Trachtgegenstände und -zubehör,

Schmuckgegenstände) weist auf die unmittelbare Fortführung älterer einheimischer Trad. hin.

2. 971–1186

Nach der Rückeroberung des Gebietes an der unteren Donau und der Errichtung des Themas Paristrion (Paradunavon) wurden bis zu dem Aufstand der Asans (Asăneşti) und dem Aufbau des »Wlachisch-Bulgarischen« Reiches (1186) die alten röm. Festungen am rechten Donauufer wiederhergestellt, während andere neu erbaut wurden. Vor allem die Militärarchitektur setzte die Bautechnik und das Bausystem der röm. Ant. fort. Der Handel und das Gewerbe erlebten einen großen Aufschwung, während das Städtewesen eine neue Blütezeit erreichte. Öl und Wein wurden in Amphoren transportiert, die an die griech.-röm. erinnern. Luxus-Tongefäße aus dem 10.–12. Jh. und bes. einige Krüge mit elegantem Körper und kleeblattförmiger Mündung wurden von Archäologen zunächst mit der röm. Keramik verwechselt. Auf dem Boden einiger Gebrauchsgefäße tritt als Töpferzeichen das Pentagramm auf, während an den Wänden einiger Grottenkirchen aus dem Kreidesteinbruch von Murfatlar (Basarabi, Kr. Constanţa) vom E. des 10. Jh. außer dem Pentagramm das auch auf den röm. Ziegeln aus der Dobrudscha auftretende Mühlespiel und, völlig unerwartet, die für die kretische Kultur spezifische Darstellung der »Konsekrationshörner« festzustellen sind. Auf Knochen- und Geweihgegenständen aus dem 10.–12. Jh. ist das »augenartige« Motiv eingeschnitten, das gewöhnlich aus je zwei untereinandergebundenen konzentrischen Kreisen mit einem Punkt in der Mitte besteht, während auf Schmuckgegenständen aus derselben Zeit Dekorelemente auftreten, welche ihre Analogien in der röm. Ant. finden. Alle diese Elemente materieller Kultur stellen den arch. Beweis für das ununterbrochene Bestehen einer lateinsprechenden Bevölkerung dar, die eine provinzialröm. Kultur geerbt hatte und deren Nachfolger die heutigen Rumänen sind.

1 I. Barnea, St. Ştefănescu, Din istoria Dobrogei, 3. Bd., Bukarest 1971 2 I. Barnea, Christian Art in Romania, Bd. 2, 1981 3 R. Theodorescu, Bizanţ, Balcani, Occident la începuturile culturii medievele româneşti (secolele X–XIV), Bukarest 1974 4 Ders., Un mileniu de artă la Dunărea de Jos (400–1400), Bukarest 1976 5 O. Toropu, Romanitatea tîrzie şi străromânii in Dacia Traiană sud-carpatică (secolele III–XI), Craiova 1976 6 L. Bârzu, La continuité de la création matérielle et spirituelle du peuple roumain sur le territoire de l'ancienne Dacie, Bukarest 1980 7 D. Gh. Teodor, Romanitatea carpato-dunăreană şi Bizanţul în veacurile V–XI e.n., Iaşi 1981.

ION BARNEA/Ü: ALEXANDER AVRAM

B. Humanismus
Die Rumänen in Transsilvanien waren innerhalb des österreichisch-ungarischen Reichsverbandes eine im Vergleich zu den drei priviligierten Volksteilen, den Ungarn, Sachsen und Sikulern, die sich zu Beginn des 2. Jt. in der transsilvanischen Ebene angesiedelt hatten, eine nur tolerierte Bevölkerung. Größtenteils auf dem

Lande lebend, in einer depressiven Umwelt, regiert von der *Unio trium nationum*, die 1437 gebildet und von den Österreichern 1700 anerkannt wurde, konnten die Rumänen kein normales kulturelles Leben entwickeln. Trotzdem findet man in den Werken und in den Tätigkeiten der bedeutenden transsilvanischen Humanisten (→ Humanismus) verschiedener Nationalitäten zahlreiche Elemente, die von ihrem Ursprung her rumänisch sind – wie z. B. bei Bonfinius, Inus Pannonius oder bei Nicolaus Olahus, I. Vitéz, J. Honterus und Héltai Gaspar.

In seinem gelehrten Buch *Hungaria* (1536) bestätigte Olahus aufgrund einer genauen Dokumentation die Romanität und die Einheit der Rumänen. Ob sie Walachen, Moldauer oder Transsilvaner seien – ihre Sprache, die geistigen Trad. und das Bewußtsein für ihren lat. Ursprung seien ihnen allen gemeinsam. Olahus (der latinisierte Name für Valahus, »Rumäne«), der enge Beziehungen mit dem Westen unterhielt (Erasmus war sein Freund), gründete eine human. Schule mit dem Ziel, Bücher human. Inhalts herauszugeben und zu verbreiten. Er spielte eine wichtige Rolle im kulturellen, polit. und rel. Leben Transsilvaniens [8. 86]. Johannes Honterus (1498–1549) aus Brașov (Kronstadt) verfaßte eine Kosmographie nach lat. Vorbildern, eine Karte von Transsilvanien (mit Holzschnitten) und eine Gramm. der lat. Sprache; er war der Gründer einer Druckerei in Brașov (Kronstadt).

Sein Zeitgenosse, Héltai Gaspar, ein berühmter Schriftsteller und Historiker, führte mit seiner *Ungarischen Chronik* das Werk des Bonfinius weiter. Die *Chronik* wurde teilweise von Coresi (1564 Zeilen) ins Rumänische übers. und als Vorlage für die rumänischen Chroniken der Walachei benutzt. Der walachische Mönch Coresi benutzte die Druckerei von Brașov sowie die von Târgoviște, die er gegründet hatte, da er für die Einführung der rumänischen Sprache anstelle des Slawischen in den von Rumänen besiedelten Gebieten kämpfte [5].

In der gleichen Zeit lud der Fürst (Despot) Jacob Heraclid (1562–1563) in der Moldau den Humanisten Johannes Sommer aus Transsilvanien an seinen Hof ein, um eine *schola latina* in Cotnari in der Nähe von Jassy einzurichten und zu leiten. Er war ein guter Freund und Verehrer des Fürsten und besaß Beziehungen zu Kulturträgern aus Frankreich, Deutschland, It. und Polen. Sommer hat ihm 15 lat. Elegien gewidmet. In der Walachei behauptete sich der Fürst Petru Cercel, der auf Reisen die Kultur des Westens kennengelernt hatte, als ein Dichter, der sich meisterhaft im Lat. und It. ausdrücken konnte. Er herrschte bis 1583, umgeben von it. und frz. Freunden, in der Absicht, seinen Fürstenhof nach westl. Vorbildern sowie nach dem transsilvanischen auszustatten [5. 64].

Der rumänische Human. setzte sich in Transsilvanien und in den anderen von Rumänen bewohnten Gebieten während des 17. Jh. durch. In Bălgrad (Alba Iulia) in Transsilvanien, wo ein sehr günstiges geistiges Klima für die Geisteswiss. (Geschichte, Philos., Theologie und Philol.) herrschte, unterstrich der orthodoxe Archiepiskop Simion Stefan in dem Vorwort zum »NT von Bălgrad« (1643) die positive Rolle der rumänischen rel. Trad. im damaligen Leben und die röm. Abstammung des rumänischen Volkes. Mit Hilfe hoher Geistlicher aus Moskau und aus der Walachei führte Sava Brancovici das Werk von Simion Stefan in Transsilvanien fort – ebenso sein Bruder Gheorghe Brancovici, Historiker und Verfasser einer *Chronik*, die 1687 erschien. Ihre Tätigkeiten wurden von dem Fürsten Șerban Cantacuzino von der Walachei unterstützt, der Literaten großzügig förderte.

Zu Beginn des folgenden Jh. verfaßte Mihail Halici (1643–1717) aus Caransebeș im Banat ein *Dictionarium valachio-latinum*, das für Rumänen bestimmt war, die das Lat. erlernen wollten. Er schrieb auch lat. Gedichte und eine schöne Ode auf Rumänien. Sein etwas älterer Zeitgenosse und Landsmann, Gabriel Ivu (1619–1678), der Philosoph, Theologe und Philologe war, schrieb zahlreiche gelehrte Bücher wie die *Philosophia* (Wien 1655), die *Philosophia novella* (Casovia 1661) und die *Propositiones ex universa Logica* (Wien 1654). Er war damit ein Vorläufer von Halici, der in seinem Werk auch die Notwendigkeit eines *Dictionariums* aufzeigte [6. 104]. Aus Scheii Brașovului, einem Vorort der Stadt, schied Teodor Corbea, um als Sekretär an den Hof des walachischen Fürsten zu gehen, wo er mit Geschick die diplomatische Korrespondenz des Fürsten Constantin Brancoveanu leitete; er verfaßte einen Sammelband mit dem Titel *Dictiones latinae cum valachica interpretatione*.

Ion Zoba aus Vinț in Transsilvanien stellte seine rel. und human. *Dissertationes* in Sammelbänden wie *Sicriul de aur* (»Der goldene Sarg«; etwa 1683) oder *Court chemin* zusammen. Außerdem waren in Transsilvanien auch die sächsischen Humanisten von Bed., die wichtige Werke über Geschichte und Trad. des rumänischen Volkes schrieben, an erster Stelle Martin Opitz (1597–1639), Verfasser des Gedichtes *Zlatna oder die Ruhe der Liebe* (1623), das von der rumänischen Umwelt in Transsilvanien inspiriert war. Manchmal veröffentlichte man auch Werke im Ausland, wie den Essay von Laurentius Toppeltinus, der den Titel *Origines et occasus Transsilvanorum* trägt und 1667 in Lyon erschien, ein Buch, das in den Bibliogr. der rumänischen Humanisten sehr geschätzt und benutzt wurde [1. 179].

Für die zweite H. des 17. Jh. sind Johann Filstich, Stefan Bergler, Andreas Teutsch und Georg Soterius und deren Werke über die Geschichte des rumänischen Volkes sowie ihre gelehrten Komm. über philos. Probleme zu erwähnen.

1 A. ARMBRUSTER, Romanitatea românilor, istoria unei idei, Bukarest 1972 2 GH. BULGĂR, Vechi umaniști germani din Transylvania, in: Convergențe românești 7, 1986, 10–13 3 AL. DUȚU, Sinteză și originalitate în cultura română, Bukarest 1972 4 N. IORGA, Istoria Literaturii românești, Bukarest 1977 5 G. IVAȘCU, Istoria Literaturii Române, Bukarest 1969 6 Istoria filozofiei românești, volum colectiv,

Bukarest 1971 **7** Istoria României în date, sub îngrijirea Acad. C. C. Giurescu, Bukarest 1969 **8** Umanistul Nicolaus Olahus. Texte alese. Studiu introductiv, note de I. S. Firu şi Cornelia Albu, Bukarest 1968.

C. AUFKLÄRUNG

Die lange Trad. des transsilvanischen Human. hat den Boden für eine andere Strömung des mod. Denkens bereitet: die → Aufklärung. Die Werke, die dieser Strömung folgten, wie z. B. diejenigen von Samuel Micu, Gheorghe Şincai und Petru Major, die histor. und philos. Inhalts sind, bezeichnen einen neuen Abschnitt in der rumänischen Kultur, wobei sie die Grenzen Transsilvaniens überschritten, um zu den anderen rumänischen Ländern, nach Polen, Rußland und zu den immer noch von den Türken beherrschten Völkern Südosteuropas zu gelangen. Somit kann diese Schule als ein Teil der Aufklärung Mitteleuropas angesehen werden [2; 3]. Autoren wie Samuel Micu mit seiner *Brevis historica notitia originis et progessus nationis daco-romanae* (1778) und Gheorghe Şincai mit seiner Studie *Elementa linguae daco-romanae sive valachicae* (1780) eröffneten neue Wege für das geistige Schaffen im Transsilvanien des 18. Jh. Die Theorie der »Aufklärer« verband sich mit der blutigen Revolution der rumänischen Bevölkerung in Transsilvanien, die von Horia, Closça und Crisan im J. 1784 gegen die Unterdrückung durch Österreich angeführt wurde [8. 137–198].

Als ein Vorläufer der Modernisierung in der wiss. Forsch. und deren Verbreitung durch die Presse veröffentlichte Samuel Micu die *Dissertatio canonica* im J. 1781, die *Loghika* (nach Baumeister) im J. 1799, eine *Grammatica Latina* für Rumänen (1803), *Les lois de la nature*, ethische Betrachtungen, polit. Gedanken und schließlich einen kurzen Abriß über die Geschichte R. (1808) [6. 467]. Sein Kollege und Mitarbeiter Gheorghe Şincai war eine Persönlichkeit, die die rumänische Kultur mit Werken großer Gelehrsamkeit bereicherte, *Chronique des Roumains et d'autres peuples* (einer chronologisch angelegten Geschichte in drei Bdn.), die sein Lebenswerk darstellt (in Teilen zw. 1808 und 1809 hrsg.). Ein weiterer großer Geist der transsilvanischen Aufklärerschule war Petru Major, der als Historiker, Philologe und Literaturkritiker der westl. Aufklärung am nächsten stand. Er war Anhänger der großen Schulen in Rom und Wien, und seine Tätigkeit war mit dem Rationalismus seiner philos. und wiss. Ideen über die rumänische Sprache und Lit., die er in seiner *Histoire de l'origine des Roumains en Dacie* und in seinen *Dissertationes* darlegte, von großer Bedeutung. Zu Beginn des 19. Jh. zeigte sich Petru Major in seinen *Animadversiones* (1814), *Reflexiones* (1815) und *Contemplationes* (1816) als ein mod. Denker, als Polemiker, der Pascal, Voltaire und Grotius sehr nahe stand. Sein Zeitgenosse Ion Budai Deleanu, dessen Werk ebenfalls von der dt. Kultur beeinflußt war, verfaßte außer wiss. Werken auch ein Epos in 12 Gesängen (gegen 1812 erschienen), die *Tziganiada*, die die *Batrachomiomachia* nachahmt, dabei jedoch in al-

legorischer Form die schweren sozialen und polit. Probleme der rumänischen Länder darstellt [12. 115].

Unter den Nachkommen dieser Pléiade von Aufklärern sind zu nennen Ion Barac und Vasile Aaron, die dem griech.-röm. Klassizismus nahestehen, Molnar Pinariu, der Verfasser einer *Rhétorique* und einer *Histoire Universelle* nach Millot ist, und Mihai Boiagi, der den *Orbis pictus* von Comenius übersetzte und veröffentlichte. 1814 erschien ein Buch, das 1834 nochmals verlegt wurde, eine Sammlung von »Fabeln«, deren Autor, Dimitrie Ţichindeal, von Ion Heliade Rădulescu (aus der Walachei) als der eigentliche führende Geist der Revolution im J. 1848 angesehen wurde. Die *Fabeln* des Ţichindeal galten wegen ihres bildenden Inhalts und ihrer aufklärerischen Botschaft als »Gesetztafeln in der Wüste«.

Im J. 1821, dem J. des großen Aufstandes gegen die osmanische Fremdherrschaft in der Walachei, erschien als ein geistiges Echo der Befreiungskämpfe in Südosteuropa die *Bibliothèque roumaine*, eine Art von Enzyklopädie, deren Herausgeber ein Grieche namens Zaharia Carcaleki war. Im J. 1818 wurde in Bukarest von Gheorghe Lazar, einem Wissenschaftler und Philosophen, das *Collège de Saint Sabbah* gegründet, das die Grundlage für die künftige Univ. in Bukarest (1864) bildete.

1 W. BANNER, Das Sprach- und Geschichtsbewußtsein in der rumänischen Lit. von 1780–1880, 1967 **2** D. GHIŞE, P. TEODOR, Fragmentarium iluminist, Bukarest 1972 **3** K. HITCHINS, Cultură şi naţionalitate in Transylvania, Bukarest 1972 **4** I. LUNGU, Şcoala ardeleană, Bukarest 1978 **5** D. MACREA, Lingvişti şi filologi români, Bukarest 1959 **6** A. MARINO, Iluminiştii români şi problema cultivării limbii, »Limba română«, Cluj-Napoca 1964 **7** D. POPOVICI, La littérature roumaine à l'époque des lumières, Sobia 1945 **8** D. PRODAN, Supplex libellus Valachorum, Bukarest 1967 **9** M. RUFFINI, La scuola latiniste romena, Torino 1940 **10** Scuola Ardeleană, vol. 1–2, kritische Ausgabe von F. FUGARU, Einl. von D. GHIŞE u. P. TEODOR, Cluj-Napoca 1983 **11** P. TEODOR, Interferenţe iluministe europene, Cluj-Napoca 1984 **12** G. ŢEPELES, GH. BULGĂR, Momente din evoluţia limbii române, Bukarest 1971.

GHEORGHE BULGĂR/Ü: IRIS V. BREDOW

D. LITERATUR

Die rumänische Lit. begann im Vergleich mit der westeurop. recht spät (15. Jh.) und unter bes. Bedingungen. Ihr ging eine reichhaltige lit. Tätigkeit im Slawischen voraus, die sich auch in Übers. aus dem Altgriech. niederschlug. Im 16. Jh. begann R. auf Kosten des Griech. und des Slawischen Kontakte mit dem westl. → Humanismus aufzunehmen. Viele junge Leute erhielten ihre Bildung jetzt in It., bes. in Padua, in Ungarn und in Polen. Dadurch wurde es ihnen möglich, direkt mit den Werken der ant. Autoren in Berührung zu kommen. Infolge dieser günstigen Einflüsse wurden in den beiden rumänischen Fürstentümern lat.-sprachige Hochschulen gegründet. Ende des 17. Jh. bestand für kurze Zeit unter der Obhut des gelehrten Fürsten Demetrios Cantemir – Mitglied der Akad. der Wiss. in Berlin – die sog. Akad. für Kultur und Wissenschaft.

Die ersten Prosaschriften in rumänischer Sprache sind didaktisch, histor. und paränetisch. Die ersten poetischen Werke in R. stammen von dem Kanonikus Miron Costin (1633–1691), der in polnischen Schulen unterrichtet worden war, sowie dem Metropoliten Dosoftei (1624–1694). Miron Costins Hauptwerk, in Versen geschrieben, ist *Viaţa Lumii* (»Das Leben der Welt«), ein histor. Poem, das problematische Züge der Ant. bis zur Errichtung des röm. Prinzipats beschreibt. Das Poem verurteilt den Ehrgeiz und die Eitelkeit berühmter Feldherren wie Xerxes, Alexander, Artaxerxes, Pompeius und Caesar. Beide Schriftsteller gebrauchen Paradigmen der lat. poetischen Werke, bes. aus Horaz und Ovid, die sie gründlich kannten; *pallida mors*, oft erwähnt, erscheint wie ein *memento mori*.

Ende des 17. und Anf. des 18. Jh. war Fürst Demetrios Cantemir (1673–1723) als Historiker, Gelehrter und Schriftsteller die herausragendste Gestalt der rumänischen Kultur. Er verfaßte eine Geschichte des Ottomanischen Reiches, in Lat. geschrieben und in die engl., frz. und dt. Sprache übers., sowie eine vielgeschätzte Monographie seines Fürstentums Moldau, *Descriptio antiqui et hodierni status Moldaviae*, in welcher der Gelehrte die Latinität des rumänischen Volkes und seiner Sprache gemäß dem Kenntnisstand seiner Zeit feststellt. Von Demetrios Cantemir stammen auch lit. Werke in rumänischer Sprache – u.a. *Divanul*, ein sokratischer Dialog zw. einem Weisen und der schlechten eitlen Welt, gedacht im Sinne Miron Costins. Der Weise ist eine Art Doktor Faust im Gespräch mit Mephistopheles. Das Werk wird als Vorgänger von Leopardis *Dialogen* geschätzt. Ein zweites lit. Werk von Cantemir, das in Rumänisch geschrieben ist – *Istoria hieroglifică* –, ist ein allegorischer Roman mit polit. Untertönen, in dem die Helden Haus- und Wildtiere sind, deren Charaktere aus den äsopischen Fabeln entnommen wurden. Diese *Istoria* wird als ein Hauptwerk der alten rumänischen Lit. betrachtet.

In der Zeit vom 17. zum 18. Jh. erschienen viele Übers. in rumänischer Sprache aus dem Griech. und Lat., bes. von populären Romanen, wie z.B. *Iroada*, Herodots Geschichtswerk und Adaptationen von Homers *Odyssee*. Der Anf. des 19. Jh. war durch verschiedene lit. Einflüsse gekennzeichnet, wie ngriech., altgriech., frz., italienische. So erschienen die ersten Versuche lyr. Gedichte, »anakreontische« genannt, verschiedene Übers. und Adaptationen. Die Vertreter dieser lit. Bewegung waren Iancu Văcărescu (1781–1863), ein guter Kenner der ant. griech. und lat. Lyr., Barbu Paris Mumuleanu (1794–1836) und Vasile Cârlova (1809–1831), der erste von Theophrast, der zweite von Theokrit beeinflußt.

Es war aber auch die Zeit der ersten dramatischen Versuche, teils in fremden Sprachen, bes. Griech. und Frz., teils in Rumänisch. In der Walachei und in der Moldau wurden Theater eröffnet. Man führte Schauspiele aus dem klass. frz. Repertoire – z.B. *Phèdre* von Racine – sowie aus dem klass. griech. auf – wie *Hekabe* von Euripides. Es wurden auch rumänische Dramen gespielt, wie z.B. *Daphnis und Chloe* von Gh. Asachi (1828–1900), eine Nachahmung des berühmten hell. Themas. Mitte des 19. Jh. schrieb Vasile Alecsandri (1821–1900), der Gründer der dramatischen Lit. in R., zwei Dramen mit den Titeln *Fântâna Blanduziei* (*Fons Bandusiae*) und *Ovidius*, deren Protagonisten Horaz und Ovid sind. Es überlebte nur das erste, in Versen geschriebene, dessen Held Horaz, ein alternder Dichter, vergebens die schöne junge Sklavin Getta liebt, die aus dem geto-dakischen Gebiet stammt. Das andere Stück hatte keinen Erfolg.

Der Dichter Mihail Eminescu (1850–1889), der in seiner Jugend Philos. an der Wiener Univ. studiert hatte, war der erste rumänische Denker, der philos. Gedichte in rumänischer Sprache schrieb, insbes. über kosmogonische Modelle. Er war sehr gut mit dem kosmogonisch-pythagoreischen Modell sowie der pythagoreischen Theorie über die Zahl (Arithmos) vertraut. Die Musikalität der Sphären ist ein Leitmotiv im lit. Schaffen von Eminescu, bes. in *Onedine* und im *Fünften Brief*. Für Eminescu blieb auch das platonische Universum nicht fremd, eine Variante des pythagoreischen, die er in verschiedenen Schriften darstellte, so z.B. in der Novelle *Der arme Dionys*, in der er versucht, die idestische Religion mit dem ontologischen System der Pythagoreer und der Akademiker in Verbindung zu setzen. In seinem epischen Poem *Memento mori* stellt er einen Katalog der verschwundenen Zivilisationen – der chaldäischen, ägypt. und der griech. – sowie einen Kat. der mod. Zivilisationen zusammen. Beide sind auf ihren Untergang hin strukturiert und erinnern an die *Vatra Lumii* von Miron Costin wie an das Hauptthema *vanitas vanitatum*, das von beiden Dichtern benutzt wird. Obgleich ein guter Kenner der Hegelschen Philos., blieb Eminescu in erster Linie ein Anhänger Schopenhauers.

Dem 20. Jh. gehört das monumentale musikalische Drama von George Enescu (1881–1955) *Oedip* an, eine mod. Version der Sophokleischen Trag., die erstmals 1932 in Brüssel und danach 1936 in Paris aufgeführt wurde.

1 G. CĂLINESCU, Istoria literaturii române, Bukarest 1963
2 O. DENSUŞIANU, Literatura română modernă, Vol. III, Bukarest 1933 3 N. MANOLESCU, Istoria critică a literaturii române, Vol. I, Bukarest 1990 4 J. EM. PETRESCU, Mihai Eminescu – Poet-Tragic, Iassy 1994.

ADELINA PIATKOWSKI/Ü: IRIS V. BREDOW

E. KIRCHENMALEREI

In mehreren Kirchen der Moldau und der Walachei aus dem 16.–19. Jh. wurden, meist auf ihren Außenwänden, griech. Denker und Schriftsteller – Platon, Solon, Plutarch, Sophokles, Euripides, Thukydides u.a. – oder Sibyllen dargestellt: die persische Sibylle, die libysche Sibylle, die Sibylla Himeria, die Sibylla Samia, die Sibylla Cumea, die Sibylla Hellespontica, die Sibylla Frigia, die Sibylla Europia und die Sibylla Tiburtina. Jede der erwähnten Gestalten trägt ein Phylakterium, auf dem die Erkennungsworte Christi eingeschrieben wurden.

Die bekanntesten Kirchen, auf deren Außenwänden ant. Denker und Sibyllen dargestellt wurden, sind in der Nordmoldau die Klosterkirchen von Mănăstirea Humorolui (1530), Vatra Moldoviței (1536), Voroneț (1546), Sucevița (1850–1590) und die Hl. Georg-Klosterkirche von Suceava (1521); in der Walachei die Kirche zu Allen Heiligen in Bukarest (1787), die bischöfliche Kapelle von Râmnicu Vâlcea (1754), die Kirchen von Târgul Hurezi (1804), Genuneni, Copăceni (1804), Urșani (1805), Câineni (1808) im Bezirk Vălcea u. a.

Solche Darstellungen byz. Ursprungs findet man ebenfalls auf Kirchen in Griechenland, Bulgarien und Rußland aus dem 16.–17. Jh. Sie entsprechen den Vorschriften des *Handbuches der Kirchenmalerei.*

1 V. GRECU, Darstellungen altheidnischer Denker und Schriftsteller in der Kirchenmalerei des Morgenlandes, in: Bulletin de la Section Historique de l'Académie Roumaine 11, 1924, 1–67 2 A. PALEOLOG, Pictura exterioară din Țara Românească (sec. XVII–XIX), Bukarest 1984, 31–38 3 I. D. STEFĂNESCU, L'évolution de la peinture religieuse en Bucovine et en Moldavie. Nouvelles recherches, 1929, 159–163 4 T. VOINESCU, Un aspect puțin cercetat în pictura exterioară din Țara Românească: motivul sibilelor, in: Studii și Cercetări de Istoria Artei, Seria artă plastică, 17, 1970, 2, 195–210.   ION BARNEA/Ü: ALEXANDER AVRAM

F. MUSIK

Die mit dem Aufkommen des christl. Kultus entstandene byz. Musik ist eine Kunstform, die nach der Teilung des röm. Imperiums (395) entstand, sich mit der Stärkung des byz. Reichs entwickelte und auch nach dessen Untergang (1453) fortdauerte; die spätere musikalische Kultur übernahm daraus spezifische Formen und Merkmale (Noten), die sich bis h. erhalten haben. Der Begriff »byz. Musik« beginnt sich erst im 19. Jh. durchzusetzen. Bis dahin war diese Musik unter Bezeichnungen griech. Ursprungs, »Psaltiken« (griech. *psalmos*), »Papadiken« (aus dem griech. *papas*) oder »ekklesiastische Musik« (griech. *ekklesia*) bekannt.

Die in das Gebiet des heutigen R. von Lehrern und Kirchensängern, die in den Klosterschulen unterrichteten, eingeführte byz. Musik umfaßt zwei Gesangsarten: a) die liturgische und b) die weltliche (der von Byzanz übernommene Jubel – *acclamatio* – röm. Herkunft). In den rumänischen Fürstentümern erklang eine derartige, über Bulgarien eingeführte Musik schon im 9. Jh, was häufig die gleichzeitige Verwendung der kirchenslawischen und griech. Sprache [1] im Kirchengesang zur Folge hatte. Da man aber vorwiegend die griech. Sprache benutzte, wurden die meisten Messen in griech. Sprache gehalten und, beginnend im 16. Jh., Kirchenlieder in griech. Sprache verfaßt. Zu den Autoren zählen: Eustatie Protopsaltul, Paisie, Agathon, Antonie Protopsaltul, alle aus dem Kloster Putna (Bukowina).

Zur selben Zeit entstand in Putna die berühmte Putna-Schule, gegr. von Eustatie Protopsaltul, dessen Nachlaß auch 50 handgeschriebene Musikwerke einschließt. Alle Hss. zeigen, daß während der großen Vespermesse (am Vorabend der Sonntage und Hochfeste) der Gesang in griech. Sprache begonnen wurde. Im 16. Jh. erschienen in Brașov (Kronstadt in Transsilvanien) die ersten Übers. kirchlicher Bücher in rumänischer Sprache. Diese setzte sich allerdings erst im 18. Jh., mit den 1713 vom Ordensgeistlichen Filothei sin Agăi Jipei verfaßten *Psaltichie rumâneascǎ* (»Rumänische Psaltiken«) als diejenige Sprache durch, welche für das Lesen der Messe und den Kirchengesang verwendet wurde. Die Hss. sind für die rumänische Kultur wichtig, denn sie weisen die ersten Anzeichen der rumänischen musikalischen Prosodie auf. Bereits im 15. Jh. gab es neben der Musik großer byz. Meister (Ioannes der Damaster, Ioannes Kukuzeles, Ioannes Glykys, Mihael der Ananiote u. a.) eine Reihe von Werken rumänischer Psalmisten: Eustatie Protopsaltul, erster Kirchensänger in Putna, Dometian Vlahul, Theodosie Zottica (15.–17. Jh.) wie auch Callist Ieromonahul, erster Kirchensänger der Bukarester Metropoletankirche, Filothei sin Agăi Jipei, Ioan Duma Brașoveanu, Naum Râmniceanu (17.–18. Jh.) u. a., die Stil und Form der byz. Musik streng einhielten. 1820 erfolgte der Druck der Hss. mit byz. Tonschrift in den rumänischen Fürstentümern, was drei Kirchensängern, Komponisten und Herausgebern zugleich – Petru Efesiul, Macarie Ieromonahul und Anton Pann (der herausragendsten Gestalt der psalmodierenden Musik im R. des 19. Jh.) – zu verdanken ist.

Seit dem 19. Jh. sind Musikologen, Ethnomusikologen und Byzantinisten bemüht, möglichst viele byz. musikalische Urkunden herauszugeben, darunter Theodor T. Burada, Constantin Erbiceanu, der 1897 die Hss. von Filothei sin Agăi Jipei bekannt machte, und der Pfarrer I. D. Petrescu, der 1932 Faksimiles und Abschriften mehrerer byz. Musikbücher aus dem 13.–18. Jh. unter Betonung der theoretischen Aspekte drucken ließ, ferner George Breazul, Grigore Panțiru, Titus Moisescu, Vasile Tomescu, Gheorghe Ciobanu, Sebastian Barbu-Bucur u. a. Aufgrund dieser Veröffentlichungen verwerten wichtige rumänische Komponisten im 20. Jh. in ihren Werken echte byz. Motive (George Enescu, Paul Constantinescu, Dimitrie Cuclin, Gheorghe Dumitrescu, Doru Popovici, Myriam Marbé, Ștefan Niculescu, Anatol Vieru, Sigismund Toduță, Aurel Stroe, Octavian Nemescu, Drina Rotaru, Iancu Dumitrescu, D. G. Kiriac, Liana Alexandra, Liviu Dănceanu u. a.).

Der Bestand an alter byz. Musik zählt h. über 250 Hss.; die meisten wurden in R., in den Klöstern, angefertigt, andere stammen aus Konstantinopel, dem Athos, Athen oder Saloniki. Handschriften rumänischer Kirchensänger und Kopisten befinden sich in den Bibl. in Moskau, Petersburg, Sofia, Kopenhagen und London. Diese Hss., die weiterhin zu erschließen, zu veröffentlichen und auszuwerten sind, sind auch deshalb wertvoll, weil sie das christl.-orthodoxe Wesen in der Religion des rumänischen Volkes, die Herausbildung und Entwicklung der einheitlichen rumänischen Schriftsprache, die Festigung des nationalen Bewußtseins und das Fortbestehen langjähriger rumänischer Kultur- und Musiktrad. bezeugen.

1 S. Barbu-Bucur, Filothei sin Agăi Jipei. Psaltichie rumânească, Bd. 1, Bukarest 1981 2 Gh. Ciobanu, Studii de etnomazicologie şi bizantinologie (»Stud. der Ethnomusikologie und Byzantinistik«), Bd. 1, Bukarest 1974 3 T. Moisescu, Prolegomene bizantine (Muzică bizantină în manuscrise şi carte veche românească), (»Byz. Prolegomena. Byz. Musik in Hss. und alten rumänischen Büchern«), Bukarest 1985 4 G. Panţiru, Lecţionarul Evanghelic de la Iaşi (»Das Losungsbuch für den kirchlichen Gebrauch aus Iaşi«), Bukarest 1982.

G. Byzantinische Motive in der zeitgenössischen bildenden Kunst

Byzantische Symbolik und Technik – hieratische Figuren, Polychromie und die Feinheit des Details – haben immer die rumänischen Maler und Bildhauer angeregt. Dumitru Paciurea (1873–1932) überträgt in seine Bildhauerwerke u. a. das Thema des Einschlafens der Mutter Gottes und des Christus mit der Dornenkrone. Paul Gherasim (geb. 1925) verwertet das oktogonale Symbol (in Verbindung mit dem achten Tag der Schöpfung), aber auch das Motiv der fadenförmigen, asketischen menschlichen Figuren in Tönungen von grau und weiß in Bildern wie *Gewölbe des Lichts, Oktogon, Logos* und *Prologos*. Marin Gherasim (geb. 1937) verwendet Symbole mit ausdrücklich byz. Charakter auch in den Titeln seiner Gemälde: *Abside, Der Thron, Die heilige Burg, Triptichon, Das Gewand (Stihar)* und andere. Horia Berneas (1938–2001) Malerei wird von dem Motiv der Kirchenfahnen bestimmt, zeigt aber auch das Thema der Kirche oder der kirchlichen Pfeiler. Sorin Dumitrescus (geb. 1947) bevorzugte Gegenstände sind die eigentliche Ikone, der Sarkophag und die Hl. Schrift. Silvia Radu (geb. 1935) überträgt ikonische Elemente oder die Ikone selbst in die Bildhauerei. Wanda Mihuleac (geb. 1951) verarbeitet griech. Anschauungen zum Verhältnis Natur-Kultur und Topos-Nostos. Sie nennt ihre Werke, die kombinierte Techniken darstellen, *Ithaca, Byzanthinicon* oder *Nostopia* und nimmt Formen und Strukturen der alten Sanktuarien mit griech.-romanischem Urspr. wieder auf, die auf dem Gebiet des heutigen R. gefunden wurden.

1 N. Iorga, Byz. Synthese, Bukarest 1972
2 Enzyklopädisches WB der alten rumänischen Kunst, hrsg. v. Radu Florescu, Bukarest 1980 3 C. Prut, WB der Mod. Kunst, Bukarest 1982.   Despina Petecel

III. Geschichte der Altertumswissenschaften

A. Vorbemerkung   B. Klassische Philologie
C. Archäologie und Alte Geschichte

A. Vorbemerkung

Das späte Entstehen der Altertumswiss. in R. erklärt sich aus der wechselvollen Geschichte des Landes. Außer Transsilvanien, das an der lit. Bewegung des Human. teilgenommen hatte, haben die rumänischen Fürstentümer unter der türk. Herrschaft und dem Übergewicht des Altslawischen nur durch Übers. und durch die Anwesenheit ausländischer Privatlehrer Zugang zur griech.-lat. Kultur gehabt.

B. Klassische Philologie

Der Anf. der organisierten Studien des Griech. und Lat. im 17. Jh. ist den regierenden Fürsten mit griech. Abstammung (den Fanarioten) zu verdanken; ihre kulturelle Aktivität in der Walachei und in der Moldau wurde von den Türken gebilligt, die sie als Vermittler mit dem Westen benötigten. Unterstützung erhielten sie bei ihrer Arbeit auch von der orthodoxen Kirche in Konstantinopel, die an einem Ausbau ihrer Machtposition interessiert war. Im J. 1694 wurde die erste griech. »Akad.« für human. Wiss. in Bukarest gegründet und wenige J. später in Jassy, der Hauptstadt der Moldau, die zweite. Die griech. Akad. der Moldau hatte eine Buchdruckerei, um das Lehrmaterial zu vervielfältigen. Die Archive dieser beiden »höheren Schulen« zeugen von der Ernsthaftigkeit der klass. Studien: Lit., Gramm., Rhet., Poetik und Textinterpretation.

Im J. 1859 wurden die beiden Fürstentümer Walachei und Moldau zu »Vereinigten Fürstentümern« (Principatele Unite), 1866 zu »R.« und 1881 zum Königreich. Danach wurden die alten griech. Schulen und Akad. rumänisiert – unter ihnen das Lyzeum Sfântul Sava, in dem auch h. noch in Bukarest unterrichtet wird, und die Univ. der Geisteswiss. in Bukarest und in Jassy, jede mit einem Lehrstuhl für Klass. Philologie.

Nach dem I. Weltkrieg wurde R. zum »Großen R.« (România Mare), und die Univ. von Cluj (Klausenburg) in Transsilvanien und von Cernănţi (Cernowitz) in der Bukovina erhöhten das Prestige der universitären Ausbildung. In der zweiten H. des 20. Jh. entstanden neue Universitätszentren nach westl. Vorbild, von denen sich das beste im Banat, in Timişoara (Temesvar), befindet, sowie neue Gymnasien und Mittelschulen.

Als Begründer der klass. Studien in R. nach mod. Standards gilt N. I. Herescu, Professor für lat. Sprach- und Literaturwiss. in Bukarest von 1937 bis 1962. Er war der erste Verfasser einer lat. Literaturgeschichte in R., hat Studien über Horaz, die poetische Kunst Vergils und Catull geschrieben und leitete eine Schulreform für den klass. Unterricht ein. Um diese Reform zu unterstützen, gründete er das Rumänische Inst. für Lat. Studien, das 20 J. später in die Societatea de Studii Clasice umbenannt wurde, das wichtigste Organ der klass. Studien in R. bis heute. Außerdem ist er der Gründer zweier

Zeitschriften für die Klass. Philol.: *Orpheus* erfreute sich großer Beliebtheit bei Lateinlehrern, *Revista Clasică* war eine Publikation mit internationaler Tragweite. Ihre Nachfolgerin *Studii Clasice* steht h. auch ausländischen Mitarbeitern offen.

Unter seinen Zeitgenossen und Nachfolgern sind D. M. Pippidi, N. I. Barbu – der Verfasser einer Gramm. der lat. Sprache und zahlreicher Studien über Cicero und Plutarch – sowie Maria Marinescu-Himu zu nennen, die Autorin der ersten Gramm. der altgriech. Sprache in Rumänien.

Im Rahmen der universitären Ausbildung hat inzwischen eine neue Generation von Philologen der Alten Sprachen den Platz ihrer Lehrer eingenommen – unter ihnen E. Cizek, Verfasser einer neuen lat. Literaturgeschichte und zahlreicher Monographien, Felicia Şkef, Autorin einer Gramm. der griech. Sprache, Adelina Piatkowski, Verfasserin einer Geschichte der griech. Lit., einer Geschichte Griechenlands und einer Geschichte des Hell., Lucia Wald und Dan Sluşanski.

Seit 1957 sind in den Verlagen Editura Stiinţifică, Humanitas und Polirom Übers. aus der griech. und lat. Lit. sowie in dem Verlag Teora zweisprachige Ausgaben ant. Lit. erschienen.

C. ARCHÄOLOGIE UND ALTE GESCHICHTE

1. BEGINN DER ARCHÄOLOGISCHEN FORSCHUNG

Archäologische Unt. im engeren Sinne beginnen in R. während der ersten H. des 19. Jh., als sich die Fürstentümer Walachei (Muntenia) und Moldau – außer Bessarabien (der heutigen Republik Moldova), das infolge der russ.-türk. Kriege zu Rußland gehörte – noch unter türk. Herrschaft befanden, Transsilvanien (Siebenbürgen) aber unter der Herrschaft Österreichs stand. Die ersten arch. Sammlungen, die nach wiss. Kriterien angelegt wurden, sind Wladimir von Blaremberg in Transsilvanien zu verdanken (1836 und 1837); sie wurden nachgeahmt von Forschern wie Mihalake Ghika und Nicolas Mavros. 1837 wurde der Schatz von Pietroasa in der Walachei – genannt »Die Henne mit den goldenen Eiern« – entdeckt, dessen Herkunft (got. oder awarisch) umstritten ist. Der Schatz mit seinen 24 massiven Goldstücken wurde präsentiert und kommentiert von dem Schriftsteller und Archäologen Alexandru Odobescu, dem ersten Professor für Arch. an der später (1864) gegründeten Univ. von Bukarest; er kann h. in der Schatzabteilung des Nationalmuseums der Geschichte in Bukarest besichtigt werden.

Zur selben Zeit entstanden spezielle Mus. mit Kunstsammlungen, die eigens Räume für arch. Entdeckungen einrichteten. Das bekannteste unter ihnen wurde 1817 von Baron Samuel Brukenthal in Sibiu (Hermannstadt) gegründet. Bis h. präsentiert das Mus. Brukenthal bedeutende arch. Sammlungen, die v. a. der daco-getischen Zivilisation und der Zeit der röm. Kolonisierung angehören.

2. MUSEEN UND INSTITUTE DER ARCHÄOLOGIE

Die arch. Forsch. in der zweiten H. des 19. Jh. sind in beinahe gleichem Maße durch die Aktivität zweier staatlich unterstützter Mus. der Arch. und der Alten Geschichte bestimmt worden. Das Mus. der Geschichte Transsilvaniens in Cluj (Klausenburg) wurde 1859 als eine Erweiterung des Muzeul Ardelean gegründet; seit 1872 läuft der Museumsbetrieb im Rahmen der lokalen Univ. ab. In Bukarest wurde 1864 auf Erlaß des regierenden Prinzen Alexandru Ioan Cuza das Muzeul National de Antichităţi eingerichtet; zu dieser Zeit stellte es eine Fortsetzung des 1834 gegründeten Muzeul National dar. Es wurde dank einer bedeutenden Schenkung von Antiquitäten durch den General Nicolas Mavros erbaut, der andere Schenkungen folgten. Dieses Mus. wurde geleitet und bereichert durch ein Komitee von Fachleuten, unter denen sich auch Alexandru Odobescu befand.

Am E. des 19. Jh. und zu Beginn des 20. Jh. stieg die Zahl der arch. Forschungsinst. und der entsprechenden Museen. So wurden z. B. 1872 das Muzeul Banatului in Timişoara (Temesvar) und 1879 das Muzeul de istorie naţională şi arheologie in Constanza gegründet. Das Mus. in Constanza wurde bereichert durch die Entdeckung der griech. Kolonien Histria, Tomis und Callatis aus dem 7. Jh. v. Chr. Es ist h. das an Ausstellungsgegenständen von großer histor. Bed. reichste Mus. des Landes. Des weiteren wurde in Jassy 1897 das Muzeul de istorie al Moldovei gegründet und 1916 – im J. des rumänischen Eintritts in den I. Weltkrieg – dank der Initiative von Orest Tafrali, dem Professor für Arch. und Alte Geschichte an der Univ. von Jassy, durch das 1860 gegründete Muzeul de Antichităţi erweitert.

3. DIE GESETZLICHE REGELUNG DER GRABUNGEN UND DIE ERSTEN FACHZEITSCHRIFTEN

Dank der Initiative von Grigore Tocilescu – dem späteren Direktor des Nationalmus. der Ant. und Professor an der Univ. von Bukarest – erhielten die rumänischen Archäologen im J. 1851 eine eigene Gesetzgebung für ihre Tätigkeit sowie die Möglichkeit, ihre Erkenntnisse in Jahrbüchern und Fachzeitschriften zu veröffentlichen. Tocilescu gründete 1882 die *Revista pentru Arheologie şi Filologie*, die bis 1914 erschien. Seit 1924 veröffentlicht das Nationalmus. der Ant. in Bukarest die Zeitschrift für Arch. und Alte Geschichte *Dacia*, die den Untertitel »Arch. Forsch. und Entdeckungen in R.« trägt. Wichtig waren auch die *Analale Academiei Române* (veröffentlicht von 1867 bis 1879 von der Rumänischen Akad. Gesellschaft) und *L'Academia Română* (seit 1879). Mit der Zeit ist es jedem der wiss. orientierten Mus. gelungen, eigene Veröffentlichungen herauszubringen. Von 1923 bis 1945 wurde als Organ der Rumänischen Schule in Rom (L'Accademia di Romania) die *Ephemeris Dacoromana* (gegr. von Vasile Pârvan) herausgegeben.

4. GESCHICHTE DER GRABUNGEN BIS ZUM I. WELTKRIEG

Durch die 1884 in Moldawien unternommenen Grabungen in der Gegend von Cucuteni (in der Nähe von

Jassy) wurde eine vorgeschichtliche Kultur entdeckt – die »Kultur von Cucuteni« –, deren Töpferkunst der kretischen und der ägäischen an Schönheit gleichkommt. Die wiss. Aktivitäten der rumänischen Forscher in Moldawien auf dem Gebiet der lokalen Vorgeschichte wurden auf Einladung des rumänischen Staates von Hubert Schmidt aus Berlin fortgesetzt.

Bereits gegen E. des 17. Jh. waren im Banat und in Transsilvanien bedeutende Schätze aus der Zeit der Völkerwanderung gefunden worden. In Şimlăul Silvanei in Transsilvanien entdeckte man 1797 und 1889 zwei Schätze, die sich h. in Wien befinden; ein dritter, der bei Sânnicolaul Mare entdeckt wurde, ist in Budapest ausgestellt. Unter den Archäologen Transsilvaniens, die vor dem I. Weltkrieg gegraben haben, sind Iulius Teutsch aus Braşov (Kronstadt) und Ferencz Laszlo (Covasna), Direktor der Mus. von Sân Giorgiu (Sankt Georg), zu nennen. Sie haben außer daco-getischen und slavischen auch Fundstätten entdeckt, die eine der Kultur von Cucuteni ähnliche neolithische Kultur ans Licht brachten.

5. Grabungen sowie archäologische und althistorische Forschungen seit dem I. Weltkrieg

In der ersten H. des 20. Jh. hat die Arch. in R. von der Aktivität des bedeutenden Gelehrten Vasile Pârvan (1882–1927) profitiert, der in Deutschland studiert hatte und u. a. Direktor des Nationalmuseums der Ant. und Professor an der Univ. von Bukarest war. Er wird als Begründer der mod. Arch. in R. angesehen und hat eine Gruppe jüngerer Archäologen ausgebildet, darunter Vladimir Dumitrescu, Radu und Ecaterina Vulpe, Grigore Florescu, Ion Andrieşescu und Ion Nestor. Vladimir Dumitrescu hat auf dem Gebiet der Frühgeschichte – u. a. in Moldawien – gearbeitet; die Forsch. Ion I. Nestors (1905–1974) berücksichtigen in erster Linie die Stratigraphie und Chronologie der primitiven Gemeinschaften in Rumänien. Die Mehrheit dieser Gruppe hat von Aufenthalten an der L'Accademia di Romania in Rom profitiert, an der Pârvan bis 1921 Direktor war. Durch die von ihm geleiteten Grabungen wurden neolithische und dakische Fundstätten in der Walachei und in der Dobrudscha entdeckt. Sein Hauptwerk, *Getica*, gilt der Vorgeschichte Dakiens. Pârvan war auch der erste rumänische Wissenschaftler, der den griech.-pontischen Einfluß im getischen Hinterland untersuchte.

In den 40er J. des 20 Jh. kamen die Mus. und Inst. unter die Schirmherrschaft der Rumänischen Akad. der Wissenschaften. Constantin Moisil (1876–1958) gilt als Begründer der Numismatik in Rumänien. Sein Nachfolger war Emil Condurachi (1912–1987), der v. a. über die Wirtschaft in Ant. und MA (Geld- und Steuerpolitik) sowie über die Völkerentwicklung auf dem Balkan und über die Geschichte der Karpaten und des Gebietes an der unteren Donau arbeitete. Von 1949 bis 1970 war er Leiter der Ausgrabung von Histria.

Unter den Professoren für Alte Geschichte an der Univ. Bukarest, die Pârvan folgten, nimmt Scarlat I. Lambrino einen bes. Platz ein, der Studien über die po-

lit. Struktur der pontischen Kolonien in R. initiierte. Er wurde von seiner Frau, Marcelle Flos, unterstützt. Theofil Saucinc-Săveanu (1884–1971) war einer der bedeutendsten Epigraphiker des Landes. Als Historiker, Archäologe und Epigraphiker veröffentlichte D. M. Pippidi wertvolle Beitr. über Entdeckungen an der Westküste des Schwarzen Meeres (*Inscriptiones Scythiae minoris*, 1983). Petre Alexandrescu und Alexandru Suceveanu haben die Arbeit ihrer Vorgänger mit beachtlichen Ergebnissen auf dem Gebiet der Epigraphik und der Kunstgeschichte weitergeführt. Internationale Anerkennung genießt M. I. Petrescu-Dâmbovitza, der sich v. a. mit den vorgeschichtlichen Kulturen beschäftigt. Insgesamt können der Zeitraum zw. den beiden Weltkriegen und die zweite H. des 20. Jh. auf dem Gebiet der arch. Grabungen als sehr fruchtbar bezeichnet werden.

→ AWI Balkanhalbinsel, Sprachen; Byzantion, Byzanz; Dakoi, Dakia; Illyricum; Musik; Thrakes, Thrake

1 I. Nestor, Istoria României, Bd. I, Bucureşti 1960, XLVII-LII 2 Enciclopedia istoriografiei româneşti, Bucureşti 1978 3 V. Dumitrescu, Oameni şi Cioburi (»Menschen und Scherben«), Jassy 1993.   Adelina Piatkowski/
Ü: Jessica S. H. Ott

Rußland A. 9.–15. Jahrhundert: Die Alte Rus B. 15.–17. Jahrhundert: Byzantinisches Erbe C. 18. Jahrhundert: Zum nationalen Klassizismus D. 19. Jahrhundert, I. Hälfte: Die universitäre Altertumswissenschaft E. 19. Jahrhundert, 2. Hälfte und frühes 20. Jahrhundert: Aufschwung der Antikeforschung F. Oktoberrevolution und Zwischenkriegszeit: Neue Ideokratie G. 20. Jahrhundert, 2. Hälfte: Widerstand und neue Ansätze H. Ausblick

A. 9.–15. Jahrhundert: Die Alte Rus

Die Ostslawen kamen seit dem 9. Jh. auf dem Weg »von den Varägern zu den Griechen« mit → Byzanz in Berührung: Die erste Expedition der »R(h)os« nach Zar'grad-Konstantinopel wird auf ca. 860 datiert. Die Verträge der zur staatstragenden Schicht gewordenen »(Warägo-)Rossen« mit den Byzantinern sind für die 1. H. des 10. Jh. belegt. Wenig später ließen sich der Legende nach die Fürstin Olga in Konstantinopel und ihr Enkel, Fürst Wladimir, in Korsun (Chersonesos Taurica, h. Sewastopol) taufen. Um 988 veranlaßte Fürst Wladimir die Christianisierung der Kiewer Rus. Bald wurden ein Metropolitenstuhl in Kiew und etliche Bischofssitze mit Kirchen, Klöstern und Schulen andernorts eingerichtet.

Begründer der slawischen Schriftkultur waren der sog. Slawenapostel Kyrill (ca. 827–869) und sein Bruder Methodios (ca. 815–885) aus Saloniki. Während Konstantin der Philosoph (869 zum Mönch Kyrill geweiht) mit dem Patriarchen Photios in Verbindung stand, war der in slawischen Idiomen bewanderte Methodios, gemeinsam mit zahlreichen Schülern, für die Übers. eines bedeutenden Teils liturgischer Texte verantwortlich. Die neue Schrift, die der griech. liturgischen Unziale nachgebildet war, setzte sich durch und erhielt im Laufe der Zeit die Bezeichnung »Kyrillisch«.

Alte süd- und westslawische Übers. kirchlicher Texte gelangten ab dem 11. Jh. in Buchform auf russ. Boden. Die Chroniken sprechen von Schulen, die in fürstlichem Auftrage aus dem Griech. übersetzten. In Kloster-Bibl. wurden die Übers. verwahrt und vervielfältigt. Während der vormongolischen Zeit hielten sich Angehörige der griech. Kirche in den russ. Städten Kiew und Nowgorod auf, die zu den wichtigsten Buchzentren der alten Rus wurden. Im Gegenzug reisten russ. Mönche in den orthodoxen Osten, insbes. nach Konstantinopel oder Athos, wo einige vortrefflich Griech. lernten. Die jahrhundertelang geübte Übers. biblischer Texte sowie gezielte Anstrengung des Nowgoroder Erzbischofs Gennadios und seiner Mitarbeiter mündeten 1499 in der Zusammenstellung der teils aus dem Lat. übers. Gennadios-Bibel.

Mit der kirchlichen wurde ein Teil der enzyklopädischen Lit. übers. und verbreitet. In Ansätzen entwickelte sich eine eigene Historiographie; man nimmt an, daß eine freie Übers. der Geschichte des Jüdischen Krieges von Flavius Josephus im ostslawischen Raum entstanden ist. Ps.-Kallisthenes lebte in der slawischen Alexandrija fort, zahlreiche Heiligen-Viten wurden übers., die griech. Gattungen wirkten formgebend in der russ. Literatur. Als Anthologien erfreuten sich z.B. die Melissen (russ. Pčela) großer Beliebtheit; Homer dagegen blieb nur in einigen Floskeln bekannt. Bei alldem achteten die Übersetzer auf die Verträglichkeit der hellenischen Weisheiten mit der christl. Lehre. Dank der oberflächlichen Christianisierung des Encheiridions Epiktets in der Spätant. fand das sehr eng an das stoische Original angelehnte Lehrbüchlein in der slawischen Fassung seinen Weg in die alte Rus. Einiges aus dem stoischen Erbe findet sich noch – neben Verweisen auf spätant. christl. Autoren – bei dem Mönch Neilos (Nil Sorskij) gegen E. des 15. Jahrhunderts. Aus der Patristik schätzte man v.a. die drei großen Kappadozier, Johannes Chrysostomos und Johannes von Damaskus.

Das Mittelgriech. beeinflußte die Lit.- und sogar die Alltagssprache in hohem Maße. Neben direkten Wortentlehnungen haben Lehnprägungen und -bedeutungen in großem Umfang Eingang ins Russ. gefunden: ›Die russ. Sprache ist von der griech. adoptiert worden‹ (A. Puschkin). Der Einfluß von Byzanz auf die russ. Staatsidee, auf Recht und Spiritualität, ganz zu schweigen von Kirchenorganisation, Theologie, Kirchenbau und Ikone, war sehr stark, wobei indirekt auch Einflüsse der hellenischen auf die russ. Kunst nachweisbar sind. Das Christentum vermittelte demnach erste unzusammenhängende, aber vielfältige Elemente griech.-röm. Kultur.

1 D. AINALOV, Gesch. der russ. Monumentalkunst der vormoskovit. Zeit, 1932 2 A. ALEKSEEV, Tekstologija slavjanskoj Biblii, St. Petersburg 1999 3 A. AVENARIUS, Die byz. Kultur und die Slawen. Zum Problem der Rezeption und Transformation (6.–12. Jh.), 2000 4 S. BRONŠTEJN, Konstantin-filosof i Mefodij, Moskau 1984 5 D. BULANIN, Antičnye tradicii v drevnerusskoj literature XI–XVI vekov, München 1991 6 V. ISTRIN, 1100 let slavjanskoj azbuki, Moskau ²1988 7 V. JAGIČ, Entstehungsgesch. der aksl. Sprache, ²1913 8 H. KEIPERT, Kirchenslavisch und Lat. Über die Vergleichbarkeit zweier ma. Kultursprachen, in: Sprache und Lit. Altrußlands, hrsg. von G. BIRKFELLNER, 1987, 81–109 9 V. LAZAREV, Vizantijskoe i drevnerusskoe iskusstvo, Moskau 1978 10 N. MEŠČERSKIJ, Istorija Iudejskoj vojny Iosifa Flavija v drevnerusskom perevode, Moskau-Leningrad 1958 11 F. MIKLOSICH, Die christl. Terminologie der slavischen Sprachen, Wien 1876 12 N. MOLNÁR, The Calques of Greek Origin in the most ancient Old Slavic Gospel Texts, 1985 13 A. SOBOLEVSKIJ, Perevodnaja literatura Moskovskoj Rusi XIV–XVII vekov, St. Petersburg 1903 14 M. SPERANSKIJ, Perevodnye sborniki izrečenij v slavjano-russkoj pis'mennosti, Moskau 1904 15 M. VASMER, Greko-slavjanskie ėtjudy, St. Petersburg 1909.

B. 15.–17. JAHRHUNDERT: BYZANTINISCHES ERBE

Das E. des Byz. Reiches 1453, zur Amtszeit des letzten griech. Metropoliten der Rus, Isidor von Kiew, führte zu neuen Zielsetzungen beim Moskauer Großfürstentum, das sich gerade von den Folgen des Mongolensturms erholte. Die Vermählung Iwans III. mit der Paläologen-Prinzessin Zoe (später Sofja) setzte 1472 ein Zeichen für den Antritt des byz. Erbes. 1492 formulierte der Metropolit Zosima als erster die Idee vom Moskau als »Neuer Burg Konstantins«. Anfang des 16. Jh. »erklärte« der Mönch Filofej von Pskov Moskau zum Dritten Rom (→ Rom I. Geschichte und Deutung E. Romidee; Rom 4. Argument 4. Moskau). Für das Moskovitische Zarentum galt dieser Anspruch seit der Errichtung des Patriarchats 1589, wenngleich dies kein erkennbares Bestreben wachrief, das histor. Rom genauer kennenzulernen. Nach dem Fall Konstantinopels fand Byzantinisches Aufnahme in russ. Staatssymbolik und Kirchenorganisation; es prägte sich aber auch der russ. Hang zu einer staatlichen Ideokratie aus.

Maksim Grek, ein Mönch von Athos (Michail Trivolis, geb. ca. 1470 in Arta), begegnete während seines Studiums in It. den Humanisten J. Lascaris, A. Poliziano und Aldus Manutius. Mit seinem Namen verband man aus späterer Sicht die Anf. der Philol. in R., wo er mehr als 40 J. wirkte. In Moskau übertrug er den Psalter mit Hilfe des Nowgoroder Dolmetschers und Donat-Übersetzers D. Gerassimov aus dem Griech., wobei man sich auf Lat. verständigte. Daneben stand Maksim bei der russ. Übertragung mehrerer Suda-Art. Pate. Nach langer Einkerkerung in russ. Klöstern erschien 1556 sein Bild postum auf den Fresken der Blagovescenskij-Kathedrale im Kreml neben Homer und Aristoteles. Maksim prägte u.a. den Fürsten A. Kurbskij, der sich in Polemiken gegen den Despotismus des Zaren Iwan IV. u.a. auf republikanische Werte aus Ciceros Werk bezog.

Fehler in kirchlichen Büchern nach jahrhundertelangem Kopieren riefen einen Konflikt zw. Altgläubigen und der offiziellen Kirche hervor: Es ging z.T. um das philol. Problem, welche Lesart der Wahrheit am nächsten käme. Patriarch Nikon, der Freund des frömmelnden Zaren Aleksej Mihajlovič, wollte auf der Basis der *veritas Graeca* wiss. vorgehen. Daraufhin setzte eine Suche nach Hss. in Griechenland ein. Denn entgegen Legenden von einer »Bibl. der Moskauer Zaren« besaß man in Moskau nur einige Dutzend griech., zumeist kirchliche Texte. Daraufhin wurde Arsenij Suchanov 1653–1655 nach Athos gesandt, von woher er mit 450 Hss. und alten Drucken zurückkehrte. Diese sollten v.a. der Nikonschen *Sprava* (Textberichtigung) dienen; gleichzeitig bildeten sie einen Grundstock der griech. Hss.-Slg. in Rußland.

In der Zeit des südwestl. Einflusses der Ukraine und Weiß-R. – Gebieten, die lange unter polnisch-litauischer Herrschaft standen – hat die kulturelle Entwicklung Moskaus einen westlicheren Weg eingeschlagen. Nach dem Vorbild der sog. Bruderschaftsschulen von Wilna/Vilnius und Lvov/Lemberg wurde in Kiew 1632 das Kiewer Kollegium/Academia Mohylaeana (nach ihrem Gründer Pjotr Mohyla, auch Mogilas genannt) errichtet. Wiederholte Versuche, eine gelehrte Schule in Moskau einzurichten, mündeten 1687 in der Gründung der Slavo-Graecolateinischen Akad. der Brüder Lichuden unter Federführung des gelehrten Symeon Polotskij, seit 1664 am Zarenhof. E. Slawinetzkij, eine der philol. profiliertesten Persönlichkeiten jenes Kreises, kam um 1650 aus Kiew nach Moskau und wurde vom Patriarchen mit Übers. und Korrektur biblischer Texte betraut. Unter anderem übers. er Erasmus und kompilierte ein (unveröffentlichtes) Graeco-slavo-lat. *Wörterbuch*. 1705 edierte F. Polikarpov, ein Lichuden-Schüler, ein (griech.-lat.-russ.) *Lexicon trilingue*. Nicht zuletzt dank dem Aufblühen der Moskauer Fremden-Slobode verstärkte sich E. des 17. Jh. der westl. Einfluß ungeachtet der Widerstände, insbes. gegen die Jesuiten. Stärkere kulturelle Regsamkeit zeigte sich in vielerlei Hinsicht: A. Lyslow, ein Adliger, nahm z.B. zusammen mit dem lateinbeflissenen Fürsten W. Golizyn an Feldzügen auf der Krim teil und hinterließ 1692 das Ms. einer *Skythischen Geschichte*. Einige prominente Bojaren haben ihre Kinder lat. geschult.

1 Z. Chižnjak, Kievo-Mogiljanskaja Akademija, Kiew 1988 2 B. Fonkič, Grečesko-russkie kul'turnye svjazi v XV–XVII vekov. Grečesko rukopisi v Rossii, Moskau 1977 3 Dm.A. Jalamas, Značenie dejatel'nosti brat'ev Lichudov v svet'e grečeskich, latinskich i slavjanskich rukopisej i dokumentov, Autorreferat der Habilitationsschrift Moskau 2001 4 N. Kapterev, Patriarch Nikon i ego protivniki v dele ispravlenija cerkovnych obrjadov, Sergiev Posad ²1913 5 A. Lyzlov, Skifskaja istorija, Moskau 1990 6 V. Sinicina, Moskva – tretij Rim, Moskau o.J. 7 M. Smencovskij,

Brat'ja Lichudy. Opyt issledovanija iz istorii cerkovnogo prosveščenija i cerkovnoj žizni konca XVII i načala XVIII vekov, St. Petersburg 1899 8 S. Smirnov, Istorija moskovskoj slavjano-grekolatinskoj akademii, Moskau 1885 9 Ju.K. Vorobev, Latinskij jazyk v russkoj kul'ture XVII–XVIII vekov, Saransk 1999 10 N. Zarubin (Hrsg.), Biblioteka Ivana Groznogo, Leningrad 1982.

C. 18. Jahrhundert: Zum nationalen Klassizismus

Als einer der Berater Peters I. sah G. Leibniz die welthistor. Aufgabe R. im Brückenschlag zw. Ost und West. Zunehmend dominierten im petrinischen R. die neuen europ. Einflüsse. Der in Theologie und Rhet. bewanderte F. Prokopovič wirkte schulbildend. 1724 wurde im jungen St. Petersburg die Akad. der Wiss. gegründet. Die bedeutendste Persönlichkeit unter den ersten Antikeforschern der Akad. war Gottlieb (= Theophil) Siegfried Bayer, der eigentliche Begründer der klass. Stud. in Rußland. Die histor.-philol. Erudition begann sich so mit der Erschließung der ant. Quellen für die Nationalgeschichte zu profilieren. Die in der Moskauer Slavo-Graecolateinischen Akad. und im Westen ausgebildeten V. Tredjakovskij (1703–1769) und M. Lomonosow (1711–1765) erwarben sich u.a. Verdienste durch Erarbeitung von Übers.-Prinzipien ant. Autoren, z.B. für die Wiedergabe des ant. Hexameters. Trotz seines verklärten R.-Bildes zeigt Lomonosow bei Analyse der Quellen eine solide Hermeneutik. Prinz Antiokh Cantemir (1709–1744) mit seinen Satiren wurde zum Begründer der neueren russ. Literatur.

Zur Zeit Katharinas II. erfolgte eine Wende zum → Klassizismus; die von der Kaiserin gegründete »Versammlung der Förderer von Übers. ausländischer Bücher ins Russische« ließ durch beinahe 100 Personen Werke der Alten übersetzen. Der Herausbildung des Stils und der Aneignung ant. Dichtungsgattungen war es unter den gegebenen Umständen sogar förderlich, daß man des öfteren nicht aus den Originalsprachen übertrug.

Die Eroberung der Krim 1783 mehrte das russ. Interesse an der klass. Antike. Neugriechen wurden im sog. Neu-R. (Krim, Nežin u.a.) ansässig. Die russ. Balkanpolitik war griechenfreundlich. In diesem Geist widmete Evgenios Bulgaris (1716–1806) seine Übers. der *Aeneis* ins (fast) Homerische dem Potemkin Tauricus. Die symbolträchtige Reise Katharinas durch Potjemkinsche Dörfer nach Taurien fand im Rahmen des sog. Griech. Projekts statt, wonach der Enkel der Kaiserin, Konstantin, das künftige orthodoxe Reich in Konstantinopel regieren sollte. Aus dem Slavo-Graecolateinischen Alexander-Newsky-Seminarium in Petersburg (seit 1726) wurde E. des 18. Jh. die Geistliche Alexander-Newsky-Akad. (seit 1809 St. Petersburger Akad.), wo man Griech. studierte und Lat. sprach. Die Akad. der Wiss. zu St. Petersburg weitete indes die Stud. zur Erforsch. der Geschichte des Nordpontos aus, u.a. durch Forschungsreisen des Akademiemitglieds P.S.

Pallas (1741–1810). Okkasionelle Funde bereicherten die mit fürstlichem Stolz betreuten, z. T. öffentlich gewordenen Sammlungen der St. Petersburger Eremitage (→ Sankt Petersburg, Eremitage). Da die sog. Akademische Univ. in St. Petersburg sogar zu ihrer besten Zeit (um 1749–1766) eher eine kleine Auswahl sich noch weiter bildender Gelehrter darstellte und die Moskauer Univ. (1755) sich erst allmählich behauptete (die Moskauer Tätigkeit des Hss.-Kenners Chr. Fr. Matthaei begann 1772), war die Forsch. entweder an Einzelpersonen oder an die Akad. der Wiss. mit ihren *Commentarii Academiae Scientiarum Petropolitanae* (*CAP*) gebunden.

Im 18. Jh. häuften sich erstmals, neben Ansätzen zu eigener neulat. Lit., Übers. Homers, Vergils und Horaz' sowie »Anakreontea« (→ Anakreontische Dichtung, Anakreontik) und Bearbeitungen von westeurop. literarhistor. Lehrbüchern. Die bildenden Künste blieben nicht hinter den Wortkünsten zurück. Seit der petrinischen Zeit ziert die »Venus Taurica« die Petersburger Ermitage. Der architektonische Klassizismus feierte nicht nur in russ. Großstädten seine Triumphe. Der bedeutende Architekt V. Baženov versah den von ihm übers. Vitruv mit einem Sachkommentar. In der Musik geben ant. Myth. und Geschichte Material für die Sujets von Oper, Ballett und Oratorium. Vornehmste Ortschaften in der Umgebung St. Petersburgs tragen bis h. Namen wie Aleksandrija oder Sofija. Für das ganze Jh. ist die Kombination aus dem für R. im westeurop. Vergleich späten christl. → Humanismus und dem von paganen Elementen durchdrungenen Klassizismus charakteristisch. Dank der Flut von Eindrücken aus der ant. Kultur reifte zu guter Letzt der russ. Klassizismus als ein Amalgam aus Fremdem und Eigenem.

1 S. BATALDEN, Catherine II's Greek Prelate. Eugenios Voulgaris in Russia, 1711–1806, 1982 2 M. ČERNJAEV, Sledy znakomstva russkogo obščestva s drevneklassičeskoj literaturoj v veke Ekateriny II., in: Filologičeskie zapiski 44 (1904) 3–4, 1–28; 45 (1905) 1–2, 129–139 3 A. DERJUGIN, V. K. Tredjakovskij-perevodčik. Stanovlenie klassičeskogo perevoda v Rossii, Saratow 1985 4 E. HÖSCH, Das sog. griech. Projekt Katharinas II. Ideologie und Wirklichkeit der russ. Orientpolitik in der zweiten H. des 18. Jh., in: Jb. für Gesch. Osteuropas 12 (1964) 2, 168–206 5 R. LACHMANN, Feofan Prokopovic, De arte Rhetorica libri X. Kioviae 1706, 1982 6 A. LOBODA, K istorii klassicizma v Rossii v pervuju polovinu XVIII stoletija, Kiew 1911 7 JU. MARGOLIS, G. TIŠKIN, Edinym vdochnovenem (Skizzen zur Gesch. der Univ.-Ausbildung in St. Petersburg am E. des 18. Jh.), St. Petersburg 2002 8 P. PEKARSKIJ, Nauka i literatura pri Petre Velikom, Bd. 1, St. Petersburg 1870 9 Ders., Istorija imperatorskoj Akademii nauk v Peterburge, 2 Bde., St. Petersburg 1870–1873 10 D. SCHENK, Stud. zur anakreontischen Ode in der russ. Lit. des Klassizismus und der Empfindsamkeit, 1972 11 V. SEMENNIKOV, Sobranie, starajuščeesja o perevode inostrannych knig, učreždennoe Ekaterinoj II. (1768–1783), St. Petersburg 1913 12 Svodnyj katalog russkoj knigi XVIII veka. 1725–1800, Bde. 1–5, Moskau 1962–1967.

D. 19. JAHRHUNDERT, 1. HÄLFTE: DIE UNIVERSITÄRE ALTERTUMSWISSENSCHAFT

Die Regierungszeit Alexanders I. begann mit der Verbreitung der Universitäten. In Dorpat (Jurjew, h. Tartu; → Estland) wurde 1802 die Jurjewsche Univ. neugestaltet. Seit 1804 besteht die Kasaner Univ.; ein J. darauf wurde das Charkowsche Collegium in eine Univ. umgewandelt. Die verspätete Gründung der Petersburger Univ., die vor den heutigen Rückdatierungsversuchen zunächst auf 1819 datiert wurde, erklärt sich aus der Existenz der sog. Akademischen Univ., deren Kontinuität allerdings fragwürdig ist: Vielmehr hat sich die reguläre Petersburger Univ. aus der oft umbenannten Pädagogischen Anstalt entwickelt; das Pädagogische Hauptinstitut blieb dabei, was Lehrkräfte und Studierende betraf, immer im Austausch mit der Univ. weiter bestehen. 1832 kamen die St.-Wladimir-Univ. in Kiew, 1839 die neugestaltete Univ. Warschau hinzu. In Helsingfors/Helsinki wurde nach dem Brand der Univ. in Abo/Turku 1827 die Alexander-Univ. gegründet und seitens der russ. Regierung vielfältig unterstützt. Die alte Univ. Wilna/Vilnius blühte nach 1803 zeitweilig auf (→ Litauen).

Graf S. Uvarov, ein Schüler von F. Graefe (1780–1851), dem Begründer des Klass. Instituts an der Univ. Petersburg, wurde Präsident der Akad. der Wiss. (1818–1855) sowie Minister für Volksbildung (1833–1849). Während seiner Amtszeit gewannen die klass. Sprachen nicht nur an den Univ., sondern auch im Schulsystem an Bed., wobei allmählich die neuhuman. Orientierung dieses Korrespondenten Goethes dem Motto »Orthodoxie, Autokratie, Nation« angepaßt wurde. Neben regulären Gymnasien entstand eine Reihe berühmter Lyzeen: 1811 das Lyzeum von Zarskoje Selo/Puškin in der Nähe von St. Petersburg zur Ausbildung der Staatselite, an dessen Statuten u. a. I. Martynov, der Übersetzer einer Reihe ant. Klassiker, beteiligt war. Obwohl kein herausragender Lateiner, lieferte Puschkin, der Lyzeist des ersten Jahrgangs, in seiner dichterischen Welt eine beinahe unerschöpfliche Menge an Material zum Thema Ant.-Rezeption. Auch seine Schulfreunde prägte die ant. Lit.: In sibirischer Verbannung schrieb W. Küchelbecker ein Drama *Argeier*; A. Delvig färbte griech. Idylle mit russ. Kolorit. Im von vielen Griechen bewohnten Odessa ging das Richelieu-Lyzeum neben der Odessaer *Philike Hetairia* in die Annalen des russ. → Philhellenismus ein. Im Lyzeum Kušelev-Bezborodko des teils griech. Nežin wuchs N. Gogol auf: Seine Neigung zu ostslawischen Volkstrad. (später kamen die Kirchenväter hinzu) birgt starke homerische Impulse.

Neben Dorpat blieb die Moskauer Univ. bis Mitte des 19. Jh. führend auf dem Gebiet der klass. Antike. Zwischen 1827/28 und 1838 bildete man am Russ. Professoreninstitut Dorpat eine beeindruckende Zöglingsschar aus: M. Kutorga (1809–1886) wurde für Petersburg prägend, das seit Mitte des 19. Jh. für die Ant.-Forsch. in R. die Führung übernahm. Die wiss. Betätigung erforderte die Bildung Gelehrter Gesellschaften, wie sie in Odessa, in St. Petersburg (ab 1844 Arch.-Numismatische, ab 1847 Russ. Arch. Gesellschaft/RAO, in Moskau: MAO) gegründet worden waren. Erste aufregende Erfolge der nun systematischer geführten Grabungen in Kertsch (Pantikapaion) und Chersonesos fielen in die 1830–1840er Jahre. Die Funde kamen v. a. den Mus.-Beständen der St. Petersburger Ermitage und Odessa zugute. Zum repräsentativen Publikationsort u. a. für klass. Stud. wurde ab 1834 die Zeitschrift des Ministeriums für Volksbildung (russ. *ŽMNP*, lat. *Commentarii ministerii instructionis publicae*); es erschienen auch kleinere Publikationsreihen, wie die anspruchsvollen *Propyläen* P. Leontjews und M. Katkows.

Im goldenen Zeitalter der russ. Lit. führte die alte Hingabe an die äsopische Fabel I. Krylow zu einem Höhepunkt in diesem Genre. Die mächtige und dabei präzise *Ilias* von N. Gnedič wurde vom lit. Publikum ebenso intensiv rezipiert wie die nach einer dt. Interlinear-Übers. verfaßte charmant-sentimentale *Odyssee* von V. Žukovskij. Der lange am bayrischen Hofe weilende F. Tjutčev durchsetzte seine Lyrik mit neuen hellenisch-romantischen Naturmythen. A. Fets Übers. beinahe aller röm. klass. Dichter zeugen demgegenüber oft von einer gewissen Entfremdung vom eigenen lit. Schaffen; allerdings haben seine anthologischen Gedichte in freier Nachahmung jener ant. »Schalentier-Dichter« Autoren wie Dostojewski begeistert. Der überschwengliche Enthusiasmus für die schöne Ant. bei A. Majkov oder N. Ščerbina provozierte hingegen den sog. Kozma Prutkoff zum Parodieren.

1 M. V. Albrecht, Rom: Spiegel Europas. Texte und Themen, 1988 (Kap. 6: Ant. Elemente in Puschkins Sprache und Stil) 2 A. N. Egunov, Gomer v russkich perevodach XVIII–XIX vekov, Moskau–Leningrad 1964 3 Ch. E. Finch, Classical Influence on N. V. Gogol, in: CJ 48 (1953), 291–296 4 È. D. Frolov, Russkaja istoriografija antičnosti (do serediny XIX veka), Leningrad 1967, 89–139 5 M. Kažoknieks, Stud. zur Rezeption der Ant. bei russ. Dichtern zu Beginn des 19. Jh., 1968 6 C. R. Proffer, Gogol's Taras Bulba and the Iliad, in: Comparative Literature 17 (1965), 142–150 7 G. Schmid, Das Professoren-Inst. in Dorpat. 1827–1838, in: Russ. Revue. St. Petersburg 19 (1881) 8, 139–151, St. Petersburg 1881 8 C. H. Whittaker, The Origins of Modern Russian Education: An Intellectual Biography of Count Sergei Uvarov, 1786–1850, 1984 (auch in russ. Übers.).

E. 19. Jahrhundert, 2. Hälfte
und frühes 20. Jahrhundert:
Aufschwung der Antikeforschung
1. 1860–1890

Nach der Zeit der Großen Reformen ab 1861 ließ die Reaktion nicht lange auf sich warten. Dm. Tolstoj, Minister der Volksbildung, erklärte die Beschäftigung mit der Ant. in Form des auf sprachlich-stilistische Kompetenz gerichteten altsprachlichen Unterrichts zum Bollwerk des Konservatismus; seine Reform von

1871 brachte die Altphilologie mitsamt dem »klass.« Gymnasium in Verruf. Zur Einrichtung eines altsprachlichen Schulsystems – Eurasien mußte Preußen einholen – brauchte man qualifizierte Lehrer. Deswegen wurde das Pädagogische Hauptinstitut in St. Petersburg 1867 zum Histor.-Philol. Institut umgestaltet; A. Nauck (1822–1892) und L. Müller (1836–1898) wurden als Professoren eingeladen. Das Histor.-Philol. Institut bildete nicht nur Lehrkräfte für Gymnasien aus, sondern verbreitete auch viel gründliches Wissen. Als Histor.-Philol. Institut wurde das ehem. Kuželev-Bezborodko-Lyzeum in Než ab 1875 mit einer wertvollen Bibl. ausgestattet; es publizierte gleichsam als eine Filiale des Petersburger Instituts eigene Schriften. Ebenfalls der Lehrerausbildung diente zeitweilig das von der russ. Regierung 1873 nach dem Konzept F. Ritschls aufgebaute Russ. Philol. Seminar in Leipzig, wohin viele sog. slawische Stipendiaten, meistens tschechischen Ursprungs – wie E. Czerny, I. Netušil, A. Pospišil, V. Petr – gingen, die später an russ. Mittel- und Hochschulen unterrichteten. Zu den älteren Univ. kamen neue hinzu. In Odessa bildete 1865 das Richelieu-Lyzeum die Grundlage für die Neuruss. (seit 1933 Odessaer) Univ., die für die Klass. Arch., Kunstgeschichte und Epigraphik als eine Brücke zu den Mittelmeer-Kulturen bes. wichtig wurde. Energische Bemühungen der Regierung stießen jedoch auf heftige Zweifel an der Zweckmäßigkeit des »klassizistischen« Schulsystems. So warf der große Naturwissenschaftler D. Mendelejew den Klassizisten ›ihren verfaulten Aristoteles‹ vor.

Immer zahl- und inhaltsreicher erschienen Einzel- wie Reihenpublikationen. Sechs Bände der *Mélanges Gréco-Romains* (*MGR*), zum großen Teil von A. Nauck redigiert, kennzeichnen die neue formell-klass. Periode. Immer fundierter wurde das *ŽMNP*. Jede Univ. und geistliche Akad. gab Schriftenreihen heraus; die Petersburger Akad. der Wiss. betreute gleich mehrere Reihen: *Bulletins* (*Izvestija*), *Mémoires* (*Zapiski*), *Compts-Rendus* (*Doklady*). Die Kaiserliche Arch. Kommission am Ministerium des Hofes veröffentlichte ihre »Berichte« (*Otčety*: *OAK*) und »Mitteilungen« (*Izvestija*: *IAK*) etc.; neue Inschr. fand man in den von derselben Kommission edierten *Materialy po archeologii Rossii* (*MAR*). Auch größere histor.-philol. Gesellschaften wie RAO, MAO oder die Archäographische Kommission publizierten regelmäßig neue Funde ant. Inschr., Münzen, Kunst, Anschaffungen an Hss. (z. B. 1862 den *Cod. Sinaiticus*) oder bibliophilen Raritäten. Die Odessaer Gesellschaft edierte die eigenen *Zapiski* (*ZOO*: 33 Bde. zw. 1844 und 1919) weiter; die Mus. von Sewastopol (Chersones) und Kertsch (Pantikapaion) bemühten sich, ihre Bestände zu bewahren und bei ihrer wiss. Erschließung behilflich zu sein. Die Orthodoxe Palästinische Gesellschaft existiert seit 1882 mit ihrem *Palestinskij Sbornik*, in dem man viele Erstdrucke griech. christl. Texte findet. Die Gesellschaft der Klass. Philol. und Pädagogik wurde 1874 von A. Georgievskij in St. Petersburg gegründet, mit Abteilungen in Moskau und anderen Univ.-Städten (bis Anf. der 20er J. des 20. Jh.).

Was die Programmatik betrifft, traten der »Tatsachen-Verfechter« F. Sokolow (1814–1909) sowie seine Lieblingsschüler V. Jernstedt (1854–1902) und V. Latyschev (1855–1921), der urspr. aus dem Histor.-Philol. Institut stammte, hervor. Nach seiner Ausbildung in der dt. St.-Annen-Schule, St. Petersburg, und in Deutschland entfaltete Faddej/Tadeusz Zielinski (1859–1944) in St. Petersburg seine philol. Aktivität unter dem Motto: ›mit den Füßen auf dem festen Boden der Tatsachen, mit dem Blick – in der Höhe der ewigen Werte‹.

In der Mitte des 19. Jh., als der russ. realistische Roman blühte, wirkten meistens Schriftsteller mit human. Ausbildung. So hat I. Turgenjew in Petersburg Graefe, in Berlin A. Boeckh gehört und an beiden Univ. u. a. über die griech. Lit. auf Lat. disputiert. I. Gontscharow war der Ant. ebenfalls innig gewogen. Die Wende L. Tolstois zur volkstümlich-sachlichen »Einfachheit« in seinem späten Werk wäre ohne seine Zuwendung zu Herodot, Homer und dem griech. NT wohl undenkbar: Wieder kam es zu einer Synthese von Mod. und Antike.

2. 1890–1920

Auf vielfältige Weise zeigte sich die institutionelle Entfaltung. Endlich gelang es der russ. Wiss., im christl. Orient Fuß zu fassen: Das Russ. Institut in Konstantinopel (1895–1914) unter der Leitung F. Uspenskijs kam auch der Klass. Philol. zugute. Das Ende des alten R. und die Revolutionsjahre sind durch Neugründungen (Perm, Woronesh, Simferopol) gekennzeichnet; die Univ. Saratow und Tomsk bekamen einen klass. Lehrstuhl. Die Frauenhochschulen blühten auf: O. Dobiaš-Roždestvenskaja (1874–1939), ein Zögling der Petersburger Bestužev-Kurse für Frauen, Spezialistin für lat. Paläographie, wurde später korrespondierendes Mitglied der Akad. der Wissenschaften. An denselben Bestužev-Kursen wurden auch S. Melikova(-Tolstaja) und M. Maximova, die in Berlin bei Wilamowitz, Norden und Schulze ihre Studien vertieften, sowie M. Sergejenko ausgebildet.

Das Interesse der russ. Wissenschaftler am ant. Nordpontos ließ nicht nach. V. Latyschev gab in den *Inscriptiones orae septentrionalis Ponti Euxini* (*IosPE* ²I, II, IV; Bd. III mit Siegeln von E. Pridik nicht veröffentlicht) Neufunde systematisiert heraus. Er sammelte außerdem in großem Umfang ant. Texte, die sich mit der nördl. Schwarzmeerküste befassen: *Scythica et Caucasica* (1. Bd.: Griechen, 2. Bd.: Römer, St. Petersburg 1893–1906). Das Interesse an Arch. äußerte sich u. a. darin, daß Arch. Institute in Petersburg und Moskau eingerichtet und Unterlagen zu 15 Allrussischen Arch. Kongressen herausgegeben wurden.

Im *ŽMNP* wurde bis 1917 der ant. Teil so bedeutsam, daß es sich E. des 19. Jh. empfahl, Sonderbände für das Klass. Alt. zusammenzustellen. Die neue Rezensionszeitschrift *Philologičeskoe Obozrenie* (*Philol. Rundschau*) wurde 1891–1902 in Moskau, die dem Gymnasialwesen und der Dokumentation gewidmete Zeitschrift *Hermes* (russ. *Germes*: 1907–1918) in Petersburg herausgegeben. Die Entsprechung zur dt. *Byz. Zeitschrift* bildet seit 1894

der *Vizantijskij Vremennik*. Das auffällige Übergewicht der Gräzistik in der russ. Forsch. erklärt sich zum einen aus dem vielfältigen byz. Erbe, dessen umfassende Unt. Mitte des 19. Jh. als Nationalaufgabe verstanden wurde, zum anderen wohl aus dem nachhaltigen neuhuman. Einfluß der dt. und russ. Klassik.

Während der angesprochenen Pentekontaetie weist jede der russ. Univ. namhafte Gelehrtengenealogien auf. So St. Petersburg, neben den schon genannten Gräzisten, Latinisten in der Nachfolge N. Blagoveščenskijs: V. Modestov, I. Pomjalovskij, I. Cholodniak und A. Malein; nach H. K. E. (russ. J.J.) Koehler und L. Stephani betätigten sich in der Ermitage G. Kieseritsky und O. Waldhauer; als Archäologe wäre B. Farmakovskij (Grabungen in Olbia) zu nennen; außer althistor. orientierten Philologen wie S. Žebelev und arch. geschulten Historikern wie M. Rostowzew gab es solche beachtlichen Einzelgänger wie A. F. Enman; in der Epigraphik zeichneten sich (neben Latyschev) A. Nikitskij und N. Novosadskij aus. L. Mendelssohn und W. Hörschelmann waren in Dorpat nach S. Morgenstern und Chr.Fr. Neue aktiv; der Kunsthistoriker V. Malmberg wirkte zeitweilig dort. Nach D. Krjukov und dem Mediävisten T. Granovskij bildete sich in Moskau um den sprachkundlich und human. orientierten F. Korsch ein Schülerkreis: A. Gruška, M. Pokrovskij, S. Sobolevskij. Charkow konnte in seiner Blütezeit I. Netušil und V. Busescul vorweisen. F. Miščenko beeinflußte die Kasaner Univ.; für Kiew sind zumindest J. Kulakovskij und A. Sonny zu nennen; I. Zvetajev, A. Lovjagin oder P. Černjajev lehrten zeitweilig in Warschau; N. Kondakov, R. Loeper, E.v. Stern und sein Schüler M. Mandes in Odessa müssen genannt werden.

Die russ. Altphilol. nahm einen Ehrenplatz unter den Geisteswiss. ein: So war P. Nikitin (1849–1916), ein Schüler Naucks, während der Präsidentschaft des Großfürsten K. K. Romanov Vize-Präsident der Petersburger Akad. der Wiss.; I. Zvetajev (1847–1913), dem Vater der Dichterin M. Zvetajeva, gelang es, in Moskau das Kunstmus. (h. Puschkin-Mus. für bildende Künste) zu gründen. Andererseits wird rückblickend klar, daß seit Anf. des 20. Jh. das System des Grafen Dm. Tolstoj, sogar in seiner gemilderten Form, zwar vorzügliche Ergebnisse für die Wiss., aber auch eine ständige Ablehnung in der Gesellschaft hervorrief, die nach 1917 für das mit großen Anstrengungen eingerichtete Gymnasialwesen fatale Folgen hatte. Der 1. (und letzte) Gesamtrussische Kongreß der Altsprachenlehrer fand 1912 statt.

Im sog. Silbernen Zeitalter der russ. Lit. (→ Fin de siècle) wurde die Lyrik wieder führend. Dichter wie V. Ivanov und I. Annenskij, die auch klass. Philologen waren, stellten den alten Meisterwerken der Übersetzungskunst einen neuen Aischylos und Euripides zur Seite; Zielinski nahm sich als dichtender Philologe des Sophokles an. Durch Übers. der Hellenen erstrebte man eine stilistische Verjüngung der Nationalsprache. Die Suche nach althellenischer Religiosität prägte Lit. und bildende Kunst. Bezeichnend war der Maler L. Bakst mit seinem *Terror antiquus*. Bildungsprestige, Historizismus, Elemente des Neupaganismus und der Sezession ähnliche Stimmung sind Kennzeichen dieser Epoche. Obwohl ihre Arbeit in die sowjetische Zeit fällt, gehören auch philologiebeflissene Dichter wie M. Kuzmin und S. Šervinskij inhaltlich hierher. Trotz des erreichten Niveaus deckte man selbst damals die Aufgaben der Altertumswiss. – wie unabhängige Neuedition der Quellen, eigene großangelegte Referenzwerke etc. – in viel geringerem Ausmaß ab als in den westeurop. Traditionen. Deswegen konnte sich die russ. Altertumsforsch. nur – und gerade – als einen Teil des europ., v. a. des dt. Anliegens verstehen.

1 M. V. ALBRECHT, Turgenev und die Ant. Reminiszenzen als Mittel der Charakterisierungskunst, in: IJCT 5 (1998), 47–65 2 E. BASARGINA, Russkij archeologičeskij Institut v Konstantinopole, St. Petersburg 1999 3 A. A. DEMSKAJA (Hrsg.), I. V. Cvetaev sozdaet muzej, Moskau 1995 4 V. V. LATYSCHEV (Hrsg.), 1867–1917 Pjatidesjatiletie Petrogradskogo Istoriko-Filologičeskogo Instituta. Biografičeskij slovar' lic, okončivšich kurs Instituta, T. 1, Petrograd 1917 (Teil 2 nicht erschienen) 5 V. LEBEDEV (Hrsg.), Ukazatel' ko vsem učebnym izdanijam i perevodnym po klassičeskim (grečeskomu i latinskomu) jazykam, Moskau 1878 6 M. NEČKINA (Hrsg.), Istorija istoričeskoj nauki v SSSR. Dooktjabr'skij period. Bibliografija, Moskau 1965 7 L. PUMPJANSKIJ, Klassičeskaja tradicija. Hrsg. v. N. NIKOLAEV, Moskau 2000, 30–157, 506–529 8 K. SWOBODA, Die klass. Altertumswiss. im vorrevolutionären R., in: Klio 37 (1959), 241–267.

F. OKTOBERREVOLUTION UND ZWISCHENKRIEGSZEIT: NEUE IDEOKRATIE

Statt eines für 1918 geplanten 4. Internationalen Historiker-Kongresses in St. Petersburg kam es zum Zerfall des in zwei Jh. Aufgebauten. F. Zielinski ging nach Polen; M. Rostowzew und sein Schüler Ilja (Elias) Bi(c)kerman übersiedelten in die USA; N. Kondakov gründete sein »Seminarium« in Prag; G. Ostrogorski wirkte von da an in Belgrad, V. Ivanov (1866–1949) im Vatikan. Das Altsprachliche Gymnasium wurde dem militanten Egalitarismus geopfert. Das höhere Schulwesen rettete sich dank dem Satz der Identität von → Marxismus und Wissenschaftlichkeit, wonach die Zeit gekommen sei, die Menschheitsgeschichte neu zu schreiben. Das unter ideologische Kontrolle gestellte Univ.-System wurde dabei demgemäß weiter ausgebaut: Ein Netz neugegründeter Hochschulen war den alten zwar nicht ebenbürtig, aber in der Breitenwirkung fruchtbar. Mit Ende des kreativen Chaos der 20er J. setzte eine gewisse Stabilisierung ein, wobei die Philol. von der zum Marxismus erhobenen »Stadial-Theorie« N. Marrs bedrängt wurde. Das Werk der lit. begabten, aber wiss. inadäquaten O. Frejdenberg, die 1932 den Auftrag bekam, die Klass. Philol. an der Univ. Leningrad neu zu begründen, war in diesem Sinne exemplarisch. Die Tendenz, nach vorhistor. Historie zu suchen, entsprach allerdings dem allg. antimodernistischen Trend der europ. Zwischenkriegszeit. Von den Althi-

storikern wurde indes gefordert, die Ursachen des Untergangs der ant. Gesellschaft gemäß den marxistischen Richtlinien zu beleuchten, was im Rahmen der Theorie histor. »Formationen« zu einförmiger Beschäftigung mit Sklavenherrschaft bzw. -aufständen führte.

Nach Einstellung nahezu aller Zeitschriften, die sich der Ant.-Forsch. widmeten, wurde 1937 in einer Zeit massiver Repression der *Vestnik Drevnej Istorii* (*VDI*) gegründet. Aufgrund der errungenen Schwerpunkte Sachkultur, Arch. und Epigraphik kommt dem *VDI* das Verdienst zu, der totalen Ideologisierung ausgewichen und die sowjetische Altertumswiss. vor der vollständigen Desintegration bewahrt zu haben.

Die Tätigkeit einiger Gelehrter wurde weiterhin in beschränktem Maße zugelassen, etwa in großen Bibl. und Mus.: so erging es z. B. A. Malein (1869–1938), einem Latinisten und Bücherkundler. Einige wurden an Instituten der Akad. der Wiss. beschäftigt, was ihrer Arbeit eigentlich hätte zugute kommen müssen, wenn die Stalinisierung der Akad. seit E. der zwanziger J. nicht in steigendem Maße forciert worden wäre. Zwischen »Widerstand und Anpassung« gab es eine fein nuancierte Palette: Noch 1929 wurde z. B. U. v. Wilamowitz-Moellendorff zum Ehrenmitglied der Akad. der Wiss. der UdSSR gewählt. Opfer der Repression in den 1930er J. wurden der Textkritiker M. Kraševinnikov, der Papyrologe G. Zereteli, der öffentlich wirksame Übersetzer A. Piotrovskij (ein Zielinski-Sohn). Viele andere Philologen der letzten vorrevolutionären Generation, etwa A. Boldyrev oder der künftige »Papst« der Moskauer Ant.-Forscher A. Lossev, wurden für einige J. im ehemaligen nordruss. Inselkloster Solovki im Weißen Meer eingekerkert; A. Jegunov und A. Dovatur kamen nach einer Verbannung noch für zehn J. in Arbeitslager. Der II. Weltkrieg brachte neue Verluste. S. Žebelev starb im belagerten Leningrad, S. Melikova-Tolstaja in Kazan an den Folgen der Blockade. Der Theaterforscher B. Warne(c)ke wurde der Kollaboration verdächtigt und verschwand deshalb im Gulag; A. Kocevalov zog es sogar vor, mit den Deutschen zu fliehen. Vor diesem Hintergrund wird klar, wie groß die Rolle der Gelehrten war, denen es – wie einigen oben Erwähnten – beschieden war, im sowjetischen R. längere Zeit zu wirken.

In den innovativen 1920er J. verdankt man dem vielseitigen Literaten A. Veressajev eine Übers. v. a. des Hesiod und der Homerischen Hymnen. M. Kusmin veröffentlichte in den 1930er J. eine elegant-barocke Übers. des »Goldenen Esels« von Apulejus. A. Piotrovskij hat Aristophanes, Theognis und Catull mit der ihm eigenen Vitalität übersetzt. Der lit. Gruppe ABDEM unter Federführung A. Jegunovs kommt das Verdienst zu, den griech. Roman im Geiste der Postmoderne dem russ. Leser geöffnet zu haben. F. Petrovskij lieferte eine kongeniale Übertragung von Lukrez. Die Übersetzungstätigkeit stellte für Literaten einen finanziellen wie geistigen Ausweg dar.

1 G. Bongard-Levin (Hrsg.), Skifskij roman (mit Beitr. von V. Zujev, I. Tunkina u. a.), Moskau 1997 2 M. Gasparov, Antičnost' v russkoj poezii načala XX vekov, in: Studi slavi, Univ. degli Studi di Pisa, Nr. 4, Pisa 1995 3 N. S. Grinbaum, V. N. Jarcho, J. M. Nachov, Skizzen über S. Luria, J. Tronskij und A. Losev, in: Philologus 131 (1987), 300–324 4 L. R. Graham, The Soviet Academy of Sciences and the Communist Party, 1927–1932, 1967 5 A. Kocevalov, Antičnaja istorija i kul'tura Severnye Pričernomor'ja v sovetskom naučnom issledovanii, München 1955 6 B.Ja. Koprživa-Lur'e (Kryptonym von S.Ja. Luria), Istorija odnoj žizni (Leben Salomo Lurias), Paris 1987 7 V. Smirin, Perevody literaturnych pamjatnikov antičnosti v sovetskich izdanijach, in: VDI, 1967, Nr. 4, 137–157 8 A. Wes, Michael Rostovtzeff, Historian in Exile: Russian Roots in American Context, 1990.

G. 20. Jahrhundert, 2. Hälfte:
Widerstand und neue Ansätze

Der proklamierte Internationalismus konnte mit dem nach großen Opfern wiederauflebenden Nationalgefühl der Nachkriegszeit kaum in Einklang gebracht werden. Dies äußerte sich in der (Anti-)Kosmopolitismus-Kampagne 1947–1949, unter der viele Gelehrte zu leiden hatten. Vorrevolutionäre Trad. wurden nun als russ. streckenweise begrüßt; Stalin versuchte sogar an etlichen Mittelschulen den Lateinunterricht wieder einzuführen, scheiterte jedoch an mangelnden Lehrkräften. Noch während des Krieges wurde der alte *Visantijskij Vremennik* wieder aufgelegt. Über Lehrstühle für Klass. Philol. verfügten nur die Univ. Moskau, Leningrad und Tbilissi; an anderen Univ. wurde Elementar-Lat., Altgriech. aber nur ausnahmsweise unterrichtet. Für die partielle Erhaltung der Leningrader Schule waren Lehrer wie J. Borovskij (1896–1994), A. Dovatur (1897–1982) und A. Zaicev (1926–2000) in ihrer Treue zur Trad. und humanist. Bildung entscheidend. Der langen Lebenszeit vieler Repräsentanten dieser Übergangsgeneration – S. Sobolevskij (1864–1963), J. Vipper (1859–1954), A. Lossev (1893–1988) in Moskau und die schon Erwähnten in Leningrad – verdankt die russ. Ant.-Forsch. ihr Fortbestehen.

Die Sklavenstudien setzte man jetzt mit vermindertem Enthusiasmus fort; ihr Verdienst besteht eher darin, westl. Nachbarn zu eigener Forsch. provoziert zu haben. Ebenso brutal, wie er hereingebrochen war, wurde der Marrismus jetzt weggefegt. Althistoriker, auf denen die Staatsdoktrin bes. lastete, begannen sich ebenfalls zunehmend zu den allg.-gültigen wiss. Methoden zu bekennen. Charakteristisch für diese Zeit der allmählichen Entideologisierung sind die Kongresse der Osteurop. Ant.-Forscher EIRENE (1960–1993) und kleinere, für die Forscher des Inlandes leichter zugängliche Konferenzen. Das Mittelmeer-Institut in Tbilissi hat durch seine Zusammenarbeit mit der Univ. Jena dazu beigetragen, die Isolierung stellenweise zu durchbrechen.

In zwei Domänen pflegte die Ant.-Forsch. der Sowjetunion das klass. Erbe ebenso ständig wie produktiv: in der Arch. und Epigraphik der ant. nordpontischen u. a. Kolonien, weil dies dem staatlichen Prestige zu entsprechen schien. Ein Höhepunkt dieser Forsch. ist das 1965 erschienene *Corpus Inscriptionum Regni Bosporani* (*CIRB*); die Chersones-Inschr. fanden in E. Solomonik, die kaukasischen in T. Kauchtschischwili ihre Bearbeiterinnen und in Ju. Vinogradov (1946–2000) einen verdienstvollen Erforscher. Erfreulich war auch die Herausgabe (1970) der Fr.-Sammlung des Demokrit aus dem Nachlaß S. Lurias. Auf das kurze Tauwetter nach 1956 setzte freilich eine für akad. Leistungen ambivalente Stagnation ein: Sie begünstigte zwar das Reifen von Ideen, hemmte aber deren weitere Entfaltung.

Auch die Übersetzungskunst feierte schon wegen der Beschränkung an Selbstäußerungen bedeutender Literaten und dank dem Willen des Publikums, der monotonen Ideologie zu entrinnen, ihre Triumphe, die für die ant. Lit. in bes. Maße galten. Im Geiste von ABDEM wirkten A. Jegunov und die Übersetzerin der späten griech. Prosa S. Poljakova in den 60er J. weiter. Von den Dichtern wurden bes. Martial, keineswegs in usum delphini, von F. Petrovskij sowie Catull von S. Servinskij übersetzt. Auch die Kinderlit. tat das ihrige. Diese pädagogisch-didaktische, leserfreundliche Wendung der sowjetischen Beschäftigung mit der Ant. zahlt sich noch h. aus. Im ganzen scheint die Rezeption der griech. Ant. in der gebildeten Schicht R. den Gang der griech. Trad. rückwärts gegangen zu sein: Zuerst interessierte man sich für die spätant. Kirchenväter; im 18. Jh. beeindruckte bes. der Hell.; Anf. des 19. Jh. kam die neuhuman. Begeisterung für griech. Klassik auf; gegen Anf. des 20. Jh. blühte das Interesse für Archaik und dann für Frühformen der hellenischen Kultur. Diese Entwicklung ist, trotz mancher Eigentümlichkeiten der russ. Trad., wesentlich durch parallele Prozesse in Westeuropa mitbestimmt.

1 Bibliotheca Classica Orientalis (dt. Resümees der osteurop. Veröffentlichungen), 1956–1969 2 I. Boršč, Sovetskaja nauka ob antičnych avtorach (1960–75), Moskau 1980 3 A. Gavrilov, Russian Classical Scholarship in XXth century, in: The Classics in East Europe. Essays on the Survival of a Humanistic Trad., 1995, 61–81 4 H. Heinen (Hrsg.), Die Gesch. des Alt. im Spiegel der sowjetischen Forsch. (Erträge der Forsch., Bd. 146), 1980 5 V. Kuziščin (Hrsg.), Istoriografija antičnoj istorii, Moskau 1980 6 Ch. Natunewicz, Classical Stud. in Central and Eastern Europe, in: The Sarmatian Review (April 2000), 707–710 7 VDI: K istorii sovetskoj nauki o drevnem mire: 1917–67, in: VDI 1967, Nr. 4, 104–137 (Skizzen-Reihe).

H. Ausblick

Die Trad. der *bonae litterae* vermochte die karge Sowjetzeit zu überleben. Dadurch haben sich mehrere Generationen der russ.-sowjetischen Intelligenzija an den Wurzeln der gesamteurop. Kultur geschult, die zwar oberflächlicher war als vorher gepflegt, aber dafür weiteren Kreisen zugänglich wurde. Die Ära vor 1917 ist jedoch in nachkommunistischer Zeit auf neue Weise unerreichbar geworden. Die Univ. Tartu, Lvov, Tbilissi, Vilnius, Kiew, Odessa, Charkow – gerade den westlichsten Teil seiner ehemaligen Hochschulen – muß R. seit 1991 entbehren; der ergiebigste Teil seiner traditionellen Grabungsorte gehört nicht mehr zu Rußland. Altphilologie und Alte Geschichte werden h. nur noch in Moskau und St. Petersburg systematisch gelehrt. An anderen Orten sind klass. Stud. nicht durch fachspezifische Lehrstühle vertreten: Einige anderswo ausgebildete Forscher betreuen hier zumeist die Propädeutik an philol. und/oder histor. Fakultäten. Ähnliches gilt für die Akad. der Wiss., wo Altphilologen oft für Nachbarfächer zuständig sind. Die Ausstattung der Univ. ist mangelhaft, die Besetzung mit Lehrkräften dürftig – alles Folgen langer ideologischer Kader-Politik und des Brain-Drains in den letzten 30 Jahren. Ein trauriger Nachlaß der sowjetischen Zeit ist das Auseinandergehen der Altphilologen und Althistoriker: Zu lange waren erstere an möglichst harmlose Kleinarbeit gewöhnt, die letzteren auf ideologisch annehmbare Historiengemälde mit Material aus zweiter Hand konzentriert. Die Mißstände werden bei der Trennung der Fächer wohl noch lange anhalten. Um dem entgegenzuwirken, versucht man, human. Gymnasien wieder aufzubauen. Das 1989 in Petersburg gegründete Klass. Gymnasium beschreitet einen Mittelweg zw. Permissivität und Verabsolutierung des Grammatikalischen. In Moskau werden ähnliche Bestrebungen verfolgt, wobei das ant. Erbe eng mit demjenigen der griech.-orthodoxen Kirche verwoben wird. Das Prestige der human. Bildung bis hin zu einer gewissen Sakralisation von Kultur bleibt in R. allem zum Trotz hoch. Der Stärkung des zerrütteten Univ.-Milieus dient ebenfalls die Gründung der Zentren, die Fachlit. sammeln und verlegerische Aufgaben wahrnehmen. Seit mehr als einem Jahrzehnt existiert eine Russ. Assoziation der Antikeforscher am Moskauer Akad.-Institut für Universalgeschichte, die neben ihrer Editionstätigkeit von Zeit zu Zeit Konferenzen und Aufsatzsammlungen betreut. In seinem eigenen Verlag

gibt das Moskauer Museum Graeco-Latinum u. a. eine gleichnamige Zeitschrift heraus. Die Bibliotheca classica in St. Petersburg mit ihrem internationalen *Hyperboreus* (seit 1994) und dem russ. Almanach *Ant. Welt und Wir* steht unter demselben Zeichen. Universitätsreihen beschäftigen sich vorrangig mit Alter Geschichte. Der *VDI* wird leider seit dem Berichtsjahr 1987 ohne Jahresbibliogr. der russischsprachigen Ant.-Forsch. herausgegeben. Der interdisziplinäre Gebrauch der ant. Studien, namentlich in der Russistik (sei es bei der Erforsch. altslawischer oder klass. russ. Texte), bei den Orientalisten, Theologen, in der Linguistik etc. führt Neophilologen die Möglichkeiten der Altphilol. vor Augen, was deren Überlebenschancen wesentlich stärkt. Bei einer breiteren Leserschaft besteht Nachfrage nach Übers. ant. Autoren; überdies verlangt man Referenzwerke zu Philos., Myth. und universeller oder nationaler Lit.-Geschichte: Die Pflege der ant. Trad. ist gleichsam ein Imperativ für die russ. Kultur. Auch die Erforsch. der altgriech. Kultur am Nordpontos läßt sich als wesentlicher Teil der mehr als 200jährigen Forschungstrad. nicht vernachlässigen. Russ. Sammlungen von Büchern, Hss., Münzen, Kunstwerken müssen auf alle Fälle weiter betreut werden.

Im ganzen zeigt das vielschichtige Gesamtbild, daß die Ant.-Forsch. in R. stark vom Staat und von dessen Schicksal abhängt: Einst war der Klassizismus aufoktroyiert, dann fast erdrosselt, z.Z. ist er wegen des allg. Mangels vernachlässigt. Allerdings erlaubt die polit. Freiheit, allmählich ein gemeinsames Bewußtsein des In- und Auslandes im human. Grundfach wiederherzustellen. Wie die polit. Entwicklungen der 1990er J. zeigen, ist es um so wichtiger, daß gerade die Beziehung zur Klass. Ant. wieder Garant eines eigenständigen russ. Europäertums werden kann.

Eine allg. Bibliographie zur russ. Altertumskunde wird im Registerband erscheinen.

ALEKSANDR GAVRILOV/
Ü: MIRIAM SCHMIDT-THOMÉ

S

Saalburg s. Limes

Sachbuch A. DEFINITION UND ABGRENZUNG
B. ZUR GESCHICHTE DES SACHBUCHS
C. SACHBUCH UND REALIENKUNDE
D. FACHWISSENSCHAFTLER ALS
SACHBUCHAUTOREN

A. DEFINITION UND ABGRENZUNG

Die Bezeichnung »S.« wird in Deutschland erst seit den 1930er J. verwendet, die Gattung und ihr Zweck sind freilich älter. Eine eindeutige Abgrenzung zum (histor. viel älteren) Lehrbuch ist nicht immer eindeutig

zu ziehen, insbesondere wenn dieses der gleichzeitigen Vermittlung von Sprach- und Realienkenntnissen gewidmet ist, wie das z. B. beim *Orbis sensualium pictus* (1658) des Jan Amos Comenius der Fall war (→ Schulbuch). Das S. versucht, als wiss. gesichert geltende Erkenntnisse und Sachverhalte der verschiedensten Fachgebiete, aber auch Probleme und Forschungsmethoden einem größeren Leserkreis von Nichtfachleuten zu erschließen. Dadurch grenzt es sich vom Fachbuch ab, das sich an ausgebildete oder künftige Fachleute wendet. Neben naturwiss., technischen, polit., wirtschaftlichen u. a. kulturellen Themen sind gerade histor., bes. auch die Ant. betreffende, kulturgeschichtliche und arch.

Themen in der Sachbuchlit. stark vertreten. Auch für das S. gelten – trotz Reduktion oder Vereinfachung komplizierter Zusammenhänge und möglichst unterhaltsamer Darbietung – wiss. Richtigkeit und Orientierung am aktuellen Stand der Forsch. als unabdingbar. Daher werden S. oft von Fachjournalisten oder Pädagogen in Kooperation mit Fachwissenschaftlern und anderen Spezialisten (z. B. Kartografen, Fotografen, Grafikern) verfaßt. Durch weitgehenden Verzicht auf eine exklusiv wirkende Fachsprache bzw. behutsame Erklärung notwendiger Fachbegriffe will das S. den Interessen und der Verständnisebene der potentiellen Leser Rechnung tragen. Im Bereich der Kinder- und Jugendliteratur will das S. das Interesse am betreffenden Sachgebiet überhaupt erst wecken oder fördern und ggf. auch neue Interessenten für die damit zusammenhängenden Fächer oder Berufe gewinnen. Eine Abgrenzung zum S. für Erwachsene läßt sich thematisch kaum ziehen, sie ergibt sich aber durch die bewußte Rücksichtnahme der Autoren auf Interessen, Verstehensvoraussetzungen und Alltagssprache einer bestimmten Altersgruppe. Dem S. verwandt sind Ratgeber, Nachschlagewerke und Bildbände aller Art. Dementsprechend wird das S. seit den 1990er Jahren immer stärker durch elektronische Multimedia ergänzt oder auch ersetzt, wobei die verschiedenen Medientypen (Texte, Bilder, Grafiken, Tonsequenzen, Animationen, Videoclips) zusammenwirken (→ Medien).

B. Zur Geschichte des Sachbuchs

Nach dem II. Weltkrieg erlebte das S. einen gewaltigen Aufschwung. Es wurde zum ›wichtigsten Geschichtsvermittler auf dem Buchmarkt‹ und hat die histor. Belletristik seit 1960 auf den zweiten Platz verdrängt [10]. Maßstäbe setzte in der Sachbuchlit. überhaupt, aber auch speziell im Bereich altertumskundlicher Thematik, das epochemachende Buch von C. W. Ceram (eigentl. Kurt W. Marek, 1915–1972): *Götter, Gräber und Gelehrte* (1949). Es stellt die wesentlichen Etappen der Arch. von Winckelmann bis in die Zeit nach dem II. Weltkrieg vor und darf als ›das erste moderne historische S.‹ gelten [10]. Schon der Untertitel »Roman der Arch.« verweist auf die Form der Darbietung des auch Nichtfachleute faszinierenden Stoffes. Bis 1957 war das Buch bereits in 23 Sprachen übersetzt, und es waren über eine halbe Million Exemplare verkauft. Der Autor selbst bezeichnete es als ›Tatsachenroman‹, denn alles, was darin erzählt wird, sei ›im einwandfreiesten Sinne allein aus Tatsachen zusammengefügt‹. 1957 erschien ein ergänzender Bildband hierzu. Ähnliche Erfolge erzielte das Buch von Werner Keller: *Und die Bibel hat doch recht* (1955). Wie der Titel schon andeutet, wird hier gezeigt, inwiefern die mod. histor. und arch. Forsch. die Bibel auch als Geschichtsquelle wieder ernst nehmen und auswerten kann. Große Verbreitung fanden seit den 1950er J. die Bücher des Arztes Peter Bamm, z. B. *Frühe Stätten der Christenheit* und *Alexander oder Die Verwandlung der Welt*. Ebenfalls Bestseller wurden in den 1960er J. die Bücher von Rudolf Pörtner: *Mit dem Fahrstuhl in die*

Römerzeit mit den Folgebänden, die speziell von der Arch. auf dt. Boden handeln: *Bevor die Römer kamen* und *Die Erben Roms*. Pörtner selbst befaßte sich auch theoretisch mit den Anforderungen an die Gattung des S. [6]. Exemplarisch sind hier auch die bewußt unterhaltsam geschriebenen Bestseller von Joachim Fernau zu nennen: *Rosen für Apoll. Die Geschichte der Griechen* (1961) und *Cäsar läßt grüßen. Die Geschichte der Römer* (1971).

C. Sachbuch und Realienkunde

Inzwischen ist die Zahl der S., besonders auch der speziell für Kinder und Jugendliche gedachten Bild-S. zu Themen der Ant. fast unübersehbar geworden, so daß es hierfür eigener bibliogr. Hilfen bedurfte (s. Lit.). Das S. kann eine willkommene Ergänzung und Bereicherung des altertumskundl. Unterrichts an Schule und Univ. darstellen, weil es den Stoff bewußt nicht aus rein fachimmanenter Sicht, sondern allgemeinverständlich und motivierend für (noch) Außenstehende auswählt und darbietet. Dadurch führt es zuweilen sogar den Fachleuten die allg. bedeutsamen und lebensnahen Aspekte ihres Fachgebiets vor Augen. Hiervon zu unterscheiden sind die speziell für Unterrichtszwecke verfaßten »Realienbücher«, die insbes. den Latein- und Griechischunterricht durch übersichtliche Darbietung der wichtigsten Sachgebiete der ant. Kultur und Alltagswelt stützen und ergänzen wollen, z. B. die früher von M. Wohlrab und H. Lamer, später von O. Leggewie oder H. Krefeld herausgegebenen Begleitbücher zur altsprachlichen Schullektüre. Da diese Werke auch unabhängig vom jeweiligen Unterrichts- und Lektürestoff verständlich sind, lassen sie sich auch außerhalb der Schule als Nachschlagewerke verwenden und somit als S. verstehen [3]. Neuerdings wird auch zu einzelnen Lehrwerken für den lat. Anfangsunterricht ein als »S.« bezeichneter Band herausgegeben, um das jeweilige Sprach-, Text- u. Übungsbuch zu entlasten bzw. durch interessante Sachthemen fakultativ zu ergänzen.

D. Fachwissenschaftler als Sachbuchautoren

In den letzten Jahrzehnten haben auch viele Altertumswissenschaftler ihre Publikationen so verfaßt, daß sie von vornherein einen größeren Leserkreis ansprechen. Als Vorläufer hierfür können die Bücher des Althistorikers Theodor Birt (1852–1933) gelten, z. B. *Aus dem Leben der Ant.*, *Frauen der Ant.*, *Zur Kulturgeschichte Roms*, vgl. [4]. Zuweilen gibt es vom selben Buch neben der »wiss.« auch eine »populärwiss.« Volks- oder Sonderausgabe, in der der wiss. Apparat weggelassen ist. Manche Verlage geben enzyklopädisch angelegte Buchreihen heraus, in denen ausgewiesene Fachleute einen auch für außerhalb des Faches stehende Leser interessanten Themenkomplex allgemeinverständlich, knapp und auf neuestem Stand der Forschung abhandeln. Sehr ansehnlich ist z. B. die Reihe *Beck Wissen* (darin u. a. D. Lotze, *Griech. Geschichte*; K. Bringmann, *Röm. Geschichte*; K. Christ, *Geschichte der röm. Kaiserzeit*; K. Brodersen, *Die sieben Weltwunder*; H.-J. Gehrke, *Alexander der Große*;

M. Jehne, *Caesar*; M. Clauss, *Kleopatra*; J. F. Gardner, *Frauen im ant. Rom*; C.-F. Geyer, *Mythos*; U. Sinn, *Olympia*). So ist es üblich geworden, daß auch viele eindeutig fachwiss. Neuerscheinungen aus den Bereichen der Alten Geschichte, der Arch., Klass. Philol. und der Antikerezeption im Feuilleton und in den Buchmesse-Beilagen der überregionalen Tages- und Wochenzeitungen unter der Rubrik »S.« einem großen Leserkreis vorgestellt werden. Zahlreiche S., v. a. solche, die mit hochwertigem Bildmaterial ausgestattet sind, werden aus dem Ausland, insbes. aus dem angelsächsischen Bereich, übernommen und den Bedürfnissen der deutschsprachigen Leserschaft angepaßt, indem sie (jedenfalls im Idealfall) durch sprachkundige Fachleute gründlich überarbeitet und ggf. ergänzt werden. Große Verbreitung fanden z. B. die *Time-Life* Bücher mit der Reihe *Zeitalter der Menschheit – Eine Weltkulturgeschichte*, darin u. a. C. M. Bowra: *Klass. Griechenland* und M. Hadas: *Kaiserliches Rom* (1965), sowie die Reihe *Weltatlas der Alten Kulturen*, u. a. mit den Bänden *Griechenland* von P. Levi (1980) und *Rom* von T. Cornell u. J. Matthews (1982). Diese Bände, oft unter geringfügig verändertem Titel im »mod. Antiquariat« wieder aufgelegt und zu erheblich geringerem Preis verkauft, tragen zu einer breiten Rezeption der Kenntnis ant. Kulturen bei. Eine ähnliche Funktion erfüllen auch anspruchsvollere Zeitschriften mit thematischen Schwerpunkten wie: *Ant. Welt, Damals, Geo-Epoche, Spektrum der Wiss., Welt und Umwelt der Bibel* u. a., vgl. [7].

1 R. CORDES (Hrsg.), Geschichte im Kinder- und Jugendbuch, 1986 2 K. DODERER (Hrsg.), Lex. der Kinder- und Jugendlit. Bd. 1–4, 1975–1982 3 A. FRITSCH, Sachkunde im Anfangsunterricht. Ein Überblick, in: AU 5/1991, 4–22 4 E. MENSCHING, Theodor Birt (1852–1933), in: Lat. und Griech. in Berlin und Brandenburg 40, 1996, 37–44, 56–60, 62–85, 104–107, 121–137 5 E. OTT, Histor. Romane für Kinder und Jugendliche. Die röm. Gesch. und die Frz. Revolution im Spiegel histor. Kinder- und Jugendlit. der J. 1960 bis 1983, 1985 6 R. PÖRTNER, Das mod. S. Erfahrungen, Fakten, Forderungen, 1974 7 J. RABL, Zeitschriftenschau, regelmäßige Rubrik in: Forum Classicum 1997ff. 8 M. SAUER, Histor. Kinder- und Jugendlit., in: Geschichte lernen 1999, H. 71, 18–26 9 D. STRATENWERTH, Bilder der Römer. Eine annotierte Bibliogr., in: Lat. und Griech. in Berlin 31, 1987, 46–51 10 R. SCHÖRKEN, Gesch. im S., in: K. BERGMANN et al. (Hrsg.), Hdb. der Geschichtsdidaktik, ⁴1992, 728–732 11 G. VEIT, Jugendbücher – Die Römer in Germanien, in: AU 4/1988, 77–80; 5/1988, 96–100 12 Ders., Myth. im Jugendbuch, in: AU 4/1990, 70–81

Kataloge: 13 Das Buch der Jugend. Bilderbücher, Kinderbücher, Jugendbücher, S., Taschenbücher. Hrsg. im Auftrag des Arbeitskreises für Jugendliteratur, München 1990/91 14 DEUTSCHE AKADEMIE FÜR KINDER- UND JUGENDLIT. (Hrsg.), Geschichte, Romane, Erzählungen, S. (erscheint alle zwei Jahre).   ANDREAS FRITSCH

Sacrum Imperium   A. REICHSTITEL
B. STAUFISCHES KAISERTUM   C. KARL V.

A. REICHSTITEL

Im März 1157 (MGH legum sectio IV, Bd. 1, constitutiones et acta publica imperatorum et regum 1, hrsg. v. L. Weiland, Hannover 1893, S. 224, Z. 19 = Constitutio Friderici I 161) anläßlich der Aufforderung zum Feldzug gegen Mailand erstmals offiziell verwendeter Reichstitel der staufischen Kanzlei Kaiser Friedrichs I. in It., ohne daß die Reichstitel *imperium* bzw. *imperium Romanum* dadurch verdrängt wurden. Von Heinrich VI. bis zu Friedrich II. fand S. I. in ›lockerer, aber doch kontinuierlicher Folge in der staufischen Kanzleisprache Verwendung‹ [24. 82]. Die kaiserlichen Skriniaren der Stadt Rom führten die dreiteilige Reichsbezeichnung seit 1180 in ihrer Titulatur als *scriniarius sacri Romani imperii* [24], um sich von den *scriniarii sanctae Romanae ecclesiae* abzusetzen bzw. sich ihnen gleichzustellen. Bis zur Mitte des 13. Jh. wird S. I. in Urkunden und Briefen der Kaiser bzw. Könige als Reichsformel verwendet. Aber erst unter Wilhelm von Holland (1254) in der Zeit des Interregnums wird *sacrum imperium Romanum* zum festen Reichstitel (Acta imperii inedita saeculi XIII, hrsg. v. E. Winkelmann, 2 Bde., Innsbruck 1880–1885, I Nr. 551; Cartulaire de l'Église Saint-Lambert de Liège, Bd. 2, hrsg. v. G. Bormanns/E. Schoolmeesters, Brüssel 1895, Nr. 528) dessen endgültige Durchsetzung sich jedoch noch jahrzehntelang hinzog. Der Zusatz »dt. Nation oder dt. Lande« wird erst im 15. Jh. (zuerst 1409) beigefügt. Er bezeichnet zunächst nur die dt. Teile des Reiches und drückt später den Anspruch der Deutschen auf das Gesamtimperium aus. Nach der Abdankung Karls V. (1556) wurde der Reichstitel zu einer eindeutig lokalen Angelegenheit und büßte spätestens mit dem Westfälischen Frieden 1648 jeden darüber hinausgehenden Bezug ein. Die habsburgischen Kaiser führten den Reichstitel formal als Kaisertitel weiter, bis Napoleon Franz II. am 2. März 1806 zum Verzicht darauf zwang, um den universalen Anspruch seines eigenen Imperiums/*empire* abzusichern.

B. STAUFISCHES KAISERTUM

Im 12. Jh. knüpfte die staufische Imperiumskonzeption erneut an die Zweigewaltenlehre an und postulierte das Imperium, das in seiner Einheit die drei *regna* Deutschland, It. und Burgund umfaßte, als gottunmittelbare Institution, die über eine vom Papst unabhängige Herrschaftslegitimation verfügte. Dieses papstunabhängige Imperium wurde argumentativ durch vier Elemente gestützt. Erstens trat nun die Translationstheorie in den Vordergrund. Sie fand im Werk Ottos v. Freising (ca. 1112–1158) in der historiographischen Neudeutung der Kaiserkrönung Karls d. Gr. als entscheidende *translatio imperii* [14. 104ff., 138ff.] ihren dezidiertesten Ausdruck. Durch Translation und damit ohne päpstliches Zutun war das Reich von den Römern auf die Franken und dann auf die Deutschen übergegangen. So zählte Otto v. Freising die Kaiser durchgängig von Augustus bis zu den Staufern. In seiner Welt-chronik fügte er die Zwei-Civitates-Lehre Augustins sowie die Reichslehre des Orosius mit der danielschen Vier-Reiche-Theorie und der Translationsidee zu einer Synthese vom Gesamtbild der vier Weltreiche, an dessen E. das Röm. stand, das er seit dem Investiturstreit aufs schärfste bedroht sah und damit den Weltuntergang an-noncierte. Zweitens wurden seit der Chronik Fredegars (zw. 613 u. 658) Erbansprüche auf das Römerreich gel-tend gemacht, auf denen der Anspruch der Deutschen auf das Imperium beruhte, indem die Franken sich ebenfalls als Abkömmlinge der Trojaner präsentierten. Drittens hatten die Kaiser, vereinzelt seit der Zeit Hein-richs III., intensiv seit der Zeit Heinrichs V., begonnen, durch das Führen des transitorischen Titels eines *rex Ro-manorum* [5] bereits aus der dt. Königswahl einen (Rechts-) Anspruch auf den Kaisertitel abzuleiten. Viertens leistete das → Römische Recht bei der Neu-formulierung eines christl. Laienkaisertums ebenfalls wichtige Hilfe [25. 22]. Ausgehend von der Rechts-schule von Bologna berief man sich auf die universale kaiserliche Rechtsgewalt in der Trad. des spätant. *ius civile* [19. 230ff.]. Mit dem Begriff eines S. I. wurde pro-grammatisch die Rechtswelt der alten Röm. Rei-ches beschworen, um die Ansprüche des Papsttums ge-gen die ältere theokratisierte Herrschaftsauffassung ab-zuwehren [29. 289ff.]. Denn nach dem Röm. Recht war der Kaiser die Quelle allen öffentlichen Rechts (Ulp. Dig. 1,1,1,2 vgl. Inst. 1, 4), was sich auf Justiz, Religionswesen und Kirchenangelegenheiten erstreck-te. Der Papst war in dieses Recht und Reich erst hinein-gewachsen. Es bleibt festzuhalten, daß die erbittert ge-führte Auseinandersetzung zw. Kaiser und Papst sich allein auf das bestehende Reich bezog und keinesfalls auf eine territoriale Erneuerung des *imperium Romanum* zielte. Friedrich I. versuchte mit dieser Übertragung der öffentlichen Grundsätze auf seine Herrschaft, sich auf röm.-rechtlicher Grundlage als Nachfolger der röm. (christl.) Kaiser auszuweisen. In der Folge griff das Kai-sertum verstärkt auf ant. röm.-rechtliche Elemente zu-rück, wie beispielsweise die Idee des Mitkaisertums (Erhebung Heinrichs VI. zum Caesar), was die Vorstel-lung einer erblichen Kaiserwürde implizierte. In seiner Rolle eines Erben und Rechtsnachfolgers der Impera-toren ließ Friedrich mehr als ein Dutzend Gesetze und Verordnungen in den *Codex Iustinianus* einfügen. Die kaiserliche Rechtssprache wurde weitestgehend an das röm. Vorbild angeglichen, z. B. nannten sich die Bolog-neser Rechtsprofessoren *divinarum sacrarum legum profes-sores*. Seit Philipp v. Schwaben wurden die Regierungs-jahre nicht mehr von der Krönung an gerechnet, son-dern vom Tag der Wahl an bezeichnet und entsprachen damit dem altröm. *dies imperii* der Kaisererhebung. Im Rundschreiben (MGH Const. I 176 S. 245) zur Aner-kennung des Gegenpapstes paraphrasierte die Kanzlei Friedrich I. das Edikt des Theodosius zur Einführung des Christentums als Staatsreligion (Cod. Theod. 16,1,2 = Cod. Iust. 1,1,1). Die Rolle eines Schützers der Kirche

(*defensor ecclesiae*) und Herrn der Welt (*dominus mundi*) bezog ebenfalls aus dem spätröm. Recht ihre Legiti-mation. Das Schisma von 1159 behandelte Friedrich entsprechend als Rechtsfrage und berief 1160 nach dem Vorbild der röm. Kaiser ein allg. Konzil nach Pavia ein, wobei das von Euseb v. Caesarea [5. 10ff.] überlieferte Verhalten Konstantins in Nicaea (325) nahezu kopiert wurde (MGH Scriptores rerum Germanicarum, N. S. 46, Ottonis et Rahewini Gesta Friderici I. imperatoris, hrsg. v. G. Waitz/B.v. Simson, 1912, ND 1997, 4,74, S. 319) [29. 293ff.]. Auch die Bezeichnung *sacrum* für das Reich ging auf die spätant. Amtsprache zurück, in der *sacer* synonym für »kaiserlich« gebraucht worden war, was noch in karolingischer Zeit in dieser Bed. üblich war [15]. Der bis in die Zeit des Prinzipats zurückge-hende Begriff fand jedoch keine Anwendung auf die Person des Kaisers, der unter Rückgriff auf die Adop-tivkaiser seit der Tetrarchie als *sacratissimus* bezeichnet wurde. Die staufische Begriffsübertragung auf das Reich dürfte zum einen diesem Traditionsstrang folgen, zum anderen aber auch in Verbindung zu bringen sein mit der Idee der *Roma aeterna* als *sacra urbs*, die im 4. Jh. den Charakter ›einer von altehrwürdigen Urzeiten her unverletzlich ewig fortdauernden Heiligkeit erweckt‹ [15. 13]. Im 12. Jh. bezog sich der stadtröm. Kreis um Arnold v. Brescia bei seinem Angebot der Kaiserwürde an Barbarossa eindeutig auf diese Konzeption. S. I. hatte somit eine eindeutig antikuriale Konnotation, deren Ambivalenz den kaiserlichen Anspruch auf eine vom Papst unabhängige Sakralität ebenso zum Ausdruck brachte, wie die Tendenz, zu einer säkularisierten Herr-schaftsgrundlage zu finden, die auf dem röm. Kaiseramt beruhte. Die Konfrontation mit der kurialen Kaseridee, die ihrerseits auf der Translatio der Herrschaft durch Vermittlung des Papstes beruhte, der sich bei diesem Vorgang jedoch nicht seines Rechtes entäußerte, son-dern es lediglich als widerrufbare *concessio* behandelte, war unvermeidbar [14. 138ff.]. Ohnehin hatte die theo-retisch bereits seit dem 9. Jh. propagierte kuriale Kaiser-idee mit dem E. des östl. Kaisertums als autonome Herr-schaft zudem realpolit. Konturen erhalten und erfuhr nun im Kontext des anhaltenden Konflikts zw. Papst und Kaiser um das Gottesgnadentum des Kaisers ihre endgültige Ausformung als ein theoretisches Konzept. Besonders Innozenz III. knüpfte an mit Schärfe an den seit Leo III. verfolgten Primatsgedanken an: ›(papa) est verus imperator‹ [31]. In der Auseinandersetzung mit dem Kaisertum blieb der Papst vorerst siegreich. Das späte MA sah dann eine fortschreitende Loslösung des *impe-rium* von Rom und eine Nationalisierung und Territo-rialisierung des Reichsbegriffs, so daß das *sacrum impe-rium Romanum* der Goldenen Bulle (1356) nur noch das »dt.« *regnum* meinte. Die bis dahin für den Reichsbegriff nicht konstitutiven Fürsten gewannen zunehmend po-lit. Einfluß auf das Reich und seine Konzeption.

Eine zweite Imperiumskonzeption unter den Stau-fern ging vom röm. Stadtvolk aus, das in Anknüpfung an die Trad. der klass. Ant. die Wiedererrichtung des Senats

(1143/44) beschlossen hatte und die Stadt Rom als Sitz und Quelle des Imperiums betrachtete. In ihrer Auflehnung gegen den päpstlichen Stadtherren boten die Römer 1152/1155 Friedrich Barbarossa die Kaiserkrone an. Der Kaiser wies dieses Verfügungsrecht des *populus Romanus* über die Kaiserkrone schroff zurück (MGH Scriptores rerum Germanicarum, N.S. 46, Ottonis et Rahewini Gesta Friderici I. imperatoris, hrsg. v. G. Waitz/B. v. Simson, 1912, ND 1997, 2, 32, S. 137) mit der Begründung, daß dieses längst nicht mehr in ihrem Besitz sei. In seiner Ablehnung berief Friedrich sich auf das *ius gladii* der Franken und Ottonen als Rechtsbegründung. Trotz seines Rückgriffs auf die Ant. lehnte er somit die traditionelle Form der röm. Kaisererhebung ab und zeigte damit, daß das Imperium Romanum durch die Translatio auch eine echte Mutation erfahren hatte. Den schärfsten Ausdruck der Sakralität erfuhr das Kaisertum unter Friedrich II., der in Sizilien [17. 236] als *sacra maiestas* und *Divus Augustus* über seine Gerichtshöfe präsidierte, wobei wichtige Elemente des spätant. Herrscherzeremoniells – etwa in der Position des Throns – aufgenommen wurden. Er betonte, daß seine Stellung über die eines bloßen Stellvertreters göttl. Gerechtigkeit hinausging, und der eines halb-göttl. Mittlers entsprach, durch den Gottes Gerechtigkeit auf die Erde floß. In seinem Modellkönigreich Sizilien verlangten die laizistisch ausgebildeten Verwalter des Rechts einen quasi religiösen Gehorsam gegenüber der göttl. kaiserlichen Gerechtigkeit. Mit dem Tod Friedrichs II. scheiterte jedoch dieser umfassende Versuch einer Neubelebung des röm. Imperiums. Dennoch lebte die Figur des Kaisers als potentieller Heilsbringer in der populären Vorstellung durchaus fort und fand unter den Humanisten noch einmal einen beträchtlichen Widerhall. Dante etwa knüpfte seine Wiederkehrerwartung eines gerechten friedvollen Imperiums an Heinrich VII., in dem er den wahren Nachfolger der röm. Kaiser erblickte. Petrarca erwartete nach dem Scheitern der republikanischen Bewegung Cola di Rienzos eine Rückkehr des Imperiums in die Stadt Rom von Karl IV., wobei er davon überzeugt war, daß das ma. Imperium eine semi-barbarische Institution gewesen war und die röm. imperialen Kontinuitätssträge abgerissen waren, so daß nur von einer Reromanisierung die Erneuerung des röm. Imperiums zu erhoffen war.

C. KARL V.

Die letzte universal-sakrale Imperiumsidee bezog sich auf das Reich Karls V. [27; 12], dessen Führungsanspruch freilich realpolit. stärker auf der territorialen Ausdehnung durch die habsburgische Heiratspolitik beruhte als auf einer tatsächlichen Imperiumserneuerung, die über den bloßen Symbolismus hinausging. Die Einnahme Roms 1527 verdeutlichte, daß Karl V. nicht auf die human. Imperiumskonzeption festzulegen war, sondern als Erneuerer der ma. Imperiumsidee fungierte. Karls Imperiumskonzeption drapierte sich durchaus klass., wie etwa sein Reiterporträt Tizians verdeutlicht, das die Reiterstatue Marc Aurels adaptierte. Gleichzeitig

präsentierte der Kaiser sich als fest verwurzelt im sakralen Sendungsbewußtsein seines Amts, was durch seine persönlich asketische Haltung ebenso herausgestellt wurde wie durch die von ihm getragene Verbreitung des Christentums in Amerika sowie die Auseinandersetzung mit den Türken. Die Rolle des Kirchenreformers wurde ihm durch die Reformation aufgezwungen, die langfristig die stärkste Bedrohung der universalen Reichsidee darstellte, indem sie sie weitestgehend ihrer spirituellen Kraft beraubte. Hinzu kam die territoriale Verkleinerung durch die Aufteilung der Herrschaft nach der Abdankung Karls V. *Imperium Romanum* als Begriff wurde nun zunehmend vom universalen Herrschaftsanspruch losgelöst [9. 173 ff.] und entwickelte sich zu einer Bezeichnung eines Reiches unter vielen.

→ AWI Imperium

1 H. APPELT, Die Kaiseridee Friedrich Barbarossas (SAWW, Philol.-hist. Klasse 252,4), 1967 2 Ders., Friedrich Barbarossa und das röm. Recht, in: Röm. histor. Mitt. 5, 1961–1962, 18–34 3 G. BAAKEN, Ius Imperii ad regnum. Königreich Sizilien, Imperium Romanum und röm. Papsttum vom Tode Kaiser Heinrichs VI. bis zu den Verzichterklärungen Rudolf von Habsburgs (Forsch. zur Kaiser- und Papstgesch. des MA 11), 1993 4 R.L. BENSON, Political Renovatio: Two Models from Roman Antiquity, in: Ders., G. CONSTABLE, Ren. and Renewal in the Twelfth Century, 1982, 339–386 5 H. BEUMANN, Der dt. König als »Romanorum rex« (Sitzungsber. der Wiss. Ges. an der J. W. Goethe-Univ. Frankfurt a.M. 18,2), 1981 6 A.-D. V. DEN BRINCKEN, Von den Stud. zur lat. Weltchronistik bis in das Zeitalter Ottos von Freising, 1957 7 H. COING, Röm. Recht in Deutschland (Jus Romanum Medii Aevi pars V,6) 1964 8 A. DEMPF, Sacrum Imperium. Geschichts- und Staatsphilos. des MA und der polit. Ren., ⁴1973 9 H. DREITZEL, Monarchiebegriffe in der Fürsten-Ges. Semantik und Theorie der Einherrschaft in Deutschland von der Reformation bis zum Vormärz, Bd. 1, Semantik der Monarchie, 1991 10 E. EUPRÉ THESEIDER, L'idea imperiale di Roma nelle tradizione del medioevo, 1943 11 J. EHLERS (Hrsg.), Ansätze und Diskontinuität der Nationsbildung im MA (Nationes 8), 1989 12 R. FOLZ, L'Idée d'Empire en Occident du Ve au XIVe siècle (Collection Historique), 1953 13 K.A. FRECH (Hrsg.), Imperium und Papsttum. Zur Gesch. des 12. und 13. Jh., FS G. Baaken, 1997 14 W. GOEZ, Translatio Imperii. Ein Beitr. zur Gesch. des Geschichtsdenkens und der polit. Theorien im MA und in der frühen Neuzeit, 1958 15 O. HILTBRUNNER, Die Heiligkeit des Kaisers, in: FMS 2, 1968, 1–30 16 K.U. JÄSCHKE, Zu universalen und regionalen Reichskonzeptionen beim Tod Kaiser Heinrichs VII., in: H. MAURER (Hrsg.), FS B. Schwineköper, 415–435, 1982 17 E. KANTOROWICZ, Kaiser Friedrich der Zweite, 2 Bde., (1927) Ndr. 1963 18 R. KOEBNER, Empire, 1961 19 G. KOCH, Auf dem Wege zum S.I. Stud. zur ideologischen Herrschaftsbegründung der dt. Zentralgewalt im 11. und 12. Jh. (Forsch. zur ma. Gesch. 20), 1972 20 W. KÖHLER, Die Dt. Kaiseridee am Anf. des 16. Jh., in: HZ 149, 1933, 36–56 21 P. KOSCHAKER, Europa und das röm. Recht, 1947 22 G. LAEHR, Vom ma. Imperium Romanum, in: Die Ant. 7, 1931, 120–134 23 U. NONN, Heiliges Röm. Reich Dt. Nation, in: Zschr. für Histor. Forsch. 9, 1982, 129–142 24 J. PETERSOHN, Rom und der Reichstitel S.I.

(Sitzungsber. der Wiss. Ges. der J.-W. Goethe-Univ. Frankfurt a.M. 32,4), 1994, 75–101 **25** M. POMPTOW, Über den Einfluß der altröm. Vorstellung vom Staate auf die Politik Kaiser Friedrichs I., Diss. Halle 1885 **26** P. RASSOW, Die Kaiser-Idee Karls V. dargestellt an der Politik der J. 1520–1540 (Histor. Stud. 217), 1932 **27** H. M. SCHALLER, Die Kaiseridee Friedrichs II., in: Ders., Stauferzeit. Ausgewählte Aufsätze, 1993, 53–83 und in: J. FLECKENSTEIN (Hrsg.), Probleme um Friedrich II. Vorträge und Forsch. Bd. XVI, 1974, 109–134 **28** B. TOEPFER, E. ENGEL, Vom staufischen Imperium zum Hausmachtkönigtum. Dt. Gesch. vom Wormser Konkordat 1122 bis zur Doppelwahl 1314, 1976 **29** W. ULLMANN, Von Canossa nach Pavia. Zum Strukturwandel der Herrschaftsgrundlagen im salischen und staufischen Zeitalter, in: HJb 93, 1973, 265–300 **30** G. DE VERGOTTINI, Lo studio di Bologna, l'imperio, il papato, Studi e Memorie per la storia dell'Università di Bologna, NS I, 1956 **31** H. G. WALTHER, Imperiales Königtum, Konziliarismus und Volkssouveränität. Stud. zu den Grenzen des ma. Souveränitätsgedankens, 1976, 55 **32** K. F. WERNER, Das hoch-ma. Imperium im polit. Bewußtsein Frankreichs (10.–12. Jh.), in: HZ 200, 1965, 1–60 **33** H. WIERUSZOWSKI, Vom Imperium zum nationalen Königtum. Vergleichende Stud. über die publizistischen Kämpfe Kaiser Friedrichs II. u. König Philipps d. Schönen mit der Kurie (HZ Beih. 30), 1933 **34** F. YATES, Charles V and The Idea of the Empire, in: Astraea. The Imperial Theme in the Sixteenth Century (1975), Ndr. 1985, 1–28 **35** K. ZEUMER, Hl. röm. Reich dt. Nation. Eine Studie über den Reichstitel (Quellen u. Stud. zur Verfassungsgesch. des Dt. Reiches in MA und Neuzeit IV 2), 1910 **36** H. ZIMMERMANN, Imperatores Italiae, in: H. BEUMANN (Hrsg.), Histor. Forsch. für Walter Schlesinger, 1974, 379–399.   CHRISTIANE KUNST

Säftelehre. Lange vor dem 2. Jh. n. Chr. war bereits allg. anerkannt, daß Hippokrates der Urheber jener Lehrmeinung war, der zufolge der menschliche Körper aus vier Säften – nämlich Blut, Schleim, Galle und schwarze Galle – besteht, und nur ein Gleichgewicht dieser vier Säfte Gesundheit zu gewährleisten vermochte. Galens Autorität, untermauert durch seine logischen und rhet. Fertigkeiten, sorgte dafür, daß diese Doktrin auf Jh. die herrschende Theorie in der westl. Medizin und ihrem östl. Pendant wurde. Diese S. wurde in knappen (oftmals pseudonymen) Traktaten wie dem ps.-galenischen *perí chymõn* [16] oder der *Epistula Yppocratis de quattuor humoribus* [1] niedergelegt, aber auch in umfangreichen Kompendien wie dem Kanon des Ibn Sina (Avicenna) (→ Arabische Medizin) oder in Vorlesungen ma. Universitätsprofessoren, die die exakten Mischungsverhältnisse der vier Säfte im Menschen diskutierten [5].

Die Grundlagen der S. waren zum Teil empirischer Natur und leiteten sich als solche von der Neigung des Körpers zur Homoiostase ab, zum Teil aber auch theoretischer Natur. In ihrer Verknüpfung hippokratischer und aristotelischer Lehrmeinungen (→ Melancholie) bot sie sich v. a. jenen intellektuellen Zirkeln an, die das Universum auf der Grundlage der Elementen- und Qualitätenlehre erklärten. Sie lieferte zudem wertvolle Kriterien, Daten zu klassifizieren und zu kategorisieren. Ihre Zirkularität – im Jahreskreis wechselten die jeweils dominierenden Säfte in schöner Regelmäßigkeit einander ab – ließ sich so weit angleichen, daß man z. B. das Farbspektrum des Urins auf ma. Urinkarten erklären konnte [6].

Nachdem Galen die Interaktion von Körper und Seele, v. a. in seiner Schrift *Quod animi mores* (IV, 767–822 K.), vehement verfochten hatte, wurde aus solchen Ansätzen in der Spätant. und im MA eine Temperamentenlehre entwickelt, in der die Menschen in vier psychophysische Typen eingeteilt wurden [9, 15], wobei sich die jeweiligen seelischen und körperlichen Merkmale gegenseitig verstärkten. Der Phlegmatiker war weiß, schwammig und schwer von Begriff; ein wütender Mensch offenbarte durch seine Wut, daß er von Natur aus ein Choleriker war und ein Übermaß an Galle und somit eine Veranlagung zu gallebedingten Krankheiten besaß. Bilddarstellungen stellten die psychologischen Kennzeichen der vier Temperamente mindestens ebenso sehr heraus wie die körperlichen [4], und Dichter, Dramatiker und Essayisten formten die Charaktere ihrer Helden und Ganoven aufgrund dieses Verständnisses der vier Säfte [9].

Das mit den vier Säften einhergehende Klassifikationssystem wurde im MA ausgeweitet und umfasste nun nicht mehr nur wie bei Galen die Elemente, Qualitäten und Jahreszeiten. Die Verbindung zum Verstand erklärte auch die körperlichen Wirkungen der vier Haupttonarten. Der jahreszeitliche Rhythmus paßte bestens zu den Sternkonstellationen in der Astrologie. Ebenso konnten Organe, die man unter dem Einfluß eines bestimmten Tierkreiszeichens wähnte, durch Analogieschlüsse den vier Säften zugeordnet werden. Andere Tetraden, wie die der vier Evangelisten, konnten gleichfalls in dieses Schema der erweiterten S. integriert werden [17].

Bis zur paracelsischen Revolution im 16. Jh. blieb die Säftelehre unangefochten. Der akad. Diskurs trug allenfalls dazu bei, die einzelnen Kategorien zu differenzieren und unterschiedliche Melancholiker- oder Phlegmatikertypen zu unterscheiden, statt sie zu verwerfen [21, 19]. Aber selbst der Paracelsismus konnte in Basel oder Montpellier dergestalt unterrichtet werden, daß man die Unterschiede zw. den Kardinalsäften des Körpers anhand ihrer Chemie erläuterte [12].

William Harveys *De motu cordis et sanguinis* aus dem J. 1628 stellte die Humoralpathologie zwar auf den Prüfstand, bereitete ihr jedoch kein Ende. Wenn er auch dem durch den gesamten Körper zirkulierenden Blut die Vorrangstellung einräumte, sprach er in seinen therapeutischen Texten weiterhin von den vier Säften, die sich als Bestandteile des überlegenen Blutes verstehen ließen [11]. Für andere, radikalere Naturen waren Temperamente und Säfte bestenfalls Sekundärmerkmale. Friedrich Hoffmann (1660–1742) vertrat z. B. die Meinung, die Temperamente ergäben sich aus dem im Körper bestehenden Verhältnis von Festem und Flüssigem; sie waren ein Gesundheitsbarometer für das System, wodurch die Säfte im Körper bzw. in den Organen zirkulierten [7]. 50 J. darauf äußerte sich William Brownrigg, ein typischer engl. Arzt, über phlegmatische und sanguinische Konstitution, ohne die Säfte zur Erläuterung heranzuziehen [22]. In Lit., Musik und v. a. gegenständlicher Kunst inspirierten die vier Temperamente auch weiterhin Künstler zur Darstellung der Unterschiede der vier Idealtypen [3]. Das melancholische Genie hatte bis ins 19. Jh. hinein Konjunktur [14].

Um die Mitte des 19. Jh. hatte sich die westl. Schulmedizin weitestgehend von der Vorstellung von Säften und Temperamenten verabschiedet. In zahlreichen muslimischen Ländern gibt es hingegen heutzutage wieder offiziell geförderte Versuche, solche traditionellen Konzepte der »Yunani« (griech.) Medizin mit den Resultaten mod. medizinischer Forsch. in Zusammenhang zu bringen, wenn auch mit wechselndem Erfolg (vgl. die zahlreichen Veröffentlichungen des Hamdard Institute, Pakistan). Die vier Temperamente überleben indes wegen ihrer populären psychologischen Erklärungsfunktion, wie ja überhaupt Patienten einen ärztlichen Rat um so eher verstehen und annehmen, je leichter sie ihn sich selbst im Lichte der S. erklären können [8]. Im Zuge der seit den 70er J. aufkommenden alternativen Medizin ist häufig von einem ganzheitlichen Ansatz die Rede, der – bisweilen übertrieben – zurückgeht auf die S. der griech.-röm. Antike. Die Humoralpathologie ist noch nicht tot.

→ AWI Aristoteles; Astrologie; Galenos aus Pergamon; Hippokrates; Melancholie; Säftelehre

1 A. BECCARIA, I codici di medicina del periodo presalernitano, 1956, 169 2 C. M. BROOKS, J. L. GILBERT, H. A. LEVEY, D. R. CURTIS, Humors, hormones, and neurosecretions, 1962 3 Z. K. FILIPCZAK, Hot dry men, cold wet women. The theory of humours in Western art, 1575–1700, 1997 4 H.-M. GROSS, Illustrationen in medizinischen Sammelhss., in: G. KEIL (Hrsg.), Ein teutsch puech machen. Unt. zur landessprachlichen Vermittlung medizinischen Wissens, 1993, 191–193 5 D. JACQUART, La science médicale occidentale entre deux renaissances (XIIe s. – XVe s.), 1997, VI, 71–76 6 L. C. MACKINNEY, Medical illustrations in medieval manuscripts, 1965, fig. 6 7 I. MÜLLER, Humoralmedizin. Physiologische, pathologische und therapeutische Grundlagen der galenistischen Heilkunst, 1993 8 C. G. HELMAN, Feed a cold and starve a fever, in: Medicine and Society 2, 1978, 107–137 9 R. KLIBANSKY, E. PANOFSKY, F. SAXL, Saturn u. Melancholie, 1990 10 I. MÜLLER, Iatromechanische Theorie und ärztliche Praxis, 1991, 138–142 11 W. PAGEL, William Harvey's biological ideas, 1967 12 Ders., From Paracelsus to van Helmont, 1986, XII, 440–441 13 K. E. ROTHSCHUH, Konzepte der Medizin in Vergangenheit und Gegenwart, 1972 14 T. RÜTTEN, Demokrit, lachender Philosoph und sanguinischer Melancholiker, 1992 15 H. SCHIPPERGES, Der Garten der Gesundheit, 1985, 64–71 16 A. SCHMIDT (Hrsg.), Ps.-Galeni liber de humoribus, Diss. phil., Göttingen 1964 17 E. SCHÖNER, Das Viererschema in der ant. Humoralpathologie, 1964 18 K. SCHÖNFELDT, Die Temperamentenlehre in deutschsprachigen Texten des 15. Jh., 1962 19 C. J. SCHWEICHARDT, Theoretische Grundlagen galenistischer Therapie im Werk des Gießener Arztes und Professors Gregor Horst (1578–1636), 1995 20 R. E. SIEGEL, Galen's system of physiology and medicine, 1968 21 N. G. SIRAISI, Avicenna in Ren. Italy, 1987, 24–27, 290–306 22 J. E. WARD, J. YELL, The medical casebook of William Brownrigg, M. D., F. R. S. (1712–1800), 1993.

VIVIAN NUTTON/Ü: LEONIE V. REPPERT-BISMARCK

Säule/Säulenmonument A. INTERPRETATIO CHRISTIANA DER BILDSÄULEN B. PERSONALISIERTE SÄULEN C. SPOLIENSÄULEN IM BAUVERBAND

A. INTERPRETATIO CHRISTIANA DER BILDSÄULEN

Wie kaum ein zweites Bauglied ist die Säule (S.) – sowohl im architektonischen Verband als auch isoliert als Säulenmonument (Sm.) – in nachant. Zeit mit dem Rekurs auf die Ant. verbunden. Dies gilt sowohl positiv – im Sinne einer bewußten *renovatio* der klass. oder christl. Ant. – als auch negativ in Verbindung mit dem Idol als Inbegriff des überwundenen Heidentums.

Die S. mit darauf stehendem, meist nacktem »Götzenbild« wurde gleichsam zum Topos in der Kunst des späteren MA und der Ren., wobei in manchen Darstellungen (z. B. der Flucht nach Ägypten) die berstende Bild-S. den Sturz des Heidentums bes. anschaulich macht. In Piero della Francescas Taf. mit der Geißelung Christi in Urbino ist die das Idol tragende Bild-S. identisch mit der Geißelungs-S. der Leiden Christi (Abb. 1), um Anlaß und Ziel der Passion zu demonstrieren. Seit 1223 verehrte man in Santa Prassede in Rom einen S.-Stumpf als Reliquie der Geißelungs-S., die via Konstantinopel aus Jerusalem eingeführt worden sein soll. Dieselbe Provenienz wird seit dem 14. Jh. auch der sog. Colonna santa zugeschrieben, die in St. Peter in Rom verehrt wurde und als jene S. galt, an die sich Christus bei der Predigt im Tempel gelehnt haben soll. Es handelt sich dabei um eine gewundene Weinranken-S. aus einer Serie von sechs S., die Konstantin für die Auszeichnung des Petrus-Grabes als → Spolien aus Griechenland beschafft hatte und die Papst Gregor III. (731–741) dann auf 12 S. verdoppelte. Ihre Form und ihr Marmor wurden bereits im Früh-MA bewundert, die Legendenbildung setzte freilich erst später ein: Seit dem 12. Jh. (als im Umkreis der röm. *Marmorarii* erste Nachbildungen geschaffen wurden) glaubte man, sie stammten vom Apollontempel in Troia, 200 J. später galten sie als Spolien vom Tempel Salomonis in Jerusalem und waren so zum Verbindungsglied zw. AT, Ant., dem Triumph der frühen Kirche und der Gegenwart geworden. Ausgehend von Rom setzte dann gegen E. des 15. Jh. eine breite Rezeption dieser S. in der Kunst und in Architekturtraktaten ein, letzteres allerdings fast ausschließlich in Italien [9]. Herausragend und der weiteren Rezeption neue Impulse versetzend war Berninis Inszenierung im Neubau des Petersdoms, wo er die ant. S. zur Rahmung der Reliquientabernakel in die Vierungspfeiler versetzte und mit den Bronze-S. des Baldachins über dem Petrusgrab alt und neu formal verknüpfte, sind letztere doch gleichermaßen als Neuanfertigungen

Abb. 1: Piero della Francesca, Geißelung Christi. Tafelbild, um 1450.
Urbino, Galleria Nazionale delle Marche. Foto Kunsthistorisches Seminar der Universität Basel

und als Kopien der konstantinischen Spiral-S. erkennbar.

Eine andere Art, den Triumph über das Heidentum mittels S. zu versinnbildlichen, bestand darin, daß man sich der Bild-S. bemächtigte. Die eher bizarre Erscheinung der quasi verlebendigten Bild-S. in Form der S.-Heiligen blieb auf den frühbyz. Osten beschränkt; dagegen hat man im Westen schon zu Beginn der wieder aufkommenden Großplastik im Hoch-MA Statuen verehrter Heiliger auf S. gestellt. Bereits Bischof Stefan von Clermont-Ferrand, der Mitte des 10. Jh. eine der frühest bezeugten Marienstatuen anfertigen ließ, stellte diese zur Verehrung und Bewunderung hinter dem Altar auf eine Marmorsäule [1]. Ob schon hier eine bewußte Christianisierung des ant. Sm. zu fassen ist, bleibt unklar. Klar ist dies aber bei der Bernward-Säule (um 1020; Dom, Hildesheim) der Fall, wo die Kaiser-S. (Trajans) in eine Christus-S. verwandelt ist, sodann in der Gegenreformation, wo mit Marien-S. an ant. Triumph- und Votivmonumente angeknüpft wurde [4]. Im Zeichen der Gegenreformation stand auch die Aufstellung vergoldeter Bronzestatuen der Apostelfürsten auf den röm. Ehren-S. Trajans und Marc Aurels, die bereits seit dem Hoch-MA zu den *Mirabilia* gehört hatten und nun 1587/88 im päpstlichen Auftrag die in den S. manifeste ant. Triumphsymbolik in eine christl. zu konvertieren hatten (→ Trajanssäule).

Neben dieser christl. gibt es bereits seit dem Hoch-MA eine säkulare Trad. von Sieges- und Erinnerungs-S.

[5]. Der Normannenherzog Robert Guiscard ließ 1072 ›in signum victoriae suae‹ Marmor-S. aus der eroberten arab. Residenzstadt Palermo in sein apulisches Stammland schaffen (MGH SS 19,407), deren Aufstellung allerdings unbekannt bleibt. Anders die Porphyr-S., die gemäß Giovanni Villani die Stadt Florenz knapp 50 J. später von der Nachbarstadt Pisa zum Dank für geleistete Verdienste und zur Erinnerung an den Sieg über die Sarazenen erhalten hatte. Sie stehen noch h. vor dem Florentiner Baptisterium (und alludieren damit möglicherweise auf die beiden S. *Jachin* und *Boas*, die vor dem Salomonischen Tempel standen). Wie bei den ornamentierten Pfeilern vor San Marco in Venedig handelt es sich hier um Spolien, die nicht zuletzt durch ihr fremdartiges Material Wirkung entfalteten; dagegen sind die entsprechenden Monumente in der Neuzeit in der Regel Neuanfertigungen, die formal direkt auf entsprechende ant. S. rekurrieren. Dies gilt für Christopher Wrens *Monument* zur Erinnerung an den Londoner Stadtbrand von 1666 ebenso wie für die napoleonische Ruhmes-S. auf der Place Vendôme in Paris oder die Siegessäule mit ihrer bekrönenden Viktoriastatue in Berlin, die 1873 vor dem Reichtagsgebäude aufgestellt und 1938 im Zuge der nationalsozialistischen Pläne zur monumentalen Umgestaltung der Reichshauptstadt erhöht und an den heutigen Standort im Tiergarten versetzt wurde.

Abb. 2: Chartres, Kathedrale, Gewändefiguren der Westfassade, mittleres und rechtes Portal. Um 1145. Foto H.R. Meier

B. PERSONALISIERTE SÄULEN

Setzen die oben genannten Beispiele christl. Ausdeutung ant. Einzel-S. erst im Spät-MA ein, so geht die allegorische Interpretation der S. als menschliche Gestalt weit in die Ant. zurück und erfuhr bereits durch die Bibelexegese der Kirchenväter eine frühe christl. Blüte, die insbes. für die ma. Architekturallegorese bedeutend werden sollte. Für die oben erwähnten Marien-S. ist dabei die Benennung als »columnae novae legis« und »columnae fidei« signifikant, was sich dann in der Emblematik mit der S. als Signum für Glaubensstärke und Gottvertrauen auch im Attribut der Tugend, *Fortitudo*, auswirkte [4]. Wichtiger für die Architekturexegese wurde die Gleichsetzung von S. und Apostel (später auch der Propheten), die die *ecclesia* tragen. Exemplarisch ist die Deutung der S. im neuen Chor der Abteikirche von St-Denis durch Abt Suger im mittleren 12. Jh.: ›Medium quippe duodecim columpne duodenarium apostolorum exponentes numerum, secundario uero totidem alarum columpne prophetarum numerum significantes (...)‹ (*De consecratione*, 58). Angesichts solcher Interpretationen war es naheliegend, die S. weiter zu personalisieren und in sie bzw. in ihre Kapitelle Reliquien einzuschließen, wie das z.B. für St. Michael in Hildesheim, den Dom von Magdeburg, aber auch für weit weniger bedeutende Kirchen wie S. Angelo in Spata in Viterbo bezeugt ist. Die Gleichsetzung von S. und Person zu veranschaulichen, dürfte schließlich einer der Beweggründe für die S.-Figur gewesen sein, die im 12. Jh. in der Ile-de-France entwickelt wurde, indem man den Portal-S. Menschengestalt gab (Abb. 2).

C. SPOLIENSÄULEN IM BAUVERBAND

Den wohl unmittelbarsten Antikebezug realisierte man in der ma. Architektur durch die bereits mehrfach

Abb. 3: Magdeburg, Domchor, erste Hälfte 13. Jahrhundert

angesprochene Verwendung ant. Spoliensäulen. Ob damit bereits in der spätant. Architektur ein Renovatiogedanke verbunden war, ist in der Forsch. umstritten [6]. Anders verhält es sich für die karolingische Zeit: hier zeigt sich die programmatische Absicht Karls des Gr. in der Ausstattung seiner neuen Pfalz in Aachen mit S. aus Rom und Ravenna. Angesichts des enormen logistischen Aufwands ist evident, daß es Karl um den Herkunftsort der S. ging und nicht nur um deren ant. Provenienz oder Material, wie dann im 11. Jh. für Bischof Gerhard von Cambrai, der vor seiner Stadt »lapides columnares« ausgraben ließ, um mit seinem Kathedral-Neubau schneller voranzukommen. Die Vitalität des Rom-Topos und die für seine Realisierung getätigten Anstrengungen gehen auch aus dem Bericht Abt Desiderius' von Montecassino hervor, der im Zusammenhang mit seinem Abteikirchen-Neubau 1086/87 nach Rom fuhr, ›wo er sich mit seinen besten Freunden in Verbindung setzte und viel Geld ausgab, um zahlreiche S. (...) verschiedener Farben zu erwerben und per Schiff durch die Tibermündung nach Kampanien transportieren zu lassen‹ (MGH SS VII, S. 717). Ähnliche Bemühungen sind vielfach überliefert; so nobilitierte auch Kaiser Otto d.Gr. seinen Dom-Neubau in Magdeburg mit einem Set ant. Säulen. Beim Neubau des Domes im 13. Jh. verbaute man diese nun auch an den Vorgänger erinnernden Spolien dann im Chor in einer Weise, die nicht den Kanon der got. Baukunst entsprach und die S. deshalb bes. augenfällig in Szene setzte (Abb. 3), ein Vorgehen, das etwa gleichzeitig auch in San Lorenzo in Neapel zu beobachten ist. In der spätma. Architektur ist generell ein Rückgang des Gebrauchs von Spolien-S. zu beobachten, doch werden im spolienfreudigen Rom noch in der Ren. antike S. wiederverwendet. Danach wird in der neuzeitlichen Architektur auch dort durch die Befolgung der klass. → Säulenordnung und nicht mehr durch die Wiederverwendung ant. Materials auf die Ant. rekurriert, so daß sich dann auch die antiklass. Polemik (etwa des jungen Goethe, *Von Deutscher Baukunst, D. M. Ervini a Steinbach*, 1773) gegen die S.-architektur generell wendet. Auch in der Architektur der → Moderne kam der S. kaum Bed. zu (vgl. dagegen den Hochhausentwurf der *Chicago Tribune*, 1922, von Adolf Loos in Form einer gigantischen dorischen Säule), während sie in der Postmoderne wieder zeichenhaft (z.B. in Charles Moores *Piazza d'Italia* in New Orleans), gelegentlich aber auch ironisch gebrochen (vgl. die Baldachine mit Spolien-S. im Wohnhaus desselben Architekten in Orinda) eingesetzt wurde.

→ AWI Säule; Säulenmonumente; Spolien; Stylit

QU 1 R. RIGODON, Vision de Robert, abbé de Mozat, au sujet de la basilique de la Mère de Dieu, in: Bulletin historique et scientifique de l'Auvergne 70, 1950, 55

LIT 2 G. BANDMANN, Ma. Architektur als Bedeutungsträger, 1951 3 W. HAFTMANN, Das it. Sm., 1939 4 S. JOHN, s. v. »S.«, in: Marienlex. Bd. 5, 1993, 620–626 5 H. R. MEIER, Vom Siegeszeichen zum Lüftungsschacht, in: Ders., M. WOHLLEBEN (Hrsg.), Bauten und Orte als Träger von Erinnerung, 2000, 87–98 6 J. POESCHKE (Hrsg.) Ant. Spolien in der Architektur des MA und der Ren., 1996 7 B. REUDENBACH, S. und Apostel, in: FMS 14, 1980, 310–351 8 J. RYKWERT, The Dancing Column, 1996 9 H.-W. SCHMIDT, Die gewundene S. in der Architekturtheorie von 1500 bis 1800, 1978.

HANS-RUDOLF MEIER

Säulenordnung A. DEFINITION, CHARAKTERISIERUNG B. GESCHICHTE

A. DEFINITION, CHARAKTERISIERUNG

Als S. bezeichnet man ein grundlegendes Gestaltungselement der ant. und klass. neuzeitlichen Architektur, das sich aus dem tragenden Element der Säule und dem lastenden Element des horizontal verlaufenden Gebälks zusammensetzt. Im Unterschied zu anderen Stütz- und Gliederungssystemen unterliegt die S. festen formalen und proportionalen Gesetzmäßigkeiten: Die nach den Maßen des menschlichen Körpers proportionierte Säule (→ Proportionslehre) setzt sich aus einer Basis, einem Säulenschaft und einem Kapitell, das Gebälk aus einem Architrav, einem Fries und einem abschließenden Gesims zusammen. Während die freistehenden Säulen der ant. Tempel eine konstruktive Funktion besitzen, geben die an vielen neuzeitlichen Bauten verwendeten, der Wand vorgeblendeten Halbsäulen oder Pilaster nur eine Fiktion des tektonischen Grundprinzips vom Tragen und Lasten wieder. Die Benennung der einzelnen Elemente und die Klassifizierung in verschiedene Arten von S., entsprechend der Ausbildung der Detailformen, richtet sich nach der Beschreibung des ant. Architekturtheoretikers Vitruv vom dorischen, ionischen und korinthischen Tempel. Aber die Ant. kannte weder den in der Neuzeit geläufigen allg. Begriff der S. noch das kanonische System der »fünf Säulen« [17]. Die Lehre von den S. bildete seit der → Renaissance über Länder, Stile und Epochen hinweg ein Kernstück der Architekturteorie, zu der die gebaute Architektur stets in einem spannungsvollen Wechselverhältnis stand.

B. GESCHICHTE
1. MITTELALTER

Das Verständnis der ant. S. ging im MA offensichtlich weitgehend verloren. Zwar ahmte man seit frühchristl. Zeit immer wieder Säulen nach oder verwandte wie etwa in den Basiliken des 12. und 13. Jh. in Rom sogar ant. → Spolien, aber von wenigen Ausnahmen abgesehen (z.B. Florenz, Baptisterium, 11. Jh.) wahrte man nicht den tektonischen Zusammenhang mit dem Gebälk und integrierte die Säulen in ma. Gliederungs- und Bogensysteme (Pisa, Dom, 1063–1121).

2. ITALIENISCHE RENAISSANCE: DER KANON DER FÜNF SÄULEN

Dank des Interesses der it. Humanisten und Architekten für die ant. Baukunst und das Traktat Vitruvs wurde die S. im 15. Jh. wiederentdeckt. Als erster nachant. Architekt erkannte der Florentiner Filippo Brunelleschi das tektonische Prinzip der S. und vollzog den

Abb. 1: Filippo Brunelleschi,
S. Lorenzo, Langhaus, ab 1419.
Florenz

epochemachenden Schritt, dieses vom ant. Tempel auf zeitgenössische Bauaufgaben wie Kirchen und Paläste zu übertragen (Florenz, S. Lorenzo, 1419 begonnen, Abb. 1) [9]. Eine genaue Differenzierung zw. den verschiedenen vitruvianischen S. spielte im 15. Jh. außer für den gelehrten Florentiner Humanisten und Architekten Leon Battista Alberti, dem in seinem Architekturtraktat (1452) eine korrekte Beschreibung der S. gelang, noch keine Rolle. Erst Donato Bramante benutzte Anf. des 16. Jh. an seinen röm. Bauten vier differenzierbare klass. S. (Tempietto S. Pietro in Montorio, 1502, Neubau von St. Peter, ab 1506).

Die nachfolgende Generation der Architekten Raffael, Baldassare Peruzzi und Antonio da Sangallo d. Ä. entwickelte dann nach intensivem Antikestudium das kanonische System der fünf Säulen, das Serlio 1537 publizierte und damit in ganz Europa bekannt machte (Abb. 2). Grundgedanke dieses Kanons, der die vitruvianische Trias um die toskanische und komposite Gattung erweiterte, war eine für jede S. in allen Gliedern spezifische Gestaltung nach dem hierarchischen Prinzip, daß die Gattungen in der Reihenfolge toskanisch, dorisch, ionisch, korinthisch und komposit mit Proportionen von 1:6 bis 1:10 (Säulen-Dm) zunehmend schlanker und reicher werden. Damit war das ant. Erbe in ein neues, rational faßbares System übertragen, das isoliert von der Bauaufgabe des Tempels auf jeden architektonischen Kontext übertragbar war, d. h. sowohl zur Modellierung der Wand als auch im Zusammenhang mit Bogen- und Gewölbesystemen verwendbar war (Antonio da Sangallo, d. J., Rom, Palazzo Farnese, Hof, ab 1513; Andrea Palladio, Vicenza, Basilica, ab 1549). Für mehrgeschossige Bauten wurde eine geschoßweise Übereinanderstellung der S. in der kanonischen Abfolge beliebt (Superposition). Die von Vitruv im Rahmen seiner »decorum«-Bestimmungen für eine der sozialen, polit. und rel. Funktion angemessene Gestaltung der

Gebäude formulierten inhaltlichen Bed. der S. wurden zum Teil christl. umgedeutet. Die dorische Ordnung z. B. war für Christus und männliche Heilige, die ionische für weibliche Heilige, die korinthische für die Jungfrau Maria angemessen.

Die nachfolgenden it. Theoretiker Vignola (1562), Andrea Palladio (1570) und Vincenzo Scamozzi (1615) bestätigten den Kanon der S. und widmeten sich v. a. der Frage der Proportionierung. Besonders erfolgreich war das von Vignola entwickelte, einfach anwendbare Modulsystem für die Errechnung der richtigen Maßverhältnisse in der Baupraxis. Palladio führte in seinen Villenentwürfen die theoretisch begründete Übertragung der ant. Tempelfront auf den Wohnbau vor (Vicenza, Villa Rotonda, um 1567) [17].

Michelangelo und Giulio Romano durchbrachen an einigen Bauten hingegen mit ihrem unkonventionellen Umgang mit den S. und der Erfindung neuer Einzelelemente das Regelwerk der Ren. (Florenz, Biblioteca Laurenziana, 1524–1526; Mantua, Palazzo Tè, 1524–1534). Michelangelo ersetzte am Konservatorenpalast auf dem Kapitol in Rom 1546 erstmals die geschoßweise Gliederung zugunsten einer echten Kolossalordnung, die alle Geschosse zusammenfaßt – eine für die Barockarchitektur wegweisende Lösung.

3. Renaissance ausserhalb Italiens

In der Nachfolge von Serlios isolierter Publikation der Säulenlehre erschienen außerhalb Italiens, bes. in Deutschland und den Niederlanden, zahlreiche »Säulenbücher«, die sich abgesehen von einigen noch sehr it. beeinflußten Werken (Jean Bullant, 1546; Hans Blum, 1550), wie die ausgeführten Bauten auch, mangels direkter Kenntnis der Ant. und der it. Ren. von den klass. Vorbildern entfernen und die S. durch Kombination mit phantasievoller Ornamentik dem zeitgenössischen nordeurop. Stilempfinden anpaßten (Vredeman de Vries, 1565; Dietterlin, 1598; Heidelberg, Schloß, Ott-

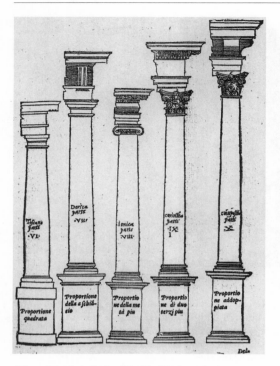

Abb. 2: Sebastiano Serlio, Die Fünf Säulenordnungen.
Regole generali di architettura, IV, Venedig 1537

heinrichsbau, 1556–1560) [8]. Der bedeutendste frz. Renaissancetheoretiker Philibert Delorme erweiterte den Kanon um eine sechste, nationale frz. Säulenordnung [13].

Im Unterschied zu den anderen nordeurop. Ländern orientierte sich die Architekturtheorie und -praxis in England vom E. des 16. bis ins 18. Jh. vorwiegend an Palladio (Inigo Jones, London, Banqueting House, 1619–1622; Colen Campbell, *Vitruvius Britannicus*, 1725).

4. BAROCK

Obwohl die in der Ren. kanonisierte Säulenlehre im Barock in der Theorie weiterhin ihre Gültigkeit behielt und auch das Grundvokabular für die Baupraxis lieferte, pflegten zunächst in It. und später auch in Mitteleuropa die Architekten einen freieren Umgang mit den traditionellen S. bis hin zu innovativen Umformungen. Wie nie zuvor wurde die S. durch rhythmische Gruppierung, Staffelung oder Drehung in Kombination mit starken Gebälkverkröpfungen zur Akzentuierung von Baukörpern, Fassaden- und Raumabschnitten sowie zur Ausbildung eines bewegten, plastischen Wandreliefs eingesetzt (Gianlorenzo Bernini, Rom, Palazzo Chigi-Odescalchi, 1664; Pietro da Cortona, Rom, S. Luca e Martina, 1635–1650; Balthasar Neumann, Wallfahrtskirche Vierzehnheiligen, 1743–1772). Die bevorzugt verwendeten Spielarten der reichen korinthischen oder kompositen S. zeichnen sich gelegentlich durch phan-

tasievolle Kapitellvarianten mit symbolischen Motiven aus. Francesco Borromini stellte mit seinen ungewöhnlichen Kapitellinventionen und den durchbrochenen oder aufgebogenen Gebälken sogar den vitruvianischen Kanon in Frage (Rom, Oratorio e Casa di San Filippo Neri, 1637–1650).

Auf diesen veränderten Umgang mit den S. reagierte in der Theorie nur Guarino Guarini, der zugleich auch erstmals die Gotik als eigene S. anerkannte und für die durch Villalpandos Rekonstruktion des Tempels von Jerusalem (1596) eingeführte salomonische S. die Torsion der legendären Spiralsäulen von St. Peter in Rom übernahm. Seit dem späten 17. Jh. bemühten sich Theoretiker aller Länder auch immer wieder um die Erfindung nationaler Ordnungen [13].

In Frankreich verteidigten klassizistische Architekturtheoretiker die traditionelle Säulenlehre gegen Einflüsse des it. Hochbarock und später auch gegen das Rokoko und diskutierten über das erlaubte Maß an Freiheit für neue Erfindungen und den »richtigen« Proportionsbegriff (vgl. den Streit zw. François Blondel d. J. und Claude Perrault anläßlich der gekuppelten Säulen der Ostfassade des Louvre, 1667) [7]. Nicht alle Autoren gingen so weit wie Fréart de Chambray (1650), der dogmatisch eine Rückbesinnung auf die drei griech. S. dorisch, ionisch und korinthisch forderte. Ein strenger »decorum«-Begriff, der eine vollständige S. nur für hohe öffentliche oder sakrale Baugattungen gestattete, führte ab der 2. H. des 17. Jh. bes. in Frankreich bei Privatpalais häufig zur Fassadengliederung mit reduzierter oder sogar ohne S. [15].

5. KLASSIZISMUS

Im Laufe des 18. Jh. wurde die traditionelle Säulenlehre zunehmend in Frage gestellt. Wirkungsästhetisch orientierte Theoretiker, allen voran Marc-Antoine Laugier in seinem berühmten Essay über die Urhütte (1753), sprachen den S. ihre sinnstiftende Bed. als Wandgliederungsmotiv ab und akzeptierten sie nur noch als wirklich konstruktiven Bestandteil der Architektur. Bekannt ist die Parodie der S. durch William Hogarth, der diese mit Perücken in Beziehung setzte: *The Five Orders of Periwigs*, Kupferstich 1761. Außerdem wurden die europ. Architekten durch die Wiederentdeckung der Tempel von → Paestum und Sizilien um 1750 sowie durch die Publikation von James Stuarts und Nicholas Revetts Stichwerk zu den ant. Bauten Athens (1762; → Society of Dilettanti) über die Charakteristika der griech. Architektur und deren dorische S. aufgeklärt, die sich durch die fehlende Basis, den kannelierten Säulenschaft und die gedrungeneren Proportionen auszeichnete. In Rückbesinnung auf die griech.-ant. Architektur (→ Greek Revival) entstanden ab dem späten 18. Jh. in England, Frankreich und Deutschland zahlreiche Bauten mit dorischem Säulenportikus, der häufig dem ungegliederten Baukörper vorgelagert ist (Karl Friedrich Schinkel, Berlin, Neue Wache, 1816).

6. 20. Jahrhundert

Die seit der Mitte des 19. Jh. aufkommenden neuen Baumaterialien Beton, Stahl und Glas sowie der ab der Jh.-Wende für alle Stilrichtungen charakteristische, bewußte Verzicht auf histor. Stile – sei es im Jugendstil oder in der folgenreichen rationalistischen Architekturauffassung des Bauhauses – verbannte die S. nahezu völlig aus der Architektur (J. M. Olbrich, Wien, Sezessionsgebäude, 1897–98; W. Gropius, Bauhaus in Dessau, 1919–1926). Zu den wenigen Ausnahmen gehören die Bauten von Peter Behrens (St. Petersburg, Dt. Botschaft, 1911–12), deren ant. inspirierte, aber zugleich völlig abstrahierte S. (Säulen ohne Basis und Kapitell, Gebälke ohne Profilierungen) die faschistische und nationalsozialistische Architektur in monumentalisierter Form aufgriff (Albert Speer, Berlin, Neue Reichskanzlei, 1938–39, zerstört; Marcello Piacentini u. a., Rom, Bauten für die Weltausstellung EUR, 1936–1942; → Faschismus, → Moderne, → Nationalsozialismus II. Kunst und Architektur).

In der sog. postmodernen Architektur des späten 20. Jh. findet die S. wieder Verwendung, meist aber nur in Form beliebiger und abstrahierter Versatzstücke (James Stirling u. a., Stuttgart, Staatsgalerie, 1977–1984).
→ Architekturtheorie/Vitruvianismus
→ AWI Dorischer Eckkonflikt; Epistylion; Säule

1 J. ACKERMAN, The Tuscan/Rustic Order: A Study in the Metaphorical Language of Architecture, in: Journal of Society of Architectural Historians 42, 1983, 15–34 2 J. CROOK, The Greek Revival, 1972 3 F. DEICHMANN, Säule und Ordnung in frühchristl. Architektur, in: MDAI(R) 55, 1940, 114–130 4 C. DENKER NESSELRATH, Die S. bei Bramante, 1990 5 E. FORSSMAN, Säule und Ornament, 1956 6 Ders., Dorisch, Ionisch, Korinthisch: Stud. über den Gebrauch der S. in der Architektur des 16.–18. Jh., 1961 7 G. GERMANN, Einführung in die Gesch. der Architekturtheorie, 1987 8 H. GÜNTHER (Hrsg.), Dt. Architekturtheorie zw. Gotik und Ren., 1988 9 H. GÜNTHER, C. THOENES, Gli ordini aritcettonici: rinascita o invenzione?, in: Roma e l'Antico nell' arte e nella cultura del Cinquecento, 1985, 261–310 10 J. GUILLAUME (Hrsg.), L'emploi des ordres dans l'architecture de la Ren., 1992 11 H.-W. KRUFT, Gesch. der Architekturtheorie, 1985 (mit ausführlicher Bibliogr.) 12 J. ONIANSY, Bearers of Meaning: The Classical Orders in Antiquity, the Middle Ages and the Ren., 1988 13 J. M. PEROUSE DE MONTCLOS, Le Sixième Ordre de l'Architecture, ou la Pratique des Ordres suivant les Nations, in: Journal of the Society of Architectural Historians 36, 1977, 223–240 14 U. SCHÜTTE, Ordnung und Verzierung. Unt. zur dt.-sprachigen Architekturtheorie des 18. Jh., 1986 15 Ders., »Als wenn eine ganze Ordnung da stünde...«. Anm. zum System der S. und seiner Auflösung im späten 18. Jh., in: Zschr. für Kunstgesch. 44, 1981, 15–37 16 J. SUMMERSON, The Classical Language of Architecture, 1980 17 C. THOENES, Vignolas »regola delli cinque ordini«, in: Röm. Jb. für Kunstgesch. 20, 1983, 345–376 18 M. WILSON JONES, E. DWYER, S. L. SANABRIA, M. LYTELTON, N. COLDSTREAM, s. v. Orders, architectural, in: J. TURNER (Hrsg.), The Dictionary of Art, Bd. 23, 1996, 477–494.

ANNA ELISABETH WERDEHAUSEN

Salamis s. Schlachtorte

Salernitaner Medizinerschule s. Medizin

Samos A. Einleitung   B. Heraion   C. Stadt

A. Einleitung

Die Anf. der arch. Erforsch. von S. reichen zurück bis in das 18. Jh. Sie beschränkten sich zunächst auf das oberflächliche Aufsuchen und Identifizieren der wenigen noch aufrecht stehenden Ruinen. Da die Quellen kaum konkrete Hinweise liefern, konzentrierte sich dieses Ansinnen zunächst auf die von Herodot (3,60) als die größten Bauwerke von ganz Hellas bezeichneten Monumente, den Tunnel des Eupalinos, die Hafenmole und den Tempel der Hera. Die ant. Stadt im Südosten der Insel und das rund 6 km westl. davon gelegene Heiligtum der Hera waren damit als die zukünftigen Forschungsgebiete vorgegeben. Darüber hinaus sind im Laufe der Zeit zahlreiche kleinere Siedlungsplätze bekannt geworden, die von Lokalforschern im 19. Jh. aufgezeichnet und in einem histor. Survey jüngst erneut zusammengestellt wurden [19].

B. Heraion

Die Bemühungen konzentrierten sich zunächst auf das Heraion, zumal vom genannten Tempel eine Säule die Zeiten überdauert hat und auch h. noch die Stätte des Heiligtums markiert. Ausgehend davon wurde von Mitgliedern der → Society of Dilettanti schon im frühen 18. Jh. eine Rekonstruktion des Tempelgrundrisses versucht, E. des 19. Jh. folgten dann Freilegungen und Schürfungen durch eine frz. Expedition sowie durch die Griechische Archäologische Gesellschaft. Mit diesen Aktivitäten war eine Vorstellung vom dipteralen Grundriß des Tempels gewonnen, mit der zufällig entdeckten Kore des Cheramyes auch ein erstes Beispiel der ionischen Skulptur. Die Bed. der Stätte war damit offenkundig, ebenso aber auch, daß dem ausgedehnten Areal ohne spektakulären Aufwand nicht beizukommen war. Th. Wiegand, der in → Milet und → Priene Erfahrungen im Organisieren von Großgrabungen gesammelt hatte und entsprechende Verbindungen zur Hohen Pforte pflegte, gelang es 1910, eine Lizenz zugunsten der Berliner Museen zu erwirken und die Ausgrabung zügig ins Werk zu setzen. Nach vier J. war der Kernbereich des Heraion freigelegt. Weitere Unt. mußten jedoch wegen des heraufziehenden Krieges unterbleiben. Erst 1925 konnten die Arbeiten fortgesetzt werden – nunmehr als Unternehmung des → Deutschen Archäologischen Instituts unter der Leitung von E. Buschor.

Buschor hat das bis dato gewonnene Bild des Heraion grundlegend verändert (Abb. 1). Unter Mitarbeit von H. Schleif hat er die Frühzeit des Heiligtums dargestellt, hat den Hekatompedos erkannt, die Südhalle, v. a. aber den ersten Dipteros und den dazugehörenden Altar – einen Komplex, der das Heiligtum im 6. Jh. v. Chr. prägte. Das Heraion bestand fortan nicht

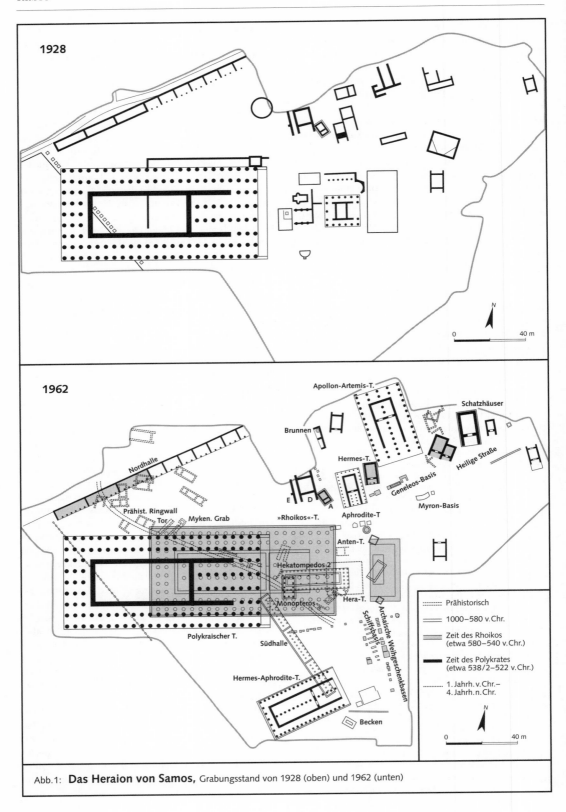

Abb.1: **Das Heraion von Samos,** Grabungsstand von 1928 (oben) und 1962 (unten)

mehr nur aus dem spätarcha. Dipteros und ein paar Bauten der röm. Zeit, statt dessen wurde die Entwicklung
eines ausgedehnten und bedeutenden Heiligtums sichtbar – seine Anfänge in spätmyk., sein Zenit in geom.-
archa. Zeit, sein allmählicher Niedergang und sein Wiederaufblühen in der röm. Kaiserzeit bis zum Nachleben
im frühen Christentum.

Zu diesen top. Ergebnissen kam eine Fülle von Funden, die nicht nur den ionischen Stil, sondern ein spezifisch samisches Kunstschaffen erkennen ließen. Das
Heraion wurde zu einem herausragenden Platz in der
arch. Feldforschung. Hier lag von nun an die Geburts-
stätte des Peripteraltempels und generell des ionischen
Kanon, hier hatte der Bautypus der Halle zum ersten
Mal eine monumentale Form bekommen, hier war der
erste Dipteros gewagt worden. Samos avancierte ganz
allg. zum Zentrum der ionischen Kunst, der Toreutik,
der Koroplastik, der Töpferkunst und nicht zuletzt der
Skulptur. Unabhängig davon war mit diesen ersten Veröffentlichungen Buschors und seiner Mitarbeiter die
Erforsch. der Stätte aber keineswegs abgeschlossen. In
gezielten Sondagen und erschöpfenden Ausgrabungen
wurden nach dem Kriege mehrere Bauten erneut untersucht, v. a. auch die Frühgeschichte des Areals. Die
bisher sporadisch angeschnittenen prähistor. Reste ergaben zusammen mit dem Befund nördl. des Tempels
den Umriß einer ausgedehnten bronzezeitlichen Siedlung; das Heiligtum hatte damit auch eine bedeutende
Vorgeschichte [15]. Als 1963 die von Buschor initiierten
Grabungen im Kernbereich des Heiligtums abgeschlossen waren, entstand der Eindruck, daß das Bild des Heraion vervollständigt sei.

Die folgenden J. unter E. Homann-Wedeking und
v. a. unter H. Kyrieleis brachten dagegen nochmals einen echten Neuanfang. Das Nordtor des Heiligtums
wurde aufgedeckt, der sog. Nordbau untersucht; das
Grabungsareal wurde nach Osten und zum Meer hin
erweitert. Kyrieleis' sensationeller Fund des kolossalen
Kuros (Abb. 2) sowie einer zweiten Cheramyeskore
zeigten, welch bedeutendes Zentrum S. für die ionische
Plastik war [10; 12], während die qualitätvollen Kleinfunde, die im Südosten des Heiligtums aus einzelnen
Depots geborgen wurden, in ihrer Vielfalt nicht hoch
genug eingeschätzt werden können. Mit der Aufdek-
kung von Siedlungsresten aus dem 3. Jt. hat Kyrieleis der
Geschichte der Stätte darüber hinaus ein völlig neues
Kapitel hinzugefügt [11]. Seine intensive Grabungstätigkeit E. der 1970er und Anf. der 1980er J. wurde dann
unter H. Kienast mit gezielten Sondagen weitergeführt
in der Absicht, endgültige Klarheit zu erlangen über
Fragen zu einzelnen Bauten sowie zum Gesamtplan des
Heiligtums. Als bes. erfolgreich erwies sich eine Revision aller Architekturglieder, die zu wichtigen Korrekturen bisheriger Rekonstruktionen führte. Mit der Aufdeckung des Propylons an der Hl. Straße im J. 1998 war
schließlich die tatsächliche Ausdehnung des Heiligtums
erfaßt, erst jetzt zeigte sich auch, daß das Temenos wohl
in hell. Zeit nochmals vergrößert worden war.

Abb. 2: Der kolossale Kuros von Samos
(um 580 v. Chr.) in seiner Aufstellung
im Museum von Samos

Eine Zusammenschau der Arbeiten im Heraion teilt
die Ausgrabungsaktivitäten in drei große Einheiten, die
durch die beiden Kriege voneinander getrennt sind. Die
erzwungenen Unterbrechungen führten auch zu Zäsuren in den jeweiligen Fragestellungen und Methoden.
Der großangelegten Freilegung am Beginn folgten Erweiterungen und Detail-Unt., bis schließlich der Gesamtplan abgerundet war. Eine ähnliche Entwicklung
läßt sich auch bei der Veröffentlichung der Ergebnisse
aufzeigen. Während von der ersten Periode nur zwei
Berichte und einige Inschr. vorgelegt wurden, entstanden in der zweiten grundlegende Darstellungen zur
Top. und zu mehreren Bauten [2; 3; 17; 18], erste zu-
sammenfassende Studien über die Bauplastik und die
Skulptur [4] sowie vorbildliche Abhandlungen über die
Keramik [5; 20; 22]. Mit welcher Dynamik die Arbeiten
nach 1952 aufgegriffen wurden, zeigen die zahlreichen
Aufsätze, die in schneller Folge in den MDAI(A) vorgelegt wurden, sowie die erste als Schlußpublikation konzipierte Arbeit über den Dipteros [16]. Der generellen
Entwicklung Rechnung tragend wurde schließlich eine
eigene Publikationsreihe für S. eingerichtet. Beginnend
mit der Vorgeschichte sind seitdem 12 Bände mit Themen aus dem Heraion erschienen. In zahlreichen Aufsätzen und Beitr. wurden darüber hinaus top. Fragen

behandelt und bes. Aspekte einzelner Funde erörtert. Erwähnung verdienen hier die Holzschnitzereien aus dem 7. Jh., die einmalige Sammlung von Bronzefunden sowie die typologische und künstlerische Vielfalt der Fundobjekte. Obwohl kein Heiligtum mit panhellenischer Bed. gilt das Heraion von S. als die Stätte mit der breitest gestreuten geogr.-kulturellen Provenienz seiner Votive [9].

C. STADT

Die Identifikation des ehemals Tigani genannten Hafenortes mit der ant. Stadt stand nie in Zweifel, auch wenn die Quellen kaum Informationen bereithalten. Die von Herodot überlieferte Mole war ebenso wenig zu übersehen wie die Stadtmauer, von der eindrucksvolle Reste erhalten sind. So entstanden bereits im 19. Jh. Seekarten der britischen Admiralität, ein Plan der Dilettanti und ein Plan von F. Humann, auf denen in unterschiedlicher Genauigkeit die anstehenden Ruinen verzeichnet sind. Das Interesse an der Stadt wurde entscheidend gefördert, als der Tunnel des Eupalinos wiederentdeckt und von E. Fabricius bekanntgemacht wurde. Die kurz danach von J. Boehlau in den Nekropolen gefundene Keramik und v. a. die archa. Grabstelen eröffneten erste Perspektiven für eine arch. Erforsch. der Stadt [1]. Die weiteren Unt. ergaben sich dennoch eher zufällig. Der Fund der Sitzfigur des Aiakes auf dem Kastrohügel sowie die Porträtköpfe von röm. Kaisern, die in den 1920er J. bei Bauarbeiten ans Licht kamen, ließen vermuten, daß man hier auf den Kern der alten Stadt gestoßen war, vielleicht sogar auf den Palast des Polykrates. Als sich diese Hoffnungen nicht erfüllten, war auch das Interesse an weiterer Unt. schnell verflogen. Es ist das Verdienst von U. Jantzen, daß er trotz der überragenden Stellung des Heraion in den 1960er J. konsequente Forschungen initiierte und so dem lückenhaften Bild der ant. Stadt allmählich Konturen verlieh.

Mit einer Nachgrabung auf dem Kastro wurde der Anf. gemacht. Hier wurde die bisher älteste Siedlung auf S. festgestellt [6], überlagert von einer hell.-röm. Villa und umgeben von der byz. Festung [21]. Die Erforsch. der Stadtmauer erbrachte den Nachweis einer Datierung in archa. Zeit sowie überzeugende Rekonstruktionen der einzelnen Bauteile [7]. Der Tunnel des Eupalinos (Abb. 3) wurde in den J. 1971 bis 1973 freigeräumt und in der Folge untersucht, ohne Zweifel eine der spektakulärsten Unternehmungen in der arch. Feldforschung [8]. Als letztes vom DAI durchgeführtes Projekt folgte schließlich die Ausgrabung der Thermen im Südwesten der Stadt, an denen sich die Entwicklung von einem ausgedehnten hell. Gymnasium über eine monumentale röm. Badeanlage zu einem byz. Kloster aufzeigen ließ [13; 14].

Mit diesen in Monographien vorgelegten Monumenten, bes. auch mit dem erstellten Gesamtplan der Stadt war eine Grundlage geschaffen, die seitdem vom Griechischen Antikendienst weiter ergänzt wird – v. a. durch die zahlreichen Notgrabungen, die die um sich

Abb. 3: Blick in den Südteil des Tunnels des Eupalinos (um 550 v. Chr.) mit dem Haupttunnel und dem an der Ostseite (links) eingetieften Leitungskanal

greifende Bautätigkeit erfordert. Der Plan, auf dem zunächst nur der Hafen, die Befestigung, die Wasserleitung, das Theater und die genannten Ausgrabungen verzeichnet waren, gewinnt immer mehr an Inhalt und Struktur. K. Tsakos konnte ein Thesmophorion feststellen, Heiligtümer des Dionysos und der Aphrodite sowie den von Herodot (3,48) erwähnten Bezirk der Artemis. Von der Agora, kenntlich durch beachtliche Architekturreste, wurden große Bereiche aufgedeckt, ebenso erste Befunde zum Straßennetz und zur Wohnbebauung. Dazu wurden zahlreiche Bestattungen gefunden, die die Entwicklung der Stadt seit geom. Zeit vor Augen führen; zu erwähnen v. a. die jüngst entdeckten geom. Tumuli im Bereich des späteren Gymnasiums. Die Erforsch. der Stadt, im Vergleich zum Heraion bislang zweitrangig, gewinnt immer mehr an Bed., nicht zuletzt durch die Funde, die bei allen Grabungen geborgen werden. Zu ersehen ist daraus erneut der hohe Rang des samischen Kunstschaffens sowie die weitgestreuten Handelsbeziehungen der Insel. Abgesehen von ersten Berichten im *Archailogikon Deltion* sind die Ergebnisse bislang aber unpubliziert.

→ AWI Eupalinos; Samos [3]

1 J. BOEHLAU, Aus ionischen und ital. Nekropolen, 1898 2 E. BUSCHOR, Heraion von Samos: Frühe Bauten, in: MDAI(A) 55, 1930, 1–99 3 Ders., H. SCHLEIF, Der Altarplatz

der Frühzeit, in: MDAI(A) 58, 1933, 1–21 **4** E. BUSCHOR, Altsamische Standbilder, 1934–1961 **5** R. EILMANN, Frühe griech. Keramik im samischen Heraion, in: MDAI(A) 58, 1933, 47–145 **6** R. C. S. FELSCH, Das Kastro Tigani, 1988 **7** H. J. KIENAST, Die Stadtmauer von Samos, 1978 **8** Ders., Die Wasserleitung des Eupalinos auf Samos, 1995 **9** I. KILIAN-DIRLMEIER, Fremde Weihungen in griech. Heiligtümern vom 8. bis zum Beginn des 7. Jh. v. Chr., in: Jb. des Röm.-Germ. Zentralmus. Mainz, 32, 1985, 215–254 **10** H. KYRIELEIS, Der große Kuros von Samos, 1996 **11** Ders., H. J. WEISSHAAR, Ausgrabungen im Heraion von Samos 1980–81, in: AA 1985, 365–450 **12** H. KYRIELEIS, Eine neue Kore des Cheramyes, in: Ant. Plastik 24, 7–34 **13** W. MARTINI, Das Gymnasium von Samos, 1984 **14** Ders., C. STECKNER, Das Frühbyz. Klostergut, 1993 **15** V. MILOJCIC, Die prähistor. Siedlung, 1961 **16** O. REUTHER, Der Heratempel von Samos, 1957 **17** H. SCHLEIF, Der große Altar der Hera von Samos, in: MDAI(A) 58, 1933, 146–247 **18** Ders., Das Vorgelände des Tempels, in: MDAI(A) 58, 1933, 211–247 **19** G. SHIPLEY, A history of Samos 800–188 BC, 1987 **20** W. TECHNAU, Griech. Keramik im samischen Heraion, in: MDAI(A) 54, 1929, 6–24 **21** R. TÖLLE-KASTENBEIN, Das Kastro Tigani, 1974 **22** H. WALTER, Frühe samische Gefäße und ihre Fundlage, in: MDAI(A) 72, 1957, 35–81.

HERMANN J. KIENAST

Sankt Petersburg, Eremitage

A. INSTITUTION   B. DAS GEBÄUDE
C. SAMMLUNG UND GESCHICHTE

A. DIE INSTITUTION

Adresse: Das Staatliche ER Museum, Dvortsovaia Naberezhnaia, 32–38, St. Peterburg, Rußland. http://www.hermitagemuseum.org/

Die ER steht mit dem Louvre (→ Paris, Louvre), dem British Mus. (→ London, British Museum) u. ä. in der Trad. der großen Kunstmuseen und beherbergt in seinen verschiedenen Abteilungen ca. 3 Mio. Objekte. Bedingt durch finanzielle Engpässe und die wirtschaftliche Lage Rußlands sucht das Mus. seit ca. 1990 neue Wege, um seine Sammlungen zu pflegen und besser zu nutzen. Dazu gehört u. a. ein Kooperationsvertrag mit dem Kunsthistorischen Mus. in Wien (→ Wien, Kunsthistorisches Museum), und der Solomon R. Guggenheim Foundation in New York [6]. Im Oktober 2001 wurde außerdem zusammen mit dem Guggenheim Trust in Las Vegas (USA) eine Mus.-Dependance eröffnet.

B. DAS GEBÄUDE

Von ihrer Geschichte, Anlage und Konzeption her stellt die ER das charakteristische Beispiel eines Palast-Mus. dar. Der gewaltige kaiserliche Palastkomplex wurde unter der Zarin Elisabeth durch Bartolomeo Rastrelli seit 1754 neu erbaut und in der Folgezeit oft erweitert. Bereits das erste Sammlungsgebäude, die »Kleine ER«, ist direkt der Ostseite (1764–65) vorgelagert und macht somit ihre Rolle als kaiserliche Privatsammlung deutlich. In Abkehr von der auf breite wiss. Perspektiven angelegten Politik Peters I. stammte der einer privaten Sammlerin und deren ästhetischen Prinzipien verpflich-

tete Entwurf bezeichnenderweise vom Direktor der Akad. der Künste, J. Veldten (Felten). 1771 wurde nördl. der »Kleinen ER« die »Alte ER« (Nordpavillon) hinzugefügt. Nach einem großen Brand im Winterpalast 1837 wurde im Zuge der Renovierung entschieden, die bereits vorhandenen Mus.-Bauten der Kleinen und der Alten ER durch ein weiteres Gebäude zu ergänzen. Dies geschah durch den Neubau des »Kaiserlichen Mus.«, (1839–1852), 1850 in »Neue ER« umbenannt. Zu dieser Zeit wurde die ER ein öffentliches Mus., das aber weiterhin direkt vom Hofe verwaltet wurde. Es war in zwei Abteilungen gegliedert: 1) Bibl., Mss., Graphik, Mz. und Medaillen, farbige Steine und Antiken; 2) Malerei, Zeichnung, Plastik, Schmuck und das Arbeitszimmer Peters des Großen. Den Bau-Auftrag erhielt der Erbauer der Münchner Glyptothek (→ München, Glyptothek), Leo von Klenze, der ein nach den neusten Erkenntnissen gestaltetes mod. Mus. errichten sollte [15]. In der Neuen ER, für deren Gesamtplanung und Ausstattung er verantwortlich zeichnete, betonte er den Bezug zw. Mus. und Ant. in Dekor und Möblierung, in der Gesamterscheinung und im Detail.

Es entstand so neben dem Winterpalast ein Museumskomplex mit drei Teilen, der in dieser Form bis zur Oktoberrevolution 1917 bestehen blieb. Mit dem Beginn der Sowjetrepublik wurde das gesamte Palastareal in ein öffentliches Mus. umgewandelt, das dem heutigen Besucher offensteht und neben den Sammlungen auch den Winterpalast als Mus. präsentiert.

C. SAMMLUNG UND GESCHICHTE

Der Beginn systematischen Sammelns im russ. Kaiserhaus liegt bei Peter I.(1689–1725) [26]. Dieser erwarb u. a. die ethnologisch-naturkundliche Sammlung Friedrichs III. von Schleswig-Holstein-Gottorf [19] sowie die des Anatomen Frederick Ruysch im J. 1717 [13]. Peter I. sammelte in großem Stil und äußerst umfangreich. Er schuf mit der »Kunstkammer« eine erste Museumseinrichtung, die in St. Petersburg ihre Heimat fand. Für das ebenfalls unter Peter I. entstandene Asiatische Museum wurde bereits 1741 ein mehrbändiger Katalog publiziert [14].

Die Sammeltätigkeit Peters d. Gr. erstreckte sich auch auf Teilgebiete der Ant.; so kaufte er die Mz.-Sammlung des Amsterdamers Simon Schynvoet [12]. Für die spätere Politik des Sammelns von einheimischen ant. und prähistor. Artefakten spielt die Schenkung des N. Demidov (1715) eine maßgebliche Rolle. Denn mit ihr gelangte eine große Sammlung südsibirischer Grabfunde, v. a. Goldschmuck im Tierstil, in die kaiserliche Sammlung. Veranlaßt durch die Fundumstände, ordnete der Kaiser 1718 an, daß zukünftig alle Funde auf Reichsboden nach St. Petersburg zu bringen seien, und daß die Ausfuhr skythischer Antiquitäten verboten sei [21]. Damit schlug er bereits jenen nationalen Ton an, der in der Sammlungsgeschichte der ER und anderer russ. Mus. immer wieder eine Rolle spielen sollte. Der Kaiser selbst, der ebenso wie seine Nachfolger über ein ausgezeichnetes Kauf-Agentennetz in Europa verfügte, brachte auch ant. Skulpturen in die Residenz, unter ihnen die sog. Venus von Tauris [8].

Peter I. konzentrierte sich auf Sammelgut, das im Zusammenhang mit der von ihm betriebenen Öffnung Rußlands gegenüber dem westl. Europa einen westl. geprägten Bildungs- und Wissenschaftsanspruch widerspiegelt. Ähnliche Motive leiteten auch Katharina II. (1762–1796), mit der jedoch v. a. das systematische Sammeln großer Kunst durch die Zaren begann.

Den Anlaß zur Errichtung eines eigenständigen Sammlungsgebäudes – unmittelbar am Winterpalast – gab für Katharina II. der Erwerb der Sammlung Johann Ernst Gotzkowski (1764), der sich wenig später die Sammlungen Graf H. von Brühl, Dresden (1769), P. Crozat, Paris (1772), und Lord Walpole, Oxford (1779) hinzugesellten. Während das Augenmerk der Kaiserin in erster Linie auf den Erwerb »hoher Kunst« gerichtet war, wurden daneben auch ant. Gegenstände angekauft. So gehören zum Grundstock der großen Gemmensammlung [16] die Kollektionen des Malers Anton Raffael Mengs und die des Herzogs von Orleans [25]. Mit der engl. Sammlung Lyde Brown kamen 1787 zahlreiche Skulpturen, v. a. röm. Repliken und einige Porträts, nach St. Peterburg.

Weitere Ankäufe von Sammlungskomplexen erfolgten mit abnehmender Tendenz während des 19. Jh. 1834 kam es zum Erwerb der Sammlung Pizzati, Rom, mit der nun Bronzen, Terrakotten und Vasen implizit sammlungswürdig wurden. Nach Eröffnung der Neuen ER (1852) wurde eine Reihe von bedeutenden Skulpturen und Porträts angekauft, darunter das des Kaiser Balbinus (Abb. 1) Eine weitere wichtige Station in der Entwicklung der Antikensammlung war der Kauf von fast 800 Objekten aus der Sammlung Campana, Rom 1861–62. Dabei handelte es sich v. a. um it. Keramik, Bronzen [4] und Skulpturen [5]. Aus der Sammlung Campana kamen auch der monumentale Jupiter, der h. den gleichnamigen Raum des Mus. dominiert (Abb. 2) und die seinerzeit hoch gerühmte sog. Regina Vasorum, eine kampanische Hydria des späten 4. Jh., die mit Applikationen und aufgelegtem Blattgold verziert ist. Einen gewissen Abschluß der zaristischen Ankaufspolitik von Sammlungen stellte 1884 der Teilerwerb der Sammlung des russ. Botschafters in Berlin, P. Saburoff, dar.

Eine Besonderheit unterscheidet die Antikenabteilung der ER von den großen zentraleurop. Mus.: ein wesentlicher Teil ihrer Bestände stammt aus russ. Reichsgebiet. Nach dessen Ausdehnung bis zum Schwarzen Meer im 18. Jh. wurden seit etwa 1830 die klass. Siedlungen und skythischen Kurgane zu Lieferanten immer neuer Prachtfunde. In der arch. Forsch. spiel-

Abb. 2: Sitzstatue des Jupiter, Marmor, vergoldeter Gips. Restauriert, Ergänzungen.
Die Ikonographie des bärtigen Götterherrschers mit Adler, Zepter und Viktoria entspricht allgemein kaiserlichen Bilddarstellungen des 19. Jahrhunderts.
Sankt Petersburg, Eremitage

Abb. 1: Porträt des Kaisers Clodius Balbinus, Marmor. Knapp umrissenes Porträt des Soldatenkaisers (238) mit den zeittypischen Ergänzungen. Büste nicht zugehörig. Sankt Petersburg, Eremitage

te dabei die 1859 gegründete Kaiserlich-Archäologische Kommission in St. Petersburg eine große Rolle, die durch ihre Serie der *Comptes Rendues* entscheidend zur raschen Bekanntmachung der Befunde beitrug.

Mit der Oktoberrevolution wurde die kaiserliche Sammlung Staatsbesitz. Durch Beschlagnahme aller Privatsammlungen kamen weitere Gruppen von Objekten nach Leningrad, u.a. so bekannte Kollektionen wie die Sammlungen Shuvalov, Straganov und Nelidov. Erweiterung der Bestände brachten v.a. auch arch. Expeditionen des Mus., u.a. nach Berezan, Nymphaion und nach Kertsch, doch setzte man auch weiterhin auf den Ankauf von Objekten aus nach wie vor bestehenden Privatsammlungen.

Insbesondere den Ausgrabungen in der pontischen Region [3] verdankt die ER ihre immense Sammlungsfülle und ihre außerordentliche Vielfalt an Goldschmuck [1], Keramik [20], Bronzeimplementen und -statuetten sowie äußerst seltenen Holzsarkophagen [22] und Textilien. An der Sammlung der ER fasziniert, daß sie um einen urspr. konventionell klassizistisch orientierten Sammlungskern herum eine Betrachtungstiefe der ant. Kultur anbietet, die in diesem Umfang, zudem verbunden mit sicheren Provenienzen, kein anderes Mus. zu bieten vermag.

Die Aufgabe, diese Fülle von Sammlungsfakten in einer geschichtlichen und überschaubaren Abfolge erfahrbar zu machen, wurde erst durch O. Waldhauer, den Kurator und späteren Direktor der Antikenabteilung der ER, in Angriff genommen. Bei seinem Amtsantritt 1904 fand er einen »Antiquitätenladen« mit griech.-röm. Antiken neben persischen und solchen aus dem bosporanischen Reich und sogar der indianischen Kunst Nord-Amerikas vor [17].

Der Prozeß der Neuordnung wurde unter den Sowjets, die ein sehr starkes Interesse an Mus. als Instrumenten der Volksbildung hatten, weiter fortgeführt. So entstand die Abteilung Prähistorische Kulturen, die auch die skythische Kultur einschließt. Dort befinden sich u.a. der Goldkamm aus dem Solocha-Kurgan [18. 136. Abb. 102–103] und die Silberamphore aus dem Certomlyk-Kurgan [18. 194. Abb. 144] (Abb. 3). Daneben entstand die Abteilung Kunst und Kultur Ägyptens, die auch die hell. und koptische Epoche einschließt [7; 11]. Ähnlich übergreifend und mit der klass. Ant. überlappend zeigt sich die Abteilung Naher Osten, die bis ins 3. Jh. n. Chr. führt.

Die Sektion Kunst und Kultur der Ant. umfaßt Griechenland und Rom, daneben auch das Schwarzmeergebiet. Sie zeigt Keramik der verschiedensten Gebiete und lokalen Stile. Reich vertreten ist u.a. durch die Grabungen am Pontus die rhodisch-ionische Keramik, daneben korinthische und lakonische Keramik. Bekannte athenische Malernamen sind unter den schwarz- und rotfigurigen Gefäßen, u.a. Exekias [9; 10] und Euphronios (Abb. 4). Auch die Werkstätten der ital. Halbinsel sind von den Etruskern bis zum Hell. präsent. Die Skulpturen – überwiegend kaiserzeitliche Repliken –

Abb. 3: Amphora, Silber, vergoldet.
Aus dem Certomlyk-Kurgan.
Auf der Schulter Reliefapplikationen:
Skythen beim Dressieren ihrer Pferde.
Sankt Petersburg, Eremitage

Abb. 4: Euphronios, Werkstatt, Pelike, Ton, rotfigurig, ca. 510 v. Chr.
»Die erste Schwalbe« – eine der seltenen griechischen Genredarstellungen.
Sankt Petersburg, Eremitage

zählen über 1000 Objekte [24], darunter eine Reihe von Porträts [23]. Hinzu kommen Kleinbronzen und Terrakotten [2]. Kleinkunst und Kunsthandwerk ist in allen Facetten vorhanden. So vermitteln z.B. die Gemmen der ER die Geschichte der Steinschneidekunst seit dem 4. Jh, ebenso sind Gläser, einschließlich großer Grabgefäße und handbemalter Gläser reich vertreten. Die Sammlung an hölzernen Sarkophagen ist neben der von Alexandria einzigartig, und nur wenige Mus. können sich einer so reichhaltigen Textilsammlung rühmen wie die ER.

1 M. I. ARTAMONOV, Goldschatz der Skythen in der ER,
Prag 1970 2 GR.D. BELOV, Ermitazh. Antichnaia
koroplastika (Klass. Terrakotten), Leningrad 1976
3 J. BOARDMAN et al. (Hrsg.), Northern Pontic antiquities in
the State Hermitage Mus. (Colloquia Pontica 7), 2001
4 S. J. BORISKOVSKAJA, Etruscan bronze Helmets from the
Campana Collection in the Hermitage Mus. in: Die Welt
der Etrusker. Internationales Kolloquium 24.–26. Oktober
1988 in Berlin. Hrsg. v. H. HERES, M. KUNZE, Berlin 1990,
171–173 5 E. GUEDENOW, Musée de Sculpture Antique, St.
Petersburg ²1865 6 H. HOFFMANN, Das
Guggenheim-Prinzip, 1999 7 A. YA. KAKOVKIN, Koptskie
tkani iz fondov Ermitazha (Koptische Textilien), Leningrad
1978 8 R. KOGAN, T. CHUKOVA, M. PIOTROVSKY, The
Hermitage, St. Petersburg 2000, 134 9 S. KORSUNSKA,
Einige ant. Vasen der ER, AA 45 (1930), 15–36
10 K. MALKINA, Vasen im Stile des Exekias und des Amasis
in der ER, 42. Jb. des Inst. 1927, 158–171 11 M. E. MATÉ,
K. S. LIAPUNOVA, Greko-rimskii i vizantiiskii Egipet,
Leningrad 1939 12 Muntkabinet der Roomsche Keyzers en
Keyzerinnen. In vaaren beschreiven door ABRAHAM
BOGAERT, 8 Bde., Amsterdam 1695 13 D. MURRAY,
Museums. Their History and Their Use, Bd. 1, 1904, 117
14 Mus. Imperiale Petropolitanum, St. Petersburg 1741
15 W. NERDINGER (Hrsg.), Leo von Klenze. Architekt zw.
Kunst und Hof 1784–1864, Ausstellungskat. München
2000, 175 ff. u. Kat. Nr. 168 16 O. NEVEROV, Antichnye
kamei v sobranii Ermitazha, Leningrad 1988
17 I. SAVERKINA, Die Antikenslg. der ER im
Reexpositions-Prozessus, in: Antikenpräsentation in der
heutigen Zeit. Zw. Trad. und Zukunft. Internationales
Kolloquium, Leipzig 22. Oktober 1994, Leipzig 1995, 51–52
18 V. SCHILTZ, Die Skythen und andere Steppenvölker.
8. Jh. v.–1. Jh. n. Chr. (Universum der Kunst Bd. 39), 1994
19 H. SPIELMANN, J. DRESS (Hrsg.), Gottorf im Glanz des
Barock. Kunst und Kultur am Schleswiger Hof 1544–1713,
Bd. I: Die Herzöge und ihre Slgg., 1997 20 L. STEPHANI, Die
Vasenslg. der Kaiserlichen ER, Bd. I-II, St. Petersburg 1869
21 B. G. TRIGGER, A History of Archaeological Thought,
1989, 208 22 M. VAULINA, A. WASOWICZ, Bois grecs et
romains de l'Ermitage. Breslau/Wroclaw, Polnische Akad.
der Wiss., 1974 23 A. VOSTCHININA, Le portrait romain:
album et catalogue illustré de toute la collection/Musée de
l'Ermitage, Leningrad 1974 24 O. WALDHAUER, Die ant.
Skulpturen der ER, Bd. I-III, 1928–1936 25 P. u. H.
ZAZOFF, Gemmensammler und Gemmenforscher. Von
einer noblen Passion zur Wiss., 1983, 145, Anm. 3
26 http://www.kunstkamera.ru/   WOLF RUDOLPH

Satire A. EINLEITUNG   B. WORT UND BEGRIFF
C. VERSSATIRE   D. MENIPPEISCHE SATIRE
E. ÜBERGÄNGIGKEIT VON SCHREIBART UND
GATTUNGSTRADITIONEN

A. EINLEITUNG

Die S. ist ein bemerkenswertes Beispiel eines von der
Spätant. bis in die Neuzeit reichenden Trad.-Zusam-
menhangs. Grundlage ist die Horaz-, Persius- und Ju-
venal-Überlieferung nebst spätant. Scholien und Gram-
matiker-Nachrichten. Das ist zunächst auch der Fundus
der Theoriebildung. Die Menippea wird im wesentlichen erst später einbezogen, entfaltet vom 16. Jh. an
aber eine bedeutende Wirkung. Für die gesamte Trad.
ist das Spannungsverhältnis von S. als Gattung und als
Schreibart kennzeichnend. Es erscheint deshalb als
zweckmäßig, die Geschichte von Wort und Begriff sowie die Geschichte der Gattung und der Schreibart gesondert zu betrachten.

B. WORT UND BEGRIFF

Die Theoriebildung des MA und der Frühen Neuzeit
baut auf den poetologischen Passagen der röm. S. sowie
den kargen Angaben der spätant. Scholiasten und Kom-
pilatoren über Ursprung, Thematik, Form und Aufgabe
der S. auf und macht sie dadurch produktiv, daß sie sie
im Rahmen eines pragmatischen Literaturbegriffs an
den ant. Mustern zu verifizieren sucht. So wird der vage
Begriff der S. als *carmen reprehensorium* oder *carmen deri-
sionibus plenum* [13. 48, 110] schärfer konturiert: Sie ist
thematisch vielfältig nach Art der *satura lanx*; ist sprunghaft, frech, derb und entlarvend nach Art der Satyrn
usw. Auf diese Weise entsteht ein den Bedürfnissen der
Epoche entsprechendes Konzept satirischer Dichtung,
das Vielfalt und Mischung als Gattungscharakter begreift. Bereits im 11. Jh. ist z. B. die Vorstellung belegt,
daß eine Satire zweiseitig sein müsse, indem sie den Tadel des Lasters mit dem Lob der Tugend verbindet
[13. 41–43]. Sie bestimmt in der Folgezeit die Wahrnehmung der ant. S. mit, wird auch produktionslen-
kend und lebt bis ins 17. Jh. fort. In der Literaturwiss.
des 20. Jh. ist sie wieder aufgegriffen worden [19]. Ähnlich langlebig und wirkungsmächtig, über das E. des
18. Jh. hinaus, ist die Konnotation von S. und Satyr.
Philologie und Poetik des Human. führen die Arbeit des
MA fort, intensivieren sie und beziehen die menippeische S. ein. Die bis h. beachteten, bedeutenden Abhandlungen des 17. Jh. zum Thema (I. Casaubonus, D.
Heinsius, A. Dacier, J. Dryden) sind vor diesem wiss.-
und lit.-geschichtlichen Hintergrund zu sehen. In ihnen
ist der satiretheoretische Gehalt noch an die Erörterung
der ant. Autoren gebunden. Der zeitgenössischen Produktion hat die traditionelle Poetik sich bis ins 18. Jh.
nur zögernd geöffnet [5; 13; 17].

Obwohl der Name S. im MA einfach Rüge- oder
Spottgedicht bedeuten kann, bleibt er als Werkbezeich-
nung lange den ant. Texten vorbehalten. Vom 12. Jh. an
entstehen jedoch lat. Gedichte, die als S. verstanden
werden wollen. Der erste, der auch akzentuierende
Verse (*rithmi*) ausdrücklich S. nennt, ist Walter von Châtillon. Volkssprachliche Lit. wird seit dem Human. als S.
betitelt und der Name dann zunehmend, nach dem Kriterium des Satirischen, auf ursprünglich nicht als S. geltende Texte übertragen. In Deutschland beginnt das im
16. Jh., als der Name »Satyra« neben Ausdrücke wie
»schympff«, später Scherz- und Stachelgedicht tritt. Im
18. Jh. ist »Satyre« durchgesetzt und bezeichnet längst
nicht mehr nur Versdichtung, sondern meint S. als den
Proteus, der in allen lit. Formen erscheinen kann. Schillers Scheidung von S. als Dichtung einer bestimmten
Empfindungsweise und S. als histor. Gattung (*Über naive
und sentimentalische Dichtung*, 1795) ist also lange vorbereitet. Die Entwicklung, die S. zum Terminus einer allg.

und vergleichenden Literaturwiss. hat werden lassen, ist im Austausch zw. den europ. Kultursprachen erfolgt und im ganzen überall ähnlich verlaufen.

C. VERSSATIRE

Schon lange vor der Epoche programmatischer Nachahmung der ant. Muster vom 15. bis zum 18. Jh. hat es eine produktive Rezeption der röm. S. gegeben. Zu ihren Voraussetzungen gehört der Ausbau des Unterrichts an den ma. Domschulen, wo Horaz, Persius und Juvenal kanonisch waren. Seit dem 12. Jh. werden sie zum Ferment einer satirischen Lit. von Rang, die, obwohl sie sich oft in die Nachfolge der klass. Autoren stellt und reichlich mit wörtlichen Entlehnungen arbeitet, in Konzeption und Gesamtanlage frei zu sein pflegt. Amarcius z. B. – nach K. Manitius ›der erste wirkliche Satiriker des lat. MA‹ [1. 20] – entspricht mit der thematischen Buntheit und Sprunghaftigkeit, der Gegenüberstellung von Tugenden und Lastern in den vier Büchern seiner *Sermones* (um 1100) mehr einem S.-Begriff der Zeit als der Form der röm. S., hat in der Verfahrensweise seiner satirischen Passagen aber von Horaz gelernt; er wird von Hugo von Trimberg später als Satiriker und Horaznachahmer verbucht (*Registrum multorum auctorum*, 1280, V. 438–441) [1]. Bernhard von Cluny versteht sich selbst als Satiriker (*De contemptu mundi* 2,130; 133) und ordnet sich mit gattungscharakteristischem Überbietungsgestus der Trad. zu: Die Verderbtheit des Zeitalters stellt alles in den Schatten, was Horaz, Cato, Persius, Juvenal, Lucilius gekannt haben (2,805–808). Walter von Châtillon, der den akzentuierenden Endreimvers zur Form seiner mit Verve und Virtuosität vorgetragenen Klerus-S. macht, bedient sich, um die ebenbürtige Verwandtschaft mit den Schulautoren anzuzeigen, der Vagantenstrophe »mit auctoritas«, d. h. mit klass. Zitat im letzten Vers. Mehrfach benutzt er dabei die Programm-S. des Juvenal. Die ersten drei Strophen des Gedichts *Missus sum in vineam* beschließt er nacheinander mit Juvenal-, Persius- und Horaz-Zeile:

Missus sum in vineam circa horam nonam,/Suam quisque nititur vendere personam;/ergo quia cursitant omnes ad coronam,/semper ego auditor tantum, nunquamne reponam?

Rithmis dum lascivio, versus dum propino,/rodit forsan aliquis dente me canino,/quia nec afflatus sum pneumate divino/neque labra prolui fonte caballino [2].

Die Beispiele stehen hier für eine reiche satir. Lit. des lat. MA, die in die Volkssprachen ausgestrahlt hat.

Die klassizistische Nachahmung der Vers-S. als Gattung beginnt im Italien des 15. Jh. und entfaltet sich, in engem Zusammenhang mit Ed., Kommentierung und Übers. der ant. Autoren in der Frühen Neuzeit. Während die Ausbreitung dieser Form in den europ. Nationalliteraturen als kartographiert gelten kann, ist die nlat. Produktion solcher Art, die den Anf. macht, eine von nur wenigen betretene *terra incognita* geblieben. Sie ist außerordentlich umfangreich und vielfältig. Francesco Filelfo allein übertrifft mit den zehn Dekaden seiner hundertzeiligen S. dem Umfang nach die gesamte ant. Überlieferung (*Satyrarum Hecastichon Decem Decades*, 1430–1449; erster Teildruck 1476). Er findet Nachfolger bis ins 18. Jh. und sogar bis in die Gegenwart. Kundige Führung durch dies unwegsame Gelände bietet J. Ijsewijn an [12].

Der frühste reguläre Verssatiriker in it. Sprache ist Antonio Vinciguerra, der erste von maßgebendem Rang Ariost. Seine Satiren erscheinen 1534. Bald danach ist die Gattung bereits so angebaut, daß zwei Anthologien zusammengestellt werden können, die, von poetologischen Traktaten der Hrsg. nebst »Hinweisen für das Schreiben moderner S.« begleitet, die wegweisende Leistung Italiens dokumentieren (*Sette libri di Satire* (…), ed. F. Sansovino, 1560; *Satire di cinque poeti illustri* (…), ed. L. Paterno, 1565). Wenn dann der älteste der frz. Verssatiriker, Vauquelin de la Fresnaye (*Les Satyres Françoises*, 1604), sich an Sansovino und seine Sammlung anlehnt [16. 11 f.], so ist das ein paradigmatischer Vorgang. Man bildet nicht nur die ant. Autoren nach, schult sich vielmehr auch an den im Wettstreit mit ihnen entstandenen mod. Texten, macht sich mit der Theoriebildung vertraut, versucht die Vorbilder in die eigene Sprache zu verpflanzen und nach Möglichkeit zu übertreffen; später ist zumal Boileau einflußreich (Nicolas Boileau-Despréaux, *Satires*, zuerst 1666). So entsteht in den europ. Ländern eine Kette von jeweils mit Neuerungsanspruch auftretenden Gattungsbegründern und von Klassikern (Ariost; Boileau; A. Pope), und es bildet sich eine gemäß den Nationalkulturen differenzierte, aber überall denselben Mustern und Maßstäben verpflichtete Gattungsformation heraus. Die Bewegung geht durch ganz Europa. Im 18. Jh. erreicht sie Skandinavien und Rußland, wo A. D. Kantemir (der Horaz und Boileau folgt) seine Texte als Beitr. zur Westorientierung seines Landes versteht (*Satiry i drugija stichotvoŕeskija sočinenija*, postum St. Petersburg 1762). In Deutschland ist es Joachim Rachel, der, nach dem Vorgang der niederdt. *Schertz Gedichte* Johann Laurembergs (1652), als erster ›in Hoch-Sächsischer gebundener Sprache‹ [2a] *Teutsche Satyrische Gedichte* schreibt (1664). Namhafte Nachfolger sind F. R. L. Freiherr v. Canitz (die *Satyren und Uebersetzungen* in den *Gedichten*, zuerst 1700), Benjamin Neukirch (*Satyren und poetische Briefe*, 1732) und Albrecht v. Haller (*Die verdorbenen Sitten*, 1731; *Der Mann nach der Welt*, 1733, zu finden in dem *Versuch Schweizerischer Gedichte*). Wielands klass. Übers. von *Horazens Briefen* (1782) und *Satiren* (1786) markiert das E. der Epoche, von der hier die Rede ist. Danach ist die Gattung nicht mehr produktiv.

D. MENIPPEISCHE SATIRE

Die »Menippea« als satirische Gattung der Neuzeit ist ohne die Erschließungsarbeit der Humanisten nicht zu denken. Dem lat. MA sind die Prosimetra des Martianus Capella und des Boëthius bekannt, sie bestätigen den Begriff der S. als einer Mischgattung und werden als Form didaktisch-enzyklopädischen Schreibens adaptiert. Senecas *Apocolocyntosis*, Petrons *Satyrica* und der

Goldene Esel des Apuleius werden aber erst mit dem Buchdruck wirksam. Hinzu treten das *Symposion* und der *Misopogon* des Julian Apostata, der *Gryllos* des Plutarch (*Perí tou ta áloga lógō chrḗsthai*) und weitere spätant. Texte [14. 45–69]. Entscheidend wird dann die Aneignung Lukians [20]. Er ist in Italien seit dem frühen 15. Jh. bekannt, wird in Teilen gedruckt, übersetzt und nachgeahmt, und 1506 beginnt die lat. Übers. von Erasmus und Thomas Morus zu erscheinen. Die Wirkung ist immens. Die Streiter der Reformationszeit – Willibald Pirckheimer, Ulrich v. Hutten, auch Hans Sachs – munitionieren sich bei ihm, und Autoren ersten Ranges von Erasmus und Thomas Morus über Rabelais und Swift bis zu L. Holberg, Voltaire und Chr.M. Wieland finden im Umgang mit Lukian zu ihrer eigenen Form. Im Rang dieser Autoren ist es begründet, daß die Gattung bis in die Gegenwart fortlebt, ohne daß ein Zusammenhang mit der Ant. noch bewußt sein müßte.

Die menippeische S. besteht aber nicht nur in der Lukian-Rezeption der großen Autoren. Die Frühe Neuzeit hat aus dem genannten Fundus eine einigermaßen unübersehbare und disparate Lit. entwickelt, zu der beispielsweise Titel zählen wie Agrippa von Nettesheims *De incertitudine et vanitate scientiarum et artium* (1530), Johann Valentin Andreaes *Menippus*-Dialoge (1617), Robert Burtons *Anatomy of Melancholy* (1621) und Grimmelshausens *Satyrischer Pilgram* (1666/67). Sie ist h. großenteils vergessen und kaum auch nur bibliograph. erschlossen. Zu den charakteristischen Zügen gehören eine offenkundig zum Zwecke gebrauchte, oft inkonsistente und phantastische Fiktion; die Verrükkung der gewohnten Perspektive; die Verbindung von Gelehrsamkeit mit einer manchmal marktschreierischen Ironie; sprachlich-stilistische Buntheit; und Freiheit der Disposition. Mit diesen Qualitäten konnte sie zum Medium der Kritik unbefragter Geltung und zu einem Gefäß der Skepsis werden sowie in den Volkssprachen zur Ausbildung einer freieren oder krausen Prosa jenseits zünftigen Gelehrtentums oder klassizistischer Glätte beitragen. Eine Schwäche des Terminus ist, daß er die von ihm bezeichneten Texte unterbestimmt läßt, weil sie als »menippeische S.« zugleich zu einer engeren Spezies wie »imaginäre Reise«, »ironisches Enkomium«, »Göttergespräch«, »Vision« oder »Schelmenroman« zu gehören pflegen. Trotzdem bedeutet die Rückbesinnung der neueren Literaturwiss. auf diesen Begriff einen Gewinn. Die Realität des Phänomens wird durch die annotierte Bibliographie E. P. Kirks [14] vor Augen geführt. Den Nutzen der Kategorie belegen Unt., die durch Aufweis von Trad.-Linien das Verständnis frühneuzeitlicher Texte befördert haben [6; 15; 21; 22; 25]. Fryes [9] und Bachtins [4] Konzepte der Menippea machen eine andere Wahrnehmung der ant. Texte möglich, indem sie sie in weitere Zusammenhänge rücken, und können insoweit als Neuentwürfe der Trad. gelten.

Abb. 1: Titelkupfer zu
D. Iun. Iuvenalis et Auli Persii Flacci Satyrae

E. Übergängigkeit von Schreibart und Gattungstraditionen

Auch in der Zeit einer verpflichtenden Gattungspoetik ist durch verweisende Bezugnahmen innerhalb der satirischen Lit. der Unterschied von struktureller Ähnlichkeit und histor. Filiation vielfach verwischt worden. Das ›difficile est saturam non scribere‹ (Iuv. 1,30) wird hier nur in Vers-S. zitiert. Die aus der lucilischen S. stammende »Apologie des Satirikers« [17. 431–37] ist in aller Art S. verbreitet, kann grundsätzlich spontan entstehen, ist in der Regel aber nicht ohne irgendeine Anknüpfung. Wenn Erasmus im Widmungsschreiben der *Laus stultitiae* neben einer großen Zahl ironischer Enkomien auch die *Batrachomyomachie* nennt, macht er letztere damit nicht zu einer »menippeischen Satire«, folgt vielmehr einer leicht erkennbaren Strukturanalogie in einen weiteren Bereich satirischer Literatur. Signal solcher Durchlässigkeit ist seit der Spätant. der Satyr. Er wird später zur Ikonographie der S. gehören und auf den Titelkupfern der Frühen Neuzeit – zusammen mit Narr, Spiegel und Maske – die Zugehörigkeit von Texten verschiedener Form zu satyrischer Trad. und Art anzeigen [21; 22]. Die Ausgaben ant. S. haben an der Buchkultur der Epoche teil. Das in Abb. 1 wiedergegebene Titelblatt einer Persius- und Juvenal-Ausgabe von 1650 [21. 212–214] stellt Satyr und Narr als Betrachter des Welttreibens dar. Man erkennt, wie das Motiv »Maske und Demaskierung« in Beziehung zur Lichtverteilung gesetzt ist. Der Zeigegestus des Narren hat einen Anhalt in Pers. 1,59, der Globus als Seifenblase in Pers. 1,1 und Iuv. 1,85 f. Beide Motive verbinden das Blatt aber auch mit einer Reihe von Titelkupfern zu zeitgenössischen Texten, die in der S. als Gattung nicht aufgehen, weil sie das mimische, kulturkritische oder moraldidaktische Moment aller jener Kunst bezeichnen, die mit Lachen die Wahrheit sagen will; die aber auch nicht einfach dem mod. Verständnis von »Satire« entsprechen, weil sie einen Formenbestand mit einem Verhältnis zu ant. Bezugstexten voraussetzen. Dieser Bezug ist in der Moderne sehr locker geworden, bleibt in der Problematik, die mit der Geschichtlichkeit systematischer Begriffe verbunden ist, allerdings präsent.

→ Humanismus

→ AWI Horatius; Iuvenalis; Lukianos; Persius; Satire; Satyr

QU 1 SEXTUS AMARCIUS, Sermones, hrsg. v. K. MANITIUS, 1969, 20, 33 f. 2 Moralisch-satirische Gedichte Walters von Châtillon, ed. K. STRECKER, 1929, 82 (vgl. Mt 20,1–16; Iuv. 1,1; Hor. sat. 1,4,39–62; Pers. Prolog) 2a Joachim Rachels Satyrische Gedichte, hrsg. v. K. DRESCHER, 1903, 3

LIT 3 R. M. ALDEN, The rise of formal s. in England under classical influence, 1899 (Ndr. 1961) 4 M. BACHTIN, Probleme der Poetik Dostoevskijs, 1971 (nach der russ. Auflage von ²1963) 5 J. BRUMMACK, Zu Begriff und Theorie der S., in: DVjs 45 (1971), Sonderheft 275–377 6 H. CASTROP, Die varronische S. in England 1660–1690, 1983 7 V. CIAN, La s., 2 Bde., 1923–1939 8 W. FREUND, Die dt. Verssatire im Zeitalter des Barock, 1972 9 N. FRYE, Anatomy of criticism, 1957 10 G. HESS, Dt.-lat. Narrenzunft: Stud. zum Verhältnis von Volkssprache und Latinität in der satirischen Lit. des 16. Jh., 1971 11 HIGHET (1951), 303–321 12 J. IJSEWIJN, Neo-Latin s.: sermo and satyra menippea, in: BOLGAR, CULTURE 2, 41–55 13 U. KINDERMANN, Satyra. Die Theorie der S. im Mlat. Vorstudie zu einer Gattungsgesch., 1978 14 E. P. KIRK, Menippean S. An annotated catalogue of texts and criticism, 1980 15 W. V. KOPPENFELS, »Mundus alter et idem«: Utopiebildlichkeit und menippeische S., in: Poetica 13 (1981), 16–66 16 K. MEYER-MINNEMANN, Die Trad. der klass. S. in Frankreich, 1969 17 L. PAGROT, Den klassiska verssatirens teori. Debatten kring genren från Horatius t.o.m. 1700–talet, 1961 18 R. E. PEPIN, Literature of s. in the twelfth century. A neglected medieval genre, 1988 19 M. C. RANDOLPH, The structural design of formal verse s., in: Philological Quarterly 21, 1942, 368–384 20 C. ROBINSON, Lucian and his influence in Europe, 1979 21 W. E. SCHÄFER, Der Satyr und die S. Zu Titelkupfern Grimmelshausens und Moscheroschs, in: W. RASCH (Hrsg.), Rezeption und Produktion zw. 1570 und 1730.

Festschr. Günther Weydt, 1972, 183–232 22 Ders., Moral und S. Konturen oberrheinischer Lit. des 17. Jh., 1992 23 H. SCHROEDER, Russ. Verssatire im 18. Jh., 1962 24 J. P. SULLIVAN, S., in: JENKYNS, LEGACY, 215–242 25 S. TRAPPEN, Grimmelshausen und die menippeische S., 1994 26 H. D. WEINBROT, The formal strain. Stud. in Augustan imitation and s., 1969 27 Ders., Alexander Pope and the trad. of formal verse s., 1982 28 C. WITKE, Latin s. The structure of persuasion, 1970.   JÜRGEN BRUMMACK

Schäferdichtung s. Bukolik

Schlachtorte A. GESCHICHTE DER REZEPTION ANTIKER SCHLACHTEN   B. EINZELNE SCHLACHTEN UND SCHLACHTORTE

A. GESCHICHTE DER REZEPTION ANTIKER SCHLACHTEN

1. EINLEITUNG

Das Interesse am → Krieg im Alt. hat sich seit jeher auf eine ganze Reihe von Bereichen bezogen: Zu ihnen zählen die mil. Technologie, Taktik und Strategie, die großen Feldherren sowie die Wirkungen des Krieges auf histor. Prozesse. Obschon mil. Konflikte sich nicht aus den mil. Operationen allein verstehen lassen, galt das räumlich und zeitlich zusammengedrängte Geschehen in der blutigen Schlacht doch immer als Schlüssel für das Verständnis der Kriegsgeschichte. In der Neuzeit entstand deshalb eine Gattung von Büchern, welche katalogartig europ. Schlachten behandeln.

Bereits 1600 publizierte G. Saraceni in Venedig ein kriegsgeschichtliches Verzeichnis *Fatti d'arme famosi successi trà tutte le nationi del mondo* mit einem solchen Katalog. 1676 erschien in London von J. Health ein *Chronicle of the war* [6. 1844 f.]. Wirklich etablieren konnte sich die Gattung erst im Verlauf des 18. Jh. durch Werke wie den 1770–71 in Paris gedruckten *Dictionnaire des sièges et batailles mémnorables de l'histoire ancienne et moderne* von F. Pétis de la Croix oder das 1760 in London veröffentlichte *New Military Dictionary; or, the Field of War*.

Ab dem 19. Jh. finden wir Kat. ant. Schlachten als ersten Teil von Publikationen, die auch Schlachten des MA und der Neuzeit behandeln und darüberhinaus chronologisch bzw. alphabetisch geordnete Sammlungen (*Dictionary*, Lex., WB, Schlachten der Weltgeschichte u. ä.) oder militärgeschichtliche Darstellungen enthalten. Zeitlich setzen die älteren Werke mit der griech. Geschichte ein, während diejenigen aus dem 20. Jh. mit den Auseinandersetzungen der altorientalischen Reiche (Megiddo um 1468 v. Chr. oder Kadesch um 1285 v. Chr.) beginnen.

2. MITTELALTER UND NEUZEIT

Schon Karl d. Gr. beauftragte den Benediktinermönch Herric, die Schlachten des Gallischen Krieges, allen voran die von Alesia, zu lokalisieren. 1477 fügte R. Martianus seiner Caesarausgabe einen Index der von ihm lokalisierten Schlachten an. Antike Schlachtenberichte wurden in der Geschichtsschreibung gerne als Mustervorlagen verwendet. Otto v. Freising übernimmt z. B. bei seiner Schilderung der Belagerung und Einnahme Mailands durch Friedrich I. im J. 1158 (*Gesta Frederici seu rectius Cronica*, III) beinahe wörtlich Stellen aus dem *Bellum Iudaicum* des Flavius Josephus bzw. aus der lat. Überlieferung des Ps.-Hegesipp (4. oder 5. Jh. n. Chr.). Die Rezeption des Vegetius sorgte ebenso für die Beschäftigung mit ant. Schlachten, so 1280 im dritten Buch *De regimine principum* des Aegidius Romanus, 1386/1390 in *L'Arbre des batailles* des H. de Bovet oder 1410 im *Livre des faits d'armes et de chevalerie* der Ch. de Pisan. J. de Bueil nahm in seinem mil.-erzieherischen Werk *Le Jouvencel* (1462–1466/67) ant. Beispiele auf, so die Schlacht bei Pharsalos (48 v. Chr.) oder den Krieg mit Jugurtha. R. Valturio verfaßte mit *De re militari libri XII* (Verona 1472) das erste gedruckte Kriegshandbuch [8. 358–362]. Der Autor stützte sich dabei neben Vegetius auch auf Caesar und Ammianus Marcellinus. Zusätzlich fügte er einen Bilderatlas bei, der die bei den ant. Autoren beschriebenen Kriegsmaschinen zu aktualisieren versuchte (diesen Bilderatlas übernahm 1475 die erste dt. Vegetius-Übers. von L. v. Hohenwang). 1487 wurden Aelian, Frontin, Modestus und Vegetius in einer einzigen Ausgabe, *Veteres de re militari*, ediert. L. Bruni unternahm schon 1421 in seiner Schrift *De militia* (1421) den Versuch, die ant. Taktik – so aus den Schlachtenberichten des Polybios – auf das florentinische Militärwesen zu übertragen. In der Folge stoßen wir auf immer zahlreichere Versuche, die ant. Kriegskunst für die Gegenwart neu nutzbar zu machen. Die durch den Druck zugänglich gewordenen Texte und die Verbreitung human. Bildung, die auch Eingang in Militärakademien fand, hätten freilich diesen Prozeß allein nicht in Gang bringen können. Unter den verschiedenen histor. Faktoren ist z. B. im 15. Jh. an die erneute Bed. von schweren Infanterieformationen zu erinnern. Auch N. Machiavelli entwickelte in seinem Werk *Dell'Arte della guerra* (Florenz 1521) seine Ideen von Taktik und Strategie anhand ant. Muster, wie sie ihm Polybios, Caesar, Livius, Flavius Josephus, Frontin oder Vegetius zur Verfügung stellten. Reichlich schöpfte er dabei aus dem Kat. der großen ant. Schlachten.

Die von Johann dem Mittleren v. Nassau-Siegen ab 1589 eingeleitete Heeresreform der oranischen Streitkräfte, welche sich an ant. Kriegstradition anlehnte und von den Werken des J. Lipsius zusätzlich inspiriert wurde, setzte neue Maßstäbe in der Heeres- und Schlachtordnung [5; 9]. Von Gustav Adolf weiterentwickelt war diese wesentlich für die großen Erfolge Schwedens im Dreißigjährigen Krieg verantwortlich. Im deutschsprachigen Raum waren es in dieser Zeit J. W. Neumair v. und zu Ramsla und W. Dilich, die den Bezug zu ant. Schlachten (aus den Punischen Kriegen sowie der Zeit Caesars) herstellten [8. 951–960]. Auch R. di Montecuccoli führte als Belege in seinen Werken immer wieder Beispiele aus den Schlachten des Zweiten Punischen oder des Gallischen Krieges an.

Die Rezeption Caesars und die Beschäftigung mit den von ihm geführten Schlachten ist von mehreren europ. Herrschern gefördert worden, so von Karl V., der seinen Caesar mit zahlreichen Randbemerkungen versah [8. 448]. 1575 wurde eine it. Übers. Baldellis der *Commentarii* Caesars mit 41 Plänen des Palladio über taktische Anordnungen oder Belagerungstechniken erweitert. H. Duc de Rohan erstellte mit seinem 1636 in Paris erschienenen *Le parfait capitaine, l'abrégé des guerres de la Gaule des Commentaires de César* ein Führungshandbuch anhand des gallischen Feldzuges. Seit 1741 (*Éclairissements géographiques sur l' Ancienne Gaule*) erschienen verschiedene Werke des Geographen J.-B. d'Anville, die sich mit der Lage der Schlachten beschäftigten. J. F. de Chastenet Marquis de Puységur ließ in *Art de la guerre, par principes et par règles* (Paris 1748) nach einer Betrachtung ant. Kriegsschriftsteller einen Vergleich zw. den Feldzügen Caesars und Turennes sowie eine Unt. der Belagerung von Dyrrhachium (48 v. Chr.) und der schiefen Schlachtordnung Caesars bei Pharsalos folgen. Als J. Ch. Chevalier de Folard mit der Einleitung zur *Histoire de Polybe* (Paris 1727) eine heftige Diskussion um die Interpretation und Aktualisierung der von Polybios geschilderten Schlachtformationen auslöste, enthielten K. G. Guischardts *Mémoires militaires sur les Grecs et les Romains* (2 Bde, Den Haag 1758) Argumente gegen die Theorien Folards, welche anhand der von Polybios, Arrian und Caesar beschriebenen Schlachten entwickelt wurden [8. 1478 ff., 1824 ff.]. P.-G. Joly de Maizeroy untersuchte im *Traité des Stratagèmes permis à la guerre ou Remarques sur Polyen et Frontin avec des observations sur les batailles de Pharsala et d' Arbelles* (Metz 1765) die Schlachtordnung bei Arbela (331 v. Chr.) und Pharsalos. Diese Debatten über die militärtechnische Relevanz ant. Angaben, v. a. Caesars – aber auch des Polybios –, sind für die zentrale Stellung, welche den ant. Kriegs- und Schlachtberichten zukam, bezeichnend. Friedrich der Große behauptete zwar, nur wenige Schlüsse aus Caesar ziehen zu können, empfahl aber seinen Generälen ein gründliches Studium des ant. Kriegswesens. Sein *ordre oblique* bei der Schlachtaufstellung, durch den es ihm wiederholt gelang, zahlenmäßig überlegene Heere zu schlagen, erinnert an die schiefe Schlachtordnung des Epaminondas bei Leuktra (371 v. Chr.) oder Mantineia (362 v. Chr.). Napoleon I., ein Bewunderer Alexanders und Hannibals, verfaßte auf St. Hélena einen *Précis des guerres de Jules César*, in welchem er, gestützt auf die Werke J.-B. d'Anvilles, die Feldzüge Caesars untersuchte. Napoleon III. beauftragte eine top. Kommission unter E. Stoffel (1861–1865) mit Feldforsch., deren Ergebnisse der *Histoire de Jules César* (Paris 1866) als Grundlage dienten.

3. MILITÄRWISSENSCHAFT UND –GESCHICHTE IM 19. UND 20. JAHRHUNDERT

Erst im 19. Jh. kann man von einer eigenständigen Militärwiss. sprechen. Ch. J. J. J. Ardant du Picqs Buch *Études sur le Combat antique et Combat moderne* (Paris 1868) behandelte die Schlacht von Cannae (216 v. Chr.) und Pharsalos anhand von Polybios bzw. Caesar exemplarisch, um Wesenszüge ant. Kriegskunst, so die Umfassung und die Überraschung, darzustellen und ihre Anwendung auch auf mod. Schlachten zu postulieren. Auch die eigenwillige vierbändige *Geschichte der Kriegskunst im Rahmen der polit. Geschichte* (¹1900–1902) von H. Delbrück (1848–1929) maß den ant. Schlachten für das Verständnis von Taktik und Strategie große Bed. bei. Zugleich erkannte Delbrück jedoch die Zusammenhänge mit den polit., gesellschaftlichen und wirtschaftlichen Strukturen. Eine weitere Neuerung und Eigenheit war sein Mißtrauen gegenüber den aus der Ant. überlieferten Schlachtberichten. Diese sollten einer »Sachkritik« unterzogen werden: Delbrück lokalisierte die Orte und überlegte sich anhand von Analogien, wie sich das Geschehen hätte abgespielt haben können. Was man auf Grund praktischer mil. Übungen oder von der Rekonstruktion ant. Waffen her wußte, bezog er bei seinen Folgerungen mit ein. Insbesondere schlug er immer wieder vor, die seiner Meinung nach übergroßen Heereszahlen der ant. Schriftsteller zu reduzieren. J. Kromayer und der k.u.k. Oberst G. Veith verfügten über noch präzisere top. Kenntnisse der ant. Schlachtfelder. Die *Ant. Schlachtfelder als Bausteine zur ant. Kriegsgeschichte* (1903–1931) fixieren ihre Rekonstruktionsergebnisse nicht zuletzt in wirkungsreichen Karten.

Kriegsgeschichte hatte im Wilhelminischen Deutschland Konjunktur. Die Überzeugung, aus der Geschichte lernen zu können, führte zusammen mit der Bed. der human. Bildung unter den Eliten zu einer erheblichen Berücksichtigung der Ant. in Offizierskreisen, ja sogar bei der Offiziersausbildung. Der histor. gebildete General – etwa in der Gestalt eines H. v. Moltke – war durchaus Vorbild. In der von K. G. H. B. v. Poten zusammengestellten Übersicht *Geschichte des Militär- Erziehungs- und Bildungswesens in den Landen dt. Zunge* (5 Bde, Berlin 1889–1897) über die Offiziersausbildung im deutschsprachigen Raum, wird die wichtige Rolle ant. Kriegsgeschichte ersichtlich. So gab es an der Kriegsschule von Berlin (seit 1859 Militärakad.), die sowohl von Moltke als auch von A. v. Schlieffen besucht wurde, das Fach »Geschichte des älteren Heerwesens« neben den Fächern »Kriegsgeschichte« und »allg. Geschichte«. Die schon bei den ant. Schlachtberichten feststellbare Fokussierung des Schlachtgeschehens auf die Handlungen der Feldherren wurde übernommen. Feldherren wie Epaminondas, Alexander, Hannibal, Scipio oder Caesar räumte man eine überragende Stellung ein. Den Höhepunkt dieser militärtheoretischen Entwicklung bildet wohl 1909 die *Cannae*-Studie des dt. Generalstabschefs A. v. Schlieffen. Die von Hannibal bei Cannae durchgeführte Umfassung des röm. Heeres steht im Zentrum dieser Überlegungen. Sie gipfeln in der These: ›Die Vernichtungsschlacht kann h. nach demselben Plane, wie ihn Hannibal in vergessenen Zeiten erdacht hat, geschlagen werden‹. Entsprechend analysierte Schlieffen große Schlachten der europ. Geschichte (von den friederizianischen bis zu den dt. Einigungskriegen) am Beispiel von Cannae. Er selbst plante für den Fall eines zukünftigen Zweifrontenkrieges gegen Frankreich und Rußland eine rasche Vernichtung des frz. Heeres durch ein gewaltiges nördl. Umfassungsmanöver. Zugrunde lagen einem solchen Manöver die Cannae-Idee sowie die Erfahrungen aus dem Krieg von 1870/71. Das Scheitern des Schlieffen-Planes zu Beginn des I. Weltkrieges und v. a. die verheerenden Auswirkungen, die dieses Konzept auf das Verhalten der dt. Führung im Sommer 1914 hatte, zeigen freilich die Grenzen einer rein theoretischen Betrachtung ant. Schlachten und ihrer scheinbaren direkten Übertragbarkeit auf mod. polit.-mil. Verhältnisse.

Nicht nur innerhalb der Militärwiss. wurde den ant. Schlachten erhebliche Bed. beigemessen. Da man die polit. Geschichte als im wesentlichen durch Kriege bestimmt betrachtete, wurden die »großen« Schlachten der europ. Geschichte in den Geschichts- und Geisteswiss. häufig behandelt. Die Auffassung, daß durch den Ausgang ant. Schlachten wichtige Weichen für die spätere europ. Entwicklung gestellt worden waren, war verbreitet. In einer überspitzten Formulierung brachte es J. S. Mill auf den Punkt, als er von der Schlacht bei Marathon behauptete, sie sei als Ereignis für die engl. Geschichte wichtiger als die Schlacht bei Hastings (*Collected Works*, hrsg. v. J. M. Robson, Bd. XI, 1978, 273). Der Gedanke, in den Perserkriegen habe nicht nur das Schicksal der griech. Poleis auf dem Spiel gestanden, sondern überhaupt das der gesamten abendländischen Kultur, klingt hier an. Die griech. Siege von Marathon (490 v. Chr.), Salamis (480 v. Chr.) und Plataiai (479 v. Chr.) erhalten durch eine derartige Interpretation erst ihre welthistor. Bedeutung. 1851 publizierte E. S. Creasy in London ein für die breite Öffentlichkeit geschriebenes Werk *The Fifteen Decisive Battles of the World. From Marathon to Waterloo*, das schon bald zum Bestseller wurde. Zu den behandelten 15 Schlachten zählen sechs antike. Die Alexanderschlachten werden als erster erfolgreicher Versuch einer Orienteroberung durch das zivilisierte Abendland gedeutet. Die Schlacht im Teutoburger Wald (9 n. Chr.) gilt als entscheidend für die spätere europ. Spaltung in eine romanische und eine german. Kultursphäre. Die erfolgreiche Abwehr der Hunnen auf den Katalaunischen Feldern (451 n. Chr.) wird als Rettung der europ. Kultur interpretiert.

Das Argumentieren mit den ant. Erfahrungen läßt sich durch das 20. Jh. hindurch in den unterschiedlichsten Formen weiterverfolgen. In *The Decisive Wars of History* (1929) erläutert B. H. Liddell Hart anhand von Schlachtbeispielen den Ansatz des *Indirect Approach*, einer Strategie, die nicht primär auf die direkte Konfrontation auf dem Schlachtfeld ausgerichtet ist, sondern – koordiniert mit der Politik – die gegnerische Führung lähmen will. Seine Beispiele aus der Ant. sind die Feldzüge von Epaminondas, Philipp von Makedonien und Alexander d. Gr., der erfolgreiche Widerstand Kassanders gegen Antigonos, der Zweite Punische Krieg und die Kriege Caesars. Charakteristisch für die Analyse ist eine starke Fokussierung auf die Strategen. So widmete er Scipio Africanus eine Monographie (1938). Von den bei J. F. C. Fuller in *A Military History of the Western World* (1954–1957) behandelten 30 entscheidenden Schlachten stammen sechs aus dem Altertum. B. L. Montgomery setzt in *A History of Warfare* (1968) bei der Schlacht von Kadesch und mit den Feldzügen Belisars ein, ähnlich wie Ch. W. Nimitz in *Sea Power – A Naval History* (1960) mit den Seeschlachten von Salamis, den Punischen Kriegen und Actium. E. Luttwak betrachtet in *The Grand Strategy of the Roman Empire* (1976) die weiträumige Sicherheitskonzeption der Römer als ein Vorbild für amerikanische Politik. Besonders die aufwendige Belagerung von Masada (73/74 v. Chr.) beeindruckte ihn. Er sah in dieser Aktion eine bewußte Demonstration röm. Übermacht. Der spätere israelische Staatspräsident Ch. Herzog vertrat zusammen mit M. Gichon in *Battles of the Bible* (1978, Ndr. 1997) die These, ›that the strategic and tactical lessons of the Bible are still applicable and are as relevant as ever‹. »Ancient Military History« wird noch immer am U. S. Army War College gelehrt, und *The Great Battles of Antiquity* (1994) von R. A. Gabriel und D. W. Boose enthält die Schlacht von Megiddo bis zum Fall Konstantinopels (1453).

Die politikwiss. Kriegsursachenforsch. hat zuweilen die ant. Evidenz einbezogen. Q. Wrights *A Study of War* (1942) sieht in den altorientalischen bzw. frühgriech. Schlachten die entscheidende Weiterentwicklung der westl. Kriegsführung aus primitiven Anfängen. Militär- und politikwiss. Lit. schöpft dabei aus einer Reihe viel verwendeter älterer Darstellungen wie aus Kromayer/Veith. Weiterführende neue Ergebnisse finden sich in W. K. Pritchetts *Studies in Ancient Topography* (1965–1982) sowie *The Greek State at War* (1974–1991). Weitere bekannte mod. Forscher sind u. a. Y. Garlan (*La Guerre dans l'antiquité*, 1972) oder P. Ducrey (*Guerre et guerriers dans la Grèce antique*, 1985), die sich längst von der engen Sicht einer Schlachtengeschichte getrennt haben und die histor., polit. und gesellschaftlichen Zusammenhänge aufarbeiten. V. D. Hanson hat in *Warfare and Agriculture in Classical Greece* (1983) und *The Western Way of War: Infantry Battle in Classical Greece* (1989) festgestellt, daß die bei den ant. Autoren beschriebenen landwirtschaftlichen Verwüstungen nicht so schwerwiegend wie oft angenommen sein konnten.

B. Einzelne Schlachten und Schlachtorte

Die Kultur der Erinnerung an Schlachten setzt bereits im Alt. ein. Parallel zur Errichtung von Denkmälern kam es zu einer Mythologisierung und Idealisierung des Kriegsgeschehens. Gewisse Topoi lassen sich feststellen, so die zahlenmäßige Unterlegenheit oder die Rechtmäßigkeit der eigenen Anliegen, sowie die Erinnerung an die Teilnehmer und bes. an die Gefallenen vergangener Schlachten, die Glorifizierung ihrer Taten und ihre Vorbildfunktion. Immer übernehmen einzelne Schlachten als Metaphern Funktionen in übergeordneten ideologischen Erklärungsmodellen.

1. Troia

Eine hervorragende Stellung nahmen immer der Trojanische Krieg und die mit ihm verknüpften Schlachtenerinnerungsorte ein (→ Troia).

2. Perserkriege

Nachdem die Perserkriege in der griech. Ant. einen breiten Nachhall gehabt hatten, rückten erst im Verlaufe des 18. Jh. die Schlacht von Marathon [3], den Thermopylen und Salamis wieder in das allg. Geschichtsbewußtsein. Nun wurde die Auseinandersetzung mit den Perserkriegen mit dem Gedankengut von → Aufklärung, → Romantik und → Philhellenismus verknüpft, so in J. J. Barthélemys *Voyage du jeune Anacharsis en Grèce* (1788), R. Chateaubriands *L'itinéraire de Paris à Jérusalem* (1811) und E. B. Brownings Marathon (um 1820). Der Mythos des Freiheitskampfes – bzw. im Falle der Thermopylen des Todes für die Freiheit – standen im Mittelpunkt. Zahlreiche Gemälde haben diese Thematik übernommen, so der Léonidas von A. E. Fragonard oder auch der von J. L. David (Abb. 1 + 2).

G. W. F. Hegel maß in den *Vorlesungen über die Philos. der Geschichte* (1833–1836) den Schlachten zw. Griechen und Persern eine Schlüsselstellung in der Entwicklung der individuellen Freiheiten bei, standen sich doch orientalischer Despotismus und freier Individualismus gegenüber. Die Geschichtsschreibung nahm ebenfalls eine welthistor. Bed. der Ereignisse an. In diesem Sinne äußerten sich R. v. Pöhlmann oder E. Meyer.

Eine neue Perspektive erhielten die Perserkriege durch die Nationalbewegungen. Sie wurden zu einem Kernmythos des griech. Unabhängigkeitskrieges. Die großen Opfer der Weltkriege ließen die Perserkriege in

Abb. 1: Alexandre Evariste Fragonard (1780-1850), Léonidas (undatiert). Paris, Musées de Sens

Abb. 2: Jacques-Louis David (1748–1825), Léonidas aux Thermophyles, 1814. Paris, Louvre

einem neuen Licht erscheinen. Der für die eigenen Ideale erfolgte Opfertod rückte nun ins Zentrum (G. Heym, *Marathon*, 1914). In nationalsozialistischer Zeit wurde dieser Ansatz durch die zusätzliche Einbindung der vermeintlichen Tugend- und Pflichtenideale der Spartaner weitergeführt, so bei H. Berve und F. Miltner. Die Spartabegeisterung in der Zeit des Dritten Reiches war so groß, daß H. Göring glaubte, den »Endkampf« um Stalingrad mit der Schlacht an den Thermopylen vergleichen und für Propagandazwecke mißbrauchen zu können: ›Kommst Du nach Deutschland, so berichte, du habest uns in Stalingrad kämpfen sehen, wie das Gesetz für die Sicherheit unseres Volkes es befohlen hat‹ [1. 51 f. mit Anm. 190]. Noch A. Daskalakis verteidigte das Opfer des Leonidas (1964), obwohl bereits K. J. Beloch in seiner *Griech. Geschichte* die Schlacht bei den Thermopylen als vernichtende Niederlage bezeichnet hatte, welcher erst spätere Rhet. falschen Glanz verschaffen konnte. 1955 wurde auf dem Thermopylenpaß ein Schlachtendenkmal errichtet. Den Grabhügel von Marathon restaurierte man in der Zeit nach 1945, das Gelände ist h. ein → Archäologischer Park, der jetzt mit Anlagen für die olympischen Ruderwettkämpfe im J. 2004 bebaut wird.

3. ALEXANDERFELDZUG

Der Perserfeldzug Alexanders d. Gr. (334–323 v. Chr.) war bereits im Alt. berühmt und dementsprechend oft behandelt. Eine eindrückliche bildliche Anschauung der röm. Alexanderschlachtüberlieferung vermittelt das Alexandermosaik in Pompeji (→ Neapel, Abb. 3), das vermutlich keine konkrete Schlacht darstellt.

Die breite ma. Alexanderrezeption ging v.a. von dem Kallisthenes zugeschriebenen *Alexanderroman* (3. Jh. n. Chr.) sowie der lat. *Alexandergeschichte* des Curtius Rufus aus. Das von Walter von Châtillon verfaßte Epos *Alexandreis* (1178/1182) zählt zu den einflußreichsten Werken und nahm im Verlaufe des 13. Jh. eine

hervorragende Stellung als Schulbuch ein. Um 1185 entstand der *Roman d'Alexandre* des Alexandre de Paris in seiner endgültigen Fassung. Der Pfaffe Lamprecht schrieb um 1150 die älteste deutschsprachige Alexanderdichtung (*Alexanderlied*). Rudolf von Ems (*Alexander*, 1230/1250) oder Ulrich von Eschenbach (*Alexander*, 1271/1282) führten die ritterliche Alexanderepik fort. Ausgehend vom *Roman de Toute Chevalerie* des Thomas von Kent (zweite H. 12. Jh.) entwickelte sich auch in England eine Alexanderdichtung (u. a. *Kyng Alisaunder*, um 1300). Der Alexanderfeldzug und seine Schlachten bildeten bei diesen Werken stets einen Hintergrund, welcher der Glorifizierung Alexanders diente.

In der Ren. wurden die Werke Arrians und Plutarchs zum Ausgangspunkt der Alexanderrezeption. Eine konkrete Vorstellung der einzelnen Schlachten wurde fortan wieder möglich, allerdings wirkten ma. Trad. fort: so war es üblich, Genealogien auf das maked. Herrscherhaus zurückzuführen. Die fränkischen Könige taten dies ebenso wie später die Habsburger. Dies führte zu zahlreichen bildlichen Darstellungen der Alexanderthematik, gerade auch der Schlachten. Für Karl V. ließ Herzog Federico Gonzaga 1530 den Palazzo del Tè in Mantua mit histor. Motiven dekorieren. In der Sala del Imperator finden sich Alexander-Motive, ebenso sind dort Scipio und Caesar vertreten, weil auch sie den Vorfahren Karls V. zugerechnet wurden. P. del Vaga fertigte für Papst Paul III. einen Freskenzyklus in der Engelsburg an (1545–1547), der u. a. die Schlacht gegen Porus am Hydaspes (326 v. Chr.) zeigt. Wilhelm IV. von Bayern ließ einen Zyklus ant. Schlachten anfertigen, in welchem sich ein Gemälde der Schlacht bei Issos (333 v. Chr.) von A. Altdorfer (1526) befindet (→ Krieg, Abb. 1).

In Frankreich gaben die mil. Erfolge von L. Condé in den 40er J. des 17. Jh. dem Alexandermythos wieder Auftrieb. Vergleiche wurden angestellt, so von J. Puget de la Serre (*Parallèle d'Alexandre le Grand et de Mons. le*

Duc d'Anguien, Paris 1645). Nach dem Übertritt Condés zur Fronde sah sich Ludwig XIV. veranlaßt, Alexander für sich zu beanspruchen. C. Le Brun fertigte zu diesem Zweck eine Reihe von Alexanderdarstellungen an, so *Le Passage du Granique* (1665), *La Défaite de Porus* oder *La Bataille d'Arbèle* (1667–1668), wobei er sich hier auf das Gemälde von P. da Cortona bezog, der in Rom für Alessandro Sacchetti, damaliger Befehlshaber der päpstlichen Truppen, um 1650 den Sieg Alexanders über Dareios gemalt hatte. Die Schlacht von Arbela war Gegenstand eines Gemäldes von J. Courtois 1664. Nach 1670 kam es zu einer Distanzierung von der Alexander-Myth., die im Zusammenhang mit der → Querelle des anciens et des modernes zu sehen ist. Dennoch behielten Alexandermotive ihre Beliebtheit. 1693 fertigte J. Brueghel ein Gemälde der Schlacht von Issos an, C. Troost (1737) eines von der Schlacht beim Granikos (334 v. Chr.).

R. Pheraios brachte 1797 in Wien ein Faltblatt in Umlauf, auf welchem in Anspielung auf den Alexanderfeldzug die Griechen zum Kampf gegen die osmanische Herrschaft aufgerufen wurden. Diese Parallelsetzung stand am Anf. der Alexanderrezeption in der griech. Nationalbewegung. Durch das Aufkommen der Maked. Frage zu Beginn des 20. Jh. ist der Alexandermythos und die damit verbundene Erinnerung an seinen Feldzug nach wie vor gegenwärtig.

In Deutschland fanden Alexander und seine Schlachten, bedingt durch die Erfahrungen der Napoleonischen Kriege, zu Beginn des 19. Jh. eine größere Beachtung. 1833 veröffentlichte J. G. Droysen die *Geschichte Alexanders d. Gr.*, in welcher der Einigungs- und Zivilisationscharakter des Alexanderfeldzuges betont wird. Eindrücke aus der dt. Einigungsbewegung kommen dabei zum Tragen. E. Meyer stellte die Verbindung zw. den Leistungen Alexanders und der Monarchie heraus. K. J. Beloch lehnte zwar die Deutung Droysens ab; diese behielt aber im 20. Jh. ihren Einfluß. In nationalsozialistischer Zeit gewannen rassengeschichtliche Deutungen an Boden. W. W. Tarn stellte den Alexanderfeldzug wieder unter dem Aspekt einer zivilisatorischen und einigenden Mission Alexanders dar (*Alexander the Great*, 1948).

4. PUNISCHE KRIEGE

Die nachant. Rezeption der Punischen Kriege, in deren Zentrum die Taten von Hannibal und Scipio standen, setzte im 14. Jh. ein. Petrarca widmete dem Leben Scipios das Epos *Africa* (1338– ca. 1350), in welchem die Taten des Helden von der Eroberung Spaniens bis hin zur Schlacht von Zama (202 v. Chr.) geschildert werden. 1532 ließ François I. Wandteppiche mit Motiven aus dem Zweiten Punischen Krieg anfertigen. Die Schlacht bei Zama basiert auf einer Vorlage von J. Romain. Maria, Erzherzogin von Österreich, Gemahlin Ludwigs II. von Böhmen und Ungarn, Schwester Karls V. und Statthalterin der Niederlande, besaß ebenfalls Wandteppiche mit Motiven aus Scipios Leben (u. a. die Einnahme Karthagos, die Unterredung zw. Hannibal

Abb. 3: Jaques-Louis David, Bonaparte franchissant les Alpes au Grand Saint-Bernard, 1801.
Musée national des châteaux de Malmaison et Bois-Préau, Rueil Malmaison

und Scipio sowie die Schlacht bei Zama). Karl V. ließ sich in Anlehnung an Scipio nach seinem Sieg über die Türken als dritten »Africanus« feiern. Für einen Zyklus Wilhelms IV. von Bayern fertigte 1530 J. Breu ein Gemälde der Schlacht bei Zama an, während H. Burgkmair 1529 die Schlacht bei Cannae darstellte. Allgemein sind ab dem 16. Jh. zahlreiche Darstellungen des röm. Feldherrn sowie des Zweiten Punischen Krieges entstanden. Von 1508–1513 schuf J. Ripanda im Konservatorenpalast in Rom Fresken zur Scipio-Hannibal-Thematik. A. Holbein schuf 1515 im Kloster St. Georgen bei Freiburg einen Zyklus über Hannibal und Scipio, in welchem die Einnahme von Sagunt und Karthago dargestellt werden. J. L. David zeigt auf seinem Gemälde des Alpenüberganges Napoleons am Großen St. Bernhard (1801/02) einen Wegstein mit dem Namen Hannibals, um so die Parallele mit dem Alpenübergang Hannibals zu ziehen (Abb. 3). J. Desmarets de St. Sorlins Drama *Scipion* (1639), P. C. Mariveaux' *Annibal* (1720) oder C. D. Grabbes *Hannibal* (1835) belegen die Popularität der Thematik auch auf der Bühne über Jh. hinweg.

Aus Reiseberichten des 18. Jh., so aus demjenigen von T. Shaw (1730), entnehmen wir erste Aussagen über die punischen Stätten in Nordafrika. Eine arch. Auseinandersetzung fand aber erst ab dem 19. Jh. statt. 1807 bereiste Chateaubriand Nordafrika, besuchte → Karthago und führte seine Eindrücke im Werk *Itinéraire de Paris à Jérusalem* (1811) aus. 1858 bereiste G. Flaubert Karthago und schuf mit seinem Roman *Salammbô* (1862) einen starken Mythos. N. Davis durch-

Abb. 4: Lionel Royer (1852-1926), Vercingétorix jette ses armes aux pieds de César (Musée Cozatier, le Puy-en-Velay, Inv. No. 03-59. Foto Photographie Giraudon, Paris). Das Gemälde zeigt die Unterwerfung des Vercingetorix nach Plutarch

forschte den gesamten Küstenstreifen auf der Suche nach den histor. Örtlichkeiten der Punischen Kriege (*Carthage and Her Remains*, 1861). 1859 begann Ch.-E. Beulé mit Ausgrabungen in Byrsa, die ab 1875 von A.-L. Delattre weitergeführt wurden.

Die wiss. Auseinandersetzung mit den Punischen Kriegen prägte im 19. Jh. Th. Mommsens *Röm. Geschichte* (1854). Hannibals Alpenüberquerung, die Schlacht am Trasimenischen See oder die Schlacht bei Cannae standen in der Folge wiederholt im Zentrum mod. Schlachtfeldforschung.

5. Numantia

Der Widerstand der Keltiberer bei Numantia (153–133 v. Chr.), der in der Einnahme der Stadt durch Scipio Minor und dem Freitod der Einwohner endete, spielte für das span. Geschichtsbild eine wichtige Rolle. M. de Cervantes Saavedras Trag. *Numancia* (1580) oder das Epos *La Numantina* (1609) von F. Mosquera sind erste bedeutende Verarbeitungen der Thematik. Alvarez y Marina stellte in seiner *Historia de España* (um 1830) die Verbindung zu den Napoleonischen Befreiungskriegen her. La Motte Fouqué sowie A. W. Schlegel übersetzten die Trag. von Cervantes in der Zeit der Napoleonischen Kriege. Von den zahlreichen Darstellungen des letzten Tages von Numantia ist die von Alejo Vera y Estaca, *Numantia* (1880), zu nennen. 1843 begann man auf der Anhöhe von Numantia ein Denkmal zu errichten. 1879 fertigte E. Saavedra eine erste Skizze der Ortschaft an, die Grabungen begannen aber erst 1905 bis 1912 unter der Leitung von A. Schulten.

6. Caesarschlachten

Die Rezeption der Caesarschlachten ist eng an die Person Caesars geknüpft, zum einen bedingt durch seinen Ruf als vorbildlicher Herrscher und Feldherr, zum anderen aufgrund seiner lit. Werke. Der erste Aspekt stand im Vordergrund der ma. Rezeption. Der glorreiche Heeresführer, wie er z.B. in *Li Fet des Romains* (1213/14), welches sich auf Lucan, Sallust und Sueton

stützt, gezeichnet wird, galt als Vorläufer ma. Herrscher, so der Habsburger, der Tudors oder der burgundischen Herzöge. Gerne maß man sich mit den mil. Erfolgen des berühmten »Vorfahren«. Für den burgundischen Hof wurden zw. 1465 und 1470 vier Teppiche verarbeitet, die sich auf Hss.-Illustrationen aus *Li Fet des Romains* stützen und siegreiche Schlachten abbilden. A. Mantegna schuf im Auftrag der Gonzaga in Mantua 1486–1492 einen Gemäldezyklus, der den Triumphzug Caesars darstellt. 1533 entstand für den Bilderzyklus Wilhelms IV. ein Gemälde von M. Feselen, das die Belagerung Alesias thematisiert. Auch *Die Überschreitung des Rubicon* von M. Steidel (1707–1709) im Kaisersaal der Neuen Residenz in Bamberg diente in erster Linie der Glorifizierung des Auftraggebers, in diesem Falle des Erzbischofs und Kurfürsten Lothar Franz von Schönborn. G. Bezzuoli schuf im Palazzo Pitti Deckenbilder, welche das Triumvirat sowie die Schlacht bei Pharsalos darstellen (1835/36).

Shakespeares Drama *Julius Caesar* (ca. 1599) muß im Kontext der von den Tudors angestrebten Caesarmythologisierung gesehen werden. Die auf Plutarch (Caes. 69,7) zurückgehende Aussage des Geistes Caesars, Brutus werde ihn bei Philippi (42 v. Chr.) wiedersehen, wurde durch Shakespeare (IV,3) zum geflügelten Wort: ›Bei Philippi sehen wir uns wieder‹.

Freilich gab es auch eine Caesar negativ beurteilende Strömung. Die Sympathie für die mit Caesar untergegangene Republik wird im 15. Jh. auf den *cassoni* des Anghiari-Meisters mit Szenen aus der Schlacht bei Pharsalos sowie aus Caesars Triumphzug spürbar. In Frankreich wurde er während der Zeit der Religionskriege für den Beginn der Bürgerkriege verantwortlich gemacht, so bei R. Garnier in *Porcie* (1568), *Cornélie* (1574) oder *Marc-Antoine* (1578).

Innerhalb der verschiedenen europ. Nationalbewegungen erlangten einzelne Schlachten bes. Bed., so in der Schweiz diejenigen aus dem Krieg gegen die Helvetier oder in Frankreich die Schlachten gegen Vercingetorix.

Die Lokalisierung Bibractes (58 v. Chr.) war im Verlauf des 19. Jh. wiederholt Gegenstand von Untersuchungen. J. G. Bulliot (*Fouilles du Mt. Beuvray de 1867–95*, Autun 1899), X. Garenne (*Bibracte*, Autun 1867) oder E. Stoffel (*Histoire des Jules César*, Paris 1887) legten sich auf einen Ort am Montmort bei Toulon-sur-Arroux fest. Der Helvetierzug, insbes. der Ausgang der Schlacht bei Bibracte, wurde seit der zweiten H. des 19. Jh. ganz unterschiedlich interpretiert. So übernahmen Napoleon III. und Th. Mommsen die Berichterstattung Caesars. H. Delbrück sah im helvetischen Auszug eine Söldnerexpedition gegen Ariovist. G. Ferrero stellte den großen Erfolg Caesars in dieser Schlacht in Frage und wollte einen zumindest unentschiedenen Ausgang des Kampfes annehmen.

Bereits im 16. bzw. 17. Jh. nahmen einzelne Werke die Gestalt des Vercingetorix [13] auf, doch dominierte nach wie vor das Interesse an Caesar. Immerhin wollte J. Cassan 1621 Ludwig XIII. auf Vercingetorix zurückführen. 1752 verfaßte J. Auvergnat (J. Ribauld de la Chapelle) eine *Histoire de Vercingétorix* (publ. 1834), die Vercingetorix diverse Fehler vorwarf. In der *Histoire de France avant Clovis* (Paris 1786) von P. Laureau wurden die Taten der Gallier dagegen verherrlicht.

Zu Beginn des 19. Jh. bauten die Anhänger der frz. Republik den Mythos der starken, aber unterdrückten Gallier aus. Die republikanischen Symbole wurden im *Second Empire* Napoleons III. zu rechtsnationalen Ikonen umgedeutet, wodurch sie erst ihre eigentliche Wirkung entfalten konnten. Napoleon III. betrachtete die röm. Eroberung Galliens als ein zivilisatorisch notwendiges Ereignis für das Wohl Frankreichs. Vercingetorix galt zwar als der erste Held, der für das Vaterland starb, seine Auflehnung gegen die röm. Eroberung besaß aber doch Züge eines fatalen Aufbäumens gegen den Fortschritt. Mit den Niederlagen im Dt.-Frz. Krieg änderte sich diese Einschätzung. Den röm. Eroberer verglich man mit dem siegreichen Feind Deutschland, Alesia wurde mit der Niederlage im Krieg von 1870/71 gleichgesetzt (so Moreau-Christophe, *Les Gaulois nos aieux*, Tours 1880; C. Jullian, *Vercingétorix*, Paris 1901) und mit der inneren Zerstrittenheit der Gallier erklärt. Vercingetorix habe einen ersten, wenngleich vergeblichen Versuch der Einigung unternommen und sich schließlich durch seine Kapitulation für die Nation geopfert. Diese Szene wurde mehrmals bildlich festgehalten, so von L. Royer 1899 (Abb. 4) oder von H.-P. Motte 1886. Der Märtyrercharakter des gallischen Anführers zeigt sich eindrücklich in einer Skulptur, *Aux martyrs de l'indépendance nationale* von E. Chatrousse, die 1872 ausgestellt wurde. Bereits 1865 hatte Napoleon III. auf dem Sch. Alesias eine monumentale Vercingetorix-Statue von A. Millet errichten lassen (Abb. 5). 1902 wurde ein Denkmal auf dem Hügel Gergovias aufgestellt, 1903 ein Reiterstandbild des Vercingetorix von A. Bartholdi in Clermont-Ferrand eingeweiht.

Im 20. Jh. machte Frankreichs extreme Rechte in der Zeit zw. den Kriegen Vercingetorix zu einer Leitfigur.

Abb. 5: Kolossalstatue des Vercingetorix von Aimé Millet (1903) in Alise-Sainte-Reine

1942 veranstaltete die Vichy-Regierung anläßlich des zweijährigen Bestehens der frz. Legion eine Gedenkfeier bei Gergovia, bei der man das Opfer des Vercingetorix für Frankreich unterstrich. Als histor. Parallelen galten das nach der Schlacht bei Alesia erfolgte Bündnis des röm. Siegers mit den unterlegenen Galliern und das zeitgenössische Abwehrbündnis gegen eine östl. Bedrohung im Zusammenschluß mit Deutschland. Zur selben Zeit betrachtete die Londoner Exilregierung Vercingetorix als Vorbild für den Widerstand gegen äußere Feinde. In der Nachkriegszeit verlor der Gallier-Mythos seine polit. Brisanz. In den *Asterix*-Comics feierte er indes einen neuen Siegeszug (→ Comics).

7. VARUSSCHLACHT IM TEUTOBURGER WALD

Die Verbreitung des Tacitus (v. a. durch die Auffindung der *Germania*) zu Beginn des 16. Jh. führte in Deutschland zu einer Wiederentdeckung der german. Vergangenheit. In reformatorischen Kreisen fand der Bericht über die Geschehnisse im Teutoburger Wald (Tac. ann. 1,60) erheblichen Anklang, weil sie Parallelen zum Kampf gegen das röm. Papsttum aufzuweisen schienen. U. v. Hutten stellte *Arminius* (um 1516/1529), den Cheruskerführer, erstmals als Befreier Deutschlands dar. Die syn. Bezeichnung des Arminius als Hermann geht ebenfalls auf die reformatorische Rezeption zurück. 1517 fertigte A. Holbein eine Darstellung der *Her-*

mannsschlacht als Titelbild einer Ed. der *Historia Romana* des Velleius Paterculus an. Ein Holzschnitt H. Brosamers von 1543 für die *Reimchronik* von B. Waldis zeigt Arminius mit dem Kopf des Varus in der Hand. D. C. v. Lohensteins *Arminius*-Roman (1689) setzte diese patriotische Betrachtungsweise fort.

Im 18. Jh. war der Hermann-Stoff beliebt: Wir finden ihn in der Oper (J. A. Hasse, *Arminius*, 1730) wie auch in der Lit. (J. Schlegel, *Hermann*, 1743; J. Möser, *Arminius*, 1748; F. G. Klopstock, *Hermanns Schlacht*, 1769; *Hermann und die Fürsten*, 1784; *Hermanns Tod*, 1784). Mösers und Klopstocks Werke stehen am Beginn jenes german. Identifikationsmythos, der für das 19. Jh. entscheidend wurde. G. O. v. Schöneichs Epos *Hermann oder das befreyte Deutschland* (1753) führte in dieselbe Richtung. Zum entscheidenden Impuls, die Schlacht im Teutoburger Wald als ein bedeutendes Ereignis in der Geschichte der Freiheit und Unabhängigkeit Deutschlands zu deuten, kam es erst durch die Napoleonischen Kriege. H. v. Kleists Drama *Die Hermannsschlacht* (1808/09, Uraufführung 1860) oder das Gemälde von C. D. Friedrich, *Gräber gefallener Freiheitskrieger* (1812/13), auf welchem der Grabstein des Arminius hell leuchtend im Teutoburger Wald zu sehen ist, zählen zu den Beispielen einer solchen Deutung des Geschehens unter dem Eindruck der Befreiungskriege. Das gesamte 19. Jh. hindurch blieb die Varusschlacht ein zentrales Ereignis im dt. Geschichtsbewußtsein. 1838 schrieb Ch. D. Grabbe die *Hermannsschlacht*. Anläßlich der Eröffnungssitzung des Parlamentes in Frankfurt 1848 wurde eine Arminius-Gedenkmünze herausgegeben; in der Walhalla Ludwigs I. nahm der Cheruskerführer eine prominente Stelle ein. F. Gunkels *Die Hermannsschlacht* (1864) oder das gleichnamige Bild von W. Lindenschmit d. Ä. sind eindringliche Beispiele für die anschauliche Vergegenwärtigung des Motivs in dieser Zeit. 1875, nach dem erfolgreichen Krieg gegen Frankreich und der Einigung von 1871, wurde in Grotenburg bei Detmold, dem damals angenommenen Sch., ein Denkmal errichtet.

Th. Mommsen versuchte 1871 (*Die German. Politik des Augustus*) Verbindungen zw. dem Freiheitskampf des Arminius und der dt. Einigung herzustellen und maß der Varusschlacht als dem eigentlichen Wendepunkt der röm. Germanienpolitik größte Bed. bei. Der Höhepunkt dieser Entwicklung wurde im J. 1909 erreicht, als anläßlich des 1900. Jahrestages der Schlacht gedacht wurde. Im selben J. veröffentlichte G. Egelhaaf *Die Schlacht im Teutoburger Wald*, ein Werk, das die nationalistische Betrachtungsweise in den Vordergrund stellt.

Wurde noch bei Kriegsbeginn 1914 die neue Theatersaison in Berlin mit Kleists *Hermannsschlacht* eröffnet, bei der zw. den Akten Siegesmeldungen verkündet wurden, so war die Welle der Arminiusbegeisterung nach 1918 gebrochen. E. Kornemann versuchte in einem Aufsatz (*P. Quinctilius Varus*, 1922) angesichts der kürzlich erlittenen Niederlage eine positive Neubeurteilung der Führung des Varus zu vertreten, um so die Leistung des Arminius hervorzuheben.

Die nationalsozialistische Geschichtsbetrachtung sah in der Varusschlacht kein herausragendes Ereignis. Durch die Allianz mit It. konnte man schlecht einen röm.-german. Gegensatz betonen. Dennoch erschienen verschiedene Werke zu dieser Thematik, von denen die Publikationen H. E. Stiers (u. a. *Die Bed. der röm. Angriffskriege für Westfalen*, 1938) die wichtigsten waren.

In der Nachkriegszeit führten zwar vereinzelt Autoren wie H. Kesting die nationalistische Interpretation der Hermannsschlacht weiter (*Der Befreier Arminius im Lichte der geschichtlichen Quellen*, 1950), die Forsch. distanzierte sich aber von dieser Perspektive.

8. MASADA

Der jüd. Aufstand gegen Rom der J. 66–73 n. Chr. wurde seit Beginn des 20. Jh. von der zionistischen Bewegung und in der Folge vom Staat Israel als wesentlicher Meilenstein der jüd.-israelischen Geschichte angesehen. Besonders die Belagerung Masadas durch die Römer 73 n. Chr und der von Flavius Josephus (bell. iud. 8,8,6) geschilderte kollektive Selbstmord der jüd. Verteidiger standen im Mittelpunkt.

In den J. 1923–24 entsteht Isaac Lamdans Gedicht *Masada*, in dem die jüd. Festung als letzter Zufluchtsort dargestellt wird, der nie mehr fallen dürfe. Diese Aussage wurde später zu einem Leitmotiv der zionistischen Bewegung und des jüd. Staates. Der Heldentod der Belagerten für die Freiheit und Unabhängigkeit Israels galt als Aufforderung an die damalige Generation. Einen Höhepunkt erreichte der Masadamythos im Anschluß an die ersten Ausgrabungen durch Y. Yadin in den J. 1963–64. Sein für eine breite Öffentlichkeit geschriebener Ausgrabungsbericht (*Herod's Fortress and the Zealots' Last Stand*, 1967) erweckte großes Interesse. 1973 kam es anläßlich der 1900-Jahrfeier zu großen Kundgebungen vor Ort. Gleichzeitig löste aber der Masadamythos heftige Kontroversen aus, die Verherrlichung des Heldentodes wurde zunehmend kritisiert (P. Vidal-Naquet, S. Zeitlin).

Neben Masada spielten die Schlachten bzw. Belagerungen von Iotapata oder Gamala, letztere auch wegen der heutigen Brisanz ihrer Lage im Golan, eine wichtige Rolle; ebenso die Zerstörung Jerusalems (70 n. Chr.), welche zu einem Epochendatum jüd. Geschichte wurde. Wichtig ist freilich ebenso die Erinnerung an den Makkabäeraufstand, aber auch schon an die Schlachten aus der Zeit des Ersten Tempels.

9. SPÄTANTIKE

Bei den spätant. Schlachten spielen v. a. zwei Typen im kollektiven Gedächtnis eine Rolle: erstens der Typus der Schlacht »Römer versus Barbaren«, zweitens Schlachten, die den Übertritt zum Christentum zur Folge hatten. Zum ersten Typ gehören die Niederlage der Römer bei Adrianopel 378 n. Chr., der Fall Roms 410 und 455 n. Chr. sowie die Schlacht auf den Katalaunischen Feldern 451 n. Chr., die das Vordringen der Hunnen stoppte. Zum zweiten Typus zählt insbes. der Sieg Constantins 312 an der Milvischen Brücke (→ Historienmalerei, Abb. 5). Der Sieg der Franken unter dem zum

»novus Constantinus« stilisierten Chlodwig gegen die Alamannen ist durch die Schilderung Gregors von Tours zu einem zentralen Ereignis der frz. Geschichte geworden, das in MA und Neuzeit immer wieder zitiert wurde. Über die Schlacht erfährt man durch Gregor fast nichts, entscheidend ist die Bekehrung des Frankenkönigs in der kritischen Phase des Kampfes, dank der er den Sieg erringen konnte. Ob sich die Bekehrung in der Tat im Rahmen der Schlacht bei Zülpich 496 n. Chr. ereignete, ist ebenso fraglich wie die Charakterisierung der Schlacht als Entscheidung zw. Franken und Alamannen. Ab dem 16. Jh. wurde die Bekehrung Chlodwigs während der Schlacht zu einer Grundlage für die Ansprüche der frz. Kirche gegenüber dem Papst (Gallikanismus), so bei P. Pithou (*Traité des libertés de l'église gallicaine*, Paris 1594) oder E. Pasquier (*Recherches de la France*, Bd. 1, Paris 1560). Unter Ludwig XIV. wurde zusätzlich die durch diese Tat Chlodwigs begründete herausragende Stellung des frz. Königs hervorgehoben, der als einziger von Gott erwählt wurde, um die Kirche zu verteidigen (D. de St. Sorlin, *Clovis ou la France chrétienne*, Paris 1654). In der 1696 erschienenen *Histoire de France* von Daniel wird die Bekehrung Chlodwigs 496 als Anfangspunkt der frz. Königsherrschaft betrachtet, der Name des Frankenkönigs zu Ludovicus geändert.

Als im Frankreich des ausgehenden 18. Jh. republikanisch gesinnte Kreise ein immer stärker werdendes Interesse für die gallische Vergangenheit entwickelten, fanden die Monarchisten in Chlodwig eine Symbolgestalt in ihrem Sinne. In seiner Antrittsrede 1824 nahm Charles X. explizit Bezug auf seinen vermeintlichen Vorfahren. Gleichzeitig kam es zu einer Neuinterpretation: Nicht mehr die Bekehrung, sondern der Sieg über die Alamannen wurde in den Vordergrund gerückt. Dementsprechend entstanden im Verlauf des 19. Jh. zahlreiche Gemälde der Schlacht, so von A. Scheffer 1837 oder J. Blanc 1874–1882. Gerade nach der Niederlage von 1870/71 wurde der Frankenkönig als erster Sieger über die Alamannen dargestellt (E. Lavisse, *Histoire de France illustrée, depuis les origines jusqu'à la révolution*, Paris 1911). 1896 beteiligte sich die katholische Seite – durch den Kardinal B. M. Langénieux – mit erheblichem Aufwand an den Feierlichkeiten des 1400. Jahrestages. Unter der Leitung des Kardinals erschien zu diesem Anlaß *La France chrétienne dans l'Histoire* (Paris 1896), ein Sammelband katholischer Intellektueller.

Nach dem I. Weltkrieg verlor der Chlodwig-Mythos an Bedeutung. Dennoch kann er noch immer als selbstverständlich betrachtet werden, frz. Geschichte hier einsetzen zu lassen. So beginnt die 1992–1994 erschienene *Histoire Militaire de la France* (hrsg. von Ph. Contamine) mit den Kriegen Chlodwigs. 1996 erschienen im Zusammenhang mit dem 1500. Jahrestag zahlreiche Publikationen zu dieser Thematik.

→ AWI Alesia; Alexander; Caesar; Cannae; Hadrianopolis 3; Hannibal; Marathon; Masada; Megiddo; Numantia; Salamis; Thermopylen; Troia; Tropaion

1 K. CHRIST (Hrsg.), Sparta, Wege der Forsch. 622, 1986 2 PH. CONTAMINE, La Guerre au Moyen Age. Nouvelle Clio 24, 1980 3 M. FLASHAR, Die Sieger von Marathon – Zw. Mythisierung und Vorbildlichkeit, in: Ders., H.-J. GEHRKE, E. HEINRICH (Hrsg.), Retrospektive. Konzepte von Vergangenheit in der griech.-röm. Ant., 1996, 63–85 4 M. HADAS-LEBEL, Massada, histoire et symbole, 1995 5 W. HAHLWEG, Die Heeresreform der Oranier und die Ant., 1941 6 J. R. HALE, Artists and Warfare in the Ren., 1990 7 Ders., Ren. War Stud., History series 11, 1993 8 M. JÄHNS, Gesch. der Kriegswiss. vornehmlich in Deutschland, 3 Bde., München/Leipzig 1880–1891 9 CH. RÖCK, Röm. Schlachtordnungen im 17. Jh., in: M. Baumbach (Hrsg.), Tradita et inventa. Beitr. zur Rezeption der Ant., 2000, 165–186 10 M. ROUCHE (Hrsg.) Clovis, histoire et Mémoire, 2 Bde., 1997 11 CH. TACKE, Denkmal im sozialen Raum. Nationale Symbole in Deutschland und Frankreich im 19. Jh. (Kritische Stud. zur Geschichtswiss. 108), 1995 12 Varusschlacht und Germanenmythos. Eine Vortragsreihe anläßlich der Sonderausstellung Kalkriese Römer im Osnabrücker Land in Oldenburg, hrsg. von M. FANSA, 1993 13 Vercingétorix et Alésia, hrsg. v. RÉUNION DES MUSÉES NATIONAUX, 1994.

LORENZO SGUAITAMATTI

Schönheit s. Körperkultur; Proportionslehre

Scholastik s. Aristotelismus

Schrift/Typographik A. EINLEITUNG: AUSGANGSLAGE B. MITTELALTER C. WIEDERENTDECKUNG IN DER RENAISSANCE D. VERARBEITUNG IN DER MODERNE – EPIGRAPHIK UND TYPOGRAPHIE E. GRIECHISCHE SCHRIFT

A. EINLEITUNG: AUSGANGSLAGE

Die klass. Ant. wirkte nicht nur in Sprache, Kunst und Kultur, sondern auch durch ihre Sch. bis in die Gegenwart. Die Sch. des mod. Abendlandes, auch die meisten Computer-Fonts, wurzeln in der Sch. der röm. Welt und bilden mit den arab. Ziffern zusammen die Grundlage der internationalen Kommunikation. Die Sch. der röm. Ant. schlechthin gibt es nicht. Aus westgriech. und etrusk. Alphabeten gespeist, entwickelten sich bei den ital. Völkern und in Latium und dann mit der Ausdehnung des röm. Machtbereichs über das ganze Mittelmeergebiet hin neben dem Griech. und lokalen Sonderformen zwei reichsweit verstandene Sch.-Stile, die Kursive und drei kalligraphische Sch.: Capitalis monumentalis für Inschr.; die weniger stark formalisierte, schlankere Capitalis rustica oder actuaria für Inschr. und Hss.; später eine Capitalis quadrata bzw. elegans für Buchschriften. Mit dem polit. und kulturellen Verfall des Reiches im 3. Jh. n. Chr. ging auch ein Verfall der Steinmetzkunst einher. Der Ordinator hielt sich nicht mehr an strenge, jedoch nie universell gültige einheitliche Normen von Buchstabenbildung, denen die röm. Sch. ihre Harmonie verdankten. Maßgebend für den ästhetischen Anspruch und daher auch für die Übernahme in spätere Epochen waren bes. Kennzeichen der

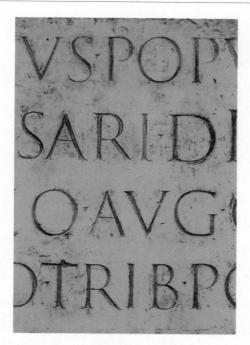

Abb. 1: Aus Inschrift der Trajans-Säule,
113 n. Chr. [24.12]

Abb. 2: Aus Corveyer Westwerkinschrift, nach 822

röm. Monumentalis in ihrer Blütezeit des 1. u. 2. nachchr. Jh.: regelhafter Wechsel der Strichstärken (Schäfte und Bögen linksschräg verstärkt), Serifen und Proportion (1:1 oder 2:1, allerdings wurden keine Gesetzmäßigkeiten gefunden), zumeist auch große Einheitlichkeit der Sch. innerhalb einer Inschr., also eine umfassende Disziplinierung (Abb. 1). Aus dem Bündel der vorhandenen Sch.-Stile entwickelten sich in der Spätant. monumentale Sonder-Sch. wie die Damasiana, Gebrauchs-Sch. wie die Unziale als kalligraphisch überformte Kursive für Buch-Sch. und ihre stärker von der Minuskel geprägte halbunziale Verwandte vom 3.–8. Jh. [3; 5]. Daneben entstanden im Übergang von der Ant. zum MA unzählige regionale Ausprägungen und Überformungen in den sich vom Zentralreich lösenden Provinzen und german. Nachfolgestaaten, die Regional-Sch. [10. 472] oder nicht ganz treffend National-Sch. (kritisch: [17. 114]) genannt werden. Varianten der Kapitalis lebten in den ehemaligen Reichsteilen in zahllosen Grabinschr. weiter. Neben den beiden Unzial-Sch. existierte ein noch breiteres Spektrum regionaler Halbkursiven, die in Buchstabenbildung und Abkürzungszeichen erheblich differieren konnten.

B. MITTELALTER

Eine bewußte Anknüpfung an ant. Sch.-Gestaltung im Sinne einer Reinigung und Verklarung des Alphabetes geschah nicht vor dem E. des 8. Jh., und das in dreifacher Weise. Aus den unzialen Sch. und vorhandenen Minuskelkursiven entwickelte sich im Zuge der

kirchlich-lat. Kulturreform (→ Karolingische Renaissance) eine kalligraphisch disziplinierte, die sog. karolingische Minuskel [29; 20]. Sie hat keine reale Entsprechung in der Ant. Für die Verbreitung des neuen Stiles wird man an die Wirkung vorbildhaft arbeitender und daher bevorzugter Skriptorien aus dem Umfeld der Hofkunst denken müssen. Bei Auszeichnungs-Sch. in Hss. wurden zwei Stile gebraucht, entsprechend der ant. Hierarchie die Capitalis rustica (actuaria) für nachrangige, die Capitalis quadrata im Gewand ihrer epigraphischen Spitzenqualität für höchstrangige Partien der Texthervorhebung, etwa Incipits (Lit.: [33. Bd. III. 570]). Eine beinahe vollkommene Annäherung der Adaptation an beste röm. Vorlagen der Monumentalis wurde erst nach dem ersten Viertel des 9. Jh. erreicht. Vorbild für die Weitervermittlung bester Sch.-Vorlagen dürften ant. Inschr. gewesen sein. Musteralphabete wie das im Calculus des Victorius Aquitanus [30. Abb. 12] kursierten in der karolingischen Gelehrtenwelt, wie eine briefliche Bitte des Lupus von Ferrières an Einhard um Übersendung eines solchen belegt [30. 121]. Höchste Vollkommenheit erlangte die monumentale Sch.-Kunst in den Buchstaben der Corveyer Westwerktafel (nach 822) [30. Abb. 11] (Abb. 2), für die auch das ant. Verfahren vergoldeter Kupfereinlagen benutzt wurde [33. Bd. II. Nr. VIII.52, 53–54]. Schon vor dem E. des 9. Jh. ging die perfekte Angleichung der Buchstabentypen und ihrer Bildungsweise, die merkwürdigerweise in It. kaum erreicht wurde [8], überall verloren [31]. In der Folgezeit blieb die Kapitalis zwar bis ins 11. Jh. die maßgebliche Sch. der Monumentalkunst, doch nur als Typ, nicht mehr in ihrer ant. Prägung. Danach wurden noch mehr Fremdformen, v. a. Unzialen, eingebaut, die Bildungsweise der Buchstaben über einen linearen Stil zu den überbetonten Strichstärkenunterschieden der gotischen Majuskel fortentwickelt, bevor die aus der karolingischen Minuskel entwickelte gotische Minuskel (Textura) zum dominierenden Schrifttyp des Spät-MA wurde [17. 123 ff.].

C. WIEDERENTDECKUNG IN DER RENAISSANCE

Anders als nördl. der Alpen hat sich die epigraphische Minuskel in It. nie durchsetzen können. Wachsendes Interesse an der Ant. (→ Renaissance) führte dort auch zum Studium und dann zur Verwendung ihrer Sch., die vorzugsweise für ant. Texte angewandt wurden. Humanistisch geprägte Minuskel- und Kursiv-Hss. (Poggio Bracciolini 1423–1431: [23. Abb. 155], Niccolò Niccoli 1423, 1425–1428: [23. Abb. 156a-b; 2. Bd. I. Taf. 80f.]), die auf karolingischen Vorbildern fußten (Coluccio Salutatis *litterae antiquae*), erreichten wieder deren leichte Lesbarkeit und Klarheit [22], in Buch-Sch. etwas früher als in Kanzlei-Sch. [35]. Nach Reinigung und Stilisierung wurden diese Minuskeln als Ren.-Antiqua zur Urform der abendländischen lat. Drucktype und in It. zunächst sogar durch nordalpine Frühdrucker verbreitet (Conrad Sweynheim und Arnold Pannartz 1465 in Subiaco, Johann von Speyer 1469 und Nikolaus Jenson 1470 in Venedig: [2. Bd. II. Taf. 11, 16, 19]). Etwa gleichzeitig mit den ersten neuen Buch-Sch. und von Poggios Inschr.-Studien vorbereitet [34. 56], entstanden die ersten nicht mehr experimentellen und stark mit Fremdformen durchsetzten (zu diesen [24; 18]) Kapitalis-Inschr., etwa die noch serifenlosen von Donatello und Michelozzo ca. 1427 am Grab Papst Johannes XXIII. in Florenz [23. Abb. 157] und die auf dem Grab Martins V. (1431) in S. Giovanni in Laterano [23. Abb. 158] sowie die am Grab des Leonardo Dati in Florenz [12. 12. Anm. 19]. Ältere Belege für Entgotisierung in Florenz mußten später datiert werden [19. Bd. II. 189f.], solche in Neapel sind noch nicht verläßlich publiziert. Nach der Mitte des 15. Jh. bereiteten intensivere Studien, v.a. auch geom. Rekonstruktionen röm. Buchstaben, etwa durch Felice Feliciano 1463 in Verona und Damianus Moyllus 1480 in Parma ([24. 18], auch zu H. Schedel und A. Dürer), den Weg zu einer stärkeren Anlehnung an die ant. Vorbilder, die in den Inschr. Papst Sixtus' IV. (1471–1484) annähernd erreicht wurden [13. 40] (Abb. 3). Nördl. der Alpen dauerte das Heranarbeiten an den ant. Standard gut eine Generation länger, wie das unvollkommene Bemühen um klass. Stil bei frühen Kapitalis-Inschr. in Mainz 1484 [6. Bd. 2. Nr.

Abb. 3: Buchstabenrekonstruktion der Renaissance von 1482 [24.20ff.]

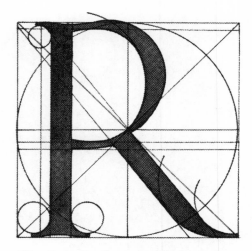

Abb. 4: Buchstabenrekonstruktion der Renaissance von 1598 [24.20ff.]

206], Worms 1488 [6. Bd. 29. Nr. 316] und zahlreicher in Augsburg ab 1484 [4] erkennen läßt. Ab dem 2. Viertel des 16. Jh. wird man überall im westl.-lat. Europa mit dem Potential zur Umsetzung einer klassizierenden Kapitalis rechnen dürfen, ohne daß die perfekte Kapitalis etwa der Obelisken-Inschr. Papst Sixtus' V. (1585–1590) [23. 311. Abb. 177] erreicht worden wäre. Im Gegenteil überwogen schon früh die auf einem allg. Kapitalsalphabet aufbauenden lokalen und oft werkstattimmanenten Schriftprägungen [6. Einl.]. Daneben existierten human.-gotische Misch-Sch. und der Druckantiqua ähnliche Minuskel-Inschr. [7. 48–50].

D. Verarbeitung in der Moderne – Epigraphik und Typographie

Demgegenüber blieb die Druck-Sch. (Ren.-Antiqua), soweit sie nicht im dt.-sprachigen Raum von Frakturen überlagert wurde, weitgehend dem klass. Stilideal verpflichtet. Die Typen der Frühdrucker wurden von neuen verdrängt; die Typen von Claude Garamond (†1561) [14. 90, 147], bzw. die ihm zugeschriebenen, verbreiteten seine Schüler über ganz Europa, ihre Schriftfamilie wirkt bis in die Gegenwart. Ab dem Barock traten dieser älteren Antiqua verspielte Varianten an die Seite (Barocke Antiqua). Ideologische Auseinandersetzung in der Typographie zw. Antiqua und Fraktur brachte der Klassizismus [16], dessen hervorragender Vertreter Giambattista Bodoni (†1813) [14. 147ff.] war. Spätestens ab 1870 begann eine Zeit des Experiments [9. 175], in der das Kapitalis-Alphabet zwar noch erkennbar blieb, in seinen Eigenheiten jedoch durch neue Proportionen, serifenlose Sch. (Grotesk) oder solche mit blockartigen Serifen (Egyptienne) verändert wurde [2; 14; 32; 15]. Eine (un)geistige Auseinandersetzung zum Ant.-Bezug brachten die Schriftdekrete des Nationalsozialismus [2. Bd. III. 72].

E. GRIECHISCHE SCHRIFT

Die Entwicklung der griech. Sch. in byz. Zeit
(→ Byzanz) war wie die byz. Kultur durch den Wechsel
von Mimesis und Innovation geprägt. Rückbezüge zur
epigraphischen Sch. des 6. Jh. ließen sich in der »Epigraphischen Auszeichnungsmajuskel« seit dem 9. Jh. erkennen, archaisierende Minuskeln in der frühen Palaiologenzeit [11. 498]. Eine Darstellung der byz. Epigraphik fehlt [1]. Im Westen wurden die ersten neuen
Inschr. in Griech. während der Verhandlungen um die
Kirchenunion geschaffen, etwa die Medaille des Kaisers
Johannes VIII. 1438/39 von A. Pisanello [23. 276. Abb.
159] oder das Grabmal des Patriarchen Joseph von Konstantinopel (†1439) in Florenz mit dreisprachiger Inschr.
Die Kenntnis der griech. Kapitalis dürfte der Serifenverwendung für die lat. Kapitalis Vorschub geleistet haben [23. 264ff.], während Wechsel der Strichstärken aus
der lat. Sch. auf die griech. Drucktype zurückwirkte
[23. 294ff.]. Bei der griech. Minuskel wurde die kursiven und ligaturenreichen Gebrauchs-Sch. angenäherte
Aldina-Alopa-Type (1490er J.) [27. 98] gegenüber den
aus älteren Buch-Sch. abgeleiteten nicht lange (u. a. in
C. Garamonds *Grecs du roi*) verwendet, letztere wurde
im Klassizismus (G. Bodoni) der mod. Typographie [2.
Bd. II. 212] zugeführt.

→ AWI Alphabet; Byzantion, Byzanz; Epigrammata Damasiana; Filocalus; Inschriften; Kapitale; Schriftstile

1 J. S. ALLEN, I. ŠEVČENKO (Hrsg.), Epigraphy (Literature in
various Byzantine disciplines 1892–1977), 1981 2 Atlas zur
Gesch. der Schrift. 3 Bde., 1986ff. 3 B. BISCHOFF,
Paläographie des röm. Alt. und des abendländischen MA,
1979 und öfter 4 F. BORNSCHLEGEL, Die frühe
Ren.-Kapitalis in Augsburg, in: W. KOCH (Hrsg.),
Epigraphik 1988, 1990, 217–226 5 L. E. BOYLE, Paleografia
latina medievale. Introduzione bibliografica, 1999 6 Die Dt.
Inschr. Hrsg. von den AKAD. DER WISS. IN BERLIN,
DÜSSELDORF, GÖTTINGEN, HEIDELBERG, LEIPZIG, MAINZ,
MÜNCHEN, UND DER ÖSTERREICHISCHEN AKAD. DER WISS.
IN WIEN, 49 Bde., 1942ff. 7 Dt. Inschr.: Terminologie zur
Sch.-Beschreibung. Erarbeitet von den Mitarbeitern der
INSCHR.-KOMMISSIONEN DER AKAD. DER WISS. IN BERLIN,
DÜSSELDORF, GÖTTINGEN, HEIDELBERG, LEIPZIG, MAINZ,
MÜNCHEN UND DER ÖSTERREICHISCHEN AKAD. DER WISS. IN
WIEN, 1999 8 N. GRAY, The Paleography of Latin
Inscriptions in the Eighth, Ninth and Tenth Century, in:
Papers of the British School at Rome 3rd Series 1, 1948,
39–171, Taf. XII–XXIV 9 Dies., A History of Lettering, 1986
10 H. HAARMANN, Universalgesch. der Sch., ²1991
11 H. HUNGER, Kontinuität und Innovation in der griech.
Buch-Sch. zweier Jt., in: Byzantium. Tribute to Andreas N.
Stratos, 1986, 495–522 12 I. KAJANTO, Classical and
Christian, 1980 13 J. KAJANTO, U. NYBERG, Papal
Epigraphy in Ren. Rome, 1982 14 A. KAPR, Die
Sch.-Kunst, ³1983 15 M. KERN, S. KOCH, Sch. vergleichen,
Sch. auswählen, 1991 16 CHR. KILLIUS, Die
Antiqua-Fraktur-Debatte um 1800, 1998 17 R. M. KLOOS,
Einführung in die Epigraphik des MA und der frühen
Neuzeit, ²1992 18 W. KOCH, Zur sogenannten frühhuman.
Kapitalis, in: W. KOCH (Hrsg.), Epigraphik 1988, 1990,
337–345 19 Ders., Literaturber. zur ma. und neuzeitlichen
Epigraphik (1976–1984), 1987; (1985–1991), 1994;

(1992–1997), 2000 (wird fortgesetzt) 20 W. KOEHLER, Die
karolingischen Miniaturen, 1930–1960 21 Lex. des
gesamten Buchwesens, hrsg. v. S. CORSTEN et al., ²1987ff.
22 M. MEISS, Towards a More Comprehensive Ren.
Paleography, in: Art Bulletin 42, 1960, 97–112
23 S. MORISON, Politics and Script, 1972 24 J. MUESS, Das
röm. Alphabet, 1989 25 F. MUZIKA, Die schöne Sch. in der
Entwicklung des lat. Alphabets, 2 Bde., 1965
26 R. NEUMÜLLERS-KLAUSER, Epigraphische Sch. zw. MA
und Neuzeit. Grundsatzreferat, in: W. KOCH (Hrsg.),
Epigraphik 1988, 1990, 315–328 27 R. PROCTOR, The
Printing of Greek in the 15th Century, 1900 28 Ren.- und
Humanisten-Hss., hrsg. v. J. AUTENRIETH (Schriften des
Histor. Kollegs, Kolloquien 13), 1988 29 A. SCHMID,
Sch.-Reform – Die karolingische Minuskel, in: [33. Bd. III.
681–691] 30 S. SCHOLZ, Karolingische Buchstaben in der
Lorscher Torhalle. Versuch einer paläographischen
Einordnung, in: H. GIERSIEPEN, R. KOTTJE (Hrsg.), Inschr.
bis 1300, 1995, 103–123 31 Ders., Eine karolingische Inschr.
aus Neuenheerse, in: Westfalen 74, 1996, 142–153 32 E. D.
STIEBNER, H. HUBER, Alphabete. Alphabets, ²1987 33 CH.
STIEGEMANN, M. WEMHOFF (Hrsg.), 799 – Kunst und Kultur
der Karolingerzeit, 3 Bde., Ausstellungskat. Mainz –
Paderborn 1999 34 B. L. ULLMAN, The Origin and
Development of Humanistic Script, 1960
35 H. ZIMMERHACKL, Die Entwicklung der human.
Dokumentar-Sch., in: Quellen und Forsch. aus it. Archiven
und Bibl. (QuFIAB) 79, 1999, 319–331.   RÜDIGER FUCHS

Schriftlichkeit–Mündlichkeit   s. AWI, Bd. 11, s. v.

Schriftwissenschaft A. AUFGABEN
B. SCHRIFT UND TRADITION   C. SCHRIFTTYPEN
D. LERNTECHNIK   E. SCHRIFTENTWICKLUNG
F. TEILGEBIET DER ALTERTUMSWISSENSCHAFT
G. WISSENSCHAFTSGESCHICHTE

A. AUFGABEN

Die Sch. ist eine vorwiegend histor. orientierte Hilfswiss. mit drei generellen Zielen: (1) Sie schreibt die Geschichte der Schrifttypen und Schriften; (2) sie analysiert
Schriftsysteme sog. »toter« Sprachen zur Klärung der
dahinter versteckten Sprachsysteme; (3) sie liefert Modelle und mögliche Parallelen für das Entziffern von
Schriften.

B. SCHRIFT UND TRADITION

Schrift ist ein Code zur optischen Fixierung von
menschlicher Sprache, die (wie etwa die Musik) im Stadium ihrer Realisierung ein akustisches Phänomen und
als solches flüchtig ist. Die Kenntnis dieses Codes wird
in mündlicher Trad. von einer Generation an die nächste weitergegeben. Wo diese Kontinuität bricht, werden
später → Entzifferungen nötig. In Europa und im Nahen Osten haben nur alphabetische Schriften (v. a. das
lat., griech., hebräische und arab. Alphabet) das Ende
des Alt. überlebt, die anderen – meist früheren – Schriften mußten und müssen neu erschlossen werden. Wo
die Entzifferung gelungen ist, haben oft Bilinguen eine
entscheidende Rolle gespielt (am berühmtesten der Rosetta-Stein von 196 v. Chr. in Griech., Hieroglyphen
und Demotisch [13], → London, British Museum II.,

Abb. 1). Meist konnten die Entzifferer dank verwandter, meist späterer Sprachen von einem erleichterten Zugang zur unbekannten Sprache profitieren (z.B. dank Koptisch zum Ägypt.; dank Hebräisch, Arab. etc. zum Akkadischen; dank Griech. zum Mykenischen, dem in Linear B geschriebenen griech. Dialekt). Teilweise waren durch Nebenüberlieferung bekannte Herrscher- oder Ortsnamen eine Einstiegshilfe (z.B. für Ägypt., Altpersisch, Akkadisch). Wichtig war jeweils auch eine gewisse Größe des Textkorpus. Wo alle diese Voraussetzungen weitgehend oder ganz fehlen (z.B. bei Linear A und dem Diskos von Phaistos), ist die Entzifferung fast aussichtslos.

C. Schrifttypen

Es werden drei Schrifttypen steigenden Abstraktionsgrades unterschieden, die aufgrund fortschreitender Optimierung der Bedingungen »Leistung« und »Einfachheit« (ermöglicht durch zunehmende Beschränkung auf die Wiedergabe von Phonemen und durch deren zunehmend isolierte Schreibung) auch histor. eine Folge bilden: (1) Ideogrammschrift (sog. Bilderschrift), (2) Silbenschrift, (3) Lautschrift. Im ersten Typ macht die enorme Zahl von Zeichen sowie die Wiedergabe abstrakter Begriffe und syntaktischer Elemente (z.B. »Jahr«, »oder«, »ohne«) Schwierigkeiten; er wurde kurz vor 3000 v.Chr. in Ägypten oder Mesopotamien erfunden und wohl sofort weiterentwickelt. Der zweite Typ ergibt sich, wo die Sprachstruktur dies fördert, aus dem ersten durch Reduktion auf einen Satz von Zeichen für Einsilbler, die fortan unabhängig von ihrer urspr. Bed. für die betreffende Lautfolge verwendet werden; er kann aber Elemente des ersten bewahren (z.B. die sumerisch-babylonische Keilschrift mit v.a. Syllabogrammen, unter Beibehaltung von Ideogrammen für häufige Begriffe). Eine zusätzliche Vereinfachung bringt die Beschränkung auf Zeichen für offene Silben (a, e, i, o, u, ta, te, ti, to, tu usw.); dies geht allerdings auf Kosten der Wiedergabequalität (z.B. Linear B, Kyprische Schrift). Auch das Alphabet wird in seinem frühen Stadium gerne als ein Syllabar dieses letzteren Typs aufgefaßt, bei dem durch Unterdrückung des Vokalismus die Zeichenzahl nochmals reduziert worden ist [8]; jedenfalls gehörte es damals noch nicht zum dritten Typ. Dieser wurde erst mit seiner Adaptation durch die Griechen im frühen 8. Jh.v.Chr. erreicht und dominiert seither weltweit, v.a. bei Verschriftlichung vorher schriftloser Sprachen. Das Ideal der Phonemschrift ist freilich wohl nie erreicht worden und hätte wegen des Lautwandels auch nie lange Bestand gehabt.

D. Lerntechnik

Für genealog. Fragen in der Sch. ist bes. wichtig zu eruieren, wie die Kenntnis einer Schrift weitervermittelt wurde. Zu den dafür entwickelten Lerntechniken, die meist höchst konservativ sind, gehören etwa eine feste Reihenfolge der Zeichen oder geeignete Merkwörter (z.B. Buchstabennamen). Zeugnisse für solche Lerntechniken (wie z.B. Zeichentabellen, Musteralphabete) sind uns jedoch längst nicht für alle Schriften und Epochen überliefert.

E. Schriftentwicklung

Jede Schrift hat auch ihre interne Geschichte. Veränderungen können sich grundsätzlich auf der Ebene des Schriftsystems und derjenigen der Zeichenformen abspielen. Zur ersten Art gehört z.B. die Erweiterung des Zeichensatzes zwecks genauerer Wiedergabe der Sprache (eine andere Möglichkeit ist die Verwendung von Di- oder selten Trigraphen, z.B. lat. th, ph, ch; dt. ch, sch; polnisch sz, cz) oder aber seine Reduktion infolge Lautzusammenfalls. Schriftsysteme tendieren freilich zur Beharrung (woraus sich der archaisierende, Lautwandel ignorierende Zug der Orthographie in langlebigen Schrifttraditionen erklärt). Die Geschichte zeigt oft zuerst regionale Sonderentwicklungen und anschließende Verdrängung der meisten Linien durch eine bes. geeignete Version (z.B. bei den griech. Lokalalphabeten), teilweise parallel zu entsprechenden Vorgängen bei den Dialekten bzw. Sprachen. Varianten der zweiten Art ergeben sich z.B. aufgrund des Schreibmaterials (Schriftträger wie Stein, Ton, Metall – v.a. Bronze, Blei, Gold –, Holz, Pergament, Papyrus, Wachs; Schreibwerkzeuge wie Griffel, Pinsel, Stempel) oder der Textsorte (Monumental- bzw. Kursivschrift, Zahlzeichen und andere Abkürzungen). Zum eigentlichen Zeichensatz hinzu kommen Akzente, Satzzeichen, Paragraphen usw.

F. Teilgebiet der Altertumswissenschaft

Die Sch. arbeitet mit vielen Subdisziplinen der Altertumswiss. eng zusammen: → Inschriftenkunde, → Papyrologie, → Paläographie, → Philologie mit → Sprachwissenschaft und Literaturwissenschaft (z.B. für Fragen wie Verschriftlichung des → Epos; Alphabetisierungsgrad der Bevölkerung; Tradierungswege), → Geschichtswissenschaft (z.B. in den Bereichen Gesetz und Brief). Sie ist für die Erschließung und optimale Durchdringung vieler Texte grundlegend.

G. Wissenschaftsgeschichte

Schon in der Ant. war die Schrift ein Forschungsgegenstand (z.B. Sage von Kadmos; Aristoteles, De interpretatione 16a3f. [11]; Quint. inst. 1.7.30f.). In der Neuzeit stand zunächst v.a. die praktische, auf bestimmte Schriften konzentrierte Arbeit im Vordergrund, etwa zur Entzifferung der altpersischen Keilschrift durch G.F. Grotefend 1802 (die E. Hincks den Weg zur babylonischen Keilschrift ebnete) [1], der Hieroglyphen durch J.F. Champollion 1822 [13] oder des Linear B durch M. Ventris 1952; ferner zur Darstellung der Geschichte möglichst aller Schriften (z.B. [1; 3; 6; 7; 10; 12]). Für die Wiedergabe ant. Schriften und Sprachen wurde (u.a. wegen der relativen Zeichenarmut unseres lat. Alphabets) ein spezielles Transkriptionssystem mit diakritisch markierten Buchstaben (ā, ă, ś, ḥ, t usw.) sowie Klammern und anderen Zeichen (insbes. nach dem »Leidener System« von 1931 [5]) entwickelt. Moderne Synthesen der Sch. in globaler Perspektive dagegen fehlen und sind vielleicht auch kaum möglich; eine neue, philos. Richtung verfolgt J. Derrida [2]. → Entzifferungen

→ AWI Ägyptisch; Akkadisch; Akzent; Alphabet; Altpersische Keilschrift; Aussprache; Brief; Demotisch; Diskos von Phaistos; Etruskisch; Gesetz; Griechenland, Schriftsysteme; Hieroglyphen; Hispania III.; Italien, Alphabetschriften; Kadmos; Keilschrift; Koptisch; Kyprische Schrift; Lautlehre; Lesezeichen; Linear A; Linear B; Papyrus; Schrift; Schule; Tachygraphie

1 P. T. DANIELS, W. BRIGHT (Hrsg.), The World's Writing Systems, 1996, 145 ff. 2 J. DERRIDA, De la grammatologie, 1967 3 D. DIRINGER, The Alphabet. A Key to the History of Mankind, ³1968 4 E. DOBLHOFER, Die Entzifferung alter Schriften und Sprachen, 1993 5 S. DOW, Conventions in Editing: A Suggested Reformulation of the Leiden System, 1969 6 J. G. FÉVRIER, Histoire de l'écriture, 1948 (Ndr. 1995) 7 J. FRIEDRICH, Gesch. der Schrift unter bes. Berücksichtigung ihrer geistigen Entwicklung, 1966 8 I. J. GELB, A study of writing, 1952, 24 ff. 9 H. GÜNTHER, O. LUDWIG et al. (Hrsg.), Schrift und Schriftlichkeit, 1994–1996 10 H. JENSEN, Die Schrift in Vergangenheit und Gegenwart, ³1969 (Übers.: Sign, Symbol and Script, 1970) 11 U. MAAS, ›Die Schrift ist ein Zeichen für das, was in dem Gesprochenen ist.‹ Zur Frühgesch. der sprachwiss. Schriftauffassung: das aristotelische und nacharistotelische (phonographische) Schriftverständnis, in: Kodikas/Code 9 (1986), 247 ff. 12 W. A. MASON, A History of the Art of Writing, 1920 13 R. PARKINSON, Cracking Codes: The Rosetta Stone and Decipherment, 1999.

RUDOLF WACHTER

Schulbuch
A. DEFINITION UND ABGRENZUNG
B. SCHULBÜCHER ALS MONUMENTE DER DIDAKTIK
C. AUFBAU TRADITIONELLER UNTERRICHTSWERKE
D. IMPULSE DURCH DIE CURRICULUMREVISION
E. PARADIGMENWECHSEL
F. DIE JÜNGSTE LEHRBUCHGENERATION

A. DEFINITION UND ABGRENZUNG

Das Sch. soll als Lehrbuch, Arbeits- oder Übungsbuch den in Lehrplänen festgelegten Unterrichtsstoff didaktisch aufbereitet darbieten. Sch. werden in der Regel von den Schulaufsichtsbehörden geprüft und zugelassen. Da Unterrichtswerke auf den Vorgaben der Lehrpläne aufbauen, kann man sie als »konkretisierte Lehrpläne« verstehen, de facto sind sie oft die »wirkungsmächtigsten Curricula« oder gar »die eigentliche Großmacht der Schule«. Der Begriff Sch. umfaßt sowohl eigens für Schul- und Unterrichtszwecke verfaßte Bücher (Sch. im engeren Sinne) als auch andere Literaturwerke (Sch. im weiteren Sinne), die für Unterrichtszwecke benutzt werden. Der Übergang zw. beiden Gruppen ist fließend. So übersetzte schon Livius Andronicus die *Odyssee* für Unterrichtszwecke aus dem Griech. ins Lat., und diese erste lit. Übers. wurde bis zum Ausgang der Röm. Republik als Sch. benutzt. Die Gramm. des Dionysios Thrax läßt sich als Fachbuch (in dem Ergebnisse der grammatischen Forsch. zusammengefaßt sind), aber auch als Sch. (erste griech. Elementargramm.) einstufen. Zur zweiten Gruppe gehören auch poetische Werke wie die *Phainomena* des Aratos, die Fabeln des Avianus und Babrios, die sog. *Dicta Ca-*

tonis und das unter dem Namen des Hyginus überlieferte myth. Handbuch. Sch. im engeren Sinne sind speziell für Schulzwecke verfaßte Bücher, mit deren Hilfe im Unterricht der allgemeinbildenden Schulen einem großen Teil der Bevölkerung bis in die Gegenwart hinein altsprachliche Kenntnisse vermittelt werden. Die folgende Darstellung konzentriert sich auf den Lateinunterricht, da Lat. heute nach Engl. und Frz. die am häufigsten unterrichtete Fremdsprache an dt. Schulen ist.

B. SCHULBÜCHER ALS MONUMENTE DER DIDAKTIK

Sch. sind Produkte und Dokumente der Fachdidaktik, worunter die Gesamtheit aller theoretischen und praktischen Bemühungen zur Gestaltung des Fachunterrichts verstanden wird, die dem jeweiligen Erkenntnisstand der fachwiss. und pädagogischen Bezugsdisziplinen gerecht zu werden suchen. Lehrbücher repräsentieren die jeweils geltenden Ziele, Inhalte und Methoden des Fachunterrichts und sind somit objektiv greifbare Dokumente der Unterrichtsgeschichte [12]. Als solches spiegelt das Sch. die Entwicklung der Didaktik und Methodik eines Faches wider. Dies läßt sich gerade an lat. Unterrichtswerken der beiden letzten Jh. anschaulich nachweisen. Die Zielsetzung des Lateinunterrichts und damit auch seine Methodik hat in dieser Zeit erhebliche Änderungen erfahren: von der aktiven Beherrschung in Wort und Schrift zur Sprach- und Textreflexion [7]. Im lat. Anfangsunterricht ist das Lehrbuch auch h. noch das wichtigste visuelle Unterrichtsmittel, obwohl es auch für diesen Bereich bereits zahlreiche elektronische → Medien gibt, die den lehrerzentrierten Unterricht zumindest phasenweise ersetzen, ihn insgesamt aber durch abwechslungsreiche Methoden ergänzen und vertiefen können. Durch das Unterrichtswerk wird der Aufbau des Unterrichts bis in den Ablauf der einzelnen Stunden hinein entscheidend geprägt. Lerninhalte (Stoffauswahl) und Lernziele (Kenntnisse, Fähigkeiten, Fertigkeiten), aber auch die Methoden des Unterrichtens und Lernens einschließlich der Übungsformen und Lernerfolgskontrollen werden vom Sch. weitgehend vorgegeben. Auch die Motivation der Schüler und Lehrer wird vom Lehrbuch stark beeinflußt, so daß man schon vor der ›Versklavung des Lehrers unter das Lehr- und Übungsbuch‹ gewarnt hat [9. 304].

C. AUFBAU TRADITIONELLER UNTERRICHTSWERKE

Das traditionelle Lehrbuch (etwa zw. 1925–1970) gliederte sich meist in vier Teile: 1. lat. Darbietungs- und Lesestücke, 2. Übungsstücke, 3. gramm. Anhang und 4. lat.-dt. und dt.-lat. Wörterverzeichnisse [15]. Meistens waren die lat. Darbietungsstücke in A- und B-Stücke untergliedert. Die A-Stücke dienten der Einführung des jeweils neuen gramm. Stoffs (in Einzelsätzen); die B-Stücke (»Lesestücke«) standen unter einem bestimmten Sachthema und sollten einen inhaltlich geschlossenen Lesestoff bieten [6]. Die Übungsstücke enthielten Aufgaben und Anleitungen zur Einprägung des neuen Stoffes (vor den Lehrplänen von 1938 überwiegend dt. Sätze zum Übersetzen ins Lat. [7]). Der gramm. Anhang bestand gewöhnlich nur aus einigen Tabellen und Übersichten zum Nachschlagen. Die Wortspeicher zu den einzelnen Lektionen boten üblicherweise die Zusammenstellung von Vokabeln in der Reihenfolge, wie sie in den Darbietungs- und Lesestücken neu auftraten.

D. Impulse durch die Curriculumrevision

Mit der Produktion eines neuen Lehrbuchs ist ›der Prozeß didaktischer Forsch. zum Stillstand gekommen‹, und mit der Fertigstellung ist es bereits wieder veraltet [14]. Daher ist eine ›permanente Lehrbuchrevision‹ erforderlich. Denn das Lehrbuch gleicht ›einem Curriculum, d. h. einem Gefüge von Zielen, Inhalten, Verfahrensweisen und Kontrollen des Unterrichtsgeschehens‹ und ist insofern ›antizipierter Unterricht‹. Es hat also nicht nur ›Enrichment-Funktion‹, ist auch nicht nur ein ›Hilfsmittel‹, sondern ›bereits materialisierter Unterricht im Sinne einer bestimmten didaktischen Konzeption‹ [14. 79 f.]. Das erste Unterrichtswerk, das der durch die Curriculumrevision (S. B. Robinsohn) angestoßenen Lernzieldiskussion und auch H. v. Hentigs Vorschlägen [9] Rechnung zu tragen suchte, war die *Ianua Nova*. Im zugehörigen Lehrerheft (1972) wurden erstmals ›Fachziele und allg. Lernziele‹, Didaktik, Methodik und Möglichkeiten von Lernzielkontrollen systematisch und unter Bezug auf die in Gang gekommene fachdidaktische Diskussion dargelegt und gerechtfertigt.

E. Paradigmenwechsel

In den Unterrichtswerken wurde allmählich ein überfälliger Paradigmenwechsel vollzogen: An die Stelle der scheinbar unauflöslich mit dem Römertum verbundenen Kategorien ›Krieg, Herrschaft, Expansion, imperiales Denken und Vorrang monumentaler Historie zum Zwecke patriotisch-kriegerischer Ertüchtigung‹ traten nun andere – humanere – Zielvorstellungen und Aspekte röm. Lebens [2]. Außerdem gelang es wenigstens ansatzweise, die ›rigorose Beschränkung auf den Antike-Guckkasten‹ zu überwinden und zumindest prinzipiell die nachant. Latinität aus MA und Neuzeit in Lehrbücher und Lektüre einzubeziehen. Auch wurde die ›Caesarfixierung‹, die ›unbewußte Gleichsetzung von Caesar mit Lat.‹, in Frage gestellt [3].

Daneben berücksichtigten die neuen Lehrbücher viel stärker auch statistische Forsch. zum Wortschatz und zur Syntax. Für die Straffung und Konzentration des Grammatikunterrichts sind die Unt. zur Häufigkeit syntaktischer Phänomene von Bed., wie sie von F. Maier u. a. angestellt wurden. In die meisten Lehrbücher sind Begriffe, Verfahren und Modelle der Valenz- und Dependenzgramm. eingedrungen, z. T. auch textlinguistische Gesichtspunkte und Arbeitsweisen. Auffällig ist die immer weiter fortschreitende Einbeziehung der Textpragmatik und der Realien, repräsentiert durch Abbildungen und dt. Informationstexte. Der mangelnde Unterricht in Alter Geschichte macht es erforderlich, daß der Lateinunterricht selbst und somit auch das Lehrbuch elementares geschichtliches Sachwissen vermitteln müssen, wenn die Texte verstanden werden sollen [10]. Für die Behandlung der röm. Kunst ist schon früher empfohlen worden, daß es ›einen gemeinsamen Bilder-Kanon geben sollte, der als κτῆμα ἐς ἀεί den jungen Lateiner durch Schule und Leben geleiten und der bewußtseinsformend sein könnte [11. 240].

Auch altsprachl. Unterrichtswerke müssen ›adressatenbezogen‹ und schülerfreundlich sein; nur so können sie ihre ›multivalente Funktion‹ erfüllen: 1. Hinführung zur Lektüre, 2. Erziehung zu Sprach- und Textreflexion und 3. Einführung in die ant. Kultur [18. 265]. Heute stellt sich ein Unterrichtswerk für die Alten Sprachen als ›ein aus mehreren Komponenten bestehendes differenziertes System‹ dar, dessen Einzelglieder eng aufeinander bezogen sind [18. 257]: Lehr- und Übungsbücher, systematische Gramm., gramm. Beihefte, Wortkunde, Wortschatzverzeichnisse der einzelnen Bände, methodische Beihefte für den Lehrer, zusätzliche Arbeitshefte für Schüler, ergänzende Medien. Notwendig ist auch ein Beitr. zur ›Bewußtseinsbildung‹: Die Frage ›Wozu Lat.?‹ kann ›nicht oft genug im Schulalltag gestellt und beantwortet werden‹ [17. 366 f.]; auch hierzu muß das mod. Lehrbuch Anregungen bieten [16].

F. Die jüngste Lehrbuchgeneration

Seit 1995 gibt es wieder eine neue Lehrbuchgeneration, die sich bewußt auf den »neuen Schüler« eingestellt hat, der durch die inzwischen völlig veränderte Medienwelt geprägt ist. Hierzu gehören z. B. *Cursus Continuus, Felix, Interesse, Iter Romanum, Itinera, Ostia altera, Salvete*. Neuere Unterrichtswerke verzichten bewußt auf überzogene Ansprüche hinsichtlich der linguistischen, textgramm. und realkundlichen Ausrichtung des Lateinunterrichts und heben den europ. Aspekt stärker hervor [5]. Die verschiedenen Lehrgangsformen des Lateinunterrichts (1., 2., 3. Fremdsprache) erfordern altersspezifische Lehrbücher, die sich hinsichtlich des Inhalts, Umfangs und der Stoffanordnung erheblich unterscheiden. Grundsätzlich aber werden Umgang mit Sprache und Beschäftigung mit Texten in allen Lehrgangsformen als gleichrangige Prinzipien angesehen [15]. Es geht jedoch nicht mehr vorrangig um die Vermittlung eines »vollständigen« gramm. Systems, sondern um die Befähigung zur Lesefähigkeit bzw. Texterschließung (Dekodieren und Rekodieren). Alle anderen Ziele und Methoden sind dieser Zielsetzung zuzuordnen [8]: Kenntnis der Morphosyntax, Erwerb eines Basiswortschatzes, Kenntnis wichtiger Sachgebiete der Ant., Erwerb sprachreflektorischer, metasprachlicher, dokumentarischer, muttersprachlicher Fähigkeiten, Fähigkeit zur Benutzung von Hilfsmitteln (Arbeitshefte, Gramm., Wortkunde, WB, Textausgabe, Kommentar, → Sachbuch), exemplarische Einblicke in die Zusammenhänge zw. Ant. und Gegenwart.

1 Anfangsunterricht und Lehrbuch III, AU 4–5, 1996
2 P. Barié, aut Caesar aut nihil?, in: Mitteilungsblatt des Dt. Altphilologenverbandes (MDAV) 4, 1982, 7–11 3 Ders., »Eine Lanze für Caesar« – eine überflüssige Metapher, in:

MDAV 1, 1984, 7–11 **4** M. FUHRMANN, Das systematische Lehrbuch, 1960 **5** Ders., Alte Sprachen in der Krise?, 1976, 68–82 **6** A. FRITSCH, Die »Lesestücke« im lat. Anfangsunterricht, in: AU 4, 1978, 6–37 **7** Ders., Vom »Scriptum« zum »Lesenkönnen«. Zur Methodik des Lateinunterrichts zw. 1918 und 1945, in: AU 4, 1984, 10–37 **8** H.-J. GLÜCKLICH, Lateinunterricht – Didaktik und Methodik, ²1993 **9** H. v. HENTIG, Platonisches Lehren, 1966 **10** E. HERMES, Zur Didaktik des »Beiwerks« im altsprachl. Sch., in: AU 1, 1979, 18–28 **11** F. KNOKE, Auswertung der Abb. im Übungsbuch, in: E. AHRENS (Hrsg.), Lateinausbildung im Studienseminar, ²1966, 239–254 **12** J. LATTMANN, Gesch. der Methodik des Elementarunterrichts seit der Reformation, 1896 **13** G. MÜLLER, Das lat. Übungsbuch des 19. Jh. in Deutschland (Diss. Konstanz 1975/76 **14** R. NICKEL, Einführung in die Didaktik des altsprachlichen Unterrichts, 1982 **15** Ders., s. v. Lehrbuch, in: Lex. zum Lateinunterricht, 2001 **16** P. PETERSEN, Mögliche Kriterien zur Beurteilung von lat. Lehrbüchern, in: MDAV Schleswig-Holstein 1, 1979, 7–12 **17** K. WESTPHALEN, Der altsprachliche Unterricht im Kontext der mod. Schule, in: Anregung 32, 1986, 360–373 **18** G. WOJACZEK, Unterrichtswerke in den Alten Sprachen, in: J. GRUBER, F. MAIER (Hrsg.), Hdb. der Fachdidaktik, Alte Sprachen, Bd. 1, 1979, 250–265.   ANDREAS FRITSCH

Schuldrecht. Regeln, Prinzipien und Rechtsfiguren des röm. Sch. prägen seit der Wiedergeburt eines Rechtsunterrichts in der Rechtsschule der → Glossatoren das kontinentaleurop. *ius commune*. Gerade die Justinianischen Quellen zum röm. Obligationenrecht stehen im Zentrum der praktischen Rezeption des → Römischen Rechts. Sie prägen seit dem Spät-MA Rechtswiss. und Rechtspraxis in ganz Kontinentaleuropa und stellen deshalb den zentralen Kern der gemeinrechtlichen Rechtstrad. dar. Die einzelnen Inst. und Rechtsfiguren des röm. Sch., etwa die *mora debitoris* mit der damit verbundenen verschärften Haftung des sich in Verzug befindlichen Schuldners, die entsprechende Rechtsfigur der *mora creditoris*, das Problem der *impossibilitas obligationis*, die ädilizischen Rechtsbehelfe im Kaufrecht, die aquilische Deliktshaftung und die sonstigen Rechtsfiguren des röm. Obligationenrechts, wie sie aus den Justinianischen Rechtsquellen hervortreten, fanden also im Gemeinen Recht eine spezifische Aufnahme und Anwendung. Dasselbe gilt für die systematische Einordnung der einzelnen Probleme und Rechtsinstitute. Die Regeln und die Rechtsfiguren des röm. Sch. prägen wesentliche Teile des Vertragsrechts bis h. noch. Eine Durchsicht der entsprechenden gesetzlichen Vorschriften in den kontinentalen → Kodifikationen zeigt, wie die röm. Prinzipien die Rechtsinst. des mod. Schuld- und Vertragsrechts bis in die technischen Einzelheiten noch die mod. Regeln des Vertragsrechts (→ Vertrag) wesentlich beeinflußt haben. Besonders deutlich ist dies v. a. im dt. BGB von 1900. Gerade das Sch. im Zweiten Buch des BGB war von allen europ. Kodifikationen am ehesten noch vom röm. Sch. geprägt, weil hier im wesentlichen das Regelwerk der bis

zum J. 1900 gepflegten → Pandektistik kodifiziert wurde. Ob dies künftig so bleiben wird, ist allerdings mehr als fraglich. Eine Reform des heutigen dt. Sch. hat (2001) darin Rechtskategorien eingeführt – etwa diejenige der allg. Pflichtverletzung –, die der röm. Trad. fremd sind und aus dem internationalen, anglo-amerikanisch geprägten Vertragsrecht stammen. Dasselbe gilt auch etwa für das endgültige Streichen der ädilizischen Rechtsbehelfe im Kaufrecht.

Einige zentrale Institute des röm. Sch. erfuhren zugleich im Rahmen der ma. und neuzeitlichen wiss. und praktischen Aufnahme in das europ. *ius commune* auch tiefgreifende Veränderungen. An erster Stelle ist hier die Überwindung des röm. Systems von einzelnen Vertragstypen zu nennen. Bereits in der ma. Rechtslehre, v. a. der → Kanonisten, werden die ersten Ansätze entwickelt, um zu einer allg. Kategorie des Vertrags zu gelangen. Unter dem Einfluß der Praxis, nicht zuletzt aber auch der theologischen und juristischen Theorien der Spätscholastik, gelingt E. des 16. Jh. der gemeinrechtlichen Wiss. die Entwicklung und Ausformung einer allg. Vertragslehre. Diese findet ihre endgültige Aufnahme in den naturrechtlichen Kodifikationen am E. des 18. Jh. Eine ähnliche Entwicklung erfährt das Deliktsrecht (→ Delikt). Die typischen Haftungsfiguren, welche die röm. Rechtsquellen kennen, werden im Laufe des 16. und 17. Jh. in der Praxis und auch in der wiss. Ausarbeitung überwunden. Der Strafcharakter der deliktischen Haftung findet bereits in der gemeinrechtlichen Praxis des 16. Jh. sein Ende. Aus der *lex Aquilia* formt die gemeinrechtliche Wiss. unter dem Einfluß der Lehren des rationalen → Naturrechts den Gedanken eines allg. deliktischen Tatbestandes. Die Entwicklung findet ihren Abschluß bei der Kodifikation einer deliktischen Generalklausel in Art. 1382 des frz. *Code civil* (1804) und in § 1295 des österr. ABGB (1811) [2. 140–146].

Auch das System der Vertragshaftung im röm. Recht erfährt in den mod. europ. Kodifikationen einige wesentliche Veränderungen. Einen bes. Bruch mit der röm. und gemeinrechtlichen Trad. stellt insbes. die Möglichkeit dar, bei Nichterfüllung und bei Verzug in synallagmatischen Verträgen eine Vertragsaufhebung zu erreichen. Bei einem Leistungsverzug seitens des Vertragspartners kommt im heutigen Zivilrecht regelmäßig eine Vertragsauflösung in Betracht. Die röm. und die gemeinrechtliche Rechtstradition kannten die Möglichkeit der Vertragsauflösung in einem solchen Fall prinzipiell nicht. Durchgangsstation der Entwicklung war hier zunächst die Hilfskonstruktion einer für den Fall der schweren Pflichtverletzung durch den anderen Teil unterstellten auflösenden Bedingung; eine solche Fiktion allein ließ im 19. Jh. die Vereinbarkeit der Vertragsaufhebung mit dem Satz *pacta sunt servanda* als möglich erscheinen. Die *condition résolutoire* des Art. 1184 des frz. *Code civil* entspricht diesem Stand der Gesetzgebung. Das frz. Recht – ebenso das it. (Art. 1453 *Codice civile* v. J. 1942) – kennen für diesen Grundtatbestand eine Vertragsaufhebung durch gerichtliche Entscheidung (*action résolutoire*, *azione di risoluzione*). Unter dem Einfluß des Handelsrechts führte das dt. BGB (1900) hier die Vertragsauflösung nach Nachfristsetzung ein, welche durch einseitige Rücktrittserklärung durchgesetzt wird (§ 326 BGB aF und § 323 BGB nF). Das österr. Recht (§ 918 ABGB in der durch die Teilnovelle von 1916 modifizierten Fassung) und das schweizerische Obligationenrecht von 1912 (Art. 107) haben sich diese Lösung ebenfalls zu eigen gemacht [2. 82–84].

Das System des röm. Sch. kennt nicht nur im klass. Recht, sondern auch in den Justinianischen Quellen eine rigorose und strikte Trennung zw. dinglichem und schuldrechtlichem → Anspruch. Dieser zentrale Gedanke des röm. Rechts erfährt in der gemeinrechtlichen Wiss. zunehmend Einbrüche. Dazu gehört etwa die Entwicklung in der Praxis und die Aufnahme in der Theorie der Rechtsfigur des *ius ad rem*. Der schuldrechtliche Erfüllungsanspruch, etwa im Kaufvertrag, wird dabei in der Lehre des → Deutschen Usus modernus mit einem gewissen dinglichen Charakter gesehen und gehandhabt. Eine solche Entwicklung, die eine faktische Teilüberwindung der Autonomie des röm. Sch. von den dinglichen Rechtsansprüchen bedeutet, findet eine markante Verwirklichung v. a. im frz. *Ancien Droit* und in der gemeinrechtlichen Praxis im Italien des 17.–18. Jh. Bei der Eigentumsübertragung in der frz. Notariatspraxis des 18. Jh. hat sich die Besitzübertragung der *traditio* als Voraussetzung für den Eigentumserwerb auf eine reine Formalität in der Urkundenpraxis reduziert. Als *constitum possessorium* verschwindet bereits im frz. *Ancien Droit* die Notwendigkeit, den → Besitz materiell dem Erwerber zu übertragen. Diese Entwicklung findet ihren endgültigen Abschluß im frz. *Code civil*, wo nach Art. 1138 der Abschluß des Kaufvertrages bereits den Käufer auch zum Eigentümer des Kaufgegenstandes macht. Mit dem sog. Konsensualprinzip des frz. Rechts und der übrigen, an das frz. Recht angelehnten kontinentalen Rechtsordnungen, etwa der it., ist endgültig die Grenze zw. schuldrechtlicher Verpflichtung und dinglichen Erwerbtatbeständen verwischt. Dies hat in diesen Rechtsordnungen zu gravierenden Rückwirkungen auf die Struktur bestimmter Rechtsprobleme des Sch. geführt, etwa bei der Frage der Risikotragung im Kaufrecht oder der Konkretisierung von Gattungsschulden. Radikal anders, noch den Prinzipien des röm. Rechts verpflichtet, ist dagegen die Struktur des dt. BGB, in welchem das Trennungs- und Abstraktionsprinzip bei der Eigentumsübertragung zu einer strengen Aufteilung zw. dem Schuld- und dem Sachenrecht führt (§ 929 BGB).

→ AWI contractus; creditor; culpa; debitor; delictum; lex Aquilia; mora; obligatio; pactum; traditio

1 COING, Bd. I, 393–517; Bd. II, 430–523 2 F. RANIERI, Europ. Obligationenrecht, 1999 3 R. ZIMMERMANN, The Law of Obligations. Roman Foundations of the Civilian Trad., 1990. FILIPPO RANIERI

Schulprogramme. Als »Sch.« bezeichnet man eine spezifische Gattung von Publikationen, die von höheren Schulen vorwiegend des dt. Sprachraums veröffentlicht wurden. Im 16./17. Jh. begannen die gelehrten Schulen Einladungen zu ihren öffentlichen Disputationen und Deklamationen (Festvorträgen) zu drucken, die den Ablauf der Veranstaltung (das Programm), Disputationsthesen, aber auch aus dem Schulbetrieb hervorgegangene kleinere Abhandlungen (Dissertationen) und Nachrichten über die Schule enthalten konnten. Später sind es v. a. die öffentlichen Prüfungen, zu denen die Angehörigen der Schüler und weitere Interessierte mittels der Sch. eingeladen wurden.

Der Höhepunkt dieser Publikationsform lag im 19. Jh., nachdem 1824 in → Preußen das Programmwesen per ministeriellem Erlaß geregelt worden war: Jedes Gymnasium war verpflichtet, jährlich ein Sch. zu veröffentlichen, das aus einer wiss. Abhandlung (in dt. oder lat. Sprache), verfaßt vom Direktor oder einem (Ober-)Lehrer der Schule, sowie den Schulnachrichten bestehen sollte. In dem sog. Programmtausch wurden die Sch. jedes Gymnasiums an die anderen beteiligten Gymnasien (später auch an Universitätsbibl.) versandt. Die übrigen dt. Staaten und Österreich schlossen sich bis 1854 der preußischen Regelung und dem Programmtausch (1876 vom Verlag B. G. Teubner übernommen) an. Seit 1875 war die Veröffentlichung einer wiss. Abhandlung nicht mehr zwingend vorgeschrieben, wurde aber noch lange beibehalten. Ende des 19. Jh. nahm die Kritik am wiss. Wert und den hohen Kosten der Sch. zu; der I. Weltkrieg mit seiner Krise des Publikationswesens ›bedeutete praktisch das Ende dieser Veröffentlichungen‹ [5. 347].

Bis 1918 wurden ca. 80 000 Sch.-Abhandlungen veröffentlicht [1. 123]; die Gymnasien besaßen mitunter 10 000 bis 30 000 Programme [5. 340]. Die Bestände an Sch. litten jedoch unter großem Schwund. Seit 1969 wurden an der Universitätsbibl. Gießen schwerpunktmäßig Sch. gesammelt, deren alphabethisches Verzeichnis [4] inzwischen an die 70 000 Titel umfaßt (nach Fachgebieten geordnet liegen nur die J. 1876–1910 vor: [3]).

Als Instrument bei der Verstaatlichung des Bildungswesens sollten die Sch. einerseits dem Gedankenaustausch der Gymnasien untereinander, andererseits der Kontaktpflege zu Eltern und Öffentlichkeit dienen. Besondere Bed. kam dabei der Abhandlung zu, die laut der preußischen Verfügung von 1824 über ›einen wiss., dem Berufe des Schulmannes nicht fremden, im allg. Interesse mindestens der gebildeten Stände am öffentlichen Unterricht im allg. oder an den Gymnasien insbesondere erweckenden Gegenstand‹ verfaßt werden sollte [7. 95]. Der Gymnasiallehrer sollte im Sinne des → Neuhumanismus nicht nur wiss. ausgebildet sein, sondern mittels der Sch. auch noch weiterhin an der Wiss. partizipieren, seine Wissenschaftlichkeit vor der Öffentlichkeit unter Beweis stellen und dadurch seiner Schule Ansehen verschaffen. Da aber neben Spezialabhandlungen, die nur dem Fachgelehrten verständlich waren, auch Darstellungen, die sich an ein breiteres Publikum wandten, sowie Festvorträge veröffentlicht wurden, vollzogen die Sch. eine ›Gratwanderung zwischen populärer Vermittlung und Wissenschaftlichkeit‹ [1. 121].

Die Verfasser der Abhandlungen waren – entsprechend der Struktur der Lehrerschaft – überwiegend Altphilologen, und so spielten die Sch. eine gewichtige Rolle für die Altertumswiss., in deren Bereich ca. ein Drittel aller Abhandlungen fällt [1. 123]. Darunter befinden sich oft auch textkritische Erörterungen, Hss.-Kollationen, Unt. zur histor. Chronologie und Beitr. zur Realienkunde. Die Programmabhandlungen wurden in den altertumswiss. Fachbibliogr. erfaßt und waren lange Zeit als ernstzunehmende Publikationsform innerhalb des wiss. Diskurses akzeptiert. Auf wiss. Spezialprobleme ausgerichtete Abhandlungen werden allerdings Eltern und Schüler sowie eine weitere Öffentlichkeit höchstens äußerlich beeindruckt, aber nicht wirklich erreicht haben (Bsp.: [5. 340]), noch dazu wenn sie lat. verfaßt waren.

Doch nicht nur wegen einzelner fachwiss. Abhandlungen, die noch h. für die Forsch. bedeutsam sind, verdienen die S. Aufmerksamkeit, sondern auch aus rezeptions- und wissenschaftsgeschichtlicher Perspektive: An den Abhandlungen, die an ein breites Publikum gerichtet sind, lassen sich Entstehung und Wandel von Ant.-Bildern, Prinzipien der Ant.-Vermittlung sowie gesellschaftliche und polit. Faktoren der Ant.-Rezeption studieren. Reichliches Untersuchungsmaterial bieten aber auch die Nachrichten aus dem Schulbetrieb: Neben Lehrer- und Schülerverzeichnissen informieren sie über den Lehrplan, gelesene Autoren und Werke, Aufsatzthemen, Vorträge und Aufführungen von Schülern, die Ausstattung der Gymnasialbibl. und vieles mehr. Diese Angaben können nutzbar gemacht werden, um einen indirekten Einblick in die Schulwirklichkeit zu gewinnen [2. 75–87].

1 M. BAUMBACH, Lehrer oder Gelehrter? Der Schulmann in der dt. Altertumswiss. des 19. und frühen 20. Jh., in: G. W. MOST (Hrsg.), Disciplining Classics – Altertumswiss. als Beruf, 2002, 115–141　2 S. KIPF, Herodot als Schulautor. Ein Beitr. zur Gesch. des Griechischunterrichts in Deutschland vom 15. bis zum 20. Jh., 1999　3 R. KLUSSMANN, Systematisches Verzeichnis der Abhandlungen, welche in den Schulschriften sämtlicher an dem Programmaustausche teilnehmenden Lehranstalten erschienen sind, 5 Bde., 1876–1916　4 F. KÖSSLER, Verzeichnis von Programm-Abhandlungen dt., österreichischer und schweizerischer Schulen der Jahre 1825–1918, 5 Bde., 1987–1991; erweiterte Online-Version: http://digibib.ub.uni-giessen.de/cgi-bin/populo/sp.pl　5 H.-J. KOPPITZ, Zur Bed. der S. für die Wiss. h., in: Gutenberg-Jb. 63, 1988, 340–358　6 B. C. SCHOLZ, Die Jahresber. der Höheren Lehranstalten in Preußen, in: R. DITHMAR, Schule und Unt. im Dritten Reich, 1989, 275–285　7 R. ULLRICH, Programmwesen und Programmbibl. der Höheren Schulen in Deutschland, Österreich und der Schweiz, 1908.

MARTIN HOLTERMANN

Schulwesen A. DEFINITION UND ABGRENZUNG B. GEGENWÄRTIGE STRUKTUR C. HISTORISCHE TRADITION   D. SCHULKRITIK

A. DEFINITION UND ABGRENZUNG

Unter Sch. versteht man die Gesamtheit und den Zusammenhang aller Schulen, Schulformen und -stufen sowie ihrer Verwaltung und Aufsicht auf der Grundlage der Verfassung und des Schulrechts, der auch die Schulen in privater freier Trägerschaft unterstehen.

Verfassungsmäßig ist das Sch. festgelegt, insofern es Grundsätzen von übergeordnetem gesellschaftlich-demokratischem Rang zu entsprechen hat wie Bildungsgerechtigkeit hinsichtlich gleichmäßiger Verteilung von Ausbildungschancen, der Selektion durch Leistung und der Mitberücksichtigung des Elternwillens für die Schullaufbahn. Schulrechtlich wird das Sch. durch eine entsprechende Ausgestaltung mittels Verwaltungsvorschriften und in seiner Funktion durch eine Ämterhierarchie geregelt. Ihre Funktionsweise ist dabei von vier Merkmalen bestimmt: der arbeitsteiligen Funktionsgliederung, dem Amtscharakter der Lehrerrolle, der hierarchischen Ordnung und der Regelhaftigkeit der Handlungen.

B. GEGENWÄRTIGE STRUKTUR

Das gegenwärtige Sch. ist Ergebnis einer Verbindung von histor. Gestalt und polit. Gestaltung. Wir unterscheiden in Deutschland zw. einem allgemeinbildenden Teil des Sch. und einem beruflichen Bereich.

Das allgemeinbildende Sch. ist durch einen vertikal gegliederten Aufbau gekennzeichnet. Der allg. Grundschule von zumeist vierjähriger Dauer (Ausnahme Berlin, Hamburg und Bremen mit sechs Jahren) folgen die Schulformen der Sekundarstufe I: die Hauptschule, die Realschule und das Gymnasium von Schuljahr 6–10. Die Hauptschule führt in der Regel zum entsprechenden Abschluß mit dem Ende des 9. Schuljahres. Die → Realschule vermittelt wie das Gymnasium die »mittlere Reife« nach dem 10. Schuljahr (Fachoberschulreife). In allen Bundesländern gibt es im Hauptschulbereich freiwillige »10. Klassen«, die zu einem dem Realschulabschluß gleichwertigen Bildungsabschluß führen. Auf der Sekundarstufe II überschneiden sich die Bereiche der allgemeinbildenden und berufsbildenden Schulen. Auf der allgemeinbildenden Seite führt das Gymnasium nach drei weiteren Schuljahren zum Abitur. Der Unterricht der Sekundarstufe II ist in der Regel ab Klasse 12 nach Prüfungsfachleistungen (in Mathematik, Dt. und einer Fremdsprache) und zu kombinierenden Fachleistungskursen organisiert.

Das berufsbildende Sch. ist gegliedert in Berufsfachschulen, die der Berufsvorbereitung dienen, und Berufsschulen als Kern des beruflichen Sch., deren Teilzeitunterricht die betriebliche Berufsausbildung (duales System) begleitet, sowie Fachschulen, die zur beruflichen Weiterbildung gehören. Mit der Fachoberschule und dem Fachgymnasium überschneiden sich auf der Sekundarstufe II die allgemeinbildenden und berufsbildenden Schulabschlüsse, insofern das hier zu erstrebende Abitur ebenfalls eine Hochschulberechtigung einschließt, allerdings in bestimmter Berufsfachbezogenheit. Sie führt Jugendliche mit der Fachoberschulreife (Realschulabschluß) ohne oder mit Berufsausbildung in zwei Jahren zur Fachhochschulreife bzw. fachgebundenen Hochschulreife (Hamburger Abkommen vom 31.10.1968) und soll ›eine praktische Ausbildung und eine wiss.-theoretische Bildung‹ vermitteln [1].

Das in der Struktur dargelegte Sch. soll nach den Vorschlägen des Dt. Bildungsrates – wie sie sowohl in der Empfehlung zur Neugestaltung der Abschlüsse im Sekundarschulwesen (1969) als auch im Strukturplan von 1970 niedergelegt wurden – vom traditionellen vertikalen (dreigliedrigen) Aufbau zu einem horizontalen verändert werden. Dies nach einem Dreier- oder Vierer-Schema, das mit der Primarstufe (Schuljahre 1–4) beginnt, in der Orientierungsstufe (Schuljahre 5–6) weitergeführt wird, an die die Sekundarstufe I (Schuljahre 7–10) und schließlich die Sekundarstufe II (Schuljahre 10–13) mit dem Abitur-Abschluß anschließt.

Durch Schulversuche, die inzwischen in den meisten Bundesländern im Regelschulsystem konstituiert sind, wurde das Modell der Gesamtschule als die schulorganisatorische Zusammenfassung der Horizontalstufigkeit unter einem Schuldach erprobt. Dies sowohl in der Form der kooperativen Gesamtschule – wobei die Stufen durch Schulformen repräsentiert sind – und in der entschiedensten Form der integrierten Gesamtschule, in der an Stelle der »Durchlässigkeit« zw. den kooperativ zusammengeführten Schulformen die »Durchgängigkeit« mit differenziertem Kern-Kurs-System – in den Fächern Deutsch, Mathematik und Fremdsprache(n) – gesetzt wird. Beide Gesamtschulmodelle gliedern sich in einen beruflichen und allg. studienorientierten Teil ab dem 11. Schuljahr. Latein spielt im Fächerangebot der integrierten Gesamtschule allenfalls eine periphere Rolle.

C. Historische Tradition

Soweit im MA Schulbedürfnisse vorhanden waren, stützen sie sich vornehmlich auf die Ausbildung klerikaler Berufskompetenz. Diese erfolgte in der abendländisch überlieferten Form der *schola latina* als → Dom-, Stifts-, Kathedral- oder → Klosterschule. Aufkommende säkulare Bildungsbedürfnisse etwa für höhere Verwaltungskompetenzen wurden ab dem 13. Jh. auch in den parallelen lat. Stadt- und Ratsschulen befriedigt.

Erst durch die Interessen einer zunehmenden Zunft- und Lagerbewirtschaftung erhält das Bild der Bildungsmonostruktur differenziertere Konturen, etwa durch die Stadt- und Ratsschulen (*schola latina*) sowie durch die aufkommenden Schreib- und Rechenschulen – auch »Teutsche Schulen« genannt – in den städtischen Wirtschaftszentren des ausgehenden MA wie in Hamburg oder Lübeck, Nürnberg oder Straßburg.

Die Zeit der Nachreformation, des sich abzeichnenden Zeitalters des Absolutismus, tritt mit einem starken Ordnungswillen in die polit. und pädagogische Landschaft. Die Landesfürsten und freien Reichsstädte werden mit der Aufhebung alten Kirchenbesitzes zu Schulträgern und erlassen – im Rahmen der neuen Kirchenordnungen, die nun staatlichem Regelungswillen unterliegen (insofern der Landesherr als *primus episcopus* fungiert) – eigene Schulordnungen mit deutlich zentralistischer Tendenz: Das gilt bes. für die beiden wichtigsten Ordnungsentwürfe, die als weit verbreitete Muster dienten: die erste Kursächsische Kirchen- und Schulordnung von 1528 [24], die eine erste staatliche Regelung der → Lateinschule brachte, und die württembergische »Große Kirchen- und Schulordnung« von 1559 [24]. In welchen Dimensionen man sich das Sch. in der beginnenden Neuzeit vorzustellen hat, zeigt in einem umfassenden Sinne die württembergische »Große Kirchenordnung«. Sie gliedert das Sch. auf dreifache Weise: 1) in die der bekannten Lateinschulen für solche, die ›zu rechter Theologie‹ und ›anderen hohen notturftigen Künsten, Regimenten, Amptern und Haußhaltungen‹ [24. 69] bestimmt sind; 2) in die der ›*Teutschen Schulen* zusammenen mit den Meßnereien angericht‹, die Küster-, Pfarr- und Kirchspielschulen für ›gemeiniglich hertschaffende Underthonen‹ [24. 71]; 3) schließlich in die Richtung der modistischen Schreib- und Rechenschulen zur Ausbildung von Land- und Stadtschreibern. Diese drei Dimensionen des Sch. können als Raster für den Schulaufbau am Beginn der Neuzeit aufgefaßt werden. Doch die Gewichtung dieser drei Schulformen fällt verschieden aus: Angelpunkt ist traditionsgemäß die Lateinschule, in den Städten als *schola particularis*, bei den kleinen Städten und Marktflecken auch in der Form von überhöhten Meßnerschulen, in größeren als zentrale Pädagogien/Fürstenschulen (auch reformierte Klosterschulen), die zur zentralen Landes-Univ. führen. Es liegt im Ordnungsdenken des nachreformatorischen Obrigkeitsstaates, daß im Verlaufe des 17. Jh. mit der Einführung der ersten »kirchen«-staatlichen Unterrichtspflicht auch das niedere »dt.« Sch. in diese systematische Schulorganisation mehr und mehr mit einbezogen wurde (Schulpflichtverordnungen in Weimar 1619, Gotha 1642, Braunschweig-Wolfenbüttel 1647, Württemberg 1649). Die zentrale Schulplanung, wie sie im Gothaer »Schulmethodus« von 1642 durch A. Reyher musterhaft zur Geltung gelangte, kann als Praxismodell gelten, dem in der Theorie das Konzept des böhmischen Pädagogen J. A. Comenius entspricht. Das Comenianische Schulsystem umfaßt in progressiver Einheitlichkeit vier Schulstufen: Für das Kindheitsalter die Mutterschule (*schola infantiae*), für das Knabenalter die Muttersprachschule (*schola maternacula*), für das Jünglingsalter die Gelehrtenschule (*schola latina*) und für das Jungmannsalter die Hochschule (*academia*) in jeweils sechsjährigen aufsteigenden Altersabschnitten (*Didactica Magna* 1628/1657) [4]. Dieser Schulaufbau beherrscht das dt. Sch. als Grundkonzept bis heute. Die sich ausbildende Ständegesellschaft des 18. Jh. baut hier weiter. Das allgemeinbildende Sch. erhält dann zw. der lat. »Gelehrtenschule«, wie die ausgebaute Partikularschule jetzt heißt, und der »teutschen Schule«, die mit der

Durchsetzung der Pestalozzischen Reformgedanken um 1800 in Deutschland »Volksschule« genannt wird, ein Mittelglied: die Real- oder Bürgerschule; aus ihr wiederum zweigt sich dann nach und nach ab dem ersten Drittel des 19. Jh. ein eigenständiger Schulbereich ab: das mod. berufsbildende Schulwesen.

Die Schulentwicklungsrichtung, die im neuen preußischen Staat nach der Stein-Hardenbergschen-Reform bestimmend werden konnte, legte – insbes. mit dem Konzept W.v. Humboldts und seiner Trennung zw. Allgemein- und Berufsbildung – sowohl den Grund für eine isolierte Entwicklung des allgemein- und berufsbildenden Schulbereiches als auch für einen bildungsständischen Dualismus, der ›Gebildete‹ und ›Volk‹, Gymnasium und Volksschule, unterstützt durch ein selektierendes Berechtigungswesen, auseinanderhält. Zwischen beiden können sich mit wechselhafter Beständigkeit Formen einer mittleren Schule durchsetzen: Die Real- und Bürgerschule bzw. die Stadt- und Mittelschule.

Erst seit der Weimarer Republik kann sich das Sch. in mühsamen Reformen von ständischen »Barrieren« freimachen. Sie führt einerseits eine für alle Schulformen gleichermaßen verpflichtende Grundschule ein, andererseits legt sie den Grund für ein mod., demokratisch differenzierendes Sch., das alle Schulformen zusammenfaßt und nach Funktionen gliedert: ›Das öffentliche Sch. ist organisch auszugestalten. Auf einer für alle gemeinsamen Grundschule baut sich das mittlere und höhere Sch. auf. Für diesen Aufbau ist die Mannigfaltigkeit der Lebensberufe, für die Aufnahme eines Kindes in eine bestimmte Schule sind seine Anlage und Neigung, nicht die wirtschaftliche und gesellschaftliche Stellung oder das Religionsbekenntnis seiner Eltern maßgebend‹ (Reichsverfassung vom 11.8.1919, Art. 146, Satz 1).

Die Weimarer Verfassung hatte damit für die Struktur des Sch. jene demokratische Tradition aufgenommen, für die schon das Ende der Aufklärung (vgl. Süverns Schulgesetzentwurf von 1819) [23] und die sozialrevolutionäre Bewegung von 1848 den Grund gelegt hatten: das gesamte »Sch.« – der Begriff findet sich erstmals in J. H. Campes *Wörterbuch der dt. Sprache* (1809, T. 3) [2] – als Einheit in den organisierenden Blick zu nehmen. Auch die Neuordnung des Sch. im restaurativen Klima der Bundesrepublik Deutschland nach 1945 blieb auf das dreigliedrige vertikale System fixiert, obgleich Ansätze zur »Einheitsschule« und in Richtung auf einen horizontalen Aufbau z.B. aufgrund der US-Kontrollratsdirektive Nr. 54 vom September 1947 in einzelnen Ländern (z.B. Bäuerle in Württemberg und Stein in Hessen) vorhanden waren. Erst mit dem »Rahmenplan« des Dt. Ausschusses von 1959 und dem »Strukturplan« des Dt. Bildungsrats von 1970 kam die Diskussion um eine Reform des Sch. wieder in Gang.

Vor ihrem Hintergrund setzte ein institutioneller Differenzierungsprozeß ein, der zu einer Reihe von Sonderformen führte. Auf der gymnasialen Ebene führt der institutionelle Differenzierungsprozeß zu einer Aufteilung des Gymnasiums im wesentlichen nach Art, Anzahl und Abfolge der unterrichteten Fremdsprachen, wobei alle Gymnasien über einen gemeinsamen Nenner von Unterrichtsfächern verfügen. Neben der klass. Typisierung (altsprachlich, neusprachlich und mathematisch-naturwiss.) kamen wirtschaftswiss., sozialwiss. oder frauenberufliche gymnasiale Sonderformen dazu. Mit der Reform der gymnasialen Oberstufe von 1972 wurde die Typisierung durch erweiterte Wahlmöglichkeiten der Schüler in individuelle Bildungszuschnitte aufgefächert, so daß sich die Unterscheidung in altsprachlich, neusprachlich oder mathematisch-naturwiss. eigentlich nur noch auf die Jahrgangsstufe 5 (7) – 10 beziehen kann.

D. SCHULKRITIK

Die seit Ende der 60er J. beherrschend werdende Schulkritik enthält immer auch eine Schulsystemkritik – zunächst aus dem Gesichtspunkt der sozialen Ungleichheit von Bildungschancen (Bildungsprivilegien) und der Bildungsökonomie (Begabungsreserven), zunehmend aber auch unter dem Aspekt der Folgen des Schulsystems, der Lehr- und Lernorganisation des Unterrichts, der bürokratischen Organisationsformen, der fehlenden Individualisierung und der selektiven Leistungskontrollen bei Schulübergängen. Beherrschend ist der Gesichtspunkt der Selektivität – in den 60er J. angesichts einer Mobilitätsquote von unter 10%. Dieser Indikator wird auch heute noch zitiert, um die geringe Offenheit des gymnasialen Systems zu belegen [20. 70–101]. Dem → Altsprachlichen Unterricht wird eine bes. Rolle bei dieser Schülerselektion zugesprochen. Doch gegen alle Erwartungen der Schulplaner hat sich der Lateinunterricht (ab Klasse 5 oder Klasse 9 mit der Verzweigung in alt-, neusprachlich oder naturwiss.) als grundlegendes Bildungsangebot im höheren Sch. behauptet, trotz der schleichenden Etikettierung, daß sich das höhere Sch. insgesamt als »human.« – im weitesten Sinne einer allg. Menschenbildung verpflichtet – begriffen wissen möchte.

→ Bildung; Humanistisches Gymnasium; Neuhumanismus

1 H. BLANTERTZ, J. DERBOLAV, A. KELL, G. KUTSCHA (Hrsg.), Sekundarstufe II – Jugendbildung zw. Schule und Beruf. Enzyklopädie Erziehungswiss., Bd. 9.1, 1982 2 J. H. CAMPE, WB der dt. Sprache, 4 Bde., 1807–1811, Ndr. hrsg. von H. HENNE, 1969 3 J. A. COMENIUS, Böhmische Didaktik (1628), übers. und hrsg. von K. SCHALLER, 1970 4 Ders., Große Didaktik (1657), hrsg. von A. FLITNER, 1982 5 DEUTSCHER AUSSCHUSS, Empfehlungen und Gutachten des D. A. für das Erziehungs- und Bildungswesen, 1966 6 DEUTSCHER BILDUNGSRAT, Strukturplan für das Bildungswesen, 1970 7 J. DOLCH, Lehrplan des Abendlandes, 1959 8 T. DREWEK, K. HARNEY, Relative Autonomie, Selektivität und Expansion im mod. Schulsystem, in: Zschr. für Pädagogik 28 (1982) 591–608 9 M. FUHRMANN, Lat. und Europa, 2001 10 A. HETTWER, Herkunft und Zusammenhang der Schulordnungen, 1965 11 D. HOPF, Herkunft und Schulbesuch ausländischer Kinder. Eine Unt. am Beispiel griech. Schüler, 1987

12 K. HURRELMANN, Erziehungssystem und Ges., 1975
13 K. J. JEISMANN, Das preußische Gymnasium in Staat und
Ges., 2 Bde., 1974/1996 14 H. KÖHLER, Neuere
Entwicklungen des relativen Schul- und Hochschulbesuchs.
Eine Analyse der Daten für 1975–1985, 1988
15 P. LUNDGREEN, Sozialgesch. der Dt. Schule im
Überblick, 2 Teile, 1980/81 16 MAX-PLANCK-INST. FÜR
BILDUNGSFORSCHUNG (Hrsg.), Das Bildungswesen in der
Bundesrepublik Deutschland, 1990 17 B. MICHAEL, H.
SCHEPP, Die Schule in Staat und Gesellschaft. Dokumente
zur dt. Schulgesch. im 19. und 20. Jh., 1993 18 K. D.
MÜLLER, Sozialstruktur und Schulsystem, 1977
19 W. PAULSEN, Gesch. des gelehrten Unterrichts, 2 Bde.,
Leipzig 1885 20 W. ROESSLER, Die Entstehung des mod.
Erziehungswesens, 1961 21 H.-G. ROLFF (Hrsg.), Jb. der
Schulentwicklung, Bd. 1–6, 1980 ff. 22 SEKRETARIAT DER
STÄNDIGEN KONFERENZ DER KULTUSMINISTER DER LÄNDER
IN DER BRD (Hrsg.), Das Bildungswesen in der
Bundesrepublik Deutschland 2000, 2001 23 J. W. SÜVERN,
Entwurf eines allg. Gesetzes über die Verfassung des Sch. im
preußischen Staate (1817–1819), in: [17. 108–113]
24 R. VORMBAUM (Hrsg.), Die Evangelischen
Schulordnungen des 16. Jh., Bd. 1, Gütersloh 1860.

RUDOLF W. KECK

Schweden A. NACHWIRKUNG DER ANTIKE
B. GESCHICHTE DER ALTERTUMSWISSENSCHAFTEN

A. NACHWIRKUNG DER ANTIKE

Die Geschichte der klass. Studien in Sch. folgt im großen und ganzen der allg. europ. Entwicklung – aber mit chronologischen und inhaltlichen Modifikationen, die man hauptsächlich der peripheren Lage Sch. in Europa zuschreiben kann. Sch. wurde spät vom Christentum und von der Kirche durchdrungen, und erst im 13. Jh., d. h. nach dem Aufschwung der human. Studien in der sog. Ren. des 12. Jh., etablierte sich eine gelehrte Kultur. Der Renaissancehuman. des 15. Jh. konnte nur spärlich und spät in Sch. eindringen. Die Reformation verarmte die gelehrte Kultur, als König Gustav Vasa (1496–1560) die Kirche ihres Grundbesitzes beraubte und Klöster und Schulen schließen ließ. Erst als das Schulwesen am E. des 16. Jh. langsam wieder zu Kräften kam, waren die Voraussetzungen für eine einheimische lat. Dichtung geschaffen.

Zu einer Blüte kam diese in der schwedischen Großmachtzeit im 17. Jh. Nie war Sch. so lateinisch. Um das J. 1650 war die Mehrheit der Schriften, die innerhalb der Grenzen des Reiches gedruckt wurden, in lat. Sprache. Qualitativ erreichte die lat. Kultur ihren Höhepunkt zw. den J. 1680 und 1700, als die hervorragendsten Latinisten tätig waren. Die lat. Blüte in Sch. war also verhältnismäßig spät. Zu gleicher Zeit hatten sich die nationalsprachlichen Literaturen in Frankreich, It. und England schon entwickelt, und das Lat. war dort bereits rückläufig. Auffallend in Sch. ist die enge Verbindung zw. lat. Kultur und nationaler Selbstbehauptung einer aufsteigenden Großmacht mit wenig entwickelter Kultur in der eigenen Sprache. Für Sch. galt es, beachtliche Leistungen auf einem Gebiet vorweisen zu können, das europaweit als prestigeträchtig anerkannt war. Die Schweden empfanden sich als die neuen Römer; sie verkörperten die röm. Tugenden und beherrschten die lat. Sprache. Hinzu kam, was für die Schweden bes. wichtig war, daß das Lat. als Sprache der Diplomatie eine Arena gewährte, in der keine Nation den Vorteil hatte, sich der eigenen Sprache zu bedienen. Während die lat. Sprache auf der internationalen Ebene dem schwedischen Staat gute Dienste leistete, war sie im Inland den Angriffen der Vertreter einer national-schwedischen Kultur ausgesetzt. Die Behörden versuchten, den Gebrauch der schwedischen Sprache zu fördern; König Gustaf Adolf (1594–1632) z. B. mahnte die Professoren in Uppsala, auf schwedisch zu lesen, aber ohne Erfolg. Das Studium schwedischer Altertümer und schwedischer Geschichte wurde eifrig betrieben, um eine einheimische Kultur als Alternative zur röm. zu konstruieren. So stand die lat. Kultur immer in Beziehung zur nationalen Selbstbehauptung Sch., sei es als Instrument derselben, wenn die Schweden sich als Römer verstanden, sei es, weil man in ihr ein Hindernis beim Aufbau einer eigenen nationalen Kultur sah.

Das 18. Jh. sah den Rückgang der klass. Studien und der lat. Kultur. Sie lebten aber an den → Universitäten und in geistlichen Kreisen fort. Lateinische Dichter waren noch tätig, und man sammelte die *opuscula* früherer schwedischer Poeten. Der Propst Samuel Älf (1727–1799) schrieb 20 000 Gedichte ab, die aber nicht gedruckt wurden. Ferner ist zu bemerken, daß sich die erfolgreiche schwedische Naturwiss. des 18. Jh. auf das Lat. verließ, als sie mit der europ. wiss. Gemeinschaft in Verbindung trat. So wurden die meisten und wichtigsten Werke des großen Naturforschers Carl von Linné auf Lat. geschrieben. Linné war kein Verfechter der human. lat. Kultur, aber er benutzte die lat. Sprache in Wort und Schrift und kannte die klass. Autoren; sein Favorit unter ihnen war Seneca, was an seinem Stil bemerkbar ist. Schließlich gilt für Sch. wie für andere Länder im 18. Jh., daß man in nationalsprachlichen Texten die klass. Autoren häufig zitierte und aus ihnen geschichtliche Beispiele, Parallelen zur Gegenwart und moralische und polit. Inspiration holte. Die Alten waren ein wichtiger Bestandteil des Vorstellungsbereichs der Gebildeten, obwohl man ihre Sprachen nicht benützte

Am E. des 18. Jh. kam der → Neuhumanismus, vornehmlich durch dt. Vermittlung, in seinen pädagogischen, philol., künstlerischen und lit. Erscheinungsformen nach Schweden. Griechisch wurde zum Selbstzweck studiert und nicht nur als ein Werkzeug für Theologen; Lehrbücher wurden für das Studium der klass. Sprachen verfaßt, klass. Vorbilder inspirierten Architekten und Künstler, Homer wurde ins Schwedische übers., und auch die alte lat. Kultur erlebte eine gewisse Blüte. Esaias Tegnér (1782–1846), der führende Dichter der ersten Jahrzehnte des 19. Jh. und zugleich Bischof und Schulmann, war der hervorragendste Vertreter des schwedischen Neuhumanismus.

Im Vergleich zu dem dt. Neuhuman. war allerdings der schwedische ein blasses Abbild. Ihm fehlten sowohl der säkularisierte wie der nationale Charakter des dt. – oder richtiger: preußischen – Neuhumanismus. Die schwedischen Neuhumanisten befanden sich in der kirchlichen Karriere, sie waren oder wurden Pfarrer, Pröpste und Bischöfe. Sie stellten nicht das heidnische Alt. gegen die christl. Rel. und hatten keine Vorstellungen von einer bes. Verwandtschaft zw. den alten Griechen und den gegenwärtigen Schweden. Auffällig ist, daß sie in der Regel die Griechen nicht höher als die Römer schätzten, wie es die Deutschen zu tun pflegten. Es gab aber einzelne Intellektuelle außerhalb der Sphäre der Schule und der Kirche, die im ideologischen Streit mit neuhuman. Themen argumentierten. Unter ihnen muß v. a. Viktor Rydberg (1828–1895) erwähnt werden, der in seinem Roman *Den siste atenaren* (»Der letzte Athener«, 1859) gegen das intolerante Christentum das edle und hochgesinnte Hellenentum stellte.

Ebenso wie in Deutschland gab es während des gesamten 19. Jh. in Sch. eine Spannung zw. den Verteidigern des klass. Gymnasiums und den Vertretern realistischer, nationaler und christl. Bildungsideale. Die Argumente und die Positionen waren dieselben wie in den dt. Streitigkeiten – mit dem Unterschied, daß die Stellung der klass. Sprachen schon von Anf. an in Deutschland stärker als in Sch. war. Schritt um Schritt mußten die klass. Sprachen der Muttersprache und anderen mod. Sprachen und den Naturwiss. weichen. Im J. 1891 wurde die Forderung nach Lateinkenntnissen für alle Universitätsstudien aufgehoben. In Deutschland führte man im selben J. eine ähnliche Reform durch, aber dort handelte es sich nur um die Abschaffung des Griech. als Pflichtfach.

Nach einer Schulreform 1904, die die klass. Sprachen auf den Schulen beträchtlich einschränkte, stabilisierte sich die Lage bis zu den sechziger Jahren. Der Eintritt der Frauen in das höhere Unterrichtswesen gab dem klass. Zweig des Gymnasiums neue Schülerinnen und vielen Philologen Arbeit als Gymnasiallehrer. Die klass. Philol. erlebte eine Blüte (s. u.), und das klass. Erbe war noch in der allg. Bildung stark genug verankert, um Dichtern und Künstlern Motive und Inspiration zu geben. Erwähnenswert sind hier unter den Dichtern bes. Wilhelm Ekelund (1880–1949) und Gunnar Ekelöf (1907–1967).

Der erfolgreiche Wohlfahrtsstaat, der in den sechziger J. seinen Höhepunkt erreichte, war auf die Gegenwart und die Zukunft ausgerichtet und kümmerte sich nicht sehr um die Vergangenheit, einschließlich der Antike. Eine neue Schulreform im J. 1965 reduzierte die klass. Studien noch mehr. Heutzutage gibt es aber keine ideologische Abneigung gegen das Studium der Ant., das in seiner bescheidenen Stellung vielmehr mit einem gewissen Wohlwollen behandelt wird.

Zusammenfassend kann man sagen, daß die klass. Studien in Sch. eine geringere Rolle als in den größeren Ländern gespielt haben, die näher an den Ursprüngen

der europ. Kultur liegen. Peripher, protestantisch, mit schwachen Eliten und starker Zentralmacht hat der schwedische Staat seit dem 16. Jh. allen transnationalen und kosmopolit. Kräften und Tendenzen widerstehen können und diese in die vertikale Struktur des Nationalstaats eingeordnet. Das gilt auch für die *res classica*.

B. Geschichte der Altertumswissenschaften

Ähnlich wie die klass. Studien in Sch. von der peripheren Lage des Landes in Europa geprägt sind, so waren auch die Bedingungen der klass. Philol. stark von dieser Lage beeinflußt, und zwar in einer bestimmten Hinsicht, nämlich dem Mangel an ant. Hss. in den Bibliotheken. Als Gründer der klass. Philol. in Sch. kann man Johannes Schefferus (1621–1679) ansehen. Der Straßburger Schefferus wurde im J. 1647 als *professor eloquentiae et politices* nach Uppsala berufen, wo er neben seinen Pflichten als Universitätslehrer eine vielseitige Tätigkeit als Erforscher schwedischer und ant. Altertümer und Texte entwickelte. Als Altphilologe gab er Petronius heraus und schrieb realphilol. Arbeiten über ant. Seekriegskunst und ant. Transportwesen sowie eine Abh. über die pythagoreische Philos. für Königin Christina (1626–1689).

Schefferus gehörte als Altphilologe zu der dt. Gelehrtenrepublik und hatte wenige Nachfolger in Schweden. Im 19. Jh. gab der Neuhuman. Anregung zu intensiveren altphilol. Studien, meistens auf dem Gebiet der Gramm. und der Textinterpretation. Diese bestand nicht selten in der bloßen Übers. der Texte aus dem Lat. und dem Griech. ins Schwedische oder aus dem Schwedischen in die klass. Sprachen. Die Gramm. wurde unter dem Eindruck sowohl der rationalistischen wie der romantischen Sprachtheorie und in nahem Zusammenhang mit der pädagogischen Anwendung der Sprachen als formales Bildungsmittel studiert. Die meisten Philologen lehnten F. A. Wolfs Begriff »Altertumswiss.« ab, weil sie befürchteten, daß die Gramm. in dem Wolfschen Gesamtstudium der Ant. auf ein bloßes Hilfsmittel reduziert werden könnte.

Eine mod. und professionelle schwedische Altertumsforsch. etablierte sich erst um das J. 1890. Eine äußere Voraussetzung dafür war die Aufhebung des obligatorischen »Großen Latinums« an den Universitäten. Die Aufgabe, fast alle Studenten im Lat. zu prüfen, hatte nicht nur viel Zeit in Anspruch genommen, sondern hatte auch der lat. Philol. den Stempel eines elementaren Brotstudiums gegeben. Die Aufhebung des Lateinzwanges – die einer erheblichen Schwächung der klass. Studien im Unterrichtswesen gleichkam – bedeutete also eine Emanzipation der Philologie.

Ein wichtiges Element der Modernisierung war die Internationalisierung der Philologie. Im Grunde bedeutete aber die Internationalisierung eine Verdeutschung, denn die Schweden fanden ihre Vorbilder an dt. Univ. und fingen an, auf Dt. zu schreiben. Die schwedische klass. Philol. wurde überwiegend in die dt. eingegliedert. Wilamowitz besuchte im J. 1912 Uppsala und wurde von Professor O. A. Danielsson, dem »Feldwebel« der schwedischen Philologen, als »Generalissimus« der klass. Philologen begrüßt.

Inhaltlich bedeutete die Neuordnung der Philol. das Vordringen der mod. Sprachwiss. mit ihren komparativen Perspektiven. Der erwähnte Gräzist O. A. Danielsson (1852–1932), der um das J. 1880 mehrmals die Junggrammatiker in Leipzig besuchte, war dabei der Führende. Ein Spezialinteresse Danielssons war die Erforsch. der ital. Sprachen, insbes. des Etruskischen. Er veröffentlichte wichtige Beitr. zur Etruskologie und war für die Herausgabe des *Corpus Inscriptionum Etruscarum* verantwortlich.

Ein Schüler Danielssons, Einar Löfstedt (1889–1955), wurde der bahnbrechende Forscher auf dem Gebiet der spätlat. Syntax und Stilistik und machte so mit anderen Kollegen zusammen die »Schwedische Schule« in philol. Kreisen bekannt.

Die starke Abhängigkeit von der dt. klass. Philol. dauerte bis in die Zeit des II. Weltkrieges. In der Nachkriegszeit hat keine bestimmte Tendenz dominieren können; alte und neue Felder sind in der Forsch. bearbeitet worden. An der Univ. Stockholm erhielten durch Dag Norberg (1909–1996) die ma. Lateinstudien eine starke Stellung, an der Univ. Göteborg wurde eine real- und literaturphilol. Trad. aus der Vorkriegszeit weitergeführt (u. a. durch den Aristoteles-Forscher Ingemar Düring, 1903–1984). In den letzten Jahrzehnten ist auch die neulat. Lit. Sch. Gegenstand der Forsch. geworden.

1909 wurden die ersten schwedischen Lehrstühle für »Klass. Altertumskunde und Alte Geschichte« (*klassisk fornkunskap och antikens historia*) eingerichtet. Der erste Professor in Lund war Martin P. Nilsson (1874–1967), der berühmte Religionsgeschichtler. Die meisten schwedischen Vertreter des neuen Fachs waren aber Archäologen. In der Zwischenkriegszeit wurden größere Ausgrabungen in Griechenland (z. B. Asine und Berbati) und auf Zypern organisiert. In der Nachkriegszeit etablierten sich schwedische Archäologen in It. (Acqua Rossa, San Giovenali, Luni sul Mignone), und in den letzten Jahrzehnten haben sie an Ausgrabungsprojekten im gesamten Mittelmeergebiet teilgenommen. Vorzugweise haben sich die Schweden mit prähistor. Kulturen beschäftigt (griech. Bronzezeit, ital. Eisenzeit, bes. etruskisch), eine Tendenz, die mit der Zeit stärker geworden ist. Nur wenige haben die Alte Geschichte gepflegt. Seit 1926 existierte ein schwedisches Forschungsinst. in Rom, und 1948 wurde ein entsprechendes Inst. in Athen gegründet.
→ Schulwesen; Nationale Forschungsinstitute XIV.

1 S. BRUNNSÅKER, Classical archaeology and ancient history, in: Uppsala university 500 years. 5. Faculty of arts at Uppsala university. History, arts and philosophy, Stockholm 1976, 19–33 2 B. LINDBERG, Humanism och vetenskap. Den klassiska filologien i Sverige från 1800–talets början till andra världskriget (mit dt. Zusammenfassung), Stockholm 1987 3 Ders., De lärdes modersmål. Latin, humanism och vetens-kap i 1700–talets Sverige (mit engl. Zusammenfassung), Göteborg 1984 4 S. LUNDSTRÖM, Latin, in: Uppsala university 500 years. 6. Faculty of arts at Uppsala university. Linguistics and philology, Stockholm 1976, 47–62 5 C. NYLANDER, L'istituto svedese di studi classici a Roma, in: C. Vian (Hrsg.), Speculum mundi. Roma centro internazionale de ricerche umanistiche, Rom 1992, 490–525 6 E. TENGSTRÖM, Latinet i Sverige, Stockholm 1973 7 Ö. WIKANDER, Antikens fortlevnad i Sverige – en fråga om produktion II, in: Antiken död eller levande, Uppsala 1984, 87–100. BO LINDBERG

Schweiz A. »ALTERTUM« UND »SCHWEIZER GESCHICHTE« B. PRÄGENDE VOR- UND FRÜHGESCHICHTLICHE, ANTIKE, SPÄTANTIKE UND FRÜHMITTELALTERLICHE KRÄFTE C. MITTELALTER UND FRÜHHUMANISMUS D. HUMANISMUS E. PATRIOTISMUS, ANTIKISIERENDE POLITISCHE REPRÄSENTATION UND DIE PRÄFERENZEN DER HUMANISTISCHEN GELEHRTENGEMEINSCHAFT F. REFORMATION, AKADEMIEN (HÖHERE SCHULEN), SCHULREFORM G. ENTWICKLUNG ALTERTUMS-WISSENSCHAFTLICHER FORSCHUNG IN DER FRÜHEN NEUZEIT H. NEUE INTERESSEN IM ZEITALTER VON AUFKLÄRUNG UND BEGINNENDEM NEUHUMANISMUS I. NEUFUNDIERUNG DER BESCHÄFTIGUNG MIT DEM ALTERTUM IM 19. JAHRHUNDERT K. ENTWICKLUNGEN IM 20. JAHRHUNDERT

A. »ALTERTUM« UND »SCHWEIZER GESCHICHTE«
[32] Lange vor der Gründung des modernen Bundesstaates (1848) wurde die Geschichte der verschiedenen Völker und Kulturen des Alt. auf dem Gebiet der heutigen Sch. als eine thematische Einheit verstanden. Ein derartiges Geschichtsverständnis findet sich zur Zeit der 13-örtigen Eidgenossenschaft (1513–1798). Insbesondere das alte Helvetien galt als Grundlage für das Verständnis der späteren Geschichte und Gegenwart. Nach Ansätzen im 15. und beachtlichen Leistungen im 16. Jh. (v. a. durch Johannes Stumpf, Aegidius Tschudi u. Franz Guillimann) wurde es üblich, die »älteste Geschichte Helvetiens« in eigens dem Thema gewidmeten Bänden darzustellen (so z. B. I. G. Walther 1738–1805) oder sie wie in Johannes von Müllers *Geschichten Schweizerischer Eidgenossschaft* (1786ff.) an den Anf. einer geschichtlichen Darstellung zu setzen. Für die zahlreichen Kirchengeschichten der Sch. läßt sich sagen, ob wir es nun mit dem Werk Johann Jakob Hottingers im 17. Jh. oder Rudolf Pfisters [77] im 20. Jh. zu tun haben. Ähnliches gilt für kunstgeschichtliche Darstellungen (J. Gantner 1936; P. Ganz 1960). Bei J. v. Müller ist Schweizer Geschichte Nationalgeschichte: Als erstmals faßbare nationale Einheit wird das gallische Helvetien begriffen. Divicos Sieg 107 v. Chr. über die Römer ist Beginn der schweizerischen Heldengeschichte, wie sie später in einem berühmten Bild von Charles Gleyre [43] aufgrund eines 1850 erteilten Auftrages des Kantons

Abb. 1: Charles Gleyre, »La bataille
du Léman, ou les Helvétiens faisant
passer les Romains sous le joug«,
1858 dem Publikum in Lausanne
erstmals vorgestellt.
Musée cantonal des Beaux Arts,
Lausanne

Waadt dargestellt wurde (Abb. 1) – dies wohl nicht ohne
eine Spitze gegen Bern, das immer gerne röm. Attribute
benützt hat. J. v. Müller glaubte, Helden vom Format
Divicos erst wieder im 13. Jh. zu finden. Für Johannes
Dierauer, den Verfasser einer grundlegenden *Geschichte
der Schweizerischen Eidgenossenschaft* (1887–1917), begann
›wahrhaft histor. Leben zw. dem Genfer- und dem Bodensee‹ mit dem ›Erscheinen der Römer‹ (I, 1897, 3).

Heute fallen die Antworten auf die Frage nach dem
Beginn der Schweizer Geschichte vielfältiger aus. An-
gefangen wird kaum noch mit den Helvetiern, sondern
eher mit der Urgeschichte: so etwa in der *Geschichte der
Sch. und der Schweizer* (1986). Das nationale Konzept
steht im Hintergrund. Die Sch. findet sich im Titel der
Darstellungen, weil der Nationalstaat Möglichkeiten
und Grenzen der Forsch. nicht unwesentlich bestimmt.
Von daher ist es nicht erstaunlich, wenn der Titel eines
mehrbändigen Übersichtswerkes der *Schweizerischen
Gesellschaft für Ur- und Frühgeschichte* lautet: *Die Sch. vom
Paläolithikum bis zum frühen Mittelalter* [87]. Allen Mo-
deströmungen zum Trotz ist der Einbezug der Frühge-
schichte und des Alt. in Übersichtsdarstellungen zur
Schweizer Geschichte nach wie vor selbstverständlich.

B. Prägende vor- und frühgeschichtliche, antike, spätantike und frühmittelalterliche Kräfte [23; 37; 54; 56; 87; 94; 99]

Für die prähistor. Zeit lassen sich auf dem Gebiet der
späteren bzw. heutigen Sch. verschiedene Kulturräume
unterscheiden. Von den keltischen Stämmen oder Völkern sind die Helvetier am stärksten im kollektiven Gedächtnis geblieben. Besonderheiten der keltischen Kultur, deren Blüte bes. für das 2. u. 3. Jh. v. Chr. anzusetzen ist, sind zwar noch in röm. Zeit deutlich, doch die
jahrhundertelange Zugehörigkeit zum röm. Reich war
prägender.

Die Alamannen, obwohl in röm. Diensten nachweisbar, traten seit dem 3. Jh. wiederholt gewaltsam in
den Raum der Sch. Einen Höhepunkt erreichten die
Kämpfe mit den Alamannen in der Mitte des 4. Jh. Von
den spätröm. Wehranlagen v. a. aus der Zeit Valentini-
ans I. gibt es noch immer eindrückliche Zeugnisse, wie
z. B. das Kastell bei Irgenhausen (Gemeinde Pfäffikon).
Erst seit ihren Niederlagen gegen die Franken (496/7;
506) und dann erst nach und nach unter fränkischer
Herrschaft und Aufsicht ließen sich die Alamannen in
Gebieten südl. der Rhein-Bodenseelinie nieder, oft
auch erst im Laufe des 7. Jh.

Obwohl die heutige Deutschschweiz alamannisch ist, bezeichnen sie eigentlich nur die Romands der französischsprechenden Sch. als *Suisse alémannique*. Alamannenbegeisterung ist selten [92] anzutreffen. Ein Zeugnis dafür bietet 1935 Jakob Schaffners *Das heimliche Alemannien*. Hoffnungen auf Anschluß an das Reich im Norden fanden hier ihre mythische Formulierung. Doch zur selben Zeit regte der Zürcher Pfarrer Emil Baer die Schaffung einer alemannischen Hoch- und Schriftsprache an, um sich vom nationalsozialistischen Deutschland abzugrenzen.

Die Alamannen waren im 7. Jh. zahlenmäßig die wichtigsten Zuwanderer. Reichlicher als die Romanen vor dem fortgeschrittenen 6. Jh. pflegten sie – wie auch die Franken – ihre Verstorbenen mit Beigaben zu bestatten. Die arch. Zeugnisse dokumentieren die Kultur dieses german. Volkes, ohne daß durchwegs eine ethnische Abgrenzung von den Romanen zu Tage treten würde.

Die ihre Herkunft von den Römern herleitenden Burgunder in der Westschweiz (ab 443), die Franken (nach 536/7) v. a. in der Nordschweiz sowie die Langobarden im Tessin (nach 568) trugen ebenso zur Veränderung der Bevölkerungszusammensetzung bei. Dennoch blieben röm. Institutionen in den german. Nachfolgestaaten Roms erhalten, bei den Burgundern ebenso wie bei den Ostgoten und im merowingischen Frankenreich, der dauerhaftesten dieser Staatenbildungen. Ein Großteil der Gebiete blieb auf die spätant. Mittelmeerwelt ausgerichtet, im Norden und Osten bildeten sich etliche romanische bzw. galloromanische Kontinuitätsinseln.

Langsamer als in anderen Gebieten vollzog sich der Wandel von der ant. Einbindung zu ma. Strukturen im Bündnerland, der röm. *Raetia I* [56]. Die adlige Familie der Zacconen/Victoriden besaß eine wichtige Funktion bei der Ausübung des *praeses*- und Bischofsamtes. Die Formen solcher Herrschaftsausübung haben ihre Wurzeln in spätröm. Zeit und gleichen, was Rätien angeht, denen in den spätmerowingischen Bischofs- oder *civitas*-Republiken. Die Wirkung weström. Urkundentradition in Ausläufern bis ins Spät-MA ist eine weitere Facette in einem reichen Bild mit Kontinuitäten und Brüchen. Am eindrücklichsten scheint heute vielen der Kontinuitätsstrang der Sprache hin zu den verschiedenen rätoromanischen Dialekten zu sein.

Die Eingliederung ins Imperium Romanum hatte im Gebiet der Sch. Städte entstehen lassen. Die bereits auf vorröm. Zeit zurückgehenden Siedlungen Genf und Basel gewannen, die röm. Koloniegründungen Augst, Avenches und Nyon verloren an Bedeutung. Römische Siedlungszentren – spätröm. Kastelle und *vici* – übten vielfach weiterhin zentralörtliche Funktionen aus oder spielten eine Rolle im Aufbau ma. Siedlungen, wobei Altenburg und Irgenhausen Gegenbeispiele sind. Die bauliche Gestaltung wurde einfacher. Von den prunkvollen öffentlichen Bauten behielt nur der Kultbau, die Kirche, Bedeutung. Zunehmend wurde nicht mehr in Stein, sondern in Holz gebaut. Im ländlichen Umfeld blieb die Holzbauweise bis ins 19. Jh. dominierend. Bei der Ausbeutung von Rohstoffen wie Eisen sind verschiedentlich lokale Kontinuitäten zu vermuten oder sogar belegbar. Bei der Weiterbenützung des röm. Strassensystems läßt sich meist nicht sagen, wie lange röm. Bausubstanz noch gebraucht werden konnte. Zwar blieben röm. Routen von Bedeutung; einige der sog. Römerstraßen scheinen sich aber als spätere Konstruktionen zu entpuppen. Über die Kontinuität im Bereich von Grundbesitzstrukturen ist wenig Sicheres bekannt.

Bei den Einflüssen auf Sprache, polit. und gesellschaftliche Organisation, Recht, Kalender und Brauchtum hatte das Christentum die wichtigste Rolle, wobei dieses Christentum wiederum unlösbar mit der Geschichte Roms und seiner Nachfolgestaaten verknüpft ist. Die Zeugnisse für die Anfänge des Christentums in der Sch. bis vor Constantin sind zunächst dünn. Im 4. Jh. zeigt sich indes bereits ein wirkungsreicher Versuch, der Erinnerung an die Christianisierung einen festen Platz im kollektiven Gedächnis zu schaffen und wohl gleichzeitig auch für die Stärkung des Christentums zu sorgen, das nach wie vor in Konkurrenz zu zahlreichen Götterkulten stand, mit denen noch die irischen Missionare im 7. Jh. zu kämpfen hatten. Wie uns Eucherius von Lyon um 450 in der *Passio Acaunensium martyrum* (MGH SRM 3,32 ff.) berichtet, entdeckte Bischof Theodor von Martigny – bis heute im Wallis als hl. Theodul (Joder) verehrt – die Gräber von Märtyrern der thebäischen Legion – unter ihnen des Mauritius. Die Märtyrer waren während der letzten allgemeinen Christenverfolgung 303–305 unter Maximian hingerichtet worden. Zumeist wird angenommen, die Entdeckung ihrer sterblichen Reste durch Theodor habe nach der Auffindung der Gebeine des Gervasius und Protasius durch den bedeutenden Kirchenlehrer und Bischof Ambrosius in Mailand 386 stattgefunden. Die kleine Memorie über den Märtyrergräbern wurde Kern des Pilgerortes und der klösterlichen Anlage von St-Maurice, das der Burgunderkönig Sigismund 515 als Reichsheiligtum gründete. Die Erinnerung an die thebäische Legion gehört nicht nur ins Wallis, sie wird ebenso in Genf (Viktor), Solothurn (Ursus und Viktor), Zürich (Felix und Regula), Zurzach (Verena) und weiteren Orten bis heute gepflegt.

Die Kirchenorganisation nahm die Verwaltungsstrukturen des spätröm. Reiches als Grundlage, wobei die episkopale Ordnung bereits im 6. und 7. Jh. Anpassungen erfuhr (Verlegung der Bischofssitze und der Diözesangrenzen). Die Kirchenbauten gingen von röm. Bautradition aus. In den Listen der Bischöfe sind wiederholt gallorömische Aristokraten vertreten. Ein Beispiel ist Marius von Avenches, dessen Grabschrift den Adel seiner Herkunft lobt. Freilich wird dieser Adel übertroffen von den Verdiensten des Bischofs: *Nobilitas generis radians et origo refulgens, /De fructu meriti nobiliora tenet.*

Abb. 2: Stiftsbibliothek St. Gallen. Der 1758 erbaute Bibliothekssaal wie auch der Bestand an Manuskripten, Inkunabeln und Büchern überdauerten die Aufhebung des Benediktinerklosters, das seine Anfänge auf den irischen Wandermönch Gallus zurückführt

Die Bischofssitze zumeist in röm. und späteren ma. Städten waren Mittelpunkte des rel., wirtschaftlichen, polit., gesellschaftlichen und kulturellen Lebens (Augst/Basel, Chur, Genf, Konstanz, Octodurus/Sitten, Windisch/Avenches/Lausanne). Ähnlich bedeutende Zentren bildeten Klöster und Stifte. Wichtige frühe Klöster finden sich in St-Maurice und Romainmôtier. Das südgallische und dann das irische Mönchtum bestimmten die Zeit bis zu den karolingischen Klostergründungen, die danach vom 8. Jh. an im rätisch-alemannischen Raum erfolgten. Die Columbans- oder Mischregeln wichen seither derjenigen Benedikts.

Im Zuge der sog. → Karolingischen Renaissance (Ende 8. Jh. bis Mitte 10. Jh.) und erneut im 11. Jh. war insbes. das Kloster St. Gallen eines der weit über das Gebiet der Sch. hinaus bedeutenden Kulturzentren [28; 73; 101; 109] (Abb. 2). Ähnlich wie im Bodenseekloster Reichenau (h. auf dt. Gebiet) finden wir hier eine eindrückliche Produktion liturgischer Bücher, daneben eine lebendige lat. (v. a. Notker Poeta oder Balbulus) und althochdeutsche Dichtung, die Anfänge der althochdeutschen Wissenschaftsprosa (Notker Labeo oder Teutonicus), Wiss. (v. a. Theologie), Musik, Buchmalerei, ein großes Skriptorium, eine der wichtigen Bibl. des Westens und eine Schule, in der das Unterrichtsprogramm der Spätant. mit den *septem artes liberales* (→ Artes liberales) vertreten war. Ekkeharts IV. (gest. 1057) *Casus S. Galli* (ed. Haefele, 1980) berichtet von einer inneren und einer äußeren Schule, von Lehrergestalten und bedeutenden Persönlichkeiten wie dem Dichter Notker Balbulus oder von Ratbert, der emsig in der Schule tätig war und sich wenig um Tagzeiten und Messen kümmerte (34). Eine Auseinandersetzung mit dem Alt. als eigener Epoche *sui generis* gab es kaum. Man profitierte von jenen klass. Texten, welche schon in der Spätant. als wichtig für die christl. gewordene Bildung empfunden wurden. Im Rahmen der Lit. über Heilige finden sich immer wieder Hinweise auf Spätant. und

Früh-MA. Die Weltchronik des Reichenauer Mönchs Hermannus Contractus (von Christi Geburt her bis in dessen Todesjahr 1054) gibt für die ersten Jahrhunderte nicht mehr als schlagwortartige Angaben aus den früheren, zumeist spätant. Werken.

C. MITTELALTER UND FRÜHHUMANISMUS
[4; 74; 75; 100; 110]

Neben den → Kloster- und den Stiftsschulen (v. a. St. Gallen und Zürich, aber auch etwa Romainmôtier, St-Ursanne, Moutier-Grandval, Einsiedeln, Disentis, Müstair) gab es verschiedene städtische Schulen, die von weltlichen Behörden neu eingerichtet wurden oder aus Stiftsschulen hervorgingen. Im dt. Sprachraum entstanden bereits Ende des 12. Jh. die Bürgerschulen in den Zähringer-Städten Bern und Freiburg. Verschiedentlich kam es im 12. Jh. zu Gründungen von »kleinen« Schulen, die den besonderen Bedürfnissen des Bürgertums entsprachen und das Lat. zugunsten einer Fremdsprache sowie Rechnen und Geogr. zurückstellten. In den meisten Städten lassen sich indes → Lateinschulen feststellen, in Schaffhausen bereits 1253. In und außerhalb der Schule wurde Lat. als Umgangssprache verlangt. Zu den Unterrichtsgrundlagen gehörten Donat und die *Disticha Catonis*. Viele der Schulen trugen stark kirchlichen Charakter. Neben den Lateinschulen gab es aber auch volkssprachliche Elementarschulen, zumeist private Schulen.

An der in karolingischer Zeit entstandenen Stiftsschule am Großmünster in Zürich finden sich bedeutende Gestalten wie Konrad von Mure (um 1210–1281), Verfasser u. a. einer *Summa de arte prosandi* und eines gramm.-enzyklopädischen Handbuches, des *Novus Graecismus*.

Römisch-rechtliche Einflüsse spielten immer eine Rolle, vermehrt aber wieder seit dem Hoch-MA. Bologneser Studenten brachten im 13. Jh. Formelbücher mit den stehenden Typen des röm. Vertragsrechts in den Norden. Die Gerichtsbarkeit der Kirche sorgte für die

Anwendung materiell röm. und kanonischen Rechtes. Im privatrechtlichen Bereich beeinflußte Digestenrecht v. a. Erbfolge und Testamentsrecht.

Wir wissen zu wenig darüber, was mit den ant. Monumenten in der Sch. im MA geschehen ist. Natürlich sind röm. Baureste für spätere Bauten verwendet worden, wie etwa an den Kastellmauern in Altenburg oder in Arbon deutlich wird. Wegen seiner Lage am Rande der ma. Stadt wurde das Amphitheater von Avenches schon vor 1000 ausgebeutet. Der Turm über dem Haupteingang wird noch ins 11. Jh. datiert. Er war Teil einer von Bischof Burchard entworfenen städtischen Verteidigungsanlage innerhalb der ant. Stadtmauern. Der Turm diente Verteidigungszwecken, wurde aber nicht in den ma. Mauerring des 13. Jh. einbezogen. An den Südecken der reformierten Pfarrkirche in Avenches sind Kranzleisten eines röm. Tempels eingebaut, die heute als Sitzgelegenheiten dienen. Die nun im Rathaus von Winterthur aufgestellte Bauinschrift der Befestigungsmauer von Vitudurum aus dem Jahre 294 war im Münster zu Konstanz in der St. Blasius- bzw. Dreifaltigkeitskapelle angebracht worden, vielleicht wegen der Nennung des mitaufgeführten Caesaren Fl. Val. Constantius, des Vaters Constantins [23. 556]. Wie etwa die *Gallia Comata* des Aegidius Tschudi deutlich macht, waren trotz seiner Klagen über deren Vernachlässigung eine ganze Reihe röm. Inschr. im MA einem kundigen Publikum zugänglich. Ein nachweisliches Interesse für die Altertümer zeigt sich im *Itinerarium Einsidlense* aus dem späten 8. Jh. [104]. Die früheste schriftliche Nachricht von röm. Funden enthält das um 1440 verfaßte *Chronicon Koenigsfeldense*. Hier wird geschildert, daß beim Bau des Klosters (1310–1330) röm. Münzen und eine röm. Wasserleitung zum Vorschein kamen.

Etliche Berichte von Altertümern, aber auch von vielen anderen Dingen, haben wir im lat. *Evagatorium* des Dominikanermönches Felix Fabri (um 1438/39–1502), einem Werk mit Berichten über Fabris Pilgerfahrten ins Heilige Land, auf den Sinai, nach Kairo und Alexandria. Ebenso zeugt seine *Descriptio Sueviae* (Teil einer geogr. umfangreicheren Darstellung) von histor. Interesse [33]. Fabri zitiert u. a. einige der ant. Stellen zur Geschichte des von ihm beschriebenen Gebietes, das er als *Alamannia, Germania, Teutonia, Cimbria* und *Franconia* bezeichnet und zu dem auch die zw. Konstanz und Basel gelegene *Helvetia* [33. 130 Z. 14 f.] gehörte. Fabri vermochte u. a. die *ruinae maximae* bei Augst als Überreste des ant. *Augusta Raurica* zu identifizieren.

Verhältnismäßig intensiv mit dem Alt. beschäftigte sich der Zürcher Chorherr und Kantor Felix Hemmerli (1389–ca. 1458). Malleolus, wie er sich lat. nannte, erlangte seine Doktorwürde 1424 in Bologna. Als einer der wenigen damals kannte er Griech., vermutlich auch Hebräisch, und besaß eine über 500 Bände umfassende Privatbibliothek. Das Alt. lieferte ihm Argumente, aber die Verweise auf Cato und Cicero stehen weit hinter denjenigen auf die Bibel. Niemand in der Eidgenossenschaft kannte wohl die ant. Texte so gut wie Hemmerli,

und niemand benützte diese auch so extensiv und schlagend in seinen rund 40 lat. geschriebenen theologischen, kirchenrechtlichen und polit. Schriften. Unter ihnen finden wir sein eigentliches Schicksals- und Hauptwerk, einen umfangreichen *Liber de nobilitate*, der 1446–1451 entstand und 1500 als *De nobilitate et rusticitate Dialogus* gedruckt wurde. Argumente für einen wahren Adel der Tugend wurden im Quattrocento von vielen aufgenommen und debattiert. Doch traten hier polit. Motive hinzu. Während des Alten Zürichkrieges und in den Jahren danach ergriff Hemmerli für die Österreicher Partei. Den Schwyzern hielt er vor, sie hätten gut daran getan, die Standesschranken zu wahren und nichts gegen die natürliche Herrschaft des Adels zu unternehmen, sei das nun bei der rebellischen Gründung der Eidgenossenschaft oder im Alten Zürichkrieg. Bei der Versöhnung zw. Schwyzern und Zürchern setzte man ihn gefangen. Die antieidgenössische Ausrichtung wurde bei der Drucklegung noch verstärkt. Man befand sich damals doch in der Zeit nach dem Schwabenkrieg, in welcher manch deutschsprachiger Humanist aus Angst vor einem weiteren Ausgreifen der Eidgenossen mit den Habsburgern sympathisierte. Von Malleolus verwendete Argumente wurden in den Jahren danach für ganz andere Zwecke gebraucht. Diejenigen, die in der Eidgenossenschaft Lat. zu schreiben wußten, wollten in der Zeit nach dem Schwabenkrieg und den Mailänder Zügen Helvetien berühmt machen.

D. HUMANISMUS [67A]

»Einfallstor« des Human. war Basel. Der Prozeß beginnt in der Zeit der Reformkonzilien in Konstanz (1414–1418) und Basel (1431–1439). Interesse für die klass. Studien diesseits der Alpen weckten etwa der Grieche Manuel Chrysoloras (um 1350–1415) und Poggio Bracciolini (1380–1459). Ein lebendiges Bild von den Vorgängen gibt der Dichter Conrad Ferdinand Meyer in seinem *Plautus im Nonnenkloster* (1881). Die Konzilsteilnehmer suchten nach Hss. und bemühten sich um Abschriften, Basel wurde zum Büchermarkt. Die Bibl. des Kardinals Johannes Stoiković von Ragusa kam 1443 ins Basler Dominikanerkloster. Führend am Konzil zu Basel wurde Enea Silvio Piccolomini, der spätere Papst Pius II., der 1459 bewogen wurde, als Stifter der 1460 eröffneten Univ. aufzutreten. Die Bildung der Basler beurteilte er nicht gerade überschwenglich: ›Zu den Wiss. zieht es sie nicht hin, auch nicht zur ant. Lit.; von Cicero oder irgendeinem anderen Redner kennen sie nicht einmal den Namen. Ebensowenig fragt man den Dichtern nach; nur lat. Sprachlehre und Dialektik betreibt man‹ (A. Hartmann, Basilea latina 1931, Ndr. 1978, 46, Z. 9–12). Auch nach der Universitätsgründung konnte die Pflege eines eleganten Lat. sich nicht ohne weiteres gegen den scholastischen Lehrbetrieb durchsetzen.

Zu den frühen Humanisten gehört z. B. Johannes Heynlin de Lapide, dessen Schüler, der später berühmte Hebraist Johannes Reuchlin, seinem Lehrer Heynlin für die Fortsetzung des Grundstudiums von Paris nach Basel

folgte und dort bei Andronikos Kontoblakas so gut
Griech. lernte, daß er 1477 dem Rektor der Univ. eine
ins Lat. übersetzte Rede Xenophons schenken konnte.

Wichtiger als die Universitätsgründung war die Einführung des Buchdruckes [42; 66; 95]. Basel gehört zu
den frühesten und wichtigsten Druckerstädten des
15. Jh. Druckereien gab es aber ebenso in Beromünster,
Burgdorf und v. a. Zürich. Bald wollte kein Stift, kein
Kloster und keine Stadt zurückstehen. Zwischen 1470
und 1480 gab es in Basel ca. 21, in den beiden folgenden
Jahrzehnten weitere 37 Drucker. Zwischen 1501 und
1536 zählte man insgesamt 1121, davon 862 Verleger auf
eigene Gefahr. Von den berühmtesten Druckern seien
erwähnt: Johannes Amerbach (1430–1513), Johann Froben (1460–1527), Johannes Oporin (1507–1568; zugleich Professor für Griech. sowie lat. Rhetorik [95]) in
Basel sowie Christoph Froschauer (um 1490–1564) in
Zürich. Genf zog als Zufluchtsort Vater Robert und
dessen Sohn Henri Étienne (ca. 1531–1598) an, der 1572
den *Thesaurus Graecae linguae* druckte [13; 78]. Im letzten
Jahrzehnt des 16. Jh. standen Genf und Basel auf der
Frankfurter Büchermesse an achter, bzw. zehnter Stelle
mit 184 und 136 ausgestellten Titeln.

Die Blüteperioden Basels als eines kulturellen Zentrums hängen wesentlich mit kürzeren oder längeren
Anwesenheiten von Nichtbaslern und Nichteidgenos-
sen zusammen, die oft außerhalb der Univ. wirkten:
Beatus Rhenanus (1485–1547), Autor der *Res Germa-
nicae*, der durch seine Satire *Das Narrenschiff* berühmte
Sebastian Brant (1458–1521) aus Straßburg, der in Augsburg geborene Künstler Hans Holbein (1497–1543), der
in Einsiedeln geborene Paracelsus (Theophrastus von
Hohenheim, 1493–1541), Sebastian Castellio (1515–
1563), v. a. aber Erasmus von Rotterdam (1467?–1536
[3; 29]), der wegen des Buchdruckes in die Stadt am
Rhein kam, sich insgesamt gut ein Jahr in Basel auf-
hielt und eine internationale Gelehrtengesellschaft um
sich versammelte. Von Basel aus führte Erasmus seine
Kontroverse mit Luther um den freien Willen. Nach
dem Volksaufstand und Bildersturm von 1529 verließ er
– wie auch andere Humanisten – enttäuscht Basel, kam
aber noch einmal zurück, weil er eine Schrift drucken
wollte, und starb im Hause des Hieronymus Froben.

Auch eidgenössische Humanisten finden wir wiederholt in Basel: Albrecht von Bonstetten (ca. 1442–
1504), Heinrich Loriti von Glarus (s. u.) und Aegidius
Tschudi (s. u.).

Zum Einzugsgebiet der östl. Univ. gehörte St. Gallen. Joachim von Watt (Vadian, 1484–1551) ging als
Scholar an die Univ. Wien, wo ihn v. a. Konrad Celtis
anzog. 1516/17 wurde er dort zum Rektor gewählt. Als
Rektor und Professor an der artistischen Fakultät studierte er zugleich Medizin. Zurück in St. Gallen wirkte
der human. Forscher, Orator, Dichter und Historiker als
Stadtarzt, Reformator und Bürgermeister [72].

E. Patriotismus, antikisierende politische Repräsentation und die Präferenzen der humanistischen Gelehrtengemeinschaft

›Amo totam Helvetiorum communitatem et omnium salutem desidero‹, schrieb Vadian am 7.5.1513 an
Zwingli [72. Bd. 1. 248]. Humanismus und das Leben in
der Gelehrtengemeinschaft gingen Hand in Hand mit
patriotischen Bekenntnissen. Es finden sich dabei Re-
ferenzerweisungen an Kaiser und Reich wie Gedanken,
welche einer antikisierenden Selbstdarstellung der einzelnen Orte oder des Bundes förderlich waren. Antike
Modelle und Beispiele der Politik gingen in die öffentliche Sprache ein.

Heinrich Loriti (Glareanus, 1488–1563) verfaßte
1514 eine *Helvetiae descriptio*, die zugleich Preislied war
auf das *laudatissimum Helvetiorum foedus* [2]. Hier eiferten
die Schweizer Freiheitshelden den großen Römern
nach. Die Würde der schweizerischen *res publica* wurde
mit Hilfe der Stellen *ex pluribus et dignissimis autoribus*
sorgsam und mit Fleiß bewiesen. Auch wenn ein Niccolò Machiavelli (1469–1527) von außen auf die Eidgenossenschaft blickte, so verglich er mit Griechen und
Römern. Im *Principe* kam er zur Auffassung (Kap. 12):
›So blieben Rom und Sparta viele Jahrhunderte durch
ihre Heere frei, und noch jetzt sind die Schweizer besonders wehrhaft und frei‹. In den *Discorsi* bezeichnet er
die Schweizer als das einzige Volk, das in Religion, republikanischer Staatsform, mil. Einrichtung und einfacher Lebensführung nach dem Vorbild der Alten lebt
(I,12).

Im Bündnerland finden wir in patriotischem und an-
tikisierendem Geist geschriebene Texte u. a. bei Simon
Lemnius (1511–1550), der in seiner Darstellung des
Schwabenkrieges Fontana mit Schild und Rüstung des
Vulcan auftreten läßt und rätische Geschichte in einer
Schildbeschreibung nach dem Vorbild Homers und
Vergils wiedergibt.

Die *Respublica Helvetiorum* des Zürchers Josias Simler
(1530–1576) von 1576 war bis ins 18. Jh. die beste und
allgemein anerkannte histor.-geogr.-juristische Darstellung der Eidgenossenschaft: Gleich zu Beginn bringt sie
Vergleiche mit den ant. Formen polit. Systeme. Eine mit
der Ant. einsetzende und gerade diese Epoche besonders eingehend behandelnde Schweizer Geschichte verfaßte der Freiburger Historiker Franz Guillimann (ca.
1515–1612). Jean Baptiste Plantins (1624–1700) *Helvetia
Antiqua et Nova* ist ein Beispiel einer Art Heimatkunde,
welche das röm. Helvetien noch vor der eigenen Gegenwart darstellt. 1666 veröffentlichte er die erste
Schweizer Geschichte in frz. Sprache. Auch sie setzt mit
den Ereignissen der Römerzeit ein.

Den 13 alten Orten widmete der Schönenwerder
Chorherr Joann Barcäus 1657 die *Heroum Helvetiorum
epistolae*. Er setzte die Trad. lat. Versgedichte auf eidgenössische Heldentaten fort, zu der insbes. Glareans Darstellung der Schlacht von Näfels zählt (1510). Hier war
Lat. die Sprache, welche der schweizerischen Konföderation Dignität verlieh. Parallel dazu wurde der

Schatz ant. histor. Exempla ähnlich ausgebeutet, wie es damals europaweit üblich war, ob in → Republiken oder → Monarchien. Lateinische Halbverse bezeichnen denn auch die Büsten der Helden am Zürcher Rathaus. Wichtiger als das Lat. blieben in der Eidgenossenschaft dennoch die Landessprachen. Simlers Handbuch erschien gleichzeitig auf deutsch. Barcäus, der nicht übersetzt wurde, geriet in Vergessenheit.

Die meisten der genannten Persönlichkeiten, welche so glänzend Lat. sprachen und schrieben und sich dabei zu unterschiedlichen Zwecken, v. a. aber für die Aneignung der Sprache mit dem Alt. und seiner Hinterlassenschaft beschäftigten, äußerten ihre polit. Präferenzen, viele von ihnen waren Patrioten, sie waren engagiert für ihre Konfession, die sie regelmäßig entzweite, ebenso gehörten sie aber zur *res publica litteraria*, einer vielfältigen in sich wiederum fein strukturierten Kommunikations-, Erinnerungs- und Konkurrenzgemeinschaft von Gelehrten, Intellektuellen und zum Teil auch Künstlern.

Ganz ausgeprägt wurde hier für die Erinnerung an die eigenen Leistungen gesorgt. Im Widmungsschreiben der *Helvetiae descriptio* Glareans werden der Reihe nach Meister des Lat. genannt: Zwingli, Vadian, Heinrich Lupulus in Bern, Glareans Lehrer Michael Rubellus aus Rottweil, in Basel Bruno, Basilius und Bonifacius Amerbach. Schon im 16. Jh. trug man zusammen, welche Gelehrten was publiziert hatten. Beeindruckend ist insbes. Konrad Gessners (1516–1565) *Bibliotheca universalis*.

Erwähnenswert sind auch die im 16. Jh. zahlreich aufkommenden Bildnisse von Gelehrten auf → Medaillen und noch mehr in Holzschnitten und Kupferstichen, die lat. Epigramme (→ Epigrammatik), welche sie begleiten, die lat. Grabinschriften, wie sie im Basler Münster bes. eindrücklich zugänglich sind [17].

Was die Kreise der Lat. Sprechenden bes. bewegte, war immer wieder die Frage, welches Lat. zu sprechen und zu schreiben ist. Zu beginnen ist mit der Polemik gegen das → Küchenlatein. Aber auch das Vorbild des klass. Lat. bei Cicero war nicht unumstritten. Ein Meister der lat. Sprache, der Niederländer Erasmus, dessen internationale Wirkung ohne seine lat. Publikationen und seinen weitläufigen lat. Briefverkehr undenkbar wäre, sah zwar das Heil für die Kultur durchaus in den klass. Studien. Doch schon früh findet man bei ihm Seitenhiebe gegen übertriebene lat. Puristen, die ›Affen Ciceros‹. In seinem 1528 in Basel bei Froben gedruckten *Ciceronianus* (→ Ciceronianismus) karikiert er Nosoponus (den 1522 verstorbenen Christoph Longolius), der von Heinrich Loriti aus Glarus nicht viel hielt, weil dieser sich bis ins Alter mit Philos. und Mathematik beschäftigte, anstatt den ciceronianischen Stil nachzuahmen (Ausgew. Schriften, ed. W. Welzig, Bd. 7, 284). Im gleichen Jahr erschien in Basel übrigens Erasmus' wichtiger Traktat über die korrekte Aussprache des Lat. und des Griechischen.

Wer sich seinen Platz in der Gemeinschaft der Lateinkenner sichern wollte, mußte nicht zuletzt in der Lage sein, einige Verse zu dichten, nicht zwingend allerdings allein lat., wie das Beispiel Sebastian Brants (1458–1521) und seines 1494 in Basel erschienenen *Narrenschiffes* zeigt, eines moralisch-satirischen Gedichtbuches, gespickt mit Zitaten aus Bibel und ant. Schriftstellern, das zuerst dt. erschien und erst danach unter anderem ins Lat. übersetzt wurde.

Der aus dem Elsaß stammende Iohannes Fabricius Montanus (1527–1566) besuchte in Zürich, Basel, Straßburg und Bergheim die Schule und lernte dort Lat. [22]. Zeitweise unterrichtete ihn auch seine Mutter, welche ihn aus der *Vulgata* übersetzen ließ, ohne allerdings selbst Lat. zu können. Als er 1545 ausgestattet mit einem Stipendium des Zürcher Rates zum Studium nach Marburg reiste, konnte er einen Hexameter nicht von einem Pentameter unterscheiden. Leichte Beschämung vorspielend gesteht Fabricius uns das sowohl in seiner Prosa-Autobiographie als auch in einer Versfassung aus 109 Distichen.

Poesie galt vielen als höchste Form lit. Ausdrucks und als Weg zu dauerndem Ruhm. An der ältesten Schweizer Univ., der 1460 im Zusammenhang des Konzils vom Papst und Humanisten Pius II. zugestandenen Univ. Basel, war 1464 ein Lehrstuhl für Poesie eingeführt worden. 1492 legte allerdings die Artistenfakultät fest: ›nullus in disputatione bursali lectiones poeticas sumat, ut eo minus scolares ab actibus necessarioribus distrahantur‹ [90. 7]. Poesie war jedenfalls nicht der einzige Weg zum Erfolg unter denjenigen, welche Lat. sprachen.

F. REFORMATION, AKADEMIEN (HÖHERE SCHULEN), SCHULREFORM

Die von Zürich und Genf [66a] ausstrahlende Reformation hat das Bildungswesen entscheidend verändert. Die Auseinandersetzung mit dem Alt. und das Erbe der Ant. spielten begrenzt eine Rolle. Tendenziell verlor das Lat. eher, dafür wurden Griech. und Hebräisch gepflegt. Von Jean Calvins (1509–1564) 130 Schriften sind beispielsweise gut die Hälfte in Lat. verfaßt. Ausführlich sind überdies die lat. Korrespondenzen Calvins wie auch von Théodore Bèze (1519–1605). Letztlich wichtiger wurden die Landessprachen. Huldrych Zwingli (1484–1531) ließ durch Leo Jud Luthers Übers. des NT in *Schwyzer Dütsch und Meinung* übertragen und dann das AT aus dem Hebräischen ins Deutsche übersetzen. Die öffentlichen Vorlesungen, in denen das AT aus dem Hebräischen und Griech. übersetzt wurde, waren begleitet durch lat. und dt. Ausführungen. In Zwinglis urspr. lat. Schrift *Wie Jugendliche aus gutem Haus zu erziehen sind (Quo pacto ingenui adolescentes formandi sint. Praeceptiones pauculae* [111]) wird festgestellt, daß zwar das Lat. allenthalben im Brauche sei, doch daß das Griech. und Hebräische wichtiger wären. Noch wichtiger sei es, ein vom Glauben und von der Unschuld behütetes Herz zu haben. Für die Einstellung zu den ant. Quellen ist Heinrich Bullinger charakteristisch. Er las die Autoritäten der katholischen Kirche, ging zu den Kirchenvätern zurück und merkte, daß sie direkt aus der Bibel schöpften, die also das wichtigste Fundament war [15].

Die Reformation führte zur Gründung einer Reihe von Höheren Schulen oder Akad., die alle stark in den protestantischen Republiken verankert waren und beispielsweise keine eigene Gerichtsbarkeit, Privilegien und besonderes Zeremoniell erhielten: 1525 Zürich [30; 86], 1528 Bern [50], 1537 Lausanne [6; 12], 1559 Genf [11; 66a]. Der neue Hochschultypus, der rasch internationale Ausstrahlung im Protestantismus bekam, organisierte akad. Bildung im Hinblick auf die Ausbildung primär von Geistlichen für das eigene Territorium und sekundär von Magistern in den klass. Sprachen, der Philos. und der Theologie. Die Hohen Schulen oder Akad. weisen einen ähnlichen Aufbau und entsprechende Lehr- und Lernpläne auf: Die Trias Lat. – Griech. – Hebräisch erhielt einen festen Platz. Die von Zwingli, Bürgermeister und Räten der Stadt Zürich reorganisierte Großmünsterschule wurde zu einem weiträumig wirkenden Vorbild. Damals entstandene Lehrmittel, wie die kurzgefaßte griech. Gramm. von Jacob Wiesendanger (genannt Ceporin, 1500–1525), waren bis ins 18. Jh. in Gebrauch [78a].

Der Vorbereitung für die Höheren Schulen dienten die Lateinschulen. Es entstanden auch die wichtigen Theologenschulen, die jeweils an eine reorganisierte Lateinschule anschlossen. In Genf bereitete ein siebenklassiges Gymnasium auf die Akad. vor. Der Unterricht in den alten Sprachen hatte überall großes Gewicht.

In Bern geht die Gründung der Burgerbibliothek auf diese Zeit zurück. Die Höhere Schule erhielt eine Bibl., die aus den Beständen des Berner Münsterstiftes und der säkularisierten Klöster gebildet wurde. Schenkungen von Professoren und Burgern kamen hinzu (1632 die wichtige Sammlung des frz. Gelehrten u. Diplomaten J. Bongars).

Eine typische Gestalt als Anhänger und Förderer einer auf dem Lat. gründenden Erziehung und Bildung ist der Zürcher Pfarrer und Schulmann Konrad Klauser (ca. 1515–1567), der aber auch im bernischen Raum – auch in Brugg (Abb. 3) – tätig war [34]. Er verfaßte u. a. eine Einführung in die lat. Gramm. und dachte dabei an die Söhne (sic) von Landgeistlichen. Gewidmet war das Werk Schulmeistern in Bern, Thun, Zofingen, Aarau, Schaffhausen und Winterthur. Wie er in einer Schrift *De educatione puerorum* darlegt, sollten begabte Knaben im Alter von 7 Jahren mit Latein beginnen, mit 8 Jahren die lat. Lektüre und Griech., mit 10 Jahren Hebräisch, eine Sprache, die er übrigens auch für adlige Mädchen empfahl. Allgemeinere Verbreitung fand dieser Plan nicht, obwohl Klauser sich auch mit einem Gesetzesvorschlag zur Sicherung der Lateinbildung beschäftigte.

Lebhaft zugegangen sein muß es in den von Heinrich Loriti geleiteten Bursen in Basel und Paris sowie im vorderösterreichischen, katholischen Freiburg i. Br., das er einem Ort in der reformierten Eidgenossenschaft vorzog [2]. Die Hausgemeinschaft der Schüler ordnete er als Senat und Volk von Rom mit den verschiedenen Ämtern; Lat. war Unterrichts- und Umgangssprache, es wurde gesungen, getanzt und musiziert, auch Disziplinierungsmaßnahmen fehlten nicht. Glarean selbst war bekannt für seine schwungvolle Vortragsweise. Er zeigte vor seinem Publikum Possen oder sang Oden des Horaz.

Methode und Ziele an den katholischen Schulen [8; 44 v. a. Abt. 7], die als Folge des Tridentiner Konzils

Abb. 3: Lateinschulhaus in Brugg mit Fassadenmalerei von 1640 (übermalt 1885): Personifikation der Theologie und der sieben freien Künste, deutsche, griechische, lateinische und hebräische Inschriften. Die Lateinschule wurde mit bernischer Unterstützung zur Bildungsstätte angehender Theologen erweitert

(1545–1563) und der Gegenreformation eingerichtet wurden, sind weitgehend dieselben wie in den protestantischen Gebieten. Der Zugang zum Alt. erfolgte über die alten Sprachen. Cicero galt als Vorbild der Eloquenz. Aufgenommen wurde nur, wer die Anfänge des Lat. beherrschte; ab der zweiten Klasse wurde Lat. gesprochen. Die bildungspolit. Anstöße kamen aus Rom; wichtig war dabei der päpstliche Nuntius mit Sitz in Luzern. Aber auch Kardinal Carlo Borromeo (1538–1584) hatte die fehlende Bildung des Klerus gerügt und konnte als Krönung seiner Bestrebungen 1579 für die Errichtung eines Priesterseminars in Mailand, des *Collegium Helveticum*, sorgen. Eine Etappe wird markiert durch die Gründung des ersten katholischen Gymnasiums in der Sch., des 1577 in Luzern unter Ludwig Pfyffer gegründeten Jesuitenkollegiums [62]. Hartnäckige Bemühungen Papst Gregors XIII. zusammen mit dem Luzerner Nuntius Bonhomini, dem Friburger Stadtpfarrer S. Werro und dem Generalvikar P. Schneuwly führten 1582 zur Eröffnung eines zweiten Jesuitenkollegs in Fribourg (1582), wo seit 1580 Petrus Canisius (1521–1597) Bildung und rel. Erziehung prägte [68]. Bis zur Aufhebung der Gesellschaft Jesu 1773, ja noch weit ins 19. Jh. hinein übten die Jesuiten und ihre Schulen großen Einfluß auf die gymnasiale Bildung und die Erneuerung katholischer Eliten aus. Die Humaniora behielten so genau gleich wie im protestantischen Raum ihren festen Platz. Nebst den Schulen in Luzern und Fribourg folgten weitere Gründungen, so v. a. in Pruntrut [5]. Überdies standen den katholischen Schweizern die Kollegien in Freiburg i.Br., Konstanz und Feldkirch offen. Ein katholisches Hochschulprojekt konnte erst im 19. Jh. verwirklicht werden. Der Mädchenbildung widmeten sich Ursulinen und Visitandinnen, die an verschiedenen Orten Häuser hatten.

Wie in den reformierten Orten beschäftigte man sich im katholischen Gebiet mit dem Alt. über die alten Sprachen. Die lat., griech. und hebräische Philol. waren die am intensivsten betriebenen altertumswiss. Disziplinen.

G. ENTWICKLUNG ALTERTUMSWISSENSCHAFTLICHER FORSCHUNG IN DER FRÜHEN NEUZEIT

Die Beschäftigung mit dem Alt. gehörte in den Bereich von Professuren für Alte Sprachen, Poesie, Rhet. und Eloquenz, sowie für Recht und Theologie.

Auffallend unter der rasch in Gang kommenden Editionstätigkeit ist das Interesse für die Kirchenväter. Unter den Klassikereditionen stechen u. a. hervor: die 1531 durch Erasmus publizierte *editio princeps* des Livius mit den von Simon Grynaeus entdeckten Büchern 41–45 (endgültige Ausgabe dann 1535 durch Beatus Rhenanus und Sigismundus Gelenius) oder 1520 diejenige des Velleius Paterculus durch Beatus Rhenanus auf Grund der von ihm im Kloster Murbach entdeckten, aber bald darauf verlorenen Handschrift. Die erste gedruckte griech. Ausgabe des Flavius Josephus konnte 1544 vorgelegt werden [42 Nr. 238]. Einer der wichtigsten Höhepunkte in der Geschichte des Basler Buchdruckes war

zweifellos 1516 die Ausgabe des griech.-lat. NT durch Erasmus bei Johannes Froben.

Alle anderen überragten in ihren Leistungen: Erasmus von Rotterdam (1467?–1536 [3; 29]); Henri Étienne (ca. 1531–1598), Joseph Justus Scaliger (1540–1609) und Isaak Casaubonus (1559–1614), die sich alle für kurze Zeit in Genf aufhielten.

Beachtliches findet sich in der Hebraistik, wo Johannes I (1564–1629) und Johannes II (1599–1664) Buxtorf an erster Stelle zu nennen sind. Der Verfasser der ersten hebräischen Gramm. im dt. Sprachraum ist der in Basel und dann v. a. in Zürich [86] wirkende Conrad Kürschner (Pellikan, 1478–1556), der gleichzeitig neben seiner Mitarbeit an der dt. und lat. Bibelübers. einen die ganze Bibel umfassenden Komm. veröffentlichte.

In Zürich hatte die Orientalistik in Johann Heinrich Hottinger (1620–1667) ihren großen Vertreter. Ansätze zum sprachwiss. Vergleich finden sich beim vielfältigen Konrad Gessner (1516–1565), der in seinem *Mithridates* das Vaterunser in 22 Sprachen darbot und v. a. bei Theodor Bibliander (1505–1564), der auch als Begründer der philol.-histor.-religionsvergleichenden Bibelexegese in der Sch. gilt.

Das röm. und kanonische Recht [20] wurde in Basel seit der Gründung der Univ. unterrichtet. Zu den bekanntesten Professoren zählen Sebastian Brant (1458–1521), Claudius Cantiuncula (1490–1549) und v. a. Bonifacius (1495–1562) [1] und Basilius Amerbach (1534–1591). Der *mos italicus* im Anschluß an Bartolus (gest. 1357) blieb aber noch bis ins 17. Jh. einflußreich, obwohl Human. und die Schule des *mos gallicus* die Komm. ausschalten wollten und Rückkehr zu den Quellen verlangten. In Freiburg war Wilhelm Techtermann (1551–1618) und sein *Municipale* für die Rezeption des röm. Rechts wichtig. In Genf stoßen wir für kurze Zeit jeweils auf die bedeutenden Juristen Denis (1549–1622) und Jacques Godefroy (1587–1652), dessen Ausführungen zum *Codex Theodosianus* noch heute mit Gewinn konsultiert werden.

Heinrich Loriti (Glarean, 1488–1563), der im katholischen Freiburg i.Br. als außerordentlicher Professor einen Lehrstuhl für Dichtkunst inne hatte, ist – ähnlich wie auch Joachim von Watt (Vadianus, 1484–1551 [72]) aus St. Gallen auf reformierter Seite – ein Beispiel dafür, welch umfassende Dimensionen die Auseinandersetzung mit dem griech.-röm. Alt. haben konnte [2]. Er edierte und kommentierte ant. Texte (mit einem Schwerpunkt bei den Historikern), behandelte philol. Themen, ließ sich von den ant. Autoren zur Dichtung inspirieren und benützte die Kenntnisse der Alten immer wieder als Grundlage für seine Werke zur Geogr., Musik und Geschichte. Mit aller Wahrscheinlichkeit ist Glarean auch die erste Sammlung der lat. Inschriften aus Avenches zu verdanken [35]. Wesentlich systematischer und eindringlicher als zuvor wertete er die ant. Zeugnisse für die Kenntnis der röm. Sch. aus. Beatus Rhenanus, Johannes Stumpf, Ulrich Campell für die Bündner Geschichte und v. a. Aegidius Tschudi haben wenig später Ähnliches unternommen.

Histor.-landeskundliche Darstellungen (mit einem großen Interesse für die Top. seit der ältesten Beschreibung der Eidgenossenschaft 1478 durch Albrecht von Bonstetten) bekamen damals ebenso Konjunktur wie Chroniken (am bekanntesten wohl diejenige von Johannes Stumpf, illustriert unter anderem mit einer Karte Helvetiens mit ant. und zeitgenössischer Nomenklatur) [32]. Die Dynamik der polit. Vorgänge, die konfessionellen Gegensätze und die neuen Möglichkeiten des Buchdruckes forderten förmlich dazu heraus, Geschichte darzustellen. Immer wieder beschäftigte die Frage nach den Anfängen, die im ausgehenden 15. Jh. zu oft wilden Spekulationen führte. Zeitlich später kam es zu kirchengeschichtlichen Werken.

In der Grundlagenarbeit herausragend ist Aegidius Tschudi (1505–1572). Sebastian Münster sorgte für den Druck seiner *Uralt wahrhafftig Alpisch Rhetia*, einer geogr. und geschichtlichen Schilderung Graubündens. Die *Gallia Comata*, eine Geschichte Galliens bis um 1000, zirkulierte in Abschriften, bis sie 1758 in Konstanz gedruckt wurde.

Nennenswert ist der rege Verkehr zw. der Sch. und den Hauptstätten des Altertumsstudiums. Theologen wie gebildete Weltleute reisten in die Niederlande und nach England, um von den großen Gelehrten dort zu lernen. Gerne brachten sie, wie etwa der Zürcher Junker Blarer von Wartensee, von dort Bücher mit. In den neuen öffentlichen Bibl., wie der Zürcher Stadtbibliothek [81], hatten altertumswiss. Bücher eigene Abteilungen, in der lat.-dt. Programmschrift zur Gründung von 1629 werden sie nicht prominent erwähnt.

Die Geschichte der Alt.-Wiss. ist gekennzeichnet durch den Ausdifferenzierungsprozeß von den Philol. zu den altertumswiss. Disziplinen. Dabei spielt die Altertumskunde, wie sie Sammler und Antiquare förderten, eine wichtige Rolle.

Erste Ansätze arch. Tätigkeiten in der Sch. – und offenbar überhaupt nördl. der Alpen – haben wir in Augst. 1588 ließ Basilius Amerbach eine Planskizze des Theaters aufnehmen, nachdem dort die Basler Regierung durch den Ratsherrn Andreas Ryff (1550–1603) hatte Ausgrabungen vornehmen lassen (Abb. 4). Basilius Amerbach sammelte auch ant. Objekte für sein zeittypisches Kabinett [83]. Teilweise handelte es sich um Erbstücke seines Vaters und des Erasmus von Rotterdam; u. a. verfügte er über eine chronologisch geordnete Münzreihe des röm. Kaiserreiches. Bereits 1578 wurde die Sammlung öffentlich zugänglich. 1662 ging das Amerbach-Kabinett in den Besitz der Univ. Basel über; 1849 kam die Sammlung ins Histor. Museum. In Zürich gab es seit der Gründung der Burgerbibliothek 1629 eine Kunstkammer mit Gegenständen verschiedenster Art, darunter auch Altertümer [81]. 1688 gab Johann Jacob Wagner in seinem *Mercurius Helveticus* eine Zusammenstellung von Altertümern in der Eidgenossenschaft. Auch in Winterthur, Bern und Genf hatte das Publikum bereits im 17. und 18. Jh. Gelegenheit, röm. Bodenfunde der Region zu sehen. Dennoch fehlte zuweilen der Sinn für den Wert arch. Funde. Noch 1633 waren die Eidgenossen überzeugt, es sei das beste, einen beim Kloster Wettingen gefundenen spätröm. Silberschatz einzuschmelzen.

H. Neue Interessen im Zeitalter von Aufklärung und beginnendem Neuhumanismus [18; 39; 52; 53; 62A; 76; 107]

Im 18. Jh. nahm das Interesse an der Auswertung von Bodenfunden zu. Wirkungen zeitigten v. a. die Ausgrabungen von → Herculaneum und → Pompeji, und unlängst ist die Tätigkeit des an den bourbonischen Ausgrabungen beteiligten Schweizers Karl Weber gewürdigt worden [76]. Das Interesse für die röm. Altertümer in der Sch. wird deutlich an mehreren Ausgrabungen

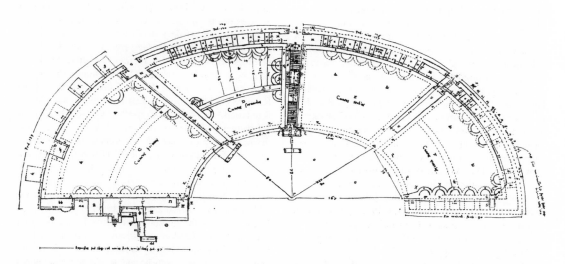

Abb. 4: Ältester Plan des Theaters in Augst, aufgenommen durch Basilius Amerbach und Hans Bock, 1589-1590

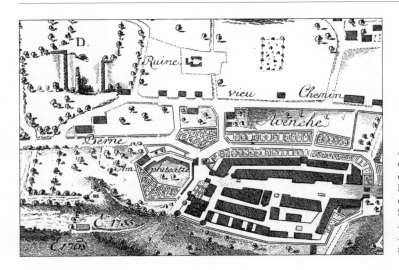

Abb. 5: Plan de la ville d'Avenches en Suisse et de l'enceinte d'Aventicum Helvetiorum, 1786: Die Karte (hier ein Ausschnitt) dokumentiert den Stand der Sondierungen, welche der Berner Architekt Erasmus Ritter im Auftrag des Rates der Stadt Bern in Avenches durchgeführt hat

und Funden im 18. Jh. [25]. Funde in Avenches [45] (Abb. 5), die Villen von Kloten und Kulm, ein Straßendorf bei Lunnern, der Gutshof von Neftenbach, die Mosaiken von Orbe, ein Statuettenfund vom Lindenberg bei Winterthur, der Kindergrabstein auf dem Lindenhof mit dem röm. Namen Zürichs – all dies sind Beispiele von Entdeckungen, die große Beachtung fanden und vom Interesse für die röm. Vergangenheit zeugen. Auch Goethe besuchte 1779 das kurz zuvor gefundene Orpheus-Mosaik von Cheyres. 1811/12 verfaßte Franz Ludwig von Haller (1755–1838) sein wichtiges zweibändiges Werk *Helvetien unter den Römern*. Der Sohn des bernischen Landvogts in Königsfelden nannte sich ›von Königsfelden‹. Schon als Jugendlicher interessierte er sich für die röm. Zeugnisse Vindonissas. 1793–1795 führte er eigene Grabungen in der Breite und im Amphitheater durch.

Philologen und mehr noch Theologen blieben dominierende Gestalten in Wiss., Kultur und Bildung, dennoch verlor das Lat. an Bedeutung. Schon im 17. Jh. wurden Zweifel an der Bedeutung rein philol. Kenntnisse geäußert, zumal die Vertreter der Philol. im 17. Jh. wenig Anziehungskraft auszuüben vermochten. Zu Beginn des 18. Jh. gab es Versuche, die schweizerischen Leistungen in lateinischsprachigen Periodika dem heimischen wie dem internationalen Publikum bekannt zu machen. Diese Gelehrtenzeitschriften konnten sich allerdings nicht lange halten. Zu ihnen gehören das *Museum Helveticum* (1746–1753) und die *Tempe Helvetica* (1735–1743) [69]. Mit der Bezugnahme auf Tempe, die reizende thessalische Talgegend, war bewußt die Bedeutung der griech. Kultur betont. Johann Georg Altmann wollte aufgrund von Caes. Gall. 1,29,1 beweisen, daß die Helvetier griech. Einwanderer gewesen seien (Tempe, t. 1, part 1, 9 ff.), mußte seine These dann aber zurücknehmen (t. 2, part 3, 479 ff.).

Damals nahm das Interesse für Arkadik (→ Arkadismus), Bukolik (→ Bukolik/Idylle), griech. Trag., So-

krates und Homer zu, alles Themen, in denen Freiheit, Ursprünglichkeit, Natürlichkeit und ästhetische Genüsse vermutet wurden, wie sie das zu Ende gehende Barockzeitalter nicht zu bieten schien. Nicht das Griech. des NT, sondern das der Klassiker – oft freilich in wirkungsreichen Übers. – wurde wichtig, von Texten, welche beispielsweise Antistes Breitinger in der ersten Hälfte des 17. Jh. aus Zürich völlig verbannt haben wollte. Salomon Gessner (1730–1788) erzielte mit seinen antikisierenden Idyllen europ. Erfolg. Johann Gaudenz von Salis-Seewis (1762–1834) verklärte die Bündner Täler zum arkadischen Paradies.

Daneben sprach man gerne von den freiheitlichen polit. Ordnungen im griech. Altertum. In der Helvetischen Gesellschaft [52] wurde regelmäßig mit den ant. Beispielen argumentiert, freilich auch, um vor den Gefahren von Freiheit und Demokratie zu warnen. Der junge Edward Gibbon [39] verglich im Tagebuch seiner Schweizerreise am 21. Sept. 1755 den Sieg der Eidgenossen mit den Erfolgen der Griechen gegen die Perser. Die polit. Verhältnisse der Gegenwart in Bern kritisierte er hingegen wegen ihres Freiheitsdefizites. Trotz der damalig recht häufig belegten Sympathie für die griech. Ant., etwa im »Limmat-Athen« Zürich, blieb aber die Röm. Republik ein insgesamt wichtigeres Vorbild. In Romanen – etwa beim Berner Arzt und Schriftsteller Albrecht von Haller (1708–1777) [53] – oder Brutusdramen (Salomon Hirzel 1761; Johann Jakob Bodmer 1782) ist das Alt. verschiedentlich Hintergrund für die Entfaltung von Themen mit polit. Bedeutung. Die Funktion der Ant. für den alten Republikanismus, wie er im Ancien Régime durchaus Platz hatte, wurde allmählich ersetzt durch einen Gebrauch, welcher den Ideen des Revolutionszeitalters diente [18]. Zuweilen gab es dabei übertriebene, ja absurde Versuche, die Ant. für die Gegenwart nutzbar zu machen, wie Jakob Wegelins (1721–1791) *Politische und moralische Betrachtungen über die spartanische Gesetzgebung des Lykurgus*, eine

Schrift, die einen Höhepunkt der Spartabegeisterung darstellt und in diesem Falle die Ideen Rousseaus rechtfertigen wollte. Die Helvetische Republik, die 1798 auf den Trümmern der Alten Eidgenossenschaft entstand, griff wie die frz. und amerikanischen Schwesterrepubliken (→ Republik) gerne auf die Ant. zurück.

Selbstverständlich spielt in der neuen helvetischen Regierungshauptstadt Aarau der → Klassizismus eine Rolle, und der mit der – weitgehend nicht realisierten – Stadtplanung beauftragte Architekt Johann Daniel Osterrieth (1768–1839) hat im Kanton Bern einige klassizistische Bauten realisiert [19; 58]. Klassizistische Architektur ist in der Zeitspanne von 1760–1860 ein Epochenphänomen. Das Interesse für die durch Winckelmann beförderte neue klassizistische Ästhetik zeigt sich etwa im großen Interesse für das Laokoon-Thema (→ Laokoongruppe). Zu den klassizistischen Künstlern zählt die in Chur als Tochter eines voralbergischen Kunsthandwerkers geborene (sich als Österreicherin oder Deutsche bezeichnende) Malerin Angelika Kauffmann (1741–1807) [67]. Am bedeutendsten unter ihnen, wenn auch mit der Etikette »Klassizismus« ebenfalls nur oberflächlich und begrenzt charakterisierbar, ist zweifellos Johann Heinrich Füssli (1741–1825) [85]. Weniger bekannt wurden der Bildhauer Alexander Trippel (1744–1793) oder der Stuckreliefkünstler und Bildhauer Valentin Sonnenschein (1749–1828). Große Popularität erhielt Bertel Thorwaldsens (1770–1840) Löwendenkmal in Luzern, das letztlich in der Trad. des den Spartanern bei den Thermopylen errichteten Denkmals steht und die 1792 beim Sturm auf die Tuilerien gefallenen Schweizergardisten ehrt. Die bedeutendsten Leistungen entstanden auf dem Gebiete der Architektur. In der Baukunst gab es von Westen her eine klassizistische Reaktion gegen den Überschwang barokker Raumplastizität. So wurde 1752 vor die baufällige Westfassade der got. Genfer Kathedrale eine kolossale Tempelfront mit Säulenportikus und Dreieckgiebel gestellt. 1763 begann der Neubau der Stiftskirche St. Ursen in Solothurn nach Plänen des Asconesen Gaetano Matteo Pisoni.

Nicht vergessen werden sollen die Bezugnahmen auf die Ant. im Alltag als Folge der schon im Ancien Régime zum Standardrepertoire gehörigen republikanischen Selbstdarstellung. Vor allem Rutenbündel und Freiheitsmütze waren wichtige Symbole. Die Berner, die im 18. Jh. den Straßenbau forcierten und an das röm. Vorbild anglichen, hielten auf einer Subskription zu einem bei St-Prex gefundenen Meilenstein des Kaisers Caracalla fest: *Pontes et vias vetustate collapsas olim Roma nunc Berna restituit* [18. 229 = Walser, Inschr. III, p. 172].

Bei allem Interesse an der Ant.: Im *Museum Helveticum* beklagte man die Vernachlässigung des Griechischen. Und der Berner Pfarrer Nicolaus Brunner legte 1737 in der Zeitschrift *Tempe Helvetica* vergeblich dar, welch großen Nutzen lat. Beredsamkeit für alle Wiss. habe.

Der traditionelle Umgang mit den alten Sprachen war wenig zukunftsträchtig. In der Praxis besaß das Lat. eine nur mehr beschränkte Bedeutung. Z.B. nehmen unter den Publikationen der auf die Froschauersche Offizin zurückgehenden Verlagsbuchhandlung Orell, Gessner, Füssli & Comp. in der zweiten Hälfte des 18. Jh. die lat. und griech. Texte einen nicht unbedeutenden, aber doch eher schmalen Raum ein [14. 65 f.]. Der Historiker Johannes von Müller mochte noch so sehr im Denken und Verhalten der Eidgenossen das »ant. Vorbild« erkennen und die ant. Staaten in seinen *Vier und zwanzig Büchern Allgemeiner Geschichten besonders der Europäischen Menschheit* eingehend behandeln. Das Lat. war nur noch eine Grundlage, nicht mehr das Lebenselement, in dem man sprach. Und was das Griech. angeht, das Müller zwar durchaus für wichtig erachtete, so hat er, wie J. Wackernagel 1890 enttäuscht berichtet, einem Freund abgeraten es zu lernen, er, Müller, benüge sich nämlich auch mit den frz. Übers. [103. 25].

Mit dem Übertritt in die Zeit nach der Frz. Revolution kommen wir in eine Phase von Reformen des Schul- und Universitätswesens. Die veränderten polit. und gesellschaftlichen Bedingungen, die neuen pädagogischen Ideen, die Entwicklung der Wiss. und auch die veränderte Sicht der Ant. riefen nach einer Anpassung des Bildungssystems. Schon 1773 entstand in Zürich unter der Führung von Johann Jakob Breitinger (1701–1776) mit der sog. Kunstschule ein neuer Schultyp mit Frz., Dt., Geschichte und Geogr., Zeichnen, Mathematik und Naturkunde [59].

I. NEUFUNDIERUNG DER BESCHÄFTIGUNG MIT DEM ALTERTUM IM 19. JAHRHUNDERT
In Zürich debattierten 1809 öffentlich die Professoren Johann Jakob Hottinger und Johann Schulthess über Nutzen und Nachteil der gelehrten Sprachen bzw. der Realien und einer neuen und besseren Erziehung [98. 128]. Ähnlich wie sich Hottinger in Zürich für die alten Sprachen einsetzte, legte in Basel Franz Dorotheus Gerlach, der Lateinlehrer sowohl Bachofens als auch Burckhardts, 1822 eine Stellungnahme zum Wert klass. Bildung vor und fand u.a. in Pfarrer Johann Jakob Faesch einen Vertreter des aufklärerischen Nützlichkeitsstandpunktes [21. 129–131].

Bald kam es im Zusammenhang mit den revolutionären Prozessen und der sich daran anschließenden Begründung des mod. schweizerischen Nationalstaates mit seinen föderalistischen Besonderheiten zu einer massiven Umstrukturierung des ganzen Bildungssystems. Bereits 1802 entstand zunächst aus privater Initiative die Aargauische Kantonsschule, die 1835 ihre endgültige Gestalt bekam. In Basel schuf die Schulreform von 1817 mit dem Pädagogium eine Zwischenstufe zw. Gymnasium und der ebenfalls reformierten Universität. In Zürich wurde 1833 nach mehreren Reformen eine in Gymnasium und Industrieschule geteilte Kantonsschule eröffnet [38; 71].

In einzelnen Kantonen waren die Kantonsschulen konfessionell getrennt. Die Jesuitenkollegien wurden

1848 aufgehoben. Benediktiner (Disentis, Einsiedeln, Engelberg) und später nach Abflauen des Kulturkampfes die Kapuziner [88] (Appenzell, Stans) traten mit ihren → Klosterschulen in die durch die Ausweisung der Jesuiten entstandenen Lücken. Das vormalige Jesuitenkollegium Saint Michel in Fribourg wurde zur größten katholischen Mittelschule der Sch. ausgebaut. An diesen Schulen behielten die alten Sprachen eine starke Stellung.

An neuen Schultypen entstanden Realgymnasien, Handelsschulen und Technika, deren Abschlüsse aber erst 1895 anerkannt wurden. Mit den 1877 auf Bundesebene eingeführten einheitlichen Prüfungen für die medizinischen Berufe wurde ein eidgenössisches Maturitätsprogramm festgelegt, das dem Lat. und Griech. einen festen Platz gab. 1880–1888 entstand eine allgemein schweizerische Medizinalprüfungsordnung, die auch die Bedingungen für die gymnasiale Vorbildung festlegte (Eidgenössische Maturitätsanerkennungsverordnung). Die Anerkennungskriterien, die rechtlich nur für die Medizin galten, wurden auf alle Fakultäten und die 1855 gegründete Eidgenössische Technische Hochschule angewendet. Das Lateinobligatorium für den Zutritt zu den meisten Universitätsfächern blieb im wesentlichen trotz zahlreicher Reformen bis in die jüngste Zeit erhalten [102].

Wie die Mittelschulen, so entwickelten sich auch die Univ. in Abhängigkeit von den kantonalen Besonderheiten. Ausgenommen sind allein die Eidgenössischen Technischen Hochschulen (Lausanne, Zürich), deren Gründung 1854 durch den Bund die Verfassung von 1848 ermöglicht hatte. Bereits vorher wurden die alten Akad. und Höheren Schulen zu Univ. mit gleichberechtigten Fakultäten: 1833 Zürich [98] (maßgeblichen Anteil hatte der Altphilologe Johann Caspar von Orelli [32a]), 1805 bzw. 1834 Bern [50], 1889 Fribourg als Gründung der katholischen Sch. [46] (bereits seit der 2. Hälfte des 18. Jh. gab es allerdings eine Rechtsfakultät), 1873 Genf [11] (1976 Angliederung einer medizinischen Fakultät), 1890 Lausanne [6; 12]. In Neuenburg wurde 1838 eine Akad. gegründet, die nach einer Unterbrechung 1866 wiederhergestellt, 1894 reorganisiert und 1909 in eine Univ. umgewandelt wurde [47]. Weitere Hochschulen in St. Gallen, Luzern, Chur und Lugano sollten später noch hinzukommen.

Die Beschäftigung mit dem griech.-röm. Alt. erhielt an Univ. und Hochschulen v. a. in den Anfängen erheblichen Einfluß. Auffallend ist gleichzeitig das Vorhandensein bedeutender Vertreter der altertumswiss. Disziplinen an den neu konzipierten Gymnasien, oft in Kombination mit einer Lehrtätigkeit an den Universitäten. An allen Univ. machte sich bald die Ausdifferenzierung in die verschiedenen altertumswiss. Disziplinen bemerkbar. Die klass. Philol. genoß zunächst das größte Ansehen, und die in der Regel für sie vorhandenen zwei Lehrstühle bildeten ein Zentrum altertumswiss. Forsch. und Lehre. Doch nach der Jahrhundertwende schritt die Spezialisierung voran. An allen deutschschweizerischen

Univ. wurden damals Philol. Seminare eingerichtet. Archäologie etablierte sich etwas später als in Deutschland ebenfalls nach der Jahrhundertmitte mit Lehrstühlen, war aber im Universitätsbetrieb schon vorher vertreten. 1869 wurde in Zürich für Otto Benndorf (1838–1907) ein Lehrstuhl eingerichtet, 1874 in Basel für Johann Jacob Bernoulli (1831–1913). An der ETH in Zürich war der höchstdotierte Professor der Architekt Gottfried Semper (1803–1879), dessen historistische Bauten dem Studium der klass. Ant. viel verdankten [31].

Alte Geschichte wurde zwar von prominenten Forschern wie dem Gräzisten (und Politiker) Wilhelm Vischer (1808–1874) in Basel betrieben, erhielt aber ähnlich wie die Ur- und Frühgeschichte erst im 20. Jh. Lehrstühle.

(Henri) Édouard Naville (1844–1926) sorgte in Genf für die Etablierung der Ägyptologie: ein eigens für ihn geschaffener Lehrstuhl gestattete es ihm, nur ein Semester pro Jahr zu lesen und die Ausgrabungen für den *Egypt Exploration Fund* im Nildelta, bei Theben und Abydos fortzusetzen.

Für den Begründer der mod. Allgemeinen Sprachwissenschaft, den Genfer Ferdinand de Saussure (1857–1913), war Sanskrit ein wichtiger Ausgangspunkt. Während er den Schritt von der diachronischen zur synchronischen Betrachtung, zur Unt. der Struktur von Sprache, vollzog, blieben die histor. Dimension wie auch die institutionelle Anbindung an Gräzistik und Latinistik für den Basler (und Göttinger) Sprachwissenschaftler und Indogermanisten Jacob Wackernagel (1853–1938) zentral.

Die internationale Einbettung altertumswiss. Forsch. ergab sich aus forschungspraktischen Gründen und der in der Sch. rascher als in anderen Ländern voranschreitenden polit. Entwicklung hin zu einer mod. Verfassung. Bei der Entwicklung und Ausgestaltung der Alt.-Wiss. war Deutschland führend geworden: Deutsche Modelle gewannen an Einfluß, und zahlreiche dt. Altertumswissenschaftler ersten Ranges finden wir in der Sch. Manchmal hatten die Schweizer Univ. dabei die Rolle einer Durchgangsstation für junge Gelehrte auf ihrer Karriere etwa nach Berlin oder München. In Zeiten restaurativer Verfolgungen war die Sch. ein Refugium für polit. Mißliebige. Wegen ihrer Verfassungsentwicklung interessierte die Sch. auch den engl. Althistoriker George Grote.

Allen voran zu nennen ist Theodor Mommsen (1817–1903) [108]. Mommsen hatte wegen seiner polit. Aktivitäten eine außerordentliche Professur für Röm. Recht in Leipzig 1851 verloren. Die Berufung nach Zürich befreite ihn aus einer Krise. Seine Arbeiten zur Röm. Sch., die Inschriftenpublikationen und seine Röm. Geschichte aus diesen Jahren bilden einen ersten Grundstein seines Ruhmes. Bereits 1854 wurde er allerdings wegberufen.

Gerade der Erfolg der Wissenschaften als Wissenschaften wurde aber bereits im 19. Jh. als zu eng kritisiert. Es fehle der Bezug auf die in der Gegenwart aktuellen Fragen, die Wiss. würden in ihren Systemen erstarren. Gefragt waren Innovationen, welche aus dieser Isolierung herausführten, das Verständnis der ganzen Welt, der ganzen Kultur, der Gegenwart wie der Vergangenheit ermöglichten und ihre Bedeutung für das Leben in der Gegenwart hatten. Hier sind von den schweizerischen Altertumswissenschaftlern im 19. und 20. Jh. einige wichtige Impulse ausgegangen.

Johann Jakob Bachofens (1815–1887) Name verbindet sich primär mit dem Titel seines Hauptwerkes *Das Mutterrecht* (vollendet 1857; erschienen 1861), das für Symbol- und Mythenforsch. wichtig geworden ist, ebenso, woran der konservative Bachofen wenig Freude gehabt hätte, für Marxismus, Tiefenpsychologie und Feminismus, die alle seine Thesen aufgegriffen haben (→ Matriarchat). Sein Anliegen war es, das Studium der ant. Kulturwelt gegen rein fachwiss. und positivistische Interessen in den Mittelpunkt zu stellen [21; 40].

Dieses Anliegen verfolgte auch Jacob Burckhardt (1818–1897), dessen Bedeutung für die histor. Forsch. diejenige Bachofens übertrifft. Burckhardt trug wesentlich dazu bei, der ant. Kulturgeschichte den ihr angemessenen Rang in der Allgemeinen Geschichte zu geben. Seine Überlegungen zum Wesen des Historischen, die von ihm geleistete Verbindung von Kunstgeschichte und Allgemeiner Geschichte, die Berücksichtigung der Spätant. wie der Ren. – all das zwingt, ihm einen besonderen Platz in dieser freilich zu kurzen Skizze zu geben [55].

Die Originalität der Beiträge dieser Forscher gehört trotz ihrer Verwurzelung im Milieu Basels in einen internationalen Kontext. Von einer schweizerischen Alt.-Wiss. kann nicht gesprochen werden. So ist es nicht erstaunlich, daß wir eine Reihe der bekanntesten Gelehrten des 19. und 20. Jh. in der Sch. finden, neben den genannten: Hermann Usener (1834–1905), Friedrich Nietzsche (1844–1900), Karl Bücher (1847–1930) und Werner Jaeger (1888–1961), jeweils für kurze Zeit in der Sch. wohnhaft; Franz Overbeck (1837–1905) bis zu seinem Lebensende.

Die starke Stellung der Alt.-Wiss. an den Univ. geht einher mit einem beachtlichen öffentlichen Interesse. Massive Empörung bewirkte die Berufung von David Friedrich Strauss (1808–1874), dem Verfasser eines 1835 erschienenen Buches *Das Leben Jesu, kritisch bearbeitet* als Professor für Dogmatik und Kirchengeschichte. 39 000 Unterschriften gegen Strauss erwirkten dessen vorzeitige Pensionierung. Dennoch kam es in der Folge im »Züriputsch« zu einer Staatskrise in Zürich. Ansehen genoß dagegen auch im gesellschaftlichen Leben beispielsweise Hugo Blümner (1848–1919) in Zürich, der Autor u. a. einer vierbändigen *Technologie und Terminologie der Gewerbe und Künste bei Griechen und Römern*. Viel für die Alt.-Wiss. bewirkten in der Politik aktive Wissenschaftler wie Johann Caspar von Orelli [32a] in Zürich oder Wilhelm Vischer in Basel.

Große Emotionen lösten die griech. Freiheitskriege aus. Es entstand eine starke philhellenische Bewegung

[27; 58]. Das geschichtliche wie das ästhetische Interesse für die griech. Ant. sind dadurch in einer breiten Öffentlichkeit gefördert worden.

Bei der Auseinandersetzung mit der Ant. in der Kunst zeigen sich internationale Trends. Arnold Böcklin (1827–1901) lebte dementsprechend nicht nur in Genf, Basel oder Zürich, sondern ebenso in Florenz, München oder Rom [64]. Charles-Gabriel Gleyre (1806–1874), der Griechenland und den Orient bereiste, ist zwar bekannt für Bilder mit patriotischen Themen (Abb. 1), aber er lebte ebenso in Paris, wo histor. Gemälde bei den häufigen Kunstausstellungen beliebt waren [43]. Zahlreiche seiner Werke tragen Titel aus der ant. Myth. oder stellen Allegorien mit Antikebezügen dar. Der Klassizismus blieb ein wichtiges Phänomen in der Architektur bis über die Jahrhundertwende hinaus. Gottfried Semper (1803–1879) hatte schon vor seiner Lehrtätigkeit an der ETH in Zürich nachgewiesen, daß die ant. Architektur farbig gewesen sei [31]. Die Umsetzung dieser Erkenntnis auf die zahlreichen histor. Bauten zw. 1835 bis zum I. Weltkrieg zeitigte mannigfaltige Folgen: Von Sempers Bauten in der Sch. ist das umfangreichste Werk das Hauptgebäude des Eidgenössischen Polytechnikums in Zürich.

Archäologische Funde fanden in der Sch. immer mehr Interesse. Besonders wichtig wurde im 19. Jh. die Begeisterung für die Pfahlbauer, und zwar nicht nur in Zürich, wo Ferdinand Keller eine wichtige Rolle spielte, sondern ebenso in der Welschschweiz, wo Prähistorie und Arch. durch den Geologen Karl Albert von Morlot vorangebracht wurden. Ganz allgemein zu beobachten ist eine Ausweitung des arch. Interesses auf die vorröm. wie nachröm. Epochen.

1832 veranlaßte die ›Entdeckung von Gräbern der Keltischen Ureinwohner‹ Ferdinand Keller (1800–1881) und gleichgesinnte Zürcher Bürger zur Gründung der Antiquarischen Gesellschaft, die sich am engl. Vorbild der *Society of Antiquaries* orientierte [61]. Systematische Nachforschungen über alle Perioden zu fördern, war ihr Ziel. In der Folge entstanden überall histor. Vereine. Der Begriff der Altertümer war weit, wie etwa an der Gruppe der alten Kunst an den ersten schweizerischen Landesausstellungen (1883; 1896) deutlich wird. Das 1898 eröffnete Schweizerische Landesmuseum in Zürich bekam die bedeutendste ur- und frühgeschichtliche Sammlung der Sch. Der Kanton Waadt nahm am 10.9.1898 als erster in der Sch. ein *Gesetz betr. Erhaltung von Denkmälern und Kunstgegenständen von histor. und künstlerischem Wert* an. Das 1912 eingeführte Schweizerische Zivilgesetzbuch verankerte in seinem Artikel 724 den Rechtsanspruch des Staates, d. h. der Kantone, auf alle Bodenaltertümer.

Museen und Sammlungen haben sich im 19. Jh. vervielfacht und seither auf das öffentliche ästhetische, kulturelle und histor. Bewußtsein einen beachtlichen Einfluß ausgeübt [63]. Oft bildeten Privatsammlungen einen Kern der nun für jedermann zugänglich gemachten Bestände. In Zürich schenkte beispielsweise der in der

Nähe Neapels tätige Textilindustrielle Johann Jakob Egg seine Antiken der Antiquarischen Gesellschaft. Das Offizierskorps eines Berner Regiments in neapolitanischen Diensten vermachte der Stadt Bern seine in Kampanien zusammengetragenen Vasen. Seit dem ausgehenden 18. Jh. entstanden → Abgußsammlungen, deren bekannteste, die Skulpturhalle in → Basel, ihre Anfänge Ende des 18. Jh. in der privaten Sammlung des Basler Seidenfabrikanten Johann Jakob Rudolf Burckhardt besitzt [65; 96]. Bereits 1824 beschloß der Gemeinderat von Avenches, die in Privathand befindlichen Altertümer in einem Musée Vespasien zusammenzufassen. 1838 wurde das Römermuseum in Avenches Eigentum des Kantons Waadt, der übrigens bereits eine Antikensammlung im Musée cantonal d'archéologie et d'histoire (1818–20) untergebracht hatte. Weitere kantonale Mus. sind das 1856 eröffnete Histor. Mus. Basel oder das Bernische Histor. Mus. (1881). In Basel wurde 1956 die Vereinigung der Freunde ant. Kunst ins Leben gerufen (zu den Gründungsmitgliedern gehörten K. Schefold und H. A. Cahn). In das 1961 gegründete Basler Antikenmuseum konnten bedeutende Sammlungen privater Mäzene eingebracht werden (v. a. 1981 die Sammlung von Irene und Peter Ludwig). Das ins 17. Jh. zurückgehende Münzkabinett (u. Antikensammlung) Winterthur wurde unter dem Kaufmann und bedeutenden Numismatiker Friedrich Imhoof-Blumer (1838–1920) zu einem für die Forsch. noch immer wichtigen kleinen Zentrum.

K. Entwicklungen im 20. Jahrhundert

Die Gründung von Mus., histor. und arch. Vereinen sowie der Ausbau in den bestehenden nationalen, kantonalen oder kommunalen Mus. setzt sich im 20. Jh. fort (Abb. 6). Noch im ausgehenden 19. Jh. entstanden die *Association Pro Aventico* und die *Antiquarische Gesellschaft Brugg und Umgebung* (h.: *Gesellschaft Pro Vindonissa*), die 1912 ein Vindonissa-Mus. eröffnete. Zu ähnlichen Vereins- und Museumsgründungen bzw. zur Gründung von Stiftungen kam es in weiteren »Römerorten«, so in Lausanne-Vidy (1963) oder in Martigny-Octodurus 1972 durch die *Fondation Pro Octoduro* und 1978 durch

die *Fondation Pierre Giannada*. Im Broye-Tal beteiligt sich die 1995 errichtete Stiftung *Pro Vallon* am Schutz der in Vallon entdeckten röm. Mosaiken (2000 Eröffnung eines Mus.). In Augst ermöglichte René Clavel die Rekonstruktion eines 1955 eröffneten röm. Hauses, das zusammen mit einem 1957 erbauten kantonalen Mus. und dem umliegenden arch. Bezirk eine eindrucksvolle Vorstellung von der röm. Vergangenheit vermittelt. In den letzten Jahrzehnten wurde das Gebiet des ant. *Augusta Raurica* Besuchern aufs Beste erschlossen. Nebst dem Mus. und dem → Archäologischen Park vor dem Theater locken in Augst und Kaiseraugst über 20 arch. Sehenswürdigkeiten. Die Kantone Basel-Landschaft, Basel-Stadt und Aargau, die Histor. und Antiquarische Gesellschaft zu Basel und die 1935 gegründete Stiftung Pro Augusta Raurica koordinieren Forsch., Erhaltung der Denkmäler und Öffentlichkeitsarbeit.

Eine prominente Stellung unter den altertumswiss. Organisationen nimmt die in den dreißiger Jahren entstandene *Schweizerische Vereinigung für Alt.-Wiss.* ein. Eine eigene altertumswiss. Zeitschrift, das 1944 gegründete *Museum Helveticum*, sollte die Isolation der schweizerischen Forsch. während des II. Weltkrieges überwinden helfen.

1907 entstand die *Schweizerische Gesellschaft für Urgeschichte* [84]. Der Gründungspräsident, der Zürcher Dozent Jakob Heierli (1853–1912), Verfasser einer *Urgeschichte der Sch.*, hatte aus Anlaß der Neuordnung der urgeschichtlichen Abteilung des Mus. Solothurn den Gedanken einer Gesellschaftsgründung formuliert. Die heutige *Schweizerische Gesellschaft für Ur- und Frühgeschichte* hat noch immer eine gewisse Funktion als Koordinationsorgan und Herausgeberin von Periodika und Monographien.

Die aufstrebende Ur- und Frühgeschichte erhielt erst im Laufe des Jh. universitäre Lehrstühle. Einflußreiche Prähistoriker waren insbesondere Rudolf Laur-Belart (1898–1972) in Basel und Emil Vogt (1906–1974) in Zürich [36. 38–44].

Wichtig war die Verankerung von Arch. und Denkmalschutz in den Kantonen. Die Verantwortung für

Abb. 6: Gallo-römische Kunstwerke auf Sonderbriefmarken des Jahres 1997 mit Hinweisen auf Stiftungen

arch. Grabungen und die Erhaltung von Kulturgütern liegt wesentlich bei ihnen. Die massive Zunahme der Bautätigkeit in den Jahrzehnten nach dem II. Weltkrieg führte zu unzähligen Notgrabungen. Ein ausgebautes System kantonaler arch. Ämter trägt hier den Hauptteil der Arbeiten.

Von den arch. Projekten im Mittelmeerraum laufen bereits über mehrere Jahrzehnte: Altpaphos (Zypern; Franz Georg Maier); Eretria (Griechenland; Karl Schefold, Pierre Ducrey); Monte Iato (Sizilien; Hans Peter Isler) [24]. Seit 1986 wirkt eine Schweizerisch-Liechtensteinische Stiftung für Arch. Forsch. im Ausland (u. a. in Petra).

Wie die Prähistorie ist die Alte Geschichte eine weitere Disziplin, welche im 20. Jh. an den Univ. institutionell verankert wurde. Ein für die Geschichte der röm. Sch. grundlegendes Werk verfaßte der Basler Felix Staehelin (1853–1952). In Zürich wirkte über Jahrzehnte Ernst Meyer (1898–1975).

Die verschiedenen altertumswiss. Fächer sind zumeist in Seminarien und Instituten organisiert, die ihrerseits wiederum ihren Platz in den Fakultäten haben. Im Rahmen einer nationalen Evaluation der Geisteswiss. in den 90er Jahren wurden Gräzistik, Latinistik, Byzantinistik und Neugriechisch, Mittel- und Neulatein, Indogermanistik und Vergleichenden Sprachwissenschaft, Alte Geschichte, Ant. Religionsgeschichte sowie Ant. Philos. als dem Fachbereich Alt.-Wiss. zugehörig betrachtet [7]. Archäologie [91], Orientalistik, Ägyptologie oder Kirchengeschichte hingegen sind trotz der Affinitäten nicht in diesen Katalog einbezogen. Eine Facheinheit bilden die Alt.-Wiss. am ehesten an der Univ. Genf, in geringerem Maße auch in Basel und Lausanne.

Die Kenntnisse, welche Studierende bei Studienbeginn mitbringen, müssen den Anforderungen der Matura genügen. Auffallend in der Entwicklung des Bildungswesens ist die späte Anerkennung der Maturitätstypen ohne Latein [102]: 1968 mathematisch-naturwiss. Typus C; 1972 neusprachlicher Typus D und wirtschaftswiss. Typus E. Griechisch konnte bereits ab 1906 durch eine dritte Landessprache oder durch Englisch ersetzt werden. In der jüngsten Reform des gymnasialen Bildungswesens (1995) haben die Alten Sprachen nach wie vor eine Funktion für die Bestimmung des Maturaprofils. Die Ausbildung in Alter Geschichte ist trotz Reduktion der Stundenzahlen fest verankert, hat sich aber gegen Tendenzen zu behaupten, den Unterricht auf die beiden letzten Jahrhunderte zu konzentrieren.

Der international wohl bekannteste Klass. Philologe, Walter Burkert (Zürich), endet die Übersicht einer Geschichte seines Faches in der Sch. im 20. Jh. mit der Feststellung: ›Philol. in der Sch. ist Teil einer internationalen *communio philologorum*‹ [16. 103]. Die Beteiligung an internationalen Unternehmungen wie dem *Thesaurus linguae Latinae*, die Ausstrahlung der *Fondation Hardt* in Vandoeuvres (Studien- und Tagungszentrum), das abgeschlossene *Lexicon Iconographicum Mythologiae Clas-*

sicae (1981–1996) sind zwar unmöglich auf knappem Raum zu schildern, könnten aber vielleicht konkreter als der Verweis auf den alltäglichen wiss. Austausch eine solche Aussage illustrieren. Institutionell sichtbar wird Zusammenarbeit über die nationale Grenze hinaus auch im Zusammenschluß altertumswiss. Institute der oberrheinischen Univ. Basel, Freiburg i. Br., Mulhouse und Strasbourg in einem *Collegium Beatus Rhenanus*. Obwohl die Einschränkungen, welche ein Länderartikel auferlegt, hier negativ zu Buche schlagen, ist aber trotzdem nicht zu übersehen, daß seine Konzeption noch immer Sinn hat, weil die Geschichte der Wiss. und der Kultur weltweit noch immer auch national geprägt wird.

Der Zürcher klass. Philologe Ernst Howald erinnerte in seinem Nachruf auf den 1941 ›in unserer Stadt‹ als Exilant verstorbenen Berliner klass. Philologen Eduard Norden an den ›Charme und die Humanität‹ seiner Gespräche und seiner Briefe, ›Dokumente einer Zeit, die jetzt zu Ende ist‹ (Neue Zürcher Zeitung, 15. Juli 1941). Nur zwei Jahre nach diesem pessimistischen Urteil gründete Friedrich Witz in Zürich ein Unternehmen mit dem antikischen Namen Artemis-Verlag, in dem in der Folge mehrere für die Beschäftigung mit dem Alt. bedeutende Reihen (so die Bibl. der Alten Welt) und Lexika erschienen sind.

Artemis-Gesamtausgaben Goethes sowie des Schweizers Carl Spitteler (1845–1924) knüpften an Traditionen der Humanismuserneuerung an. Die Versuche, ant. Werte in ihrer Aktualität für die Gegenwart zu erweisen, haben in der Sch. wiederholt Anstöße bekommen. Im 20. Jh. wären u. a. Werner Jaeger mit der Antrittsvorlesung über *Philos. und Historie* 1914 in Basel, Peter Von der Mühll (1885–1970) in Basel oder Ernst Howald (1887–1967) in Zürich zu nennen. Die Erforschung des Ren.-Human. durch Werner Kaegi, Werner Näf und Leonhard von Muralt gehören ebenso in diese Zusammenhänge einer gegenwartsbezogenen Antikeauseinandersetzung wie Walter Rüeggs *Cicero und der Human.* (1946).

Ein ausgesprochenes Interesse an der ant. Humanität ist auch charakteristisch für den Exilungarn Karl Kerényi (1897–1973). Bei diesem Erforscher ant. Religion und Myth. ist der Einbezug des kollektiven menschlichen Erfahrungsbereiches charakteristisch, ein Ansatz wie er sich ähnlich beim Psychologen Carl Gustav Jung (1875–1961) findet. Freilich wurde von vielen dieser Ansatz mit guten Gründen als spekulativ verworfen.

Eine immer wieder sichtbar werdende Tendenz in den verschiedenen Zweigen altertumswiss. Disziplinen ist jedenfalls der Einbezug mod. Wissenschaftsbereiche, in diesem Falle der Psychologie, ebenso aber der Biologie, noch mehr des reichen Theorieangebotes der mod. Sozialwiss., der vergleichenden Sprachwiss. und der Naturwiss. (v. a. in der prähistorischen Arch.). Die Versuche einer Wiederbelebung des Human. aus dem Geiste der Philol. unter Einbezug vertiefender Ansätze sind deshalb nicht recht vorangekommen, wohl aber erweisen sich die Modelle »Wiss.« und »Univ.« als so erfolgreich, daß deren Ökonomisierung auch in der Sch. ein aktuelles Thema geworden ist.

Bei der Auseinandersetzung mit der Ant. in Kunst und Kultur fällt eine ähnliche Abwendung von klass. Modellen auf. Alberto Giacometti (1901–1966) war in der frühen Schaffenszeit von der kykladischen und der minoischen Kultur begeistert und wandte sich in den 50er Jahren dem Laokoon zu. Der Bildhauer Carl Burckhardt (1878–1923) ließ sich u. a. von der griech. archa. Kunst inspirieren. Bei Kunsthistorikern wie Heinrich Wölfflin (1864–1945) und Peter Meyer (1894–1984) [80] hingegen spielt das klass. Modell länger eine vergleichsweise wichtigere Rolle.

Dem öffentlichen Bewußtsein ist das Alt. in zahlreichen Facetten präsent. Die Präsenz in Medien und Werbung oder postmoderner Architektursprache erscheint kaum spezifisch national, vielleicht eher aber die zahlreichen Veranstaltungen in Erinnerung an die röm. Vergangenheit. Eine große Wirkung hat das dichte Netz von Mus. und Bildungseinrichtungen.

Bemerkenswert ist eine Reihe von Sammlungen, so für Hss., Papyri, frühe Drucke: Bodmeriana, Öffentliche Bibl. Basel, Burgerbibliothek Bern, Stiftsbibliothek St. Gallen, Einsiedeln und Engelberg. Archäologisches: Römermuseum Augst, Mus. Romain Avenches, Antikenmuseum und Sammlung Ludwig Basel, Landesmuseum Zürich. Numismatik: Münzkabinett Winterthur. Textilien: Abegg-Stiftung Riggisberg.

Eine wichtige Rolle kommt schließlich dem Antikenhandel zu. Wenigstens ein Name sei erwähnt: Herbert A. Cahn, 1933 von Frankfurt nach Basel emigriert, der aus der ererbten väterlichen Münzhandlung ein Institut schuf, dessen Auktionen weltbekannt wurden.

1 Bonifacius Amerbach. 1495–1562. Zum 500. Geburtstag des Basler Juristen und Erben des Erasmus von Rotterdam, bearb. und hrsg. von H. JACOB-FRIESEN u. a., 1995 **2** R. ASCHMANN u. a., Der Humanist Heinrich Loriti genannt Glarean. 1488–1563, 1983 **3** C. AUGUSTIJN, Erasmus von Rotterdam. Leben-Werk-Wirkung, 1986 **4** P. BÄNZIGER, Beitr. zur Gesch. der Spätscholastik und des Frühhuman. in der Sch., 1945 **5** N. BARRÉ, Le Collège des Jésuites de Porrentruy au temps de Jacques-Christophe Blarer de Wartensee 1588–1610, 1999 **6** A. BIELMAN, Histoire de l'histoire ancienne et de l'archéologie à l'Univ. de Lausanne, 1987 **7** M. BILLERBECK, Grundlagen-Ber. für die Alt.-Wiss., Evaluation der geisteswiss. Forsch. in der Sch., Forschungspolitik 32/1996, Bern: Schweizerischer Wissenschaftsrat 1996 **8** R. BOLZERN, Das höhere katholische Bildungswesen der Sch. im Ancien Régime (16.–18. Jh.): Eine Zeit ohne eigene Univ., in: Zschr. für Schweizerische Kirchengeschichte 83, 1989, 7–38 **9** E. BONJOUR, Die Univ. Basel von den Anf. bis zur Gegenwart 1460–1960, ²1971 **10** C. BONORAND, Die Entwicklung des reformierten Bildungswesens in Graubünden zur Zeit der Reformation und Gegenreformation, 1949 **11** CH. BORGEAUD, Histoire de l'Univ. de Genève, 2 Bde., 1900–1909 **12** J.-P. BORLE, Le latin à l'Académie de Lausanne du XVIe au XXe siècle, 1987 **13** H. J. BREMME, Buchdrucker und Buchhändler zur Zeit der Glaubenskämpfe. Stud. zur Genfer Druckgeschichte (1565–1580), 1969 **14** TH. BÜRGER, Aufklärung in Zürich. Die Verlagsbuchhandlung Orell, Gessner, Füssli & Comp. in der zweiten H. des 18. Jh., 1997 **15** HEINRICH BULLINGER, Werke, Teilbd. 1 und 2 des Sonderbd., Studiorum ratio, hrsg., übers. u. komm. v. P. STOTZ, 1987 **16** W. BURKERT, Die klass. Philol., in: La filologia greca e latina nel secolo XX, 1989, 75–127 **17** P. BUXTORF, Die lat. Grabinschr. in der Stadt Basel, Basler Beitr. zur Geschichtswiss. 6, 1940 **18** F. DE CAPITANI, Die Ant. im schweizerischen Staatsdenken des 18. Jh., in: Vorromantik in der Sch., hrsg. von E. GIDDEY, 1982, 217–237 **19** B. CARL, Klassizismus 1770–1860, 1963 **20** L. CARLEN, Rechtsgeschichte der Sch., 3. erw. Aufl., 1968 **21** A. CESANA, Neuhuman. in Basel: Gerlach, Bachofen, Burckhardt, Nietzsche und Overbeck, in: F. GEERK (Hrsg.), 2000 J. Humanismus. Der Human. als histor. Bewegung, 1998, 125–144 **22** S. DÖPP, Ioannes Fabricius Montanus, AAWM 1998, Nr. 8 **23** W. DRACK, R. FELLMANN, Die Römer in der Sch., 1988 **24** P. DUCREY, La politique archéologique suisse hors des frontières nationales ou les limites de l'initiative individuelle, Lausanne (Association Suisse d'archéologie classique) 1998 **25** H. DÜBI, Die alten Berner und die Röm. Altertümer, Programmbeilage des städt. Gymnasiums in Bern 1888, 1888 **26** Ders., Zwei vergessene Berner Gelehrte aus dem 18. Jh., Neujahrsbl. der Litterarischen Ges. Bern auf das J. 1894, Bern 1893 (Samuel und sein Sohn Friedrich Samuel Schmidt) **27** R. DÜNKI, Aspekte des Philhellenismus in der Sch. 1821–1830, 1984 **28** J. DUFT, Die Abtei St. Gallen, 3 Bde., 1990–94 **29** Erasmus von Rotterdam. Vorkämpfer für Frieden und Toleranz. Ausstellung zum 450. Todestag des Erasmus, veranstaltet vom Histor. Mus. Basel, 1986 **30** U. ERNST, Gesch. des zürcherischen Schulwesens bis gegen E. des 16. Jh., Winterthur 1879 **31** L. ETTLINGER, Gottfried Semper und die Antike. Beitr. zur Kunstanschauung des Klassizismus, Diss. Halle 1937 **32** J. FELLER, E. BONJOUR, Geschichtsschreibung der Sch., 2 Bde., 1979 **32a** M. FERRARI (Hrsg.), Gegen Unwissenheit und Finsternis. Johann Caspar von Orelli (1787–1849) und die Kultur seiner Zeit, 2000 **33** FRATRIS FELICIS FABRI Descriptio Sueviae, hrsg. von E. ESCHER, in: Quellen zur Schweizer Gesch., Bd. 6, 1884, 107–229 **34** P. FREI, Conradus Clauserus Tigurinus, Neujahrsbl. der Gelehrten Ges. in Zürich 160, 1997 **35** R. FREI-STOLBA, Früheste epigrapische Forsch. in Avenches zu den Abschriften des 16. Jh., in: Schweizerische Zschr. für Gesch. 42, 1992, 227–246 **36** A. FURGER, Arch. und Kulturgesch. der Sch., in: Ders. u. a., Die ersten Jahrtausende. Die Sch. von den Anf. bis zur Eisenzeit, 1998, 9–62 **37** Ders., C. JÄGGI, M. MARTIN, R. WINDLER, Die Sch. zw. Ant. und MA, 1996 **38** Zur Gesch. der Zürcherischen Kantonsschule. FS zu Ehren ihres fünfzigjährigen Bestehens, von TH. HUG, G. FINSLER, Zürich 1883 **39** E. GIDDEY, Gibbon à Lausanne, in: Gibbon et Rome à la lumière de l'historiographie moderne, P. DUCREY éd., Publications de la Faculté des lettres de l'Univ. de Lausanne 22, 1977, 23–45 **40** L. GOSSMANN, Orpheus Philologus. Bachofen versus Mommsen on the Study of Antiquity, Transactions of the American Philosophical Society 73, 5, 1983 **41** Griechenland und Moderne, Kunst + Architektur in der Sch. 50, 1999, Heft 1 **42** Griech. Geist aus Basler Pressen, hrsg. von F. HIERONYMUS (Publikationen der Univ.-Bibl. Basel, 15), 1992 **43** W. HAUPTMANN, Charles Gleyre 1806–1874, 2 Bde., 1996 **44** Helvetia Sacra, 1972ff. **45** H. HERZIG, A.

HOCHULI-GYSEL, Der Plan von Avenches von Erasmus Ritter, 1786, in: Der Weltensammler, hrsg. von TH. KLÖTI, M. OEHRLI, H.-U. FELDMANN, 1998, 6–10 **46** Histoire de l'Univ. de Fribourg Suisse 1889–1988, hrsg. von R. RUFFIEUX, 3 Bde., 1991–92 **47** Histoire de l'Univ. de Neuchâtel, Bd. 1, 1838–1848, 1988, Bd. 2, 1866–1909, 1994 **48** Histor.-Biographisches Lex. der Sch., 8 Bde., 1921–1934 **49** Histor. Lex. der Sch., 2002 ff. **50** Hochschulgesch. Berns 1528–1984, 1984 **51** E. HOWALD, Human. und Europäertum. Eine Slg. von Essays, 1957 **52** U. IM HOF, Die Entstehung einer polit. Öffentlichkeit in der Sch. Struktur und Tätigkeit der Helvetischen Ges., 2 Bde., 1983 **53** A. ISCHER, Albrecht v. Haller und das klass. Alt., 1928 **54** B. ITA, Ant. Bau und frühma. Kirche. Histor.-kritischer Kat. schweizerischer Kirchen mit ant. Fundamenten, Geist und Werk der Zeiten 6, 1961 **55** W. KAEGI, Jacob Burckhardt – eine Biographie, 7 Bde., 1947–1982 **56** R. KAISER, Churrätien im frühen MA, 1998 **57** H. KELLER, Kloster Einsiedeln im ottonischen Schwaben, Forsch. zur oberrheinischen Landesgesch. 13, 1964 **58** Klassizismus, Kunst + Architektur in der Sch., 46, 1995, Heft 4 **59** W. KLINKE, Die Reform der gelehrten Schulen in Zürich 1765–1775, 1916 **60** D. KÖNIGS, Die Entwicklung des Fachs »Alte Gesch.« an der Univ. Basel im 20. Jh., in: Basler Zschr. für Gesch. und Altertumskunde 90, 1990, 193–228 **61** A. LARGIADÈR, Hundert Jahre Antiquarische Ges. in Zürich, 1932 **62** 400 Jahre Lehranstalt Luzern 1574–1974, 1974 **62a** U. B. LEU, Nicht Tigurum, sondern Turicum! Johann Caspar Hagenbuch (1700–1763) und die Anf. der röm. Altertumskunde in der Sch., in: Zürcher Taschenbuch 2002, 233–313 **63** A. LEZZI-HAFTER u. a., Auf classischem Boden gesammelt. Zu den frühen Antiken-Slgg. in der Sch. Zum 150. Schenkungstag der Berner Antiken, Ant. Welt Sondernummer, 1980 **64** A. LINNEBACH, Arnold Böcklin und die Ant., 1991 **65** T. LOCHMANN, U. G. HENKEL, »Sehnsucht Ant.«. Johann Rudolf Burckhardt und die Anf. der Basler Abgußslg., 1995 **66** F. LUCHSINGER, Der Basler Buchdruck als Vermittler ital. Geistes, Basler Beitr. zur Geschichtswiss. 45, 1953 **66a** K. MAAG, Seminary or University? The Genevan Academy and Reformed Higher Education, 1560–1620, 1995 **67** W. MAIERHOFER, Angelika Kauffmann, 1997 **67a** TH. MAISSEN, Lit.-Bericht Schweizer Human., in: Schweizerische Zschr. für Gesch. 50, 2000, 515–544 **68** J.-A. MARQUIS, Le Collège Saint Michel de Fribourg, sa fondation et ses débuts 1579–1597, Archives de la Société d'histoire du canton de Fribourg 20, 1969 **69** H. MARTI, E. ERNE, Index der dt.- und lateinischsprachigen Zeitschriften von den Anf. bis 1750, 1998 **70** A. MATTIOLI, M. RIES, »Eine höhere Bildung thut in unserem Vaterlande Noth«. Steinige Wege vom Jesuitenkollegium zur Hochschule Luzern, Clio Lucernensis 7, 2000 **71** Die Mittelschulen in Zürich und Winterthur, bearb. von F. HUNZIKER, Die Zürcherischen Schulen seit der Regeneration, Bd. 2, 1933 **72** W. NÄF, Vadian und seine Stadt St. Gallen, 2 Bde., 1944–1957 **73** P. OCHSENBEIN (Hrsg.), Das Kloster St. Gallen im MA, 1999 **74** Ökumenische Kirchengesch. der Sch., ²1998 **75** A. PARAVICINI BAGLIANI (Hrsg.), Écoles et vie intellectuelle à Lausanne au Moyen Âge, 1987 **76** CH. CH. PARSLOW, Rediscovering Antiquity. Karl Weber and the Excavation of Herculaneum, Pompeii and Stabiae, 1995 **77** R. PFISTER, Kirchengesch. der Sch., 3 Bde., 1964–1984 **78** O. REVERDIN, Imprimeurs et humanistes à Genève, in: Histoire de la littérature en Suisse romande, hrsg. von R. FRANCILLON, I, 1996, 109–120 **78a** CH. RIEDWEG, Ein Philologe an Zwinglis Seite. Zum 500. Geburtstag des Zürcher Humanisten Jacob Wiesendanger, genannt Ceporinus (1500–1525), in: MH 57, 2000, 201–219 **79** W. RIHM, Das Bildungserlebnis der Ant. bei Johannes von Müller, Basler Beitr. zur Geschichtswiss. 74, 1959 **80** S. RÜMMELE, Peter Meyer: Architekt und Theoretiker. Peter Meyers Beitrag zur Architekturdiskussion in der Zwischenkriegszeit, 1999 **81** C. RÜTSCHE, Die Kunstkammer in der Zürcher Wasserkirche. Öffentliche Sammeltätigkeit einer gelehrten Bürgerschaft im 17. u. 18. Jh. aus museumsgeschichtlicher Sicht, 1997 **82** Sammeln in der Renaissance. Das Amerbach-Kabinett. Ausstellung Basel 1991, 5 Bde., 1991 **83** Sammeln in der Renaissance. Die Objekte im Histor. Mus. Basel, hrsg. von E. LANDOLT, F. ACKERMANN, 1991 **84** M.-R. SAUTER, Streiflichter auf die Gesch. der Schweizerischen Ges. für Ur- und Frühgeschichte (SGUF), in: Arch. der Sch., 5, 1982, 34–40 **85** G. SCHIFF, Johann Heinrich Füssli 1741–1825, 2 Bde., 1973 **86** Schola Tigurina. Die Zürcher Hohe Schule und ihre Gelehrten um 1550. Kat. zur Ausstellung vom 25.5.–10.7.1999, hrsg. vom Inst. für Schweizerische Reformationsgeschichte, Redaktion H. U. BÄCHTOLD, 1999 **87** Die Sch. vom Paläolithikum bis zum frühen MA, 1993 ff. **88** CH. SCHWEIZER, Die Schweizer Kapuzinerschule für die studierende Jugend – Würdigung einer vergangenen Ära in der Provinzgesch., in: Helvetia Franciscana 28, 1999, 165–183 **89** Schweizer Lex., 6 Bde., 1991–93 **90** 125 Jahre Seminar für Klass. Philol. Basel, 1987 **91** G. SEITERLE, Grundlagenbericht für die Arch., Evaluation der geisteswiss. Forsch. in der Sch., Forschungspolitik 36/1996, Bern: Schweizerischer Wissenschaftsrat 1999 **92** M. SIEBER, Das Nachleben der Alemannen in der schweizerischen Geschichtsschreibung, Basler Beitr. zur Geschichtswiss. 46, 1953 **93** H. SPYCHER, Gesch. der Arch. im Kanton Schaffhausen, in: Arch. der Sch. 23, 1999, 59–66 **94** F. STAEHELIN, Die Sch. in röm. Zeit, ³1948 **95** M. STEINMANN, Johannes Oporinus. Ein Basler Buchdrucker um die Mitte des 16. Jh., Basler Beitr. zur Geschichtswiss. 105, 1967 **96** R. A. STUCKY, Johann Rudolf Burckhardt, der Kirschgarten und der Anf. der Basler Gipssammlung, in: AK 39, 1995, 40–47 **97** Die Univ. Zürich 1933–1983, hrsg. von P. STADLER, 1983 **98** Die Univ. Zürich 1833–1933 und ihre Vorläufer, bearb. von E. GAGLIARDI, H. NABHOLZ, J. STROHL, Die zürcherischen Schulen seit der Regeneration der 1830er Jahre. FS zur Jahrhundertfeier, Bd. 3, 1938 **99** Ur- und frühgeschichtliche Arch. der Sch., 6 Bde., 1968–1979 **100** O. VASELLA, Unt. über die Bildungsverhältnisse im Bistum Chur mit besonderer Berücksichtigung des Klerus. Vom Ausgang des 13. Jh. bis um 1530, Separatum 62. Jahresber. der Histor.-Antiquarischen Ges. v. Graubünden, 1932 **101** W. VOGLER (Hrsg.), Die Kultur der Abtei St. Gallen, ³1993 **102** A. VONLANTHEN, U. LATTMANN, E. EGGER, Maturität und Gymnasium. Ein Abriß über die Entwicklung der eidgenössischen Maturitätsverordnungen und deren Auswirkungen auf das Gymnasium, Schriftenreihe der Konferenz kantonaler Erziehungsdirektoren 2, 1972 **103** J. WACKERNAGEL, Das Studium des klass. Altertums in der Sch., Rektoratsrede 1890, Basel 1891 **104** G. WALSER (Hrsg.), Die Einsiedler Inschriftenslg. und der Pilgerführer durch Rom: (Codex Einsidlensis 326); Faksimile, Umschrift, Übers. u. Komm., Historia ES 53, 1987 **105** O. WASER, Die Zürcher

Archäologische Slg., ihre Entstehung und Entwicklung, 98. Neujahrsbl. zum Besten des Waisenhauses in Zürich, 1935 **106** F. WEHRLI, Vom Eidgenössischen Human. in Zürich, in: F. WEHRLI, Theoria und Humanitas. Gesammelte Schriften, 1972, 310–317 **107** A. WEILENMANN, Das aufgeklärte Zürich in seinem Verhältnis zur Ant., 1961 **108** L. WICKERT, Theodor Mommsen, 3 Bde., 1959–1969 **109** W. WUNDERLICH (Hrsg.), St. Gallen. Gesch. einer lit. Kultur, 2 Bde., 1999 **110** U. M. ZAHND, Die Bildungsverhältnisse in den bernischen Ratsgeschlechtern im ausgehenden MA: Verbreitung, Charakter und Funktion der Bildung in der polit. Führungsschicht einer spätma. Stadt, 1979 **111** U. ZWINGLI, Schriften, hrsg. von TH. BRUNNSCHWEILER, S. LUTZ, 1995, Bd. 1, 215 ff. (wiss. Ausgabe: E. EGLI, G. FINSLER, in: Zwinglis Sämtliche Werke, Bd. 2, 1908, 526 ff.). BEAT NÄF